W9-AGT-646

DICTIONNAIRE DES LITTÉRATURES DE LANGUE FRANÇAISE

Jean-Pierre de Beaumarchais, ancien élève de l'École normale supérieure, agrégé de l'université, est notamment l'éditeur du *Théâtre de Beaumarchais,* son aïeul, et spécialiste de la littérature du XVIIIe siècle français.

Daniel Couty, comparatiste à l'université de Rouen, spécialiste de Gérard de Nerval et du romantisme, est l'auteur de plusieurs ouvrages publiés aux éditions Bordas. Il a notamment dirigé avec Alain Rey *Le Théâtre* (collection Bordas Spectacle).

Alain Rey, lexicographe, auteur de plusieurs dictionnaires de la langue française et de plusieurs ouvrages de lexicologie, de philosophie du langage, de sémiotique, est responsable des dictionnaires Robert.

Jean-Pierre de Beaumarchais, Daniel Couty et Alain Rey ont dirigé une équipe de 250 auteurs, universitaires français ou francophones du monde entier, spécialistes réputés des auteurs qu'ils ont analysés.

J.-P. de BEAUMARCHAIS Daniel COUTY Alain REY

DICTIONNAIRE DES LITTÉRATURES DE LANGUE FRANÇAISE

OUVRAGE PUBLIÉ AVEC LE CONCOURS
DU CENTRE NATIONAL DES LETTRES

G—O

Bordas

Responsable d'édition	Sophie Bancquart
Réalisation	Claudine Vanlathem
Réalisation des hors-texte	Odile Berthemy
Révision	Jean Rivallan
Correction	Marie-Laure Brun, Monique Burke, Jean Chassaing, Meryem Châtillon, Edire, Pierre Kergadallan, Sabine de la Panouse, Trudy Strub
Recherche iconographique	Nicole Bonnetain
assistée de	Laurence Vacher
Couverture	Jérôme Faucheux
Mise en pages des hors-texte	Atelier de l'alphabet
Fabrication	Gérard Lamy

ISBN - 2-04-015334-9

Ont collaboré à cet ouvrage :

Robert Abirached
Maurice Accarié
Lionel Acher
Peter Ainsworth
Daniel Aris
Annie Arnaudiès
Michel Arrivé
Jean-Claude Aubailly
Babacar Ba
Élisabeth Badinter
Françoise Bagot-Mignonnat
Christine Barbé
Pierre Barillet
Alain-Marie Bassy
Jean Batany
Emmanuelle Baumgartner
Marie-Alice de Beaumarchais
Pierre Bec
Colette Becker
Christine de Bellefonds
Roger Bellet
Marie-Christine Bellosta
Alain Berenboom
Christian Berg
Roger Berger
Simone Bernard-Griffiths
Bernard Beugnot
Roland Beyen
Gabriel Bianciotto
Reine Bienvenu
Odile Biyidi
Jacques Blais
André Blanc
Pascale Boisseau
Yves Bolduc
Joseph Bonenfant
Charles Bonn
Henri Bonnet
Jean-Pierre Bordier
Hedi Bouraoui
Patrice Boussel
Dominique Boutet
Denise Brahimi
Jacques Breton
Éloïse A. Brière
André Brochu
Pierre Brunel
Jane Burin des Roziers
Évelyne Capriau-Laurens
Jean-Franck Cavanagh
Jean Céard
Jacqueline Cerquiglini
Philippe Chardin
Christophe Charle
Jean-Pierre Chauveau
Jacqueline Chenieux-Gendron
Michel Chopard
André Clavel
Éric Clemens
Jean-Paul Colin
Antoine Compagnon
Benoît Conort
Françoise Court-Perez
Florence Crépin
Jacques Crickillon
Claire de Croix
Michel Crouzet
Jean-Pierre Damour
Robert Dawson
Jacques De Caluwé
Alain Déchamps
Gilles Declercq
Jacques De Decker
Frans De Haes
Jean Déjeux
Christian Delacampagne
Philippe Delaveau
Paul Delbouille

Michel Delon
Marie-France Delport
Mireille Demaules
Mireille Dereu
Claude Désirat
Dominique Désirat
F. Dettaes
Jacques Dubois
Bernard Duchâtelet
Jean Dufournet
Marie-Claire Dumas
Guy Dumur
Jean Dupèbe
Liliane Durand-Dessert
Uri Eisenzweig
Paul Émond
Denise Escarpit
Robert Estivals
Claire Fargeot
Marcel Faure
Marie-Madeleine Fontaine
Charles Foulon
Marie-Madeleine Fragonard
Pierre Frantz
Christian Gambotti
Jérôme Garcin
André Gascht
Jean-Charles Gateau
Mireille Gatinot
Lise Gauvin
Gérard Gengembre
Mireille Gérard
Marie-Odile Germain
Michel Ghende
Henri Gidel
Richard Giguère
Dominique Giovacchini
Martine Giovacchini
Jean-Cléo Godin
Claudine Gothot-Mersch
Arthur Greenspan
Joël-Henri Grisward
Michel Guerrero
Laurence Harf-Lancner
Josette Hector
Philippe Hédouin
Henryck Heger
Hélène Himelfarb
Tristan Hordé
Geneviève Idt
Marcel Israël
Pierre Jonin
Jean-Louis Joubert
Georges Labaki
Claudine Lacoste
Robert Lafont
Françoise Lalande
Alain Lanavère
Rémy Landy
René Lapierre
Daniel Laroche
Danièle Latin
Roger Laufer
Marie-Luce Launay
Lucile Laveggi
Chantal Lavigne
Pierre Lavoie
Paul Lécollier
Renée Leduc-Park
Yves Le Gars
Michel Lemaire
Pierre Lepape
Alain Le Pichon
Claude Lesbats
Frank Lestringant
Maryvonne Lestringant
Pierre Lexert
Jean-Claude Lieber
Françoise Lioure
Michel Lioure
Hans Peter Lund
Daniel Madelénat
André Magnan
Laurent Mailhot
Jean-François Maillard
Jean-Louis Major
Gabrielle Malandain
Pierre Malandain
Paul-Chanel Malenfant
André Maraud
Claude Martin
Jean Maurice

Nicole Mêdjigbodo
Benoît Melançon
Daniel Ménager
Sylvain Menant
Philippe Ménard
Pierre Mertens
Christiane Mervaud
Henri Meschonnic
Yves Mézières
Jacques Monge
Richard Monod
Jacques Morel
Daniel Mortier
Bernard Mouralis
François Moureau
Jacques Msika
Suzanne Mühlemann
Vincent Nadeau
Franklin Nassery-Warburg
Roger Navarri
René Nelli
Pierre Nepveu
Alain Niderst
Jean-Thomas Nordmann
Adolphe Nysenholc
Yves Olivier-Martin
Michel Otten
Yves Ouallet
Gilbert Ouy
Alain Paire
Jean-Marcel Paquette
Georges Pascal
Jean-Noël Pascal
Jean-Charles Payen
Benoît Peeters
Aimé Petit
Pierre Peyronnet
Anne Pierrot
Luc Pinhas
Alain Pons
Axel Preiss
Marc Quaghebeur
Bernard Raffalli
Philippe Ratte
Michel Rendu
John Renwick
Pierre-Louis Rey
Josette Rey-Debove
François Ricard
Dominique Rincé
A. Ripotois
Christian Robin
Nicole Robine
Corrado Rosso
Jean-Jacques Roubine
Gilles Roussineau
Guy Rosa
Jean-Pierre Ryngaert
Paul Sadrin
Monique Santucci
Rik Sauwen
Kurt Schärer
Michel P. Schmitt
Jacques Seebacher
Mame-Kouna Tondut-Sène
Pape Massène Sène
Michel Simonin
Michèle Simonsen
Georges Sion
Alberte Spinette
Armand Strubel
Anthony Strugnell
François Suard
François Suzzoni
Chantal Tanet
Jean Tordeur
Anne Ubersfeld
Bernard Valette
Madeleine Valette
Teun A. Van Dijk
Gilles Vannier
A. Kibédi Varga
Nadine Vasseur
Paul Vernois
Alain Viala
Roland Virolle
Bertrand Visage
Michel Zéraffa
Pierre V. Zima
Michel Zink
Paul Zumthor

GABORIAU Émile (1835-1873). Né à Saujon (Charente-Maritime), Émile Gaboriau a tâté de divers métiers — clerc d'avoué, hussard en Afrique, chef d'écurie — avant d'entrer au service de Paul Féval et de découvrir le monde du journalisme où il devait faire carrière. Après plusieurs essais satiriques (*le 13ᵉ Hussards, les Comédiennes adorées, les Gens de bureau,* etc.), il publie, dans *le Pays, l'Affaire Lerouge :* le récit passe inaperçu; repris dans *le Soleil* en 1866, le roman connaît un énorme succès, entraînant celui du journal et de Gaboriau. Désormais célèbre, celui-ci devient le feuilletoniste attitré du *Petit Journal* auquel il donne *le Dossier nº 113, le Crime d'Orcival* (1867), *les Esclaves de Paris* (1868) et *Monsieur Lecoq* (1869). Quelques titres secondaires — *la Vie infernale* (1870), *la Clique dorée* (1871), *la Corde au cou* (1873) — viennent compléter une œuvre prématurément interrompue par la maladie.

La fiction policière s'autorise d'une double paternité : Edgar Poe et Gaboriau. Toutefois, comme le remarquait déjà Marius Topin, « là où le premier avait construit la carcasse du système, le second a mis les chairs, le sang, le souffle, la vie ». Et de fait, si le poète américain a su créer dans l'espace réduit de la nouvelle ou du conte l'intérêt pour la logique du raisonnement froid, c'est au créateur de Lecoq que revient véritablement l'invention du roman policier, ou, pour reprendre l'expression de Thomas Narcejac, l'invention d'un « roman raconté d'une façon nouvelle ». Car le récit de Gaboriau n'est pas seulement la narration d'une prouesse déductive : c'est un creuset où viennent se fondre les formes littéraires, dramatiques ou romanesques, qui parcourent le XIXᵉ siècle. Comme le roman balzacien, le roman de Gaboriau se veut peinture de la société : l'intrigue policière ne se replie jamais sur elle-même, mais devient prétexte à pénétrer tous les milieux sociaux. Orientation décisive qui devait tirer le roman policier français vers le roman naturaliste et que venait accentuer la dépendance à l'égard du feuilleton, car, étiré au moyen d'artifices éprouvés comme les sommaires qui suivent l'apparition de tout nouveau personnage, le récit s'attache autant à expliquer des comportements qu'à résoudre une énigme. Le cas limite est fourni par *Monsieur Lecoq* où l'intrigue, engagée depuis plus de 200 pages (1ʳᵉ partie, « l'Enquête »), se suspend pendant près de 500 pages pour faire place à un véritable roman historique (2ᵉ partie, « l'Honneur du nom ») dont l'action, située pendant la Terreur blanche en Dauphiné, va servir d'explication au meurtre commis à Paris sous la monarchie de Juillet!

De là le refus de compliquer l'énigme au moyen de procédés fantastiques ou merveilleux : le crime chez Gaboriau ne repose que sur une logique humaine et le détective doit avant tout faire œuvre de psychologue : « Le plus grand écueil dans les instructions de crimes mystérieux est une erreur sur le mobile » (*l'Affaire Lerouge,* II). Aussi les héros de Gaboriau — le père Tabaret, dit Tirauclair, et son disciple Lecoq — s'égarent-ils souvent avant de parvenir au but : c'est qu'ils ne sont pas confrontés à un problème théorique, désincarné, mais à des individus qui par leur silence ou leurs propos, leurs attitudes ou leurs agissements brouillent les pistes. Le roman se déroule alors comme une tragédie dont l'enquêteur est l'ordonnateur mais que le narrateur maintient toujours à la limite du mélodrame en usant de personnages (les bons/les méchants, les purs/les sans scrupules, etc.) et de situations (opulence passée/ruine récente, fils naturel/fils légitime, juge et coupable amoureux d'une même femme, etc.) stéréotypés.

Et si l'on peut s'étonner que Sherlock Holmes ait méconnu la véritable démarche de Lecoq au point d'en faire « un misérable bousilleur » et de réduire ses aventures à « un livre d'exercices pour détectives leur montrant ce qu'il ne faut pas faire » (*l'Étude en rouge*), on ne peut qu'approuver Conan Doyle lorsqu'il se déclare « séduit par l'élégante façon dont Gaboriau agençait toutes les pièces de ses intrigues » (*Mémoires et Aventures*). [Voir aussi ROMAN POLICIER].

BIBLIOGRAPHIE

Longtemps disponible au catalogue du Livre de Poche (série « L.P. Policier »), *l'Affaire Lerouge* est aujourd'hui introuvable. En revanche, *Monsieur Lecoq* a été réédité en 2 vol. dans les « Classiques populaires » de Garnier, Paris, 1978.

Il n'existe aucun ouvrage de critique consacré à Gaboriau. A défaut on se reportera aux livres — souvent anciens — qui lui accordent un chapitre : Marius Topin, « Émile Gaboriau », dans *Romanciers contemporains,* Paris, Didier, 1881 (la première étude); Régis Messac, « Monsieur Lecoq » dans *le Détective Novel et l'influence de la pensée scientifique,* Paris, 1929, Genève, Slatkine Reprints, 1975 (une bonne mise au point sur les influences subies et sur l'influence ultérieure); Thomas Narcejac, « Gaboriau et la tradition française », dans *Histoire des littératures,* t. III, Paris, Gallimard, La Pléiade, 1958 (quelques pages concises et remarquables).

D. COUTY

GACE BRULÉ (vers 1160-apr. 1213). Trouvère champenois, Gace appartient à la petite noblesse briarde; il fait partie, en 1189, du groupe de poètes qui entoure la comtesse Marie de Champagne, fille de Louis VII et d'Aliénor d'Aquitaine; il a très certainement connu Conon de Béthune. Puis il s'attache à la plupart des grandes cours : Bretagne, Blois, avant de connaître la faveur de Louis VIII.

La production de Gace Brulé est considérable. Plus de cent poèmes lui ont été attribués : on ne lui reconnaît plus actuellement la paternité que d'une soixantaine (soixante-neuf, plus quinze douteux, selon H.P. Dyggve). Presque tous sont des chansons d'amour. Leur succès considérable est attesté par le *Roman de Guillaume de Dole,* qui en inclut trois dans ses « farcitures » lyriques. Dante considère l'une de ses chansons : *Tre d'amor qui en mon cor repaire* — qu'il attribua par erreur à Thibaud de Champagne — comme un modèle de perfection; il y trouve « les trois degrés nécessaires à une construction accomplie : le charme, la grâce et l'élévation » (R. Dragonetti).

Gace appartient à un cercle d'initiés, de compagnons issus d'un même groupe social, qui s'oppose, par la qualité du sentiment, aux ménestrels qui ne sont que des rimeurs et des amuseurs sans profondeur. Dans ce cercle de la grande lyrique courtoise du Nord, le poète est censé éprouver réellement les sentiments, par ailleurs convenus, qu'il célèbre dans ses poèmes. Cette doctrine, selon R. Dragonetti, « porte le genre à son plus haut point d'accomplissement, parce qu'elle apparaît comme témoignage exemplaire d'une double expérience. Son œuvre donne à entendre qu'éprouver le *fin amour* et la joie poétique suppose les mêmes règles, aboutit à la même extase (...). C'est le poème qui fait exister l'amour courtois et crée l'amant dans le trouvère ».

Une telle attitude transfigure le lieu commun. Celui-ci est à la base de toute la tradition lyrique, mais aussi rhétorique, du Moyen Âge. On retrouve donc chez Gace Brulé tous les thèmes troubadouresques : les joies et les souffrances de l'amour, les désespoirs et les triomphes, les célébrations de la Dame... Il semble que Gace soit exclusivement attentif aux voix de son être profond, indifférent à une réalité extérieure qui n'apparaît guère que sous les traits du « losangier », du jaloux malfaisant.

Gace Brulé témoigne d'une grande maîtrise de la technique comme de la langue : structures strophiques souvent complexes, clarté d'un langage à la fois rigoureux et recherché. Il en résulte un style de grande tenue, sans grandiloquence, parfois un peu figé, bien adapté en tout cas au ton élégiaque aristocratique que cultive ce trouvère, et qui explique la faveur qu'il a rencontrée auprès de ses contemporains.

BIBLIOGRAPHIE
Éditions. — G. Huet, Société des Anciens Textes français, 1902; H.P. Dyggve, *Gace Brulé, trouvère champenois, édition et étude historique*, Helsinki, Soc. de Litt. finnoise, 1951.
A consulter. — R. Dragonetti, *la Technique poétique des trouvères dans la chanson courtoise*, Bruges, De Tempel, 1960.

D. BOUTET

GACE DE LA BIGNE ou **DE LA BUIGNE** (XIVe siècle). Écrivain d'origine normande. Chapelain de Jean le Bon, il est connu comme l'auteur d'un traité de chasse, *le Roman des Deduis* (1377). A côté des autres livres de chasse — didactique et moral de Ferrières, ou technique et aristocratique de Gaston Phébus —, *le Roman des Deduis* offre un exemple de didactique mondaine. Si la première partie comporte essentiellement une *psychomachia* enrichie de scènes de chasse et de réflexions pédagogiques, la seconde dispute des mérites respectifs de la vénerie et de la fauconnerie. L'auteur l'a écrit pour Philippe le Hardi, fils de Jean le Bon : « Gaces a fait ceste besoigne/Pour Philippe, duc de Bourgoigne/Car moult ama chiens et oiseaulx » (vers 12 199 sqq). Le livre est conçu comme une description et une exaltation des « déduits », plaisirs et sports aristocratiques, qui sont à la fois une esthétique et une éthique : « Le mestier de fauconnerie/Requiert homme de honneste vie »; l'instruction morale du jeune noble est fondée sur la pratique, car un homme impétueux, glouton et ivrogne sera un mauvais chasseur. Les animaux sont plutôt des modèles que, comme chez Ferrières, les figures d'un bestiaire : « Chien est loyal à son seigneur/Chien est de bonne et vraye amor ». Ainsi, la chasse devient métaphore de la vie. L'ouvrage est impossible à classer, tant s'y mêlent le réel et la fiction, l'allégorie et la technique, les histoires de chasseurs qui rappellent les « gabs » de l'épopée, les réflexions morales. Ce qui lui donne son unité, c'est l'omniprésence d'une idée implicite : que le divertissement, le « déduit », le jeu est le lieu privilégié de la perfection aristocratique, une activité où apprendre et pratiquer cette élégance du geste, du cœur et de l'esprit, tout en canalisant cette violence instinctive qui est le trait typique de l'existence aristocratique.

BIBLIOGRAPHIE
Éd. A. Blonquist, *Studia Romanica Holmensia*, t. III, Paris, 1951.

A. STRUBEL

GACON François (1667-1725). Poète né à Lyon. Il vint à Paris, où son père, lassé de ses désordres, le fit mettre à Saint-Lazare. Pour se racheter, il entra — pour peu de temps — à l'Oratoire; à la fin de sa vie, il reprit l'habit ecclésiastique, obtint un prieuré à Baillon, près de l'abbaye de Royaumont, et s'y fit oublier.

Entre-temps, il se livra à la poésie satirique avec ardeur, s'attira des haines violentes et vécut une vingtaine d'années dans des orages toujours recommencés. Dans *le Poète sans fard* (1696), il prétendait fuir la médisance et ne vouloir invectiver que contre les faux dévots, les partisans, les banqueroutiers « et (...) quelques autres pestes de la société civille » (Préface). Il y dénonçait la corruption de son temps, l'hypocrisie et la cupidité qui y régnaient. Mais le public vit surtout dans son livre les violentes attaques qu'il lançait contre Boileau, dont il raillait la *Satire contre les femmes*, contre Bossuet, contre « les auteurs du *Mercure galant* ». Il lui arriva par la suite de s'en prendre à Fontenelle, à Dufresny, mais ce fut à Jean-Baptiste Rousseau et à La Motte qu'il réserva ses coups les plus durs. Contre le premier il composa l'*Histoire satyrique de la vie et des ouvrages de M. Rousseau* (1716). Contre La Motte il écrivit l'*Homère vengé* (1715), les *Fables de La Motte traduites en vers français* (s.d.)...

Ce poète si cruel eut pourtant des amis : Catherine Bernard et surtout Regnard — qu'il aida à composer la *Satire contre les maris* —, et il tenta (en vain, semble-t-il) de gagner la sympathie de La Fontaine.

Pour excuser sa véhémence, il invoqua Juvénal, dont il avait voulu suivre « le style impétueux » plutôt que « le caractère enjoué » d'Horace, et il protesta de la pureté de ses intentions comme de son zèle religieux. Cette œuvre plus hardie que soignée est aujourd'hui oubliée. Tout le bruit que Gacon voulut faire avait commencé de s'éteindre de son vivant devant le silence hautain de la plupart de ses victimes — par exemple La Motte, qui affirmait « n'avoir rien à gagner à combattre quelqu'un qui n'avait rien à perdre ».

BIBLIOGRAPHIE
J.S. Passeron, « François Gacon et Jean-Baptiste Rousseau », *Revue du Lyonnais*, 1835; G.B. Watts, « Fr. Gacon and his Enemies », *Philol. Quart.*, t. III, 1924; F. Lachèvre, « Bibliographie des ouvrages de Gacon », *Bulletin du Bibliophile*, 1927.

A. NIDERST

GADENNE Paul (1907-1956). Romancier né à Armentières. Salué de son vivant par les plus grands noms de la critique et des lettres comme l'un des écrivains les plus représentatifs de sa génération, Paul Gadenne, en mourant prématurément de la tuberculose à l'âge de quarante-neuf ans, emportait avec lui son œuvre dans l'oubli. A partir de 1956 son nom n'apparaît plus, jusqu'en 1973, où, à la faveur de l'édition posthume de son dernier roman, *les Hauts Quartiers*, on le redécouvre. Timidement encore, mais suffisamment pour le reconnaître comme l'un des précurseurs les plus décisifs des grands bouleversements qui, dans les années 60, allaient transfigurer l'univers du roman. De *Siloë* (1941) aux *Hauts Quartiers*, l'œuvre de Gadenne dessine l'itinéraire de l'ancien roman au nouveau; c'est le parcours d'une ascèse, qui conduit d'une forme encore toute classique (*Siloë*, qui raconte la convalescence initiatique, dans un sanatorium de montagne, d'un jeune homme atteint par la tuberculose) à une écriture du dépouillement. Assimilé un peu hâtivement aux écrivains du « roman blanc », Gadenne a pu être considéré comme un pair de Jean Cayrol, de Marguerite Duras. Les trois romans que, presque coup sur coup, il publie après guerre : *le Vent noir* (1947), *la Rue profonde* (1948) et *l'Avenue* (1949), présentent en effet un certain nombre de points communs avec les textes de ces auteurs : même forme dépouillée à l'extrême, à la limite parfois du poème en prose par la minceur de l'intrigue soumise au rythme de l'attente et au poids du silence, même omniprésence de la mémoire, du temps, même thème du rapport ambigu du créateur à sa création, des mots comme mystère, de leur inévitable usure... Ces similitudes pourtant ne définissent pas une vision du monde personnelle, que ses trois romans suivants, *la Plage de Scheveningen* (1952), *l'Invitation chez les Stirl* (1955) et *les Hauts Quartiers*, par le retour de l'auteur au romanesque, permettent de cerner. Tournant le dos aux prétentions discutables du « nouveau roman », le romancier, pour Paul Gadenne, doit rester un « possédé », et la transparence de son écriture doit être soumise à une signification spirituelle plus profonde, sur laquelle, en dernière instance, lui seul détient les pleins pouvoirs. D'où cette atmosphère très particulière qui caractérise ces derniers romans, faits de mysticisme et de nudité, de ferveur et de rigueur, de passéisme et de modernité.

N. VASSEUR

GAFFAREL Jacques (1601-1681). Kabbaliste et érudit. D'origine provençale, docteur en théologie, hébraïsant, mais surtout intéressé par les formes rares et ésotériques de l'érudition, Gaffarel se fit connaître en publiant une étude en latin sur les secrets de la kabbale (*Abdita divinae cabalae mysteria,* 1625). Son succès lui valut l'attention de Richelieu, qui le prit pour bibliothécaire. Il fréquentait les milieux libertins, notamment le cercle des frères Du Puy. Ses travaux sur l'ésotérisme furent suspects aux autorités religieuses, d'autant plus qu'il s'était fait l'éditeur des écrits de Campanella. Ses *Curiosités inouïes sur la sculpture talismanique des Persans* (1629) furent condamnées en Sorbonne pour n'avoir donné aucune place à la révélation chrétienne : il dut se rétracter publiquement, quitter la France quelque temps (il voyagea en Orient) et, lorsqu'il revint, payer sa réhabilitation et son retour en grâce auprès des puissants — ainsi que l'obtention de bénéfices ecclésiastiques — en donnant des gages d'orthodoxie dans les polémiques antiprotestantes.

Ses travaux ésotériques sont représentatifs d'un courant où l'appellation vague de kabbale, alchimie ou « magie naturelle » (Porta) désigne à la fois des textes initiatiques (rose-croix), astrologiques (J.-B. Morin) ou physiques, qui tous postulent une unité entre la matière et l'esprit. Une telle doctrine pouvait bien être christianisée, il n'en restait pas moins qu'elle était proche de la réflexion de certains libertins (dans la lignée de Giordano Bruno). Jusqu'à ce que la science soit devenue effectivement mathématique et expérimentale, ces spéculations ésotériques apparaissent comme autant de hardiesses scientifiques et philosophiques, en rupture avec la pensée dominante.

BIBLIOGRAPHIE

F. Secret, *les Kabbalistes chrétiens de la Renaissance,* Paris, Dunod, 1964. Voir aussi R. Pintard, *le Libertinage érudit,* Paris, Boivin, 1943.

A. VIALA

GAGUIN Robert. V. HUMANISME.

GAILLARD Auger (vers 1533-1595). Poète amateur, publié à compte d'auteur mais séduit par la gloire de Ronsard puis par celle de Du Bartas, le charron Auger Gaillard s'est efforcé de féconder la littérature occitane en ne refusant à sa plume intrépide aucune des tentations qui avaient su la séduire.

Né dans une famille d'artisans aisés, religieux défroqué (de son propre aveu), joueur de rebec ou ménétrier pour noces villageoises, soldat huguenot bientôt repentant, sa vie ressemble à celle de Jean-François Rameau. Persuadé qu'« un poueto non val re, s'il n'es un pauc mentur » (« un poète ne vaut rien, s'il n'est un peu menteur »), il nous condamne à lire d'un œil ravi mais inquiet le récit des multiples et truculents incidents de son existence supposée.

Son goût pour le « bas matériel » est si vif et si précis que plusieurs de ses ouvrages ont été publiés clandestinement (*las Obros,* 1579) ou interdits (*Libre gras,* 1581). Car si le versificateur se montre laborieux et maladroit en dépit d'un sens tout musical du rythme, le satirique audacieux qui puise sans pudeur dans le riche réservoir des métaphores populaires (avec une constante prédilection pour le scatologique et l'obscène) ou le polémiste diffamateur (pour qui Paris est un « œil pourri ») retiennent encore l'attention. Pour Gaillard, la poésie doit faire rire : à cette fin, ayant choisi le rôle d'*homo facetus,* il se moque de la mort ou de la religion et n'épargne aucun procédé ni aucune institution, à commencer par l'institution littéraire en laquelle il met pourtant tous ses espoirs.

BIBLIOGRAPHIE

Les *Œuvres complètes* (texte occitan et traduction française) ont été éditées par E. Nègre, Paris, P.U.F., Publications de l'Institut d'études occitanes, 1970. Voir aussi l'ouvrage de G. C. Garrisson, *Augié Gaillard, roudié de Rabastens, sa vie, son temps, ses œuvres,* Genève, Droz, 1936.

M. SIMONIN

GALANTERIE (XVIIe siècle). La galanterie est — selon une acception prépondérante du terme à l'époque — un mode de comportement et une esthétique littéraire, en vogue entre 1650 et 1680. Ce phénomène est encore assez mal connu et sans doute sous-estimé. Il est vrai que son analyse se heurte d'emblée à une difficulté majeure : le terme est alors « surabondamment employé et d'une dangereuse polysémie » (M. Cuénin, *Mme de Villedieu,* p. 392).

Une dangereuse polysémie

L'origine du mot — dont l'étymologie n'est pas latine mais sans doute germanique — est obscure. Attesté au XIVe siècle, le verbe *galer* signifie « s'amuser », et son dérivé *galant* qualifie un « homme hardi », voire un « garnement ». Mais il s'établit très tôt un paradoxe sémantique extrême : face à ce sens péjoratif apparaît le sens laudatif de « vaillant » et, par extension, d'« homme remarquable ». Cette ambivalence se maintient au XVIIe siècle. D'un côté, un galant est un effronté, un trompeur et, par dérivation, un séducteur (ainsi un vert galant est un brigand des bois et, au sens figuré, celui du sobriquet donné notamment à Henri IV, un séducteur effronté), une femme galante est une femme de mœurs libres, une galanterie, une liaison amoureuse. Mais, à l'opposé, galant peut désigner aussi un parfait honnête homme, et galanterie le raffinement des manières et de l'esprit. Un siècle plus tard, Voltaire soulignera cette ambivalence en distinguant (*Dictionnaire philosophique,* article GALANT) le galant homme, modèle de civilité, et l'homme galant, homme à bonnes fortunes. Dans les années 1660, l'ambiguïté de ce champ lexical est renforcée par la grande vogue que connaissent ces mots, employés à tout propos et pour désigner toutes sortes de choses. Il faut alors distinguer — fût-ce au prix de quelque simplification :

« Un galant », qui peut être un séducteur, voire un vaurien, mais aussi, à l'inverse, un homme remarquable, qui a le « cœur bon » et « bien de l'esprit » (Méré) et qui sait, entre autres, être agréable aux dames;

« Une galanterie », qui peut être une liaison amoureuse (sens qui subsiste aujourd'hui), mais aussi un propos agréablement tourné, ou une fête, un cadeau, un plaisir offert à quelqu'un;

« La galanterie », enfin, qui désigne au sens courant la civilité (usage encore vivant de nos jours) ou, plus spécialement, un grand agrément des manières et de l'esprit; bref, une éthique et une esthétique. C'est ce dernier sens qui nous intéresse ici.

Un art de vivre

Modèle de comportement, cette conception élevée de la galanterie a suscité, à l'époque, des polémiques et des raffinements d'analyse. Quatre traits essentiels se dégagent.

En premier lieu, la galanterie ainsi entendue correspond à un processus d'élaboration assez long : sensible dès le début du siècle, le phénomène ne trouve sa pleine expansion qu'au lendemain de la Fronde, et surtout dans les premières années du règne personnel de Louis XIV.

En second lieu, ce modèle de comportement concerne les milieux mondains et courtisans. Prônée dans les salons de l'hôtel de Rambouillet puis, surtout, de Mlle de Scudéry, la galanterie est une attitude aristocratique. Elle ne suppose pas pour autant une naissance noble chez ses adeptes : elle est une somme de qualités individuelles. A cet égard, elle se rapproche de l'honnêteté (voir HONNÊTE HOMME), dont elle apparaît comme un superlatif : un galant homme se doit d'être honnête homme, mais en plus il doit être brillant.

D'ailleurs — et c'est un troisième point essentiel —, la galanterie est un code de comportement qui se fonde sur la distinction. Cela se manifeste dans le soin que ses tenants mettent à la séparer de la galanterie au sens vulgaire du terme, et cela s'exprime dans les attitudes qu'elle valorise : élégance; art du loisir; discrétion; esprit cultivé sans affectation (de fait, elle se détourne nettement des outrances de la préciosité). Elle s'érige ainsi en une éthique mondaine, dont les pouvoirs sanctionnent la validité : lorsque le jeune Louis XIV se veut galant, les jésuites admettent et justifient cette attitude. Dans l'ensemble des valeurs ainsi mises en avant, être agréable auprès des dames est important, mais sans que cela implique une relation amoureuse.

Enfin, la galanterie est une valeur moderne, toute liée à la mondanité du siècle. Elle préfigure en partie le dandysme (mais n'admet pas, elle, les attitudes blasées), et, exigeant l'art de savoir donner « une vue agréable à des choses fâcheuses » (Méré), elle fonde une des premières théories de l'humour.

Le style galant

L'expansion du modèle galant se traduit, dans la pratique littéraire, par la valorisation d'une thématique, mais surtout d'une certaine qualité de l'expression.

La thématique galante, en effet, n'est pas extrêmement originale. Rappelons, pour mémoire, que les galanteries, au sens ordinaire du terme (liaisons amoureuses plus ou moins licites), sont de longue date un inépuisable réservoir de sujets. Quant à la galanterie « relevée », on constate d'abord qu'elle est matière à exposés et débats dans la littérature du temps : par exemple, Mlle de Scudéry consacre un long passage de la *Clélie* à une discussion sur « l'air galant »; matière aussi à jeux de salons, comme la *Carte du royaume de Galanterie* (1660), ou de ballets. Par ailleurs, la référence à la galanterie est, au XVIIe siècle, un lieu commun pour indiquer le raffinement des mœurs : ainsi La Calprenède en investit l'Antiquité (ce que d'autres, après lui, s'efforceront d'ailleurs de justifier) et écrit : « Tout était galant à Rome et magnifique » (*Cléopâtre*). *La Princesse de Clèves* (qui montrera ensuite les dangers des galanteries amoureuses) s'ouvre sur une phrase vantant « la magnificence et la galanterie » de la cour d'Henri II... Par ailleurs, les « histoires galantes » visent à peindre des mœurs et comportements délicats. L'essentiel n'est pourtant pas là.

L'extraordinaire abondance d'emploi de l'adjectif galant, à l'époque, pour caractériser des œuvres littéraires (le *Mercure galant*, fondé en 1672, est le symbole de cette vogue), renvoie surtout à un certain style. C'est en effet un certain art de l'expression qui caractérise avant tout la « nouvelle galante », le « roman galant », la « lettre galante », qui tendent un moment à s'ériger en genre.

L'écriture galante se reconnaît des maîtres parmi les écrivains mondains : Voiture, bien sûr, mais aussi Sarasin. Dans la préface qu'il donne aux *Œuvres* (1656) de ce dernier, Pellisson dégage l'essentiel de ce qu'on peut en retenir comme doctrine. Le registre galant se veut « moyen », c'est-à-dire qu'il évite aussi bien l'emphase que la trivialité, mais reste capable de traiter toutes sortes de sujets, de parler aussi agréablement des petites choses que des grandes. Soucieux de mesure, il l'est aussi de variété : ainsi l'art de la « lettre galante » mêle les vers à la prose. Il est volontiers abstrait et use d'un vocabulaire peu étendu. Surtout, il cultive l'art de suggérer, évitant toute insistance ou explication : en cela, il est propice à l'humour, mais aussi à la subtilité des analyses psychologiques, qui deviennent alors la finalité principale du roman et de la nouvelle. Au total, ce langage destiné à un public d'élite suppose une connivence entre auteur et lecteur — et une attitude active de ce dernier.

La galanterie n'est donc pas seulement un langage agréable aux dames ou un avatar de la préciosité. Il ne faut pas non plus, par un excès inverse, la surévaluer : elle a été une composante essentielle, mais une composante seulement, du goût classique. Reste que c'est à travers elle que s'éclairent principalement les œuvres de Voiture, Sarasin, Mme de Villedieu, et que son influence est sensible chez Mme de Sévigné, Mme de La Fayette ou — plus encore — La Fontaine et Racine.

BIBLIOGRAPHIE

D'assez nombreux travaux concernant l'esthétique galante sont en cours, mais assez peu de publications ont été données à ce jour. Parmi les études, signalons d'abord un chapitre très utile dans la thèse de Micheline Cuénin, *Mme de Villedieu*, Lille III, Paris, Champion, 1979, ch. VIII, et l'ensemble de son étude, pour le roman galant. Pour la lettre galante, l'essentiel est dans R. Duchêne, *Mme de Sévigné et la lettre d'amour*, Paris, Bordas, 1970 (p. 35-65 et 86-113). Pour le ballet, M.F. Christout, *le Ballet de Cour sous Louis XIV*, Paris, Picard, 1967; pour le lexique, B. Quemada, *le Commerce amoureux dans les romans mondains*, 1640-1700, thèse doct., 1949. Pour les implications de la galanterie dans la tragédie, cf. Rapin, *Réflexions sur la Poétique* (1674), t. II, éd. Dubois, Genève, Droz, T.L.F., 1970.

Voir aussi : J.M. Pelous, *Amour précieux, amour galant* (thèse, Paris, 1976; Klincksieck, 1980); M. Glatigny, *le Vocabulaire galant dans « les Amours » de Ronsard* (thèse, Lille, 1976), entend le terme en un sens extensif et moderne.

Pour quelques exemples types d'écriture galante : Mme de Villedieu, *Lettres et billets galants*, éd. M. Cuénin, Publ. de la Soc. XVIIe siècle, 2, 1975; Racine, *Lettres d'Uzès*, dans *Œuvres*, t. II, éd. R. Picard, Gallimard, La Pléiade, 1951; Méré, *Œuvres*, t. I, éd. Boudhors, Belles-Lettres, 1930.

A. VIALA

GALIANI, abbé Ferdinando (1728-1787). Diplomate, économiste et écrivain italien d'expression française. « Au vrai, je suis l'aîné de tous les économistes, puisqu'en 1749 j'écrivis mon livre *De la monnaie* et, en 1754, celui *Des grains* ». Voilà ce que dit de lui-même, en 1770, l'abbé Galiani dans une lettre à Diderot. On connaît mieux, en vérité, ses *Dialogues sur le commerce des blés*, publiés en 1770, qui sont considérés comme un ouvrage économique majeur du XVIIIe siècle, par les controverses qu'ils soulevèrent et par l'influence qu'ils eurent sur la politique agricole de Turgot, que les deux traités mentionnés ci-dessus et qui parurent en italien à Naples, où résidait Galiani. Car l'abbé, philosophe encyclopédiste français, était un Napolitain qui séjourna à Paris dix années durant comme secrétaire de l'ambassade de son pays, entre 1759 et 1769. Il se lia très vite avec les milieux encyclopédistes, se faisant partout apprécier par sa vaste culture et par ses talents de société : c'était un boute-en-train que l'abbé Galiani! Surtout, comme l'écrit

Diderot, ce n'était « point du tout un homme ordinaire ».

Cela explique que, de retour à Naples, l'abbé entretint avec tous ses amis français (Grimm, d'Holbach, Diderot et bien d'autres), et principalement avec son intime, Mme d'Épinay, une volumineuse et intéressante correspondance : on peut suivre à travers elle les progrès du mouvement philosophique et connaître les philosophes dans le privé, en même temps qu'on découvre un économiste distingué, un politicien avisé et un conteur plein de verve. Ce mélange de légèreté de bonne compagnie et de science solide est bien dans l'esprit d'un temps où tout ce qui comptait en Europe pratiquait à merveille et presque exclusivement la langue française.

BIBLIOGRAPHIE

Il peut être intéressant de feuilleter les *Dialogues sur le commerce des blés* (Paris, Merlin, 1770), mais il est surtout essentiel de constater, à travers la *Correspondance* de Diderot (prés. G. Roth, Paris, Éd. de Minuit, index au t. XVI paru en 1970), le dense réseau de relations de Galiani avec les encyclopédistes. On lira avec intérêt les *Lettres de l'abbé Galiani à Mme d'Épinay* (prés. Asse, Paris, Charpentier, 1881) et le volume d'inédits rassemblés par F. Nicolini (*La Signora d'Epinay e l'abate Galiani,* Bari, Laterza, 1929). D'autres lettres à divers destinataires ont été recueillies dans *Amici e corrispondenti francesi dell'abate Galiani,* Naples, 1954.

J.-N. PASCAL

GALLAND Antoine (1646-1715). Orientaliste, né à Rollot en Picardie. Ce fils d'artisan put faire de bonnes études à Paris, au collège du Plessis. En 1670, l'ambassadeur de France Nointel le fit venir à Constantinople puis l'emmena en Grèce, Syrie et Palestine (1673-1674). Rentré en France, Galland repartit pour Smyrne (1677-1678) puis pour Constantinople avec le nouvel ambassadeur, Guilleragues. De retour à Paris, en 1688, riche de savoir et de documents, ayant acquis la maîtrise de l'arabe et du persan, il travailla avec les érudits Thévenot, Herbelot, Bignon, publiant des études d'inscriptions et de médailles, de nombreux ouvrages historiques et lexicographiques, des *Paroles remarquables, bons mots et maximes des Orientaux* (1694) mais aussi des *Menagiana,* recueil d'anecdotes sur Gilles Ménage, traduisant les *Contes et fables indiennes de Bidpay et de Lokman,* publiés en 1724 par Gueullette, *De l'origine et des progrès du café* (1699), et surtout, à partir de 1704, un ensemble de contes populaires orientaux d'après un manuscrit du XIVe siècle et les récits du moine syrien Hanna, *les Mille et Une Nuits.* Leur publication, triomphale, s'achèvera en 1717. Une élection à l'Académie des inscriptions en 1706, la chaire d'arabe au Collège royal en 1709 couronnèrent sa carrière.

Contestées par un autre traducteur célèbre, le Dr Mardrus (*les Mille Nuits et Une Nuit,* 1899-1904), la compétence et l'honnêteté de Galland ne sont plus guère discutées. Sans doute a-t-il tendance à édulcorer le texte original et à l'adapter au goût français. Il supprime les épisodes jugés licencieux, les récits rétrospectifs « inutiles », les énumérations d'objets, les poèmes insérés dans les scènes lyriques; il ajoute des incidents qui soulignent la logique ou excusent la bizarrerie des comportements (« suivant la coutume des Arabes »), laisse à l'occasion dériver son imagination et son style vers des modèles littéraires, de *l'Odyssée* aux *Lettres portugaises* : « Ah, cruel! C'est ta barbare main qui a mis l'objet de mon amour dans l'état pitoyable où il est ». Mais l'important est l'extraordinaire succès de l'entreprise attesté par les rééditions et le foisonnement d'ouvrages analogues, *les Mille et Un Jours* de Pétis de la Croix (1710-1712), les *Aventures d'Abdalla* de Bignon (1712-1714). A l'aube des Lumières, dans une France louis-quatorzienne austère et souffrante, *les Mille et Une Nuits* vont offrir un cadre, voire une caution réaliste au genre du conte oriental où se diront bientôt, de Crébillon à Voltaire, les rancœurs, les critiques et les rêves d'évasion d'une époque sans poètes. Dans cet Orient déjà « philosophique », terre de plaisir, de sagesse, où règne en maître un hasard aux limites de l'absurde (« Histoire de Cogia Hassan »), la réussite est pourtant fondée sur l'intelligence personnelle et les vertus sociales (« Ali Baba », « Aventures de Sindbad ») : ce sera bientôt la leçon de *Zadig.*

BIBLIOGRAPHIE

Les Mille et Une Nuits de Galland se trouvent notamment dans les éditions Garnier, Paris, 1960, introd. G. Picard, et Garnier-Flammarion, Paris, 1965, introd. J. Gaulmier.

A consulter. — R. Étiemble, *l'Orient philosophique au XVIIIe siècle,* Paris, Centre de documentation universitaire, 1956-1959; M. Abdel-Halim, *Antoine Galland, sa vie, son œuvre,* Paris, Nizet, 1964.

J.-P. DE BEAUMARCHAIS

GALLO Max (né en 1932). Écrivain né à Nice, où il enseigne au lycée puis à l'Université, tout en travaillant dans l'édition parisienne, et dont il devient député en 1981. En 1983-1984, il est secrétaire d'État, porte-parole du gouvernement de P. Mauroy.

Après de nombreux ouvrages historiques, consacrés notamment à la Révolution (*Maximilien Robespierre,* 1968), au phénomène totalitaire (*l'Italie de Mussolini,* 1964; *Histoire de l'Espagne franquiste,* 1969) et à la guerre de 1940 (*la Cinquième Colonne,* 1970), ou des essais politiques, il se tourne vers la fiction avec *le Cortège des vainqueurs* (1972). Le succès de sa trilogie *la Baie des Anges* (1975), histoire de trois Piémontais émigrant à Nice et y faisant souche, l'incite à entreprendre une vaste fresque, *Que sont les siècles pour la mer* (1977), couvrant vingt-cinq siècles d'histoire provençale, suivie d'une saga aux personnages issus de six familles différentes et dispersés dans le monde entier, *Les hommes naissent tous le même jour* (1979-1980). Historien ou romancier, Max Gallo se donne un même objectif : atteindre des totalités à travers les destins entrelacés d'une multitude d'individus. Le chemin de Robespierre croise celui de « tous les acteurs de la Révolution »; la « cinquième colonne » de 1939 est à la fois un mythe, une atmosphère et une réalité machinée par d'innombrables agents. La fiction permet d'inverser la perspective traditionnelle en réduisant le personnage historique au statut de figurant — ou à celui de simple caution réaliste à l'aventure racontée; de la même façon s'intercalent des documents authentiques (photos d'époque, chroniques d'abbaye, arbres généalogiques), des journaux intimes imaginaires, dans ces « romans de l'Histoire » où les récits rétrospectifs s'animent de dialogues et de descriptions propres à faire surgir la mythologie d'une province, l'esprit d'une époque. Invoquant le modèle sartrien des *Chemins de la liberté,* Max Gallo entend ainsi que ses romans « échappent à la fois à la vision privée et au traité historique, les deux s'amalgamant pour inventer et faire comprendre » (interview de l'auteur aux *Nouvelles littéraires,* 1977).

M.-A. DE BEAUMARCHAIS

GANEM Chékri (1861-1930). V. LIBAN. Littérature libanaise d'expression française.

GANEM Khalil (1857-1903). V. LIBAN. Littérature libanaise d'expression française.

GARASSE François (1585-1631). Prédicateur, puis pamphlétaire. Entré dès 1601 dans la Compagnie de

Jésus, le père Garasse sera bientôt tenu en suspicion par ses supérieurs pour sa véhémence de prédicateur, son incessante activité polémique, voire politique (il est soupçonné d'avoir écrit contre Richelieu), qui poussaient à l'excès les traditions d'une Compagnie pourtant militante. Relégué à Poitiers, il y mourut en soignant les pestiférés.

C'est précisément sa turbulence qui fait son originalité et l'intérêt de ses écrits. Il est au cœur de toutes les polémiques du début du XVIIe siècle contre les protestants (Du Moulin) et surtout contre les libertins (Théophile de Viau). En retour, sa *Somme théologique* (1625) fut vivement critiquée par Ogier et Saint-Cyran, puis condamnée par la Sorbonne.

Dans ses écrits polémiques, ni finesse de pensée ni l'ombre d'un souci d'objectivité. Il amalgame avec la plus totale partialité mensonges, histoires curieuses et insultes, qu'il manie avec un pittoresque comique. Sa *Doctrine curieuse des beaux esprits de ce temps* (1623) est un document sur les pensées déviantes de cette époque et surtout montre de quelle manière un esprit intégriste se construisait un mythe du libertin. Garasse représente celui-ci, qu'il condamne férocement, en combinant des fantasmes et des associations d'idées élémentaires (mauvaises pensées, mauvaises mœurs, ivrognerie et athéisme...). Ces écrits, dans leur excès même, amplifient les présupposés qui font de la polémique religieuse une forme alors propice à déclencher, voire à exercer, une répression intellectuelle.

A. VIALA

GARÇON ET L'AVEUGLE (le) [seconde moitié du XIIIe siècle]. On peut estimer, avec Edmond Faral, que le théâtre comique a été fécond dès le XIIIe siècle et qu'avec *le Garçon et l'Aveugle* nous avons affaire à notre première farce, à une véritable pièce interprétée par deux jongleurs, sans doute à l'origine une parade de foire qui se jouait seule, mimant une scène de rue, et que l'on intégra par la suite à des mystères. La pièce, qui a vu le jour à Tournai dans la seconde moitié du XIIIe siècle, ne nous est parvenue que dans une seule copie, d'origine picarde.

Une pièce habile et riche

Longtemps considérée comme une farce de bas étage et trop grossière pour mériter une étude attentive, cette pièce comporte d'extraordinaires possibilités de mise en scène et utilise toutes les formes du comique : l'aveugle, vêtu de haillons, pousse des gémissements, grimace, titube, marche à tâtons en exagérant son infirmité; le garçon Jeannot fait force cabrioles et pieds de nez autour de son compagnon; tour à tour « prudhomme » et médecin, il contrefait sa voix pour venger la morale outragée (et donner une rossée à l'aveugle) ou pour délivrer une ordonnance; il recourt au double sens, portant sur des noms propres (le village d'Honnevain devient Hontevignies pour souhaiter à l'interlocuteur de « venir à honte », de connaître le déshonneur) ou sur des noms communs, qui prennent une coloration érotique : ainsi de *piner,* « peigner ».

Mais le plus intéressant est sans doute de découvrir comment le valet met en œuvre et réalise son double dessein : capter la confiance de l'aveugle pour le dépouiller totalement, révéler sa vraie nature en faisant tomber son masque. La ruse est le principal ressort de l'action, mais elle n'est pas le résultat d'une improvisation de dernière minute. Ainsi, le contrat que le valet passe avec l'aveugle est mûrement prémédité : c'est un des stratagèmes de Jeannot pour parvenir à ses fins. Le valet tient tout au long le beau rôle — c'est la victoire du bon et du malin —, d'autant qu'il partagera son butin avec ses compagnons et qu'il dévoile le caractère de sa victime, doublement aveugle : hypocrite, l'infirme affecte un langage dévot, empli d'invocations à la Vierge, auquel il renonce peu à peu pour s'abandonner avec cynisme à un langage fort impudique, enchérissant sur Jeannot, qu'il vient pourtant de semoncer, et pour manifester son ivrognerie, sa goinfrerie, sa sensualité (à deux reprises, il marque son impatience à revoir son amie); avare, il mendie, alors qu'il est riche; importun, retors, il essaie de gagner la confiance du valet, mais il trouvera plus habile que lui.

La revanche du jongleur

Il ne semble pas que la ruse, le vol, les coups que Jeannot distribue puissent s'expliquer par le seul besoin. Est-ce un jeu gratuit, la vengeance d'un petit tricheur contre un riche malhonnête, la punition infligée à un être mauvais, qui ne mérite aucune pitié, sa cécité étant la punition de ses fautes ou de celles de ses parents? En fait, à y regarder de plus près, Jeannot le *triquemers,* le « pauvre diable », apparaît aussi sous un autre jour : non content de chanter avec l'aveugle, il affirme, au vers 82 : « par parler les vainterai » (« je les vaincrai, les convaincrai »), puis, aux vers 121-122 : « Je sai bien de geste/Canter, si vous en déduirai » (« Je sais bien chanter les chansons de geste, je vous en divertirai »). S'agit-il seulement de tromper l'aveugle? Il ne semble pas : Jeannot est jongleur de tout son être, par son sens de la psychologie du moment, par son art de la parole flatteuse ou ambiguë, par sa situation instable et dépendante. Il représente l'auteur, au milieu d'aveugles — fermés aux jeux de l'esprit — qu'il faut flatter et tromper pour se faire accepter d'eux, pour obtenir de quoi vivre, que l'on tourne en ridicule, et dont on se venge en les frappant, en faisant d'eux la cible du comique et de la satire, en les dépossédant des biens qu'ils ont mal acquis.

Une riche postérité

Cette pièce à deux personnages qui s'affrontent plus ou moins violemment, et dont l'un, le valet, pour triompher de l'aveugle, son maître, change sa voix à l'occasion, aura une riche postérité, s'accommodant de quelques modifications. L'aveugle tantôt guérit (*Miracles de sainte Geneviève, Passion de Semur, Farce de l'aveugle et de son valet tort*), tantôt ne guérit pas (*Mystère de la Résurrection*). Sous l'influence de la tradition des deux infirmes qui associent leur misère, le valet peut devenir boiteux (*Mystère de saint Martin, Moralité de l'aveugle et du boiteux* d'André de la Vigne, *Passion de Valenciennes...*). Quant au procédé de la voix feinte, il se retrouve dans le *Mystère de la Résurrection* et la *Farce de l'aveugle et de son valet tort,* avant d'être utilisé par Molière.

BIBLIOGRAPHIE
Texte. — *Le Garçon et l'Aveugle, jeu du XIIIe siècle,* éd. par Mario Roques, 1re éd., Paris, Champion, 1911.
Traduction. — *Le Garçon et l'Aveugle,* trad. par Jean Dufournet, Paris, Champion, 1981.
Études. — T. Berchem, « Quelques remarques critiques sur une scène du "Garçon et l'Aveugle" », dans les *Mélanges Boutière,* Gembloux, Duculot, 1971, t. I, pp. 139-152; G. Cohen, « Scène de l'aveugle et de son valet », dans *Romania,* 1912, pp. 126-151; E. van Kraemer, « le Type du faux mendiant dans les littératures romanes depuis le Moyen Âge jusqu'au XVIIe siècle », Helsingfors, Societas Scientiarum Fennica, *Commentationes Humanarum Litterarum,* XIII, 6, 1944.

J. DUFOURNET

GARENCIÈRES Jean de (?-1415). Chevalier à la cour de Charles VI, tué à Azincourt, il représente parfaitement cette aristocratie dont l'existence même, entre les jeux de l'amour, de la poésie et de la guerre, se veut littérature. Brodant sur le registre courtois, il essaie d'y apporter une marque personnelle, choisissant le rôle de l'amant loyal et martyr. Outre ses ballades et rondeaux, tous placés sous la devise « Vous m'avez », il a composé des pièces plus longues, comme l'*Enseigne du dieu d'Amours,* où le poète dialogue avec le dieu, lui confiant sa déception : mais il accepte sa défaite, car un nouveau sentiment l'accapare; le jeu de l'espoir recommence : sa loyauté inspirera la pitié à la dame. Les *Complaintes* développent longuement le mal d'aimer, si délectable : « Je ne voy homme de mes yeulx/ Tant comme moy desconforté ». Soumission masochiste : « Belle, vous oiez le martire/Que tous les jours me fault souffrir »; tonalité mineure appropriée à ce « cuer vestu de noir » qu'il laisse à l'aimée quand il part, et qu'il charge de bien continuer le « service »; s'agit-il seulement d'un jeu? Le *Lai de prison,* sur sa captivité à Bordeaux, nous le montre souffrant plus d'orgueil et d'amour que de la détention dans la « tour douloureuse ». L'écart entre la circonstance et le thème est-il l'indice d'une fuite loin de la réalité trop sordide ou celui d'une autre appréhension de cette réalité, vécue comme imaginaire? Garencières est aussi le spécialiste des débats, de ces échanges lyriques où chacun incarne un personnage type de la casuistique courtoise : tel *Cent Ballades,* débat avec les seigneurs de Bordeaux, avec Jean de Fayet et Jacques du Feschin, avec les quatre seigneurs prisonniers.

BIBLIOGRAPHIE
Édition des œuvres par Y. Néal, Paris, C.D.U., 1953.
A consulter. — Y. Néal, *Recherches sur la vie du chevalier poète Jean de Garencières et son cercle littéraire,* Paris, C.D.U., 1953.

A. STRUBEL

GARIN DE MONGLANE (cycle de) [Xe?-XIVe siècle]. C'est le plus important et le plus structuré des cycles épiques du Moyen Age, souvent appelé cycle de Guillaume d'Orange. Il comprend, dans sa plus grand extension, vingt-quatre chansons, mais dix-huit seulement ont été regroupées dans des manuscrits cycliques. Ce sont, dans l'ordre du cycle (qui est différent de l'ordre chronologique de composition) : *Garin de Monglane* (15 000 décasyllabes, XIIIe siècle), *Girart de Vienne* (6 934 vers, début du XIIIe siècle, œuvre de Bertrand de Bar-sur-Aube), *Aymeri de Narbonne* (4 708 vers, début du XIIIe siècle, même auteur), *les Narbonnais* (8 063 vers, début du XIIIe siècle); dans cette première série sont contées les aventures des ancêtres de Guillaume (Garin est son arrière-grand-père, Aymeri son père), de certains de ses oncles (Girart de Vienne) et de ses jeunes frères (les Narbonnais). Puis viennent les gestes où Guillaume est le héros majeur : *les Enfances Guillaume, le Couronnement de Louis* (v. 1136), *le Charroi de Nîmes, la Prise d'Orange* (milieu et second tiers du XIIe siècle). Vivien son neveu apparaît ensuite, sans éclipser pour autant le personnage de Guillaume : *les Enfances Vivien* (5 000 décasyllabes assonancés, début du XIIIe siècle), *la Chevalerie Vivien* (2 000 vers assonancés, fin du XIIe siècle), *les Aliscans* (8 500 décasyllabes, dernier quart du XIIe siècle), qui en sont la suite logique, et où apparaît le personnage héroï-comique de Rainouart, héros de *la Bataille Loquifer* (3 890 vers, fin du XIIe siècle) et du *Moniage Rainouart* (7 600 vers, v. 1200). *Le Moniage Guillaume* (XIIe siècle) clôt cette série. Le cycle revient alors à Aymeri et aux frères de Guillaume : *le Siège de Barbastre* (7 000 alexandrins assonancés, fin XIIe-début XIIIe siècle), *Guibert d'Andrenas* (2 400 décasyllabes assonancés, début du XIIIe siècle), *la Mort Aymeri de Narbonne* (4 176 décasyllabes assonancés, fin XIIe siècle); enfin *Foucon de Candie* (15 000 vers, XIIIe siècle) revient à la bataille de l'Archamp, déjà racontée par *la Chevalerie Vivien* et *les Aliscans.* A ces dix-huit chansons il faut ajouter *les Enfances Garin* (début du XIVe siècle), qui devraient précéder l'ensemble du cycle (l'œuvre est de médiocre qualité), *la Prise de Cordres et de Sébille* (2 948 décasyllabes assonancés, XIIIe siècle) qui est une suite de *Guibert d'Andrenas,* dont elle n'hésite pas à contredire certaines données, *Renier* (seconde moitié du XIIIe siècle), *Galien le Restoré* (plus proche d'ailleurs du cycle du roi), enfin *Bueve de Conmarchis* (3 946 alexandrins rimés, œuvre d'Adenet le Roi, remaniement du *Siège de Barbastre*). Reste la dernière découverte (en 1901) des chansons du cycle, et non la moindre : *la Chanson de Guillaume,* qui semble bien être la plus ancienne ou, du moins, rapporter un état de la légende contemporain de *la Chanson de Roland* (fin XIe-début XIIe siècle).

La formation du cycle n'obéit à aucune loi de composition. A partir d'un noyau central, sans doute constitué par les événements de l'âge mûr du héros principal (la bataille de l'Archamp ou la prise d'Orange; mais J.-H. Grisward, dans un travail récent, pencherait plutôt pour l'histoire collective relatée dans *les Narbonnais*), les trouvères ont progressivement chanté la jeunesse, la vieillesse de Guillaume, puis les exploits de ses ancêtres, de ses descendants (ici, neveux et arrière-neveux), de ses collatéraux. Ainsi les deux extrémités de la chaîne généalogique sont-elles atteintes et contées à peu près à la même époque (fin du XIIIe siècle). Certaines œuvres font double emploi ou se contredisent (il existe plusieurs versions de la mort de Vivien, incompatibles entre elles); Vivien est le fils tantôt d'un frère, tantôt d'une sœur de Guillaume.

La qualité des œuvres est très variable; les plus anciennes sont souvent les plus remarquables, tandis que les plus récentes ont tendance à s'allonger démesurément et à devenir des épopées à tiroirs. On peut ainsi discerner, à l'intérieur du cycle, le phénomène de l'épuisement du genre épique dès le milieu du XIIIe siècle. Outre l'unité généalogique, le cycle a une forte unité thématique. Sur le plan politique, il exalte la loyauté du vassal, la solidarité du lignage et la lutte contre les infidèles; le lieu de l'action, c'est le midi de la France, l'Espagne, voire l'Italie du Sud. C'est dire que la croisade y joue un rôle essentiel. Les « Aymerides », Guillaume et ses frères, sont condamnés par leur père à se tailler des fiefs sur les Sarrasins : ainsi Guillaume s'empare-t-il d'Orange, et Guibert, d'Andrenas (Espagne). Ce haut lignage reprend le flambeau impérial lorsque le trop faible et inconstant Louis succède à Charlemagne : symboliquement le vieil empereur avait fait don de son épée Joyeuse à Guillaume. Guillaume et sa famille rehaussent donc à la fois l'Empire et la chrétienté dans un esprit de fidélité absolue : mais aussi de franchise absolue, Guillaume n'hésitant jamais à sermonner son roi défaillant.

La localisation méridionale entraîne, semble-t-il, deux thèmes propres au cycle de Guillaume : celui, fugace mais présent, du goût du bonheur et du *locus amoenus;* et celui de la belle Sarrasine qui, une fois baptisée, épouse le héros chrétien (mais ce thème se retrouve aussi dans le cycle du roi). Plus caractéristiques encore sont la bonhomie du héros et la truculence de certains personnages comme Rainouart. La mort de Vivien est tragique, comme celle de Roland, et Guillaume est un guerrier redoutable; mais l'humour ne lui est pas étranger, et le « tinel » de Rainouart (énorme massue faite d'un pin entier) apporte dès *la Chanson de Guillaume* une note burlesque. La légende du nez courbe, ou court (raccourci par un coup d'épée), voire affublé d'une bosse énorme (raccourci et courbe : l'ancienne langue hésitait entre « courb » et « court »), a marqué à jamais la physionomie de Guillaume, dont le rire est un autre trait constant.

L'élaboration du cycle et certains de ses caractères techniques ne laissent pas de poser des problèmes. Il y a d'abord celui du « vers orphelin » : dans un certain nombre de manuscrits, chaque laisse s'achève par un hexasyllabe dont la terminaison, toujours féminine, est indépendante de la rime ou de l'assonance. Il pourrait s'agir d'une forme dérivée du refrain, plus littéraire. On a parlé d'alexandrinisme à propos de ce procédé (J. Frappier, M. Roncaglia). Il pourrait aussi s'agir d'une clausule musicale. Il est en tout cas remarquable que ces chansons partagent cet usage avec *la Chanson d'Antioche* de Grégoire Béchada et avec *la Chanson de la croisade albigeoise,* toutes deux originaires de ce midi de la France qui joue un si grand rôle dans le cycle.

Il y a surtout le problème épineux de l'origine du cycle. J. Bédier constatait que « si l'on se place en un point quelconque de la série, il est remarquable qu'on souhaite toute la série ». Chaque œuvre semble connaître l'ensemble de la légende. Comment savoir, dans ces conditions, où est le noyau originel? Car, d'une part, l'auteur de ce noyau a pu y insérer les prémices d'autres légendes, que d'autres développeront plus tard; et, d'autre part, nous n'avons affaire qu'à des remaniements : des allusions aux œuvres postérieures à l'original ont pu être introduites par des remanieurs. Or les originaux sont maintenant inaccessibles. On peut néanmoins estimer que le noyau est constitué par la bataille de l'Archamp et par la prise d'Orange : la première est au cœur de la très ancienne *Chanson de Guillaume;* la seconde est mentionnée dans la *Vita sancti Wilhelmi* (1125). Mais J.-H. Grisward estime que le noyau des *Narbonnais* a dû précéder la geste du seul Guillaume, laquelle s'en serait détachée ensuite; il faudrait donc chercher les origines bien avant la fin du XIe siècle [voir NARBONNAIS]. Quant à la légende elle-même, on en trouve des traces fort anciennes : la *Nota Emilianense,* qui relate sèchement (quelques lignes) le drame de Roncevaux, mentionne un « Ghigelmo alcorbitanas »; or elle est antérieure à 1075, et peut-être même de beaucoup. Le *Fragment de La Haye,* transcription en prose d'un poème épique latin perdu, fait intervenir plusieurs membres du lignage de Guillaume, sans citer toutefois ce dernier : or ce texte remonte au Xe siècle ou au premier tiers du XIe siècle. La légende épique est donc très antérieure aux premières œuvres en langue romane qui nous sont parvenues. Le débat sur l'origine des chansons de geste n'est pas clos : le cycle de Guillaume en est un excellent témoignage. [Voir aussi GESTE (Chanson de)].

BIBLIOGRAPHIE

J. Frappier, *les Chansons de geste du « cycle de Guillaume d'Orange »,* Paris, S.E.D.E.S., 1967; M. Tyssens, *la Geste de Guillaume d'Orange dans les manuscrits cycliques,* Paris, Belles-Lettres, 1975; J.-H. Grisward, *Archéologie de l'épopée médiévale. Structures trifonctionnelles et mythes indo-européens dans le « cycle des Narbonnais »,* Paris, Payot, 1981; Société Rencesvals, *Actes du VIe Congrès international,* Aix-en-Provence, 1974 (plusieurs articles concernent des œuvres du cycle de Guillaume).

D. BOUTET

GARMADI Salah. V. MAGHREB. Littérature d'expression française.

GARNEAU François-Xavier (1809-1866). V. QUÉBEC (littérature du).

GARNEAU Michel (né en 1939). Écrivain québécois. Connu au Québec et à l'étranger pour ses activités de poète et de dramaturge, Michel Garneau est aussi musicien, chansonnier, caricaturiste et animateur. Né à Montréal, il abandonne l'école à quatorze ans et touche à divers métiers pour pouvoir survivre et écrire. Troubadour au physique rabelaisien, il s'est imposé peu à peu grâce à un travail dynamique dans le milieu du jeune théâtre et de la poésie.

Son écriture est d'abord engagée au service du langage, de la musicalité du verbe populaire. « Le théâtre m'intéresse dans la mesure où il me permet de faire chanter le langage lui-même. Mon projet secret consiste à faire semblant d'écrire des pièces tout en fabriquant un grand poème ». Cette prédominance du langage apparaît dans une suite de recueils qui ont pour titre l'objet même de la recherche de Garneau : de *Langage 0* (1962) à *Langage V (Politique)* (1974). Cette poésie s'incarne dans le quotidien, joue avec le désir et le rêve, les transforme comme elle transforme les mots pour ressaisir la vitalité et la verdeur du langage populaire. Poésie non formaliste, poésie du plaisir qui s'attarde aux êtres et aux choses, qui se veut d'abord et avant tout instrument de communication, de rapprochement.

Les autres recueils de Garneau portent une marque fraternelle, s'inscrivent dans une volonté simple de rejoindre le plus de gens possible : *Eau de pluie* (1958), *Et la nécessité de l'eau, Moments, Élégie au génocide des nasopodes, la Plus Belle Ile, les Petits Chevals amoureux* (1977). Un album double, produit par le Tamanoir en 1977, sous le titre : *J'ai une chanson qui me gratte la gorge,* illustre bien cette alchimie recherchée entre la parole et la musique.

Conjugué sous le signe de la poésie, le théâtre de Michel Garneau se décline sous celui de l'écriture publique. Familier de la formule du théâtre sur commande, Garneau pense qu'une pièce de théâtre, avant même d'être écrite, doit déjà être incarnée dans un milieu qui orientera son écriture. La plupart de ses pièces ont été écrites pour des groupes spécifiques ou pour tels comédiens ou comédiennes (*les Célébrations,* par exemple). *Quatre à quatre,* qui met en scène quatre générations de femmes de la même famille, et qui a reçu la plus grande audience (produite par le Théâtre de la Commune d'Aubervilliers en 1976; jouée ensuite au Théâtre de Chaillot à Paris; à Avignon; à Toronto), fut écrite pour les quatre « finissantes » de l'option-théâtre du collège Lionel-Groulx. Il en est ainsi de la plupart de ses textes : *Sur le matelas* (comédie sur « le désir et la répression »), pour le théâtre du Huitième Étage; les *Voyagements* (sur les masques de la peur et du conditionnement, éd. 1977), *Rien que la mémoire* (tragédie sur la vieillesse, éd. 1977), *Adidou adidouce* (dénonciation des rapports hiérarchiques et du pouvoir aliénant des traditions religieuses et séculaires), pour la troupe Voyagements; *l'Usage du cœur dans le domaine réel* (sur l'utopie), *Petit Pétant et le monde,* pour le théâtre de la Rallonge; *le Bonhomme Sept-Heures, Abriés désabriées* (sur le couple), *les Neiges,* pour l'École nationale de théâtre, etc.

La démarche peut varier selon les groupes ou les écoles; il s'agit toujours, pour Garneau, de répondre à une situation matérielle et physique précise, de traduire poétiquement les idées ou les confidences des comédiens et des comédiennes. Ce travail sur le terrain laisse beaucoup de place à l'imaginaire et permet une grande économie de moyens. Michel Garneau n'hésite pas à se mettre au service d'expériences théâtrales insuitées. Il a participé, comme musicien, à un « douze heures d'improvisation » en 1977 et, comme entraîneur, à un spectacle organisé par la L.N.I. (Ligue nationale d'improvisation) et parodiant la structure du sport national des Québécois, le hockey.

Quelques pièces plus personnelles s'intègrent à ce cheminement : *le Ravi* (1969), *la Chanson d'amour de cul* (1971), *Strauss et Pesant (et Rosa)* [allégorie sur l'Église, l'État et le sexe, éd. 1974] des pièces pour enfants, ainsi que quelques traductions et adaptations : l'épopée sumérienne *Gilgamesh; la Tempête* et *Macbeth* (éd. 1978) de Shakespeare; *la Maison de Bernarda Alba* de García Lorca.

BIBLIOGRAPHIE
A consulter. — Claude Des Landes, « Garneau, écrivain public », dans *Jeu 3,* Cahiers de théâtre, été-automne 1976; Entretien avec Michel Garneau et Roland Lepage, *le Théâtre sur commande,* Entretien n° 1, Montréal, le Centre d'essai des auteurs dramatiques, 1975; Laurent Mailhot, « Un certain réalisme poétique : Michel Garneau », dans Jean-Cléo Godin et Laurent Mailhot, *Théâtre québécois II, nouveaux auteurs, autres spectacles,* Montréal, Hurtubise H.M.H., 1980; François Ricard, « Michel Garneau poète et dramaturge », dans *Liberté,* nos 97-98, janv.-avr. 1975.

P. LAVOIE

GARNIER Robert (1545-1590). Les huit compositions dramatiques de Robert Garnier — sept tragédies, une tragi-comédie —, écrites sur une quinzaine d'années, de 1567 à 1583, constituent l'œuvre théâtrale la plus étendue, à la fois par ses dimensions et l'ampleur de son registre, qu'ait produite la Renaissance française. On a souvent voulu voir dans ces pièces les ébauches encore imparfaites des chefs-d'œuvre classiques qui fleurirent au siècle suivant. En fait, il s'agit là d'une erreur de perspective : même si Garnier a fourni à Corneille ou à Racine plusieurs sujets tragiques (*la Mort de Pompée* inspirée de *Marc-Antoine, Phèdre* héritant d'*Hippolyte* sa trame et ses ténèbres) et une frappe toute nouvelle de l'alexandrin, son œuvre appartient, dans son ensemble, à un système original, voire à une culture, dont les préoccupations fondamentales sont en grande partie étrangères à celles de la dramaturgie classique. Comme chez ses contemporains Jodelle, Grévin ou La Taille, l'univers dramatique de Garnier apparaît comme ce théâtre de l'effroi et de la cruauté qui trouve dans Sénèque son modèle et dans la réalité présente sa toile de fond et ses images obsédantes.

Un magistrat dramaturge

Né à La Ferté-Bernard, Robert Garnier fait ses études de droit à Toulouse, où il se lie avec Guy du Faur de Pibrac. Auteur, dès cette époque, de quelques poèmes de circonstance, composés, notamment, à l'occasion de l'entrée de Charles IX à Toulouse (1565), il manifeste, dans ses « Chants royaux en allégorie » (1564 et 1566), son espoir d'un retour à l'ordre en matière politique et religieuse. Avocat au parlement de Paris en 1567, où il a rejoint son ami Pibrac, il célèbre le règne du jeune Charles IX dans son *Hymne de la monarchie* — forme de gouvernement où il voit, dans l'alliance de l'harmonie et de la force, le bien suprême. Sa tragédie romaine de *Porcie* (1569), qui évoque la période d'anarchie préludant à l'avènement d'Auguste, traduit les mêmes orientations politiques. Établi au Mans à partir de 1569 comme conseiller au présidial et marié quelques années plus tard avec la poétesse Françoise Hubert (1573), il publie coup sur coup les tragédies d'*Hippolyte* (1573) — dont Racine se souviendra pour *Phèdre* —, de *Cornélie* (1574) et de *Marc-Antoine* (1578), qui évoquent les malheurs des deux triumvirats et contiennent des allusions aux troubles civils contemporains, ainsi que *la Troade* (1579) et *Antigone* (1580). Cependant que l'œuvre dramatique rencontre son apothéose avec la tragi-comédie de *Bradamante,* inspirée de l'Arioste (1582), et surtout avec la tragédie des *Juives* (1583), la carrière du magistrat culmine en 1586, lors de sa nomination au Grand Conseil du roi. Proche un instant de la Ligue, mais bientôt effrayé par ses excès et par l'assassinat en 1589 de Henri III, Garnier serait, dit-on, mort de chagrin.

« Choses funèbres et lamentables »

Dans la plupart des tragédies de Garnier, le premier acte met le spectateur en situation et lui expose la leçon du drame. La pièce commence par le monologue d'un personnage protatique qui crée l'atmosphère de ténèbres, dont le cinquième acte verra le paroxysme, et lance l'avertissement que la catastrophe réalisera. *Porcie* s'ouvre sur un paysage de « charongnes mortes » qu'évoque Mégère, divinité de la discorde triomphante, et se clôt sur le double suicide de l'héroïne et de sa nourrice. L'Enfer est là avant toute chose : Égée en témoigne au début d'*Hippolyte,* qui remonte de l'Achéron à l'« épaisse horreur », où bientôt la tragédie tout entière va replonger ses protagonistes hurlants. Au terme de la pièce, les ultimes imprécations de Thésée disparaissent dans cette obscurité originelle :

> Ô ciel! ô Terre mere! ô profonde caverne
> De Démons ensoufrez, inevitable Averne!

Le drame s'abîme dans ce gouffre d'où il est remonté, troupe de spectres hantés de mauvais rêves, au début du premier acte. Cette substance élémentaire qui enveloppe les personnages et leur colle à la peau — terre gorgée du sang des morts de *Porcie* ou d'*Hippolyte,* flots tempétueux de *Marc-Antoine* animés de la même pulsation que les veines ouvertes du héros, dont l'agonie se prolonge durant toute la pièce — confère au drame ce réalisme macabre par quoi une véritable hantise est sécrétée de scène en scène. Il n'y a pas, dès lors, progression dramatique ou psychologique, mais une sorte d'envoûtement répétitif, que rehausse, dans les parties chorales ponctuant la succession des actes, un usage incantatoire du verbe. Certains dialogues même apparaissent à la limite du chant, comme cette prière qu'Amital, dans *les Juives,* répète inlassablement devant l'inflexible Nabuchodonosor :

> Nous demandons pardon, hélas! pardonnez-nous!
> Hélas! pardonnez-nous et faites-nous pardon.

Cette discontinuité obsédante de la tragédie selon Garnier fige l'action et la décompose en une suite de tableaux hiératiques. Par là, le drame cesse de s'apparenter à un récit soutenu de gestes et de voix, pour devenir une authentique liturgie théâtrale revêtue de sombres couleurs.

Les Juives. — Inspirée de l'Ancien Testament, la tragédie des *Juives* a pour sujet la mort de Sédécias, roi de Jérusalem, et de ses enfants, victimes de la cruauté de Nabuchodonosor, « roy d'Assyrie », qui les retient prisonniers.

L'acte I est constitué par le monologue protatique du prophète, qui évoque les malheurs du peuple juif, châtié par Dieu pour ses infidélités — avertissement auquel répondent les lamentations du chœur des Juives. La situation est exposée, dans l'un et l'autre camp, au cours de l'acte II : à l'orgueil cruel de Nabuchodonosor, qui s'égale lui-même aux dieux, s'oppose la douceur de la Reine, qui réconforte Amital, mère de Sédécias. La péripétie de l'acte III, le plus « humain » de la tragédie, entretient l'espoir d'une issue heureuse, après les démarches de la Reine et d'Amital auprès du tyran, qui paraît s'adoucir. Mais l'acte IV s'ouvre sur l'affrontement des deux rois et prépare le dénouement de l'acte V, où le châtiment s'accomplit dans toute son horreur : Sédécias, qui voit égorger devant lui ses enfants, est ensuite aveuglé. La pièce s'achève cependant sur un chant d'espoir et l'annonce de la venue du Christ, « qui les pechez des peuples netoyra ».

Héros pathétiques

Entre les parenthèses ténébreuses du prologue et du dénouement, une accumulation de malheurs s'abat sur la tête du héros impuissant. Héros pathétique, dont toute l'action se résoudra à commenter le spectacle de ses infortunes. Cornélie perd, tour à tour, ses deux maris successifs et son père, et, au moment où elle quitte la scène, s'apprête elle-même à mourir. Jugeant insuffisante à son gré la triste fin de Porcie, Garnier imagine de toutes pièces la mort de la Nourrice, afin, dit-il, « d'en ensanglanter d'avantage la catastrophe ». Quant à l'acte V des *Juives,* il voit fondre sur un peuple réduit à l'impuissance des châtiments en constante gradation : à la déportation et à la captivité à Babylone voici que s'ajoutent le meurtre du Grand Prêtre, l'égorgement des jeunes enfants du roi Sédécias et l'aveuglement au fer rouge de ce dernier après qu'il a assisté à la scène précédente. Le *pathos* se fonde alors sur le contraste des bourreaux et des victimes, les uns inspirant la terreur, les autres la pitié. En un jeu d'hyperboles et de diminutifs, le lexique souligne l'antithèse, et, face à la rage du « tygre » ou du « mâtin » avide de sang et qui arrache les cœurs pour s'en nourrir, les « enfançons », « enfantets » et « creaturetes » tendent en vain leurs mains « faiblettes », « tendrettes », « tendrelettes ». Dans la même scène des *Juives,* on perçoit ce que le réalisme « créaturel » de la Bible — fait, selon E. Auerbach, d'une alliance des registres épique et familier — apporte à la tradition sénéquienne. Une notation concrète comme celle des enfants qui tentent, en les mordillant, de « saquer les menottes des mains » de leur père enchaîné, tout en appuyant le contraste pathétique du tableau, indique, par-delà l'évidente disproportion des acteurs en présence, une signification positive. L'éphémère vision de ces jeux d'enfants avant le massacre laisse prévoir, en cet instant de clarté et d'innocence, le retour durable d'un ordre pacifique et la parousie finale du Créateur. Mais il faudra, pour cela, que soit consommé « le malheur des malheurs » et que s'accomplisse de bout en bout le châtiment de Dieu à l'encontre du peuple qui l'a abandonné.

De la sorte, l'antithèse pathétique, moins qu'elle ne condamne l'univers au désordre et à la fureur, comme chez Sénèque, annonce par opposition le rétablissement d'une harmonie qu'est appelé à réaliser, en un pacte d'alliance renouvelé, le retour du Créateur parmi les hommes. Ce message, que l'intransigeant catholique et monarchiste qu'était Garnier adressait sur fond de guerres civiles à ses contemporains, laisse assez entendre que la cruauté de son théâtre ne se réduit aucunement à un parti pris esthétique, mais qu'elle est, en quelque sorte, nécessitée par l'urgence du combat à livrer. Il n'en allait pas différemment pour le protestant d'Aubigné qui composait, dans les mêmes années, les âpres chants des *Tragiques.*

La première des tragi-comédies

Marquant une courte période d'accalmie, *Bradamante* occupe une place à part dans l'œuvre de Garnier. La pièce, imitée d'un épisode du *Roland furieux,* est construite autour du duel de conquête amoureuse qui oppose Bradamante, sorte d'amazone en armure et dont les attaques sont comparées à celles d'« un généreux cheval », et son prétendant, le chevalier Roger. Héritant des conventions romanesques les plus éprouvées — amour absolu, idylle pastorale, incroyables substitutions de personnes, quiproquos étirés jusqu'au dernier acte... —, *Bradamante* mêle les tons les plus divers, du registre épique sur lequel s'exprime l'empereur Charlemagne pour appeler la chrétienté à l'unité contre l'infidèle (entendez : les protestants) à celui de la franche comédie dans la scène où le vieux duc Aymon trépigne de colère et trébuche. Mais il ne s'agit pas là que d'un simple divertissement réussi : la pièce trahit les inquiétudes et les espoirs de l'auteur, au même titre que *la Troade* ou *les Juives.* Garnier y exprime le rêve d'une Europe réconciliée spirituellement et politiquement, et il n'est pas jusqu'au dénouement romanesque — où se concluent simultanément et contre toute attente deux mariages — qui ne signifie la toute-puissance d'une Providence devant laquelle hommes et nations doivent s'incliner.

BIBLIOGRAPHIE
Éditions. — Lucien Pinvert, *Œuvres,* Garnier, 1923; Raymond Lebègue, *les Juives, Bradamante, Poésies diverses,* Belles-Lettres, 1949; *Antigone, la Troade,* Belles-Lettres, 1952; *Porcie, Cornélie,* Belles-Lettres, 1973.
Études. — R. Lebègue, *les Juifves,* Centre de documentation universitaire, 1944-1945; id., *la Tragédie française de la Renaissance,* Bruxelles, 2e éd., revue, 1954; Marie-Madeleine Mouflard, *Robert Garnier,* I : *la Vie,* La Ferté-Bernard, 1961; II : *l'Œuvre,* la Roche-sur-Yon, 1963; III : *les Sources,* 1964; M. Gras, « Robert Garnier, son art et sa méthode », *Travaux d'humanisme et Renaissance,* LXXII, Droz, 1965. Pour l'étude de *Bradamante,* on se reportera à l'importante thèse d'Alexandre Cioranescu, *l'Arioste en France, des origines au* XVIIIe *siècle,* 1939, Genève, Slatkine Reprints, 1970.

F. LESTRINGANT

GARY Romain, pseudonyme de **Romain Kacew** (1914-1980). Écrivain, diplomate, héros de la « France libre », Romain Gary confesse son penchant pour les « farces et attrapes » : marionnettiste, montreur de personnages ambigus, inventeur de fables à double sens, cœur sensible et sourire moqueur, « clown lyrique », il manie les ficelles du métier en se tenant à distance pour juger de l'effet produit, se plaisant à étonner et à séduire. Il a poussé l'art du prestidigitateur jusqu'à se donner secrètement un double, cet Émile Ajar que couronne un prix Goncourt, faisant de Gary le seul écrivain à avoir deux fois reçu cette récompense sous des noms différents.

L'écrivain et son double

Né à Wilno, en Lituanie, Romain Gary est élevé par une mère qui place en lui de grandes espérances (cf. *la Promesse de l'aube,* 1960). « Cosaque un peu tartare mâtiné de juif », il arrive en France à l'âge de quatorze ans, fait son droit, s'engage dans l'aviation, rejoint la « France libre » en 1940, termine la guerre comme Compagnon de la Libération et commandeur de la Légion d'honneur. Le succès de son premier roman, *Éducation européenne* (prix des Critiques 1945), coïncide avec son entrée au Quai d'Orsay. En poste à Sofia, Berne, New York, La Paz, Los Angeles, il écrit *le Grand Vestiaire* (1948), éducation sentimentale d'un adolescent imaginatif, *les Racines du ciel* (prix Goncourt 1956), fresque de la vie coloniale en Afrique Équatoriale française, puis il quitte la diplomatie en 1961. Après un recueil de nouvelles, *Gloire à nos illustres pionniers* (1962), et un roman humoristique, *Lady L* (1963), il se lance dans de vastes sagas : *la Comédie américaine* (*les Mangeurs d'étoiles* et *Adieu, Gary Cooper,* 1969) et *Frère Océan* (*la Danse de Gengis Cohn,* 1967; *la Tête coupable,* 1968; *Charge d'âme,* 1977), précédé d'une longue préface, *Pour Sganarelle* (1965), définissant, face aux nouvelles théories, sa propre doctrine romanesque. Après la réalisation de deux films, *Les oiseaux vont mourir au Pérou* (1968) et *Kill* (1972), exprimant dans *Chien blanc* (1970) une profession de foi antiraciste, Gary laisse percer son angoisse du déclin dans *Au-delà de cette limite, votre ticket n'est plus valable* (1975) et *Clair de femme* (1977). Après la fin tragique de la comédienne Jean Seberg, son épouse de 1962 à 1970, un dernier roman, *les Cerfs-volants* (1980), précède de peu son suicide. Mais un document posthume révèle que, avec la complicité de son neveu Paul Pavlowitch, Gary se dissimulait sous le pseudonyme du mystérieux Émile Ajar, dont les romans *Gros-Câlin* (1974), *la Vie devant soi* (prix Goncourt 1975), *Pseudo* (1976), *l'Angoisse du roi Salomon* (1979) marquent un tel renouvellement d'écriture que la supercherie ne fut jamais découverte du vivant de l'auteur, qui la révéla dans un testament (*Vie et mort d'Émile Ajar,* 1981, posth.). [Voir aussi MYSTIFICATION LITTÉRAIRE].

Gary-Ajar : l'histoire d'une mystification. — Lorsqu'il invente en 1974 « Émile Ajar », Romain Gary n'en est pas à son coup d'essai. Mais *l'Homme à la colombe*, écrit sous le nom de Fosco Sinibaldi (1958), a été fraîchement accueilli, et pour *les Têtes de Stéphanie* (1974), roman signé Shatan Bogat, l'identité réelle de l'auteur a été vite établie. Toujours en 1974, le critique Michel Cournot, enthousiasmé par un manuscrit prétendument envoyé du Brésil par un interdit de séjour nommé Émile Ajar, le fait publier au Mercure de France : *Gros-Câlin* est un succès de librairie, et le nom de Gary demeure cette fois dans l'ombre. Les journaux décèlent pourtant la main d'un professionnel : on parle de Queneau, d'Aragon, voire de M. Cournot lui-même ou d'un collectif d'écrivains. En 1975, avec le triomphe de *la Vie devant soi*, prix Goncourt, 800 000 exemplaires vendus, la curiosité redouble. Le magazine *le Point* croit tenir la bonne piste en découvrant l'existence de Paul Pavlowitch, parent bien réel de Gary, et qui lui sert d'intermédiaire avec les éditeurs. La parenté des deux hommes expliquerait de surcroît certaines ressemblances thématiques et d'écriture entre l'œuvre d'Ajar-Pavlowitch et celle de Gary, qui aurait influencé, ou, à l'occasion, aidé le débutant. La mystification atteint son comble avec *Pseudo* (1976), signé Ajar, délirante autobiographie dont Pavlowitch est le héros, et où Gary apparaît dans le personnage du « tonton macoute ». En 1979, Ajar signe encore *l'Angoisse du roi Salomon*; la réalité, désormais démontrée, de Pavlowitch continue d'abuser la plupart des critiques, tandis que d'autres, se livrant à des études comparatives serrées, commencent à soupçonner la supercherie. Gary se suicide à la fin de 1980; l'année suivante deux livres paraissent coup sur coup : un récit de Paul Pavlowitch, *l'Homme que l'on croyait*, qui raconte toute l'affaire, et le testament de Gary, écrit en 1979, *Vie et mort d'Émile Ajar*, où le romancier s'explique sur sa « nostalgie de la jeunesse, du début, du premier livre, du recommencement », son angoisse existentielle face à l'enfermement dans un personnage, son désir de s'échapper à soi-même... et son malin plaisir d'avoir joué un bon tour au « parisianisme » honni : « Je me suis bien amusé. Au revoir et merci ».

Mythe et réalité

Sans mythes la réalité serait accablante : l'espoir placé dans la légende de l'insaisissable Nadejda (*Éducation européenne*) soutient les partisans dans leurs combats atroces, de même que le déporté des *Racines du ciel* trouve une évasion imaginaire en se figurant le galop des éléphants courant librement dans la brousse africaine. Mais les romans de Gary pris globalement sont aussi des mythes, décrivant un monde renversé où sombrent les conformismes et se transmuent les valeurs : espèces animales défendues avec la même ardeur que lépreux ou enfants; prostituées au grand cœur; parias magnanimes... Mythes provocateurs destinés à éveiller les consciences, à « changer le regard ». La réussite des premiers écrits de Gary tient à la parfaite intégration du discours symbolique et de la narration réaliste. Avec ses péripéties, ses intrigues sentimentales, ses personnages fortement typés, *les Racines du ciel* notamment pourraient passer pour un somptueux reportage sur les chasseurs d'ivoire et la colonisation du Tchad. Mais le message humaniste y est discrètement implicite : entre l'extermination des éléphants et celle de six millions de Juifs, la différence est de façade, non de nature; la violence est une. En même temps, changeant le regard par l'humour, de courts romans et des nouvelles démolissent joyeusement les tabous sociaux qu'incarnent l'aristocratique « Lady L », issue de la pègre, ou un ambassadeur aux mœurs équivoques sous son intouchable réputation (« le Luth », dans *Gloire à nos illustres pionniers*).

La liberté de l'écrivain

Mais, sous le feu croisé des critiques existentialiste et marxiste, chicanée par les tenants du « nouveau roman » et la réaction puriste (Étiemble), l'œuvre de Gary se trouve mise en question. D'où *Pour Sganarelle*, renvoyant dos à dos ces « terroristes » de tous bords. Revendiquant son indépendance d'écrivain, Gary récuse les « engagements », nécessairement ponctuels, au profit d'une contestation qui embrassera l'ensemble de l'histoire contemporaine, laissant le « roman-solution » à ces idéologues qui veulent exercer sur le public une intolérable tutelle. En regard, il élabore l'ambitieuse doctrine d'un « roman picaresque moderne », où le « héros-personnage », double du « personnage-auteur », empruntera dans l'imaginaire de « nouvelles et multiples identités », vivant et faisant librement vivre au lecteur une expérience « totale ». Ainsi naît ce Gengis Cohn, fantasmatique esprit du mal, incarné successivement en policier allemand assassin d'enfants juifs, en tortionnaire de la guerre du Viêt-nam *(Frère Océan)*, reflétant dans la dérision et l'humour noir tous les crimes de notre temps. Cependant, des morceaux de bravoure ne compensent pas les longueurs de cette saga au ton forcé, qui dénote, comme *la Comédie américaine*, un talent qui s'essouffle.

Des pythons et des hommes

Sous le masque d'Émile Ajar, le « personnage-auteur » rebondit. Non qu'il renonce à ses personnages : le « répugnant » python Gros-Câlin adopté par un timide statisticien (*Gros-Câlin*) et Madame Rosa, pachydermique tenancière de clandé (*la Vie devant soi*), partagent avec les éléphants l'aspect monstrueux qui décourage la pitié sélective des bien-pensants. L'auteur reste également fidèle à ses thèmes familiers : narguant les interdits sociaux, bataillant pour les humbles, Ajar célèbre un monde d'immigrés, de putes, de travestis aussi serviables que des sœurs de charité. Mais l'appel humaniste change de niveau : Gary se plaçait à celui de l'Histoire et de ses massacres cosmiques (*Frère Océan*), Ajar peint la routine de pauvres vies humiliées entre le zinc, le trottoir, un modeste bureau. Dépouillant amertume et dérision, le ton devient celui de l'humour et de la tendresse, culminant dans l'amour du petit Arabe Momo pour Madame Rosa : « La nuit j'ai eu froid, je me suis levé et j'ai été lui mettre une deuxième couverture ». Fable et réalité fusionnent à la manière de Boris Vian : « Gros-Câlin », mi-homme rampant jusqu'à son gîte, s'enroulant pour moins souffrir, mi-reptile (« lorsqu'on a besoin d'étreintes, un python de deux mètres vingt fait merveille »), exhale, sous le récit de ses rocambolesques aventures, la plainte des mal-aimés. Mais Ajar défie surtout les adversaires « flaubertistes » de Gary, inventant à l'usage de Momo un idiome fait d'à-peu-près phonétiques (les « proxynètes », la « récession » d'une maladie), noyant dans le flot d'un monologue faussement enfantin les lieux communs plus ou moins tronqués glanés auprès des filles, véhiculant entre rire et larmes l'angoisse d'un enfant déraciné, le besoin dévorant d'aimer.

Les Cerfs-volants, l'ultime roman signé Gary, renoue sous un éclairage pessimiste avec le temps de la Résistance et de l'Occupation : « Et si le nazisme n'était pas une monstruosité inhumaine? Et s'il était humain? » Mais le propos reste le même, le plaidoyer de Gary en faveur de la personne humaine outragée faisant écho à la voix du petit Momo d'Ajar : « Il faut aimer ».

BIBLIOGRAPHIE

G. Gallagher, *l'Univers du double reflet. Étude thématique de l'œuvre de R. Gary*, thèse, université Laval, 1979; M. Tournier, *le Vol du vampire*, Paris, Mercure de France, 1981 (« Émile Ajar ou la vie derrière soi »).

M.-A. DE BEAUMARCHAIS

GASCAR Pierre, pseudonyme de **Pierre Fournier** (né en 1916). Né à Paris, Pierre Gascar est entré en littérature en 1953, en obtenant, la même année, le prix

Goncourt pour *le Temps des morts* et le prix des Critiques pour *les Bêtes*. Pourtant, ces débuts spectaculaires sont très peu dans le tempérament d'un écrivain discret, et dont les premières œuvres sont marquées par le traumatisme de la guerre : Gascar a été détenu par les Allemands de 1940 à 1945 et placé dans le camp disciplinaire de Rawa-Ruska, en Ukraine.

Le narrateur du *Temps des morts*, chargé de l'entretien du camp, raconte ce qu'il y a fait et vu. C'est une somme d'expériences modestes, où la sobriété des descriptions, alignant les « preuves », finit par donner une sorte de démesure à toutes ces tragédies individuelles. On n'est pas loin de ce que Jean Cayrol appelait alors le « romanesque lazaréen ».

Les nouvelles réunies dans *les Bêtes* décrivent une animalité non pas sauvage, mais prise dans son rapport à l'homme, et regardant avec une incompréhension muette les déchaînements de violence dont elle est la victime — de choix ou de hasard. Le dépeçage d'un veau par le boucher, la fuite de chevaux sous un bombardement — autant de mises en cause des exactions humaines, la fiction étant là pour introduire un point de vue inhabituel.

Pierre Gascar s'est longtemps attaché à ce modèle d'une littérature de constat, ayant pour charge d'exprimer les sensibilités étouffées. On le retrouve dans *le Fugitif* (1961), qui se passe dans l'atmosphère d'une Allemagne en perdition, voire dans *les Moutons de feu* (1963), qui traitent d'événements politiques plus récents. Mais Gascar est un écrivain prolixe, et, en marge de son parcours romanesque, il travaille à quantités d'ouvrages documentaires, au risque parfois de mêler l'insignifiant et l'essentiel. On lui doit un *Chambord* aussi bien qu'une *Chine ouverte*, un *Saint-Marc de Venise* et une *Histoire des Français sous l'Occupation*. Ce n'est pas là le meilleur de son œuvre.

L'originalité de son écriture est à chercher plutôt dans cette myopie appliquée, ce décentrement voulu de la perception, qui s'exprime à merveille lorsque Gascar aborde le règne végétal, minéral, les confins du vivant. Déjà dans *Soleils* (1960) sont décrites des expériences amoureuses et sensorielles comme autant d'éblouissements. Dans *les Charmes* (1965), c'est le passage de l'enfance à l'adolescence, ausculté minutieusement comme la croissance d'une plante hybride. Avec *les Chimères* (1969), la matière gagne encore en puissance métaphorique, et tout le livre est envahi par une admirable rêverie sur le sel et le sang, les fleurs de sang qui pâlissent sous la peau des hémophiles et les fleurs de sel qui rougissent les bras des ouvriers des salines nubiennes. L'inspiration de ces livres est proche de celle de Roger Caillois, cet autre amoureux du règne inerte. Mais, alors que Caillois aborde en logicien la géométrie des pierres, c'est plutôt en philosophe que Gascar observe la part d'ombre contenue dans la matière. Dans *l'Arche* (1971), le dialogue entre la grotte et l'abbaye illustre bien cette dimension philosophique, anxieuse d'une « solidarité humaine ».

B. VISAGE

GASCHT André (né en 1921). V. Belgique. Littérature d'expression française.

GASSENDI, Pierre Gassend, dit (1592-1657). Philosophe et mathématicien. Fils de cultivateurs de la région de Digne, Gassendi étudia la théologie et la philosophie à Aix, entra dans les ordres et devint chanoine théologal de Digne (1614). Il avait entrepris une carrière d'enseignant de philosophie à Digne, puis à Aix, où il se lia avec Peiresc, enfin à Paris, où il fut nommé au Collège royal (1643). Son œuvre (rédigée presque entièrement en latin) relève de l'histoire de la philosophie. Mais son enseignement et son influence ont marqué profondément le mouvement des idées et la création littéraire au XVIIe siècle. Il apparaît en effet comme le maître de la pensée libertine.

Il peut sembler paradoxal de parler de libertinage à propos de Gassendi. Nul libertinage de mœurs de sa part : de santé fragile, il vécut austèrement; il ne manqua jamais à ses devoirs de prêtre, ne renia jamais sa foi catholique. Pourtant, son érudition et sa philosophie étaient admirées des libertins savants, et respectées des libertins débauchés. Ainsi François Luillier, débauché notoire, lui offrit l'hospitalité et lui confia son fils Claude Chapelle; les érudits Naudé et La Mothe le Vayer étaient ses amis intimes. Dans le cercle des frères Du Puy, il était considéré comme un maître. Parmi ses disciples, outre Chapelle et Molière, on compte Cyrano de Bergerac et Saint-Évremond.

Dans son œuvre, on peut discerner trois lignes de force. La première est l'antidogmatisme. Ayant dû enseigner l'aristotélisme officiel, il en avait éprouvé les tares, qu'il dénonça dans son premier ouvrage (les *Exercitationes*, 1624). Plus largement, il y niait toute construction métaphysique. En cela, il est pyrrhonien.

En second lieu, il combat toute innéité : ce que l'on tient pour vérité établie ou évidence n'est à ses yeux que le résultat d'un consensus dicté par les habitudes et les opinions transmises. Sur ce point, il s'oppose à Descartes, avec lequel il eut une controverse en 1641-1642.

Enfin, il s'intéresse à l'épicurisme (dès 1626), et il compose en 1634 une *Apologie d'Épicure :* son sensualisme, ses curiosités scientifiques (pour les travaux de Copernic et de Galilée notamment) ne pouvaient manquer de le conduire vers l'atomisme. En 1634, il entreprit d'exposer ses vues sur ce sujet dans son *Syntagma philosophicum*, qui parut après sa mort.

Sa pensée n'est donc pas exempte de contradictions : entre pyrrhonisme et épicurisme, mais plus encore entre ces deux attitudes et la foi catholique. Son effort tend à la conciliation, mais le sens exact de sa religion reste problématique. L'essentiel est son souci d'une philosophie pragmatique, tolérante, relativiste. Ce sont les fondements du « libertinage » au sens premier du terme.

BIBLIOGRAPHIE

Deux ouvrages essentiels : R. Pintard, *le Libertinage érudit en France dans la première moitié du XVIIe siècle*, Paris, Boivin, 1943; et *Pierre Gassendi, sa vie, son œuvre*, Actes du Congrès pour le tricentenaire de la mort de Gassendi, 1957.

A. VIALA

GASTON PHÉBUS ou FÉBUS, Gaston III, comte de Foix, dit (1331-1391). Bien qu'il ait aussi composé un *Livre des oraisons*, ce grand seigneur « qui les chiens sur toutes bestes amoit et aux champs esté et yver voulentiers estoit » (Froissart), et dont la cour, à Orthez, fut un important foyer culturel au XIVe siècle, est célèbre par son *Livre de chasse* (1387-1391), qui connut un immense succès (les manuscrits enluminés de cet ouvrage sont parmi les plus beaux du monde). La chasse est le divertissement aristocratique par excellence, et le meilleur entraînement du chevalier. Dans le prologue, l'auteur se proclame le meilleur chasseur du temps, et les contemporains le reconnaissent comme tel. Cinq parties traitent successivement des mœurs des animaux (§ 1-14, embryon d'histoire naturelle dont s'inspira Buffon), des chiens et de leurs maladies (ces animaux, les plus nobles, font l'objet d'une pittoresque pharmacopée), de leur dressage, de la chasse royale au cerf, des autres chasses à force puis, presque honteusement, des ruses et pièges. La chasse est une forme de perfection : elle évite de pécher (un chasseur n'a guère le temps), on y mène une vie saine dans la bonne humeur, on vit longtemps (sauf si, comme Gaston, on meurt au cours d'une chasse à l'ours).

Ce *Livre de chasse* est une œuvre riche en scènes (assemblée des chasseurs au cœur de l'hiver, départ au petit matin...) et en souvenirs, qui fait rêver d'un paradis cynégétique dont les chasseurs à courre occuperaient le centre. Les détails techniques n'ont rien perdu de leur valeur, et certains chapitres, comme celui des loups, dénotent une rare expérience : rapports du mâle et de la femelle; nourrissage des petits; loups-garous, qui, ayant goûté à la chair humaine, ne peuvent plus s'en passer...

BIBLIOGRAPHIE

P. Tucoo-Chala, *Gaston Febus. Un grand prince d'Occident au* XIV*e siècle*, Pau, Marimponey jeune, 1976.

A. STRUBEL

GATTI Armand (né en 1924). Écrivain né à Monaco. Une enfance très pauvre et la mort de son père, un ouvrier immigré, blessé par la police au cours d'une grève en 1938, ont donné à Armand Gatti la force d'être, jusque dans sa tardive vocation théâtrale, un militant actif et persévérant. Il prend fait et cause pour tous les opprimés, qu'ils soient balayeurs chez nous (*la Vie imaginaire de l'éboueur Auguste Geai*, 1962), Indiens guatémaltèques (*le Quetzal*, 1960), anciens détenus d'une mine de sel au temps de la terreur nazie (*l'Enfant-rat*, 1960) ou Espagnols victimes du régime franquiste (*la Passion du général Franco*, 1968). Pour Gatti, aucun de ceux qui ont lutté et sont morts pour un idéal de justice sociale ne doit avoir péri pour rien : au théâtre d'attiser cette flamme.

Grand reporter dans plusieurs journaux de 1954 à 1959, il a parcouru le monde et suivi de près ses drames. Quand il devient dramaturge, ses préoccupations restent planétaires et actuelles. Nombre de ses pièces sont d'ailleurs inspirées directement de ce qu'il a vu ou entendu lorsqu'il était en mission en Amérique du Sud ou en Chine. Ses débuts de journaliste comme chroniqueur judiciaire lui ont permis aussi de comprendre combien les procès étaient des mises à mort collectives, idée que l'on retrouve dans *l'Enfant-rat*, dans *Chant public devant deux chaises électriques* (1964) ou dans les *Chroniques d'une planète provisoire* (1962).

Armand Gatti a été arrêté alors qu'il était résistant, désigné comme otage, puis déporté. Cette terrible expérience concentrationnaire s'exprime à nu dans des pièces comme *l'Enfant-rat* ou *la Deuxième Existence du camp de Tatenberg* (1962). Plus généralement, elle l'incite à contester la temporalité traditionnelle et à chercher à mêler, par la succession des séquences et le langage lui-même, passé, présent et futur. Car cet homme si douloureusement marqué par le passé refuse de condamner l'humanité, à qui il laisse l'espérance de l'avenir et, surtout, la faculté de rêver. Auguste Geai mourant se revoit à neuf, vingt et un et trente ans, mais s'imagine aussi à l'âge de la retraite.

Récusant toute tentative de reconstitution chère au drame historique, Armand Gatti n'a rien d'un dramaturge complaisant. Il sait très bien que le public, avant de voir ses pièces, doit d'abord être informé complètement sur les événements qu'elles évoquent. Il organise aussi des discussions avec lui, quelques jours après le spectacle, et en profite alors pour modifier ses textes, qu'il ne considère pas comme définitifs. Il ne cherche pourtant pas à provoquer une adhésion unanime, jugeant logique que son théâtre politique ne plaise pas à tout le monde. Convaincu qu'on ne peut contraindre l'esprit du spectateur, il préfère lui ménager, grâce à la technique du montage et à un langage poétique, la possibilité de traduire, en fonction de ses propres désirs et besoins, les images qui lui sont proposées.

Déjà dans *les Treize Soleils de la rue Saint-Blaise* (1968), il avait représenté les soucis et les rêves des habitants d'une rue de Paris, menacée par une opération de rénovation immobilière. Par la suite, l'écrivain s'est montré à la fois plus modeste et plus ambitieux : il est devenu l'orchestrateur et le metteur en scène de créations collectives élaborées au cours d'expériences originales d'animation culturelle.

BIBLIOGRAPHIE

Édition du théâtre au Seuil, t. I, 1958. L'ensemble de l'œuvre est présenté et analysé par Gérard Gozlan et Jean-Louis Pays, *Gatti aujourd'hui*, Paris, Le Seuil, « Théâtre », 1970.

D. MORTIER

GAUCHET Claude (1540?-apr. 1620). Poète d'Ile-de-France, né à Dammartin-en-Goële, près d'Ermenonville, dans un cadre agreste qui semble l'avoir formé, Claude Gauchet dut sans doute sa fortune à une tante, nourrice de Marguerite de Valois (la future épouse de Henri IV). Il plaît à Charles IX, qui aimait les poètes, et devient son aumônier ordinaire; ce service se poursuit sous Henri III et Henri IV : preuve que Gauchet était d'un aimable tempérament. Il est ensuite archidiacre de Bayeux, en bons rapports avec son évêque; il s'établit enfin dans un prieuré près de Senlis, où il entraîne ses amis chaque fois qu'il peut quitter Paris et les devoirs de sa charge. Ce prieuré prend dans son œuvre le nom de Beaujour, et le village voisin celui de Beauval. Sans abuser tout à fait son lecteur, il les fait baigner par la Marne.

« Encore que sa poésie n'ait pas toute la politesse de notre siècle — dit, en plein XVIIe siècle, le très avisé Guillaume Colletet —, elle a de la force et des agrémens capables de forcer tous les siècles à venir ». Gauchet appartient en effet à cette lignée d'écrivains de la Renaissance qui ont trouvé assez de charme à décrire les objets, les êtres et les occupations du monde rural. Observateur comme Noël du Fail, peintre comme Rémy Belleau, Gauchet refuse pourtant l'attitude esthétisante de celui-ci; car il prend un plaisir beaucoup trop direct à ce qu'il voit.

Charles IX aimait la chasse, et bien des poètes — Ronsard, Binet, Jamyn, Jodelle — ont pu être tentés par le sujet, en s'inspirant du fameux traité de vénerie de Du Fouilloux (1561). Lié à la Pléiade et à Desportes, Gauchet suit la même voie qu'eux dans son *Plaisir des champs*. Dès 1567, il obtient un privilège pour traiter le thème; mais contrairement aux poètes cités, qui ne connaissent pas vraiment le sujet (Ronsard) ou le présentent de manière symbolique (Jodelle évoque les guerres de Religion), Gauchet y est « assez entendu » et ne s'en éloigne que pour parler encore de la campagne. Le texte ne paraît qu'en 1583, dédié au favori de Henri III, l'amiral de Joyeuse. Une seconde édition, légèrement corrigée, sort en 1604, avec un lexique des termes de la chasse emprunté à Du Fouilloux. Gauchet écrira aussi, dans une veine bien différente, un *Livre de l'Ecclésiaste* (1596) et des *Cantiques spirituels* (1609).

L'un des poèmes du *Plaisir des champs*, qui présente une danse au village, a tant de succès qu'il est réédité à part en 1609, sous le titre d'un des personnages, *Sandryn ou le Vert Galant*. « La seule description qu'il y fait, en passant, d'une noce et d'une danse de village a servi d'original et de modèle à plusieurs riches tentures de tapisseries, à plusieurs précieux tableaux et à un nombre infini de nobles gravures et de cartouches », selon le témoignage de Colletet.

C'est dire à quel point l'œuvre est à la fois décorative et exacte dans le détail, suggestive et plaisante. Comme dans un cycle de tapisseries, Gauchet l'a découpée selon les quatre saisons, avec leurs chasses et leurs pêches, fenaisons et moissons, avec de remarquables vendanges, une belle description du travail des bûcherons, mais aussi un orage de printemps, qui laisse tout le jardin ployé, etc. « Curieux, je m'enquiers... » : il manifeste en effet toujours un goût d'ethnologue pour les techniques artisanales du monde rural, pour les mœurs et jeux des paysans, mais aussi une vision très attentive des animaux et de leur comportement. Partout, malgré les guerres de Religion, règne un esprit de fête, que souligne la bonne santé joyeuse de la langue. Gauchet compte sur la vigueur et la précision du vocabulaire, la sûreté et la simplicité de la syntaxe, pour rendre compte de toutes ces modestes merveilles. « Stile bas », peut-être, mais à une époque où ce terme désigne ce qui parle du quotidien. Dans sa splendide petite notice, Colletet savoure tout cela avec une modernité que le XIXe siècle appréciera : « Depuis que je feuillette des livres, j'ose dire que je n'en ai point rencontré de plus divertissant que celui-ci, soit que je sois d'humeur à aimer naturellement les choses qu'il y traite, soit qu'elles y soient dignement traitées ». *Plaisir des champs* ou plaisir de la lecture.

BIBLIOGRAPHIE

Le Plaisir des champs n'a été réédité qu'au XIXe siècle, par Blanchemain, Paris, 1869, et par Jullien, Paris, 1879. L'édition Blanchemain publie la notice de Guillaume Colletet, *Vie de Gauchet*, qui est l'un des rares textes parus sur l'auteur.

M.-M. FONTAINE

GAULLE Charles de (1890-1970). En Charles de Gaulle, l'homme politique et le stratège éclipsent quelque peu l'écrivain, classé une fois pour toutes comme un mémorialiste dont les anthologies retiennent les pages les plus lyriques : « Toute ma vie, je me suis fait une certaine idée de la France » (*Mémoires de guerre*). Pourtant, loin de se borner à la remémoration du déjà fait, le discours de l'homme du 18 Juin, du président de la République (1959-1969), est aussi l'instrument de l'histoire en train de se faire. D'où la variété — traités de stratégie, Mémoires, conférences de presse, messages — et le dynamisme de textes gouvernés par une commune finalité politique ou, à défaut, pédagogique : « Qu'ai-je été moi-même sinon quelqu'un qui tâchait d'enseigner? » (*Mémoires d'espoir*).

Un écrivain de combat

Né à Lille, fils d'un professeur de lettres, Charles de Gaulle grandit dans un milieu cultivé, au patriotisme sourcilleux. A seize ans, il rime un apologue à la manière de Rostand, *Une mauvaise rencontre;* mais seule l'Histoire peut à la fois séduire son imagination et satisfaire le « côté positif » de son esprit : « Princesse des contes », la France est aussi « le pays tel qu'il est », au destin millénaire inscrit dans les données de la géographie (*Mémoires de guerre,* 1954), réalité qui marquera durablement la pensée gaullienne. Avec Bergson, il partage la foi en l'instinct du héros, car il croit à son étoile : « Je ne doutais pas que la France dût affronter des épreuves gigantesques, que l'intérêt de la vie consistât à lui rendre un jour quelque service signalé, et que j'en aurais l'occasion » (*Ibid.*). Mais Péguy lui apprend à se défier des clercs. Affrontée dès sa sortie de Saint-Cyr, en 1914, la « terrible épreuve » du feu lui enseigne la nécessité d'encourager les audacieux en leur ménageant la protection d'une « nouvelle cuirasse », le char (*Vers l'armée de métier,* 1934). Blessé, fait prisonnier à Douaumont, enfermé, après cinq évasions manquées, à la forteresse d'Ingolstadt — où se morfond le futur maréchal Toukhatchevski —, le jeune officier compose *la Discorde chez l'ennemi* (qui paraîtra en 1924), un essai sur les rapports entre autorités civile et militaire. Lorsqu'éclate la Seconde Guerre mondiale, l'œuvre du colonel de Gaulle comprend déjà : une *Histoire des troupes du Levant* (1931); *le Fil de l'épée* (1932), regroupant trois conférences sur la vocation du chef que l'auteur dispense « des apparences d'une fausse discipline »; *Vers l'armée de métier,* développant une stratégie prophétique de l'arme blindée; *la France et son armée* (1938). Contredisant les thèses officielles, ces ouvrages recueillent peu d'audience.

Pendant la « drôle de guerre » (1939-1940), promu général à la tête d'une unité de chars qu'il manœuvrera habilement en mai 1940, de Gaulle lance un *Mémorandum* prévoyant le déferlement de l'offensive allemande. Membre du gouvernement Reynaud (5 juin 1940), il s'envole vers Londres à la veille de l'armistice et, le 18 juin, lance son fameux appel. Chef de la « France libre », il parvient à imposer son personnage aux dirigeants alliés et à regrouper autour de lui la Résistance française (cf. les *Mémoires de guerre*). Après la Libération, l'hostilité des milieux politiques le contraint à une retraite (1946-1958), d'où il sort à la faveur de la crise algérienne. Président de la République jusqu'à l'échec du référendum de 1969, il se retire dans sa maison de Colombey-les-Deux-Églises. Il meurt l'année suivante, laissant inachevé le deuxième tome de ses *Mémoires d'espoir* (1970). Cinq volumes de *Discours et messages,* publiés en 1970, rassemblent ses différentes interventions depuis juin 1940 jusqu'à sa disparition de la scène politique.

Classicisme et irrationnel

Évoquant Bossuet ou Saint-Simon, les commentateurs s'accordent pour qualifier de classique le discours historique de De Gaulle : syntaxe infaillible, économie du vocabulaire, limpidité, efficacité. Mais aussi, sous cette froideur apparente, un lyrisme à la Chateaubriand, qui s'exprime par un système métaphorique empruntant largement aux éléments de la nature. Et tout d'abord à l'eau : le narrateur se compare à « un homme au bord d'un océan qu'il prétendrait franchir à la nage », naviguant ensuite avec Churchill sur « la mer démontée de l'Histoire » (*Mémoires de guerre*). Ailleurs, « houle vivante », la foule envahissant les Champs-Élysées en août 1944 lui arrache ce cri : « Ah, c'est la mer! » (*Ibid*). D'ordinaire, l'élément liquide peut être canalisé, le « torrent » endigué pour en capter l'« énergie » (*Mémoires d'espoir*). Mais lorsque de Gaulle perd prise, le continu des forces naturelles se fige soudain en discontinu mécanique, et la métaphore s'évanouit. Ainsi au « déferlement » d'enthousiasme des précédentes étapes africaines, lors de la préparation du référendum de 1958, succède l'automatisme hostile des manifestations guinéennes : « Les femmes sautent, chantent, dansent au commandement » (*Ibid.*). Le chevauchement de la rhétorique classique et de cet imaginaire fortement marqué par le dynamisme bergsonien, opposant en un combat singulier le narrateur-héros aux puissances cosmiques, imprime aux *Mémoires* leur mouvement épique, récit historique et merveilleux intimement mêlés.

Une esthétique de la surprise

Dans les *Discours et messages,* en revanche, une écriture volontariste orientée vers l'efficacité pratique rapproche l'art de l'homme de lettres de celui du stratège. Tantôt un mot au sens obscur, à la consonance bizarre, « volapük », « quarteron », « comités Gustave ou Théodule », se détache de l'ensemble du discours, focalisant l'attention de l'auditeur ou du téléspectateur tout à coup saisi d'étonnement : « Par-dessus tout, ménager la surprise », lisait-on déjà dans *Vers l'armée de métier.* Dans d'autres textes, un effet identique est obtenu par un renouvellement complet du ton, une cocasserie soudaine tranchant avec l'image que « le Général » donne habituellement de lui-même : « L'Europe! l'Europe! l'Europe! » (Entretien avec Michel Droit, 1965) — autre application d'une même tactique dont le principe est de « tenir en haleine » par l'imprévu (*Vers l'armée de métier*). Tantôt, à coup de petites phrases ductiles comme des colonnes blindées, s'avançant sous le « camouflage » (*ibid.*) de formules ambiguës, aux sens multiples, « je vous ai compris », « la paix des braves », de Gaulle lance ses raids, explorant le terrain, fonçant sur l'adversaire avec un humour féroce. On retrouve le zélateur de la guerre de mouvement, qui ne craint pas la feinte.

Dans la littérature ou dans l'action, de Gaulle estime hautement l'habileté tactique; à preuve la complaisance qu'il met à tracer certains portraits : Jean Moulin, « homme de foi et de calcul », Staline exploitant les « détours de l'exégèse marxiste » pour conduire sa politique « grandiose et dissimulée » (*Mémoires de guerre*). De Gaulle, lui aussi, a su plier l'écriture aux exigences de son grand dessein, renouvelant le discours politique en le purifiant de sa rhétorique traditionnelle (abandonnée, sous son règne, à André Malraux) au profit d'une tactique — devenue une esthétique — de la ruse et de la surprise.

BIBLIOGRAPHIE

La plupart des œuvres du général de Gaulle sont publiées dans les collections de poche.

A consulter. — G. Cattaui, *Charles de Gaulle, l'homme et son destin*, Paris, Fayard, 1960; J. Lacouture, *De Gaulle*, Paris, Le Seuil, 1965, rééd. 1969; A. Malraux, *les Chênes qu'on abat*, Paris, Gallimard, 1971. Sur l'écrivain : J.-M. Cotteret et R. Moreau, *Recherches sur le vocabulaire du général de Gaulle*, Paris, Colin, 1969; A. Griset, « le Vocabulaire du général de Gaulle », et D. de Roux, « l'Écriture de De Gaulle », *Magazine littéraire*, 46, nov. 1970; J. Boly, *De Gaulle écrivain*, Paris, Éd. du Cercle d'études Charles-de-Gaulle, 1978.

M.-A. DE BEAUMARCHAIS

GAUTIER Jean-Jacques (né en 1908). Critique dramatique et romancier. En tenant pendant près de trente ans — il a commencé en 1941 — la critique théâtrale du *Figaro* et en publiant durant cette période une quinzaine de romans et un recueil de nouvelles, Jean-Jacques Gautier, dans deux rôles différents, s'est toujours adressé au même public, à qui il offrit la possibilité de se divertir avec bonne conscience, de goûter à des plaisirs familiers sans être troublé par aucune des expériences théâtrales contemporaines.

Parce que les lecteurs du *Figaro*, qui vont volontiers au théâtre et y achètent les places les plus chères, ont vu en lui le porte-parole fidèle de leurs aspirations et se sont fiés presque aveuglément à ses jugements, qui pouvaient être d'une abrupte férocité, les comptes rendus de Jean-Jacques Gautier ont largement contribué au succès ou à l'échec des différents spectacles présentés après la Libération.

Classant d'abord la pièce, il émet ensuite un avis, sans en dissimuler la subjectivité. Attaché à une structure dramatique classique, il est vite hérissé par les « longueurs », les caractères seulement esquissés ou caricaturés. Humaniste sensible à l'élévation des sentiments, il ne supporte pas que soit présentée une image dégradée de l'homme et prétend ne pas s'occuper de politique : il est hostile à tout théâtre engagé, mais s'applique à le critiquer d'un point de vue qui paraisse esthétique. Pour lui, un spectacle, s'il ne glorifie pas l'homme, doit au moins distraire le spectateur; il accorde donc une large place à un théâtre de boulevard qui évite les écueils de la facilité et de la grossièreté. Enfin, les acteurs ne sont pas seulement énumérés, mais leurs performances sont volontiers soulignées.

Le résultat? Il a soutenu les pièces d'Anouilh, Montherlant, Achard, Roussin, Aymé, Marceau, Barillet et Grédy, Sagan et Dorin. En revanche, il découragea les spectateurs d'aller voir celles de Beckett (sauf *la Dernière Bande*), Adamov, Arrabal, Ionesco (à ses débuts), Sartre (sauf *les Mains sales*), Schéhadé, Obey, Camus et Brecht (sauf *la Résistible Ascension d'Arturo Ui*). Un choix, établi par lui-même, de ses critiques dramatiques a été publié en trois recueils : *Paris-sur-scène* (1951); *Deux Fauteuils d'orchestre* (1962); *Théâtre d'aujourd'hui* (1972), où l'on trouvera aussi des entretiens avec Moussa Abadi sur le théâtre et la critique. Puis J.-J. Gautier donne une chronique théâtrale hebdomadaire au *Figaro-Magazine*.

Encouragé en 1946 par le prix Goncourt, qui lui fut décerné pour *Histoire d'un fait divers* (inspirée d'une affaire criminelle tirée des dossiers de l'avocat Jacques Isorni), Jean-Jacques Gautier a écrit des romans qui, si l'on peut dire, ressemblent aux pièces qu'il aime : sujets toujours sérieux sans être d'actualité; récits menés de manière traditionnelle; écriture sans invention et émaillée de discrets hommages aux grands écrivains classiques. On retiendra surtout *le Puits aux trois vérités* (1949), *Nativité* (1952), *Si tu ne m'aimes pas, je t'aime* (1960), *la Chambre du fond* (1970), *Cher Untel* (1974).

D. MORTIER

GAUTIER Judith (1845-1917). Poète, romancière et essayiste. Fille de Théophile Gautier, et femme de Catulle Mendès, dont elle se séparera bientôt, Judith Gautier s'est très jeune intéressée à l'Orient, ayant reçu les leçons d'un vieux maître chinois : *le Livre de jade* (1867), signé JUDITH WALTER, offre une traduction rigoureuse et délicate de poèmes chinois, et son premier roman, *le Dragon impérial* (1868), est accueilli avec chaleur; quant à *l'Usurpateur* (réédité sous le titre *la Sœur du Soleil*), il est couronné par l'Académie française en 1875. Dans ses essais — *les Peuples étranges* (1879) —, ses nouvelles — *Cruautés de l'amour* (1879) —, ses poèmes — *Poésies de la libellule* (1885), *Poésies* (1911) —, ses drames — *la Marchande de sourires* (1888), *la Tunique merveilleuse* (1899) —, ses romans, Judith Gautier restera toujours fidèle à son inspiration orientale.

De même, elle reste fidèle à son admiration pour Wagner; car elle sera l'une de ses plus ardentes introductrices en France, lui consacrant un livre : *Wagner et son œuvre poétique* (1882), et assurant la traduction française de ce *Parsifal* (1893) pendant la création duquel elle fut si proche du Maître. Première femme à être élue à l'académie Goncourt (1911), elle laissera trois volumes de souvenirs : *le Collier des jours* (1902-1909).

Le wagnérisme et l'orientalisme auront été deux des grandes modes de la fin du siècle; pour Judith Gautier, ce furent deux passions mêlées à sa vie et à ses livres. Elle, qui ne visita jamais l'Orient, en fit le décor et le sujet de son œuvre, avec une prédilection pour la Chine et le Japon et quelques incursions en Inde et en Perse... La couleur locale est souvent superficielle et la documentation insuffisante, mais la fluidité tranquille du style et le souci d'impersonnalité sont marqués par cette longue fréquentation. Aujourd'hui ce sont ses Mémoires qui retiennent le lecteur, pour l'évocation du milieu privilégié où s'épanouirent son intelligence et sa légendaire beauté...

BIBLIOGRAPHIE

M.-D. Camacho, *Judith Gautier, sa vie et son œuvre*, Genève, Droz, 1939.

M.-O. GERMAIN

GAUTIER

GAUTIER Pierre Jules Théophile (1811-1872). Permanence et solidité : tels sont les mots qui peuvent caractériser la manière d'être, de penser et d'écrire de Théophile Gautier. Ses croyances et ses aspirations apparaissent vers sa vingtième année et, si elles s'affinent au cours des ans, si elles s'approfondissent jusqu'à prendre parfois des résonances dramatiques, elles restent identiques dans leur nature et dans leur objet. La création littéraire du poète est un univers solidement architecturé, aussi beau, aussi riche et aussi dramatiquement décevant que l'Eldorado de son *Fortunio.* Les lignes de force en sont la liberté de l'artiste, le culte de la beauté et de l'art, l'aspiration à l'absolu, la soif de l'impossible unité.

Une vie au service de la plume

Les hasards de la carrière administrative de son père ont fait naître Théophile Gautier à Tarbes, où il ne passa que les premiers mois de son existence. Dès 1814, son père est nommé chef de bureau aux octrois de Paris, et la famille Gautier habite 130, rue Vieille-du-Temple, puis 4, rue du Parc-Royal. Théophile vit une enfance choyée et sans histoire. N'ayant pu supporter la rudesse de l'internat du collège Louis-le-Grand, qu'il fréquente de janvier à avril 1822, il entre comme externe au collège Charlemagne, où il se lie d'une amitié indéfectible avec Gérard de Nerval. Très tôt passionné de lecture et d'art, oscillant entre la peinture et la poésie, il opte pour la carrière artistique : en 1829, sa famille s'est installée 8, place Royale, et Théophile fréquente l'atelier du peintre Rioult; pendant les vacances, qu'il passe en famille à Mauperthuis, près de Coulommiers, il s'adonne à la peinture, faisant des portraits qui ne manquent pas de grâce ou décorant l'église du village d'une vaste toile représentant saint Pierre soignant les paralytiques.

Lancé très jeune dans les ateliers de peintres, il le fut également dans les milieux littéraires, grâce à Gérard de Nerval, qui l'emmena chez Pétrus Borel et qui, le 27 juin 1829, le présenta à Victor Hugo, pour lequel Gautier garda toute sa vie une admiration passionnée. Déçu par la difficulté d'acquérir une technique picturale solide — et prétextant sa myopie —, il revient à sa vocation première : son premier recueil, *Poésies,* parut le 28 juillet 1830, en pleine révolution.

Se dégageant progressivement du milieu familial, il fréquente le Petit Cénacle de Jehan Duseigneur, puis va habiter l'impasse du Doyenné, lieu de rencontre d'une bohème littéraire et artistique qui laissera, dans la mémoire de ceux qui l'ont vécue, le souvenir d'une vie passionnante, insouciante et libre, riche d'échanges artistiques d'une qualité rare. Il y retrouve, outre Nerval et Auguste Maquet, Alphonse Brot, Jules Vabre, Joseph Bouchardy, Célestin Nanteuil, Delacroix.

Sa vie sentimentale est orageuse, et les aventures se multiplient. En 1836, Eugénie Fort lui donne un fils, qu'il reconnaît et à qui il donne son nom et son prénom. Il vit quelques années avec une mystérieuse Victorine, personnage haut en couleur, avec laquelle les disputes, souvent violentes, étaient suivies de réconciliations passionnées. En 1841, il écrit le livret du ballet *Giselle* pour Carlotta Grisi, pour laquelle il éprouva des sentiments sur la nature desquels ses biographes se sont longuement interrogés sans pouvoir apporter une réponse déterminante. C'est avec Ernesta Grisi, la sœur aînée de Carlotta, qu'il se lie à l'automne de 1843 : il vivra avec elle plus de vingt ans, et elle lui donnera deux filles : Judith, née en 1845, et Estelle, née en 1847. Cette union ne met pas fin à sa vie sentimentale : on connaît ses liaisons avec Régina Lhomme, avec la célèbre actrice Alice Ozy, avec Marie Mattéi...

Sa production littéraire est variée : poésie, théâtre, prose, avec des nouvelles et des romans; production littéraire journalistique abondante dans *le Figaro, le Cabinet de lecture, la France littéraire...* La renommée de Gautier grandit, et le caractère alerte de sa plume attire sur lui l'attention des hommes d'affaires du journalisme moderne naissant. La collaboration de Gautier au journal *la Presse,* créé en juillet 1836 par Émile de Girardin, marque un tournant dans son existence : la rédaction du feuilleton va devenir pour lui une activité primordiale et la source essentielle des revenus d'une existence dans laquelle les charges se multiplient au fil des années. Pendant le reste de son existence, il écrira au moins un feuilleton hebdomadaire, rendant compte des nouveautés théâtrales ou des nouveautés artistiques (notamment les Salons annuels), d'abord dans *la Presse* (dont il fut nommé directeur littéraire vers 1841), jusqu'en 1855, puis dans *le Moniteur universel,* jusqu'en 1869, et dans *le Journal officiel,* jusqu'en 1871.

Cette activité absorbante a été ressentie par lui comme une obligation pénible — mutilante même, parfois — et a développé en lui l'horreur de la feuille blanche qu'il devait couvrir de « pattes de mouche ». Mais elle lui a été également un moyen d'évasion puisque ses qualités d'observateur méticuleux et de conteur alerte ont poussé les directeurs de journaux à lui confier des reportages. C'est à cette fin qu'il visite la Belgique et la Hollande en 1836, l'Espagne en 1840, l'Italie en 1850, Constantinople en 1852, l'Allemagne en 1854 et 1858, la Russie en 1858 et 1861, l'Égypte en 1869.

Sans idées politiques précises, il s'est tenu à l'écart de la révolution de 1848 et s'est adapté au second Empire. A cette époque, et malgré trois échecs à l'Académie française, où il n'entra jamais, il fait figure de personnage officiel, surtout dans l'entourage de la princesse Mathilde, qui le nomme son bibliothécaire en 1868. Membre de nombreux jurys de beaux-arts, il apparaît comme l'arbitre à l'autorité incontestée pour tout ce qui touche à la peinture et à la sculpture, en même temps qu'il est perçu comme le maître de l'école de l'Art pour l'Art.

Ses dernières années sont éclairées par son amour sublimé pour Carlotta Grisi. La guerre de 1870 fut pour lui un véritable effondrement : effondrement de sa sécurité matérielle, mais aussi délabrement de sa santé; il supporte mal les épreuves morales et les souffrances physiques du siège de Paris, et il meurt d'une maladie de cœur, en son domicile de Neuilly, qu'il occupait depuis quinze ans.

Le romantique engagé

Vibrant à l'unisson de la jeunesse de son temps, Gautier se passionne pour les discussions littéraires et artistiques : quand sonne l'heure de la bataille, celle d'*Hernani,* le 25 février 1830, c'est tout naturellement à Gautier que le maître reconnu confie le commandement de l'escouade des partisans. Ses premiers recueils sont profondément marqués par le romantisme : effets de clair de lune ou de soleil couchant, profusion de monuments gothiques, de tintements de cloches (« Les vibrements de la cloche qui tinte / D'un monde aérien semblent la voix éteinte »), ou visions cauchemardesques (« Avec ses nerfs rompus, une main écorchée / Qui marche sans le corps dont elle est arrachée / Crispe ses doigts crochus armés d'ongles de fer / Pour me saisir... »), ou visions macabres (« Quelques têtes de mort vous apparaissent blanches / Avec leurs crânes nus, avec leurs grandes dents / Et leurs nez faits en trèfle et leurs

Galanterie

« Le Toucher », peinture v. 1635 d'après la suite gravée des « Cinq Sens » d'Abraham Bosse. Musée des beaux-arts, Tours
Ph. © Bulloz

et préciosité

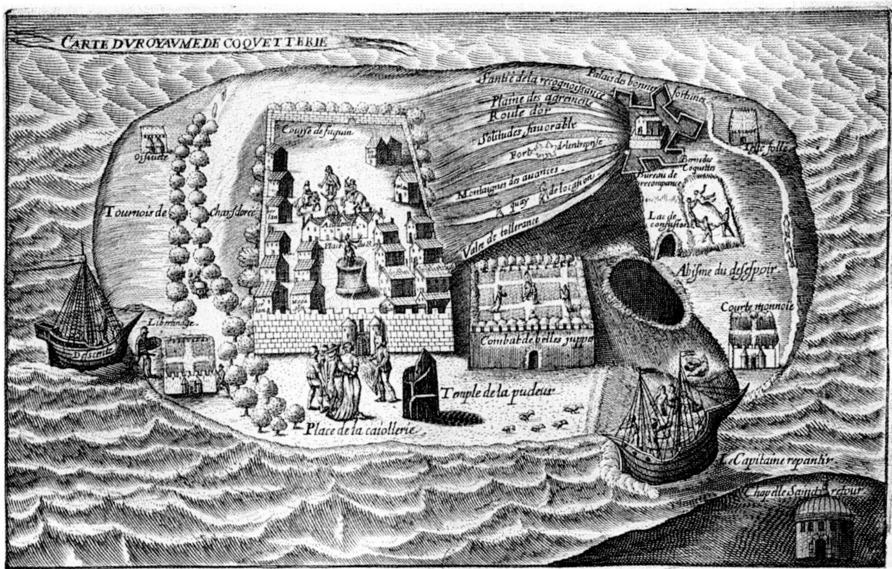

« Carte du Royaume de coquetterie », gravure anonyme au burin, 1654.
Cette carte illustre *L'Histoire du temps ou relation du royaume de coquetterie*, de l'abbé d'Aubignac.
Ph. © Bibl. nat. Paris - Photeb

« La Géométrie », in *Miroir des Courtisanes du XVIIe s.*, gravure par J.-Baptiste Humbelot vers 1650.
Ph. © Bibl. nat. Paris - Photeb

Planche extraite d'un recueil de madrigaux : *Devises pour Louis XIV, pour des personnages de la Cour et devises d'amour.* Gravure anonyme d'après Sevin, XVIIe s.
Ph. © Bibl. nat. Paris - Photeb

Définies au sens strict comme des phénomènes sociaux et littéraires du XVIIe siècle, la *galanterie* et la *préciosité*, sans être réductibles l'une à l'autre, entretiennent de nombreuses affinités. Elles sont pratiquement contemporaines (1650-1660 env.), même si certains spécialistes intègrent au mouvement précieux ses précurseurs immédiats (d'Urfé, Voiture, Gombauld, Mme de Rambouillet), alors que la galanterie, phénomène par ailleurs plus diffus, s'étendrait jusqu'aux années 1680. D'autre part, toutes deux impliquent une attention extrême portée à la convivialité, au raffinement des mœurs, à la recherche d'une rare distinction de manières, de langage, d'idées : la *Clélie* de Mlle de Scudéry, roman précieux, débat longuement de l'« air galant » ; les « histoires galantes » du temps accumulent les analyses psychologiques les plus subtiles, pratiquées simultanément dans les salons précieux. Toutefois, au

« Julie d'Angennes en costume d'Astrée », de Claude Deruet, XVIIe s. Julie d'Angennes est la fille de la marquise de Rambouillet.
Musée des beaux-arts, Strasbourg. Ph. J. Franz © Arch. Photeb

service de cette cause, la préciosité s'engage dans des combats plus précis, plus techniques, donc plus provocants : le féminisme tout d'abord, qui associe la célébration de la femme et l'idéalisation de l'amour ; l'élaboration d'une langue épurée, purgée de ses « mots bas », riche de périphrases et de métaphores ; le goût des acrobaties formelles, madrigaux, sonnets, épigrammes... De tout cela ses adversaires, Molière (*les Précieuses ridicules*, voire *les Femmes savantes*), mais aussi Furetière, Somaize, tireront

L'Astrée, d'H. d'Urfé. Gravure de Daniel Robel, début XVIIe s.
Bibl. nat. Paris - Ph. © Arch. Photeb

Endymion, de J.-Oger de Gombauld. Gravure anonyme. Ed. par N. Buon, Paris, 1624.
Ph. © Bibl. nat. Paris - Photeb

« Madeleine Béjart dans le rôle de Magdelon » dans *Les Précieuses ridicules*, de Molière.
Coll. J. Kugel - Ph. L. Joubert © Arch. Photeb

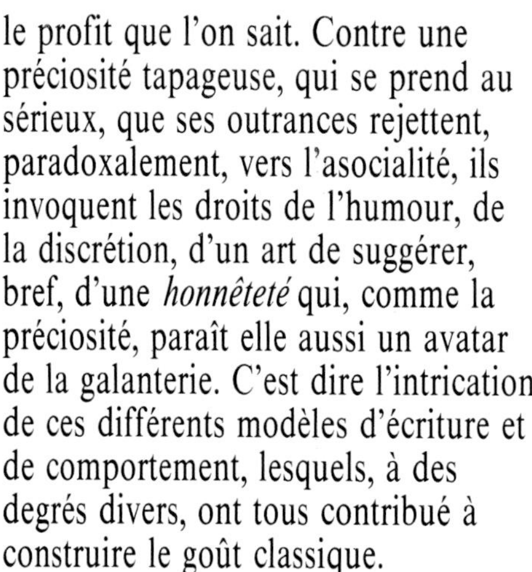

le profit que l'on sait. Contre une préciosité tapageuse, qui se prend au sérieux, que ses outrances rejettent, paradoxalement, vers l'asocialité, ils invoquent les droits de l'humour, de la discrétion, d'un art de suggérer, bref, d'une *honnêteté* qui, comme la préciosité, paraît elle aussi un avatar de la galanterie. C'est dire l'intrication de ces différents modèles d'écriture et de comportement, lesquels, à des degrés divers, ont tous contribué à construire le goût classique.

« Hercule et Omphale », gravure de Michel Dorigny d'après Simon Vouet, XVIIe s.
Ph. © Bibl. nat. Paris - Photeb

orbites vides / Qui semblent vous couver de leurs regards avides »). Le jeune poète mélancolique médite sur la rapidité de la fuite du temps (« Comme l'ombre d'un songe au bout de peu d'instants / Ce qui charme s'en va... ») ou bien « lève les yeux au ciel et triste se souvient ».

Mais, à travers les imitations, perce déjà l'originalité potentielle de Gautier, par son sens aigu du pittoresque — dans la peinture des paysages aimés, par exemple —, de la couleur; par les transpositions d'art, où l'on devine déjà le maître; par la nostalgie de l'impossible rêve d'unité; par la profession de foi artistique comme par la virtuosité technique.

Si l'engagement romantique est resté, dans sa dimension spirituelle et dans les droits qu'il reconnaît à l'imaginaire, une des tendances fondamentales de Gautier, il n'a cependant pas privé ce dernier de son sens critique : Gautier publie, en août 1833, *les Jeunes-France* « roman goguenard », qu'il a qualifié lui-même de « *Précieuses ridicules* du romantisme », et dans lequel, en raillant les manies de ses contemporains, il prend ses distances par rapport à la mode. L'humour en effet, pouvant aller parfois jusqu'à l'ironie, et très souvent jusqu'au pastiche, donne à la prose de Gautier son originalité : le dualisme de l'auteur transparaît de façon permanente dans le léger persiflage qui traverse ses pages les plus sérieuses, et cela jusqu'à la fin de sa vie.

Les contradictions et les hantises

Gautier est l'homme des contradictions; il méprise les mesquineries de l'homme et de la société qui ont inventé le paravent commode d'une morale permettant de respecter de simples apparences; mais c'est l'ami le plus fidèle, le plus dévoué : « le bon Théo », telle est l'expression qui revient le plus souvent sous la plume de ceux qui l'ont connu.

C'est aussi l'homme incapable d'aimer, car en lui l'esthétique prime le sentiment, ou même en tient lieu : « Ce n'est pas le regard qu'il aime, dans les yeux, c'est la forme pure des paupières, c'est la limpidité des prunelles; ce n'est pas la finesse et la grâce qui lui plaisent dans un sourire, c'est la correction des contours, c'est la teinte pourpre des lèvres; enfin pour lui la beauté de l'âme n'ajoute rien à la beauté », dit, par l'intermédiaire d'Irène de Chateaudun, Delphine de Girardin à propos d'Edgar de Meilhan-Théophile Gautier. Mais c'est l'amant passionné, à la riche carrière sentimentale, et qui, au soir de sa vie, sublimera tous ses désirs dans un amour éthéré pour Carlotta Grisi.

C'est l'homme qui proclame : « Trois choses me plaisent : l'or, le marbre et la pourpre; éclat, solidité, couleur », mais qui contribue, pour une large part, à répandre en France la connaissance d'Hoffmann et qui s'affirme comme un des maîtres du fantastique : ses nouvelles fantastiques (*le Pied de momie, la Morte amoureuse, Arria Marcella...*) sont peut-être le meilleur de son œuvre, par l'art avec lequel il sait brouiller les pistes, effacer la frontière entre le possible et l'impossible, forcer le lecteur à remettre en question ses certitudes les plus élémentaires.

C'est l'homme paresseux, faisant de l'indolence une forme de sagesse, n'écrivant que contraint et forcé, mais dont l'œuvre complète ne pourra jamais être réunie en une collection unique parce qu'elle est trop abondante.

C'est l'homme tenté par l'immobilité et qui rêve son paradis comme un palais oriental, dans lequel il vivrait dans le luxe : « Moi je serais là, immobile, silencieux, sous un dais magnifique, entouré de piles de carreaux, un grand lion privé sous mon coude, la gorge nue d'une jeune esclave sous mon pied en manière d'escabeau, et fumant de l'opium dans une grande pipe de jade », mais qui se passionne pour les voyages, avide de découvrir de nouveaux visages, d'autres civilisations, d'autres images; regrettant le passé, mais à l'affût des innovations.

C'est l'homme de tous les désenchantements « dans l'exil de la vie », « dans le désert du monde », souffrant d'un ennui d'essence métaphysique, mais c'est le compagnon le plus amusant, en quête perpétuelle du « drôle », c'est le causeur brillant que tous les salons s'arrachent, c'est le conteur spirituel dont les lecteurs attendent avec impatience le divertissement.

C'est l'homme épris de spiritualité, mais englué dans la matière : « Je ne puis ni marcher ni voler; le ciel m'attire quand je suis sur la terre, la terre quand je suis au ciel; en haut, l'aquilon m'arrache les plumes; en bas, les cailloux m'offensent les pieds. J'ai les plantes trop tendres pour cheminer sur les tessons de verre de la réalité; l'envergure trop étroite pour planer au-dessus des choses et m'élever, de cercle en cercle, dans l'azur profond du mysticisme, jusqu'aux sommets inaccessibles de l'éternel amour ». C'est l'homme enfin qui, ayant une conscience aiguë et douloureuse de ses contradictions, s'enivre à les contempler.

Ces contradictions ne sont en fait que l'expression des hantises du poète prisonnier des contingences et avide de spiritualité, se sachant voué à la mort et aspirant à la permanence, rêvant de la perfection et de la beauté dont la réalité ne lui livre que des éléments épars. Rêve de beauté et hantise de la mort sont en effet les lignes directrices les plus évidentes de toute sa création. Toute entreprise humaine lui semble vouée, par essence même, à l'échec (« Pour savourer l'odeur, il faut briser le vase »), et ce n'est que par l'expression de ses hantises dans l'œuvre d'art que l'écrivain pourra espérer arracher un morceau d'éternité.

Le poète impeccable

Le plus étonnant peut-être, dans le cas de Gautier, est la précocité de sa profession de foi, et le caractère immuable de celle-ci. « L'art, c'est la liberté, le luxe, l'efflorescence, c'est l'épanouissement de l'âme dans l'oisiveté », telle est l'affirmation centrale, provocatrice, de la préface d'*Albertus* (1832), reprise et, avec brio, longuement développée, dans la célèbre préface de *Mademoiselle de Maupin* (1835).

Il ne s'agit pas simplement de scandaliser le bourgeois en prenant le contre-pied des idées admises dans une société matérialiste. En esthète, dans la pleine acception du terme, Gautier a senti très jeune — c'est un trait constitutif de sa manière d'être — le lien entre l'art et le beau, liés l'un à l'autre, mais liés plus étroitement encore l'un et l'autre à la gratuité :

> Sans prendre garde à l'ouragan
> Qui fouettait mes vitres fermées
> Moi, j'ai fait Émaux et Camées.

D'où cette position constante de Gautier considérant l'art comme un refuge et comme une religion. Refuge contre la médiocrité de l'existence, contre la hantise de la mort, religion qui voue un culte à l'esthétique, seule valeur supérieure aux contingences d'ici-bas et capable de transcender l'activité humaine en lui donnant un semblant d'éternité.

D'où cette recherche constante, chez Gautier, de la perfection formelle, qu'il tente d'atteindre par la souplesse et la richesse de son talent, aussi bien dans le domaine de la langue — l'étendue de son vocabulaire était proverbiale —, que par la fantaisie dans les agencements rythmiques et strophiques de ses poèmes. D'où cet appel, constant aussi, à la complémentarité des arts dont l'union est nécessaire à qui tente de s'approcher de la perfection. Le souci unique de l'artiste est de tenter de dompter une matière qui sera d'autant plus fidèle à l'idéal de l'artiste qu'elle aura offert d'abord de plus grande résistance à son travail.

Tout passe — L'art robuste
Seul a l'éternité
[...]
Les dieux eux-mêmes meurent
Mais les vers souverains
Demeurent
Plus forts que les airains.

Il fut reconnu par ses contemporains comme un esprit d'une rare élévation et d'une érudition rarement prise en défaut. Les plus grands l'ont salué comme leur égal, Balzac, Hugo, Nerval, Baudelaire, Flaubert. Il est à l'origine des formes modernes de la création artistique par les droits qu'il réclame pour l'imaginaire, par son culte de la beauté, et surtout de l'art, qu'il n'a jamais conçu autrement que comme l'expression de la liberté totale de l'artiste. [Voir aussi ART POUR L'ART (l')].

	VIE		ŒUVRE
1810	Mariage, à Artagnan (Hautes-Pyrénées), de Pierre Gautier et Antoinette Adélaïde Cocard.		
1811	30 août : naissance, à Tarbes, de Pierre Jules Théophile Gautier.		
1814	Pierre Gautier est nommé chef de bureau aux octrois de Paris.		
1817	Naissance d'Émilie, sœur de Théophile.		
1820	Naissance de Zoé, sœur de Théophile.		
1822	Théophile est interne au collège Louis-le-Grand, puis externe au collège Charlemagne, où il rencontre Gérard de Nerval (alors Labrunie). Il passe ses vacances à Mauperthuis (Seine-et-Marne), lieu qui marquera profondément sa sensibilité et laissera de longs souvenirs dans son œuvre.		
		1825	Il écrit, sous forme de lettres, à la demande de son père, le récit de son voyage de Paris à Mauperthuis. Il compose ses premiers poèmes.
1829	Gautier fréquente l'atelier du peintre Rioult. 27 juin : il est présenté à Victor Hugo par Gérard de Nerval. Il quitte le collège Charlemagne.		
1830	25 févr. : Gautier participe activement à la bataille d'*Hernani,* vêtu d'un pourpoint de satin cerise (son fameux « gilet rouge ») et d'un pantalon gris tendre à bandes noires.	**1830**	31 juill. : *la Bibliographie de la France* annonce le premier recueil de vers de Gautier : *Poésies.*
		1831	24 mars : premier article, anonyme, dans *le Gastronome :* « Un repas au désert de l'Égypte ». 16 avril : poème « Orage » dans *le Mercure de France du* XIX*e siècle,* auquel il donnera quatre autres poèmes jusqu'au 22 octobre. 4 mai : « la Cafetière », conte fantastique dans *le Cabinet de lecture,* auquel il collabore jusqu'en janv. 1837 (poèmes, articles sur les beaux-arts, variétés, nouvelles). 8 oct. : « Buste de Victor Hugo », premier article sur les beaux-arts, paru dans *le Mercure de France du* XIX*e siècle.*
1832	Gautier adhère au « Petit Cénacle », où il fréquente, outre ses anciens condisciples Gérard de Nerval et Auguste Maquet, Jean Duseigneur, Pétrus Borel, Alphonse Brot, Jules Vabre, Célestin Nanteuil, Philothée O'Neddy, Joseph Bouchardy. Liaison avec Mme Damarin.	**1832**	Août : « Onuphrius Wphly », dans *la France littéraire,* à laquelle il donnera 22 articles jusqu'en mars 1842 (beaux-arts, poèmes, critique littéraire, contes). Nov. : *la Bibliographie de la France* enregistre *Albertus ou l'Âme et le péché,* recueil de vers chez Paulin.
1833	Sept. : traite avec Renduel pour *Mademoiselle de Maupin.* Déc. : traite avec Ch. Malo pour « Exhumations littéraires » (qui deviendra *les Grotesques*), dans *la France littéraire.*	**1833**	*La Bibliographie de la France* annonce *les Jeunes-France, roman goguenard,* chez Renduel. Déc. : « Laquelle des deux? histoire perplexe », dans *le Sélam;* « le Nid de rossignols », conte, dans *l'Amulette.*
1834	Pierre Gautier, nommé receveur d'octroi, s'installe à la barrière de Passy. Sept. : Gautier s'installe 3, impasse du Doyenné, près d'A. Houssaye et de C. Rogier. Liaison avec « la Cydalise », qui mourra au printemps 1836.	**1834**	Févr. : « Omphale ou la Tapisserie amoureuse », dans *le Journal des gens du monde,* auquel Gautier donne deux poèmes en janvier et en mars. Avr. et mai : deux articles dans *la France industrielle.*

VIE	ŒUVRE
	1835 Mai : « la Comédie à l'hôtel Castellane », chronique mi-mondaine, mi-théâtrale, dans *le Monde dramatique,* auquel il donnera cinq autres articles jusqu'au 4 janv. 1836 (critique littéraire). Août-sept. : *Notre-Dame de Paris par Victor Hugo,* prospectus anonyme. Nov. : *Mademoiselle de Maupin. Double amour,* chez Renduel.
1836 Févr. : début de la liaison avec Eugénie Fort. Mars : Gautier fonde, avec Ch. Lassailly, *Ariel, journal du monde élégant.* Printemps : le Doyenné se disperse; Gautier habite avec Nerval et Houssaye 3, rue Saint-Germain-des-Prés. Fin juill.-fin août : voyage en Belgique avec Nerval. 29 nov. : naissance de Théophile Gautier, fils d'Eugénie Fort. Rencontre la Victorine, leur liaison durera une dizaine d'années.	**1836** Févr. : premier article dans *la Chronique de Paris,* à laquelle il donnera dix-huit autres articles jusqu'en juin 1837 (critique littéraire, nouvelles et « Un tour en Belgique »). Mars : « Salon de 1836 », dans *Ariel.* Juin : « la Morte amoureuse », dans *la Chronique de Paris.* 26 août : « Peintures de la Chambre des députés », premier article dans *la Presse,* à laquelle il donnera environ mille deux cents articles jusqu'au 4 avr. 1855 (critique artistique et théâtrale, nouvelles, récits de voyage). Oct. : premier article au *Figaro,* auquel il donnera une quarantaine d'articles jusqu'en mai 1838 (chroniques artistiques, nouvelles). 17 déc. : premier article à *la Charte de 1830,* à laquelle il donnera une vingtaine d'articles jusqu'au 28 mars 1838.
	1837 Mai-juin : « la Chaîne d'or ou l'Amant partagé », dans *la Chronique de Paris.* Mai-juill. : « l'Eldorado », dans *le Figaro* (deviendra *Fortunio*).
	1838 Févr. : *la Bibliographie de la France* annonce *la Comédie de la mort,* chez Desessart. Mai : *Fortunio,* chez Desessart. Nov.-déc. : « Une nuit de Cléopâtre », dans *la Presse.*
	1839 Janv. : *la Bibliographie de la France* annonce *Une larme du diable, mystère.* Août : « la Toison d'or », dans *la Presse.* Août : *la Bibliographie de la France* annonce *l'Âme de la maison ou la Vie et la mort d'un grillon.*
1840 5 mai-7 oct. : voyage en Espagne avec Eugène Piot.	**1840** 27 mai-3 sept. : « Sur les chemins : lettres d'un feuilletoniste », dans *la Presse.* Juill. : « le Chevalier double », dans *le Musée des familles,* auquel il donnera une vingtaine d'articles jusqu'en janv. 1847 (nouvelles, variétés). Sept. : « le Pied de momie », dans *le Musée des familles.*
	1841 Janv. : premier article dans *la Revue de Paris,* à laquelle il donnera une quarantaine d'articles jusqu'en nov. 1855 (poèmes, voyages). Avr. : premier article dans *la Revue des Deux Mondes* à laquelle il donnera une trentaine d'articles jusqu'en janv. 1850 (poèmes, variétés). 28 juin : première représentation de *Giselle,* ballet fantastique par Gautier, Saint-Georges et Coralli, musique d'A. Adam. Juill. : *la Bibliographie de la France* annonce *Giselle.* Juill. : « Deux Acteurs pour un rôle », dans *le Musée des familles.*
1842 Janv. : Gautier est nommé chevalier dans l'ordre de la Légion d'honneur, en récompense de services rendus comme secrétaire de la commission du Tombeau de Napoléon. Mars : Gautier accompagne Carlotta Grisi à Londres. Retour par la Belgique.	**1842** Août : « la Mille et Deuxième Nuit », dans *le Musée des familles.*
1843 Automne : début de la liaison (qui durera une vingtaine d'années) avec la cantatrice Ernesta Grisi (la sœur aînée de Carlotta).	**1843** Févr. : *Tra los montes,* chez Magen (reprend les feuilletons du « Voyage en Espagne » parus dans *la Presse*). 17 juill. : première représentation de *la Péri,* ballet fantastique par Gautier et Coralli, musique de Burgmuller. Juill. : *la Bibliographie de la France* annonce *la Péri.* 21 sept. : première représentation du *Voyage en Espagne,* vaudeville par Gautier et Siraudin.

	VIE		ŒUVRE
1844	Juin : excursion de Gautier en Gascogne.	**1844**	Première publication dans *l'Artiste,* auquel il donnera environ cent vingt articles (poésies, beaux-arts, littérature) jusqu'en févr. 1872. Oct. : « le Roi Candaule », dans *la Presse.* Oct. : *la Bibliographie de la France* annonce *les Grotesques,* chez Desessart. Oct. : « Feuillets d'album d'un jeune rapin », dans *le Diable de Paris.*
1845	3 juill.-début sept. : voyage en Algérie avec Noël Parfait. 25 août : naissance de Louise Charlotte Ernestine, dite Judith, fille de Gautier et d'Ernesta Grisi.	**1845**	8 avr. : première représentation du *Tricorne enchanté,* bastonnade. 12-13 avr. : « le Tricorne enchanté », dans *la Presse.* Juin : « l'Oreiller d'une jeune fille », dans *le Musée des familles.* Juill. : *la Bibliographie de la France* annonce *Poésies complètes,* chez Charpentier, et *Nouvelles,* chez Charpentier (le recueil reprend neuf nouvelles publiées dans les journaux). 9 juill.-10 août : « la Croix de Berny », roman *steeple-chase,* par Gautier, le vicomte de Launay, J. Sandeau et J. Méry, dans *la Presse.* 15 nov. : *Prologue d'ouverture de l'Odéon.* Nov. : *Zigzags,* chez Magen.
1846	Gautier s'installe 18, rue Lord-Byron. Juin-juill. : voyage à Londres, par la Belgique et la Hollande. Oct. : voyage en Espagne, pour le mariage des princes espagnols à Madrid.	**1846**	Mai : « les Roués innocents », dans *la Presse.* Sept. : « le Pavillon sur l'eau », dans *le Musée des familles.* 12 nov. : première représentation de *la Juive de Constantine,* drame anecdotique par Gautier et N. Parfait.
1847	28 nov. : naissance d'Estelle, deuxième fille de Gautier et d'Ernesta Grisi.	**1847**	Janv. : « Militona », dans *la Presse.* Juin : *la Bibliographie de la France* annonce *Militona,* chez Desessart. Juill. : *la Bibliographie de la France* annonce *les Roués innocents,* chez Desessart. 4 oct. : première représentation de *Pierrot posthume,* arlequinade par Gautier et Siraudin. 20 oct. : première représentation de *Regardez, mais ne touchez pas,* comédie de cape et d'épée, par Gautier et B. Lopez.
1848	Févr. : Gautier se tient à l'écart de la révolution. Juill. : mise à la retraite du père de Gautier.	**1848**	Sept.-oct. : « les Deux Étoiles », dans *la Presse* (deviendront *Partie carrée,* puis *la Belle Jenny*).
1849	Mai-juin : voyage à Londres, par la Hollande. Gautier rencontre Marie Mattéi. Août-sept. : voyage en Espagne (Bilbao). Oct. : début de la liaison avec Marie Mattéi.	**1849**	Oct. : « l'Enfant aux souliers de pain », dans *le Conseiller des enfants.*
1850	31 juill.-nov. : voyage en Italie, avec M. Mattéi et L. de Cormenin.	**1850**	Mars : *la Bibliographie de la France* annonce *le Selam,* symphonie descriptive par Gautier et E. Reyer. Juill. : « Jean et Jeannette, histoire rococo », dans *la Presse.* Sept.-oct. : « Loin de Paris », dans *la Presse.*
1851	Août : Gautier visite l'exposition de Londres. Oct. : Gautier dirige, avec Arsène Houssaye, Maxime Du Camp et Louis de Cormenin, la nouvelle série de *la Revue de Paris.*	**1851**	15 janv. : première représentation de *Pâquerette,* ballet-pantomime, par Gautier et Saint-Léon, musique de Benoist. 27 déc. : première représentation de *la Négresse et le Pacha,* parade, par Gautier et Ch. de La Rounat.
1852	9 juin-oct. : voyage à Constantinople, où Gautier va rejoindre Ernesta Grisi et Estelle.	**1852**	Mars : « Arria Marcella », dans *la Revue de Paris.* Mai : *la Bibliographie de la France* annonce *Italia,* chez Lecou, des *Nouvelles,* chez Charpentier. Juill. : *la Bibliographie de la France* annonce *Émaux et Camées,* chez Eugène Didier. Août : *la Bibliographie de la France* annonce *Caprices et zigzags.* Oct. : « De Paris à Constantinople, promenades d'été », dans *la Presse.* 20 oct. : « Excursion en Grèce », premier article publié dans *le Moniteur universel,* auquel Gautier donnera plus de mille articles jusqu'en janvier 1869 (théâtre, beaux-arts). Oct. : *la Bibliographie de la France* annonce *la Peau de tigre.* Nov. : *la Bibliographie de la France* annonce *Un trio de Romans,* chez Lecou.

VIE	ŒUVRE
	1853 Févr. : *la Bibliographie de la France* annonce la 2e édition d'*Émaux et Camées,* chez Didier. Déc. : *la Bibliographie de la France* annonce *Constantinople,* chez Michel Lévy.
1854 Juill.-août : Gautier est en Allemagne. 22 août : mort de son père; Gautier assure désormais la subsistance de ses deux sœurs.	**1854** 31 mai : première représentation de *Gemma,* ballet, musique de Gabrielli, chorégraphie de la Cerrito.
1855 4 avr. : fin de la collaboration de Gautier à *la Presse.*	**1855** Févr. : *la Bibliographie de la France* annonce *Théâtre de poche* à la Librairie Nouvelle.
1856 Échec de la candidature de Gautier à l'Académie française, au fauteuil de Ch. de Lacretelle.	**1856** Févr. : « Avatar », conte, dans *le Moniteur universel.* Juin-juill. : « Paul d'Aspremont » (qui deviendra *Jettatura*) dans *le Moniteur universel.*
1857 Sept. : voyage à Wiesbaden et à Stuttgart.	**1857** Mars-mai : « le Roman de la momie », dans *le Moniteur universel.* Mai : *la Bibliographie de la France* annonce *Avatar,* chez Michel Lévy. Juin : *la Bibliographie de la France* annonce *Jettatura,* chez Michel Lévy.
1858 Mai-juin : voyage en Suisse, Alsace, Allemagne, Hollande, Belgique. Juill. : Gautier est promu officier de la Légion d'honneur. Sept. : excursion à Cherbourg. 15 sept. 1858-mars 1859 : voyage en Russie.	**1858** 28 avr. : première représentation de *Yanko-le-Bandit,* ballet-pantomime, musique de Deldevez. Avr. : *la Bibliographie de la France* annonce *le Roman de la momie,* chez Charpentier. 14 juill. : première représentation de *Sacountala,* ballet-pantomime, musique d'Ernest Reyer, chorégraphie de L. Petipa. Oct. 1858-avr. 1859 : « Esquisses de voyage (en Russie) », dans *le Moniteur universel.* *Histoire de l'art dramatique en France depuis 25 ans,* 6 volumes, chez Hetzel-Lévy.
1859 Sept.-oct. : excursion à Tarbes.	**1859** Janv. : *la Bibliographie de la France* annonce une nouvelle édition, augmentée, d'*Émaux et Camées,* chez Poulet-Malassis.
	1860 15 janv. : *la Femme de Diomède,* prologue récité à l'inauguration de la maison Pompéienne du prince Napoléon. Août : *la Bibliographie de la France* annonce *les Vosges,* chez Morel.
1861 Août-oct. : deuxième voyage de Gautier en Russie, avec son fils. Oct. : séjour de Gautier à Saint-Jean, près de Genève, chez Carlotta Grisi. Première crise de rhumatismes.	**1861** Oct.-déc. : « Esquisses de voyage (en Russie) », dans *le Moniteur universel.* Déc.-juin 1863 : « le Capitaine Fracasse », dans *la Revue nationale et étrangère.*
1862 Mai : voyage à Londres, pour l'Exposition. Août : voyage en Algérie.	
1863 Avr. : Gautier reçoit une pension de l'État : 3 000 francs. Sept. : excursion à Nohant.	**1863** Août : *la Bibliographie de la France* annonce *Poésies nouvelles, Émaux et Camées,* chez Charpentier, et *Théâtre, Poésies diverses,* chez Charpentier. Nov. : *la Bibliographie de la France* annonce *le Capitaine Fracasse,* chez Charpentier. *Romans et contes,* chez Charpentier (reprend dix contes et nouvelles publiés dans *la Presse* de 1838 à 1856). Déc. : *la Bibliographie de la France* annonce *les Dieux et les Demi-dieux de la peinture,* par Gautier, A. Houssaye et P. de Saint-Victor.
1864 Août : voyage en Espagne, pour l'inauguration du chemin de fer du Nord. Sept.-oct. : séjour à Genève, chez Carlotta Grisi.	**1864** Août-oct. : « De Paris à Madrid », dans *le Moniteur universel.*

	VIE		ŒUVRE
1865	Juill.-nov. : séjour à Genève, chez Carlotta Grisi.	**1865**	Nov.-déc. : « Spirite », dans *le Moniteur universel.* *Loin de Paris* (Suisse, Allemagne, Belgique, Afrique). *Quand on voyage* (Cherbourg, Espagne).
1866	Févr.-mars : séjour chez Carlotta Grisi, à Genève. Avr. : séjour chez Carlotta Grisi, à Genève. 17 avr. : mariage de Judith Gautier et de Catulle Mendès, contre la volonté de Gautier, qui n'assiste pas à la cérémonie. Mai : rupture avec Ernesta Grisi, qui va vivre à Villiers-sur-Marne. Sept., nov., déc. : séjours chez Carlotta Grisi, à Genève.	**1866**	Févr. : *la Bibliographie de la France* annonce *Spirite,* chez Charpentier. Avr. : « Mademoiselle Daphné de Montbriand », dans *la Revue du* XIX*e siècle.* Nov. : *Voyage en Russie.*
1867	Mai : échec de la candidature de Gautier à l'Académie française, au fauteuil de Barante. Juin : promenade nautique sur la Meuse. Sept. : séjour chez Carlotta Grisi, à Genève, et chez la princesse Mathilde, à Saint-Gratien. Nov. : séjour dans le Puy-de-Dôme, chez son fils, sous-préfet de Saint-Ambert.	**1867**	Juin : *la Bibliographie de la France* annonce *le Musée du Louvre.*
1868	Avr. : échec de la candidature de Gautier à l'Académie française, au fauteuil de Ponsard. Mai-juin : séjour chez Carlotta Grisi, à Genève. Juill. : séjour à Saint-Gratien; séjour à Genève, chez Carlotta Grisi. Août-sept. : excursion en Auvergne. Sept. : voyage à Genève et en Italie. 24 oct. : Gautier est nommé bibliothécaire de la princesse Mathilde. Nov. : séjour chez Carlotta Grisi, à Genève.	**1868**	*Rapport sur les progrès de la poésie en 1867.*
1869	Mai-juin : séjour à Genève chez Carlotta Grisi. Sept. : séjour à Genève chez Carlotta Grisi. 8 oct.-déc. : voyage en Égypte, pour l'inauguration du canal de Suez; retour par l'Italie.	**1869**	Janv. : *Sonnets et Eaux-fortes.* Janv.-mars : « Histoire de mes bêtes », dans *la Vogue parisienne* (deviendra *Ménagerie intime*). 11 janv. : premier article dans le *Journal officiel,* auquel Gautier donnera environ cent vingt articles jusqu'au 7 oct. 1871 (théâtre, beaux-arts). Mai : une douzaine de sonnets. Juin : *la Bibliographie de la France* annonce *Ménagerie intime,* chez Lemerre.
1870	26 févr. : mariage de Théophile Gautier fils et d'Élisa Portal. Juin : séjour à Genève chez Carlotta Grisi. Fin août : Gautier conduit sa fille Estelle chez Carlotta Grisi, à Genève, et rentre à Paris. 18 déc. : naissance, à Londres, de Paul Gautier, fils de Th. Gautier fils et d'Élise Portal.	**1870**	Janv. : *la Bibliographie de la France* annonce *la Nature chez elle,* chez A. Marc. Sept. 1870-août 1871 : « Tableaux de siège », dans *le Journal officiel.*
1871	Juin : voyage à Bruxelles et à Genève. Automne : voyages fréquents à Saint-Gratien.		
1872	15 mai : mariage d'Estelle avec Émile Bergerat. 23 oct. : mort de Gautier à Neuilly. 25 oct. : funérailles officielles à l'église Saint-Pierre-de-Neuilly. Gautier est inhumé au cimetière Montmartre.	**1872**	Mars : « Histoire du romantisme », dans *le Bien public.* Avr. : « le Prince Lothario » dans la *Gazette de Paris.* Oct. : *la Bibliographie de la France* annonce *L'amour souffle où il veut,* et *Théâtre : mystère, comédies et ballets,* chez Charpentier.
	Les héritiers de Gautier vont grouper une partie de ses feuilletons dans les recueils ci-contre (théâtre, beaux-arts, littérature, voyages).	**1874**	*Histoire du romantisme.* *Portraits contemporains.*
		1875	*Portraits et Souvenirs littéraires.*
		1876	*Poésies complètes,* chez Charpentier.
		1877	*L'Orient,* chez Charpentier.
		1880	*Fusains et Eaux-fortes,* chez Charpentier. *Tableaux à la plume,* chez Charpentier.
		1881	*Les Vacances du lundi,* chez Charpentier.
		1883	*Souvenirs de théâtre, d'art et de critique,* chez Charpentier.

Mademoiselle de Maupin. Double amour

Ce roman parut à la fin de 1835 et au début de 1836, après une gestation relativement douloureuse : le jeune romancier s'était lié par contrat avec l'éditeur Renduel dès 1833. Il s'était mis à l'œuvre avec un enthousiasme qui ne se maintint guère, et aurait abandonné la rédaction de l'ouvrage sans le soutien — parfois autoritaire — de son père.

Le roman est précédé de sa célèbre Préface — qui a fait l'objet de plusieurs études critiques —, déclaration de guerre à l'hypocrisie du moralisme bourgeois triomphant au début de la monarchie de Juillet, et plaidoyer brillant et provocant pour la morale du plaisir. Cette Préface reprend les principes affirmés dès les premières poésies de 1830, dès *Albertus*, et qui continueront à être ceux de Gautier jusqu'à la fin de sa vie : « Il n'y a de vraiment beau que ce qui ne peut servir à rien ».

Synopsis. — Le roman se présente sous forme de lettres que le héros et l'héroïne échangent avec leur ami(e) intime : le flou psychologique et social dans lequel se tient le correspondant convient à son rôle de simple utilité permettant l'épanchement et l'introspection de celui qui écrit. La composition est apparemment assez lâche mais suit une logique que l'on peut reconstituer : longues confidences de D'Albert, le héros du livre, jusqu'au moment où il rencontre l'héroïne Madelaine de Maupin, récit de la vie de Madelaine de Maupin, idylle de D'Albert et de Madelaine de Maupin. Notons cependant un déséquilibre à l'avantage du héros, dont l'auteur analyse méticuleusement la psychologie.

D'Albert est une excellente illustration du mal du siècle, et, par là, il est très proche du René de Chateaubriand, d'Adolphe de Benjamin Constant et d'Octave de *la Confession d'un enfant du siècle* de Musset, son contemporain immédiat. Il s'englue dans la monotonie de la vie quotidienne à laquelle il désire échapper, sans savoir quel but il désire réellement atteindre : « Je ne désire rien, car je désire tout. » Il attend d'une « attente frémissante » d'impatience, mais pleine d'inquiétude également, car il sait déjà, malgré son peu d'expérience de la vie, que toute attente comblée est porteuse de désespoir. Ses rêves se cristallisent progressivement sur la femme. Il est conscient qu'il est beaucoup plus amoureux de l'amour que des femmes réelles, car la femme qu'il rêve doit se parer de toutes les perfections formelles : elle doit être aussi belle que les œuvres d'art la lui ont montrée, et vivre dans un luxe qui mettra sa beauté en valeur, étant bien entendu que la passion se nouera et se déroulera dans un contexte romanesque qui rompra avec la banalité du quotidien. Bien qu'il soit très lucide quant au caractère démesuré de ses exigences et qu'il connaisse des moments de découragement, d'Albert attend avec confiance.

Il se décide pourtant à sortir de son inaction pour forcer la main du destin : il joue le jeu social de la coquetterie et fixe son choix sur Rosette, à laquelle il se lie d'un amour plus intellectuel et plus sensuel que réellement sentimental : toujours à l'écoute de lui-même, il sait qu'il n'a pas « reconnu » Rosette et qu'elle n'est pas l'incarnation de son idéal. La liaison se prolonge, jalonnée des jeux érotiques auxquels se plaît le héros, traversée d'éclairs de bonheur, mais laissant cependant au héros l'impression d'une insatisfaction : « Je n'ai pas jeté sur [la] beauté [de Rosette] ce voile de perfection dont l'amour enveloppe la personne aimée; — le voile d'Isis est un voile transparent à côté de celui-là (...). Je n'aime pas Rosette (...) ». Au bout de cinq mois, il peut s'écrier : « Ce bonheur me laisse froid; je le sens à peine, je ne le sens pas (...) ». Cette prise de conscience est souvent douloureuse, parfois accompagnée de remords, mais l'oblige à cerner son mal et à mettre en lumière ses propres contradictions : la lassitude, la satiété — malgré sa jeunesse —, et pourtant un désir si puissant qu'il souhaite l'impossible : « Je suis attaqué de cette maladie qui prend aux peuples et aux puissants dans leur vieillesse : — l'impossible. Tout ce que je peux faire n'a pas le moindre attrait pour moi (...). Pourquoi donc ne suis-je pas Dieu, puisque je ne puis être homme? » C'est dans ce contexte psychologique qu'il rencontre « un jeune cavalier (...) vraiment parfait », vers lequel il se sent irrésistiblement attiré.

A ce moment du récit (chapitre VI) intervient une pause, soulignée par l'intervention de l'auteur s'adressant à son « débonnaire lecteur ». Cette pause permet de souligner l'ambiguïté de l'histoire, déjà aperçue à la fin du chapitre V, en insistant sur le comportement du jeune cavalier — Théodore — envers son jeune page. L'ambiguïté est d'autant plus grande que Rosette, la maîtresse de d'Albert, rejoint Théodore, pour lequel elle éprouve les sentiments les plus tendres et auquel elle confie son échec avec d'Albert, dont elle n'a pas su étancher la soif d'absolu.

Le chapitre VIII piétine en nous montrant l'ambiguïté des rapports du trio Théodore-Rosette-d'Albert, tandis que nous découvrons que le jeune page est une femme.

D'Albert est de plus en plus attiré par Théodore, qui incarne son idéal de beauté physique; bien qu'il soit gêné de se sentir aimer un jeune homme, sa conscience reste « sourde et muette », et il est prêt à tout puisqu'il a « trouvé le corps de [son] fantôme ». La découverte de la passion s'accompagne de souffrances qu'il ne soupçonnait pas (« J'ai désiré la beauté, je ne savais pas ce que je demandais. C'est vouloir regarder le soleil sans paupières; c'est vouloir toucher la flamme. Je souffre horriblement »). Mais son instinct ne peut l'avoir trompé totalement, et une intuition se fait jour petit à petit : « Il faut que Théodore soit une femme déguisée; la chose est impossible autrement ». A travers les méandres de l'introspection, il arrive enfin à cette certitude qui lui rend la vie : « Je t'ai reconnue, ô mon amour! »

Avec le chapitre X intervient une rupture dans le temps — jusque-là linéaire — du récit : désormais, dans une alternance régulière, le roman va du présent au passé, racontant parallèlement l'histoire des rapports de d'Albert et de Théodore et l'histoire de l'héroïne d'après ses propres confidences. Ayant l'intuition que les hommes cachent aux femmes leur véritable nature et ne voulant pas être une victime de plus dans la longue liste dressée par les impératifs conventionnels de la vie sociale, Madelaine de Maupin a décidé de courir le monde déguisée en homme. Ce n'est pas sans regret que, emportée au galop de son coursier, elle a rompu avec les vingt premières années de son existence, et qu'elle cesse d'être Madelaine de Maupin pour devenir Théodore de Sérannes : « J'étais un homme, ou du moins j'en avais l'apparence ». C'est sur cette apparence, cachant une réalité autre, que vont reposer tous les événements de la vie mouvementée de Madelaine/Théodore. Éprise d'action, elle n'en pratique pas moins, elle aussi, l'introspection. Elle découvre avec étonnement le pouvoir de son corps, qu'elle ressent comme une entrave : « Ah! c'est en vain que l'on veut déployer des ailes, trop de limon les charge; le corps est une ancre qui retient l'âme à terre ».

Le chapitre XI, revenant au présent du récit, montre d'Albert utilisant les ressources du théâtre pour dénouer son problème personnel. La situation des personnages de *Comme il vous plaira* recouvre parfaitement celle des personnages du roman, et la répétition produit l'effet que d'Albert en attendait : la scène capitale où Théodore, dans le rôle de Rosalinde, apparaît vêtu en femme, fait briller aux yeux de d'Albert tout le rayonnement de la beauté féminine, incarnation parfaite de tous les canons reconnus par son esprit exigeant, et met fin à ses tourments. Ne se résolvant pas à prendre l'initiative d'un entretien avec Théodore/Madelaine, d'Albert décide de lui écrire.

Au chapitre XII, Madelaine reprend le récit de sa vie, interrompu à la fin du chapitre X. Madelaine, déguisée en homme, veut acquérir une mentalité et tenir une ligne de conduite toutes masculines, qui conviennent parfaitement à ses goûts violents — sa passion pour les chevaux ou pour l'escrime par exemple. Prise à son propre jeu, elle noue avec Rosette une intrigue qui n'est pas sans la mettre dans des situations fort embarrassantes, dont elle goûte avec avidité le charme ambigu.

Le chapitre XIII révèle le contenu de la lettre de d'Albert, dans laquelle celui-ci déclare son amour à Madelaine/Théodore, point d'arrivée d'une longue errance et d'une quête dont il n'a que progressivement découvert le but réel : « Vous êtes le but, le moyen et le sens de ma vie [...]. Sans vous, je ne suis rien qu'une vaine apparence ».

Le chapitre XIV reprend la suite des amours scandaleuses de Rosette et de Théodore, jusqu'au moment où Théodore doit fuir, poursuivi par la vindicte d'Alcibiade, le bouillant frère de Rosette. Théodore sort vainqueur d'un duel avec Alcibiade et doit fuir le château de Rosette. Il/elle a repris sa vie d'aventures, mais la connaissance qu'il/elle acquiert sur les hommes le/la ramène toujours à la même conclusion : « Comme leurs traits sont grossiers, ignobles, sans finesse, sans élégance! » S'interrogeant sur sa propre conception de l'amour, Madelaine prend conscience de son désir d'absolu : l'amour est pour elle rêve d'unité totale, de fusion dans l'être aimé : « N'être qu'un en deux corps, fondre et mêler ses âmes de façon à ne plus savoir si vous êtes vous ou l'autre », rejoignant par là le vieux mythe platonicien de l'androgyne — ou de l'hermaphrodite —, qui hante pareillement l'esprit de d'Albert. Jusque-là elle a été déçue par la réalité, car son cœur n'a jamais vibré — sauf pour Rosette, inaccessible par sa nature même. C'est pourquoi elle rêve d'être un homme, ayant conscience de participer également de la nature féminine et de la nature masculine : « Je suis d'un troisième sexe à part, qui n'a pas encore de nom [...], j'ai le corps et l'âme d'une femme, l'esprit et la force d'un homme. »

A la fin du chapitre XIV, les deux temps du récit se rejoignent, quand Madelaine en arrive à sa rencontre avec d'Albert, qui lui plaît et l'attire, bien qu'elle ne l'aime pas dans le sens plein qu'elle donne à ce mot. Après une longue réflexion, dans laquelle elle envisage tous les aspects et toutes les conséquences de la conduite à tenir, elle décide de se donner à d'Albert.

La nuit d'amour de d'Albert et de Madelaine est un moment de perfection qui satisfait en d'Albert autant l'artiste que l'amant, et qui révèle la nature sensuelle de Madelaine, une Madelaine qui, au sortir de la chambre de d'Albert, fait un mystérieux détour par la chambre de Rosette.

Le chapitre XVII amène une conclusion assez inattendue, par la lettre de rupture que Madelaine écrit à d'Albert — rupture qu'elle justifie par les raisons philosophiques les plus hautes : si elle reste, leur passion s'effritera dans le quotidien; en partant, elle sauvegarde toutes les illusions de d'Albert, lui permettant toutes les évasions hors du réel (« Vous croirez avoir fait un beau rêve »), donnant finalement à leur amour une vie et une durée que la réalité vécue lui aurait refusées.

Cette œuvre est complexe par les nuances, souvent très raffinées, de l'analyse psychologique et par la lente maturation des conceptions philosophiques (amour, réalité, art), mais aussi par la technique de la narration : le récit épistolaire (qui est d'abord échange avec un tiers et finit par confronter les héros l'un à l'autre) est coupé par des dialogues dignes d'une pièce de théâtre, faisant entrer ainsi dans le roman la dimension de la théâtralité, qui attirait tant Gautier. Ajoutons que cette technique laisse une place importante à la description du réel — objets, décors, personnages —, ancrant ainsi solidement les personnages dans la réalité à laquelle ils essaient d'échapper, et à la démultiplication (donc à la falsification) du réel par ses représentations (tableaux ou tapisseries), doublant le réel de leur ombre ou de leurs projections et gommant la netteté des contours et des limites : où commence et où finit le réel, où commence et où finit l'idée que l'homme se fait du réel, idée ou rêve?

Enfin, doublant la voix des personnages romanesques pour s'identifier à eux ou, au contraire, pour prendre ses distances par rapport à eux en les traitant comme des marionnettes dont le montreur est maître, résonne, tout au long du roman, la voix du narrateur; cette dernière est sans doute l'élément le plus troublant, parce qu'elle introduit une dimension assez inhabituelle dans les analyses du mal du siècle : celle de l'ironie, une ironie qui varie, allant du sourire indulgent et bon enfant au grincement dramatique, mais ironie qui désacralise. Le lecteur attentif sera forcé de s'interroger constamment; ces variations sur le sourire sont-elles le masque derrière lequel se cache la pudeur d'une confidence trop personnelle et trop directe, ou, au contraire, une perpétuelle remise en cause satirique des valeurs sentimentales reconnues par le romantisme triomphant? Ainsi l'ambiguïté du titre autour du terme « double » et de ses interprétations différentes se retrouve-t-elle au niveau de la signification de l'œuvre : confidence ou satire? Certainement les deux à la fois.

Gautier a mis en scène un personnage historique dont le souvenir était encore vivant à son époque, mais il est bien évident qu'il n'a gardé que quelques traits — somme toute secondaires — de son modèle pour en faire une création très originale, porteuse de tous ses rêves : rêve de perfection formelle de la beauté féminine, rêve de l'impossible unité de l'homme, partagé entre son corps et son âme, de l'impossible unité du couple, fait d'un élément masculin et d'un élément féminin. D'Albert et Madelaine sont tous deux hantés par la perfection de l'androgyne — ou de l'hermaphrodite. Madelaine aime à la fois Rosette et d'Albert parce qu'elle est à la fois homme et femme, tout comme d'Albert, homme, rêve d'être femme : les harmoniques du mot « double » n'en finissent pas de résonner dans la mémoire du lecteur.

Malgré la légèreté du ton, l'ouvrage est pessimiste : c'est le roman de l'échec, ou du moins de la fuite, fuite devant le bonheur si ardemment poursuivi; devant le réel, parce qu'à la perfection que l'homme peut atteindre il manquera toujours un élément essentiel : la pérennité. La perfection dans les rapports humains ne peut être que ponctuelle, le temps est usure et dégradation.

Émaux et Camées

Dans son *Rapport sur les progrès de la poésie en 1867*, Gautier minimisait son recueil *Émaux et Camées*, en estimant qu'un tel titre reflétait bien son « dessein de traiter sous forme restreinte de petits sujets, tantôt sur une plaque d'or ou de cuivre avec les vives couleurs de l'émail, tantôt avec la roue du graveur de pierres fines, sur l'agate, la cornaline ou l'onyx... ». Ce fut pourtant le recueil auquel il travailla le plus, l'enrichissant de réédition en réédition, et la richesse, la variété de l'inspiration y reflètent, dans les thèmes comme dans la structure du vers ou de la strophe, les contradictions intimes du poète.

Dans son édition, accompagnée de l'iconographie qui a directement inspiré Gautier, M. Cottin a montré que « l'image règne en maître » dans ce recueil, où abondent les transpositions d'art : poème-tableau ou poème-œuvre sculpturale naissent spontanément sous la plume du poète. L'importance donnée à la sensation visuelle est primordiale; le poète joue avec virtuosité et somptuosité sur les couleurs, variant à l'infini les nuances d'un même ton, par exemple le blanc de la « Symphonie en blanc majeur », ou le velouté des tons de rose dans la description des visages et des corps féminins —, harmonisant les « tons inconnus » des bleus et des verts des paysages marins, ou des yeux de la femme aimée, aux reflets insaisissables d'aigues-marines. Évocation des fondus harmonieux des couleurs, mais aussi, ailleurs, violents contrastes des tons qui se heurtent : le noir et le blanc de « Noël » ou ceux du portrait de « Carmen », cette jeune Espagnole aux cheveux « d'un noir sinistre », à la « nuque d'ambre fauve », dont la pâleur fait ressortir « le piment rouge, feu écarlate » de sa bouche et « la lueur chaude » de ses yeux. Liée aux couleurs, qu'elle soutient et souligne, la perception des lignes. Nombreux sont les poèmes sculptant la pureté de ligne des marbres antiques — en particulier ceux qui célèbrent la beauté du corps féminin; il serait pourtant injuste de réduire le talent de Gautier à l'évocation de l'éclat et de la netteté du marbre de Paros : à la lumière et à la précision de l'art grec s'oppose l'évanescence des brumes nordiques qui noient le dessin dans un flou inquiétant, propice aux sarabandes des cauchemars ou des danses macabres. De même, à côté des burgs gothiques où les chevaliers s'adonnent à la plus sombre orgie se dessinent le réalisme d'une pauvre mansarde ou les raffinements élégants d'un salon XVIIIe siècle. Même contraste dans l'évocation de la nature, où le paysage, idyllique parfois jusqu'à la mièvrerie, côtoie une mer mystérieuse et fascinante.

Mais le caractère pictural, hiératique du monde vu — et rêvé — par le poète laisse place, malgré les prises de position théoriques de Gautier, à d'autres lectures possibles du recueil. Celui-ci n'est pas seulement « un recueil d'un art parfait et vain », suivant la formule employée par René Jasinski pour résumer les critiques traditionnelles faites à *Émaux et Camées :* à travers les perfections de la forme se trahissent les rêves et les angoisses du poète.

L'hymne à la beauté (et surtout à la beauté du corps féminin, si bien traduite dans l'art grec) est non seulement désir d'atteindre à cette beauté par le vers, mais est aussi accompagné d'une prise de conscience douloureuse du caractère éphémère de cette beauté : la hantise de la statuaire peut donc être ressentie par le lecteur comme l'effort, fou et désespéré, du poète pour fixer l'insaisissable, mais surtout pour vaincre l'éphémère, triompher de l'instant et de la mort.

L'hymne à la beauté n'occulte que très partiellement la personnalité du poète. Même si les confidences directes à la première personne sont rares, l'esthétisme laisse percer, dans sa quête même, les passions de l'auteur : désir effréné d'amour, qui n'est pas seulement recherche d'un plaisir pur dispensé par la beauté et la sensualité, mais qui est engagement de toutes les forces vives du poète; l'amour a exercé sur lui une fascination telle qu'il accepterait volontiers de commettre toutes les violences, voire de se perdre lui-même, pour le goûter dans sa plénitude.

Violence contenue et passion s'accompagnent bien souvent d'une tristesse incommensurable quand le poète, mal à l'aise dans la condition humaine, fait le compte de ses « peines d'amour perdues », de ses « souffrances passées », évoque le « spectre de ses rêves », et qu'il est tenté par le suicide, ou, au contraire, quand il se révolte contre l'idée d'une mort totale : « En se quittant chaque parcelle / S'en va dans le creuset profond / Grossir la pâte universelle / Faite des formes que Dieu fond ».

D'où le désir insatiable du poète à la recherche d'un ailleurs dont les formes sont infinies : un ailleurs géographique où il subit tour à tour la tentation de l'éclat aveuglant du ciel d'Égypte ou celle du ciel passionné et coloré de tons fauves d'une Espagne imaginaire; un ailleurs temporel où le poète boit à la source, douce et amère à la fois, des souvenirs de sa jeunesse (cf. « le Château du souvenir »), ou à la source du passé du monde occidental, quand il retrouve l'esthétisme limpide de l'art grec, qu'il appelle à son secours pour « couvrir [le] squelette gothique »; un ailleurs métaphysique enfin, où le poète échappera à la torture du doute quand « l'âme habituée aux ténèbres / Y verra clair dans le tombeau! » ou à la torture de toutes les dualités, celle de l'homme ou celle du couple, toujours soulignée par la différence des sexes.

Si le lecteur moderne écoute la leçon du poète :

Oui l'œuvre sort plus belle
D'une forme au travail
Rebelle,
Vers, marbre, onyx, émail
[...]
Sculpte, lime, ciselle :
Que ton rêve flottant
Se scelle
Dans le bloc résistant,

rien ne l'empêchera, tout en admirant l'habileté avec laquelle l'artiste a ciselé le marbre résistant, d'être sensible au « rêve flottant » dont les ondes de résonance affleurent dans la perfection même de la forme.

Le Capitaine Fracasse

Promis depuis 1835, *le Capitaine Fracasse* ne parut qu'en 1861. De l'avis unanime de ses intimes, c'est dans cette œuvre que Gautier prosateur a mis le meilleur de lui-même, et c'est pourtant son œuvre la plus méconnue, car elle n'est jugée que sur des apparences. Dans la mémoire du grand public, *le Capitaine Fracasse* est un roman de cape et d'épée, bien mis en valeur dans les adaptations cinématographiques qui en ont été faites.

Synopsis. — L'action du roman débute « entre Dax et Mont-de-Marsan », dans un château dont l'auteur décrit avec complaisance la lente désagrégation, et dans lequel vit, avec pour seuls compagnons un vieux domestique, un chat, un chien et un cheval, le dernier descendant d'une lignée jadis riche et puissante, le jeune baron de Sigognac.

Un soir d'hiver, une troupe de comédiens ambulants demande l'hospitalité au jeune seigneur, qui la leur accorde, malgré sa pauvreté, et qui décidera, le lendemain matin, de partir à l'aventure en compagnie de la troupe.

Le récit suit les déplacements de cette troupe — avec ses aventures dramatiques, grotesques ou comiques —, relatant ses activités, racontant les amours — parfois mouvementées — de ses membres.

Sigognac, amoureux platonique et sincère de la belle Isabelle, la jeune première, décide de remplacer l'acteur Matamore, qui est mort de froid dans une tourmente de neige, et, désormais, joue sur la scène le rôle du Capitaine Fracasse.

A Poitiers, Isabelle attire malgré elle l'attention du jeune duc de Vallombreuse, qui la poursuit de ses assiduités. Sigognac, qui s'est fait le chevalier servant d'Isabelle, déjoue le premier piège que lui tend Vallombreuse, en mettant en déroute les valets chargés de le rosser. Son honneur de comédien ainsi vengé, il venge son honneur de gentilhomme en provoquant en duel Vallombreuse, qu'il blesse assez sérieusement.

Malgré leur amour réciproque, Isabelle, par grandeur d'âme, refuse d'épouser Sigognac, dont, en tant que comédienne, elle ne se sent pas digne.

Isabelle n'échappe à un enlèvement machiné par Vallombreuse que grâce à la complicité de Chiquita, et la troupe se dirige sur Paris, dont l'auteur décrit minutieusement les tavernes et les activités populaires.

Sigognac échappe à différents guets-apens préparés sur les ordres de Vallombreuse et, grâce à son talent à l'épée, s'attire la sympathie de Jacquemin Lampourde, chargé par Vallombreuse de le tuer.

Un autre homme de main de Vallombreuse, Malartic, arrive, par ruse, à s'emparer d'Isabelle, qui est entraînée dans le château de Vallombreuse, où elle est retenue prisonnière. Grâce à Chiquita, Sigognac peut retrouver Isabelle, donner l'assaut au château de Vallombreuse et délivrer sa bien-aimée. Isabelle se révèle être la propre sœur de Vallombreuse et peut épouser Sigognac. Elle fait restaurer le « château de la Misère », qui devient le « château du Bonheur ».

Il est indéniable, en effet, que *le Capitaine Fracasse* est un roman de cape et d'épée, mais on n'a pas suffisamment pris garde à la façon dont Gautier manie la technique de cette forme de narration : le romancier est au centre de sa création; omniscient et omniprésent, il est toujours prêt à montrer qu'il est le seul maître des événements; ses personnages sont d'une psychologie sommaire, voire d'une convention poussée à l'extrême : les événements s'enchaînent de la manière la plus gratuite, le personnage dont l'intrigue a besoin se trouvant toujours à point nommé là où il est requis, sans respect pour la vraisemblance la plus élémentaire. Entraîné par le rythme que le narrateur insuffle au récit, trompé si besoin est par une explication fallacieuse, qui s'aviserait de trouver curieux qu'un pauvre gentilhomme qui n'a jamais quitté son castel délabré soit la plus fine lame du royaume, dans un temps où les bretteurs chevronnés sont légion? Il faut tenir compte de la dimension humoristique du talent de Gautier et de son goût pour le pastiche. Il disait lui-même de cette œuvre : « C'est une lettre de change tirée dans ma jeunesse et que j'ai acquittée dans mon âge mûr ». Tout se passe comme si Gautier vieillissant, reprenant un projet de sa jeunesse, écrivait la parodie du roman qu'il aurait pu écrire beaucoup plus sérieusement vingt-cinq ans plus tôt. L'intrigue n'est qu'un moyen commode pour lui de se laisser aller à ses fantaisies, voire à ses fantasmes.

L'intérêt est ailleurs, dans ce qui peut paraître à l'« indiligent lecteur » comme des à-côtés de l'œuvre. L'important est dans la reconstitution d'une époque, « l'époque Louis XIII », avec le flou historique peut-être de l'expression, mais avec la truculence d'une société haute en couleur que le classicisme n'avait pas encore rabotée, nivelée; dans la peinture d'une suite de tableaux où triomphe l'art de la description de tout un monde, d'une extraordinaire précision; dans la résurrection du monde du théâtre avec le jeu si subtil entre les apparences et la réalité, jeu sur les apparences arrivant à modeler les personnalités des acteurs, mais dont les situations coïncident si bien avec celles de la réalité. A la réflexion, on découvre l'omniprésence du théâtre : là où l'on croyait suivre un récit d'aventures, on voit se dessiner la structure d'une vaste pièce de théâtre dont l'auteur brosse d'abord un décor, des décors, pour y faire ensuite parler et agir des personnages dans une suite de scènes bien équilibrées. L'intérêt, enfin, est dans la quête du bonheur par le héros, un idéaliste qui risque d'être écrasé par la dureté de l'existence mais qui poursuit son rêve avec une ardeur infatigable. Si Gautier avait suivi sa dynamique propre, cette quête eût été vouée à l'échec : le premier dénouement qu'il avait écrit renvoyait le héros, foudroyé dans tous ses rêves, à sa pauvreté initiale. Sur les instances de son entourage, l'auteur accepta, par un pur artifice romanesque — la découverte miraculeuse et fortuite d'un trésor enfoui —, le dénouement optimiste que l'on connaît, où le héros triomphe de toutes les difficultés pour connaître la plénitude d'un amour partagé dans l'opulence retrouvée.

C'est donc une œuvre qui supporte différents niveaux de lecture : « roman pour la jeunesse », mais aussi jeu génial d'un auteur dans la plénitude de ses moyens, qui mystifie son lecteur en se livrant à l'une de ses passions favorites, la reconstruction d'une société disparue.

Le conteur fantastique

Le conte — ou la nouvelle — fantastique encadre et jalonne la carrière de Gautier, de *la Cafetière* (1831) à *Spirite* (1865) en passant par *Omphale* (1834), *la Morte amoureuse* (1836), *Fortunio* (1837), *le Pied de momie* (1840), *Arria Marcella* (1852), *Avatar* et *Jettatura* (1856).

Baudelaire le premier avait reconnu l'épanouissement du talent de Gautier dans ce genre : « Mais où il s'est le plus élevé, où il a montré le talent le plus sûr et le plus grave, c'est dans la nouvelle, que j'appellerai la nouvelle poétique ».

Spirite, la dernière œuvre importante de Gautier, peut être considérée comme son testament spirituel, non seulement parce qu'elle reprend tous les grands thèmes, traités isolément ou fragmentairement dans les autres nouvelles, mais parce qu'elle en offre une synthèse cohérente, en donnant des réponses positives aux questions angoissées que le poète s'est posées toute sa vie à travers l'ensemble de son œuvre.

On connaît la part importante des éléments biographiques dans cette œuvre qui est née et s'est épanouie à l'ombre de Carlotta Grisi, dont le visage rayonne sur toute la nouvelle : une « pâleur rosée (...), ses cheveux, d'une teinte d'auréole, estompaient comme une fumée d'or les contours de son front (...), des prunelles d'un bleu nocturne, d'une douceur infinie, et rappelant ces places du ciel qu'au crépuscule envahissent les violettes du soir (...) ». Le héros, Guy de Malivert, partage avec l'auteur sa vocation poétique et son talent de feuilletoniste, tout comme son goût pour les arts plastiques et pour les voyages, son incapacité à se prendre au jeu social et le culte qu'il voue à la beauté.

La technique de la nouvelle fantastique revêt une importance capitale aux yeux d'un auteur qui sait qu'il écrit pour le public français, rationaliste de tempérament, et très sceptique en matière de surnaturel. Gautier a donc soigné tout particulièrement la genèse du fantastique jusqu'à sa révélation irréfutable.

Dans un cadre qui est celui du milieu *fashionable* du second Empire, connu et rassurant, se produisent tout d'abord des événements infimes — une lettre qui est écrite sans que le héros en ait conscience; un soupir, une parole murmurée — qui peuvent trouver une explication rationnelle, et qui ne prennent une dimension inquiétante que par le trouble ressenti par le héros et par les questions qu'il se pose. Le vocabulaire grâce auquel est analysé le psychisme du héros est révélateur : par des allusions aux illusions des sens, par des expressions comme « avertissement du ciel », « impression de surnaturel », il crée un climat très particulier d'apparences trompeuses.

Le fantastique nécessite en second lieu un interprète et un guide : tel est le rôle dévolu au baron de Féroë, « penché, comme Swedenborg, sur l'abîme du mysticisme ». C'est un personnage conventionnel dans son aspect, mais mystérieux dans son intimité. Il se fait le mentor du héros en lui expliquant l'existence de l'« extramonde » et la puissance des esprits. Par son caractère mesuré, il est un garant sûr et rassurant.

Le héros, Guy de Malivert, enfin, est loin d'être un homme quelconque : il est doué d'une intuition très fine de tout ce qui touche à l'idéalisme, et l'existence qu'il a menée, par une sorte d'ascèse sentimentale, lui a donné la pureté nécessaire pour vivre l'extraordinaire histoire d'amour qu'il va connaître.

Cette triple étape de préparation parcourue, le fantastique peut éclater, avec l'apparition du visage de Spirite. Au moment de cette apparition, l'habileté de Gautier consiste à mêler deux registres de description : il décrit le réel avec des mots qui suggèrent une dimension qui lui est inconnue, et qui prend une valeur de symbole : par un jeu de lumières et d'ombres, les objets de la chambre de Guy sont animés d'« une vie fantastique », tandis que le regard se concentre irrésistiblement sur le miroir qui « paraissait d'un noir bleuâtre, indéfiniment profond, et ressemblait à une ouverture pratiquée sur un vide rempli d'idéales ténèbres », et c'est dans le miroir qu'apparaît le visage de Spirite. Parallèlement, Gautier décrit l'extramonde, avec des termes qui suggèrent une réalité, mais transcendée, de sorte qu'il brouille les pistes : l'apparition a une existence dont le héros ne doute pas, mais dont un homme ordinaire pourrait douter : « C'était bien les mêmes traits, mais épurés, transfigurés, idéalisés ». L'extramonde a, alors, juste assez de réalité pour que le héros puisse l'apercevoir et en sentir l'attrait en même temps que la puissance.

Installé désormais dans le fantastique, le récit peut se dérouler plus librement, avec des apparitions surnaturelles, selon une progression inéluctable vers l'apothéose du couple amoureux.

Malgré l'habileté dans le maniement de la technique narrative, le plaisir de conter ne semble pas une fin en soi, et la signification de l'œuvre est riche : le héros et l'héroïne, mus par la force de leur volonté, arrivent à transgresser les lois matérielles qui régissent le monde; par la force de leur amour, ils réussissent à vaincre la mort et à atteindre, dans le monde idéal, l'unité parfaite. Gautier affirme ici avec confiance sa croyance dans une spiritualité qui triomphe dans l'unité originelle retrouvée : « Au centre d'une effervescence de lumière qui semblait partir du fond de l'infini, deux points d'une intensité de splendeur plus grande encore, pareils à des diamants dans la flamme scintillaient, palpitaient et s'approchaient, prenant l'apparence de Malivert et de Spirite. Ils volaient l'un près de l'autre, dans une joie céleste et radieuse, se caressant du bout de leurs ailes, se lutinant avec de divines agaceries. Bientôt ils se rapprochèrent de plus en plus, et, comme deux gouttes de rosée roulant sur la même feuille de lis, ils finirent par se confondre dans une perle unique ».

Théophile Gautier, voyageur

Suivant la mode de son temps — et contribuant pour une large part à conforter cette mode —, Gautier lia les voyages à la littérature : financé par un directeur de journal, le voyage effectué par Gautier devient sujet de récit. Cette affirmation, valable pour les escapades en Belgique et en Hollande en 1836, ou en Angleterre en 1842 et 1843, est encore plus vraie pour les longs voyages, toujours effectués (sauf pour la Russie en 1858 et 1861) dans les pays méditerranéens.

Le plus souvent, Gautier écrit sur place sa « copie », qu'il envoie au fur et à mesure à son journal, quitte à terminer son récit juste après son retour, voire à le laisser inachevé, comme c'est le cas pour *Italia.* Ainsi « Sur les chemins : lettres d'un feuilletoniste », qui allait devenir en 1843 *Tra los montes,* parut dans *la Presse* du 27 mai au 3 septembre 1840, pendant le voyage de Gautier en Espagne, qui dura du 5 mai au 7 octobre 1840; la fin ne parut dans *la Revue des Deux Mondes* que du 15 juillet 1842 au 1er janvier 1843. Ainsi pour « De Paris à Constantinople, promenades d'été » qui parut du 1er au 8 octobre 1852 dans *la Presse* et les « Excursions en Grèce » dans *le Moniteur universel* du 20 au 27 octobre 1852, alors que Gautier quitta Paris pour Constantinople le 9 juin 1852 et qu'il y revint en octobre.

Cette concomitance de l'expérience vécue et de l'écriture est fondamentale, car elle conditionne la structure et la nature de l'œuvre; l'écrivain ne prend pas le recul nécessaire pour composer une œuvre d'art ou pour corriger ses réactions personnelles : il livre ses découvertes et ses impressions dans leur spontanéité.

La structure du récit de voyage écrit par Gautier respecte les traditions du genre : elle est linéaire, suivant le déroulement chronologique et l'itinéraire du narrateur, dont le regard focalise tout. Au gré des circonstances du voyage et des caprices du narrateur vont donc s'entremêler les récits d'aventures, les analyses d'impression, les descriptions. C'est l'équilibre entre ces trois lignes de force qui donne sa coloration propre à la manière de Gautier.

Gautier aime l'aventure et cherche le plus possible à sortir des sentiers battus, comme le prouvent son itinéraire en Espagne ou son ascension du Muley-Hassen, près de Grenade; mais, si vivantes que soient les diverses anecdotes qu'il rapporte, son récit n'a jamais la jactance et la gratuité des récits du plus célèbre des auteurs-voyageurs de son époque, Alexandre Dumas.

Parti à la découverte de mondes nouveaux pour lui, l'Espagne, l'Italie, l'Afrique du Nord, le Moyen-Orient, la Russie, l'Égypte, Gautier a souvent été fortement impressionné par les spectacles qu'il découvrait; cependant, il reste généralement assez discret sur sa propre émotion : il est loin du voyageur romantique qui s'extasie — parfois sur commande — devant des paysages grandioses, et dont le langage tourne vite au pathos métaphysico-religieux.

En revanche, Gautier essaie, par la description qui va occuper une place de choix, de donner à son lecteur une idée aussi précise que possible de tout ce qu'il voit. Sans préjugés, il cherche à découvrir dans le pays qu'il parcourt ce qui est différent des mœurs françaises, ce qui est typique d'une civilisation autre que la civilisation chrétienne occidentale : « Mon habitude, en voyage, est de me lancer tout seul à travers les villes à moi inconnues, comme un capitaine Cook dans un voyage d'exploration. Rien n'est plus amusant que de découvrir une fontaine, une mosquée, un monument quelconque, et de lui assigner son vrai nom sans qu'un drogman idiot vous le dise d'un ton démonstrateur de serpents boas; d'ailleurs, en errant ainsi à l'aventure, on voit ce qu'on ne vous montre jamais, c'est-à-dire ce qu'il y a de vraiment curieux dans le pays que l'on visite ».

C'est par l'objet de ses descriptions que Gautier se révèle le mieux : ainsi ses évocations de paysages — par exemple celle de la Corne d'Or, dans *Constantinople* — sont composées comme de véritables tableaux, dont les couleurs créent l'atmosphère propre, et qui rappellent la formation technique de l'auteur. Autant qu'à l'aspect physique et aux mœurs, Gautier s'intéresse aux arts d'un pays : ses voyages en Espagne et en Italie sont jalonnés de visites de musées et de monuments, qui font l'objet de descriptions méticuleuses.

Les résonances de ces voyages dans l'œuvre de Gautier sont diverses; parfois, la liaison voyage/œuvre est évidente, immédiate : c'est le cas pour le voyage en Belgique en 1836 — où Gautier vit, à Anvers, *la Descente de croix* de Rubens — et pour la rédaction de *Madeleine* dès 1837, qui allait devenir en 1839 *la Toison d'or,* de même que du voyage en Espagne est né le recueil *España.* En d'autres circonstances, l'imagination de Gautier a travaillé avant que ne se produise la découverte personnelle d'un pays : c'est le cas pour l'Égypte, dont Gautier a fait très tôt resurgir le passé dans *le Pied de momie* en 1840, puis dans *le Roman de la momie* en 1857, mais qu'il ne découvrira qu'en 1869, une fois ses grandes œuvres achevées.

D'une façon beaucoup plus subtile et plus profonde, l'expérience acquise au cours des voyages est fondamentale : paradoxalement — car les récits de Gautier ont une apparente objectivité —, c'est à la rencontre de lui-même que Gautier est toujours allé, si loin qu'il se soit déplacé dans l'espace, et c'est lui-même qu'il a rencontré. Les images qu'il découvre ne le bouleversent pas, ne le transforment pas, mais le confortent dans ses tendances, dans ses rêves, dans ses fantasmes. L'Espagne et l'Algérie cristallisent ses aspirations à la lumière solaire, l'Italie incarne sa passion pour la peinture, la Grèce ses rêves de beauté plastique, Constantinople l'Orient mythique auquel, avec toute sa génération, il a longuement rêvé. C'est pourquoi les richesses recueillies au cours des voyages, bien que n'étant pas génératrices de révolutions ou de révélations, ont été irremplaçables pour Gautier, qui les a appréhendées et assimilées au travers de son égotisme invétéré.

BIBLIOGRAPHIE GÉNÉRALE

Il n'existe pas d'édition complète des œuvres de Théophile Gautier. Les éditions Slatkine ont repris les *Œuvres complètes* de l'édition Charpentier de 1865; cinq volumes ont paru : *Nouvelles, Romans et Contes, Un trio de romans, Voyage en Russie, Spirite.*

Le Centre d'Études romantiques de l'université Paul Valéry à Montpellier prépare l'édition des œuvres narratives (deux volumes) dans la collection La Pléiade, ainsi que l'édition de la correspondance générale de Théophile Gautier (une douzaine de volumes). Il a également fondé, en 1979, une Société Théophile Gautier qui publie, annuellement, un « Bulletin de la Société Théophile Gautier ». Il existe des éditions critiques d'œuvres séparées : *Spirite*, par M. Eigeldinger (Nizet, 1970); *Mademoiselle de Maupin*, par J. Robichez (Imprimerie nationale, 1979); *Fortunio et autres nouvelles*, par A. Bouchard (l'Age d'homme, Lausanne, 1977); *Poésies complètes*, nouvelle éd. revue et augmentée, par R. Jasinski (Nizet, 1970); *Émaux et Camées*, éd. illustrée par M. Cottin (Minard, 1968); *Voyage en Algérie*, par M. Cottin (Genève, Droz, 1973).

Études

Spoelberch de Lavenjoul, *Histoire des Œuvres de Théophile Gautier*, Paris, 1887, Slatkine Reprints, Genève, 1968; R. Jasinski, *les Années romantiques de Théophile Gautier*, Vuibert, 1929; J. Richardson, *Théophile Gautier, his Life and Times*, Londres, Reinhardt, 1958; H. Van der Tuin, *l'Évolution psychologique, esthétique et littéraire de Théophile Gautier*, Nizet, 1934; E. Binney, *les Ballets de Théophile Gautier*, Nizet, 1965; C. Book-Senninger, *Théophile Gautier auteur dramatique*, Nizet, 1972; E. Kay, *Lettres de Marie Mattéi à Théophile Gautier et L. de Cormenin*, Droz, 1968; J. Savalle, *Travestis, métamorphoses, dédoublements*, Paris, Minard, 1981; M. Voisin, *le Soleil et la Nuit, l'imaginaire dans l'œuvre de Théophile Gautier*, Éd. de l'Université de Bruxelles, 1981.

Adaptations

Ont été adaptés au cinéma : *Mademoiselle de Maupin*, dans « le Chevalier de Maupin », de Mauro Bolognini (1965), qui n'emprunte au roman de Gautier que le nom des personnages; *le Capitaine Fracasse*, par Abel Gance, 1942, avec Fernand Gravey dans le rôle principal, par P. Gaspard-Huit, 1961, avec Jean Marais.

Au théâtre, on signalera, inspirée du *Capitaine Fracasse*, la pièce de Serge Ganzl, *Fracasse* (1972), créée par Jean-Claude Drouot dans le rôle principal. Bande dessinée : *le Capitaine Fracasse*, par R. Giffey, éd. Jacques Glénat, 1976.

C. LACOSTE

GAUTIER d'ARRAS. V. ÉRACLE.

GAUTIER DE COINCY (1177 ou 1178-1236). Né à Coincy (Aisne), il entre en 1193 comme novice à l'abbaye de Saint-Médard-lès-Soissons; en 1214, il est nommé prieur de Vic-sur-Aisne; en 1233, grand prieur de Saint-Médard. C'est là qu'il meurt en 1236.

Ses œuvres ont été regroupées en un recueil comportant deux parties : cinquante-huit *Miracles Notre-Dame*, de nombreuses chansons pieuses — parmi lesquelles vingt-deux chansons dédiées à la Vierge — et des sermons. Son inspiration prend donc place à l'intérieur du grand courant de dévotion mariale qui caractérise le XIIIe siècle. Même s'il ne compose pas de première main (ses *Miracles* suivent un recueil latin d'*exempla* trouvé à Saint-Médard), Gautier témoigne de qualités incontestables, dont certaines le rapprochent quelque peu d'Hélinant de Froidmont : grande virtuosité de la langue, profusion de rimes riches, imagination puissante et débordante, qui suscite des métaphores remarquables et saisissantes. On retrouve ces qualités dans le grand sermon *De la doutance de la mort* (on se rappelle les célèbres *Vers de la mort* d'Hélinant), qui développe le thème très traditionnel du *contemptus mundi* (« mépris du monde »).

Sa poésie lyrique ne présente pas les mêmes qualités; l'imagination s'y fait plus discrète. Mais Gautier montre beaucoup de savoir-faire et de doigté en transposant dans le registre pieux les mélodies de la lyrique profane. Il s'attaque tout particulièrement à l'idéologie courtoise, dont il détourne les valeurs séculières vers la Dame par excellence, la Vierge Marie. Le jeu sur le langage devient ici un jeu sur l'ambiguïté du langage. Cette transposition intéresse à peu près tous les petits genres de la lyrique profane, y compris des genres narratifs comme la pastourelle. On mesure ainsi l'apport considérable de Gautier de Coincy à la lyrique pieuse, qu'il a très largement renouvelée. [Voir aussi MIRACLES].

BIBLIOGRAPHIE

J. Chailley, *les Chansons de Gautier de Coincy*, thèse, 1952; Gautier de Coincy : le texte du « Miracle », *Médiévales*, 2, 1982 (volume de la revue consacré à Gautier de Coincy).

D. BOUTET

GAUVREAU Claude (1925-1971). V. QUÉBEC (littérature du).

GAY Delphine. V. GIRARDIN Mme de.

GEBEYLI Claire (née en 1935). V. LIBAN. Littérature libanaise d'expression française.

GÉLINAS Gratien (né en 1909). V. QUÉBEC (littérature du).

GENEST, abbé Charles Claude (1639-1719). Poète né à Paris. Charles Claude Genest était fils d'une sage-femme et n'avait reçu aucune instruction; il parvint à obtenir un emploi de commis dans les bureaux de Colbert; parti pour les Indes avec un ami afin d'y chercher fortune, il fit naufrage et se retrouva prisonnier à Londres. De retour en France, il sut gagner la protection du duc de Nevers, qui l'employa dans ses affaires, composa un poème qui fut couronné par l'Académie française, et se fit abbé, car cela convenait à sa carrière. Mlle Serment s'occupa de l'instruire, ainsi que Nicolas de Malézieu et Bossuet, qui lui marqua de l'intérêt et le fit choisir comme précepteur de Mlle de Blois, la fille naturelle de Louis XIV, future duchesse d'Orléans. En 1698, Genest fut élu à l'Académie française. Sa bonne humeur et son talent plurent à la duchesse du Maine, qui l'employa à versifier pour les divertissements de Sceaux, et il finit abbé commendataire de Saint-Vilmer.

Ce héros picaresque était fort habile, et il devint très cultivé. Si l'on excepte les poèmes de circonstance qu'il dédia à ses protecteurs, son œuvre se réduit à quatre tragédies : *Zélonide* (1682), *Pénélope* (1684), *Polymnestre* (jouée en 1696, non imprimée), *Joseph* (1710), et à un long poème didactique, *Principes de philosophie ou Preuves naturelles de l'existence de Dieu et de l'immortalité de l'âme*. Ce protégé de Bossuet tenta un théâtre sans amour ou, du moins, d'un amour fort chaste et fort édifiant. L'évêque de Meaux l'en félicita, mais ces tragédies, où résonnent souvent des échos des grandes pièces de Racine, sont écrites en un style lâche et souvent fade : les situations, comme le notait Voltaire, valent mieux que l'expression.

La philosophie de l'abbé Genest est cartésienne; il en explique lui-même les sources : le *Discours de la méthode*, évidemment, mais aussi les conférences de Rohault, qui lui donna des leçons particulières. Le commerce de Bossuet, de dom Lamy, de Malebranche, du cardinal de Polignac avait complété son bagage théologique. C'est en 1716 que les *Principes* furent publiés; le cartésianisme qui y était exposé était déjà démodé, et l'ouvrage n'eut aucun succès...

Il ne reste absolument rien de ces écrits adroits et corrects, où l'on peut seulement chercher le goût et l'idéologie d'un groupe précis — celui qui domina à la fin du grand règne autour de Mme de Maintenon, de Mme du Maine et de Bossuet : le théâtre est refusé, à moins qu'il ne soit édifiant; du cartésianisme ne sont retenus que les chemins qu'il offre vers la stricte orthodoxie.

BIBLIOGRAPHIE

Kurt Fecks, *Charles Claude Genest, sein Leben und seine Werke*, Bonn, 1921; Lancaster, *History of French Dramatic Literature* (...), t. IV et V, Paris, les Belles-Lettres, 1929-1936.

A. NIDERST

GENET

GENET Jean (né en 1910). Il y a un paradoxe de Genet : son existence d'abord errante, puis carcérale, son refus de la morale courante, les thèmes provocateurs d'une œuvre qui célèbre le Mal sous tous ses avatars, tout cela a auréolé Genet d'une renommée sulfureuse. Des crimes et des délits, des romans écrits en prison, la répulsion des bien-pensants, des démêlés avec la censure, et voilà, en plein XXe siècle, une nouvelle incarnation du marquis de Sade!

Pourtant, rien n'est plus fallacieux que cette première évocation : car, très vite, Genet a été reconnu et admiré par ses pairs et, plus largement, par le public lettré. Dès 1947, Louis Jouvet lui a commandé une pièce, qu'il met en scène dans son théâtre de l'Athénée et qui est présentée en même temps que *l'Apollon de Bellac* de Giraudoux. En 1952, Sartre, à qui a été demandée une préface pour la publication des œuvres complètes de Genet, donne à cette préface la dimension d'un volume : c'est le *Saint Genet, comédien et martyr,* qui apparaît aujourd'hui à la fois comme l'un des essais littéraires les plus aboutis de son auteur et comme l'étude critique majeure sur Genet. 1966... Malgré les protestations des milieux bien-pensants (l'armée, l'Église...), un théâtre national crée sa dernière pièce grâce au soutien du ministre des Affaires culturelles de l'époque, André Malraux (*les Paravents,* à l'Odéon-Théâtre de France). Enfin, de Louis Jouvet à Roger Blin, de Peter Brook à Julian Beck, de Victor Garcia à Jean-Marie Patte et Patrice Chéreau, toutes les générations du théâtre, en trente ans, aussi bien en France qu'à l'étranger, n'ont cessé d'être fascinées par l'œuvre de Genet.

De l'exclusion à la consécration

Au lecteur ordinaire, la biographie de Genet renvoie comme une image littéralement inversée de son enfance et de sa jeunesse. Le vol, la mendicité, la prostitution furent les trois « fées » qui, comme on dit, se penchèrent sur le berceau de l'enfant Genet. Et, pour se sauver, très tôt, Genet comprit qu'il lui fallait revendiquer un « vouloir être » — en d'autres termes, proclamer qu'il voulait être ce que la société faisait de lui : un voleur, un mendiant, un prostitué, voire un traître et un assassin...

De prime abord, aucun univers imaginaire n'apparaît plus nourri de rêves et de fantasmes que celui de Genet, et en même temps aucun n'est plus nourri d'une expérience vécue — et cruellement — dès ses plus jeunes années.

Jean Genet est né à Paris, le 19 décembre 1910. Premier signe de « malédiction », et peut-être signe fondamental, il fait partie de ces enfants parias, non pas orphelins, mais rejetés, abandonnés par leur mère. Il lui faudra vivre cela. De cette blessure sans doute incurable sortiront les figures maternelles de son œuvre, ces vieilles mendiantes, ces vieilles voleuses qu'on arrive à chérir jusque dans leur effondrement ou à haïr parce qu'elles n'ont jamais su ou pu être des « mères » (*Pompes funèbres, les Paravents...*). Il ne connaîtra pas davantage son père.

L'Assistance publique le prend en charge et le confie à des paysans du Morvan. Tout se passe bien jusqu'à l'âge de dix ans. Soudain, comme le rapporte Sartre, « une voix déclare publiquement : "Tu es un voleur" ». Vrai? Faux? Peu importe. Le « bel ordre » s'écroule. L'intégration de Genet à cet ordre se mue en fantasme d'exclusion. Genet ne survivra à ce trauma qu'en adhérant à l'image de lui-même que la société lui renvoie. Un mécanisme se met en place qui va, désormais, structurer sa vie. Il écrit, dans le *Journal du voleur* (1949) : « Afin de survivre à ma désolation, quand mon attitude était davantage repliée, j'élaborais sans y prendre garde une rigoureuse discipline. Le mécanisme en était à peu près celui-ci (depuis lors je l'utiliserai) : à chaque accusation portée contre moi, fût-elle injuste, du fond du cœur je répondrai oui. A peine avais-je prononcé ce mot — ou la phrase qui le signifiait —, en moi-même je sentais le besoin de devenir ce qu'on m'avait accusé d'être. J'avais seize ans ».

Ainsi, non seulement Genet va se « choisir » voleur, homosexuel, mais, plus largement, il va adhérer à un système de valeurs personnel qui sera comme le double inversé du code moral traditionnel. Aussi précis. Aussi contraignant.

Son adolescence, il la passe en maison de correction — à Mettray, notamment, qui deviendra l'un des hauts lieux de sa mythologie. Destin tout tracé de petit voyou sans envergure, Genet l'avoue lui-même. Il s'évade de Mettray avant sa majorité, s'engage, déserte... « Un temps je vécus du vol, mais la prostitution plaisait davantage à ma nonchalance. J'avais vingt ans ».

On le retrouve vagabondant de port en port. Il mendie, vole, se prostitue aux marins et aux touristes, à Marseille, à Barcelone. Il ne cesse d'avoir des démêlés avec les polices et les justices des pays qu'il traverse (Italie, Yougoslavie, Autriche, Tchécoslovaquie, Pologne...). Le voici dans l'Allemagne de Hitler. Les blonds S.S. font ainsi leur entrée dans sa mythologie du crime (cf. *Pompes funèbres*). Mais, dans un régime qui officialise le crime comme moyen d'action politique, le criminel se confond avec le citoyen respectueux de la loi et de l'ordre établi. Dès lors, pour Genet, plus de singularité possible! Il ne s'attardera pas dans cette Allemagne-là.

De retour en France, il exécute, seul, un premier cambriolage. Exploit qui lui vaut de gravir un échelon important dans « sa » hiérarchie : « Maintenant j'étais un homme, un affranchi » (*Miracle de la rose*). Genet mène alors une vie précaire où se croisent amours fragiles, activités délictueuses et séjours en prison. C'est là que se situe le second moment clé de l'existence de Genet : le voyou se métamorphose en écrivain. D'après le récit qu'il en a fait à Sartre, ce « moment » se situe en 1942 : Genet est en prison comme simple prévenu. Il a alors un peu plus de trente ans. L'un de ses compagnons de cellule compose des poèmes que Genet trouve « pleurnichards ». C'est l'étincelle. Il écrit *le Condamné à mort,* ample poème en alexandrins de facture toute classique où s'exprime sans fard l'amour qu'il portait à son ami Maurice Pilorge, guillotiné le 17 mars 1939.

A partir de cette expérience inaugurale, Genet ne va plus cesser d'écrire, au moins pendant une vingtaine d'années. Il donne, outre des poèmes, quatre romans : *Notre-Dame des Fleurs* (1944), *Miracle de la rose* (1946), *Pompes funèbres* et *Querelle de Brest* (1947) — nous indiquons ici les dates de parution. Sartre et Cocteau ont tout de suite reconnu l'écrivain de grande race. Ils ont aidé à sa publication. A la même époque, Genet risque la relégation à vie. Grâce à l'action concertée de ses protecteurs, appuyés par un grand nombre d'intellectuels, le président de la République lui accorde une remise de peine.

De la consécration au silence

Dès lors, Genet est un homme libre. Auteur connu, sinon encore reconnu, il vit en France ou à l'étranger. Il s'engage alors, avec *Haute Surveillance* et *les Bonnes* (1947), dans la voie du théâtre. En 1949, *Journal du voleur,* récit autobiographique, constitue la charnière entre l'œuvre romanesque, intimement liée à son passé carcéral, et l'œuvre dramatique, dont l'essentiel est encore en gestation.

On l'a vu, en 1952 paraît le magistral *Saint Genet* de Sartre. Événement majeur de la critique littéraire contemporaine, l'ouvrage devient aussi un événement majeur dans la vie et dans la carrière même de l'écrivain Genet. L'étude sartrienne eut en effet cette conséquence imprévue : au dire même de Genet, elle entraîna, chez lui, une véritable aphasie, « six ans de grisaille et d'imbécillité »! Tant fut insupportable le malaise qu'il éprouva à se voir « dénudé par quelqu'un d'autre que par lui » : « Dans tous mes livres je me mets nu et en même temps je me travestis par des mots, des choix, des attitudes, par la féerie. Je m'arrange pour ne pas être trop endommagé. Par Sartre, j'étais mis à nu sans complaisance ».

L'entreprise sartrienne — explorer, éclairer les arcanes de la mutation d'un voyou en écrivain — avait sans doute eu pour effet de placer en pleine lumière cette zone obscure de lui-même dont un créateur a précisément besoin pour créer... « J'ai mis un certain temps à me remettre. J'ai été presque incapable de continuer à écrire... Le livre de Sartre a créé un vide qui a permis une espèce de détérioration psychologique. Cette détérioration a permis la méditation qui m'a conduit à mon théâtre ».

Peut-être faut-il, nonobstant, nuancer ces affirmations de Genet. Avant même la parution de l'essai de Sartre, Genet traversait une période de stérilité : entre 1948 et 1952, il n'avait que très peu produit. D'ailleurs, Sartre lui-même n'annonçait-il pas la naissance d'un nouveau Genet — plus précisément, la mise en chantier d'un roman qui eût été à la fois *Un coup de dé jamais n'abolira le hasard, Eupalinos* et *les Sept Piliers de la sagesse*? Cette œuvre, extrémiste dans son ambition, ne verra jamais le jour. Mais, dans ces conditions, le *Saint Genet* ne saurait plus être tenu pour la cause première et exclusive des difficultés créatrices de l'auteur des *Bonnes.*

De fait, c'est en abandonnant le roman et en recourant à la scène que Genet trouvera un second souffle. *Les Bonnes,* après la mort de Jouvet, avaient été reprises en 1954 dans une mise en scène de Tania Balachova. Entre-temps, elles avaient été créées à Londres en 1952. Elles le seront à Bonn en 1957. *Le Balcon,* publié en 1956, est créé l'année suivante à Londres dans une mise en scène de Peter Zadek, que d'ailleurs Genet récuse violemment. La réalisation parisienne de Peter Brook (1960) ne le satisfera pas davantage. Puis ce sont *les Nègres,* présentés à Paris par Roger Blin, qui deviendra le metteur en scène attitré de Genet (1959). Enfin, la dernière pièce de Genet à ce jour, *les Paravents,* est publiée en 1961. La création mondiale a lieu la même année à Berlin-Ouest.

Puis c'est quasiment le silence. Un silence qui posera probablement aux historiens de la littérature à peu près autant de questions insolubles que celui de Racine après *Phèdre* ou de Rimbaud après *Une saison en enfer.* Sentiment d'échec ou d'épuisement créateur? Refus de s'enfermer dans des formules dont le tranchant risquait de s'émousser, à force de répétition? Impuissance à trouver les voies d'un renouvellement? Besoin d'échapper à une « récupération » sociale inhérente à la réussite littéraire? Conscience d'une inutilité, face à la réalité du monde, de l'acte créateur? Sartre déclara à Simone de Beauvoir, dans des « Entretiens » de 1974 : « Il tenait beaucoup à Abdallah, qui s'est tué, plus ou moins à cause de lui, et Genet, à ce moment-là, a décidé de ne plus écrire. Et, de fait, il n'a plus écrit grand-chose depuis cette mort » (repris dans *la Cérémonie des adieux*). Après 1968, Genet dira lui-même qu'il se désintéresse de la société occidentale, de ses valeurs et de ses rites. Désormais, à ses yeux, seul vaut d'aider les opprimés du tiers monde. De fait, Genet s'engage alors activement dans un soutien au mouvement américain des Black Panthers. Et les derniers textes qu'on pourra lire de lui seront des témoignages en faveur de militants noirs (Angela Davis, George Jackson) ou palestiniens (« Quatre Heures à Chatila », dans la *Revue d'études palestiniennes,* 1983).

Toutefois ce « silence » volontaire ne porte pas atteinte à sa notoriété : l'enfant terrible du cinéma allemand, R.W. Fassbinder, porte *Querelle de Brest* à l'écran (*Querelle,* 1981). En 1983, Patrice Chéreau reprend *les Paravents.* Enfin, la même année, couronnement officiel dont il savoure sans doute *in petto* la dérision, Genet reçoit le Grand Prix National des Lettres.

La sacralisation du non-être

S'il est vrai que, tout au long de l'œuvre narrative, poétique et théâtrale de Genet se manifeste un attrait pour les valeurs « noires », encore convient-il de ne pas prendre l'accessoire pour l'essentiel. Sans doute Genet a-t-il eu besoin, pour assurer son salut personnel, d'inventer ce recours à une morale inversée. Mais, au niveau de l'œuvre, c'est moins le processus d'inversion ou de provocation qui s'impose comme fondement d'une poétique ou d'une dramaturgie que l'acte même de la célébration, que le rêve d'une consécration, d'une sacralisation du non-être.

Dès ses premiers récits s'imposent les thèmes connexes du couronnement et des funérailles. S'impose aussi la conjonction du fabuleux et du dérisoire. Dans *Notre-Dame des Fleurs,* le cabaret le « Tavernacle » (le jeu de mots est, à cet égard, parlant) apparaît comme une sorte de temple-théâtre « où de beaux garçons bouchers [se] métamorphosent quelquefois en princesses à traîne ». Chez Genet, les personnages ne cessent de s'inventer une souveraineté fantasmatique qui traduit non pas une nostalgie du pouvoir mais un rêve de sacralisation. Dans *les Bonnes,* Solange ironise à propos des activités nocturnes de sa sœur, qui fait « [sa] souveraine, [sa] Marie-Antoinette [...], se contemplant dans les miroirs, se pavanant au balcon et saluant à deux heures du matin le peuple accouru défiler sous ses fenêtres ». Irma, dans *le Balcon,* est appelée à incarner l'archétype éternel de la Reine, figure vide, absente au pouvoir, présente uniquement à ses emblèmes, signe pur et sacré capable de survivre à toutes les révolutions : « Ma décision est prise. Je suppose que j'étais appelée de toute éternité, et que Dieu me bénira. Je vais aller me préparer dans la prière... ». L'un des épisodes les plus frappants de *Notre-Dame des Fleurs* est sans doute celui où Louis Culafroy, surnommé Divine, perd accidentellement sa couronne de perles fausses sous les sarcasmes de ses ami(e)s : « Alors Divine pousse un rire en cascade stridente. Tout le monde est attentif : c'est son signal. De sa bouche ouverte, elle arrache son dentier, le pose sur son crâne, et, le cœur dans la gorge mais victorieuse, elle s'écrie d'une voix changée, et les lèvres rentrées dans la bouche : “ Eh! bien, merde, mesdames, je serai reine quand même” ».

La royauté sépare l'élue du reste des hommes comme la mort retranche des vivants. L'apothéose, le rituel du couronnement, chez Genet, s'apparentent à des cérémonies funèbres, à moins que les funérailles ne représentent, à ses yeux, la forme parfaite du couronnement. D'ailleurs, au début de *Pompes funèbres,* Genet s'interroge : « Pourquoi suis-je limité dans mon choix et me vois-je dépeindre bientôt le troisième enterrement de chacun de mes trois livres? » Dans sa grande tirade finale, Solange, la bonne, rêve à un cérémonial qui serait à la fois celui de son exécution et de ses funérailles :

« Viennent les concierges, viennent encore les délégations du ciel. Et je les conduis. Le bourreau me berce. On m'acclame. Je suis pâle et je vais mourir ». Le jeu des *Nègres* se déploie autour d'un autel-catafalque recouvert d'une nappe blanche, d'iris, de roses, de glaïeuls et d'arums. Sous les flashes des photographes, le Chef de la police, dans *le Balcon,* se retire vivant dans son mausolée : victorieux, parce qu'il vient d'accéder à la nomenclature des archétypes, il peut se retrancher de la vie et entrer dans l'éternité de l'Image. Le dernier tableau des *Paravents* nous montre l'innombrable peuple des morts contemplant avec ironie l'agitation et les jeux des vivants...

Chez Genet, la mort n'est ni un mystère ni un drame. Elle est le non-être, c'est-à-dire, dans sa hiérarchie inversée, la valeur suprême. Elle est un vide autour de quoi se constitue un théâtre pur : enterrements de Divine au début de *Notre-Dame des Fleurs,* de Jean dans *Pompes funèbres,* de Si Slimane dans *les Paravents*... Et les accessoires de la mort, Genet les pare d'une singulière sacralité : la guillotine, comme le poignard de l'assassin, est l'instrument d'un sacrifice et non pas seulement d'une mise à mort. A l'instar du meurtrier, le bourreau revêt la dignité d'un grand prêtre. Donner la mort ou la recevoir, c'est, d'une certaine façon, chez Genet, accéder à la sainteté.

Il faudrait analyser dans le détail les rites funèbres de Genet. S'y manifestent des fantasmes de nécrophagie et de nécrophilie; manger le mort, faire l'amour avec lui, autant de procédures qui permettent la fusion de l'être avec le non-être : « Enfin, sortant je ne sais d'où, Jean mort et nu, marchant sur ses talons, m'apporta son cadavre, cuit à point, qu'il allongea sur la table, et il disparut. Seul à cette table, divinité que les nègres n'osaient fixer, je mangeai. J'appartenais à la tribu. Et non d'une façon superficielle, par le seul fait de ma naissance au milieu d'elle, mais par la grâce d'une adoption où il m'était accordé de participer au festin religieux » (*Pompes funèbres*).

L'écriture romanesque de Genet peut être cursivement définie comme l'outil qui permet au fantasme de se mettre en scène, et au double processus de déréalisation et de sacralisation qui structure l'imaginaire de Genet de s'accomplir. Avec le théâtre, l'illusion est définitivement « objectivée ». Elle devient la seule réalité; de même, le mensonge devient-il la seule vérité.

Le théâtre de Genet ne montre que le théâtre, à la manière de ces miroirs se reflétant l'un l'autre à l'infini : le « Balcon » de Mme Irma est d'abord une maison d'illusion dont chaque chambre est un théâtre en miniature (un « drame » s'y joue). Et chacun de ces « théâtres » doit être montré dans son irréalité de décor mobile : « Je veux que les tableaux se succèdent, que les décors se déplacent de gauche à droite, comme s'ils allaient s'emboîter les uns dans les autres, sous les yeux du spectateur » (*Comment jouer le Balcon*).

Toute la théorie théâtrale de Genet récuse la tyrannie du réalisme : la représentation n'a pas à se faire reproduction figurative, mimétique. Elle doit inventer un système de signes. Elle doit apprendre à faire allusion et non plus illusion. Genet se réclame de trois modèles : le théâtre selon son cœur devrait être un cérémonial à la façon des théâtres d'Extrême-Orient, un rituel à la façon de la messe, un jeu aussi chargé de gravité que le jeu d'enfant (Lettre à Jean-Jacques Pauvert).

De fait, la chambre de Madame, dans *les Bonnes,* est l'espace consacré d'un rituel qui doit aboutir au sacrifice d'une victime (Madame; puis Claire, se substituant à Madame), mais elle est en même temps l'arène d'un jeu qui s'invente et se transforme au fur et à mesure. Avec *le Balcon,* l'identité des personnages se dissout dans les archétypes qui peuplent leurs fantasmes : Irma devient la Reine ou, du moins, son apparence; le Chef des révolutionnaires s'identifie au Chef de la police... Bref, l'Autre et le Même finissent par se confondre. Entre le théâtre et le réel il n'y a plus de solution de continuité ni d'antinomie, car il n'y a pas de réalité. A la fin de la pièce, Irma, s'adressant aux spectateurs, les invite à rentrer chez eux « où tout, n'en doutez pas, sera encore plus faux qu'ici ». Dans *les Nègres,* des acteurs noirs miment le meurtre rituel d'une Blanche sous le regard de spectateurs noirs qui eux-mêmes miment une cour de Blancs, cérémonie macabre doublée en coulisse d'un « réel » identique à la représentation, mais jamais présent, jamais tangible. L'être ne cesse de se dérober. Le non-être, en somme, est bien la loi suprême qui gouverne le monde imaginaire de Genet.

VIE ET ŒUVRE

1910 Jean Genet naît à Paris le 19 décembre. Père inconnu. Abandonné par sa mère, il est confié à l'Assistance publique.

1918 Jean Genet placé chez des paysans du Morvan.

1920 Accusé de vol et envoyé à la maison de redressement de Mettray.

1930 Genet s'évade de Mettray. S'engage dans la Légion étrangère. Déserte. Errance, vol, prostitution, prisons. Barcelone, Tanger, Naples, Rome, Marseille, Brest, Anvers... Yougoslavie, Allemagne...

1933 Première lettre connue de Jean Genet. Elle est adressée à Gide.

1939 Maurice Pilorge, ami de Genet, guillotiné le 17 mars.

1942 Genet en prison commence à écrire *(le Condamné à mort).*

1944 Genet à la prison de la Santé. Il écrit *Haute Surveillance, Notre-Dame des Fleurs.*

1946 *Miracle de la rose.*

1947 *Pompes funèbres* et *Querelle de Brest* paraissent sans nom d'éditeur. Louis Jouvet crée *les Bonnes* (première version) au Théâtre de l'Athénée en même temps que *l'Apollon de Bellac* de Giraudoux.

1948 *Le Funambule.* Création de *'Adame Miroir* au Théâtre des Champs-Elysées : musique de Darius Milhaud, chorégraphie de Janine Charrat. Jean Genet condamné à la relégation. La grâce présidentielle lui est accordée grâce aux initiatives de Sartre, de Cocteau et d'autres écrivains et intellectuels.

1949 *L'Enfant criminel* suivi de *'Adame Miroir. Le Journal du voleur* (sans nom d'éditeur).
Création de *Haute Surveillance* (première version) : mise en scène de Jean Marchat et de Jean Genet.

1950 *Un chant d'amour,* premier film de Jean Genet.

1951 Parution du tome II des *Œuvres complètes* de Genet chez Gallimard. *Les Beaux Gars.*

1952 Parution du tome I : il s'agit en fait du *Saint Genet, comédien et martyr* de Sartre, initialement prévu comme préface.

1953 Tome III des *Œuvres complètes.*

1954 Tania Balachova crée la seconde version des *Bonnes* (Théâtre de la Huchette).
Genet passe devant la 17e Chambre du Tribunal correctionnel de Paris. Il est inculpé « d'attentat aux mœurs et pornographie ».

VIE ET ŒUVRE

1956 Première version du *Balcon*.
Jean Genet de nouveau condamné à 8 mois de prison et 100 000 francs d'amende pour outrage aux mœurs : l'accusation vise des œuvres publiées en 1948.

1957 *L'Atelier d'Alberto Giacometti.*
Création à Londres du *Balcon*. Mise en scène de Peter Zadek violemment récusée par Genet. A Paris, cinq directeurs de théâtre acceptent puis refusent la pièce dans la mise en scène de Peter Brook.

1959 Publication des *Nègres*. Version définitive des *Bonnes*.
Création à Paris des *Nègres* (mise en scène de Roger Blin).

1960 Création à Paris du *Balcon* (mise en scène de Peter Brook. Marie Bell, sociétaire honoraire de la Comédie-Française, joue Irma).

1961 Publication des *Paravents*. Création mondiale à Berlin-Ouest.

1962 Version définitive du *Balcon* accompagnée de *Comment jouer le Balcon.*

1963 *Le Balcon,* film de Joseph Strick, musique d'Igor Stravinsky. Shelley Winters joue Irma.

1964 Création à Stockholm de la version intégrale des *Paravents.*
A Londres, Peter Brook en présente les douze premiers tableaux.

1965 Création à New York d'un ballet inspiré par *les Bonnes* (musique : Darius Milhaud; chorégraphie : Herbert Ross).
Tournage par Tony Richardson de *Mademoiselle ou les Rêves interdits* sur un scénario original de Jean Genet. Jeanne Moreau dans le rôle principal.

1966 Création française des *Paravents* à l'Odéon-Théâtre de France. Mise en scène de Roger Blin. Maria Casarès et Madeleine Renaud dans les rôles principaux. Scandale. André Malraux, ministre des Affaires culturelles prend la défense du spectacle
Parallèlement, Genet publie ses *Lettres à Roger Blin.*

1967 « Ce qui est resté d'un Rembrandt... » dans *Tel Quel,* nº 29.
« L'étrange mot d'... » dans *Tel Quel* nº 30.

1968 Tome IV des *Œuvres complètes.*

1969 Genet séjourne aux États-Unis. Tournée de conférences sur les Black Panthers.
Mise en scène du *Balcon* par Victor Garcia (São Paulo).

1970 Mise en scène des *Bonnes* par Victor Garcia (Madrid).

1971 Préface pour *les Frères de Soledad* de George Jackson.
Reprise en français de la mise en scène des *Bonnes* par Garcia.
Mise en scène des *Bonnes* par Jean-Marie Patte (Paris).

1972 Genet séjourne durant plusieurs mois au Liban avec les Palestiniens.

1975 « Les femmes de Djebel-Hussein » dans *le Monde diplomatique.*

1977 Genet termine le scénario de *la Nuit venue* dont il doit assurer la réalisation cinématographique.
« La ténacité des Noirs américains », dans *l'Humanité.*
« Cathédrale de Chartres, vue cavalière », dans *l'Humanité.*
Préface aux *Textes des prisonniers* de *« Fraction Armée Rouge ».*

1979 Tome V des *Œuvres complètes.*

1980 La Comédie-Française envisage d'inscrire *le Balcon* à son répertoire puis y renonce.

1981 *Querelle,* film de R.W. Fassbinder, d'après *Querelle de Brest.*
Jean Genet, film vidéo d'Antoine Bourseiller dans la collection « Témoins » de Danièle Delorme.

1982 « Quatre Heures à Chatila », dans *Revues d'études palestiniennes.*

1983 Reprise des *Paravents* (Nanterre) : mise en scène de Patrice Chéreau. Maria Casarès joue de nouveau la Mère.
Genet reçoit le Grand Prix National des Lettres.

Notre-Dame des Fleurs

Écrit à la prison de Fresnes, à partir de 1942, *Notre-Dame des Fleurs* n'est pas réductible aux catégories traditionnelles de la littérature : ni roman, ni récit autobiographique, ni poème en prose, ce texte est en même temps tout cela à la fois. Dans une prose tour à tour précieuse et triviale qui, à force de raffinement verbal, magnifie l'abjection, Genet se fait, à la première personne, le récitant d'un rituel de célébration qui implique également directement le lecteur : « Il se peut que cette histoire ne paraisse pas toujours artificielle et que l'on y reconnaisse malgré moi la voix du sang : c'est qu'il me sera arrivé de cogner du front dans ma nuit à quelque porte, libérant un souvenir angoissant qui me hantait depuis le commencement du monde, pardonnez-le-moi. Ce livre ne veut être qu'une parcelle de ma vie intérieure ».

Mêlant inextricablement souvenirs vécus, rêves et fantasmes, *Notre-Dame des Fleurs* a été d'abord, pour Genet, un moyen d'échapper à la solitude carcérale : le narrateur, prisonnier, fait naître, à partir de photos punaisées aux murs de sa cellule, les figures de Divine, le travesti, de Mignon et de Notre-Dame des Fleurs, ses amants... Il parcourt un itinéraire du crime, de l'emprisonnement et de la mort, c'est-à-dire, conformément au « système » de Genet, le trajet même de la sainteté.

L'histoire de Divine se présente comme une remémoration, à partir de sa mort et de ses funérailles. La vie misérable et dérisoire du travesti se métamorphose en un « dit » légendaire, la « Divine-saga » : « J'en ai pour toute la durée d'un livre, que je ne l'aie tirée de sa pétrification et peu à peu ne lui aie donné ma souffrance, ne l'aie peu à peu délivrée du mal et, la tenant par la main, conduite à la sainteté. » On le voit, il s'agit aussi d'une sorte de psychodrame littéraire : Genet se rêve dans ses personnages, et, en même temps, il intègre à la trame même de son récit ce mouvement de relation fusionnelle avec ses personnages : « Comment expliquerons-nous que Divine ait maintenant la trentaine et plus? Car il faut bien qu'elle ait mon âge, pour que je calme enfin mon besoin de parler de moi, simplement, comme j'ai besoin de me plaindre et d'essayer qu'un lecteur m'aime! »

L'anecdote à la Mac Orlan compte ici moins que le processus de transfiguration que Genet imprime à la réalité sordide qu'il évoque. Le geste le plus commun, la parole la plus triviale sont auréolés d'une beauté rayonnante. Tout devient machine à produire de l'enchantement : « Merveilleusement, par la magie de sa beauté haute et blonde, Mignon fait surgir une savane et nous enfonce au cœur des continents noirs plus profondément, plus impérieusement que, pour moi, ne le fera l'assassin nègre [...]. Bref, il porte son infamie comme un stigmate au fer rouge, à vif sur sa peau, mais ce stigmate précieux l'ennoblit autant que la fleur de lis sur l'épaule des voyous d'autrefois ».

La thématique de Genet, d'entrée de jeu constituée, traverse et travaille ses personnages. La plus grande infamie devient la plus grande valeur. Il n'y a de salut que dans le refus de la norme commune, que dans l'« inhumanisation » : « Vendre les autres lui plaisait, car cela l'inhumanisait. M'inhumaniser est ma tendance profonde ». Et Genet évoque somptueusement le destin sacrificiel de *Notre-Dame des Fleurs,* le beau voyou condamné à mort pour le meurtre d'un vieillard : « Il fut aussi prodigieusement glorieux que le corps du Christ s'élevant, pour y demeurer seul, fixe, dans le ciel ensoleillé de midi ».

Pourtant la réalité ne se laisse pas oublier, et c'est peut-être sa présence obstinée, comme en sourdine, dans le filigrane du récit, qui évite à Genet de tomber dans le maniérisme ou dans l'artifice de procédés trop systématiques. Réalité sordide des personnages, telle l'errance nocturne de Divine cherchant « un peu de pain parmi les détritus d'une poubelle ». Présent carcéral du narrateur : « L'odeur qui monte des latrines bouchées, débordantes de merde et d'eau jaune, font les souvenirs d'enfance se soulever comme une terre noire minée par les taupes. »

Les Paravents

Cette pièce, la dernière œuvre de Genet à l'heure actuelle, paraît en 1961. Jouée dans son intégralité, elle constituerait un spectacle de plus de cinq heures. C'est pourquoi elle sera créée dans différentes versions abrégées, d'abord à Berlin-Ouest en 1961, puis à Londres en 1964. En 1964 également la version intégrale sera présentée à Stockholm. Paris ne verra la pièce qu'en 1966, dans une version pour la scène mise au point par l'auteur et par le metteur en scène, Roger Blin. La dimension satirique et provocatrice de l'œuvre, qui montre et les colons français et l'armée en Algérie sous un jour violemment caricatural, explique que *les Paravents* n'aient pas été joués plus tôt à Paris.

Vingt-cinq tableaux, une centaine de personnages... L'action éclate, s'organise autour de plusieurs groupes : le trio des Algériens, Saïd, sa mère et sa femme, Leïla, la plus laide d'entre toutes les femmes; les prostituées du bordel dirigé par Warda; les représentants guignolesques de la colonisation; ceux de l'armée française, à travers qui s'affirme, à la fois sauvage et précieux, un érotisme de la guerre; enfin le peuple des morts.

Crevant les paravents de papier qui définissent l'espace du jeu théâtral — et qui donnent leur nom à la pièce —, les morts se rassemblent, lavés de leurs passions et de leurs folies de vivants, colons et maquisards, Arabes et Français. Ils se font les spectateurs, attentifs et détachés, de la scène des vivants, scène où Saïd, voleur, incendiaire, délateur, assassin, va achever ce parcours de l'abjection qui doit le conduire à la sainteté.

Toutefois, la pièce est peut-être un aveu d'échec de ce rêve de sanctification et d'inhumanisation : Warda voulait devenir signe pur, archétype de la Putain, figure sompteuse et inutile. Mais la réalité de la guerre ruine ces efforts d'apothéose et ramène Warda à son ordinaire fonction prostitutionnelle : « Moi, Warda, qui devais de plus en plus m'effacer pour ne laisser à ma place qu'une pute parfaite, simple squelette soutenant des robes dorées, et me voici à fond de train redevenir Warda ». De même, Saïd sera abattu par les maquisards sans que sa « sainteté » ait été, par eux, reconnue et célébrée. C'est que la Révolution qui détruit un Ordre procède elle-même d'un Ordre idéal pour déboucher sur une nouvelle organisation du monde. Elle ne peut donc admettre la négativité comme valeur. La réalité ne peut tolérer son inversion : « Certaines vérités sont inapplicables, sinon elles mourraient... Elles ne doivent pas mourir, mais vivre par le chant qu'elles sont devenues... Vive le chant! »

L'apparence et l'imposture deviennent, à leur tour, instruments de domination, c'est-à-dire qu'elles sont comme « récupérées » par le réel : la société des colons se donne en spectacle, dans une mascarade grotesque, mimant le jeu social qui produit du pouvoir et de l'oppression. De même les « paras » doivent-ils leur victoire à leur beauté, c'est-à-dire encore à l'apparence. Car « vaincre », c'est « perpétuer une image qui a plus de dix siècles, qui va se fortifiant à mesure que ce qu'elle doit figurer s'effrite, qui nous conduit tous, vous le savez, à la mort ».

Dans *les Paravents,* Genet déploie magistralement son esthétique théâtrale. Jamais sans doute il n'avait été aussi loin dans son refus de l'illusionnisme à l'occidentale. L'espace, grâce aux paravents de papier, est à la fois celui de l'action (les acteurs y schématisent le lieu dont ils ont besoin) et celui du rêve et de la mémoire dans la mesure où s'y inscrivent les signes de l'incendie, du crime, etc. La scène à l'italienne éclate, se démultiplie en niveaux de jeu superposés — Genet rêvait d'ailleurs d'une représentation de plein air. De même, les costumes excluent toute contrainte figurative; ils deviennent purs accessoires d'un cérémonial : « Il faudrait, demande Genet, que chaque costume soit lui-même un décor — sur fond de paravent —, capable de situer le personnage, mais, encore une fois, cette somptuosité ne doit pas renvoyer à une beauté d'ici, même pas à une beauté imitée ou parodiée, grâce à des nippes... »

La problématique du jeu de l'acteur est également tributaire de cette esthétique. Genet aurait voulu que ses personnages fussent masqués ou, du moins, maquillés de façon excessive, que les comédiens osent « des gestes admirables sans rapport avec ceux qu'[ils ont] dans la vie ». De même, la diction devrait faire éclater les limites étroites du mimétisme psychologique pour devenir déclamation et chant : « Au texte des *Paravents* devrait être joint quelque chose ressemblant à une partition. C'est possible. Le metteur en scène, tenant compte des différents timbres de voix, inventera un mode de déclamation allant du murmure au cri. Des phrases, des torrents de phrases doivent passer dans des hurlements, d'autres seront roucoulées, d'autres seront dites sur le ton de l'habituelle conversation ».

En fin de compte, dans l'évolution de Genet, *les Paravents* constituent peut-être à la fois un aboutissement et une impasse dans la tentative visant à promouvoir un théâtre qui ait la force explosive d'un événement vécu, à faire de la scène le lieu d'une déflagration dont Genet rêve « qu'elle soit si forte et si dense qu'elle illumine, par ses prolongements, le monde des morts — des milliards de milliards — et celui des vivants qui viendront ». Ce rêve, qui n'est pas sans rappeler celui d'Artaud — ce n'est sans doute pas un hasard si le metteur en scène favori de Genet est Roger Blin, qui fut très proche de l'auteur du *Théâtre et son double* —, ce rêve ne cesse de se briser sur la matérialité même du théâtre occidental, sur ses traditions et sur son organisation socio-économique. Peut-être le théâtre que Genet a tenté d'inventer fait-il, lui aussi, partie de ces « vérités inapplicables » qui ne peuvent que « vivre par le chant qu'elles sont devenues »...

BIBLIOGRAPHIE GÉNÉRALE

Éditions

Il n'existe actuellement aucune édition regroupant l'œuvre de Genet dans son intégralité. L'essentiel est constitué par : Jean Genet, *Œuvres complètes,* 5 volumes parus, Gallimard, 1979.

On trouve couramment l'essentiel du théâtre dans la collection « Folio » (Gallimard), soit : *les Bonnes, le Balcon, les Nègres, les Paravents.* Les quatre romans sont également accessibles : en « Folio », *Notre-Dame des Fleurs* et *Miracle de la rose.* Dans la collection « l'Imaginaire » (Gallimard), *Pompes funèbres* et *Querelle de Brest.*

Critiques

L'œuvre critique consacrée à Genet est de plus en plus abondante tant en France qu'à l'étranger. Deux brèves monographies permettent une première approche : Claude Bonnefoy, *Jean Genet*, Paris, « Classiques du xxe siècle », Éd. Universitaires, 1965, et Jean-Marie Magnan, *Essai sur Jean Genet*, Paris, Seghers, « Poètes d'aujourd'hui », 1966.

En langue étrangère, signalons par ordre chronologique : Joseph H. Mac Mahon, *The Imagination of Jean Genet*, New Haven, Yale University Press, 1963; Tom F. Driver, *Jean Genet*, New York et Londres, Columbia University Press, 1966; Richard N. Coe, *The Vision of Jean Genet*, Londres, Peter Owen, New York, Grove Press Inc., 1968; Bettina Knapp, *Jean Genet*, New York, Twayne Publishers, 1968; Philip Thody, *Jean Genet, a Study of his Plays and Novels*, Londres, Hamish Hamilton, 1968.

Toutefois, on ne le répétera jamais assez, l'ouvrage de Sartre sur Genet, qui associe, en les dépassant, perspective marxiste et perspective psychanalytique, montre, de façon lumineuse, la dialectique des déterminismes et de la liberté dans la destinée de Genet, et prouve, comme il se l'était proposé, « que le génie n'est pas un don mais l'issue qu'on invente dans les cas désespérés ». Seul inconvénient : vu sa date de parution, le *Saint Genet* ne prend en compte que les deux premières pièces de Genet (*Haute Surveillance* et *les Bonnes*). Mais ses aperçus pénétrants sur les « tourniquets » de Genet par lesquels apparence et réalité, mensonge et vérité, bien et mal... se confondent, éclairent, comme par avance, l'esthétique théâtrale des *Nègres* et des *Paravents*.

Jean-Paul Sartre, *Saint Genet, comédien et martyr*, dans Jean Genet, *Œuvres complètes*, tome I, Paris, Gallimard, 1952.

De nombreux ouvrages sont partiellement consacrés à Genet. On trouvera des analyses stimulantes dans : Georges Bataille, *la Littérature et le Mal*, Paris, Gallimard, 1957, rééd. « Idées », 1967 (le refus de la « communication » comme clé d'un échec; l'éclairage de l'anthropologie); Lucien Goldmann, *Structures mentales et Création culturelle*, Paris, Anthropos, 1970 (un essai d'approche sociologique de l'univers théâtral de Genet. Subtil et contestable); Bernard Dort, *Théâtre public* (« le Jeu de Genet », p. 136-144), Paris, Le Seuil, 1967; id., *Théâtre réel* (« Genet ou le combat avec le théâtre », p. 173-189), Paris, Le Seuil, 1971 (les implications et les impasses d'une dramaturgie de l'apparence. Au terme d'un itinéraire truqué, le spectateur est ramené à la réalité : « La provocation est une façon de remettre la réalité sur ses pieds » [Brecht]).

FILMOGRAPHIE

Plusieurs films ont été réalisés à partir de l'œuvre de Genet et parfois avec sa collaboration active. Les principaux sont : *Un chant d'amour*, 1950, court métrage centré sur l'érotique homosexuelle de Genet. Longtemps interdit par la censure et rarement diffusé; *le Balcon*, 1963, mise en scène de Joseph Strick, musique d'Igor Stravinsky; *Mademoiselle*, 1966, scénario inédit de Genet, mise en scène de Tony Richardson; *les Paravents*, 1967, mise en scène de Roger Blin à Essen, filmée par le C.N.R.S.; *Querelle*, 1981, mis en scène par R.W. Fassbinder, d'après *Querelle de Brest*.

J.-J. ROUBINE

GENEVOIX Maurice (1890-1980). L'œuvre de Maurice Genevoix fait partie de celles que critiques et lecteurs ont tôt fait de classer : d'abord taxé d'« écrivain de guerre » et de « pacifiste », l'auteur de *Ceux de 14* est devenu, après la parution et le couronnement de *Raboliot*, « chantre de la nature », un « observateur fidèle » des choses et des bêtes et, plus récemment, un écrivain « régionaliste » et « écologiste avant l'heure ». C'était peut-être donner à ses livres un sens que leur auteur n'a jamais explicitement confirmé.

Car Genevoix n'a jamais laissé penser que ses ouvrages étaient composés pour un quelconque « message ». Ses quelques rares essais n'expriment aucune théorie littéraire précise, et lui-même refuse toujours d'entrer dans le jeu de la critique : l'œuvre doit être une « réponse en soi », non une thèse. Il s'agit avant tout de « percevoir, exprimer, transmettre » (*Jeux de glaces*, 1961). Littérature objective? Non, car « c'est forcément interpréter, mais l'objet reste déterminant ».

Les livres de Genevoix proposeraient donc une forme ambiguë de réalisme, qui, par-delà les fictions romanesques, s'évertuerait à dire ce qui est : de là viendraient ces descriptions minutieuses des étangs de Sologne et du monde animal, cette recherche d'un vocabulaire précis et littéral pour décrire la vie sociale. Mais une telle fascination pour le réel ne va pas de soi, et la biographie de l'écrivain, si elle explique la venue à la littérature d'un homme que tout destinait à suivre un itinéraire différent, n'éclaire par pour autant sa démarche créatrice.

L'université et la guerre

Maurice Genevoix naît à Decize, dans une île de la Loire. Il passe son enfance à Châteauneuf-sur-Loire, dont il fréquente l'école communale à partir de 1896 : c'est cette partie de sa vie qu'il évoquera dans les récits consacrés au pays de Loire; mais cet attachement à sa région d'origine n'est pas encore décisif. Car, lorsque Genevoix entre en 1901 au lycée d'Orléans, puis en 1909 au lycée Lakanal de Sceaux (pour préparer le concours d'entrée à l'École normale supérieure), c'est à son avenir universitaire qu'il songe surtout. Reçu premier rue d'Ulm, en 1912, il voit s'ouvrir devant lui les perspectives d'une classique carrière d'enseignant ou de haut fonctionnaire. Ses goûts littéraires s'affirment parallèlement, et le diplôme d'études supérieures qu'il obtient avec un mémoire sur « le Réalisme des romans de Maupassant » indique déjà nettement ses options personnelles : « Maupassant, lui, réaliste, naturaliste, avait une démarche, une façon d'adhérer aux choses qui me ramenaient les pieds sur terre » (*Trente Mille Jours*, 1980).

La guerre va écarter Genevoix du chemin tout tracé de l'Université. Mobilisé en 1914, il participe l'année suivante, comme lieutenant puis commandant de compagnie, aux combats des Hauts-de-Meuse et des Éparges; le 25 avril 1915, grièvement blessé, il est réformé. Se retirant alors à Châteauneuf, il commence à rédiger son premier livre, *Sous Verdun*, inspiré par son expérience du front et qui paraît en 1916.

L'écrivain célèbre

En 1918, il décide de renoncer à sa carrière universitaire et se consacre tout entier à la littérature; ses premiers romans, *Jeanne Robelin* et *Rémi des Rauches*, paraissent en 1920 et 1922. En 1925, la notoriété lui est définitivement acquise, quand il obtient le prix Goncourt pour *Raboliot*. A partir de 1928, Genevoix vient habiter aux Vernelles, et, dès lors, son temps va se partager entre la rédaction de ses œuvres et quelques voyages, notamment au Canada (1939) et en Afrique (1948), qui lui inspireront des romans comme, respectivement, *Éva Charlebois* (1944) et *Fatou Cissé* (1954). Élu à l'Académie française en 1946, Genevoix en sera le secrétaire perpétuel de 1958 à 1973. Cette fonction prestigieuse contribuera à faire de lui, jusqu'à sa mort survenue en 1980, l'homme des « valeurs refuges », tant littéraires qu'idéologiques : héritier des naturalistes du XIXe siècle, décrivant en un lyrisme éprouvé les paysages du pays de Loire, il apparaîtra à la fois comme une sorte de sage et comme un prosateur au sûr métier.

Un humanisme heureux

D'ailleurs, dès ses débuts littéraires, Genevoix fait plus figure d'humaniste généreux et traditionnel que de révolté; ses souvenirs de guerre regroupés sous le titre *Ceux de 14* (*Sous Verdun*, *Nuits de guerre*, 1917, *la Boue*, 1921, *les Éparges*, 1923), longuement travaillés et remaniés, ne visent pas à contester le bien-fondé du premier conflit mondial, ne font pas d'analyses politiques : comme cela sera la règle dans les romans suivants, Genevoix « constate ». Au milieu de toutes les épreuves traversées s'impose à l'écrivain la conscience de la valeur de l'existence. Ce souci de retrouver l'entité humaine, d'en faire le sujet essentiel de la littérature, c'est aussi — paradoxalement — dans les romans consacrés à la nature que Genevoix va le dévoiler. Les « jardins sans murs », les paysages qui enserrent les personnages ne sont pas indifférents aux actions humaines, n'existent pas sans l'homme. Tout au contraire : ils donnent la mesure de son existence. Les héros « proches de la nature » — Raboliot, Fatou Cissé, la Jourdaine de *la Motte rouge* (1979) — vivent au rythme des saisons : paysage et psychologie sont liés; pour de tels êtres, tout devient signe : « Ces jardins, cette eau verte et rose, ce doux soleil sur les murettes de pierre, ces floraisons légères et tendres, c'était comme un printemps soudain, comme un sourire charmant de la terre et de la saison qui fût venu à leur rencontre » (*la Motte rouge*).

Cependant, cet humanisme fondamental se fait discret; seul, parfois, un lien ténu relie la description du paysage au monologue intérieur ou au dialogue; la raison en est que l'écriture ne cherche pas à bouleverser la syntaxe « classique » pour constituer une langue à part, qui épouserait le rythme anarchique ou véhément de la nature : toute évocation, toute observation est déjà, pour Genevoix, une mise en ordre. L'écrivain recourt d'ailleurs très rarement au mythe et au symbole; on trouve fort peu chez lui de ces métaphores anthropomorphiques qu'un Robbe-Grillet reproche au roman humaniste traditionnel : pas de « fleuve roulant à coups d'épaule », mais des mouvements, des formes, des couleurs multiples et nuancées. Genevoix, dans *Lorelei*, oppose d'ailleurs cette forme de perception du réel au symbolisme du romantisme allemand; Julien, jeune adolescent de Chasseneuil, voit-il « des oiseaux noirs [...] dont les ailes se glacent d'émeraude », aussitôt il les nomme « des foulques ». Günther, lui, le jeune Rhénan, « entend » des mots magiques : « aile, amour, genèse »; Günther interprète, Julien observe. Tout se passe comme si dire les choses suffisait à les ranger dans la catégorie humaine. Sentir, écrire, c'est vivre au rythme du monde, mais aussi et surtout de l'« Homme ».

On comprend alors pourquoi Genevoix se plaît à peindre d'humbles figures de braconniers ou de paysans : ils sont pour lui des « voyants privilégiés », attentifs aux « signes magiques » de la nature (*Jeux de glaces*). Ils illustrent au mieux ce que l'écrivain imagine être le rôle de l'homme dans le monde : un être qui porte en lui l'intelligence des choses. Mais ils représentent aussi l'aboutissement d'une quête personnelle de l'écrivain : « Ils m'ont peu à peu guidé vers moi-même, vers ce qui fait écho à ce rythme en moi-même consonant, à ce chant qu'il m'appartient d'entendre dans ce monde qui nous est commun » (*Jeux de glaces*). Raboliot et ses successeurs sont l'image d'un moi épanoui, perdu puis retrouvé, que l'écrivain tente, d'œuvre en œuvre, de cerner.

Nature et conscience de soi

L'objet des romans et, plus directement encore, des chroniques que sont les *Bestiaires* (1969-1971) est en fait le regard de l'auteur. Dans ces livres qu'il appelle ses « impressions descriptives », Genevoix montre à son lecteur, non pas les choses mêmes, mais leur incidence sur les sens du narrateur : « Il faut fixer cet au-delà des apparences qui ressemble à ce que l'on sent ». Or, si la nature est signifiante, humaine, c'est qu'elle n'échappe pas au regard du moi qui se l'approprie, et elle trouve dans cette appréhension subtile et minutieuse la révélation de son existence. Pour les personnages comme pour le narrateur, la connaissance de la nature est la seule véritable initiation à la connaissance de soi. Cette quête d'une vérité stable et sereine du moi explique peut-être la prédilection de Genevoix pour les âges de transition comme l'adolescence : la conscience progressive de leur propre perception est un des traits communs des personnages de romans comme *la Loire, Agnès et les Garçons* (1962), *Lorelei* (1978)... La découverte de l'amitié, plus souvent de l'amour, demeurant pour l'écrivain l'une des étapes « naturelles » vers la conscience du corps.

« Devenir ce que l'on est », trouver en la nature un rythme et un chant qui soient l'écho d'une sensation personnelle, déchiffrer les signes d'un monde pour en faire le langage de son propre corps, voilà sans doute sur quoi repose toute l'« écologie » de Genevoix. Cette écriture romanesque, que l'auteur du *Bestiaire enchanté* (1970) veut réaliste, neutre, presque plate — « Je ne voudrais point déborder le domaine des constatations » —, ne doit donc pas faire illusion : regarder, même par les yeux d'autres personnages, c'est se sentir, philosophiquement, exister : « Je regarde, donc je suis » (*Lorelei*).

« Heureux temps, nostalgique mémoire »

La quête de l'écrivain est aussi celle du Temps perdu. « La réalité ne se forme que dans la mémoire », et toute écriture vise, en fait, à reconstituer un passé. La nostalgie de la vie naturelle, qu'évoquent des personnages comme Raboliot, Éva Charlebois, Fatou Cissé, n'est qu'un moyen de retrouver cette vie des sens, qui met en communication le moi-écrivant avec son double perdu : le moi-enfant, le moi-primitif; les *Bestiaires*, dans lesquels chaque chapitre est consacré à un animal, renvoie en fait aux différentes époques vécues par le narrateur, dans un rapport de signification parfois assez lâche, malgré le soin que met Genevoix à éviter l'illogisme; les *incipit* sont d'ailleurs parfois révélateurs : « Le grèbe. — Si insolite que cela soit j'ai pris une fois un oiseau à la ligne. » — « Le loir. — Il y a quarante ans, le maître de notre jardin des Vernelles... »

Le moi retrouvé se rassure dans une écriture ambiguë : la nostalgie du réel évanoui sert à affirmer la stabilité dans le temps de l'impression reçue. Plus forte sera la conscience, plus précise sera l'écriture, et plus accomplie sera la communion des différents « moi » de l'homme.

Réinventer l'espace et le temps

Ainsi, comme il le précise dans *Images pour un jardin sans murs* (1968), Genevoix, sous couvert de réalisme et de naturalisme, n'a rien fait d'autre que de « réinventer sa vie », plus ou moins directement, et souvent par personnages interposés. Mais cette réinvention n'est pas, comme celle de Giono, une recréation par le livre, ou la culture. Genevoix, comme beaucoup de ses héros, rejette toute référence savante : « Les encyclopédies aussi ont leur poésie, mais qui s'évanouit et se fane au toucher des compilateurs. J'ai voulu me garder d'en être un » (*le Bestiaire enchanté*). C'est la mémoire de l'homme qui remplace l'intellect, par trop encombré de connaissances extérieures au moi; de là, chez Genevoix, le refus des doctrines, qui ne correspondent jamais à ce que l'on est profondément.

Pourtant, ce n'est pas là le moindre paradoxe de cette écriture, souvent un peu apprêtée, sûre de ses adjectifs, de son rythme, que de chercher une vérité qui dépasse tout effet littéraire, justement par une abondance de procédés littéraires. Pour Genevoix, le style ne pose pas de problème de conscience; sans doute n'est-il pas pour lui la seule réalité littéraire possible, mais un intercesseur obligé, évoquant un moi toujours situé au-delà de l'écriture : peut-être, en cela, cette prose paraît-elle en marge des préoccupations contemporaines.

BIBLIOGRAPHIE

Jeux de glaces, dans la collection « les Auteurs juges de leurs œuvres », Paris, Wesmael-Charlier, 1961, éclaire quelque peu les conceptions philosophiques et littéraires de Genevoix; R.M. Albérès, *Histoire du roman moderne*, Paris, Albin Michel, 1962; Criticus (M. Berger), « Quatre Études de style au microscope », *Nouvelle Revue critique*, 1948 (sur *Raboliot*); E. Timbaldi-Abruzzese, *Il romanzo rurale di M. Genevoix*, Turin, Giappichelli, 1956; P. Vernois, *le Roman rustique de George Sand à Ramuz*, Paris, Nizet, 1962.

J.-P. DAMOUR

GENLIS, Caroline Stéphanie Félicité du Crest de Saint-Aubin, comtesse de (1746-1830). Un destin marqué par la volonté de parvenir, une œuvre largement étalée dans quelque 140 volumes, un parfum de vertu pharisienne qui ne peut cacher les strates profondes d'une envahissante personnalité, une nette conscience chez cet auteur de sa spécificité féminine — on s'étonne que tout cela ne donne pas un regain d'actualité à la comtesse de Genlis.

L'ambition féminine

L'enfance de Caroline Stéphanie Félicité du Crest, née à Champcéry, près d'Issy-l'Évêque, fille d'un obscur noble de province ruiné, se partage entre le château de Saint-Aubin-sur-Loire et les séjours à Paris. A treize ans, elle est protégée par le vieux La Popelinière, puis elle brille dans Paris comme virtuose de la harpe. En 1763, elle contracte un mariage secret avec le jeune officier de marine Charles Alexis Brulart, comte de Genlis — plus tard marquis de Sillery —, neveu d'un ministre des Affaires étrangères. Introduite par sa tante, Mme de Montesson, alors maîtresse du duc d'Orléans, dans la société du Palais-Royal, elle devient la tendre amie du duc de Chartres, le futur Philippe Égalité. Chargée d'élever les filles de la duchesse (1777), elle pratique sa propre réforme à l'instar de J.-J. Rousseau; elle entre en préceptorat comme on entre en religion et s'installe avec ses élèves dans un pavillon du couvent de Bellechasse. En 1782, elle est nommée « gouverneur » des enfants d'Orléans. Parmi ses élèves figure aussi Valois, le futur roi Louis-Philippe. Son échec au prix Montyon, puis son ouvrage *la Religion considérée comme l'unique base du bonheur et de la véritable philosophie* (1787), enfin son caractère difficile l'éloignent des Philosophes. Cependant, elle va dans le sens de la Révolution et y entraîne les princes, ses élèves. Mais, après l'arrestation du roi à Varennes, elle manifeste son goût pour l'ordre. Restant à Londres plus longtemps que prévu, elle est la cause de l'inscription de son élève, Mme Adélaïde, sur la liste des émigrés. C'est ensuite, durant plusieurs années, la fuite : en pays belge; en Suisse, où elle se sépare de ses deux élèves princiers et où elle apprend l'exécution de son mari et de Philippe Égalité; en Allemagne du Nord. Par la célèbre et malencontreuse *Lettre de Sielk*, elle dénie au futur Louis-Philippe les qualités nécessaires pour faire un monarque énergique! Elle vit tant bien que mal du produit de sa plume jusqu'à son retour à Paris (juillet 1800). Elle perçoit une pension de Napoléon, qui la nomme inspectrice des écoles primaires, connaît le succès avec des romans comme *la Duchesse de La Vallière* (1804), louvoie gauchement au moment de la Restauration et des Cent-Jours. Puis, pensionnée par le duc d'Orléans, allant de logement en logement, accumulant les œuvres moralisantes (*le La Bruyère des domestiques*, 1828), historiques (*Abrégé du journal de Dangeau*, 1817) et antiphilosophiques (*les Dîners du baron d'Holbach*, 1822), elle élève à sa gloire personnelle le monument de ses propres *Mémoires* (1825, 10 volumes).

Une pédagogie ambiguë

Si la vie de la comtesse paraît la mise en pratique plus ou moins heureuse de la formule qu'elle place en épigraphe à son ouvrage romancé *Madame de Maintenon* (1806) : « Rien n'est plus habile qu'une conduite irréprochable », son œuvre immense semble la réalisation d'une volonté parallèle de prosélytisme pédagogique. Sa carrière littéraire débute par un prudent *Théâtre à l'usage des jeunes personnes* (1779-1780) d'où sont exclus les jeux dangereux de l'amour, réservés, ceux-là, aux adultes de son *Théâtre de société* (1781). Suivent deux textes pédagogiques : *Adèle et Théodore* (1782), présenté sous la forme à la mode du roman épistolaire, et les *Veillées du château* (1784), suite de récits reliés par un mince fil romanesque. La volonté morale y est toujours première : « Avant de songer au plan romanesque [...], j'avais préparé le plan des idées », dit-elle des *Veillées*. Elle veut y présenter « la Morale mise en action » plutôt que « des préceptes et des maximes » (*Adèle et Théodore*, lettre VIII). Ainsi l'épisode de la « pelisse donnée » (lettre XLVII), représenté par un peintre dans l'histoire narrée. Plus tard, à partir de l'émigration, le mouvement aura tendance à s'inverser, et l'auteur, pris au feu des intrigues rebondissantes (*le Siège de La Rochelle*, 1808), des raffinements psychologiques (*Inès de Castro*, 1817) ou de l'étude du milieu social (*les Parvenus*, 1819), accède enfin à la véritable dimension romanesque. La pédagogie de Mme de Genlis, largement inspirée des théories de Locke et de Rousseau, fait la part belle au principe sensualiste. On n'apprend « aux enfants que ce qu'ils peuvent comprendre » avant l'éclosion de leur raison; on s'adresse d'abord à leurs sens, par la peinture, les images de lanterne magique, l'observation de la nature, les travaux manuels. Cependant, Mme de Genlis n'envisage pas la nature humaine avec l'optimisme de Jean-Jacques : « L'homme naît avec des défauts et des vices, mais il naît sensible » (*Adèle et Théodore*, lettre XIX). Méfiante à l'égard de l'homme, Mme de Genlis ne pouvait être révolutionnaire. Sa conception de la vertu, essentiellement chrétienne, récupère dans le sens de l'obéissance à un ordre établi les révoltes contre l'oppression et l'injustice, dont elle s'emploie à montrer le bien-fondé. « Malgré les Jacobins, je resterai leur cuisinier », dit de ses anciens maîtres un restaurateur célèbre, enrichi dans l'émigration (*le La Bruyère des domestiques*, I). De même les femmes, aussi richement douées par la nature que leurs maîtres masculins, doivent oublier cette égalité naturelle au profit de la bonne marche de la société. « Le génie est pour elle un don inutile et dangereux » (*Adèle et Théodore*, lettre IX), et les passions sont une source d'irrémédiable perdition. Dominé par un Dieu qui punit sévèrement les moindres écarts, cet univers pourrait paraître cruel. Il est cependant ouvert à un optimisme bien proche de celui qu'on trouvera dans les romans enfantins de la comtesse de Ségur. Aucune Justine, aucune Juliette sadienne ne hante ce monde où la vertu est en général récompensée. Mais la rhétorique quelque peu académique, le style ample et nombreux qui nous paraissent propres à la bonne conscience de l'auteur recouvrent parfois d'inquiétantes profondeurs. Que dire de cette complaisance érotique dans la vertu, source de jouissance (« Je jouissais délicieusement de mon ouvrage, et j'éprouvais une émotion si douce et si vive qu'il m'était impossible de proférer une seule parole », dit un précepteur d'*Adèle et Théodore*, lettre XLVII), et, plus encore, de la satisfaction sadienne de transformer en chose l'être — la victime? — qu'on veut réduire... à la vertu? C'est ici tout le sel, involontaire, du « Jupon vert » (*Nouveaux Contes moraux*, 1802) : « Ce fut une chose plaisante de la voir paraître, habillée en *dame*, la tête penchée d'un air honteux, le sourire aux lèvres, les larmes aux yeux [...] »!

Un univers à redécouvrir

Il faut donc refuser, à propos de Mme de Genlis, des jugements aussi péremptoires que celui de son ennemi Rivarol : « Le ciel refusa la magie du talent à ses productions, comme le charme de l'innocence à sa jeunesse ». Et si des rééditions autres que celle de *Mademoiselle de Clermont* (1802; R. Deforges, 1977) et de *l'Enfant gâté (Théâtre du XVIIIe siècle*, t. II, Gallimard, La Pléiade, 1974) pouvaient véritablement donner à lire l'univers littéraire de la comtesse, nul doute qu'on y admirerait l'à-propos historique avec lequel elle a su passer du théâtre du XVIIIe siècle au roman du XIXe. Mêlant, de façon sans doute composite, mais non sans une certaine puissance, les techniques de La Chaussée et de Diderot à celles de Mme de La Fayette ou de La Bruyère, faisant de son *Inès de Castro* un *René* féminin, servant de relais entre La Calprenède et Alexandre Dumas par son *Siège de La Rochelle*, elle annonce même parfois — avec *les Parvenus*, par exemple — l'énorme flot bouillonnant des romans balzaciens.

BIBLIOGRAPHIE

On peut lire : Alice M. Laborde, *l'Œuvre de Mme de Genlis*, Paris, Nizet, 1966, plus facilement accessible en France que l'étude d'Anna Nikliborc, au titre identique (*Acta universitatis wratislaviensis*, n° 96, Wroclaw, 1969).

R. LANDY

GENRES LITTÉRAIRES (les). Le genre est une catégorie qui permet de réunir, selon des critères divers, un certain nombre de textes. L'usager perçoit facilement ces critères dans le cas des genres oraux, puisque le contexte social détermine strictement le choix du genre : lorsqu'on assistait à un enterrement chrétien, on s'attendait à entendre une oraison funèbre; lorsqu'on se rend à la Comédie-Française, on s'attend à voir représenter une tragédie ou une comédie; en revanche, pour les genres écrits, le contexte social ne se manifeste pas dans l'espace (cimetière, théâtre), puisque les textes sont souvent destinés à une lecture solitaire qui peut avoir lieu n'importe où : l'usager se laisse donc guider par des indications provenant de l'imprimé (format, titre et sous-titre, arrangement typographique de la page). Il s'agit, dans tous ces cas, d'une perception globale, suscitée par des critères strictement externes, contextuels, et qui créent une attente; cette attente ne sera comblée que par la suite (souvent à la fin du texte seulement), lorsque des critères d'un autre ordre auront permis de confirmer les premières impressions.

Le nombre des critères (des « lois ») varie d'un genre à l'autre : le sonnet en connaît beaucoup plus que l'élégie, par exemple. Il est curieux de noter que l'épopée est le genre sans doute le plus sévèrement réglementé, tandis que son « successeur », le roman, qui serait l'« épopée en prose » des temps modernes, est l'un des genres les plus libres, voire les plus « lâches » : le nombre décroissant, sinon l'absence soudaine (et presque totale) de critères, est sans doute en rapport avec une modification radicale de notre civilisation à la fin du Moyen Age. Dans l'histoire et la théorie des genres littéraires, le roman constitue cependant un cas spécial (voir plus loin); d'une manière générale, on peut constater que les critères sont plus nombreux et plus stricts pour les genres oraux et les genres populaires (ex. : oraison funèbre, conte de fées, roman policier) que pour les genres écrits, savants (essai, élégie).

Établir des catégories, c'est distinguer, séparer, classer. Dès que le travail de classement est achevé, l'homme (l'artiste) devient conscient des limites qu'il s'était imposées, ce qui fait naître en lui la volonté de les transgresser. L'histoire des genres littéraires est celle de la mise en place, puis de la transgression progressive des critères qui sont censés les spécifier. La transgression a lieu, *grosso modo*, en trois étapes : d'abord par la parodie, qui ne met en cause que la moitié, bien équilibrée, des critères (ex. : poésie burlesque, épopée héroï-comique), ce qui permet de rester à l'intérieur du système traditionnel global qui a connu, depuis toujours, la mise en contraste des genres (haut-bas, noble-vulgaire, tragique-comique); ensuite, par un procédé de mélange qui, en supprimant certains critères ou en les refondant, met fin, précisément, à une telle possibilité de « mise en contraste » (ex. : le drame, genre unique — « drame bourgeois », « mélodrame », etc. —, prenant la relève des genres contrastés que sont la tragédie et la comédie), ce qui modifie considérablement, sans cependant l'abolir, le système traditionnel; enfin, par un dépassement de la problématique des genres, une confusion délibérée des critères de tout ordre, telle qu'elle fut pratiquée par les divers mouvements d'avant-garde au XXe siècle qui ont modifié le statut des critères contextuels (cf. les objets de Marcel Duchamp) et refusé toute tentative de classement et de subdivision.

Classements et critères : la perspective historique

Les nombreuses tentatives de classement que, d'Aristote à nos jours, les critiques ont élaborées ont été souvent décrites et analysées par la critique moderne (voir notamment les ouvrages de Behrens, de Genette et d'Hernadi dans notre bibliographie). Les classements varient quelque peu, mais restent sensiblement les mêmes dans les grandes lignes (sinon peut-être que la triade lyrique-épique-dramatique ne devient un concept tout à fait central que depuis le romantisme [Goethe, Hugo]); ce qui, en revanche, change considérablement, c'est la justification théorique des classements.

Le classicisme européen, d'Aristote au père Le Bossu, a apporté dans l'ensemble une légitimation d'ordre rhétorique : les genres sont différents de manière « rétroactive », à partir du public envisagé et de l'effet qu'il s'agit d'obtenir. Les critères rhétoriques sont des critères psychologiques, sociologiques et idéologiques (un seul orateur *versus* deux ou plusieurs acteurs), et l'effet produit par la tragédie (la *catharsis*) fait partie des critères constitutifs du genre. Hobbes introduit un critère sociologique — fortement hiérarchisé — lorsqu'il assigne aux trois types possibles de communauté sociale, c'est-à-dire à la Cour, à la ville et à la campagne, les trois genres héroïque, comique et pastoral. Enfin, Le Bossu a élaboré une classification très précise à partir d'un critère moral : chaque écrivain cherche à persuader son public d'une « vérité », qu'il « cache » selon des procédés divers, procédés appropriés à l'état d'esprit et au niveau culturel du public visé. La même « vérité cachée » peut se trouver à la base d'un apologue et d'une épopée; ce qui les distingue, c'est uniquement la complexité des moyens mis en œuvre. A côté des critères de nature rhétorique, le classicisme a utilisé également des critères hérités de la poétique aristotélicienne. Mais les critères poétiques, concernant par exemple la priorité de l'intrigue ou les notions de vraisemblance ou de bienséance, n'ont pas la même force distinctive que les critères rhétoriques (la priorité de l'intrigue vaut pour tous les genres narratifs, la bienséance pour tous les genres « nobles », etc.); c'est pourquoi nous avons préféré ici mettre en relief ces derniers.

Il est intéressant de faire remarquer que ce qu'il est convenu d'appeler l'esprit baroque a fait naître, parallèlement à la rhétorique moralisante du classicisme, un autre type de classement des genres, qui s'inspire cependant, lui aussi, de la rhétorique; non plus de la rhétorique argumentative des effets, mais plutôt de la rhétorique épidictique de l'éloge. Cet aspect de la rhétorique fut considéré, dès l'Antiquité, comme inextricablement lié aux genres littéraires (Burgess), mais ce n'est que pendant la période dite baroque que certains théoriciens cherchent à rattacher tous les genres littéraires sans exception aux traditions épidictiques de l'éloge (et du blâme). Ainsi, George Puttenham distingue, dans son *The Arte of English Poesie* (1589) : 1) le genre de l'éloge des dieux, l'hymne; 2) les genres permettant de faire l'éloge du prince (épopée, romance, épithalame, etc.) ou de le blâmer (tragédie); 3) les genres permettant de faire l'éloge du bourgeois (*epigramma*) ou de le blâmer (satire, comédie). Cent ans plus tard, dans l'empire des Habsbourg, Lucas Moesch publie une *Vita poetica per omnes aetatum gradus deducta* (1693), bizarre poème didactique qui conduit le poète (pendant cinq actes symbolisant les cinq périodes de la vie humaine) à travers l'immense jardin de tous les genres possibles et imaginables, qui sont tous conçus comme des genres de circonstance, dont l'unique but serait le soutien pompeux des institutions consacrées et la glorification artificieuse des grands de ce monde.

Le romantisme, hanté par le problème des origines, ou de l'origine, a rattaché le problème des genres à une conception particulière de l'histoire, à une philosophie de l'histoire qui assigne à chacun des grands genres lyrique, épique et dramatique une période de l'humanité, ainsi qu'une vision métaphysique (Hegel, Hugo). En revanche, le déterminisme scientifique du XIXe siècle finissant privilégie une perspective évolutionniste et, comme la biologie, s'intéresse à la naissance et à la décadence des formes (Brunetière).

Le XXe siècle, individualiste à ses débuts, et préférant l'étude de l'œuvre d'art autonome à celle des structures, voit d'abord une mise en question radicale de la notion même de genre littéraire, tendance qui se rattache en particulier au nom de Croce, puis une tentative massive de « réhabilitation ». Des mouvements aussi différents que le formalisme russe et l'école dite de Chicago (R.S. Crane, E. Olsen) redécouvrent, dans une tradition aristotélicienne plus ou moins librement interprétée, l'intérêt des classements et la vertu des formes. Staiger (1946) représente sans doute l'ultime réinterprétation, à la fois romantique et existentialiste, de la trop célèbre triade lyrique-épique-dramatique, tandis que Frye, onze ans plus tard, propose un vigoureux système synthétique qui s'inspire à la fois d'Aristote et de C.G. Jung. Enfin, de nombreux « états présents » et réévaluations ont été publiés ces dernières années, qui cherchent à tenir compte des apports du structuralisme et des exigences scientifiques contemporaines (Hempfer, Genette, Ruttkowski, Dubrow...).

Classements et critères : les hiérarchies

La critique d'avant le romantisme a toujours conçu le système des genres, à l'instar des institutions et des modes de pensée de l'Ancien Régime, comme un système hiérarchique; certains genres étaient, à tous égards, supérieurs (épopée, tragédie) et recevaient par conséquent beaucoup plus d'attention (et aussi des « lois » plus raffinées) que d'autres, considérés comme « inférieurs » (farce, roman). Mais on peut utiliser, semble-t-il, le terme « hiérarchie » dans un autre sens.

En admettant l'existence de termes qui en embrassent entièrement d'autres du même ordre, on peut parler, à propos des genres littéraires, d'une hiérarchie de trois étages au moins.

1) Au sommet, on mettra les « classements » qui distinguent, pour l'ensemble des textes littéraires, deux, trois ou quatre classes seulement. La distinction vers-prose, qui, étant un critère strictement formel, n'est guère utilisée aujourd'hui, correspond cependant à une réalité à l'époque classique, où ce sont les catégories de poésie et d'éloquence qui recouvrent ce que nous avons appris, depuis, à appeler « littérature », et où la forme versifiée comporte une connotation positive et hiérarchique (le vers est supérieur, plus noble que la prose). L'autre distinction qu'il faut mentionner à ce niveau est celle, bien connue, des catégories lyrique, épique, dramatique (auxquelles certains critiques ajoutent celle de la littérature didactique). Les critères allégués pour distinguer ces trois classes sont particulièrement variés et très hétérogènes : il en est d'ordre psychologique (les trois termes désignent trois attitudes fondamentales de l'esprit humain), d'ordre historique (trois périodes de l'humanité), d'ordre métaphysique (trois perspectives du temps humain). C'est surtout depuis le romantisme que de nombreux critiques ont repris la célèbre triade et se sont ensuite ingéniés à lui trouver une légitimation toute nouvelle.

Sur le plan des critères formels, la triade présente un problème considérable : la narrativité joue un rôle central dans deux catégories sur trois, le caractère spécifique de l'intrigue fait partie de la définition des genres épiques et des genres dramatiques (le merveilleux épique, le dénouement tragique, etc.). D'autre part, la définition des genres lyriques, donc non narratifs, a toujours été difficile; les quelques tentatives qui cherchent à les relier aux deux autres catégories ont, en fait, toujours essayé de les « narrativiser », en insistant, bien entendu, plutôt sur les systèmes relationnels entre sujet et objet que sur l'intrigue proprement dite (le modèle actantiel de Greimas, le modèle triadique du Groupe Mu).

Ces catégories très vastes, se situant au sommet de la hiérarchie, ne sont guère désignées par le terme « genre »; on préférera les termes « espèces » ou « classes » (ou, simplement, « catégories »).

2) Le terme « genre » est en général réservé au deuxième étage, à l'échelle moyenne de la hiérarchie, où l'on subdivise la triade. Dans la catégorie dramatique, on distinguera les genres tragédie, comédie et drame; dans la catégorie épique, les genres épopée, roman et nouvelle; dans la catégorie lyrique, les genres hymne, ode, élégie. Les critères sont hétérogènes, mais, la plupart du temps, ils ne sont plus philosophiques ni purement formels, mais plutôt d'ordre sociopsychologique (le contexte social détermine une attente).

Les genres que nous venons de citer sont ceux qui relèvent de la littérature savante ou officielle, tels qu'ils se trouvent dans les traités de poétique et les manuels. Mais on oublie parfois que la littérature populaire connaît, elle aussi, les mêmes compartiments, qui correspondent aux trois catégories générales : la chanson est un genre lyrique, la ballade un genre dramatique, le conte de fées un genre épique. La littérature populaire d'aujourd'hui, c'est-à-dire la littérature de grande consommation, n'a guère donné naissance à des genres séparés; influencée plus profondément par les genres dits savants, elle en fournit quelques-uns des sous-genres (ex. : le roman policier).

Parmi les genres mentionnés, il convient d'attirer plus particulièrement l'attention sur le roman. Ce genre, négligé pendant des siècles par la critique officielle, est en train, depuis le XIXe siècle, d'envahir triomphalement la littérature et d'en chasser, en fait, les autres genres. Dans la hiérarchie des genres, le roman occupe un statut particulier, s'il est vrai, comme on pourrait le soutenir après Bakhtine, que c'est un genre « omnivore », dont l'apparition, dans des circonstances historiques bien déterminées, menace de détruire les autres genres et de faire s'écrouler leur système.

3) C'est en subdivisant les genres que l'on parvient, en bas de la hiérarchie, à ce qu'on pourrait appeler les « sous-genres »; les critères qui permettent de distinguer ceux-ci sont d'ordre historique (et vaguement thématique) : c'est ainsi qu'on parle du sonnet de la

Renaissance, de la tragédie grecque, du roman picaresque, etc. Le nombre des sous-genres est difficile à préciser, d'une part parce que les sous-genres se laissent subdiviser encore davantage (ex. : le « sous-sous genre » du sonnet-amoureux de la Renaissance), d'autre part parce que de nouvelles perspectives d'interprétation historique permettent en principe à tout moment d'entrevoir, de « découvrir », des sous-genres qui n'ont pas existé auparavant et que la nouvelle interprétation a créés : ainsi, l'introduction d'une perspective baroque a donné naissance, dans la littérature française, à quelques nouveaux sous-genres comme le sonnet baroque ou le roman baroque.

L'étude des variantes

L'ensemble des textes qui constitue un sous-genre peut être considéré comme un ensemble de variantes. Il est courant de parler, dans la littérature populaire, des différentes versions d'un conte de fées, mais on n'a guère étudié les différents sonnets ou les différents romans appartenant au même sous-genre comme autant de versions, disons, du sonnet de la Renaissance ou du roman picaresque. Pourtant l'analogie s'impose, et elle est particulièrement facile à repérer dans le cas des sous-genres narratifs; chaque version peut être vue, à partir d'un noyau narratif hypothétique, comme une nouvelle variante ayant pour but (rhétorique) soit de communiquer un message quelque peu différent, soit de s'adresser à un public quelque peu différent. Dans le cadre du conte type *le Petit Chaperon rouge,* la version de Perrault représente une mise en garde adressée aux jeunes filles contre les séducteurs masculins, tandis que la version de Grimm est une variante qui vise un public plus jeune et cherche à lui faire peur (le « message » est moins marqué). De même, dans le roman d'amour adultérin de la fin du XVIIe siècle, on peut considérer les spécimens individuels tels que *la Princesse de Clèves, la Comtesse de Tende, les Désordres de l'amour, Éléonor d'Yvrée, la Duchesse d'Estramène* comme autant de variantes : adultère refusé ou consommé, mort ou survie du mari, et, dans le cas de la mort de celui-ci, acceptation ou refus d'un second mariage.

Un examen formel des genres littéraires devrait commencer par une telle étude inductive qui considère chaque texte particulier à l'intérieur d'un sous-genre comme une « variante ». La méthode élaborée par Meletinski, à la suite de Propp, à propos des contes de fées, semble tout à fait appropriée à une telle étude des « variantes », puisqu'elle est susceptible d'être utilisée pour n'importe quel ensemble de textes : chaque texte devient alors un réseau relationnel établi entre la totalité des êtres qui y figurent (personnages, objets ayant une fonction), et c'est la nature de ces relations (possibles ou interdites, positives ou négatives), étudiée, de manière comparative, dans l'ensemble des textes en question qui permettra de définir le (sous-) genre.

Diachronie et synchronie

Menée par un souci plus logique qu'esthétique ou sociologique d'élaborer des classements nets et pertinents et de dresser une hiérarchie bien équilibrée, la critique a souvent eu tendance à examiner ce qui sépare les genres plutôt que ce qui les unit et, par la suite, à consacrer des monographies à un seul genre envisagé séparément : la tragédie, le sonnet, etc. C'est accorder au genre un statut ontologique, une « essence » que son existence même, à l'intérieur des systèmes de classement que nous venons de passer en revue, semble démentir; c'est oublier qu'un genre n'existe que grâce aux autres, qui le complètent et le combattent. Les genres fonctionnent toujours par rapport à l'ensemble des autres genres en vigueur à un moment donné, et cet ensemble constitue un système. La coexistence des genres et la nature de cette coexistence, les règles qui font fonctionner de tels rapports n'ont guère été étudiées (voir pourtant Köhler). Comment expliquer l'existence simultanée de plusieurs genres dans la même société? Faut-il postuler que chaque société dispose à la fois de plusieurs registres affectifs (fantasmatiques) et que les genres correspondent à ceux-ci? Faut-il croire, avec Le Bossu, que les circonstances varient, à l'intérieur d'une société, et que ces changements légers déterminent le choix de la forme extérieure, qui cache, cependant, toujours la même « vérité »?

L'ensemble du système est d'ailleurs toujours menacé. Certains genres sont rongés de l'intérieur et ne survivent que grâce à leur parodie (ex. : le roman héroïque et le roman comique au XVIIe siècle), d'autres vivent et disparaissent ensemble (ex. : la tragédie et la comédie classiques). Les genres « meurent », mais il y a aussi des genres qui « ressuscitent » (la tragédie, de la Grèce à la France; le sonnet, de Ronsard à Heredia). Les statistiques de l'édition permettent de constater que même pendant des périodes de crise certains genres résistent mieux que d'autres. La durée d'existence des genres est très variée : que l'on songe au théâtre pastoral, genre éphémère (quelques décennies au début du XVIIe siècle) et au sonnet, qui a été en vogue presque sans interruption depuis le XVIe siècle et que l'on peut donc considérer comme un « genre de longue durée ».

Le prestige des genres n'est pas le même d'une époque à l'autre, la gloire et la promotion sociale de l'écrivain dépendent donc en partie du genre choisi (Viala). C'est à partir du système des genres en vigueur que le problème de l'intertextualité doit être posé. La diachronie — comme la synchronie — des genres est une affaire de réécriture. L'écrivain, par son choix, accepte une histoire — et le présent annoncé par celle-ci — et en refuse d'autres.

Les genres en dehors de la littérature

Les textes dits littéraires ne constituent qu'une infime partie de l'ensemble des textes, d'une part, et de l'ensemble des pratiques culturelles, d'autre part; mais le travail de classement dont il a été question peut être étendu avec fruit et appliqué : 1) à d'autres activités culturelles; 2) à d'autres textes.

1) Un travail de classement tout à fait comparable a été souvent entrepris dans d'autres domaines de l'art; à côté des genres littéraires il convient donc de parler des genres artistiques. Ainsi, l'art pictural a été défini et classé, à l'époque du classicisme, selon les mêmes critères (en général d'ordre rhétorique) que la littérature, ce qui a donné lieu à certaines difficultés terminologiques (spatialisation de termes en principe temporels, comme le « récit ») et surtout, ce qui a faussé, dirions-nous aujourd'hui, certains jugements de valeur : la perspective hiérarchique et le respect d'Aristote ont voulu que le genre narratif soit privilégié en peinture aussi — le tableau d'histoire apparaît donc au sommet de la hiérarchie. La coexistence des genres se présente, du reste, de manière absolument différente en peinture; la « consommation » des genres littéraires se poursuit dans le temps, celle des genres picturaux peut être presque simultanée dans l'espace.

A l'époque moderne, de nombreuses études ont été consacrées au genre de film. Ainsi, Solomon distingue, selon des critères délibérément hétérogènes, six sous-genres pour le film américain (le western, le musical, le film d'horreur, le film de gangster, le film de détective et le film de guerre), et Will Wright établit quatre périodes (thématiquement déterminées) dans l'histoire du sous-genre western.

2) Dans une perspective plus large, celle de la communication verbale (orale et écrite), les genres littéraires peuvent être considérés comme des classes de textes appartenant à un ensemble plus vaste, celui de tous les textes, celui des genres du discours. Chaque situation communicative fait naître des formes spécifiques et codifiées de discours; les aspects variés de la vie quotidienne disposent de mises en scène que les personnages impliqués respectent dans une large mesure, exactement comme l'écrivain, qui ne peut se réserver qu'une marge étroite d'originalité par rapport aux règles qui dominent le genre choisi.

La sociolinguistique se trouve devant l'immense travail de distinguer et de classer les principales situations communicatives à l'intérieur d'une société donnée et d'assigner à chacune sa forme de discours spécifique et codifiée. La rhétorique ancienne spécifie trois situations communicatives (*genera causarum*) : celles du judiciaire, du délibératif et de l'épidictique, et l'on a parfois essayé de rattacher les œuvres littéraires aux genres rhétoriques du discours (tel sonnet de Pétrarque appartiendrait au délibératif, telle tragédie de Corneille au judiciaire, etc.). Mais la rhétorique ancienne ne s'intéresse qu'aux discours qui se pratiquent dans la vie publique, tandis que la littérature, en particulier la littérature moderne, se situe en partie du côté de la vie privée : les genres sont différents dans ces deux domaines, les recherches récentes touchant le genre de la conversation (la *conversation-analysis* aux États-Unis) le démontrent suffisamment.

Hiérarchiquement, ces distinctions extrêmement globales devraient, bien entendu, précéder les catégories littéraires générales que nous avons distinguées plus haut, bien que leur rapport exact soit loin d'être élucidé : si l'on a l'habitude de rapprocher traditionnellement le lyrisme et la classe épidictique, on ne voit guère d'analogie évidente entre les deux autres membres de la triade et les genres judiciaire et délibératif. Il serait sans doute intéressant de savoir ce qui résiste, des deux côtés, à un tel rapprochement; mais ce qui importe surtout, c'est de reformuler les conditions sociales modernes des formes du discours public et privé, et de leur subordonner ensuite le secteur particulier des genres artistiques et littéraires.

Nous constatons dans la civilisation moderne la disparition de bon nombre de genres littéraires strictement codifiés et la permanence, d'autre part, de formes de discours non moins rigoureusement réglementées. Les genres de la communication interhumaine (les règles du discours pendant un enterrement, par exemple) ne sauraient disparaître, mais les genres littéraires s'effacent au moment où la littérature ne fonctionne plus dans la collectivité et où l'art se proclame « inutile » (Th. Gautier) ou « autonome » (la critique moderne), ayant uniquement une valeur de snobisme, de « distinction » sociale (Bourdieu). Les seuls genres artistiques et littéraires qui restent fortement codifiés sont les genres à grande consommation (ex. : le roman policier). Mais la disparition et la confusion des genres traditionnels peuvent être interprétées d'une autre manière encore : il s'agit bel et bien, sauf dans le cas très spécial du roman, de genres d'autrefois, et qui ne correspondent plus aux exigences (psychiques, sociales, métaphysiques) de la société contemporaine. L'homme moderne ne vit plus dans un monde (et donc dans une culture) aussi réglementé et aussi hiérarchisé que l'homme des siècles passés, mais il ne saurait se passer de certaines formes plus ou moins précisables de la communication sociale et de la communication culturelle — qu'il s'agira, par conséquent, de classer.

BIBLIOGRAPHIE

On trouvera un chapitre consacré à la notion de genre littéraire dans les manuels de Wellek et Warren (*Théorie de la littérature*, Le Seuil, 1971), de Strelka (*Methodologie der Literaturwissenschaft*, Niemeyer, 1978), et de Kibédi Varga (*Théorie de la littérature*, Picard, 1981).

Irving Babbitt, *The new Laokoon*, Londres, 1910; Irene Behrens, *Die Lehre von der Einteilung der Dichtkunst*, Halle, 1940; Theodore C. Burgess, « Epideictic Literature », dans *Studies in Classical Philology*, 3, Chicago, 1902; Heather Dubrow, *Genre*, Londres-New York, Methuen, 1982; John Frow, « Discourse Genres », dans *Journal of Literary Semantics*, IX, 1980; Northrop Frye, *Anatomy of Criticism*, Princeton, 1957; Gérard Genette, *Introduction à l'architexte*, Paris, Le Seuil, 1979; Klaus W. Hempfer, *Gattungstheorie*, Munich, R.W.O., 1973; Paul Hernadi, *Beyond Genre*, Ithaca-Londres, 1972; Erich Köhler, « Gattungssystem und Gesellschaftssystem », dans *Cahiers d'histoire des littératures romanes*, I, 1977; Le Bossu, *Traité du poème épique*, Paris, 1675; *Littérature et Genres littéraires*, Paris, Encyclopoche Larousse, 1978; Éléasar Mélétinski e. a., « Problems of the Structural Analysis of Folktales » dans, P. Maranda, éd., *Soviet Structural Folkloristics*, La Haye, Mouton, 1974; Heinrich F. Plett, « Typen der Textklassifikation in der englischen Renaissance », dans *Sprachkunst, Beiträge zur Literaturwissenschaft*, XII, Vienne, 1981; Wolfgang Victor Ruttkowski, *Die literarischen Gattungen*, Berne, Francke, 1968; Cesare Segre, « Generi », dans *Enciclopedia Einaudi*, vol. 6, Turin, 1979; Stanley J. Solomon, *Beyond Formula, American Film Genres*, New York, 1976; Emil Staiger, *Grundbegriffe der Poetik*, Zurich, 1946; Tzvetan Todorov, *les Genres du discours*, Paris, Le Seuil, 1978; Gottfried Willems, *Das Konzept der literarischen Gattung*, Tübingen, 1981; Will Wright, *Six Guns and Society, a Structural Study of the Western*, Los Angeles, Univ. California Press, 1975.

A. KIBÉDI VARGA

GENTIL-BERNARD, Pierre-Joseph Bernard, dit (1710-1775). Poète né à Grenoble. Militaire, il fut remarqué par le maréchal de Coigny qui lui obtint la place de secrétaire général des dragons; fructueuse sinécure qui lui permit de se consacrer aux plaisirs et aux lettres. Ce « grand mangeur, infatigable serviteur des dames » (Grimm) fut aussi protégé par Mme de Pompadour qui le fit nommer bibliothécaire du roi au château de Choisy, et apprécié de Voltaire qui lui donna son surnom et eut l'amabilité de placer son *Art d'aimer* (commencé en 1740, distillé dans les salons et publié en 1775) « au-dessus » de celui d'Ovide. Rameau mit en musique sa tragédie *Castor et Pollux* (1737), un triomphe, où Voltaire découvrit « plein de diamants brillants »; puis son ballet, toujours inspiré par la mythologie, *les Surprises de l'amour* (1757). Il composa en outre sur des modèles gréco-latins de nombreuses odes et épîtres qui lui valurent le titre d'« Anacréon de la France ».

L'œuvre poétique de Gentil-Bernard n'a qu'un seul sujet : l'amour. Le poème, acte d'écriture vécu par l'auteur lui-même comme un temps de repos entre deux aventures, évoque le souvenir (« J'ai vu ») ou plus souvent l'attente (« Je veux ») de l'objet aimé. Cette distance qui sépare le temps du poème de celui du plaisir, et qui redouble celui-ci, se dit au travers du léger voile de métaphores (« le corail et l'albâtre ») dont la convention néoclassique prescrit de couvrir le corps féminin, qu'il se nomme Églé, Issé ou Thélamire :

> Dans mes amours c'est vous que je préfère,
> Jeux suspendus, plaisirs que je diffère.
>
> (*l'Art d'aimer*)

Ainsi se donne à voir, sous la banalité apparente des références mythologiques, un érotisme raffiné, un « art d'aimer » qui est d'abord l'écriture même.

BIBLIOGRAPHIE

Les poèmes de Gentil-Bernard n'ont pas été réédités depuis le XIXe siècle. Voir par exemple les *Œuvres* de Bernard, Paris, Janet et Cotelle, 1823. Quelques dizaines de vers figurent dans l'*Anthologie poétique française, XVIIIe siècle*, Paris, Garnier-Flammarion, 1966.

A consulter. — A. Houssaye, « les Poètes de Mme de Pompadour : Gentil-Bernard », *la Revue de Paris*, 18, 1840.

J.-P. DE BEAUMARCHAIS

GEOFFROI DE LA TOUR LANDRY (XIVe siècle). Chevalier angevin en rapport avec les grands personnages de la cour de France, auteur de ballades et de poèmes aujourd'hui disparus, il est connu pour son *Livre pour l'enseignement de ses filles* (1371-1372). Cet ouvrage est à la fois un traité d'éducation pour femmes, qui préfigure *le Mesnagier de Paris* (1393), et le recueil des Mémoires d'un gentilhomme campagnard, farci de développements moraux, de citations bibliques et hagiographiques, d'anecdotes savoureuses et parfois salaces. Écrivant « pour aprendre a romancier », Geoffroi veut aider ses filles à trouver un mari, et à le garder, grâce à l'exemple du passé : « Affin que elles peussent aprendre et estudier et veoir et le bien et le mal qui passé est, pour elles garder de cellui temps qui a venir est ». Cent vingt-huit chapitres traitent parmi les vertus traditionnelles celles qui sont le plus adaptées à une femme soumise au mari, nouveau père. C'est ainsi que l'on conseille la modestie du maintien (« l'on se bourde de celles qui se legierement brandellent et virent le visaige çà et là »), l'économie, et que l'on se moque des extravagances de la mode, avec ses décolletés audacieux, ses longues traînes et ses tailles serrées. La femme aristocratique se voit confinée dans son rôle de représentation dans la comédie sociale. Les leçons semblent surtout destinées à endiguer une liberté féminine que l'on redoute (cf. le *Petit Jehan de Saintré*). Mais, à côté de ces passages très moraux, nous trouvons des récits empruntés à de vieux contes (la femme à la garde-robe faisant bombance avec la « mesnie »; les braies du prêtre) ou à l'expérience quotidienne — et souvent fort lestes. Le projet didactique de l'auteur ne résiste pas au plaisir de conter, en ce siècle qui est celui de la nouvelle.

BIBLIOGRAPHIE
Édition. — A. de Montaiglon, Bibliothèque elzévirienne, 1854.

A. STRUBEL

GÉRALDY Paul, pseudonyme de **Paul Le Fèvre** (1885-1983). Né à Paris, Paul Géraldy est le fils d'un poète émule de Banville. Son œuvre, fort abondante, compte aussi bien des recueils poétiques, *les Petites Âmes* (1908), *Toi et Moi* (1913), que des pièces de théâtre, *les Noces d'argent* (1917), *Aimer* (1921), *Robert et Marianne* (1925), *Christine* (1932), *Duo* (1938) d'après Colette, et des romans (parmi lesquels un petit livre pour enfants, *Clindindin,* 1937), *la Guerre, Madame* (1916), *le Prélude* (1923), *l'Homme et l'Amour* (1951). On a aujourd'hui oublié l'intimisme sentimental, les thèmes un peu mièvres — maîtres paternalistes et servantes au grand cœur, amours sirupeuses, amitiés cossues — du dramaturge ou du romancier. Mais le charme désuet du poète, qui nous parle d'« abat-jour », d'albums de photographies, de querelles d'amants, de souvenirs nostalgiques, sa facilité à mettre en vers, par un rythme et une rime, les mots du quotidien, continuent de valoir à Paul Géraldy un nombreux public. *Toi et Moi,* avec 1 500 000 exemplaires vendus en Livre de Poche, est un des plus grands succès poétiques de ce siècle.

B. CONORT

GÉRARD Philippe Louis (1737-1813). Écrivain né à Paris. Après une jeunesse très scandaleuse, il se convertit et se consacra à une œuvre édifiante qui connut le plus grand succès. Son roman par lettres, *le Comte de Valmont ou les Égarements de la raison* (1774, 3 vol.), eut une immense diffusion et connut plusieurs rééditions. Un dernier volume, ajouté en 1801 sous le titre *la Théorie du bonheur ou l'Art de se rendre heureux mis à la portée de tous les hommes,* proclame avec force le divorce entre le christianisme et une « monstrueuse philosophie qui n'est plus qu'un athéisme plus ou moins déguisé, qui ne nous rend plus susceptibles d'énergie que pour le mal ». Il termina sa carrière comme chanoine de Saint-Philippe-du-Roule, à Paris.

A. LE PICHON

GERBERT DE MONTREUIL (XIIIe siècle). V. CONTINUATIONS du *Perceval* de Chrétien de Troyes.

GERMAIN Jean-Claude. V. QUÉBEC (littérature du).

GERSON de, pseudonyme de **Jean Le Charlier** (1363-1429). Prédicateur et théologien. Né près de Rethel, au village de Gerson-lès-Barby (dont il prendra plus tard le nom, selon la coutume universitaire), Jean est l'aîné des nombreux enfants d'un petit artisan. Après des études élémentaires à l'abbaye bénédictine de Saint-Rémi de Reims, il reçoit en 1377 la tonsure de clerc et entre comme boursier au collège de Navarre, à Paris. En 1381, il est licencié ès-arts, à peu près en même temps qu'un autre jeune Champenois, Nicolas de Clamanges, avec qui il se lie d'une durable amitié. Deux textes récemment retrouvés — une lettre à un protecteur et une églogue sur le Schisme imitée du *Bucolicum Carmen* de Pétrarque —, datables de 1382, témoignent d'une orientation intellectuelle et d'un niveau de culture surprenants pour l'époque, et obligent à considérer Gerson — classé par divers auteurs parmi les adversaires de l'humanisme — comme le premier en date des humanistes français. Cette tendance continuera d'ailleurs à se manifester à diverses périodes de sa vie, notamment dans une œuvre poétique latine importante à tous égards et dont on a longtemps sous-estimé l'intérêt.

Encore adolescent, il est nommé pour un an procureur de la « nation » de France à l'Université de Paris et entame, toujours au collège de Navarre, ses études de théologie; il les poursuivra jusqu'à la maîtrise, qu'il obtiendra en décembre 1392. Dès 1388, son maître, Pierre d'Ailly, l'associe à une délégation universitaire auprès du pape d'Avignon, Clément VII, pour faire condamner les thèses du dominicain Juan de Monzon, qui nie l'Immaculée Conception; à cette occasion, le jeune théologien rédige un traité, récemment identifié, dont le prologue constitue un véritable manifeste humaniste. En 1391, il est déjà appelé à prêcher devant le roi. Deux ans plus tard, le duc de Bourgogne, Philippe le Hardi, se l'attache comme premier aumônier et le fait nommer doyen du chapitre de Saint-Donatien à Bruges. En avril 1395, Pierre d'Ailly, nommé évêque du Puy par le nouveau pape d'Avignon Benoît XIII, obtient de celui-ci que son protégé lui succède dans la charge de chancelier de l'Université de Paris. En cette qualité, Gerson va déployer pendant des années une intense activité pour mettre fin au Schisme, mais en s'opposant aux solutions extrêmes. Il soutient le concile de Pise (1409), qui n'aboutit qu'à porter à trois le nombre des papes rivaux; puis, de 1415 à 1418, il assiste au concile de Constance, où il joue un rôle de premier plan, notamment dans la condamnation des doctrines de Jean Hus, mais ne parvient pas à obtenir du nouveau pape, Martin V, une condamnation explicite du tyrannicide. C'était là l'échec d'une lutte que Gerson menait depuis une dizaine d'années contre les thèses de Jean Le Petit (Johannes Parvi), qui s'était fait l'apologiste du meurtre de Louis d'Orléans commis en 1407 sur ordre du nouveau duc de Bourgogne, Jean sans Peur. Longtemps protégé de la maison de Bourgogne, Gerson est désormais en butte à sa vindicte. Les Bourguignons, alliés aux Anglais, s'étant emparés de Paris en mai 1418 et y exerçant une sanglante répression, Gerson ne peut regagner la capitale. Après avoir séjourné quelque temps en

Bavière et en Autriche, il s'installe, en novembre 1419, à Lyon, au couvent des Célestins dont son plus jeune frère Jean est le prieur. Là, il va achever ou entreprendre la rédaction de nombreuses œuvres et répondre aux consultations théologiques et morales qui lui sont demandées de toutes parts; l'une des dernières qu'il donne (*De puella Aurelianensi*), en mai 1429, concerne Jeanne d'Arc, qu'il juge inspirée par Dieu.

Gerson a laissé une œuvre considérable (540 titres, dans la plus récente édition), exceptionnellement bien conservée grâce surtout à son jeune frère, le célestin Jean, qui lui servit de copiste, de secrétaire, de bibliographe et qui organisa la diffusion de ses écrits par l'entremise des *scriptoria* des célestins et des chartreux. On n'a jamais encore fait un recensement complet des manuscrits, particulièrement nombreux en France et dans les pays germaniques. Quelques rares autographes ont été récemment identifiés, ainsi qu'un petit nombre de copies exécutées par le célestin Jean. Les recueils constitués vers 1440 par le neveu de l'auteur, Thomas de Gerson, et son ami Gérard Machet livrent également des textes d'excellente qualité. Les éditions d'œuvres de Gerson se sont multipliées dès le XVe siècle. Les *Opera omnia* d'Ellies Du Pin (Anvers, 1706) sont aujourd'hui remplacées par l'édition des *Œuvres complètes* en 10 vol. de P. Glorieux (Tournai, Desclée, 1960-1973), plus complète et d'une consultation plus commode. L'édition actuelle de l'*Œuvre poétique latine*, par G.M. Roccati, marque le début d'une entreprise vraiment scientifique dont il faut espérer qu'elle se poursuivra.

L'œuvre de Gerson, immense, est un véritable miroir de son temps; elle est rédigée tantôt en latin d'humaniste, à l'intention d'un petit groupe d'amis lettrés, tantôt en latin « parlé », pour un public plus large, tantôt enfin en un français vigoureux et clair, pour les « gens simples sans lettres » et en particulier pour les femmes. Une foule de problèmes y sont abordés, mais deux grandes orientations dominent : la réforme de l'Église; l'éducation chrétienne de toutes les couches de la société. La nécessité de mettre fin au Schisme conduit Gerson à une réflexion ecclésiologique, développée notamment dans le traité *De vita spirituali animae*, qui expose de façon très nuancée la thèse de la supériorité de l'Église (représentée par le concile général) sur le pape, thèse qu'on a souvent grossie et schématisée. Le souci de Gerson d'éduquer le peuple chrétien s'est traduit non seulement par une multitude de sermons, de traités sur la confession, sur les cas de conscience, etc., mais aussi et surtout par un enseignement de la théologie mystique qui s'adresse tantôt aux étudiants en théologie (*De theologia mystica*), tantôt à la masse des fidèles, personnifiée par ses sœurs demeurées au village (*la Montagne de contemplation*). La parenté de sa pensée avec la *devotio moderna* — dont il critique cependant certains aspects — est illustrée par le fait qu'on lui a longtemps attribué à tort l'*Imitation de Jésus-Christ*.

BIBLIOGRAPHIE

On trouvera dans le tome XIV de l'*Histoire de l'Église*, intitulé *l'Église au temps du Grand Schisme et de la crise conciliaire (1378-1449)*, par E. Delaruelle, E.-R. Labande et P. Ourliac, Tournai, Blond et Gay, 1964, non seulement une étude approfondie de la personnalité et de l'œuvre de Gerson, mais (p. 861-869) un état actuel des études gersoniennes comportant une importante bibliographie critique et des orientations de recherche.

G. OUY

GESTE (chanson de). C'est, après les vies de saints apparues au Xe et au XIe siècle, le premier grand genre littéraire en langue vulgaire. Son apparition, à l'extrême fin du XIe siècle, est aussi brutale que somptueuse : *la Chanson de Roland* demeure l'un des chefs-d'œuvre de notre langue. Cela n'incite-t-il pas à penser que cet apparent point de départ est plutôt un premier point d'arrivée? Une technique élaborée, un sens littéraire certain, une tradition apparemment solide ont donc posé le problème de l'existence d'œuvres antérieures perdues. Ainsi la critique a-t-elle été conduite, dès le XIXe siècle, à affronter le difficile problème des origines du genre. A l'époque romantique, Claude Fauriel estimait que cette origine était populaire, issue de l'improvisation anonyme des foules; pour les frères Grimm, la localisation germanique ne faisait pas de doute. A la fin du siècle, Gaston Paris et Léon Gautier supposèrent que les légendes, essentiellement carolingiennes, que rapportent les chansons de geste étaient parvenues jusqu'au XIIe siècle par l'intermédiaire de « cantilènes » purement orales, quelque peu voisines des chants héroïques dont Charlemagne avait, selon Éginhard, ordonné la récollection. Ainsi s'expliqueraient à la fois l'absence de témoignages écrits avant la fin du XIe siècle et la prépondérance des thèmes carolingiens. Mais comment une création collective, purement orale, a-t-elle pu se transmuer en un chef-d'œuvre comme *la Chanson de Roland*?

Au début de notre siècle, Joseph Bédier reprend complètement le problème. Il constate que le thème de la croisade est presque omniprésent et que beaucoup d'œuvres se rattachent à une abbaye. Leur origine est donc liée aux grandes voies de pèlerinage du XIe siècle et aux vies de saints latines, comme à toutes les réalités politiques de cette époque : féodalité, Reconquista, croisades... Elles sont nées d'une collaboration entre les clercs et les jongleurs, mais leurs auteurs sont d'authentiques créateurs.

Cette théorie a soulevé quelques objections. Tout d'abord, il n'est pas certain du tout que les vies de saints invoquées aient précédé nos épopées : l'inverse a pu aussi bien se produire, les monastères ayant vu tout le profit qu'ils pouvaient tirer de la glorification épique de leur fondateur (*Vita Guilhelmi, Vita Otgerii*). Ensuite, les allusions à des abbayes (Saint-Denis, Saint-Riquier, Pothières...) peuvent être un simple artifice, destiné à donner au récit épique un fondement historique incontestable. Enfin, la composition chaotique de certaines œuvres, la multiplicité des disparates internes affaiblissent la thèse de Bédier. Après 1920, face à cette position dite « individualiste » (importance du poète créateur), la thèse néo-traditionaliste prend de la vigueur. Ferdinand Lot s'applique à déceler dans les œuvres la matière historique carolingienne; il croit à la création et à la transmission orales de nos épopées depuis les temps carolingiens. Quelques savants (Albert Pauphilet, Italo Siciliano) s'efforcent de résister à l'esprit de système et appellent l'attention sur la diversité des cas. Avec Mme Rita Lejeune, la chanson de geste perd tout caractère littéraire et n'est plus qu'une « rhapsodie d'éléments disparates ». Cette école est actuellement conduite par Ramón Menéndez Pidal, qui estime que la tradition épique résulte d'une interaction entre le jongleur et son public, lesquels ne cessent de remanier les formes précédentes pour les améliorer. La querelle entre individualistes et néo-traditionalistes, qui semblait destinée à s'éteindre faute de preuves décisives de part et d'autre, a été relancée par les travaux de Jean Rychner. Ce savant a décidé en effet de s'intéresser non plus à la matière, mais à la forme même : prouver que le style est celui de la création orale, cela revient à confirmer la thèse traditionaliste ou, du moins, à la conforter. Il est pour le moins surprenant que les premières véritables études sur le style épique, sur la technique épique médiévale aient été inspirées moins par des préoccupations littéraires que par le souci de résoudre l'éternel problème des origines, tant la perspective historique a fasciné les esprits. Les résultats, susceptibles d'interprétations contradictoires, n'ont pas permis d'apporter la moindre solution. Du moins avons-nous eu enfin l'analyse technique qui faisait cruellement défaut.

A la même époque, Pierre Le Gentil s'est efforcé de trouver une voie moyenne et de faire prévaloir le concept de mutation brusque : certes, des chants purement oraux ont pu exister; mais c'est un poète qui les a transfigurés et qui nous a livré les œuvres que nous connaissons. Depuis ces prises de position (fin des années 1950), le problème des origines a cessé de trop hanter les esprits. Des études plus littéraires ont vu le jour, mais il faut reconnaître que les chansons de geste ont aussi perdu cette place prépondérante qui avait été la leur dans les préoccupations des médiévistes depuis plus d'un siècle.

La technique épique

La chanson de geste constitue un genre aux contours nets : plus encore que par sa thématique féodale et guerrière, elle se définit par une technique originale. La laisse y joue, en principe, le rôle d'unité structurelle. On appelle « laisse » la strophe souple de l'épopée : elle se définit comme un ensemble de vers (octosyllabes parfois, comme dans *Gormont et Isembart,* décasyllabes le plus souvent, alexandrins dans beaucoup d'épopées tardives ou remaniées), dont le nombre est variable, et qui se succèdent sur une même assonance ou sur une même rime (épopée tardive). Une laisse peut n'avoir que trois ou quatre vers ou s'étendre sur plusieurs centaines. Les écarts peuvent être très grands à l'intérieur d'une même œuvre : de 4 à 910 vers dans *Huon de Bordeaux,* de 5 à 415 vers dans *Jehan de Lanson.* La plupart des laisses anciennes (XIIe siècle) ont entre 12 et 60 vers. C'est l'assonance (ou la rime) qui définit l'unité matérielle de la laisse; dans les œuvres les plus anciennes (*la Chanson de Roland,* essentiellement), la laisse est plus ferme; dans les épopées du XIIIe siècle, et parfois même dans celles du XIIe, la forme se dissout : l'épopée narrative a perdu bien des traits du style épique et se structure à la manière d'un roman.

La fermeté de la laisse semble liée à son caractère musical. Il est vraisemblable que tous les vers qui constituent le corps de la laisse étaient psalmodiés et suivaient une même ligne mélodique. Mais la laisse était encadrée par des vers fortement individualisés, que Jean Rychner appelle « vers d'intonation » et « vers de conclusion ». Le premier vers de la laisse contient fréquemment le nom du personnage, suivi de l'annonce de ses paroles, de l'indication de son attitude ou de ses sentiments, ou de l'amorce d'une action; parfois il résume la laisse précédente, parfois il en annonce la conséquence. Ce vers d'intonation a très souvent un caractère sentencieux. Le vers de conclusion revêt également ce caractère : c'est qu'il veut, en dix ou douze syllabes, résumer l'essentiel de la laisse, marquer le point d'orgue d'une action, annoncer les effets immédiats les plus sensibles. A ce type se rattachent les « vers courts » ou les refrains que l'on rencontre en fin de laisse dans certaines œuvres (ou dans certains manuscrits d'une même œuvre). Ainsi, dans *la Chanson de Guillaume,* des laisses décasyllabiques se terminent par une formule dépourvue de sens, qui comporte quelques variantes : « lunsdi al vespres », « joesdi al vespres », « lores fu mercresdi ». Certaines chansons du cycle de Guillaume (et dans un même manuscrit cyclique) comportent, en fin de laisse, un « petit vers » qui a fait couler beaucoup d'encre : nous renvoyons ici le lecteur à l'article GARIN DE MONGLANE du présent dictionnaire. Une chanson comme *Amis et Amiles* montre que le vers initial et le vers final d'une laisse sont des moments privilégiés (grande similitude à travers toute la chanson), qui doivent donner une impression de « circularité » (A. Roncaglia).

Le problème de l'unité de la laisse débouche sur celui des enchaînements. Deux laisses peuvent être simplement juxtaposées (cours narratif du récit), se recouper, voire se superposer (répétition de type lyrique). Jean Rychner a distingué quatre types d'enchaînements : enchaînement simple; enchaînement bifurqué; laisses similaires; laisses parallèles. Dans l'enchaînement simple, les premiers vers de la seconde laisse reprennent les derniers de la précédente, ou en résument l'essentiel. C'est le plus répandu; il souligne le changement d'assonance. Plus complexe — et plus surprenant — est l'enchaînement bifurqué : une laisse reprend non les derniers vers, mais une partie du corps de la laisse précédente, et poursuit le récit au-delà en négligeant le contenu de la fin de cette laisse. Ainsi, comme le souligne Jean Rychner, « deux futurs découlent du même présent ». L'ordre de la logique est perturbé : c'est que le style épique se distingue de la simple narration et joue d'abord sur le lyrisme. Il serait vain de se demander comment ces deux futurs sont compatibles, s'ils se suivent ou, lorsqu'ils se ressemblent, si l'un est en fait une variante de l'autre. La réponse est de l'ordre du chant, non de l'ordre du récit. Il arrive aussi que des laisses soient construites de manière analogue, à quelques détails près. Un exemple très fréquent : un héros s'adresse successivement à chacun de ses ennemis avant de les combattre ou de les tuer. Les paroles prononcées sont, quant au fond, identiques, les gestes aussi; seul l'interlocuteur change, en même temps que le récit progresse (à un rythme évidemment ralenti). On a alors des laisses parallèles. Lorsque les éléments variables se réduisent à rien, que l'action s'immobilise, les laisses sont dites similaires. Le temps est alors comme suspendu, pour mettre en relief un épisode dramatique capital. L'exemple le plus remarquable se trouve dans le *Roland :* le héros, qui se sent mourir, essaie en vain de briser son épée Durendal contre un rocher (laisses 171 à 173 du manuscrit d'Oxford). Une telle technique montre à l'évidence l'originalité du genre épique par rapport à la littérature romanesque : le lyrisme l'emporte sur la narration.

A vrai dire, seule *la Chanson de Roland* utilise pleinement toutes les ressources du genre. Les autres œuvres (*le Couronnement de Louis, la Chanson d'Aspremont, Jehan de Lanson,* pour citer des épopées caractéristiques de l'évolution du genre du premier tiers du XIIe siècle au premier tiers du XIIIe siècle) se contentent d'user des laisses parallèles dans les temps forts : prière du plus grand péril, adresse aux ennemis, conseil royal, ambassade, par exemple. Enfin, *Raoul de Cambrai* invente une forme bâtarde (laisses 68 à 72) : l'attaque du bourg d'Origny et de son monastère est décomposée en une dizaine de séquences, qui, au lieu de se suivre selon l'ordre chronologique simple, se répètent partiellement d'une laisse à l'autre; chaque laisse reprend une ou plusieurs des actions exposées dans la ou les laisses antérieures et poursuit au-delà : Jean Rychner y voit une sorte de « progrès en escalier », plus lyrique que le simple enchaînement narratif, mais qui n'atteint pas à la même grandeur tragique que les laisses similaires du *Roland.*

Cet art de la modulation dans la répétition se retrouve au niveau microstructurel de la composition du vers et de la description détaillée : c'est le style formulaire. Chaque thème se décompose en une série de motifs exposés à travers des formules récurrentes. Ces formules facilitent, en principe, la restitution mémorielle et contribuent à alléger la tâche du jongleur. Il arrive qu'elles servent de simples chevilles; leur abus est évidemment un signe de négligence. Ainsi, dans *Jehan de Lanson,* la formule « se Diex li done vie » apparaît dans deux vers consécutifs, et à la même place (second hémistiche). Les thèmes qui sont habituellement traités au moyen du style formulaire sont innombrables; citons, à titre d'exemple, les combats (à cheval, à l'épée ou à la lance), les insultes et menaces (au combat, au conseil royal, lors d'une ambassade...), les prières, l'expression du visage ou l'apparence physique. La formule, qui s'identifie toujours à un hémistiche, peut être composée d'un nom et d'un qualificatif de valeur plus ou moins neutre (parfois même inadéquat en la circonstance), voire de deux adjectifs : « le bon destrier corant », « un bon destrier gascon »; ou encore d'un verbe avec son sujet et/ou son complément : « son destrier broche » (éperonne); « laschent les resnes ». Jean Rychner a montré, à partir de plusieurs chansons de geste du XIIe siècle, que le motif de l'attaque à la lance se compose presque obligatoirement de sept éléments fixes : « éperonner son cheval, brandir la lance, frapper, briser l'écu de l'adversaire, rompre son haubert, lui passer la lance au travers du corps, l'abattre à bas de son cheval ». Chaque élément est traité en formule, mais chaque formule comporte un nombre considérable de variantes, si bien que l'on ne retrouve parfois que le cadre syntaxique et l'idée : ainsi du pape ou de l'apôtre « qu'on quiert en pré Noiron » ou « que requièrent palmier ». Si recette il y a, de vastes possibilités de choix demeurent.

Ainsi retrouve-t-on le problème des origines. Bien entendu, il ne s'agit plus de savoir si l'épopée française est carolingienne. Mais les éléments de technique littéraire peuvent permettre de découvrir le mode, oral ou écrit, de composition et de transmission. Jean Rychner estime, à l'issue de son étude, que les réalités de la laisse et du style formulaire sont compatibles non seulement avec la déclamation, mais encore avec la création et la transmission orales. Il s'appuie sur l'exemple, encore récent, des chanteurs yougoslaves. L'écrit ne serait donc nullement nécessaire. Mais ses adversaires (dont Maurice Delbouille) ont fait remarquer que la grande variété des formules affaiblissait sa thèse. Certes, la fermeté de la laisse est signe d'ancienneté : le *Roland* le prouve, et la logique s'y accorde. Mais une laisse plus ferme, une construction plus resserrée, un style plus grandiose (inversions, etc.) sont moins compatibles avec la thèse de la création orale. Nul n'a jamais vraiment douté que le *Roland* fût l'œuvre d'un poète; les créations de jongleurs, les improvisations épiques seraient plutôt les épopées postérieures, où tout s'abâtardit. Alors surgit l'anti-thèse : les premières chansons de geste sont des œuvres de clercs, écrites pour la déclamation; la laisse dérive de la strophe qu'employait, déjà un bon siècle auparavant, la poésie hagiographique (*Vie de saint Alexis, Poème de la Passion, Vie de saint Léger,* etc.). Une rédaction tardive du *Saint Alexis* montre comment un remanieur, choqué par le tour elliptique du poème strophique original, a « fourré » celui-ci de précisions inutiles et, du même coup, transformé les strophes de cinq vers en laisses de longueur variable (théorie d'A. Monteverdi sur l'origine de la laisse). On ne sait pas, d'ailleurs, si la mélodie qui accompagne la chanson de geste dérive du chant liturgique : mais la tendance à répondre négativement l'emporte.

Au vrai, le problème de la création, écrite ou orale, de la chanson de geste semble insoluble. Les œuvres nous sont parvenues par l'écrit : mais on sait que les jongleurs les déclamaient sur les places publiques. Presque toutes les chansons contiennent des allusions à la présence du public ou à la déclamation. Tantôt le jongleur demande le silence ou attire l'attention des « barons », des « seigneurs » sur un épisode important; tantôt il se déclare fatigué et renvoie son public au lendemain; tantôt enfin, après avoir relancé l'intérêt par une habile anticipation et maintenu l'action en suspens, il menace de s'interrompre si les auditeurs ne paient pas : pratique bien connue des bateleurs. Ces formules ont-elles été ménagées par les auteurs, dès l'écrit, en vue de la déclamation? Ou bien les textes que nous avons correspondent-ils au détail de la déclamation elle-même, prise sur le vif grâce à des notes tachygraphiques? Ou encore ces formules sont-elles de purs artifices visant à conférer une apparence d'oralité à des œuvres qui en fait étaient destinées à la lecture? La variété des types de manuscrits doit inciter à la prudence et à éviter les généralisations hâtives. Une douzaine de chansons de geste nous sont parvenues sur des manuscrits dits abusivement « de jongleur » en raison de leur apparence : petit format, rédaction sur une seule colonne, absence de décoration et de soin. On a imaginé que ces manuscrits accompagnaient le jongleur et lui rafraîchissaient la mémoire. Notre seul manuscrit de *Raoul de Cambrai* appartient à cette catégorie. Mais la plupart des œuvres nous sont parvenues sur des manuscrits destinés à la lecture et même à la délectation solitaire : grand format, écriture soignée, lettres ornées, décoration parfois somptueuse. Les œuvres ainsi transcrites peuvent être très différentes de « l'original » : mais cette notion même n'est pas nécessairement pertinente pour la chanson de geste. Au demeurant, tous les styles de manuscrits existent, et la frontière entre les « manuscrits de jongleur » et les « manuscrits de bibliothèque » est floue : Maurice Delbouille refuse de tirer quelque argument que ce soit de cette opposition.

Si nous n'avons conservé que des remaniements de remaniements, comment percer le mystère de la création originelle des œuvres et, *a fortiori,* du genre? Seule la multiplication de monographies approfondies permettra de mieux cerner des questions qu'une vision trop globale avait rendues insolubles.

Les cycles épiques

En revanche, le phénomène de l'organisation cyclique est, par nature, purement littéraire. Il consiste, d'une part, à regrouper intellectuellement, thématiquement, les œuvres en trois grandes masses : cycle du roi, cycle de Doon de Mayence (ou des vassaux rebelles), cycle de Garin de Monglane (ou de Guillaume d'Orange), avec quelques appendices : cycle des Lorrains, cycle de Nanteuil (cette tripartition est exprimée par Bertrand de Bar-sur-Aube, à l'aube du XIIIe siècle, dès les premiers vers de son *Girart de Vienne*). Il consiste, d'autre part, à regrouper matériellement, sur un manuscrit dit pour cette raison cyclique, les œuvres qui relèvent de cette même classification. Le cycle le plus structuré (il est consigné dans plusieurs manuscrits cycliques, et sa construction même tient compte des liens de parenté entre les personnages) est celui de Guillaume; il vante la fidélité indéfectible du lignage au principe monarchique, la solidarité lignagère et la lutte contre les Sarrasins. Sa composition s'étale entre le début du XIIe siècle et celui du XIVe siècle. Le cycle des vassaux rebelles est le plus disparate : les héros des diverses chansons n'ont guère de liens entre eux, et la forme même de leur rébellion diffère assez considérablement d'une œuvre à l'autre. Si l'on retrouve des thèmes communs, leur traitement diffère, et il semble difficile de déceler une véritable idéologie commune à l'ensemble du cycle. Quant au cycle du roi, le plus élevé en dignité, il occupe une position intermédiaire : moins structuré que celui de Guillaume, il utilise néanmoins fréquemment des personnages comme Ganelon, Roland et les douze pairs (*Roland, Aspremont, le Pèlerinage de Charlemagne, Jehan de Lanson*). La croisade et l'Orient, sans être obligés, sont des thèmes assez fréquents (pourtant *les Saisnes* relatent la lutte contre les Saxons, et *Jehan de Lanson* ignore les Sarrasins). Mais toujours (même lorsque pointe le comique ou l'ironie) Charlemagne et l'Empire revêtent une dignité prestigieuse.

Bien entendu, la conception cyclique est postérieure à l'élaboration des œuvres, qui doivent parfois subir quelques entorses (liens de parenté, longévité, exploits illustres, etc.) pour n'être pas incompatibles entres elles.

Thématique générale

La chanson de geste, comme *l'Iliade,* est essentiellement guerrière, et les exploits physiques des héros sont livrés hyperboliquement à l'admiration des foules. Il n'est pas rare qu'un seul coup d'épée tranche à la fois le cavalier et sa monture; l'adversaire — surtout sarrasin — peut avoir une apparence monstrueuse : ainsi Corsolt dans *le Couronnement de Louis.* Tout héros épique naît sous le signe de la démesure : et c'est Roland ou Guillaume; c'est aussi Raoul de Cambrai, dont la révolte se tourne contre Dieu même. La démesure peut prendre l'aspect du crime, qui permettra, après une prise de conscience douloureuse, l'accession à la sainteté : c'est Girart de Roussillon ou Renaut de Montauban. Le héros « desréé » (égaré par sa démesure) du cycle des rebelles alterne avec la vigueur, la solidité et l'humour de Guillaume d'Orange.

Dans cet univers des champs de bataille, la femme apparaît. Mais sa place croît à mesure que l'on s'éloigne des origines. Aude n'est presque qu'une ombre dans *la Chanson de Roland;* la Sarrasine Orable, devenue Guibourc après avoir reçu le baptême et épousé Guillaume, joue un rôle dans l'action, et sa présence confère aux chansons de ce cycle une tonalité heureuse que les autres ne manifestent guère. Les reines et les impératrices ont souvent un rôle déterminant : ainsi dans *Girart de Vienne,* ou dans *Girart de Roussillon.* Le cycle des Lorrains (*Gerbert de Mez, Anséis de Mez*) sait jouer sur le thème de la diplomatie amoureuse et va jusqu'à mettre sur pied une armée de femmes conduite par Ludie. L'influence courtoise pénètre progressivement dans le genre épique, dès avant la fin du XIIe siècle (*Chanson d'Aspremont, Jehan de Lanson,* etc.). Mais aussi l'influence bretonne : si *le Pèlerinage de Charlemagne* est marqué par le merveilleux oriental, le merveilleux païen est sensible dans le goût pour la magie (*Anséis de Mez, Jehan de Lanson, Huon de Bordeaux*).

Toutefois, l'épopée demeure politique et guerrière. Chaque sujet s'attache à des points de droit féodal, de doctrine politique, plaide en faveur de la croisade, stigmatise ou exalte tels aspects du comportement des grands barons, à partir de légendes prétendument carolingiennes. Mais la leçon est parfois ambiguë. Les chansons des rebelles lancent-elles un appel à la révolte contre un souverain indigne ou abusif? Ou bien cherchent-elles, à travers les catastrophes qu'elles accumulent, à détourner les féodaux des luttes stériles auxquelles ils étaient toujours prêts à se livrer? Car le retour à la paix était souhaité par le roi comme par le clergé : au milieu du XIIe siècle, la « trêve de Dieu » tend, grâce aux efforts de Suger, à laisser la place à la « paix du roi ». Il est probable qu'il faille relier très profondément la chanson de geste, au-delà des simples et traditionnels conseils donnés aux rois, à la nature même de la pensée augustinienne. Celle-ci, après avoir refleuri à l'époque carolingienne (Alcuin, Jonas d'Orléans), tend à s'effacer derrière le thomisme au moment précis où la chanson de geste s'éclipse : soixante-dix œuvres environ jusqu'à la fin du XIIIe siècle, mais à peine une dizaine au-delà.

BIBLIOGRAPHIE
Éditions. — Nous renvoyons le lecteur d'une part aux articles de ce dictionnaire, d'autre part à l'abondante bibliographie de Mme M. Rossi, dans sa thèse sur *Huon de Bordeaux* (Champion, 1975), où une quarantaine de chansons de geste sont répertoriées.
Études. — Nous renvoyons aux articles *Doon de Mayence* (cycle), *Lorrains* (cycle), *Garin de Monglane* (cycle), *Couronnement de Louis, Girart de Roussillon, Huon de Bordeaux, Narbonnais, Pèlerinage de Charlemagne, Renaut de Montauban, Raoul de Cambrai, Roland* (Chanson).
Quelques études générales : Léon Gautier, *les Épopées françaises,* Paris, Palmé, 1880 (2e éd.); Gaston Paris, *Histoire poétique de Charlemagne,* Paris, Franck, 1865; Joseph Bédier, *les Légendes épiques,* 4 vol., Champion, 1908-1913; Ferdinand Lot, *Étude sur les légendes épiques françaises,* Champion, 1948; Rita Lejeune, *les Chansons de geste et l'Histoire,* Liège, 1958; Jean Rychner, *la Chanson de geste,* Droz, 1955; *la Technique littéraire des chansons de geste,* Belles-Lettres, 1959 (Actes du colloque de Liège); Martin de Riquer, *les Chansons de geste françaises,* Nizet, 1957; Italo Siciliano, *les Chansons de geste et l'Épopée,* Turin, Società Editrice Internazionale, 1968; Société Rencesvals, *Actes de* ses *Congrès internationaux* (dont le IVe, 1973, et le VIe, 1977).

D. BOUTET

GEVERS Marie (1883-1975). Romancière belge d'expression française. Née à Edegem, près d'Anvers, Marie Gevers y a passé sa vie dans la grande maison familiale de Missembourg, dont elle a fait le cadre de plusieurs de ses livres. Encouragée par Verhaeren, puis par Elskamp, elle publie, de 1917 à 1931, plusieurs recueils de poèmes (dont *Missembourg,* 1919, *Antoinette,* 1925), où se dessinent déjà, dans des vers sans prétention et conçus parfois sur le mode de la chanson, plusieurs grands thèmes de ses livres ultérieurs : le bonheur de la vie au contact de la nature, la description passionnée et minutieuse de celle-ci, la famille, le souvenir. Mais, très vite, Marie Gevers se tourne vers la prose. Dès les premières lignes de *Ceux qui reviennent* (1922), son premier livre de récits (dont *Guldentop,* 1935, sera la reprise et l'amplification), se trouve annoncé l'animisme intense qui sera une constante de toute l'œuvre : « Il semble que nos pensées et nos actes s'attachent si fortement aux lieux où nous vivons, aux objets qui nous plaisent, que ceux-ci en demeurent tout imprégnés ». Évocation d'un fantôme légendaire de Missembourg, *Guldentop* décrit l'enfance émerveillée à la découverte du monde, de ses beautés, de son passé et de ses légendes. Le décor familier de la maison et du jardin s'y trouve comme hanté par le souvenir et enracine profondément l'existence des habitants. Ainsi seront d'ailleurs tous les personnages des romans de Marie Gevers : inséparables des lieux qui les ont vu naître et menant une vie en symbiose permanente avec ce milieu. Dans le cas des récits autobiographiques, un tel lieu est doté d'une vibration particulière, car c'est souvent la mémoire affective qui ressuscite dans le décor les scènes de l'enfance ou du passé. C'est ce qui se passe, par exemple, dans les deux livres que l'on peut considérer comme les chefs-d'œuvre de l'écrivain, *Madame Orpha* (1933) et *Vie et Mort d'un étang* (1950). Rapportées à travers le prisme des sensations intenses et privilégiées qui font redécouvrir le passé, les amours de Mme Orpha et du jardinier Louis y prennent une aura que vient accentuer encore le mode de récit utilisé. Restituant ces événements comme elle-même les a appris, à travers les récits faits par ses proches au fur et à mesure du déroulement de l'histoire, Marie Gevers leur donne, par la mise à distance qu'apporte le témoignage indirect, une dimension quelque peu mythique. Quant à *Vie et Mort d'un étang,* c'est le lien même de l'auteur avec son environnement immédiat que ce livre prend pour thème majeur, d'abord dans l'évocation de l'étang qui entourait la maison, et dont l'eau, un beau jour, a disparu, ensuite dans celle, au jour le jour, de la maison transformée en abri pendant la guerre. Joies de l'enfance et souffrances de l'adulte touché par la mort d'êtres chers se rejoignent ici en une même volonté de vivre, une même morale d'adhésion au monde.

La quête inlassable de l'harmonie fondamentale de l'homme et de l'univers, l'attention aux rythmes profonds de celui-ci, qu'il s'agisse du cycle des saisons ou de la présence des grands éléments, traversent également les autres romans de Marie Gevers et leur donnent une ampleur qui dépasse le cadre de la littérature régionaliste où certains ont parfois voulu l'enfermer. *La Comtesse des digues* (1931) et *la Grande Marée* (1943) décrivent des personnages vivant au bord de l'Escaut et dont l'existence est liée à la présence du fleuve. Quant à *la Ligne de vie* (1937) et à *Paix sur les champs* (1941), ils évoquent les campagnes de Campine, leur atmosphère pesante et souvent mystérieuse. La romancière y est très attentive à un fonds légendaire, qu'elle restitue de façon saisissante : histoires de sorcellerie ou de manifestations, sur le mode de l'étrange, de l'interaction entre l'homme et le monde animal et végétal qui l'entoure. Partout et toujours, dans ces livres, le décor se fait le reflet des sentiments des protagonistes, les amplifiant, se mêlant à eux dans une même respiration. D'une histoire à l'autre, un même thème revient, aménagé selon les circonstances : la description des sentiments amoureux chez les jeunes gens et leur quête d'un bonheur qui ne devrait rien au mensonge ou au conformisme, ou aux volontés de la famille et des parents.

Le Voyage de Frère Jean (1935), récit d'un voyage de deux adultes et de deux adolescents jusqu'à Marseille, reprend également cette problématique, de même encore que *Château de l'Ouest* (1948), où une jeune femme enceinte, réfugiée pendant la Grande Guerre dans l'île de Walcheren, loin de son mari qu'elle n'aime pas, découvre, grâce à son état, la richesse de la sensualité et l'espoir de connaître un jour l'amour véritable. De facture assez classique, ces romans sont remarquablement construits, certaines intrigues comportant plusieurs pôles qui se répondent, s'opposent et se relancent.

On doit également à Marie Gevers plusieurs livres pour enfants (comme *l'Oreille volée,* 1943, *le Voyage sur l'Escaut,* 1947), des livres de voyage (*Des mille collines aux neuf volcans,* 1953, *Plaisir des parallèles,* 1958) et des ouvrages qu'elle a intitulés ses « livres de nature » et qui mêlent à des récits, des contes ou des légendes une évocation très attentive de la nature (*l'Amitié des fleurs,* 1941, *l'Herbier légendaire,* 1949, *Parabotanique,* 1964). Dans ce dernier genre, il faut distinguer tout particulièrement *Plaisir des météores* (1938), qui décrit merveilleusement, une fois encore à travers les souvenirs d'enfance, la transformation du ciel étoilé et de la nature tout entière au cours du cycle des mois. *Paravérités* (1968), son dernier livre, évoque quelques événements rencontrés dans la vie quotidienne, mais qui ressortissent à la légende et à l'ordre de l'inexplicable.

Une grande partie des récits de Marie Gevers prennent leur source dans les légendes et les histoires qu'elle a entendues, enfant, ou qu'elle a collectées par la suite en interrogeant des habitants de la campagne flamande. Cet enregistrement de multiples récits populaires, ainsi que la description de la vie paysanne au début de ce siècle, donnent également à cette œuvre, dans certains romans, une vraie valeur ethnographique.

BIBLIOGRAPHIE

Marnix Gijsen, *Marie Gevers,* Bruges, Desclée de Brouwer, 1969; Adrien Jans, *Marie Gevers,* Bruxelles, P. de Meyère, 1964; Georges Hermans, *Bibliographie de Marie Gevers,* Bruxelles, le Livre et l'Estampe, 1965.

P. ÉMOND

GHATA Vénus Khoury (née en 1937). V. LIBAN. Littérature d'expression française.

GHELDERODE Michel de, pseudonyme puis patronyme d'**Adémar Adolphe Louis Martens** (1892-1962). Dramaturge et conteur belge d'expression française. Né à Ixelles, Michel de Ghelderode a consacré son existence à l'élaboration acharnée d'une œuvre qui compte quatre-vingts pièces de théâtre, une centaine de contes et de poèmes, plusieurs centaines d'articles. Ce serait commettre une grave omission que de ne pas mentionner les milliers de lettres qu'il écrivit, car elles dévoilent, mieux que les biographies qu'on lui a consacrées, les efforts du petit employé communal nommé Adémar Martens pour devenir Michel de Ghelderode en construisant patiemment une légende un peu diabolique, destinée à cacher un immense besoin d'approbation et d'affection. Ghelderode fut un des rares écrivains belges vraiment à cheval sur deux cultures : francisé par ses parents flamands pour des raisons de promotion sociale, il n'écrivit jamais qu'en français, mais presque toujours sur la Flandre. Ce paradoxe lui valut de connaître de véritables triomphes populaires avec des pièces jouées en néerlandais par le Vlaamsche Volkstooneel (1925-1932), vingt ans avant qu'elles ne provoquent à Paris une « ghelderodite aiguë » (1947-1953), à la grande stupéfaction de la Belgique francophone, qui avait toujours fait la fine bouche devant ces « machines » réputées « injouables ».

Heiligen Antonius (1919-1921), l'œuvre qui montre le mieux l'importance de la découverte de la Flandre dans la vie et dans l'œuvre de Ghelderode, est toujours inédite en français et le restera longtemps, probablement à cause de ses maladresses et de ses innombrables... fautes de français. Celles-ci rappellent que le jeune Martens, véritable autodidacte, n'a fréquenté l'école que jusqu'à l'âge de seize ans, et elles témoignent de l'effort qu'il a dû faire pour traduire dans la langue de Molière ses rêves « septentrionaux ».

Malgré son titre flamand, *Heiligen Antonius,* « roman burlesque », est entièrement rédigé en français. Sous prétexte de relater la vie peu édifiante d'un saint Antoine flamand, le jeune conteur y part à la conquête de l'originalité en imitant la langue de Charles De Coster, en détaillant à grand renfort de flandricismes les coutumes du petit peuple flamand et en paraphrasant laborieusement certaines toiles de Bruegel, de Bosch et d'Ensor. Cette même volonté de « se trouver » en « faisant flamand » est à la base de son premier volume publié, *l'Histoire comique de Keizer Karel telle que la perpétuèrent jusqu'à nos jours les gens de Brabant et de Flandre,* recueil d'anecdotes savoureuses sur la vie de Charles Quint (1922). Cet ouvrage est à la source de cinq petites pièces pour marionnettes folkloriques, composées vers 1924-1925 et tellement proches de l'esprit du peuple (cf. *le Mystère de la Passion de notre Seigneur Jésus-Christ*) que leur auteur-mystificateur n'éprouva aucune peine à les faire passer pour « reconstituées d'après le spectacle ».

De la marionnette au théâtre, il n'y avait qu'un pas, qu'un jeune écrivain flamand, Jef Vervaecke, aida Ghelderode à franchir. En 1925, Vervaecke traduisit *la Farce de la Mort qui faillit trépasser* et réussit à faire jouer cette traduction par le Vlaamsche Volkstooneel, troupe catholique itinérante dont les spectacles, à la fois populaires et d'avant-garde, inspirés des recherches de Jacques Copeau, de l'expressionnisme et du constructivisme, mais adaptés aux aspirations religieuses et politiques de la Flandre, commençaient à attirer les foules. L'année suivante, Johan De Meester, le brillant metteur en scène hollandais de la troupe flamande, commanda à Ghelderode un spectacle commémoratif pour le septième centenaire de la mort de saint François d'Assise. La création, fin janvier 1927, de *Beeldekens uit het leven van Sint Franciskus van Assisië* (*Images de la vie de saint François d'Assise,* écrit et inédit en français) vit le premier triomphe de Ghelderode. Cet ouvrage fut suivi en 1929 de *Barabbas* et en 1930 de *Pantagleize.* En 1932, peu de jours après la première du *Sterrendief* (*le Voleur d'étoiles,* inédit en français), la troupe se disloqua lamentablement. Plus tard, Ghelderode ne manqua pas d'idéaliser sa collaboration à la « généreuse aventure », mais il est vrai que, sans les acclamations des foules flamandes, il n'aurait pas eu le courage de continuer à écrire pour la scène comme il le fit jusqu'en 1937, ce qui nous aurait privés d'une demi-douzaine d'œuvres importantes. En effet, de 1933 à 1936, le dramaturge connut, malgré l'indifférence du monde théâtral, une période de haute fécondité, inaugurée par *le Siège d'Ostende,* « épopée militaire pour marionnettes » tellement scatologique qu'elle déplut à son dédicataire, James Ensor, qui en était pourtant le protagoniste, et qu'elle dut attendre près d'un demi-siècle pour sortir de la clandestinité. L'activité de Ghelderode ne s'était pas bornée au théâtre : il avait publié des poèmes (*la Corne d'abondance,* 1925; *Ixelles, mes amours...,* 1928, sous le pseudonyme de PHILOSTÈNE COSTENOBLE) et des proses (*la Halte catholique,* 1922, reprise sous le titre de *Contes et dicts de notre temps,* 1975; *l'Homme sous l'uniforme,* 1923; *Kwiebe-Kwiebus,* 1926, devenu : *Voyage autour de ma Flandre,* 1947).

En 1934, le dramaturge composa en moins de deux mois *la Balade du Grand Macabre,* grande farce ubuesque où la peur de la mort, de l'oppression politique et de... la femme se métamorphose, par la vertu du burlesque, en un hymne à la vie, à la liberté et à l'amitié (masculine). Dans *Mademoiselle Jaïre,* achevé en janvier 1935, il aborda le thème de la mort d'une façon toute différente : le miracle biblique de la résurrection de la fille de Jaïre y sert de trame non plus à la dérision de la mort, mais à l'expression du désir de mourir. L'année suivante, le dramaturge composa d'abord *D'un diable qui prêcha merveilles,* satire un peu laborieuse de l'hypocrisie, puis *la Farce des Ténébreux,* où le même thème se double d'une exaltation assez forcée de l'érotisme comme remède contre la peur de la mort (et de la vie). Dans *Hop Signor!* enfin, réagissant contre l'incontinence verbale des pièces précédentes, il rattacha le thème de l'inhibition sexuelle au drame de l'artiste créateur incapable de se mettre au goût du jour et brimé à en mourir par une épouse âprement frustrée. En 1936 également, Ghelderode commença la rédaction de *Fastes d'Enfer,* mais, le 22 octobre, alors qu'il avait écrit la moitié de la pièce, la maladie mit brusquement fin à ces trois ans de grande productivité. Il dut patienter jusqu'en novembre de l'année suivante pour trouver la force de mettre un point final à cette « tragédie-bouffe » qui s'articule autour de la mort d'un évêque empoisonné par son entourage de prêtres hideusement envieux. Le 1er février 1939, Ghelderode fit savoir qu'il cessait d'écrire pour le théâtre. Le 13 juillet, alors qu'il venait d'achever le septième conte de *Sortilèges,* il reçut le grand prix triennal de Littérature dramatique 1936-1938 pour... *Escurial,* pièce composée, publiée et créée depuis plus de dix ans. Malgré l'importance de la distinction, le lauréat ne revient pas sur ses adieux au théâtre. Toutefois, après la publication, en novembre 1941, de l'édition originale de *Sortilèges,* recueil de douze fascinants contes « crépusculaires », il acheva trois pièces. *L'École des bouffons* (1942) est la plus connue, parce qu'elle contient un éloge de la cruauté, « secret de tout art », qui a valu à Ghelderode l'honneur d'être considéré comme un disciple, voire comme un prédécesseur d'Antonin Artaud. En fait, ce rapprochement, exact sur le plan de l'utilisation des moyens scéniques, ne l'était pas sur le plan philosophique, car un abîme sépare la vision du monde fataliste et pessimiste de Ghelderode et la foi d'Artaud dans le théâtre comme moyen de changer l'homme.

A sa mort, Ghelderode laissait ses cartons remplis de projets, mais son génie créateur s'était tari vingt ans plus tôt, les affres de la guerre n'ayant fait qu'empirer l'état de sa santé déjà atteinte depuis 1936. Aucune consolation, pas même celle de voir ses pièces triompher à Paris et conquérir ainsi une partie du monde, n'avait pu lui rendre la vitalité nécessaire à l'achèvement de son œuvre. A peine avait-il eu la force de préparer cinq des sept volumes de son théâtre complet prévu par les éditions Gallimard (1950-1957) et de répondre aux demandes d'information et d'autorisation venant de tous les coins du monde. S'il avait vécu jusqu'à la fin de 1962, le dramaturge aurait vraisemblablement eu la joie de voir le prix Nobel consacrer l'intérêt porté par le monde entier à son œuvre.

Outre son théâtre, il avait composé plusieurs ouvrages de souvenirs et d'évocations (*Choses et Gens de chez nous,* 1943; *Mes statues,* 1943; *La Flandre est un songe,* 1953); en 1956, il avait en outre donné à R. Iglésis et A. Trutat les interviews des *Entretiens d'Ostende* (1956). Enfin la publication de sa *Correspondance générale* a commencé en 1982.

Depuis 1962, le rayonnement international du théâtre de Ghelderode n'a fait que s'étendre. Le phénomène semble s'expliquer en premier lieu par l'universalité de sa thématique, centrée sur les grandes questions de la condition humaine : « D'où vient l'homme? Où va-t-il? » « D'un trou dans un autre trou », répond l'un de ses personnages, indiquant ainsi deux hantises fondamentales de Ghelderode : l'érotisme et la mort. La crudité de la réponse est significative de la cruauté avec laquelle le dramaturge dénonce le carnaval perpétuel des illusions philosophiques, religieuses et surtout sociales que l'homme se crée pour embellir sa condition. La seule valeur que l'œuvre ghelderodienne ne met jamais en question est celle de l'individu, qu'elle défend vigoureusement contre l'action étouffante et niveleuse de tous les pouvoirs, qui sont invariablement fondés sur les mensonges de la religion et de la morale officielles, de la justice, de l'armée, de la politique, de la science. Ce qui, pour Ghelderode, compte dans l'individu, ce n'est pas la raison, c'est l'instinct « salvateur », source de vie, d'originalité et de liberté, que les institutions n'ont que trop tendance à réprimer. Cette vision du monde, si elle est par moments desservie par des réflexions incohérentes ou réactionnaires, est, dans l'ensemble, admirablement servie par un sens inné du spectacle. Avant d'être des « obsessions », la mort, la Flandre, les prêtres, les médecins, les juges, les militaires sont, dans l'esprit de Ghelderode, à l'origine d'images scéniques. Les singeries des prêtres de *Fastes d'enfer* traduisent moins son anticléricalisme que son goût de l'effet théâtral. De caractère auditif par sa recherche constante de l'incantation verbale et par son recours au chant, à la musique instrumentale et à toutes les ressources du bruitage, le théâtre de Ghelderode est avant tout d'ordre visuel. Les didascalies (indications scéniques), souvent fort développées, témoignent du soin qu'apporte le dramaturge à choisir l'éclairage le plus approprié au déroulement du drame. Celui-ci se nourrit de toutes les formes de spectacle possibles : le théâtre dans le théâtre, le guignol, le carnaval, les cortèges, le music-hall, la danse... Mais c'est surtout à la peinture que Ghelderode emprunte l'épaisseur physique de ses personnages, soulignée par les couleurs bariolées de ses décors. L'abondance des réminiscences picturales qui caractérise son œuvre lui a valu les titres de « fils d'Ensor », de « Bosch théâtral » et de « Bruegel du théâtre contemporain ».

BIBLIOGRAPHIE

P. Vandromme, *Michel de Ghelderode,* Éd. universitaires, 1963; E. Deberdt-Malaquais, *la Quête de l'identité dans le théâtre de Ghelderode,* Éd. universitaires, 1967; *Marginales,* n° 112-113, mai 1967; J. Francis, *l'Éternel Aujourd'hui de Michel de Ghelderode,* 1968; J. Decock, *le Théâtre de Michel de Ghelderode,* Musin, Nizet, 1969; R. Beyen, *Michel de Ghelderode ou la Hantise du masque,* Pub. des Acad., 1971, 3e éd. augmentée de deux index, 1980; J. Stevo, *Offre des ténèbres pour Michel de Ghelderode,* Rev. Nat., 1972; R. Beyen, *Ghelderode,* 1974;

M.F. Elling, *l'Œuvre dramatique de Michel de Ghelderode,* Seghers, 1974; A. Vandegans, *Aux origines de « Barabbas »,* Les Belles-Lettres, 1978; N.B. Castro, *Un Moyen-Âge contemporain : le théâtre de Michel de Ghelderode,* L'Âge d'homme, 1979; *Michel de Ghelderode et le Théâtre contemporain,* Actes du Congrès international de Gênes (22-25 nov. 1978), publiés par R. Beyen e.a.; R. Beyen, *Bibliographie de Michel de Ghelderode* (à paraître).

R. BEYEN

GHÉON Henri, pseudonyme d'**Henri Léon Vangeon** (1875-1944). Le silence s'est injustement établi autour de l'œuvre de Ghéon, ami de Gide et l'un des fondateurs de *la Nouvelle Revue française.* Ce « faune [...] éperdu de sympathie » (Gide), ce « Barbe-Bleue hilare [...] perpétuellement ivre d'exister » (Martin du Gard) fut un critique remarquable (le seul de *la Nouvelle Revue française* à avoir pressenti l'importance de Proust), un romancier original (*le Consolateur,* 1903; *la Vieille Dame des rues,* 1930; *la Jambe noire,* 1941, etc.), mais aussi un poète qui s'entendait « à demi-mot avec la nature » (Gide) et qui eût peut-être souhaité devenir le Shakespeare français.

Le Pain (1912), « tragédie populaire », dans sa peinture d'un « héros du travail », frisait le ridicule. Elle annonçait pourtant ce qui serait la constante de cette œuvre : « Recevoir la vie de la terre — le pseudonyme GHÉON rappelait d'ailleurs le mot grec de même signification — [...] pour la transmettre aux faims terrestres ». C'est pendant la guerre, sur le front de l'Artois, que Ghéon se convertit au catholicisme. Ayant donc cédé, au grand dam de Gide, à « l'impérieuse douceur de croire » (*Foi en la France,* 1915, poèmes), celui qui s'employait à suggérer « quelques sensations, quelques images » (*Chanson d'aube,* 1897) abandonne la « païenne ivresse de cette terre » (*Algérie,* 1906) pour s'incorporer « au peuple fidèle [...] et mettre [son] art en accord avec [sa] croyance » (*Dramaturgie d'hier et de demain,* 1923). A partir de 1918, il confie à ses innombrables personnages le soin d'exprimer la poésie « qui vit en [lui] » (*Chants de la vie et de la foi,* 1936). L'amour du théâtre s'érige en théâtre de l'Amour, théâtre hagiographique qui veut retrouver la verve des mystères médiévaux. Il écrit alors ses plus belles pièces : *les Trois Miracles de sainte Cécile* (1922), *le Martyre de saint Valérien* (1922), et surtout *le Pauvre sous l'escalier* (1921). Non sans quelque lourdeur, parfois, le lyrisme de Ghéon alliait la « tendresse » et la « force », les deux qualités que, dans une admirable biographie, il reconnaissait à Mozart, son maître de toujours (*Promenades avec Mozart,* 1932).

BIBLIOGRAPHIE

Aucune œuvre d'Henri Ghéon n'est actuellement disponible en librairie.

Citons néanmoins la remarquable édition de la *Correspondance Ghéon-Gide,* texte établi par Jean Tipy, introduction et notes de A.-M. Moulènes et J. Tipy, Paris, Gallimard, 1976, 2 vol.

Sur Ghéon, l'homme et l'œuvre, outre le *Journal* d'André Gide (Paris, Gallimard, Bibl. de La Pléiade), on consultera avec profit l'ouvrage très complet de M.A. Anglès, *André Gide et le premier groupe de la Nouvelle Revue française* (*la Formation du groupe et les Années d'apprentissage,* 1890-1910), ouvrage d'érudition, mais de lecture agréable (Gallimard, 1978).

Ph. DELAVEAU

GHEORGHIU Virgil (né en 1916). Né dans une famille roumaine sacerdotale, Virgil Gheorghiu eut une formation de théologien et de philosophe, non seulement dans son pays, mais aussi en Allemagne, à l'université de Heidelberg. A l'issue de ces études, sa vocation internationale s'affirme : il devient l'un des responsables des affaires culturelles au ministère roumain des Affaires étrangères. Dès cette époque, il écrit. Un recueil de poèmes, *Calligraphie sur la neige* (1940), reçoit un prix en Roumanie. Chrétien, humaniste dans un sens quasi mystique, attaché aux valeurs traditionnelles, il ne pouvait admettre le régime qui s'instaure en Roumanie avec la victoire soviétique. Doué d'une sensibilité généreuse et idéaliste, il ne pouvait supporter la révélation des terribles malheurs imposés aux populations européennes par le nazisme, mais aussi par son vainqueur, le bolchévisme. Aussi s'exile-t-il pour s'installer en France en 1948.

L'immense succès du roman qu'il publie alors, *la Vingt-Cinquième Heure,* correspond à une situation internationale précise. Avant Soljenitsyne et comme Arthur Koestler, Gheorghiu, sous une forme sensible — chez lui narrative et romanesque —, donnait avec un grand talent évocateur au monde occidental l'image terrible, mais rassurante pour l'idéologie antisoviétique, de l'horreur, de la négation des droits de l'homme. Aussi l'ouvrage eut-il de nombreuses traductions et devint-il rapidement un de ces best-sellers internationaux qui font rêver les éditeurs. Pourtant, l'émotion communicative, dans sa discrétion et sa noblesse, comme la puissance évocatrice du texte le rangent dans une tout autre catégorie que les témoignages indignés, parfois intéressés, qui marquent cette période.

Mais, alors que l'aptitude narrative ne l'abandonnait nullement, les circonstances ne permirent pas à Gheorghiu de renouveler ce succès : *l'Homme qui voyagea seul* (1971), *les Sacrifiés du Danube* (1967), *les Immortels d'Agapia* (1969), *le Condottiere* (1967), *l'Espionne* (1971), *le Grand Exterminateur* (1978), *les Amazones du Danube* (1978) ne rencontrèrent pas le même accueil, il s'en faut de beaucoup, que *la Vingt-Cinquième Heure.*

En 1963, Gheorghiu avait été ordonné prêtre de l'Église orthodoxe roumaine de Paris. Il a publié en 1965 des souvenirs, qui dévoilent son désir profond : convertir un témoignage historique assez désespérant en itinéraire spirituel; mettre le sort affreux du monde des hommes entre les mains de Dieu (*De la vingt-cinquième heure à l'heure éternelle*).

A. REY

GHIL René, pseudonyme de **René Guilbert** (1862-1925). Écrivain et poète d'origine belge, René Ghil, qui naquit à Tourcoing, fut très célèbre dans les années 1880. Il appartient d'abord à une pléiade de jeunes gens du lycée Fontanes qui ont publié, en classe de philosophie, un « petit bulletin poétique », *le Fou.* Le groupe se réunit pour discuter du romantisme et du Parnasse et, dès 1883, se scinde en deux courants. Le premier, avec Pierre Quillard et Ephraïm Mikhaël, se tourne vers Leconte de Lisle et Catulle Mendès; le second, avec René Ghil et Stuart Merrill, est davantage soucieux des « données évolutives ». René Ghil découvre Mallarmé en 1884 et sera l'un des habitués des « mardis » du poète. Il publie en 1885 un recueil de « poèmes en essai », *Légende d'âmes et de sangs,* qui comporte une épigraphe de Zola. Déjà se dessine sa théorie; il se voue à « la genèse cosmique, la préhistoire et les Humanités dansant les rites » ainsi qu'à « l'évocation de nos Modernités mécaniques ». En 1888, ce qu'il nomme « la Poésie scientifique » rompt avec « la Poésie symboliste ».

Mais c'est pour le *Traité du Verbe,* dont six éditions parurent de 1885 à 1906, que l'on retiendra le nom de René Ghil. Cette réflexion théorique a assuré à son auteur une célébrité que l'œuvre poétique seule (le *Pantoun des pantouns,* 1902), desservie par son obscurité, ne lui aurait pas assurée. Aussi audacieux que rationnel, René Ghil chercha une solution aux problèmes, alors fort discutés, de la correspondance entre les arts, ou encore du lien possible entre l'art et la science. Sa conception de l'« instrumentation verbale » doit beau-

Gestes

Charlemagne retrouve le corps de Roland à Roncevaux. Miniature de Jean Fouquet pour les *Chroniques de Saint Denis*, XVe s.
Ph. © Bibl. nat. Paris - Arch. Photeb

et romans médiévaux

C'est à travers une vision tardive et nostalgique que nous accédons à l'imagerie des grandes gestes archaïques.
L'évocation de Roncesvals par les trouvères du XIIe siècle était certainement plus réaliste, plus brutale que l'image raffinée que nous en procure Fouquet – plus familière aussi, comme l'atteste ce « charroi » qu'on découvrira un peu plus loin.

Paradoxalement, les chansons de geste plus tardives – comme celle de la reine Berte – sont illustrées de telle sorte que le monde du roman courtois s'y révèle. Souverains et chevaliers en armes côtoient alors les corps féminins et les images du plaisir ; la violence simple s'efface devant les passions charnelles ou mystiques (Lancelot). Mais ces deux univers, l'ancien et le nouveau, se confondent dans notre vision poétique

« Berte aus grans pies », miniature extraite d'un recueil d'anciennes poésies françaises par Adenet Le Roi.
Bibliothèque de l'Arsenal, Paris - Ph. © Arch. Photeb

(le *Lancelot* de Bresson) pour forger une image unitaire, naïve et familière ou bien lyrique et raffinée, d'un âge qui fut tout sauf moyen. Cependant, même dans une veine réaliste sans fausses

Lancelot du lac film de Robert Bresson, sorti en 1974.
Association des amis de Jacques-Henri Lartigue, Ph. © J.H. Lartigue/SPADEM

« Le roi Arthur surprend Guenièvre dans les bras de Lancelot », miniature extraite de *Le Livre de messire Lancelot du Lac*, XIVe s.
Ph. © Bibl. nat. Paris - Arch. Photeb

pudeurs — Lancelot couche si gentiment avec Guenièvre... — lorsque l'érotisme courtois se développe, c'est la symbolique et l'ésotérisme qui entrent en littérature, qui envahissent l'imaginaire. Le cercle mis en perspective de la Table Ronde, au centre de laquelle surgit le vase du Graal, est le lieu d'une démocratie fictive — le « haut bout » y est remplacé par un axe de symétrie, qui joint le

« Les Chevaliers de la Table ronde voient apparaître le Saint Graal », miniature extraite de *Le Livre de messire Lancelot du Lac*, XIVe s.
Ph. © Bibl. nat. Paris - Arch. Photeb

Miniature du XIIIe s. pour *L'Estoire dou Graal* de Robert de Boron.
Ph. © Bibl. nat. Paris - Photeb

souverain au regard de l'observateur, du lecteur — mais il est aussi monde, Terre, hostie, œuf et germe... Cependant, l'affrontement, le courage et la mort restent des thèmes vivants (mais eux aussi évoluent) de la terrible réalité subie de la Guerre au cérémonial culturel du Tournoi. Spectacle, mais aussi épreuve, technique, mais en même temps ascèse — un art martial pour l'Occident — le tournoi résume et présente un phénomène essentiel. La violence montrée est reprise et divisée : le regard et la démonstration vont l'un au devant de l'autre et rendent possible des lectures obliques. Quant aux images

« Le chevalier », miniature extraite du *Bréviaire d'amour* d'Ermengol de Béziers, XIIIe s. *Bibliothèque du monastère royal de l'Escurial. Ph. © Titus/T.*

qui exposent cette pratique et la guerre elle-même, la stylisation figurale souligne, en contrepoint aux textes, une évolution culturelle majeure à l'intérieur des obsessions de l'Histoire.

« Le salut des champions avant la joute », dessin colorié du manuscrit de *La Chanson de Gari de Monglane*, XVe s. *Ph. © Bibl. nat. Paris - Arch. Photeb.*

Le Charroi de Nîmes, miniature du XIIIe s. Chanson de geste du cycle de Guillaume d'Orange. *Ph. © Bibl. nat. Paris - Arch. Photeb*

coup à Rimbaud et en particulier au sonnet des « Voyelles ». René Ghil part en effet du principe que les voyelles « se doivent assimiler aux instruments », et il établit un tableau précis où les sons seront disposés « d'après leur nombre et leur qualité harmonique »; il s'appuie sur une étude — peu approfondie — des travaux de Helmholtz et subit l'influence du positivisme. C'est sa foi dans les progrès de la science qui lui fait rompre avec le symbolisme — entaché, selon lui, d'idéalisme — et prôner la force de la matière. La poésie parfaite (et celle de Verhaeren lui semble la plus proche de cet idéal) sera donc « en une adéquate parole la philosophie de la matière évolutive et transformiste ».

René Ghil aura donc approfondi le vieux rêve — dont la résurgence au XIXe siècle ne saurait étonner — de placer la poésie sur le champ scientifique; c'était tenter d'opérer un syncrétisme entre les apports de la science moderne et une esthétique nouvelle, tentative d'une trop grande envergure pour être vraiment fertile. René Ghil, plus philosophe que poète, n'aura pas eu d'émules.

BIBLIOGRAPHIE

Œuvres complètes, Messein, 4 vol., 1905-1908, *Symbolisme et Poésie scientifique,* Crès et Cie, 1923; *Traité du Verbe,* états successifs, 1885, 1886, 1887, 1888, 1891, 1904; textes présentés, annotés, commentés par Tiziana Goruppi, Nizet, 1978.

Sur René Ghil : Robert Montal, *René Ghil, du symbolisme à la poésie cosmique,* Labor, 1962.

F. COURT-PÉREZ

GIDE

GIDE André (1869-1951). Ramon Fernandez et, après lui, Maurice Blanchot ont dit l'essentiel, ce qui fait — indépendamment de la valeur artistique de son œuvre — la singularité et la grandeur de la figure d'André Gide : il fut un expérimentateur. Et le célèbre mot de Sartre : « Gide est devenu sa vérité », le souligne en d'autres termes : des « vérités » n'ont cessé de devenir, de s'éprouver progressivement en lui... Chacun de ses livres est unique, et trouve en quelque autre son contraire ou son contradictoire; le « message » est indéfiniment ironique, critique, mobile : il ne renvoie le lecteur qu'à soi — ou à un « auteur » dont il n'exprime qu'un choix, parmi d'autres, et qu'on trahit si on l'y enclôt. Proust est tout entier, bien sûr, dans la *Recherche,* mais Claudel est tout entier dans *le Soulier de satin* ou dans *Partage de midi,* chaque fois; Gide n'est pas tout entier dans ses *Œuvres* même idéalement *complètes,* car sa vie — ses voyages, ses amitiés, ses engagements, ses combats... — n'est pas le simple cadre traditionnel de ces œuvres, elle en est une partie intégrante : « vécu » ou « écrit » (parfois vécu et écrit, voire contradictoirement), chaque fragment de la figure totale de Gide ne prend sens que par rapport à tous les autres. Pour une fois, « l'homme et l'œuvre » constituent un tout indissociable sous peine de mort ou de mensonge. L'histoire de Gide ne fut pas un drame du choix, mais de l'intégration, de l'orchestration de tous les choix expérimentés en même temps ou successivement dans l'existence dite réelle ou sur le plan de l'imaginaire et de la création : « La nécessité de l'option me fut toujours intolérable; choisir m'apparaissait non tant élire que repousser ce que je n'élisais pas » (*les Nourritures terrestres*); « Mon esprit est, avant tout, ordonnateur. Mais mon coeur souffre de laisser rien à la porte » (*Un esprit non prévenu*).

La leçon, éthique et esthétique, de Gide est donc au-delà de chaque élément du puzzle — ou plutôt en deçà, dans le dynamisme originel et libre de l'expérimentateur, dans ce « grouillement têtu » dont parlait Barthes. Mais tout cela s'est inscrit dans le temps, dans un mouvement qui n'a pris fin que le 19 février 1951 et qu'il faut aujourd'hui retrouver sous le marbre immobile et froid des livres qui demeurent. Sans doute est-ce là ce qui fait, aujourd'hui, la difficulté de l'accès à Gide : il n'est plus notre « contemporain capital » (suivant le mot d'André Rouveyre en 1924... souvent attribué à Malraux), c'est-à-dire la grande référence vivante, sans cesse en imprévisible avancée, l'homme qui s'identifiait et qu'on identifiait à la jeunesse même — « la jeunesse, disait Henri Michaux, c'est quand on ne sait pas ce qui va arriver ». Aujourd'hui, quel Gide fragmentaire, figé et faux peut se forger le meilleur lecteur qui n'aura lu — c'est son droit — que *la Porte étroite,* ou *l'Immoraliste,* ou *les Caves,* ou les *Nourritures* — ou même *Paludes,* ou *les Faux-Monnayeurs*...! « Complice du temps » (Michel Tournier l'a bien vu), Gide est trahi par le temps qui a continué de couler après lui.

« L'art naît de contrainte, vit de lutte, meurt de liberté » (*Nouveaux Prétextes*) : Gide, ce fut un combat, sur de multiples fronts, toujours pour cette périlleuse liberté — « Savoir se libérer n'est rien; l'ardu, c'est savoir être libre » (*l'Immoraliste*). Et telle est la seconde infortune, aujourd'hui, de Gide : ces combats, il les a tous gagnés — non certes définitivement, mais l'époque les a faits siens et semble n'avoir plus besoin de lui. Il n'est plus ni scandaleux ni aussi nécessaire d'exalter la nudité sur la plage, de dénoncer le carcan de religions réduites à un moralisme puritain et à un dolorisme hypocrite, de revendiquer une place pour Corydon, de condamner le système colonial, de proclamer la lutte nécessaire contre l'exploitation capitaliste de l'homme par l'homme — mais aussi de protester contre tous les stalinismes —, de faire le procès des genres littéraires traditionnels, en particulier du roman, de mettre en question la psychologie ignorante de l'inconscient, etc. Ces combats, Gide les a déclenchés ou leur a donné à des moments opportuns des impulsions décisives. Desservi par ses victoires mêmes, il exige aujourd'hui de son lecteur, si celui-ci n'entend pas se borner à admirer l'artiste, un effort d'actualisation ou, mieux, de lecture et de connaissance globales qui revivifient la source plurielle de ce « maître à contester ».

Dialogue, libération

Une famille paternelle méridionale, huguenote et de très modeste fortune; une famille maternelle normande, protestante elle aussi, mais non sans souvenirs catholiques, et de riche bourgeoisie : Gide a souvent lui-même souligné que, né à un carrefour, il était prédestiné au dialogue et au voyage : « Né à Paris, d'un père uzétien et d'une mère normande, où voulez-vous, Monsieur Barrès, que je m'enracine? J'ai donc pris le parti de voyager » (*Prétextes*).

Sinon voyageuse, l'enfance a été mobile, ballottée, sans cesse changeant de cadre et de rythme : physiquement robuste, Gide était de tempérament nerveux et hyperémotif, sujet à des crises à demi simulées; entrecoupées de longues phases de « jachère » plus ou moins thérapeutiques, ses études le livrèrent à divers établissements, à divers précepteurs... Fils unique, orphelin de père à onze ans, il fut entouré et élevé par des femmes — sa mère, les tantes Rondeaux, Anna Shackleton, les cousines de Rouen... Elles incarnaient la rigueur morale, le conformisme social, le sens des devoirs — à une exception près, la tante Mathilde, dont il fit Lucile Bucolin dans *la Porte étroite*, la belle créole alanguie et légère; sa fille Alissa, c'est Madeleine Rondeaux, l'aînée des cousines (elle avait trois ans de plus qu'André), l'Emmanuèle d'*André Walter* et de *Si le grain ne meurt*. L'amour pour Madeleine, ce « mystique orient de sa vie » découvert dans une scène de sa quatorzième année et que Gide a racontée deux fois (dans *la Porte étroite*, I, et dans *Si le grain ne meurt*, V), restera effectivement le pivot de sa vie, prison et havre d'attache — avec et contre elle tout à la fois (mais il s'agit d'un « adversaire » tout intériorisé : Alissa est tout autant Gide que Michel), il construira son œuvre.

Le premier livre, *les Cahiers d'André Walter*, est un ultimatum adressé à Madeleine et à « la famille », défavorable à leur mariage — un roman-théorème, démonstratif : Walter devient fou et meurt, après avoir promis à sa mère à l'agonie qu'il n'épouserait pas Emmanuèle. Mais André Walter est aussi un écrivain, et ses *Cahiers* constituent une « somme » littéraire, pour une large part faite de pages du *Journal* que Gide lui-même tient depuis sa quinzième ou seizième année et où il n'a cessé de réfléchir « sur quelques points de littérature et de morale ».

Le Gide de 1891 entre en symbolisme en entrant en littérature, avec ce roman-poème que suit, quelques mois plus tard, une « Théorie du Symbole », le bref et pur *Traité du Narcisse*. Il fréquente la rue de Rome et les cénacles. L'en délivrer, le détourner d'un monde et d'une littérature qui sentent « furieusement le factice et le renfermé », l'ouvrir à la vie, lui permettre de « toucher terre et de poser simplement sur le sol un pied nu », c'est le premier voyage en Afrique du Nord, en 1893-1894, qui opère cette conversion, cette seconde naissance : il en rapporte un « secret de ressuscité »; il a tout quitté (y compris le Christ, mais cet adieu n'est pas définitif), il a frôlé la mort, il a découvert le plaisir, la liberté, la lumière, la vie. De là *Paludes* (1895), tragédie ironique et cocasse de l'écrivain, mais aussi satire des littérateurs de cénacle et du symbolisme étouffant; puis *les Nourritures terrestres* (1897), évangile de la joie, de l'abolition de tous les tabous, de la totale et fervente disponibilité — mais *Saül*, deux ans plus tard, en est l'« antidote » et raconte l'histoire du roi trop accueillant à tous ses démons, dépossédé de lui-même par ses propres désirs.

Autour de 1900, Gide tout à la fois conquiert son classicisme et prend conscience de son « importance ». A *la Revue blanche*, à *l'Ermitage* — avec les *Lettres à Angèle* —, il joue au critique, et l'actualité lui fournit les prétextes à la formulation progressive de son esthétique. En 1902, *l'Immoraliste*, livre ironique qui illustre l'échec de la pure doctrine des *Nourritures*, est le premier chef-d'œuvre de sa maturité, rompant avec le lyrisme et les afféteries stylistiques des écrits de jeunesse. Autour de Gide, un groupe se forme qui, en 1908-1909, aboutira à la fondation de *la Nouvelle Revue française*, qu'il inaugure pour sa part avec *la Porte étroite* — première de ses œuvres à toucher le « grand public », mais non sans malentendu : on y voit plutôt l'émouvant roman d'une âme sublime qu'un nouveau livre critique. *L'Immoraliste*, *la Porte étroite*, *Isabelle*, « livres avertisseurs » qui « dénoncent tour à tour les dangers de l'individualisme outrancier, d'une certaine forme de mysticisme très précisément protestant [...], du romantisme, et, dans *la Symphonie pastorale*, de la libre interprétation des Écritures » (« Lettre au R.P. Poucel », *Divers*).

Quand éclate la guerre, quelques semaines après la publication des *Caves du Vatican*, Gide a désormais une large et profonde audience. Non point chef d'école, mais homme d'influence, et âme de cette *Nouvelle Revue française* qui va attirer à elle tout ce qui compte dans les lettres françaises du demi-siècle.

Le contemporain capital

1919 : après cinq années d'interruption due à la guerre, *la Nouvelle Revue française* reparaît sous la ferme et intelligente direction de Jacques Rivière; Gide y publie *la Symphonie pastorale* (immense et durable succès : à la mort de son auteur, elle aura dépassé le million d'exemplaires; traduite en plus de cinquante langues, dont le coréen, le gallois et le latin; deux films en seront tirés, en 1938 au Japon, par Yamamoto Satsuo, et en 1946 en France, par Jean Delannoy, celui-ci avec Michèle Morgan et Pierre Blanchar), et il y salue le mouvement Dada. Lafcadio et son acte gratuit fascinent les surréalistes; les *Nourritures* sont la bible de la génération de l'« inquiétude », ce « nouveau mal du siècle » (Marcel Arland). Dans l'espace des quatre années 1923-1926, Gide publie *Dostoïevski*, *Corydon*, *Si le grain ne meurt*, *Numquid et tu...?*, *les Faux-Monnayeurs* et le *Journal des Faux-Monnayeurs*, et fait un long voyage d'un an en Afrique noire, au retour duquel il dénonce les injustices du système colonial. Exploration des *terrae incognitae* du psychisme, revendication d'une éthique sexuelle, quête critique de la sincérité, interrogation religieuse, subversion de la création romanesque, engagement sociopolitique..., tout cela fait de Gide le maître de liberté — en qui certains ne manquent pas de voir, et de combattre, un destructeur de l'ordre établi, un corrupteur de la jeunesse. « Ce qui est mis en cause ici, s'écrie Henri Massis, c'est la notion même de *l'homme* sur laquelle nous vivons ».

C'est, curieusement, juste après des œuvres qui, comme *l'École des femmes*, *Robert* (1929-1930) et le drame d'*Œdipe* (1931), s'attachent plus que jamais à l'individu, au moi — « ah! le plus irremplaçable des êtres » —, que Gide entre réellement dans l'arène sociale et politique, en proclamant son adhésion à l'idéologie communiste (mais il ne sera jamais membre du Parti), son admiration pour le régime qui, à l'Est, au-delà du nazisme montant, construit le socialisme. Mais *les Nouvelles Nourritures*, en 1935, s'articulent bien sur les derniers mots du poème de 1897 (« AUTRUI — importance de *sa* vie; lui parler... ») pour crier : « Mon bonheur est d'augmenter celui des autres. J'ai besoin du bonheur de tous pour être heureux. [...] Camarade, n'accepte pas la vie telle que la proposent les hommes »... Gide préside des meetings et des congrès en levant le poing, signe manifestes et pétitions, sacrifie sans compter sa personne (et son argent) à la cause. L'été 1936, c'est le voyage en U.R.S.S. et la cruelle déception de retrouver, là-bas, une société close, bloquée, inhumaine; sa rupture est aussi retentissante qu'avait été sa « conversion ». Beaucoup rient de son « embardée », qui l'avaient jugée aveugle et le détournant de « sa ligne ». Pourtant, avant comme après le voyage à Moscou, Gide, à l'évidence, est resté fidèle aux valeurs qu'incarnent toute son œuvre et toute sa vie. En 1939, les treize cents pages du demi-siècle du *Journal* en témoignent.

Après les années noires, Gide revient en France avec un testament, l'admirable fable de *Thésée* : « C'est consentant que j'approche la mort solitaire. J'ai goûté des biens de la terre. Il m'est doux de penser qu'après moi, grâce à moi, les hommes se reconnaîtront plus heureux, meilleurs et plus libres. Pour le bien de l'humanité future, j'ai fait mon œuvre. J'ai vécu ». S'il refuse d'entrer à l'Académie, il accepte le doctorat *honoris causa* d'Oxford et le prix Nobel; en décembre 1950, la représentation des *Caves* (une assez médiocre farce, au demeurant...) au Français, en présence du président Vincent Auriol, est une apothéose officielle... Il est l'illustre écrivain, dont la gloire au plus haut (ses ennemis n'ont pas désarmé, mais se taisent et feignent de le croire « assagi ») persiste dans une époque qui n'est déjà plus la sienne; il s'amuse de voir, dans le monde « existentialiste » des années de la Libération, le rhabillage d'idées-forces qui avaient constitué l'essentiel de sa propre « leçon »... Il ne rate pas sa mort — une « mort ambiguë », suivant le beau et juste mot de Robert Mallet, cependant que Roger Martin du Gard, l'ami le plus intime, le témoin fidèle et vigilant, écrit : « Il faut lui savoir un gré infini d'avoir su mourir aussi *bien* ».

On a longtemps considéré Gide, Proust, Claudel, Valéry et Péguy comme les « phares » d'une grande génération de notre histoire littéraire; si Gide s'est, certes, moins éloigné que les trois derniers, Proust est indéniablement plus présent que lui aujourd'hui, dans un temps de « retour à la littérature ». A l'auteur de *l'Immoraliste*, on fait surtout grief de son exaltation de l'individu, qu'il a en effet servie sans défaillance; à l'écrivain scandaleux, on reproche maintenant une excessive prudence. Signes d'une époque dominée par les masses et qui croit naïvement que tout est toujours possible. Reste un homme vrai, pour qui rien, dans aucun ordre (esthétique, moral, social...), ne fut jamais acquis ni immuable : un authentique non-conformiste. Tant que vivra l'humanisme — mot que dévalue chacun de ses avatars, mais un *a priori* philosophique qui a la vie dure —, la foi gidienne en l'homme et en ses pouvoirs restera garante de la survie de son œuvre et de sa figure.

VIE		ŒUVRE	
1863	Mariage, au temple Saint-Éloi de Rouen, de Paul Gide, né en 1832 à Uzès d'une famille protestante d'origine italienne (un Gido est venu du Piémont s'installer comme « ménager » près d'Uzès, à la fin du XVIe siècle, et s'est converti à la religion réformée), professeur à la faculté de droit de Paris, et de Juliette Rondeaux, née en 1835, à Rouen, d'une riche famille bourgeoise, en majorité protestante depuis la fin du XVIIIe siècle.		
1869	22 nov. : naissance, à Paris (chez ses parents, 19, rue de Médicis, aujourd'hui 2, place Edmond-Rostand), d'André Paul Guillaume Gide, premier et unique enfant de Paul et Juliette Gide.		
1877	André entre en neuvième à l'École alsacienne, rue d'Assas; renvoyé quelques mois plus tard pour « mauvaises habitudes »; son éducation devient alors « rompue et désencadrée »; il étudie souvent avec des précepteurs...		
1880	Pendant l'été, André est bouleversé par son premier *Schaudern,* provoqué par la mort de son petit cousin Émile Widmer. 28 oct. : mort de Paul Gide.		
1882	Fin déc. : *« Schaudern* de la rue de Lecat », à Rouen — André a la révélation de l'inconduite de sa tante Mathilde Rondeaux et de la souffrance de sa cousine Madeleine; il prend conscience de son amour pour celle-ci.		
1887	Oct. : rentre à l'École alsacienne, en rhétorique, où il se lie avec son camarade Pierre Louis (futur Pierre Louÿs).		
1888	Oct. : en philosophie, au lycée Henri-IV, où il se lie avec Léon Blum.		
1890	1er mars : mort de son oncle Émile Rondeaux, qu'il veille avec Madeleine. « Il me semblait que s'étaient consacrées nos fiançailles... » Été : Gide s'isole sur le bord du lac d'Annecy pour écrire « le livre » : *les Cahiers d'André Walter.* Déc. : à Montpellier (chez son oncle l'économiste Charles Gide), se lie avec Paul Valéry.		
1891	8 janv. : Madeleine refuse le mariage. 2 févr. : Gide est présenté par Barrès à Mallarmé et devient un familier des « mardis » de la rue de Rome. Nov. : fréquentation d'Oscar Wilde à Paris.	**1891**	Poésies dans *la Conque,* petite revue dirigée par Pierre Louÿs, et dans *la Wallonie* d'Albert Mockel (Liège). Publication des *Cahiers d'André Walter,* chez Perrin, à compte d'auteur (comme tous ses livres, jusqu'à *la Porte étroite*). *Le Traité du Narcisse.*
1892	Printemps : séjour à Munich. Été : voyage en Bretagne, avec Henri de Régnier. 15-22 nov. : service militaire à Nancy — réformé pour « tuberculose ».	**1892**	*Les Poésies d'André Walter* (chez Bailly).
1893	Pâques à Séville, avec sa mère. 18 oct. : Gide s'embarque à Marseille, avec son ami le jeune peintre Paul Albert Laurens, pour la Tunisie puis l'Algérie; atteint d'une primo-infection, il se soigne. A Sousse, en novembre, première expérience homosexuelle.	**1893**	*La Tentative amoureuse* (Bailly). *Voyage d'Urien* (Bailly), illustré par Maurice Denis.

	VIE		ŒUVRE
1894	Janv.-févr. : à Biskra, où Paul et André se partagent les faveurs d'une Ouled-Naïl, Mériem. Retour en France au printemps, par l'Italie. Oct.-déc. : dans la solitude de La Brévine (Jura suisse), il écrit *Paludes.*		
1895	Janv.-mai : nouveau voyage en Algérie (où il retrouve Wilde, qu'accompagne Alfred Douglas, « Bosie »). 31 mai : mort de Mme Paul Gide. 17 juin : fiançailles d'André avec sa cousine Madeleine Rondeaux (née le 7 février 1867 à Rouen). Il consulte un médecin, qui lui affirme que ses goûts homosexuels disparaîtront d'eux-mêmes avec le mariage... 7-8 oct. : mariage, à la mairie de Cuverville et au temple d'Étretat. — Voyage de noces : Suisse, Italie, Tunisie, Algérie.	**1895**	*Paludes* (Bailly).
1896	Mai : à son retour de voyage, Gide est élu maire de La Roque-Baignard.		
1897	Gide se lie avec le Dr Vangeon (en littérature, Henri Ghéon). Son ami Marcel Drouin, normalien, agrégé de philosophie, épouse sa belle-sœur Jeanne Rondeaux.	**1897**	Commence une collaboration régulière à *l'Ermitage,* qui durera jusqu'à la disparition de la revue, en 1906. *Les Nourritures terrestres* (Mercure de France). *Réflexions sur quelques points de littérature et de morale* (Mercure de France).
1898	Voyage en Italie et au Tyrol.	**1898**	« A propos des *Déracinés* » (*l'Ermitage,* février).
1899	Printemps : nouveau voyage du ménage Gide en Algérie. Gide commence de correspondre avec Claudel, alors consul en Chine.	**1899**	*Philoctète, El Hadj* (Mercure de France). *Le Prométhée mal enchaîné* (Mercure de France).
1900	Vente du château de La Roque; les Gide ne conservent que la propriété de Cuverville (qui appartient à Madeleine). Voyage en Algérie, où Ghéon les rejoint.	**1900**	*Lettres à Angèle* (Mercure de France).
		1901	*Le Roi Candaule* (la Revue blanche).
		1902	*L'Immoraliste* (Mercure de France).
1903	Voyage de Gide en Allemagne (Weimar), puis en Algérie.	**1903**	*Prétextes* (Mercure de France). *Saül* (Mercure de France).
1905	Claudel, qui séjourne en France, fait de vains efforts pour convertir Gide.		
1906	Les Gide emménagent dans la maison qu'ils se sont fait construire à Auteuil, villa Montmorency.	**1906**	*Amyntas* (Mercure de France).
1907	Janv. : voyage à Berlin, avec Maurice Denis.	**1907**	*Le Retour de l'enfant prodigue* (Vers et Prose).
1908	*L'Ermitage* disparu, Gide tente en vain de ressusciter la revue *Antée,* puis fonde, avec quelques amis (Marcel Drouin, Jacques Copeau, Henri Ghéon, André Ruyters et Jean Schlumberger), *la Nouvelle Revue française.*		
1909	Premières « Décades de Pontigny », fondées par Paul Desjardins et dont Gide et son groupe seront des participants fidèles.	**1909**	*La Porte étroite* (Mercure de France). Nombreux articles et notes dans *la Nouvelle Revue française* dès le premier numéro (février).
		1910	*Oscar Wilde* (Mercure de France).
1911	*La Nouvelle Revue française* fonde sa propre maison d'édition, sous la direction de Gaston Gallimard.	**1911**	*Charles-Louis Philippe* (Figuière). *Isabelle* (Éd. de la N.R.F.). *Nouveaux Prétextes* (Mercure de France).
1912	Mars : voyage en Italie (Florence et Pise), avec Ghéon. Mai : juré à la cour d'assises de Rouen.	**1912**	*Bethsabée* (L'Occident).
1913	Oct. : ouverture du théâtre du Vieux-Colombier, annexe théâtrale de *la Nouvelle Revue française*; Gide fait la connaissance de Roger Martin du Gard.		
1914	Avr.-mai : voyage avec Ghéon, en Italie, Grèce et Turquie — mais Gide renonce à pousser jusqu'à Bagdad. Oct. : pendant près d'un an et demi, Gide consacre tout son temps au « Foyer franco-belge », œuvre d'aide aux réfugiés des territoires envahis.	**1914**	Traduction de *l'Offrande lyrique* de Tagore (N.R.F.). *Les Caves du Vatican* (N.R.F.). *Souvenirs de la cour d'assises* (N.R.F.).
1916	Crise religieuse (dont témoignera *Numquid et tu...?*). Début de la liaison amoureuse avec Marc Allégret.		

	VIE		ŒUVRE
1917	Août : séjour en Suisse avec Marc.		
1918	18 juin : Gide part avec Marc pour un séjour de quatre mois en Angleterre. A son retour à Cuverville, il apprend de Madeleine qu'elle a brûlé toutes les lettres qu'il lui avait écrites depuis leur adolescence : « Je souffre comme si elle avait tué notre enfant... »	**1918**	Traduction de *Typhon* de Conrad (N.R.F.) et d'*Œuvres choisies* de Whitman (N.R.F.).
		1919	*La Symphonie pastorale* (N.R.F.).
		1921	Traduction d'*Antoine et Cléopâtre* de Shakespeare (Lucien Vogel). *Morceaux choisis* (N.R.F.) et *Pages choisies* (pour l'adolescence, Crès).
1922	Févr.-mars : Gide fait au Vieux-Colombier six conférences sur Dostoïevski. Été : sur la côte d'Azur, avec les Van Rysselberghe.	**1922**	Traduction d'*Amal et la lettre du roi* de Tagore (Lucien Vogel) Préface aux *Lettres du lieutenant de vaisseau Dupouey* (N.R.F.).
1923	18 avr. : naissance, à Annecy, de Catherine, fille d'André Gide et d'Élisabeth Van Rysselberghe (née en 1890); Gide l'adoptera après la mort de sa femme. Voyage en Italie, puis au Maroc (invité par Lyautey, avec Paul Desjardins et Pierre Hamp).	**1923**	*Dostoïevski* (Plon). Traduction du *Mariage du Ciel et de l'Enfer* de Blake (Aveline).
		1924	*Incidences* (N.R.F.). *Corydon* (N.R.F.), première édition mise dans le commerce.
1925	14 juill. : après avoir vendu une partie de sa bibliothèque et sa villa d'Auteuil, et terminé *les Faux-Monnayeurs,* Gide s'embarque avec Marc Allégret pour un long voyage au Congo et au Tchad.	**1925**	*Caractères* (A l'enseigne de la Porte étroite).
1926	Mai : retour en France. Il entame une campagne contre les exactions des grandes compagnies concessionnaires et du système colonial : enquête administrative, débat à la Chambre, polémiques dans la presse.	**1926**	*Numquid et tu...?* (Éd. de la Pléiade). *Les Faux-Monnayeurs* (N.R.F.). *Le Journal des Faux-Monnayeurs* (Éd. Éos). *Si le grain ne meurt* (N.R.F.).
1927	Gide s'installe 1 *bis,* rue Vaneau, dans un appartement situé sur le même palier que « la Petite Dame », Mme Van Rysselberghe; Madeleine ne quitte désormais presque plus Cuverville.	**1927**	*Voyage au Congo* (N.R.F.).
		1928	*Retour du Tchad* (N.R.F.). Traduction des *Nouvelles* de Pouchkine, avec Jacques Schiffrin (Éd. de la Pléiade).
1929	Janv. : voyage à Alger. Parution du *Dialogue avec André Gide* de Charles Du Bos.	**1929**	*L'École des femmes* (N.R.F.). *Essais sur Montaigne* (Éd. de la Pléiade). *Un esprit non prévenu* (Kra).
1930	Voyage en Allemagne et en Tunisie.	**1930**	*L'Affaire Redureau* et *la Séquestrée de Poitiers,* dans la collection « Ne jugez pas » (N.R.F.). *Robert* (N.R.F.).
		1931	*Divers* (N.R.F.). *Œdipe* (N.R.F.). Préface à *Vol de nuit* de Saint-Exupéry (N.R.F.).
1932	Gide s'intéresse de plus en plus à l'effort politique et social de l'U.R.S.S. et donne à *la Nouvelle Revue française* des pages de journal où il témoigne de sa sympathie croissante pour le communisme.	**1932**	Début de la publication des *Œuvres complètes* (N.R.F.), que la guerre interrompra en 1939 au tome XV.
1934	4 janv. : Gide et Malraux vont à Berlin réclamer à Goebbels la libération de Dimitrov et de communistes emprisonnés. Après le 6 février, Gide entre au Comité de vigilance des écrivains antifascistes. Juill.-août : voyage en Europe centrale.	**1934**	Traduction (inachevée) d'*Arden de Feversham,* drame élisabéthain *(Cahiers du Sud).* *Pages de Journal (1929-1932)* (N.R.F.). *Perséphone* (N.R.F.).
1935	23 janv. : grand débat public à Paris (à l'« Union pour la vérité ») sur « André Gide et notre temps ». Mars-avr. : voyage en Espagne et au Maroc, avec l'écrivain communiste hollandais Jef Last. Juin : Gide préside le Congrès international des écrivains pour la défense de la culture.	**1935**	*Les Nouvelles Nourritures* (N.R.F.).

	VIE		ŒUVRE
1936	17 juin : invité par le gouvernement soviétique, Gide part pour l'U.R.S.S. avec plusieurs amis; la mort subite et mystérieuse d'Eugène Dabit, survenue à Sébastopol (21 août), abrège le voyage... Déc. : Gide signe la déclaration des intellectuels contre la politique de non-intervention en Espagne.	**1936**	*Geneviève* (N.R.F.). *Nouvelles Pages de Journal* (N.R.F.). *Retour de l'U.R.S.S.* (N.R.F.).
		1937	*Retouches à mon Retour de l'U.R.S.S.* (N.R.F.).
1938	Janv.-mars : nouveau voyage en Afrique occidentale française. 17 avr. (dimanche de Pâques) : mort de Madeleine. Gide commence à écrire *Et nunc manet in te.*		
1939	Voyages en Grèce et en Égypte, puis au Sénégal. Peu après la déclaration de la guerre, Gide gagne le Midi, où il s'installe chez son amie Mme Mayrisch, à Cabris, près de Grasse.	**1939**	*Journal 1889-1939,* premier volume d'un auteur vivant à paraître dans la « Bibliothèque de la Pléiade ».
1940	Pendant la guerre, après avoir donné raison au maréchal Pétain déplorant que « l'esprit de jouissance [l'ait] emporté sur l'esprit de sacrifice », Gide donne « de tout son cœur son adhésion à la déclaration du général de Gaulle ». Il séjourne à Cabris, puis à Nice, chez ses amis Bussy.	**1940**	Gide laisse paraître des « Pages de journal » dans *la Nouvelle Revue française,* dirigée par Drieu La Rochelle.
1941	30 mars : Gide rompt avec *la Nouvelle Revue française* entraînée par Drieu La Rochelle dans la politique de collaboration. 21 mai : à Nice, la Légion des anciens combattants empêche Gide de prononcer une conférence sur Henri Michaux.	**1941**	*Découvrons Henri Michaux* (N.R.F.).
1942	4 mai : Gide s'embarque pour Tunis où il résidera chez les Théo Reymond de Gentile.	**1942**	Introduction au *Théâtre* de Goethe (Bibl. de la Pléiade). *Théâtre* (N.R.F.).
1943	27 mai : Gide quitte Tunis pour Alger, où il séjourne quatre mois chez ses amis Heurgon avant de gagner le Maroc.	**1943**	*Attendu que...* (Alger, Charlot). *Interviews imaginaires* (éd. en Suisse, à New York et à Paris).
1944	Après un voyage en Afrique occidentale, Gide revient à Alger en avril.	**1944**	Traduction d'*Hamlet* de Shakespeare (New York, Jacques Schiffrin). *Pages de Journal 1939-1942* (New York, J. Schiffrin).
1945	8 févr. : naissance d'Isabelle, fille de Catherine et première petite-fille de Gide. 6 mai : retour en France. Déc. : voyage de quatre mois, avec Robert Levesque, en Italie, en Égypte et au Liban.	**1945**	*Jeunesse* (Neuchâtel, Ides et Calendes).
1946	16 avr. : de Beyrouth, où il a prononcé une importante conférence (« Souvenirs littéraires et problèmes actuels »), Gide rentre à Paris. Août : Catherine Van Rysselberghe-Gide épouse le jeune écrivain Jean Lambert.	**1946**	*Le Retour* (Neuchâtel, Ides et Calendes). *Thésée* (New York : Jacques Schiffrin).
1947	Mars-avr. : séjour à Ascona et à Ponte Stresa. 5 juin : Gide reçu docteur *honoris causa* de l'université d'Oxford. Fin juin : à Munich, au Congrès de la jeunesse avec Jef Last; Gide prononce un discours. 13 nov. : prix Nobel de littérature.	**1947**	Adaptation, avec Jean-Louis Barrault, du *Procès* de Kafka (N.R.F.). Début de la publication de son *Théâtre complet* aux éd. Ides et Calendes, par Richard Heyd (8 vol.).
1948	Printemps : Gide achète une propriété en Seine-et-Oise, à Lévis-Saint-Nom : « La Mivoie ». Juill. : séjour à Torri del Benaco, sur le lac de Garde.	**1948**	*Les Caves du Vatican* (farce) [Ides et Calendes]. *Correspondance avec Francis Jammes,* éditée par Robert Mallet (N.R.F.). *Notes sur Chopin* (L'Arche). *Éloges, Préfaces et Rencontres* (Ides et Calendes).
1949	Janv.-avr. : Entretiens radiophoniques avec Jean Amrouche. Été : séjour dans le Midi; Nicole Védrès tourne avec Gide une séquence de son film *La vie commence demain.*	**1949**	*Anthologie de la poésie française* (Bibl. de la Pléiade). *Correspondance avec Paul Claudel* (N.R.F.). *Feuillets d'automne* (Mercure de France).

	VIE		ŒUVRE
1950	Marc Allégret réalise son film *Avec André Gide.* 13 déc. : première des *Caves du Vatican* à la Comédie-Française.	**1950**	*Journal 1942-1949* (N.R.F.). *Littérature engagée,* éditée par Yvonne Davet (N.R.F.). *Correspondance avec Charles Du Bos* (Corrêa).
1951	Janv. : projet de voyage au Maroc. 19 févr : André Gide meurt à Paris, d'une congestion pulmonaire; le 22, sur la demande de la famille de Madeleine et au scandale des amis de Gide, un pasteur bénit son inhumation au cimetière de Cuverville.	**1951**	Traduction du *Prométhée* de Goethe (Jonquières). *Et nunc manet in te,* suivi de *Journal intime,* édition posthume du livre dont Gide avait fait imprimer 13 exemplaires en 1947.

Les Cahiers et les Poésies d'André Walter

Présentés anonymement comme une « œuvre posthume » dans une notice liminaire signée « P.C. » (PIERRE CHRYSIS, c'est-à-dire Pierre Louÿs), les *Cahiers,* parus en janvier 1891, sont le premier livre de Gide (il a vingt et un ans). C'est le journal d'un jeune homme, tenu depuis le moment où sa mère, sur son lit de mort, lui demande de quitter sa cousine Emmanuèle (« Votre affection est fraternelle, ne vous y trompez pas... ») et de la laisser épouser T..., jusqu'à ce qu'une « fièvre cérébrale » l'emporte, après qu'il y a tracé ces derniers mots : « La neige est pure »... Des deux cahiers qui constituent ce journal, le premier, « le Cahier blanc », est surtout fait de souvenirs et de fragments antérieurs de son Journal que recopie André Walter pour exposer ses luttes — la tentation et la peur de la chair, l'aspiration à une communion d'âme à âme avec Emmanuèle —, leurs émotions, leurs lectures exaltantes (le livre est truffé d'innombrables citations, bibliques, grecques, latines, allemandes, italiennes...); « le Cahier noir » est l'histoire de la marche vers la folie : Emmanuèle meurt, il la retrouve enfin et la « possède »; il commence à écrire « le livre », *Allain,* à la fois somme autobiographique et réflexion sur l'amour, la foi... et le roman. Ce « roman théorème » (« non point une vérité de réalisme, contingente fatalement; mais une vérité théorique, absolue ») qu'André Walter n'écrit pas, André Gide le livre avec ces *Cahiers* qui sont bien la somme de sa jeunesse inquiète, l'ouvrage lyrique, confus, complaisant, mais qui lui permettra de dépasser ce drame de l'angélisme qui était le sien : « L'âme. La vertu de ce mot s'épuise à force de le répéter [on le trouve en effet 247 fois dans *les Cahiers d'André Walter...*] : il faudrait dire l'*ange* »... Thématiquement (thèmes positifs et négatifs), Gide est déjà là quasi tout entier; mais il ne sait « pas encore écrire » (Préface à l'édition définitive, 1930).

En avril 1892, Gide réunit en une plaquette vingt pièces (précédemment parues en revues) sous le titre *les Poésies d'André Walter (œuvre posthume).* En 1930, alors qu'il « ne rouvre point [s]es *Cahiers* sans souffrance et même mortification », il avoue : « Par contre, je relis avec plaisir certaines de ces *Poésies* [...]. Je les écrivis presque toutes en moins de huit jours [?], peu de temps après la publication des *Cahiers,* ce qui explique leur titre, et cette attribution à un André Walter imaginaire, encore que celui-ci fût déjà mort en moi. Même il ne me paraît pas que l'André Walter des *Cahiers* eût été bien capable de les écrire; je l'avais déjà dépassé » (Préface citée). Images et thèmes y préfigurent *Paludes,* et leur ton, d'une ironie très laforguienne, les sauve de la mièvrerie symboliste.

BIBLIOGRAPHIE

Situation et analyse détaillée dans Jean Delay, *la Jeunesse d'André Gide,* Gallimard, 1956-1957, t. 1, p. 466-597 et t. II, p. 102-114. Voir aussi Catherine H. Savage, « The Ideology of André Walter », *l'Esprit créateur,* 1961, p. 14-20.

Paludes

Livre étrange et fascinant, revendiqué aujourd'hui par Nathalie Sarraute, Alain Robbe-Grillet, Roland Barthes... comme précurseur de la modernité littéraire, *Paludes,* « cette satire de quoi?... » (dédicace), ne se résume pas. A travers l'histoire — tour à tour mélancolique et drôle — du triste héros qui écrit (ou plutôt n'écrit guère) *Paludes,* « l'histoire d'un homme qui, possédant le champ de Tityre, ne s'efforce pas d'en sortir, mais au contraire s'en contente », puis *Polders...,* le livre fait bien la satire des littérateurs symbolistes stériles et vainement agités, des cénacles parisiens (le salon d'Angèle), de la vie d'ici (la « vraie vie » étant ailleurs). Mais Gide y fait aussi la satire de soi-même, de ce qu'il a été, de ce qu'il est encore et dont il veut se purifier. Satire ambiguë, où un étrange humour incarne dans des fantoches des attitudes, des pensées incontestablement positives aux yeux de l'auteur : ainsi le discours du « grand Valentin Knox », son apologie de la maladie et son refus exaspéré de l'« homme normal »; ainsi l'esquisse, par Alexandre le philosophe, de l'acte gratuit... Si Gide se raille lui-même dans la *sotie* en analysant sa propre « maladie de la rétrospection », sa propre poursuite de la sincérité, forme vide, obsession qui « n'habite et ne peut habiter que ceux précisément qui n'ont *rien à dire... »,* que doit-on penser, par exemple, de sa description des relations de Tityre avec Angèle, dans ce livre qui paraît au moment même où il unit sa vie d'un lien irréversible à celle de Madeleine?... Dans ce petit univers factice, dans ces marais, tout stagne — mais le livre lui-même est savamment construit, sur une structure circulaire qui en fait, plus qu'un livre, une somme de livres possibles. Avec *Paludes,* cinquante ans avant les premières interrogations du Nouveau Roman, on entre dans l'« ère du soupçon », dans l'âge de l'« anti-roman ».

BIBLIOGRAPHIE

Excellent chapitre sur « *Paludes* ou la Fiction de la liberté » dans Christian Angelet, *Symbolisme et invention formelle dans les premiers écrits d'André Gide,* Gand, Romanica Gandensia, 1982, p. 83-139. Voir aussi Michel Raimond, « Modernité de *Paludes* », *Australian Journal of French Studies,* 1970, p. 189-194; Pierre Albouy, « *Paludes* et le mythe de l'écrivain », *Cahiers André Gide 3 : le Centenaire,* Gallimard, 1972, p. 241-251; études et documents dans le *Bulletin des Amis d'André Gide,* 1982, n°s 54 (n° spécial « *Paludes* ») et 55.

Les Nourritures terrestres

Appelées à être un des livres les plus célèbres et peut-être celui qui eut le plus d'influence au XXe siècle, *les Nourritures terrestres* paraissent en mai 1897 — il faudra dix-huit ans pour que s'épuisent les 1 650 exemplaires de l'édition... Commencé — sous forme de notes très fragmentaires — dès le voyage libérateur de 1893-1894 en Afrique du Nord, ce livre de « pur lyrisme » a curieusement été tenu pour « non composé », fait de morceaux artificiellement raboutés. La construction, significative, en est pourtant très nette : les *Nourritures* sont clairement articulées autour du récit de Ménalque (IV, 1, séquence narrative écrite et publiée dès la fin de 1895), entre un premier livre d'exposition (en trois sections : 1. Prélude, où sont introduits les thèmes et les mots clés; 2. Retour en arrière, où le poète résume l'évolution qui l'a conduit à sa renaissance; 3. Évangile sensualiste et refus de la culture livresque) et un dernier livre (VIII), qui tire son épigraphe du premier et constitue une reprise générale des thèmes, que nuance de tristesse le sentiment de la fuite du temps, et qui conduit à l'urgence de la conversion vers autrui. Le livre II est celui de la disponibilité, impérieux devoir pour l'individu tendu vers la vie intense, la jouissance de l'instant que n'entrave plus la crainte du péché. Le livre III, à travers voyages, rêves et souvenirs, chante les voluptés, mais, juste avant que l'exemplaire Ménalque ne prenne la parole, s'achève sur l'indication du « contre-thème » des *Nourritures,* le désir du havre après la tempête, du port rejoint après l'aventure... De même, la fin du livre IV, après des divertissements poétiques qui rappellent les *Bucoliques* ou le *Décaméron,* laisse percer lassitude et déception. Aussi le livre suivant est-il celui du repos, du répit sur la « pluvieuse terre de Normandie »; mais, en chantant « la Ferme », le poète retrouve les traîneaux, prêts à fuir de nouveau dans la plaine... Le livre VI, « Lyncéus », est le livre de la vision, des choses visibles et sensibles, de la foi dans le jour qui se lève, et, si le VIIe est celui du retour en Afrique, du « désert passionnément aimé » et de la conscience de la mort, de la vie « subite », le poète conserve, malgré un certain désenchantement, la certitude que « la route qu'il suit est *sa* route, et qu'il la suit comme il faut ». Structure efficace, donc, et didactique; mais l'*Envoi* final : « Nathanaël, à présent, jette mon livre. Émancipe-t-en. Quitte-moi », fait écho à l'avertissement liminaire : « Que mon livre t'enseigne à t'intéresser plus à toi qu'à lui-même — puis à tout le reste plus qu'à toi ». Trente ans plus tard, Gide écrira : « Certains ne savent voir dans ce livre [...] qu'une glorification du désir et des instincts. Il me semble que c'est une vue un peu courte. Pour moi, lorsque je le rouvre, c'est plus encore une apologie du *dénuement* que j'y vois » (Préface à l'édition de 1927).

BIBLIOGRAPHIE

Yvonne Davet, *Autour des « Nourritures terrestres » : Histoire d'un livre,* Gallimard, 1948; études et documents dans *André Gide 2 : Sur « les Nourritures terrestres »,* Minard, 1972; éd. commentée et annotée par Claude Martin, Bordas, 1971.

L'Immoraliste

Publié en mai (édition originale tirée à 300 ex.) puis en novembre 1902 (éd. courante), *l'Immoraliste* est le premier récit de Gide. Michel y fait à quatre amis une confession dont les faits sont ceux-là mêmes que Gide a vécus et dont il a donné une première expression, lyrique, dans les *Nourritures :* à peine marié, Michel est tombé gravement malade, a failli mourir; au cours de son voyage de noces — en Afrique du Nord, principalement à Biskra —, il a non seulement recouvré la santé, mais découvert le goût de la vie, la joie des sens; revenu à Paris (où il revoit son ami Ménalque), puis sur son domaine de Normandie (« la Morinière »), c'est un « nouvel être » qui pratique une éthique nouvelle, délivrée de toute contrainte morale. Quand il retourne en terre africaine avec sa femme, c'est au tour de Marceline de tomber malade : elle mourra, victime en quelque sorte de l'immoralisme de Michel, qui a désormais le culte de la force et de l'indépendance. « Je vois bien, me dit-elle un jour, je comprends votre doctrine [...]. Elle est belle, peut-être — puis elle ajouta plus bas, tristement : mais elle supprime les faibles. — C'est ce qu'il faut, répondis-je aussitôt malgré moi ». La mort de Marceline est l'ultime libération de Michel — mais le livre laisse son héros dans l'angoisse et l'incertitude, et sa leçon est finalement une critique de l'immoralisme, une illustration des limites et de l'échec de la pure « doctrine » des *Nourritures terrestres.* C'est par là que *l'Immoraliste,* premier livre « objectif » de Gide, est une œuvre classique, non seulement par son style, mais parce qu'elle est « recomposée » par l'intelligence et la volonté à partir d'une matière qui a été subjective mais qui a « cessé de servir » et est donc maintenant « apte à devenir matière d'art ». Gide n'est plus Michel, il ne l'a même jamais été vraiment. Michel fut en lui un « bourgeon », qu'il a isolé et cultivé, développé, poussé jusqu'aux dernières conséquences de son choix éthique. « Que de bourgeons nous portons en nous [...], qui n'écloront jamais que dans nos livres! Ce sont des "œils dormants", comme les nomment les botanistes [...]. Conseil : choisir de préférence (s'il est vrai qu'on puisse choisir) le bourgeon qui vous gêne le plus. On s'en défait du même coup » (Lettre au critique Robert Scheffer, juillet 1902).

BIBLIOGRAPHIE

John C. Davies, *« l'Immoraliste » and « la Porte étroite »,* Londres, Éd. Arnold, 1968; Henri Maillet, *Lire aujourd'hui « l'Immoraliste »,* Hachette, 1972; Édition avec introduction et notes en anglais, par John C. Davies, Londres, Harrap, 1974; Albert Sonnenfeld, « Problématique de la lecture dans *l'Immoraliste* et *la Porte étroite », André Gide 6 : Perspectives contemporaines,* Minard, 1979, p. 107-128.

La Porte étroite

Publié au printemps de 1909, ce deuxième récit de Gide, dont la conception remontait au moins à 1891 (le fait est quasi général, chez Gide : « Dès vingt-cinq ans, mes livres étaient là, rangés devant moi; il ne me restait plus qu'à les écrire. J'y ai mis le temps »...), était le fruit d'un travail difficile de quatre années (les manuscrits de plusieurs « faux départs » ont été conservés). C'est que l'histoire, simple et linéaire, d'Alissa Bucolin et de Jérôme a une base largement autobiographique, et Gide y insère de nombreux fragments textuellement transcrits des lettres et carnets intimes de Madeleine Rondeaux, datant des années antérieures à leur mariage. Jérôme, orphelin de père et fils unique, et sa cousine Alissa s'aiment; tous deux sont de bonne bourgeoisie protestante, austère et puritaine, et sont prêts à suivre ardemment l'enseignement que développe le sermon du pasteur Vautier : « Efforcez-vous d'entrer par la porte étroite... ». Jérôme a découvert le secret d'Alissa : l'immense tristesse que lui cause l'inconduite scandaleuse de sa mère, la belle créole Lucie Bucolin; leur amour n'en est que plus fort et plus pur, tendant à fuir le monde dans une spiritualité exaltée. Bien qu'amoureuse, Alissa se refuse à Jérôme, se sacrifie d'abord à sa sœur Juliette, elle aussi éprise de son cousin; mais même après le mariage de celle-ci avec un viticulteur du Midi, elle repousse celui qu'elle aime, ou plutôt ne prétend à le retrouver qu'en Dieu, loin de la chair et de la terre. Cet effort vers la sainteté, cette ascèse douloureuse la conduit à un sentiment d'effrayante solitude et à la mort : le livre s'achève sur les admirables — et atroces — pages de son *Journal,* dont elle a voulu que, après sa mort, il fût remis à Jérôme... Gide a fait d'Alissa une très belle et noble figure — à côté de laquelle Jérôme est assurément trop pâle —, mais il est évident que sa tragédie dénonce les sophismes et les illusions d'un mysticisme opposé à l'éthique, non moins dévastatrice, du Michel de *l'Immoraliste*; dans son refus du bonheur au nom du devoir de sainteté (« O Seigneur! Gardez-moi d'un bonheur que je pourrais trop vite atteindre... Enseignez-moi à différer, reculer jusqu'à vous mon bonheur »), dans cette « étrange passion de se priver » (Jacques Rivière), un critique a eu raison de voir « plus de peur de la terre que d'attirance du ciel » (Paul Archambault). Il n'y a certes pas là « satire » (« Chaque fois que je reprends ce livre, écrivait Gide plus tard, c'est avec une émotion indicible... »), mais, comme avec *l'Immoraliste,* un récit critique.

BIBLIOGRAPHIE

Pierre Trahard, *« la Porte étroite » d'André Gide,* La Pensée moderne, 1968; John C. Davies, *« l'Immoraliste » and « la Porte étroite »,* Londres, Éd. Arnold, 1968; études et documents dans le *Bulletin des Amis d'André Gide,* 1980, nos 45 (no spécial *« la Porte étroite »*) et 46. Éditions commentées et annotées, par Mitchell Shackleton, Londres, Harrap, 1958; par Jean Mallion et Henri Baudin, Bordas, 1972).

Les Caves du Vatican

« Sotie, par l'auteur de *Paludes* », parue au printemps de 1914 (le livre fut achevé le 24 juin 1913; l'auteur y pensait depuis 1893), *les Caves du Vatican* mettent en effet en scène de plaisants fantoches, entraînés dans une rocambolesque histoire inspirée d'un fait divers réel : en 1893 avait couru le bruit que le pape avait été enlevé par des francs-maçons et qu'un imposteur occupait le trône de saint Pierre, tandis que le vrai Léon XIII était emprisonné dans les caves du Vatican; des escrocs en avaient profité pour extorquer des fonds importants à des bourgeois et des aristocrates riches et naïfs, sous couleur de financer une croisade pour délivrer le Saint-Père... Ainsi tous les personnages de la sotie gidienne se retrouvent-ils à Rome, où Anthime Armand-Dubois, savant, franc-maçon et fort anticlérical, voit la Vierge lui apparaître et se convertit au catholicisme (que pratiquent d'ailleurs très dévotement sa femme et sa fille) — tandis que son beau-frère, le romancier bien-pensant Julius de Baraglioul, après avoir pensé que son dernier roman édifiant, *l'Air des cimes,* lui ouvrirait les portes de l'Académie, va être au contraire, lui, saisi par le doute et remettre en question les principes et conventions de la société qui est la sienne... — et tandis que le brave Amédée Fleurissoire, autre beau-frère de Julius, préfère, plutôt que de commanditer la « croisade », payer de sa personne et vient se jeter en Italie dans les griffes de la bande d'aigrefins (le « Mille-Pattes ») qui a monté l'affaire : après avoir fait, à Rome, de bien étranges rencontres et perdu sa vertu, Amédée sera proprement et gratuitement défenestré, dans le train qui le conduisait à Naples auprès d'un cardinal, par le séduisant jeune homme qui est le véritable héros des *Caves :* Lafcadio Wluiki, frère bâtard de Julius, « marginal » pour qui l'acte gratuit, sans mobile — crime parfait — est le moyen le plus pur de se prouver sa liberté. Mais le meurtre de cette marionnette sans consistance déclenche une cascade d'événements à la fois cocasses et tragiques. Lafcadio, en proie au remords (ou plutôt qui a « l'impunité en horreur »), veut finalement se livrer à la police : mais la belle Geneviève de Baraglioul (fille de Julius), conquise par la générosité du héros, s'offre à lui, et veut qu'il s'en remette à Dieu et à son Église : « Quoi! va-t-il renoncer à vivre? et, pour l'estime de Geneviève, qu'il estime un peu moins depuis qu'elle l'aime un peu plus, songe-t-il encore à se livrer? » Ainsi son destin demeure-t-il, à la fin, ouvert, incertain... Gide ne décide rien, et il quitte sa sotie comme jadis faisait son Prométhée : « Mettons que je n'ai rien dit »... — *Les Caves du Vatican* déclenchèrent de vives polémiques, parce qu'elles moquaient la religion; elles furent l'occasion de la rupture définitive de Gide avec Claudel, qui lui interdit de maintenir l'épigraphe du livre III, empruntée à *l'Annonce faite à Marie* (« Mais de quel Roi parlez-vous et de quel Pape? Car il y en a deux, et l'on ne sait qui est le bon »... Pouvait-il en effet admettre cette citation, qui le compromettait, dans un livre où il lisait plus loin l'exclamation d'Anthime : « Et qui me dira si Fleurissoire en arrivant au paradis n'y découvre pas tout de même que son Bon Dieu non plus n'est pas *le vrai*? »), et l'adjura de supprimer un « passage pédérastique » (V, I), en ajoutant — dans la « lettre comminatoire » qu'il lui écrivit en réponse à celle où Gide lui confiait précisément que « le mensonge des mœurs » l'étouffait, que « l'hypocrisie » lui était « odieuse »... — : « Peu à peu on oubliera »... Ce n'est que plus tard qu'on vit dans les *Caves,* surtout, une étape littéraire essentielle, la préparation par Gide de son renouvellement du roman qu'allaient accomplir, dix ans après, *les Faux-Monnayeurs.* Structures, variations du point de vue, subversion de la narration, autonomie des personnages, jeux sur les noms, etc., font de la sotie, au-delà de la satire et du rire, une œuvre d'avant-garde.

BIBLIOGRAPHIE

Pour une étude de la sotie sous de multiples angles (historique, sociologique, thématique, structurale, psychanalytique...), voir l'excellent livre d'Alain Goulet, *« Les Caves du Vatican » d'André Gide, étude méthodologique,* Larousse, 1972. Voir aussi Christopher D. Bettinson, *Gide : « Les Caves du Vatican »* Londres, Éd. Arnold, 1972; W. Jane Bancroft, « *Les Caves du Vatican :* vers l'écriture du roman », *André Gide 6 : Perspectives contemporaines,* Minard, 1979, p. 159-175.

La Symphonie pastorale

Sous ce titre jeu de mots, allusif et ironique, *la Symphonie pastorale* se présente sous la forme du journal d'un pasteur d'un village du Jura suisse, La Brévine. Il recueille une pauvre adolescente, orpheline, aveugle de naissance, et entreprend à la fois son éducation et sa formation spirituelle; à Gertrude, qui ne voit ni les beautés du monde, ni ses laideurs, il tait celles-ci et ne lui apprend à percevoir que celles-là, la pureté des images et des cœurs. Peu à peu, la tendre affection que lui porte son père adoptif change de nature, sans que lui-même ni la jeune fille se rendent compte de leur attachement amoureux. Amélie, la femme du pasteur, et son fils Jacques sont plus clairvoyants; dans le second cahier de son journal, le pasteur se défend contre l'argumentation religieuse de Jacques, tente de repousser la loi morale, que le christianisme, selon lui, ne tient que de saint Paul, alors que le Christ n'a enseigné que l'amour... Une opération rend la vue à Gertrude : elle voit alors leur faute, leur péché, la tristesse d'Amélie, et découvre que c'est Jacques qu'elle aime : « Quand j'ai vu Jacques, j'ai compris soudain que ce n'était pas vous que j'aimais; c'était lui. Il avait exactement votre visage; je veux dire celui que j'imaginais que vous aviez... ». Désespérée, elle se jette dans la rivière et n'a que le temps, avant de mourir, d'apprendre au pasteur que Jacques l'a convertie au catholicisme, à la religion de la Loi, et que son bien-aimé va d'ailleurs entrer dans les ordres. Admirablement écrit, ce récit bref et limpide a eu un immense succès, mais le public a été plus sensible à l'émouvante histoire qu'au débat spirituel qui s'y incarne, l'opposition entre la religion paulinienne du péché et de la Loi et celle du Christ, qui n'est qu'amour et joie — conflit que Gide a lui-même vécu, et qu'il a dénoué dans les méditations de *Numquid et tu...?* (le « Carnet vert » de 1916). L'échec tragique du pasteur dénonce le danger de « la libre interprétation des Écritures » et constitue la critique de cet essai que Gide a longtemps projeté mais n'a jamais écrit : *le Christianisme contre le Christ.* Commencée au printemps 1918, la rédaction de *la Symphonie pastorale* fut interrompue par le voyage de Gide en Angleterre avec Marc Allégret; à son retour, il eut grand-peine à l'achever, la vie interférant alors de façon aiguë avec la fiction — la critique des rapports du pasteur avec Gertrude devenant celle de ses propres rapports avec l'adolescent dont il s'était épris...

BIBLIOGRAPHIE
Édition critique des manuscrits (avec étude de la genèse, des structures, de la réception critique), par Claude Martin, Minard, 1970. Voir aussi W. Donald Wilson, *A Critical Commentary on André Gide's « la Symphonie pastorale »,* Londres, Macmillan, 1971, et Henri Maillet, *« la Symphonie pastorale »,* Hachette, Lire aujourd'hui, 1975; Alain Goulet, « la Figuration du procès littéraire dans l'écriture de *la Symphonie pastorale », André Gide 3 : Gide et la fonction de la littérature,* Minard, 1973, p. 27-55. Une *Concordance* complète du texte, réalisée informatiquement, a été publiée par Joyce I. Cunningham et W. Donald Wilson, New York, Garland,1978.

Les Faux-Monnayeurs

C'est à Roger Martin du Gard que, en 1925, Gide dédie son « premier roman » — et leur correspondance témoigne des longs débats sur le genre qu'eurent l'auteur des *Thibault* et celui des *Faux-Monnayeurs,* œuvres on ne peut plus différentes mais dont la genèse s'enrichit à la confrontation (cf. la grande opposition Tolstoï-Dostoïevski...). Sautant le pas, abandonnant les « monographies » qu'étaient ses récits et soties, Gide conçoit ici une vaste fiction à nombreux personnages, à diverses intrigues entrecroisées, où s'incarnent, s'éprouvent et s'opposent autant d'options morales et esthétiques. Au centre du livre, un romancier, Édouard, qui tient son « journal » (le « Journal d'Édouard » constitue près du tiers du livre) et écrit (essaie d'écrire : il n'y parviendra pas) un roman, *les Faux-Monnayeurs,* qui « n'a pas de sujet », parce qu'il y veut tout faire entrer, « ce que je vois, ce que je sais, tout ce que m'apprend la vie des autres et la mienne... »; « le sujet du livre [...], c'est précisément la lutte entre ce que lui offre la réalité et ce que, lui, prétend en faire [...], la lutte entre les faits proposés par la réalité et la réalité idéale ». Mais l'auteur des *Faux-Monnayeurs* réels, du livre achevé que nous lisons, s'introduit lui aussi dans le roman et, à tel moment, « juge ses personnages » (II, VII) — et l'on sait que Gide a aussi tenu, et publié, son *Journal des Faux-Monnayeurs...* Ce roman-somme est donc aussi, et sans doute d'abord, une somme sur le roman. Et sur la « fausse monnaie » : le titre est à double entente, désignant l'affaire (inspirée d'un fait divers réel) où se trouvent impliqués plusieurs personnages du livre et dont le petit Boris, trop pur, est la victime, mais stigmatisant surtout ceux qui, moralement, esthétiquement, socialement..., émettent, consciemment ou non, de la fausse monnaie, tous ceux que n'anime pas l'ardente exigence de Bernard qui voudrait, « tout au long de [s]a vie, au moindre choc, rendre un son pur, probe, authentique [alors que] presque tous les gens qu[’il a] connus sonnent faux ». Bernard Profitendieu, qui découvre, au début du livre, sa bâtardise et sa liberté et apprendra finalement qu'« il est bon de suivre sa pente, pourvu que ce soit en montant », est assurément, avec Édouard, le héros le plus proche de son créateur; les relations du jeune Olivier Molinier avec son oncle Édouard sont pour Gide l'occasion de faire l'apologie de la pédérastie; le milieu protestant et étouffant de la famille Vedel-Azaïs, l'hypocrisie et l'aveuglement des pères (Profitendieu et Molinier), le cynisme grinçant d'Armand, l'« esprit faux » Vincent, Passavant, le brillant arriviste, poète en toc (Gide a voulu qu'on y reconnût Cocteau), le diabolique Strouvilhou, la trop perspicace doctoresse Sophroniska, vingt autres personnages permettent au romancier, non point de peindre « la société de son temps » — rien à voir avec les visées de Roger Martin du Gard ou de Jules Romains —, mais de mettre en scène tout un monde moral et d'expérimenter contradictoirement toutes les « postures » devant la vie, qu'il n'avait jusque-là développées que séparément dans ses récits et soties. Au lendemain du point final (qui laisse d'ailleurs le livre ouvert, avec désinvolture) mis à son roman, Gide transcrivait dans son *Journal des Faux-Monnayeurs* cette réflexion de Thibaudet : « Il est rare qu'un auteur qui s'expose dans un roman fasse de lui un individu ressemblant, je veux dire vivant... Le romancier authentique crée ses personnages avec les directions infinies de sa vie possible; le romancier factice les crée avec la ligne unique de sa vie réelle. Le génie du roman fait vivre le possible; il ne fait pas revivre le réel ». C'est en cela que *les Faux-Monnayeurs,* roman-miroir et qui reste perpétuellement en train de se faire et de se défaire, est « le lieu géométrique des tendances les plus hardies de l'art narratif contemporain ».

BIBLIOGRAPHIE
Deux bonnes monographies sur l'œuvre, dues à Geneviève Idt (Hatier, « Profil d'une œuvre », 1970) et à Michael Tilby (Londres, Grant & Cutler, « Critical Guides to French Texts », 1981); une pénétrante étude, par un jeune normalien juif converti au catholicisme par la lecture du roman (mort à Auschwitz) : Jacques Lévy, « Psychanalyse des *Faux-Monnayeurs* d'André Gide », dans *Journal et Correspondance,* Grenoble, Éd. des Cahiers de l'Alpe, 1955, p. 39-97; N. David Keypour, *André Gide : Écriture et Réversibilité dans « les Faux-Monnayeurs »,* Didier, 1980; Études et documents dans *André Gide 5 : Sur « les Faux-Monnayeurs »,* Minard, 1976. Voir aussi les excellents chapitres de Claude-Edmonde Magny, *Histoire du roman français depuis 1918,* Le Seuil, 1950, p. 226-278 et de Michel Raimond, *le Roman contemporain : le signe des temps, I,* S.E.D.E.S., 1976, p. 115-123.

Si le grain ne meurt

Hanté depuis toujours par la quête de soi et la recherche de la sincérité, Gide a très tôt songé à écrire ses Mémoires (le projet précis et les premières pages écrites datent de l'automne 1897); mais c'est après en avoir achevé la première partie (en 1919) qu'il note : « Je suis un être de dialogue; tout en moi combat et se contredit. Les Mémoires ne sont jamais qu'à demi sincères, si grand que soit le souci de vérité : tout est toujours plus compliqué qu'on ne le dit. Peut-être même approche-t-on de plus près la vérité dans le roman » (aussi bien met-il alors en chantier *les Faux-Monnayeurs...*). Il a pourtant mené à bien l'entreprise, et, en 1926, publié *Si le grain ne meurt* (après une édition privée et confidentielle, en 1921-1922, tirée à 13 exemplaires, l'ouvrage fut imprimé, en trois petits volumes, en 1924, mais sa mise en vente n'eut lieu qu'en octobre 1926). Ce récit des vingt-six premières années de sa vie, depuis l'enfance jusqu'à ses fiançailles au lendemain de la mort de sa mère, en passant par son entrée dans le monde littéraire parisien et ses voyages en Afrique du Nord, fit scandale par la franchise des révélations touchant sa vie sexuelle, qu'il s'agisse des « mauvaises habitudes » de l'enfant (« scabreux souvenir », écrivit Paul Souday dans *le Temps,* « qui s'étale sur le seuil du premier volume, comme une crotte sur un paillasson ») ou, surtout, dans la seconde partie, du récit de ses expériences homosexuelles en Afrique du Nord. Mais Gide avait précisément voulu n'esquiver rien (« Je sais de reste », écrit-il dès la deuxième page, « le tort que je me fais en racontant ceci et ce qui va suivre : je pressens le parti qu'on en pourra tirer contre moi. Mais mon récit n'a raison d'être que véridique. [...] A cet âge innocent où l'on voudrait que toute l'âme ne soit que transparence, tendresse et pureté, je ne revois en moi qu'ombre, laideur, sournoiserie... »), et la réussite est exemplaire. S'il donne là à Madeleine le nom d'Emmanuèle, s'il use encore de quelques pseudonymes pour désigner certains parents ou amis, ce sont les seuls masques qu'il se permet, et il n'en utilise aucun pour lui-même. En résulte une œuvre de style classique, qu'on a souvent comparée aux *Confessions* de Rousseau — sans y déceler jamais ce type d'omissions volontaires ou de demi-vérités dont Jean-Jacques s'était, lui, rendu coupable. Mais cette ambition de livrer la vérité la plus nue ne se réalise pas sans art : « Tout l'effort stylistique de Gide, toute son organisation du récit tendent à créer un espace dans lequel ombre et lumière puissent entrer en communication, où l'on puisse voir, par des éclairages latéraux, sous la forme de liséré ou de franges, l'ombre qu'engendre chaque lumière derrière ce qu'elle éclaire, un espace dans lequel la perspective ne rende plus tout à fait exclusive la représentation de l'une des deux faces d'un objet » (Philippe Lejeune). Ainsi se présente, réfractée dans un ego qui se cherche, l'histoire d'une liberté lentement conquise.

BIBLIOGRAPHIE

La Jeunesse d'André Gide, de Jean Delay (Gallimard, 1956-1957), ne fait pas qu'utiliser les informations biographiques de *Si le grain ne meurt :* on y trouvera d'utiles réflexions sur l'art du mémorialiste. Avec les fines et neuves analyses de Philippe Lejeune, *Exercices d'ambiguïté : lectures de « Si le grain ne meurt » d'André Gide,* Minard, 1974, et « Gide et l'espace autobiographique » dans *le Pacte autobiographique,* Le Seuil, 1975, p. 165-196, on pourra aussi lire C.D.E. Tolton, *André Gide and the Art of Autobiography : A Study of « Si le grain ne meurt »,* Toronto, Macmillan, 1975.

Thésée

Gide a porté en lui quelque quarante années cette dernière œuvre, écrite à Alger et publiée pour la première fois à New York en janvier 1946. Déjà, dans ses *Considérations sur la mythologie grecque* de 1919 (recueillies dans *Incidences*), il marquait les temps forts — à ses yeux — de cette fable, et indiquait comment il la réinterprétait. Mais le récit prend en 1946 — Gide a soixante-seize ans — une allure testamentaire, et, dans l'itinéraire de Thésée, on suit celui du vieil écrivain parvenu à la sérénité. Tous les thèmes de l'œuvre antérieure s'y trouvent repris; le sommet en est sans doute la rencontre de Thésée et d'Œdipe : en face du vainqueur du Sphinx — lui qui avait trouvé l'unique réponse à toutes les questions : l'Homme — qui maintenant se glorifie de ses yeux crevés grâce auxquels (« O obscurité, ma lumière! ») il ne voit plus que Dieu, que la « lumière surnaturelle », Thésée, vainqueur du Minotaure, s'affirme toujours, au soir de sa vie, enfant de cette terre, gardant les yeux bien ouverts sur le bonheur et la liberté des hommes. Petit livre dense, écrit d'une plume vive et pleine d'humour, *Thésée* est l'autobiographie d'un héros qui ne regrette rien — ni d'avoir abandonné Ariane après qu'elle l'eut aidé à sortir du labyrinthe (elle le « retenait », il lui fallait « passer outre »), ni d'avoir provoqué la mort de son père en « oubliant » de changer la voile de son navire (il « obstruait ma carrière alors que c'est à chacun son tour »)... Thésée est devenu lui-même, il a fait son œuvre : il peut quitter sereinement cette terre.

BIBLIOGRAPHIE

On a encore peu étudié *Thésée.* Signalons pourtant : Étiemble, « le Style du *Thésée* d'André Gide », *les Temps modernes,* juin 1947, p. 1032-1038 (recueilli dans *Hygiène des Lettres,* t. V, Gallimard, 1967, p. 36-46); Patrick Pollard, « Gide's *Thésée :* the Diary of a Moralist », *French Studies,* avril 1972, p. 166-177. Voir aussi : Helen Watson-Williams, *André Gide and the Greek Myth,* Oxford, Clarendon Press, 1967, p. 126-146 notamment.

Journal

Dès sa quatorzième année sans doute (après la révélation que fut pour lui la lecture d'Amiel) jusqu'à dix-huit mois avant sa mort (après le 12 juin 1949, il laissa courir sa plume dans un cahier mi-journal sans dates, mi-souvenirs en vrac : ce fut le posthume *Ainsi soit-il ou Les jeux sont faits*), Gide tint un journal; dès la fin de 1909, il en publia quelques fragments (« Journal sans dates » dans *la Nouvelle Revue française*), puis le texte suivi pour les années 1889-1932 dans les quinze tomes de ses *Œuvres complètes*; en mai 1939 paraît l'épais volume de la « Bibliothèque de la Pléiade » : *Journal 1889-1939* (1 350 p., avec index). Deux autres volumes, parus en 1944 et 1950, y ajoutent les 350 dernières pages, que complétera le *Journal intime* accompagnant le posthume *Et nunc manet in te* (« passages de mon *Journal,* ayant trait à Madeleine, qui ne figurent pas dans le volume de la Pléiade »). Pour beaucoup de lecteurs « allergiques » au reste de l'œuvre, cet imposant ensemble apparaît aujourd'hui comme ce que Gide a laissé de plus durable et de plus singulier. Aussi bien cette œuvre, qui défie naturellement le résumé (comme tout Journal), est-elle indéfinissable, sinon négativement, ou ne se définirait que par l'unité de son écriture. Monument de toute une époque, témoignage d'un homme ouvert à presque tous les mouvements de son temps, c'est aussi l'incessant effort de l'individu qui s'observe et se saisit et s'échappe : narcissisme? Certes, mais quelle attention, aussi, aux autres! Perpétuelle quête de la sincérité? Oui, mais que de lacunes! que d'omissions, volontaires ou non! Il faut savoir que le *Journal* publié est loin d'être la simple transcription de la centaine de carnets et cahiers autographes (aujourd'hui conservés, pour la plupart, dans l'important « Fonds Gide » de la Bibliothèque littéraire Jacques-Doucet à Paris) qui passent pour être « le manuscrit », mais que Gide a élaboré une œuvre, savamment discontinue et cohérente à la fois, à partir de matériaux très dispersés et très hétérogènes : il est improbable qu'on puisse jamais établir la genèse précise de ce livre à plus d'un égard exceptionnel.

BIBLIOGRAPHIE

Il faut lire la thèse de Daniel Moutote, *le Journal de Gide et les Problèmes du moi* (P.U.F., 1969), qui analyse le *Journal* jusqu'en 1925 par rapport aux autres œuvres et dans sa construction propre. En attendant l'ouvrage d'Éric Marty (*l'Écriture du jour,* à paraître au Seuil), son article : « l'Écriture journalière d'André Gide », *Poétique,* nov. 1981, p. 459-477, renouvelle déjà profondément notre lecture du *Journal.*

BIBLIOGRAPHIE GÉNÉRALE

Éditions et bibliographies

Il n'existe encore aucune édition des *Œuvres complètes* de Gide : celle qui porte ce titre (Gallimard, 15 vol. parus de 1932 à 1939) est incomplète même pour les écrits antérieurs à 1932, et souvent fautive. Dans la « Bibliothèque de la Pléiade » ont paru : *Journal 1889-1939* (1939), *Journal 1939-1949 & Souvenirs* [la plupart des écrits autobiographiques] (1954), et *Romans, récits et soties, œuvres lyriques* (1958), éditions non « critiques » et, pour les deux derniers volumes, procédant de « choix » assez arbitraires; deux tomes, en préparation, y réuniront les *Essais et Œuvres critiques.* Le *Théâtre* dit *complet* (il ne l'est pas tout à fait) a fait l'objet d'une édition en 8 vol. de « demi-luxe » (Ides et Calendes, 1947-1949). Quant à l'immense ensemble de la *Correspondance,* il est très dispersé, mais les principaux recueils (bilatéraux) ont paru chez Gallimard (correspondances avec Jammes, Claudel, Valéry, Suarès, Martin du Gard, Ghéon, Bussy...).

Les principales œuvres de Gide sont disponibles en éditions au format de poche : une vingtaine de volumes dans les collections « Folio », « Idées » et « le Livre de Poche » (sans préfaces ni appareils critiques).

Instruments bibliographiques : Jacques Cotnam, *Bibliographie chronologique de l'œuvre d'André Gide (1889-1973),* Boston, G.K. Hall, 1974; Claude Martin, *Répertoire chronologique des lettres publiées d'André Gide,* Minard, 1971; à compléter par la « Chronique bibliographique » du *Bulletin des Amis d'Andre Gide,* la revue trimestrielle de l'Association des Amis d'André Gide (qui paraît depuis 1968).

Critique

Gide est, avec Proust, l'écrivain français du XXe siècle dont la bibliographie est la plus étendue, en France et dans le monde entier (plus de trois cents volumes lui ont été entièrement consacrés). Un panorama ordonné des principales références dans Raimund Theis, *André Gide,* Darmstadt, Wissenschaftliche Buchgesellschaft, 1974 (excellent), et dans *A Critical Bibliography of French Literature,* éd. by Richard A. Brooks, Syracuse University Press, 1980, (t. 1, pp. 351-429). Un « état présent » : Claude

Martin, « les Études gidiennes en 1975 — et après », dans *André Gide 6 : Perspectives contemporaines*, Minard, 1979. Présentée par Michel Raimond, une sélection de textes : *les Critiques de notre temps et Gide* (Garnier, 1971).

Monographies d'initiation en français : R.-M. Albérès, *l'Odyssée d'André Gide*, La Nouvelle Édition, 1951 (clair, honnête, précis); Germaine Brée, *André Gide, l'insaisissable Protée*, Les Belles-Lettres, 1953 (la meilleure présentation, originale et fine); Jean-Jacques Thierry, *Gide*, Gallimard, 1962 (un compendium documentaire très commode); Claude Martin, *Gide par lui-même*, Le Seuil, 1963.

Pour aller plus loin, on ne négligera pas les ouvrages déjà anciens, mais excellents à divers points de vue, de Ramon Fernandez (*André Gide*, 1931, rééd. Klincksieck, 1984) et de Jean Hytier (*André Gide*, Charlot, 1938), ainsi que les pénétrants livres-témoignages de Roger Martin du Gard (*Notes sur André Gide*, Gallimard, 1951), de Pierre Herbart (*A la recherche d'André Gide*, Gallimard, 1952) et de Jean Schlumberger (*Madeleine et André Gide*, Gallimard, 1956). La magistrale « psychobiographie » de Jean Delay, *la Jeunesse d'André Gide* (2 vol., Gallimard, 1956-1957) demeure une lecture indispensable — et les célèbres *Cahiers de la Petite Dame* (4 vol., Gallimard, 1973-1977) sont beaucoup plus qu'un témoignage biographiquement capital.

Gide a été le sujet de plusieurs importantes thèses universitaires, dont il faut citer : pour la finesse de l'analyse psychologique, Daniel Moutote, *le « Journal » de Gide et les problèmes du moi* (P.U.F., 1969); pour sa tentative « totalisante » d'une période capitale, Claude Martin, *la Maturité d'André Gide* (Klincksieck, 1977); pour le récit minutieux d'un chapitre important de notre histoire littéraire, Auguste Anglès, *André Gide et le premier groupe de la N.R.F.* (Gallimard, 1978); pour une excellente étude thématique et structurale, Pierre Masson, *André Gide : Voyage et écriture* (Lyon, P.U.L., 1983). Seule étude stylistique approfondie : Marie-Thérèse Veyrenc, *Genèse d'un style : la phrase d'André Gide dans « Les Nourritures terrestres »* (Nizet, 1976).

Il convient enfin de signaler deux livres anciens, plus ou moins polémiques mais dont les points de vue (catholiques, particulièrement sévère pour le second) sont historiquement importants et demeurent suggestifs : *Le Dialogue avec André Gide* de Charles Du Bos, Au Sans Pareil, 1929 (Béatrice Didier, *Un dialogue à distance : Gide et Du Bos*, Desclée de Brouwer, 1976), et le recueil des articles d'Henri Massis. *D'André Gide à Marcel Proust* (Lyon : Lardanchet, 1948).

CL. MARTIN

GIGUÈRE Roland (né en 1929). Poète canadien d'expression française. Entre la peinture et la poésie, Roland Giguère (né à Montréal) n'a pas eu à choisir : « Je peins pour parler comme j'écris pour voir », avoue-t-il. Typographe de formation, diplômé des Arts graphiques de Montréal, il étudie la gravure et fréquente à Paris les ateliers de Desjobert (lithographie) et de Friedlander (taille-douce). Il fonde en 1949 les éditions Erta, où il publie sa première suite de poèmes, *Faire naître*, accompagnée de gravures d'Albert Dumouchel. Les éditions Erta se spécialisent depuis lors dans l'édition d'art, associant chaque fois un peintre et un poète à l'élaboration de livres faits entièrement à la main, selon les plus vieilles techniques artisanales.

Poète, Giguère se dit « le ministre des Affaires intérieures, celles [qui sont] obscures, inextricables, et le jeu consiste à s'y perdre et s'y retrouver alternativement — tant que cela dure —, s'y retrouver pour s'y perdre ». Pourtant cette « poésie de l'invasion » (comme l'a nommée son ami Gaston Miron) et ce lyrisme discret coïncident avec le destin d'une collectivité en signalant l'accès irréversible à l'« âge de la parole ».

Le recueil que publie Giguère en 1965, *l'Âge de la parole* (« comme on dit "l'âge du bronze" »), regroupe des textes aux titres évocateurs, « les Armes blanches », « Adorable femme des neiges », « En pays perdu ». Il sera suivi de *la Main au feu* (1973) et de *Forêt vierge folle* (1979). Ces « armes blanches », ce sont, pour une bonne part, celles qu'utilise le surréalisme. A Paris, Giguère rencontre Breton et participe aux activités du groupe *Phases*. Au Québec, il se lie d'amitié avec certains des signataires de *Refus global*. Mais les « armes blanches », ce sont aussi et surtout celles que constituent les mots eux-mêmes, le mot-flot, le mot-image qui parfois « cogne à la vitre » et finit par dévoiler les « petites explosions qui secouent les galeries ». Poète de la transparence, Giguère cherche d'abord à voir et à faire voir. L'œil, le miroir, les multiples visages de l'eau traversent ces textes que viennent aussi hanter quelques oiseaux blessés ou menaçants. Mais l'angoisse y est comme voilée, transposée dans la limpidité de la forme et la sobriété des effets.

Dans cette poésie de la liquidité, dont le sens échappe et fuit malgré la clarté des vocables, les dessins de Giguère constituent un versant tourmenté, tragique. La transparence se mue en opacité, en « pouvoir du noir ». L'œil y devient soleil, mais soleil noir, encagé, ou planète perdue, déboussolée. L'oiseau connaît le regard brûlé d'Icare. Les gravures et sérigraphies, éclatantes ou douces, continuent cette figuration de l'imaginaire où l'on voit apparaître, en signes récurrents, comme dans les cosmogonies africaines que Giguère admire tant, les métamorphoses du soleil et de l'ombre, de la lumière et de la profondeur. Dans l'extrême dépouillement des dernières œuvres s'inscrivent les « lieux exemplaires » d'une poétique qui a su conquérir son espace et son rythme sur la fragilité même du quotidien.

BIBLIOGRAPHIE

L'Âge de la parole, poèmes 1949-1960, Montréal, l'Hexagone, « Rétrospectives », 1965; *la Main au feu, poèmes 1949-1968*, Montréal, l'Hexagone, « Rétrospectives », 1973; *Forêt vierge folle*, Montréal, l'Hexagone, « Parcours », 1978.

A consulter. — *La Barre du jour*, 11-12-13, déc. 1967-mai 1968 (« Connaissance de Giguère »).

L. GAUVIN

GILBERT Claude (1652-1720). Écrivain né à Dijon. Avocat dans sa ville natale, il y publia en 1700 une *Histoire de Calejava ou de l'Isle des hommes raisonnables*. Craignant le scandale, il fit brûler toute l'édition et n'en conserva qu'un seul exemplaire. Ce « roman », presque uniquement composé de dialogues moraux et théologiques, est d'une lecture austère : le recours au modèle utopique, à la manière de Cyrano de Bergerac, n'autorise ici aucune concession à la fantaisie ou à l'exotisme. Car les « Avaïtes », situés dans une Lituanie abstraite, sont en réalité nos ancêtres; leur vie communautaire conduite par la Raison apparaît comme un retour aux sources du christianisme, voire d'une religion naturelle antérieure à toute Révélation : l'utopie devient alors une « uchronie » qui inscrit le déisme à l'origine mythique de la société, en cet instant fragile où s'accordent la nature et la raison. Invoquant Descartes pour faire table rase des dogmes et des préjugés, pour revendiquer bien haut « le pouvoir de douter et d'examiner », puis Nicole et Bayle pour établir les bases d'une morale laïque, Malebranche pour critiquer les miracles, balayant un « pari » pascalien qui valide aussi bien l'Islam que la religion chrétienne, le roman de Gilbert opère dans l'héritage du passé un tri sélectif où se lisent déjà l'idéologie et les thèmes des Lumières : refus du célibat monastique (« ces fainéants de contemplatifs ») et de l'argument d'autorité, absurdité des querelles théologiques (« Faut-il pour une hérésie nous brouiller les uns avec les autres? »), droit au bonheur surtout, car « Dieu veut que nous soyons heureux en ce monde ».

BIBLIOGRAPHIE

Histoire de Calejava, réimpression de l'édition de 1700, Paris, E.D.H.I.S., 1970.

A consulter. — F. Lachèvre, *les Successeurs de Cyrano de Bergerac,* Paris, Champion, 1922; B. Tocanne, « Aspects de la pensée libertine à la fin du XVIIe siècle », *Dix-Septième Siècle,* XXXII, 1980.

J.-P. DE BEAUMARCHAIS

GILBERT Gabriel (v. 1620-v. 1680). Probablement d'origine protestante, Gabriel Gilbert fut secrétaire de la duchesse de Rohan, puis de la reine Christine de Suède, qui le nomma résident en France en 1657. Il fut protégé par Mazarin, par Fouquet, par le financier Hervart. Totalement oublié aujourd'hui, Gilbert, auteur prolixe, a, de son temps, joui d'une bonne renommée. Il aurait commencé à écrire vers 1640, dans les genres qui étaient encore à la mode à l'époque: la tragi-comédie et la tragédie. Sa première œuvre, *Marguerite de France,* eut un succès immédiat (1640), et Chapelain écrivait à son propos, dans une lettre à Conrart, qu'il s'agissait d'une œuvre « qui [lui] tira des larmes en quelques endroits et qui [le] toucha presque partout ». Par la suite, il donna *Téléphonte* (1642) et *Rhodogune* (1646), qui fut jouée la même année que la *Rodogune* de Corneille (1644) et s'en inspirait largement. Racine aurait utilisé certains matériaux de son *Hypolite ou le Garçon insensible* (1646). Gilbert publia ensuite une autre tragédie, *Sémiramis* (1647). Il abandonna le théâtre pendant une dizaine d'années, mais il y revint avec une pastorale héroïque, *les Amours de Diane et d'Endymion* (1657). On a de lui une comédie, *les Intrigues amoureuses* (1667), qui appartient au genre de la comédie latine et se fonde sur une intrigue compliquée, inverse de celle des *Ménechmes,* où l'héroïne se fait passer pour deux personnes à la fois, elle-même et son frère jumeau. Ses poèmes (*Recueil de poésies diverses,* 1661) ne comptent aujourd'hui guère plus que son théâtre. Son *Panégyrique de la reine de Suède* peut retenir l'attention des historiens.

BIBLIOGRAPHIE

V. Fournel a publié *les Intrigues amoureuses* dans son tome II des *Contemporains de Molière* (Paris, Didot, 1866). Il existe une thèse de E.J. Pellet, *A Forgotten French Dramatist, G. Gilbert,* Baltimore, J. Hopkins, 1931.

J.-P. RYNGAERT

GILBERT Nicolas Joseph Laurent (1750-1780). Fils de cultivateurs lorrains, le jeune Gilbert tente une première carrière littéraire à Nancy. Il s'essaie dans l'ode officielle, dans la satire et dans la poésie chrétienne. A Paris (1774), il est mal reçu par les encyclopédistes. Aussi se réfugie-t-il dans le clan antiphilosophique. Il obtient le succès par ses deux satires, *le XVIIIe Siècle* (1775) et *Mon apologie* (1778). En même temps, il soutient l'Église militante et, par ses poésies officielles et patriotiques, tente d'obtenir la faveur de la Cour. L'archevêque de Paris, Christophe de Beaumont, lui fait obtenir une pension; la Cour ne l'ignore pas non plus, et les 2 200 livres qu'il reçoit annuellement vers la fin de sa vie, sur la cassette du roi, jointes à la pension que lui sert le *Mercure de France,* lui permettent de subvenir largement à ses besoins. Victime d'une chute de cheval en octobre 1778, il est transporté à l'Hôtel-Dieu. Un grave traumatisme, une trépanation, et c'est la course à la mort; enfin le malade, au cours d'une crise de semi-démence, avale la clé d'une cassette. Subsiste de cette tragique période l'*Ode imitée de plusieurs psaumes,* où figurent les vers célèbres : « Au banquet de la vie infortuné convive, /J'apparus un jour et je meurs (...) ».

L'essentiel de l'œuvre de Gilbert tient dans un petit volume in-16. Y sont représentés les genres à la mode : héroïdes, vers légers, adaptation de Gessner (*Abel*). La coloration dominante est celle d'une mélancolie qu'alimentent le sentiment de la pauvreté, du mérite méconnu, de l'échec et une profonde rancœur. En découle naturellement le penchant pour une satire qui s'en prend à toutes les réussites du jour. En découlent aussi le recours aux consolations de la religion et l'attente de ses foudres vengeresses. Tout doit se terminer dans l'éternité qui suivra le Jugement dernier : « L'Éternel a brisé son tonnerre inutile;/ Et d'ailes et de faux dépouillé désormais,/Sur les mondes détruits le Temps dort immobile ». (*Ode sur le Jugement dernier*). Si Gilbert a connu la célébrité après sa mort, il la doit moins à la belle énergie de sa poésie qu'à sa position particulière de poète catholique des années 1770 et aux plaintes exhalées dans ses vers : on en a oublié le caractère de « thème poétique » pour en faire une vérité biographique, d'ailleurs gauchie en tous sens par les hagiographes du poète. Gilbert est alors le poète mort de faim, rejeté par l'appareil politique de l'Ancien Régime (Vigny, *Stello*); il est le poète catholique victime du siècle de l'athéisme et de la débauche (abbé Clovis Pinard, *Gilbert ou le poète malheureux,* 1844); il devient même le catholique martyrisé par l'oppressante religion de Pascal, et qui n'aurait pu s'épanouir que dans la pure religion protestante! (Bungener, « Deux morts au XVIIIe siècle », dans *Étrennes religieuses,* IV, 1853). Ployable en tous sens, à condition de lui conserver un arrière-plan de misère, de révolte et de foi convulsionnaire, le mythe Gilbert subsiste jusqu'à nos jours. (Cf. encore Cyr Belcroix, *Gilbert, une étoile dans le ciel du XVIIIe siècle,* chez l'auteur, 1970).

BIBLIOGRAPHIE

On peut toujours avoir recours à la thèse déjà ancienne d'Ernest Laffay, *le Poète Gilbert, étude biographique et littéraire,* Paris, 1898.

R. LANDY

GILBERT-LECOMTE Roger, pseudonyme de **Roger Lecomte** (1907-1943). « Écrivant peu, je me promets de n'écrire que l'essentiel ». Ce pari sur l'avenir sera une prophétie : l'œuvre de Gilbert-Lecomte, en effet, sera brève, à l'image de sa vie, brève et paroxystique, convulsive : succession d'éclairs et de crises de mutisme, ensemble fragmentaire de notes, plans de travail, articles, brefs recueils de poèmes, récits de rêve — le contraire, en un mot, d'une œuvre « aboutie », mais dont la disparate n'empêche pas pour autant une cohérence profonde : celle des thèmes, déjà présents dans les premiers poèmes que Gilbert-Lecomte composa à l'âge de quatorze ans et qui, d'un texte à l'autre, tout au long de sa vie, reviendront identiques, avec une constance proche de l'obsession. Révolte contre tout, qui se mêle tour à tour de souffrance ou d'humour, recherche d'une poésie expressive, en deçà et au-delà des mots, dans la droite ligne des grands « voyants », Lautréamont, le dernier Hugo et surtout Rimbaud (son inspirateur privilégié, auquel il consacra deux articles importants), hantise de l'enfance, d'un stade primitif, poétique, onirique et magique... : toute une poétique qu'il associe d'emblée à l'exercice d'une « métaphysique expérimentale », fondée, en grande partie, sur l'usage de la drogue, seule à pouvoir, selon lui, ouvrir les portes de la « voyance ». Amorcée au sein du groupe des « simplistes » qu'en 1922 il crée avec ses amis du lycée de Reims, René Daumal, Roger Vailland, Robert Meyrat..., reprise par la suite au moment du *Grand Jeu* (à la fois groupe et revue, qui, de 1928 à 1932, prolongera les expériences « simplistes »), cette métaphysique, Gilbert-Lecomte sera le seul, en fait, à la vivre jusqu'au bout : jusqu'à la déchéance et l'autodestruction. A partir de 1933, surtout, où, à la suite de sa rupture avec René Daumal, son ami le plus proche, il plonge chaque jour davantage dans la drogue. De cette époque datent ses derniers grands écrits : *la Vie, l'Amour, la Mort, le Vide et le Vent* (1933), recueil de poèmes et son seul vrai livre, ainsi qu'un court essai : *Sima, la Peinture et le Grand Jeu.* Et puis plus rien, sinon des notes et des projets en vue de ce qui aurait dû être son « grand livre », *Retour à Tout* — qui ne verra jamais le jour —, quelques articles épars avant de mourir à trente-six ans à l'hôpital Broussais, à Paris, dans le dénuement le plus total, comme ces « poètes maudits », dont on a souvent fait sa famille d'esprit, à défaut de savoir mieux le définir.

BIBLIOGRAPHIE
Tous les écrits de Roger Gilbert-Lecomte, articles éparpillés dans diverses revues de l'époque, recueils, ou notes inédites ont été rassemblés dans l'édition posthume de ses œuvres complètes chez Gallimard : *Œuvres complètes,* t. I (Proses), 1974; *Œuvres complètes,* t. II (Poésies), 1977, de même que sa *Correspondance,* 1971. À signaler, l'anthologie de morceaux choisis, établie et présentée par Arthur Adamov, sous le titre de *Testament,* Gallimard, 1955.
A consulter. — Outre de nombreux articles de revues, un seul livre jusqu'à ce jour : Alain et Odette Virmaux., *Roger Gilbert-Lecomte et le Grand Jeu,* Paris, Belfond, 1981.

N. VASSEUR

GIL BLAS (le) (1879-1914). Le journal *le Gil Blas* est fondé, en 1879, par Auguste Dumont, ancien associé de Villemessant au *Figaro* du second Empire et de Magnier à *l'Événement* d'après 1871. Il est, lorsque la République, enfin assise, va pouvoir (1881) proclamer la liberté de la presse, un journal typiquement parisien, « blagueur », boulevardier, avec un côté mondain où il verse trop volontiers. S'il se voulut d'abord « littéraire », il ne résista pas à l'attraction du « potin », même grivois. Le succès qu'il obtient est donc ambigu; le journal reste littéraire par tout ce qu'il a publié de « contes » et de nouvelles (de Maupassant surtout); mais il se fait lire encore plus par ses « nouvelles à la main » (il reprend la vieille rubrique du XIXe siècle), par ses échos (du « Diable boîteux » et autres), tous très « parisiens ». Son parisianisme et sa « gauloiserie » sont cocardiers, factices, affectés. Ils préparent cette « Belle Époque » dont *le Gil Blas,* par la suite, sera l'expression parfaite. Les échos très parisiens n'empêchent nullement les « déclamations sur la décadence des mœurs, sur l'abaissement des caractères, l'affaiblissement du patriotisme et l'anémie de l'honneur français » (*Bel Ami,* I, 8).

Vendu 15 centimes, il atteint, dès 1880, un tirage de vingt-huit mille exemplaires. Ses promoteurs sont, avec Auguste Dumont, Catulle Mendès et Armand Silvestre. Quelques poursuites, presque provoquées, aideront au succès. Les bonnes signatures ne manquent pas : Catulle Mendès, déjà nommé, Rochefort, Villiers de L'Isle Adam, Barbey d'Aurevilly, Léon Cladel, Maupassant. Ces auteurs donnent des chroniques ou des feuilletons. Les chroniques, signées Maupassant (ou MAUFRIGNEUSE), Paul Arène, Émile Bergerat, Clovis Hugues, René Maizeroy, Jean Richepin — ou de pseudonymes : COLOMBINE, POMPON, SANTILLANE (qui cachent ces mêmes écrivains et quelques autres) —, sont très prisées. On lit aussi dans *le Gil Blas* des feuilletons de Zola, Hector Malot, Georges Ohnet, Paul Bourget. Jules Vallès y publie (janv.-mai 1882) son *Journal d'Arthur Vingtras,* qui complète la trilogie, les esquisses de son *Tableau de Paris* (Vallès n'apparaît guère au journal; il attend au café voisin les épreuves de ses articles, que lui apporte Séverine). La collaboration de Maupassant est la plus longue et la plus caractéristique; elle va de 1881 à 1888; Maupassant donne des articles littéraires ou paralittéraires, tout au long des années 1881, 1882, 1883, 1884, 1885...; *le Gil Blas* publie en feuilleton, de février à avril 1883, le roman *Une vie;* d'avril à mai 1885, *Bel Ami;* de décembre 1886 à février 1887, *Mont-Oriol...* Hors feuilletons, Zola défend surtout, dans le journal par, « Lettres au Directeur » interposées, certaines de ses œuvres : lettre sur *le Rêve* (8 novembre 1888), lettre sur *la Bête humaine* (13 novembre 1889). *Le Gil Blas* présente aussi une chronique théâtrale, assortie d'échos, qui exerce des chantages plus ou moins subtils envers les actrices; aussi bien le journal s'en prend volontiers aux demi-mondaines, aux artistes, aux hôtes des tables de jeu; il se nourrit de scandales. Journal littéraire et mondain, il ne néglige aucune zone du « monde » : demi-monde, quart-de-monde... Les échos se diversifient et se recoupent : certains émanent du pouvoir (échos de la Préfecture, échos parlementaires...); d'autres sont en apparence plus littéraires (échos de la Comédie-Française, échos de l'Académie française, etc.).

« Les échos sont la moelle du journal. C'est par eux qu'on lance les nouvelles, qu'on fait courir les bruits, qu'on agit sur le public et sur la rente. [...] Il faut, par des sous-entendus, laisser deviner ce qu'on veut, démentir de telle sorte que la rumeur s'affirme, ou affirmer de telle manière que personne ne croie au fait annoncé. Il faut que, dans les échos, chacun trouve, chaque jour, une ligne au moins qui l'intéresse, afin que tout le monde les lise. Il faut penser à tout et à tous, à tous les mondes, à toutes les professions, à Paris et à la Province, à l'Armée et aux Peintres, au Clergé et à l'Université, aux Magistrats et aux Courtisanes » (Maupassant, *Bel-Ami,* I, 6).

A la mort d'Auguste Dumont, en 1885, la direction du *Gil Blas* est assumée par l'imprimeur Dubuisson, qui crée un supplément hebdomadaire, *le Gil Blas illustré.* Puis viendront René d'Hubert et Jules Guérin. Mais, dès 1888, une partie de la rédaction initiale, avec Catulle Mendès, Armand Silvestre, Fernand Xau, est passée à *l'Écho de Paris.* Lente mais inexorable décadence. En 1903, *le Gil Blas* ne tire plus qu'à cinq mille exemplaires. Le journal est repris par Antonin Périnier et l'éditeur Ollendorf; en 1911, il est racheté par des banquiers, les frères Merzbach; il disparaît en 1914.

Le Gil Blas aura vécu près de trente-cinq ans. On peut admettre que *Bel-Ami* de Maupassant — qui parut en feuilleton dans le journal même... — en fournit une évocation romancée; le BARON DE VAUX (pseudonyme de Vauquelin), qui signa souvent dans *le Gil Blas* les articles sur le sport, a sans nul doute servi de modèle pour le personnage de Bel-Ami.

R. BELLET

GILLÈS Daniel (né en 1917). V. BELGIQUE. Littérature d'expression française.

GILLES Pierre (1489-1555). Né à Albi, Pierre Gilles reçoit une solide formation d'humaniste. Entré au service de l'évêque Georges d'Armagnac, qui deviendra cardinal, il rédige à l'adresse de Charles Quint des mémoires demandant la libération de François Ier, prisonnier depuis Pavie (1525), puis écrit, toujours en faveur de la monarchie française, contre Henri VIII d'Angleterre. C'est par l'étude du grec (il a composé également un lexique grec-latin) qu'il est amené à s'intéresser aux sciences de la nature : la traduction latine d'un manuscrit d'Élien, *De vi et natura animalium* (« De la force et nature des animaux », 1534), qu'il enrichit de gloses empruntées à Porphyre, à Héliodore et à Oppien, impose son autorité de savant. Un long voyage en Orient à partir de 1544 va lui permettre moins de vérifier sur le terrain l'exactitude de sa science que de « chercher et amasser des livres anciens pour l'accomplissement » de la bibliothèque du roi. C'est ainsi qu'à Jérusalem, en novembre 1549, il se dispute avec Guillaume Postel pour l'acquisition de « vieux livres », sous les yeux de l'ambassadeur de France Gabriel d'Aramon. Au retour de ce voyage aventureux, où, faute d'argent, il a dû s'engager un temps dans l'armée du Grand Turc (1548-1549), il meurt à Rome, auprès du cardinal d'Armagnac. Mis à part une *Nouvelle Description de l'Éléphant* envoyée du Levant à son protecteur, la plupart de ses ouvrages sont posthumes. Le *De Bosphoro Thracio* (« Du Bosphore de Thrace ») et le *De topographia Constantinopoleos* sont publiés en 1561-1562 par les soins de son neveu Antoine Gilles. Pierre Gilles est un peu l'antithèse de son contemporain Pierre Belon, qui sera accusé — faussement — de l'avoir plagié. Alors que Belon est avant tout un expérimentateur, d'une culture humaniste bien fragile (il ignore le grec et estropie le latin), mais par là même exempt d'idées reçues, Gilles apparaît comme un humaniste égaré sur les pistes du Levant, où il tente de mettre ses pas dans ceux de Pausanias et de Denys le Périégète. Et sa description du Bosphore ne s'écarte guère de modèles composés quinze siècles plus tôt.

BIBLIOGRAPHIE
E.T. Hamy, *Pierre Gilles d'Albi*, Toulouse, Privat, 1900; Paul Delaunay, « l'Aventureuse Existence de Pierre Belon » (ch. VI-VII), *Revue du XVIe siècle*, t. XII, 1925, p. 256-282.

F. LESTRINGANT

GILLET DE LA TESSONNERIE ou **DE LA TESSONIÈRE** (1620?-1660?). Personnage obscur dont une comédie, *le Desniaisé*, fait l'objet d'une énigme de l'histoire littéraire pour sa ressemblance extrême avec *le Docteur amoureux*, comédie attribuée à Molière. On sait de lui qu'il est « conseiller en la cour des monnaies » en 1642, qu'il publie, dès 1640 et jusqu'en 1657, plusieurs pièces en cinq actes, dont la plus connue demeure *le Campagnard* (jouée au Marais par Jodelet en 1657). Par la suite, on perd sa trace, et on pense qu'il est mort peu après. Parmi ses œuvres, *la Comédie de Francion* (1642), tirée du roman de Charles Sorel, traite du thème de l'impuissance sexuelle. Deux des cinq tragi-comédies qu'il écrit entre 1640 et 1646 ont la particularité d'offrir la même structure. Dans *le Triomphe des cinq passions*, un magicien fait assister Arthémidore à cinq courtes tragédies qui devront le guérir de cinq passions différentes (une par acte). *L'Art de régner ou le Sage Gouverneur* (1645) est également constitué par cinq « pièces dans la pièce », qui sont autant de leçons de morale prévues par un précepteur à l'intention du prince, son élève. Cette tragi-comédie dut avoir un certain succès puisqu'elle fut publiée en traduction à Amsterdam en 1667.

Le nom de Gillet de La Tessonnerie reste surtout attaché au *Desniaisé* (1652). Certains historiens, comme A.J. Guibert, ont pensé que cette pièce était postérieure au *Docteur amoureux*, et que Gillet aurait « volé » le canevas de sa pièce à Molière. Plus récemment, selon P. Lerat, c'est l'inverse qui se serait produit. Molière serait bien l'auteur du *Docteur amoureux*, dont il aurait emprunté l'essentiel au *Desniaisé*, y ajoutant quelques scènes de sa façon. Ce débat a valu au *Desniaisé* une réédition récente.

BIBLIOGRAPHIE
Le Docteur amoureux, comédie attribuée à Molière, suivi du *Desniaisé*, de Gillet de La Tessonnerie, éd. critique prés. par P. Lerat, Paris, Nizet, 1973. Les autres textes n'existent qu'en édition originale.

J.-P. RYNGAERT

GILLIARD Edmond (1875-1960). V. SUISSE. Littérature d'expression française.

GINGUENÉ Pierre Louis (1748-1816). Poète, critique et idéologue, Ginguené appartient à ce groupe d'intellectuels qui maintient l'héritage des Lumières après la Révolution. Son nom reste inséparable de l'aventure de *la Décade*.

Lié avec Parny, Ginguené entame une carrière de poète dans la tradition des vers légers (*la Confession de Zulmé*). Il écrit dans *l'Almanach des Muses, le Mercure* et *le Journal de Paris*, et la Révolution le voit suivre le trajet classique des modérés : adhésion aux principes, ouvrages de circonstance (*De l'autorité de Rabelais dans la Révolution présente et dans la constitution civile du clergé, Lettre sur les « Confessions » de Jean-Jacques Rousseau*, 1791); incarcération sous la Terreur; collaboration avec les thermidoriens, qui le chargent d'organiser l'instruction publique; entrée à l'Institut.

Avec cinq de ses amis, François Andrieux, Amaury Duval, Jean-Baptiste Say, Joachim Le Breton et Georges, il crée *la Décade* (premier numéro : 10 floréal an II/29 avril 1794), qui deviendra *la Revue ou Décade philosophique*, puis *la Revue philosophique* (dernier numéro : 21 septembre 1807). Ce périodique apparaît comme l'organe d'une intelligentsia républicaine et laïque, pour qui le peuple, s'il doit bénéficier du progrès, ne peut en être l'agent, du fait de son manque de ... lumières.

Après être tombé dans le piège de Brumaire, Ginguené s'oppose au Premier Consul dans la revue et au Tribunat. La fin de cette assemblée puis la fusion de *la Décade* avec le *Mercure* de Chateaubriand et Fontanes — fusion imposée par Napoléon — mettent fin aux activités « idéologiques » de Ginguené, qui se cantonnera désormais dans son enseignement à l'Athénée, où il professe, de 1802 à 1806, un cours sur la littérature italienne. Il publiera, à partir de 1811, une *Histoire littéraire de l'Italie* qui fait de lui un authentique précurseur de la littérature comparée, dans la tradition des Idéologues, promoteurs d'une Internationale des Lumières et du libéralisme bourgeois.

G. GENGEMBRE

GIONO

GIONO Jean Ferdinand (1895-1970). Giono est avant tout romancier. D'une œuvre abondante et multiforme (poèmes, pièces de théâtre, scénarios de cinéma, textes de combat, essais) la postérité aura essentiellement retenu les romans, récits et nouvelles, où Giono apparaît comme un conteur inlassable, toujours prêt à tirer de son univers imaginaire des « histoires » aux résonances souvent allégoriques mais très vivantes et apparemment réalistes. Ce qui caractérise Giono et fait l'unité de son œuvre, c'est sans aucun doute le don de la narration.

On s'accorde généralement à considérer trois étapes dans son itinéraire romanesque : des premières œuvres, imprégnées de culture biblique et grecque, seraient nées une morale et une conception du monde qui firent le succès de Giono pour les générations de l'avant-guerre, en quête de valeurs spirituelles. Après la longue période qui couvre la mobilisation, la guerre puis la Libération, l'écrivain aurait adopté une nouvelle manière, moins didactique mais plus pessimiste et violente, où la narration devient davantage alerte et elliptique : c'est le ton stendhalien des « chroniques » et du *Hussard sur le toit*. Si ces distinctions rendent assez bien compte de l'évolution stylistique de Giono, il convient toutefois de ne pas tomber dans un schématisme exagéré qui risquerait d'aboutir à une méconnaissance de la profonde unité thématique de l'œuvre.

Manosque, une Provence imaginaire

Né dans une famille modeste d'origine en partie italienne et de tradition laborieuse, Jean Giono fut de bonne heure contraint de travailler — d'abord comme employé de banque — dans son bourg natal, Manosque. Mais c'est avant tout le côtoiement de bergers (le plus vieux métier du monde, Giono se plaisait à le rappeler), à l'occasion de vacances passées dans la solitude désertique, un peu effrayante pour un enfant, de la haute Provence, qui devait décider de la vocation littéraire (originellement poétique) du jeune Giono. C'est en effet dans le cadre naturel et sauvage de ces plateaux qu'il éprouvera le mélange d'angoisse et de fascination devant le mystère du monde dont ses lectures classiques (une Bible [cf. l'épisode du don idéalisé dans l'autobiographie fictive *Jean le Bleu*], *l'Iliade*, puis les tragiques grecs : pour l'employé pas très argenté, les ouvrages des « Classiques Garnier » sont les plus abordables) allaient lui donner une confirmation mythique. Redécouvrant l'inquiétude panique qui est le propre de l'homme vivant au contact de la nature, Giono a en même temps la révélation des légendes antiques et des créations artistiques qui tentent de rétablir un pont entre l'homme et le cosmos. De cette grande nature, Giono se sent à la fois proche et exclu. Cette veine dionysiaque, surtout sensible dans les premiers textes (*Naissance de l'Odyssée*, *Présentation de Pan*), se retrouvera néanmoins à travers l'ensemble de l'œuvre.

La Grande Guerre, où Giono, jeune recrue participant aux épisodes les plus meurtriers, allait se trouver confronté au double drame du déracinement et de la barbarie (cf. les scènes apocalyptiques du *Grand Troupeau*), devait conforter son attachement à la littérature, seule possibilité d'évasion dans un monde dominé par le mal (un exemplaire de *la Chartreuse de Parme* ne le quitte pas durant toute la guerre des tranchées), à la Provence ensoleillée (ce « Sud imaginaire » où il situera la plupart de ses romans jusqu'aux « chroniques »), patrie du rêve plus encore que de l'observation réaliste, enfin à l'affirmation définitive d'un pacifisme sans compromission (cf. le pamphlet *Refus d'obéissance*, publié en 1937) et à la condamnation de la civilisation moderne du progrès et de l'industrie qui, selon lui, conduit irrémédiablement à l'engagement militaire.

Giono maître à penser : le gionisme

Les lecteurs de *Colline*, du *Chant du monde*, de *Que ma joie demeure*, etc., voient alors en Giono le pourfendeur d'un Occident en crise, le théoricien de l'échec d'une bourgeoisie qui rêvait de maîtriser la nature, et le prophète d'une ère nouvelle dont *les Vraies Richesses* constituent le credo. De fait, Giono lui-même, dans sa préface à cet ouvrage, signée en janvier 1936 de Manosque, n'hésite pas à reprendre les stéréotypes rousseauistes : « Les bêtes sauvages sont admirables. Un renard saute deux mètres en hauteur, tant qu'il veut. Le cœur d'un oiseau est une merveille. Le poumon des canards sauvages est une joie et une richesse formidable pour le canard. La société construite sur l'argent détruit les récoltes, détruit les bêtes, détruit les hommes, détruit la joie, détruit le monde véritable, détruit la paix, détruit les vraies richesses ». Inconscient des naïvetés du cliché, emporté par sa générosité de poète, Giono fonde ainsi, malgré lui, le culte païen d'un retour à la nature dont *Regain* est l'allégorie transparente et qui sera concrétisé, à partir de 1935, par les activités collectives antifascistes (vite transformées en pèlerinage) et le style de vie des communautés contadouriennes.

Paradoxalement, Giono se retrouvera donc le chantre d'un paysannat utopique où la droite puisera ses mythes. Son « engagement » lui vaudra d'être emprisonné deux fois au moment de la Seconde Guerre mondiale : en 1939 comme antimilitariste; en 1945 comme vichyssois. Mais réduire Giono à un rôle de guide moral, ce serait ne retenir de l'œuvre que la tendance au message — certes très sensible dans les années 30 — et ignorer à la fois la richesse stylistique de l'écrivain et l'unité profonde de ses écrits.

Giono écrivain : les multiples visages de l'œuvre romanesque

Une première constatation s'impose : il n'est pas un type de récit qui n'ait été abordé avec succès par Giono. La prose lyrique, rythmée comme un poème, apparaît dès *Colline;* elle se dépouille dans les textes courts de *Solitude de la pitié*, par exemple, ou dans les nouvelles de *l'Eau vive*, de *Faust au village*. L'autobiographie est illustrée par *Jean le Bleu*, et le récit à la première personne se retrouvera dans *Fragments d'un paradis*. La vivacité du conte oral, avec ses multiples digressions, est la matière même de *Un de Baumugnes* ou de *Noé*. La narration devient elliptique avec les romans du *Hussard sur le toit*, où l'analyse psychologique d'Angelo emprunte à Stendhal le détachement, l'ironie, la désinvolture.

Il y a donc loin, au niveau de l'écriture, des archaïsmes un peu recherchés de *Naissance de l'Odyssée*, du flux perpétuel des métaphores des premiers romans où la nuit « couvre le monde de ses ailes », où le petit montagnard regarde « s'endormir devant [lui] la marée immobile des terres hautes » (*Jean le Bleu*), à la sécheresse allusive des « chroniques » où l'auteur multiplie les points de vue et décrit, en usant du style indirect, les sentiments de ses personnages, puis à l'humour noir qui apparaît dans *les Âmes fortes*. Le ton parfois biblique, proche de la parabole donnait à certaines répliques de *Regain* un caractère mélodramatique qui fait aujourd'hui sourire et que le film de Marcel Pagnol devait accentuer (par exemple, Arsule s'extasiant sur la charrue qui va permettre à Panturle son premier labour : « Oh! elle fait, ça c'est beau; on dirait un devant de barque »). Si ce ton s'estompe progressivement, le symbole reste au cœur de la création littéraire chez Giono : jusque dans *le Hussard sur le toit*, la nature, pourtant hostile, a un visage humain (les talus sont « brûlés jusqu'à l'os », la route « serpente à coups de reins », etc.), et, si le mal y est intériorisé derrière l'image d'une épidémie de choléra, une même tristesse ontologique relie les œuvres de la maturité, très noires, à l'apparent rayonnement des romans du début, où la nature, quoique omniprésente et insufflant vie et espoir à l'homme, était cependant ressentie par celui-ci comme radicalement autre, violente, énigmatique. D'où l'échec de Bobi pour rétablir le paradis sur terre dans *Que ma joie demeure*, au titre trompeur, et le sentiment universel, dans l'ensemble de l'œuvre, du tragique de la création. Cette angoisse qui caractérise la vision du monde de Giono n'exclut pas un profond courant vitaliste dont l'optimisme fondamental transparaît précisément dans le bonheur de l'écriture.

	VIE		ŒUVRE
1795	Naissance, dans le Piémont, de Jean-Baptiste Giono, grand-père de Jean Giono. Il s'expatrie bientôt en France.		
1845	Naissance de Jean-Antoine, père de Jean Giono. Il s'établira cordonnier à Marseille, en 1866.		
1857	Naissance de Pauline Pourcin, mère de l'écrivain. Elle se fixera à Manosque à partir de 1870.		
1883-1884	Épidémie de choléra en Provence.		
1892	Mariage de Pauline Pourcin et de Jean-Antoine Giono. Ils se fixent à Manosque.		
1895	30 mars : naissance de Jean Ferdinand Giono. La famille s'est installée 14, rue Grande.		
1897	Naissance à Manosque, d'Élise Maurin.		
1900-1910	Études à Manosque. Jean Giono se lie d'amitié avec son condisciple H. Fluchère. Vacances en Provence.		
1906	Crue très importante de la Durance.		
1911	Obligé de quitter le collège en classe de seconde à cause de la précarité des ressources de ses parents, Jean Giono entre au Comptoir national d'escompte, d'abord comme chasseur. Nombreuses lectures. Subit surtout l'influence des livres les moins onéreux : les ouvrages des « Classiques Garnier ».		
1914	Rencontre Élise Maurin, professeur au collège de Manosque. Giono est envoyé comme élève aspirant à Montségur, dans la Drôme.		
1916-1917	Envoyé au front : les Éparges, Verdun, Chemin des Dames.		
1918	Premier voyage à Paris.		
1919	Démobilisé, revient à Manosque.		
1920	Mort de Jean-Antoine Giono. 22 juin : mariage avec Élise Maurin. Le couple s'installera 8, rue Grande, à Manosque. Giono trouve un travail d'employé de banque à Manosque.		
1920-1925	Divers voyages en Provence, dans le Briançonnais et en Suisse. Les Giono se réinstallent au 14, rue Grande.		
		1921-1923	Collaboration à la revue marseillaise *la Criée.* Giono publie une série de poèmes, entre autres « Jeux ou la Naumachie ».
		1923	Premiers textes en prose *(l'Ermite de Saint-Pancrace).*
		1924	« Accompagnés de la flûte », poèmes publiés dans *les Cahiers de l'artisan.*
1926	25 oct. : naissance d'Aline Giono.		
1929	Giono passe à l'agence du Crédit du Sud-Est. Il s'installe dans un appartement de fonction, 1, boulevard de la Plaine. Déc. : Giono abandonne son emploi pour tenter de vivre de sa plume.	**1929**	15 mars : publication de *Colline,* chez Grasset. 25 mars : reçoit le prix Brentano pour ce roman. 1er août : parution de *Un de Baumugnes* dans *la Nouvelle Revue française.*
1930	Achète une petite maison sur les pentes du Pont d'Or. Il y passera toute sa vie. Par contrat, Giono partagera sa publication entre Gallimard et Grasset.	**1930**	15 fév. : *Présentation de Pan,* dans *la Revue de Paris.* 24 oct. : *Regain,* Grasset.
		1931	Fin de la publication du *Serpent d'étoiles,* dans *les Nouvelles littéraires.* 27 nov. : *le Grand Troupeau,* chez Gallimard.

	VIE		ŒUVRE
1932	9 juill. : Giono est nommé chevalier de la Légion d'honneur.	**1932**	23 sept. : *Solitude de la pitié* (Gallimard). 30 sept. : première représentation, à Genève, de la pièce *Lanceurs de graines.* 11 nov. : *Jean le Bleu* (Grasset).
		1933	*Le Serpent d'étoiles* (Grasset).
1934	11 août : naissance de Sylvie Giono.	**1934**	Marcel Pagnol tire de *Un de Baumugnes* deux films : *Angèle* et *Jofroy de la Maussan.* 15 juin : *le Chant du monde* (Gallimard).
1935	Premier agrandissement de sa maison du Paraïs. Sept. : une excursion d'une cinquantaine de personnes à Manosque le conduit cinq jours plus tard au campement du Contadour dans la montagne de Lure. C'est le début des rencontres antifascistes du groupe de Contadour.	**1935**	*Que ma joie demeure* (Grasset).
1936	Mars-avril : second « Contadour ». Été : vacances aux Queyrelles (près de Briançon). Giono et sa famille y feront encore plusieurs séjours. Sept. : troisième « Contadour ».	**1936**	10 avr. : *les Vraies Richesses* (Grasset). Juillet : premier numéro des *Cahiers de Contadour.*
1937	Pâques : quatrième « Contadour ». Sept. : cinquième « Contadour ». Décisions pacifistes. Refus de participation à toute guerre éventuelle.	**1937**	Marcel Pagnol tourne, avec Fernandel, *Regain.* 15 janv. : *Refus d'obéissance* (Gallimard). 6 août : *Batailles dans la montagne* (Gallimard).
1938	Malgré l'invasion de l'Autriche par les troupes allemandes, Giono reste sur ses positions antimilitaristes. Pâques : sixième « Contadour ». Sept. : septième « Contadour ».	**1938**	Marcel Pagnol tourne, avec Raimu, *la Femme du boulanger* (d'après un épisode de *Jean le Bleu).* Août : publication, chez Grasset, de *Messages en faveur de la paix.* 7 oct. : *le Poids du ciel* (Gallimard). 16 déc. : *Précisions* (Grasset).
1939	Avr. : huitième « Contadour ». Rassemblement pacifiste. Août : neuvième « Contadour ». 5 sept. : mobilisé à Digne, Jean Giono y est arrêté pour ses tracts pacifistes. Nov. : Giono est libéré sur l'intervention de Gide auprès d'Édouard Daladier.		
		1941	Traduction de *Moby Dick* (Gallimard). 30 mai : première représentation, à Paris, de la pièce *le Bout de la route.*
		1942	Févr. : *Triomphe de la vie* (Grasset).
		1943	Avr. : *l'Eau vive* (Gallimard).
1944	Fin août : Giono est arrêté quelques jours après le débarquement allié au Trayas. Il sera libéré le 2 fév. 1945.		
1946	17 janv. : mort de la mère de Jean Giono.		
		1947	13 juin : *Un roi sans divertissement* (La Table ronde). 27 juin : les éditions du Rocher à Monaco publient *le Voyage en calèche,* pièce interdite par la censure en 1943.
		1948	16 janv. : *Noé* (La Table ronde). Mai : adaptation cinématographique du *Chant du monde.* Juill. : *Mort d'un personnage,* dans *la Revue de Paris.*
		1950	6 janv. : *les Âmes fortes* (Gallimard).
1951	Sept.-oct. : voyage en Italie.	**1951**	18 mai : *les Grands Chemins* (Gallimard). Août : « le Moulin de Pologne », dans *la Revue de Paris.* 9 nov. : *le Hussard sur le toit* (Gallimard).
1952	Printemps : voyage en Angleterre et en Écosse.		
1953	Avr. : le grand prix de Monaco est décerné à Giono pour l'ensemble de son œuvre. Févr.-juin : diffusion des *Rencontres avec Jean Giono,* première série de quinze entretiens enregistrés par Marguerite Taos et Jean Amrouche. Sept. : second voyage en Italie. Oct.-déc. : diffusion de la suite des *Rencontres* (sept entretiens radiophoniques).	**1953**	11 févr. : adaptation radiophonique, par A. Bourdil, du *Hussard sur le toit,* avec Gérard Philipe et Jeanne Moreau. Juill.-nov. : « Angelo », dans *la Nouvelle Revue française*; publié en volume, 1958 (Gallimard). 25 déc. : *Voyage en Italie* (Gallimard).

	VIE		ŒUVRE
1954	Procès Dominici à Digne. 6 déc. : Giono est élu à l'académie Goncourt.		
1955	Janv.-juin : diffusion de vingt et un entretiens enregistrés à Manosque par Marguerite Taos sous le titre *Propos et récits de Jean Giono.*		
		1956	Nov. : *Bernard Buffet* (Hazan).
		1957	5 avr. : *le Bonheur fou* (Gallimard).
		1958	F. Villiers tourne *l'Eau vive* avec Pascale Audret.
1959	19 mars : mariage de Sylvie Giono avec Gérard Durbet.	**1959**	Début de la collaboration de Giono au *Dauphiné libéré* et à *Nice Matin.*
1960	Début d'une série de séjours aux Baléares.	**1960**	Scénario du film *Crésus* avec Fernandel.
		1963	F. Leterrier adapte à l'écran *Un roi sans divertissement.* 1er mars : *le Désastre de Pavie* (Gallimard).
		1965	Marcel Camus met en scène *le Chant du monde.* 8 nov. : *Deux Cavaliers de l'orage* (Gallimard).
		1968	15 sept. : *Ennemonde* (Gallimard).
1970	9 oct. : Giono meurt à Manosque. Il y est enterré.	**1970**	25 févr. : *Iris de Suse* (Gallimard).
		1972	*Les Récits de la demi-brigade* (Gallimard).
		1977	*Faust au village* (Gallimard).
		1980	*Angélique,* premier roman de jeunesse, inédit (Gallimard). Adaptation télévisée de *Colline.* *Œuvres cinématographiques (les Cahiers du cinéma).*

Pan (trilogie)

Colline, Un de Baumugnes, Regain : trois romans qui tentent d'arracher son secret à Janet, ce personnage de *Colline* mort trop tôt pour que le monde ait trouvé un sens, trop tard pour que l'écrivain reste insensible à sa charge de mystère.

« C'est en quelque sorte un poème en prose démesuré », dit Giono à propos de *Colline.* De fait, ce roman s'inscrit bien dans la lignée des premières œuvres, poèmes ou récits bucoliques comme *Accompagnés de la flûte* ou *Rustiques* (« Champs », dans *Solitude de la pitié*). Mais ce livre, écrit en 1927, lu avec enthousiasme par Jean Guéhenno puis publié chez Grasset en 1928, marque en même temps un tournant décisif dans l'inspiration de Giono : après le lyrisme exubérant — à la limite de la préciosité — de *Naissance de l'Odyssée,* celui-ci s'oriente vers la création d'un univers pathétique mais dépouillé, où l'analyse de l'obscurité intérieure et l'ambiguïté de la vie cosmique se fondent en un récit à la fois lumineux et inquiétant, témoin de la présence cruelle de Pan. Le sacré est aussi, chez Giono, le signe de la souffrance : « Cette marque resta dans mon cœur, comme un endroit meurtri, comme le dessin du fer chaud sur la cuisse du bélier, une place plus sensible, et la petite douleur de la blessure mal recollée sera désormais ma sœur éternelle » (Préface à l'édition de 1930). Tout le travail de l'écriture sortira de cette énigme, de cette « terreur divine » qui ont déclenché chez Giono la nécessité d'une quête incessante, inlassable, à travers les mots humains, d'un au-delà mythique sinon mystique : « Il faudra que je parle de cette force qui ne choisit pas, mais qui pèse d'un poids égal sur l'amandier qui veut fleurir, sur la chienne qui court sa course, et sur l'homme » (*Présentation de Pan,* 1930).

Moins « panique » que le livre précédent, *Un de Baumugnes* (1929) se caractérise davantage par la douceur de la nostalgie, voire par la tendresse; la voix sereine d'un récitant âgé impose d'ailleurs un ton confidentiel et l'impression d'une sorte de sagesse, qui n'excluent cependant pas la violence : le thème de la claustration, signe d'une cruauté inévitable dans les rapports humains, rattache encore ce livre non seulement à *Colline* mais à *Regain.*

Rédigé de 1928 à 1930, *Regain* paraît chez Grasset en 1930. Le point de départ de ce roman se situe moins dans l'imagination de l'auteur que dans l'anecdote réelle : en effet, employé de banque, Giono a pu, en tant que démarcheur, rencontrer l'unique habitant de Redortiers, un vieux célibataire, et s'en inspirer pour camper le personnage de Panturle. Mais le fantastique l'emporte vite sur la réalité, notamment avec l'entrée en scène de la Mamèche, symbole de l'éternité cosmique au-delà de la mort.

Synopsis. — I. La diligence de Banon à Vachères passe à proximité d'Aubignane (I). Ce village est désert : il n'y reste plus que trois maisons habitées (II) : celle d'un forgeron, Gaubert, habile fabricant de charrues; celle de la vieille Mamèche, dont le mari, puisatier, est mort dans un éboulement; celle de Panturle enfin, homme dans la force de l'âge mais qui, célibataire, vit comme un sauvage. Cependant, le rémouleur Gédémus et Arsule, sa compagne, qu'il utilise comme une bête de somme, sont amenés à passer par Aubignane. Un sentiment de terreur les envahit, sur le plateau, où ils voient passer une étrange silhouette noire, puis dans le village désert, où, sur le seuil d'une maison, ils aperçoivent une trace de sang (III). Ils décident alors de passer la nuit à l'extérieur du village. Le lendemain, Arsule a disparu : elle a suivi Panturle, le chasseur, qui, enfermé dans sa maison avec le renard qu'il venait d'égorger, avait vu passer les deux étrangers (IV).

II. Grâce à la vertu rédemptrice de l'amour, Panturle et Arsule commencent à découvrir, l'un avec l'autre, le bonheur des joies simples. Gaubert fait don à Panturle de sa dernière charrue (I). Panturle abandonne peu à peu la chasse et entreprend de cultiver la terre. Il découvre le cadavre desséché de la Mamèche : il le porte dans le puits, auprès de celui de son mari défunt. Arsule se rend compte que l'ombre mystérieuse qui les avait conduits sur le plateau n'était autre que la Mamèche (II). Panturle vend sa première récolte de blé. A Gédémus, venu reprendre Arsule, il donne 60 francs pour s'acheter un âne (III). Peu à peu, Aubignane commence à se repeupler (IV). Au début du printemps, Arsule annonce à Panturle qu'elle est enceinte (V).

Le message moral — voire la prédication sociale — apparaît en même temps que cette vision allégorique d'une résurrection de la terre et de la vie grâce à l'amour — suscité par le sacrifice de la vieille. Mais si l'homme se dresse victorieux en face du destin qui semblait devoir l'anéantir, si, ici, le didactisme de Giono n'évite pas toujours le mélodrame, le souci esthétique et narratif l'emporte sur le risque de la propagande en faveur d'un retour aux vertus de la terre et de la tradition. Le respect des institutions sociales (symbolisées par la toute-puissance du couple) et des valeurs établies, notamment le travail (symbolisé par le don de la charrue), s'efface au profit d'une vision sacralisée et ritualisée des activités humaines, qui s'harmonisent ainsi avec les grands rythmes de l'ordre cosmique.

Les épopées romanesques

Avec *le Chant du monde*, dans sa seconde version, celle de 1934 (la première ayant disparu), Giono inaugure une nouvelle conception du roman : les aventures sont plus nombreuses, les personnages sont moins proches des modèles réels, la tendance à l'allégorie se trouve renforcée. Sans que l'on puisse parler de fantastique, puisque aucun événement invraisemblable ne s'y déroule, force est de reconnaître l'importance accordée à l'imaginaire tant au niveau de l'intrigue, chargée en aventures, qu'à celui de la signification symbolique, avec une géographie aux limites de la magie et des personnages dont les rôles conflictuels évoquent les grands drames cosmiques.

Humanité sauvage, proche des éléments, vivant à l'« état de nature », civilisation primitive et violente : ce qui, à première lecture, peut apparaître comme la description d'un univers humble et populaire est en fait une vision légendaire, épique, destinée à illustrer, conformément au titre, la cosmogonie de Giono. A travers le lyrisme de la narration transparaît le culte gionien du bonheur, fondé sur la sensualité, l'acceptation de la souffrance (la mort étant elle-même métamorphosée en excès de volupté; cf. l'agonie du marcassin, où la bête, vautrée dans la boue fraîche des roseaux, ne s'arrête pas, bien que mortellement blessée, de « gémir ses gémissements heureux »), l'attribution d'un sens aux activités humaines idéalisées (cf. le « baptême » d'Antonio-« Bouche d'or »), en harmonie avec une nature « animisée », et l'affirmation d'un optimisme radical fondé sur le postulat du vitalisme : « Le monde a du bien et du mal. Tu as encore beaucoup de bien à sentir », s'entendait dire Clara, l'aveugle, de la bouche d'Antonio. Cette réplique a, si on la rapproche de l'apothéose finale du livre, une valeur prophétique qui peut résumer le gionisme. *Les Vraies Richesses* (1937) poursuivront cette veine du roman didactique et mythique. Mais dès 1935, avec *Que ma joie demeure*, s'accentuent les aspects allégoriques du gionisme sans que la narration perde en rien de son pouvoir poétique : le vagabond Bobi apporte à un petit village de haute Provence la révélation que celui-ci attendait confusément : il lui enseigne la soumission à l'ordre naturel du monde et le ramène aux sources primitives de la vie. C'est aussi pour Giono l'occasion de réaffirmer son adhésion à la beauté du monde plus encore qu'à sa bonté.

De fait, si les thèses de Giono — telles qu'elles seront systématisées dans les rencontres, les écrits, puis l'engagement consécutifs aux divers « Contadour » — transparaissent dans la plupart de ses œuvres d'avant-guerre, où la tendance au message est, sinon volontaire, du moins omniprésente, on ne peut cependant les figer dans une conception unique, naïvement providentialiste et cherchant à ressusciter un hypothétique âge d'or : l'optimisme de Giono n'est pas idyllique; partout règne la cruauté et triomphent des forces hostiles contre lesquelles l'homme est impuissant (cf. *Batailles dans la montagne*, 1937), et, si l'on sent pourtant la présence constante de l'espoir et du bonheur, cette présence est dans l'écriture plus encore que dans l'univers décrit. C'est la part de spiritualité — que Giono situe aussi bien dans la nature que dans l'homme — qui communique à sa narration un souffle puissant, témoin de l'élan vital qui l'anime et qui emporte sur son passage toute émergence de pessimisme ou de scepticisme.

Les « chroniques »

Après la Seconde Guerre mondiale, le style de Giono devait résolument changer, pour des raisons pratiques d'abord : la nécessité d'écrire vite des œuvres plus courtes, essentiellement narratives, dont la traduction et la publication éventuelle à l'étranger poseraient moins de problèmes. A partir de 1946, l'œuvre de Giono va donc se scinder en deux : d'une part, les « chroniques », suite de récits aux modes narratifs variés qu'il poursuivra jusqu'à la fin de sa vie; d'autre part, la geste du *Hussard*, vaste cycle romanesque qu'il mènera parallèlement à d'autres activités « gratuites » (à tous les sens du terme) : projets et compositions de scénarios, essais divers, etc. D'ailleurs, ces « chroniques » elles-mêmes devaient constituer une sorte de série plus ou moins homogène, mais le fil d'intrigues qui relie chacune d'entre elles à la première, *Un roi sans divertissement* (1946), allait se dénouer rapidement. Ainsi, tout en respectant l'autonomie de chaque livre, Giono fera néanmoins alterner chroniques du XIXe siècle, tel *Un roi sans divertissement*, et récits modernes, comme *Mort d'un personnage* (1948). Dans leur conception, les chroniques ont au moins deux points communs qui les distinguent des œuvres précédentes : elles se veulent davantage l'histoire (au sens d'annales) d'une époque précise, et le lieu de leur action se situe dans un cadre géographiquement déterminé. Giono, dans des récits plus ramassés, proches du style elliptique d'un Stendhal, renonce donc aux créations mythiques, intemporelles, localisées dans un « Sud imaginaire », qui caractérisaient sa vision du monde antérieure à la guerre. Désormais, le protagoniste essentiel n'est plus la nature, mais l'homme dans ses rapports interpersonnels; la violence, toujours présente, n'est plus dans le cosmos mais dans le cadre social où se joue le drame du salut, le lyrisme s'intériorisant ainsi en romantisme de l'action.

Noé, paru en 1947 aux Éditions de la Table ronde, marque une étape décisive dans l'évolution du système narratif de Giono, tout en en révélant la profonde originalité. Écrit à la première personne, ce « récit » est avant tout le roman d'un roman en train de se faire. En ce sens, Giono y subit l'influence du Gide des *Faux-Monnayeurs* tout en annonçant les « audaces » du « nouveau roman » dont par ailleurs il méprisera l'absence de créativité narrative (cf. sa Préface aux « chroniques » réunies, en 1962, chez Gallimard). Cependant, il y démontre surtout sa conception d'un réalisme spécifique, essentiellement subjectif, où le monde extérieur, pourtant si dense et si riche dans sa pesanteur matérielle, apparaît comme une création idéale, à la limite de l'onirisme : « Quoi qu'on fasse, c'est toujours le portrait de l'artiste par lui-même qu'on fait. Cézanne, c'était une pomme de Cézanne ». Giono éclaire ainsi à la fois les personnages du roman précédent, tels Langlois, M.V., Saucisse, Delphine..., dont il prolonge l'existence passée et fictive en la mêlant à son propre présent de personnage-auteur bien réel (« Or, depuis deux mois, il fait bon soleil et très calme. Pendant que je marche à flanc de coteau, à travers les olivaies, je vois, dans la vallée, des cocons de brume qui enveloppent les grandes fermes »), tout en remettant en question l'objectivité apparente de ses premiers récits, voire le prétendu réalisme de toute représentation traditionnellement considérée comme figurative : en faisant allusion à Cézanne peignant sa propre personnalité à travers un objet prétexte, en utilisant l'ambiguïté du présent, temps qui convient aussi bien à la description du monde extérieur qu'à la narration autobiographique, Giono abolit les frontières entre le réel et l'imaginaire et, du même coup, entre l'objet et le sujet. Tel est finalement le sens de l'ensemble de l'œuvre de Giono : la naissance d'un monde insolite sinon fantastique coïncide avec l'histoire (ou la légende) de la création littéraire. D'où cet apparent paradoxe d'une fascination croissante pour le narratif (Giono confiait, à propos du *Bonheur fou :* « J'ai essayé de faire que chaque phrase raconte, que chaque phrase soit en elle-même un récit complet et qu'il y ait chaque fois des possibilités de s'arrêter sur cette phrase et de voir ses prolongements romanesques aussi bien dans une direction que dans l'autre »), liée à un débordement perpétuel du récit, suspendu, interrompu, dont l'illusion est encore compromise par la discontinuité spatiale, par un discours immense, l'omniprésence sous-jacente de l'auteur étant la rançon du besoin irrépressible de conter. Mais le roman n'est autre que le rêve même du romancier : il est son autoportrait. Cette peinture « en négatif », où, comme le note finement Giono, tout est décrit, sauf l'objet — qui apparaît ainsi dans ce qui manque —, s'appliquerait avec une égale pertinence à la multitude des récits hétérogènes qui constituent l'ensemble des « chroniques », depuis la biographie prétendue de l'écrivain américain dont Giono venait de traduire *Moby Dick* (*Pour saluer Melville,* 1941) au « poème » *Fragments d'un paradis* (1948), sorte de journal de bord d'un navigateur fantastique. Deux récits maritimes qui ne sont autres que le symbole de l'aventure de l'écriture, le « portrait de l'artiste par lui-même » selon une formule chère à Giono.

🕮 *Le Hussard sur le toit* (cycle)

Bien qu'il soit question dès *Un roi sans divertissement* de Langlois, identique au narrateur des *Récits de la demi-brigade,* Martial, et de la naissance d'Angelo dès *Noé,* Giono considérait le cycle du *Hussard* comme constitué par *Mort d'un personnage* (1948), *le Hussard sur le toit* (1951), *le Bonheur fou* (1957), *Angelo* (1958) et *les Récits de la demi-brigade* (1972). Tel est du moins l'ordre de publication de ces ouvrages. Mais la chronologie de la composition est légèrement différente : *Angelo* suivi de *Mort d'un personnage* précèdent le *Hussard.* Quant à la « logique de l'action », à la diégèse, elle imposerait la lecture suivante : les *Récits, Angelo,* le *Hussard, le Bonheur fou, Mort d'un personnage.* Mais s'il y a bien une geste d'Angelo, on ne peut dire que chaque volume soit la suite du précédent : ainsi l'intrigue d'*Angelo,* écrite longtemps avant le *Hussard,* n'est pas compatible avec celle de ce dernier.

Apparu dans l'imaginaire de Giono « en réaction contre la sécheresse et le cynisme de l'époque » (la Seconde Guerre mondiale), Angelo Pardi, personnage romantique et romanesque, tient à la fois de Jean-Baptiste Giono, le grand-père carbonaro, et de Fabrice del Dongo, le héros de *la Chartreuse de Parme.* Il emprunte certains traits de son caractère à Lucien Leuwen : son orgueil, sa naïveté lucide et surtout son besoin éperdu de se sentir heureux. L'action débute sous la monarchie de Juillet, mais il est impossible de préciser en quelle année Giono situe l'épidémie de choléra qui décime la Provence. Le cadre historique ne respecte la réalité événementielle que dans *le Bonheur fou* — dont l'action se passe pendant la révolution italienne de 1848. *Mort d'un personnage,* qui met en scène Pauline et Angelo — le petit-fils d'Angelo Pardi —, est une « chronique » des années 40, au XXe siècle; le cycle du *Hussard* couvre donc cent ans d'histoire et permet à Giono de porter un jugement sur la notion de progrès chère aux positivistes du XIXe siècle. L'échec des personnages, la solitude de son héros sont révélateurs de l'amertume que Giono éprouvait au lendemain de la guerre. Aux rêves de fraternité, à la vision idyllique d'une nature folklorique ou mythique s'est substituée l'image d'un monde dominé par le mal, l'incohérence, où seule l'aventure individuelle et isolée de certains êtres exceptionnellement généreux et optimistes est possible. En ce sens, le *Hussard* correspond bien à l'image idéalisée de Giono lui-même et des rapports fantasmatiques qu'il entretenait avec son père et son grand-père. La réalité qu'il y décrit sur fond de vérité historique est, une fois de plus, imaginaire. C'est le récit plus ou moins conscient de sa propre vie intérieure, selon la définition même que Giono donnait de sa conception personnelle du réalisme : « Je me suis efforcé de décrire le monde non pas comme il est mais comme il est quand je m'y ajoute, ce qui, évidemment, ne le simplifie pas » (*Voyage en Italie*).

Synopsis. — I. Angelo, aristocrate italien qui a acheté son brevet de hussard, a dû temporairement quitter l'Italie. Par une suffocante journée d'été, il se dirige vers le village de Banon. Cependant, une épidémie de choléra vient de se déclarer dans la région, comme en témoigne d'abord l'agitation fébrile des autorités administratives et militaires.

II. Après avoir passé une nuit à Banon, il découvre, au pas de Redortiers, un spectacle d'apocalypse : une accumulation de cadavres monstrueux, affreusement dévorés par les bêtes. Il n'y a personne dans ce village qui ait pu échapper au fléau, à l'exception d'un jeune médecin idéaliste qui finit par mourir dans les bras d'Angelo.

III. Angelo, qui se dirige vers le château de Ser, poursuit seul sa route. Il rencontre sur son chemin plusieurs sentinelles qui tentent d'éviter que des étrangers n'apportent dans leurs villages les germes de la contamination. Angelo remporte chaque fois sur cette humanité peureuse des triomphes faciles mais gratifiants pour son orgueil de jeune homme.

IV. Risquant, s'il entre dans Sisteron, d'être mis en quarantaine, il prend la route avec d'autres personnages qui seront à leur tour frappés par le choléra. Il est victime de sa naïveté. Son esprit romanesque le désigne en effet comme une proie facile à duper.

V. Après avoir été contraint de dérober sa monture à un cavalier, il parvient finalement à Manosque.

VI. Il y est d'abord incarcéré, à la suite d'un malentendu, puis libéré. Mais la population, que l'épidémie a complètement égarée, se livre à tous les actes de barbarie possibles. Face à cette panique collective, Angelo doit, s'il veut survivre, rester embusqué sur les toits de la ville, d'où il assiste au spectacle d'une humanité misérable. Il rencontrera cependant une femme, remarquable par son sang-froid et sa beauté, qui l'hébergera une nuit.

VII. Puis il passe quelque temps à laver les morts, que la population abandonne lâchement, avec une nonne qui disparaîtra bientôt.

VIII. Après avoir quitté Manosque, et après de nombreuses errances, Angelo retrouve enfin son frère de lait, Giuseppe.

IX. Ils décident de se quitter, puis de rentrer séparément, mais de se retrouver en Italie, où ils travailleront pour « le bonheur de l'humanité », auquel, s'il le faut, ils sacrifieront leur vie.

X. Très fier d'avoir réussi à disperser une patrouille qui voulait l'arrêter, Angelo, errant à nouveau seul, rencontre la femme qui l'avait hébergé à Manosque. Entre Pauline et lui va naître un amour chaste, fondé essentiellement sur l'admiration réciproque de leur courage qui les distingue du reste de l'humanité.

XI. L'un et l'autre parfaitement heureux, ils vont faire route ensemble en multipliant les actes de bravoure militaire. Bien qu'ils évitent les chemins fréquentés par les hommes que la peur rend capables des pires forfaits, ils sont faits prisonniers, puis mis en quarantaine, mais ils s'évadent aussitôt.

XII. Attaqués par des voleurs, ils se défendent courageusement et mettent leurs assaillants en fuite. Ils passent une nuit dans une maison déserte, où ils s'abritent et se restaurent. L'ivresse délie leurs langues, et ils se laissent aller l'un et l'autre à une longue confession qui dissimule mal l'aveu de leur amour.

XIII. En route vers le château de Théus, où Pauline retrouvera son vieux mais valeureux mari, ils rencontrent un médecin cynique et sceptique qui leur fait, à travers la description du choléra, un tableau désabusé de l'humanité : l'épidémie, derrière ses aspects monstrueux, à la limite du fantastique, apparaît bien comme l'allégorie du mal que l'homme cultive en lui.

XIV. Pauline est frappée par le choléra, au moment même où elle et son compagnon arrivent dans une région que le fléau n'avait pas encore atteinte. Dans son délire, Pauline commence à tutoyer Angelo. Elle guérit, miraculeusement — et symboliquement. Arrivés à Théus, ils se quittent. Angelo poursuivra, à nouveau solitaire, sa route vers l'Italie.

BIBLIOGRAPHIE GÉNÉRALE

Éditions

La plupart des œuvres de Giono ont été publiées chez Grasset et Gallimard. Les œuvres romanesques les plus importantes ont été reprises en éditions de poche.

La Bibl. de La Pléiade propose actuellement, sous le titre : *Œuvres romanesques complètes*, cinq volumes de romans, récits, nouvelles et de nombreux textes complémentaires (dont des projets d'adaptation cinématographique) permettant de suivre l'évolution littéraire de Giono romancier. Les textes y sont pratiquement tous regroupés suivant l'ordre chronologique de leur parution.

Écrits pacifistes, textes réunis dans la Coll. « Idées », Gallimard, 1980.

Sur l'ensemble de l'œuvre, on pourra consulter l'*Album Giono*, édité par Gallimard, et *Giono par lui-même* (C. Chonez, Le Seuil, 1973).

Études

Francine Antonietto, *le Mythe de la Provence dans les premiers romans de J. Giono*, Aix-en-Provence, la Pensée universitaire, 1961; P. de Boisdeffre, *Giono*, Gallimard, 1965; *Jean Giono*, numéro spécial de *la Nouvelle Revue française*, février 1971; Jacques Viard, *Que ma joie demeure*, Hachette, 1972; Marguerite Girard, *J. Giono méditerranéen*, La Pensée universelle, 1974; *Giono aujourd'hui*, Actes du colloque d'Aix, Édisud, 1982.

B. VALETTE

GIOVANNI José (né en 1923). V. ROMAN POLICIER.

GIRARDIN Émile de (1806-1881). Journaliste et patron de presse, il fut une personnalité de son temps. Né à Paris, il est le fils d'une femme mariée et du général A. de Girardin dont il finira par prendre le nom (cf. *Émile*, 1828, un premier essai littéraire et autobiographique). Il débute par des emplois auprès de la Maison du roi et chez un agent de change. Au moment où éclate la Révolution de 1830, il a déjà fondé deux journaux (*le Voleur*, 1828, et *la Mode*, 1829, patronné par la duchesse de Berry), sans parler de ceux auxquels il collabore. Mais c'est sous la monarchie de Juillet qu'il va donner sa pleine mesure avec, pour commencer, le *Journal des connaissances utiles* (1831) qui atteint les 130 000 abonnés. Homme de presse, il est naturellement tenté par la politique : il est élu député et lance *la Presse* en 1836. La formule choisie est nouvelle : il s'agit de faire un journal peu cher et à grand tirage qui utilisera toutes les ressources de la publicité, des annonces et du feuilleton. C'est un succès : on trouve dans *la Presse* des signatures célèbres (Balzac, Dumas, Gautier, Hugo, Sand, Scribe, E. Sue...) et le journal a un poids considérable sur l'opinion et la « majorité silencieuse » de l'époque.

Pour autant, on ne saurait vraiment définir sa ligne politique ou même les options de Girardin, en dehors d'un combat permanent pour la liberté de la presse. Il se fâche successivement avec tous les partis, tous les régimes, quitte parfois à se réconcilier avec eux par la suite : il se bat en duel avec A. Carrel et le tue, attaque Thiers, Guizot, Cavaignac et Louis-Napoléon qu'il a contribué à faire élire président! Girardin quitte la France puis y revient, vend *la Presse* et achète finalement *la Liberté*, qu'il « remonte » glorieusement. Plus tard encore, après la guerre (qu'il a souhaitée) et la Commune, *le Petit Journal* et *la France* bénéficieront de son talent. Jusqu'au bout, il combat et s'active, notamment contre Mac-Mahon. Réélu député en 1877, il disparaît quatre ans plus tard. Il avait épousé Delphine Gay en 1831.

BIBLIOGRAPHIE

M. Reclus, *E. de Girardin, le Créateur de la presse moderne*, Paris, Hachette, 1834; *Histoire Générale de la Presse française* (t. II), Paris, P.U.F., 1969.

A. PREISS

GIRARDIN Mme Émile de, née Delphine Gay, (1804-1855). Poétesse, dramaturge, romancière et feuilletoniste, Delphine Gay naît à une époque où George Sand, Mme de Staël, Marguerite Desbordes-Valmore ont mis à l'honneur la femme de lettres. Sa mère, Sophie Gay, écrit, mais surtout tient salon. Vigny, Lamartine ou Chateaubriand sont des familiers. Dans cet écrin mondain et littéraire, l'éclatante beauté de Delphine fait vite excuser la naïveté — pour ne pas dire la niaiserie — de ses tout premiers vers :

> Au sentiment d'orgueil je ne suis point rebelle,
> Je bénis mes parents de m'avoir fait si belle...
> (« le Bonheur d'être belle », 1822)

La gracieuseté de son style excellera dans la poésie de circonstance, qu'il s'agisse de glorifier les lauriers de Chateaubriand (*la Druidesse*, 1824), de s'émouvoir sur « la Mort de Napoléon » (*Essais poétiques*, 1824) ou sur le sacre de Charles X (*la Vision de Jeanne d'Arc*, 1825). Énivrée de ses premiers succès, la poétesse assimile sa lyre au glaive de Jeanne d'Arc :

> Les autels retiendront mes cantiques sacrés,
> Et fiers, après ma mort, de mes chants inspirés,
> Les Français, me pleurant comme une sœur chérie,
> M'appelleront un jour Muse de la patrie!

Lamartine l'appelle « la dixième muse », Vigny manque l'épouser et lui dédie ses *Poèmes antiques et modernes* (1826). Faisant vibrer sa corde pour tous les stéréotypes de l'époque, s'identifiant à Corinne, Delphine chante son voyage en Italie, Naples

> Où l'on souffrirait moins d'un regret douloureux,
> Où dans l'exil enfin l'on pourrait être heureux.

Devenue Mme de Girardin (1831), elle campe, dans une sorte d'élégie tragique, *Napoline* (1833), un type de

Werther féminin, une anti-Faedora. Le suicide est dans l'air, mais ce thème reste chez elle étrangement embourgeoisé :

> C'est un grand embarras qu'une mort volontaire,
> Le jour où l'on se tue, on a beaucoup à faire.

A l'exemple de sa mère, elle fait de son salon le mieux fréquenté de Paris. Cette mondanité conjuguée à la réussite journalistique de son mari, le fondateur de *la Presse,* lui fait découvrir son genre d'élection. *Les Lettres parisiennes,* rubrique bi-hebdomadaire qu'elle signe, à partir de 1836, sous le pseudonyme de VICOMTE DE LAUNAY, lui permettent d'exploiter au mieux les qualités d'humeur, de légèreté et d'esprit qu'elle a toujours prodiguées dans des tentatives romanesques sans lendemain (*le Lorgnon,* 1821; *le Marquis de Pontanges,* 1835; *la Croix-de-Berny,* parodie édulcorée des *Liaisons dangereuses,* écrite avec Gautier, Méry et Sandeau, 1846). Elle y égratigne tantôt Louis-Philippe : « Le vaisseau de l'État n'est plus un superbe navire aux voiles dépendantes que les vents capricieux font voguer au hasard; c'est un lourd bateau à vapeur, chargé de charbon et de pommes de terre », tantôt les ennemis de Lamartine, ou ceux de Hugo qui « a pour admirateurs le peuple, les femmes et les hautes célébrités littéraires de France, c'est-à-dire la partie rêveuse et passionnée de la nation, et pour détracteurs le roi, les journalistes voltairiens et la classe bourgeoise, c'est-à-dire la partie affairée de la nation ».

Elle s'en prend avec fougue à la censure. Le public applaudit — plus franchement qu'il ne le fait quand l'auteur s'aventure au théâtre, avec *l'École des journalistes* (1839), « une comédie tragique tenant de la satire et de l'épopée », qui fait scandale, ou avec *Cléopâtre* (1847), dont le néoclassicisme et quelques vers bien frappés (« La mort, si tu le veux, pour l'amour d'un instant ») donnent le change en pleine réaction anti-romantique. Ses autres tragédies (*Judith,* 1843), ou comédies (*Lady Tartuffe,* 1853; *La joie fait peur; le Chapeau de l'horloger,* 1854) ne lui valent qu'un succès d'estime.

Témoignant de son temps plus qu'elle n'en forma les goûts, Delphine Gay les partagea. Si elle ne fut pas l'inspirée, la muse que certains idolâtrèrent, elle sut inhaler dans la fragrance d'un riche présent les parfums les plus capiteux et les moins fugaces.

BIBLIOGRAPHIE

Œuvres. — *Œuvres complètes,* Paris, Plon, 1860-1861, 6 vol.

Études. — Sainte-Beuve, *Causeries du Lundi,* III, Paris, Garnier, 1858; Léon Séché, *Delphine Gay* (« Muses romantiques »), Paris, Mercure de France, 1910; id., *le Cénacle de la muse française,* Paris, Mercure de France, 1909 (rééd., Genève, Slatkine, 1968). Barbey d'Aurevilly, *les Œuvres et les Hommes* III, Paris, Amyot, 1862; Henri Malo, *Une Muse et sa mère, Delphine Gay de Girardin,* Paris, Emile-Paul frères, 1924; id., *la Gloire du Vicomte de Launay,* Paris, Emile-Paul frères, 1925; Jacques Vier, *la Comtesse d'Agoult et son temps,* t. I et II, Paris, Vrin, 1955-1959.

D. GIOVACCHINI

GIRART D'AMIENS (fin du XIIIe siècle). De cet auteur qui semble avoir vécu vers 1280 à la cour d'Édouard Ier d'Angleterre, nous avons deux romans, *Escanor* et *Meliacin,* et un poème épique sur Charlemagne, écrit à la demande de Charles de Valois. *Escanor* est un exemple de « roman arthurien tardif » : en 26 000 vers sont racontées les amours de Keu avec Andrivette, princesse de Northumberland; mais le récit se disperse entre plusieurs héros : Keu, le Bel Escanor, Gauvain. Ce « conte bonz et biauz/Et plainz d'armes et de cembiaux (= combats)/D'amour, de joie et de deduit » illustre bien l'évolution de la matière arthurienne : les auteurs brodent autour des personnages secondaires, quitte à les mettre en contradiction avec la tradition (Gauvain pusillanime, Keu timide). *Le Cheval de fust (Meliacin)* repose sur le même motif que *le Cléomadès* d'Adenet le Roi : un roi païen, de « Grande Hermenie », se fait offrir un cheval volant d'ébène, en échange de sa fille Gloriande; Meliacin, le frère de la princesse, réussit à la reprendre au sorcier en l'enlevant grâce au cheval. Le merveilleux, la magie sont devenus l'argument même du texte, comme dans la légende d'Auberon.

Le *Charlemagne* de Girart d'Amiens combine la tradition épique (remaniements du cycle de l'empereur) et la matière historique empruntée aux *Grandes Chroniques de France* (syncrétisme pratiqué par certains historiens, tel Jean d'Outremeuse, pour écrire l'« histoire », la geste d'Ogier servant ici de document). L'auteur nous raconte successivement les « enfances » de l'empereur, qui s'est enfui chez Galufre en Espagne, puis rentre en possession du royaume après avoir lutté contre le géant Brainant, et ses guerres avec Roland, Naime et Ogier; l'œuvre s'achève sur une version rimée de la *Chronique de Turpin.*

BIBLIOGRAPHIE

H. Michelant, *Der Roman von Escanor,* Tübingen, 1886; *Meliacin,* fragments (5 000 vers sur 20 000), éd. P. Aebischer, T.L.F., Droz, 1974. L'ensemble a été édité par A. Saly, thèse, Paris IV, 4 vol., 1977.

A. STRUBEL

GIRART DE ROUSSILLON (v. 1150). Chanson de geste rédigée dans une langue qui mêle des éléments français et occitans, elle retrace, en un peu moins de 10 000 décasyllabes, le conflit qui oppose Charles Martel, souverain abusif, à Girart de Roussillon, qui possède toute la terre de la Bourgogne jusqu'à Barcelone.

Les deux filles de l'empereur de Constantinople sont promises respectivement à Charles et à Girart. Mais le roi, ébloui par la beauté de la cadette, Elissent, exige l'échange des fiancées. A titre de compensation, Girart tiendra désormais sa terre en alleu : il cesse donc d'être le vassal de Charles. Évidemment, le roi cherche très vite à récupérer son droit de suzeraineté et à obliger Girart à lui prêter de nouveau hommage. Du refus de Girart découle une première guerre, dont l'épisode final est la bataille de Vaubeton : une manifestation divine (le miracle des gonfanons brûlés par des flammes venues du ciel) fait comprendre à Girart et à Charles que Dieu condamne cette lutte. Réconciliés, les deux héros luttent ensemble contre les Sarrasins et les Frisons. Mais le meurtre de Thierri d'Ascane, parent du roi, relance les hostilités. La bataille de Civaux voit le triomphe du roi, mais Girart s'échappe; il subit une ultime défaite sous les murs de Roussillon. Commence alors une longue pénitence : avec sa femme Berte, il mène pendant vingt ans une existence de charbonnier dans la forêt. Il expie ainsi les fautes qu'il a commises à la fois contre son roi et contre Dieu. Girart, de retour à la cour grâce à Elissent, se réconcilie avec Charles; mais l'hostilité du lignage de Thierri d'Ascane demeure. Peu à peu, le désir de puissance renaît dans le cœur de Girart, qui souhaite rendre à son fils toutes ses possessions de l'époque de sa gloire. Le meurtre de ce fils par un vassal pourtant fidèle, mais qui redoutait le retour de guerres dévastatrices, provoque la conversion définitive du héros. Le pape scelle la paix, et Girart et Berte, construisant de leurs mains la Madeleine de Vézelay, accèdent à la sainteté.

En dépit de la très haute qualité de l'œuvre, son unité a été contestée. R. Louis pense que le texte qui nous est parvenu est dû à trois mains différentes : l'épisode de Vaubeton formerait un tout et n'appellerait nullement la seconde guerre, qui ne serait qu'une continuation. Enfin, le début et la fin de la chanson, qui seuls font intervenir Berte et Elissent, seraient l'œuvre d'un renouveleur. La légende primitive ne reposerait nullement sur l'échange des fiancées. R. Louis constate par ailleurs des contradictions juridiques, qui ne pourraient s'expliquer que par une diversité d'auteurs. Ferdinand Lot, puis Pierre Le Gentil ont marqué leurs réticences et même leur désaccord. Seule une étude psychologique approfondie permet d'expliquer d'apparentes incohérences : en particulier, la construction du personnage de Girart porte la marque non seulement d'un auteur unique, mais encore d'un grand créateur, qui a su conduire son héros de l'orgueil et de la démesure à l'humilité et à la sainteté, en ménageant les nécessaires sursauts de son ancienne nature.

Girart de Roussillon pose le délicat problème de la suzeraineté et de la souveraineté. Il rappelle que le principe de la royauté n'est pas lié aux qualités du prince. Nulle chanson, peut-être, n'entre à ce point dans les raffinements juridiques : Girart, devenu alleutier, cesse-t-il pour autant d'être l'homme lige de Charles? Son tort est d'oublier que le roi est toujours son souverain. Loin d'exciter les vassaux à la révolte, cette œuvre se veut une condamnation morale, religieuse et politique de la guerre privée.

R. Louis avait cru pouvoir identifier Girart avec un comte du IXe siècle; mais leur lien réside dans les abbayes de Pothières et de Vézelay. Quant au nom de Roussillon, aux raisons de sa présence dans les environs du plateau de Langres, au dialecte employé (une alternance artificielle de formes provençales et françaises), ce sont autant de mystères non résolus.

BIBLIOGRAPHIE
Édition. — W. Mary Hackett, 3 vol., Paris, 1953-1955.
Traduction. — P. Meyer, Paris, 1884.
Études. — J. Bédier, *les Légendes épiques,* t. II, Champion, 1908; R. Louis, *Girart, comte de Vienne,* t. II, vol. 1, Nizet, 1947; F. Lot, *Romania,* 1948, p. 209 et suiv.; P. Le Gentil, « Girart de Roussillon, sens et structure du poème », *Romania,* 1957, p. 328-389 et 463-510.

D. BOUTET

GIRART DE VIENNE. Chanson de geste du début du XIIe siècle, composée par Bertrand de Bar-sur-Aube. Cette œuvre témoigne d'un souci de rapprocher le cycle de Guillaume de celui des vassaux rebelles : Girart, révolté, est l'un des quatre fils de Garin de Monglane. Le fait paraît d'autant plus notable que la chanson s'ouvre sur un propos du trouvère qui distingue très nettement les différents cycles [voir GESTE (Chanson de).

L'œuvre peut se décomposer en deux parties et une vaste conclusion. Les 3 000 premiers vers retracent les causes du conflit : l'impératrice a, discrètement mais efficacement, offensé Girart en lui faisant baiser son pied à son insu grâce à un subterfuge. Les 3 000 vers suivants racontent le siège de Vienne et ses multiples péripéties. Les 800 derniers vers dénouent le conflit : chaque camp désigne un champion; Roland, pour Charlemagne; Olivier, pour Girart; après une lutte acharnée mais indécise, un ange vient séparer les deux héros, scelle leur amitié et invite les deux camps à s'unir contre les Sarrasins.

Il semblerait que ce schéma soit l'œuvre de Bertrand et ne corresponde pas à la forme première de la chanson. R. Louis remarque en effet des contradictions entre la première et la seconde partie, qui témoigneraient d'un profond remaniement : ici, Charlemagne donne Vienne en fief à Girart pour compenser le tort qu'il lui a causé en épousant la duchesse de Bourgogne, primitivement destinée à Girart (influence de la chanson de *Girart de Roussillon*?); là, Girart tient Vienne de son aïeul Beuves. L'introduction d'un élément féminin dans le conflit est d'ailleurs caractéristique des formes postérieures de la chanson de geste. La *Karlamagnus Saga* scandinave (qui reprend, vers le milieu du siècle, le contenu de bon nombre de nos chansons de geste) confirme cette hypothèse et fait de Girart un pur rebelle, dont la révolte est inexcusable; la *Chronique rimée* de Philippe Mousket ignore également l'injustice royale et se rapproche davantage des circonstances de l'événement carolingien qui pourrait être à l'origine de l'œuvre : la lutte, en 870, de Girart, comte de Vienne, contre Charles le Chauve. Mais, comme le reconnaît R. Louis, « le Girart historique ne faisait pas, en 870, par rapport au roi de France, figure de rebelle ». Il tenait en effet son fief non pas de Charles le Chauve, mais de Charles de Provence, puis de Lothaire; c'était contre tout droit que le roi de France prétendait alors contrôler Vienne. Si telle est bien l'origine de notre chanson, la transformation que les trouvères successifs ont fait subir à leur matière est, idéologiquement, capitale. Un problème historique de souveraineté devient, dans le texte littéraire, un problème de suzeraineté; « le roman fait passer le conflit du terrain de la souveraineté politique et de la diplomatie internationale sur le terrain de la hiérarchie féodale et du droit vassalique » (R. Louis). Bertrand de Bar-sur-Aube aurait encore transformé ce schéma en rejetant la responsabilité du conflit sur le couple royal (trait caractéristique de la fin du XIIe siècle et du début du XIIIe), et en rapprochant la structure de l'œuvre de celle de *Girart de Roussillon.*

Comme on le voit, la chanson de *Girart de Vienne* est un remarquable exemple des transformations que pouvait subir, au cours des siècles ou simplement des décennies, un texte épique médiéval.

BIBLIOGRAPHIE
Édition. — F.G. Yeandle, New York, 1930.
Étude. — R. Louis, *Girart, comte de Vienne,* Nizet, 1948.

D. BOUTET

GIRAUDOUX

GIRAUDOUX Jean (1882-1944). École buissonnière d'un fort en thème, rêve d'évasion d'un fonctionnaire, l'œuvre de Jean Giraudoux s'élabore dans une vie assez éloignée des mythes pour que l'ironie et l'irrévérence sachent y transcrire le quotidien de l'homme, en une version malicieuse ou insolente du destin des plus hautaines figures de la légende.

Les mots

Giraudoux naît à Bellac, au cœur de la patrie de Racine, « centre même de la France, d'où sa forme apparaît la plus sensée et la plus harmonieuse », au moment précis où Jules Ferry prétend insuffler aux jeunes générations le goût des classiques et l'esprit de revanche. Encouragé par son père, modeste percepteur, il s'engage aussitôt sur un chemin tout égal : ce boursier studieux, tout en meublant son imaginaire de fonctionnaires sublimes, inspecteurs exorcistes et contrôleurs lyriques qui ressusciteront dans ses pages, accumule les distinctions, du lycée de Châteauroux (1893) à Lakanal (1900), avant d'être admis, suprême consécration, à l'École normale supérieure (1903). Au mourir d'un siècle qui a peuplé son Parnasse de poètes maudits, voyants, tribuns ou prophètes, le « A nous deux maintenant! » du jeune Giraudoux paraît singulièrement timide : « J'ai bien senti que j'allais prendre le départ sur la ligne de tout jeune Limousin — futur fonctionnaire, industriel ou écrivain —, qui est de mieux s'élancer vers son pays et sa carrière ».

C'est alors qu'une révélation vient ébranler toutes ses certitudes : l'enseignement du professeur Charles Andler lui impose la fascination de l'Allemagne, « ce grand pays humain et poétique ». Devenu germaniste par passion plus que par raison, Giraudoux présente, pour le diplôme d'études supérieures, un mémoire sur le poète Platen, puis il effectue un séjour outre-Rhin (1906), comme précepteur à Heidelberg. Faut-il dater de cette époque l'irruption d'un peu de déraison dans cette vie toute réglée? Toujours est-il qu'il échoue à l'agrégation d'allemand. Lecteur de français à l'université de Harvard (1907), il infléchit radicalement le cours de sa carrière. Renonçant à enseigner, il cède d'abord au démon de l'écriture et publie un recueil de nouvelles, *les Provinciales* (1909), qui est assez bien accueilli. Gide, notamment, est favorablement impressionné. Soucieux toutefois d'asseoir ses chimères sur des fondations sûres, Giraudoux se présente avec succès au concours des Affaires étrangères (1910).

A peine a-t-il le temps d'écrire *l'École des indifférents* (1911) et de s'initier aux finesses de la diplomatie, la guerre vient le saisir avec tous ses doutes.

Voyage au bout des illusions

Envoûté par la passion de la démesure dont l'âme allemande, romantique et rêveuse, lui semble habitée, Giraudoux reste fermement attaché à la mesure et à l'ordre qu'il voit se manifester partout dans la culture française. Aussi va-t-il chercher dans la littérature le moyen de revêtir le songe d'une forme rassurante, d'établir sur la déraison des choses un équilibre de phrases et de mots; ainsi l'entendra l'écrivain Lemançon, dans *Juliette au pays des hommes* : « L'univers était recouvert pour lui plus que pour tout autre d'une croûte verbale qui lui cachait les gouffres du chaos ».

La guerre va dramatiser ce débat. « Tous ceux qui là-bas derrière pensent à vous. Pourquoi vivent-ils? La guerre serait si belle s'ils n'existaient pas... ». L'inconscience, la légèreté avec lesquelles Giraudoux semble plonger dans le conflit ne suffisent pas à faire taire le mystérieux appel de Novalis, de Kleist ou de Nietzsche; le narrateur de *Siegfried et le Limousin* parlera même d'un « pouvoir magnétique » : « Pendant la guerre, à deux ou trois reprises, j'avais cru percevoir cette succion d'un esprit, parfois tellement vive qu'elle semblait venir de la tranchée d'en face ».

Blessé deux fois, décoré, envoyé comme instructeur militaire au Portugal, puis aux États-Unis, le sous-lieutenant Jean Giraudoux clôt définitivement le cycle de ses exaltations épiques et de ses rêves wagnériens.

Le bruit et la fureur des armes paraissent avoir naturellement conduit sa conscience à l'équilibre d'une maturité, qui lui fait saluer en l'armistice de 1918 le retour à la norme; après avoir défini ses souvenirs de combattant comme « des souvenirs de réveil », l'écrivain fête, dans *Adorable Clio* (1920), sa place retrouvée d'homme dans l'harmonie universelle : « Guerre, tu es finie! voilà que je reprends ma vraie distance de la mort ». Il en résulte cette leçon salutaire : « Je sens que j'ai été un élément étranger en Allemagne; je me rends compte aujourd'hui seulement des malaises, des douleurs provoquées par elle en moi, et qui m'indiqueront peut-être mon vrai peuple » (*Siegfried et le Limousin,* 1922).

Le fonctionnaire poète

Ainsi se trouve confirmée dans sa portée métaphysique la double tâche du fonctionnaire au Quai d'Orsay et de l'écrivain. Propagandiste de la culture française, porteur d'avertissements solennels parmi les siens, Giraudoux applique sa conviction : « Connaître l'avenir et la prophétie qu'est la phrase de nos écrivains les moins inspirés, fût-elle de Boileau, [...] dispense des prophéties célestes » (préface de *Littérature*). Avant de reprendre ses activités de diplomate, il a le temps de publier *Simon le Pathétique* (1918) et *Elpénor* (1919). Promu dans le « grand cadre » des Affaires étrangères, Giraudoux s'installe alors dans une quiétude bourgeoise, épousant en 1921 Suzanne Boland, devenant père l'année suivante, assumant la charge de chef du Service des œuvres françaises à l'étranger. Il va, jusqu'en 1926, remplir des fonctions relativement obscures : nommé secrétaire d'ambassade à Berlin (1924), il rentre aussitôt à Paris en qualité de chef des Services d'information et de presse. Alexis Léger [voir SAINT-JOHN PERSE] ne semble pas beaucoup apprécier le dilettantisme de son subordonné. Le scandale provoqué, à la parution de *Bella* (1926), par les traits satiriques dont se sentent égratignés les membres du cabinet Poincaré entraîne la disgrâce de Giraudoux. Sa nomination à la Commission d'évaluation des dommages alliés en Turquie équivaut à une mise à l'écart. Elle durera huit années, pendant lesquelles l'écrivain aura tout loisir d'épanouir son art.

En 1924, il a achevé *Juliette au pays des hommes,* puis, en 1926, proposé une seconde version de *Simon le Pathétique*. Il y ajoute *Églantine* (1927), *Aventures de Jérôme Bardini* (1930), *Combat avec l'ange* (1934). Ainsi s'affirme le style d'un romancier dont les acrobaties verbales, les récits sans héros ni intrigue, les paradoxes vertigineux définissent la singularité. Giraudoux fonde un genre qui lui appartient en propre, mais parviendra-t-il à le renouveler? La parodie des formes officielles et des conventions en art est ce point que le créateur doit atteindre pour voir plus loin et plus large. Les *Pastiches* sont une minute du temps proustien, perdue pour retrouver l'éternité. Les romans de Giraudoux, dont les personnages n'en finissent pas d'ouvrir des yeux émerveillés et naïfs à la naissance du jour, n'ont encore rien retrouvé, faute d'avoir su perdre les mots, les choses, les origines. La réécriture de *Simon le Pathétique* témoigne de l'impasse où se trouve fourvoyé le roman giralducien.

Dans le même temps, le théâtre est en crise. Copeau, Pitoëff, Dullin, voulant réagir contre les errements d'un art dramatique perverti par le mercantilisme et l'esprit routinier, ont imposé sur leurs scènes des auteurs comme Gide et Claudel, aux côtés des grands dramaturges du répertoire classique. Louis Jouvet, directeur de la Comédie des Champs-Élysées, convaincu que les auteurs de théâtre doivent d'abord « être des écrivains », car « le mot comporte tout », et « le grand théâtre, c'est d'abord le beau langage », rencontre en Giraudoux (1928) le faiseur de « beaux textes », au service duquel il met son talent et sa prestigieuse troupe. Commence alors une fructueuse et indissoluble collaboration, dont on peut saisir toute l'intimité dans cette réflexion de *Littérature* sur le rôle du metteur en scène : « L'auteur dramatique a maintenant deux Muses, l'une avant l'écriture, qui est Thalie, et l'autre après, qui est pour moi Jouvet ».

Ayant découvert sa voie royale, Giraudoux connaît un premier succès avec *Siegfried* (1928), adapté de son roman de 1922, puis triomphe avec *Amphitryon 38* (1929), sa première création originale pour la scène et son premier chef-d'œuvre reconnu. Vont suivre *Judith* (1931), *Tessa* (1934) et surtout *Intermezzo* (1933), pièce dont Jouvet affirme qu'elle est « tout Giraudoux ». A peine renoue-t-il avec le genre romanesque pour écrire *la France sentimentale* (1932).

Son heure de vérité a sonné au théâtre. Elle finit par sonner également dans les hautes sphères de la politique : Giraudoux est rappelé du fond de son oubliette pour remplir les fonctions d'inspecteur général des postes diplomatiques et consulaires. Proscrit la veille, il prend rang, soudain, de ministre plénipotentiaire. Gravité de sa charge ou inquiétude naturelle pour le témoin d'une actualité dramatique et menaçante? Force est de constater l'obscurcissement de l'univers du dramaturge : *La guerre de Troie n'aura pas lieu* (1935), *Électre* (1937), *Ondine* (1939), sans être des pièces à clés, paraissent alourdir à plaisir leurs allusions, leurs sous-entendus; l'humanité y paraît incapable de conjurer le tragique. Parallèlement, l'auteur sent peser davantage sa mission de Cassandre. Le dilettante cède la place au prophète et à l'homme d'État. Ainsi naît le projet d'une méditation politique qui tente de prendre forme dans une série de conférences, *Pleins Pouvoirs* (1939). S'interrogeant sur le rayonnement de la France dans les réalités de l'heure, Giraudoux remarque : « Les pays sont comme les astres : ils peuvent étinceler et éclairer des siècles après leur extinction ». Jusque dans *l'Impromptu de Paris* (1937), pièce promise en apparence à un ton primesautier, l'« engagement » mûrit ses maximes : « La destinée de la France est d'être l'embêteuse du monde ».

« Cela s'appelle l'aurore »

Peut-être faut-il voir dans cet appesantissement de la conscience de Giraudoux l'explication profonde de son refus quand on lui offre de diriger la Comédie-Française (1936). De toute évidence, l'amertume se fait jour dans la dernière manière giralducienne. Paradoxalement, cette lucidité qui s'aiguise dans les œuvres de l'écrivain l'oppresse dans la vie quotidienne : « Soudain affolé par les menaces japonaises au Queensland, je me réfugie dans mon ministère du Quai d'Orsay, seul asile où, de même qu'on ne parlait pas de guerre dans les tranchées, je puis enfin échanger quelques idées sur la taille des caniches et l'encadrement des Daumier » (*Pleins Pouvoirs*). Progressivement, Giraudoux semble préparer sa fuite hors du monde. *Supplément au voyage de Cook* (1935) allait quérir des leçons auprès du bon sauvage Outourou. Hors de toute rêverie utopique, l'errance dans l'ailleurs ne conquiert pas un paradis à la quiétude humaine, mais un lieu privilégié à partir duquel tout regard qui se retourne vers notre univers n'en perçoit plus que les grimaces. Le ton des œuvres d'avant-guerre touche au biblique : au théâtre (*Cantique des cantiques,* 1938) comme dans la veine romanesque (*Choix des élues,* 1939). La part étant faite de l'ironie et de la dérision dans le choix de tels titres et de tels accents, on ne peut manquer de comprendre que les mots des hommes se sont mis à bégayer des déclarations qui outrepassent la nature humaine et affirment « un lien horrible entre l'humanité et un destin plus grand que le destin humain » (*Littérature*).

Commissaire à l'Information (1939), Giraudoux voit s'accomplir les désastres attendus. La débâcle de 1940 hâte sa retraite. Hors de la mêlée, il choisit de parler au loin. Le persiflage s'efface au profit de visions d'apocalypse; *Sodome et Gomorrhe* (1943) en témoigne : « Dans la tourmente, l'inondation et la guerre des guerres, il ne subsiste plus que la faillite, la honte, un visage d'enfant crispé de famine, une femme folle qui hurle, et la mort ». De sa solitude (« exilé dans [sa] propre ville »), Giraudoux n'en finit pas d'écrire ses testaments. De dramaturge, tout d'abord, qui attend « dans Cusset secouée par la tempête et dont les torrents mugissent », la visite d'« un héros en chlamyde qui sourit doucement, qui sourit on ne sait pas très bien à quoi, [...] mais cela n'a pas d'importance, car c'est ou à la vie ou à la mort » (« la France et son héros », *Littérature*). D'homme, enfin, désabusé par le présent, et à peine effleuré par l'espoir quand, tirant les leçons de l'armistice conclu entre Pétain et Hitler, il déclare léguer à son fils « une patrie évanouie qui ne s'animera que de son souffle ».

Adoptant déjà dans *Sans pouvoirs* (édité seulement en 1946) la voix d'outre-tombe d'un mémorialiste amer — et quelque peu grandiloquent —, Giraudoux approfondit toujours son repli hors du monde. Il laisse à Jouvet le soin de représenter *l'Apollon de Bellac* (1942), à Rio de Janeiro. Il se consacre au cinéma, adaptant le roman de Balzac *la Duchesse de Langeais* (1941), puis collaborant avec Robert Bresson pour *les Anges du péché* (1943). La mort de l'écrivain se produit au moment où chaque aspect de son œuvre devient appel à un achèvement. Deux pièces posthumes, *la Folle de Chaillot* (première en 1945) et *Pour Lucrèce* (1953), apportent à la quête de Giraudoux une réponse douloureuse; tandis que le retour à l'harmonie s'effectue à la faveur d'une mise en scène qui ne peut convaincre que la Folle, de façon invraisemblable et canularesque, le héros lucide, qui n'est pas abusé, peut simplement sanctionner son échec par son effacement superbe : « Les héros sont ceux qui magnifient une vie qu'ils ne peuvent plus supporter. J'en suis là, ils m'engagent... », déclare Lucile (*Pour Lucrèce,* III, VI) pour justifier son suicide.

Peut-on encore soutenir la thèse d'un Giraudoux « précieux » ou « léger », « verbaliste » même? Peut-on totalement ignorer qu'en surchargeant sa phrase du bilan de tous les désespoirs vécus, le destin a ôté aux mots beaucoup de leur gratuité? Gracile équilibre établi par-dessus les abîmes du non-sens, la langue de Giraudoux proclame autant l'éphémère victoire de la raison que la pérennité du chaos, promet autant de fêtes que d'effondrements. Le jardinier d'*Électre* nous avait prévenus : l'« aurore » est un mot bien pur, mais bien cruel.

Un humaniste qui sourit des systèmes

On ne peut ignorer, à l'arrière-plan de la création giralducienne, l'empire théorique d'un intellectualisme omniprésent. Le jeune normalien a goûté ce climat. En 1917, il accompagne Bergson, « notre plus grand philosophe », aux États-Unis. Se sent-il pour autant porté par le bouillonnement d'idées où bergsoniens, maurrassiens et émules de Brunschvicg mêlent leurs voix? A son corps défendant, Giraudoux ne parvient pas à s'y reconnaître. « Six ans se sont écoulés. Et je vis toujours sans formule; et elle ne me manque guère. De même que j'apprécie toute musique sans me demander, comme d'autres, si je la comprends ou non, de même je n'ai point besoin d'interpréter la vie pour la juger » (*l'École des indifférents*).

De fait, on serait bien en peine de trouver des lois, des principes, des généralités dans un discours fuyant sans cesse la cohérence, fondé sur de constants retournements, d'imprévisibles pirouettes, d'inattendus paradoxes; René Marill Albérès croit pouvoir simplement définir l'œuvre de Giraudoux comme une tentative pour résoudre le « malentendu entre l'homme et la vie cosmique » (*Esthétique et Morale chez Jean Giraudoux*). Affirmation prudente, bien propre à rendre compte d'un écrivain dont la moindre phrase met en garde contre les absolus, les certitudes, les vérités trop simples.

Sa « métaphysique », Giraudoux n'en établit les bases que tardivement, et dans un cadre où l'on ne l'attendrait pas. Cocteau avait compris qu'au-delà du « très bon élève » il fallait percevoir en lui « le prestige mystérieux du cancre ». Aussi ne doit-on s'étonner qu'à moitié de voir l'« humanisme » giralducien s'élaborer dans une œuvre conçue d'abord comme dérision massive, énorme canular. *Elpénor,* citation parodique et exploration plaisante des coulisses de *l'Odyssée,* emprunte son épigraphe à la grande épopée homérique : « C'est alors que mourut le matelot Elpénor. Seule occasion que j'aurai de prononcer son nom, car il ne se distingua jamais, ni par sa valeur ni par sa prudence » (chant X). Si Giraudoux désire, lui, en dire plus long sur Elpénor, c'est pour en faire le type même de l'anti-héros, « le Charlot de *l'Odyssée* ». Confondu par les Phéaciens avec Ulysse,

Elpénor introduit le surhomme ou le demi-dieu dans des quiproquos qui le dévaluent et le caricaturent : « Telle était la vie en loques qu'il déployait aux yeux des Phéaciens. Mais ceux-ci voyaient au travers des trous la doublure de l'épopée, et ne la trouvaient point ridicule ». L'ironie se trouve ainsi tout entière mise au service d'une glorification de l'humanité moyenne : « Un mortel n'est rien, mais... le souvenir du mortel le plus mince détruit sur une contrée la trace du plus grand des dieux ».

En contrepartie, la dépréciation de l'extra-humain, et particulièrement du divin, ne fixe pas de limites à son insolence, blasphématoire ou joyeuse. Qu'il s'agisse d'affirmer que « les dieux infestent notre propre univers » (*Judith,* II, IV) ou d'évoquer « l'infect Charybde, semblable aux dieux » (*Elpénor*), Giraudoux semble vouloir accommoder la tonitruante prophétie nietzschéenne au goût de la mesure française et aux couleurs de l'aurore.

La vérité la plus sûre devient celle des humbles, dont les échecs sont plus probants, voire plus magnifiques, que les triomphes du héros. « Devenir immortel, c'est trahir, pour un humain » (*Amphitryon 38,* III, II). Dieux et héros, en fin de compte, trichent. Tous les exploits d'Ulysse ne valent pas une seule des « morts d'Elpénor ». Ce parfait « spécimen de tous les milliers d'ignorants et d'anonymes peu curieux qui sont les cancres des époques illustres », qui « vidait les eaux de la Fable », autorise l'étymologie giralducienne à concevoir humour et humanisme comme issus d'une même racine. Ainsi peut se révéler l'homme, « créature indomptable et qui emmerde les dieux ».

Doit-on pour autant affirmer que le goût du jeu à l'état pur ne serait plus qu'un aspect secondaire, sinon de toute la démarche giralducienne, du moins d'*Elpénor*? On ne peut que constater à quel point Giraudoux ne manque aucune occasion d'assouvir sa délectation pour la gratuité du calembour, du bon mot, des *concetti.* S'il évoque Polyphème, c'est pour remarquer aussitôt que « son tympan était si sonore et si large qu'on l'entendait entendre ».

Encore un tel jeu a-t-il valeur de plaidoyer, magnifiant le rôle imparti à l'homme dans l'équilibre cosmique. Ulysse lui-même « n'était point divin [...], en ce que toujours il succombait au désir de placer une de ses épigrammes ». L'homme parvient à garantir la stabilité universelle par la légèreté même de sa présence au monde. Il représente ce contrepoids infime mais indispensable pour rétablir l'assiette du cosmos, compromise par la pesanteur des dieux et des héros. Il manquera un rieur, un écho malicieux, un jardinier ou un mendiant peut-être pour ôter à la terrible « pesée » à laquelle se livrent Hector et Ulysse, dans *La guerre de Troie...,* son caractère tragique. Seul avec le *fatum,* le héros ne saurait être qu'un fauteur de guerres parmi les autres. Il n'est que la sagesse toute humaine d'une Alcmène pour conjurer à son insu les catastrophes et faire « de toute cette future tragédie de dieux [...] un petit divertissement pour femmes » (*Amphitryon 38,* II, VI).

Par là se trouve revendiquée la responsabilité humaine, le droit des hommes « d'être un peu seuls sur cette terre ». Aussi peut-on constater que le théâtre de Giraudoux s'est souvent plu à moduler une situation déjà largement exploitée dans ses romans : comment faire pour sauver Suzanne, Juliette, Isabelle? Pour soustraire la jeune fille au vertige de l'au-delà? Et surtout pour qu'elle puise dans son expérience une sagesse propre à lui faire aimer l'ici-bas? L'avenir d'Isabelle (*Intermezzo*), c'est de devenir quelque nouvelle Alcmène, sentinelle du genre humain et ennemie des absolus. Le péril consisterait à la laisser se figer en une sœur glacée d'Électre, vestale de la justice, instrument du destin. *Suzanne et le Pacifique, Juliette au pays des hommes* mettent en œuvre avant *Intermezzo* un tel programme initiatique. Le romancier Giraudoux assigne déjà à son écriture la tâche de conjurer le tragique. En opposant aux avances de Jérôme Bardini, qui « eût aimé la ramener par la volupté dans la tragédie », une écriture définitive et claire, Renée adopte une attitude emblématique de cette recherche giralducienne : « elle lui montra de loin ces quelques mots, si lisibles, alors que d'habitude elle avait une écriture de chat, lisibles comme ses souhaits de bonne année : Va-t'en » (*Aventures de Jérôme Bardini*). Le dramaturge conservera cette préoccupation fondamentale.

Le théâtre contre la tragédie

Giraudoux ne revendiquera l'appellation « tragédie » que pour *Judith* (1931). Dans son ensemble, sa dramaturgie apparaît comme une recherche obstinée de la mesure. Son théâtre se veut un univers tellement réglé qu'il a besoin d'un metteur en scène présent et reconnaissable au sein même de l'action dramatique, chargé de maintenir l'accord harmonique des éléments, de bannir les discordances, les disharmonies, les drames. Ainsi trouvent leur statut ces personnages dont la distribution d'*Intermezzo* est la moins avare : l'Ensemblier; le Droguiste, savant accordeur de la nature, possesseur de tous les diapasons de l'univers; enfin, le Contrôleur des poids et mesures, l'homme qui peut sauver Isabelle et grâce à qui « l'au-delà est refoulé au-delà de sa chambre ».

Le théâtre de Giraudoux se donne pour vocation de réguler les crises, de réaliser la fameuse « purgation des passions », chère aux Anciens. Aussi ne faut-il pas s'étonner qu'un tel dessein s'assouvisse en privilégiant le temps de l'intermède, véritable écluse entre deux flux du quotidien. Ainsi se trouve rétablie la mesure pour que se lève un nouveau jour. L'invitation de Jupiter aux spectateurs d'*Amphitryon 38* n'a pas d'autre signification : « Retirez-vous sans mot dire en affectant la plus complète indifférence ».

C'est un fait : l'intermède est le moment par excellence où se révèle la vraie nature du théâtre, et plus encore celle du tragique. Entre les deux actes d'*Électre,* le dramaturge ménage un instant d'apaisement, le « Lamento du Jardinier », qui explique : « On réussit chez les rois les expériences qui ne réussissent jamais chez les humbles, la haine pure, la colère pure. C'est toujours de la pureté. C'est cela que c'est, la Tragédie, avec ses incestes, ses parricides : de la pureté, c'est-à-dire, en somme, de l'innocence ». La crise est donc résolue par le rejet de la démesure et par la glorification des humbles. Les héros s'effacent et laissent en pleine lumière la femme Narsès. La race des Atrides, des rois guerriers, est éteinte. Peut alors s'établir la dynastie des rois jardiniers, à laquelle Amphitryon, inventeur « d'une nouvelle greffe pour les vergers », appartient, et qu'Holopherne voudrait voir régner sur les hommes : « Je suis l'ami des jardins à parterres » (*Judith,* II, IV).

Il n'est pas douteux que de semblables structures imposent comme le plus giralducien des dénouements celui qui parvient à remettre à l'unisson toutes les voix discordantes. Ainsi en est-il du chœur provincial qui conclut *Intermezzo.* Même quand le *happy end* ne vient pas les confirmer, ces principes paraissent fonder l'entreprise de Giraudoux. *Ondine* reste une féerie plutôt qu'une tragédie. Certes, Hans périt, l'amour meurt. Mais quelle plus convaincante célébration de la fragilité de l'homme, de cet « éphémère » que Léda veut sauver en Alcmène, « née pour être »? Humain et inhumain se sont à nouveau affrontés. Si l'un doit en souffrir, l'autre n'est pas indemne. Au contact de l'homme, l'extra-humain se dénature, se dévalue ou s'humanise. Ondine oubliera Hans, mais elle restera marquée par son expérience terrestre. En elle perdurera le souvenir de l'éphémère, de la mesure, de la raison : « Éternellement, il y aura une ondine bourgeoise parmi ces folles d'ondines ».

En accomplissant ce qui était écrit, le théâtre a épuisé les déterminismes et rendu ses chances au possible.

Mais quand l'histoire vient prouver que l'harmonie n'était qu'un rêve, que cette entente idéale entre Allemagne et France attendue dans *Siegfried* ne pourra voir le jour, les fondements d'un tel système s'effritent. Et en premier lieu la figure du couple, chargée de garantir et de matérialiser la solidarité humaine contre l'inhumain. Le conflit éclate désormais entre les hommes eux-mêmes, et la mésentente du couple suffit à décider du châtiment de *Sodome et Gomorrhe.* Dès lors que les fractures s'élargissent irrémédiablement, n'offrant plus au regard que gouffres et abîmes, le verbe subsiste seul, planant dignement au-dessus des désastres, drapé dans sa perfection et sa pureté inaltérable, détaché des choses, du sens : « Le monde s'est dédoublé, et nous avons chacun le nôtre. Seuls les noms sont restés communs » (*Sodome et Gomorrhe*). L'« aurore » n'est plus qu'un nom riche de sa seule beauté, pourrait ajouter Lia.

Retour au style, retour aux sources

Toute l'œuvre de Giraudoux semble habitée par la volonté de désarmer le fait par la parole, de substituer à un tohu-bohu de gestes, d'événements et de passions un ordre verbal chatoyant et rassérénant. Principe qui vaut aussi bien pour le romancier que pour le dramaturge. Nommer devient l'acte humain par excellence, la meilleure façon de faire le tour de son domaine et d'en établir des limites sûres. Par conséquent, aller au-delà du langage sera le premier désir de quiconque cédera à la fascination de l'au-delà, prêtera sa voix à l'inhumain. Ainsi Juliette, au début de son aventure : « Elle avait dû pousser une barrière fraîchement peinte, lutter en pleine crise de confiance avec la terre contre une série d'objets ridicules dont les noms mêmes ne sont que des diminutifs : chevillette, portillon, et elle arrivait vers Gérard dégoûtée, comme aucun humain ne le fut avant elle, des vêtements, des loquets et de la parole articulée » (*Juliette au pays des hommes*).

C'est pourquoi l'essentiel de la recherche stylistique de Giraudoux consistera à faire du langage une version corrigée et exorcisée de l'univers mythique. On pourra ainsi rattacher la réflexion du héros de *Siegfried et le Limousin,* quand il réalise qu'il a « perdu l'Allemagne », méditant au sujet de « cette peine qu'[il] avait toujours à rouler le verbe à la fin », et le jeu auquel se livre Ulysse face à Polyphème, dans *Elpénor,* donnant à ses phrases un tour parodié de l'allemand au lieu de l'ordre syntaxique grec. La dérision a, du même coup, désenvoûté le langage fabuleux et conjuré une angoisse existentielle. User de la parole avec art devient une véritable magie blanche, un recours salutaire et typiquement humain : « C'est ainsi qu'avec des sobriquets Ulysse avait bâti de ses matelots un corps invulnérable, et, autour du nom insaisissable de Personne, ils goûtaient un calme enviable » (*Elpénor*).

Rien que de très normal, dans ces conditions, si Agnès doit apprendre, pour faire son entrée parmi les hommes, à leur dire qu'ils sont beaux, à faire d'Apollon un prénom humain, à congédier le dieu en termes sans équivoque : « Ah! si tu étais seulement un bel homme, bien dense en chair et en âme, ce que je te prendrais dans mes bras! » (*l'Apollon de Bellac*).

De telles observations invitent à revenir sur la trop commune définition de Giraudoux « magicien du verbe ». Si, dans son œuvre, le mot paraît prendre le pas sur tout le reste, c'est précisément parce que le mot peut tout. Cette certitude doit être placée à l'origine même du rêve giralducien d'un « théâtre littéraire », chargé de charmer le spectateur par le seul langage, au-delà de toutes les conventions du décor et du jeu : « C'est le style qui renvoie sur l'âme des spectateurs mille reflets, mille irisations qu'ils n'ont pas plus besoin de comprendre que la tache de soleil envoyée par la glace » (*l'Impromptu de Paris*). Ôtant à son théâtre ces moyens que certains jugent spécifiques de la scène, dépouillant les décors, resserrant le mouvement et le geste, Giraudoux semble conférer toute leur exubérance au discours, auquel tout est permis.

Jamais il n'hésite à recourir à l'anachronisme, quand il veut colorer son propos d'une teinte générale et intemporelle. Le Mendiant d'*Électre* pourra ainsi nommer en toute impunité « les chemins départementaux ou vicinaux ». À chaque instant, l'allusion culturelle surgit pour faire du langage une perpétuelle mise en abyme du savoir, donnant l'illusion d'une profondeur vertigineuse, ouvrant des perspectives infinies au pouvoir de l'expression. Il suffit à Ondine d'entendre le nom de la reine, Yseult, pour croire un peu plus fort en son rêve d'amour et de fidélité : « Et Tristan? Où est Tristan? — Je ne vois pas le rapport, Ondine... » (II, x). La familiarité elle-même peut trouver droit de cité dans la tragédie giralducienne. Notamment quand un personnage comme Hécube l'utilise pour en faire l'arme de la dernière chance, capable de dévaluer les signes du destin pendant qu'il en est encore temps; parlant des « portes de la guerre », elle s'exclame : « Guerre ou non, votre symbole est stupide. Cela fait tellement peu soigné, ces deux battants toujours ouverts! Tous les chiens s'y arrêtent » *(La guerre de Troie n'aura pas lieu).*

Utilisant tous les registres, tous les tons et tous les lexiques, la langue de Giraudoux se plaît singulièrement à remettre en question les nombreux énoncés qu'elle pille. Un proverbe n'est cité que pour être soumis à quelque métamorphose plaisante; un discours, pour débrider aussitôt la verve parodique. Ainsi en est-il de l'argot maritime, dont l'abus est un tic du roman d'aventures, et que Giraudoux utilise dans *Elpénor* pour forger cette phrase burlesque : « Il argua une conasse dans le virempot, puis, la masure ayant soupié, bordina l'astifin : il était sauvé! » Ainsi détournés, les langages se prêtent à toutes les tentatives visant à dresser un inventaire poétique de l'univers. Les petites filles d'*Intermezzo* en donnent une démonstration éclatante, exhumant par leurs facéties les signes d'une harmonie oubliée de la vie cosmique : « L'arbre est le frère non mobile des hommes ».

Marque d'appartenance à un camp ou à l'autre, la langue suffit à désigner l'homme ou le dieu, l'humble ou le héros. Tandis que Jupiter et Léda ne peuvent se départir d'une expression abstraite et grandiloquente, Alcmène préfère les mots que lui dictent sa simplicité et sa chair. Quand Léda parle d'« ombilic », elle traduit aussitôt : « cela veut dire nombril, je crois? » Ainsi la parole peut porter tout entière la dignité de l'homme, jusque dans son échec, et le personnage giralducien faire appel, par-dessus les désastres, à une expression hautaine et rayonnante. C'est le cas dans *La guerre de Troie n'aura pas lieu,* dans *Électre* ou, plus significativement peut-être, dans le dénouement de *Sodome et Gomorrhe,* marqué par l'exaspération de l'Archange face à tous ces morts qui n'en finissent pas de parler. Giraudoux en arrive à bâtir une véritable esthétique du dernier mot. Mais n'est-ce pas le seul auquel l'Écho permettra de franchir les siècles et les espaces, insondables, mais sonores?

VIE		ŒUVRE	
1882	29 octobre : Naissance de Jean Giraudoux à Bellac (Haute-Vienne).		
1900	Lycéen, il s'éprend avec passion de la littérature.		
1903	Il est reçu 12e à l'École normale supérieure.		
		1904	« Le Dernier rêve d'Edmond About », conte publié par *Marseille-Étudiant*.
1905	Échec à l'agrégation d'allemand.		
1905 - 1907	Voyages en Allemagne et aux États-Unis.		
1909	Gide, Schlumberger et Copeau fondent *la Nouvelle Revue française*.	**1909**	*Les Provinciales.*
1910	Il est reçu premier au « petit concours » des Affaires étrangères.		
		1911	*L'École des indifférents.*
1913	Il s'initie à la diplomatie, voyage en Turquie et en Russie. Copeau constitue la troupe du Vieux-Colombier; parmi ses acteurs, Louis Jouvet. Proust publie *Du côté de chez Swann;* Apollinaire, *Alcools.*		
1914	Sergent dans un bataillon d'infanterie, blessé, Giraudoux est cité à l'ordre du régiment.		
1916	Il est chargé de mission au Portugal et à Harvard (U.S.A.). **Bataille de Verdun.**		
		1917	*Lectures pour une ombre.*
		1918	*Simon le Pathétique.*
1919	Breton, Aragon et Soupault créent la revue *Littérature.*	**1919**	*Elpénor.*
		1920	*Adorable Clio.*
1921	Mariage de Giraudoux. Il est promu dans le « grand cadre » des Affaires étrangères.	**1921**	*Suzanne et le Pacifique.*
		1922	*Siegfried et le Limousin.*
1924	Breton publie le *Manifeste du surréalisme.* Saint-John Perse publie, après treize ans de silence, *Anabase.* Dans la même période, Giraudoux, son subordonné au Quai d'Orsay, a ajouté sept titres à son œuvre.	**1924**	*Juliette au pays des hommes.*
1925	**Conférence de Locarno.**		
1926	Giraudoux est mis à l'écart, nommé à la Commission d'évaluation des dommages alliés en Turquie. Claudel fait jouer *le Soulier de satin.* Jouvet, Pitoëff, Dullin, Baty forment le « Cartel des Quatre ».	**1926**	*Bella.*
		1927	*Églantine.*
1928	Giraudoux rencontre Jouvet.	**1928**	*Siegfried.*
		1929	*Amphitryon 38.*
		1930	*Aventures de Jérôme Bardini.*
		1931	*Judith.*
		1932	*La France sentimentale.*
1933	**Hitler devient chancelier du Reich. L'Allemagne quitte la S.D.N.**	**1933**	*Intermezzo.*
1934	Giraudoux rentre en grâce au Quai d'Orsay.	**1934**	*Combat avec l'ange*; *Tessa*; *la Française et la France.*
		1935	*Supplément au voyage de Cook; La guerre de Troie n'aura pas lieu.*
1936	Époque des grandes tournées de Giraudoux aux quatre coins du monde. **Guerre civile en Espagne.** **Triomphe, en France, du Front Populaire.**		

VIE	ŒUVRE
1937 Sartre publie *la Nausée.*	**1937** *Électre*; *l'Impromptu de Paris.*
1938 **Conférence de Munich.**	**1938** *Cantique des cantiques*; *les Cinq Tentations de La Fontaine.*
1939 **Déclaration de guerre contre l'Allemagne.** Giraudoux est nommé commissaire à l'Information. Artaud publie *le Théâtre et son double.*	**1939** *Choix des élues*; *Ondine*; *Pleins Pouvoirs.*
1940 **Armistice.** Retraite de Giraudoux à Cusset.	
	1941 *Littérature.* Cinéma : *la Duchesse de Langeais.*
1942 Retour à Paris. Camus publie *le Mythe de Sisyphe.*	**1942** Jouvet donne *l'Apollon de Marsac* (ultérieurement : *de Bellac*) à Rio de Janeiro.
1943 Sartre publie *l'Être et le Néant.*	**1943** *Sodome et Gomorrhe.* Cinéma, avec Bresson : *les Anges du péché.*
1944 Mort de Jean Giraudoux.	
	1945 *La Folle de Chaillot* (posth.).
	1946 *Sans pouvoirs* (posth.).
	1953 *Pour Lucrèce* (posth.).
	1969 *La Menteuse* (posth.).

Amphitryon 38

Trente-huitième œuvre inspirée du même mythe, *Amphitryon 38* fut représenté pour la première fois à la Comédie des Champs-Élysées, le 8 novembre 1929. En la sous-titrant « comédie en trois actes », Giraudoux ne veut laisser planer aucun doute sur le genre de sa pièce; à supposer que la nature et la tradition théâtrale de la légende d'Amphitryon, de Plaute à Molière, permettent la plus légère ambiguïté à ce sujet.

Synopsis. — Acte I : En projetant « d'étreindre et de féconder » la belle Alcmène, épouse d'Amphitryon, roi de Thèbes, Jupiter se contenterait d'accomplir ce qui est écrit : Hercule doit naître. Or, il ne s'estimerait heureux qu'en obtenant son « consentement ». Pour séduire ainsi Alcmène la fidèle, il n'est qu'une solution : provoquer une guerre afin d'éloigner Amphitryon, et prendre sa forme (sc. I, II, III). Mais, loin de triompher, Jupiter se voit ligoté par son propre stratagème (sc. IV).

Acte II : A aucun moment il ne parvient à se révéler sous sa vraie nature à Alcmène : « Du coucher au réveil, je n'ai pu être avec elle un autre que son mari » (Sc. I, II, III). Voilà que le plus grand des dieux s'abaisse à éprouver un dépit tout humain. Jaloux d'Amphitryon, il décide d'assouvir son désir au cours d'une seconde nuit auprès de sa femme : « L'affaire Hercule est close heureusement. Il s'agit de moi ». Il en fait l'annonce aux Thébains et à Alcmène (sc. IV, V). Celle-ci conçoit une ruse : elle se fait remplacer dans sa chambre par Léda, pour qui les amours jupitériennes n'ont plus de secret. Mais, à la faveur d'un quiproquo, c'est le vrai Amphitryon qu'elle jette dans les bras de sa complice (sc. VI, VII).

Acte III : Tandis que mille fables agitent les imaginations thébaines, Alcmène et Amphitryon font le serment de mourir plutôt que de céder aux caprices du dieu (sc. I, II, III). Jupiter ne parvient à entamer ni la résolution du couple ni la fierté d'Alcmène; il doit même accorder aux époux la grâce d'effacer de leur mémoire tous les éléments troubles de l'aventure. L'amour humain est seul illuminé tandis que se retire le divin séducteur (sc. IV, V, VI).

Molière, tout en exploitant la structure de base de la fable antique, les rebondissements dramatiques, les cascades de quiproquos dans lesquelles le valet Sosie prend figure de symbole, tous les ressorts qu'elle met en jeu, est le premier à faire de Jupiter ce curieux dieu jaloux d'Amphitryon et rêvant d'être aimé comme seul peut l'être un simple mortel :

Et c'est moi, dans cette aventure,
Qui tout dieu que je suis, dois être le jaloux.

L'originalité de Kleist (1807) consistera à choisir Alcmène pour personnage central. Elle devient une héroïne en quête d'absolu, déchirée par le doute et qui confère à la pièce un climat dramatique et douloureusement élégiaque.

Giraudoux poursuit la transfiguration du mythe. Célébration de la naissance d'Héraclès, l'histoire d'Amphitryon ne fournit plus à sa scène qu'un prétexte à glorifier l'homme et le couple. Inaccessible aux atteintes du divin, Alcmène, la femme la moins « fatale » qui soit, veut que « la vision du couple commence à détruire en [Jupiter] l'image de la femme isolée, [...] qu'il voie quel être unique forment deux époux ».

Arrachant Alcmène à la fatalité grecque et à la démesure du romantisme allemand, Giraudoux la rend au pays de Molière, au peuple « le plus sensé et le plus pratique de l'univers », selon l'Inspecteur d'*Intermezzo*.

BIBLIOGRAPHIE

Outre l'importante réflexion de Jacques Voisine sur les sources littéraires et la nature du mythe d'Amphitryon : *Trois Amphitryons modernes, Kleist, Henzen, Giraudoux*, Paris, Minard, 1961, ALM n° 35 et « Amphitryon, sujet de parodie », *Cahiers de l'Assoc. intern. des études françaises*, n° 12, juin 1960 (p. 91-101), on consultera avec profit les analyses de Léon Cellier : *Études de structure :* roman (*l'Éducation sentimentale*), théâtre (*Amphitryon 38*), cinéma (*les Fraises sauvages*), Paris, Minard, 1964, ALM n° 56, et l'on trouvera de précieux renseignements sur l'accueil fait à la pièce dans l'article d'Yves Moraud, « *Amphitryon 38* à l'époque de la création », *Cahiers Jean Giraudoux*, n° 5, Paris,

Grasset, 1976 (p. 31-37). L'étude de Jean Onimus semblera habitée de préoccupations beaucoup moins spécifiquement littéraires : « Une épouse parfaite : Alcmène de Jean Giraudoux », *Actes de la Société des lettres des Alpes-Maritimes*, Nice, 1961 (p. 162-168).

Aventures de Jérôme Bardini

Le roman qui paraît sous ce titre en 1930 assemble trois fragments parus séparément à quatre années de distance : « Première Disparition de Jérôme Bardini » (1926), « Stéphy » (1929) et « The Kid » (1930). Abandonnant son personnage à l'inachèvement de son parcours initiatique, l'auteur mûrit d'essai en essai la signification de sa quête, comme semble l'indiquer le long propos analytique concluant l'œuvre. L'absence d'article ouvre le titre à l'indéfini d'un pluriel lourd de contingences, de discontinuités, bien propre à confirmer cette impression d'ensemble. *Aventures de Jérôme Bardini* renoue ainsi avec les origines de l'écriture giralducienne, celle du nouvelliste, auteur des *Provinciales*.

Synopsis. — « Première Disparition de Jérôme Bardini » : Tout est prêt pour que Jérôme Bardini disparaisse. « Il s'était entraîné à la pensée de son évasion, de son assaut sur l'inconnu ». Des vêtements, de l'argent l'attendent dans une cache. Trop de choses lui pesaient jusqu'alors : sa vie bourgeoise; son fonctionnariat; Renée, sa femme; son tout jeune fils. Renée s'en est doutée, sans pouvoir le retenir. Il part, hésite, puis revient, désireux de « faire consentir » sa femme « à son départ »; mais c'est elle, alors, qui le chasse.

« Stéphy » (première partie) : Stéphanie Moëller rencontre, sous les arbres de Central Park, l'inconnu qu'elle a cru connaître dans ses rêves et dans les contes de fées qui ont bercé son imagination de jeune fille. « Un homme qui ne vous a jamais vue, que vous n'avez jamais vu, est excusable de ne pas comprendre que vous l'attendez depuis l'enfance! » Las, où est l'aventure espérée? L'Amérique n'est encore pour Bardini qu'un « affreux itinéraire », jalonné de médiocrité et de déception. Seule Stéphy connaît son moment d'émoi auprès de Jérôme : « Elle avait trouvé avec lui une manière d'être qui convenait à la fois au bolcheviste, au criminel, au bourgeois, à l'homme gâté par la vie ou au paria et jamais rien en ses gestes, en ses paroles qui pût choquer le contrebandier d'alcool, ou le mari évadé, ou le magistrat, ou l'assassin ». « Stéphy » (seconde partie) : Les fiançailles sont à peine prononcées que Stéphy a déjà fourbi la double personnalité qui lui permettra de disparaître dès qu'elle le jugera opportun. Ce qui finit par se produire, quand elle est suffisamment persuadée que Jérôme pourrait bien disparaître avant elle.

« The Kid » : Aux côtés du Kid, enfant fugueur, sans mémoire et sans nom, Jérôme croit enfin trouver cet « instinct de vie si pur, une âme si dégagée des liens qui l'enserrent dès sa naissance, que le mot liberté reprenait un sens à sa vue ». Mais « on ne se dérobe pas impunément à ses devoirs ». L'enfant éveille la curiosité des agents de police, des maîtres d'école, des éducateurs d'orphelinat. Le Kid retrouve un jour la mémoire, un nom, une famille. Un ami, Fontranges, retrouve Bardini et le ramène en France, plein d'amertume et conscient que « le temps est passé du redressement qui aurait fait de l'humanité la race directement supérieure à l'humanité ».

On y remarque cette tendance naturelle de l'auteur de *l'École des indifférents* à organiser sa matière narrative, à structurer son univers par séquences, à jouer des pleins et des vides, des hiatus temporels, dramatisant toute durée, mettant en œuvre une véritable théâtralisation du romanesque. De fait, la béance qui s'ouvre aux lisières de chaque « aventure » de Jérôme Bardini ne peut manquer d'être rapprochée de celle qui constitue le prélude à l'acte III d'*Ondine*, taisant le lent cheminement au cours duquel s'accomplit la faute, s'aigrit la déception et s'accélère le destin.

Le héros de Giraudoux rêve d'une humanité supérieure, capable de retrouver l'harmonie primitive, celle d'Adam au sein de l'Eden. Aussi les épisodes où Bardini se baigne nu dans le fleuve, erre dans Central Park, pâle vestige du paradis perdu, cerné par la grande cité grise, prennent-ils valeur symbolique. Mais Ève n'est jamais au bout de l'espérance. Stephy ne ressemble en rien à Suzanne, que le Contrôleur des poids et mesures finit par arracher à son île paradisiaque. La poursuite du mythe enferme le personnage dans la répétition.

Toujours plus intensément, Bardini cherche à renaître, à entrer dans une vie nouvelle. Toujours, son échec le rattrape. « The Kid » apparaît comme le point extrême de cette entreprise : Jérôme tentera de découvrir son possible à travers un enfant.

Pourtant, la rédemption n'aura pas lieu : « L'homme qui nous libérera de l'homme ne viendra plus ». Mais, aux frontières de l'infini et du cercle étroit de la routine humaine, Bardini hésite encore, et le romancier refuse de prendre parti.

BIBLIOGRAPHIE

Benjamin Crémieux voit dans *Aventures de Jérôme Bardini* les signes d'une mutation de l'univers giralducien, lorsqu'il en rend compte dans *la Nouvelle Revue française*, janvier 1931, p. 125-127. Dans son *Histoire du roman français depuis 1918*, Le Seuil, Paris 1950, Claude-Edmonde Magny consacre à peine quelques lignes allusives à cette œuvre, sacrée par d'autres, à l'intérieur du développement qu'elle intitule « le Nijinsky du roman : Jean Giraudoux ».

Intermezzo

Intermezzo voit le jour le 27 février 1933, à la Comédie des Champs-Élysées. Cette féerie plaisante sera définie par un de ses personnages, le Droguiste, comme un « nouvel épisode de Faust et de Marguerite ».

Parti pour installer sa pièce dans un climat fantastique et étrange, pour développer une histoire de spectre et de procès en sorcellerie, le dramaturge a pris soin de rassurer le spectateur dès l'affiche : dans l'espace de l'intermède, il ne faut attendre que fantaisie et légèreté.

Synopsis. — Acte I : Le Maire et le Droguiste comptent sur l'Inspecteur envoyé de Limoges et sur le Contrôleur des poids et mesures pour les aider à comprendre l'origine du délire poétique qui s'est emparé des habitants de leur bourg : le plus pauvre gagne à la loterie; Isabelle, jeune remplaçante de l'institutrice, emmène les fillettes, ses élèves, battre la campagne à la recherche de la mandragore, et surtout, selon les rumeurs colportées par les sœurs Mangebois, rencontre fréquemment un mystérieux Spectre (sc. I, II, III, IV, V). La pédagogie d'Isabelle n'est pas du tout du goût de l'Inspecteur, très offusqué d'apprendre, grâce aux petites filles, que le bien et le mal découlent, dans l'univers, de l'intervention de l'« Ensemblier », qui provoque les éruptions volcaniques dans l'intérêt supérieur de l'équilibre cosmique, et d'« Arthur », esprit malfaisant « qui fait monter la chenille sur les Inspecteurs en visite ». Le Droguiste doit rétablir l'harmonie de la nature, troublée par la colère de l'Inspecteur, afin qu'Isabelle puisse à nouveau rencontrer le Spectre, dont elle veut connaître les secrets (sc. VI, VII).

Acte II : Le Contrôleur, chargé de remplacer Isabelle en qualité d'instituteur, perpétue ses méthodes et, avec le Droguiste, décide de « veiller plus étroitement sur Mlle Isabelle ». Heureusement, car l'Inspecteur est décidé à tendre une embuscade au Spectre, au cas où elle ne renoncerait pas à lui rendre visite. Et, malgré les avertissements du Contrôleur, la jeune fille en prend le risque (sc. I, II, III). L'Inspecteur tend son piège, tandis que le Droguiste, grâce à ses diapasons, maintient l'accord des éléments. Isabelle s'entretient avec le Spectre, mais les bourreaux soudoyés par l'Inspecteur tirent sur lui (sc. IV, V, VI). Peine perdue : il ressuscite aussitôt, ridiculisant ses assassins. Le Droguiste, cependant, annonce au Contrôleur, amoureux d'Isabelle, que celui-ci pourra bientôt combattre le Spectre, son rival (sc. VII, VIII).

Acte III : Tout va se jouer dans la chambre d'Isabelle. Chacun à sa manière va chercher à en interdire l'accès au Spectre : l'Inspecteur et le Maire, par des incantations à la gloire du rationalisme, de la laïcité et de la bureaucratie de la IIIe République; le Droguiste et le Contrôleur, en indiquant au revenant les chemins qui mènent à son vrai domaine, la mort, et en offrant à Isabelle la seule clé du royaume des vivants, l'amour (sc. I, II, III, IV). Évanouie pour avoir embrassé le Spectre au moment où il s'apprêtait à disparaître, la jeune fille voit se réunir autour d'elle tous les citoyens de la petite ville, dont le chœur, orchestré par tous les bruits de la vie quotidienne, parvient enfin à la rappeler au jour. S'adjugeant ce triomphe, l'Inspecteur déclare : « Je vous rends un district en ordre; l'argent y va de nouveau aux riches, le bonheur aux heureux, la femme au séducteur » (sc. V, VI).

Isabelle, centre de l'œuvre, subit l'initiation de toute jeune fille, use de son « droit de s'élever au-dessus de sa vie quotidienne et de donner un peu de jeu à sa raison ». Interlocutrice privilégiée du Spectre et de l'au-delà, elle n'attend qu'un Contrôleur-poète pour se laisser prendre au lyrisme des fonctionnaires, capables de resserrer leurs aventures et leurs délires « entre Gap et Bressuire » et de lui faire découvrir les mérites de la mesure : « Isabelle! Ne touchez pas aux bornes de la vie humaine, à ses limites. Sa grandeur est d'être brève et pleine entre deux abîmes. Son miracle est d'être colorée, saine, ferme entre des infinis et des vides ».

Rêverie poétique du « Français normal », contrepartie rassurante des « soixante-quatre millions de rêves allemands » qui effraient l'Inspecteur, *Intermezzo* promène une inquiétude souriante dans les débats de la condition humaine. Sourire est en effet la meilleure façon d'avertir l'homme, obligé d'entretenir avec l'au-delà un dangereux voisinage, que chaque individu « doit n'être qu'un garde à ses portes ».

C'est en effet le caractère de l'intermède de maintenir l'indécision, hésitant à conclure, plaçant le personnage sur l'« escarpolette » qui le balance entre « deux vérités ou deux mensonges ». Appelant un « après », *Intermezzo* laisse la porte entrouverte à tous les possibles dramatiques, à l'épouvante d'*Électre,* à la lumineuse ironie de *l'Apollon de Bellac.*

BIBLIOGRAPHIE

La très sérieuse édition critique du texte d'*Intermezzo* et de ses variantes établie par Colette Weil offre dans ses abondantes notices la matière la plus riche; genèse, structure, signification de l'œuvre s'y trouvent largement et finement analysées; les problèmes de sources et de mise en scène n'y sont pas moins soigneusement étudiés : *Jean Giraudoux, Intermezzo (édition critique),* Paris, Ophrys, 1975, Association des publications près les universités de Strasbourg, fascicule 159.

On pourra également se reporter aux *Cahiers Jean Giraudoux,* Paris, Grasset, 1975 et 1976 : n° 4, numéro entièrement consacré à *Intermezzo;* n° 5 : p. 38-42, Louis Jouvet, « Décoration d'Intermezzo »; p. 43-47, Guy Turbet-Delof, « Giraudoux doit-il à Péguy l'Inspecteur d'*Intermezzo?* »; p. 48-55, Alain Duneau, « Jeux et Miroirs du langage ou la Figure de l'écho dans *Intermezzo* ».

La guerre de Troie n'aura pas lieu

Si le public de l'Athénée, le 21 novembre 1935, fait un triomphe à *La guerre de Troie n'aura pas lieu,* les nombreuses allusions à l'actualité qu'un contemporain peut croire y discerner y contribuent sans doute pour une part notable. Quand Ulysse déclare : « Il est courant que deux chefs de peuples en conflit se rencontrent seuls dans quelque innocent village, sur la terrasse au bord d'un lac », combien songent alors aux entretiens de Locarno (1925), caducs depuis les derniers infléchissements de la politique allemande!

Synopsis. — Acte I : Alors qu'Andromaque affirme : « La guerre de Troie n'aura pas lieu », Cassandre soutient que « le destin s'agite » et « se met en marche » (sc. I). Hector a beau prétendre : « Tous ceux des Troyens qui ont fait et peuvent faire la guerre ne veulent pas la guerre », sa femme n'est pas rassurée (sc. II, III). En fait, tout le peuple de Troie paraît fou d'Hélène, même si Hector semble sûr de persuader Pâris et Priam de la rendre aux Grecs. Démokos, le poète, pour qui la guerre est le prix de la beauté, exprime le sentiment commun (sc. IV, V, VI). Hélène se laisse bien convaincre par Hector, mais elle le met en garde : « Je ne vois pas la paix. » Les « portes de la guerre » sont toujours grandes ouvertes.

Acte II : Hélène continue de régner sur les cœurs troyens (sc. I, II, III). Les discours guerriers se multiplient et se font écho dans la cité. Démokos prétend que « c'est [...] la mission de ceux qui savent parler et écrire, de louer la guerre » (sc. IV). Hector fait cependant fermer les « portes de la guerre » et prépare son entrevue avec l'envoyé des Grecs en prononçant un discours aux morts qui scandalise le parti des belliqueux : « La guerre me semble la recette la plus sordide et la plus hypocrite pour égaliser les humains et [...] je n'admets pas plus la mort comme châtiment ou comme expiation au lâche que comme récompense aux vivants » (sc. V). Quant à Hélène, face à la petite Polyxène, à Hécube et à Andromaque, elle reste l'« insensible » par excellence, un masque du destin (sc. VI, VII, VIII). Hector a de plus en plus de mal à opposer son calme à tous les fauteurs d'incidents irrémédiables, qui attendent le désastre et font tout pour le provoquer : « Je gagne chaque combat. Mais de chaque victoire l'enjeu s'envole » (sc. IX, X, XI). La conversation diplomatique avec Ulysse s'engage sous de bien mauvais auspices. Dans la bouche de leur messagère, Iris, les dieux ne placent que des ultimatums contradictoires ou sibyllins. Et Ulysse, tout en acceptant, à la prière d'Hector, d'essayer de « ruser contre le destin », reste convaincu : « L'univers le sait, nous allons nous battre » (sc. XII, XIII). Dérision suprême : Hector devient l'agent de l'irréparable. Au lieu de frapper Oiax, le Grec qui l'insulte à travers Andromaque, il tue Démokos qui veut ameuter les Troyens. Hélas! le poète fanatique, en tombant, trouve la force de désigner aux autres Oiax comme son meurtrier. Ce dernier est aussitôt mis à mort par la foule, tandis qu'Hector conclut douloureusement : « Elle aura lieu » (sc. XIV).

C'est un fait : sans vouloir construire une pièce à clefs, Giraudoux n'a sans doute pas dédaigné de jouer sur la connivence du spectateur pour établir dans sa création un climat lourdement tragique, le sentiment d'une fatalité en marche. D'ailleurs, l'homme du parterre ne partage-t-il pas avec Ulysse cette expérience grâce à laquelle il sait aussi sûrement que l'« univers » que Grecs et Troyens vont se battre? Homère le lui a soufflé depuis longtemps quand Andromaque paraît.

Pour beaucoup, cependant, l'idée d'une œuvre à thèse s'impose : Pierre Veber parlera d'une « moralité légendaire » contre ceux qui affirment que s'opère la mutation définitive de Giraudoux, enchanteur du roman, en enchanteur du théâtre.

Pourtant, ces derniers semblent avoir eu raison : *La guerre de Troie n'aura pas lieu* a survécu jusqu'à nous comme l'œuvre d'un poète. Giraudoux, usant avec virtuosité du mélange des styles, du contraste des tons et de l'opposition des caractères, vise un but plus profond que la simple bigarrure ou la pâle redite d'une dramaturgie pseudo-shakespearienne. Loin d'être gratuite, l'association du burlesque et du tragique contribue puissamment à mettre en valeur cette dimension — la plus révoltante pour l'homme qui sent et qui raisonne — de la fatalité : l'absurde, dont le scandale éclate quand on réalise que c'est Démokos, le bouffon, qui détenait les clefs du destin, tandis que les héros n'ont rien pu faire.

L'enthousiasme épique sera le lot d'un poète vainqueur, du « poète grec », Homère. Giraudoux, lui, chante la guerre où il ne peut y avoir que deux vaincus, celle où l'homme, Troyen ou Grec, a tout à perdre (cf. *Siegfried*).

BIBLIOGRAPHIE

Étienne Frois, dans *La guerre de Troie...*, Paris, Hatier, 1971, « Profil d'une œuvre », propose une brève étude qui a le mérite de consacrer une part importante au style et aux techniques dramatiques. Giraudoux lui-même parle de son œuvre dans une interview reproduite par *l'Écho de Paris*, n° du 6 novembre 1935.

Électre

D'*Électre*, jouée pour la première fois à l'Athénée, le 13 mai 1937, le critique Edmond Sée rend compte comme d'une « sorte de tragi-comédie merveilleusement subtile, pénétrante, intelligente [...] alliant la verve ironique à la pathétique éloquence ». Force est de constater que pour affûté et touchant qu'il soit, le plaidoyer d'Égisthe, champion de l'humanité, ne sauve pas les Argiens : il ne trouve en effet pour l'écouter qu'une Électre « avec sa tête de statue, ses yeux qui ne semblent voir que si les paupières sont baissées, sourde pour le langage humain! »

Synopsis. — Acte I : L'Étranger arrive à Argos, devant le palais des Atrides. On prépare le mariage d'Électre, fille d'Agamemnon — mort mystérieusement à son retour de Troie — avec le Jardinier. La jeune fille, par sa soif de vengeance et de justice, inquiète tous les Argiens; seul Égisthe se montre assez courageux pour négliger les avertissements du destin et mépriser les dieux, tandis qu'un étrange Mendiant suffit à intriguer tous les autres, par ses énigmes et ses oracles incompréhensibles : est-ce un dieu? (sc. III). Électre crie à la face de sa mère, Clytemnestre, son orgueil et sa haine. Elle a, de son propre chef, accepté ce mariage, proposé par Égisthe, désireux de « (la passer) à une famille invisible des dieux [...] où le ravage restera local et bourgeois ». Mais tous le désapprouvent, et singulièrement les parents du Jardinier, les Théocathoclès, peu soucieux d'hériter de la malédiction des Atrides. Agathe, une des leurs, substitue au Jardinier l'Étranger (sc. IV, V). D'abord troublée, Électre reconnaît en celui-ci son frère, Oreste. En les voyant ensemble, Clytemnestre sent en elle un obscur pressentiment (sc. VI, VII). Oreste ne parvient pas à adoucir la rancœur d'Électre. Or, voilà que se répand dans Argos la nouvelle de son possible retour. Égisthe s'en inquiète (sc. VIII, IX). Oreste ne sait toujours pas pourquoi Électre hait leur mère; cette dernière finit par identifier son fils. Un moment apaisées par un peu de tendresse, les retrouvailles sont vite assombries par l'implacable Électre (sc. X, XI).

A l'entracte, le Jardinier, dans son « lamento », livre la vérité émouvante de la tragédie : « C'est une entreprise d'amour, la cruauté..., pardon, je veux dire la Tragédie ».

Acte II : Tandis que le Jardinier se lamente sur sa triste nuit de noces, passée dans la solitude, Électre, Oreste contre elle, attend le jour, ou plutôt « la lumière ». A son réveil, Oreste apprend d'Électre qu'une vision nocturne lui a révélé le crime de leur mère, maîtresse d'Égisthe et meurtrière d'Agamemnon. Celle-ci n'avoue rien. Mais Électre tient bon : elle refuse de pardonner à Clytemnestre au nom de l'amour (sc. III, IV). C'est alors que les aveux burlesques d'Agathe, accusée d'infidélité par son mari, provoquent les aveux tragiques de Clytemnestre : elle ne peut entendre, sans se trahir, la frivole prétendre qu'Égisthe est son amant (sc. V). Celui-ci paraît transfiguré par une majesté nouvelle. Les Corinthiens menacent Argos; aussi a-t-il décidé d'épouser Clytemnestre, afin de donner à la cité le roi capable de la défendre. Peu importe à Électre : « On n'a le droit de sauver une patrie qu'avec des mains propres ». Elle reste sourde, tandis qu'Égisthe réaffirme qu'« il est des vérités qui peuvent tuer un peuple ». A peine, après avoir entendu la déclaration de sa mère, consent-elle à proposer un pacte monstrueux : « Tuez-la, Égisthe. Et je vous pardonne ». Égisthe reste noble et laisse Électre et Oreste libres (sc. VI, VII, VIII). La vérité de quelques-uns devient vérité universelle. La foule des mendiants écoute d'abord le récit de l'assassinat d'Agamemnon par Égisthe et Clytemnestre, tandis qu'Oreste cherche ceux-ci, l'épée à la main. Le Mendiant continue à raconter à ses frères la vendetta qui s'accomplit en coulisses. Tout s'achève en apocalypse : les Corinthiens mettent Argos à sac, Oreste fuit, poursuivi par les Euménides. Alors que les humbles cherchent une raison d'espérer, seule Électre s'obstine : « J'ai la justice, j'ai tout » (sc. IX, X).

Tandis que le ridicule vaudevillesque, dans *Amphitryon 38*, rejaillissait sur Jupiter, le rabaissant au rang d'amant de boulevard, il n'éclabousse ici que les humains, ces malheureux Théocathoclès, parmi lesquels la frivole Agathe répand le scandale de ses écarts de conduite. Ville « hypocrite et corrompue », que le couple d'Égisthe et Clytemnestre, fondé sur la complicité et non sur l'amour, ne peut racheter, Argos est condamnée par Électre, véritable Érinnye, modèle, dans la pièce, de la dernière métamorphose des petites Euménides : « Nous prenons ton âge et ta forme pour le poursuivre ». Considérant les infernales fillettes, le Jardinier s'exclame : « C'est effroyable, le destin enfant! » On comprend aussitôt qu'en Électre il offre déjà son visage adulte, prélude au déchaînement.

Ce n'est que dans l'entracte que peut trouver refuge l'humanité innocente, dont le Jardinier est le porte-parole, s'identifiant au spectateur dès qu'il a pris conscience de la distance qui le sépare du héros tragique. Quand Oreste l'a invité à « regarder son espèce dans ses yeux », il ne lui reste plus qu'à se retirer (« Moi, je ne suis plus dans le jeu »), avec pour seul espoir la certitude d'Électre à propos de la cité : « Me voilà satisfaite. Depuis une minute, je sais qu'elle renaîtra »; et toute l'incertitude de « l'aurore » qui éclaire le dernier mot de la pièce.

BIBLIOGRAPHIE

L'ouvrage de Pierre Brunel, *le Mythe d'Électre*, Paris, Armand Colin, 1971, fournit déjà une ample matière.

On trouvera de précieux renseignements sur la création de la pièce, sa genèse et l'accueil que lui réserva la critique dans les *Cahiers Jean Giraudoux*, n° 5, Paris, Grasset, 1976 : p. 56-64, Colette Weil, « *Électre* à l'époque de la création »; p. 64-67, dossier de presse (jugements de Martin du Gard, Benjamin Crémieux, Gérard Bauër); p. 68-71, Jacques Robichez, « Un manuscrit d'*Électre* ».

Ondine

Avec *Ondine*, présentée pour la première fois le 27 avril 1939, au théâtre de l'Athénée, Giraudoux revient à une inspiration qu'il semblait avoir délaissée depuis *Intermezzo* (1933). Le voilà à nouveau sensible à la puissance poétique des mythologies germaniques. La pièce, en effet, adapte très scrupuleusement un conte de l'écrivain allemand Frédéric de La Motte-Fouqué, composé en 1811.

Synopsis. — Acte I : Dans une cabane au fond d'une forêt, Auguste et Eugénie, deux pauvres pêcheurs, attendent inquiets le retour d'Ondine, cette jeune fille qu'ils ont recueillie au berceau : étrange personne, en vérité, qui « ne veut [...] réciter ses prières que la tête sous l'eau ». Un chevalier, Hans von Wittenstein zu Wittenstein, demande asile. Il est en train de s'acquitter de l'épreuve qui doit lui gagner la main de la comtesse Bertha (sc. I, II). Ondine arrive; elle est aussitôt séduite par Hans. Lui-même n'est pas insensible au charme d'Ondine. Pour satisfaire Ondine déjà jalouse de Bertha, Hans décide de l'épouser (sc. III, IV, V, VI). Auguste a beau l'avertir qu'Ondine appartient peut-être à un autre univers que le sien, l'apparition des autres ondines et du roi des ondins a beau l'en convaincre, le jeune homme persiste dans son dessein (sc. VII, VIII). Ondine lui arrache le serment d'une fidélité absolue : elle veut tenter l'aventure humaine contre l'avis du roi des ondins, qui affirme : « Il te trompera » (sc. IX).

Acte II : Tandis que tout s'apprête au palais royal pour recevoir les jeunes époux, l'Illusionniste, le Chambellan et le Poète s'amusent avec le destin en provoquant une série de rencontres entre Hans et Bertha. Celle-ci reproche à Hans son infidélité et lui fait confesser la gêne qu'il éprouve à l'idée qu'Ondine ne sera pas capable de soutenir dignement son rang à la Cour (sc. I à VII). Malgré les leçons du Chambellan, Ondine fait toujours aussi peu de cas de l'étiquette. A peine est-elle en présence de Bertha que sa jalousie éclate. Le roi et les courtisans la croient folle (sc. VIII, IX, X). Elle dévoile à la reine Yseult qu'elle a dû conclure un terrible pacte avec les ondins : si Hans la trompe, il mourra (sc. XI). Ne pouvant éloigner Hans de Bertha et blessée par l'insolence de sa rivale, elle révèle les origines de celle-ci : Bertha n'est autre que la fille disparue des pêcheurs qui élevèrent Ondine (sc. XII, XIII). Le scandale oblige Ondine et Hans à se retirer loin de la Cour. Ils emmènent Bertha avec eux (sc. XIV).

Acte III : Du temps a passé; Ondine a fui tandis que l'on prépare les noces de Hans et Bertha. Mais le chevalier est inquiet : des signes l'avertissent que le malheur est proche (sc. I). Ondine est capturée, on va la juger comme sorcière. Mais le roi des ondins paraît, et c'est à lui qu'il faut rendre des comptes. Voulant faire croire qu'elle partage la faute de Hans, Ondine prétend l'avoir trompé avec Bertram. Sans succès (sc. II, III, IV). Hans doit mourir. Condamnée à tout oublier, Ondine ne reconnaît pas le cadavre du chevalier, mais elle soupire en s'éloignant : « Comme je l'aurais aimé! » (sc. V, VI, VII).

Une vérité s'impose à l'univers dramatique de Giraudoux, par-delà la parodie d'*Amphitryon 38* : l'amour soumet à sa fatalité aussi bien les hommes que les êtres de l'autre monde. Ondine, la femme-poisson, aime Hans, « entre tous les chevaliers [...] le plus bête ». Mais ce qui pourrait n'apparaître qu'en tant que preuve d'un divorce ontologique entre les règnes, confirmation négative des leçons d'Alcmène, se révèle ici beaucoup plus inquiétant : l'impossible accord entre créatures différentes semble confirmer une mésentente plus grave, interne à l'espèce, qui se fait jour entre les sexes. Ne nous y fions pas : l'ondine vaut pour la femme; jamais cette dernière ne rassure tout à fait Giraudoux sur sa vraie nature, toujours elle paraît évoluer dans un milieu qui n'est pas tout à fait celui de l'homme, dans un autre élément. Stéphy, la plongeuse des *Aventures de Jérôme Bardini*, pourrait en remontrer à la sirène; Isabelle, dans *Intermezzo*, respire un autre air que l'Inspecteur.

De fait, avant de tromper Ondine, Hans n'a-t-il pas trompé Bertha? L'humanité est en crise. « Il faut croire que la vertu des hommes est déjà un mensonge affreux », remarque Ondine. Les ondins, eux, vivent encore dans la fidélité qu'enseignait l'Alcmène de *Amphitryon 38*. Yseult le déplore en termes clairs : « L'homme a voulu son âme à soi. Il a morcelé stupidement l'âme générale. Il n'y a pas d'âme des hommes. Il n'y a qu'une série de petits lots d'âme où poussent de maigres fleurs et de maigres légumes. Les âmes d'hommes avec les saisons entières, avec le vent entier, avec l'amour entier, c'est ce qu'il t'aurait fallu, c'est horriblement rare ». L'héritage du genre humain ne survivra dignement qu'emporté dans l'au-delà par Ondine, que ses sœurs appelleront « l'humaine ».

C'est de son outrance même que semble périr le songe d'une fusion bienheureuse entre les êtres surnaturels et les hommes. Alcmène ne proposait que l'« amitié » à Jupiter. Ondine ne peut offrir à Hans que l'« amour », un mot soudain trop grand pour l'homme.

BIBLIOGRAPHIE

Ondine semble avoir passionné les commentateurs presque exclusivement par son inspiration et ses sources, qu'il s'agisse de J. Rouge, dans *les Nouvelles littéraires*, 6 mai 1939, « La Motte-Fouqué, inspirateur de Giraudoux. De *Ondine 1* à *Ondine 2* », ou d'Hélène Guénot, *les Amis de Sèvres*, janv. 1950, p. 53-58 : « Ondines ».

La Folle de Chaillot

Giraudoux est mort depuis près de deux ans quand l'Athénée de Louis Jouvet lui rend hommage en mettant pour la première fois en scène *la Folle de Chaillot* le 19 décembre 1945. Malgré une gaieté constante, l'œuvre fait entendre un ton plus amer. Allant jusqu'à comparer la pièce à *Sodome et Gomorrhe*, « cauchemar » pur et simple, Charles Mauron n'hésite pas à la définir comme « un cauchemar renversé », ou plutôt travesti d'une fantaisie aussi triomphante que suspecte : « Giraudoux croit bien moins à la réalité du salut qu'à celle du mal ».

Synopsis. — Acte I : Place de l'Alma, le Président, le Coulissier, le Baron et le Prospecteur, quatre affairistes sans scrupules, assis à la terrasse d'un café, font preuve d'une muflerie sans égale à l'égard de tous et de toutes et trament de sombres complots. Un jeune homme, qu'ils tiennent sous la menace d'un odieux chantage, doit faire sauter la demeure de l'ingénieur qui « depuis vingt ans refuse tout permis de prospection pour Paris et sa banlieue ». Ils n'attendent plus que l'explosion pour se livrer sans retenue à leurs louches spéculations. Mais Pierre, leur malheureux homme de main, préfère tenter de se noyer dans la Seine plutôt que d'accomplir le forfait dont ils l'ont chargé. Il se confie à Aurélie, la Folle de Chaillot. Le Chiffonnier confirme : gangrené par « les mecs », « le monde n'est plus beau, le monde n'est plus heureux ». La Folle décide alors de supprimer tous les coupables : les puissants, les riches, les agioteurs et les escrocs. Elle les invite chez elle, prétendant que sa cave contient du pétrole.

Acte II : En effet, l'Égoutier a révélé à la Folle l'existence d'une oubliette, dans laquelle elle a résolu d'engloutir ces tristes personnages. Elle invite à se joindre à la conspiration la Folle de Passy, Mme Constance, et la Folle de Saint-Sulpice, Mme Gabrielle. Les trois amies jugent bon de consulter Joséphine, « petite-cousine par alliance de l'avocat Lachaud », sur le bien-fondé juridique de leur projet. Joséphine acquiesce, à la condition que les misérables puissent bénéficier d'un avocat. Le Chiffonnier est choisi pour cet office. Il s'en acquitte avec une telle ardeur démonstrative que la Folle est plus que jamais convaincue de la justesse de son dessein. Les aigrefins arrivent en rangs serrés. L'un après l'autre, ils s'engouffrent dans l'escalier sans retour. Tout est dit, le monde à nouveau sourit, et, en contrepartie des filous, les ténèbres libèrent les hommes « qui ont sauvé des races d'animaux », « sauvé ou créé une plante », et ceux dont la timidité a gâché la vie en les faisant passer à côté de l'amour. Irma et Pierre peuvent s'aimer. « Il suffit d'une femme de sens pour que la folie du monde sur elle casse ses dents », déclare la Folle.

La Folle de Chaillot se ressent d'avoir été conçue en marge d'une méditation sur la déchéance du monde politique, moral, métaphysique. A l'exemple de Corneille, Giraudoux semble ruminer sa vieillesse d'un cœur désabusé, si l'on en juge par les accents sans complaisance de *Pleins Pouvoirs* et, plus encore, de *Sans pouvoirs* : « La mécanique est le scalpel qui tranche les adhérences entre ces jumeaux qui sont l'arbre et l'homme, l'animal et l'homme, la pierre et l'homme. La planète chaque jour redevient une planète étrangère, c'est-à-dire que nous y redevenons étrangers ». Cette harmonie que le langage des fillettes d'*Intermezzo* avait rétablie, la voici à nouveau compromise : l'homme et la nature ont de nouveau divorcé.

Le Chiffonnier ne dit rien de bien différent dans son réquisitoire : « Autrefois les chiffons étaient plus beaux que les coupons, l'homme donnait de l'honneur à ce qu'il déformait [...]. Maintenant, les objets ne laissent plus dans les poubelles que leurs excréments, comme les personnes [...]. Autrefois tout ce que l'homme jetait sentait bon [...], sardine, eau de Cologne, iodoforme, chrysanthème! »

Face à ce mal grandissant, la Folle va apparaître comme l'ennemie résolue de ceux qui détestent les fleurs, jugeant le millionnaire cynique encore plus pendable quand elle s'aperçoit qu'« il ne sait même pas le nom du camélia ». Elle contribue, en revanche, à arracher aux ténèbres les amis de la nature, botanistes passionnés, zoologistes naïfs et généreux.

Mais n'est-il pas trop tard? Si Adolphe Bertaut avait osé en son temps le lui demander, Aurélie aurait pu devenir quelque courageuse Alcmène, capable de sauver l'univers des jardins et des fontaines des menaces qui pèsent sur lui. Mais cette heure est passée; l'avenir n'appartiendra au couple d'Irma et Pierre que s'ils y prennent garde : « Forcez-les à s'embrasser, vous autres, sinon dans l'heure elle sera la Folle de l'Alma et à lui il poussera une barbe blanche ». Le destin est désormais tout entier aux mains des hommes. A eux d'en décider, avant que la Folle demeure seule à avoir raison.

BIBLIOGRAPHIE GÉNÉRALE

Éditions

L'œuvre de Giraudoux n'a fait l'objet d'aucune édition complète. Seules les œuvres dramatiques se trouvent regroupées dans une édition indispensable comme outil de référence : *Théâtre complet,* éd. Jacques Body, Gallimard, Bibl. de La Pléiade, 1982 (introduction, notes, variantes, etc.). L'édition *Théâtre complet,* Paris, Grasset, 1958, 4 vol., moins parfaite, demeure plus aisément accessible.

Les textes romanesques sont reproduits, pour l'essentiel, dans *Œuvre romanesque* de Jean Giraudoux, Paris, Grasset, 1955, édition malheureusement épuisée. On devra donc s'en remettre aux éditions séparées des œuvres figurant au catalogue Grasset; ou à ceux des collections du Livre de Poche : *Aventures de Jérôme Bardini, Bella, la Menteuse, les Provinciales, Siegfried et le Limousin, Juliette au pays des hommes.*

Pour ce qui est des essais, faute de pouvoir disposer en librairie des textes politiques essentiels : *Pleins pouvoirs,* Paris, Gallimard, 1939; *Sans Pouvoirs,* Monaco, Le Rocher, 1946; des mémoires de guerre : *America America,* Paris, Grasset, 1938; *Adorable Clio,* Paris, Grasset, 1935; ou des réflexions littéraires comme *les Cinq Tentations de La Fontaine,* rééd., Grasset, 1938, on pourra se rabattre sur le recueil *Littérature,* rééd. Gallimard, 1967, « Idées ».

Ajoutons que Chris Marker, giralducien passionné, propose, dans *Giraudoux par lui-même,* Paris, Le Seuil, 1952, « Écrivains de toujours », un choix de textes particulièrement riche et représentatif de l'ensemble de l'œuvre.

Les dialogues destinés à *la Duchesse de Langeais* (film réalisé par Jacques de Baroncelli) et aux *Anges du Péché* (ce dernier réalisé par Robert Bresson) ont fait l'objet d'éditions, respectivement chez Grasset (Paris, 1942) et Gallimard sous le titre *le Film de Béthanie* (Paris, 1944).

A consulter

La bibliographie de Giraudoux est d'ores et déjà une entreprise suffisamment ambitieuse pour que les spécialistes lui consacrent d'amples et savants travaux, auxquels nous ne pouvons que conseiller de se reporter.

Laurent Le Sage, *l'Œuvre de Jean Giraudoux,* Paris, Nizet, 1956, vol. I, édité : Essai de bibliographie chronologique; vol. 2, dactylographié, disponible à la Bibliothèque nationale : Bibliographie des ouvrages et articles sur J. Giraudoux; Jacques Body et Brett Dawson, *Supplément à la Bibliographie de L. Le Sage,* Bellac, Société des Amis de Jean Giraudoux, 1974.

Une étude aux dimensions imposantes, qui représente l'approche la plus rigoureuse et la plus complète de l'œuvre de Giraudoux : René Marill Albérès, *Esthétique et Morale chez Jean Giraudoux,* Paris, Nizet, 1957. L'esprit de système n'épargne pas toujours cette réflexion — tendant surtout à privilégier le conflit entre l'homme et l'inhumain —, mais son exhaustivité parvient toujours à la garantir contre toute généralisation fâcheuse. Cet ouvrage présente, en outre, l'avantage d'être accompagné d'une copieuse bibliographie, largement commentée, et d'annexes parfois intéressantes.

Très brillante par son style et la hardiesse de certaines propositions, la monographie de Claude-Edmonde Magny, *Précieux Giraudoux,* Paris, Le Seuil, 1945, n'en demeure pas moins réductrice, et même hâtive, quand il s'agit de traiter du délicat problème de l'humanisme giralducien. Sur ce sujet, l'essai de Marianne Mercier-Campiche, *le Théâtre de Giraudoux et la Condition humaine,* Paris, Domat, 1954, continue à faire autorité. Norton Celler, dans *Giraudoux et la Métaphore* (images dans ses romans), La Haye, Mouton, 1954, analyse avec minutie le style romanesque de Giraudoux : recherches lexicologiques, définition rigoureuse de la notion de « préciosité ».

La technique du dramaturge a retenu l'attention de nombreux critiques. Dans ce domaine, l'ouvrage de Hans Soerensen, *le Théâtre de J. Giraudoux, technique et style,* Copenhague, Universitetsforlaget I Aarhus, Ejnar Munksgaard, 1950, malgré certains aspects vieillis (jugements de valeur, notamment), a plutôt été complété que détrôné par celui plus récent de Jacques Robichez, *le Théâtre de Giraudoux,* Paris, S.E.D.E.S., 1976, approche plus scolaire que nouvelle. On maniera avec beaucoup plus de prudence, quoique avec intérêt, le livre de Charles Mauron, fidèle à la psychocritique et chercheur obstiné des « métaphores obsédantes » et autres schémas récurrents, *le Théâtre de Giraudoux, Étude psychocritique,* où le systématisme prévaut trop souvent au détriment de la spécificité de chaque œuvre.

Sur des points plus précis, on aura beaucoup à gagner à fréquenter, entre autres, André Dumas, « Giraudoux et la tragédie du couple », *Esprit,* mai 1955, p. 763-777; Gilbert Van de Louw, *la Tragédie grecque dans le théâtre de Giraudoux,* université de Nancy, Centre européen universitaire, 1967.

Faisons enfin une place à part au travail de Jacques Body, *Giraudoux et l'Allemagne,* Paris, Didier, Publications de la Sorbonne, 1975, mine de savoir inépuisable pour le chercheur, mais dont le propos se place davantage dans l'histoire des idées que dans la critique littéraire, et à l'essai clair, pertinent, de Victor Henri Debidour, *Jean Giraudoux,* Paris-Bruxelles, Éditions universitaires, 1955, qui reste encore, pour l'honnête homme pressé, la clef la plus commode pour s'introduire dans l'univers giralducien.

D. GIOVACCHINI

GIRAULT Simon (v. 1530-v. 1613). Tous les ouvrages de Simon Girault portent la marque d'un vif souci pédagogique, étendu — c'est son originalité — à des disciplines comme la médecine ou la cosmologie.

Né à Langres, il semble avoir toujours résidé dans cette ville où, du reste, il publiait ses livres. C'est la nécessité d'instruire ses deux enfants qui aurait décidé de sa vocation.

Ni le *Dialogue pour apprendre les principes de la langue latine* (1590) ni la *Table de plusieurs rois et monarques qui ont possédé la terre* ne suffiraient à sauver Girault de l'oubli, en dépit de l'utilisation heureuse de l'illustration dans le premier. Le *Globe du monde contenant un bref traité du ciel et de la terre* (1592) se présente en fait comme un dialogue entre deux enfants qui feuillettent un livre oublié par leur père. L'auteur dénonce « la malice des astronomes qui ont [...] tant obscurément escrit ». En un premier temps, il vulgarise le traité de Parabosco (Jean de Holywood), qu'Elie Vinet avait édité en latin en 1556 et Guillaume des Bordes traduit en français en 1576. Puis il initie son lecteur au mouvement des astres et à l'usage des éphémérides. Enfin, à l'aide de Du Bartas ou de Pierre Messie, non sans polémiquer au passage avec Bernard Palissy, il aborde les « questions naturelles ». Illustré de planches démonstratives gravées avec soin, conduit d'une main ferme, cet ouvrage, trop peu connu, est une belle réussite d'un atelier et d'un auteur provinciaux. On doit encore à Girault un *Discours du cœur du petit monde et de la composition du corps humain* (1613).

BIBLIOGRAPHIE

Très difficile d'accès, l'œuvre de Girault n'a suscité aucune étude moderne. Il conviendrait auparavant de la réimprimer.

M. SIMONIN

GIROUD Françoise (née en 1916). Fille de Salik Gourdji, directeur de l'Agence télégraphique ottomane, Françoise Giroud est née à Genève; elle débuta à seize ans comme script-girl de Marc Allégret (pour *Fanny,* d'après Pagnol). Elle travailla également aux côtés de Jean Renoir (*la Grande Illusion*). Mais c'est après la guerre qu'elle trouva sa voie dans le journalisme. Elle travailla à *Elle* (1945-1953), puis fonda *l'Express* avec

Jean-Jacques Servan-Schreiber en 1953. Le journalisme la conduisit à la politique : elle milita au parti radical-socialiste et fut secrétaire d'État à la Condition féminine de 1974 à 1976, puis à la Culture de 1976 à 1977.

Ses multiples expériences, les divers milieux qu'elle a traversés lui ont inspiré toutes sortes d'ouvrages : *le Tout-Paris* (1952), *Nouveaux Portraits* (1954), *la Nouvelle Vague* (1958), et notamment des souvenirs : *Si je mens* (1972), *la Comédie du pouvoir* (1977), *Ce que je crois* (1978). Elle a rassemblé ses éditoriaux dans *Une poignée d'eau* (1972) et rédigé une biographie de Marie Curie, *Une femme honorable* (1981). En 1983, elle publie un roman, *le Bon Plaisir,* sorte de *thriller* de politique-fiction.

Dans tous ses écrits, Françoise Giroud montre le même bonheur d'expression, la même lucidité — qui sait éviter l'amertume —, souvent de l'humour, toujours une générosité tranquille. Il y a une « petite musique » de Françoise Giroud, discrète, mais touchante. Elle suggère une conception de l'humanisme moderne, la recherche, dans tous les domaines, des mêmes valeurs, l'acceptation des échecs, la volonté de ne jamais désespérer en dépit des cruautés du destin et des confusions de l'histoire.

A. NIDERST

GIRY Louis (1596-1666). Giry appartenait à la bourgeoisie de robe : son père était procureur au parlement; lui-même était avocat au parlement et aux conseils du roi. Jouissant d'une fortune suffisante, il possédait une riche bibliothèque, où il réunissait des écrivains. Ami de Conrart, il fit partie du groupe qui donna naissance à l'Académie française. Mais il ne put devenir membre de celle-ci qu'en 1636, pour s'être opposé à la volonté de Richelieu de contrôler et diriger la nouvelle institution. Plus tard, il fit aussi partie de l'« académie » de l'abbé d'Aubignac.

Son œuvre relève tout entière du domaine de la traduction; il fut un des auteurs les plus actifs en ce genre dans la première moitié du XVIIe siècle, à un moment où les traducteurs jouaient un rôle essentiel dans la vie culturelle en rendant accessibles au large public les textes anciens. En particulier, il fut avec Du Ryer, Patru et Perrot d'Ablancourt l'un des auteurs de la traduction de *Huit Oraisons de Cicéron* (1638), un des modèles du genre. Dans les années 1650, Giry, qui avait toujours été très pieux, se tourna vers le jansénisme et se consacra, avec succès, à traduire les Pères de l'Église — surtout saint Augustin (*Épîtres choisies*, 1653; *La Cité de Dieu,* 1665-1667).

Ses contemporains critiquaient son style laborieux, mais ils louaient — en un temps où les traductions étaient souvent de « belles infidèles » — le sérieux de ses travaux et son respect des textes originaux. Giry apparaît comme un héritier et un continuateur de la tradition humaniste.

BIBLIOGRAPHIE :

La thèse de R. Zuber : *les « Belles Infidèles » et la formation du goût classique,* Paris, Colin, 1968, donne l'essentiel sur l'œuvre de Giry.

A. VIALA

GLATIGNY Albert (1839-1873). Poète, dramaturge et comédien, Glatigny mena sa triple carrière avec des fortunes diverses. Deux recueils poétiques, *les Vignes folles* (1860) et *les Flèches d'or* (1864), obtinrent les suffrages de François Coppée et de Catulle Mendès sans pour autant assurer la sécurité matérielle à ce poète-histrion, qui traîna sa misère pendant toute sa brève existence. Personnage de roman picaresque, flamboyant et généreux, Glatigny fut apprécié par Hugo, Leconte de Lisle, Gautier, Banville et Verlaine, qui l'aidèrent parfois à surmonter ses nombreux déboires.

Ce *pícaro* était un enragé de la littérature : le comédien ambulant servait la poésie. Hélas! « également inférieur dans le comique et le tragique », nous dit un de ses fidèles, il aimait les vers « d'un amour déplorable qui le portait à leur faire à tous le même sort et à les déclamer avec une emphase ridicule ». Par une mise en abyme (le comédien créant et jouant le comédien) qui est aussi projection de la vie dans le miroir de la scène, Glatigny s'est fort bien décrit dans sa pièce, *l'Illustre Brizacier* (il reprend un personnage à peine ébauché de Nerval). Brizacier, auteur bohème qui refuse le confort bourgeois, et même le bonheur, pour continuer sa route incertaine et exaltée, est, selon la Préface de l'œuvre, « un de ces fous » qui « mettent leur honneur à réciter des vers devant un public qui se bouche les oreilles (...), s'enivrent d'applaudissements idéals et meurent dans l'éblouissement de leur rêve ». Pathétique, burlesque, il se présente aussi comme :

> Le plus drôle et le plus étrange casse-cou
> Qu'ait jamais caressé le regard de la lune.

Par son goût pour le lyrisme, Glatigny se sentit toujours proche de Hugo. Pourtant, dans les poèmes de *Gilles et Pasquins* (1872), on trouve surtout la métrique de virtuose qui fut celle de son maître vénéré, Banville. Toute son œuvre est marquée par l'influence parnassienne, l'impassibilité marmoréenne cédant parfois la place à la sensualité joyeuse, gaillarde ou à la véhémence de la satire politique. On retiendra, plus que la très grande souplesse et la facilité d'écriture, la sensibilité avec laquelle il évoque les paysages de brume et de rêve, et l'on comprend que Verlaine, grand admirateur de Glatigny, ait goûté des vers comme :

> O Cythère mélancolique
> Dont les ombrages profanés
> Ont un charme que rien n'explique
> Toujours, toujours vous m'entraînez.

BIBLIOGRAPHIE

Poésies (les trois recueils), Lemerre, 1879; *Lettres à Stéphane Mallarmé,* Mercure de France, 1965; J. Reymond, *Albert Glatigny, la vie, l'homme, le poète. Les origines de l'école parnassienne,* Genève, Droz, 1936.

F. COURT-PÉREZ

GLISSANT Édouard (né en 1928). Figure marquante de la littérature antillaise, Édouard Glissant a imposé une œuvre dont la puissance poétique, drue et foisonnante, est incontestable, même si elle peut dérouter, au premier abord, par le propos délibéré de jeter le lecteur au cœur d'un monde tout à la fois réaliste et fantastique, et dont la clef n'est pas donnée d'emblée. Ce qui retient alors, c'est l'attrait d'une langue pleine et riche qui livre, au cœur de phrases luxuriantes, une pensée dont l'objet est, essentiellement, la langue elle-même et la possibilité, pour l'être antillais, de s'exprimer avec les mots du français.

Glissant est enraciné dans le terroir martiniquais par ses origines sociales. Son père était contremaître dans une plantation, et il est né à Bezaudin, sur les hauteurs du centre de la Martinique. C'est ce terroir et les hommes qui y vivent qui fourniront l'aliment à une création littéraire épique. La terre, l'eau, les animaux, les humains entretiennent des rapports symboliques. Des études d'ethnologie et de philosophie entreprises à Paris à partir de 1946, après qu'il eut été boursier au lycée Schoelcher, à Fort-de-France, où il fut l'élève de Césaire, ont certainement contribué à structurer chez Glissant cette vision globale du monde, dont l'ambition est moins la recherche de l'intelligibilité que l'expression d'une totalité complexe qui unit les choses, les événements et les hommes.

Il est difficile de classer les œuvres de Glissant en poèmes, romans, théâtre, essais. Chez lui, le poème emprunte à la prose, et le roman est poésie. Ses premiers essais poétiques, *Un champ d'îles* (1953), *la Terre inquiète* (1954), posent le paysage dont *les Indes* (1955) vont écrire l'histoire. Et déjà, dans *Soleil de la conscience* (1956), Glissant, poète avant tout, réfléchit sur l'écriture : « Ce que je voudrais établir d'abord, c'est la quasi-nécessité d'un chaos d'écriture dans le temps où l'être est tout chaos ».

Avec *la Lézarde* (1958), renonçant à la facilité d'aller chercher le mythe dans l'histoire, il élève à la hauteur du mythe la réalité antillaise contemporaine, ses combats bien présents : « La politique était le nouveau domaine de la dignité ». Il obtint, pour ce livre, le prix Renaudot. La forme de ce roman épique et poétique fut vivement critiquée par certains. Mais, plus que la forme, ce qui inquiétait, c'était le souffle de l'engagement qui animait le livre, lequel apparaissait bien de nature à séduire la jeunesse antillaise : « Peut-on nommer la terre avant que l'homme qui l'habite se soit levé? ». De 1954 à 1959, Glissant collabore aux *Lettres nouvelles*. Certains de ses articles seront réunis dans *l'Intention poétique* (1969).

Après *le Sel noir* (1959) et *le Sang rivé* (1960), Glissant s'essaie au théâtre avec *Monsieur Toussaint* (1961), reprenant le thème le plus exploité de toute la littérature antillaise. L'exploration du passé se poursuit dans *le Quatrième Siècle* (1965). Puis Glissant donne avec *Malemort* (1975) son œuvre jusqu'à ce jour la plus ambitieuse, la plus totale par l'étendue du sujet et par celle des moyens utilisés. Dans une débauche de langage d'une puissante saveur (« notre parler impossible et quêté ») se dit un certain désarroi : « Nous? les tristes rejetons de ces sortes de statues perdues dans leur rêve d'égaler l'autre et peut-être de lui être consubstantiel, et qui s'y essayaient, au lieu de s'égaler à soi-même, par tant de biais pathétiques [...], mais qui n'en demeuraient pas moins statues, hiératiques monuments, pleines caricatures, et non pas ces sortes d'ombres étirées que nous sommes devenus ».

Glissant s'est consacré, depuis 1967, à la culture antillaise à l'Institut martiniquais d'études qu'il dirigea à Fort-de-France avant d'occuper un poste important à l'Unesco. Sa recherche de l'âme antillaise anime la fresque historique *la Case du commandeur* et l'essai *le Discours antillais* (1981), qui pose avec force et lucidité les conditions de la création dans une langue imposée et celles du rapport entre le créole et le français.

BIBLIOGRAPHIE

Toutes les œuvres d'Édouard Glissant, à part *le Sang rivé*, Paris, Présence africaine (1960), et *Boises*, Éd. Acoma (1977), ont été publiées par Le Seuil, qui a réuni ses premières œuvres poétiques (*Un champ d'îles, la Terre inquiète, les Indes*) en un volume de *Poèmes* (1963).

Sur Glissant : Daniel Radford, *Édouard Glissant*, Paris, Seghers, « Poètes d'aujourd'hui », 1982.

O. BIYIDI

GLOBE (le). Le journal *le Globe* fut fondé par Paul-François Dubois (1793-1874), professeur de belles-lettres destitué en 1821 pour ses idées libérales, qui deviendra inspecteur général de l'Université et député de Nantes sous la monarchie de Juillet, et par l'ouvrier typographe Pierre Leroux (1797-1871), futur philosophe et théoricien socialiste, qui avait conçu, avec l'imprimeur Lachevardière, un magazine à l'anglaise où des articles variés, mais dépourvus de frivolité, capteraient l'attention du public cultivé. Le premier numéro parut le 15 septembre 1824, avec le sous-titre *Journal littéraire*, qui devint, en 1826, *Recueil philosophique et littéraire*, puis, en 1828, *Recueil politique, philosophique et littéraire* : progression où se révèlent des intentions rusant avec la censure. Après la révolution de juillet 1830, affaibli par le passage aux affaires publiques de la plupart de ses collaborateurs, *le Globe* est acheté par les saint-simoniens, dont il devient, le 18 janvier 1831, l'organe officiel. Il disparaîtra le 20 avril 1832.

Autour du *Globe* se rassemblent une pléiade de talents : les philosophes Jouffroy et Damiron, élèves de V. Cousin, propagandistes de l'« éclectisme »; les critiques littéraires Magnin, Vitet, Charles de Rémusat, Duvergier de Hauranne, Descloseaux, Sainte-Beuve, et, plus tard, Jean-Jacques Ampère... Thiers (au début), Stendhal (occasionnellement) y collaborent. Dubois sait harmoniser les nuances des opinions et promouvoir une doctrine qui transcende la variété des tempéraments, autour d'un seul principe qu'il défend avec ténacité et passion : la liberté. Comme l'écrit Sainte-Beuve en 1831, nul « ne porta plus constamment et ne soutint plus haut dans la lutte le drapeau de la liberté, en ralliant alentour bien des défenseurs inégaux du principe, et en les maintenant jusqu'au bout dans une sorte d'harmonie, malgré les diversités profondes ou croissantes ». Concilier la rigueur théorique et la modération pratique, en adoptant une position « juste milieu », ou « centre gauche », dans tous les domaines, fut la ligne permanente d'un journal sérieux, parfois austère, œuvre de professeurs, d'« intellectuels » qui croient au poids et à l'effet des mots.

En politique, *le Globe* est constitutionnel, attaché à la stricte application de la Charte, à un libéralisme raisonnable, au progrès économique et commercial; organe du tiers parti « doctrinaire », héritier des Girondins et fidèle à l'anglophilie staëlienne, il réprouve également le jacobinisme républicain et la réaction absolutiste. En matière philosophique et religieuse, il défend un spiritualisme éclectique qui tolère et respecte le catholicisme en exigeant de lui la réciprocité, c'est-à-dire la liberté de conscience et d'opinion; d'où des attaques de plus en plus nettes contre l'ultramontanisme et les jésuites. Le célèbre article de Jouffroy, « Comment les dogmes finissent » (1825), résume bien la pensée des « globistes » : le XVIIIe siècle a détruit le catholicisme, mais le « parti de l'ancien dogme » (le jésuitisme) est encore puissant, toujours aussi intolérant et fanatique. La jeune génération, opprimée, cherche avec ardeur « la doctrine nouvelle [...] qui remplacera dans la croyance le vide laissé par l'ancienne et terminera l'interrègne illégitime de la force ». On comprend les réserves des Idéologues, disciples des « philosophes » des Lumières, et la fureur du clergé : l'évêque-ministre Frayssinous tonne contre un « journal antichrétien, antimonarchique, dont les doctrines ne vont à rien de moins qu'à anéantir toute autorité divine et humaine sur la terre ».

Dans le domaine littéraire, Dubois expose dès le premier numéro, dans un manifeste, « profession de foi », les principes qui sous-tendent les jugements particuliers; après avoir proclamé son intention de soustraire la critique à la futilité ou à la vénalité, de propager la connaissance des littératures étrangères, de diffuser l'activité intellectuelle et artistique des provinces françaises, il conclut, pour résumer ses « doctrines littéraires » : « Deux mots suffisent : liberté et respect du goût national. Ni nous n'applaudirons à ces écoles de germanisme et d'anglicisme qui menacent jusqu'à la langue de Racine et de Voltaire; ni nous ne nous soumettrons aux anathèmes académiques d'une école vieillie qui n'oppose à l'audace qu'une admiration épuisée, invoque sans cesse les gloires du passé pour cacher la misère du présent ». Au nom de la liberté, *le Globe* réclame l'abolition des entraves dogmatiques qui briment l'indépendance de l'artiste (règles — dont les unités dramatiques —, formules conventionnelles, prescriptions surannées, telle l'imitation des auteurs classiques); l'étude personnelle de la nature, seul accès à une vérité actuelle, concrète, et de l'histoire, qui découvre les racines du présent et la singularité de chaque époque antérieure (seul chemin de la couleur et de la vérité historiques); une abondante information sur l'étranger (le journal, orienté surtout vers les pays du Nord — Angleterre et Allemagne —, apporte une foule de renseignements sur les littératures les plus diverses et les plus lointaines, jusqu'à l'Inde, la Perse ou la Chine). Mais, au nom d'une saine tradition de goût, de raison et de mesure, l'école romantique catholique est blâmée pour le flou et le vaporeux de ses poèmes, le mysticisme décoratif qu'elle affecte et l'excès des modes qu'elle propage (fantastique, angélisme, orientalisme, intimisme élégiaque...); on admire les vrais classiques, et on les défend contre les dénigrements des novateurs fanatiques.

Le rôle littéraire du *Globe,* sous la Restauration, est considérable : mine de faits collectés par des critiques érudits, laboratoire d'idées (reprises plus vivement dans les ouvrages polémiques comme *Racine et Shakespeare* de Stendhal ou la préface de *Cromwell* de Hugo), le journal contribue à réconcilier les deux libéralismes, politique et littéraire; la lutte, écrit-il en 1824, n'est pas « entre les Anciens et les Modernes », mais « entre l'originalité et l'imitation, entre le principe d'autorité et celui de libre examen ». La liberté doit triompher partout : il faut un 14-Juillet du goût. Ainsi les pages sévères et un peu abstraites de l'organe du parti « staëlien », avec leurs jugements balancés, pondérés, mais de plus en plus favorables aux novateurs, préparent la défaite, en 1830, des nostalgiques de l'Ancien Régime et du dogmatisme classique.

BIBLIOGRAPHIE

Gustave Michaut, *Sainte-Beuve avant les « Lundis »,* Paris, Fontemoing, 1903, p. 51-110 (étude très complète sur les doctrines et les textes, avec, détaché, le rôle de Sainte-Beuve); Pierre Trahard, *le Romantisme défini par « le Globe »,* Paris, les Presses françaises, 1924 (recueil des articles les plus importants).

D. MADELÉNAT

GOBINEAU

GOBINEAU Joseph Arthur, comte de (1816-1882). Écrivain et diplomate. Longtemps, Gobineau fut supplanté par le gobinisme; punition d'une amère ironie pour cet esprit qui aspirait aux systèmes mais manquait d'assises théoriques et de rigueur pour y parvenir. De son vivant déjà, ses prétentions à l'ethnologie et à la linguistique faisaient sourire les véritables savants; il a fallu qu'après sa mort des idéologues plus ignorants que lui, l'associant au nazisme, assurent à son nom une funeste gloire... On savait, certes, qu'outre l'*Essai sur l'inégalité des races humaines* Gobineau avait écrit un roman d'inspiration stendhalienne, *les Pléiades,* et des nouvelles que certains contemporains plaçaient à côté de celles de Voltaire et de Mérimée; mais on préférait soit les oublier, soit en opposer l'aimable fantaisie à l'abjecte inspiration de l'*Essai.* Le théoricien et le conteur sont pourtant un même homme. Une enfance difficile, voire cruelle, leur a servi de creuset.

Un chevalier errant

Quand il « monte » à Paris, ce jeune homme de dix-neuf ans, qui s'appellera comte de Gobineau pour les besoins de son mariage et de sa carrière, peut compter sur l'appui d'un vieil oncle atrabilaire et de quelques lettres de recommandation; mais il traîne un lourd passé. Sa mère, volage et mythomane, a eu maille à partir avec la justice (du moins sa fuite en Suisse a-t-elle offert sa première expérience cosmopolite au jeune Arthur); elle est la maîtresse du précepteur de ses enfants, et, quand il paradera dans les salons parisiens, Gobineau ne pourra totalement renier une sœur adultérine qui est née de leur union. Quant à son père, obscur officier légitimiste qui ronge son frein après 1830, il le considère comme un médiocre et ne prend guère de gants pour le lui faire savoir. Cette famille peu reluisante l'a sans doute privé d'épouser la jeune fille qu'il aimait (on ne se remet jamais de telles blessures); pourtant il bataille ferme, se pousse du col, compose des vers, fréquente le monde de la presse au point d'écrire des articles de politique étrangère. Quand il se marie, à trente ans, il n'est guère qu'un feuilletoniste; trois mois plus tard, il est l'auteur de *Mademoiselle Irnois,* mais peu s'en avisent. Trois ans encore et Tocqueville, ministre des Affaires étrangères sous la IIe République, le nomme chef du cabinet : enfin, la fortune lui sourit.

En 1851, il a terminé le premier volume de l'*Essai sur l'inégalité,* mais ses lettres à Caroline, sa sœur légitime, témoignent chez lui d'un intérêt déjà ancien pour le blason et les sciences — ou les chimères — qui en dérivent. Quand l'ouvrage paraît au complet, en 1855, il est en mission en Perse; cet amoureux des *Mille et Une Nuits* dépêché au berceau de l'aryanisme est aux anges. Ses « trois ans en Asie » lui inspireront un merveilleux récit de voyage. Mais quand il retourne en Perse, en 1862, avec le titre de ministre de France, le temps de la désillusion a commencé. Quatre années passées à Athènes (1864-1868) l'ouvriront pourtant à la tendresse et au romanesque (Zoé et Marie Dragoumis, les « sœurs athéniennes », qui lui inspirent plus que de l'affection, sont pour beaucoup dans ce changement). Là-bas, il apprend la sculpture et, sans le savoir, le roman. Au voyage à Naxie de 1867 nous devrons « Akrivie Phrangopoulo », le plus accompli des *Souvenirs de voyage.* A son retour en France, quand son *Histoire des Perses* est enfin sur le point d'être publiée (1869), il s'avoue lassé de l'Orient, où s'étaient cristallisés tous ses espoirs de jeunesse.

Il accepte à contrecœur un poste à Rio, mais sa santé se détériore, et, en mai 1870, il lui faut rentrer en France. Il vit la Commune dans l'attente d'un autre poste. Finalement, il obtient Stockholm. Il y rencontre la comtesse de La Tour. Un « pacte » secret contient dans de sages limites son amour pour cette belle jeune femme, mais c'est sous son influence que *les Pléiades,* commencées comme un pamphlet, s'achèveront comme un hymne à l'amour fou. *La Renaissance* (scènes historiques) lui est dédiée. Entre-temps, les *Nouvelles asiatiques* ont sonné comme un dernier adieu à l'Orient. C'est le Viking qui, fidèle aux obsessions de sa jeunesse, travaille à l'*Histoire d'Ottar Jarl.* Le livre débute avec le dieu scandinave Odin et s'achève avec Joseph Arthur de Gobineau; entre les deux, quatre cents pages d'une irréfutable filiation. Si les œuvres littéraires connaissaient le succès à raison de leur délire, *Ottar Jarl* serait un monument de notre littérature; encore faut-il qu'elles soient lisibles. On en dirait presque autant d'*Amadis,* immense poème épique où Gobineau confirme à longueur de vers sa nostalgie du Moyen Âge. En 1877, cet esprit frondeur, qui n'a réussi qu'à moitié sa carrière, est mis à la retraite par Decazes; les vieux jours seront difficiles. Il a rompu avec sa femme et ses filles. Seules le réchauffent l'affection de la comtesse de La Tour, l'amitié de Richard et Cosima Wagner. Wagner a été séduit le jour où il a rencontré ce grand vieillard maigre qui maudissait Cervantès d'avoir ridiculisé Don Quichotte. Ballotté entre les domiciles de ses derniers amis, entre Bayreuth, l'Auvergne et l'Italie, de plus en plus enfoncé dans le Moyen Âge au point d'ébaucher un recueil de *Nouvelles féodales,* il meurt presque aveugle, sur un quai de la gare de Turin. Ses derniers mots, d'une écriture tremblée, illisible, sont pour la comtesse de La Tour et pour sa fille.

Le prophète de l'Apocalypse

L'enfance et la formation intellectuelle de Gobineau sont mal connues. Charles de La Coindière, son précepteur, lui enseigna l'allemand et peut-être l'initia aux langues orientales; or nous ignorons tout de ce personnage clé, que Gobineau qualifiera plus tard d'« imbécile ». Le sentiment prévaut que Gobineau apprit une foule de choses, mais sans méthode. A Paris, sa frénésie de savoir est celle d'un autodidacte. L'étonnant est en somme qu'avant quarante ans il ait produit un ouvrage aussi considérable que l'*Essai sur l'inégalité.*

Au départ de l'*Essai :* la constatation que « toute agglomération d'hommes et le mode de culture intellectuelle qui en résulte doivent périr ». De cette mort, le mélange des races est le seul responsable. La race blanche, notamment, paie cruellement ses vertus civilisatrices puisque, à s'étendre partout, elle s'est d'autant plus corrompue. Consommé depuis longtemps (depuis le fond du Moyen Âge, semble-t-il), le métissage est irréversible. Nous mourrons : la seule dignité consiste à le savoir. Les idées de Gobineau n'offraient rien de très original à leur époque. On lui reprocha plutôt (Tocqueville, par exemple) d'avoir poussé son système des races jusqu'à réfuter le monogénisme, pierre angulaire du christianisme (dont l'*Essai* nie au demeurant les qualités civilisatrices). Chrétien, Gobineau le sera de moins en moins : les rancœurs s'accumulant, il ira plus tard jusqu'à refuser une âme aux victimes de son mépris.

Que Gobineau ne fût pas « raciste » au pire sens du mot, on en trouve souvent la preuve dans les singularités qu'il attribue à chaque race. Ainsi la sensualité des Noirs les prédispose-t-elle, selon lui, à la danse et à la musique, au point que l'élément « mélanien » est nécessaire, chez les Blancs, à l'éclosion d'un talent artistique; mais même en art, il appartient à la raison et à l'énergie, privilège des Blancs, de donner forme aux chefs-d'œuvre. Sans parler des vertus de gouvernement, bien évidemment réservées à l'élément aryen. Bref, si toutes les spécificités raciales s'altèrent au métissage, les « grands » ont plus à y perdre que les « petits ». L'histoire nous montre, au total, que « toute civilisation découle de la race blanche, qu'aucune ne peut exister sans le secours de cette race ».

Isolées, certaines formules de Gobineau donnent le frisson (« Ce qui n'est pas germain est créé pour servir », lit-on dans son poème « Manfredine »). Mais en Allemagne même, Gobineau ne trouvait plus depuis longtemps âme qui fût germaine. Désabusé jusqu'au désespoir, il ne pouvait servir de caution à une tentative de régénération par la race. Pour résumer, il serait absurde de rouvrir le procès de Gobineau : le racisme est du reste présent dans l'œuvre de Balzac, de Nerval et de bien d'autres. Mais on ne peut méconnaître que Gobineau seul, parmi les écrivains romantiques, tenta à ce point d'ériger en système une opinion répandue. On ne peut davantage jeter le voile sur des professions de foi qui sentent le soufre, sous prétexte que des esprits malhonnêtes en ont fait un mauvais usage.

Le temps passant, il semble que Gobineau ait voulu à la fois radicaliser son système et en préserver quelques êtres d'exception, au premier rang desquels lui-même. Ce difficile équilibre aboutira aux *Pléiades,* qui attribuent à « une combinaison mystérieuse et native » le fait que « trois mille à trois mille cinq cents cerveaux bien faits et cœurs bien battants » peuplent encore la planète. Les « fleurs d'or » écloses pendant la Renaissance répondent en principe à une loi moins hasardeuse; en principe, car Gobineau ne nous convainc guère de l'ascendance aryenne des grands hommes de cette époque. On peut seulement s'étonner qu'en bousculant la rigueur des lois de la filiation, Gobineau demeure aussi conformiste. Les « Pléiades » proviennent « de toutes nations possibles » : mais le roman consacre d'abord un Allemand, un Anglais et un Français. Et dans *la Renaissance,* plutôt que de réviser l'histoire traditionnelle des civilisations à la lumière de ses théories, Gobineau préfère découvrir à tout prix une dominante aryenne aux civilisations consacrées. Alors même que les Aryens se seraient partout fondus dans des mélanges, c'est bien le déclin de l'Occident qui continue d'obséder en priorité ce penseur de l'universel.

La présence d'un Français parmi les « Pléiades » a pourtant de quoi surprendre. Car s'il est une nation qui illustre l'idée de « dégénération », c'est bien la France. La vue des « blouses sales » en 1848 avait accusé l'aigreur de Gobineau (« Jusqu'à ce temps-là, je ne savais pas ce que je voulais »). A plus forte raison la défaite de 1870 : *Ce qui est arrivé à la France en 1870* est un constat auquel il faut bien reconnaître une cruelle lucidité. Arrive la Commune : versaillais et communards sont englobés par Gobineau dans le même mépris. Paris, véritable « Babel », « boue physique et morale », attise le plus fort de sa haine; rien d'étonnant que *la Troisième République française et ce qu'elle vaut* (publiée en 1907), dédiée aux provinces, prêche pour une vraie décentralisation. Que vient donc faire le Parisien Louis Laudon dans le concert des « Pléiades »? On est tenté de répondre : légitimer les prétentions de son auteur. Celui-ci va du reste pousser plus loin son entreprise de justification personnelle dans *Ottar Jarl,* dont la rigueur maniaque contredit les sauvetages aléatoires des *Pléiades.* Obsédé par l'obscurité de sa naissance, Gobineau n'a eu de cesse qu'elle ne fût justifiée; ainsi ce théoricien qui pâtit de son universalité était-il d'abord le plus égotiste de nos écrivains romantiques.

Le « spécialiste » de l'Orient

Gobineau n'a pas échappé à la mode de l'Orient; qu'il se soit très tôt initié au persan témoigne pourtant d'un penchant particulier. « Il ne rêvait que mosquées et minarets, se disait musulman, prêt à faire son pèlerinage à La Mecque », écrira plus tard la baronne de Saint-Martin, qu'il aima sans pouvoir l'épouser quand elle était encore Amélie Laigneau. « Il nous racontait des histoires merveilleuses, nous forçant à nous asseoir à la façon orientale pour l'écouter ». Un médiocre poème, « Dilfiza » (1836), accumule les clichés d'un orientalisme de pacotille; le projet, en 1841, de fonder une *Revue de l'Orient* est déjà plus sérieux. Quand il débarque en Perse en 1855, tout l'émerveille. Apeuré par la Révolution, il a trouvé là-bas « des formes de vie féodale, stable et contemplative » (J. Boissel). Bientôt, pourtant, il constate que les Orientaux du XIXe siècle ne sont pas ceux des *Mille et Une Nuits.* De même Stendhal ne reconnaît-il pas toujours dans les Italiens de son époque les héros de ses *Chroniques.* Chez l'un et l'autre, le mythe est tenace. Gobineau n'en dresse pas moins, dans une lettre à Tocqueville, un bilan négatif : « Nous [les Européens] les dominerons, et ils se laisseront dominer. Nous les dominerons, parce que nous avons plus de force dans le génie, bien autrement d'énergie dans la pensée, et si nous sommes bien loin de valoir les populations blanches dont nous descendons par quelques côtés, nous avons, assurément, gardé plus de fixité dans nos volontés que les Orientaux ». On ne chicanera pas Gobineau sur sa curiosité, sur ses réelles capacités d'émerveillement qui éclairent *Trois Ans en Asie;* même alors (peut-il en être autrement?), il demeure néanmoins un Occidental en voyage, et c'est souvent à l'aune de l'humanisme classique qu'il apprécie les richesses qu'il découvre.

Tributaire d'une culture, Gobineau a le tort d'oublier avec légèreté les pesanteurs qu'elle impose. *Les Religions et les Philosophies dans l'Asie centrale,* parues après son second séjour en Perse (1865), « peuvent être considérées comme le complément de *Trois Ans en Asie* » (L. Schemann). Partant du principe que « des historiettes sont aussi des documents », le lecteur des *Mille et Une Nuits* aborde ici des sujets aussi mal connus de son époque que le bābisme. C'est pourtant par le *Traité des écritures cunéiformes* (1864) que Gobineau entendait fonder le mieux sa réputation d'orientaliste. Las! réduisant les inscriptions cunéiformes à des formules magiques et les expliquant à la lumière de leur seule vertu talismanique, Gobineau se fourvoyait. Ce traité « où chaque ligne recèle une erreur ou au moins une affirmation gratuite » (J. Gaulmier) allait lui enlever tout crédit auprès des authentiques savants. Avec son habituel entêtement, Gobineau se jugera victime d'une cabale. L'*Histoire des Perses* elle-même, à laquelle il consacrera des années de travail, apparaît revue par les yeux d'un amoureux de la féodalité occidentale, et le héros de l'épopée, Cyrus, y a les airs d'un preux chevalier; on pouvait déjà trouver suspect que Gobineau décidât d'y mettre un terme à ce point de l'histoire « où la proche parenté cesse d'exister entre nous et les dominateurs de l'Iran ». Les *Nouvelles asiatiques,* utilisant des documents et des souvenirs bien antérieurs, témoignent de la tendresse persistante mais aussi du désenchantement de Gobineau à l'égard de l'Orient; le fossé s'y creuse entre l'Orient légendaire, dépositaire des pures vertus aryennes, et la Perse moderne, avilie par le mensonge et la soumission.

Le théoricien de l'amour

Parmi les romans-feuilletons que Gobineau écrivit aux alentours de la trentaine, *Ternove* se lit surtout comme un document sur la mentalité des émigrés royalistes pendant les Cent-Jours, et *l'Abbaye de Typhaines* comme la reconstitution d'une Commune en rébellion contre le pouvoir féodal au XIIe siècle. Son penchant pour les aventures romanesques trouvait dans ce genre de récits un exutoire facile. Mais on l'y trouve aussi attentif à la naissance et au développement de l'amour. Ce goût de l'analyse lui inspire *Mademoiselle Irnois,* « étude de nu d'une sécheresse et d'une force admirables » (Alain). C'est pourtant de ses vers, puis de ses travaux de savant qu'il espère alors la gloire. Il faudra la mue romanesque d'Athènes, puis les premiers attendrissements de la vieillesse pour qu'éclose son talent de nouvelliste et de romancier. Mieux : il croit avoir trouvé dans les *Souvenirs de voyage* une forme d'expression originale. Plutôt que de le suivre trop loin dans cette voie, on reconnaîtra des accents stendhaliens dans « Akrivie Phrangopoulo », étude d'une « cristallisation » du sentiment de l'amour, et dans *Adélaïde,* sublime peinture d'un amour de vanité et féroce satire sociale.

Il a cinquante-cinq ans, le cœur plein d'amertume et, suivant son expression, « les bras chargés d'Allemands » quand il entreprend en 1871 le seul grand roman de son œuvre. C'est pourtant par l'amour que les « Pléiades » s'élèvent au-dessus de l'humanité. Cet amour exige, comme dans *l'Astrée,* lucidité et pureté (les personnages, qui dissertent à plaisir sur leurs sentiments, paraissent échapper à toute tentation charnelle); énergie aussi : prince, quinquagénaire et amoureux, Jean-Théodore en trouve suffisamment pour abdiquer et pour épouser la toute jeune Aurore. Si Laudon seul se consacre à la science, c'est faute d'avoir un cœur égal à celui de ses partenaires. A croire que, comme chez Stendhal, l'amour ne peut s'épanouir au mieux dans les nations tyrannisées par la vanité. Stendhal rêvait d'être italien pour mieux aimer; lecteur de la *Chartreuse,* Gobineau trouve en Italie les lieux d'élection de son roman, mais ses amoureux sont des Germains, une Slave à la rigueur, en aucun cas des Latins. *Les Pléiades,* à tout prendre, prolongent plus qu'elles ne contredisent l'*Essai,* puisque ce sont bien des vertus aryennes (l'énergie, l'aptitude à décider, la volonté de vivre) que les héros du roman mettent au service de l'amour. Quant à la sensualité, apanage des nations mélaniennes, ce n'est pas en vertu d'un simple scrupule d'époque qu'elle est oubliée parmi les composantes du sentiment. Jugera-t-on anachroniques ces analyses? Gobineau, qui maudissait son siècle, n'eût pas imaginé plus grand compliment. C'est un amour idéal que célèbre de même « l'Illustre Magicien » dans les *Nouvelles asiatiques,* et, dans le même recueil, « les Amants de Kandahar » font oublier par leur élévation chevaleresque les mesquineries de l'Orient moderne. Dans *Amadis* enfin, la dévotion d'Amadis pour Oriane témoigne que le Moyen Âge, âge d'or de l'aryanisme, était aussi celui des purs sentiments.

Fortune et infortunes de Gobineau

« Il semble que Wagner m'ait conduit vers ce solitaire, abattu loin de tout flot humain avec son drapeau de vérité, et m'ait dit : "Sauve-le" ». Ainsi s'exprime le professeur allemand Ludwig Schemann dans la dédicace de sa traduction de l'*Essai.* Familier de Bayreuth, Schemann avait d'abord traduit les *Nouvelles asiatiques* et *la Renaissance.* La comtesse de La Tour, légataire des intérêts littéraires de Gobineau, deviendra à partir de 1893 la collaboratrice de Schemann. Quelques mois plus tard, celui-ci fonde la *Gobineau-Vereinigung,* qui, recrutant surtout en Allemagne (notamment parmi les habitués de Bayreuth), va durer jusqu'en 1919. On devine quelles équivoques fait naître en ces années pareille association. La bibliothèque de Strasbourg, alors allemande, acquiert en 1903 le fonds Gobineau, riche (aujourd'hui encore) de lettres et d'œuvres inédites. Ce n'est pas Vacher de Lapouge qui pouvait, en se recommandant de lui dans ses travaux pseudo-scientifiques à la gloire des Aryens, améliorer l'image de marque de Gobineau. En rattachant sa pensée à celle de Nietzsche et de H. S. Chamberlain, E. Kretzer fait pis encore. Par sa belle étude sur *le Comte de Gobineau et l'Aryanisme historique* (1903), Ernest Seillière lui-même contribuait à enraciner Gobineau dans la pensée allemande — autant dire alors pangermaniste. Les conférences de Robert Dreyfus, un ami de Marcel Proust, donnent en 1905 une meilleure idée du génie de Gobineau; réunies dans les *Cahiers de la Quinzaine,* elles révèlent en lui un admirateur du peuple juif (« un peuple libre, un peuple fort, un peuple intelligent »), le disculpant ainsi du racisme le plus ordinaire. Quoique maurrassien (Maurras jugeait Gobineau « un Rousseau gentillâtre »), Tancrède de Visan aura le mérite d'éveiller les Français à la curiosité pour les œuvres proprement littéraires de Gobineau. *Mademoiselle Irnois* est présentée par ses soins aux lecteurs de *la Nouvelle Revue française* (août 1914), tandis qu'*Adélaïde* l'avait été dans la même revue par André de Hevesy (décembre 1913).

Clément Serpeille de Gobineau, petit-fils de l'écrivain, allait reprendre le flambeau de Schemann. De 1921 à 1933 paraissent en volume la plupart des grandes œuvres de Gobineau, saluées dans *le Temps* par de pénétrants articles de Paul Souday. La revue *Europe* publie, en février 1923, un numéro spécial qui « ouvrit la route des études sérieuses sur Gobineau » (Jean Gaulmier). Maurice Lange (*le Comte de Gobineau, étude biographique et critique*) s'attache à « dégermaniser » Gobineau, tandis que Marcel Brion met en valeur l'originalité du voyageur. Le numéro spécial réservé à Gobineau par *la Nouvelle Revue française* (février 1934) réunit les signatures d'Abel Bonnard, Cocteau, Alain, Jean Prévost, Thibaudet et quelques autres. Mais déjà, en Allemagne, l'enseignement du IIIe Reich réserve une place privilégiée à l'*Essai sur l'inégalité*; les œuvres romanesques de Gobineau, sans être embrassées dans la même infâmie que l'*Essai* (encore qu'elles se nourrissent des mêmes chimères), y perdront pour longtemps toute chance d'être inscrites aux programmes des universités.

Après la dernière guerre, Gobineau refait surface grâce aux belles éditions des *Pléiades* et de *la Renaissance* procurées par Jean Mistler. Aux éditions Jean-Jacques Pauvert, il rejoint Barbey d'Aurevilly et Villiers de L'Isle-Adam dans la petite troupe des romantiques méconnus.

Levant le voile sur ses drames familiaux, Jean Gaulmier contribue mieux encore à situer ce « Titan indigné » parmi les écrivains maudits de notre littérature. Associé à A.B. Duff, il livre, dans les *Études gobiniennes,* un grand nombre d'inédits de Gobineau et d'approches nouvelles de l'homme et de son œuvre. Ses éditions des *Nouvelles* et des *Nouvelles asiatiques* sont exemplaires. Enfin, l'entrée de Gobineau dans la Bibliothèque de la Pléiade consacre son avènement parmi les classiques de notre littérature.

	VIE		ŒUVRE
1816	14 juill. : Naissance de Joseph Arthur de Gobineau à Ville-d'Avray. Son père, Louis de Gobineau, et sa mère, Anne Louise de Gercy, sont probablement déjà désunis.		
1820	6 oct. : Naissance de Caroline de Gobineau, sa sœur, qui sera infirme et deviendra en religion mère Bénédicte.		
1830	Mme de Gobineau part pour la Suisse avec ses deux enfants.		
1832	Louis de Gobineau s'installe à Lorient, puis à Redon. Il a rappelé ses enfants auprès de lui. Arthur va préparer, sans succès, la carrière militaire.		
1835	Il tente fortune à Paris et commencera comme surnuméraire à la Compagnie française d'éclairage par le gaz.		
1839	Il entre aux Postes. Le cercle de ses relations s'est élargi.		
		1841	Article dans *la Revue des Deux Mondes* sur Capo d'Istria.
		1842	Articles dans des journaux royalistes (*l'Unité, la Quotidienne*).
1843	Rencontre Tocqueville.	**1843**	« Scaramouche », dans *l'Unité.*
		1844	« Les Adieux de Don Juan », poème.
		1845	Article sur Stendhal, dans *le Commerce.*
1846	Épouse Clémence Monnerot, créole de la Martinique.	**1846**	« Le Prisonnier chanceux », en feuilleton dans *la Quotidienne.* *La Chronique rimée de Jean Chouan,* poème, Franck édit.
1847	Fonde, avec Louis de Kergorlay, la *Revue provinciale.*	**1847**	« Mademoiselle Irnois », dans *le National.* « Nicolas Belavoir », dans *l'Union monarchique.* « Ternove » dans *le Journal des débats.*
1848	Naissance de Diane, sa première fille.	**1848**	« L'Abbaye de Typhaines », dans *l'Union.* *Alexandre le Macédonien,* tragédie (reçue à la Comédie-française, jamais représentée).
1849	Nommé chef du cabinet de Tocqueville, ministre des Affaires étrangères. Secrétaire à la légation de France à Berne.		
1851	Chargé d'affaires à Hanovre.		
		1853	Deux premiers volumes de l'*Essai sur l'inégalité des races humaines,* Firmin Didot édit.
1854	Secrétaire à la légation de Francfort.		
1855	Chargé de mission en Perse.	**1855**	Seconde partie de l'*Essai sur l'inégalité des races humaines.*
1857	Naissance de Christine, sa seconde fille.		
1858	Retour de Perse.	**1858**	*Lecture des textes cunéiformes,* Didot édit.

	VIE		ŒUVRE
1859	Mission à Terre-Neuve. Séjourne au château de Trye (Oise), acheté deux ans plus tôt par sa femme.	**1859**	*Trois Ans en Asie,* Hachette.
1860	Ministre plénipotentiaire en Perse.	**1860**	*Voyage à Terre-Neuve,* Hachette.
1863	Retour en France. Maire de Trye.		
1864	Ministre de France à Athènes.	**1864**	*Traité des écritures cunéiformes,* Didot édit.
1865	Rencontre de la famille Dragoumis et notamment des deux filles, les « sœurs athéniennes ». Premières sculptures.	**1865**	*Les Religions et les philosophies dans l'Asie centrale,* Didier édit.
1868	Retour d'Athènes.		
1869	Ministre de France à Rio, où il écrit notamment *Adélaïde* (publication posthume).	**1869**	*L'Aphroessa,* poèmes, Maillet. *Histoire des Perses,* Plon.
1870	Malade, retour de Rio. Conseiller général dans l'Oise.		
1872	Ministre de France à Stockholm. Commence les *Nouvelles asiatiques.* Rencontre la comtesse de La Tour, dont l'amour, sans doute platonique, éclairera le reste de sa vie, mais précipitera sa rupture avec sa femme.	**1872**	*Souvenirs de voyage,* Plon.
1873	Achève *les Pléiades* et commence *la Renaissance.*		
		1874	*Les Pléiades,* Plon.
1876	Voyage en Russie et en Turquie avec son ami dom Pedro II, empereur du Brésil. Rencontre Wagner à Rome.	**1876**	*Nouvelles asiatiques,* Didier. Première partie d'*Amadis,* poème, Librairie des bibliophiles.
1877	Mis à la retraite. S'installe à Rome, tente (en vain) de faire une carrière de sculpteur.	**1877**	*La Renaissance,* Plon.
1878	Partage sa vie entre Rome et la France. Travaille à *Amadis.*		
		1879	*Histoire d'Ottar Jarl, pirate norvégien,* Didier.
1881	Achève *Amadis* (publication chez Plon, en 1887). Séjour à Bayreuth chez les Wagner, puis chez la comtesse de La Tour, à Chaméane, en Auvergne.		
1882	Séjourne à Bayreuth, puis à Chaméane, qu'il quitte en octobre pour regagner l'Italie. 13 oct. : Meurt à Turin, où il sera enterré.		

Mademoiselle Irnois

« La plus "balzacienne" des nouvelles de Gobineau » (Jean Gaulmier), parue en 1847, a pour personnage central une jeune fille idiote et contrefaite. L'immense fortune de son père en fait cependant un parti enviable. Cantonnée à l'horizon de sa fenêtre, d'où elle observe chaque jour un jeune ouvrier dans sa mansarde, Emmelina accueille sans émotion apparente l'annonce de son mariage. Quand elle se retrouve dans l'hôtel de son époux — un comte à qui elle a été unie par ordre de l'Empereur —, elle cherche la mansarde huit jours durant, et puis elle meurt. « Emmelina n'avait que le pouvoir d'aimer, et elle aima bien! » Déjà, chez Gobineau, l'amour transfigure. Mais cette passion est ici réservée à une infirme. Plus tard, elle transfigurera des « Pléiades ». A supposer que Gobineau eût cessé d'écrire à trente ans, cette nouvelle à elle seule lui vaudrait une petite place dans notre littérature.

Souvenirs de voyage

Parus en 1872, ils comprennent trois nouvelles. « Le Mouchoir rouge » rapporte une histoire de vendetta vécue à Céphalonie. Le déroulement de l'intrigue est un peu mou (on est loin de la maîtrise de Mérimée), mais les portraits de Jérôme Lanza et Sophie Palazzi sont fort suggestifs. « Akrivie Phrangopoulo », sous-titrée « Naxie », vaut par la description du volcan de Santorin et de la grotte d'Antiparos, mais aussi par l'analyse des sentiments d'Henry Norton, distingué capitaine de corvette, pour une jeune Naxiote simple et ignorante, tout droit issue du monde d'Homère. Nous y apprenons que le véritable amour se situe au-delà des apparences; pour Norton, égaré dans les « maudites routes » de l'« éducation moderne », il passe par la lucidité et la reconquête de soi. « La Chasse au caribou » nous transporte à Terre-Neuve, où Gobineau exécuta une brève mission. Une naïve jeune fille s'imagine qu'il faut prendre au pied de la lettre les serments d'amour d'un dandy parisien. La satire vise à la fois la balourdise des habitants du Nouveau Monde et les mœurs corrompues de l'Ancien; quant à l'histoire, vivement menée, elle confirme que, suivant le mot de Mérimée, Gobineau avait « la bosse de l'observation comique ».

Adélaïde

Cette nouvelle (écrite en 1869) devait figurer parmi les *Souvenirs de voyage*. Gobineau renonça à la publier, sans doute parce que, candidat à l'Académie française (où il n'entrera jamais), il craignait de heurter certaines susceptibilités par cette anecdote probablement inspirée de modèles réels. Adélaïde et sa mère se disputent avec âpreté le médiocre Frédéric — conquête enviable dans la seule mesure où il est l'objet des désirs d'une autre. Les deux rivales finiront par laisser choir leur proie, réunies dans la même superbe et un égal mépris. Éblouissante épure psychologique, cruelle étude de mœurs : Gobineau la composa, s'il faut l'en croire, en une seule journée, lors d'un séjour au Brésil. Quelques maladresses d'écriture n'estompent pas la hauteur de l'inspiration.

Les Pléiades

Ce roman, commencé vers mars 1871, parut en 1874.

Synopsis. — Trois jeunes gens, distingués d'allure et d'esprit (Louis Laudon, le Français, Conrad Lanze, l'Allemand, et Wilfrid Nore, l'Anglais), se rencontrent au cours d'un voyage. Sur les bords du lac Majeur, s'intitulant eux-mêmes, à la mode des *Mille et Une Nuits*, « calenders, fils de Rois », ils vitupèrent l'humanité, masse composée d'imbéciles, de drôles et de brutes. Conrad Lanze aime la tumultueuse comtesse Sophie Tonska; Wilfrid Nore, la douce et sérieuse Harriet; Laudon croit aimer Lucie de Genevilliers, la femme de son ami. Mais la Tonska a aussi éveillé l'amour de Jean-Théodore, prince de Burbach — une petite cour allemande qu'on croirait sortie des *Contes* d'Hoffmann — et de Casimir Bullet. Ce dernier, sachant sa passion sans espoir, aura la sagesse de se retirer à Wilna pour y mener une vie d'ermite consacrée à l'étude. La Tonska choisira, entre autres romanesques résolutions, de guérir le cœur de Conrad, jusqu'à découvrir un jour que, par une sorte de miracle, son intérêt pour lui est devenu de l'amour. Wilfrid Nore, passé un bref attrait pour la séduisante Liliane, retrouvera auprès d'Harriet le vrai chemin de l'affection. Quant à Jean-Théodore, finalement amoureux de sa cousine, la belle et jeune Aurore, et libéré par un télégramme qui lui apprend la mort de son encombrante épouse, il peut abdiquer pour vivre selon son cœur. Laudon lui-même finira par voir clair en soi : plutôt que de s'inventer un amour factice, il rejoindra sagement Bullet dans sa retraite.

Ce chassé-croisé d'intrigues, qui se dénouent avec la grâce d'un ballet, donne aux *Pléiades* un tour original et attachant. Si l'amour prend à mi-chemin du roman une place quasi exclusive, nul doute que l'influence de la comtesse de La Tour n'ait été en cela déterminante. La composition du roman était avancée quand Gobineau rencontra la comtesse à Stockholm, et l'aventure féerique de Jean-Théodore et d'Aurore exauce magiquement les désirs de l'écrivain.

D'une grande finesse de composition, *les Pléiades* peuvent séduire ou irriter par les imprécations oratoires du début et par le charme suranné de leurs nombreuses dissertations amoureuses. L'extravagance de la Tonska et le ridicule des Genevilliers (type de conservateurs libéraux que Gobineau abhorrait par-dessus tout) fournissent en tout cas matière à des scènes comiques de la meilleure veine.

Nouvelles asiatiques

Composées de 1872 à 1875, elles ont paru en 1876. Le recueil est précédé d'une Introduction, à laquelle Gobineau attachait de l'importance. Il est placé sous les auspices des *Mille et Une Nuits* — inégalables. Au moins Gobineau va-t-il s'efforcer de démontrer que, « au rebours de ce qu'enseignent les moralistes, les hommes ne sont nulle part les mêmes ». Les « variétés de l'esprit asiatique » convaincront le lecteur qu'il ne faut pas juger des vices et des vertus des Orientaux par rapport au caractère des Européens; au vrai, qu'« il ne faut pas parler des Asiatiques en moraliste ».

Dans « la Danseuse de Shamakha », une farouche Caucasienne (c'est-à-dire Aryenne) montre son mépris pour celui qu'elle avait pris pour son frère de race, et dont les vertus ont dégénéré. Le portrait de la danseuse, digne des plus fermes créations stendhaliennes, émerge d'une intrigue un peu traînante. « L'Illustre Magicien » ressuscite la Perse des *Mille et Une Nuits*. Kassem répond à l'appel d'un vieux derviche et part à la conquête de la Science, abandonnant au désespoir sa jeune épouse. Mais au fond de la caverne où l'entraîne son itinéraire, c'est elle, Amynèh, qu'il découvre. A chacun sa vérité; ce petit conte module l'un des thèmes favoris de Gobineau : l'éloge de la lucidité. L'« Histoire de Gambèr-Aly » est pleine d'observations pittoresques et amusantes sur la vie quotidienne en Perse. L'ascension du jeune héros témoigne du penchant des Orientaux pour la vénalité et le mensonge. « La Guerre des Turcomans », satire contre la guerre, contre les mœurs relâchées des Persans, mais aussi contre les prétentions colonisatrices des Européens, est d'un humour digne du meilleur Voltaire. Cet humour est servi par le récit à la première personne fait par Aga, jeune Oriental menteur et fataliste, innocente victime des malheurs qui s'abattent sur sa tête. « Les Amants de Kandahar » traitent à l'orientale l'histoire de Roméo et Juliette. « La Vie de voyage », enfin, retrace la vie d'une caravane; l'autobiographie est ici à peine déguisée : derrière le jeune couple d'Italiens du Sud Valerio et Lucie, on reconnaît Gobineau et sa jeune femme, émerveillés et déconcertés à la fois par leurs premières impressions d'Orient.

BIBLIOGRAPHIE GÉNÉRALE

Œuvres romanesques

Les Pléiades (éd. J. Mistler), Monaco, Éd. du Rocher, 2ᵉ éd. 1957 et in *Œuvres* de Gobineau, Paris, Gallimard, La Pléiade, 1982 (t. III à paraître); *Nouvelles asiatiques* (éd. J. Gaulmier), Paris, « Classiques Garnier », 1965, et *le Mouchoir rouge et Autres Nouvelles* (éd. J. Gaulmier), Paris, « Classiques Garnier », 1968 *sqq.* Publiées depuis dans la Coll. « 10/18 », *les Nouvelles* se trouvent aussi dans *Œuvres*, La Pléiade, t. I, II et III.

Essais

Essai sur l'inégalité des races humaines, La Pléiade, t. I; *Ce qui est arrivé à la France en 1870*, « Études gobiniennes », Paris, Klincksieck, 1970; *la Troisième République française et ce qu'elle vaut*, « Études gobiniennes », Paris, Klincksieck, 1976-1978; *Les Religions et les philosophies dans l'Asie centrale*, in *Œuvres*, La Pléiade, t. II.

Divers

Trois Ans en Asie, in *Œuvres*, La Pléiade, t. II; *la Renaissance*, (éd. J. Gaulmier), Paris, Garnier-Flammarion, 1980 et in *Œuvres*, La Pléiade, t. III (à paraître); l'*Histoire des Perses* (Plon), l'*Histoire d'Ottar Jarl* (Didier), *Amadis* (Plon) sont depuis longtemps épuisés.

Correspondance

Inédite en grande partie. Parmi les volumes publiés : *Comte de Gobineau-Mère Bénédicte de Gobineau* (1872-1882), (éd. de A.B. Duff), 2 vol., Paris, Mercure de France, 1958, et « Correspondance Tocqueville-Gobineau », in A. de Tocqueville, *Œuvres complètes*, t. IX, Paris, Gallimard, 1959.

Critiques

J. Gaulmier, *Spectre de Gobineau*, Paris, Pauvert, 1965; J. Buenzod, *la Formation de la pensée de Gobineau et l'« Essai sur l'inégalité des races humaines »*, Paris, Nizet, 1967; J. Boissel, *Gobineau, l'Orient et l'Iran*, t. I (1816-1860), Paris, Klincksieck, 1974; J. Boissel, *Gobineau* (biographie), Paris, Hachette, 1981; P.-L. Rey, *l'Univers romanesque de Gobineau*, Paris, Gallimard, 1981.

P.-L. REY

GODARD D'AUCOURT Claude (1716-1795). Écrivain né à Langres. Fermier général (1754), receveur général des Finances à Alençon (1785), il cultiva les lettres en dilettante, donnant des *Mémoires turcs* (1743), un poème, *Louis XV* (1744), des comédies et surtout un roman qui connut une dizaine de rééditions au XVIIIe siècle, *Thémidore* (1745). Une fille légère est jetée au couvent par le père de son amant et celui-ci tente de la délivrer, non sans cueillir les « occasions » que la vie entre-temps lui présente, tandis que la jeune Rozette passe de son côté des moments « assez gracieux » avec les nonnettes de Sainte-Pélagie : renversement ironique d'une situation que d'aucuns prendraient au tragique (que l'on pense à *la Religieuse* de Diderot). Mais la morale libertine n'impose pas aux « amoureux » une impossible abstinence; tout juste une discrétion qui se retrouve dans l'écriture du roman, voilant les jeux de l'amour d'ingénieuses métaphores : « Le prisonnier, à peine entré, se mit à pleurer entre les deux guichets ». D'où un travail de décryptage qui sollicite, doublement, l'imagination du lecteur. Au XIXe siècle, Maupassant s'enthousiasma pour *Thémidore* : « Un pur, non, un impur chef-d'œuvre... C'est un bonheur de lire cela, un bonheur savoureux, une volupté presque sensuelle de l'intelligence » (préface de l'édition Kistemaekers, Bruxelles, 1883).

BIBLIOGRAPHIE

Thémidore ou Mon histoire et celle de ma maîtresse, préface de J. Suffel, Paris, J.-C. Lattès, « Les Classiques interdits », 1980.

J.-P. DE BEAUMARCHAIS

GODBOUT Jacques (né en 1933). Écrivain canadien d'expression française. Romancier, essayiste, cinéaste, Jacques Godbout (né à Montréal) poursuit, à travers une œuvre diverse et fragmentée, un éloquent discours sur la condition québécoise. Initiateur et pionnier, il participe à la fondation de la revue *Liberté* (1950), du Mouvement laïque français (1962) et crée l'Union des écrivains québécois (1977). En sismologue, il enregistre les grands et petits bouleversements de son époque et, en des textes qu'il qualifie de « tranquilles », témoigne de la révolution — également tranquille — survenue au cours des années 60 au Québec.

Surtout connu comme romancier, Jacques Godbout pose, en cinq romans, les principaux jalons d'une problématique culturelle. Alors que *l'Aquarium* (1962) renvoie, manifestement, à un séjour d'enseignement en Éthiopie fait par le jeune diplômé en lettres de l'université de Montréal et, métaphoriquement, à l'atmosphère d'enfermement qu'a connue le Québec pendant plusieurs décennies (atmosphère dont la contrepartie symétrique était l'exil et l'« ailleurisme »), *le Couteau sur la table* (1965) interroge la « dualité canadienne » : le narrateur, partagé entre deux amours comme entre deux pays, séduit la belle Patricia, d'origine anglophone, qui représente pour lui l'insouciance et l'érotisme, tandis que Madeleine, la Montréalaise, lui offre la complicité, la tendresse, mais surtout un mal d'être à partager. *Salut, Galarneau* (1967) raconte, avec truculence, les tribulations d'un vendeur de *hot-dogs,* François Galarneau, qui, entre deux clients et malgré l'odeur de friture de son stand, tente d'« ethnographier » son milieu, opposant ainsi à l'image de l'écrivain brillant et mondain, son frère Jacques Galarneau, le personnage de l'homme ordinaire, celui qui a choisi de s'accepter — et d'accepter les siens — sans honte. Entre vivre et écrire, François Galarneau ne choisira pas : il tentera de *vécrire.* Avec *D'amour P.Q.* (1972) — P.Q., c'est Province de Québec ou Printemps québécois, Parti québécois, Pays québécois, ou Putain de Québec —, Jacques Godbout continue d'explorer la condition de l'écrivain dans ce lieu et pose plus particulièrement le problème de la langue d'écriture : dans cet ouvrage, un auteur pompeux se trouve peu à peu dépossédé de son manuscrit initial par sa secrétaire, Mireille, dont les écarts de langage « font penser à un joual qui se cabre quand un cheval est attaqué ». Enfin dans *l'Isle-au-Dragon* (1976), épopée mi-burlesque mi-poétique, un Québécois ordinaire, Michel Beauparlant, réussit à force d'astuces et de ruses, à chasser d'une île du Saint-Laurent un dangereux dragon américain qui avait décidé de faire de ce lieu le premier « dépotoir atomique contrôlé ».

Les romans de Godbout empruntent à l'esthétique du journal et de la bande dessinée leur écriture nerveuse, fragmentée, le rythme d'un récit parfois rocambolesque, leur refus de l'introspection complaisante et du psychologisme facile, leur usage parfois abusif des pirouettes langagières qui masquent le tragique. Jacques Godbout est un éditorialiste qui oublie ou néglige de conclure. « Nouveaux romans »? Plutôt romans à l'imparfait, selon l'expression de Gilles Marcotte, interrogatifs, ouverts. Souvent les énoncés y éclatent en formules, en phrases lapidaires (« Je parle français en Amérique, c'est là la grande connerie, la *faute* ») ou paradoxales. La même concision se retrouve dans le recueil d'essais de Godbout, *le Réformiste* (1975), où sont privilégiées les questions du laïcisme, de la langue et de l'information.

Cinéaste à l'Office national du film, Godbout continue, par le moyen de ses films, l'exploration des images et mythes d'une civilisation, depuis l'aventure policière (*IXE-13*) jusqu'aux effets de l'amour des bêtes (*Aimez-vous les chiens?*) et à la condition tragique de l'écrivain (*Deux Épisodes dans la vie d'Hubert Aquin*). Malgré — et à cause de — son apparente discontinuité, cette œuvre stigmatise une époque dans un style qui a la densité du communiqué ou du bulletin de nouvelles, l'humour des tableaux surréalistes et l'impertinence des vraies questions.

BIBLIOGRAPHIE

André Smith, *l'Univers romanesque de Jacques Godbout,* Montréal, Aquila, 1976.

L. GAUVIN

GODEAU Antoine (1605-1672). Doué d'une étonnante fécondité, puisqu'il est l'auteur d'une cinquantaine de volumes, Antoine Godeau, né à Dreux, partagea sa vie entre son activité littéraire et la responsabilité de l'évêché de Grasse. Ce « poète mitré », membre de l'Académie française dès sa fondation, s'était d'abord distingué par une existence mondaine de poète précieux, membre de la société des « Illustres Bergers » et l'un des favoris de l'hôtel de Rambouillet. Attiré très jeune par la poésie, il avait sans doute été introduit dans ce salon par son cousin Conrart. « Extraordinairement petit et extraordinairement laid », selon Tallemant des Réaux, le jeune poète, auteur d'un *Discours* sur Malherbe (il était en faveur des Modernes), va bientôt devenir pour tous les mondains « le nain de la princesse Julie ». On dit même qu'il rivalise avec Voiture, et Mme de Sévigné affirme qu'il est « le plus bel esprit de son temps ».

Ces activités mondaines n'empêchent pas Godeau de publier dès 1633 des *Œuvres chrestiennes,* qui seront bien accueillies; toute sa vie, d'ailleurs, il restera un spécialiste de la paraphrase d'épîtres et de psaumes. Son engagement religieux se confirme au point qu'il entre dans les ordres en 1635. Richelieu le nomme évêque de Grasse l'année suivante. Placé à la tête d'un diocèse pauvre, dont il s'occupe avec constance, il continue à publier divers ouvrages d'inspiration religieuse : une *Vie de saint Paul* (1647), une *Paraphrase des Psaumes de David* (1648), une *Histoire de l'Église* (1653), qui obtient un très grand succès. De 1660 à 1663, il rassemble en trois volumes ses *Poésies morales et chrétiennes.* Pendant ses séjours épisodiques à Paris, il intervient dans l'Assemblée générale du clergé. Bien disposé à l'égard du jansénisme, il reste cependant très prudent dans ses écrits.

Si l'on peut trouver aujourd'hui un intérêt à Godeau dans le genre particulier de la poésie religieuse, il faut constater que plusieurs de ses contemporains n'ont pas été tendres envers lui et lui reprochent soit sa fécondité (Tallemant des Réaux), soit (Boileau) son absence de force de style et de vivacité d'expression. Pourtant, depuis 1970, l'œuvre de Godeau semble peu à peu sortir de l'oubli, et provoquer au moins la curiosité des spécialistes.

BIBLIOGRAPHIE

René Kerviler, *Antoine Godeau, étude de sa vie et de ses écrits*, Paris, Champion, 1879; Yves Giraud, *De la galanterie à la sainteté. Actes des journées commémoratives* (Grasse, 21-24 avril 1972) *Actes et Colloques 17*, Paris, Klincksieck, 1972.

J.-P. RYNGAERT

GODEFROY Théodore (1580-1649) et **Denis II, dit Denis le Jeune** (1615-1680). Les Godefroy forment une dynastie d'érudits et d'historiens comme le XVIIe siècle en connut plusieurs. A l'origine de cette dynastie, on trouve, au XVIe siècle, un juriconsulte réputé, Denis Ier Godefroy, surnommé Denis l'Ancien, que ses opinions calvinistes obligèrent à chercher refuge à Genève. Son fils, Théodore, se convertit au catholicisme et mit son savoir au service de la monarchie. Il fut d'abord employé dans les affaires diplomatiques, puis se vit attribuer la charge d'historiographe de France. Son fils Denis lui succéda à son tour dans ces fonctions et fut en même temps jurisconsulte et garde des archives des comtes de Flandre.

En une époque où l'on attendait des ouvrages historiques des qualités littéraires, les Godefroy représentent plutôt une tradition érudite. Ils étaient assidus aux réunions du petit cercle savant de Mme du Plessis-Guénégaud, où ils retrouvaient l'historien Henri de Valois, d'Hozier, Ménage, Perrot d'Ablancourt. Tous deux se consacrèrent à des recherches spécialisées dans les questions de hiérarchie nobiliaire (Théodore publia un *Cérémonial de France* [1619] que Denis réédita [1649]), et surtout de droit international touchant aux litiges entre la monarchie française et la monarchie espagnole. De fait, leur érudition est là mise en œuvre selon des visées politiques et partisanes. Mais Théodore publia aussi une *Histoire du Chevalier Bayard* (1627) et des éditions de textes peu connus de chroniqueurs de la fin du Moyen Âge.

A. VIALA

GODOLIN Pierre [orthographe francisée de **Goudouly** ou **Goudouli, Peire**] (1580-1649). Poète de langue d'oc, né à Toulouse. La renommée de Godolin en son temps, comme sa carrière, illustre la vitalité de la poésie occitane au XVIIe siècle. Fils d'un chirurgien, il fut l'élève des Jésuites, suivit des études de droit et devint avocat au parlement. Mais il délaissa le barreau pour se consacrer à la littérature. Protégé des grands (Adrien de Montluc, Montmorency, le président du parlement Berthier) et, dans ses dernières années, pensionné par les capitouls, il accomplit une carrière d'écrivain qui le fait apparaître comme un poète en quelque sorte « officiel » de la cité toulousaine. Celle-ci était alors le lieu d'une riche activité littéraire, symbolisée notamment par les concours annuels de l'académie des jeux Floraux. L'écriture en français n'en était pas exclue : la tendance générale est alors à une expansion du français au détriment de la langue d'oc, y compris dans la production poétique. Godolin lui-même donnera plusieurs poèmes en français. Mais la poésie reste un bastion solide de l'occitan, et Godolin fit un temps figure de chef de file des tenants de cette littérature.

Non qu'il s'enferme dans un patriotisme linguistique étroit ou que la pratique de l'occitan prenne chez lui la dimension d'une opposition politique. Suivant la tradition, il célèbre souvent la gloire du roi en l'une ou l'autre langue. C'est par des *Stances sur la mort d'Henri IV* (1610, *Stansos...*) qu'il accède à une renommée nationale et même internationale (traductions italienne et espagnole). Mais l'essentiel de son œuvre et de sa gloire tint à ses poèmes occitans, dont le recueil (*Lou Ramelet*, puis, à partir de 1638, joint à un dictionnaire occitan, *Obros;* rééd. 1648, 1678, 1693) connut un large succès.

Outre des poésies où prédominent les formes traditionnelles (stances, chant royal, hymne...), il composa de nombreux livrets et prologues de ballets. Ceux-ci étaient très appréciés de la noblesse toulousaine de robe et d'épée et soutenaient la comparaison avec les ballets alors en vogue à la Cour. L'écriture de Godolin, en l'un et l'autre genre, comme en l'une et l'autre langue, relève de la sensibilité baroque et témoigne d'une grande virtuosité dans les jeux de langage.

Son œuvre n'est pas isolée. Parmi ses amis, Jean d'Astros (1594-1648), polygraphe prolixe, composa entre autres des poèmes-plaidoyers en faveur de la langue d'oc, et Bertrand de Larade (1581-1630) maîtrisait l'art du sonnet de façon exemplaire. Il faut citer aussi Guilhem Ader (1578-1638), auteur du *Gentilhome gascoun* (1610), épopée des exploits d'Henri IV, où le style épique trouve une de ses meilleures illustrations en ce siècle.

De telles œuvres attestent, en une période où la centralisation politique et culturelle se renforce, la permanence de la tradition poétique occitane, même si elle n'a plus la puissance qui était la sienne aux siècles précédents.

BIBLIOGRAPHIE

Ch. Anatole et R. Lafont, *Nouvelle Histoire de la littérature occitane*, Paris, P.U.F., 1970, t. I, donnent les indications essentielles. Voir aussi *Baroques occitans (1560-1660)*, anthologie prés. par R. Lafont, Avignon, Aubanel, 1974.

A. VIALA

GOETHE EN FRANCE. « L'homme olympique », « l'Orphée, l'Homère, l'Horace, le Tasse et le Voltaire » de l'Allemagne : ces formules synthétiques mais vagues, employées par Lamartine dans son *Cours familier de littérature*, résument l'image française de Goethe, construite à partir d'une expérience lacunaire, qui enferme d'irréductibles diversités en une totalité quelque peu mythique.

Engouements et influences

Tout commence avec *Werther* (1774) : le petit roman où Goethe transpose un épisode de sa vie sentimentale et le transforme en un drame de l'amour impossible est traduit quinze fois de 1776 à 1797; le héros, esclave d'une passion qui l'exalte et qui le conduit à la mort, la douce et pure Charlotte séduisent les cœurs sensibles comme les figures d'un dialogue d'Éros et de Thanatos, et la structure simple de l'intrigue semble mimer l'inéluctabilité d'une logique fatale qui mène de la mélancolie au suicide. Les imitations se bousculent : *les Aventures du jeune d'Olban* (1777), de Ramond de Carbonnières; *Liebman* (1775), de Baculard; dans la *Werthérie*, de Perrin, c'est l'héroïne qui se tue; dans *Edmond et Cécile* (anonyme), c'est le couple d'amants... Plus intéressantes sont les variations originales sur le thème et le cadre fournis par Goethe, qui reflètent l'évolution des manières romanesques et des mentalités sur plus d'un demi-siècle : *l'Émigré* (1797), de Sénac de Meilhan; *René* (1802), de Chateaubriand; *Delphine* (1802), de Mme de Staël; *Valérie* (1803), de Mme de Krüdener; *le Peintre de*

Salzbourg (1803), de Nodier; *Oberman* (1804), de Senancour; *Eugénie de Rothelin* (1808), de Mme de Souza; *Adolphe* (1816), de Constant; *Joseph Delorme* (1829), de Sainte-Beuve... Condamné, réfuté, *Werther* demeure, jusqu'aux lendemains de 1830, un livre où se goûte la saveur amère du « mal du siècle », où se mire et se reconnaît, avec une complaisance masochiste, une aspiration au bonheur vouée au désespoir.

Auprès de ce werthérisme, le succès des autres ouvrages est médiocre : le théâtre, mal accueilli par la critique dans les années 1770, traduit sous la Restauration, ne joue pas le rôle de modèle intermédiaire entre le classicisme et la liberté shakespearienne que remplissent les pièces de Schiller; seul le bouillant *Goetz de Berlichingen* enthousiasme les poètes et des artistes comme Delacroix. De *Wilhelm Meister* (dont *les Années d'apprentissage* sont traduites dès 1802 et l'ensemble en 1861) les contemporains ne retiennent guère que l'épisode de Mignon, illustré par les peintres et les graveurs, transformé en opéra, en 1856, par Ambroise Thomas. Les poésies, traduites en 1825, adaptées par Émile Deschamps ou Nerval, comportent des pièces fort populaires à l'époque romantique, comme « le Roi des Aulnes », « le Roi de Thulé », « la Fiancée de Corinthe ». *Hermann et Dorothée,* épopée bourgeoise et idyllique traduite en 1800, influence l'évolution du poème narratif vers un intimisme au ton soutenu qui héroïse la vie privée (en témoignent *Jocelyn* [1836] de Lamartine, ou *Pernette* [1868] de Laprade). Mais c'est le premier *Faust* qui relaye, à partir de 1823, la vague werthérienne : les romantiques se reconnaissent dans la figure torturée de l'alchimiste médiéval partagé entre une idéale Marguerite et Méphistophélès, burlesque démon, entre l'amour et les rêves impies de puissance. Delacroix et Tony Johannot illustrent la pièce, Nerval en donne une belle traduction en 1828, les poètes s'inspirent à l'envi de la diablerie fantastique ou de la pure jeune fille au rouet; l'Albertus de Gautier, l'Ahasvérus de Quinet sont des avatars d'un Faust livré à une convoitise insatiable et désespérée. Sous la monarchie de Juillet, avec les *Études sur Goethe* (1835) de Xavier Marmier, s'ouvre l'époque d'une connaissance plus sereine, marquée bientôt par de grandes monographies universitaires et par des ouvrages de synthèse.

Permanence d'une figure

Mme de Staël, qui juge avec réserves et nuances l'œuvre de Goethe, écrit néanmoins : « Seul il réunit tout ce qui distingue l'esprit allemand » : l'ardeur sentimentale des années du *Sturm und Drang,* la sérénité du classicisme, toutes les couleurs d'une imagination qui ressuscite les terreurs du Moyen Âge ou les splendeurs de l'hellénisme. Peu à peu, le XIXe siècle explore toutes ces diversités et intègre des aspects d'abord négligés : le « roman d'éducation », la composition symphonique du second *Faust* et sa philosophie panthéiste, les œuvres scientifiques et leur réflexion sur l'analogie. Avant même sa disparition, Goethe apparaît comme un monument vénérable, l'image d'un demi-siècle de féconde et brillante création, le Moïse du romantisme, prophète calme et lucide : le pèlerinage de Weimar devient un rite, le point culminant du voyage d'Allemagne. La figure de l'écrivain, au déclin du romantisme, s'universalise et devient, pour employer la terminologie de Max Weber, un « type idéal » : l'accomplissement de la nature humaine dans l'activité artistique, avec une olympienne indifférence aux souffrances de la vie, que Gautier prend pour modèle dans sa préface d'*Émaux et Camées* (1852). Impassibilité, égoïsme, scepticisme, aisance divine dans tous les genres, union sublime du don poétique et de la conscience critique : tel est le Goethe de Sainte-Beuve, un païen vigoureux et subtil qu'il oppose aux décadences modernes; d'autres, comme Quinet, fustigent en Goethe « le manque de charité et d'entrailles », ou, comme Barbey d'Aurevilly, le considèrent comme un « Talleyrand littéraire ». L'opposition entre une admiration humaniste et une réprobation chrétienne s'est maintenue au XXe siècle : « âne solennel » pour Claudel, Goethe est, pour Gide, celui qui sut goûter aux « nourritures terrestres », vivre les passions, construire avec elles une culture et une œuvre; non un auteur académique ou éclectique, mais un classique vivant, lucide, qui embrasse, affronte et traduit la belle totalité de l'expérience humaine.

BIBLIOGRAPHIE

Essais. — Xavier Marmier, *Études sur Goethe,* Strasbourg, Levrault, 1835; Elme-Marie Caro, *la Philosophie de Goethe,* Paris, Hachette, 1866; Jean-Jacques Weiss, *Sur Goethe,* Paris, A. Colin, 1892; André Suarès, *Goethe, le grand européen,* Paris, Émile Paul, 1932; Charles Du Bos, *Goethe,* Paris, Corréa, 1949. **Études universitaires.** — Fernand Baldensperger, *Goethe en France, étude de littérature comparée,* suivi de *Bibliographie critique de Goethe en France,* Paris, Hachette, 1904-1907, 2 vol.; *Goethe et la France,* 1749-1949 (...), Offenburg, Impr. Burda et Impr. nationale, 1949; *Études germaniques,* avril-sept. 1949 (bicentenaire de la naissance de Goethe); *Goethe et l'Esprit français* (Colloque international, Strasbourg, 1957), Paris, Belles-Lettres, 1958.

D. MADELÉNAT

GOFFIN Robert (né en 1898). Voir BELGIQUE. Littérature d'expression française.

GOHA LE SIMPLE. Ouvrage d'Albert Adès et Albert Josipovici (1919). V. ÉGYPTE. Littérature égyptienne d'expression française.

GOHORY Jacques (v. 1520-1576). Né à Paris, Gohory appartient à une famille de petite noblesse qui compte peut-être des ascendants italiens. Son principal mérite littéraire, en dehors d'une traduction de Tite-Live (1548), est d'avoir introduit en France quelques œuvres-phares de la Renaissance italienne ou espagnole. Traducteur de Machiavel (*Discours sur la première décade de Tite-Live,* 1544; *le Prince,* 1571), il écrit lui-même la première biographie de cet auteur politique qui soulève les passions dans la France déchirée de l'époque. Il collabore à la traduction du *Songe de Poliphile* de Francesco Colonna, itinéraire allégorique à travers les royaumes de l'Art et de la Liberté avec pour terme la gloire divine et l'Amour (1546), et, dans un registre différent, à celle des romans d'*Amadis* (livres X et XI, 1553 et 1554), dont on sait la vogue dans l'Europe entière.

Homme de science, dont le champ de curiosité s'étend à tous les objets de la « philosophie naturelle » jusqu'à l'alchimie incluse, il prend part à la controverse issue de Paracelse (*De usu et mysteriis notarum,* 1550; *Paracelsi philosophiae et medicinae compendium*). En dépit de la concurrence jalouse d'un André Thevet, il consacre au tabac, récemment découvert, un ouvrage, *Instruction sur l'herbe Petum* (1572), dans lequel il recommande de n'utiliser cette plante qu'à des fins purement médicinales. Déçu par les rebuffades qu'il a essuyées à la Cour, il vit retiré au milieu des simples qu'il cultive dans son jardin botanique du faubourg Saint-Marceau, jardin pompeusement nommé par lui son « Lyceum philosophal ».

BIBLIOGRAPHIE

E.T. Hamy, *Un précurseur de Guy de La Brosse : Jacques Gohory et le Lyceum philosophal du faubourg Saint-Marceau-lès-Paris (1571-1576),* Paris, 1899; Enea Balmas, « Jacques Gohory, traduttore del Machiavelli », *Studi Machiavelliani,* Vérone, 1972.

F. LESTRINGANT

GOLDONI Carlo (1707-1793). Écrivain italien, tardivement d'expression française. Il naquit à Venise, où, après une jeunesse aventureuse, il se fixa en 1748 pour donner aux théâtres Sant'Angelo et San Luca des dizaines de comédies, parmi lesquelles tous ses chefs-d'œuvre : *la Locandiera* (1753), *Il Campiello* (« la Petite Place », 1755), *I Rusteghi* (« les Rustres », 1760), la trilogie de *la Villégiature* (1761), *le Baruffe chiozzotte* (« Barouf à Chioggia », 1762). En 1761, les Comédiens-Italiens de Paris en quête d'auteur lui proposèrent un engagement; brève collaboration (1762-1765), marquée par des brouilles et des déceptions : ils firent notamment échouer *il Ventaglio* (« l'Éventail », 1764), qui triompha à Venise l'année suivante. Habitant Versailles ou Paris, maître d'italien de plusieurs princesses royales, pensionné par le roi, Goldoni s'acclimata au point d'écrire en français le reste de son œuvre : *le Bourru bienfaisant* (1771), joué à la Comédie-Française, et bien accueilli; *l'Avare fastueux*, un échec complet (1776), enfin ses *Mémoires* (1784-1787), « pour servir à l'histoire de sa vie et de son théâtre, dédiés au roi ». En 1792, sa pension fut supprimée, et il mourut dans la pauvreté. A ne considérer que ses écrits en français, Goldoni serait aujourd'hui légitimement oublié. Pastichant les « drames bourgeois » du temps, *le Bourru bienfaisant* cultive le pathétique familial (une jeune fille dont le frère a croqué la dot se voit condamnée au couvent) au fil de phrases exclamatives et d'apartés haletants; mais le « méchant » est accablé de remords et son oncle le « bourru » d'une si évidente bonté qu'un dénouement heureux ne fait jamais aucun doute... Ce désir de plaire qui conduit Goldoni, fût-ce contre son génie propre, à suivre un modèle littéraire qui lui semble à la mode, s'exprime encore plus crûment dans la servilité des *Mémoires*. Au milieu des flatteries adressées au roi et aux grands, on trouve pourtant d'utiles renseignements (un tableau complet de la presse parisienne dans les années 1770) et des anecdotes significatives sur divers écrivains : Diderot, Mme Riccoboni, Rousseau qui lui conseille de rentrer à Venise. On le sent plus libre lorsqu'il parle de sa jeunesse, de sa carrière vénitienne, de son admiration pour Molière, de sa « réforme » visant à remplacer les canevas de la *commedia dell'arte* par des textes et à supprimer les masques, incapables de rendre la « délicatesse » des sentiments : « On veut que l'acteur ait de l'âme, et l'âme sous le masque est comme le feu sous les cendres ». En ce sens la période française de Goldoni marqua l'ultime étape de cette réforme. Hélas, la rhétorique du drame imposait à l'âme de l'auteur un masque plus étouffant encore que celui de Pantalon ou de Brighella.

BIBLIOGRAPHIE

On trouvera *le Bourru bienfaisant* dans le *Théâtre* de Goldoni, éd. Michel Arnaud, Paris, Gallimard, La Pléiade, 1972, et Nino Frank, Paris, Garnier-Flammarion, 1980. Il existe une édition récente des *Mémoires*, présentés par P. de Roux, Paris, Mercure de France, 1965 (avec des coupures). Les études sur le théâtre de Goldoni sont innombrables. Citons N. Mangini, *Goldoni*, Paris, Seghers, 1969, et M. Baratto, *Sur Goldoni*, Paris, L'Arche, 1971. Sans compter évidemment une immense bibliographie en langue italienne.

J.-P. DE BEAUMARCHAIS

GOLIARDS (les) [XIIe-XIIIe siècle]. On désigne sous ce nom des poètes médiévaux qui ont composé en latin une poésie strophique chantée. Cette poésie célèbre l'amour, le jeu et le vin, et fait volontiers la critique de la cour romaine. Il ne s'agit en aucune façon d'une école poétique cohérente, et la poésie goliardique est très tôt répandue à travers tout l'Occident latin; elle émane vraisemblablement de jeunes clercs, fraîchement émoulus des écoles cathédrales, puis de la faculté des arts : aussi pratique-t-elle la parodie biblique ou liturgique, émaillée de nombreuses références humanistes aux classiques de la latinité.

La lyrique des goliards est surtout connue par les *Carmina burana :* ce recueil célèbre (qui contient aussi des pièces pieuses) provient de l'abbaye de Benediktbeuren, en Bavière, et son origine allemande est confirmée par le fait que plus d'une chanson sacrifie au bilinguisme latino-germanique (mais il s'y rencontre plusieurs textes où interviennent quelques énonciations dans un ancien français dont la graphie implique une prononciation germanisante). Il ne faut pas négliger cependant d'autres *corpus :* manuscrits catalans, qui nous révèlent l'attachante personnalité de l'« Amoureux anonyme de Ripoll »; manuscrit de Florence; manuscrit de Châlons-sur-Marne (précieux l'un et l'autre à cause de leurs annotations musicales d'œuvres dont la mélodie est particulièrement élaborée); chansonnier de Cambridge surtout, le plus ancien. C'est ce manuscrit qui contient le *Jam dulcis anima venito* du XIe siècle : son auteur y relate en termes ovidiens comment il a, parmi les fleurs et les vins succulents, contraint son *amica*, demi-consentante, au don suprême. L'aire du goliardisme est beaucoup plus vaste dans l'espace et le temps qu'on ne le croit d'ordinaire : il s'agit d'un fait européen et d'un phénomène beaucoup plus durable qu'une simple vogue littéraire.

Qui sont les goliards? La plupart de leurs poèmes sont anonymes. Quelques auteurs sont (un peu) connus, tel le mystérieux « Archipoète », qui devint le protégé de Rainold von Dassel, archevêque de Cologne vers 1160. On a retenu le nom de Hugues Primat, clerc d'Orléans, et l'on sait que Gautier de Châtillon, né vers 1135, fut « écolâtre » à Lille, puis qu'il fit partie de la chancellerie d'Henri II d'Angleterre, et qu'il se rendit en Italie, pour étudier le droit canon à Bologne : il y eut maille à partir avec la curie de Rome, dont il dénonce volontiers la corruption. Il mourut lépreux, et sa maladie fut à l'origine de son émouvant congé (*Dum Gualterus egrotaret*). Ses œuvres figurent dans un manuscrit de Saint-Omer et contiennent aussi des hymnes, des miracles de saint Nicolas et d'autres textes édifiants. L'une de ses satires contre Rome (*Propter Sion non tacebo*) mêle au latin des bribes d'italien et de français, rapportant « en direct » le langage des courtisans romains. On attribue parfois aussi à Gautier la rédaction du *Moralium dogma*, qui est un florilège humaniste. Toujours est-il que la trajectoire de ce personnage est assez exemplaire : une jeunesse dissipée, suivie par une vie plus austère — combien de goliards se sont rangés pour faire carrière dans l'Église! Tel fut aussi, en un sens, le destin du philosophe Pierre Abélard, qui sacrifia, dans sa jeunesse, à l'inspiration goliardique. Le jeune clerc qui chante l'amour et le vin sait bien qu'au bout du compte il lui faudra revenir aux choses sérieuses : *seriis intendere*, pour reprendre la formulation même qui figure dans le refrain d'un des plus beaux poèmes du *corpus*, entièrement voué à la formulation obsessionnelle du *Carpe diem...*

Les formes de la poésie goliardique

La poésie des goliards se présente sous des avatars très divers. Sa langue mêle habilement les références à Horace, à Ovide, à Virgile et les citations bibliques ou liturgiques déformées ou utilisées dans un contexte profane. C'est ainsi que, dans le *Carmen de Rosa*, une strophe s'ouvre sur un *Pange lingua* qui invite à la célébration de la femme aimée. Ce poème commence par une formule paulinienne (*Si loquar angelicis linguis et humanis*) détournée de son sens initial (l'éloge de la charité) au profit d'un hommage amoureux devenu profanateur (la beauté de l'*amica* est posée comme indicible). Le même poème salue la Rose dans des termes qui fleurent la dévotion mariale (*Ave formosissima*) pour s'achever dans l'apologie d'une sorte de viol, puisque l'œuvre se clôt sur le chant triomphal de l'amant parvenu par la force à ses fins. Ou encore — que l'on pense à la célèbre « confession » de l'Archipoète, il est vrai suivie d'une palinodie qui exprime le retour à l'ordre moral —, le goliard prend le contrepied de l'enseignement évangélique avec une extraordinaire volonté de défi :

Via lata gradior more juventutis;
Implicor et vitiis immemor virtutis;
Voluptatis avidus magis quam salutis,
Mortuus in anima curam gero cutis.
(Je vais sur la voie large à la façon de la jeunesse; je me vautre dans le vice, oublieux de la vertu, et plus assoiffé de plaisir que de mon salut, mort en esprit, je n'ai souci que de ma peau.)

Choisir la voie large, et non la porte étroite, et la mort spirituelle pour mieux satisfaire aux plaisirs d'ici-bas, c'est, au sens propre, subvertir la parole christique par un langage sacré que l'on a délibérément perverti. Le goliardisme est peut-être d'abord ce jeu sur les mots où l'irrespect traduit la science du clerc, fier de la connaissance qu'il a des textes mais excédé par la vénération dont ces textes font l'objet. D'où aussi la pratique du calembour : c'est ainsi que, parallèlement à l'Évangile selon saint Marc, apparaît un curieux évangile selon le marc d'argent (*Initium sancti evangeli secundum marcum argenti*). L'astuce estudiantine s'élève à la dignité de procédé littéraire, mais elle assume en même temps une charge critique dont la diffusion est, il est vrai, limitée, la satire circulant en milieu relativement fermé (celui des *literati*).

Le goliardisme n'est toutefois pas une simple affaire de langage. Il implique également une poétique dont les modalités sont très diverses. Beaucoup de chansons goliardiques sont construites sur des strophes suivies de refrains probablement repris en chœur. A la différence de la poésie latine de l'Antiquité classique, les vers sont fondés sur une prosodie syllabique et sont rimés, avec une grande abondance de rimes riches. Beaucoup de pièces expriment l'allégresse printanière et le sourd désir d'aimer : ne faut-il pas y lire l'influence des chants de mai? La lyrique médiolatine baigne dans un environnement qui la rend perméable au folklore. D'où la présence de formes popularisantes telles que la pastourelle. Mais la pastourelle goliardique n'a pas la simplicité brutale de la pastourelle chevaleresque ou bourgeoise, et s'embarrasse à son tour de références érudites en parsemant la campagne allemande d'oliviers (au bord d'un ruisseau!) dans un cadre agreste plus plaisant que celui du *Phèdre* de Platon... (cf. *Aestivali sub fervore*). Il faut certes faire la part de l'ironie dans l'accumulation de ces détails livresques; il reste que le goliardisme se révèle une fois de plus, dans ces textes, comme un étonnant carrefour de la culture savante et de la culture populaire.

Bientôt les goliards généralisent une structure qui leur est propre : le quatrain monorime de vers de treize pieds coupés par une forte césure à la septième syllabe. Ce quatrain est celui de la « confession » de l'Archipoète, celui du *Carmen de Rosa* et celui de l'*Altercatio Phyllidis et Florae*, qui est un débat du clerc et du chevalier. La discussion entre deux nobles jeunes femmes sur les mérites respectifs de leurs amants y est tranchée par le dieu Amour, dont le cortège est précédé par une pittoresque bacchanale. On devine que le dieu donne la préférence au *clericus*...

L'esprit goliardique

En composant ses *Carmina burana* (1937), le musicien Karl Orff eut l'excellente idée d'ouvrir et de clore sa partition sur l'hymne à la Fortune : *O Fortuna velut luna semper mutabilis*, et il est vrai que l'esprit goliardique se caractérise par un sens aigu de l'instabilité universelle. Mythe hérité de Boèce, la roue de Fortune obsède le goliard, qui est un joueur, et qui sait le prix d'un coup de dés heureux ou l'amertume de laisser des objets en gage pour payer sa dette à la taverne. Decius, personnification du dé, gouverne le monde et ne laisse pas un instant de répit à ses zélateurs; quant à la taverne, elle est, pour le « vagant », l'espace privilégié de ses loisirs, voués aussi au vin et à la séduction facile. Le poète est un buveur impénitent et un « dragueur » avoué, qui se justifie en démontrant la puissance d'Amour jusque sur les dieux et en passant en revue toutes les catégories sociales qui sacrifient à Bacchus (cf. *In taberna quando sumus*). C'est faire avec une fausse ingénuité l'apologie de la *luxuria* et de la *gula*, de la luxure et de la gourmandise, et réhabiliter le charnel au nom d'un épicurisme hérité d'Horace, qui saisit la jouissance immédiate avec d'autant plus de ferveur que le poète est incertain de son proche avenir. La fragilité des biens d'ici-bas, thème omniprésent des sermons invitant au *contemptus mundi*, au mépris du monde qui précède et accompagne la pénitence, est à son tour subvertie au profit d'un hédonisme à fleur de peau qui est celui, tout spontané, du *juvenis*, du jeune homme peu pressé de venir à résipiscence.

La poésie goliardique est, au sein du milieu clérical, l'expression d'une classe d'âge, comme la poésie dite courtoise est l'expression des jeunes chevaliers. Elle affiche l'immoralisme du clerc urbain avant qu'il soit pourvu d'un office et consente à se ranger. De cet immoralisme, le fabliau nous donne par ailleurs maint exemple (cf. l'histoire de *Gombert et les deux clercs* de Jean Bodel) : dans le fabliau, le clerc *bacheler* est un personnage actif et déluré, tandis que le prêtre est au contraire ridiculisé. Éternelle opposition du marginal et de l'homme en place! Mais le goliard s'autorise de sa marginalité pour dire ce que les autres taisent. A cet égard, il cultive une licence salutaire, celle-là même qui se déchaîne dans ces festivités libératrices que sont la fête des fous ou le carnaval (autres manifestations urbaines où fleurit la parodie liturgique). D'où, d'ailleurs, les limites de cette contestation, qui s'inscrit souvent dans des *topoi :* ainsi de la satire contre la vénalité romaine, qui ne déplaisait point aux prélats des Églises nationales; cette satire se fonde sur des jeux de mots éculés (sur *Roma* et sur *rodere*, « ronger »...) et ne met jamais véritablement en cause l'autorité romaine, puisqu'elle ne vise, la plupart du temps, que la curie et l'entourage pontifical. Mais le fait que cette critique porte surtout sur l'argent nous semble un nouvel indice corroborant l'appartenance urbaine de cette poétique : c'est en ville, et non dans les châteaux et les abbayes, que l'on a appris, au XIIe et au XIIIe siècle, à calculer le prix des choses et à substituer le commerce à l'échange et le contrat au don. Les goliards ont beau chanter la nature et s'inspirer des rondes de mai : ils s'éloignent peu des faubourgs, et leur mépris du vilain n'est pas celui du seigneur qui s'enorgueillit de sa naissance et de son sang, mais celui du citadin pour le « croquant » qui vit dans son trou. Sa fierté, le goliard ne la doit pas à son lignage, mais à son savoir. D'origine souvent plébéienne, il ne connaît pas le raffinement des cours. Son érotique, nous l'avons vu, n'est point fondée sur une longue fidélité à servir une dame inaccessible : s'il sait vanter les charmes de son amie, et s'il connaît les détours du madrigal, il aspire à une possession rapide et parfois violente. Voilà ce que ne disent guère les débats du clerc et du chevalier, mais qui suffit à discréditer le goliardisme jusque dans le roman moderne (cf. Jeanne Bourin, *la Chambre des dames*, 1979).

L'héritage du goliardisme

L'évêque mythique Golias, ancêtre légendaire des *vagantes,* dont le nom même est un défi, puisqu'il associe *Goliath* et la *gula,* et qui prête abusivement ce nom à deux poèmes dont il n'est pas le héros (*Metamorphosis Goliae* et *Apocalypsis Goliae*), a toutes les raisons d'être flatté par sa postérité spirituelle et littéraire. Les goliards ont essaimé à travers l'Occident. Ils sont devenus des parangons du désordre et de la débauche; comme il apparaît dans le conte dévot de la *Vie des anciens Pères,* du XIIIe siècle : « Du coq et de la géline », où l'on voit un saint ermite succomber à la tentation et devenir goliard après avoir assassiné sa maîtresse à coups de hache (mais il connaîtra bientôt un repentir exemplaire). Le goliardisme n'a pas bonne presse, à la fin du XIIIe siècle : si Étienne Tempier, évêque de Paris, omet — ou néglige — de l'inclure dans ses condamnations de 1277, il se voit censurer au concile de Vienne (1287), qui flétrit la *secta goliardica* à un moment où la poésie goliardique est bien morte, et depuis longtemps. Mais l'héritage goliardique est, quant à lui, d'autant plus vivace qu'il est porté par la vogue du *Roman de la Rose* (l'on sait combien Jean de Meung est proche des goliards — surtout à la fin de son poème). Le goliardisme affleure dans certains fabliaux, qu'il s'agisse de passages en latin plaisant (*le Prêtre au lardier*) ou de véritable parodie évangélique à saveur profanatrice (*De Dieu et du pescour,* de Gautier le Leu), et le conte burlesque de *Trubert* fleure à son tour le goliardisme lorsqu'il se moque de l'Incarnation. Il y a du goliardisme chez Villon, *escolier* dévoyé et marginal, et l'on en trouverait aisément dans le sermon joyeux, dans la farce et dans la sotie. Rabelais lui-même « goliardise » à ses heures. Et, de nos jours, on découvrirait vite un relent goliardique à mainte chanson du répertoire estudiantin... Mais le véritable message du goliardisme n'est pas dans ces fausses audaces : il se présente comme une cure d'irrespect contestataire en face des autorités de façade, au nom des vraies valeurs qui sont fondamentalement culturelles. Le plus fidèle héritier des goliards ne serait-il pas Montaigne, qui pourtant ne les a pas connus?

BIBLIOGRAPHIE

Édition. — J.A. Schmeller, *Carmina burana,* Breslau (Wroclaw), Marcus, 1904; A. Hilka et O. Schumann, *Carmina burana,* Heidelberg, Winter, 3 vol., 1930-1961; K. Strecker, *Die Cambridger Lieder,* réimpr. Berlin, 1973. A signaler, de ce même éditeur, son édition du manuscrit de Saint-Omer des œuvres de Gautier de Châtillon, Heidelberg, Winter, 1929, et l'édition K. Langosch des œuvres de l'Archipoète, Stuttgart, Reclam, 1965.

Études. — M. Delbouille, « le Redoutable Poète Gautier », dans *le Moyen Age,* 57, 1951, p. 205 *sqq.* (contient aussi une précieuse étude des goliards catalans); Olga Dobiache-Rojdestvensky, *la Poésie des goliards,* Paris, 1931, « Classiques du christianisme »; P. Dronke, *Medieval Latin and the Rise of European Love Lyric,* Oxford, Clarendon Press, 1965; G.F. Fischer, trad., *The Goliard Poets, Medieval Latin Songs and Satire,* New York, New Directions, 1965; M. Helin, *la Littérature latine du Moyen Age,* Paris, P.U.F., 1972 « Que sais-je? », p. 77 *sqq;* J. Le Goff, *les Intellectuels du Moyen Age,* Paris, Le Seuil, 2e éd., 1969, p. 29 *sqq;* P. Lehmann, *Die Lateinischen Vaganten,* paru 1923, repr. in *Mittellateinische Dichtung,* éd. K. Langosch, Darmstadt, Wissensch. Buchgesellsch., 1969; id., *Die Parodie im Mittelalter,* 2e éd., Stuttgart, Hiersemann, 1963; A. Machabey, « Étude de quelques goliards » dans *Romania,* 83, 1962; A.G. Rigg, « Golias and other Pseudonyms », dans *Studi medievali,* 18, 1977, p. 65-109; F.J.E. Raby, *A History of Secular Latin Poetry in the Middle Ages,* Oxford, Clarendon Press, 1957; G. de Valous, « la Poésie amoureuse en langue latine au Moyen Age », dans *Classica et Medievalia,* 13, 1952, p. 285-345; 14, 1953, p. 156-204; 15, 1954, p. 146-197. Sur l'influence et l'héritage du goliardisme, consulter Jean Charles Payen, « le Comique de l'énormité. Goliardisme et provocation dans le *Roman de la Rose* », dans *l'Esprit créateur,* XVI, 1976, p. 46-60; id., « Goliardisme et fabliau », à paraître dans les actes du colloque Renart-fabliaux (Münster, octobre 1979), et « Trubert ou le Triomphe de la marginalité », dans *Exclus et systèmes d'exclusion dans la littérature et la civilisation médiévales, Senefiance,* no 5 (Actes du colloque d'Aix, mars 1977), Aix-en-Provence, 1978, p. 119-133; id., « le Coup de l'étrier. Villon martyr et goliard ou Comment se faire oublier quand on est immortel », dans *Villon testateur,* numéro spécial des *Études françaises,* 16/1, Montréal, 1980, p. 21-34.

J.-Ch. PAYEN

GOLL Yvan, pseudonyme d'**Isaac Lang** (1891-1950). Poète, dramaturge et romancier d'expression française et allemande. Né à Saint-Dié, issu de parents alsaciens-lorrains, Yvan Goll fréquente le lycée de Metz, puis, à partir de 1912, poursuit des études de droit à l'université de Strasbourg. A la même époque, il se rend à Berlin, où il participe aux manifestations expressionnistes. Pendant la Première Guerre mondiale, réfugié en Suisse, il écrit ses premiers textes poétiques (*Élégies internationales,* 1915, *Requiem pour les morts de l'Europe,* 1916), composés en français ou en allemand; il rencontre alors Claire Studer, qu'il épousera en 1921 et qui partagera avec lui ses expériences littéraires. Après la guerre, le couple se fixe à Paris; Yvan Goll y rencontre les surréalistes et participe à la publication du *Manifeste* de 1924; fasciné par le nouveau mouvement littéraire, il compose des pièces de théâtre (*Mathusalem,* en allemand, 1919, éd. 1922; en français, éd. 1923, création 1927) et des poèmes (*Métro de la Mort,* 1936, *Jean sans Terre,* 1936-1939). Quand la Seconde Guerre mondiale éclate, Claire et Yvan Goll se rendent à New York et créent les revues *la Voix de France* et *Hémisphères.* Mais en 1944, l'écrivain ressent les premières atteintes de la leucémie qui l'emportera peu après son retour en France.

Avec le surréalisme, Yvan Goll a recherché une poésie qui instaurât la « suprématie de l'œil » sur l'oreille, de l'image sur la musique. A l'instar de Breton ou d'Éluard, il estime que « les plus belles images sont celles qui rapprochent les éléments de la réalité éloignés les uns des autres le plus directement et le plus rapidement possible » (revue *Surréalisme,* 1924). Cependant une telle position théorique ne le mènera jamais à l'écriture automatique. C'est plutôt d'Apollinaire que Goll se rapproche, quand il reprend à son compte les thèmes et motifs de l'auteur d'*Alcools* pour en prolonger la signification métaphysique. Ainsi, fasciné par l'image du fleuve, il fait de celui-ci un élément tout à la fois dangereux et initiatique, qui place le poète en situation tragique; marginal délaissé, perpétuellement errant, son moi souffre de l'instabilité de toute valeur : « Vivant je suis le fleuve qui passe entre les deux vérités/Entre la rive amoureuse dans son château d'aurore/ Et la rive tragique et présente » (*Élégies de Lackawanna,* 1944). Tel son héros Jean sans Terre, l'écrivain vit les déchirements de son temps, qui lui interdisent toute intégration définitive dans quelque univers que ce soit — réel ou imaginaire. Seule l'écriture permet alors d'unir dans un même flux métaphorique les contradictions qui assaillent l'homme du XXe siècle, l'écartelant entre le mythe de la nature primitive et la réalité industrielle — entre l'Être et le devenir historique : « Les métros de mon cœur explosent/Ciel cuprifère troué de cigares brûlants/Sur les ailes d'un zéphyr pneumatique/Je plane poète plus lourd que l'air/Vers un soleil nickelé qui bout au bain-marie » (*le Nouvel Orphée,* 1923).

Toutes ces tensions s'expriment plus nettement encore dans les œuvres dramatiques de Goll. Soucieux de montrer la vérité sociale, de faire du dramaturge « un savant, un politicien, un faiseur de lois », l'écrivain entend construire un théâtre « surréel », qui puisse briser les moules du rationalisme et de la logique, un théâtre de « masques ». Le personnage est pour lui une entité symbolique, non un héros à la psychologie complexe. La mise en scène doit associer des signes multiples et éliminer toute vraisemblance réaliste. Une telle théorie, directement appliquée dans *Mathusalem,* préfigurera à la fois le théâtre de l'absurde et le théâtre engagé des années 50 : Goll utilise les techniques audiovisuelles les plus diverses, bouleverse le déroulement chronologique de l'action, fait participer le public au drame; la satire du capitalisme, de la famille bourgeoise s'y développe suivant les principes qui seront ceux de Ionesco dans *la Cantatrice chauve*: bien plus que le déploiement d'une thèse, l'incohérence du langage, la vacuité de ses significations renvoient les personnages à leur néant.

La parole théâtrale devient donc une forme supérieure de dérision, mais aussi un instrument ambigu : lyrique, elle semble chercher refuge dans le merveilleux du rêve; absurde, elle consacre la ruine de toute valeur humaniste, voire politique. Là réside sans doute la modernité de Goll; pourtant, ce n'est pas un ouvrage précis qui confère encore à l'écrivain une relative actualité, mais le dessein général de son œuvre; ne se bornant pas à opérer la synthèse du symbolisme, de l'expressionnisme allemand et du surréalisme, celle-ci en a prolongé les découvertes, préfigurant les expériences poétiques et dramatiques de la seconde moitié du siècle.

BIBLIOGRAPHIE

Les poésies de Goll ont été réunies en quatre tomes sous le titre *Œuvres,* Paris, Émile-Paul, t. 1 : 1968, t. 2 : 1970 (édition établie par Claire Goll et François-Xavier Jaujard avec des illustrations de Chagall, Delaunay, Foujita, Léger, Dali, Matisse, Zadkine, une notice biographique et une bibliographie). Son théâtre a été publié, avec les importantes préfaces sur le drame « surréel » : *Mathusalem, les Immortels,* Paris, l'Arche, 1963. A mentionner enfin un roman : *le Microbe de l'or,* Paris, Émile-Paul, 1927.

A consulter. — *Yvan Goll. Œuvres choisies,* Paris, Seghers, 1956 (avec quatre études sur le poète par J. Romains, M. Brion, F. Carmody, R. Exner).

J.-P. DAMOUR

GOMBAULD Jean Oger de, parfois — à tort — **Jean Ogier de** (1570?-1666). Né à Saint-Just près de Lussac, en Saintonge, Jean Oger de Gombauld est d'origine protestante. Il fait de bonnes études à Bordeaux, puis, vers la fin du règne d'Henri IV, vient à Paris; ses premiers vers lui sont inspirés par la mort du roi. Il connaît sa période la plus brillante sous la régence, à la cour de Marie de Médicis; celle-ci le protège et lui accorde une importante pension — que Richelieu diminuera. Il faut dire que Gombauld, homme profondément honnête, épris de liberté, refuse de se soumettre à la tyrannie que le Cardinal exerce sur les lettrés. Membre de l'Académie dès 1634 (et, curieusement, un des plus âgés de ce premier cercle), il ne souhaite pas intervenir dans l'affaire du *Cid* et écrit en faveur de la liberté des Muses. Après la Fronde, sa situation empire, en dépit des aides de Montauzier et de Séguier. Il meurt pauvre, à Paris.

L'œuvre de Gombauld n'est guère étendue : un roman, *Endymion,* en 1624, un recueil de poésies en 1646 et des *Épigrammes* en 1657, ainsi que deux pièces de théâtre : *Amaranthe,* une pastorale (1631), et *les Danaïdes* (1658). Il est respecté de la plupart de ses confrères et reçu dans de nombreux cercles, chez les Conti, les Condé, les Rohan, à l'hôtel de Rambouillet. Dans ses vers, il est resté fidèle à Malherbe : contre la poésie de salon et les pièces galantes il défend la tradition de la « grande poésie »; un contemporain voit en lui « le poète de France qui fait le mieux des sonnets et des épigrammes [et qui] entend merveilleusement bien l'art poétique ».

Son *Amaranthe,* qui a été jouée à l'hôtel de Bourgogne, est une des premières pastorales « régulières » à intrigue romanesque. En dépit des nombreux obstacles provisoires que Gombauld place entre Amaranthe et Alexis, l'« étranger sauvé des eaux », ce sont surtout les motifs psychologiques (Amaranthe souhaite se consacrer à Diane) qui retardent la rencontre des amants. Mais l'amour a un caractère fatal, le destin des amants est inexorable, et le héros ne se déclare que tardivement, après avoir cherché à se rendre digne de celle qu'il aime par sa discrétion et les « services » qu'il lui rend. Après un prologue prévu pour la « petite scène » de l'hôtel de Bourgogne, où l'Aurore apparaît sur son char — ce qui est une occasion de rendre hommage à Marie de Médicis et à Louis XIII —, le décor ne change guère. Gombauld est un partisan des règles, renchérissant même, dans la Préface de la pièce, sur l'unité de temps pour proposer qu'elle soit de douze heures.

Gombauld est une figure discrète de la première moitié du XVIIe siècle, mais sa présence dans de nombreux cercles laisse croire qu'il comptait pour les milieux lettrés et mondains de son époque.

J.-P. RYNGAERT

GOMBERVILLE Marin Le Roy de (1599-1674). Poète et romancier né à Paris. Sans doute d'origine noble, il était riche, détenait des charges avantageuses et fréquentait les milieux aristocratiques. Son itinéraire idéologique abonde en contrastes. Élève des jésuites, il conserva longtemps avec eux des relations; mais en même temps il se posait en disciple du poète libertin Théophile de Viau. Il fut de l'Académie dès sa fondation, mais se montra hostile à Richelieu et, plus tard, appartint au groupe frondeur du futur cardinal de Retz. Dans sa vieillesse, il devint janséniste et dévot, comme son protecteur le duc de Liancourt.

Son œuvre s'inscrit dans les tendances esthétiques dites baroques. Il publia en 1620 des poésies (*Tableau des bonheurs de la vieillesse*) et un *Discours sur les vices et les vertus de l'histoire.* Il s'y montre moderniste, rationaliste et prône les beautés des effets de désordre dans la création artistique. Par la suite, il s'affirmera puriste en matière de langage — ce qui est, à cette date, une forme de modernisme.

Mais sa gloire littéraire tient à ses romans héroïques. Dès 1619, il fit paraître *l'Exil de Polexandre et d'Ériclée,* et, au fil de nombreuses réécritures (quatre versions nettement différentes parurent sous le même titre), le *Polexandre* fut son œuvre principale. L'action se situe à la cour de France au XVIe siècle, au temps des guerres de Religion ou des guerres d'Italie, selon les versions. Mais l'intrigue principale et, plus encore, les narrations adjacentes au profit desquelles elle est souvent abandonnée entraînent le lecteur vers des lieux exotiques (l'Afrique saharienne, le Mexique) ou purement imaginaires, comme l'île Inaccessible, sur laquelle règne Alcidiane, la bien-aimée du héros. De fait, si Gomberville semble maîtriser un savoir historique et géographique certain, il l'utilise comme un point de départ à partir duquel se déploient les jeux de l'imaginaire. Les anachronismes et la complexité — voire les inconséquences — de la composition relèvent de la fantaisie poétique. De même, les qualités d'héroïsme absolu qui caractérisent les protagonistes justifient de leur part les attitudes les plus paradoxales. Certes, le récit n'a pas de vraisemblance et fourmille de poncifs romanesques. Mais, dans son principe et dans ses buts, il participe d'une esthétique de la surprise, de l'irrégularité, de la rêverie.

Ces mêmes traits se retrouvent dans les autres romans de Gomberville. Ils sont moins marqués dans *la Jeune Alcidiane* (1651), où, devenu dévot, l'auteur insère force discours religieux. Mais *Carithée* (1621) mêle l'univers pastoral et le roman historique, et introduit dans le monde romain, à côté de Germanicus et d'Agrippine, des personnages à clef où l'on reconnaît Louis XIII et le duc de Luynes. Univers pastoral encore que celui de la *Suite* qu'il donna à *l'Astrée* en 1625. Dans *la Cythérée* (1640-1642), le récit devient rêverie sur l'espace maritime et broderie de thèmes mythologiques.

L'œuvre de Gomberville a été controversée, mais ses virtualités poétiques sont certaines, et lui donnent plus de relief que n'en auront les romans héroïques de ses successeurs immédiats, comme La Calprenède; aussi l'on tend aujourd'hui à la reconsidérer. Elle fut admirée en son temps, y compris par des figures marquantes du courant dit « classique », tels que Guez de Balzac, La Fontaine ou Boileau (au moins dans sa jeunesse). Preuve — si besoin est — du caractère factice de l'opposition baroque/classique.

BIBLIOGRAPHIE

La *Suite de l'Astrée* a été rééditée par B. Yon, publications de l'université de Saint-Étienne, « Images et Témoins de l'âge classique », 1976.

A consulter. — S. Kévorkian, *le Thème de l'amour dans l'œuvre romanesque de Gomberville,* Paris, Klincksieck, 1972; P.A. Wadsworth, « Marin Le Roy de Gomberville, a Biographical Sketch », *Yale Romance Studies,* XVIII, 1941.

A. VIALA

GOMEZ Mme de, née **Madeleine-Angélique Poisson** (1684-1770). Née à Paris dans une famille de comédiens, elle épousa un gentilhomme espagnol désargenté et dut bientôt vivre de sa plume. Elle donna d'abord des tragédies politiques où s'accumulent les poncifs, depuis la surprise initiale : « Est-ce Simma, est-ce mon roi que je vois en ces lieux? » (*Sémiramis,* 1707), « Seigneur, est-ce vous-même, en croirai-je mes yeux? » (*Marsidie,* 1735), jusqu'à l'empoisonnement volontaire du dénouement, imité de *Phèdre* ou *Rodogune.* Empruntant le titre d'un célèbre recueil du XVe siècle, elle publia à partir de 1735 ses *Cent Nouvelles nouvelles,* dix-huit volumes de contes en prose dont le romanesque issu de la tradition héroïque et baroque (enlèvements, exploits galants, reconnaissances miraculeuses, etc.) cherche sa caution « réaliste » dans un exotisme de pacotille, des références historiques ou le caractère proverbial de l'aventure, souligné par le titre lui-même : *Bonne renommée vaut mieux que ceinture dorée; Bon sang ne peut mentir,* dont le héros est mêlé à une guerre contre les Turcs; histoires « espagnoles » comme *l'Histoire de don Gonzalo Gustos.* Malgré un certain parti pris d'archaïsme, ces « nouvelles » à l'écriture raboteuse, avec des relatives en cascade (« cet audacieux orgueil qui se trouve presque toujours dans ceux qui de rien sont devenus quelque chose »), se ressentent d'influences contemporaines (Richardson, Prévost) sensibles aussi dans le retour obsessionnel d'un thème : celui du « mystère de la naissance » (*les Deux Cousines, la Fausse Belle-Mère,* etc.). Ces enfants naturels, perdus, abandonnés, échangés, relient une tradition romanesque à ce pathétique familial dont le XVIIIe siècle sera friand. Pourtant à la mort de Mme de Gomez, Grimm jugera qu'il ne reste plus d'elle « aucun souvenir ». La situation n'a pas changé.

J.-P. DE BEAUMARCHAIS

GONCOURT

GONCOURT Edmond (1822-1896) et **Jules** (1830-1870) **Huot de.** Les frères Goncourt passèrent, au XIXe siècle et au début du XXe, pour les plus typiques des hommes de lettres. Dévouant leur vie et leur style de vie à l'art, puis à la littérature, ils restèrent olympiens devant tous les événements de l'Histoire qu'ils traversèrent : il n'y eut guère d'événements pour eux que littéraires. Le paradoxe est que ces « esthètes » jumelés comptèrent dans l'histoire du réalisme romanesque jusqu'à paraître des précurseurs de Zola et du naturalisme. On les accusa aussi bien d'être des écrivains du joli que d'être des écrivains du laid. Ils n'étaient point assez détachés d'eux-mêmes pour considérer leur aventure littéraire comme un « cas ». Et ce cas n'a pas suffi à leur assurer une sorte de gloire dans la seconde moitié du XXe siècle; alors que leur nom est cité chaque année lors de l'attribution d'un prix littéraire décerné depuis 1903, on ne peut que constater une désaffection profonde à l'égard de leur œuvre — désaffection à la fois juste et injuste.

Les Dioscures de la littérature

Ils furent deux, jusqu'en juin 1870 : Edmond, l'aîné, et Jules, le cadet; ils écrivirent à deux, jusqu'à cette date, sans jamais séparer leurs signatures ni distinguer leurs écritures. A partir de juin 1870, Edmond, le survivant, continua à penser et à écrire pour deux, à vivre littérairement comme s'il était double : gémellité imaginaire. L'œuvre alors parut claudiquer quelque peu.

Ils furent liés, dans la vie, par un amour profond de la mère, par des goûts artistiques communs, par une certaine pratique du dessin. Ils furent un œil avant d'être une plume. Ils n'entrèrent pas en littérature comme en religion, ne commencèrent pas par une œuvre ravageuse. Ils s'essayèrent, dans des journaux, à des « salons » et à des chroniques de théâtre, qu'ils renièrent lorsqu'ils furent devenus « romanciers » et « écrivains ». Ils voyagèrent, rapportèrent des carnets de voyages, bien garnis de notes et de silhouettes. Paul Bourget rappelle : « Au fond, dit quelque part Edmond de Goncourt, c'est le carnet de voyage qui nous a enlevés à la peinture et a fait de nous des hommes de lettres » (*Nouveaux Essais de psychologie contemporaine*). Ils tâtèrent pourtant, non sans précaution, des petits vaudevilles, des romans un peu noirs ou très gris : ébauches. Quand ils donnèrent à l'édition leur premier roman dûment terminé, en 1852 (il s'intitulait *En 18..*), ils se heurtèrent à la censure impériale, toute fraîche; c'était « l'histoire d'un homme amoureux de deux femmes, une espionne et un modèle, et qui se suicida en se faisant collectionneur » (A. Delzant). Edmond et Jules écrivirent tous leurs romans à deux jusqu'en 1870 : ils rassemblaient les détails que chacun avait recueillis; en commun, ils échafaudaient un plan; puis ils revenaient à leurs notes, à leurs documents, à leurs souvenirs respectifs; enfin, ils rédigeaient. Donc, au départ, deux lignes de notes, deux lignes de souvenirs; l'écueil est là : excès de détails collectés à partir de deux sources, rédaction tendant à la moyenne, puisqu'elle se devait d'effacer le dualisme et l'inégalité de départ. Car les deux Goncourt ne pouvaient être semblables, et leur gémellité était factice. Un fait significatif est attesté : en parlant, Edmond disait toujours « nous », et Jules toujours « je ». Mais ils étaient d'accord pour élaborer un certain style : c'étaient deux « gaillards, dit Jules Janin, maîtres en style rococo rageur ». Maîtres en style récusant l'émotion : « Les émotions sont contraires à la gestation des livres. Ceux qui imaginent ne doivent pas vivre. Il faut des jours réguliers, calmes, apaisés, un état bourgeois de tout l'être, un recueillement *bonnet de coton,* pour mettre au jour du grand, du tourmenté, du dramatique ». Les deux célibataires sauront projeter en œuvre leur réclusion d'artistes-moines mal guéris de la mère, confinés, du reste grands défenseurs de la famille et des mères. Ils pensaient enfin que l'amour n'a été envisagé que d'un point de vue poétique : le moment leur paraissait venu de l'étudier scientifiquement.

Historiens « sociaux » du XVIIIe siècle et romanciers des gens de lettres

Ils s'attachèrent d'abord au XVIIIe siècle : non à sa littérature ou à sa philosophie, mais à certaines formes de son art, à certaines figures; pas tout à fait au XVIIIe siècle poudré et galant, mais à ce qu'ils appelaient (en 1862) son « histoire morale et sociale » : histoire de son épiderme, de ses sensations, de ses goûts. Ils prolongèrent le XVIIIe siècle jusqu'en ces périodes instables et momentanément « décadentes » comme le Directoire, jusqu'à son incarnation japonaise dans le style ukiyo-e (Outamaro, Hokusai) qu'Edmond de Goncourt fit connaître aux Français. De ces époques, ils choisissaient les échantillons les plus fragiles, les plus jolis, les plus menacés de caducité : juste de quoi se dépayser du rude et roide XIXe siècle et charmer leur exquise sensibilité. Il fallait « vivre par la pensée aussi bien que par les yeux dans le passé de son étude et de son choix » (*la Femme au XVIIIe siècle,* 1862).

De l'histoire comme du théâtre, ils aiment les coulisses; les actrices plus que les acteurs; les anecdotes plus que les dramatiques secousses. Ils ont enfin le goût du bibelot : bibelot pour « homme de musée », dit Paul Bourget. Bibelots qui savent refléter la lumière. Les Goncourt aiment les reflets, ils ignorent l'irradiation. La lumière, comme leur regard, glisse sur les objets; s'il y a impressionnisme, c'est de sensations pulvérisées; les deux frères sont des raffinés qui savent raffiner — voire exténuer leurs sensations.

Le premier roman qui compte n'est pas *En 18..,* censuré, estropié, et qui accrut leur méfiance politique; c'est *Charles Demailly,* dont le premier titre, révélateur, fut, en 1860, *les Hommes de lettres.* C'est moins un roman qu'une galerie de portraits à clefs. Charles Demailly, au centre, est fait à l'image des deux frères (mais le composé penche du côté de Jules). Homme de lettres neurasthénique, il est perdu dans un collectif d'écrivains; il est menacé par la femme. Les Goncourt ont transposé là, sans effort romanesque, leurs débuts journalistiques, leurs premières rencontres, le « nervosisme» exquis et dangereux de la vie littéraire. Une vague tentative de peindre les rapports entre littérature et névrose : rien qui se hausse à l'ambition d'un tel sujet. Une ronde de silhouettes plus que de personnages. Un bal de l'Opéra : rien du vertige d'un bal flaubertien; un kaléidoscope mondain. En 1867, *Manette Salomon,* dont le premier titre fut *l'Atelier Langibout,* reprit le sujet d'une sorte de galerie d'artistes et d'écrivains : échantillonnage encore, plutôt que personnages de roman.

La bataille réaliste

Les frères Goncourt furent et voulurent être romanciers « réalistes » : c'est-à-dire, avant tout, modernes. Ils se targuèrent aussi d'être des théoriciens; ils aimaient les préfaces : toutes les leurs furent des manifestes; on oublie trop souvent qu'ils les rédigèrent à une époque où Flaubert s'en abstenait, faute d'y croire (il était, du reste, un « réaliste » ambigu), et où Zola n'en faisait pas encore, faute d'avoir « expérimenté » le réalisme. Leur *Journal* contient la phrase que ressassèrent bien des critiques et romanciers du XXe siècle : « L'histoire est un roman qui a été, le roman est l'histoire qui aurait pu être » (24 novembre 1861). Ils furent donc réalistes parce qu'ils se voulaient romanciers du présent; parce qu'ils revendiquaient le droit de tout dire, sans préjugé normatif; le droit de peindre les mœurs, c'est-à-dire la morale qu'on n'observe pas. Ils furent réalistes parce qu'ils croyaient à la correspondance métonymique entre l'homme et son milieu, l'homme et sa maison, « l'habitant et sa coquille » (la formule est d'eux). Ils furent réalistes parce qu'ils prétendaient appuyer le roman sur le document scientifique, qui tendait d'ailleurs à devenir le document médical : réduction irrépressible et dangereuse. Ils furent réalistes parce que ces aristocrates dressaient un constat social « démocratique » : « Vivant au XIXe siècle, dans un temps de suffrage universel, de démocratie, de libéralisme, nous nous sommes demandé si ce qu'on appelle “les basses classes” n'avait pas droit au roman; si ce monde sous un monde, le peuple, devait rester sous le coup de l'interdit littéraire et des dédains d'auteurs... » (Préface de *Germinie Lacerteux,* 1865). Pourtant, ils n'étaient réalistes ni par conviction, ni par goût, ni par tempérament : les « classes populaires » sont pour eux des classes sauvages et exotiques; ils prônaient l'« écriture artiste » émaillée de tournures savantes, de néologismes et de mots rares, plutôt adaptée aux « êtres raffinés » et aux « classes riches »; ils se voulaient « à la fois des physiologistes et des poètes ». Ils n'étaient pas vraiment réalistes, puisqu'ils avaient l'amour de la chose corrompue, du « faisandage » (le mot est d'eux); de la mort qui est ver dans le fruit. Ils ne résolurent donc pas la contradiction qui fut la leur, entre une volonté réaliste et une volonté d'art; mais ils donnèrent, somme toute, l'image vivante, parce que précisément contradictoire, d'un réalisme styliste, entre 1865 et 1870, avant que n'intervienne Zola, avec son naturalisme républicain et social, épique et « expérimental ». Ils contribuèrent paradoxalement à sortir le roman de son état roturier, à le rendre adulte et à l'anoblir. Ils pressentirent que le roman moderne n'a plus rien à faire du romanesque : « Il commence à être la forme sérieuse, passionnée, vivante, de l'étude littéraire et de l'enquête sociale » (Préface de *Germinie Lacerteux*).

Impressionnisme et spectacle de la dégradation

Ils étaient deux encore pour passer de l'expérience vécue au type, d'un « cas » familier et microscopiquement observé au représentant d'une moyenne : passage grinçant. Ils restent souvent trop proches de leurs carnets de notes; ou bien le type est trop artistement fignolé. *Charles Demailly* est une image directe, moyenne, de leur vie littéraire : le personnage n'a guère que le titre qui lui appartienne. Sœur Philomène est conçue à partir d'une sœur de l'hôpital de Rouen et s'en émancipe mal. Renée Mauperin est fabriquée d'après une amie d'enfance, Germinie Lacerteux dérive de leur vieille bonne Rose. Mais ils veulent faire de sœur Philomène la « sœur » névrosée typique; d'Henri Mauperin, le jeune homme moderne; de Renée, la jeune fille moderne; et de Germinie, l'image de la double vie ancillaire... Le type est proclamé, presque d'avance : les préfaces le prouvent; il n'est pas obtenu par la force métonymique et la passion unifiante d'un Balzac, ni par la grisaille métaphorique d'un Flaubert : les Goncourt multiplient les reflets, les images angulaires, les tableaux successifs, comme ils « éclairaient » les bibelots du XVIIIe siècle, comme ils éclairent les objets. Quand ils peignent des « héros » des basses classes, ils les font tourner, comme des objets étranges, exotiques : des fétiches orientaux, vidés de leur magie. Ils ont, pour les parties honteuses de la société, des curiosités d'esthètes. Ils écrivent crûment en 1879 : « Nous avons commencé, nous, par la canaille, parce que la femme et l'homme du peuple, plus rapprochés de la nature et de la sauvagerie, sont des créatures simples et peu compliquées ». Il y a un lien entre l'« étrangeté » esthétique des sujets et des personnages, même choisis parmi les « objets » familiers des romanciers, et la discontinuité, qui est fondamentale, presque *a priori,* de leur art et de leur style : discontinuité des tableaux et des reflets, impressionnisme des éclairages. Pas de durée romanesque vraie, mais une théâtralisation romanesque, des cascades de didascalies. Les Goncourt sont des metteurs en scène : ils notent tous leurs jeux de lumière, qui glissent sur leurs personnages, les réduisent en facettes et les poussent, à petits coups mais en beau langage, dans les coulisses de la mort.

Car l'amour de la chose corrompue se retrouve ici, et la boucle se ferme. La beauté elle-même suppose cette caducité, ce « faisandage ». La beauté est exquise, qui est encore apparence mais qui, minée de l'intérieur, va verser dans la mort. C'est déjà du « décadentisme ». Les Goncourt n'aiment pas ces corruptions fortes qui métamorphosent, comme celles de Baudelaire; ni la corruption fatale et tragique, celle de Zola, qui précipite des êtres soumis au poids de l'hérédité. La dégradation, chez les Goncourt, est « mécaniste » : par là, très XVIIIe siècle encore; pas d'énergétique qui s'userait en se dépensant, ou qui serait déjà fatiguée au départ, comme le pense plus ou moins tout le XIXe siècle. L'usure est extérieure, « superficielle », mécanique. Les Goncourt oscillent entre ce qui « sent bon » (la formule est d'eux) et ce qui pourrit. Ils ont une prédilection d'esthètes pour les choses mourantes, les êtres mourants; la lente victoire de la mort sur les vies. C'est peut-être ce pouvoir de contamination, mortifère, qui les fascine et les terrorise aussi dans la femme.

La femme des deux célibataires

Ils n'aimaient pas les femmes; ils ne furent sans doute jamais amoureux (comment aimer à deux, d'ailleurs?); ils furent obsédés par le féminin, la « féminilité » (le terme, dans le *Journal,* semble d'eux, bien qu'ils le prêtent parfois à Tourgueniev, qui dut le leur reprendre), la Femme comme espèce. Ils eurent cette formule : « Il y a des hommes, il n'y a qu'une femme ». En 1853, la dédicace à Gavarni du volume qui s'appellera *la Lorette* rappelle ce mot de lui qu'ils font leur : « Je hais la fille parce que j'aime la femme ». On a noté que presque tous leurs romans, et, notamment, les romans faits avant la mort de Jules, portent en titre des noms féminins : *Sœur Philomène, Renée Mauperin, Germinie Lacerteux, Manette Salomon, Madame Gervaisais;* et même les romans du seul Edmond : *la Fille Elisa, la Faustin,* l'article déterminatif en plus. Ces femmes représentent toutes des « cas » de névroses; exactement, la névrose féminine, l'« hystérie » féminine, qui se diversifie selon ses constantes d'application, toujours passionnelles : l'amour, la religion, la modernité. Les Goncourt aiment donc la femme pour l'éréthisme épidermique et cérébral qu'elle déclenche en l'homme, et surtout en l'artiste; ils en ont besoin pour la chiquenaude initiale de la création; elle donne le sens de l'épidermique, de la joliesse et de la douceur superficielles; ils aiment « ce délicieux je-ne-sais-quoi de l'épiderme de la femme qu'on dirait fait avec le dessous de l'aile des colombes » (*Manette Salomon*). Mais, très vite, surgit l'être névrotique, objet d'étude en soi (« Les premiers, nous avons été les historiens des nerfs », 1869), la créature instinctive, la sphynge mangeuse d'hommes. Il y a fascination et panique. Le *Journal* note, en 1862 : « Pour la vie, il est entré en nous la défiance du sexe entier de la femme, et de la femme de bas en haut comme de la femme de haut en bas » (21 août). L'amour est une curiosité du mâle; l'acte amoureux consacre « le droit et le plaisir de la mépriser » *(Germinie Lacerteux) :* tout au-delà est dangereux pour l'homme, surtout pour l'homme créateur et artiste. La Femme use l'intelligence de l'homme, grignote son génie par ce qu'elle est profondément : un être de nerfs, d'instincts, de passion. « *Charles Demailly* et *Manette Salomon* sont bâtis sur le même sujet : l'anéantissement progressif de deux intelligences d'élite par deux femmes », notent les Goncourt. S'ils défendent la famille et la mère (on le vit bien, en 1879, lorsque parut *l'Enfant* de Jules Vallès), c'est parce que la famille et la fonction maternelle ordonnent et répriment le nervosisme sauvage de la femme. Lorsqu'ils prétendent, comme dans le cas de *Sœur Philomène,* écrire « l'histoire d'une âme [...], d'une intelligence et d'un cœur de femme », cette histoire est commandée par les nerfs : la femme n'a pas d'âme. L'artiste doit préférer la bêtise d'une femme inculte; la femme un peu cultivée le poussera aux œuvres les plus fugitives, les plus profitables, les plus mondaines; décadence encore. Les Goncourt, quoique paraissant détenir la clé, « les nerfs », ne se lassèrent pas d'enquêter sur le « mystère » féminin : en 1880 encore à propos de *Chérie,* Edmond élabore et distribue un questionnaire afin d'appréhender « l'inconnue *féminilité* du tréfonds de la femme ». C'est encore, sans doute, en fonction de ce mystère que les Goncourt sont fascinés par le personnage littéraire de la jeune fille, qu'ils prétendent avoir pressenti et illustré seuls ou les premiers. La jeune fille « moderne » : on la trouve dans *Renée Mauperin* et dans *Madame Gervaisais*; la jeune fille issue de divers milieux de la bourgeoisie — militaire par exemple —, dans *Chérie.* Après 1870, Edmond rêve d'une « étude psychologique et physiologique de la jeune fille »; il croit que Zola lui a volé des « idées » qu'il osera présenter dans *Chérie* (1884): la jeune fille forte, les émois de la puberté, l'apparition des règles, etc. (cf. *Journal,* 2 novembre et 15 décembre 1883). Comme on le voit, les deux frères Goncourt (et, plus encore — pour deux, en quelque sorte —, Edmond, quand il fut seul) sont des esprits presque ontologiquement célibataires; ils se placent ainsi en tête d'une lignée « réaliste » de romanciers qui illustreront dans leurs œuvres la terreur d'être vampirisés par la Femme; à leur façon, très répulsive, qui n'a rien à voir avec l'idée de Nerval, ils rêvent de la Vierge-Mère éternelle.

	VIE	ŒUVRE
1786	Antoine Huot, arrière-grand-père des Goncourt, acquiert la seigneurie de Goncourt.	
1789	Son fils, Jean Huot de Goncourt, avocat, est élu député aux États généraux; il sera plus tard magistrat.	
1802-1814	Son dernier petit-fils, Marc Pierre, est officier de Bonaparte, puis de Napoléon.	
1822	26 mai : naissance du premier fils de Marc Pierre, Edmond de Goncourt, à Nancy.	
1830	17 déc. : naissance du second fils de Marc Pierre, Jules Alfred de Goncourt, à Paris. Il sera de santé délicate.	
1832-1840	Études d'Edmond au lycée Henri IV.	
1840-1848	Études de Jules au collège Bourbon. Deux prix (latin et grec) au concours général.	

	VIE		ŒUVRE
1848	Déc. : mort de la mère des Goncourt. Depuis 1846, Edmond, après avoir fait des études de droit, occupe un emploi aux Finances.		
1849	Les deux frères s'établissent à Paris, rue Saint-Georges. Ils dessinent et peignent; quelques tentatives théâtrales.		
1849-1850	Voyages en France; voyages à Alger, en Suisse, en Belgique. Ils rapportent, surtout d'Alger, des dessins, des aquarelles, des carnets de notes.		
1852	Un parent des Goncourt, Villedeuil, fonde le journal *l'Éclair,* puis *le Paris,* journal du soir, à la fois boursier et théâtral.	**1852**	Premier roman, *En 18..;* il est édité avec de larges passages censurés. Articles des Goncourt et de Gavarni au journal *l'Éclair.*
		1852-1853	Articles des Goncourt au journal *le Paris :* ils seront réunis plus tard dans un ouvrage intitulé *les Mystères des théâtres.*
		1853	Déc. : édition, chez Dentu, de l'ouvrage *les Lèpres modernes,* plus tard intitulé *la Lorette,* dédicacé à Gavarni.
		1854	*Histoire de la société française pendant la Révolution. La Révolution dans les mœurs,* pamphlet contre la décadence de la famille au XIXe siècle.
1855	Exposition Courbet	**1855**	*Histoire de la société française pendant le Directoire. La Peinture à l'Exposition de 1855.*
		1856	*Une voiture de masques. Quelques créatures de ce temps.*
1857	Flaubert : *Madame Bovary.* *Le Réalisme,* de Champfleury. Le « Salon des refusés ».	**1857**	*Sophie Arnould, d'après sa Correspondance et ses Mémoires inédits. Portraits intimes du XVIIIe siècle (1re série).*
		1858	*Portraits intimes du XVIIIe siècle (2e série). Histoire de Marie-Antoinette.* Éloges de Sainte-Beuve.
		1859	*L'Art du XVIIIe siècle.*
1860	Darwin, *l'Origine des espèces.*	**1860**	*Les Maîtresses de Louis XV.* Premier roman vraiment publié, *les Hommes de lettres* (c'est le titre sous lequel parut la première édition; la deuxième, en 1868, s'intitule *Charles Demailly).*
		1861	*Sœur Philomène.*
1862	Les Goncourt commencent à fréquenter assidûment le salon de la princesse Mathilde. C'est aussi le début des « dîners Magny » : dîners littéraires qui réunissent, tous les lundis, Flaubert, Gautier, Paul de Saint-Victor, Sainte-Beuve, Taine. Mort de Rose, la servante des Goncourt, modèle de Germinie Lacerteux.	**1862**	*La Femme au XVIIIe siècle.*
		1864	*Renée Mauperin.*
1865	Claude Bernard, *Introduction à l'étude de la médecine expérimentale.*	**1865**	*Germinie Lacerteux.* « Littérature putride », s'écrie Louis Ulbach. *La Revue des Deux Mondes* classe les trois romans des Goncourt parus de 1861 à 1865 dans le « petit roman »; mais Flaubert écrit : « Cela est atroce d'un bout à l'autre et sublime. La grande question du réalisme n'a jamais été si carrément posée. » Zola y voit une œuvre capitale (*le Salut public,* 24 février 1865).
1866	Mort de Gavarni. Zola : *Mes haines.*	**1866**	5 déc. : *Henriette Maréchal,* drame en trois actes, au Théâtre-Français; la pièce passe pour avoir été autorisée, malgré son sujet (une sombre histoire familiale autour de l'adultère de la mère), grâce à la protection de la princesse Mathilde. Une manifestation étudiante, de tendance républicaine, est organisée, sous la direction, semble-t-il, de Louis Cavaillé, dit Pipe-en-bois; Jules Vallès soutient les Goncourt et la

	VIE		ŒUVRE
			liberté de représentation (*le Figaro,* 14 décembre 1865). La pièce est jouée du 5 au 15 décembre, un jour sur deux.
1867	Mai : voyage des Goncourt à Rome. La polémique Vallès-Saint-Victor sur Homère, auquel Vallès oppose Offenbach, s'élargit. Les Goncourt sont pour les « Modernes »; brouille avec Saint-Victor. Les Goncourt donnent quelques croquis de rues à *la Rue,* journal de Vallès; Vallès, dans *la Situation* (10 novembre), présente élogieusement les deux frères. Zola, *Thérèse Raquin.*	**1867**	*Manette Salomon* (qui avait été annoncée sous le titre de *l'Atelier Langibout).*
1868	Alphonse Daudet, *le Petit Chose.* Les Goncourt achètent leur maison d'Auteuil. Ils notent (*Journal,* 14 décembre) : « Nous avons vu à déjeuner notre admirateur et notre élève, Zola ».	**1868**	*Charles Demailly* (c'est la deuxième édition des *Hommes de lettres,* la première sous ce titre).
1869	Flaubert, *l'Éducation sentimentale.*	**1869**	*Madame Gervaisais.* Sainte-Beuve promet un article, ne l'écrit pas. Zola loue le roman (*le Gaulois,* 9 mars).
1870	20 juin : mort de Jules de Goncourt. 22 juin : enterrement de Jules de Goncourt. 27 août : « Zola déjeune chez moi » *(Journal).*		
1871	18 mars : Commune de Paris. Avr. : Edmond abandonne sa maison d'Auteuil, qui restera intacte. Zola, *la Fortune des Rougon,* Préface des *Rougon-Macquart.*		
1874	14 juill. : testament d'Edmond, qui crée une « académie » et en désigne les dix titulaires : Flaubert, Banville, Barbey d'Aurevilly, Paul de Saint-Victor, Louis Veuillot, Fromentin, Ph. de Chennevières, Léon Cladel, Alphonse Daudet, Zola. Dans les années qui suivent, Fromentin est remplacé, sur le Testament, par Bourget, Flaubert par Maupassant, Saint-Victor par Céard, Veuillot par Lok, Ph. de Chennevières par Huysmans et Léon Cladel par Jules Vallès.		
1875	25 janv. : le *Journal* présente Zola comme un envieux et un dominateur, spécialiste de la « confession acerbe du romancier réaliste ». Ces reproches se multiplieront dans le *Journal* en 1875, en 1876 et après. Edmond se persuade de plus en plus que lui et Flaubert, et non Zola, sont les seuls romanciers dignes de ce nom.		
		1876	Réimpression de *Charles Demailly.* Publication de *Watteau* et de *Prud'hon.*
1877	Zola, *l'Assommoir.* Edmond se montre fort aigre à l'égard de l'œuvre; il estime, une fois de plus, que Zola l'a copié.	**1877**	*La Fille Élisa.* Le projet avait été conçu par les deux frères, avant 1870. L'œuvre fut un peu éclipsée par *l'Assommoir.*
1878	9 mai : Edmond reçoit Flaubert et Zola.		
		1879	*Les Frères Zemgano.*
1880	31 janv. : dîner Edmond, Zola, Tourgueniev. 8 mai : mort de Flaubert. Zola publie *les Soirées de Médan.*		
		1881	Edmond écrit *la Maison d'un artiste,* évocation de la maison d'Auteuil.
1882	23 juin : le journal *le Bien public* révèle le secret du « Testament Goncourt » de 1874. 3 juill. : Vallès proteste contre cette nouvelle « académie » (*le Réveil,* article intitulé « les Dix »). Huysmans, *A vau l'eau.*	**1882**	*La Faustin* (premier titre *la Fausta).* Succès : plusieurs milliers d'exemplaires vendus en quelques semaines.
1883	Maupassant, *Une vie.*		

	VIE		ŒUVRE
1884	Edmond est plus que jamais persuadé que Zola pille ses idées; il s'étonne des éloges que lui prodigue Zola après *Chérie.* Huysmans, *A rebours.*	**1884**	*Chérie.* L'éditeur Kistemackers réimprime, sans coupures, le roman de 1852, *En 18..*
1885	1er févr. : début des réunions, des « dimanches », du « Grenier », noyau de l'académie Goncourt à venir. Ces « dimanches » succèdent à ceux de Flaubert : autour d'Edmond, Zola, Daudet, Maupassant, Huysmans, Bonnetain, R. et J. Caze, Céard, Heredia. Zola, *Germinal.*	**1885**	Edmond publie les *Lettres* de Jules de Goncourt. Reprise d'*Henriette Maréchal* à l'Odéon. Une brochure-pamphlet attribuée encore au mythique « Pipe-en-bois » tente de mobiliser le public contre la pièce. Déc. : *le Figaro illustré* commence la publication du *Journal des Goncourt.*
		1886	*Le Figaro* ordinaire poursuit la publication du *Journal.*
1887	Zola, *la Terre.*	**1887**	Les trois premiers volumes du *Journal* (1851-1870) paraissent chez Charpentier.
1888	Maupassant, *Pierre et Jean.*		
		1889	Antoine monte, au Théâtre-Libre, la pièce en cinq actes en prose *la Patrie en danger* (elle avait été écrite bien plus tôt, sous le titre *Mademoiselle de La Rochedragon).* Adaptation à la scène de *Germinie Lacerteux :* quarante représentations. On joue aussi la pièce à Bruxelles et à Saint-Pétersbourg.
		1890	*Mademoiselle Clairon.* Tome IV du *Journal,* chez Charpentier.
1891	Jules Huret, *Enquête sur l'évolution littéraire.*	**1891**	Tome V du *Journal,* chez Charpentier. *Outamaro,* t. I de *l'Art japonais du XVIIIe siècle.*
		1892	Tome VI du *Journal :* Edmond annonce que ce sera le dernier publié de son vivant.
1893	Zola, *le Docteur Pascal.*	**1893**	*La Guimard.*
		1894-1896	Tomes VII, VIII, IX du *Journal;* Edmond annonce, dans le tome IX, que ce sera le dernier publié de son vivant.
1895	1er mars : banquet de 300 couverts autour d'Edmond et de Daudet.		
1896	16 juill. : Edmond meurt chez son ami Daudet. Obsèques à Auteuil. Deux légataires universels, Alphonse Daudet et Léon Hennique : les héritiers familiaux intentent un procès contre le testament; ils seront déboutés en août 1897; le jugement sera confirmé en 1900.	**1896**	Juill. : *Manette Salomon,* pièce en neuf tableaux, est jouée au Vaudeville. Elle est ensuite publiée par Charpentier-Fasquelle. *Hokusai,* t. II de *l'Art japonais.*
1903	11 janv. : un décret reconnaît d'utilité publique l'académie Goncourt. 26 févr. : premier dîner des membres de l'académie Goncourt, au Grand Hôtel. Les dîners suivants ont lieu chez Champeaux, place de la Bourse. On décide la création d'un prix de 5 000 F, qui sera décerné « au meilleur roman, au meilleur recueil de nouvelles, au meilleur volume d'imagination en prose » parus dans l'année. 21 déc. : le dîner de l'académie Goncourt décerne le premier « prix Goncourt » à John-Antoine Nau. Les dîners, par la suite, auront lieu au Café de Paris; puis au restaurant Drouant, place Gaillon.		

Renée Mauperin

Le titre de l'œuvre est passé de l'abstrait collectif social *la Jeune Bourgeoisie* au générique *la Jeune Bourgeoise*, puis au nom du personnage féminin : processus révélateur qu'on retrouvera parfois — au moins au début — chez Zola. Le premier titre indique la tentative de peindre les mœurs bourgeoises : mais les mœurs, chez les Goncourt, sont encore de l'ordre de l'épiderme. La préface de *Renée Mauperin*, écrite en 1875, est une relecture de l'œuvre : ils ont voulu, écrit Edmond, « peindre *la jeune fille moderne* (souligné par l'auteur) telle que l'éducation artistique et garçonnière des trente dernières années l'ont faite » et *le jeune homme moderne* (souligné par l'auteur) tel que le font, au sortir du collège, depuis l'avènement du roi Louis-Philippe, la fortune des doctrinaires, le règne du parlementarisme ». Relecture et préface intéressantes. Le roman, paru en 1864, repose sur l'antithèse de Renée Mauperin et de son frère Henri, deux figures de la même bourgeoisie. Renée est la jeune fille « garçonnière » (note des Goncourt), aimant à monter à cheval, mais délicate, pure, noble; elle fume le cigare, connaît les « scies » en vogue; elle est curieusement appelée par les Goncourt eux-mêmes « une mélancolique tintamarresque »; Henri est le jeune homme blasé, de sang-froid, calculateur, prêt à tout sacrifier à un beau mariage : il guigne la fille de sa maîtresse et, pour cela, usurpe un nom aristocratique : « de Villacourt ». Renée s'oppose aux desseins de son frère, avertit le vrai Villacourt, qui tue Henri en duel. Les parents Mauperin errent alors, solitaires. Un curé, l'abbé Blampoix, qui évoluait avec onction dans cette bourgeoisie, abbé très XVIIIe siècle, très urbain (on est loin du curé Bournisien de Flaubert), marieur, porte ailleurs ses bons services. Roman de l'échec et de la mort, construit autour d'un drame de la particule : nœud un peu mince pour nous aujourd'hui; mais Zola, qui lui préférait *Germinie Lacerteux*, nota que, pour beaucoup, *Renée Mauperin* était « le chef-d'œuvre » des Goncourt.

BIBLIOGRAPHIE
Jules Vallès, *le Progrès de Lyon*, 19 avril 1864, dans *Œuvres*, La Pléiade, t. I; Émile Zola, *le Messager de l'Europe*, dans *Œuvres complètes*, Cercle du livre précieux, t. XI.

Germinie Lacerteux

L'œuvre, parue en 1865, fut sans doute la plus célèbre — et la plus symptomatique (Zola la place au-dessus des autres) tant par sa préface (voir plus haut) que par son sujet et son style. Germinie est une fille de la campagne, jetée dans la grande ville; violée, enceinte, mère d'un enfant mort-né, elle a été employée comme bonne au service de sa sœur, puis comme bonne d'une épileuse; elle entre enfin chez Mlle de Varandeuil, vieille fille noble. Elle y devient très dévote, mais rencontre le fils d'une crémière voisine, Jupillon. Dès lors, partagée entre la dévotion et la frénésie passionnelle, entre une existence diurne et une existence nocturne, elle sombre dans une hystérie ancillaire, qui, pour les Goncourt, est un cas morbide beaucoup plus intéressant qu'une hystérie simplement bourgeoise. Elle sera détruite par la phtisie. Les frères Goncourt étaient partis de notes prises et d'observations faites sur le cas de leur propre bonne, Rose : la mort de cette dernière, en 1862, rendit possible l'utilisation des notes et l'élaboration du roman. Autour de ce « cas » central, les Goncourt ont construit un système d'antithèses : Mlle de Varandeuil et Germinie; Paris et la nature; Paris bourgeois et Paris banlieue; bourgeoisie et peuple; dévotions et passions, également nerveuses... Zola trouva dans le livre « un souffle de Balzac et de M. Flaubert »; l'œuvre lui parut « un des produits de notre société, qu'un éréthisme nerveux secoue sans cesse. Nous sommes malades de progrès, d'industrie, de science; nous vivons dans la fièvre, et nous nous plaisons à fouiller les plaies, à descendre toujours plus bas, avides de connaître le cadavre du cœur humain » (*le Salut public*, 24 février 1865). Jules Vallès, Jules Claretie, Victor Hugo (*Germinie Lacerteux* vient trois ans après *les Misérables*) saluèrent ce « second » roman des Goncourt. A l'inverse, *la Revue des Deux Mondes* ne le leur pardonna pas et le leur fit bien voir pendant des décennies. L'œuvre est, sans doute, la plus forte des Goncourt, celle qui marie le mieux un certain « naturalisme » social et la recherche d'art, sinon l'« écriture artiste ».

BIBLIOGRAPHIE
Jules Vallès, *le Progrès de Lyon*, 30 janvier 1865, dans *Œuvres*, Gallimard, La Pléiade, t. I; Émile Zola, *le Salut public*, journal lyonnais, 24 février 1865; voir *Mes haines*, dans *Œuvres complètes*, Cercle du livre précieux, t. X; id., *le Messager de l'Europe*, sept. 1875 et *le Bien public*, 2 avril 1877; voir *les Romanciers naturalistes*, dans *Œuvres complètes*, ibid, t. XI.

La Fille Élisa

Un roman — paru en 1878 —, écrit par Edmond seul, à partir d'une vieille ébauche de Jules traitant surtout du système pénitentiaire. Il illustre, à son insu, le thème de la « fille », souvent évoqué à cette époque par Zola journaliste. Élisa, fille d'une sage-femme un peu louche, se heurte très vite à la « vie » telle qu'elle est; elle se révolte contre sa famille, s'enfuit de Paris avec une prostituée. Elle échoue dans une petite ville de province; mais elle lit des romans, se lie avec un commis voyageur révolutionnaire, le suit à travers la France. Le commis voyageur se révèle être un policier : Élisa l'abandonne et regagne Paris. Elle finit par frapper d'un coup de couteau un soldat, dont elle était devenue l'amie. Condamnée à mort puis graciée, elle est emprisonnée à vie. En prison, Élisa revit ses amours, relit ses lettres et, lentement, devient folle. Le roman n'est véritablement ni le roman de la prostitution, ni le roman de la prison, ni le roman du condamné à mort. Il s'épuise encore en visions, en discontinuités artistes, en « grains de laideur », dit J. Vallès. Par son sujet, pourtant, l'œuvre fut un succès d'éditeur, mais ce succès fut éphémère.

BIBLIOGRAPHIE
Robert Ricatte, *la Genèse de « la Fille Élisa »*, A. Colin, 1953.

Les Frères Zemgano

Dans le *Journal*, à la date du 27 décembre 1876, Edmond note : « Aujourd'hui que mon livre de *la Fille Élisa* est presque terminé, commence soudain à apparaître et à se dresser dans mon esprit le roman avec lequel je rêve de faire mes adieux à l'imagination. Je voudrais faire deux clowns, deux frères s'aimant comme nous nous sommes aimés, mon frère et moi ». L'ouvrage, paru en 1879, est assorti d'une préface, manifeste rétrospectif, aux romans des deux frères : « Nous avons commencé, nous, par la canaille, parce que la femme et l'homme du peuple, plus rapprochés de la nature et de la sauvagerie, sont des créatures simples et peu compliquées, tandis que le Parisien et la Parisienne de la société, ces civilisés excessifs [...], demandent des années pour qu'on les perce, pour qu'on les sache, pour qu'on les attrape. L'intérieur d'un ouvrier, d'une ouvrière, un observateur l'emporte en une visite; un salon parisien, il faut user la soie de ses fauteuils pour en surprendre l'âme et confesser à fond son palissandre ou son bois doré ». Rien à voir avec le récit des *Frères Zemgano*, qui est une sorte de rêve, qui projette l'aventure littéraire des deux frères Goncourt en histoire de deux clowns; projection transparente : l'imaginaire est limité. Deux frères vivent dans une troupe de saltimbanques : la mère meurt, le père s'en va, la troupe est disloquée. Les deux frères s'engagent dans divers cirques de province; puis ils reviennent à Paris pour une grande première, pour laquelle ils ont préparé un tour exceptionnel. Mais l'écuyère, dédaignée par un des deux frères, provoque sa chute au cours d'un exercice; il a les deux jambes brisées. Les deux Zemgano, l'un par nécessité, l'autre par affection pour son frère, renoncent au cirque. Ce n'est ni une autobiographie ni un roman; aucune analyse, simplement un récit des adieux, et surtout d'Edmond, au couple Jules-Edmond. Zola jugea *les Frères Zemgano* une « œuvre très émue et d'une étrangeté saisissante » (*le Voltaire*).

BIBLIOGRAPHIE

Émile Zola, *le Voltaire*, 13 mai 1879; voir *le Roman expérimental*, dans *Œuvres complètes*, Cercle du livre précieux, t. X; Zola traite de la préface et du roman.

Le *Journal*

Le sous-titre en est *Mémoire de la vie littéraire;* de fait, le *Journal* est un tableau piquant de la vie littéraire française de 1851 à 1896. On peut soutenir, et on a soutenu, qu'il était le meilleur ouvrage des Goncourt. Ils y ont tout mis : leurs pensées, leurs bons mots, leurs fantasmes; ils ont conté toutes leurs rencontres, semé une multitude de portraits piquants ou vitriolés; ils y ont logé des échos des cours d'assises et des prisons, des études de cas médicaux (hystérie, bien sûr, érotomanie, césarienne d'une naine...). Beaucoup de croquis parisiens, une galerie d'hommes de lettres. Les Goncourt ont tout de même traversé l'Histoire : on trouve des notations pittoresques sur la guerre de 1870 (la disette bourgeoise; on ne mange pas de rats, mais Edmond élève des poules dans son salon), sur la Commune (une rencontre fugitive du Vallès communard). Le *Journal* est donc un document littéraire et un tableau de mœurs irremplaçable; il ne se laisse pas ramener à la rhapsodie de radotages et de papotages qu'y voyait et que voulait faire oublier par son propre *Journal* Jules Renard. Il y a plus : le *Journal* est pour les Goncourt un exercice quotidien, une diététique, un exutoire passionnel : « Chaque soir, ils ont fait l'amour avec leur Journal, non parfois sans explications, sans gémissements, sans colère et sans rage » (Marcel Sauvage). Ils ont été « féminins » dans leur *Journal :* ce nervosisme dont, selon eux, souffrait irrémédiablement la Femme, ils l'ont dépensé à la petite semaine, à la petite journée, en petits instantanés. La préface des trois premiers volumes (1887) avoue — sous la plume d'Edmond, il est vrai — : « Nous ne nous cachons pas d'avoir été des créatures passionnées, nerveuses, maladivement impressionnables », exactement ce qu'ils reprochèrent si souvent aux femmes. Le *Journal* trahit enfin un combat littéraire : assumé avec coquetterie, certes; ce n'est pas l'angoisse devant la page blanche, ils se veulent un peu martyrs de l'écriture. Mais, sous ce cabotinage, non sans illustrer le snobisme fin de siècle, ne le sont-ils pas vraiment? Et Edmond ne souffre-t-il pas plus encore de l'être tout seul?

BIBLIOGRAPHIE

Voir l'édition présentée et annotée par R. Ricatte, Imprimerie nationale de Monaco, 1956-1958 (22 vol.). Cette édition a été redonnée en 4 vol. chez Fasquelle-Flammarion (1960).

BIBLIOGRAPHIE GÉNÉRALE

A consulter

Le vieil ouvrage d'A. Delzant, *les Goncourt* (1889), est encore à consulter. Le mémorialiste du naturalisme, Léon Deffoux, a donné divers opuscules, dont *l'Immortalité littéraire selon M. de Goncourt* (1918) et *Chronique de l'Académie Goncourt.* On lira aussi avec intérêt, sur la vie littéraire autour des Goncourt (outre le *Journal* des Goncourt, à placer au premier rang) : André Billy, *les Frères Goncourt, la Vie littéraire à Paris pendant la seconde moitié du* XIX*e siècle,* Flammarion, 1954; René Dumesnil, *l'Époque réaliste et naturaliste,* Tallandier, 1945.

Puis viennent les ouvrages plus récents et, souvent, plus importants : Jean Borie, *le Célibataire français,* Le Sagittaire, 1976 (discutable mais passionnant); Paul Bourget, *Études de Psychologie Contemporaine,* t. II (toujours à lire); Enzo Caramaschi, *Réalisme et Impressionnisme dans l'œuvre des frères Goncourt,* Pise et Paris, Nizet, sans date, sans doute vers 1971 (ouvrage solide et précis). Jacques Dubois, *les Romanciers français de l'instantané au* XIX*e siècle,* Bruxelles, 1963 (toujours suggestif); René Dumesnil, *le Réalisme et le Naturalisme,* Del Duca, sans date (tableau complet, toujours valable); François Fosca, *Edmond et Jules de Goncourt,* Albin Michel, 1941; id., *De Diderot à Valéry, les écrivains et les arts visuels,* Albin Michel, 1960. Des suggestions sur ce dernier sujet : Pierre Martino, *le Roman réaliste sous le Second Empire,* 1913, rééd., Genève, Slatkine Reprints, 1972 (solide, précis, maniable); Lazare Prajs (Levrier), *la Fallacité de l'œuvre romanesque des frères Goncourt,* Nizet, 1974 (des vérités de pamphlet. L'ouvrage dénie, c'est son postulat, toute valeur littéraire concédée aux Goncourt); Robert Ricatte : outre l'ouvrage *la Genèse de « la Fille Élisa »,* cité plus haut, l'ouvrage fondamental reste, sur l'ensemble des Goncourt, *la Création romanesque chez les Goncourt,* A. Colin, 1953; J.-P. Richard, *Littérature et Sensation,* chap. « Deux Écrivains épidermiques : Edmond et Jules de Goncourt », Le Seuil, 1954; réédition « 10/18 », 1979 (riche, suggestif, juste); Michel Sauvage, *Jules et Edmond de Goncourt, précurseurs,* Mercure de France, 1970 (un peu sommaire); Émile Zola, *Mes haines,* et *les Romanciers naturalistes,* dans *Œuvres complètes,* Cercle du livre précieux, t. XI; id., *le Roman expérimental,* dans *Œuvres complètes,* Cercle du livre précieux, t. X (lecture, indispensable, de Zola fidèle lecteur des Goncourt).

Adaptations

Germinie Lacerteux a été donnée en pièce de dix tableaux, avec prologue et épilogue, à l'Odéon, en décembre 1888. En 1890, le roman *les Frères Zemgano* est devenu une pièce en 3 actes, publiée chez Charpentier, mais non jouée; la même année, en décembre, une adaptation, en pièce de 3 actes, de *la Fille Élisa,* fut représentée au théâtre de la Porte-Saint-Martin : la pièce fut interdite dès le début de 1891, et reprise seulement en 1900. *Manette Salomon,* pièce en 3 actes, avec prologue, fut jouée au Vaudeville en 1896. Notons enfin qu'une petite pièce, *A bas le progrès!,* « bouffonnerie satirique » en un acte, fut donnée par Edmond de Goncourt au Théâtre-Libre, en janvier 1893.

L'œuvre des Goncourt inspire peu de cinéastes. Ni *Renée Mauperin* ni *Germinie Lacerteux* ne passèrent en films. A signaler seulement *les Frères Zemgano,* film français d'Alberto-Francis Bertoni, avec Constant Rémy, 1925, et *la Fille Élisa,* film français de Roger Richebé, avec Serge Reggiani, Dany Carrel, Valentine Tessier, 1956.

R. BELLET

GONGORISME. V. ESPAGNE et PAYS DE LANGUE ESPAGNOLE. Influence sur la littérature française.

GORMONT ET ISEMBART (fin du XIe siècle?). C'est l'une de nos plus anciennes chansons de geste, après *la Chanson de Roland* et *la Chanson de Guillaume.* Elle nous est parvenue sous la forme d'un fragment de 661 octosyllabes assonancés, dit « Fragment de Bruxelles », qui daterait des environs de 1130. Mais d'autres textes nous ont conservé des résumés complets de l'ensemble de la chanson. Il s'agit de la *Chronique rimée* de Philippe Mousket (vers 14 053-14 296, XIIIe siècle) et de la traduction allemande du XVe siècle, d'une mise en prose française (également du XVe siècle) d'un roman français du XIVe siècle, *Lohier et Mallart,* qui intégrait l'intrigue de notre chanson. Un moine de l'abbaye de Saint-Riquier, nommé Hariulf, fait allusion à l'action de *Gormont et Isembart* dans une chronique monastique terminée en 1088 et révisée en 1104 : cette action semble se rapporter à l'invasion de la France par les Normands, à la dévastation de l'abbaye de Saint-Riquier en 881 et à la victoire finale de Louis III quelques mois plus tard. Enfin Geoffroy de Monmouth, dans son *Historia regum Britanniae* (début du XIIe siècle), résume en quelques lignes notre chanson.

Cet ensemble témoigne d'une vitalité incontestable de celle-ci, étant entendu que les remaniements ont transformé profondément l'œuvre originale. Isembart, neveu du roi Louis et révolté contre son oncle, s'allie au païen Gormont, renie Dieu et affronte les armées chrétiennes et françaises. Hariulf le présente comme un simple rebelle; Geoffroy suggère discrètement, et d'une manière ambiguë, qu'une injustice royale a provoqué la rébellion; Philippe Mousket et le *Lohier et Mallart* témoignent d'une exploitation du thème de l'injustice qui est caractéristique des tendances du XIIIe siècle commençant (cf. *Girart de Vienne* et, déjà, *Raoul de Cambrai*) : le rebelle paraît moins fautif que le souverain.

Le texte du « Fragment de Bruxelles » témoigne de grandes qualités. L'emploi de l'octosyllabe (unique dans le genre épique) permet un style nerveux. Un même refrain de quatre vers clôt les sept premières laisses (sauf une seule), indépendamment de l'assonance. Jean Rychner voit dans ce procédé rarissime « une manière de souligner le parallélisme strophique » du passage, plutôt qu'un « refrain à proprement parler, chanté sur une mélodie particulière ». On rencontre par ailleurs tous les procédés d'écriture attestés dans *la Chanson de Roland* et dans *la Chanson de Guillaume*. Mais la plus grande réussite est sans doute la subtile figure d'Isembart : bien que rebelle, traître et renégat, il éprouve toujours de la fierté pour ses origines; il se réjouit de la solidité des Français qu'il combat et de leur empereur; mortellement blessé, il revient à la religion chrétienne et invoque la Vierge.

Il faut, pour terminer, souligner que ces traits seront (avec leur double face, négative et positive) ceux que bon nombre de trouvères donneront, dans les décennies à venir, au type du vassal rebelle : *Gormont et Isembart* fonde le cycle de *Doon de Mayence*, comme le *Roland* fonde le cycle du roi, et *la Chanson de Guillaume*, à peu près à la même époque, le cycle de *Garin de Monglane*. Les trois grandes gestes qu'énumérera, au XIIIe siècle, Bertrand de Bar-sur-Aube ont une naissance contemporaine.

BIBLIOGRAPHIE
Édition. — A. Bayot, Champion, C.F.M.A., 1931.
Études. — J. Bédier, *les Légendes épiques*, t. IV, Paris, 1913, p. 27-38; J. Rychner, *la Chanson de geste*, Droz, 1955; I. Siciliano, *les Origines des chansons de geste*, Paris, Picard, 1951.

D. BOUTET

GOUBERVILLE Gilles Picot, sire de (v. 1521-1578). Ce n'est certes pas un écrivain professionnel, ce gentilhomme du bocage normand, sire de Gouberville et de Mesnil-au-Val par son père, de Russy par son oncle, et vivant sur ses terres, entre Cherbourg, Barfleur et Valognes. A moins que, précisément, le simple fait d'enregistrer au jour le jour, pendant des années, des milliers de faits insignifiants, sur des mains de papier régulièrement achetées à la ville voisine, ne soit le premier degré de l'écriture. Ce « journal » de Gouberville, témoignage d'une civilisation paysanne disparue, fut découvert à la fin du XIXe siècle par l'abbé Tollemer. Depuis lors, les rares lecteurs du prolixe gentilhomme ne démêlent plus très bien les raisons de l'attraction puissante exercée par un texte dont la rédaction s'étend sur une douzaine d'années, qui n'est même pas le commencement, ou la fin, d'un projet littéraire, et ne se donne pour rien d'autre que des « mises et recettes », des « comptes », chiffrant les dépenses journalières. A moins justement de considérer ce texte comme un décor réel, assuré que l'on est de sa véracité par sa pauvreté même, sa grisaille, son caractère répétitif. Mais tout ce que l'on dit de Gouberville est fondé sur une recomposition des fragments, ce que vit très bien, et définitivement, Tollemer. A chaque époque sa recomposition.

Gouberville vit sur ses terres, les exploite — et y mourra —, à la fois solitaire par son état d'homme non marié et fibre vivante d'un tissu familial et social complexe, qui n'a rien à voir avec le nôtre, tant par sa hiérarchie profonde que par ses licences : entouré de parents, des bâtards de son père, des siens propres, de ses « serviteurs et serviteures » loués à la fête de la Madeleine, en juillet, qui disparaissent, reviennent, sont rarement renvoyés, sont soignés, vêtus avec, semble-t-il, une sollicitude réelle. Il y a aussi tous les paysans qu'il dirige, avec lesquels il partage bien des travaux; les artisans qui lui fabriquent des outils, des armes, qui réparent sa maison, qui viennent coudre des vêtements, des rideaux... Et tout ce bétail, répandu librement dans la campagne, ces vaches et taureaux devenus sauvages dans les forêts voisines, et qui surgissent tout à coup en plein marché de Cherbourg; ces renards, ces lièvres et ces loups que l'on piège. Et partout la forêt qu'on défriche, et dont Gouberville assure pour le roi la protection : lieutenant des Eaux et Forêts pour la région de Valognes, il aurait bien aimé que son coûteux voyage à la Cour, à Blois, en 1556, lui eût permis de passer maître. Gouberville ne se contente pas de ce voyage : il parcourt toute la Normandie; il est sans cesse à cheval, pour sa charge, pour ses jeux, pour ses rencontres si nombreuses, si conviviales, avec les hobereaux voisins. S'il reste chez lui, il le note; comme il note avec intérêt les heures, qui donnent un sens à sa journée sans jamais la découper de façon impérative : journée de paysan, libre, et remplie par les tâches nécessaires. La scansion des messes (malgré une tentation épisodique pour la Réforme), des saisons; la dépendance de cette pluie obsédante et aussi, souvent, de la neige. Tout ce qui semble atemporel et qui, pourtant, ne peut plus être vécu de la même manière. Gouberville n'est pas ignorant, il lit le très sophistiqué *Amadis de Gaule*, et le curé de Cherbourg lui prête le *Quart Livre* de Rabelais à peine paru; il met assez bien en valeur ses terres; il n'offre rien d'exceptionnel. Ce n'est ni Noël du Fail ni Montaigne.

Ce droit à l'existence permanente de ce qui n'était destiné à aucune gloire est paradoxalement aussi émouvant que le moulage d'un corps étouffé par les cendres de Pompéï : Gouberville est un homme comme les autres que dessine en creux une écriture défaillante et grossière.

BIBLIOGRAPHIE
Les deux fragments du *Journal* ont été publiés séparément, selon leur découverte : les années 1553-1562, découvertes par Tollemer en 1867, dans les *Mémoires de la Société des antiquaires de Normandie*, t. XXXI, Caen, 1892; les années 1549-1552, par A. de Blangy, *ibid.*, t. XXXII, Caen, 1895.
Le travail essentiel reste celui de l'abbé Tollemer, *Un sire de Gouberville*, Journal de Valognes, 1870-1872; rééd. La Haye, Mouton, 1972, avec une introduction très précise d'E. Le Roy Ladurie, sous le titre « la Verdeur du bocage ». Tollemer fait tout le travail, essentiel pour les historiens qui veulent utiliser le témoignage de Gouberville, de reclassement des matériaux disséminés dans les cahiers. Madeleine Foisil, *le Sire de Gouberville*, Aubier, 1981, reprend les travaux de Tollemer en s'intéressant à « la respiration du journal », « le gestuaire », « la sociabilité », et en relevant, plus particulièrement, les manifestations de la « violence ».
A consulter aussi : F. Braudel et E. Labrousse, *Histoire économique et sociale de la France*, t. II, P.U.F., 1977; Georges Duby, *Histoire de la France rurale*, t. II, Le Seuil, 1975.

M.-M. FONTAINE

GOUDEAU Émile (1850-1906). Écrivain et journaliste, né à Périgueux. Le nom de Goudeau est inséparable de celui des « hydropathes » [voir HYDROPATHES], dont il fonda le Club, et de celui des « hirsutes », dont il devint le président. Il dirigea ces deux cercles littéraires composés de francs lurons épris d'ivresse matérielle et poétique; son étoile, comme la leur, fut éphémère. Elle brilla de 1878 à 1885.

Émile Goudeau fut élève à Bergerac, puis à Périgueux, professeur à Marmande, à Évreux, journaliste à Bordeaux et dans quelques autres villes de province, avant de débarquer à Paris, en 1873, avec dans sa valise quelques poèmes, nouvelles et ébauches de romans. Son poste d'attaché au ministère des Finances ne l'empêche pas d'être toujours sans le sou. Mais il fera carrière dans les cafés, les cabarets, grâce à sa verve ironique et gouailleuse, qui, lorsqu'il lit ses poèmes (dont il publiera un recueil, *Fleurs de bitume,* en 1878) et ses monologues satiriques, subjugue son auditoire. Il ne manque ni de sensibilité ni d'invention, et, surtout, c'est un merveilleux fumiste : c'est-à-dire qu'il possède cette espèce de « folie intérieure se traduisant à l'extérieur par d'imperturbables bouffonneries ». Comment, avec tout cela, ne pas briller?

Le *Sherry Gobbler,* où il débute en 1875, puis les autres cafés du quartier Latin sont bien vite trop petits pour son succès. Il décide de fonder un club, et c'est, en 1878, celui des hydropathes, qui aura pendant deux ans un gros succès et dont il sera l'âme turbulente :

> Certes ne t'attends pas à trouver un goût d'eau
> Au Parlement criard que dirige Goudeau.

Il fonde un journal, *l'Hydropathe* (dont la parution s'échelonnera de janvier 1879 à mai 1880), qu'il transforme pour l'agrandir en *le Tout-Paris,* revue bien plus fragile encore que la précédente puisqu'elle n'aura que cinq numéros. Mais Goudeau, qui est aussi un homme d'action et de ressources, a déjà pris du service dans plusieurs grands journaux parisiens. Il publiera encore un roman, *la Vache enragée,* en 1885, et un récit autobiographique, *Dix Ans de bohème,* en 1888.

BIBLIOGRAPHIE
Noël Richard, *A l'aube du symbolisme,* Nizet, 1961.

F. COURT-PEREZ

GOUGENOT (début du XVIIe siècle). Auteur dramatique, né à Dijon. Sa vie est mal connue, mais il retient l'attention de tous les historiens du théâtre par sa tragi-comédie, *la Comédie des comédiens* (datée de 1633, jouée en 1631 ou 1632). Il a d'autre part composé *la Fidelle Tromperie* (tragi-comédie, 1633) et *le Romant de l'infidelle Lucrine* (1634).

La Comédie des comédiens est une source capitale de renseignements sur la vie théâtrale avant le classicisme. A tel point qu'on oublie parfois qu'il s'agit aussi d'une des premières pièces à structure complexe, et qu'elle lance ainsi une mode (Scudéry en offre une imitation directe au théâtre du Marais, Corneille, avec *l'Illusion comique,* s'en souviendra plus tard). Les deux premiers actes, en prose, mettent en scène les difficultés d'un chef de troupe qui s'efforce d'organiser la compagnie et de résoudre les problèmes de chacun. Les trois actes suivants, en vers, constituent une pièce dans la pièce. Intitulée *la Courtisane,* celle-ci raconte l'histoire d'une fille délaissée qui se travestit pour reconquérir le cœur de son amant.

Les héros de la pièce sont des comédiens qui portent les noms réels des membres de la troupe de l'Hôtel de Bourgogne en 1632 : Bellerose, Guillaume (Gros-Guillaume), Turlupin, Gautier (Gaultier-Garguille), Mlle Valliot, Mlle Beaupré, Mlle La Fleur... Les difficultés internes de ce groupe nous renseignent sur l'organisation d'une troupe de théâtre à cette époque, notamment sur la différence entre les « compagnons ayant part » et les gagistes, engagés à salaire fixe pour des périodes définies. « Ha! je voy bien la maladie : vous voulez tirer part, et non gages », dit Bellerose face aux revendications de Turlupin et Guillaume. A propos des costumes, Mlle Boniface se plaint de ne pouvoir « paraistre sur le theatre avec les ornemens convenables aux personnes tantost d'Imperatrice, tantost de Reyne » à cause de l'avarice de son mari. On sait que la garde-robe des comédiens leur appartenait en propre et qu'ils s'attachaient à sa magnificence.

L'essentiel de l'œuvre porte cependant sur la défense du théâtre, la glorification du métier de comédien et sur une sorte de réflexion à propos de l'illusion théâtrale, un « paradoxe du comédien » avant la lettre. Le panégyrique permanent rappelle à quel point le théâtre était alors l'objet de critiques constantes de la part des moralistes : « ...il faut pour paroistre bon acteur estre necessairement docte, hardy, complaisant, humble et de bonne conversation, sobre, modeste, et surtout laborieux. Ce qui est bien loin de l'opinion de plusieurs qui croyent que la vie comique ne soit qu'un libertinage, une licence au vice, à l'impureté, à l'oisiveté et au dereglement » (Beauchasteau, I, III). Un tel document mérite d'être retenu pour l'image qu'il donne du théâtre et des comédiens au début du XVIIe siècle.

BIBLIOGRAPHIE
Trois éditions, pas toujours faciles à se procurer, prouvent cependant un intérêt persistant pour l'œuvre : *la Comédie des comédiens,* dans *Ancien théâtre français,* édition E.L.N., Viollet-le-Duc, Paris, 1854-1857, t. IX, p. 305-426; *la Comédie des comédiens,* dans *le Théâtre français au XVIe et au XVIIe siècle,* éd. Edouard Fournier, Paris, 1871, p. 282-318; plus récemment, *la Comédie des comédiens,* texte présenté et annoté par David Shaw, University of Exeter, 1974; *la Commedia in commedia,* a cura di Lorenza Maranini, Bulzoni, Roma, 1974.

J.-P. RYNGAERT

GOUGES Olympe de, pseudonyme de **Marie Olympe Aubry,** née **Gouze** (1748-1793). Femme de lettres, née à Montauban. Reniant ses origines plébéiennes (elle se prétendait la fille de Le Franc de Pompignan), humiliée par son union avec le modeste officier de bouche Aubry, elle prit le nom d'Olympe de Gouges, vint à Paris et s'adonna à la littérature. Écrivain prolifique, fort peu soucieuse du style, elle se lança d'abord dans le genre théâtral avec *Zamore et Myrza; Lucinde et Cardenio;* deux « suites » du *Mariage de Figaro, le Mariage de Chérubin* et *le Mariage de Fanchette* (1786); *l'Homme généreux* (1786), où elle s'insurge contre le fait que les femmes sont tenues à l'écart du pouvoir. Seule la première de ces pièces sera jouée à la Comédie-Française, en 1789, sous le titre *l'Esclavage des nègres ou l'Heureux Naufrage.* Cet « ouvrage incendiaire », que « les colons avaient proscrit » (préface de l'auteur) est un plaidoyer en faveur des Noirs. Déclamatoires et trop vite écrits, ces premiers drames, comme les derniers, ceux-ci directement inspirés par l'actualité : *Mirabeau aux Champs-Élysées* (1791), *le Couvent ou les Vœux forcés* (1792), *le Général Dumouriez à Bruxelles ou les Vivandiers* (1793), ont tous sombré dans l'oubli. Ses opuscules patriotiques et sociaux méritent plus de considération : entre 1789 et 1793, elle publie *l'Esprit, les Trois Urnes,* un *Testament politique* et *Remarques patriotiques.* S'il est vrai qu'Olympe de Gouges fut inconstante dans ses choix politiques, il n'en demeure pas moins que dans tous ses écrits elle dénonce la misère populaire, exigeant notamment la création de maisons pour les vieillards nécessiteux, les enfants et les veuves sans soutien. Mais la lutte dont elle souhaite prendre « la tête », celle qui lui paraît essentielle, concerne « ce sexe faible et trop longtemps opprimé, prêt à secouer le joug d'un esclavage honteux » (*Remarques patriotiques*). *La Déclaration de la femme et de la citoyenne* (1791) reste son principal ouvrage, où elle déclare que si « la femme a le droit de monter sur l'échafaud, elle doit avoir également celui de monter à la tribune ». Robespierre, qu'elle attaquait violemment, ne lui concéda que le premier, et il la fit guillotiner en 1793.

BIBLIOGRAPHIE

A consulter. — Marvin Carlson, *le Théâtre de la Révolution française*, Paris, Gallimard, 1966; Marie Cerati, *le Club des citoyennes républicaines révolutionnaires*, Paris, Éd. sociales, 1966; Jauffret, *le Théâtre révolutionnaire*, Paris, 1869; L. Lacour, *les Origines du féminisme contemporain*, Paris, 1900, qui étudie aussi les carrières de Rose Lacombe et de Théroigne de Méricourt.

Ch. LAVIGNE

GOULART ou **GOULARD Simon** (1543-1628). Écrivain et éditeur. Originaire de Senlis, il est nommé pasteur dès 1566 et consacrera sa vie au service de la Réforme. Établi à Genève à partir de 1571, il accomplit en France de nombreuses missions, dont une à la veille de la Saint-Barthélemy. De caractère intransigeant et austère, il a des démêlés aussi bien avec les autorités civiles de Genève — trop opportunistes à son gré — qu'avec la justice française — pour avoir traité Gabrielle d'Estrées de courtisane. En 1607, il succède à Théodore de Bèze à la tête de l'Église de Genève. Il mourra dans cette ville en 1628, après s'être démis de ses fonctions en 1617. Auteur d'une œuvre abondante, toute dévolue à la défense de la Cause, Goulart a été tour à tour traducteur (Sénèque, Théodore de Bèze, Hotman), commentateur (*la Semaine* de Du Bartas, 1611), polémiste truculent et féroce (*la Légende véritable de Jean le Blanc*, 1575) et historien (*Histoires admirables et Mémoires de notre temps*, 1610-1614). C'est à ce dernier titre qu'il achève *l'Histoire des martyrs depuis Jean Huss jusqu'en 1554* de Jean Crespin (1619), entreprise un demi-siècle plus tôt, et qu'il fait précéder d'imprécations versifiées à l'encontre de l'« effrontée putain » de Rome. Dans un registre plus élevé, il met à profit cette « virtualité baroque du calvinisme » dont a parlé Albert-Marie Schmidt, pour composer, sous la forme de sonnets, de denses méditations sur l'intermittence de la Grâce ou l'effrayant désir de la Rédemption à travers la mort. Cultivant l'antilogisme, il évoque le discord essentiel de l'âme pécheresse déchirée entre le monde d'ici-bas et l'impuissante aspiration au règne de Dieu.

BIBLIOGRAPHIE

L'œuvre poétique de Simon Goulart a été redécouverte et magistralement élucidée par Albert-Marie Schmidt dans deux essais rassemblés dans ses *Études sur le XVIe siècle*, Paris, Albin-Michel, 1967, « les Poètes calvinistes français », p. 67, et « Quelques Aspects de la poésie baroque protestante », p. 79 *sqq.* On consultera également : L.C. Jones, *Simon Goulart, sa vie et son œuvre*, Genève, 1916, et l'article d'H. Perrochon, « S. Goulart, commentateur de la « Première Semaine » de Du Bartas », *R.H.L.F.*, 1925.

F. LESTRINGANT

GOURMONT Remy de (1858-1915). Romancier et essayiste. Né au château de la Motte, à Bazoches-en-Houlme (Orne), lycéen à Coutances, étudiant en droit à Caen, Gourmont vient à Paris se mêler au monde des lettres : attaché à la Bibliothèque nationale (1881), il compose divers ouvrages de vulgarisation et un roman, *Merlette* (1886), avant de découvrir le symbolisme dans un article de *la Vogue* de 1886. Le voici aussitôt qui participe avec ardeur au mouvement : il collabore dès sa fondation au *Mercure de France* (1889), dont il restera toujours le critique le plus autorisé, et à de nombreuses « petites revues » symbolistes (tel *l'Ymagier*, fondé en 1894 avec Aurier et Jarry), dont il établira en 1900 une précieuse bibliographie; sous l'influence de Mme de Courrière et de Huysmans, il s'engoue pour l'occultisme; il donne, avec *Sixtine* (1890), un roman d'esprit symboliste.

Mais l'année 1891 le frappe durement : il est renvoyé de la Bibliothèque nationale, à la suite d'un article intitulé « le Joujou patriotisme », et surtout atteint d'une grave maladie de peau qui le défigure, tout en accentuant son goût pour la solitude et la recherche : se succèdent alors essais érudits — *le Latin mystique* (1892) — et critiques — *l'Idéalisme* (1893), *le Livre des masques* (1896) —, drames — *Théodat* (1889-1893), *Lilith* (1892) —, poèmes — *Litanies de la rose* (1892) — et contes — *Histoires magiques* (1894), *le Pèlerin du silence* (1896)...

Puis Gourmont va délaisser tant l'érudition que la littérature de fiction (mis à part quelques romans : *les Chevaux de Diomède*, 1897; *le Songe d'une femme*, 1899; *Une nuit au Luxembourg*, 1906; *Un cœur virginal*, 1907) au profit des domaines les plus divers où puisse s'exprimer le jeu des idées : *Esthétique de la langue française* (1899); *la Culture des idées* (1900); *le Chemin de velours* (1902); *le Problème du style* (1902); *Physique de l'amour* (1903); *Épilogues* (1903-1913); *Promenades littéraires* (1904-1927); *Promenades philosophiques* (1905-1909). Et au milieu de ce travail inlassable, il fonde, avec Édouard Dujardin, *la Revue des Idées* (1904), dont il sera le rédacteur, puis le directeur. Ses dernières années seront aussi marquées par sa rencontre avec Nathalie Clifford Barney, la destinataire de ses *Lettres à l'Amazone* (1914).

Le nom de Gourmont reste étroitement lié au symbolisme — à juste titre, d'ailleurs : idéaliste et individualiste, admirateur de Mallarmé et surtout de Villiers de L'Isle Adam, Remy de Gourmont marqua le mouvement symboliste autant qu'il en fut lui-même marqué.

Poète et érudit, il participe, avec *le Latin mystique*, à la redécouverte de la poésie latine décadente et médiévale. Romancier, il offre dans *Sixtine* un texte révélateur de la fin du siècle, avec les influences qu'il trahit (Huysmans, Barrès...) et les recherches formelles dont il témoigne. Dans ce « roman de la vie cérébrale », où le réel ne peut être que projection de l'esprit, les amours malheureuses d'Entragues et de Sixtine disent l'impuissance à réconcilier l'art et la vie... Le récit, en forme de journal intime, est entrecoupé par des digressions, par des poèmes et par les chapitres d'un autre roman que le héros-narrateur est en train d'écrire; mises en abyme, réminiscences littéraires, variations sur les noms et les lettres — autant d'innovations techniques, qui ne peuvent compenser les artifices d'une psychologie trop statique et qui font de *Sixtine* un roman-jeu, avec l'intérêt et les limites du genre.

Mais plus que la fiction, chez lui trop intellectuelle sans doute pour être vraiment romanesque, le principal apport de Gourmont fut la réflexion critique qu'il conduisit sur le symbolisme. L'image qu'il nous en donne dans les pages du *Mercure de France*, de la synthèse de *l'Idéalisme* aux précieux témoignages du *Livre des masques*, est celle-là même qui nous en est restée : l'affirmation dans le domaine esthétique du « principe de l'idéalité du monde ».

L'œuvre de Gourmont ne saurait pourtant se limiter à la seule défense du symbolisme, ni même à la seule littérature. Une curiosité universelle, jointe à un scepticisme total, l'entraîne, tel un nouvel encyclopédiste, de la philologie à la science et à la philosophie, de l'érudition à l'étude de la sexualité ou à la méditation sur l'actualité : savoir quelque peu hétéroclite, assimilé avec une grande souplesse intellectuelle et exposé dans un style de plus en plus limpide, mais surtout rejet de tout dogmatisme et de toute idée reçue. Sa fameuse méthode des « dissociations d'idées » est fondée sur cette notion de la relativité des valeurs et un sens de la contradiction poussé parfois jusqu'au paradoxe.

Philosophe sans esprit de système, Gourmont est un critique sans préjugés : *Promenades philosophiques, Promenades littéraires...* Ce partisan de l'Art pour l'Art, aussi ouvert à la littérature nouvelle qu'il est intéressé par la tradition (poésie médiévale, littérature populaire), cultive une critique de goût et de sympathie centrée sur l'œuvre et sur le processus de création qui lui est propre. Quant à ses ouvrages sur le langage (*l'Esthétique de la langue française, le Problème du style*), ils traduisent une conscience historique de la langue et, par-delà des conclusions dépassées, ouvrent la voie à Paulhan, Valéry et Ezra Pound.

Gourmont n'eut jamais qu'un public restreint, mais choisi, que fascinaient son intelligence et son indépendance d'esprit. Il est aujourd'hui méconnu, bien qu'il ait contribué à la formation de notre mentalité littéraire et que son influence ait été particulièrement manifeste dans les pays anglo-saxons : chez Aldous Huxley, chez Pound et chez T.S. Eliot, qui l'admirait comme la « conscience critique de sa génération ».

BIBLIOGRAPHIE

Garnet Rees, *R. de Gourmont. Essai de biographie intellectuelle,* Paris, Boivin, 1940; K.D. Vitti, *la Passion littéraire de R. de Gourmont,* Paris, P.U.F., 1962.

M.-O. GERMAIN

GOURNAY Marie Le Jars de (1566-1645). Femme de lettres. Noble mais sans fortune, Marie de Gournay fut une autodidacte. Enthousiasmée par la lecture des *Essais,* elle rencontra Montaigne (1586), s'attacha à lui et se posa comme sa fille spirituelle. Elle se fit son éditrice et veilla sur la destinée de son œuvre.

Elle publia également des poésies, ainsi que des traités sur des sujets de morale, de langue et de poétique. Son principal ouvrage, *l'Ombre de la demoiselle de Gournay* (1626), est un recueil de souvenirs et de réflexions centré sur des questions littéraires. Elle s'y montre hostile à Malherbe et, surtout, à ceux de ses disciples qui abusaient des contraintes et des codifications poétiques. Mais elle n'est pas pour autant favorable à l'emphase et condamne « ceux qui recherchent l'enflure et la pompe des mots ».

Elle réunissait chez elle des écrivains comme Colletet, Marolles, les frères Habert; elle était liée d'amitié avec Racan et Boisrobert et admirait Guez de Balzac. Elle exerça une influence certaine sur la vie littéraire de son temps — et son rôle, comme maillon entre Montaigne et les auteurs du XVIIe siècle, ne doit pas être négligé. Mais ses prises de position critiques, aussi bien que son personnage de vieille fille pauvre (Richelieu lui fit verser une petite pension), érudite et enthousiaste, attirèrent sur elle l'animosité et les railleries des mondains : d'où un flot d'anecdotes qui forment le plus clair de ce que l'histoire a longtemps retenu à son sujet.

A. VIALA

GOZLAN Léon (1803-1866). Écrivain né à Marseille. Polygraphe, secrétaire de Balzac, Léon Gozlan forme très tôt son style à l'école du documentaire, à l'épreuve du fait. Fils d'un armateur, il trouve le sujet de sa première œuvre dans un voyage aventureux au Sénégal, dont il écrit le récit dans le *Musée des familles :* « Pour avoir voulu imiter Robinson ». Expérience bien propre à lui faire clamer : « Plus de héros ...des hommes! ». La ruine de son père l'amène à chercher fortune à Paris. Obscur commis de librairie, il doit à l'avocat Méry son entrée dans le journalisme. On apprécie en lui le chroniqueur léger dans *l'Incorruptible, le Vert-Vert, le Corsaire, le Figaro,* au point de l'élire à la présidence de la Société des gens de lettres et de la Société des auteurs dramatiques.

Parallèlement, il offre au public l'œuvre foisonnante d'un romancier, tantôt pamphlétaire acerbe, stigmatisant les chevaliers d'industrie : « A une heure, à la Bourse, ... j'achetais des deux mains... Le canon tonnait, et le sang coulait : j'achetais. La Morgue était trop petite pour les cadavres : j'achetais sans relâche. A trois heures, je n'achetais plus. La monarchie avait triomphé; je vendais sur le perron de Tortoni. Mon audace a été prophétique : la ruine de tous a été mon salut » (*le Notaire de Chantilly,* 1832), tantôt plein d'une verve joyeuse, imaginant *les Émotions de Polydore Marasquin* (1857), Mémoires de fantaisie d'un aventurier devenu roi des singes, qui « n'étaient pas tout à fait écrits en chinois bien qu'ils fussent recueillis sur du papier de riz ».

Essayiste, Gozlan demeure un des plus célèbres biographes de Balzac (*Balzac en pantoufles,* 1856). Dramaturge, il répand sa faconde dans plus de cinquante drames, mélodrames et comédies. Œuvres pleines d'innocents persécutés (*le Livre noir,* 1848) ou de brigands terribles et séduisants (*Aventures de Mandrin,* 1856); vaudevilles légers, introduisant dans l'univers pesant et conventionnel d'une aristocratie embourgeoisée la bohème romantique et fascinante des écrivains faméliques et des vagabonds prestigieux : *la Pluie et le Beau Temps* (1861).

Cette facilité et ce dilettantisme n'ont-ils pas leur revers? Balzac, qui dédie à Gozlan *Autre Étude de femme,* semble bon juge : s'il apprécie sans réserve l'esprit délié du mondain et du journaliste, il se montre beaucoup plus circonspect à l'égard de ses œuvres, n'hésitant pas à confier à Mme Hanska : « *Ève* est stupide », au lendemain d'un retentissant échec (en 1843) de son secrétaire au théâtre. Négligeant le dramaturge, Barbey d'Aurevilly, en revanche, tient Gozlan pour « un des trois plus forts romanciers de ce siècle ». Entre un tel enthousiasme et l'oubli total dans lequel est tombé Gozlan, la juste mesure ne s'est pas encore exprimée.

BIBLIOGRAPHIE

On consultera avec intérêt les pages consacrées par Barbey d'Aurevilly à Gozlan dans *Romanciers d'hier et d'aujourd'hui,* Paris, Lemerre, 1904.

D. GIOVACCHINI

GRAAL. V. ARTHUR ET LA LÉGENDE ARTHURIENNE. CHRÉTIEN DE TROYES. CONTINUATIONS. LANCELOT-GRAAL. PERLESVAUS. QUESTE DEL SAINT-GRAAL. ROBERT DE BORON.

GRACQ Julien, pseudonyme de **Louis Poirier** (né en 1910). Pour un lecteur non averti, un récit de Gracq, où répétitions et piétinements jalonnent un univers sans surprise, risque de paraître ennuyeux. Or l'absence d'événements intrigue, force l'attention, puis finit, insensiblement, par provoquer un véritable choc en retour qui ne cesse de solliciter l'esprit et l'imagination. Dans la littérature contemporaine, Julien Gracq se signale en ce qu'il ose parler, vraiment parler, sur un ton reconnaissable maintenant entre tous, « le ton — si important, bien plus important encore pour un écrivain que la beauté des images —, le ton qu'il a pour nommer certaines choses qui vraiment lui sont *données,* à lui exclusivement » (« les Yeux bien ouverts »).

Un témoin du siècle

Très éloigné des cercles littéraires et des parades mondaines, Julien Gracq donne de lui une image qui n'est assurément pas celle d'un écrivain vedette. Refusant la diffusion de ses ouvrages en livres au format de poche, il est resté fidèle à l'éditeur José Corti, dont la devise prévient le lecteur, dès la page de titre, que l'œuvre abordée n'a « rien de commun ». Animé par le sentiment très fort du « Ne me touchez pas! » (partagé d'ailleurs par certains de ses personnages), Gracq ne cherche pas à communiquer et ne prétend faire rien d'autre que « tout bonnement » écrire. De son premier récit, *Au château d'Argol* (1938), il souligne la « médiocre aptitude [...] à être *mis entre toutes les mains* ». L'œuvre de Gracq a ceci de commun avec la pièce de Kleist, *Penthésilée*, qu'elle ne s'attache pas plus à signifier avec précision qu'à délivrer un message. A peine s'en approche-t-on, cependant, qu'on y trouve une vibration et une lumière qui sont les signes de notre propre nostalgie.

L'attitude hautaine, distante et pleine de retenue de cet écrivain est la conséquence d'une prise de position concernant, indissolublement, l'homme et le monde, la littérature et la vie. Gracq cherche à protéger sa fragilité et son originalité en affichant une fierté qui n'est pas vanité, mais respect de son lecteur et conscience de son art. A la fois à l'écart et profondément engagé dans le siècle, Julien Gracq reste volontairement insaisissable. C'est qu'en littérature il y va, pour lui, de l'homme même. Pour éviter de se laisser dévorer par sa propre statue, l'artiste, tel que le conçoit l'auteur d'*André Breton*, doit constamment brouiller les pistes, donner le change et « entretenir l'équivoque ».

C'est ainsi que Gracq sans cesse avance et recule, fuyant tout étiquetage. Romancier, il offre en 1947 un petit recueil de poèmes, *Liberté grande*, sous-titré alors « poèmes en prose »; auteur dramatique, en 1948, une pièce de théâtre qui sera jouée l'année suivante, *le Roi pêcheur*, inspirée de la légende du Graal. Trois romans, largement espacés dans le temps, poursuivent l'élaboration d'un univers particulier : *Un beau ténébreux* (1945), *le Rivage des Syrtes* (1951), *Un balcon en forêt* (1958). Parallèlement, Gracq écrit des poèmes, des notes critiques, des souvenirs de voyages, qui sont recueillis respectivement dans l'édition collective de *Liberté grande* (1958) et dans les deux volumes de *Lettrines* (1967, 1974). Il publie de courts récits : *la Presqu'île* (1970), qui contient « la Route », « la Presqu'île » et « le Roi Cophetua », et *les Eaux étroites* (1976). Son activité de lecteur et de critique engendre une série de textes sur la littérature : présentations d'auteurs, dont la plus célèbre est publiée à part (*André Breton, quelques aspects de l'écrivain*, 1948), et réflexions sur l'écrivain et l'écriture au XXe siècle, réunies dans *Préférences* (1961) et dans *En lisant, en écrivant* (1981).

Diversité foisonnante de l'œuvre donc, qui montre une liberté d'allure à laquelle Gracq est fortement attaché. Lecteur qui ne se préoccupe jamais de justifier ses goûts, il pourrait reprendre à son compte la phrase de Christel dans *Un beau ténébreux* : « Ce que j'aime, je ne sais pas pourquoi je l'aime. Sinon que tout à coup cela s'offre à moi ainsi ». Significative est la démarche créatrice de Gracq qui avance dans son récit sans plan préétabli, « à l'aventure ». C'est pourquoi chacun de ses romans, ou de ses poèmes, ou de ses textes critiques, invente sa propre forme. Gracq n'ayant souci de respecter ni règles traditionnelles ni programme (l'attachement au surréalisme, par exemple, ne prend jamais dans son œuvre l'aspect d'une allégeance même ambiguë), son récit progresse au fil des mots et des tableaux, semble perdre une unité que l'auteur, en toute confiance, laisse le lecteur retrouver : « On se préoccupe trop, dans le roman, de la cohérence, des transitions. La fonction de l'esprit est, entre autres, d'enfanter à l'infini des passages plausibles d'une forme à l'autre. C'est un *liant* inépuisable ». La liberté fonde l'écriture de Gracq, qui se réclame, à cet égard, de deux figures tutélaires : Rimbaud et Breton. Dans tous les textes de Gracq naissent des images qui s'enchaînent avec « la désinvolture des décharges électriques » (*André Breton*). Contrairement à l'image cinématographique, qui exclut tout ce qui n'est pas elle-même, « le mot, pour un écrivain, est avant tout tangence avec d'autres mots » (*Lettrines 2*). L'écriture a pour fonction essentielle d'éveiller des émotions. Aussi le roman de Gracq est-il un monde de résonances et de vibrations.

De là ce désir de faire passer de « l'estomac » au cœur le centre vivant de la littérature. Dans un article de 1950 (« la Littérature à l'estomac »), Gracq reprochait vigoureusement aux Français de déléguer leur liberté de lecteurs aux critiques officiels et aux lauréats des prix littéraires, qui restent ainsi seuls habilités à authentifier l'œuvre d'art, cette dernière sombrant immédiatement dans les eaux troubles du commerce le plus avide. La charge était sévère. Le jury Goncourt, qui n'y vit pas malice ou qui voulait peut-être ramener au troupeau la brebis récalcitrante, décerna son prix à Gracq l'année suivante pour *le Rivage des Syrtes*. Gracq, étonné, refusa, aidé dans son attitude intransigeante par le désintéressement de son éditeur. Il n'avait pourtant cessé de répéter que seule l'émotion éprouvée à la lecture d'un livre peut être gage de valeur, fondant du même coup en « société secrète » le public de l'écrivain et donnant à celui-ci son statut : « C'est par elle seule qu'il *est*, s'il est quelque chose ».

La richesse du monde

Puisque la lecture, comme l'écriture, est acte d'amour, on ne peut parler d'une œuvre que dans la perspective d'une « critique de sympathie » (*André Breton*), à l'opposé d'une critique asséchante et mutilante qui, « croyant posséder une clé », s'emploie à disposer l'œuvre « en forme de serrure » (*Lettrines*). Un livre ne tient pas du squelette mais de l'organisme producteur, d'autant plus complexe qu'il ne vit que de la mort des autres livres possibles, abandonnés par l'écrivain à chaque ligne. « Toute œuvre est un palimpseste — et, si l'œuvre est réussie, le texte effacé est toujours un texte magique », dit Allan dans *Un beau ténébreux*.

Création et réflexion, poésie et commentaire, richesse surabondante de la vie et énergie magnétique du langage, tout se lie étroitement chez Julien Gracq. L'auteur, comme ses personnages, recherche ces moments d'élection, ces découvertes bouleversantes, où le monde se donne autrement à qui sait le voir. Une syntaxe « naturellement observée », selon le mot de Breton, l'emploi de mots rares ou archaïsants, l'étrangeté des noms donnés aux personnages, le procédé du soulignement, qui lave le mot des scories de la banalité, l'absence fréquente de complément, qui évite de fermer trop rapidement ce qui doit rester ouvert, permettent à la phrase de Gracq de dérouler longuement ses vagues, de rebondir, de s'amplifier jusqu'à devenir une chambre d'échos suggérant le mariage « indissoluble qui se scelle chaque jour et à chaque minute entre l'homme et le monde qui le porte » (« Pourquoi la littérature respire mal »). Dès lors, l'explication psychologique ou symbolique ne pourrait qu'appauvrir l'œuvre et le « contingent », qui seul magnifie la vigueur de « ce qui est donné ». Gracq repose, d'une œuvre à l'autre, la question de Breton, la « question que personne encore au monde n'a pu jamais laisser sans réponse, jusqu'à son dernier souffle » : « Qui vive? » (*le Rivage des Syrtes*).

Un motif central autour duquel s'organise la plupart des récits de Gracq orchestre cette volonté de vivre, c'est-à-dire de voir, de veiller, de guetter; l'attente ou le suspens. Tout récit se dirige vers une fin qu'on appelle, qu'on se plaît à deviner mais qui, de fait, ne vient jamais, comme si la narration laissait le lecteur au bord de l'événement, se retirait avant que quelque chose n'arrive. Pendant le moment miraculeux de l'attente, attention est portée à tous les signes du monde. Si rien n'arrive, le désir reste qui maintient l'homme vivant. Les habitants du château de Montsalvage espèrent la venue du Sauveur, mais le silence de Perceval les force à demeurer dans l'attente. Contemporain de Beckett et de

Buzzati, Gracq ne se reconnaît que dans l'héritage du surréalisme : « Indépendamment de ce qui arrive, n'arrive pas, c'est l'attente qui est magnifique », dit Breton dans *l'Amour fou.*

L'attente n'abolit pas la quête; elle la porte, au contraire, à sa plénitude. Partir, puis persévérer sur la lisière, sur les « confins » de toute sorte où a lieu l'attente, tel est le rite. Tous les personnages s'avancent sur « la route », à l'écoute du monde. L'auteur avoue lui-même son attirance pour la promenade. A pied, en bateau ou en voiture, l'homme est sensible à la couleur de l'air et à toute la texture du paysage, jusque dans ses accidents géographiques ou géologiques (Gracq, historien, se veut avant tout géographe). Toutefois, dans les dernières œuvres, le voyage acquiert une dimension nouvelle. Ainsi, dans *les Eaux étroites,* l'excursion en barque sur l'Èvre, sans aventure et sans imprévu, permet, au gré des rencontres, d'évoquer Poe, Wagner, Balzac, Proust, Vermeer ou Rimbaud, car l'émotion née d'un spectacle naturel se branche « sur le réseau — plastique, poétique ou musical — où elle trouvera à voyager le plus loin ». L'œuvre elle-même devient, avec le temps, le véhicule du voyage : la typographie particulière qui clôt *les Eaux étroites* comme le second volume de *Lettrines* évoque l'image d'une barque sur l'eau, qui s'éloigne. Le rêve et la mémoire deviennent ainsi les seuls lieux du voyage enchanté, le paysage, en son fond, étant décor, au sens théâtral du mot. Le théâtre, en effet, s'affirme comme l'horizon de tous les paysages et de tous les voyages. Lieu magique, par lui on entre dans « la vraie vie » (*Un beau ténébreux*).

Impossible à localiser précisément, Julien Gracq se situe, dans la littérature du XXe siècle, au sein d'une constellation dont les pôles majeurs ont pour noms Breton, Proust et Claudel. Son originalité, cependant, se mesure à l'aune de la distance qu'il ne cesse de prendre. Énigmatique lui-même, l'écrivain interroge et, sans jamais l'élucider, révèle l'énigme qu'est le monde. Tout son effort, apparemment, vise à dégager simultanément la vérité de l'art et la vérité de l'homme. Mais cet effort trouve sa fin et son accomplissement dans la proposition, très moderne de sens, selon laquelle, comme le dit Gracq à propos de Jünger, « le monde de l'art n'est pas notre monde », affirmant par là même — et ici c'est à Breton qu'il renvoie — que « nous avons moins soif de vérité que de révélation ».

BIBLIOGRAPHIE

L'ouvrage de référence reste le numéro spécial consacré à Gracq du *Cahier de l'Herne,* dirigé par Jean-Louis Leutrat, publié en 1972, où l'on trouvera une biographie détaillée et une bibliographie complète de l'œuvre et des textes critiques. Ce *Cahier* propose des études, des évocations de l'homme, un texte important d'Ernst Jünger (« Lettres et idéogrammes. Notes sur le Japon »), des textes de Gracq enfin, certains publiés par la suite dans *Lettrines 2,* d'autres restés d'accès difficile : notamment « le Surréalisme et la Littérature contemporaine » et l'entretien radiophonique de Gracq avec Gilbert Ernst sur *Un balcon en forêt.*

A retenir, parmi les études récentes : A.-C. Dobbs, *Dramaturgie et Liturgie dans l'œuvre de Julien Gracq,* Paris, Librairie José Corti, 1972; A. Peyronie, *la Pierre de scandale du « Château d'Argol » de Julien Gracq,* Paris, Minard, Lettres modernes, 1972; J. Sémolué, « Cinq Propositions pour une lecture de Julien Gracq », *Esprit,* sept. 1974 (article qui a le double mérite de souligner les métamorphoses de l'œuvre, tant dans le style que dans l'esprit, et de rappeler l'humour, noir et glacé, de Julien Gracq); M. Francis, *Forme et Signification de l'attente dans l'œuvre romanesque de Julien Gracq,* Paris, Nizet, 1979.

G. VANNIER

GRAFIGNY ou **GRAFFIGNY Mme de,** née **Françoise d'Happoncourt** (1695-1758). Née à Nancy, elle passa sa jeunesse à Lunéville, à la cour du duc de Lorraine puis du roi Stanislas, s'y consolant d'une vie conjugale malheureuse. Accueillie à Cirey par Voltaire et Mme du Châtelet durant quelques semaines (1738-1739), elle donna de son séjour une relation piquante et indiscrète dans des lettres à son ami François-Antoine Devaux, dit Panpan. Mme du Châtelet la chassa, l'accusant d'avoir divulgué un chant de la *Pucelle* de Voltaire. Installée à Paris, elle noua des relations sans préjugés avec l'élite intellectuelle, notamment avec Rousseau, Marivaux, Prévost, Crébillon fils, La Chaussée, Palissot; mais aussi avec des mondains cultivés comme Conti ou Nivernois, des hauts fonctionnaires, Turgot, Malesherbes, des financiers philosophes comme Helvétius. A partir de 1750, elle tint un salon littéraire, et sa correspondance avec « Panpan », poursuivie jusqu'en 1758, donne un tableau précis des joies et des soucis d'une hôtesse parisienne, amie et rivale de « la Fée » (Mme Geoffrin) et de « Minette » (Mme Helvétius). Deux ouvrages publiés en trois ans assurèrent sa gloire d'écrivain : les *Lettres d'une Péruvienne* (1747), quarante-deux fois rééditées au cours du siècle et traduites en cinq langues, et *Cénie* (1750), une comédie larmoyante qui triompha à la Comédie-Française. Collé lui attribue en outre « cinq ou six comédies » destinées à la Cour impériale de Vienne, qui la protégeait; parmi celles-ci, *Ziman et Zénise* et *Azor* publiées en 1770. Sa dernière pièce, très attendue, *la Fille d'Aristide* (1758), fut un échec total.

Les *Lettres d'une Péruvienne,* plus encore que *Cénie,* illustrent ce mythe féministe élaboré au XVIIIe siècle, qu'on retrouvera chez Mme Riccoboni, Mme de Genlis, voire dans *le Mariage de Figaro :* la femme représente l'élément « naturel », et aussi la victime privilégiée d'une société d'hommes fondée sur le paraître, l'intérêt et les préjugés; le mal social, conçu comme violence faite à la nature, se confond dès lors avec l'oppression ou l'incompréhension masculine. Zilia, jeune Péruvienne transplantée en France, séparée de son fiancé Aza, ne sachant même où il se trouve, compose pourtant à son intention des messages sous forme de *quipos* (cordons noués à la mode Inca : prestige rousseauiste d'une société sans écriture!), retranscrits par la suite. « Journal intime » (L. Versini) où se dit une passion plus forte que les surprises ou les tentations d'un monde inconnu : « O mon cher Aza, que ta présence embellirait des plaisirs si purs! » Cependant, à mesure que Zilia parfait son apprentissage des signes et celui des mœurs européennes, elle dénonce le système social (de manière si argumentée qu'elle suscitera une réponse de Turgot) : « Leur goût effréné pour le superflu a corrompu leur raison, leur cœur et leur esprit [...] établi des richesses chimériques sur les ruines du nécessaire, substitué une politesse superficielle aux bonnes mœurs ». Écho de Rousseau sur le mode des *Lettres persanes*?

Pourtant ni le style de Mme de Grafigny, avec ses lourdeurs, ses redites et ses naïvetés (primitivisme oblige... ou permet), ni même son propos ne sont ceux de Montesquieu. L'important est de suggérer à la femme déracinée, délaissée (Aza, finalement retrouvé, n'aime plus sa Péruvienne), persécutée (en l'occurrence par les propositions du Français Déterville) une forme de bonheur par défaut, qui préserve son équilibre au sein d'une société hostile : « Le plaisir d'être, ce plaisir oublié, ignoré même de tant d'aveugles humains; cette pensée si douce, ce bonheur si pur, *je suis, je vis, j'existe* ».

Comme Zilia, Cénie apprenant subitement qu'elle n'est pas la fille de son père découvre la solitude : « Mon indépendance m'épouvante; je ne tiens plus à rien, et rien ne tient à moi » (*Cénie,* IV, I). Mais dans la pièce tout s'arrange grâce à d'opportunes retrouvailles; la modernité des *Lettres d'une Péruvienne* consiste à laisser la femme, d'abord sujette, inventer et construire elle-même son propre destin.

BIBLIOGRAPHIE
Les *Lettres d'une Péruvienne*, éd. G. Nicoletti, Bari, Adriatica editrice, 1967 (avec la critique de Turgot, un répertoire des éditions, traductions et « suites » de 1747 à 1835 : *Réponses d'Aza*, par Hugary de la Marche Courmont, 1749; *Suite des Lettres d'une Péruvienne*, par Mme Morel de Vindé, 1797, etc.). La correspondance de Cirey a été publiée sous le titre *la Vie privée de Voltaire et Mme du Châtelet*, Paris, Treuttel et Wurtz, 1820. Elle figure dans E. Showalter, « Voltaire et ses amis (...) », *Studies on Voltaire*, n° 139, Banbury, Voltaire Foundation, 1975. Une édition de la correspondance générale est en préparation.
A consulter. — G. Noël, *Une « primitive » oubliée de l'école des cœurs sensibles, Mme de Graffigny*, Paris, Plon, 1913; E. Showalter, « Sensibility at Cirey : Mme du Châtelet, Mme de Graffigny and the *Voltairomanie* », *Studies on Voltaire*, n° 135, Banbury, Voltaire Foundation, 1975; J.A. Dainard, « la Correspondance de Mme de Graffigny », *Dix-Huitième Siècle*, n° 10, 1978.

J.-P. DE BEAUMARCHAIS

GRAINDOR ou **GRAINDOR DE DOUAI** (fin du XIIe siècle). V. CROISADE (cycle de la).

GRAINVILLE Patrick (né en 1947). Romancier, né à Villers-sur-Mer (Calvados). Fils d'entrepreneur, Patrick Grainville fréquente l'école de Villerville, puis le lycée de Deauville, avant de venir à Paris poursuivre ses études supérieures au lycée Henri-IV et à la Sorbonne. Agrégé de lettres, il se consacre au professorat et à la littérature : depuis 1975, il enseigne le français au lycée de Sartrouville et travaille, en tant que membre de la Section littéraire, pour le C.N.R.S.

Patrick Grainville a publié chez Gallimard, en 1972, son premier roman, *la Toison*, inaugurant une trilogie mi-romanesque, mi-autobiographique, que viendront compléter *la Lisière* (1973) et *l'Abîme* (1974). Mais ce sont *les Flamboyants* (1976, prix Goncourt) qui font véritablement connaître leur auteur. Puis ont paru un recueil de nouvelles (*Images du désir*, 1978) et des romans (*la Diane rousse*, 1978, *le Dernier Viking*, 1980; *l'Ombre de la bête*, 1981; *les Forteresses noires*, 1982).

Si l'écriture de Grainville semble parfois emprunter à Céline son débit haché, à Proust l'obsession du rythme ternaire, à Saint-John Perse le lyrisme de la rhétorique, à Char la description abrupte des éléments, elle trouve cependant son originalité dans une démesure qui la hante. La narration complique à l'excès la vision d'un monde simple, parfois sordide, qu'elle pare de qualités exceptionnelles; les personnages recréent à perte de désir tout ce qu'ils voient, touchent, collectionnent; les objets fétiches — arbres, pierres, instruments, poils et chevelures, « toisons » —, les animaux — le chien et les poules de *la Diane rousse*, le cheval du *Dernier Viking* —, le corps des femmes ne font plus vraiment, dans le monde de Grainville, partie du réel : ils deviennent « autres ». Le désir sans cesse les rend lourds de sens cachés.

Car, dans ces livres, tout « signifie », de façon excessive et mystérieuse; « J'habite un terrain surchargé de signes », déclare l'aveugle de *la Diane rousse*. A chaque page, les mythes les plus divers — grecs, orientaux ou nordiques — prolifèrent. Par cette surabondance de mythes, les héros de Grainville tentent de fuir une réalité trop « normale »; Martel — le « dernier Viking » —, le narrateur de *la Diane rousse* nient, par leurs fantasmes mystiques ou érotiques, la sordide réalité sociale et familiale qui les entoure : « Je ferai éclater ma nuit à coups de métaphores et de mythes », affirme le second. Le présent lui-même doit être subverti : « J'inaugure une sorte d'autobiographie mythique où le passé mi-souvenu mi-rêvé est contemporain d'un futur prévu, conjuré où le présent n'est rien » (*la Lisière*).

Ainsi, à l'image de Tokor, le roi fou des *Flamboyants*, tous les héros de Grainville se livrent à une « quête ». Mais cette « quête » n'est pas aussi métaphysique qu'il y paraît : ce n'est pas la recherche d'une Vérité, d'une valeur stable et intangible qui importe, mais le mouvement même du désir. Mouvement très « baroque », qui va emporter le personnage d'un monde fade et insipide vers un espace coloré, bigarré et superlatif. Tout y est alors appréhendé par les sens dans une dimension nouvelle, et le quotidien devient cosmique et intemporel.

Si les héros de Grainville recherchent le sens obscur de l'existence, ils s'en tiennent finalement au moment où tout va « peut-être » pouvoir être vécu différemment. Ce « peut-être », qu'ils ne feignent jamais d'ignorer, est généralement le signe de l'Échec, car l'univers mythique est toujours menacé par l'Apocalypse; la quête en acquiert une grandeur supplémentaire, et l'instinct, le désir, le délire qui la sous-tendent demeurent les seules valeurs reconnues de la Vie. Les œuvres de Grainville ne prônent guère qu'une vérité surréaliste : l'écriture et le monde doivent être habités de « la beauté fulgurante, égoïste de l'instinct » (*la Diane rousse*). Souligner les métaphores trop « filées » de ces romans, la surcharge d'adjectifs, l'accumulation et la redondance des obsessions érotiques, l'impression de « déjà lu » qui peut s'emparer du lecteur d'un livre à l'autre ne serait finalement pas de mise : c'est dans l'excès même que l'écriture de Grainville exprime sa vitalité.

BIBLIOGRAPHIE
Seuls quelques articles ont été à ce jour consacrés à Patrick Grainville, notamment celui du *Dictionnaire de littérature française contemporaine*, de Cl. Bonnefoy, T. Cartano et D. Oster, Paris, Delarge, 1977.

J.-P. DAMOUR

GRANDBOIS Alain (1900-1975). Poète québécois, Alain Grandbois fut l'initiateur et le maître de plusieurs jeunes poètes québécois des années 50.

D'une famille de grands propriétaires forestiers, il vécut une enfance heureuse à Saint-Casimir-de-Portneuf, petit village « loin du grand fleuve » où il est né. Une sorte d'atavisme le porte dès son adolescence à la vie d'aventures. Un héritage va lui permettre de se lancer, à vingt-cinq ans, à la recherche d'impressions neuves et de s'identifier à ces voyageurs, héros de ses jeunes années, dont il racontera plus tard les exploits, Louis Jolliet (*Né à Québec*, 1933) et Marco Polo (*les Voyages de Marco Polo*, 1941).

De 1925 à 1940, il fait le tour du monde « en dilettante et en passionné ». Tout en adoptant comme ports d'attache Paris et l'île de Port-Cros, il se rend en Europe, en Afrique, en Asie. De passage à Han-k'eou en 1934, il y fait paraître un premier recueil de poèmes. La légende (ou peut-être, tout simplement, la vérité) veut que la quasi-totalité des exemplaires de cette édition ait été engloutie dans le naufrage d'une jonque. Partout où il se trouve, il fréquente les milieux littéraires et artistiques. Aussi à l'aise, par ailleurs, dans les palaces que dans les bars à matelots, il assume toute expérience offerte. Ce séjour d'une quinzaine d'années à l'étranger lui inspire des nouvelles, *Avant le chaos* (1945; réédition augmentée, 1964), qui mêlent une part d'autobiographie à l'expression de ce besoin d'errance et d'ordre qui compte parmi les composantes de l'esprit du temps.

A peine la Seconde Guerre mondiale vient-elle d'éclater qu'il rentre au pays. Les années qui suivent sont difficiles : comme la crise économique des années 30 avait ruiné sa famille, il tente de vivre de sa plume. Il se fait tour à tour conférencier, critique, traducteur, auteur de séries d'émissions radiophoniques. Avec *les Îles de la nuit* (1944), il s'impose à l'attention. Progressant par analogies et ellipses, utilisant le ton de la litanie, Alain Grandbois dit, avec une rigueur qui n'exclut pas la tendresse, le drame de l'homme égaré en ce monde, incapable d'assouvir son désir d'éternité, ensorcelé par les pouvoirs du songe. Les recueils qui paraissent ensuite témoignent d'une évolution décisive qui entraîne le poète, par-delà les *Rivages de l'homme* (1948), jusqu'à l'univers qu'illumine *l'Étoile pourpre* (1957), annonciatrice de la délivrance du jour. Désormais soumis aux pouvoirs du cœur, l'homme se réconcilie avec soi comme avec le monde.

Cette œuvre poétique, née, pour l'essentiel, de la quête d'une transcendance et d'une recherche des valeurs fondamentales de la vie, les éditions de l'Hexagone l'ont rassemblée, en 1963, en un recueil qui demeure l'un des grands événements de la littérature québécoise. Une équipe de chercheurs de l'université de Montréal prépare l'édition critique des textes littéraires de Grandbois. On tiendra compte des nombreux documents qui furent déposés aux Archives nationales du Québec après la mort du poète. Quelques inédits ont déjà commencé de paraître, dont un bref récit d'une étrange transparence, *le Matin*.

L'œuvre de Grandbois est de celles qui ne livrent pas d'emblée leurs secrets. Ici prévaut l'image de l'iceberg : qu'il s'agisse de la vie vécue ou de la vie rêvée du poète, on doit admettre que seule une infime partie se laisse appréhender. Il en sera ainsi tant que les méthodes de l'investigation textuelle n'auront pas permis de mieux comprendre le travail du « supraconscient ». La prédilection bien connue de Grandbois pour les jeux du temps, de l'amour et de la mort s'inscrit, en fait, dans une démarche d'ordre ésotérique qui vise à fixer la réverbération mutuelle du cosmos et du corps humain. S'y conjuguent érotisme et mysticisme, selon les lois d'un parcours initiatique dont les circonstances spécifiques précises restent à définir.

Pour y parvenir, il faut à tout prix rejeter l'idée reçue selon laquelle Grandbois, citoyen du monde, a eu l'intelligence de vivre hors du Québec fermé des années 30, et se rappeler que le poète lui-même estimait qu'il aurait sans doute écrit la même œuvre s'il était resté au village natal. Il faut tempérer l'effet de diversion que suscitent à la lecture le ton paroxystique, l'emploi de l'anaphore, de l'hyperbole, ou de procédés d'écriture tels que les tableaux tendus sur fond d'abîme, l'harmonie imitative, le passage des mots dans les mots, le rythme. Toute matière abolie, les « franges fragiles du souvenir » deviennent les « anges agiles de l'avenir ». Le temps se spatialise, et le voyage se fait intérieur.

BIBLIOGRAPHIE

« Alain Grandbois », *Liberté*, 9-10, 1960 (pp. 145-228); Jacques Blais, *Présence d'Alain Grandbois*, Québec, P.U.L., « Vie des lettres québécoises », 8, 1974; Jacques Grault, *Alain Grandbois*, Montréal, l'Hexagone et Paris, Seghers, « Poètes d'Aujourd'hui », 1968.

J. BLAIS

GRANDES CHRONIQUES DE FRANCE (XIIIe-XVe siècle). Leur composition, qui commence dans le dernier quart du XIIIe siècle et s'achève au XVe siècle, peut se répartir en trois époques. Dans un premier temps, la tâche est confiée aux moines de Saint-Denis, qui se bornent à traduire un recueil de textes historiographiques latins, entrepris vers 1250, qui reprenait les principales chroniques des règnes mérovingiens (*Vita Dagoberti*), carolingiens (*Vita Ludovici* de l'Astronome, par exemple) et capétiens (*Vita Ludovici Grossi* de Suger, par exemple). On allait ainsi des origines troyennes (supposées!) de la royauté jusqu'à la fin du règne de Philippe Auguste. La traduction de cet ensemble est due à Primat, moine de Saint-Denis. Jusqu'en 1350, les *Grandes Chroniques* suivent des originaux latins (Rigord, Guillaume le Breton, Guillaume de Nangis). A partir du XIVe siècle et jusqu'en 1422, les chroniqueurs, qui ne sont plus des moines, rédigent directement en français, en s'inspirant largement de Jean Jouvenel des Ursins et du héraut Berry (la relation du règne de Charles V, due sans doute à Pierre d'Orgemont, est une œuvre originale). Enfin, pour la dernière période (1422-1450), Jean Chartier rédige d'abord un texte latin, qu'il traduit ensuite : retour éphémère des *Chroniques* à l'abbaye de Saint-Denis.

Les *Grandes Chroniques de France* ne sont, comme la plupart des compilations, ni un chef-d'œuvre littéraire, ni un chef-d'œuvre historique. Elles constituent, en revanche, un témoignage remarquable pour l'histoire des mentalités. Par exemple, dans toute la partie initiale, les chroniqueurs s'appliquent à glorifier une royauté qui est le plus ferme soutien de l'Église. Le règne de Philippe Auguste, particulièrement délicat à traiter dans cette perspective, donne lieu à une présentation très sophistiquée, qui permet de sauver cet idéal. Enfin, par leur composition, elles rappellent ce fait littéraire essentiel au Moyen Age qu'est le bilinguisme.

BIBLIOGRAPHIE

Édition. — J. Viard, Société de l'Histoire de France, 10 vol. (jusqu'à Philippe VI); R. Delachenal, *ibid.*, 4 vol. (règnes de Jean II et Charles V), 1910-1920.

D. BOUTET

GRANDES ET INESTIMABLES CRONICQUES (1532), **CHRONIQUES GARGANTUINES** (v. 1530). Tous ceux qui se sont intéressés aux textes de Rabelais ont eu l'attention rapidement attirée par de petits livrets contemporains du *Pantagruel* (1532) et du *Gargantua* (1534), qui partagent avec l'œuvre de Rabelais, non seulement le nom de quelques héros, comme Gargantua, Grandgousier, Gargamelle — Gallemelle — et Pantagruel, mais encore un nombre assez important de motifs que l'on peut qualifier, selon la nature des recherches, de « folkloriques » ou de « populaires » : rapport de ces héros avec les pierres, ossements de la terre; gigantisme prodigieux; « avalages » d'hommes ou de groupes entiers par l'ogre débonnaire; visites forcées à l'intérieur de la bouche — ou du ventre — du géant; guerres contre Gos et Magos, etc. Certaines scènes sont encore plus précises : les *Grandes et Inestimables Cronicques du grant et énorme géant Gargantua* font, comme le *Gargantua*, abattre toutes les forêts de Beauce d'un seul coup de queue de la jument du héros, et les cloches de Notre-Dame de Paris sont, dans les deux textes, accrochées au cou de ladite jument.

Mais, de toutes ces chroniques, seules les *Grandes et Inestimables Cronicques* de 1532 sont datées et localisées avec précision : elles parurent à Lyon, chez Jacques Moderne, deux ou trois mois avant le *Pantagruel*. Cela suffit pour en faire un des éléments qui ont poussé Rabelais à exploiter une veine dont le succès était assuré. Inversement, puisque l'on ne connaît pas la date exacte du *Vray Gargantua notablement omélyé*, ni celle des *Cronicques admirables*, ni celle de *la Merveilleuse Vie...*, ni celle des *Cronicques du roy Gargantua*, ni celle de quelques autres livrets qui figurent dans les bibliothèques de Montpellier, Aix, ou Oxford, on peut penser que Rabelais, par son génie littéraire même, infiniment supérieur à ces textes, et par son succès, a servi de révélateur à tout un ensemble de thèmes et de motifs qui n'avaient pas encore connu l'atelier des imprimeurs, et dans lesquels ces imprimeurs ont puisé avec une science toute moderne du commerce et de la lecture : ainsi firent les Lotrian, Janot, Girault père et fils à Paris, Moderne et Nourry à Lyon, donnant une assise solide au développement des histoires de Gargantua dans la Bibliothèque bleue.

BIBLIOGRAPHIE

Plusieurs de ces chroniques ont des éditions modernes : *les Grandes et Inestimables Cronicques du grant et énorme géant*

Gargantua ont été reproduites en fac-similé par Pierre Champion, Paris, 1925, accompagnées d'une mise au point : « Deux Publications lyonnaises de 1532 ». Cf. aussi Silvestre, 1845, et Chenu, 1853; *le Vray Gargantua notablement omélyé,* éd. M. Françon, Rochecorbon; *Cronicques admirables,* éd. Gay, Rochecorbon, 1956.

Une partie des études concerne la datation et la thématique des livrets : V.L. Saulnier, « Rabelais et le populaire », *Lettres d'Humanités,* 8, 1949, et *B.H.R.,* XI, 1949; Paul Lacroix, *la Chronique de Gargantua,* Paris, 1868 et *la Seconde Chronique de Gargantua,* Paris, 1872; Roland Antonioli, « le Motif de l'avalage dans les Chroniques gargantuines », *Études seiziémistes offertes à V.L. Saulnier,* Droz, 1980.

D'autres concernent le folklore et ses rapports avec l'étymologie des noms propres : Gaidoz, « Essais de mythologie celtique », *Revue d'archéologie,* sept. 1868; Paul Sébillot, *Gargantua dans les traditions populaires,* Paris, Maisonneuve et Larose, 1967; pour un relevé des motifs : Stith Thompson, *Motif-Index of Folk Literature,* Copenhague, 1955-1958.

M.-M. FONTAINE

GRAND JEU (le) (1928-1932). Nom du groupe et de la revue littéraires fondés par René Daumal, Roger Gilbert-Lecomte, Roger Vailland et le peintre Joseph Sima. Longtemps considéré, à tort, comme un sous-groupe du surréalisme — avec lequel, il est vrai, il présente des points communs —, « le Grand Jeu », au contraire, a toujours insisté sur son autonomie. Héritier et prolongement du groupe des « simplistes » créé en 1922 (et donc antérieur au surréalisme) par les mêmes qui plus tard « mèneront le Grand Jeu » (Daumal, Gilbert-Lecomte...), il se définit comme la « première révélation de la métaphysique expérimentale » : tentative d'accéder, dans une démarche proche de celle des surréalistes, au monde surréel, là où la vie et la mort, le réel et l'imaginaire se rejoignent, mais de façon bien plus radicale encore. Au-delà des seules pratiques littéraires, jusqu'à l'expérimentation la plus avancée possible, à grand renfort de drogues, de tous les procédés de dépersonnalisation, voyance, médiumnité. Mouvement extrémiste, tout autant qu'éphémère (trop pur pour durer, il échouera au bout de quatre ans, en 1932, à la suite de la désertion progressive de chacun de ses membres), « le Grand Jeu » ne fera plus paraître que trois numéros de sa revue; on y retrouvera des signatures célèbres telles que celles de Georges Ribemont-Dessaignes, Maurice Henry, Roger Vitrac... Le numéro 1 (été 1928) est axé sur une série d'essais intitulée « Nécessité de la révolte »; le numéro 2 (printemps 1929) est placé, lui, sous le signe de Rimbaud (avec deux inédits du poète et divers textes sur lui); le numéro 3 (automne 1930) est centré autour de « l'Univers des mythes ». Un numéro 4, sur la « Métaphysique expérimentale », pourtant rédigé, ne paraîtra jamais. Déjà, c'est la fin du « Grand Jeu ». Chacun, de son côté, s'en va sur sa voie propre. Daumal vers la poésie, Vailland vers le roman, Roger Gilbert-Lecomte vers ses écrits morcelés et la mort par la drogue.

BIBLIOGRAPHIE

Les trois numéros de la revue *le Grand Jeu* et une reconstitution partielle du n° 4 ont été réédités aux éd. Jean-Michel Place, Paris, 1977.

A consulter. — « Le Grand Jeu », *Cahiers de l'Herne,* n° 10, Paris, éd. de l'Herne, 1968 (contient, outre les textes de la revue, divers essais et des témoignages); Michel Random, *le Grand Jeu,* Paris, Denoël, 1970, 2 vol. dont le premier contient un essai et le second un nombre important de textes et de documents; Alain et Odette Virmaux, *Roger Gilbert-Lecomte et le Grand Jeu,* Paris, Belfond, 1981.

N. VASSEUR

GRANSON Oton de. V. OTON DE GRANSON.

GRATIANT Gilbert (né en 1895). Comme Léon Laleau, Gilbert Gratiant se trouve à la charnière entre deux conceptions de la littérature antillaise, littérature d'imitation ou littérature « noire ». L'une et l'autre sont capables de produire certainement des œuvres médiocres et peut-être des œuvres géniales. Gratiant ne méritait pas d'être appelé « poète de caricature » par Étienne Léro dans « Légitime défense ». Mais il serait excessif de voir en lui le modèle d'une littérature à son apogée. Gratiant se sent mal à l'aise — et c'est alors le meilleur de lui-même qui réagit — devant la littérature à laquelle il a cru devoir s'astreindre dans un premier temps. Ses *Poèmes en vers faux* sont souvent irritants, d'abord par la longue introduction sur ce qu'est la poésie. Sujet ambitieux, qui demande à être traité sans aucune suffisance. Il apparaît que chez Gratiant, comme chez tant d'auteurs issus de groupes vassalisés, la littérature est conçue moins en fonction d'elle-même que comme un mode supérieur d'être conféré à la personne de l'auteur.

En témoigne le sentiment de facticité que l'on éprouve à la lecture du *Credo des sang-mêlé* (1948), sous-titré « Je veux chanter la France ». Le discours sur la France, comme celui sur la poésie, apparaît décalé par rapport à son sujet. Lorsque Gratiant dit : « Mais voici mon climat/La présence française », il ne faut peut-être pas crier à la mystification — car la « présence française », aux Antilles, cela correspond à une réalité mesurable en sueur, en sang et en larmes, mais aussi en espèces sonnantes et trébuchantes. Mieux vaut chercher quel besoin de sublime tourmente l'auteur. Poète ambigu, Gratiant n'a pas cessé, tout au long de sa carrière, d'écrire en créole, abandonnant quasiment le français après 1960, ce qui correspond mieux que toute déclaration d'intention à un véritable credo culturel. Outre les *Poèmes en vers faux* (1931), il a publié en français *Métal non ferreux* (sous le pseudonyme de Jean Nous-Terre, 1943), *Une fille majeure, Martinique à vol d'abeille, Par Soulanges* (1961) et, en créole, *Fab'compé Zicaque* (1948), poèmes traduits en français. Ses articles « D'une poésie martiniquaise dite nationale » (dans *Présence africaine,* n° 5, 1955-1956) et « la Place du créole dans l'expression antillaise » (dans *Présence africaine,* n°s 14-15) ont fait date.

O. BIYIDI

GRATIFICATIONS. Les gratifications — c'est-à-dire, ici, les dons et subsides accordés à des écrivains par de puissants personnages — relèvent des pratiques fort anciennes du mécénat. Elles sont directement liées aux questions du statut social de l'écrivain, de la propriété littéraire et des droits d'auteur. Mais, dans l'histoire des formes du mécénat, il faut faire une place à part à l'instauration au XVIIe siècle d'un mécénat d'État et d'une politique systématique de gratification des auteurs.

Les gratifications, tradition du mécénat

La propriété littéraire est chose récente : sa première formulation date du XVIIe siècle, et les écrivains ne parviennent à l'imposer — et donc à obtenir de réels droits d'auteur — qu'à la fin du XVIIIe siècle. Jusque-là, ils ne peuvent subsister qu'en mettant leur plume au service d'un grand. Après l'apparition, au XVIe siècle, de l'imprimerie et du commerce de librairie, le prix obtenu pour la cession d'un texte à un éditeur est minime, et, jusqu'à la fin du XVIIIe siècle, les auteurs qui s'enrichissent par la vente de leurs textes constituent des exceptions remarquables.

Des siècles durant, l'écrivain est donc dans la dépendance des mécènes, dont il doit souvent se faire le chantre. Il peut en espérer diverses largesses. Son protecteur peut lui faire obtenir un bénéfice ecclésiastique, ou une pension au titre d'une quelconque sinécure. Souvent, il fait partie de la « maison » d'un grand, comme secrétaire ou précepteur. Mais la rétribution la plus fréquente est l'allocation d'une gratification, soit en récompense de la dédicace d'une œuvre, soit en signe de munificence. De telles pratiques font partie de l'image sociale d'eux-mêmes que doivent donner et entretenir les grands. Certains auteurs refusent d'entrer dans ce jeu (La Serre, par ex.), mais la plupart d'entre eux acceptent la dépendance qu'il implique.

Cette tradition de la gratification a laissé des traces de nos jours : les prix littéraires (outre leur aspect commercial) en sont le plus récent avatar.

Les gratifications au temps de Louis XIV

Au XVIIe siècle, le renforcement de la monarchie suscite le développement du mécénat d'État. Richelieu en fut le promoteur. Il était animé par son goût pour les lettres, mais aussi par un souci de propagande et de contrôle du mouvement des idées (la fondation de l'Académie et du groupe des Cinq Auteurs, la protection accordée à Théophraste Renaudot relèvent de la même préoccupation). Son conseiller et intermédiaire le plus actif en ce domaine était Boisrobert. La dépense en gratifications et pensions s'élève sous son ministère à une quarantaine de milliers de livres par an.

Au temps de Mazarin, la plupart de ces subsides furent supprimés. Le surintendant Fouquet fut un temps le nouveau mécène. Mais le pouvoir central ne pouvait admettre des mécénats privés plus puissants que le sien, et, sous l'impulsion de Colbert, l'attribution de gratifications d'État fut érigée en système.

En 1655, Mazarin avait fait dresser par Costar un inventaire des écrivains « gratifiables », mais aucune suite n'y fut donnée. En 1662, Colbert fit préparer par Chapelain un nouveau projet, et, en 1663, une liste de bénéficiaires fut établie, et des gratifications annuelles furent ensuite versées. Dès ses origines, l'entreprise a suscité des polémiques et fut diversement interprétée : générosité et amour de l'art, ou favoritisme et volonté d'inféodation des écrivains?

On peut constater en premier lieu, dans la correspondance entre Colbert et Chapelain, que le but principal était de recenser les thuriféraires possibles du roi. En second lieu, il s'agissait bien de gratifications : elles n'étaient pas acquises une fois pour toutes, et l'on attendait des écrivains qu'ils agissent de façon à en mériter la reconduction — en fait, les écrits de louange furent assez minces. D'autre part, seul un petit nombre d'écrivains — une quarantaine — en bénéficièrent. A côté d'auteurs de premier plan (Corneille, Molière, Racine...), d'autres figurent parce qu'ils sont bien en cour (Boyer, Cotin...) ou parce qu'ils sont considérés comme politiquement utiles : tels les historiens Mézeray et Godefroy, qui sont parmi les mieux lotis (4 000 et 3 660 livres). Les « indociles » ou réputés tels sont exclus (par ex. La Fontaine et, au début, Boileau). A côté des écrivains, figuraient aussi des savants et des traducteurs-interprètes, le total des noms s'élevant à environ soixante chaque année. Les sommes allouées (4 000 livres au plus — mais, en général, entre 600 et 1 600), quoique appréciables, ne suffisaient pas à faire vivre leurs bénéficiaires.

Le système des gratifications représenta une dépense d'environ 100 000 livres par an, de 1664 à 1672. Ensuite, les guerres épuisant le Trésor royal, il déclina, et il disparut en 1690. [Voir INSTITUTION LITTÉRAIRE].

BIBLIOGRAPHIE

Peu de travaux méthodiques. Un éclairage utile : G. Couton, « Effort publicitaire et Organisation de la recherche. Les gratifications aux gens de lettres sous Louis XIV », dans *Actes du Ve colloque du C.M.R. 17* (Marseille, 1976), revue *Marseille*, n° spécial, 1977.

A. VIALA

GRÉBAN Arnoul (v. 1420-av.1471). Maître ès arts, bachelier en théologie, organiste et directeur de la maîtrise de Notre-Dame, chanoine de Saint-Julien du Mans, il est, avec son frère Simon, l'auteur du *Mystère des Actes des Apôtres* et, surtout, du plus célèbre des *Mystères de la Passion*. Composée vers 1450, cette œuvre monumentale de 34 425 vers comporte quatre « journées ». Un « incident littéral » de 1 500 vers lui sert d'introduction et situe la Passion dans l'éternité (depuis la Création jusqu'à Caïn.) La première journée situe les intentions théologiques : au Paradis, un procès entre Miséricorde et Justice, arbitré par Vérité et Paix, a pour objet le sort de l'homme, l'espoir de la Rédemption. Le Rédempteur une fois désigné, l'action commence par la Nativité précédée de l'Annonciation et de la Visitation, ponctuée par une scène d'allégresse au Paradis et une scène symétrique évoquant l'inquiétude des démons en Enfer. La Nativité se déroule dans une ambiance de pastorale (« En gardant leur brebiettes, Pasteurs ont bon temps »), tandis que le Massacre des Innocents étale la cruauté et le cynisme d'Hérode. Cette première journée s'acheva sur la visite au Temple. La deuxième journée raconte toute la vie publique du Christ jusqu'à son arrestation : Judas en est un personnage essentiel (dialogue avec Desesperance). Le Calvaire occupe la troisième journée, la quatrième va de l'intervention de Joseph d'Arimathie à Emmaüs. Cette Passion, où se rencontrent presque tous les registres d'écriture, de celui qui utilise les prestiges savants de la rhétorique à la description de scènes de tripot, a servi de modèle à de nombreux continuateurs. Certains, comme Jean Michel, lui ont même emprunté sans scrupule des milliers de vers.

BIBLIOGRAPHIE

Ed. O. Jodogne, Bruxelles, Presses des Académies, 1965.

A. STRUBEL

GRÉCO-LATINE (littérature). Influence sur la littérature française. Athènes et Rome dominent et orientent, au moins jusqu'au XIXe siècle, le cours de toutes les lettres occidentales; comme l'écrit Ernst-Robert Curtius, « le héros fondateur de la littérature européenne, c'est Homère ». Ni le christianisme, ni l'esprit scientifique — les deux novations culturelles les plus importantes qui se soient superposées à l'héritage gréco-latin — n'ont effacé la mémoire d'une Antiquité qui reste un exemple, un repère, et focalise une nostalgie passionnée. Au crépuscule de sa vie, devant la montée d'un enseignement « moderne », le peintre romantique Eugène Delacroix note dans son *Journal :* « Je connais les Anciens, c'est-à-dire que j'ai appris à les mettre au-dessus de tout : c'est le meilleur résultat d'une bonne éducation. Je m'en applaudis d'autant plus que les Modernes, enchantés d'eux-mêmes, négligent ces augustes exemples de toute intelligence et de toute vertu. Il est à la honte de notre temps que la ville et le gouvernement maintiennent et encouragent des collèges où l'on pose en principe que l'on peut se passer de l'étude des langues anciennes ». Les deux dernières décennies ont accompli un sevrage qui se préparait depuis plusieurs siècles; mais, pour n'être plus sentie comme une figure maternelle, encore toute proche au Moyen Âge, ou comme l'image paternelle d'une haute perfection à l'époque classique, l'Antiquité demeure, pour nos contemporains, une référence constante et l'objet d'un regard ironique ou émerveillé.

Le Moyen Âge latin ou la familiarité maternelle

Aucune fracture ne sépare la romanité tardive de l'époque que les humanistes italiens nommèrent, non sans quelque mépris, le Moyen Âge. Les historiens s'interrogent sur la limite du monde antique : Constantin élève en 381 le christianisme au rang de religion d'État, inaugurant le déclin de la culture hellénistique traditionnelle; les invasions arabes, au VIIe siècle, parachèvent la ruine de l'Occident. Séparées, privées d'institutions qui assureraient l'unité et la transmission d'un savoir, livrées à l'afflux d'émigrants allogènes, les anciennes provinces romaines élaborent dialectes et langues nouvelles, dont les premiers témoignages écrits apparaissent au début du second millénaire. Mais cette émergence des langues romanes — filles de Rome — s'accomplit dans un paysage encore constellé des vestiges de l'ancienne civilisation : théâtres, amphithéâtres, temples, basiliques, portiques, tombeaux ou riches « villas » (manoirs au centre d'une exploitation agricole), désormais livrés à la ruine, ou travestis par des usages nouveaux, et prêtant néanmoins à des songes sur les grandeurs passées, à la conviction d'une permanence. Ainsi, au cœur du morcellement et de la décadence vit le rêve d'un Empire restauré : le couronnement de Charlemagne fait du prince germanique et de ses successeurs de nouveaux césars. Parallèlement, le pouvoir religieux — la théocratie pontificale — revendique l'héritage de Rome et, à partir de la ville éternelle, tisse un réseau serré d'évêchés et de monastères qui maintient l'unité de la *Romania* (ensemble des pays jadis romains), convertit et intègre des barbares païens comme les Germains ou les Celtes de (Grande-)Bretagne.

La langue latine règne dans l'Église; dans les actes d'administration civile, elle n'est remplacée que lentement par les dialectes « vulgaires ». Elle sert d'instrument de communication à toute l'Europe, assurant une interpénétration des cultures locales; elle véhicule une immense littérature : traités théologiques, sommes encyclopédiques (comme l'*Imago mundi* et l'*Elucidarium* d'Honorius d'Autun, au XIIe siècle), épîtres, satires imitées d'Horace, pièces lyriques, épopées (comme l'*Alexandréide* de Gautier de Châtillon, poème héroïque du XIIe siècle sur les exploits d'Alexandre, étudié ensuite à l'égal d'une œuvre classique), histoires universelles ou particulières. Cette emprise de la latinité — qui culmine au milieu du XIIIe siècle avec Albert le Grand et Thomas d'Aquin — ne transmet pas une image neutre et objective des littératures antiques; le grec est ignoré, et les efforts des Carolingiens pour en restaurer l'enseignement échouent : le fameux adage *Graecum est, non legitur* (« c'est du grec, on ne saurait le lire ») doit cependant se corriger par la prise en compte de l'hellénisme dont est imprégnée la romanité (Pindare est saisi à travers Horace), voire par les transmissions arabes (Aristote est connu par Averroès). Si les moines assurent sans interruption la reproduction des manuscrits latins, le tableau des littératures anciennes que se font les hommes du Moyen Âge ne laisse pas de surprendre par une échelle de valeurs différente de la nôtre : les six poètes majeurs que Dante rencontre au début de son voyage infernal sont Homère, Virgile, l'*altissimo poeta,* Horace le satirique, Ovide, l'auteur des *Métamorphoses* « moralisées » (dotées de sens symboliques, religieux et éthiques) par les commentateurs médiévaux, puis Lucain et Stace, le disciple de Virgile qui raconta dans *la Thébaïde* la guerre fratricide entre les fils d'Œdipe. Plutôt que Plaute, Lucrèce, Catulle, Salluste ou Tacite, on médite les auteurs de l'Antiquité tardive, leur rhétorique sombre et violente ou leurs compilations plus ou moins allégoriques : saint Augustin, Boèce et ses *Consolations,* Martianus Capella et ses *Noces de Mercure et de la Philologie,* Prudence et sa *Psychomachie* (épopée symbolique de l'âme chrétienne)... Ainsi se compose le mirage d'une Antiquité familière, ambiante, enveloppante, mais fantastique et fantasmatique.

Cette masse de textes composites est considérée comme un trésor que l'on peut piller au gré des besoins : elle recèle des thèmes argumentés et développés, prêts à devenir des lieux communs; des mythes qu'on déforme pour les christianiser; des histoires ou des légendes, parées d'un merveilleux magique; des personnages réels ou imaginaires; des modèles stylistiques : descriptions, figures, formules... Ainsi le paysage idéalisé (*locus amoenus*), les grands héros épiques, le système de la rhétorique classique traversent-ils tout le Moyen Age, avec des variations qui atteignent à l'aberration. On prend Alcibiade pour une femme, Virgile pour un savant mage. Les œuvres à sujets antiques empruntent leur matière à des récits tardifs : le *Roman de Troie* (vers 1165) de Benoît de Sainte-Maure s'inspire de la *Guerre de Troie* de Dictys de Crète (IVe siècle) et de l'*Histoire de la chute de Troie* de Darès le Phrygien (VIe siècle). Le *Roman de Thèbes* (1150) imite Stace, l'*Énéas* (1160) Virgile, et le *Roman d'Alexandre* (fin du XIIe siècle) s'emplit d'un Orient insolite ou extraordinaire, emprunté au pseudo-Callisthène ou à Julius Valerius... On a cent fois raillé ce salmigondis sans perspective historique, ce bric-à-brac sans perception de la différence; mieux vaut apprécier le bénéfice indirect, mais essentiel, de cette vision floue et sans distance : une créativité originale dont témoignent la chanson de geste, les romans, les fabliaux, les mystères, les formes lyriques. Nul respect paralysant, nulle connaissance exacte pour entraver ou décourager l'émergence de structures littéraires ou de styles nouveaux. La déconstruction des thèmes et des formes de l'Antiquité par l'« ignorance » médiévale ouvre des possibilités illimitées de réassemblage, sans tarir la fécondité de chefs-d'œuvre toujours lus et médités.

La Renaissance, ou la redécouverte du père

A la fin du Moyen Âge se multiplient les traductions d'œuvres latines, et même grecques (Nicolas Oresme, au XIVe siècle, traduit, d'après le texte original, plusieurs traités d'Aristote) : c'est le signe d'une curiosité nouvelle qui explose au XVIe siècle. Les érudits, comme Guillaume Budé ou Henri Estienne, les poètes qui se groupent en « Pléiade » veulent connaître le monde antique et s'en nourrir; dans le *Gargantua* (1534) de Rabelais, à l'éducation routinière et formulaire du « sorbonicquard » maître Tubal Holoferne s'oppose l'enseignement moderne de Ponocratès, fondé sur la lecture des Anciens et l'observation directe de la nature. Montaigne rédige ses *Essais* en lisant Sénèque et Plutarque : ses notes marginales se développent, s'amplifient, dialoguent — et engendrent un livre. Mais cette « innutrition » permet de mesurer l'écart qui s'était creusé entre les lettres « vulgaires » et leurs hautes ascendances; Du Bellay condamne, dans sa *Défense et Illustration de la langue française* (1549), ballades, virelais, chants royaux et « autres telles épiceries », pour préconiser l'imitation originale des littératures anciennes : ainsi se rompt la millénaire tradition qui, en une lente dérive, avait mené la culture européenne du Bas-Empire jusqu'à l'époque de Villon et de Charles d'Orléans. On ne redécouvre l'Antiquité qu'en prenant conscience d'un irrémédiable éloignement, d'une coupure radicale qui nécessite un retour aux sources : le rayonnement de Rome et d'Athènes sert à fonder une modernité nostalgique (qu'expriment, dès 1558, *les Antiquités de Rome* de Du Bellay), et à rappeler les exigences du droit au milieu des dégénérescences du fait. Par ce rayonnement, on cherche à édifier un modèle de perfection, un « sur-moi » terrifiant et rassurant qui impose aux lettrés des règles et des lois : cent fois édités et commentés, la *Poétique* d'Aristote, l'*Art poétique* d'Horace servent de référence pour toute « épopée » ou « tragédie » digne de ces dénominations helléniques; et l'on voit Corneille jongler avec les arguments et se contorsionner pour montrer qu'il satisfait à la finalité aristotélicienne du drame (produire la terreur et la pitié dans l'esprit du spectateur).

La Renaissance, en greffant sur la mentalité chrétienne l'admiration passionnée des civilisations païennes, inaugure le paradoxe d'une double culture : la foi religieuse s'accompagne désormais d'un humanisme qui est, originellement, l'étude des grands auteurs anciens. Tout poème emprunte à la mythologie fables et allégories pour embellir et animer la nature, tandis que le « merveilleux chrétien » est proscrit par la plupart des théoriciens (en particulier Boileau), pour des raisons théoriques (on ne doit pas profaner la vérité) et esthétiques (ce merveilleux n'est pas assez riche). Cette scission — aux antipodes de la synthèse brouillonne que réalisait l'esprit médiéval — est organisée, et récupérée pour deux siècles, par les structures d'enseignement que mettent en place les jésuites et les oratoriens. Les jeunes gens cultivés devront disserter et versifier en beau latin et orner leurs discours français de figures et d'allusions démarquées de Démosthène ou de Cicéron.

La Rome républicaine et impériale fascine comme le foyer naturel de toute noblesse et de toute grandeur; elle inspire à Corneille, à Montesquieu ou à Rousseau des accents sévères, un style tendu et lapidaire. La Grèce est redécouverte : Ronsard s'inspire de sa lyrique et donne des odes pindariques (laborieuses imitations) ou anacréontiques (charmantes mais un peu mièvres); ses *Hymnes* (1555-1556) se nourrissent d'Homère, de Théocrite et de Callimaque. Le XVIe siècle, contre l'impérialisme du latin, inventorie les ressemblances qui rapprochent les Gaulois des Hellènes belliqueux et éloquents. Henri Estienne (1531-1598), chercheur érudit, éditeur et imprimeur de manuscrits, compose bien avant son *Trésor de la langue grecque* (1572), un *Traité de la conformité du langage français avec le grec* (1565), où il prétend démontrer, par l'examen des analogies, une filiation : il ouvre la voie à une série d'étymologies fantaisistes qui méconnaissent le fonds latin du vocabulaire indigène. Dans un tout autre domaine, Racine avec *Iphigénie*, Fénelon avec ses *Voyages de Télémaque*, retrouvent l'« aimable simplicité », l'élégant enjouement qui distinguent l'esprit attique.

Cependant l'importation des thèmes, des genres, des formes, des styles jusque dans le détail de l'expression ne va pas sans contradictions; la splendeur lointaine de l'Antiquité est ressentie comme tutélaire et menaçante à la fois : il faut l'imiter sans la copier, l'égaler sans la reproduire. Du Bellay, dès 1549, manifeste cette ambivalence en enjoignant à ses contemporains de piller les Anciens pour enrichir leur langue nationale et non pour perpétuer une stérile littérature néo-latine (qui dépérit à partir du XVIIe siècle et s'éteint à l'aube du romantisme). Le latin décline comme vecteur vivant de la communication intellectuelle; la littérature française se trouve périodiquement partagée entre l'admiration et l'émancipation, entre les Anciens et les Modernes; la querelle qui met aux prises Perrault et Boileau de 1687 à 1694 n'est qu'un épisode de ce débat constant qui oppose les tenants d'une esthétique baroque, neuve et inventive, et les puristes, dont le cœur et la raison s'attachent aux canons gréco-latins. A la fin du XVIIIe siècle, toutefois, avec des poètes comme Lebrun-Pindare (surnom significatif!), l'abbé Delille ou André Chénier, un néo-classicisme strict semble triompher : l'importation se fait brutale, comme un rappel à l'ordre au sein des efflorescences du rococo. Le modèle antique se durcit et envoûte; le rêve d'un art qui unisse charme, correction, pureté, rationalité s'incarne dans une vision idéalisée de Rome et d'Athènes. Auprès de cette beauté — « noble simplicité et calme grandeur », selon la fameuse définition de Winckelmann —, les séductions compliquées du baroque tardif (telles les comédies de Marivaux) ont pu apparaître comme des afféteries mineures et mesquines.

Du romantisme à nos jours ou l'émancipation nostalgique

En fait, la fracture des années 1750-1760, le « retour à l'antique » inaugurent une période séculaire de déstabilisation pour l'esthétique occidentale; la crise se dénouera, au début du XXe siècle, par l'abandon des préceptes canoniques (imitation de la nature, principes rationnels de composition...). L'ailleurs grec et latin traduit autant le dégoût de la modernité, la crainte de la nouvelle société libérale et industrielle qu'une volonté positive d'identification : cet alibi subjectif s'épanouit, sous la Révolution, en « anticomanie », songe illusoire et régressif d'un commencement absolu. L'Antiquité perd bientôt son statut privilégié d'autorité et de référence incontestée : dès la fin du XVIIIe siècle, le néo-gothique, puis les divers primitivismes — dont l'ossianisme est le plus connu — entrent dans une ronde d'éclectismes qui caractérisera le siècle suivant. Le lycée napoléonien peut bien perpétuer l'enseignement classique des congrégations, et Chateaubriand, avec *les Martyrs* (1809), donner le dernier exemplaire d'une longue série d'épopées calquées sur l'*Énéide* de Virgile, maint poète romantique, soucieux d'échapper aux allégories et aux mythes ternis par trois siècles d'usage, pourrait reprendre à son compte le vers célèbre du poète-gastronome Joseph Berchoux : « Qui me délivrera des Grecs et des Romains? », et, comme Victor Hugo, déclarer la guerre aux métaphores et aux périphrases néo-classiques pour trouver un mode d'expression personnel. Mais le goût même des exotismes et de l'étrange renouvelle une vision trop apollinienne de l'Antiquité : la blancheur habituelle se colore et s'ensauvage; la naïveté champêtre affadie par des milliers d'églogues ou de bergeries devient une sensualité épanouie et débridée, avec les satyres chers à Victor Hugo; on découvre bientôt une Grèce orphique, puis orgiaque et dionysiaque, dont Nietzsche dira l'exaltation et la fureur. Aussi les revendications d'indépendance à l'égard d'une tradition pesante se ponctuent d'ardentes admirations; dès 1839 se dessine un très vif retour à l'hellénisme. Théophile Gautier s'écrie (plagiant un peu *les Dieux de la Grèce* de Schiller) :

> Reviens, reviens, bel art antique,
> De ton paros étincelant
> Couvrir ce squelette gothique

Théodore de Banville et, surtout, Leconte de Lisle (*Poèmes antiques*, 1852-1874) ont le culte d'une Grèce légendaire, sublime et cruelle. A la fin du siècle, nouvelle vague de « néo-classicisme » avec Anatole France, Pierre Louÿs, les *Mimes* de Marcel Schwob et l'*Ériphile* de Jean Moréas en 1894, l'*Aréthuse* de Régnier en 1895 : de ces retours aux sources romaines, à la clarté grecque, on pourrait multiplier les exemples, jusqu'aux pieux *Mémoires d'Hadrien* (1951) de Marguerite Yourcenar, en passant par la vogue des « films à péplum » ou des bandes dessinées « antiquisantes ».

Mais la mentalité littéraire issue du romantisme diffère fondamentalement de l'ancien ordre classique; elle privilégie la singularité, l'originalité, l'anomie, aux dépens des conventions admises, des règles génériques et des stéréotypes de l'expression. D'où une reprise ironique des thèmes antiques, une « lecture » délibérément infidèle des grands textes anciens : les opérettes de Jacques Offenbach (*Orphée aux enfers*, sur un livret d'Halévy, en 1858, et *la Belle Hélène*, sur un livret de Meilhac et Halévy, en 1864) s'inscrivent dans un courant « néo-burlesque » qu'avait déjà illustré Parny avec sa *Guerre des dieux* (1799), et qu'André Gide, en 1899, marque d'un petit chef-d'œuvre : son *Prométhée mal enchaîné* fournit un contrepoint moqueur à l'âpre tragédie d'Eschyle. Le titan — symbole de l'humanité — s'y délivre de l'aigle qui le ronge — figure d'une conscience morale qui contraint et aliène —, et conquiert la souveraine liberté de l'acte gratuit, apanage de Zeus jusqu'à cette conversion du « masochiste ». Ces variations modernes sur des sujets antiques ne sont pas rares au XXe siècle, jeux culturels où la discordance choisit de subvertir, avec tendresse, humour ou dérision les mythes hérités de l'hellénisme : pièces de Giraudoux (*Amphitryon 38,* 1929; *La guerre de Troie n'aura pas lieu,* 1935; *Électre,* 1937), de Sartre (*les Mouches,* en 1943, sur le thème d'Électre), d'Anouilh (*Antigone,* 1944), de Cocteau (*Œdipe roi,* 1928; *Orphée,* 1951, et *le Testament d'Orphée,* 1961, films). Et quand Gide veut laisser un testament spirituel, il se peint sous les traits de Thésée, dilettante, combattant, parricide peut-être, mais fondateur et libérateur (*Thésée,* 1946).

Ainsi, en un temps épris de nouveauté, tendu vers le futur, déraciné par l'effondrement des humanités classiques, chez les créateurs les plus vigoureux — on aurait pu citer encore Saint-John Perse ou Montherlant —, survit le souvenir nourricier des littératures antiques; devenu intime, agrégé aux archétypes majeurs de la psyché, le miracle grec étonne toujours une époque lassée par les prodiges de la technique et fatiguée d'une fatalité progressiste. Eschine s'écriait : « Vraiment, nous autres Hellènes, nous avons vécu d'une vie plus qu'humaine, et le récit de nos actions fera l'éternel étonnement de la postérité ». Et Plutarque portait ce jugement sur les monuments du siècle de Périclès : « Il semble que ces ouvrages aient en eux un souffle toujours vivant et une âme inaccessible à la vieillesse ». Sans doute, bien des accents contemporains — l'angoisse, la confidence, le goût de l'ambivalence, de l'ambiguïté — ne s'harmonisent plus à la tradition gréco-latine; mais on revient à elle ainsi qu'à un midi où, dans une calme lumière, chaque valeur prend son contour précis, sort des brumes subjectives du doute, émerge des apories qu'engendrent les religions ou les idéologies modernes. Et beaucoup partagent encore l'enthousiasme d'un Sainte-Beuve désenchanté du romantisme : « L'Antiquité est bonne à tous, et elle l'est à tous les degrés (...). Tous y gagnent et trouvent de ce côté seulement la patrie première, le point fixe et lumineux pour s'orienter dans les écarts comme dans les retours. Entre tant de richesses étrangères et modernes dont on est tour à tour tenté et séduit, elle seule donne au critique la vraie loi du goût, à l'écrivain les vrais secrets du style, les procédés sûrs et sévères qui servent de garantie à l'innovation même et à l'audace ».

BIBLIOGRAPHIE
Quelques études générales. — René Canat, *l'Hellénisme des romantiques,* Paris, M. Didier, 1951-1955, 3 vol.; *The Classical Tradition in French Literature,* Essays (...) edited by H. T. Barnwell (...), London, Grant et Cutler, 1977; Ernst-Robert Curtius, *la Littérature européenne et le Moyen Âge latin,* Paris, P.U.F., 1956 (traduction de l'original allemand paru à Berne en 1948); Émile Egger, *l'Hellénisme en France* (...), Paris, Didier, 1869, 2 vol.; Henri Peyre, *l'Influence des littératures antiques sur la littérature française moderne : état des travaux,* Yale Univ. Press, 1939.
Quelques études particulières. — Noémi Hepp, *Homère en France au XVIIe siècle,* Paris, Klincksieck, 1968; Pierre Brunel, *le Mythe d'Électre,* Paris, Armand Colin, 1971; Raymond Trousson, *le Thème de Prométhée dans la littérature européenne,* Genève, Droz, 1976 (2e édition), 2 vol.

D. MADELÉNAT

GRÉCOURT Jean Baptiste Joseph Willart de (1684-1743). Écrivain né à Tours dans une famille d'origine écossaise. Chanoine de Saint-Martin de Tours dès l'âge de treize ans, prédicateur apprécié, il se consacra bientôt à la poésie légère dans l'entourage du maréchal d'Estrées et du duc d'Aiguillon. C'est pour ce dernier que, sous le pseudonyme de COSMOPOLITE, il rassembla un *Recueil de pièces choisies* de divers poètes (1735). Sa prudence le retint de s'attacher à Law, dont il déclina les offres par une fable, « le Solitaire et la Fortune », et de rien publier de son vivant sinon *Philotanus* (1720), pamphlet anti-jésuite à l'occasion de la bulle *Unigenitus;* la première édition de ses œuvres ne paraîtra qu'en 1746. Pour amuser ses hôtes, cet émule de La Fontaine composa par dizaines épigrammes, fables et contes libertins en vers célébrant les plaisirs de l'amour, de l'amitié et de la retraite. Sous une facilité et une banalité apparentes (vers de mirliton, moines paillards et maris cocus, Iris ou Philis toujours belles, surprises et complaisantes), ces jeux mondains obéissent à des règles précises. Une métaphore érotique désignant le sexe mâle, « soc » de charrue, « rameau de science », « andouille », voire une expression courante susceptible de sous-entendus, « t'y voilà donc », engendrent et justifient le contenu narratif du poème, histoire paysanne, récit de banquet, confidence autobiographique. Sous le masque animalier, ou celui d'objets en principe inanimés, les fables autorisent des équivoques transparentes du genre « tout mon exercice est la queue » (« la Grenuche et la Jeune Chatte ») ou des variations sur la « pointe » et la « fente » (« le Canevas et l'Aiguille »). Enfin Grécourt sait à l'occasion se libérer des formes fixes pour suivre le rythme de la narration : « Et tant l'Amour eut de malice / Qu'insensiblement / Le vêtement / Souffrit un grand dérangement » (« l'Origine des puces »). Virtuosité d'écriture, érotisme élaboré, invention formelle, qui expliquent la prédilection d'Apollinaire pour Grécourt, rangé parmi les « Maîtres de l'Amour ».

BIBLIOGRAPHIE
L'Œuvre badine de l'abbé de Grécourt, introduction de G. Apollinaire, Paris, « les Maîtres de l'Amour », Bibl. des Curieux, 1912, avec une note bibliographique.

J.-P. DE BEAUMARCHAIS

GRÉDY Jean-Pierre. V. BARILLET Pierre.

GREEN Julien (né en 1900). Parce que, pour lui, la Foi est avant tout disponibilité au surnaturel, invitation à questionner la violence et le destin de l'homme, source d'angoisses qu'on peut certes surmonter, mais jamais effacer, Julien Green aurait sans doute trouvé grâce aux yeux de l'exigeant héros d'*A rebours* de Huysmans, cruellement déçu par la plupart des écrivains catholiques. A ceux qui ne partagent pas l'intérêt de Des Esseintes pour les préoccupations d'ordre religieux, Julien Green offre l'exemple d'un auteur habité par un impérieux et constant désir de vérité qui, bien sûr, est précieux dans son *Journal* ou son *Autobiographie,* mais qui aussi donne à ses œuvres de fiction une grande originalité.

« Je voudrais dire *ma* vérité un jour, une heure ou seulement quelques minutes... »

Pour le croyant qu'est Julien Green, toute vie humaine, à commencer par la sienne, suit un cours mystérieux, dont le secret n'est connu que de Dieu : « Nous sommes des personnages de roman qui ne comprennent pas toujours ce que veut leur auteur ». Mais en tenant jour après jour, depuis 1928, son *Journal,* il s'écrit une sorte de longue lettre qui ne s'achèvera qu'à sa mort et dans laquelle — avoue-t-il — « il se donne à lui-même de ses propres nouvelles ». Singulière correspondance que celle-là, puisqu'elle est aussi adressée aux autres, qui peuvent la lire régulièrement, après quelques coupures nécessitées par la publication.

Conscient malgré tout que la sincérité a des limites et que les mots sont de redoutables pièges, il s'aperçoit vite que seule la fiction, qui s'accompagne inévitablement d'une transposition, permet d'atteindre une profondeur de vérité. A travers des histoires imaginaires, d'abord des nouvelles et des romans, puis, à partir de 1950, trois pièces de théâtre — *Sud* (1953), *l'Ennemi* (1954) et *l'Ombre* (1956) —, se dessinent aux yeux de l'auteur ébahi les contours du visage d'un homme qui lui était totalement inconnu. Cette *catharsis* — d'un genre particulier, puisqu'elle produit ses effets sur l'auteur — réussit, car Julien Green peut, en 1960, publier son premier roman sinon optimiste du moins apaisé, *Chaque homme dans sa nuit*.

A vingt-trois ans, déjà, il avait fait une première et vaine tentative de confession littéraire. Dix-sept ans plus tard, il avait repris ce projet, étant persuadé que tout ce qu'il écrivait « procédait en droite ligne de son enfance ». Mais il lui faut « se rejoindre » avant de pouvoir reconquérir son passé, et c'est seulement après l'achèvement de *Chaque homme dans sa nuit* qu'il pourra réaliser enfin cette indispensable *Autobiographie*.

Le difficile aveu

L'enfance de ce fils d'Américains « sudistes » établis à Paris fut heureuse. La mort de sa mère en 1914 le chassa de cette existence paradisiaque et l'obligea à affronter une nouvelle réalité, celle des autres. Au cours d'un séjour, de 1919 à 1921, à l'université de Virginie, il rencontra un jeune homme, Mark, et devint le porteur d'un secret, le héros d'un drame. Ses romans et ses pièces de théâtre seront hantés par la figure de l'« homme qui vient d'ailleurs », de l'étranger qui survient et détruit un précaire équilibre. Déjà les premières nouvelles, *Christine* (1927), *le Voyageur sur la terre* (1927), *Léviathan* (1928), ont pour thème le passage d'un inconnu, que ce soit la petite Christine, Paul ou le voyageur mystérieux. L'arrivée de Guéret éveille les passions endormies chez tous les personnages de *Léviathan* et les plonge dans le drame. Brittomart vient bouleverser la vie de Fabien dans *Si j'étais vous*... (1947). L'intrusion de Joseph Day dans l'univers de Moïra et de Moïra dans l'univers de Joseph Day (*Moïra*, 1950), du lieutenant polonais Jan dans celui de Régina, et de Mac Lure dans la vie de Jan (*Sud*) sont autant d'événements tragiques.

Rentré à Paris en 1922, Julien Green retrouva Mark en 1923, et, lors d'une promenade avec lui le long de la Seine, il ne parvint pas à lui faire l'aveu de son amour. Toute l'œuvre romanesque se nourrit, à quelques rares exceptions près, des souvenirs de cette période, qui va de 1914 à 1923. Bien plus, comme l'a fait remarquer Jacques Petit, romans et théâtre reprennent, chacun à sa manière, pour la rejouer indéfiniment, la scène de l'impossible aveu, devenue à la fois le nœud de tous les drames et la source féconde de la vocation de l'écrivain. Prenant la forme d'un secret tantôt d'amour, tantôt de crime, parfois des deux, cette séquence clé se retrouve dans *Mont-Cinère* (1926), *Adrienne Mesurat* (1927), *l'Autre Sommeil* (1931), *Moïra* et *Sud*. Seul Angus, l'un des personnages de *Chaque homme dans sa nuit* (1960), réussit à dire ce que jusque-là tous les héros de Julien Green avaient refoulé au plus profond d'eux-mêmes.

Avant de remporter une victoire tardive, une revanche sur le malheureux épisode de 1923, l'œuvre s'était développée en trois phases, que dégage finement Jacques Petit. Avant 1930, c'est-à-dire avant la rédaction de *l'Autre Sommeil*, des romans comme *Mont-Cinère* ou *Adrienne Mesurat*, une nouvelle telle que *Léviathan* baignaient dans une atmosphère sombre et racontaient les efforts désespérés des personnages vers une inaccessible libération. Emily Fletcher, l'héroïne de *Mont-Cinère*, ne rompt la solitude qui l'enserre qu'en allumant un incendie; Adrienne Mesurat finit par faire tomber son père tyrannique dans l'escalier, mais passe ensuite sous la dépendance d'une voisine, avant de sombrer dans la folie. Guéret, dans *Léviathan*, après avoir défiguré Angèle et tué un vieillard rencontré sur son chemin, doit affronter la réalité menaçante et angoissante sous la forme anecdotique d'un chantier de charbon, et finit par se faire arrêter. De 1930 à 1947, date à laquelle commence la composition de *Moïra*, la narration romanesque de Green hésite entre l'évocation d'un pesant ennui quotidien et la fuite dans le rêve. Dans *Épaves* (1932), le romancier adopte la première solution : ce récit de la lâcheté de Philippe, dont les premières pages ont sans doute inspiré Camus pour *la Chute*, est tout entier construit autour de la Seine qui s'écoule, mais qui ne cesse pas d'être associée à une dérobade que le héros ne peut oublier. *Si j'étais vous*... illustre l'autre voie, et l'on y assiste au voyage de Fabien, qui s'incarne en quatre êtres différents pour fuir une existence et une personnalité qui ne le satisfont pas. Il s'aperçoit bien vite que le sort de son patron sexagénaire n'est guère enviable, que le jeune homme roux à la « laideur énergique et dominatrice » est en réalité victime de Berthe — qu'il aime et qui se moque de lui —, que le studieux, subtil et intelligent Emmanuel Fruges aimerait rejoindre l'enfance, et que la famille de Camille n'a rien d'un nid douillet. Enfin, troisième phase, les pièces de théâtre, *le Malfaiteur* (1956) et *Chaque homme dans sa nuit*, ne gardent que les thèmes les plus douloureusement enracinés dans la conscience et l'inconscient de l'auteur et — peut-être parce que les personnages y évoluent toujours sur deux plans, dont celui du passé, qui empêche de vivre — trouvent une conclusion apaisante dans le pardon accordé à Max par Wilfred mourant (*Chaque homme dans sa nuit*).

Une aventure de l'écriture

Grâce au *Journal*, on peut suivre pas à pas l'auteur dans son voyage romanesque au bout de lui-même. On y découvre notamment un écrivain qui travaille sans plan préétabli et qui se laisse guider par ses personnages, se refusant à leur imposer le moindre geste ou la moindre réplique. Il lui faut pour cela écarter la tentation de reprendre des situations ou des intrigues qui ont assuré le succès de ses livres précédents et chercher patiemment le point de départ qui seul se révélera fécond : « Il n'y a qu'un commencement possible entre vingt, entre cent autres ».

Des réflexions sur la création romanesque font l'objet aussi du troisième récit inclus dans *Varouna* (1940). Le Journal de Jeanne, une romancière presque contemporaine, qui tente d'écrire la vie d'Hélène Lombard, racontée dans la seconde partie du livre, fait penser au *Journal des Faux-Monnayeurs* de Gide. Il nous montre comment l'auteur crée des personnages à partir de sa propre substance mais ne peut les empêcher d'agir en retour sur lui-même. Anticipant de près de quatre ans sur la victoire remportée par Julien Green sur lui-même dans *Chaque homme dans sa nuit*, il en marque définitivement aussi les limites, car on peut y lire : « J'ai compris que nous sommes aveugles et sourds, que nous venons de la nuit pour retourner sans rien concevoir à notre destin ».

BIBLIOGRAPHIE

La quasi-totalité des textes de Julien Green a été rassemblée par Jacques Petit et publiée dans les *Œuvres complètes*, en cinq volumes, Gallimard, La Pléiade, 1972-1977 :

Vol. I, préface de José Cabanis, 1972 : *Christine, le Voyageur sur la terre, Mont-Cinère, Léviathan, Adrienne Mesurat, les Clefs de la mort, l'Autre Sommeil, Pamphlet contre les catholiques de France, Suite anglaise.*
Vol. II, 1973 : *Épaves, le Visionnaire, Minuit, Varouna, Si j'étais vous...*
Vol. III, 1973 : *Moïra, le Malfaiteur, Chaque homme dans sa nuit.*
Théâtre : *Sud, l'Ennemi, l'Ombre.*
Vol. IV, préface de Robert de Saint-Jean, 1975 : *Journal* : I-*les Années faciles* (1926-34), II-*Derniers Beaux jours* (1935-39), III-*Devant la porte sombre* (1940-42), IV-*l'Œil de l'ouragan* (1943-45), V-*le Revenant* (1946-50), VI-*le Miroir intérieur* (1950-54), VII-*le Bel Aujourd'hui* (1955, début).
Vol. V, 1977 : *Journal* (suite) : VII-*le Bel Aujourd'hui* (suite, 1956-57), VIII-*Vers l'invisible* (1958-1960), IX-*Ce qui reste de jour* (1966-72).
Autobiographie : Partir avant le jour, Mille Chemins ouverts, Terre lointaine, Jeunesse.
Ont paru depuis : un roman, *le Mauvais Lieu,* Plon, 1977; une autobiographie religieuse, *Ce qu'il faut d'amour à l'homme,* Plon, 1978; le tome X du *Journal, la Bouteille à la mer* (1972-76), Plon, 1979; *Histoires de vertige,* Le Seuil, 1984.
Deux petites monographies peuvent être utiles : Pierre Brodin, *Julien Green,* Éd. universitaires, 1957, et Robert de Saint-Jean, *Julien Green par lui-même,* Le Seuil, « Écrivains de toujours », 1968. L'étude la plus complète et la plus remarquable est due à Jacques Petit, *Julien Green, l'homme qui venait d'ailleurs,* Desclée de Brouwer, 1969.

D. MORTIER

GREGH Fernand (1873-1960). Fernand Gregh fut remarqué et célébré dès la parution de son premier recueil de vers, *la Maison de l'enfance* (1896), par l'Académie française, qui lui décerna alors un prix, non sans réserve car elle le trouvait à son goût « trop révolutionnaire au point de vue prosodique ». Et l'Académie attendra qu'il ait quatre-vingts ans pour l'accueillir enfin (1953). Ce jugement et cette réticence peuvent aujourd'hui prêter à sourire, concernant un poète qui, tant par ses thèmes que dans son expression, se tourna bien plus vers le siècle de sa naissance qu'il ne regarda celui dans lequel allait pourtant s'écouler la plus grande partie de sa vie.

Fervent de Hugo, à qui il consacra plusieurs études et un grand livre (*Victor Hugo, sa vie et son œuvre,* 1954), et de Vigny, dont il admirait la clarté des symboles et la mâle confiance en la noblesse de l'homme, il se fit, en 1902, dans un article du *Figaro* (« Manifeste de l'humanisme ») qui eut à l'époque un grand retentissement, le chantre d'un nouvel humanisme poétique, qu'il voulait opposer tant aux parnassiens, tenants de « la beauté pour la beauté » (« Pour que la beauté fût plus belle encore, ils ont voulu la faire moins vivante »), qu'aux symbolistes, dont l'inspiration « fut trop souvent byzantine » (« Nous ne proscrivons pas le Symbole, mais qu'il soit clair. Un beau symbole obscur, c'est un beau coffret dont on n'a pas la clef »). Bien qu'il reconnût sa dette envers Verlaine et qu'il ne se débarrassât pas facilement des roses décadentes ni des jets d'eau nocturnes et des jardins fanés sous la lune, il milita pour une poésie accessible, mesurée, humanitaire — et non éplorée, désespérément réfugiée dans le « style artiste » —, pour un art « à la fois plus enthousiaste et plus tendre, plus intime et plus large, un art direct, vivant et, d'un mot qui résume tout : humain ».

Marcel Proust, qui fut son condisciple au lycée Condorcet et collabora au *Banquet* — la revue dont le jeune Fernand Gregh était le fondateur — tenta de caractériser sa morale du terme de « vitalisme ». Et, certes, cette œuvre aux titres éminemment — mais clairement — symboliques (*la Beauté de vivre,* 1900; *les Clartés humaines,* 1904; *l'Or des minutes,* 1905; *la Chaîne éternelle,* 1910; *la Couronne douloureuse,* 1910; *Couleur de la vie,* 1927; *la Gloire du cœur,* 1932; *le Mot du monde,* 1957) chante, dans une veine élégiaque et contemplative qui rappelle, parfois, le Hugo des *Rayons et les Ombres,* aussi bien la nature (la Méditerranée, les cyprès du jardin Giusti, le parc Monceau) et les voyages que les amours — Gregh renouant ainsi avec la Pléiade — (« Nous sommes/Seuls, il est vrai, mais seuls tous deux »), le foyer, les veillées ou encore l'écoulement du temps (« J'aurai passé mon temps sur cette vieille terre ») et la tombée du soir (« Le soir tombe parfois comme un caillou dans l'eau »).

Auteur de souvenirs *(l'Âge d'or, l'Âge d'airain, l'Âge de fer)* qui fourmillent d'anecdotes sur les salons parisiens, celui à qui René Clair succéda sous la Coupole restera l'impérissable poète de ce vers non moins éternel : « C'est aujourd'hui le jour le plus long de l'année ».

L. PINHAS

GRÉKI Anna (1931-1966). V. MAGHREB. Littérature d'expression française.

GRENIER Jean (1898-1971). Écrivain et philosophe, né à Paris. Albert Camus l'appelait « mon maître et mon meilleur ami ». Les deux hommes se sont rencontrés pour la première fois à la rentrée scolaire de 1930 au Grand Lycée d'Alger, où Grenier enseignait la philosophie. Lorsqu'il lut *les Îles* (1932) pour la première fois, Camus avait vingt ans. De son propre aveu, ce livre exerça sur lui une influence déterminante :

« A l'époque où je découvris *les Îles,* je voulais écrire, je crois. Mais je n'ai vraiment décidé de le faire qu'après cette lecture. D'autres livres ont contribué à cette décision. Leur rôle achevé, je les ai oubliés. Celui-là, au contraire, n'a pas cessé de vivre en moi, depuis plus de vingt ans que je le lis. Aujourd'hui encore, il m'arrive d'écrire ou de dire, comme si elles étaient miennes, des phrases qui se trouvent pourtant dans *les Îles* ou dans d'autres livres de son auteur » (Préface à la réédition des *Îles,* 1959).

Les Îles et *Inspirations méditerranéennes* (1941) ont constitué pour Camus une sorte de modèle de ce qu'il appela par la suite l'« essai solaire ». Il s'agit d'un genre très libre où fusionnent la description, la méditation poétique, la réflexion philosophique et le lyrisme. Les pages éblouies de *Noces* et de *l'Été* n'auraient peut-être jamais été écrites si Camus n'avait connu Grenier.

En outre, l'*Essai sur l'esprit d'orthodoxie* (1938) a profondément marqué sa réflexion politique. Il est possible que le « maître » ait ouvert quelques perspectives à l'auteur de *l'Homme révolté.*

Grenier faisait partie des rares personnes que consultait Camus au sujet de ses œuvres. Aussi n'est-il pas indifférent de lire les livres de celui qui initia Camus à la philosophie et à la littérature, car il fut aussi un écrivain de valeur que le grand prix national des Lettres couronna en 1968.

P. LÉCOLLIER

GRESSET Jean Baptiste Louis (1709-1777). Jean-Baptiste Gresset est né à Amiens. Son père, commissaire enquêteur au bailliage et au présidial, était un admirateur de Boileau et, à temps perdu, composait des épîtres et des satires. Jean-Baptiste Gresset fait des études au collège des jésuites d'Amiens, puis, plus tard, au collège Louis-le-Grand à Paris. Il y devient professeur. La publication en 1734 de *Ver-Vert,* poème satirique, lui attire le succès et suscite l'admiration de Jean-Baptiste Rousseau. Il écrit dans la même veine *Ma chartreuse* et *le Lutrin vivant;* il s'essaie à la traduction (médiocre traduction en vers des *Bucoliques* de Virgile). Les jésuites, soumis à des pressions ministérielles, l'envoient à La

Flèche faire pénitence pour avoir égratigné les sœurs visitandines dans *Ver-Vert*. Et, plus tard, sur le conseil du cardinal Fleury, ils le prient de renoncer à son intention d'entrer dans la Compagnie. Gresset est alors accueilli à Paris et devient l'hôte assidu de la maison du duc de Chaulnes et — les méchantes langues l'assurent —, le poète préféré de la duchesse. Il obtient un poste administratif qui ne l'occupe guère mais qui lui assure les revenus dont il a besoin. Il écrit alors pour le théâtre successivement une tragédie, *Édouard III* (1740), un drame, *Sidney* (1745), et une comédie, *le Méchant* (1747). Ses succès, fort honorables, seront suivis de son élection à l'Académie française en 1748. Mais, dès 1745, il songe à renoncer aux mondanités de la vie parisienne et à retourner en province. Après le succès du *Méchant,* sa carrière littéraire proprement dite s'arrête. De retour à Amiens, il se consacrera à l'Académie locale et connaîtra dans cette ville une fin de vie paisible.

Le Méchant est la seule œuvre qui puisse encore aujourd'hui nous attacher à Gresset. Jouée par la Comédie-Française le 15 avril 1747, elle connut un vif succès et resta longtemps au répertoire. Malgré sa facture traditionnelle, elle témoigne par bien des aspects de l'évolution du genre comique au milieu du siècle. C'est une comédie de caractère qui se rattache directement à une tradition issue de Molière (*Tartuffe ou l'Imposteur*) et poursuivie par Regnard (*le Joueur,* 1696) ou Destouches (*le Dissipateur,* 1736). Gresset y présente un personnage, Cléon, qui est tout à la fois un caractère et un type social. Cléon, comme Tartuffe, s'est introduit dans une famille. Il a su se faire aimer de Florise et gagner l'amitié du frère de celle-ci, Géronte. Il emploie tous ses soins à faire échouer le mariage de Chloé, la fille de Florise, avec le jeune Valère, dont il dirige la conduite. Mais là s'arrête sa ressemblance avec Tartuffe : le désir et l'intérêt ne sont pas ses mobiles; il agit avec une curieuse gratuité. Certes, il n'est insensible ni au charme des femmes ni à la possibilité de capter un héritage. Mais il est fort différent de don Juan, auquel on l'a parfois comparé. Cet instituteur pervers ne semble se gouverner que par calcul, et sa volupté dans la stratégie le rapprocherait plutôt de Valmont ou du Versac des *Égarements* de Crébillon. La passion de Cléon, sa « méchanceté », c'est son narcissisme :

> Être craint à la fois et désiré partout,
> Voilà ma destinée et mon unique goût.
>
> (*le Méchant,* II, I)

Ce qui ne le conduit pour autant à aucun débordement, à aucun masque comique ou libertin. Il n'est ni Matamore ni un scélérat sadien. Cléon n'existe que dans les miroirs refroidis de la socialité. A travers lui, c'est une façon de vivre, c'est la société mondaine que dénonce Gresset, une société envahie par l'ennui : « Tout languit, tout est mort, sans la tracasserie », déclare Cléon (II, I). Et, dès 1745, c'est le spleen qui pousse Sidney, un jeune gentilhomme, à fuir le monde dans une retraite campagnarde (*Sidney*). Contre l'ennui et l'immoralité, Gresset propose les douceurs de la sensibilité vertueuse : les personnages secondaires du *Méchant* (les valets; Chloé, Ariste) sont des personnages de la comédie larmoyante. Bourgeois de province, Gresset rejoint Jean-Jacques Rousseau dans sa dénonciation de la corruption sociale, tout comme il le rejoindra plus tard, objectivement, en condamnant le théâtre. Cette palinodie (*Lettre de M. Gresset à M... sur la comédie,* Paris, 1759) parut en effet juste après la *Lettre à d'Alembert,* et, quoique l'idéologie religieuse de Gresset soit très loin de celle de Rousseau, leur fonctionnement et leur réception rapprochent ces deux textes.

Tout autant que son théâtre, la poésie de Gresset est à lire comme une pratique sociale de l'écriture. On ne la lit plus, non tant parce qu'elle est mauvaise que parce qu'elle ne répond pas aux normes de la poésie élaborées et imposées par le romantisme. Le *Ver-Vert, la Chartreuse, le Lutrin* sont des poèmes satiriques fort gais. Gresset y recherche les formules piquantes, les traits et contribue à sa façon à l'élaboration collective de la langue du siècle des Lumières. C'est bien ce que Nodier ne lui pardonne pas; il ne voit que « luxe de mauvais goût » dans « la seule Iliade réservée à une nation qui s'en va » (*Ver-Vert*). La postérité a justement retenu certains d'entre eux (« Désir de fille est un feu qui dévore,/Désir de nonne est cent fois pire encore », *Ver-Vert,* chant II). L'œuvre de Gresset est toute dans son époque, et seulement dans son époque.

BIBLIOGRAPHIE

Seul *le Méchant* est édité récemment dans l'édition de Jacques Truchet, avec une présentation intéressante et des notes : *Théâtre du XVIIIe siècle,* t. I, Paris, Gallimard, La Pléiade, 1972. Le lecteur pourra se reporter aussi aux éditions suivantes : Gresset, *Œuvres,* précédées d'une notice par Charles Nodier, Paris, 1839; Gresset, *Œuvres choisies,* précédées d'une appréciation littéraire par La Harpe, Paris, Garnier, 1866.

A consulter. — Jules Wogue, *J.B.L. Gresset, sa vie, ses œuvres,* Paris, 1894; Girard Delle Girard, « *le Méchant* de Gresset, témoin de l'évolution de la comédie vers le genre sérieux », *Cahiers d'histoire des littératures romanes,* Heidelberg, Carl Winter, 1980.

P. FRANTZ

GRÉVIN Jacques (1538-1570). Poète de qualité aux ressources diverses, dramaturge important et reconnu, médecin courageux et passionné, Jacques Grévin a su, au cours d'une carrière brève mais pleine, donner aux entreprises variées qui l'ont occupé la marque d'une personnalité forte et attachante.

Né à Clermont-en-Beauvaisis, dans une famille modeste, il étudie au collège de Boncourt, où il assiste aux représentations de la *Cléopâtre captive* et de *la Rencontre* de Jodelle. Puis il mène de front sa médecine et une carrière littéraire prometteuse, rimant à l'occasion des mariages princiers, traduisant un opuscule de Plutarque (1558). Agrégé à la « Brigade », il fait cortège à Ronsard, qui, avec Belleau et du Bellay, salue la publication de son original « canzoniere », *l'Olympe,* où il dit sa passion pour Nicole Estienne, savante fille du libraire (1560). Sa visite à la reine Élisabeth (fin 1560) ressemble déjà à une profession de foi religieuse. Il aura encore le temps de voir représentées deux de ses pièces, *César,* adaptation de la tragédie en vers latins *Julius Caesar* de Muret, et *les Esbahis* (1561), de soutenir sa thèse et de publier son *Théâtre* et la seconde partie de *l'Olympe* et de *la Gélodacrye* (1561), avant que ne soit connue son adhésion à la Réforme. C'est dès lors pour lui, comme plus tard pour Hugo, le « temps d'avoir d'autres fièvres ». Sa participation (probable) à la polémique protestante contre Ronsard (*le Temple de Ronsard*) lui aliène le poète, tandis qu'il ferraille avec le médecin Charpentier à propos de l'antimoine. Réfugié en Angleterre (1567), un moment à Anvers, au service de Plantin, chez qui il publie quelques traductions et un livret pédagogique, il trouvera son havre auprès de Marguerite de France, à Turin, où il finira ses jours.

Les Esbahis, dont le schéma reproduit celui de la comédie italienne, saluaient le triomphe marivaudien de la jeunesse et de l'amour sur la vieillesse. Avec *la Trésorière,* Grévin voudra faire une âpre satire des gens de finance mais aussi (d'abord?) tourner en dérision des stéréotypes tels que le héros noble ou l'amant courtois. Grévin, qui prétend « aux doctes complaire » et, à cette fin, évite le parler bas et le jargon affecté, sans rompre toutefois avec la tradition médiévale, s'efforce de tirer le meilleur parti d'un genre, la comédie, envers lequel le théâtre humaniste manifeste une certaine condescendance. *César,* son unique tragédie, témoigne de la même volonté : c'est une variation réussie sur un thème familier à tous qui « se signale surtout par l'éloquence oratoire, par de saisissants effets pathétiques et par la fermeté de l'alexandrin » (M. Lazard). Bien qu'il soit l'un des premiers à faire allusion à la *Poétique* d'Aristote, Grévin demeure fidèle, comme l'a noté Weinberg, aux conceptions dramatiques du Moyen Âge.

Ronsardisant dans son *Hymne à Monseigneur le Dauphin* (1558), il a tôt fait, comme du Bellay, de revenir à la poésie moyenne. *L'Olympe,* en dépit de quelques bouffées pétrarquistes, s'adresse à une aimée rien moins que mythologique ou inaccessible. Grévin y rêve d'un mariage bourgeois et s'y interdit toute gauloiserie. Puis, « ayant chanté l'Amour », il « chante la discorde et la haine à son tour ». Le moins connu et le moins étudié des recueils de notre auteur, *la Gélodacrye,* est peut-être le plus intéressant : il trahit la crise de l'homme et du moment en vers puissants, parfois flamboyants. A mots à peine couverts, il stigmatise la cupidité des grands (les Guise?) et plaint le pauvre : « ... le peuple est pareil à la balle/Qui jamais n'a repos [...]/On s'en joue, on le pille, on l'endort, on le lie,/Sans crainte de Celuy qui cognoist leur follie... ». D'Aubigné écrira la suite.

Le médecin engagé

Des querelles médicales auxquelles a été mêlé Grévin, celle qui nous importe le plus est celle que provoqua sa traduction de l'ouvrage de Jean Wier, *Histoires, disputes et discours des illusions et impostures des diables* (1567; éd. augm. 1579). Cette traduction est l'acte d'un militant. Par le soin qu'il y a apporté, Grévin participe au succès européen d'un ouvrage sapant les fondements mêmes de la répression qui s'exerce alors, cautionnée par des esprits aussi sagaces qu'un Jean Bodin, contre la sorcellerie. Il rend de manière précise et élégante ce traité où Wier « conte avec art cent histoires où il s'efforce de reconnaître la part du Diable et de la nature, pour conclure au juste châtiment des empoisonneurs et des magiciens affidés au Diable et au traitement médical attentif de leurs victimes malheureuses » (Robert Mandrou).

Grévin faisait-il plus de cas de ses polémiques religieuses et médicales que de ses poésies, comme on l'a dit? Curieux auteur de circonstance qui ne laisse pas moins de 16 000 vers, dont la fièvre d'écriture ne se déprend d'un genre que pour s'éprendre d'un autre, et dont l'exemple aide à mesurer jusqu'où pouvait s'étendre au XVIe siècle le champ de la littérature.

BIBLIOGRAPHIE

Les *Comédies* ont fait l'objet d'une édition critique par E. Lapeyre (Paris, Champion, S.T.F.M., 1980), ainsi que *César* (par E. Ginsberg, Genève, Droz, « Textes littéraires français », 1971). On lit des extraits de *l'Olympe* et de *la Gélodacrye,* à la suite du *Théâtre complet* que Pinvert avait procuré jadis (Paris, Garnier, 1922). La traduction de Wier a été réimprimée dans la « Bibliothèque diabolique » (Paris, 1885, 2 vol.).

Sur l'homme et l'œuvre, la thèse de Lucien Pinvert (Paris, 1899) n'a pas été remplacée mais plusieurs aspects particuliers ont bénéficié d'un éclairage nouveau : on lira sur le dramaturge les travaux de Madeleine Lazard, *la Comédie humaniste et ses personnages,* Paris, P.U.F., 1978 et *le Théâtre en France au XVIe siècle,* Paris, P.U.F., 1980; sur le poète, *l'Influence de Ronsard sur la poésie française* de Marcel Raymond, Genève, Droz, 1927 et 1965; et enfin sur le traducteur de Wier, Robert Mandrou, *Magistrats et Sorciers,* Paris, Plon, 1968, p. 126 *sqq.*

M. SIMONIN

GRIGNON Claude Henri (né en 1894). V. QUÉBEC (littérature du).

GRIMAREST Jean Léonor Le Gallois, sieur de (1659-1713). Grimarest fut l'un de ces écrivains obscurs et besogneux qui pullulaient au temps de Louis XIV. Il écrivait des comédies de salon; il enseignait le français aux étrangers qui visitaient Paris et en prenait certains en pension chez lui; il donnait aussi des leçons de mathématiques. Son fils, Charles Honoré, composa une grammaire et, en 1725, publia un *Recueil de lettres.* De Jean Léonor restent quelques ouvrages galants — le *Commerce savant et curieux* (1699), le *Traité sur la manière d'écrire des lettres* (1709) — et quelques écrits historiques assez médiocres, telles les *Campagnes de Charles XII* (1702), qu'a dû lire Voltaire...

Grimarest est resté célèbre pour sa *Vie de M. de Molière* (1705). Le livre eut en son temps un grand succès. Il fut attaqué dans une *Lettre critique,* à laquelle Grimarest répondit dans ses *Additions à la « Vie de M. de Molière ».* Les érudits (en particulier, Gustave Michaut) se sont attachés à relever dans cette biographie des erreurs, des approximations, des réticences (sur *Tartuffe* et *Dom Juan*). Elle est pourtant indispensable à tous les moliéristes, et, comme l'a dit Poulet-Malassis, « c'est dans Grimarest que Molière reste le plus présent, le plus familier ».

BIBLIOGRAPHIE

La Vie de M. de Molière, éd. critique par Georges Mongrédien, Genève, Slatkine Reprints, 1975.

A. NIDERST

GRIMM Friedrich Melchior, baron de (1723-1807). Né à Ratisbonne dans une famille modeste, il fait des études de droit à l'université de Leipzig et écrit une tragédie, *Banise.* Au début de 1748, il se rend à Paris pour se mettre successivement au service de plusieurs grands seigneurs allemands, en qualité soit de précepteur soit de secrétaire. Il se lie avec Rousseau (une brouille mortelle les séparera en 1757) qui lui fait connaître d'Holbach et Diderot. La « querelle des Bouffons » lui donne l'occasion de se signaler par un spirituel pamphlet, le *Petit Prophète de Boehmischbroda* (1753), où il prend la défense de la musique italienne. « De quoi s'avise donc ce Bohémien d'avoir plus d'esprit que nous? », s'écrie Voltaire.

L'abbé Raynal, en 1753, confie à Grimm la rédaction de la *Correspondance littéraire, philosophique et critique,* journal manuscrit, édité en peu d'exemplaires, et adressé à quelques souverains européens (le roi de Pologne, la princesse de Saxe-Gotha, la reine de Suède, l'impératrice de Russie). Aidé de Diderot et de Mme d'Épinay, puis, durant les dernières années, de Meister, il tiendra ainsi, jusqu'en 1793, ses illustres correspondants au courant de la vie intellectuelle et artistique française, tout en commentant avec beaucoup d'esprit et de liberté les nouvelles de la Cour et de la société parisienne. D'un intérêt documentaire considérable, la *Correspondance littéraire* de Grimm ne sera livrée au public qu'en 1812-1813, et il faudra attendre les années 1877-1882 pour disposer d'une édition correcte et complète (*Correspondance littéraire, philosophique et critique, par Grimm, Diderot, Raynal, Meister...* éd. par M. Tourneux, Paris).

Écrivain élégant, incarnation parfaite du cosmopolitisme du XVIIIe siècle, ami des princes, Grimm fait une brillante carrière mondaine en dépit des inimitiés que lui vaut son caractère ambitieux et calculateur. En 1775, il devient le représentant du duc de Saxe-Cobourg auprès de la cour de France. Peu de temps après, il est fait baron du Saint-Empire. La Révolution l'oblige à quitter Paris, et Catherine II le nomme ministre de Russie près le cercle de Basse-Saxe. Malade, il se retire à Gotha.

BIBLIOGRAPHIE

J.R. Monty, *la Critique littéraire de Melchior Grimm,* Genève-Paris, Droz, 1961; A. Cazes, *Grimm et les Encyclopédistes,* Paris, 1933, Genève, Droz, 1970; *la Correspondance littéraire de Grimm et de Meister,* Colloque de Sarrebruck (février 1974), Paris, Minard, 1976.

A. PONS

GRINGORE Pierre (v. 1475-v. 1538). Alors que les grands mystères du théâtre religieux sont, pour la plupart, signés et leurs auteurs connus, l'anonymat est le lot des pièces comiques. Pierre Gringore fait exception. Né en Normandie, il fut avant tout un entrepreneur de spectacles, bien qu'on le retrouve en 1519 héraut d'armes d'Antoine de Lorraine. Il est l'un des animateurs de la confrérie des « Enfants sans soucy », où il porte le titre de Mère Sotte. Il est connu surtout pour un spectacle comprenant un « cry », une sotie, une moralité et une farce, *le Jeu du Prince des Sots,* représentée le Mardi gras 24 février 1512 aux Halles. Commandée par Louis XII, la pièce s'attaque à Jules II et s'emploie à démontrer que le roi de France est contraint à la guerre par le pape : trois Sots entrent en scène et font part de leurs inquiétudes sur les menées de l'Église et des princes étrangers. Le Prince des Sots va tenir ses assises, son arrivée est annoncée par différents personnages, Gaîté, le Seigneur de Joie, le Seigneur de la Lune, l'abbé de Plate Bourse, qui incarnent autant d'hommes de cour et de prélats. Le peuple, Sotte Commune, se désintéresse des problèmes des grands, mais on s'efforce de le gagner à la politique royale. Mère Sotte fait son apparition, vêtue en pape, accompagnée de Sotte Fiance (confiance) et de Sotte Occasion, ainsi que d'un astrologue. Elle soulève contre le roi les prélats; les princes restent fidèles. Il se fait « une bataille de prélats et de princes » devant Sotte Commune, incrédule. Mais le Prince des Sots découvre sous les vêtements pontificaux le costume de Mère Sotte, qui est châtiée. Nous avons là un bon exemple de la politisation du spectacle en principe le plus « libre », la sotie.

BIBLIOGRAPHIE

A. de Montaiglon et Ch. d'Héricault, *Œuvres complètes,* 4 vol., Bibliothèque elzévirienne, 1858; C. Oulmont, *Pierre Gringore,* Paris, Bibliothèque du XVe siècle, 1911; W. Dittmann, *Pierre Gringore als Dramatiker,* Berlin, 1923.

A. STRUBEL

GRIPARI Pierre (né en 1925). Conteur, romancier, dramaturge, poète et journaliste, Pierre Gripari est né à Paris où il fit des études de lettres. On trouve dans *Pierrot-la-Lune* (1963) le récit autobiographique, à la fois chaleureux et glacé de sa jeunesse : années de khâgne, mort des parents, amitiés, petits métiers, bref passage au parti communiste et surtout découverte et affirmation de son homosexualité. Il s'engage pour trois ans (1946-1949) dans les troupes aéroportées. Ses positions d'« extrême droite » lui ferment la porte des maisons d'édition et de petits emplois assurent sa survie. Des hasards heureux lui permettront néanmoins de se consacrer au journalisme, mais surtout à la littérature, où il s'illustre par une production abondante et variée : contes fantastiques pour adultes (*Diable, Dieu et autres contes de menterie,* 1965; *Paraboles et Fariboles,* 1980), contes pour enfants (*Contes de la rue Broca,* 1967; *Patrouille du conte,* 1983), roman (*la Vie, la mort et la résurrection de Socrate-Marie Gripotard,* 1968), poèmes en vers (*le Solilesse,* 1975), pièces de théâtre (*Lieutenant Tenant,* 1962; *Café-théâtre,* 1979), anthologie philosophique (*l'Évangile du Rien,* 1980), etc. *Critique et Autocritique* (1981) renseigne sur ses lectures favorites : Aymé, Kipling, Dickens, Hugo... Gripari a aussi publié *Pièces mystiques et Pièces poétiques* (1982), *les Chants du nomade* et, en prose, un roman intrigant, *Moi, Mitounet joli* (1982). A contre-courant des modes, des messages et des théories, Gripari est un « singulier » de la littérature, qui explore avec voracité les chemins de l'imaginaire et du fantastique. Il est d'abord un conteur : les situations qu'il imagine bousculent les dates et les lieux, mêlent l'étrange et le cocasse, l'Histoire et le mythe personnel. Son point de vue de « martien », c'est celui d'un passionné des univers parallèles comme les décrit Frederic Brown et que lasse le « réalisme » littéraire. Bon connaisseur des grands systèmes philosophiques et religieux, il est en même temps un écrivain ironique, et qui se tient à l'écart. Quant à ses professions de foi « fascistes », il faut y voir le goût de la provocation chez un homme à qui répugnent la bonne conscience et la veulerie des idées reçues, fussent-elles « démocratiques ».

M.-P. SCHMITT

GROBÉTY Anne-Lyse (née en 1949). V. SUISSE. Littérature d'expression française.

GROS Léon-Gabriel (né en 1905). C'est avant tout comme critique et traducteur que Léon-Gabriel Gros a mis son existence au service de la poésie. Animateur infatigable des *Cahiers du Sud,* que dirigeait Jean Ballard, il livre, à la fin de la guerre, deux volumes, à l'époque fort remarqués, d'études sur des poètes de sa génération (*Poètes contemporains,* I, 1944; II, 1951); il révèle au public français les mystiques irlandais Yeats et Russel, dit A.E., cependant qu'il traduit les poètes « métaphysiciens » anglais des XVIe et XVIIe siècles, dont John Donne.

En marge du parisianisme et de toute école, si ce n'est celle d'un léger platonisme, Léon-Gabriel Gros a témoigné, tout au long de sa vie, en faveur de l'humilité jusqu'à délaisser sa propre « carrière » poétique au profit de celle de ses amis. Il a néanmoins publié six recueils (*Fards pour notre jeunesse,* 1926; *Raisons de vivre,* 1935; *Saint-Jean du Désert,* 1939; *Sept Poèmes en marge,* 1942; *Corps glorieux,* 1945; *les Élégies augurales,* 1954), à vrai dire peu connus, bien que d'une grande valeur. Partant du principe que la Poésie est une activité de l'Esprit sur laquelle les conditions matérielles n'ont pas de prise, et opposant le territoire de la Poésie, qui est le « Pays de la Liberté », au « domaine de l'histoire », où se manifestent les « accidents du monde extérieur », il se met à l'écoute du monde sensible et cherche à retrouver, au-delà des apparences, de la douleur ou des immondices, une fécondité et une fraîcheur dont la présence semble cependant bien précaire. Il tente — mais n'est-ce pas en vain? — d'entrevoir « Cette amère beauté qui n'est pas dans les cœurs/Mais qui vit au profond des secrètes fontaines/Et que la main devine en déchirant des fleurs ».

Exorcisme plus que prédiction, l'acte poétique selon Léon-Gabriel Gros ne cesse, d'un recueil à l'autre, de s'interroger lui-même.

L. PINHAS

GROSJEAN Jean (né en 1912). Poète et traducteur, né à Paris. Fils d'ingénieur, Jean Grosjean perd sa mère très tôt (1915) et passe son enfance en Franche-Comté. Dès 1922, fasciné par Maupassant, il commence à écrire. Après son certificat d'études (1925), Grosjean entre à l'école primaire supérieure de commerce et d'industrie; il rejoint, en 1927, l'école d'agriculture de Guyenne, travaille ensuite comme ajusteur au Perreux, passe en 1929 son brevet d'enseignement primaire supérieur. Il suit alors les cours de l'école secondaire classique de Conflans et découvre à cette époque les textes bibliques et l'œuvre de Claudel : lecture décisive, qui l'oriente vers les préoccupations religieuses et métaphysiques; en 1933, il obtient le baccalauréat de philosophie puis entre au séminaire Saint-Sulpice d'Issy-les-Moulineaux. Après un voyage au Moyen-Orient, Grosjean est ordonné prêtre en 1939, puis mobilisé. Il se lie avec Malraux en 1940, au camp de Sens, connaît ensuite la captivité dans un stalag de Poméranie. En 1943, libéré, il devient vicaire à Port-à-l'Anglais, avant de se retirer dans le Doubs, pour vivre une solitude complète. Mais c'est après la guerre que la véritable « vocation » de Grosjean se dessinera clairement : en 1946, il publie chez Gallimard son premier livre, *Terre du temps,* qui obtient le prix de la Pléiade, et, en 1950, il se sépare de l'Église catholique et se marie. Depuis lors, Grosjean consacre sa vie à la création poétique, à la traduction des textes grecs et sacrés et à l'édition littéraire : depuis 1967, il collabore avec Marcel Arland à la direction de *la Nouvelle Revue française.*

La poésie de Grosjean constitue avant tout un acte de célébration : le texte, par nature, décrit, « dit » l'essence du réel; pour cette quête de la vérité, Grosjean utilise de préférence, comme dans les textes de la Bible ou de Claudel, l'ample verset plutôt qu'un vers métriquement délimité. Et, comme chez Saint-John Perse, les multiples figures de la rhétorique ne manquent jamais à un discours qui privilégie souvent le substantif et le verbe au détriment de l'adjectif; à ce dernier, qui altère l'entité des choses, le poète préfère le Nom, signe définitif, dans le langage humain, de la présence des Éléments : « Au creux des ténèbres ah! fixité, ton rutilement de lampes, ce rutilement des morts qui sont mon peuple et l'âme » (*Apocalypse,* 1962).

Le propos d'une telle poésie, fuyant l'anecdotique (Grosjean refusera toujours d'écrire des œuvres « de circonstances »), est donc philosophique et métaphysique. La plupart des textes du poète tentent de cerner des concepts : Dieu, le néant, l'âme, l'esprit, le langage. Une œuvre comme *la Gloire* (1969) ne refuse pas, là encore à l'image de la Bible, un certain didactisme théorique : « La nature de Dieu est de se diluer en parole passante [...], or Dieu n'est pas éternel, il est vivant... » « Et le dieu, du fond de son silence nocturne, reconnaît là son essentielle folie, car tout retour est autre... » Mais cette parole assertorique, voire solennelle, s'éloigne de la poésie chrétienne traditionnelle : c'est surtout à partir de Hegel — ou du présocratisme — que Grosjean paraît avoir forgé sa métaphysique; pour lui, nul principe divin qui ne connaisse sa propre négation : « C'est hors de soi que le dieu redevient soi, c'est devenu autre qu'il se voit devenir ce qu'il est » (*la Gloire*); Dieu est « un athée » qui se dissout dans le langage des textes sacrés. Et c'est la parole poétique qui, pour Grosjean, symbolise le mieux cette « mort de Dieu »; l'âme du divin s'abolit parce que la poésie fait surgir le sens des choses, et que Dieu, par essence, ne dit rien, mais existe.

On comprend ainsi la fascination de Grosjean pour les signes de mort, qui abondent en son œuvre : corbeaux, interminables pluies de novembre, bourbiers, paysages désertiques de l'hiver; plus que par le printemps et l'été, qui parent le monde de faux-semblants (« Je fus pris d'affreuse dormition quand renaissait dans le val l'herbe en fleurs », *Élégies,* 1966), la nudité véritable des choses se révèle dans le néant de l'hiver; fidèle à sa théorie, le poète fait de cette saison l'étape négative de la connaissance.

Le monde est donc un signe, pour le métaphysicien qu'est Grosjean; mais ce chercheur « de l'arrière-monde », dont l'écriture poétique tente de rationaliser les contradictions qu'il découvre dans le christianisme, n'abuse pas des majuscules; il ne confère pas au poète une fonction prophétique ou initiatrice particulière : tout au plus est-il le témoin de la dialectique universelle; il regarde se refléter les uns dans les autres les éléments contradictoires d'une nature en devenir : « Que savions-nous de la joie, quand le soleil tournait imberbe et cruel sur les montagnes où nous cherchions, sous des vapeurs de sources, les pâles reflets d'un aujourd'hui qui n'était que futur? » (*Élégies*).

BIBLIOGRAPHIE

On pourra consulter les articles suivants : A. Bosquet, « Jean Grosjean ou les Saisons de la foi », dans *la Nouvelle Revue française,* 1er juin 1967; P. Oster, Préface à *la Gloire,* Paris, Gallimard, « Poésie », 1969.

J.-P. DAMOUR

GROSNET ou **GROGNET Pierre** (v. 1460-1540). Versificateur, collectionneur de proverbes, sentences et « mots » divers, Pierre Grosnet est né à Toucy, près d'Auxerre. Il fait des études de droit à Bourges, puis à Orléans, avant de devenir prêtre et chapelain dans le diocèse de Sens. Malgré ses relations d'amitié avec Roger Collerye, des dédicaces aux fils de François Ier et des publications chez l'un des meilleurs imprimeurs parisiens, Jean Longis, le personnage demeure pour nous assez obscur.

Difficilement classable, Grosnet appartient à la fois à la littérature « populaire » et au renouveau humaniste, preuve exemplaire de leur étroite imbrication. Il a lu Érasme, auquel il emprunte les termes d'« adages » et d'« Enchiridion », il connaît les poèmes de Marot; il sait — chose plus remarquable — l'italien et traduit un poème du Mantouan, *Contre Quaresmeprenant et la feste du grand Pensard,* dont se souviendront sans doute Habert et Rabelais. Dante, Pétrarque, Boccace et Serafino figurent parmi ses écrivains préférés, en compagnie de Chartier, Meschinot, Molinet, des deux Marot, Villon, Jean Bouchet..., mais aussi une liste étonnante d'auteurs provinciaux absolument inconnus, qu'il nous livre dans sa bizarre *Louenge des bons facteurs qui ont composé en rithme tant par deçà que delà les Monts.* Ses deux recueils principaux, *les Motz dorez de Cathon en françoys... avecques bons et très utiles enseignements, proverbes, adages...* (1531), et la continuation du *Second Volume des Motz dorez...* (1534) poursuivent la vieille tradition des clercs de collecter (ou créer) — ici versifier — des proverbes populaires, des bribes de sagesse, voire des non-sens, mêlant avec bonne humeur la morale traditionnelle et les coutumes irrévérencieuses de la basoche, des compagnies de « biberons » ou des étudiants (il fournit même à ces derniers toute une série de modèles épistolaires pour convaincre un éventuel mécène...). Il ajoute à ce pot-pourri une bonne vingtaine de *Blasons* des principales villes de France, qui, vraisemblablement, furent appris par cœur tout au long du siècle, et de minuscules résumés des événements de tous ordres qui marquèrent les années 1480-1530. Mais les *Motz dorez* sont avant tout un florilège étonnamment désordonné de poèmes de divers auteurs du premier quart du XVIe siècle, que Grosnet transmet sans les nommer.

BIBLIOGRAPHIE

Les œuvres de Grosnet sont devenues difficilement accessibles, en particulier : *les Authoritez, sentences et singuliers enseignements du grand censeur, poète, orateur et philosophe moral Sénèque,* Paris, 1533; *le Manuel des vertus moralles et intellectuales, autrement dict Enchiridion...,* Paris, 1534; *les Tragédies de Sénèque, desquelles sont extraictz plusieurs enseignements...,* Paris, 1534. Plusieurs extraits des *Motz dorez* de 1534 ont été publiés à part : *Recollection des merveilleuses choses advenues... (1480-1530),* dans *le Mercure de France,* nov. 1740; *la Louenge des bons facteurs...,* dans le recueil Montaiglon, VII, p. 5, et dans Frédéric Lachèvre, *Un émule de Coquillart, Roger de Collerye..., traité de Pierre Grosnet de la louange et excellence des bons facteurs (1533),* Paris, 1942; *Description et Louenge de ...Rouen,* Rouen, 1872; *Blason et Louenge des singularitez et excellences de la bonne ville de Dieppe,* Rouen, 1867; avec une notice sur Grosnet.

La seule étude sur Grosnet figure dans l'ouvrage de F. Lachèvre cité plus haut. Pour sa bibliographie, cf. F. Lachèvre,

Recueils collectifs de poésies du XVIe siècle, Paris, 1922, qui fait état des nombreuses éditions des *Motz dorez* au XVIe siècle, et signale les attributions possibles (p. 19-29).

M.-M. FONTAINE

GROULT Benoîte (née en 1920) et **Flora** (née en 1924). Romancières et journalistes. Nées à Paris, filles d'un décorateur, nièces d'un couturier, Benoîte et Flora Groult appartiennent à la bourgeoisie parisienne aisée. Benoîte fréquente le cours Sainte-Clotilde, puis le lycée Victor-Duruy, avant d'obtenir une licence de lettres à la faculté de Paris; elle enseigne au cours Bossuet de 1941 à 1943 et travaille ensuite, de 1944 à 1954, comme journaliste à la R.T.F. Mariée au reporter Georges de Caunes, puis au romancier Paul Guimard, elle collabore, depuis 1955, à différentes revues, parmi lesquelles *Elle, Parents, F magazine.* Sa sœur Flora, après son baccalauréat, poursuivra des études à l'École nationale des arts décoratifs. Elle entrera elle aussi dans le journalisme, écrivant pour *Elle, Connaissance des arts* ou *les Lettres françaises.*

Fermement liées l'une à l'autre, les deux sœurs entreprennent en 1962 une collaboration littéraire, avec la rédaction de *Journal à quatre mains* (1962), puis du *Féminin pluriel* (1965) et d'*Il était deux fois* (1967). Cependant, chacune des romancières compose également ses propres œuvres; Benoîte, s'engageant davantage dans le militantisme littéraire, en faveur du féminisme, publie notamment *la Part des choses* (1972), *Ainsi soit-elle* (1975) et *le Féminisme au masculin* (1978). Flora révèle son attirance pour le roman sentimental avec *Ni tout à fait la même, ni tout à fait une autre* (1979) et *Une vie n'est pas assez* (1981). Elle avait déjà publié *Maxime ou la Déchirure* (1972), *Mémoires de moi* (1975).

Les réflexions que Benoîte et Flora Groult ont mené sur leur propre passé, sur leur jeunesse aisée (*Journal à quatre mains*) les ont conduites à remettre en cause le statut de la femme dans les sociétés modernes et traditionnelles. Prise de conscience qui, sans doute, s'exprime plus nettement, de façon plus complète, chez Benoîte que chez Flora : ne se bornant pas à la psychologie ou à la physiologie, l'auteur d'*Ainsi soit-elle* émaille son discours d'analyses sociologiques : « Il ne peut échapper à personne que [notre civilisation bourgeoise] est régie par un arsenal de lois et d'usages qui tous s'inscrivent dans un contexte profondément misogyne ».

Mais la remise en cause sociale de l'inégalité des sexes, perceptible dans les articles de Benoîte Groult, apparaît beaucoup moins dans les œuvres romanesques des deux sœurs. Recourant souvent aux stéréotypes du roman bourgeois, reflétant un sentimentalisme bienveillant, le tissu narratif perd quelque peu de sa vigueur; chez Flora, la remise en cause du comportement obligé des femmes à l'égard des hommes — « Les tromperies des femmes continuent à être considérées plus graves, même par les femmes elles-mêmes » (*Ni tout à fait la même...*) — ne semble pas empêcher ses narratrices d'avoir foi en certaines valeurs stables. Ainsi, la famille demeure un cocon qui, malgré les rapports conflictuels qu'elle entretient parfois, assure le bien-être affectif; de même, la femme a en elle « des pensées de toujours », que Flora et Benoîte Groult « prosaïsent » en exprimant, par la bouche de leurs héroïnes, des aphorismes souvent proches du lieu commun : « C'est si différent et si proche, une fille »... « C'est solide comme du chiendent, une jeune fille; elle survivra très bien à un peu de froideur » (*Il était deux fois*). Les deux sœurs peignent des sentiments qu'elles estiment communs à toutes les femmes : la nostalgie de l'enfance, la recherche de la grande passion amoureuse, le besoin d'être humainement utiles, l'amour maternel instinctif : « Délia serra sa fille contre son corps. C'était comme d'être enceinte à nouveau de l'avoir là, toute chaude et consentante, à elle » *(Ni tout à fait la même...).*

Les deux écrivains cherchent donc, de personnage en personnage, une « nature » de la femme; en cela, Benoîte et Flora Groult illustrent les positions — mais aussi les limites — du féminisme des années 60 et 70, n'évitant pas toujours les contradictions entre la révolte théorique et le conformisme de la pratique romanesque.

J.-P. DAMOUR

GROULX Lionel (1878-1967). V. QUÉBEC (littérature du).

GRUGET Claude (? - mort av. 1560). Traducteur. Claude Gruget est intéressant à plusieurs titres : se révélant comme l'un des maillons qui relient le milieu lyonnais au milieu parisien, ou les disciples de Marot au nouveau groupe de la Pléiade (dans lequel l'introduisent, entre autres, ses amis Muret et Jodelle), il prouve par ses attaches la survivance d'un « entourage » de Marguerite de Navarre, encore puissant après la mort de celle-ci. Il est, par ailleurs, dans cette deuxième génération humaniste, l'un de ceux qui, avec Claude Colet, ont le plus enrichi la langue et systématisé le travail de la traduction, notamment dans celle qu'il donne du IXe Livre d'*Amadis* (1551-1553). Enfin, avec une intuition certaine, il a fait connaître des textes importants, qu'il les ait traduits de l'italien, de l'espagnol ou du grec, ou que, plus simplement, il les ait édités, comme ce fut le cas de *l'Heptaméron* de Marguerite de Navarre.

Avec l'appui de Jeanne d'Albret, il publie en effet le recueil incomplet que la reine avait plutôt prévu comme un « décaméron », sous ce titre d'*Heptaméron* qui devait le rendre célèbre au cours de ses nombreuses rééditions; un an après la version très défectueuse qu'en avait donnée Boaistuau, il « remet en son vray ordre » et complète à l'aide de plusieurs manuscrits ce texte pour lequel il montre un évident respect (1559).

En accord avec les cercles cultivés qui gravitent autour de Jean Brinon, de Maupas — aumônier du roi—, ou avec de grands serviteurs royaux comme François de Ranconis ou le chancelier Olivier, auxquels il dédie ses ouvrages, il fait paraître plusieurs traductions : d'abord (1550), tirées du grec, des *Épistres* faussement attribuées au tyran Phalaris et qu'il trouve, à juste titre, pleines d'enseignement moral et de douceur; puis les considérables *Dialogues* de Speroni, que Du Bellay venait de piller pour la *Deffence* et qui traitaient de l'Amour, des Langues, du Mariage, etc. (1551). A peine les a-t-il achevés qu'il commence, protégé par un privilège pour toute la durée de son travail (les éditions de 1552, 1554, 1556, 1557, 1563, etc., seront sans cesse augmentées), la traduction d'un ouvrage qui sera parmi les plus lus dans l'Europe des XVIe et XVIIe siècles, *les Diverses Leçons* de Pierre Messie — l'Espagnol Pedro Mexia —, « forêt » d'anecdotes et de réflexions morales et savantes, qu'il vérifie scrupuleusement chaque fois que le texte lui paraît douteux (il corrige avec Jean-Pierre de Mesmes jusqu'aux erreurs mathématiques ou astrologiques). Ouvrage de grande répercussion encore, *les Dialogues d'honneur* de G.B. Possevino (1557). Avec raison, Gruget voit dans *la Vie civile* de M. Palmieri un texte dont il importe de corriger la traduction française, et il s'amuse même — l'ouvrage paraîtra posthumement en 1560 — à un *Plaisant jeu des eschecz,* qu'il traduit de Damiano, et qui connaîtra apparemment un plus grand succès en Angleterre.

Traducteur très fidèle, il fait nettement la différence entre l'invention, propre aux poètes, et la traduction, qu'il rapproche de l'ambition des « orateurs »; soucieux des rythmes de sa langue, de son usage et de ses qualités harmonieuses, il ne cherche pas non plus à contrevenir à son esprit, refusant par exemple de traduire Pomponius Mela par « Pompon Sucrin »... Sa langue est élégante et déjà classique.

BIBLIOGRAPHIE

On ne trouve aucune édition moderne des textes traduits par Gruget ni même de ses préfaces. Les éditeurs de *l'Heptaméron* de Marguerite de Navarre (notamment M. François, Garnier, 1967) nous fournissent quelques renseignements sur lui. La mise au point la plus importante est celle d'Enea Balmas, *Un poeta del Rinascimento Francese, Etienne Jodelle,* Florence, Olschki, 1962, p. 116-125 et *passim.*

M.-M. FONTAINE

GRUMBERG Jean-Claude (né en 1939). Auteur dramatique. Né à Paris, fils d'un tailleur en chambre mort en déportation, il devint apprenti tailleur puis vendeur et représentant. Bientôt comédien dans la compagnie Jacques Fabbri, où il resta cinq ans, il se mit à écrire pour la télévision *(Un miel amer, Du bonheur et rien d'autre)* et pour le théâtre. Sa première pièce représentée à Paris, *Demain une fenêtre sur rue* (1968), lui valut une notoriété que confirmèrent *Amorphe d'Ottenburg* (1970), *Dreyfus* (1975), *En rev'nant d'l'Expo* (1975) et *l'Atelier* (1979).

A ce jour, l'œuvre de Grumberg trouve son unité dans la dénonciation de la violence, violence parfois provoquée par l'indifférence et la complicité de ceux qui en deviendront les victimes, comme ces petits-bourgeois jouisseurs observant par une « fenêtre sur rue », en téléspectateurs blasés, la répression d'une symbolique insurrection : « Regarde, il y en a un qui sort, il est armé, toc, touché, il flambe » (*Demain*...). Ainsi des parents d'Amorphe, dont le réalisme technocratique justifie les assassinats de vieillards commis par leur fils débile : « La seule solution vraiment viable pour une économie qui se veut saine et dynamique » (*Amorphe*...). Mais un final grand-guignolesque vient tirer la morale de ces « drames fantastico-politiques » (G. Sandier) : les imprévoyants périssent sous un « rideau champignon » ou sont poignardés par le tueur insatiable.

En s'intégrant à l'Histoire (*Dreyfus, En rev'nant d'l'Expo*...), la satire change de cible. Cette fois, d'emblée, Grumberg met en scène les victimes désignées pour des massacres imminents, « solution finale » ou guerre mondiale : modestes comédiens yiddish répétant à Vilno une pièce sur l'Affaire, ou artistes de caf'conc' d'avant 1914 tentant de comprendre leur destin. Mais, à leur niveau de perception, l'enchevêtrement des signes brouille la lecture du sens. D'où l'ironie tragique de ces débats sur l'assimilation (« un Juif n'a rien à faire dans la peau d'un capitaine français »), la ségrégation, le « grand retour », ou l'opportunité d'un asile... à Berlin (*Dreyfus*). Également écartelés, les artistes parisiens d'*En rev'nant d'l'Expo* mettent leurs espoirs dans une Jeanne d'Arc alsacienne et « gardeuse d'oies », tandis qu'au café voisin les syndicalistes se déchirent en querelles idéologiques. Efforts touchants pour masquer la dure réalité : le « canon français » de l'Expo a été fondu par Krupp. La satire vise désormais ces troubles infrastructures et les idéalismes dérisoires dans lesquels l'Histoire est pensée. La Libération marquera-t-elle la fin de la violence? Sur *l'Atelier* la guerre est passée, avec ses deuils, mais nouant aussi des solidarités inattendues. Pourtant se profile l'implacable dieu-économie (l'*Amorphe* de la fable) condamnant l'entreprise familiale de Léon, le petit tailleur juif, au rythme infernal du « bagne, comme ailleurs, comme partout, comme la concurrence ».

Juxtaposant les différents niveaux de réalité (théâtre dans le théâtre, histoire collective et fiction individuelle) et de langage (clichés idéologiques et humour yiddish ou argot parisien), l'œuvre de Grumberg affirme la solitude et la fragilité de l'individu face à une extériorité d'autant plus dangereuse qu'elle s'incarne dans un discours rationnel. Ses premières pièces en appellent directement à la responsabilité du public; puis c'est la pitié pour les victimes qui l'emporte, à mesure que la « bête immonde » paraît plus indestructible et moins saisissable.

M.-A. DE BEAUMARCHAIS

GUAÏTA Stanislas de (1861-1897). Théoricien et historien de l'ésotérisme. Né en Lorraine, au château d'Alteville, Stanislas de Guaïta fut, au lycée de Nancy, le condisciple de Barrès, auquel il révéla la poésie moderne. Lui-même commença par publier des vers de facture parnassienne : *les Oiseaux de passage* (1881), *la Muse noire* (1883), *Rosa mystica* (1885), mais il perdit bientôt le goût de la création littéraire pour se tourner vers les spéculations occultistes. Ayant entrepris de restaurer l'ordre kabbalistique de la Rose-Croix (1888), il s'engagea dans la rédaction de ses *Essais de sciences maudites,* auxquels un premier ouvrage, *Au seuil du mystère* (1886), servait d'introduction; sa mort laissa inachevée la trilogie prévue : *le Temple de Satan* (1891), *la Clef de la magie noire* (1897) et *le Problème du Mal...*

Guaïta fut l'une des grandes figures de la résurgence de l'ésotérisme qui marqua la fin du XIXe siècle, en réaction contre le positivisme officiel et le scepticisme moderne. Sous son impulsion, puis sous celle de Péladan et de Papus, la Rose-Croix devint un haut lieu du monde littéraire occultiste et un centre d'études de la Tradition : car, en véritable apôtre et rénovateur de l'occultisme, Guaïta s'efforçait de susciter travaux et recherches auprès de ses amis et de ses disciples. Ses *Essais de sciences maudites* qui tentent de répondre au problème du mal à la lumière de la science hermétique, offrent eux-mêmes un mélange d'érudition et de mysticisme, d'imagination et d'esprit de système.

BIBLIOGRAPHIE

M. Barrès, *Un rénovateur de l'occultisme, Stanislas de Guaïta,* 1898, réimprimé dans *Amori et Dolori Sacrum,* 1903; O. Wirth, *l'Occultisme vécu. Stanislas de Guaïta. Souvenirs de son secrétaire,* Paris, Éd. du Symbolisme, 1935.

M.-O. GERMAIN

GUÉHENNO Marcel, dit Jean (1890-1978). Essayiste et journaliste. Né à Fougères, fils d'un pauvre cordonnier, Guéhenno quitte le collège à quatorze ans. Petit employé dans une fabrique de chaussures, il prépare seul et obtient le baccalauréat; admis en 1911 à l'École normale supérieure, agrégé de lettres, il se partage, après la Grande Guerre, entre l'écriture, l'enseignement et le journalisme. De 1929 à 1936, rédacteur en chef de la revue *Europe* (placée alors sous l'autorité de Romain Rolland), il soutient avec fougue le Front populaire (*Entre le passé et l'avenir,* publié en 1979, réunit les textes écrits par Guéhenno de 1929 à 1935), puis crée avec André Chamson la revue *Vendredi.* Il enseigne en province, puis à Paris, se faisant une règle de « maintenir ensemble la défense de l'aristocratie de l'esprit et le principe de l'égalité des chances ». En 1942, il collabore à la création du Comité national des écrivains; *Dans la prison* (publié clandestinement en 1944 sous le pseudonyme de CÉVENNES) et *le Journal des années noires* (1947) témoignent de son expérience de la guerre. Il poursuit sa carrière universitaire au ministère de l'Éducation nationale, puis comme inspecteur général de l'Instruction publique. En 1961, il est élu à l'Académie française.

Dès 1927, Guéhenno avait publié *l'Évangile éternel* (étude sur Michelet) qui annonçait les thèmes de *Caliban parle* (1928), pamphlet notable contre les inégalités culturelles, ou encore ceux de *Changer la vie* (1962). Il dénonce « le principe de dédain, d'exclusion et d'orgueil » que beaucoup de maîtres à penser prétendent devoir régir toute culture. Il combat les artifices du surréalisme et l'esthétisme de l'école gidienne. En 1977, dans son livre ultime *Dernières Lumières, derniers plaisirs,* il affirmait encore : « Le bonheur n'est pas dans les livres, qui compliquent tout [...]. C'est une grande limite de n'être qu'un intellectuel ». La mémoire affective de ses origines nourrit une bonne partie de son œuvre, en particulier le *Journal d'un homme de 40 ans* (1934), le livre de Guéhenno le plus connu du grand public, et qui fut traduit en plusieurs langues. Mais cet autodidacte, viscéralement attaché à sa Bretagne ouvrière et dont Gide a dit méchamment qu'il « parle des sentiments comme on parle du nez », fut aussi un intellectuel pour qui « écrire un livre [était] d'abord un métier » et qui, à ce titre, s'opposa, en 1931, aux thèses d'Henri Poulaille concernant la « littérature prolétarienne ». Il consacra plusieurs études à ses maîtres : Michelet, Rousseau (*Jean-Jacques, histoire d'une conscience,* 1962), Romain Rolland, Renan, chacun d'eux illustrant pour lui l'authenticité d'un engagement. Sa « religion de l'homme » se retrouve dans ses récits de voyages : *Voyages, tournée américaine, tournée africaine* (1952); *la France et les Noirs* (1954).

L'œuvre de Guéhenno porte la marque d'un conflit intérieur entre la fidélité à des origines prolétariennes et le statut de l'intellectuel. C'est ce conflit que traduisent par exemple ses essais (*Sur le chemin des hommes,* 1959) et ses journaux intimes (*Carnets du vieil écrivain,* 1971). Se refusant à prendre le parti d'une culture contre l'autre, il put paraître traître à toutes les causes. C'est pourtant le titre du plus intime des ouvrages de « ce pauvre Guéhenno » (Sartre, *la Nausée*) que les manifestants de 1968 transformèrent en slogan : *Changer la vie* (1961).

M.-P. SCHMITT

GUÉRET Gabriel (1641-1688). Avocat de profession, Guéret plaida peu, se consacrant surtout à la critique littéraire. Très jeune, il fit partie du cercle savant et lettré de l'abbé d'Aubignac, et, lorsque Colbert conféra à ce groupe, au début des années 1660, un statut officiel d'académie, il en fut le secrétaire. Il faisait d'ailleurs partie de la clientèle de Colbert : sa *Carte de la Cour* (1663), inspirée de la *Carte du Tendre,* passe en revue des écrivains et personnalités en faisant l'éloge de la famille Colbert et de ses protégés.

Guéret fut un critique redouté. Cela tient, entre autres, au fait qu'il évite la critique dogmatique et, s'adressant au public mondain, pratique des formes d'écriture propices à la souplesse des vues et à l'ironie : ses genres favoris sont le « Dialogue » et le « Songe ». Il apparaît comme un tenant de l'élégance, hostile au pédantisme des « citateurs, clabaudiers et déclamateurs ». Il publia des réflexions sur la rhétorique et sur les pratiques de l'éloquence : les *Entretiens sur l'éloquence de la chaire et du barreau* (1666), *l'Orateur* (1672). Mais il s'intéressa surtout aux questions d'esthétique littéraire. Sa *Promenade de Saint-Cloud* (composée sans doute en 1669, mais gardée lontemps manuscrite) passe en revue, sous forme de dialogue, les mérites d'une soixantaine d'auteurs contemporains, en prenant pour référence le point de vue de Boileau; il donne d'ailleurs sur ce dernier nombre de renseignements qui ont attiré l'attention des historiens de la littérature.

Mais son œuvre la plus importante est le diptyque du *Parnasse réformé* (1668) et de *la Guerre des auteurs anciens et modernes* (1671). Il y utilise (reprenant un procédé de Juste Lipse, *Satyra Menippaea,* 1581) la fiction d'une vision en songe : les auteurs de l'Antiquité se plaignent d'être mal compris, mal traduits et pillés par les Modernes, qui, à leur tour, se chamaillent entre eux. Guéret est pour le respect des Anciens, mais il en fait les « fondations » — qu'on ne verra donc guère — de la culture. Il condamne les pédants, le faux bel esprit, toutes les outrances et invraisemblances. Grâce aux libertés que lui permet la fiction, il exprime des vues nuancées, et son respect des Anciens n'exclut pas la prééminence des meilleurs parmi les Modernes : c'est ainsi qu'il imagine un tribunal littéraire formé de Malherbe, Vaugelas et Guez de Balzac, qu'il admet (avec des réserves) des mérites chez Marot, Ronsard ou Cyrano (*Guerre des auteurs...*) En fait, la verve caustique de Guéret s'exerce allégrement sur des tenants des deux camps, et ses écrits constituent une contribution importante à l'histoire de la querelle des Anciens et des Modernes. Connaissant aussi bien Boileau que Perrault, il adopte une position originale, dans ce conflit alors en passe de devenir polémique ouverte, en prenant comme critère essentiel le goût, qu'il nomme « science galante » (*Parnasse*). Pour cela, et pour l'alacrité de leur écriture, ces textes mériteraient une édition moderne.

A. VIALA

GUÉRIN Charles (1875-1907). Né à Lunéville, Charles Guérin appartient à une famille de riches industriels et reçoit une éducation très catholique. Bachelier en 1891, il fait des études de lettres à Nancy; un internat maussade, une grave maladie qui lui fait approcher la mort en 1892, la mort de son frère un an après colorent tristement ses premiers essais poétiques, froidement accueillis (*Fleurs de neige,* 1893, *l'Agonie du Soleil, Joies grises,* 1894). Pourtant son troisième recueil, *le Sang des crépuscules* (1895), est préfacé par Mallarmé. Tout en écrivant, Guérin continue des études d'allemand (il est licencié en 1877). Puis il vit en solitaire, ne se confiant qu'à de rares amis — dont Francis Jammes. Il meurt à 33 ans.

Ce poète de talent, dont l'existence fut brève, reste ignoré par une critique étrangement passive et qui le situe dans l'ombre des « symbolistes », héritier de Rodenbach ou de Samain. En fait, Charles Guérin publie son premier recueil de poèmes, *Fleurs de neige,* en 1893, c'est-à-dire en pleine gloire du symbolisme, et il accepte le mot d'ordre de l'écriture symboliste : « De la musique avant toute chose ». Toute son œuvre sera ainsi étudiée à partir d'un malentendu, d'autant plus que la « poésie nouvelle » — et son entreprise de contestation du langage — surgit au moment de la mort de Charles Guérin. Le symbolisme passera de mode au profit du dadaïsme ou du surréalisme. Or les classifications, si elles sont parfois commodes, se révèlent toujours plus ou moins trompeuses.

Affirmation de l'individu

De 1893, date du premier recueil, jusqu'en 1905, publication de la dernière œuvre, *l'Homme intérieur,* c'est une écriture poétique originale qui se manifeste avec le passage d'une écriture ornementale (les procédés symbolistes) à l'expression d'une sensibilité et d'une inquiétude métaphysiques. L'affirmation sincère de l'individu conduira Charles Guérin jusqu'à l'expression d'une poésie philosophique chrétienne.

Cette évolution apparaît immédiatement dans le choix des titres de ses œuvres. Le premier titre, *Fleurs de neige,* évoque les « fleurs de rhétorique », c'est-à-dire les procédés d'écriture poétique. Le jeu de mots fait référence à Baudelaire, mais l'ouvrage ne supporte pas la comparaison avec *les Fleurs du mal.* Les titres suivants exprimeront avec force la prise de conscience chez le poète d'une exigence métaphysique et d'une quête de l'absolu : *le Cœur solitaire* (1898), *l'Éros funèbre* (1900), *le Semeur de cendres* (1901) et le très significatif *Homme intérieur.* La typologie des titres est ici porteuse de sens.

Le combat intérieur

Avec la publication du *Cœur solitaire,* Charles Guérin affirme sa propre personnalité. La hantise de la mort, l'inquiétude métaphysique et le « goût de Dieu » vont devenir des thèmes essentiels. Charles Guérin cesse alors d'appartenir au symbolisme, même s'il reste prisonnier d'une poésie à forme fixe, qu'il maîtrise parfaitement. Guérin abandonnera pourtant l'alexandrin, trop marqué d'une connotation symboliste, au profit d'un octosyllabe dépouillé, qui exprime mieux l'exigence métaphysique et le combat intérieur entre la Chair et le Divin.

Car le combat intérieur de Charles Guérin est d'abord un combat entre la Chair et le Divin. Il sacrifiera en effet l'amour charnel qu'il éprouve pour sa maîtresse aux exigences de la morale chrétienne, s'exposant ainsi aux tourments de l'amour inassouvi.

Chez Charles Guérin, religiosité et sensualité ne s'excluent pas, et le besoin d'aimer se double d'une exigence de l'absolu, que nous pouvons nommer recherche du Divin. « L'inquiétude de Dieu », selon l'expression même de Charles Guérin, devient un thème essentiel de sa poésie, inquiétude parce que sa foi est une source de tourment plus que d'apaisement. La poésie de Charles Guérin atteint alors une dimension inconnue.

Avec *l'Homme intérieur,* Guérin cesse d'exprimer directement cette inquiétude de Dieu pour se diriger vers un stoïcisme tempéré, seule attitude, désormais, du poète, digne dans sa souffrance.

On a oublié les premiers recueils de Charles Guérin, *Fleurs de neige, Joies grises* et *le Sang des crépuscules,* d'inspiration trop nettement symboliste.

Mais *le Cœur solitaire* nous révèle en 1898 un Charles Guérin qui mérite toute notre attention parce qu'il est le précurseur de toute une tradition de la poésie chrétienne, celle qui exprime une prise de conscience aiguë des contradictions de l'individu (Claudel, Pierre-Jean Jouve ou, dans un autre domaine littéraire, Bernanos, Mauriac...). Charles Guérin donne ainsi une dimension nouvelle à la poésie.

BIBLIOGRAPHIE

Outre le volume de *Poèmes choisis,* publié chez Grasset, on se référera à : « Hommage à Charles Guérin », *Points et Contrepoints,* n° 111, juin-juillet 1974.

Ch. GAMBOTTI

GUÉRIN Eugénie de (1805-1848). S'il n'y avait eu son frère dont elle s'attacha à conserver la mémoire présente en se faisant son éditrice, sa destinée posthume serait demeurée enfermée entre les murs tarnais du château du Cayla où elle naquit, passa la plus grande partie de son existence et mourut. Existence solitaire, presque monacale, que rompt une correspondance avec Maurice de Guérin (publiée par Barbey en 1864), maternelle, moralisante et quasi mystique. Son *Journal* (publié par les soins du même en 1863), véritable éphéméride de la vie retirée de province, offre quelques pages de prose poétique plus à même de satisfaire l'amateur d'histoire ou d'histoire littéraire que l'amoureux de poésie :

> Aux flots revient le navire [...]
> A toi je reviens ma lyre.

On ne saurait mieux définir la poésie comme passe-temps!

D. COUTY

GUÉRIN Georges Pierre Maurice de (1810-1839). « Je dois tout à la poésie... je lui devrai peut-être mon avenir ». Trois textes (*Glaucus, le Centaure* et *la Bacchante*) suffisent en effet pour que Maurice de Guérin, un des initiateurs du poème en prose, éclaire encore la mémoire de ses fervents. Mais que doit sa fortune aux mythes dont il se laissa entourer par sa sœur Eugénie et ses proches? Disputé entre mille légendes, frère trop chéri, poète christique aux accents curieusement dionysiaques et païens, il a sans doute cherché dans l'écriture — de manière plus velléitaire qu'efficace, certes — l'édification d'une histoire qui pût être sienne, tout aussi illuminée, mais différente.

L'exil ou le royaume?

> Ce castel avec sa terrasse,
> Tu le sais bien, c'est le Cayla.
> Il n'a pas effacé ta trace,
> Tes deux sœurs sont encore là.
> Oh rêve, rêve au doux Cayla!

Ainsi Maurice de Guérin exprime-t-il le drame de son existence, déchirée entre les appels incessants d'une pureté attachée par la nostalgie au paysage originel et l'exigence pressante d'une certitude finale, fruit d'une expérience sulfureuse et mortelle, mais autre.

« Tout ce que nous cherchons n'est-il pas au couchant? » s'interroge-t-il, toujours inquiet du sens de cette double postulation qui partage son être et lui fait envier le sort des enfants morts dans leur innocence, qui « ne savent rien de la terre » et « naissent dans le ciel » : « [...] je ne puis m'empêcher de regretter le ciel où je serais, et que je ne puis atteindre que par la ligne oblique de la carrière humaine ».

Quatrième enfant d'une famille pieuse et rigoriste, orphelin de mère à neuf ans, Maurice de Guérin révèle une sensibilité à fleur de nerfs au contact d'Eugénie, sa sœur, qui lui voue un amour exclusif et dont le mysticisme sublime à l'envi tout l'indicible de leurs relations :

> Elle aimait mes rêves
> Et j'aimais les siens,

confie-t-il. Tous deux goûtent assez la lecture de Chateaubriand pour ne rien ignorer du vertige romantique des passions interdites. Eugénie se trouve certainement à l'origine de ce climat mythique dont son frère sera toujours mis en demeure d'assumer le poids : « Aigle indépendant et vagabond, comment te fixer dans ton aire? » lui demande-t-elle, peut-être pour mieux le crucifier dans son propre désir. Même au loin, Eugénie fait tout pour garder Maurice sous son influence, pour construire la vie de son frère comme une œuvre bien à elle. Par ses lettres, elle guide ses études au séminaire de Toulouse (1821-1824), puis au collège Stanislas, à Paris (1824-1829). Elle le met en garde quand il se lie avec Barbey d'Aurevilly et tourne le dos à la religion (1827-1828), ou lorsqu'il devient disciple de Lamennais à La Chênaie (1832-1833). Elle exerce une vigilante censure sur tout ce qu'il signe dans la presse : dans *l'Avenir* (1831), la *Revue européenne* (1832), *la France catholique* (1834). Quand il paraît lui échapper, la pudeur des termes ne parvient pas à masquer tout le feu des reproches : « ... je pense, hélas! que tu n'aurais pas dû te marier. Je ne connais aucune femme pour toi. Il te faudrait une femme à part, une Ève créée pour toi, [...] une femme virile... », lui écrit-elle lorsqu'il épouse Caroline de Gervain (15 novembre 1838).

Oscillant toujours entre des crises de mysticisme, exacerbées par le remords d'avoir renié ses origines morales et affectives, et la fascination des autres mondes, aspirant tantôt à s'enfouir dans la « grotte » matricielle et bienheureuse qui voit naître *le Centaure,* tantôt avide de sensations étranges et dangereuses qui ne peuvent se goûter qu'en s'arrachant à son être premier, au risque de le voir « se disperser dans les vents », Maurice de Guérin ne parvient jamais à choisir l'un des deux versants de son cœur. Sa vie tout entière ne sera que départs (1824, 1830, 1831, 1832, pour Paris; 1832, pour La Chênaie; 1834, à nouveau — et à deux reprises —, pour Paris, où il se rendra encore en 1838) et retours à Cayla, d'où sa plus longue absence n'excédera pas trois ans (août 1834-juillet 1837).

Mais quand il meurt, à vingt-neuf ans, le 19 juillet 1939, de cette maladie de langueur dont il déclare que tout le poison résulte de « mélanges incompréhensibles de passions sans enthousiasme », il était libéré de ses hantises. Et Eugénie, lorsqu'elle découvre les publications posthumes de *Glaucus, le Centaure* et *la Bacchante* — œuvres que Maurice semble ne jamais lui avoir montrées —, sait enfin les frontières d'un royaume où elle n'a pas régné.

Au-delà des formes

L'œuvre de Maurice de Guérin voit coexister des formes multiples : lettres, journal intime (*le Cahier vert*, rédigé de 1832 à 1835), poèmes de formes quasi académiques (élégies, sonnets, strophes ïambiques...), vers libres (*la Délivrande, Glaucus*...) ou poèmes en prose (*Bal, promenade et rêverie à Smyrne* — texte hybride, intégrant un long développement versifié —, *le Centaure, la Bacchante*). Plus que leur voisinage, c'est la fusion ou l'aboutissement de toutes ces formes les unes dans les autres qui éclate. Non seulement autobiographie et poésie s'interpénètrent, mais toute l'écriture de Maurice de Guérin semble ne valoir d'abord qu'en tant qu'exploration des formes.

Ovide et Lucrèce ne l'auraient pas initié au mystère des métamorphoses si lui-même n'avait rêvé d'une autre vie. Sa poésie devient tout naturellement appel à la transmutation de tout ce qui est vécu en langage. Quand les jours se font lourds et que la morne réalité l'assaille, le poète, en écrivant, veut déranger l'inertie universelle, communiquer avec l'invisible : « Le silence m'enveloppe, tout aspire au repos, excepté ma plume qui trouble peut-être le sommeil de quelque atome vivant, endormi dans les plis de mon cahier... ».

Le mot revêt alors une fonction première, presque incantatoire. Il donne réalité à la chose bien avant qu'elle soit présente et continue à la faire exister alors même qu'elle s'est évaporée dans l'éphémère sensation. Ainsi du moins prétend en user l'imaginaire : « J'étends au large le sens du mot imagination : c'est pour moi le nom de la vie intérieure, l'appellation collective des plus belles facultés de l'âme, de celles qui revêtent les idées de la parure des images, comme de celles qui, tournées vers l'infini, méditent perpétuellement l'invisible et l'imaginent avec des images d'origine inconnue et de forme ineffable ».

A l'évidence, pour un homme qui « suçait les mots comme les abeilles pompent les fleurs » (Barbey d'Aurevilly), il ne pouvait être question de les soumettre au joug de formes préexistant à sa parole. C'est à l'expression de naître pour inventer sa forme propre.

Persuadé, donc, qu'on est « poète par expansion et parole naturelle », Maurice de Guérin retrouve à coup sûr dans le poème en prose, avec sa cohérence monstrueuse et polymorphe, l'ondoiement imprévisible de ses rythmes, la fluidité cyclique de ses versets et la respiration rauque et barbare qui les scande, les chemins du paradis perdu de l'expression. Ainsi que les Centaures, dont les mères, « quand [elles] approchent de leur délivrance [...] s'écartent vers les cavernes et, dans le fond des plus sauvages, au plus épais de l'ombre [...], enfantent, sans élever une plainte, des fruits silencieux comme elles-mêmes », le poète cherchera enfin à reconnaître « des sons qui se dissolvaient dans le souffle de la nuit, ou des mots inarticulés comme le bouillonnement des fleuves » et à s'en forger un langage.

Du mythe à la conscience

Moi-écrit et moi-écrivant seront toujours conçus par Maurice de Guérin sous le signe d'une étrangeté radicale, ou, tout au moins, d'une inavouable identité. Dès lors, l'écriture se met à l'écoute d'un tumulte de mutations, de ruptures, de reniements et de révoltes que le poète n'ose revendiquer pleinement : « [...] tandis qu'une partie de moi-même rampait à terre, l'autre, inaccessible à toute souillure, haute et sereine, amassait goutte à goutte cette poésie qui jaillira, si Dieu me laisse le temps » (*Cahier vert*, 13 août 1832). Ainsi rêve-t-il, dans l'attente d'une expression souveraine et maîtresse de soi, mais toujours à venir.

Et quand, accablé par la nostalgie éprouvante de l'homme malade et de l'écrivain stérile, le poète cherche un recours hors de lui-même, il finit par découvrir aux marges de son être un univers toujours régénéré et créateur, plein de vie, de formes et de forces : « [...] tout se prépare pour la grande fête de la nature » (*ibid.*, 3 mars 1833). Le panthéisme dont se colore toute l'œuvre de Maurice de Guérin vient ainsi donner à l'élément mythologique, omniprésent, un sens tout autre que simplement référentiel.

En fait, l'univers mythologique, monde à l'intérieur duquel la chose et le mot sont à réinventer, où le mot est la chose, permet d'accéder à une langue secrète, codée, autorisant seule l'inconscience à parler d'elle-même pour dire ce qu'elle est. Si le Centaure dit « je », c'est à juste titre, tant la conscience poétique, hallucinée de ses métamorphoses se découvre autre, étrangère à elle-même et à sa propre sensation. Telle la Bacchante, aiguillonnée par son délire sacré : « Pour moi, qui ignorais encore le dieu, je courais en désordre dans les campagnes, emportant dans ma fuite un serpent qui ne pouvait être reconnu de la main, mais dont je me sentais parcourue tout entière ».

L'écriture poétique peut alors devenir transposition des cahots d'une aventure idéologique et morale en traversée des éléments, de l'océan des formes et des règnes. La juxtaposition fragmentaire qui, vécue, donne à toute chose et à toute sensation une existence fugitive et décevante, résout enfin ses contradictions déchirantes dans l'unité d'un langage où l'errance inquiète s'efface tandis que s'ouvre un itinéraire magique. Le poète y sublime ses hantises dans le rêve d'un mouvement idéal, substituant au flux inexorable, à l'épanchement douloureux, à l'écoulement sans retour la perpétuelle circulation des fluides vitaux, propre à ramener l'être à ses bienheureuses origines, à lui faire réintégrer sans douleur, au terme de ses impétueuses escapades, l'« antre » tiède et paisible où il reprend vie :

L'amour qui, dans le sein des roches les plus dures,
Tire de son sommeil la source des ruisseaux,
Du désir de la mer émeut ses faibles eaux,
La conduit vers le jour par des veines obscures,
Et qui, précipitant sa pente et ses murmures,
Dans l'abîme cherché termine ses travaux :
C'est le mien...

(*Glaucus*)

Ayant ainsi conjuré la malédiction que faisait peser sur sa découverte l'absolu divorce du temps et de l'espace, le poète peut accepter de la goûter comme une épreuve aux dimensions universelles.

S'arrachant aux représentations dans lesquelles on l'emprisonne, le moi poétique, construisant ses propres mythes, paraît attendre un autre lui-même pour les dépasser : le lecteur, sans doute, invoqué par cette parole hermétique en laquelle Maurice de Guérin place tout son espoir d'être entendu.

BIBLIOGRAPHIE

Les *Œuvres complètes de Maurice de Guérin* ont été publiées par la Société Les Belles-Lettres, Paris, 1947 (2 vol.). Un volume de *Poésie (le Centaure, la Bacchante, le Cahier vert, Glaucus, Pages sans titre)* a été édité et remarquablement préfacé par Marc Fumaroli (Poésie/Gallimard, 1984).

On consultera avec intérêt l'anthologie des *Plus Belles Pages de Maurice et Eugénie de Guérin,* introduite par F. Mauriac et P. Moreau, et accompagnée d'une utile chronologie et de précieuses notes.

Voir aussi : Bernard d'Harcourt, *Maurice de Guérin et le Poème en prose,* Paris, Belles-Lettres, 1932, ouvrage vieilli et parfois bien confus; Jean-Pierre Richard, *Études sur le romantisme,* Paris, Le Seuil, 1970, p. 215-226, approche brillante et plus moderne, quoique lacunaire; Maya Schärer-Nussberger, *Maurice de Guérin, l'errance et la demeure,* Paris, José Corti, 1965, ouvrage capital, pénétrant et exhaustif.

D. GIOVACCHINI

GUÉRIN Raymond (1905-1955). Romancier né à Paris. Fils d'un gérant de restaurant, il fait l'apprentissage du métier de garçon d'hôtel. A Bordeaux, il anime une petite revue littéraire, travaille dans les assurances, se marie, puis divorce. Prisonnier de guerre, il connaît la captivité dans différents camps de Bade de 1940 à 1944; il y poursuit son œuvre romanesque — commencée avec *Zobain* en 1936 — en rédigeant *Parmi tant d'autres feux* (publié en 1948) et *les Poulpes* (publié en 1953). Ces deux derniers titres, joints à *l'Apprenti,* formeront les trois volumes de l'*Ébauche d'une mythologie de la réalité,* que Guérin n'aura pas le temps d'achever. Il rentre en France épuisé, reprend bientôt ses occupations professionnelles à Bordeaux, sans délaisser la création littéraire (*l'Apprenti,* 1945; *la Peau dure,* 1948). Il meurt à cinquante ans des suites d'une pleurésie. Après un oubli presque total de plus d'un quart de siècle, les années 80 redécouvrent son œuvre.

Guérin fut amené (*Fragment testamentaire,* 1950, par ex.) à justifier une poétique et une thématique que la critique semblait mal comprendre. Le romancier ne se soucie pas d'indiquer un chemin à suivre, de même qu'il fuit l'alibi esthétique : c'est en moraliste qu'il traduit son expérience, dans un style amer, souvent brutal. Le récit minutieux des années de formation (*l'Apprenti*) ou de sa vie sentimentale (*Zobain; Parmi tant d'autres feux*), l'acharnement à décrire par le menu la nausée quotidienne d'un camp de prisonniers (*les Poulpes*), tout chez Guérin proteste contre un monde dérisoire, dégradant et sans joie. Dans *Un romancier dit son mot* (1948), il vilipende les « niais » qui le rangent parmi les romanciers réalistes, voire naturalistes. Pourtant, si l'on met à part des essais philosophiques comme *la Confession de Diogène* (1947) ou *Empédocle* (1950), l'œuvre romanesque de Guérin se nourrit d'un matérialisme puissant, pour lequel la sueur et les viscères sont au cœur de la condition humaine : *Quand vient la fin* (1941 puis 1945); *le Pus de la plaie* (journal de sa maladie, posthume, 1982).

BIBLIOGRAPHIE

Le nº 5 de la revue *Grandes Largeurs* est partiellement consacré à R. Guérin; Les éditions « le Tout sur le Tout » ont réimprimé *la Peau dure* (1981) et *le Pus de la plaie* (1982).

M.-P. SCHMITT

GUÉRIN DE BOUSCAL Guyon (?-1657). Avocat originaire du Languedoc, Guérin de Bouscal est l'auteur d'une série de pièces de théâtre publiées entre 1635 et 1647. Après s'être essayé brièvement à la pastorale (*la Doranise,* 1634), banalement organisée autour d'une chaîne amoureuse, Guérin de Bouscal s'essaya à la tragédie et à la tragi-comédie. Ses œuvres ne s'écartent pas des lois du genre à l'époque, bien que *la Mort de Brute et de Porcie* (publiée en 1637) puisse encore retenir l'attention aujourd'hui par une discussion sur les mérites respectifs des gouvernements républicain et monarchiste qui annonce *Cinna.* Plus que par *l'Amant libéral* (1637) ou *Cléomène* (1640), c'est par une curieuse trilogie inspirée de Cervantès que Guérin de Bouscal se fait remarquer. Il est en effet le premier dramaturge français à tirer une comédie du *Don Quichotte* (*Dom Quichotte de la Manche* en deux parties, 1639 et 1640, et *le Gouvernement de Sancho Panza,* publié en 1645). Cette trilogie spirituelle fut fraîchement accueillie, en dépit des preuves d'esprit que donna son auteur. Il semble toutefois qu'elle attira l'attention de Molière et que ce soit une sorte d'adaptation qu'en jouèrent les comédiens du Palais-Royal, sous le titre *Dom Quichot ou les Enchantements de Merlin,* en 1660. Sans plus de succès, il faut le dire.

La carrière obscure de Guérin de Bouscal se termine avec deux tragi-comédies : *Oorondate* (1645), qui fait la satire de la préciosité, et le *Prince rétably* (1647), que H.C. Lancaster considère comme une de ses meilleures pièces.

BIBLIOGRAPHIE

H.C. Lancaster, *A History of French Dramatic Literature in the Seventeenth Century,* Baltimore, 1929-1942, vol. II.

J.-P. RYNGAERT

GUÉROULT Guillaume (début du XVIe siècle-v. 1561). Poète, traducteur, et l'un des tout premiers auteurs — après Marot — de chansons huguenotes, Guillaume Guéroult est aussi l'une des figures les plus représentatives du milieu des imprimeurs lyonnais sensibles à la Réforme; l'un des écrivains les plus soumis, par ailleurs, au pouvoir de l'illustration et de la mise en musique : il a toujours été conscient que, par cette triple action de l'image, de la mélodie et du vers, on pouvait plus fortement contribuer à l'édification morale du lecteur — et agir sur lui. Au demeurant, un personnage agité et difficile à saisir, que les incertitudes de la perspective pousseraient à considérer plutôt comme un être lucide et indépendant. Il n'a pas hésité, en tout cas, à se jeter à plusieurs reprises dans la gueule du loup, au risque de se perdre, comme Dolet; mais, plus habile sans doute, cet homme qui signait PATIENCE VICTORIEUSE a pu échapper au bûcher.

L'homme d'une chanson et d'un procès

Né à Rouen au début du siècle, dans une ville qui a fourni beaucoup d'hommes à la Réforme, et dans un milieu d'imprimeurs (son oncle Guillaume Simon du Bosc, imprimeur-libraire, part pour Genève, dont il devient citoyen en 1547), Guéroult s'est fait connaître en écrivant des *Chansons spirituelles,* qui circulent avant d'être imprimées en 1548.

Les recueils de « chansons spirituelles » regroupaient le texte et la musique de chansons à sujet religieux, qu'allait marquer de plus en plus l'inspiration réformée. Un des plus connus avait pour auteur Marguerite de Navarre; le livret de Guéroult donne la musique de Didier Lupi Second, sur des textes comme la fameuse « Susanne, un jour, d'Amour sollicitée » : trente-huit fois mise en musique au cours d'un siècle (dont deux fois par le seul Roland de Lassus), traduite en flamand, allemand et anglais, chantée par les catholiques et encore plus par les protestants, elle fait de l'histoire biblique de Suzanne résistant aux vieillards un modèle tout simple et dramatique de vertu courageuse. A la veille de sa disparition, en 1560, Guéroult, conscient déjà du succès de son recueil, tente de le redoubler en publiant une *Lyre chrestienne,* mise en musique par Hauteville, et composée de poèmes de Du Bellay et de Guéroult, dont deux cantiques sur une autre « haute dame » de la Bible, qui vient tenir compagnie à Suzanne : Judith. Mais c'est dans d'autres textes réformés que cette Judith trouvera le succès ; l'intention religieuse et politique de Guéroult n'est d'ailleurs plus très nette, puisque le recueil, outre qu'il comprend des textes du gallican Du Bellay, est dédié à Marguerite de Savoie.

S'il ne fait aucun doute que Guéroult a appartenu à la Réforme, il semble qu'on doive le situer du côté des libertins, dans la minorité dirigée par Perrin et Vandel à Genève, et que Calvin élimine en 1555. Avant cette date, Guéroult, qui a pourtant publié son premier psaume à la suite de *Deux Sermons* de Calvin (1546), s'est déjà attiré la haine de celui-ci : arrêté à plusieurs reprises, et en particulier en mars 1549 « pour avoir proféré plusieurs parolles sinistres contre Calvin » et pour « paillardise », toujours défendu par Vandel, il doit quitter Genève après l'échec des libertins en 1555 et rentrer définitivement en France, séjournant tantôt à Lyon, tantôt à Paris, où il semble avoir composé la très virulente et très drôle *Epistre du seigneur de Brusquet aux magnifiques et honorez Syndicz et Conseil de Genève* (1559) : le fou du roi propose de venir vendre ses lunettes de folie à la bonne ville de Genève, qui en a grand besoin car c'est le royaume des myopes et des hypocrites. La verve rabelaisienne, qui n'apparaît que rarement dans son œuvre, fait tout d'un coup de Guéroult un polémiste efficace.

En fait, le plus grand moment de l'activité de Guéroult se situe entre 1549 et 1553, quand il travaille à Lyon, puis à Vienne, dans l'atelier de l'imprimeur Arnoullet, son beau-frère, qui a adhéré à la Réforme. L'affaire Michel Servet, dans laquelle Guéroult joue un rôle déterminant, rompt leur accord : Guéroult est favorable à la publication du fameux *Christianismi restitutio* de Servet, condamné à la fois par l'Inquisition catholique et par Calvin (qu'il attaque); le travail a été exécuté dans un atelier clandestin d'Arnoullet, dirigé par Guéroult à Vienne. On connaît le sort du livre et celui de Servet, mais c'est certainement sur le conseil de Guéroult que Servet s'était réfugié à Genève, pensant y trouver la sécurité. On a vu que Guéroult, qui en fit autant, s'il ne fut pas brûlé sur le bûcher, dut pourtant quitter Genève après deux procès.

Le collaborateur de Balthazar Arnoullet et le poète

Il est difficile, pour les années 1549-1553, de faire le partage entre les initiatives d'Arnoullet et celles de Guéroult, qui devient son correcteur et traducteur. Arnoullet dispose de graveurs remarquables, comme Clément Boussy et Bernard Salomon, et une partie du travail de Guéroult consiste à fournir les textes qu'illustreront ces artistes : c'est le cas de sa *Chronique des Empereurs* (1552), traduction illustrée de médailles, de l'*Histoire des plantes,* traduction souvent rééditée de Fuchs, ornée de figures d'une grande précision (1550), et surtout du *Premier Livre des emblèmes* et du *Blason des oyseaux* (1550), dans lesquels gravures et poèmes se commentent les uns les autres. Dans l'*Épitomé de la Corographie d'Europe* (1553), il s'adresse, dans de petits éloges étonnants des villes, à un public commerçant, sérieux, moral, mais curieux des grands ports et des grands marchés européens, y compris Constantinople. Plus tard encore (1557), des scènes de la Bible sont expliquées sobrement par des commentaires en vers. Les *Hymnes du temps et de ses parties* (1560) alternent prose savante et poésie simple dans les textes les plus sereins qu'il ait écrits. Car ce poète, qui se réclame encore en 1552 des rhétoriqueurs (en ce qu'ils immortalisaient les princes), a su faire son profit de Ronsard et de Belleau. Déjà ses *Emblèmes* et *Blason des oyseaux* trouvaient une voie originale, où il fait véritablement figure de précurseur : la fable. Une thématique souvent austère, sévère pour les « tyrans », amère devant la victoire des plus forts et le cynisme de la société, retrouve dans la description des mœurs du monde animal un mode d'expression familier et dans les recherches de variation métrique les plus compliquées un moyen de séduction efficace. Il ne fait aucun doute que La Fontaine a su piller cet étrange redresseur de torts, amateur passionné de musique et de gravure. On ne s'étonnerait pas non plus qu'Apollinaire ait eu connaissance du subtil « bestiaire » des *Oyseaux.*

BIBLIOGRAPHIE

Il n'y a pas d'édition moderne des *Chansons spirituelles* de 1548, quoique certaines soient citées dans des recueils de chansons protestantes. Cf. G. Becker, *Guillaume Guéroult et ses Chansons spirituelles,* Paris, 1880; H.L. Bordier, *le Chansonnier huguenot,* Paris, 1870. La chanson « Susanne, un jour, d'Amour sollicitée » a été publiée dans un article essentiel (avec deux mises en musique) : K.J. Levy, « *Susanne, un jour;* The History of a 16th Century Chanson », *Annales musicologiques,* I, 1953.

Le Premier Livre des emblèmes de 1550 a été publié par de Vaux de Lancey, avec une notice importante sur Guéroult, Rouen, 1937.

L'Epistre du seigneur de Brusquet aux magnifiques et honorés seigneurs Syndicz et Conseil de Genève de 1559 est publié par E. Balmas, à la fin de son article « Guillaume Guéroult, "terzo uomo" del processo Serveto », *Montaigne a Padova,* Padoue, 1962, p. 218-223.

Les gravures illustrant l'*Épitomé de la Corographie d'Europe* de 1553 sont reproduites partiellement dans Baudrier, *Bibliographie lyonnaise,* t. X, reprint 1964, p. 137 *sqq.*

La Lyre chrestienne de 1560 est décrite dans F. Lachèvre, *Recueils collectifs,* Paris, 1922, p. 205-206.

A consulter. — A. Cartier, « les Dixains catholiques », *Mélanges Picot,* 1913, t. I, p. 308; Baudrier, *Bibliographie lyonnaise,* t. IV, p. 276, t. X, p. 92-140; G. Becker, ouvrage cité; de Vaux de Lancey, édition du *Premier Livre des emblèmes,* 1937; K.J. Levy, article cité; E. Balmas, article cité; id., « Guillaume Guéroult traducteur des psaumes », *R.H.L.F.,* 1962; et surtout *Un poeta del Rinascimento francese, Etienne Jodelle,* Florence, 1962, p. 75-110 et *passim;* A Saunders, « The Evolution of a XVIth Century Emblem Book, The *Décades de la description... des animaulx et Second Livre de la description... », B.H.R.,* 1976, p. 437-457 (sur les éditions conjuguées de Aneau et Guéroult, *Blason des oyseaux*). On se reportera aussi à l'article EMBLÈME pour la réflexion sur le *Premier Livre des emblèmes* et le *Blason des oyseaux.*

M.-M. FONTAINE

GUEULLETTE Thomas Simon (1683-1766). Né à Paris, avocat de profession, Thomas Simon Gueullette fut un écrivain très goûté en son temps. Ses ouvrages ont subi le sort de tant d'autres : généralement méprisés par la critique en France au XIXe siècle, ils ne sont connus aujourd'hui que des spécialistes. Les contes de fées de Gueullette mériteraient pourtant d'être tirés de l'oubli où ils sont tombés, surtout *les Aventures merveilleuses du mandarin Fum-Hoam, contes chinois* (1723), satire fine et fort amusante des mœurs de l'époque (rappelons que les *Lettres persanes* étaient parues deux ans auparavant, en 1721). Les Anglais se sont montrés beaucoup plus indulgents envers ce conteur galant : *les Mille et Un Quarts d'heure,* dans la traduction anglaise, comptent quatre éditions à la fin du XIXe et au commencement du XXe siècle. Sans oublier que tous ses ouvrages jouirent d'une étonnante fortune en Angleterre dès le XVIIIe siècle, comme en témoignent, par exemple, les douze éditions en anglais du *Mandarin Fum-Hoam,* et les nombreuses autres traductions anglaises de ses œuvres. Sa vogue fut d'ailleurs quasi universelle, puisque Gueullette fut traduit en russe, en allemand, en néerlandais et en espagnol, entre autres langues.

Gueullette débuta dans la République des lettres par des *Soirées bretonnes, nouveaux contes de fées* (1712), dédiées au Dauphin, et qui furent plus tard insérées dans le *Cabinet des fées.* Il donna ensuite *les Mille et Un Quarts d'heure, contes tartares* (1715; 2e éd., considérablement augmentée, en 1723). Le succès de ce recueil — comme celui de la plupart des romans, nouvelles et contes de Gueullette — dura tout le siècle : on en dénombre au moins dix-sept éditions. Ensuite ce fut le tour des « contes mogols », en trois volumes, publiés sous le titre piquant : *les Sultanes de Guzarate ou les Songes des hommes éveillés, contes mogols* (1732), dédiés à la duchesse d'Estrées. Ils connurent une dizaine d'éditions, la plupart sous le nom que leur donna l'auteur en 1749 (*les Mille et Une Soirées, contes mogols*). Quinze ans avant les *Lettres d'une Péruvienne,* ce fut Gueullette qui lança la « vogue péruvienne » avec ses *Mille et Une Heures, contes péruviens* (1733; « nouvelle édition, revue, corr. et cons. augm. », 1759), même s'il faut rendre justice à Mme de Grafigny en soulignant qu'un monde sépare les malheurs de sa trop sensible Péruvienne et les contes orientalisants de Gueullette. Ces « contes péruviens », parsemés de curieuses remarques, sont racontés par une des vestales de Cuzco afin de détourner l'Inca du suicide. (On peut en compter au moins sept éditions en anglais au XVIIIe siècle, chiffre pour le moins surprenant puisque l'original français n'en eut que cinq). Il ne faut pas oublier non plus les *Mémoires de Mlle de Bontemps ou de la comtesse de Marlou* (1738, six éditions), qui promènent leurs personnages — et le lecteur! — un peu partout, de l'Angleterre à l'Orient. Dans son « Avis au lecteur », Gueullette insiste sur la vérité des faits exposés dans le roman, qu'il désigne comme un roman à clefs.

Le dramaturge fut peut-être plus fécond que le romancier. La liste des productions théâtrales de Gueullette dressée par Brenner est impressionnante : plus de soixante-dix titres (y compris quelques pièces dont la paternité n'est nullement certaine). Il commença par écrire pour des théâtres de société et aboutit à la foire. Il écrivit aussi pour les Italiens, rappelés en France par le Régent. Gueullette excella dans le genre de la parade, espèce de farce foraine, et tient une place honorable dans l'histoire du théâtre, ne serait-ce que dans un genre plutôt mineur. Quelques-unes de ses parades furent publiées dans le *Théâtre des boulevards* (3 vol., 1756; réédité en 1881), et d'autres — restées inédites jusque-là — en 1885. On trouve dans nombre des pièces de Gueullette un mélange de satire et d'humour gaulois frisant la grossièreté, ce qui l'éloigne de la plupart de ses compatriotes ayant écrit pour les Italiens. Les productions dramatiques de Gueullette n'eurent pas toutes l'honneur de la publication. (Cf. la liste de Brenner). Gueullette fut un des principaux collaborateurs des frères Parfaict à l'important *Dictionnaire des théâtres de Paris,* dont la première édition, en sept volumes, date de 1756. Il laissa également d'intéressantes *Notes et Souvenirs sur le Théâtre-Italien au XVIIIe siècle.*

On doit enfin à Gueullette plusieurs éditions de littérature médiévale et du XVIe siècle, dont les *Essais de Montaigne* (1725), les *Œuvres de Rabelais* (1732), *l'Histoire de Gérard, comte de Nevers, et d'Euryante de Savoie, sa mye* (par Gilbert de Montreuil, 1725), la *Farce de maître Pathelin* (1748) et surtout une édition érudite du *Petit Jehan de Saintré* d'Antoine de La Sale (1724), dont les notes et les pages liminaires, expliquant en détail les mœurs et les coutumes des XIVe et XVe siècles, firent beaucoup pour lancer la première période du « néo-gothique » au XVIIIe siècle.

BIBLIOGRAPHIE

L'œuvre de Gueullette est aujourd'hui difficile d'accès. Plusieurs de ses contes et nouvelles à cadre oriental ont été insérés dans le *Cabinet des fées* (1785), partiellement réimprimé chez Slatkine. Quelques pièces restées inédites au XVIIIe siècle n'ont été imprimées que dans des éditions à tirage fort restreint. La seconde et dernière édition du *Théâtre des boulevards* date de 1881 (Paris, chez Édouard Rouveyre; dans la notice préliminaire, Edmond-Antoine Poinçot restitue à Gueullette les parades du recueil). A cela, il faut ajouter les *Parades inédites* avec une préface par Charles Gueullette (Paris, Librairie des bibliophiles, 1885). Un ouvrage d'ensemble sur Thomas Gueullette et sa fortune à l'étranger reste à faire.

A consulter, outre les dictionnaires littéraires et bibliographiques, les histoires du théâtre et les ouvrages consacrés au genre du conte de fées : Armand Daniel Coderre, *l'Œuvre romanesque de Thomas-Simon Gueullette,* Montpellier, Mari-Lavit, 1934 (comprend des sommaires des contes et romans les plus importants); J.E. Gueullette, *Un magistrat du XVIIIe siècle, ami des lettres, du théâtre et des plaisirs : Thomas-Simon Gueullette,* Genève, Droz, 1938 (étude qui vise surtout la carrière théâtrale de Gueullette; des aperçus intéressants sur le genre de la parade); Thomas-Simon Gueullette, *Notes et Souvenirs sur le Théâtre-Italien au XVIIIe siècle,* publiés par J.E. Gueullette, Genève, Droz, 1938.

R. DAWSON

GUÈVREMONT Germaine (1900-1968). V. QUÉBEC (littérature du).

GUILLAUME IX D'AQUITAINE (1071-1127). Poète occitan. Guillaume IX d'Aquitaine, septième comte de Poitiers, est le plus ancien troubadour connu. Il n'a pas quinze ans lorsqu'il accède au pouvoir sur un vaste domaine qui va de la Touraine aux Pyrénées. Sa vie est marquée par deux croisades : celle — désastreuse — de 1103, en Terre sainte, et celle — triomphale — de 1119-1120, en Espagne. Vers 1115, il a pour favorite la vicomtesse de Châtellerault, dite la Maubergeonne, pour laquelle il a sans doute composé ses plus ferventes chansons. Sa légende, complaisamment rapportée par les chroniqueurs latins, fait de lui un provocateur et un débauché. Mais la liberté de ses mœurs, qui s'exprime dans des poèmes pleins de verve, ne l'a pas empêché de formuler une érotique fondée sur la quête d'une perfection éthique acquise à partir du service d'amour.

Nous avons gardé de lui onze pièces. Celles qui sont probablement les plus anciennes sont les plus audacieuses. Elles sont composées dans une forme sans doute autochtone : le tercet 11/11/13. Puis viennent les *cansos,* dont les *coblas* (strophes) sont du type 8/8/8/4/8/4 : parmi ces œuvres, la chanson IV *(Farai un vers de dreit nient),* qui accumule les paradoxes et rejette finalement l'amie de rêve au nom du charnel, et la chanson V, qui condamne les dames qui se donnent à des clercs ou à des moines, puis relate comment le poète, déguisé en pèlerin, se fait passer pour muet auprès de deux nymphomanes, qu'il comble par ses prouesses érotiques. La chanson VI exprime la désillusion du poète, qui prend conscience de la vanité des passions humaines, et la chanson VII (*cobla* 8/8/8/8/4/8/4) revient à l'inspiration truculente des pièces I, II et III. Le reste du recueil — excepté la pièce XI —, cultivant une tendresse jusqu'alors inhabituelle chez Guillaume, se voue à la célébration d'une *dompna* qui est probablement la Maubergeonne. La pièce XI est un congé au monde et à ses plaisirs : poème de pénitent désolé de quitter le luxe et la gloire du siècle, cette chanson est difficile à situer chronologiquement, encore qu'une allusion au futur Guillaume X, fils du poète, alors encore enfant, nous invite à la placer en 1111, quand le duc d'Aquitaine, blessé au cours d'un siège, traverse une période d'intense dévotion.

On a mis en doute l'unité de cet ensemble, et il y a loin, en effet, des plaisanteries destinées aux *companhos* (compagnons) du poète à l'éloge du *joy* ou joie émanant de la *dompna* que vante le « cycle de la Maubergeonne ». En tout cas, Guillaume IX réhabilite une certaine idée du bonheur et proclame une érotique chevaleresque (*l'amor de cavalier*) qui revalorisent la femme et le charnel. Le comte de Poitiers, héraut de la profanité, prend parti avec hauteur contre le *contemptus mundi* ou mépris du monde qui prévaut parmi les clercs; il est le pionnier d'une nouvelle culture, toute aristocratique, qui se cherche — et se trouve — à travers ses chansons.

Il n'y a pas de « miracle d'oc ». Guillaume IX a eu connaissance du madrigal en latin tel que le pratique Hildebert de Lavardin, et du renouveau musical de l'école de Saint-Martial de Limoges; il s'inspire peut-être aussi d'une tradition spécifiquement occitane de chansons courtoises qui, malheureusement, n'ont pas eu accès à la conservation par le manuscrit (et les textes de son contemporain Èble de Ventadour se sont perdus) : la chance du comte de Poitiers est d'avoir pu disposer du pouvoir politique, qui a sans doute aidé à la diffusion et à la mémorisation de ses *cansos.* Il n'est pas impossible que d'autres influences aient joué : Guillaume IX a pu entendre le jongleur gallois Bréri lorsque celui-ci est venu en Poitou raconter les légendes celtiques et plus particulièrement l'histoire de Tristan et Yseut; il n'a sans doute pas méconnu la civilisation de l'Islam, qu'il a rencontrée en Orient et en Espagne — voire à Poitiers, où avaient été déportés des esclaves musulmans, et notamment des femmes, chanteuses et danseuses, qui amenaient avec elles tout un répertoire de récits et de complaintes. La chanson XI est écrite en quatrains 8A8A8A8B, qui est une structure de *zadjal* (chanson de femme) très répandue en Andalousie.

Guillaume IX n'a vraisemblablement pas inventé la *fin'amor* (et ce terme est absent du corpus conservé), mais il a contribué à lancer des *topoi* qui feront fortune dans la poétique troubadouresque : celui de l'*amor de lonh,* de l'amour de loin pour une créature de rêve; celui de la mort par amour; celui du service courtois, caractérisé par la soumission absolue à la *dompna.* D'où l'importance de ce poète, qui fut le maître et l'ami du troubadour Marcabru, et de qui relèvent tout autant la lyrique idéaliste de Jaufré Rudel que la poésie réaliste et satirique de Cercamon ou de Raimbaut d'Orange (dont nous avons gardé une *canso* du non-sens assez proche de la chanson IV).

La *Vida* de Guillaume IX réduit le personnage à un *trichador de dompnas,* et c'est le visage qu'il conserve dans le roman d'oïl *Joufroi de Poitiers* (XIIIe siècle), dernier avatar de sa légende; mais, par-delà le séducteur impénitent et le provocateur amusé, on devine un grand poète dont l'angoisse exhale un scepticisme profond et désabusé quant au sens réel de l'aventure humaine, jusqu'au jour où le cynique se laisse prendre au frémissement d'une passion exclusive : voilà qui suffit à faire de Guillaume IX un grand romantique avant la lettre, à une époque où pourtant le lyrisme profane n'a pas encore conquis son statut culturel. Mais ce statut culturel, Guillaume IX contribue efficacement à le donner à la chanson d'amour occitane, à laquelle il confère — et de façon définitive — ses lettres de noblesse, lui ouvrant ainsi deux siècles d'essor. Quand on mesure ce que l'Occident, et en particulier la tradition littéraire française, doit aux troubadours, on peut sans erreur dire du comte de Poitiers qu'il est l'homme d'une modernité confirmée par la fraîcheur d'une écriture dont la jeunesse ne cesse d'émerveiller le lecteur d'aujourd'hui — et cet éloge ravirait celui qui, tout au long de son œuvre, n'a cessé de chanter la *jovenz.* [Voir aussi TROUBADOURS].

BIBLIOGRAPHIE

On trouvera une bibliographie complète sur Guillaume IX dans J.-Ch. Payen, *le Prince d'Aquitaine. Essai sur Guillaume IX, sa vie, son œuvre, son érotique,* Paris, Champion, 1980. Depuis la parution de cet ouvrage, n'a été publié qu'un seul article, celui de Hermann Braet : « Guilhem de Peitieus : *Sai rema(nc)...aitan vau* », dans *Miscellania Aramon i Serra,* Barcelone, 1979, p. 115 *sqq.*

On consultera la bibliographie donnée chaque année par la revue *Encomia,* organe de la Société internationale d'études courtoises.

J.-Ch. PAYEN

GUILLAUME DE DIGULLEVILLE (XIVe siècle). Dans le *Songe du vieil pelerin,* Philippe de Mézières se réfère à « une belle figure que le noble moine de Chaalis récite dans son *Pelerinage de l'ame* » (I, 572). Il s'agit en effet d'un véritable modèle qu'a composé Guillaume de Digulleville (ou de Deguilleville), moine cistercien, prieur de Chaalis, mort en 1380, avec sa trilogie de poèmes allégoriques, souvent recopiés, traduits, illustrés et encore édités au XVIIe siècle, le *Pelerinage de Vie humaine* (1331), le *Pelerinage de l'ame* (1355) et le *Pelerinage Jesus Christ.* Ces trois textes, qui sont un aboutissement de la tradition de l'allégorie religieuse, permettent mieux que d'autres de saisir le fonctionnement du procédé et constituent un important témoignage sur la mentalité de l'époque.

L'allégorie et la doctrine

« Cy sensuit le noble romant/Du pelerin bon et utile/ Compose bien elegamment/Par Guillaume de Deguileville... » Le narrateur de *Pelerinage de Vie humaine* voit apparaître en songe la Jérusalem céleste. Le voici dans la situation de l'homme qui vient de naître à la vie terrestre. Une belle femme se présente pour l'aider et le conduit à une maison où un personnage cornu habillé en évêque le lave par le baptême des souillures de neuf mois. C'est Moïse, devant lequel va se dérouler un débat entre Grâce, Raison, Nature, qui délimite les domaines de validité de chacune des notions : Nature doit se soumettre à Grâce après que Raison, assistée d'Aristote, a été incapable d'expliquer le mystère de la transsubstantiation. Le pèlerin reçoit, dans un passage à caractère humoristique (rien ne lui va parce qu'il est trop gras), son équipement, son bourdon et, comme viatique, l'eucharistie. Il se met en route et trouve Rude Entendement, le vilain, qui lui barre la voie, mais est terrassé par Raison. A l'inévitable carrefour de la vie, traduction concrète de la notion de choix, il préfère le chemin d'Huiseuse, plus agréable que celui de Labour. Mal lui en prend, car il tombe de péché en péché en une série de rencontres avec les figures des sept Vices, qui sont autant de portraits types, tournés de manière énigmatique, si bien que nous n'apprenons leurs noms (leur sens) qu'au dernier moment. Arrivé à une mer où flottent des cadavres, victimes d'Avarice alourdies par les écus, le pèlerin y est précipité par Tribulation, mais sauvé par Grâce, qui l'embarque sur la nef de Religion, où les châteaux de Cluny et de Cîteaux déploient toutes les magnificences de l'existence monastique. Ce texte montre toute la complexité du processus allégorique : la progression est sans surprise, dictée par la métaphore classique du « voyage pour la vie », et l'intérêt, ici, n'est que dans le plaisir de retrouver un complexe d'images connu dans un contexte nouveau. C'est donc dans le sens qu'il faut chercher l'originalité. Plusieurs plans de signification sont « mis en scène » par la trame métaphorique : la représentation de la vie humaine comme quête de l'identité perdue avec le divin, qui replace la « psychologie » dans le cadre des vérités éternelles; la représentation de la vie monastique comme unique solution aux problèmes de l'existence; l'explicitation de points de doctrine en un « catéchisme imagé »; et même la prise de position dans des problèmes actuels comme ceux qui divisent les Frères mineurs, à lire à travers l'épisode de Rude Entendement (cf. E. Faral).

L'allégorie fonctionne souvent comme relecture d'un texte. Le *Roman de la Rose* est présent ici dès le début : « Une vision veul nuncier/Qui en dormant m'avit l'autrier/En veillant avoie leü/Li biaus Roumans de la Rose/Bien croi que ce fu la chose/Qui plus m'esmut a ce songier ». Le pèlerin est dans la situation de l'amant, mais l'auteur doit montrer que l'enseignement reçu par ce dernier doit être dépassé. Les figures qui rappellent

Lorris et Meung sont des corrections : Nature et Raison voient leur effet défini et limité par l'adjonction de Grâce; Vénus devient une vieille répugnante; le jardin d'Amour est disqualifié : seule la Jérusalem céleste peut offrir le salut. Une seconde rédaction du texte de 1330 en 1355, enrichie de passages en latin et destinée à un public de clercs, précise cette orientation, mettant le *Roman* du côté des dangereuses séductions de la jeunesse (cf. P.-Y. Badel).

R. Tuve a magistralement analysé les illustrations des manuscrits, les échanges entre le signe peint et le signe écrit, cette quête de l'adéquation entre mot et image qui est l'impossible rêve de l'allégorie. Le réalisme grotesque des figures de Vices, le génie du laid, qui confine à l'art fantastique (en particulier pour la représentation bestiale de Rude Entendement), se combine avec le caractère abstrait de la signification. Texte et image sont deux réalisations de l'idée, l'image servant de limite asymptotique de l'écriture et procurant l'appréhension immédiate du sens. Mais elle en est aussi le point de départ, car elle ne s'explicite que par l'intermédiaire du discours, qui redéploie en mots les signes peints.

Pelerinage de l'ame et Pelerinage Jesus Christ

Ces « suites » sont à la fois complémentaires et différentes. La référence au *Roman de la Rose* disparaît au profit de textes comme *la Divine Comédie* ou les œuvres des Chartrains. L'âme, libérée du corps, est mise en jugement. Guidée par son Ange gardien, défendue par saint Michel, elle est sauvée de l'Enfer par Miséricorde et se retrouve au Purgatoire. Le texte nous conduit, à travers les espaces, aux lieux où l'âme a péché; aussi est-il parsemé d'allusions satiriques contemporaines (jugement sévère concernant les fonctionnaires royaux, l'armée de mercenaires). Le *Pelerinage Jesus Christ* nous ramène au prince de la Jérusalem céleste qui mourut d'une plaie au flanc : la vie du Christ d'après Matthieu et Luc relie le destin individuel à celui de l'univers. L'allégorie atteint alors ce vers quoi elle tend implicitement dans la plupart des œuvres qu'elle inspire : la vision totale, l'explication de toute la réalité, l'organisation du sens de la vie humaine et de celui du monde. L'adéquation n'est plus seulement question d'écriture entre le langage et l'imagination, mais de métaphysique : dans la quête du sens « immédiat » dans l'image, se reflète celle d'un sens ultime des choses. La métaphore même du pèlerinage devient alors non seulement source du texte mais miroir de son fonctionnement.

BIBLIOGRAPHIE

Éd. J.J. Stürzinger, *le Pelerinage de Vie humaine,* Londres, 1983; *le Pelerinage de l'ame,* Londres, 1895; *le Pelerinage Jesus Christ,* Londres, 1897.

Voir l'étude d'E. Faral, *Histoire littéraire de la France,* XXXIX, 1962; les pages consacrées au *Pelerinage de Vie humaine* par P.-Y. Badel dans *le Roman de la Rose au* XIV*e siècle,* Genève, Droz, 1980.

A. STRUBEL

GUILLAUME FLAMENG (XVe siècle). Si ce chanoine de Langres qui a composé en 1482 un mystère, la *Vie et Passion de Monseigneur saint Didier,* mérite d'être cité à part dans la production théâtrale du temps, c'est que, au lieu de choisir le sujet habituel de ce type de pièces, la Passion du Christ inscrite dans l'histoire universelle du salut, il a mis en scène une véritable chronique locale de la ville de Langres depuis les Romains, selon une tradition très riche de l'historiographie médiévale, celle des « origines ». Tout en effet se passe à Langres (« Veez là Langres, en hault assise/Plus noble que tous aultres.../Vées là Didier au labourage... »). Les trois journées nous racontent la désignation divine de l'évêque, l'attaque des Vandales (« Wandres ») et le martyre du pasteur au Ve siècle, puis la translation des reliques : « Mais pour vous ung petit la vie/Du benoist Prelat recoler/Monstré avons que par envye/Wandres le firent décoler ». Dans les personnages, le public pouvait reconnaître des figures familières : bourgeois de la ville, bailli, chanoines de la cathédrale, seigneurs du pays avec leurs serviteurs, simples habitants (Pierre et Symmonet), l'archevêque de Lyon avec son chapelain et ses domestiques, des malades, mêlés aux Romains, aux « Wandres » et aux pairs du royaume. L'œuvre est farcie d'éloquence et d'érudition antique, surtout romaine, selon une tendance qui envahit toute la littérature de l'époque, mais les dialogues ont une saveur naïve et concrète (les soudards qui parlent « calabretois »; la conversation de saint Didier et du charruyer), et la solennité hagiographique est contrebalancée par les extravagances d'un fol qui s'en prend à tous les messagers.

BIBLIOGRAPHIE

La seule édition disponible est celle de Carnandet, Paris, Techener, 1855. Cf. *Actes du Congrès de linguistique romane* de Strasbourg, 1962.

A. STRUBEL

GUILLAUME DE LORRIS (XIIIe siècle). L'auteur des 4 058 premiers vers du *Roman de la Rose,* nommé par son continuateur Jean de Meung (« Ves ci Guillaume de Lorris... Car quant Guillaume cessera/Jehan le continuera/Après sa mort, que je ne mente/Ans trespassés plus de quarente »), n'est guère connu par ailleurs. On le suppose né vers 1210 à Lorris, dans le Gâtinais, clerc étroitement mêlé aux milieux courtois. Tout ce que les éditeurs de l'œuvre peuvent dire du personnage relève de spéculations sur les rares « indications » du texte, considéré comme autobiographique parce que le narrateur parle à la première personne (« Au vintieme an de mon aage...Couchiez estoie/Une nuit... »). Mais cette première personne allégorique renvoie à un sujet universel sur le même plan que les personnifications, et qui n'est pas encore mis en résonance avec une histoire individuelle comme il le sera chez Christine de Pisan ou Philippe de Mézières. [Voir ROMAN DE LA ROSE].

A. STRUBEL

GUILLAUME DE MACHAUT ou **DE MACHAULT** (v. 1300-1377). Musicien, poète, auteur de dits narratifs et lyriques [voir DIT], d'une chronique, Guillaume de Machaut apparaît dans les lettres médiévales comme porteur d'une volonté de totalisation des codes, des traditions et des savoirs transmis à son époque, d'un superbe désir de définition des formes, d'une conscience nouvelle, enfin, du métier d'écrivain. Sa maîtrise, reconnue par ses contemporains, le sera encore par ses nombreux disciples dans toute l'Europe jusqu'à la fin du XVe siècle : « Maistre Guillaume de Machault, le grant rhetorique de nouvelle fourme, qui commencha toutes tailles nouvelles, et les parfais lays d'amours », écrit l'auteur anonyme des *Règles de seconde rhétorique.*

Guillaume de Machaut naît d'une famille non noble originaire de Machault, petit village des Ardennes, dans l'arrondissement de Vouziers. On lit, à la fin du *Jugement dou roy de Navarre,* cette signature du poète : « Je, Guillaumes dessus nommez,/ Qui de Machau sui seurnommez/ [...]/Ai ce livret rimé et fait ». Son éducation, probablement à Reims, est celle d'un clerc. Vers 1323, Guillaume entre au service de Jean de Luxembourg, roi de Bohême. Il est successivement auprès de lui « clerc aumônier », « notaire », puis « secrétaire ». Il l'accompagne dans ses voyages et ses expéditions, parcourant ainsi l'Europe. Les dits du poète, bien postérieurs, nous livrent de ces voyages un écho assourdi, mais un témoignage fourni et chaleureux de son admiration pour le roi Jean. La figure du prince apparaît de nombreuses fois dans les dits. Recours, dans le *Jugement dou roy de Behaingne,* Jean est cité comme modèle à Charles de Navarre dans *le Confort d'ami,* évoqué dans le dit de la *Fonteinne amoureuse* et dans *la Prise d'Alexandrie.* Grâce sans doute à la faveur de ce roi, on voit Guillaume, qui ne recevra jamais les ordres, obtenir du pape Jean XXII divers canonicats, dont, en 1333, le canonicat en expectative de Reims. En 1337, Guillaume prend sa charge à Reims par procuration. Il semble qu'il se soit fixé dans cette ville à partir de 1340, date à laquelle le roi Jean, devenu aveugle, ne peut plus organiser de campagnes. Après la mort de son protecteur à Crécy en 1346, Guillaume de Machaut passe au service de sa fille Bonne de Luxembourg. Un moment dans le sillage de Charles de Navarre, dont il fait le juge du dit qui porte son nom et auquel il adresse *le Confort d'ami* lors de la captivité de ce dernier (1356-1357), le poète compose ensuite sa production pour le parti adverse. La *Fonteinne amoureuse* (1360) est dédiée à Jean de Berry. Machaut cite le dauphin, futur Charles V, son « droit signeur quoi que nuls die », dans le *Voir Dit.* Il écrit enfin *la Prise d'Alexandrie* en l'honneur de Pierre Ier de Lusignan, roi de Chypre, qu'il avait rencontré.

Les rapports du poète et des princes, on le voit, sont étroits et définissent l'originalité du statut social de Machaut : clerc au contact des cours, clerc qui se rêve par instants chevalier. Le poète commente ainsi l'anagramme qui clôt le dit de *l'Alerion :* « Par ce verrez tout clerement / Se cils est clers ou damoiseaus / Qui fist ce "Dit des quatre oiseaus" ». Position orgueilleuse qui naît, pour le poète, d'une appréciation nouvelle de son statut et des pouvoirs de l'écriture.

La production littéraire de Machaut a deux aspects essentiels : la poésie lyrique, « Louange des dames », dans la tradition du grand chant courtois; la poésie narrative, dont les thèmes ou les forces motrices (Amour, Désir, Espérance) viennent de ce lyrisme. Mais la narration de ces dits présente un fait notable pour le Moyen Âge : elle s'opère, dans la tradition du *Roman de la Rose,* en « je ». Le narrateur dit « je » et renvoie ce « je » à l'instance de l'auteur. Ce narrateur peut être témoin — position du clerc —, comme c'est le cas dans le *Jugement dou roy de Behaingne, le Confort d'ami* ou la *Fonteinne amoureuse,* ou plus directement protagoniste, comme dans le *Jugement dou roy de Navarre* et le *Dit dou Lyon,* ou bien à la fois acteur (c'est-à-dire, étant donné le thème de ces dits, amant — c'est le rêve chevaleresque), narrateur et auteur, comme dans *le Remede de fortune,* le dit de *l'Alerion* ou, par excellence, le *Voir Dit.*

Cette promotion du je du poète-clerc est importante. Il ne s'agit plus en effet du je indifférencié, universel de la lyrique courtoise, auquel l'auditeur pouvait s'identifier; il ne s'agit pas non plus d'un je renvoyant seulement à un nom propre, comme cela pouvait être le cas dans les prologues de Chrétien de Troyes. Cette instance fait référence à un type social dont le texte laisse apercevoir des traits individués, sinon individuels : « Et comment que je soie clers / Rudes, nices et malapers, / S'ai je esté, par mes deux fois, / En tele place aucune fois / Avec le bon roy de Behaingne / [...] / Que maugré mien hardis estoie », rappelle Machaut dans la *Fonteinne amoureuse.*

Mais cette apparition dénote, de la part du poète, le sentiment puissant d'une crise des langages poétiques traditionnels. La vérité du texte doit être affirmée, garantie par le je : « Le Voir Dit veuil je qu'on appelle / Ce traitié que je fais pour elle / Pour ce que ja n'i mentirai », proclame le poète dans le *Voir Dit* (le dit du vrai ou le vrai dit). On comprend alors le sens, chez Guillaume, des *dits,* qui enchâssent en leur sein des pièces lyriques. Le lyrisme donne sa vérité à la narration, vérité du « sentiment ». Mais cette vérité, en retour, est garantie par le récit, qui l'ancre dans une histoire et dans un temps, qui la fixe également par l'écriture.

Car la maîtrise de Machaut réside en sa prise de conscience — neuve, pour un auteur en langue vulgaire — du métier d'écrivain. Machaut est attentif, tout d'abord, à la matérialité de ses œuvres. Il en surveille la réalisation (copie et distribution), l'organisation. On lit, à l'ouverture du manuscrit B.N. fr. 1584 : « Vesci l'ordenance que G. de Machaut wet qu'il ait en son livre ». Il est intéressant de constater que le *Voir Dit,* somme poétique de Guillaume de Machaut, est à la fois l'histoire d'un amour (du poète vieux pour une toute jeune fille) et l'histoire de la transformation de cet amour en livre. Le poète écrit à sa dame : « Vostres livres se fait et est bien avanciez car j'en fais tous les jours C vers. » Le *Voir Dit* est le livre de l'écriture du livre. C'est un traité en actes, art d'aimer et art d'écrire. Le poète y fixe, dans une narration octosyllabe, une partie de sa production lyrique, accompagnée, pour certaines, de pièces de musique et de lettres en prose. Le poète a le geste du législateur. Dès *le Remede de fortune,* d'ailleurs, il définit par l'exemple la forme des principaux genres lyriques : le lay, la complainte, la « chanson roial », la baladelle, la balade, le virelai ou chanson « baladée », le rondelet. Il devient, à ses propres yeux et aux yeux de ses contemporains, un « auctor », une autorité comme seuls l'étaient auparavant les auteurs latins.

Le témoignage le plus explicite de cette stature d'écrivain (de *poete,* dirait le Moyen Âge) prise par Guillaume de Machaut est le prologue qu'il donne *a posteriori* à ses œuvres. Il s'y voit investi par Nature et Amour d'une mission : écrire. Il reçoit pour cela, de la part de Nature : *Scens, Rhetorique* et *Musique;* de la part d'Amour : *Dous Penser, Plaisance* et *Esperance.*

Musicien, maître en « la viez et nouvele forge », selon les termes du *Remede de fortune,* compositeur de la première messe polyphonique complète, la *Messe Nostre Dame,* Guillaume de Machaut est un écrivain polyphonique. Il domine tous les langages — courtois, didactique, mythologique, religieux — que lui transmet la tradition; il les étage selon une technique musicale, rendant compte par là même des contradictions non résolues de son époque, somme en tension que lui permet, grâce à son pouvoir d'enchâssement, l'écriture.

Avec Guillaume de Machaut, la littérature en langue vulgaire prend la mesure d'elle-même en tant que littérature, de ses pouvoirs et de ses responsabilités : *voir dire,* dire le vrai.

BIBLIOGRAPHIE

Imité par Jean Froissart, Geoffrey Chaucer, Christine de Pisan, célébré par Gillon le Muisit, Eustache Deschamps, Oton de Granson, Alain Chartier, Martin le Franc, Michault Taillevent, René d'Anjou qui, dans le *Livre du Cuer d'Amours espris,* décrit sa tombe au cimetière de l'île d'Amours au même rang que celles d'Ovide, de Boccace, de Jean de Meun, de Pétrarque et d'Alain Chartier, Guillaume de Machaut, oublié pendant deux siècles et demi, est redécouvert au XVIIIe siècle par l'abbé Lebeuf et le comte de Caylus.

On dispose aujourd'hui des éditions suivantes en ce qui concerne ses principales œuvres littéraires. Sa production lyrique a été publiée sous le titre *Poésies lyriques* par Vladimir Chichmaref, Paris, Champion, 2 vol., 1909; réimpression Slatkine en un vol. La *Louange des Dames* est donnée également par Nigel Wilkins, Edinburgh, Scottish Academic Press, 1972. Les principaux dits, à l'exception du *Voir Dit,* se lisent dans *Œuvres de Guillaume de Machaut,* éd. Ernest Hoepffner, Paris, Didot, puis Champion, 3 vol., 1908, 1911, 1922; réimpression Johnson. Le *Voir Dit* n'est accessible que dans l'édition défectueuse de Paulin Paris, *le Livre du Voir-Dit,* Paris, Société des Bibliophiles français, 1875. *La Prise d'Alexandrie* a été éditée par Louis de Mas Latrie, Genève, Fick, 1877. On trouve enfin quelques petits dits de Guillaume de Machaut en appendice à l'édition de Jean

Froissart, *« Dits » et « Débats »*, par Anthime Fourrier, Genève, Droz, 1979.

Sur l'appréciation de l'œuvre de Machaut et de l'ensemble de la lyrique courtoise des XIVe et XVe siècles, on consultera Daniel Poirion, *le Poète et le Prince. L'évolution du lyrisme courtois de Guillaume de Machaut à Charles d'Orléans*, Paris, P.U.F., 1965; réimpression Slatkine. Pour les dits, on se reportera à William Calin, *A Poet at the Fountain. Essays on the Narrative Verse of Guillaume de Machaut*, Lexington, The University Press of Kentucky, 1974. Sur le problème de la crise des langages au XIVe siècle, voir Jacqueline Cerquiglini, « Syntaxe et syncope : langage du corps et écriture chez Guillaume de Machaut », *Langue française*, n° 40, décembre 1978.

J. CERQUIGLINI

GUILLAUME D'ORANGE (cycle de). V. GARIN DE MONGLANE (cycle de).

GUILLAUME LE CLERC (fin XIIe-début XIIIe siècle). V. BESTIAIRES.

GUILLAUMIN Émile (1873-1951). Émile Guillaumin, à l'aube du XXe siècle, a bouleversé la tradition du roman rustique français, devenu, grâce à lui, l'expression du paysan par lui-même et pour lui-même. Né à la ferme de la Neverdière, près d'Ygrande (Allier), Guillaumin trouva assez de ressources dans ses seules études primaires pour dire la vie de l'exploitant agricole qu'il devait rester toute sa vie. Il refusa résolument et les peintures idylliques qu'affectionnaient les successeurs de George Sand et les noirceurs inspirées par *la Terre* de Zola. Ainsi naquirent, sous la plume d'un écrivain-laboureur qui aborda la littérature à « journée faite », « les mains avivées des morsures de la paille », *les Tableaux champêtres* (1901), scènes réalistes inspirées par la suite des saisons, puis les Mémoires du métayer Tiennon Bertin, que Stock publia en 1904 sous le titre *la Vie d'un simple*. La perplexité de son entourage n'eut d'égale que la surprise ravie des notables parisiens, dont l'un, Daniel Halévy, fit le voyage d'Ygrande pour découvrir la singularité de cet auteur inconnu. Le récit de la vie d'un paysan au XIXe siècle, la dénonciation de l'exploitation des journaliers et des métayers du Centre eurent un retentissement qui gagna jusqu'au parlement, et qui incita Guillaumin à poursuivre son œuvre romanesque avec *Près du sol* (1905), *Rose et sa Parisienne* (1907), *la Peine aux chaumières* (1909), *Baptiste et sa femme* (1910), puis à l'élargir en développant le syndicalisme rural. Devenu une sorte de Cincinnatus littéraire respecté et écouté, Guillaumin fit montre jusqu'à sa mort d'une activité inlassable. Son œuvre eut des échos bien au-delà des frontières françaises, en Allemagne, aux États-Unis et au Japon en particulier, en raison de l'exemplarité de sa vie et de l'authenticité de son témoignage sur la condition paysanne française.

La Vie d'un simple offre un miroir sans apprêt des travaux ruraux, de l'existence quotidienne d'une famille paysanne. Elle en suit les événements, les déménagements, la peine jamais assez mise en lumière; elle expose les rudesses d'une vie fruste, les incertitudes des récoltes, les tracasseries des rapports avec le propriétaire. Les faits et jugements de ce récit à peine romancé sont d'une étonnante pertinence. L'écrivain va à l'essentiel, que celui-ci tienne à la précision d'un détail, à la réticence d'une parole ou à l'embarras d'une démarche. Il dit sur le même ton la joie d'une belle récolte et la résignation à l'inévitable. Héritier de Charles-Louis Philippe, son ami, auquel il consacra un volume (*Charles-Louis Philippe, mon ami*, 1942), comme d'Eugène Le Roy, dont *Jacquou le Croquant* l'avait fortement impressionné, Guillaumin, avec *la Vie d'un simple*, occupe pourtant dans la littérature rustique une place où, selon la formule de Maurice Genevoix, il est « indispensable et seul ».

Le syndicalisme, forme concrète de l'action sociale entrevue, l'accapara à partir de 1908. Guillaumin épaula Michel Bernard, qui avait fondé les premiers syndicats agricoles, et raconta avec objectivité son « aventure » dans *le Syndicat de Baugignoux* (1912). Il se tourna enfin vers le journalisme et collabora aux *Primaires*, au *Travailleur rural*, à *Pages libres*, mais aussi à des revues ou journaux parisiens comme la *Revue des Deux Mondes* et *l'Humanité* (ancienne formule). Enfin, il appuya les tentatives des paysans qui s'efforçaient de s'exprimer, dans un volume paru posthumement, *Paysans par eux-mêmes* (1953). Sa correspondance, inédite à ce jour, est considérable. Guillaumin a pleinement assumé la vocation d'éducateur social à laquelle il s'était senti appelé.

Avec des ouvrages comme *A tous vents sur la glèbe* (1931), *Sur l'appui du manche* (1949), il a laissé l'image d'un sage, justifiée par son sens de la mesure, le pragmatisme de ses vues, sa volonté de ne pas se dérober à ses responsabilités. Inclinant au socialisme (voir *Six Ans de luttes syndicales*, articles du *Travailleur rural*, réunis en 1977), il ne se départit jamais, cependant, d'une attitude prudente, jugeant les hommes à leur efficacité plus qu'à leurs promesses ou à leurs principes. Passionné d'émancipation mais soucieux de la discipline ancestrale, il estima que « le mieux social ne p(ouvait) être que la résultante de l'effort individuel généralisé ». Son prestige ne cessa de grandir et sa personnalité retint l'attention des historiens, des sociologues comme des critiques littéraires, tous intrigués par l'étonnante fécondité d'une œuvre qui contribua grandement à une évolution décisive de la paysannerie française au XXe siècle.

BIBLIOGRAPHIE

Les deux ouvrages de base sur É. Guillaumin sont : P. Vernois, *le Roman rustique de G. Sand à Ramuz*, Paris, Nizet, 1962; R. Mathé, *Émile Guillaumin, l'homme de la terre et l'homme de lettres*, Paris, Nizet, 1966. A compléter par : *le Centenaire d'É. Guillaumin*, Actes du colloque de Moulins, Paris, Klincksieck, 1979, auxquels on ajoutera les monographies plus anciennes de : L. Lanoizelée, *Émile Guillaumin*, Paris, Plaisir du Bibliophile, 1952; et J. Voisin, *le Vrai Visage d'Émile Guillaumin*, Moulins, imp. Pottier, 1953.

P. VERNOIS

GUILLERAGUES, Gabriel-Joseph de La Vergne, comte de (1628-1685). Encore peu familier au grand public, Guilleragues est un écrivain d'avenir depuis que notre siècle lui a rendu la paternité d'un des plus mystérieux chefs-d'œuvre de la littérature, les *Lettres portugaises*, longtemps restées anonymes après avoir été considérées comme un recueil de lettres authentiques.

Jusqu'alors, la postérité n'avait retenu de ce gentilhomme que l'image d'un parfait courtisan, à qui Boileau avait dédié sa Ve épître (1674), « Sur la nécessité de se connaître soi-même » :

> Esprit né pour la Cour et maître en l'art de plaire,
> Guilleragues qui sais et parler et te taire.

On savait qu'il avait fait partie du cercle peu nombreux que Boileau et Racine consultaient avant de publier leurs ouvrages, qu'il avait dirigé un temps la *Gazette*, et le style de celle-ci, dit Bayle, « en était devenu aisé et coulant » (voir, par exemple, les articles sur la mort de Turenne, en 1675, ou sur la bataille de Tabago aux Antilles, en 1677). Son amie Mme de Sévigné a rapporté de ses bons mots, dont celui sur le poète Pellisson qui « abusait de la permission qu'ont les hommes d'être laids ». Saint-Simon reconnaît aussi son esprit : « Celui-ci avait eu accès et puis familiarité avec ce qu'il y avait de meilleur à la Cour et à Paris... », mais, sans doute eu égard à ses liens avec Mme de Maintenon, nuance un peu la séduction du personnage :

« ... gourmand, plaisant, de beaucoup d'esprit, d'excellente compagnie, qui avait des amis et vivait à leurs dépens ».

Né à Bordeaux, il avait fait ses études au collège de Navarre, le meilleur qui fût pour l'étude de l'Antiquité. Les *Mémoires* de Daniel de Cosnac nous renseignent un peu sur sa jeunesse, qui ne dédaignait pas les plaisirs. En 1651, le prince de Conti le remarque à Bordeaux et se l'attache; il l'aura près de lui lors de son gouvernement de Guyenne, ainsi qu'en 1655, aux États du Languedoc, et en 1656, à Pézenas, où joue Molière et où Guilleragues ordonne les plaisirs. Après un riche mariage en 1658 avec Marie-Anne de Pontac, il est, en 1660, nommé premier président de la cour des Aides de Bordeaux. Il vivra en province jusqu'à la mort du prince de Conti en 1666, date à laquelle il sollicite un emploi près du roi et vend sa charge pour venir s'installer à Paris. Il y fréquente la société de l'Hôtel de Richelieu (Mmes de Coulanges, de Sévigné, Barillon, le cardinal d'Estrées...). C'est l'époque où il compose l'essentiel de son œuvre, *les Valentins* paraissant en octobre 1668 et les *Lettres portugaises* en janvier 1669. Il achète la charge de gentilhomme ordinaire de la chambre du roi, devient un homme en vue à la Cour et gagne l'amitié du prince de Marcillac, fils de La Rochefoucauld et favori de Louis XIV.

Il vend sa charge en 1675. En 1678, protégé par Colbert et Seignelay, il obtient une ambassade à Constantinople : il s'y occupe à des discussions sur le cérémonial ainsi qu'à des négociations au sujet de l'expédition de Duquesne contre les Tripolitains. Il utilise les lumières de Galland pour enrichir les collections du roi et meurt d'apoplexie. Il semble qu'il ait été assez vite oublié.

Seul, vingt ans plus tard, Galland, dédiant le recueil des *Mille et Une Nuits* à Mme de Villiers d'O, fille de Guilleragues (et mère de la future Mme d'Épinay), rappellera « la perte irréparable de ce génie [...], le plus capable de goûter et de faire estimer les belles choses ». « Ses moindres pensées, toujours brillantes, ses moindres expressions, toujours précises et délicates, faisaient l'admiration de tout le monde, et personne n'a joint ensemble tant de grâces et tant de solidité ».

Le roman des *Lettres portugaises*

Dès leur parution, en 1669, les *Lettres portugaises* suscitèrent de très vives polémiques : d'une part, elles paraissaient un prolongement — en plus naturel — des tragédies raciniennes. De l'autre, un certain public, auquel se rangera Saint-Simon, se fondant sur la chronique galante, croit fermement qu'il s'agit de vraies lettres d'amour adressées à un certain Chamilly par une religieuse portugaise, et l'Avertissement de l'éditeur insiste à dessein sur la valeur de document humain du recueil. Pourtant, bien des contemporains avisés (Guéret, Le Pays...) y soupçonnent un excès de réalisme, un effet de vraisemblable qui trahit l'illusion. Donneau de Visé, en 1693, définit Guilleragues comme « un homme qui fait très bien des vers aussi bien que des lettres amoureuses », et Mme de Sévigné qualifie de « portugaise » une lettre d'amour réussie, comme elle dirait d'une lettre spirituelle que c'est une « voiture » (c'est-à-dire « digne de Voiture »).

Dans sa fameuse lettre à Racine de 1684, à propos des paysages vrais et imaginés de la Grèce, Guilleragues dévoile quelque peu son esthétique de romancier masqué : « Dans le fond, les grands auteurs, par la seule beauté de leur génie, ont pu donner des charmes éternels et même l'être aux royaumes, la réputation aux nations, le nombre aux armées et la force aux simples murailles ».

Au XVIIIe siècle, Rousseau est à peu près le seul à pencher pour l'art : « Je parierais tout au monde que les *L.P.* ont été écrites par un homme ». Le XIXe, derrière Sainte-Beuve, croit plutôt ces lettres « écrites au moment de la passion [...] d'un charme particulier dans leur désordre ». Il faudra attendre 1926 et l'article de F.C. Green pour que soient dénoncées les contradictions de la thèse du chef-d'œuvre instinctif; en 1954, Leo Spitzer traite enfin les *Lettres* en œuvre, liant la composition dramatique au mouvement psychologique, étudiant leur influence sur Rilke, qui les traduisit. Jacques Rougeot rattache l'inspiration des *Lettres* à celle des *Valentins* et, avec Frédéric Deloffre, donne la première édition critique des *Œuvres* de Guilleragues, en soulignant l'importance des sources littéraires : élégiaques latins, Sénèque, Racine, auteurs modernes de maximes et de questions d'amour, etc. Les cinq lettres de la Religieuse commencent à être décrites comme les cinq actes d'une tragédie, avec crise, stances, catastrophe et perspective morale, comme l'histoire d'une victoire de la lucidité sur la passion. Aujourd'hui, l'œuvre fascine encore la critique par son statut ambigu et son caractère de communication bloquée, source paradoxale de sa dynamique. Les *Lettres* se réfèrent à un discours absent, les lettres du chevalier, puis à son silence. Essentielles à l'évolution du roman, les *Lettres* montrent qu'il est possible d'écrire quelque chose en ne parlant de rien : « Le texte de la Religieuse peut s'écrire, non pas par une casuistique amoureuse, mais par un développement de l'écriture elle-même » (Fabien Sfez).

BIBLIOGRAPHIE

Les *Lettres portugaises, les Valentins* et autres œuvres ainsi que des lettres de Guilleragues ont été édités par Frédéric Deloffre et Jacques Rougeot (Garnier, 1962). La *Correspondance* a été éditée également par Deloffre et Rougeot (Genève, Droz, 2 vol., 1976).

De nombreux articles ont paru autour de la recherche de paternité des *Lettres portugaises.* Le plus important reste celui de F.C. Green : « Who was the Author of the *Lettres portugaises*? », *The Modern Language Review,* t. XXI, 1926. L'article de Léo Spitzer (*Romanische Forschungen,* Band 65, 1954) vaut comme première analyse vraiment littéraire de l'œuvre. On y ajoutera, plus accessible, le chapitre d'Antoine Adam dans son *Histoire de la littérature française au XVIIe siècle* (P. Domat, 1954). Mais il n'existe encore pas d'ouvrage d'ensemble sur la personne et l'œuvre de Guilleragues.

B. RAFFALLI

GUILLET Pernette du (v. 1520-1545). Dame lyonnaise, poétesse et érudite, Pernette du Guillet est morte à vingt-cinq ans sans avoir songé à ordonner les brouillons de ses *Rymes,* qu'un ami savant, Antoine du Moulin, met en ordre et publie la même année, sur la demande du mari de Pernette. Elle aura sans doute commencé à écrire au moment où elle rencontre, dans son printemps de 1536, le plus grand poète de cette ville de Lyon qui en comptait beaucoup : Maurice Scève. Elle lui a été liée d'une amitié amoureuse, qu'a entretenue une commune passion pour la poésie et la musique, ainsi que la subtilité de relations toujours inachevées.

Pernette est belle et savante : elle déchiffre le grec, connaît le latin, parle espagnol, lit beaucoup d'italien, en écrit, joue du luth. De son amant, son aîné, elle loue « les vertus, grâce et sçavoir »; elle en devient « nuit » de l'appeler « mon jour ». Heureuse sur le chemin des profondeurs, elle ne désire pas « venir au bout de (son) plaisir ». La petite musique obstinée, constante, de ses poèmes — plus allusifs et quintessenciés qu'il n'y paraît — raconte son histoire : si sa liberté première a eu le mérite de refuser les attaques faciles des vains désirs, elle n'en était pas moins ignorante du véritable amour. Chose délicate à dire pour qui n'est pas totalement à l'abri de la jalousie qui fait prendre un mot pour un autre, et dont l'indépendance se rebelle. Parfois un éclat plus vif rompt des vers tout en demi-teintes :

Je suis tant bien que je ne le puis dire
Ayant sondé son amitié profonde...

Parfois aussi elle rêve avec humour de se jeter — Diane et Sirène à la fois — nue dans une fontaine pour provoquer cet homme sage, et puis se refuser à lui. Sage, elle l'est profondément elle-même, et calme, là où son complément antithétique, Louise Labé, se tourmente. Les confondre, comme l'ont fait des romans du XIXe siècle, est une erreur : son recueil est tout proche de la *Délie* de son amant et maître.

BIBLIOGRAPHIE
L'édition des *Rymes* de 1545 a été reproduite par A.-M. Schmidt, *Poètes du XVIe siècle*, Gallimard, La Pléiade, 1953, p. 226-268.
Sur Pernette, cf. V.-L. Saulnier, « Étude sur Pernette du Guillet », *B.H.R.*, 1944, IV, p. 7-119, et *Maurice Scève*, Klincksieck, 1948; R.D. Cottrell, « Pernette Du Guillet's Rymes : An Adventure in Ideal Love », *B.H.R.* XXXI, 1969, p. 553-571.

M.-M. FONTAINE

GUILLEVIC Eugène (né en 1907). La place à part que Guillevic occupe dans l'histoire poétique des quarante dernières années tient, en premier lieu, au refus qu'il n'a cessé d'opposer à la métaphore et au lyrisme du fantastique — que le surréalisme, presque au même moment, avait pourtant promus au premier rang —, au profit d'un réalisme de l'objet. C'est ce réalisme qu'inaugure *Terraqué* (1942) et qui manifeste le désir du poète de se faire voyeur plus que voyant : « La métaphore n'est pas, pour moi, l'essence du poème. Je procède par comparaison, non par métaphore. C'est une des raisons de mon opposition au surréalisme. Pour moi, comme pour Jean Follain, une chose peut être comme une autre chose, elle n'est pas cette autre chose » (*Vivre en poésie*, entretien, 1980).

Cette attention portée à la chose même n'est cependant que très peu « pongienne » [voir PONGE Francis]. C'est bien la chose qui constitue, au point de départ, l'ennemi ou, du moins, le danger auquel il faut faire face, et non le mot, qui, très vite, et bien qu'il ne se laisse pas aisément faire, se donne comme allié, sert de médiation pour réduire la menace et percer l'extériorité de l'objet, dont l'opacité semble narguer l'observateur. L'aventure poétique de Guillevic est donc celle d'un effort long et persévérant — parfois laborieux, c'est-à-dire acquis à force de travail — afin de contrôler le langage — et, à travers lui, le monde — et de l'amener à se soumettre aux fins que le poète s'est fixées : « Gagner » en prenant conscience (« Conscience » est l'un des titres de suites poétiques qui reviennent le plus fréquemment chez Guillevic) :

Les mots
C'est pour savoir

(*Exécutoire*, 1947)

ou encore :

Mais nous avons à dire
Nous avons à gagner

(*Gagner*, 1949)

La chose, en effet, d'où sourd une inquiétante étrangeté, se refuse au premier abord, se dérobe à toute connaissance. L'entreprise poétique prend donc la forme d'une effraction qui se donne pour but de la pénétrer, de la posséder. Mais cette possession elle-même n'est pas sans danger, car elle comporte un risque d'embourbement, sinon d'engloutissement : de perte de la terre ferme. Or pour ce Breton né à Carnac, haut lieu qui lui suggéra l'un de ses poèmes les plus beaux et les plus hiératiques (*Carnac*, 1961), l'élément liquide, avec lequel il ne peut s'empêcher toutefois d'engager un dialogue difficultueux, représente comme la tentation du Diable, pour ne pas dire du Néant, qu'il ne peut pas ne pas regarder, mais avec quelle angoisse et quel tremblement, mais avec quel sentiment diffus de la culpabilité de crimes commis, peut-être, en commun, avant que de se détourner vers la terre et les menhirs dont l'immutabilité rassure :

Regardant la mer,
Lui tournant le dos,
Implorant la terre.

Mais « Il arrive qu'un bloc/ Se détache et tombe/ Tombe à perdre haleine/ Dans la mer liquide ». Le salut entrevu s'éloigne donc, un nouvel effort est à accomplir que le terme d'« étier », employé par Guillevic comme titre de l'un de ses derniers recueils (*Étier*, 1979), suggère : il va falloir réduire le monde « terraqué » (composé de terre et d'eau), conduire l'eau de mer jusqu'aux marais salants pour transformer le liquide en solide, autrement dit le réel fuyant en signe stable, en signe maîtrisé. Car la peur de n'être plus le maître — de soi et des choses — est constante, panique même parfois, chez Guillevic, qui avoue : « Ma "faiblesse" de poète est que je ne risque pas jusqu'au bout. Je me garde, je veux continuer [...] J'ai toujours voulu raison garder », et qui confie, dans l'un des poèmes majeurs de *Terraqué* (1963) :

Mais le pire est toujours
D'être en dehors de soi
Quand la folie
N'est plus lucide
D'être le souvenir d'un roc et l'étendue
Vers le dehors et vers le vague.

Il va donc s'agir également, pour dominer le vague et le vide, de clore l'espace, de constituer un domaine (*Du domaine*, 1977), délimité, circonscrit, de se donner une « sphère » dont la vertu primordiale est bien de permettre à l'équilibre de s'instaurer, à l'être d'« avoir place », de « se bâtir » (*Euclidiennes*, 1967).

Mais la découverte de cet équilibre, de cette sérénité dans et par les mots ne s'est pas réalisée sans mal : une longue crise l'a précédée qui a affecté un temps le langage propre de Guillevic (sa concision, presque sa sécheresse, ces « moindres mots » qu'il emploie, qu'il soupèse et évalue, porteurs ainsi d'un maximum de vertige ou d'émotion, ces « noces de la parole et du silence » qui constituent pour lui la poésie) et n'est pas dissociable de son engagement politique. Non cependant que la poésie militante, civique, ait détourné le poète de son chemin — elle appartenait au chemin —, mais elle a actualisé une virtualité importune : le vouloir-dire. Pendant quelque dix ans, le poète communiste Guillevic va perdre, dans le fourvoiement d'une poésie didactique, le « jaillissement » poétique qui avait préludé à ses premiers recueils : il produit alors beaucoup, mais avec pesanteur, « régressant » (le mot est de lui) au vers régulier et au sonnet, qu'à l'encontre d'un Aragon il manie mal et dont l'optimisme béat de commande se révèle le plus souvent agaçant, sinon insupportable (*Trente et Un Sonnets*, 1954; *l'Âge mûr*, 1955).

De ces maladresses il ne se dégagera qu'au début des années 60 avec *Chemin* et *Carnac* pour donner alors la plupart de ses grands recueils, *Sphère* (1963), *Avec* (1966), *Villes* (1969) et *Trouées* (1982), le dernier en date, où son style gnomique atteint à la beauté des haïku japonais (Guillevic parle, lui, de *quanta*) et tire une sagesse de cet émoi qui, au départ, manifestait une faiblesse, se disant à petits mots, luttant pour surnager et ne pas s'enfoncer dans les eaux maternelles.

Le « matérialisme » de Guillevic n'est donc, ainsi que l'ont signalé Gaétan Picon et Jean-Pierre Richard, qu'un détour pour appréhender la présence de l'être, pour faire dire aux choses et au monde ce qu'ils savent de l'homme dont ils sont les témoins. Doit-on parler de la sacralité du quotidien? C'est Guillevic lui-même qui revendique le terme, se découvrant à ce moment-là le plus humain et le plus fraternel, et ajoutant : « Pour moi, le poète doit aider les autres à vivre le sacré dans la vie quotidienne [...] Voilà ce que j'appelle vivre en poésie. Vivre le sacré dans le moindre de ses gestes ».

BIBLIOGRAPHIE
Jean Tortel, *Guillevic*, Seghers, « Poètes d'aujourd'hui », 1971; Jean-Pierre Richard, *Onze études sur la poésie moderne*, Le Seuil, 1964; Gaétan Picon, *Panorama de la nouvelle littérature française*, Gallimard, 1976; Jacques Sojcher, « Inventaire, mythologie », dans *la Démarche poétique*, U.G.E., « 10/18 », 1976; Daniel Leuwers, « Guillevic en filigrane », *la Nouvelle Revue française*, mars 1982.

L. PINHAS

GUILLOUX Louis (1899-1980). L'écriture de Louis Guilloux est, dans son ensemble, difficile à apprécier. Les critiques le révèlent indirectement, qui voient en lui à la fois l'héritier d'une tradition populiste ou socialiste, inspirée de l'œuvre de Vallès, et un « marginal » du Nouveau Roman; ses textes les plus récents recourent en effet aux techniques qu'affectionne un Robbe-Grillet : utilisation du *flash-back*, fragmentation du récit, refus de la linéarité chronologique. Par ailleurs, la célébrité du *Sang noir*, paru en 1935, au moment où la plupart des romanciers se font l'écho des luttes idéologiques du temps, a également contribué à classer Guilloux comme un écrivain « à thèse », qui aurait puisé dans son expérience personnelle la matière même de son propos. Mais si l'autobiographie apparaît en filigrane dans les premiers romans (*la Maison du peuple*, 1927, *Angélina*, 1939), la complexité de l'univers du *Jeu de patience* (1949) ou des *Batailles perdues* (1960) entraîne le lecteur bien au-delà de la Bretagne natale du romancier et des simples idéaux socialistes de son milieu d'origine.

Né à Saint-Brieuc, Guilloux a été plongé dès sa jeunesse dans l'ambiance des luttes populaires : son père, cordonnier, était un actif militant socialiste. En 1910, Louis Guilloux entre au lycée de Saint-Brieuc et, grâce à l'obtention d'une bourse, poursuit des études classiques; il découvre les œuvres de Romain Rolland, de Jules Vallès, et dès 1914 commence à écrire. De 1916 à 1918, il devient maître d'internat dans son lycée d'origine, il subit l'influence du philosophe Georges Palante, en qui l'on voit habituellement le modèle de Cripure, la figure centrale du *Sang noir*. En 1918, il exerce différents métiers (comptable, voyageur de commerce), avant d'occuper la fonction de répétiteur au collège Gerson, à Paris. Il commence parallèlement à publier dans de nombreuses revues, mais ce n'est qu'en 1924 qu'il décidera de se consacrer totalement à la littérature. Son premier roman, *la Maison du peuple*, apparaît vite comme un livre « social », l'auteur n'y cachant point ses admirations pour le monde du travail et les luttes des classes opprimées. Mais Louis Guilloux refuse d'adhérer au parti communiste, comme de s'engager dans quelque parti que ce soit; néanmoins, ses actions politiques se multiplient; en 1935 — il a publié entre-temps *Dossier confidentiel* (1930) et *Hyménée* (1932) — il accepte d'être le secrétaire du premier « Congrès mondial des écrivains antifascistes ». Il publie à la même époque *le Sang noir*. Le voyage qu'il entreprend en U.R.S.S. avec Gide et Dabit (1936) aboutit cependant (comme pour Gide) à une désillusion. L'après-guerre assure une célébrité définitive à l'écrivain (après *Angelina, le Pain des rêves*, 1942, et surtout *le Sang noir*) et il obtient en 1949 le prix Théophraste-Renaudot pour *le Jeu de patience* et en 1967 le grand prix national des Lettres; en 1969 enfin, il entre au jury du prix Max-Jacob. Simultanément, Louis Guilloux continuera de vivre, en témoin actif et modeste plus qu'en militant engagé, les événements de son temps.

Car l'histoire contemporaine est présente dans tous les récits de Guilloux — si l'on excepte le roman d'aventures vénitiennes *Parpagnacco ou la Conjuration* (1954) — et tous ses personnages, l'écrivain les situe dans un contexte social défini; mais ce ne sont pas tant les événements ou les processus historiques qui apparaissent alors, mais la marque qu'ils impriment, jour après jour, sur les êtres et les choses : chroniques plus que romans historiques, les livres de Guilloux s'attachent aux signes plus qu'aux faits.

C'est d'abord le langage qui porte les traces de son temps; dans *la Maison du peuple* ou dans *Angélina*, les dialogues, le discours indirect ne se contentent pas d'« illustrer » par leur archaïsme un peu naïf les thèmes chers au petit peuple : ils reflètent directement, par leurs métaphores, par leur allure de « style oral », la logique, les espoirs, les croyances des militants des Côtes-du-Nord, au début du siècle : « C'est pas le tout que de baptiser les petites filles, faut les élever, faut les nourrir. Et il en coûte, et c'est long! Au rouet! Au rouet! » (*Angélina*).

Mais les choses aussi révèlent le passé, évoluent parallèlement aux mutations sociales, car « un lien fraternel unit l'homme à ses objets et, entre tous, à ses outils » (*le Pain des rêves*). La souffrance, la déchéance se voient d'abord dans le proche univers de l'homme — tout comme ses rêves d'évasion et de liberté : « Mille pièces de rajout, qu'il avait cousues lui-même à sa veste et à son pantalon, faisaient de son habit une surprenante mappemonde » (*ibid.*).

Le réalisme n'est pas, chez Guilloux, une méthode comme une autre pour raconter : toute écriture est réaliste dans la mesure où rien de ce qu'elle évoque ne peut échapper à l'histoire. Les « petits faits » que Guilloux rapporte dans cette chronique autobiographique que sont ses *Carnets* (*Carnets 1921-1944*, 1978) le montrent bien; on suit l'évolution des mentalités françaises, pendant la Seconde Guerre mondiale, par le seul rapprochement des mots et des choses : chaque époque a son « style », ses idéologies, ses objets de prédilection, dont, à un moment donné, elle fait un usage, une consommation intenses; c'est bien un professeur petit-bourgeois comme le Nabucet du *Sang noir* qui, en 1914, pouvait associer dans le même discours le combat contre les « Boches » et la survie des valeurs littéraires classiques, « afin que [nos enfants et petits-enfants] puissent continuer comme avaient fait leurs grands-pères à lire Boileau dans le texte et apprendre par cœur la fameuse épître à Racine au sujet de l'échec de *Phèdre* ».

Le propos de Guilloux n'est cependant pas celui d'un philosophe critique, ni celui d'un militant; certes, quelques personnages égrènent, au hasard de ses livres, des thèses et idéaux socialistes : « Ah! si nous pouvions tous nous entendre, les gueux, ne plus seulement nous aider les uns les autres à supporter notre misère, mais tous nous accorder pour nous en défaire une bonne fois et chasser nos maîtres! » (*Angélina*). Ces réflexions incidentes n'ont pas pour autant valeur de « messages »; peu à peu, d'ailleurs, les romans se sont amplifiés, élargis; après les mansardes des quartiers pauvres de Saint-Brieuc et l'échoppe artisanale d'*Angélina*, les livres de Guilloux ont exploré les mondes clos en lesquels se subdivisent les diverses classes sociales d'une cité tout entière (*le Sang noir, le Jeu de patience*); le lecteur n'y suit plus seulement les luttes des jeunes socialistes révoltés comme Lucien Bourcier : la narration prend également en charge les propos de marginaux comme Cripure, de notables comme Nabucet, les Bourcier et les Faurel. Le texte devient une moire où les personnages se superposent, où les idéologies s'entrecroisent sans qu'aucune d'elles imprime une couleur dominante au récit : aux assertions réactionnaires de Nabucet répondent indifféremment, dans *le Sang noir,* les déclamations anarchistes de Francis Montfort, les utopies sociales de Lucien Bourcier, le scepticisme cynique de Cripure (l'adaptation du roman à la scène par Guilloux, *Cripure,* 1962, explicite ces oppositions). Par ce désir de construire un univers sans destination précise, sans évidences théoriques, Guilloux transforme la parole romanesque en une « matière » brute, que seul le regard du lecteur peut ordonner, mais qui n'a pas à imposer de sens. Point de vérité finale ni de portée morale : le roman — comme la vie quotidienne — fait entendre des « voix », qui, à certaines pages, résonnent plus que d'autres, avant de disparaître, recouvertes par d'autres paroles.

Certes, Guilloux n'observe pas toujours une stricte neutralité à l'égard de ses personnages; certains passages au style indirect, l'accumulation de détails dérisoires qui appellent l'ironie font songer à Flaubert : dans sa mégalomanie politique, Nabucet paraît un proche parent des Regimbart et Sénécal de *l'Éducation sentimentale :* « Ce qu'il eût souhaité dans ses rêves, c'était (...) une "enfilade" de salons avec des parquets cirés comme des glaces et partout des larbins beaux comme des suisses, avec des bas blancs et des boutons de cuivre, qui vous auraient offert des rafraîchissements, des cigarettes de luxe, des cigares de princes... » (*le Sang noir*). Pourtant la dérision ne couvre jamais le roman tout entier : ce n'est là qu'« une » vision des choses — celle de Cripure ou, par moments, d'un narrateur —, mais jamais la figure essentielle de l'écriture; comme la poésie, qui apparaît sporadiquement dans les livres de Guilloux, cette dérision n'est pas en elle-même significative.

D'ailleurs, le monde de Guilloux relève en définitive du jeu plus que de la thèse. C'est par la technique même du récit que le texte va laisser au lecteur cette impression d'éparpillement du sens. A partir du *Sang noir,* Guilloux va se donner les moyens les plus divers pour fragmenter ce qui pourrait devenir une signification univoque, que l'Histoire même ne peut donner au passé. Il construit alors des romans prolixes, démesurés et surpeuplés, tel *le Jeu de patience* (1949), qui, avec ses thèmes innombrables et son fourmillement de personnages, dont certains figurent déjà dans *le Sang noir,* évoque les ouvrages monumentaux de Dostoïevski ou de Balzac. Mais parfois aussi, le récit devient sec et lacunaire : une succession de courts paragraphes suffit à perdre le lecteur de *la Confrontation* (1968) dans un labyrinthe de deux cents pages, où un faux journaliste se faisant passer — malgré lui? — pour un ex-policier se révèle être le personnage qu'il était chargé (mais par qui?) de retrouver. Autant de miroirs qui renvoient le lecteur au néant, plus apaisant que la vérité elle-même : « Celui dont tu parlais n'est qu'en toi-même. Taisons-nous désormais. Ne mettons pas trop les points sur les i ».

Le bonheur de la présence

Faut-il donc voir en Guilloux un militant déçu, renonçant à ses idéaux pour constater le non-sens général? Certes, l'homme refuse de « s'engager », et l'écrivain de donner un sens à son œuvre, mais le regard que celui-ci jette sur le monde n'est jamais pessimiste. A l'inverse de Flaubert, qui discerne en chaque chose sa fonction dégradante, qui perçoit immédiatement la nullité de sa fonction sociale, Guilloux voit dans le petit détail, dans l'instant vécu la calme sensation d'« être là » : regarder, observer, quel que soit le contexte historique, c'est vivre — ou survivre. Les « gens » eux-mêmes comptent, en définitive, moins comme produits sociaux que comme témoins d'une existence; au milieu des pires situations, il existe pour Guilloux un lieu clos où la conscience de la durée échappe au temps social, où sans avoir pour unique préoccupation le pain, on peut « rêver » : « Le temps passe doucement. Leurs soirées, c'est ce qu'ils ont l'un et l'autre de plus cher [...] : ce bonheur tranquille et silencieux, dans le repos, le bien-être, la présence... » (*Carnets*).

Nul sentimentalisme pourtant : c'est le rapprochement des êtres, la vision ou le contact matériel des objets qui provoquent la rêverie, ouvrent les voies d'un « ailleurs » tout juste soupçonné : « J'ai remué les cendres dont la cheminée était pleine, et, d'entre les papiers calcinés bruissant sous le pique-feu comme de la soie, se sont encore échappées quelques poignées d'étincelles rondes et roses comme des yeux d'oiseaux » (*la Confrontation*). La vie, la mort, le beau, le sordide importent peu en soi; dans cet opéra aux contrastes imprévus que devient l'existence, le réalisme, même exacerbé, n'est que l'envers du merveilleux. En témoignent ses dernières œuvres : *Salido* et *O.K. Joe* (1976), *Coco perdu* (1978).

Une écriture en devenir

Ainsi, l'ambiguïté de l'écrivain reste totale : refusant d'être un théoricien, alors que la plupart de ses personnages reproduisent des théories, insérant les êtres et les choses dans l'Histoire, pour mieux en faire sentir la transcendance poétique, jouant avec le sens sans jamais le renier vraiment, Louis Guilloux a sans doute élaboré une œuvre-charnière, au carrefour de toutes les tendances romanesques de son époque. Loin d'opérer une synthèse ou d'unir la tradition réaliste du XIXe siècle et l'avant-garde, illustrée en leur temps par Céline ou par les écrivains du « nouveau roman », Guilloux offre au lecteur un kaléidoscope littéraire; avec lui, les genres romanesques deviennent des personnages de l'histoire de l'écriture : la littérature n'est pas un lieu fixe, ni un musée des valeurs sûres. Le texte est tissé de signes instables, toujours en devenir, et ne s'attarde jamais aux « idées » qu'il véhicule. En un temps où les novateurs — Blanchot, Barthes, Queneau ou Pérec — s'interrogent sur l'épuisement — voire la mort — du roman, les livres de Guilloux, par leurs mues successives, montrent les évolutions d'une matière vivante, qui veut ignorer son terme : dans et par l'écriture, tout se transforme, mais rien ne se perd.

BIBLIOGRAPHIE

On pourra consulter quelques études, déjà anciennes, sur l'écrivain : Albert Camus : Préface à *la Maison du peuple,* Paris, Grasset, 1927 et 1953; Gaëtan Picon : « Louis Guilloux », dans *Panorama de la nouvelle littérature française,* Paris, Gallimard, 1976; Gilles Quinsat : « Louis Guilloux », dans l'« Universalia » de 1981, Paris, Encyclopaedia universalis.

J.-P. DAMOUR

GUIMARD Paul (né en 1921). Romancier, né à Saint-Mars-la-Jaille (Loire-Atlantique). Après des études à Nantes, il travaille à *l'Écho de la Loire* et à *Ouest-Éclair* (1941-1943), noue des contacts avec la Résistance, puis, à la Libération, fonde et dirige l'émission de radio « la Tribune de Paris » (1945-1949). En 1955, quittant le journalisme, auquel il reviendra comme éditorialiste à *l'Express* (1971-1975), il publie un roman satirique, *les Faux Frères* (prix de l'Humour 1956), suivi de *Rue du Havre* (prix Interallié 1957) et de *l'Ironie du sort.* Son classicisme d'écriture, sa défiance à l'égard de la littérature engagée le rapprochent de son ami Antoine Blondin, avec lequel il écrit une comédie, *Un garçon d'honneur* (1960). Guimard est aussi un grand navigateur, relatant parfois en direct sur les ondes les péripéties de ses croisières, émaillant ses romans de métaphores marines : « flot montant » inondant chaque matin la rue du Havre, découverte « comme une grève » par le « jusant » vespéral. Au cours d'un voyage, la mort le frôle : expérience qui trouvera son écho dans *les Choses* *de la vie* (1967, prix des Libraires), porté à l'écran par Claude Sautet (1969, prix Louis-Delluc), puis dans *le Mauvais Temps* (1976). En 1978, la course autour du monde à la voile lui inspire *l'Empire des mers,* étude psychologique de ces marins captivés par la « démesure océane ». Depuis 1982, Paul Guimard, qui est le mari de Benoîte Groult, est membre de la Haute Autorité de l'audiovisuel.

« Comment en sommes-nous arrivés-là? » (*Des nouvelles de la famille,* 1980). La question pourrait servir d'exergue à son œuvre, tout entière issue d'un même projet : tisser et démêler les « fils épars » nouant soudain des destinées en apparence autonomes. Tantôt l'enchevêtrement des causes simule la finalité (*Rue du Havre*), tantôt leur conjugaison engendre un gigantesque feu d'artifice : du pinçon au doigt d'un employé du métro jaillit un bouquet de manifestations et de grèves (*les Faux Frères*). Des causes infimes peuvent bouleverser une vie, transfigurer un paysage : deux secondes de plus et un accident est évité, deux degrés de moins et la pluie grise devient neige étincelante. D'où la vanité de toute prévision : « On prend toujours trop de précautions, mais jamais les bonnes » (*l'Ironie du sort*). Seule arme contre les farces plus ou moins macabres du destin : un humour à mi-chemin entre le cynisme et la pitié.

Avec *les Choses de la vie,* le ton change. Toujours inextricable, le labyrinthe des causes conduit pourtant quelque part, vers la mort à tout instant imminente. A la fin violente, mais décrite de l'extérieur, se substitue ici une analyse subjective, narrée à la première personne, de l'agonie et de l'évanouissement. La mort y est aussi objectivée : obstacle dressé en travers de la route ou lame déferlant sur un voilier (*le Mauvais Temps*), cause finale enfin démasquée, muraille barrant l'horizon ou s'abattant sur l'homme vaincu mais lucide. Cette expérience tragique oriente l'humour guimardien vers une sagesse qui est moins un *carpe diem* qu'un recueillement, une attention extrême à ces « choses de la vie », parfum d'une fleur, saveur d'une pomme, amitiés, amours naissantes, tout un monde de sensations exquises à celui qui sait qu'il va mourir. Vivre chaque instant comme si c'était le dernier : le cynique est devenu stoïcien. Cette philosophie s'inscrit avec aisance dans la juxtaposition de deux écritures, monologue intérieur en phrases courtes, parfois haletantes, utilisant la langue familière, et constat d'une exactitude pointilleuse, économe de métaphores et d'adjectifs, tentant de tenir à distance un monde peuplé de forces hostiles.

M.-A. DE BEAUMARCHAIS

GUIOT ou **GUYOT de Provins** (fin du XIIe siècle). De ce poète restent cinq chansons courtoises, une *Bible* (revue satirique des « états ») de 2 700 vers et une pièce allégorique, l'*Armeüre du chevalier.* Après une jeunesse errante de trouvère vivant de la charité de bienfaiteurs illustres (une liste de sa *Bible* en cite 86), qui l'a mené chez Barberousse à Mayence (1184) et en Palestine (troisième croisade), nous le trouvons moine cistercien à Clairvaux, puis à Cluny. Ses poèmes s'inscrivent dans le registre traditionnel du « grand chant » (doux espoir d'amour qui est aussi désespoir, éloignement qui cause l'angoisse et proximité redoutable), avec une prédilection pour le mode mineur (« Guioz qui plaint et plore/Et sa mort et sa vie... », I; « Amors a mort grant tort/Me faites mal soffrir », II; « Tant ai la dolor amee », III). La *Bible Guiot* est une satire en vers contre les princes et grands seigneurs (vers 1-554), accusés de lâcheté, de fourberie et d'avarice, puis contre l'ensemble du clergé, pape en tête (« Cors de Rome, com estes toute/Plaine de pechiez criminals »), qui se termine en invectives aux maîtres théologiens, aux avocats, aux médecins (« Fesecien... qui n'en sevent nes plus que gié » et « ja ocient molt de la gent »). L'*Armeüre du chevalier* est un laborieux exercice de pénitence, qui développe un motif allégorique type (le chevalier de Dieu : correspondances entre les parties de l'équipement du combattant et des vertus); heaume d'Humilité, épée de Droiture, éperons de Patience, haubert de Foi, écu de Piété, lance de Mesure offrent un exemple sans originalité de la décomposition parallèle d'une image et d'un concept.

BIBLIOGRAPHIE

J. Orr, *Œuvres de Guiot de Provins,* Manchester, 1915, rééd. Slatkine, 1974; Ch. V. Langlois, *la Vie au Moyen Age d'après quelques moralistes du temps,* Paris, 1926.

A. STRUBEL

GUIRAUD Pierre Marie Thérèse Alexandre, baron (1788-1847). Guiraud appartient — comme son ami Alexandre Soumet — à une génération incertaine et indécise dont Lamartine semble accaparer toute l'énergie : celle qui sépare les poètes impériaux, comme Chênedollé ou Millevoye, des romantiques nés autour de 1800. Né dans le Midi, à Limoux, après avoir obtenu quelques succès poétiques aux jeux Floraux, il se tourne vers le théâtre et rénove avec prudence la tragédie historique (*Pélage,* 1820; *les Macchabées,* 1822; *le Comte Julien ou l'Expiation,* 1823; *Virginie,* 1827). Il donne dans la mode philhellénique qui accompagne la révolte des Grecs et la mort de Byron à Missolonghi (*Chants hellènes,* 1824), et atteint presque la popularité avec ses *Élégies savoyardes* (1823) : « le Petit Savoyard », complainte sur l'exil du jeune montagnard qui doit quitter sa famille et ses amis pour gagner sa vie en France, fut longtemps célèbre et figura dans mainte anthologie. Le recueil tout entier offre un bon exemple des complexités de l'élégie sous la Restauration : intimisme conventionnel; passéisme; provincialisme; rhétorique allégée; vocabulaire simplifié par rapport à la grande époque néoclassique; style facile, mollement fluide, sans couleur ni relief; mètre correct, harmonieux, rythme plaintif et sans vigueur. Élu à l'Académie française en 1826, nommé baron, l'écrivain s'éloigne des jeunes amis romantiques qu'il côtoya à *la Muse française.* Il se retire dans ses terres provinciales, où il prépare un grand ouvrage visant à restaurer la doctrine chrétienne de l'évolution historique, pour faire face au progressisme, au déterminisme de Thiers, aux diverses théories de la lutte des classes ou à l'hégélianisme (*la Philosophie catholique de l'histoire,* 1839; 2e édition, 1841). Guiraud, bien oublié aujourd'hui, reste le type du demi-romantique catholique, au talent timide, trop fidèle aux normes classiques et trop circonspect dans ses adaptations pour trouver place entre Chénier et Hugo.

BIBLIOGRAPHIE

Léon Séché, *le Cénacle de « la Muse française »,* Paris, Mercure de France, 1908.

D. MADELÉNAT

GUIRAUT RIQUIER (1230?-1292). V. TROUBADOURS.

GUIRLANDE DE JULIE. V. PRÉCIOSITÉ.

GUITRY Alexandre Georges Pierre dit **Sacha** (1885-1957). Fils de l'acteur Lucien Guitry, il a dix-sept ans quand est créée sa première pièce, *le Page,* opéra bouffe en un acte. L'année suivante (1903), au théâtre de la Renaissance, il fait ses débuts d'acteur. Le 6 décembre 1905, date de la création de *Nono,* marque le commencement d'une carrière d'auteur dramatique à succès, riche de cent vingt-quatre pièces qu'il interprétera presque toutes lui-même, et qui s'étendra sur un demi-siècle.

Le théâtre de Sacha Guitry utilise le mot d'esprit, la fantaisie et la verve pour mettre en valeur des personnages et des situations qui le plus souvent ont été imaginés dans le seul but de plaire et d'amuser. Parfois, le temps d'une scène, se perçoit nettement la capacité de l'auteur à peindre aussi l'amertume et la cruauté, à poursuivre au-delà de l'esquisse, hors de son registre habituel... Mais la plume de l'« illusionniste » repart pour une pirouette : la volonté d'être brillant et l'acceptation de la facilité apparaissent comme le choix délibéré de Guitry. Élégant, éphémère, abondant : ainsi a-t-il voulu son théâtre, auquel les femmes, l'histoire de France et la vie de quelques hommes célèbres ont donné ses meilleurs thèmes.

Son œuvre cinématographique compte plus de trente films, réalisés à partir de 1915. Il l'a entamée avec *Ceux de chez nous,* documentaire exemplaire dans lequel apparaissent Renoir, Anatole France, Rodin, Monet, Octave Mirbeau, Clemenceau, Sarah Bernhardt... *Le Roman d'un tricheur* (1936) est considéré comme son chef-d'œuvre dans ce domaine; pour la première fois à l'écran apparaît, avec Guitry, la forme du « récit commenté ». Suivront surtout des adaptations historiques, caractérisées par une grande fantaisie et par le sens du spectaculaire.

L'œuvre de Sacha Guitry comprend aussi des albums de caricatures, quelques essais, des volumes de souvenirs et un texte consacré à son père.

Acteur sur la scène, Sacha Guitry a été l'un des principaux personnages de la « vie parisienne » pendant la première moitié du XXe siècle. Il faut retenir le souvenir de sa célèbre voix et celui des cinq femmes qu'il épousa et qui furent aussi ses interprètes : Charlotte Lysès (1907), Yvonne Printemps (1919), Jacqueline Delubac (1936), Geneviève de Séréville (1939) et Lana Marconi (1949), à laquelle Sacha Guitry dit : « Vous serez ma veuve. Vous me fermerez les yeux et vous ouvrirez mes tiroirs ».

Élu à l'académie Goncourt en 1939, Sacha Guitry en démissionna en 1947, dans les remous qui accompagnèrent la période de la Libération.

Le 7 décembre 1905, Jules Renard notait dans son *Journal :* « Les trois actes de *Nono* sont une révélation. C'est un Guitry accouchant lui-même d'un auteur dramatique. Sacha aura d'étonnants succès. » Cinquante ans plus tard, Marcel Achard le juge « le plus facétieux de tous les moralistes français, mais aussi un des plus tendres et des plus profonds ».

BIBLIOGRAPHIE

Théâtre. — *Nono* (1905), *Chez les Zoaques* (1906), *le Veilleur de nuit* (1911), *Un beau mariage* (1911), *Jean III* (1912), *la Prise de Berg-Op-Zoom* (1912), *la Pèlerine écossaise* (1913), *la Jalousie* (1915), *Faisons un rêve* (1916), *Jean de La Fontaine* (1916), *Deburau* (1918), *Pasteur* (1919), *Mon père avait raison* (1919), *Je t'aime* (1920), *le Comédien* (1921), *Jacqueline* (1921), *Un sujet de roman* (1923), *Mozart* (1925, musique de Reynaldo Hahn), *Désiré* (1927), *Histoires de France* (1929), *Frans Hals* (1931), *Mon double et ma moitié* (1931), *Châteaux en Espagne* (1933), *Adam et Ève* (1933), *le Renard et la Grenouille* (1933), *Un tour au Paradis* (1934), *O mon bel inconnu* (1934), *Florestan Ier* (1934), *l'École des philosophes* (1934), *Quand jouons-nous la comédie?* (1935), *le Mot de Cambronne* (1935), *Geneviève* (1936), *Quadrille* (1937), *Vive l'Empereur* (1942), *N'écoutez pas, Mesdames* (1942), *le Diable boiteux* (1948), *Aux Deux Colombes* (1948), *Tu m'as sauvé la vie* (1949), *Palsambleu* (1953), *Écoutez bien, Messieurs* (1953).

Cinéma. — *Le Roman d'un tricheur* (1936), *les Perles de la couronne* (1937), *Remontons les Champs-Élysées* (1938), *le Destin fabuleux de Désiré Clary* (1942), *la Malibran* (1943), *Donne-moi tes yeux* (1943), *Adhémar* (1950), *la Poison* (1951), *Je l'ai été trois fois* (1952), *Si Versailles m'était conté* (1953), *Napoléon* (1955), *Si Paris m'était conté* (1955), *Assassins et Voleurs* (1956).

Divers. — *Des connus et des inconnus* (1903), album de caricatures; *la Maladie* (1914), *Mes médecins* (1932), *Elles et Toi* (1946), *Toutes réflexions faites* (1947), essais; *Lucien Guitry raconté par son fils* (1930); *Si j'ai bonne mémoire* (1934), souvenirs; *Théâtre, Je t'adore, les Femmes et l'amour,* publications posthumes (1959).

F. NASSERY-WARBURG

GUIZOT François Pierre Guillaume (1787-1874). Comme Thiers, Tocqueville, Victor Duruy, Louis Blanc, Lamartine ou Chateaubriand, François Guizot unit dans sa biographie l'homme de lettres et l'historien avec l'homme politique. Professeur d'histoire moderne en Sorbonne à vingt-cinq ans grâce à la protection de Fontanes, il est remarqué par Royer-Collard, qui, à la Restauration, le fait accéder aux plus hautes fonctions publiques, et c'est lui qui prépare la législation libérale de 1819-1820. Le meilleur de son œuvre d'historien sera le fruit de l'interdit que cet engagement libéral lui vaut des ministères Richelieu et Villèle (1822-1828), puis, beaucoup plus tard, de la relégation à laquelle le succès de la Révolution de 1848 condamne le conservateur qu'il est devenu.

Cette œuvre est d'ampleur impressionnante. Sa partie publiée couvre l'histoire européenne des origines celtiques à l'actualité du XIXe siècle, mais il est impossible de la borner là, et c'est sans discontinuité, ni de style ni de pensée, que l'on passe des livres d'histoire à la correspondance ou à l'énorme production de notes, textes et discours ayant résulté de ses charges politiques.

L'unité de cette œuvre et même de la vie qu'elle a tout entière occupée s'aperçoit tant dans l'organisation des centres d'intérêt qu'elle aborde successivement que dans la forme des développements dont ils font l'objet.

Les *Essais sur l'histoire de France,* qu'il publie en 1823, avec une réédition des *Observations sur l'histoire de France* de Mably, s'attardent dans le haut Moyen Âge, à l'étude duquel Augustin Thierry donne à la même époque tous ses soins. C'est qu'il s'agit, à travers les luttes des races, des systèmes, des pouvoirs, de méditer sur le chaos entretenu par l'affrontement entre divers pôles possibles de l'organisation sociale. Comment une « histoire » peut-elle se dégager d'un tel désordre, comment évoquer une nation parmi tant de différends? Seule l'action des évêques paraît au protestant Guizot avoir soutenu l'exigence d'une civilisation.

Pour la civilisation

Car tel est le maître mot de sa pensée : les deux ouvrages qu'il lui consacre, *Histoire générale de la civilisation en Europe* (1828), puis *en France* (1830), le campent comme le protagoniste de l'histoire « philosophique ». La problématique en est simple : elle correspond au comportement politique de Guizot, opposant à Charles X, puis tout-puissant ministre de Louis-Philippe. « Partout où la condition extérieure de l'homme s'étend, s'élève, s'améliore, partout où la nature intime de l'homme se montre avec éclat, avec grandeur, à ces deux signes, et souvent malgré la profonde imperfection de l'état social, le genre humain applaudit et proclame la civilisation. » Très moderne dans sa conception, puisqu'elle transcende les chroniques événementielles, très classique dans sa rhétorique, car elle préfère aux démonstrations scientifiques les considérations généralisantes, cette conception de l'histoire sous-tend aussi une attitude d'homme d'État. « Enrichissez-vous par le travail et par l'épargne », Guizot est célèbre pour cette exhortation, fondement de sa politique. Elle correspond à cette idée que la civilisation transcende la politique sous les espèces « du progrès, du développement », et qu'elle seule compte aux yeux de l'histoire.

Libéral en 1820, conservateur en 1848, Guizot n'a jamais cessé de soutenir cette aspiration à un mouvement de civilisation auquel la Restauration ultra opposait l'obstacle de ses chimères, mais que le libéralisme orléaniste lui semblait laisser s'accomplir.

Historien magistral, enfin, de la révolution d'Angleterre, dont il a édité le corpus de documents (*Mémoires relatifs à l'histoire de la révolution d'Angleterre,* 1823-1830; *Histoire de la révolution d'Angleterre,* 1850-56), Guizot touche avec elle le troisième volet de sa méditation politique, celui qui a trait au mécanisme de transition ou de fondation d'une société civilisée. A la manière de Tocqueville, il est attentif à la grande ancienneté des orientations originales de l'Angleterre vers la démocratie parlementaire. Comme Tocqueville, ce qu'il s'attache à étudier, c'est la manière dont, au prix de vicissitudes allant de l'anarchie à la tyrannie, un régime représentatif s'est établi sur la ruine d'une prétention absolutiste.

Les neuf volumes des *Mémoires pour servir à l'histoire de mon temps* (1858-1863), à quoi Guizot a consacré sa longue retraite, sont pleins d'une rumination de cette triple question d'une « société générale » : un État social constitué; une civilisation; un aboutissement définitif du processus révolutionnaire, à la manière dont l'Angleterre y était parvenue en 1688. Ils achèvent la fusion, si déterminante pour la nature de l'une ou de l'autre, d'une attitude philosophico-politique et d'une pratique de l'histoire, celle-ci armant constamment celle-là et recevant d'elle ses principes directeurs. Exemplaire de probité intellectuelle, l'œuvre qui en résulte est en même temps le fidèle reflet de cette acception de l'histoire comme philosophie, qui fut l'idéologie de son temps.

BIBLIOGRAPHIE
Réédition des *Mémoires pour servir à l'histoire de mon temps,* Paris, Laffont, 1971.
A consulter. — H. Pouthas, *Guizot pendant la Restauration,* Paris, Plon, 1923, et *la Jeunesse de Guizot,* Paris, Alcan, 1936; D. Johnson, *Guizot. Aspects of French History 1787-1874,* Londres, Routledge & Kegan, 1963.

Ph. RATTE

GUTH Paul (né en 1910). Écrivain, né à Ossun. D'origine modeste, il fait de brillantes études à Villeneuve-sur-Lot, puis à Paris, et réussit en 1933 l'agrégation des lettres. Professeur, il devient après 1945 critique littéraire et chroniqueur théâtral, participe à des émissions de radio et de télévision, où sa voix ensoleillée fait merveille. Ses *Mémoires d'un naïf* (1953) lui valent la notoriété : il s'y montre avec humour le défenseur d'une certaine « race d'hommes », éternellement victime de son désintéressement et de la perfidie des « malins ». Ce type du « naïf » reparaît dans *le Naïf aux quarante enfants* (1955), panorama d'une expérience pédagogique, *le Naïf locataire* (1956), *le Naïf amoureux* (1958), *Ce que je crois du Naïf* (1982), dernier état d'une philosophie qui salue les valeurs austères d'une enfance paysanne et studieuse. Paul Guth connaît le même succès avec la série de « Jeanne la Mince », qui évoque les mœurs pittoresques de boutiquiers du Sud-Ouest, avec son *Histoire de la littérature française* (1967) et ses biographies historiques, *Mazarin* (1972), *Moi, Joséphine, impératrice* (1979), où brillent les formules à l'emporte-pièce et la désinvolture permise aux très bons élèves : « Saint Louis et la reine Marguerite, deux tourtereaux en proie à une belle-mère » (*l'Aube de la France,* 1982). Mais face aux fléaux du monde moderne, au « génocide intellectuel » qui menacerait la jeunesse, ce Rastignac de l'humanisme qui n'a « jamais fumé, jamais bu, jamais joué » afin de conquérir un savoir classique qu'il vénère, se change soudain en pamphlétaire : *Lettre à votre fils qui en a ras le bol* (1976), *Lettre ouverte aux futurs illettrés* (1980). Dénonciation parfois outrancière, mais où se lit aussi le drame personnel de l'ancien professeur devant l'effondrement d'une culture si chèrement acquise, et qu'il s'était depuis toujours efforcé de rendre aimable.

J. BURIN DES ROZIERS

GUTTINGUER Ulric (1785-1866). Issu d'une famille protestante d'origine suisse fixée à Rouen vers la fin du règne de Louis XV, Ulric Guttinguer épouse une riche héritière, dont la dot lui permet de se livrer tout entier à l'étude et à la poésie; classique sous l'Empire, il se rallie au premier romantisme, celui de *la Muse française,* où il publie des poèmes qui seront réunis en 1824 sous le titre de *Mélanges poétiques.* Le recueil compte cinq parties : « Souvenirs », roman d'amour versifié, au ton confidentiel et intimiste; « Poèmes », impersonnels et objectifs; « Romances et poésies diverses », surtout inspirées de Thomas Moore; « Élégies »; « Fables ». Cette variété reflète l'éclectisme du temps, ainsi que le goût de la Restauration. En des confessions pleines de mélancolie — parfois même de désespoir —, qui n'évitent pas toujours les redites ou la monotonie, Guttinguer chantera encore les douleurs de sa vie sentimentale agitée et ses aspirations à la foi (*Fables et Méditations,* 1837; *les Deux Âges du poète,* 1844; *Dernier Amour,* 1852).

Aîné et ami de maint poète — Hugo, Musset et, surtout, Sainte-Beuve —, sombre, blessé par les femmes et par la vie, image de l'homme romantique en proie à la fatalité, Guttinguer, après s'être essayé au genre romanesque dans *Amour et Opinion* (1827), donne, avec *Arthur* (1836), un précieux roman personnel. Il avait d'abord entrepris de fournir pour cet ouvrage des matériaux et des idées à Sainte-Beuve, celui-ci se chargeant de la rédaction; leur collaboration ne durera guère : Sainte-Beuve, abandonnant *Arthur* au bout de cent pages, écrit sa propre autobiographie morale (*Volupté,* 1834). Guttinguer se résout alors à affronter directement le public : il dit avec pudeur et délicatesse son enfance, ses errances, sa conversion. Son livre est un document de première main sur la mentalité romantique et sur la sensibilité religieuse au temps de la monarchie de Juillet.

BIBLIOGRAPHIE
Henri Bremond, *le Roman et l'histoire d'une conversion. Ulric Guttinguer et Sainte-Beuve d'après des correspondances inédites,* Paris, Plon, 1925; Léon Séché, *la Jeunesse dorée sous Louis-Philippe,* Paris, Mercure de France, 1910.

D. MADELÉNAT

GUY DE COUCY. V. CHATELAIN DE COUCY.

GUY DE TOURS Michel (v. 1562-1611?). Poète né à Tours, Michel Guy a révéré — et peut-être connu en voisin — Ronsard dès son enfance. Élevé avec soin dans les humanités par un père dont la mort le frappe durement en 1595, Guy est avocat et mène une vie aisée dans sa ville natale. Les guerres civiles le trouvent du côté du roi, et il raconte avec beaucoup de plaisir des faits de résistance passive à la Ligue, lorsque celle-ci s'attaque à la bonne ville de Tours. Il fait paraître, en deux éditions parisiennes de 1598, sept livres de poèmes, *les Premières Œuvres et Souspirs amoureux,* suivis du *Paradis d'Amour* (un catalogue flatteur de toutes les belles dames de Tours), des *Mignardises amoureuses, Meslanges et Épitaphes* (dont deux poèmes sur la mort de Ronsard). On hésite à lui attribuer un recueil au titre mystérieux, *les Muses incognues* (1603), qui contient surtout, avec quelques descriptions de jeux et passe-temps innocents, des pièces plus gaillardes comme le début du XVIIe siècle les a aimées. Ce recueil pourrait être de son ami Béroalde de Verville ou d'un autre ami tourangeau. On pense que Guy est mort en 1611. C'est alors que paraît sous sa signature un texte qui reprend la fable de Lemaire de Belges, *les Amours de Pâris et de la nymphe Oenone.*

Fervent de l'*Anthologie grecque,* des recueils érotiques de Jean Second et de Girolamo Angeriano, comme l'ont été avant lui Ronsard et Belleau, il est par-dessus tout inspiré par les *Amours* du chef de la Pléiade et ne se cache jamais d'« emprunter » « au beau jardin de deffunct M. de Ronsard, Prince des poètes françois ». De fait, sa poésie compose des variations sur les textes de celui-ci, avec délicatesse souvent, humour plus souvent encore, et pour le plaisir de ses lecteurs avertis. Curieuse grâce, qui n'a rien de provincial, et qui, pourtant, faisant fi des modes plus récentes, s'en va choisir les tout premiers poèmes du maître, plus sensuels sans doute, auxquels il reprend même le décasyllabe, le goût immodéré des diminutifs, les métaphores relatives au corps féminin. Chantre léger de l'inconstance amoureuse, des danses, de la puce ou d'un chien, Michel Guy de Tours est l'un de ceux qui assurent la transition entre Ronsard et Théophile de Viau.

BIBLIOGRAPHIE

Les *Œuvres* de Guy de Tours, à l'exception des *Amours de Pâris et de la nymphe Oenone,* et des *Muses incognues* ont été publiées par Blanchemain, Paris, 1873 (2 vol.).

Pour les sources et les influences, cf. James Hutton, « Michel Guy de Tours : Some Sources and Literary Methods », *Modern Language Notes,* LVIII, 1943, p. 431-441; Marcel Raymond, *l'Influence de Ronsard,* Paris, 1927, rééd. Droz, 1965; Gisèle Mathieu-Castellani, *les Thèmes amoureux dans la poésie française (1570-1600),* Klincksieck, 1975.

M.-M. FONTAINE

GUYON, Jeanne-Marie Bouvier de La Motte, connue sous le nom de **Mme Guyon** (1648-1717). Un des principaux documents écrits laissés par Mme Guyon étant son autobiographie : *la Vie de Mme J.-M. Bouvier de La Motte Guyon écrite par elle-même,* publiée à Cologne en 1720, nous savons que sa mère ne l'aimait pas, que sa belle-mère la persécutait odieusement, que sa servante l'espionnait, qu'elle perdit, par suite de la petite vérole, trois de ses cinq enfants et sa beauté. « Ma vie n'était qu'un tissu de maux », dit-elle. Indifférente à ces « croix », dont elle fait cependant un récit tout à fait hallucinant, elle se livrait avec acharnement aux pratiques d'une ingrate piété, lorsque son directeur, en lui disant : « Vous cherchez au-dehors ce que vous avez au-dedans », lui révéla les voies de l'intériorité mystique. Elle la pratiqua de telle sorte, par l'action, la parole et l'écriture, qu'elle bouleversa le paysage religieux de la fin du XVIIe siècle. Cette provinciale obscure, épouse, en 1664, puis veuve, en 1676, d'un riche notable de Montargis, connaît à partir de là une existence errante, d'abord en Savoie, où elle retrouve son confident et compagnon d'aventure spirituelle, le père La Combe, puis à Paris, où sa rencontre avec Fénelon la placera au centre de l'affaire du quiétisme.

Elle se proclamait investie de la mission de « détruire la raison humaine » et, de ce fait, s'en trouva constamment « en butte à la contradiction des hommes », en même temps qu'elle entraînait dans son sillage des disciples fascinés par ses expériences de dépersonnalisation de la conscience, d'affranchissement de la volonté propre qui permettent d'atteindre une passivité d'instrument et de se laisser mouvoir par une inspiration toute-puissante. L'application littéraire de ces principes donna des œuvres qui sont à mettre au crédit de l'écriture automatique. Mme Guyon écrivait jusqu'à la limite de la paralysie musculaire. Elle délivra son message d'abord dans le *Moyen court et très facile pour l'oraison que tous peuvent pratiquer très aisément,* où elle décrit les différentes étapes qui mènent à une hypnose de la conscience qui doit libérer l'énergie divine. Publié à Grenoble en 1685, le *Moyen court...* eut un immense succès. Approuvé par un évêque, condamné par l'autre, il fut le bréviaire de maint couvent, dont la maison de Saint-Cyr, que Mme de Maintenon, un moment favorable, arracha bientôt, effrayée, à ces égarements spirituels. C'est de la même époque que date l'effusion lyrique des *Torrents spirituels.*

L'inspiration de Mme Guyon s'exerça aussi dans le commentaire de l'Écriture. On ne s'étonne pas de la voir méditer d'abord sur les textes les plus énigmatiques. *Le Cantique de Salomon, interprété selon le sens mystique et la vraie représentation des états intérieurs* est publié à Lyon en 1688. Suivront des explications sur le *Livre de Job,* sur l'*Apocalypse,* enfin le grand *Commentaire sur le Nouveau Testament,* 1713, et sur l'*Ancien Testament,* 1714-1715. Les autorités ecclésiastiques réagiront par la persécution à cette spiritualité jugée suspecte. Le janséniste Nicole entreprendra une *Réfutation des erreurs des quiétistes,* mais le principal combat de Mme Guyon sera celui qu'elle soutiendra intrépidement, à Meaux, en 1694, contre l'inquisition de Bossuet, désigné pour examiner son orthodoxie. Il ne réussira pas à la convaincre d'hérésie mais n'en condamnera pas moins ses livres et se lancera tout entier dans le combat contre cette « religion de Fénelon » dont Rousseau se dira l'adepte.

Mme Guyon connut sans faiblir diverses incarcérations, dans des couvents, à Vincennes, à la Bastille. Le père La Combe, quant à lui, sombrera dans la folie. L'ensemble impressionnant des écrits laissés par Mme Guyon (39 volumes, publiés posthumement par le théologien protestant Pierre Poiret) offre à l'interprétation moderne des perspectives qui n'ont été que fort peu explorées.

BIBLIOGRAPHIE

Si les œuvres de Mme Guyon éditées de son vivant connurent une grande vogue et furent complétées par une imposante édition posthume de tous ses écrits à Cologne, en 1720-1722, elles n'ont plus été éditées depuis. Le cas de Mme Guyon a suscité de nombreuses études d'ensemble ou de détail. Citons Louis Guerrier : *Mme Guyon, sa vie, ses doctrines, son influence,* thèse, Orléans, 1881, Genève, Slatkine Reprints, 1971; Henri Delacroix : *Études d'histoire et de psychologie du mysticisme,* Paris, Alcan, 1908; Françoise Mallet-Joris : *Jeanne Guyon* (chronologie, bibliographie, index), Paris, Flammarion, 1978.

O. BIYIDI

GUYOTAT Pierre (né en 1940). Romancier, né à Bourg-Argental dans la Loire. Issu d'une famille bourgeoise (son père est médecin), Guyotat accomplit sa première expérience décisive en 1960 : le futur romancier de *Tombeau pour 500 000 soldats* effectue en effet son service militaire en Grande Kabylie, et se trouve par là même plongé dans la guerre d'Algérie. Au printemps 1962, il est arrêté par la Sécurité militaire : on l'accuse de porter atteinte au moral de l'armée et on l'inculpe de complicité de désertion. Il sera gardé au secret pendant deux mois dans une cave de casernement. En 1964, il voyage dans l'Algérie benbelliste, poursuivant ainsi sa prise de conscience politique. Parallèlement, il collabore au *Nouvel Observateur,* où, jusqu'en 1965, il occupe le poste de rédacteur littéraire. C'est également à cette époque qu'il entreprend la composition de *Tombeau pour 500 000 soldats,* qui paraît en 1967 et fait immédiatement remarquer son auteur, dont les deux précédents romans, *Sur un cheval* (1961) et *Ashby* (1964), étaient passés presque inaperçus. En 1968, il est invité à Cuba pour participer au Congrès international de la culture. En France, après les événements de mai, il se rapproche des écrivains du groupe *Tel Quel,* et adopte des positions proches du parti communiste, avant d'évoluer peu à peu vers l'extrême gauche. En 1970, *Éden, Éden, Éden,* son nouveau récit, est victime de la censure, l'ouvrage étant jugé pornographique; Guyotat recevra l'appui des personnalités littéraires les plus célèbres de l'époque, parmi lesquelles Michel Leiris, Roland Barthes, Philippe Sollers et Michel Foucault. Depuis lors, il poursuit des recherches littéraires : *Prostitution* (1976), *le Livre,* où l'auteur va beaucoup plus loin dans son expérience de désorganisation-réorganisation de la langue, et *Vivre* (deux ouvrages publiés en 1983).

La pratique de l'écriture, pour Guyotat, relève d'une prise de conscience, puis d'un combat idéologique; l'écrivain tente, d'œuvre en œuvre, d'« évacuer » de l'écrit tout ce qui constitue le fondement de la « littérature » humaniste : la rhétorique artificielle du style, la toute-puissance de la psychologie, toujours nécessaire au roman bourgeois; l'écrivain fait, avant tout, œuvre de matérialiste, non pas en traitant des « sujets » marxistes, mais en retrouvant dans l'écrit un être-là, ignorant de toute métaphysique ou d'une signification extérieure qui transcenderait l'ordre du récit : « Il faut montrer la présence de la matière, et de plus, l'embellir, la raffiner, la donner dans son état le plus pur » (*Littérature interdite*, 1972). Livre après livre, Guyotat s'efforce de « déstructurer la langue bourgeoise » pour la transformer en ce qu'il appelle un « chant » : le texte n'est plus alors qu'une sécrétion du corps de l'écrivain; celle-ci, pour se constituer en langage, doit élaborer, comme la musique, sa propre syntaxe. De fait, l'écriture de Guyotat s'est peu à peu modifiée, éliminant d'abord, dans *Tombeau pour 500 000 soldats*, puis dans *Éden, Éden, Éden*, toute image, métaphore ou figure de style obscurcissant la matière du texte. Par la suite, avec *Prostitution*, c'est au signe typographique et alphabétique que Guyotat s'en prend : suppression de l'*e* muet, du point, redoublement des virgules, apparition de notations musicales : « crocs concassés!, cailloux démosthéniens!, dans les rixes karaks!, excoriant!, coriandr'à mes pleurs mixtionné!, ton ourle squamescent, langue jonglant l'hemorroïd' ».

Cette écriture, faite de rythmes, de sons plus que de sens — ceux-ci restent comme en suspens —, tend, par-delà la psychologie néfaste, à retrouver la vérité du corps; cette vérité s'exprime chez Guyotat par la sexualité, qui constitue la trame fondamentale et libératrice du récit : « libérés, à main armée!, de l'écrit, les corps ne produisent plus de pensée que sexe, musique!..., ô poésie protohistorique du corps!... »

Érotisme exacerbé qui a souvent fait taxer Guyotat de « pornographe ». Pourtant le flot de « scènes », de gestes sexuels que charrie le récit, de concert avec la violence guerrière, ne vise pas à la représentation. Loin de vouloir « faire vrai », l'écrivain tente de saisir la pulsion fondamentale des corps, leur mode de communication le plus pur. Le désir exprime toute la poésie de la matière : « le singe piaule, bras alanguis, guerba ramollie nouée à l'encolure, mufle sanglant, sexe dressé, œil scrutant Vénus voilée de vapeurs violettes, piétine les cérastes décapités » (*Éden, Éden, Éden*).

Il s'agit alors de retrouver par l'écriture ce que la loi sociale interdit de vivre. Guyotat mêle ainsi, dans ce matériau que devient sa parole, racisme, haine, sexualité, événements de la guerre d'Algérie : tout se fond dans une langue qui relève de l'épopée, comme il apparaît nettement dans les sept chants de *Tombeau pour 500 000 soldats* : « Un éclatant soleil martèle les eaux. Le rocher des esclaves surgit d'un tourbillon rouge où s'entrechoquent deux halftracks remplis de soldats nus aux plaies lavées. Des charges, mines, grenades, bombes, explosent encore au fond de l'eau, la soulèvent, la déchirent. Puis, dans le temps d'un jour et de deux nuits, les eaux se retirent jusqu'aux ruines de Titov Veles ». Ce lyrisme de la matière emporte les textes de Guyotat aux confins de la littérature : sous l'affluence des mots et l'éclatement des signes, cette prose n'est pas loin de se désagréger; sous ce rapport, les derniers livres de l'auteur évoquent le *Finnegans' Wake* de Joyce.

L'écriture de Guyotat, par ce souci constant de matérialité, exprime la mort de la tradition littéraire humaniste et annonce un retour aux origines de l'écrit; la notion de style ou d'œuvre se dissout : le livre devient une sorte de totalité mythique où le mot n'est plus un mode d'expression, mais — comme dans les textes des philosophes présocratiques — la chose même.

BIBLIOGRAPHIE

Divers articles éclairent l'œuvre de Guyotat : Th. Réveillé, « Entretiens avec Pierre Guyotat à propos de *Éden, Éden, Éden* »; Dominique Rolin, « Littérature interdite », *Arts vivants*, Paris, mars 1972; Philippe Sollers, « la Matière et sa phrase », *Critique*, nº 290. Il faut citer aussi les préfaces de Roland Barthes, Michel Leiris et Philippe Sollers à *Éden, Éden, Éden*, Paris, Gallimard, 1970.

J.-P. DAMOUR

GYP, pseudonyme de **Sibylle Gabrielle Marie-Antoinette de Riqueti de Mirabeau, comtesse de Martel de Janville** (1850-1932). Femme de lettres, née au château de Koetsal dans le Morbihan. Elle a laissé une centaine de romans et nouvelles, dont les moins oubliés sont *Petit Bob* (1882), *Autour du mariage* (1883), *Pauvre P'tite Femme* (1888), *le Mariage de Chiffon* (1894), *Autour du divorce* (1901), *Napoléonette* (1925). Société mondaine et « nouvelles couches » républicaines y sont également brocardées au nom d'un modernisme de façade : « Le gouvernement de 900 imbéciles vaut bien celui d'un seul ». Aux repas d'« ouverture » (*les Chasseurs*, illustré par Crafty, 1888), les « gens chics » coudoient le préfet, dont on souligne avec un plaisir particulier les mauvaises manières. Cependant, sous une façade d'espièglerie, Gyp diffuse aussi les lieux communs d'un racisme haineux. Le Juif, c'est l'étranger chez nous, à l'accent germanique, au patriotisme douteux, à l'argent corrupteur : *le Baron Sinaï* (1897), *Israël* (1898). En ce temps d'affaire Dreyfus, les héros de Gyp, elle-même militante « nationaliste », prophétisent sinistrement qu'un « boulangisme quelconque » finira bien par « liquider » les intrus. Honte à ces aristocrates « dans la dèche » qui osent « s'encanailler » avec les nouveaux rois de la finance! Les militaires eux aussi sont égratignés au passage (le général de Labaderne, dans *les Chasseurs*); seuls trouvent grâce à ses yeux les vieux domestiques, moins serviles que leurs maîtres, et une poignée de hobereaux « fiers et pannés ». On retiendra plutôt chez Gyp l'analyse d'un nouveau type de jeunes femmes désinvoltes et tendres, émaillant leur langage d'un argot de bon ton, désarticulant la syntaxe : « Ben moi, je pourrais t'en indiquer une à faire, et pas loin, de belle action » (*le Mariage de Chiffon*). Avec la poésie et le naturel en moins, Ginette, Paulette, Chiffon sont déjà les premières esquisses de l'« ingénue libertine ».

M.-A. DE BEAUMARCHAIS

HABERT François (vers 1508-vers 1561). Poète provincial (il est né à Issoudun, en Berry), François Habert est de ceux qui, après des débuts difficiles, ont le mieux réussi à la Cour : il devint « poète du roi » sous Henri II, et son pseudonyme de BANNY DE LIESSE ne semble guère justifié. Auteur d'une grande aisance, il a composé en trente ans une cinquantaine d'ouvrages (huit pour la seule année 1542!), dont la plupart connurent des rééditions au XVIe siècle. Composer était pour lui un besoin, et il avouait à son ami Mellin de Saint-Gelais, en 1551 :

Et mieux aymay escrire, et mal rimer,
Que point n'escrire, et œuvre bien limer.

L'ensemble, d'ailleurs, n'est pas négligeable, et sa facilité rend bien compte des courants à la mode, avant que la Pléiade ne submerge définitivement la poésie du temps de Marot.

Avant d'être pensionné comme poète du roi, Habert a connu plusieurs maîtres, et il a voyagé entre Issoudun, Paris, Toulouse et Lyon. (Il se trouve dans cette dernière ville, en 1545, année au cours de laquelle sont publiés chez Jean de Tournes quatre de ses ouvrages). Il noue des relations d'amitié avec Scève, Peletier, Fontaine, Aneau, Des Autels..., qu'il oppose en 1551 à la Pléiade naissante : il avait en effet quelques raisons d'en vouloir aux amis de Du Bellay, puisque celui-ci venait de le prendre pour cible dans la *Deffence;* à ses yeux, Habert incarnait les vieux genres marotiques et l'abus des traductions prosaïquement versifiées; il représentait aussi le succès à la Cour, que la Pléiade ne connaissait pas encore, et la docilité aux modes. Mais Habert sut finalement louer Ronsard et du Bellay, et sa vie n'est pas autrement marquée par les conflits personnels, s'il s'associa par ailleurs à ceux de ses protecteurs.

Dans cette œuvre abondante se dégagent plusieurs masses; celle, tout d'abord, des traductions, de plus en plus nombreuses vers la fin et révélant bien la permanence des goûts de cette période : Ovide (*Métamorphoses,* commandées par François Ier, *Héroïdes*) continue à être le grand maître, malgré les craintes que Habert exprime, par muse interposée, sur la moralité de son inspiration; Ausone, dont l'*Hermaphrodite* vient seconder les goûts platonisants des amis de Héroët; Horace, dont *Satires, Épîtres* et *Odes* séduisent avant que Ronsard ne s'en empare; Cornelius Agrippa, dont *la Louenge... du sexe féminin* est à verser au dossier de la querelle des Amies en 1541; jusqu'aux *Métamorphoses de Cupidon,* sa dernière traduction, en 1561, qui sacrifie à la mythologie derrière un obscur poète néo-latin contemporain.

La deuxième masse en importance, mais la première dans l'inspiration du BANNY DE LIESSE, est d'inspiration « fantastique », propice à tous les développements de l'imaginaire, depuis les *Temple de Vertu* et autres *Jardin de Félicité* (1541), *Controverse de Vénus et de Pallas* (1542), dans l'esprit, un peu raidi alors, des rhétoriqueurs, de Lemaire et de Marot, jusqu'aux débordements de la veine grotesque, dite populaire, manifestée surtout dans *la Dure et Cruelle Bataille et Paix du glorieux saint Pensard alencontre de Caresme...* Habert aime présenter ses réflexions sous forme de « Songe » ou de « Vision », qui lui permettent de moraliser plus à l'aise. Ainsi le *Songe de Pantagruel* (1542), écrit entre le *Gargantua* et le *Tiers Livre,* et dont Rabelais se souviendra, est une sorte de moralisation de la fameuse lettre de Gargantua à son fils. Car Habert est bel et bien un défenseur de la morale à la Cour, et semble même avoir été sensible à l'inspiration évangélique : on trouve chez lui quelques bergers, loups et agneaux qui l'attestent, avant l'inspiration très orthodoxe des derniers écrits. Mais peut-être, dans cette période de trouble, faisaient-ils partie des commandes royales?

Car les œuvres de commande, pour les naissances, les mariages et les morts des grands et des rois, forment un dernier ensemble, qui masque malheureusement le charme naturel, la verve un peu grivoise — et prête à la mise en musique — de textes comme les *Épîtres cupidiques* ou autres œuvres de 1541, certainement les plus réussies.

BIBLIOGRAPHIE

Aucune œuvre de François Habert n'a été rééditée, à l'exception du *Philosophe parfaict* et du *Temple de Vertu,* publiés par Henri Franchet, Champion, 1923. L'introduction et les notes à cette édition constituent le seul travail de mise au point sur cet auteur, et comprend la bibliographie des œuvres de Habert (une cinquantaine de titres).

M.-M. FONTAINE

HABERT Philippe (1603?-1637) et **Germain** (1604-1654). Les frères Habert appartenaient à une riche famille de la haute bourgeoisie. L'aîné, Philippe, entreprit une carrière militaire; il fut tué en opérations. Le second se fit prêtre, devint aumônier du roi et obtint l'abbaye de Cerisy; il comptait parmi les intimes de Séguier. Tous deux étaient de fervents catholiques. Germain entra dans la compagnie du Saint-Sacrement (en 1642) et composa une *Vie du cardinal de Bérulle* (1643). Cela ne les empêchait pas de pratiquer la galanterie, de fréquenter les salons mondains et les cercles littéraires. Ils appartinrent au groupe des « Illustres Bergers » amis de Colletet, furent membres de l'Académie dès ses débuts, collaborèrent à *la Guirlande de Julie,* recueil de poèmes composé par les habitués du salon de Mme de Rambouillet.

Outre des poésies éparses, ils laissèrent chacun un poème important. Philippe composa en 1633 la grande élégie du *Temple de la Mort,* qui fut très admirée durant tout le XVIIe siècle. Les images violentes et pathétiques y abondent; ainsi dans la vision du vallon où se dresse l'édifice imaginaire :

Mille sources de sang y font mille rivières,
Qui traînant des corps morts et de vieux ossements
Au lieu de murmurer font des gémissements.

Ce pathétique relève d'une sensibilité baroque plus profonde que celle de la *Métamorphose des yeux de Philis en astres* (1638), de Germain, longtemps célébrée comme le modèle de la poésie mondaine; c'est un jeu systématique de « pointes » et de métaphores, qui illustre le maniérisme de la poésie baroque mondaine.

A. VIALA

HADDAD Malek (1927-1979). V. MAGHREB. Littérature d'expression française.

HADJ-ALI Bachir (né en 1920). V. MAGHREB. Littérature d'expression française.

HAÏK Farjallah (né en 1906). V. LIBAN. Littérature libanaise d'expression française.

HAILLAN, Bernard de Girard, seigneur du (vers 1535-1610). « Père de l'histoire de France, telle que nous l'avons lue et apprise », selon l'expression d'Augustin Thierry, premier « historiographe de France » en charge, du Haillan mérite aujourd'hui une attention renouvelée pour sa participation originale au renouveau du genre historique observé à partir de 1550.

Né dans une famille de magistrats bordelais, il cherche très jeune sa voie auprès des grands, puis de la famille royale, à laquelle il est attaché dès 1561. Plusieurs ouvrages de circonstance ou de commande marquent la première étape de sa carrière : traductions des *Facéties* de Domenichi (1559), de Cicéron (1560), d'Eutrope et de Cornelius Nepos (1560 et 1568), pièces rimées provoquées par les événements (mariages princiers, puis trépas d'Henri II en 1559). Ce n'est qu'en 1570 que ses premiers travaux historiques, entrepris depuis longtemps, verront le jour; ils sont écrits pendant diverses missions politico-diplomatiques, et ne cesseront dès lors de retenir tout son temps.

Ce n'est pas hasard si l'*Estat et succez des affaires de France* (1570, augmenté et corrigé à diverses reprises jusqu'en 1594) est celui de ses livres historiques qui a connu le plus vif succès et suscité le plus d'intérêt. Il s'inscrit dans le large mouvement, influencé par l'historiographie italienne, de réflexion sur la pratique historienne où, à la même époque, s'illustrent Pasquier, le Jean Bodin de la *Methodus* et enfin La Popelinière. L'*Histoire de France* (1576; dernière édition en 1627), « premier corps d'histoire habillé à la françoise », est à mettre en parallèle avec les fresques contemporaines de Du Tillet, Belleforest ou Paradin; tout en conservant aux monarques et aux règnes leur rôle prééminent, elle fait place aux grandes forces idéologiques et sociales en cours d'émergence.

BIBLIOGRAPHIE

Seul le bref *Discours sur les causes de l'extrême cherté qui est aujourd'hui en France* (1586), où du Haillan poursuit l'analyse du mécanisme inflationniste inaugurée par Bodin, a été réédité (par Fournier dans ses *Variétés historiques et littéraires,* Paris, Jannet, 1857, au tome VII). Aucune étude d'ensemble ne lui a été consacrée, mais l'on verra avec fruit diverses mentions de son œuvre dans *l'Idée de l'histoire parfaite* de Georges Huppert, Paris, Flammarion, 1973, et dans *la Conception de l'histoire en France au XVI*e *siècle* de Claude-Gilbert Dubois, Paris, Nizet, 1977.

M. SIMONIN

HALDAS Georges (né en 1917). V. SUISSE. Littérature d'expression française.

HALÉVY Ludovic (1834-1918). V. MEILHAC et HALÉVY.

HALLER Albrecht de (1708-1778). V. SUISSE. Littérature d'expression française.

HALLIER Jean-Edern (né en 1936). Éditeur, il contribue à la fondation de la revue *Tel Quel* (avec Philippe Sollers), des *Cahiers de l'Herne* (avec Dominique de Roux) et il fonde les Éditions Hallier (1974). Journaliste, il finance et dirige, en mai 68, *l'Idiot international,* puis il écrit dans la grande presse, jusqu'au *Figaro* de Robert Hersant, et publie un « grand reportage » avec *Un barbare en Asie du Sud-Est* (1980). Romancier, Hallier est tout d'abord séduit par le « nouveau roman » : en 1963, il publie *les Aventures d'une jeune fille,* « un grand livre de terreur d'une très belle, très savante prose » (Michel Foucault). La critique accueille favorablement *le Grand Écrivain* (1967); Henri Michaux voit en lui « un salaud comme Dostoïevski. Sa voie : celle du roman immense ». Il n'hésite pas à provoquer le lecteur; dans *la Cause des peuples* (1972), il se plaît à mêler avec désinvolture les genres, l'histoire et la politique. Mais à l'audace verbale et à la fantaisie qui marquent ce troisième ouvrage succèdent un lyrisme éperdu et un romantisme fiévreux dans *Chagrin d'amour* (1974) et *Le premier qui dort réveille l'autre* (1977). Cependant, la poésie et l'humour ont déserté *Fin de siècle* (1980) : Hallier n'est plus, comme il se définit lui-même, que « le Chateaubriand de l'ordure ». Agitateur et contradicteur inlassable, il a tenté, dans son essai *Chaque matin qui se lève est une leçon de courage* (1978), d'échapper à sa propre décadence. Il ne se contente pas d'être un pamphlétaire de talent (*Lettre ouverte au colin froid,* 1979), il possède également l'art de susciter nombre de polémiques — éphémères — en multipliant des provocations (canulars ou attaques) qui parfois se retournent contre lui (*l'Enlèvement,* 1983).

Ch. LAVIGNE

HAMA Boubou. V. NÉGRO-AFRICAINE (littérature d'expression française).

HAMILTON Antoine, comte de (1646?-1720). C'est Hamilton, un écrivain écossais d'expression française, qui ouvre la production romanesque du XVIIIe siècle en France. Il a l'enjouement de Scarron et la phrase de Voltaire, qui, tout jeune, a pu le fréquenter dans la société du Temple. Miniaturiste de talent, Hamilton a dépeint, dans le type du grand seigneur frivole, une aristocratie triomphante qui trompe gaiement son oisiveté en jouant à la guerre, à l'amour et aux cartes, mais derrière laquelle se profilent déjà les roués...

Gentilhomme écossais, mais né en Irlande et élevé en France, Hamilton partage sa vie entre la cour de France et celle d'Angleterre, au gré des aventures des Stuarts. Catholique, il est tenu à l'écart de tout emploi sous Charles II; il s'engage alors au service de Louis XIV jusqu'en 1677. A l'avènement de Jacques II en 1685, il obtient un commandement militaire et le gouvernement de la place forte de Limerick. Après 1688, de retour en France avec le roi en exil, il se consacre désormais à sa carrière littéraire, indissociable de la vie mondaine qu'il mène à la cour de Saint-Germain-en-Laye ou dans la société plus libertine des Berwick, de la duchesse du Maine et des Vendôme. Il est ami de Chaulieu et de La Fare, intime de Saint-Évremond, auquel il peut être comparé par son indépendance d'esprit et son caractère de trait d'union entre la France et l'Angleterre. Cependant, ce n'est pas dans la critique et le moralisme que Hamilton se distingue. Il met sa plume au service des salons, brillant par des talents de poète, de conteur et d'épistolier. Mêlant les vers à la prose, il compose des poésies légères, des pièces de circonstance et sacrifie à la mode du temps en rédigeant des contes qui allient le merveilleux des *Mille et Une Nuits* à celui des contes de fées de Perrault ou de Mme d'Aulnoy (leur publication n'aura lieu qu'après sa mort, en 1731).

Mais ce sont les *Mémoires de la vie du comte de Gramont* — entrepris en 1704, publiés en 1713 — qui consacrent véritablement Hamilton comme écrivain, à soixante-sept ans. Ils lui ont permis de cristalliser des talents qui n'avaient donné leur mesure que dans l'éphémère conversation de l'homme de cour. Plutarque parodique, il y retrace la jeunesse de son beau-frère — « l'admiration de son siècle » — jusqu'à son mariage avec sa sœur Élisabeth Hamilton, en 1663. Liés depuis l'arrivée de Gramont à Londres en 1661, ces deux familiers des rois continuèrent à se fréquenter en France jusqu'à la mort du comte en 1707. Hamilton est censé écrire les *Mémoires* sous sa dictée; en fait, il laisse de côté les scrupules du biographe ou de l'historien, et, préférant la narration à la troisième personne à l'autobiographie fictive pratiquée par un Courtilz de Sandras, il compose un roman dont le dessein, servi par une ironie déjà toute voltairienne, est de « divertir » le lecteur.

Le *Journal littéraire* en 1714 situe les *Mémoires* à la confluence de deux traditions narratives : celle de Sorel et celle de Bussy-Rabutin. Elles correspondent en effet à la division opérable entre le premier tiers de l'œuvre, qui, focalisé sur Gramont, participe du picaresque, et les deux derniers tiers, qui versent dans la chronique de cour, comme l'indique le sous-titre : *Histoire amoureuse de la cour d'Angleterre sous le règne de Charles II.*

Au début du roman, le chevalier de Gramont et son compagnon Matta soutiennent le siège de Trin; la bonne chère et le jeu constituent leur ordinaire dans cette guerre en dentelles. Après la reddition de Trin, les deux amis, venus se divertir à la Cour de Savoie, doivent se plier au code de l'amour courtois en vigueur. Suivent les évolutions du héros en France, dans l'entourage de Condé, au siège d'Arras, à la Cour, d'où il est banni pour avoir voulu supplanter le roi auprès de La Motte-Houdancourt. Il passe en Angleterre. Dès lors, l'unité ne repose plus sur le protagoniste, qui devient un participant parfois privilégié, souvent occasionnel, ni ne réside par conséquent dans l'action, qui se morcelle en une multitude d'anecdotes dont le feu roulant se maintient jusqu'à la fin. Seule subsiste l'unité de lieu — de milieu —, délimitée par Whitehall et ses dépendances, patrie de la Cour. Au récit premier des chassés-croisés galants Hamilton intègre des récits burlesques où Gramont relaie le narrateur en contant, par exemple, l'histoire de l'aumônier Poussatin ou celle du valet Termes.

Dégagé de tout dessein transcendant, l'auteur s'adonne au ludisme de l'écriture. Il prend un plaisir très communicatif à jouer avec ses personnages comme avec des mots. Il construit ainsi une sorte de lexique de la Cour, où il définit un héros, qui n'est encore qu'un nom, par un portrait exécuté avec un art qui n'est pas sans évoquer la manière du peintre anglais Peter Lely et transmet l'illusion réaliste par un jeu subtil d'éloges et de restrictions. Hamilton excelle dans le portrait de femme, tel celui de cette beauté très britannique : « Son visage était des plus mignons; mais c'était toujours le même visage; on eût dit qu'elle le tirait le matin d'un étui pour l'y remettre en se couchant, sans s'en être servi durant la journée ». Le lexique se double d'une syntaxe qui marque les relations des personnages dans la sphère de la galanterie, où les grands sentiments sont démythifiés. Comme Dom Juan, Gramont jouit plus de la conquête que de la possession. Amour et guerre sont unis par la métaphore : « La Middleton fut la première qu'il attaqua ». S'agit-il d'une femme ou d'une place forte? Dans le texte, les noms se succèdent à un rythme soutenu, comme celles qui les portent dans le cœur des héros. Les personnages s'agitent quelques instants sur la scène du petit théâtre mondain, puis disparaissent, définitivement ou jusqu'à une prochaine configuration produite par le kaléidoscope romanesque. Les figures de contredanse esquissées par les courtisans trouvent leur équivalent stylistique dans les figures de rhétorique qui émaillent le texte. Hamilton pratique une écriture du détail, non seulement au niveau de la structure narrative, mais aussi à celui de la phrase, où les tours plaisants correspondent, littérairement, au type de « mots » qui font fortune à Whitehall ou du côté de Guermantes. Hamilton utilise avec brio l'antanaclase — « tandis que le frère jouait de la guitare, la sœur jouait de la prunelle » —, l'antimétabole — « comme il était un peu sorti de son devoir pour entrer dans les intérêts de Monsieur le Prince, il crut pouvoir en sortir pour rentrer dans son devoir » — ou le zeugma — « au lieu de prendre les ordres, il prit le chemin d'Angleterre, et Mlle Bedingfield [...] pour femme ». Le style, spirituel et badin, se caractérise par une grande vivacité due en partie à l'usage systématique de l'ellipse et du pronom : « [...] le vif Hamilton », écrit Voltaire dans le *Temple du Goût,* mais il ajoute :

> Toujours armé d'un trait qui blesse,
> Médisait de l'humaine espèce.

En effet l'ironie prend des allures d'épigramme quand elle révèle, sous le paraître, un être veule, jaloux, concupiscent. Mais Hamilton la dirige aussi contre des genres littéraires (Mémoires, roman héroïque), en les parodiant, ou contre sa propre écriture, en devançant les reproches du lecteur. On retrouve ce procédé dans ses contes, où la distance critique prend en charge la débauche d'enchâssements et de rebondissements d'où procèdent *les Quatre Farcadins, Zénéyde, le Bélier,* et *Fleur d'Épine;* témoin, dans ce dernier, l'aparté : « Que les enchantements sont d'un grand secours pour le déroulement d'une intrigue et la fin d'un conte! »

Hamilton connut un grand succès au XVIIIe siècle, où l'on a pu lire les *Mémoires* comme une anticipation de la licence des mœurs qui s'épanouit sous la Régence. Gramont ne préfigure-t-il pas Valmont? L'œuvre de Hamilton fut régulièrement rééditée au XIXe siècle, avec un privilège pour les *Mémoires* (une dizaine d'éditions), qui, selon Sainte-Beuve, symbolisent l'« esprit français ».

BIBLIOGRAPHIE

Actuellement, les *Mémoires du Comte de Gramont* sont publiés dans les *Romanciers du XVIIIe siècle,* Paris, Gallimard, Bibl. de la Pléiade, 1960, t. I, ainsi qu'aux éditions Rencontre. Édition critique par C.E. Engel, Monaco, 1958.

A consulter. — R. Clark, *A. Hamilton, His Life, Works and Family,* Londres, 1921; A. Clerval, *Du frondeur au libertin,* Lausanne, Eibel, 1978; Cl. Filteau, *le Statut narratif de la transgression. Essai sur Hamilton et Beckford,* Sherbrooke, Naaman, 1981.

P. BOISSEAU

HARDELLET André (1911-1974). Il faut voir en André Hardellet, poète trop méconnu, inlassable piéton parisien, un proche parent de Nerval : toujours à l'écoute de cette musique (lui-même est auteur de chansons dont le célèbre *Bal chez Temporel*), à l'aguet de cette dame en crinoline, en attente de ces instants qui lézardent le présent et, par cette faille des apparences, permettent d'appréhender fugitivement la réalité supérieure que nous avons perdue. Il s'agit donc, continuellement, pour ce chasseur (son recueil le plus important s'intitule *les Chasseurs,* publié en 1966), de se préparer au vertige qui signalera le franchissement du seuil qui sépare « je » de « l'autre » et l'ici de l'ailleurs, le surgissement de la rencontre entre l'extérieur et l'intime. *Lady long solo* (1971), au demeurant, court récit illustré, retrouve la terre de *Sylvie,* se donne comme un nouvel « épanchement du rêve dans la vie réelle ».

Cette confusion entre l'imaginaire et la réalité nous invite à lire une expérience différente de celle de Proust : le temps retrouvé ne sort du néant que pour s'y engloutir à nouveau. Hardellet, quant à lui, face à la mort et à la perte, parle d'une mémoire qui déborde le souvenir personnel (cf. *Donnez-moi le temps,* 1973; *la Promenade imaginaire,* 1974, deux textes où il expose sa poétique) et fait songer à l'inconscient collectif de Jung ou à la « bibliothèque de Babel » de Jorge Luis Borges. L'image du labyrinthe circulaire, qui renvoie à la conception d'un temps cyclique, se trouve d'ailleurs largement exploitée dans le roman *le Parc des archers* (1962).

Singulièrement, en effet, ce poète, après avoir publié trois recueils (*la Cité Montgol,* 1952; *le Luisant et la Sorgue,* 1954, *Sommeils,* 1960), se met à écrire des récits et des romans : son œuvre la plus achevée, la plus maîtrisée, *le Seuil du jardin,* (1958), se présente sous cette dernière forme. Mais ce texte — tout comme *Lourdes, lentes...* (1969), récit où l'érotisme recouvre la nostalgie de l'enfance, le regret d'un âge où tout n'est qu'émerveillement — participe de la même alchimie, de la même angoisse, de la même recherche d'un jardin situé hors de l'atteinte du temps et des impuretés. Breton ne s'y est pas trompé, qui a salué l'approche de ces terres où le surréalisme voulait aborder. Mais le jardin est en ruine, et la dame en crinoline ressemble étrangement à la Loreley.

BIBLIOGRAPHIE

Hubert Juin, *André Hardellet,* Paris, Seghers, « Poètes d'aujourd'hui », 1975.

L. PINHAS

HARDY Alexandre (1572?-1632?). Alexandre Hardy est le plus prolifique des auteurs dramatiques du XVIIe siècle, le plus « professionnel » aussi, parce que constamment mêlé à la vie quotidienne de troupes de comédiens luttant pour s'imposer, à Paris, en province et à l'étranger. La critique a longtemps mis l'accent sur l'aspect romanesque de l'existence supposée du « poète à gages », sur la misère — également supposée — de l'écrivain de théâtre, amoureux de son art au point de renoncer à tout pour suivre le chariot des troupes errantes. Ces clichés, qui ne sont pas toujours inventés, ont parfois nui à une étude plus profonde de l'étrange carrière du dramaturge. Toutefois, les découvertes récentes de contrats notariés et les recherches érudites ont sensiblement transformé l'image traditionnelle de l'homme, et suscité un nouvel intérêt pour ses œuvres. Quelques éditions critiques permettent aujourd'hui la lecture de pièces que l'on cesse désormais de mesurer en fonction d'une grille de lecture soumise aux normes de la Renaissance ou du classicisme.

La vie difficile d'un poète ambulant

On a longtemps cru qu'Alexandre Hardy n'embrassa la vie des comédiens qu'à cause de sa condition modeste. En fait, il est possible qu'il ait été de bonne famille (à en juger par la parenté qu'on lui connaît à la fin de sa vie) et qu'il ait vécu une jeunesse studieuse. Paris est alors soumis au monopole théâtral des Confrères de la Passion, établis à l'Hôtel de Bourgogne. Peut-être est-ce la raison de son départ pour la province en 1592 avec une troupe, probablement celle d'A. Talmy; il commence alors une carrière d'acteur et d'écrivain, vendant ses œuvres « à la pièce » jusqu'en 1597. Sa relative notoriété lui permet d'entrer en 1598 comme poète à gages dans la troupe de Valleran, dont il partagera, de longues années durant, la vie itinérante (à Paris, en province, mais aussi à l'étranger puisqu'on le signale à Leyde et à La Haye en 1613) et incertaine. C'est à Marseille, en 1620, qu'on retrouve la trace du poète, à l'occasion d'un nouveau contrat, signé cette fois avec Pierre Le Mesnier, dit Bellerose, chef des Comédiens du roi. En 1622, la nouvelle troupe est à Paris et loue l'Hôtel de Bourgogne où Hardy connaît enfin le succès. Il fait imprimer quelques-unes de ses pièces, mais rompt avec Bellerose quand celui-ci s'obstine à lui interdire l'édition de nouvelles œuvres.

Il signe alors un autre contrat de poète à gages, en 1626, avec C. Deschamps, sieur de Villiers, chef de troupe des Vieux Comédiens du roi : il promet six pièces annuellement pendant six ans, et la troupe part jouer en province, cette fois sans son poète.

Le paysage théâtral parisien a changé pendant la longue absence du dramaturge. En rompant avec Bellerose, Hardy s'est écarté d'un foyer essentiel du théâtre, au moment où il aurait pu définitivement s'imposer. Amer, il regrette toutes les œuvres qu'il a dû abandonner à son ancienne troupe, et il semble mal supporter le succès d'une nouvelle génération de dramaturges qui s'imposent en oubliant parfois ce qu'ils doivent au poète vieilli. Plutôt isolé, il meurt ayant atteint la soixantaine, moins pauvre qu'on ne l'a dit, puisqu'il aurait obtenu la charge de secrétaire du prince de Condé et tiré quelque bénéfice de l'édition de ses pièces.

Le curieux statut d'un auteur professionnel

Au-delà de la vie privée d'Alexandre Hardy, l'existence quotidienne du « poète à gages » retient l'attention par les liens particuliers qu'elle tisse avec la création. Voilà donc un dramaturge qui a vécu constamment avec des troupes de comédiens, en France et à l'étranger, et qui a été confronté aux exigences immédiates des représentations. Son expérience d'acteur, régulier puis occasionnel, en compagnie de ceux qui deviendront les meilleurs comédiens de l'époque, est irremplaçable. Il savait pour qui il écrivait, il connaissait les lois de la représentation et ses obligations matérielles, il n'ignorait pas le goût des publics devant lesquels la compagnie jouait. A ces avantages incontestables, liés au statut de « poète à gages », s'oppose le caractère précaire d'une écriture désacralisée et soumise aux exigences des chefs de troupe. Il semble que Hardy ait constamment écrit sous la pression des troupes auxquelles il appartenait, en fonction des besoins de renouvellement du répertoire, et à une cadence rapide de production qui a fait de lui l'auteur incroyablement fécond de six cents ou sept cents « poèmes dramatiques ».

Cette fécondité du poète « à la demande » a de douloureux revers. Forcé d'abandonner ses œuvres aux acteurs avec lesquels il est lié par contrat, et qui défendent leur droit d'exclusivité, il se voit interdire l'impression qui livrerait ses pièces aux troupes rivales. Il n'a donc pu en faire publier que trente-quatre de son vivant : *Théagène et Chariclée* fut imprimé en 1623; les trente-trois autres parurent dans son *Théâtre,* dont les cinq volumes sortirent entre 1624 et 1628. Le *Mémoire* de Mahelot mentionne dix titres de pièces perdues, et trois œuvres ont été retrouvées dans les Archives nationales par Mme Deierkauf-Holsboer. Parmi les œuvres publiées, on compte douze tragédies, quatorze tragi-comédies, cinq poèmes dramatiques et cinq pastorales. Il est possible qu'il y ait des comédies parmi les pièces perdues, mais il est difficile de l'affirmer avec certitude. De même, la datation des pièces publiées fait problème : H.C. Lancaster étale leur composition entre 1605 et 1625 et situe les pièces mentionnées par Mahelot entre 1625 et 1631; Mme Deierkauf-Holsboer arrive à des dates différentes allant d'« avant 1610 » à 1627. De toute façon, nous ne disposons que d'une petite partie de sa production pour juger de l'ensemble de l'œuvre.

Une dramaturgie du récit et de la passion

« Je n'avais pour guide qu'un peu de sens commun avec les exemples de feu Hardy, dont la veine était plus féconde que polie... ». Cette remarque de Corneille extraite de son *Examen de Mélite* a longtemps suffi à caractériser l'œuvre de Hardy. Elle correspondait d'ailleurs à l'image que la critique voulut en donner par la suite; pouvait-on à la fois produire beaucoup et faire œuvre louable? D'autre part, l'œuvre de Hardy a longtemps souffert d'un jugement fondé sur les seules valeurs du classicisme : Lanson le considérait comme illisible; la hardiesse des sujets (des violences, des meurtres sanglants, des viols), souvent empruntés aux Espagnols (Cervantès, Lope de Vega), la crudité du langage et la bizarrerie d'actions se déployant librement dans le temps et dans l'espace en faisaient une œuvre quasiment incompréhensible. Même Rigal, le « découvreur » de Hardy, écrivait : « Nous n'insisterons pas longtemps sur *Scédase* : comment, en effet, analyser une tragédie qui dépasse en horreur et en réalisme brutal les plus sombres d'entre nos drames? [...] La pièce est grossière plutôt qu'immorale; elle est conforme au goût du temps ».

Une analyse plus profonde des pièces dans quelques éditions critiques récentes a contribué à faire renaître la curiosité pour un dramaturge souvent mal lu. En fait, la dramaturgie de Hardy est subordonnée au narratif. Tout est dans le récit, qui déroule ses méandres pour suivre les personnages là où ils sont, là où ils vont. Aucun effort n'est fait pour ordonner le déroulement d'événements dont chacun se révèle indispensable à l'histoire, sans hiérarchie et sans scènes « à faire ». Pas de tentative de « concentration » par l'intermédiaire de récits ou de paroles rapportées. Le temps, la diversité des lieux, le nombre des personnages dépendent des nécessités de l'action. Ainsi dans *la Force du sang*, le récit abandonne Léocadie confiant à sa mère qu'elle est enceinte, pour saisir dom Inigue sortant de chez lui pour se rendre à un tournoi. Puis l'action se transporte soudainement en Italie où Alphonse voyage.

La Force du sang. A Tolède, Pizarre confie ses craintes à sa femme Estéfanie : il a fait un songe inquiétant où une « tourtre » (tourterelle) était attaquée par un « grand aigle » (I, I). Alphonse, jeune gentilhomme de bonne famille, déclare à ses amis Rodéric et Fernande (Fernando) qu'il aimerait séduire une femme au hasard d'une rencontre (I, II). Dans une rue, non loin du Tage, le groupe de jeunes gens enlève Léocadie, fille de Pizarre, qui se promenait avec ses parents (I, III).

Alphonse a profité de la pâmoison de la jeune fille pour l'entraîner chez lui et la violer. Quand elle revient à elle, elle lui demande de la reconduire en ville les yeux bandés pour qu'elle ne puisse retrouver le chemin, et elle disparaîtra (II, I). Pendant ce temps, les parents de Léocadie se désespèrent. Au retour de leur fille, qui veut mourir, ils la consolent. On apprend qu'elle a dérobé chez Alphonse une œuvre d'art, une représentation d'Hercule enfant, qui devrait l'aider à identifier un jour son ravisseur (II, II). Dom Inigue, père d'Alphonse, qui ignore tout de l'affaire, propose à son fils un voyage à travers l'Europe (II, III).

Léocadie apprend à sa mère qu'elle est enceinte. Celle-ci décide qu'elles élèveront l'enfant en secret (III, I). Le temps a passé. Dom Inigue s'apprête à partir pour un tournoi (III, II). Pendant ce temps, Alphonse, en Italie, est en proie au remords (III, III). Dom Inigue rencontre Ludovic, le fils de Léocadie, blessé dans une chute. Séduit par le jeune enfant, il est troublé par l'étrange ressemblance entre cet enfant qui l'attire et son propre fils (III, IV).

Léocadie se désespère quand elle apprend par Francisque, valet de dom Inigue, la légère blessure de son fils (IV, I). Léocadie va chercher Ludovic chez dom Inigue en se faisant passer pour une tante de l'enfant. Plus tard, elle croit reconnaître le logis où elle se trouve et raconte toute son histoire à Léonore, la mère d'Alphonse, très émue par ce récit (IV, II).

Dom Inigue est décidé à oublier le passé (« Suffit que d'un grand mal résulte plus de bien »), et il organise un « banquet de parents » afin d'annoncer le mariage (V, I). Alphonse revient de voyage. Sa mère le prépare à la nouvelle, et il se déclare très heureux d'épouser un « parangon des vertus » dont le souvenir n'avait fait que le poursuivre. De grandes réjouissances publiques sont annoncées (V, II à IV).

La Belle Égyptienne multiplie également les ruptures de liaison, édifie un système de « fausses pistes » et de méprises, allonge les différents fils d'une intrigue qui se diversifie à l'extrême. Il reste, chez ce dramaturge baroque, des procédés qui datent de la Renaissance. Ainsi, ces chœurs de villageois et ces chœurs d'Égyptiens qui se répondent dans *la Belle Égyptienne* et qui disparaîtront chez les auteurs de la génération suivante. Ainsi, parfois, dans le vocabulaire, des archaïsmes ronsardiens. Ainsi, encore, un goût très vif pour les sentences et les discours moralisants :

Si la fille ne veut soi-même se garder,
Soi-même aux passions brutales commander,
Mille Argus surveillants, le chef ceint de lumières,
Mille prisons d'airain, mille fortes barrières,
Tel désastre honteux peuvent moins prévenir
Que nous de l'Océan la course retenir.
(*Scédase*, II, I)

Toutes choses qui, alliées à une syntaxe souvent compliquée par une cascade de subordinations, lui ont valu une réputation d'illisibilité :

Enfin elle retourne ainsi que du tombeau,
Et veuve de l'émail de son plumage beau,
Qui lamente, honteuse, une semblable perte,
Qui refuse d'abord notre caresse offerte.
(*La Force du sang*, I, I)

Mais ce genre d'amphigouris ne saurait faire oublier chez Hardy la précision soudaine de certaines scènes, l'art du détail, une sorte de réalisme limpide et touchant qui se mêle curieusement aux métaphores érudites et aux emprunts obligés à la mythologie. Témoin cette scène où Léocadie annonce à sa mère qu'elle est enceinte :

LÉOCADIE. — Ma turpitude énorme assez tôt paraîtra,
Et d'un objet honteux son remords accroîtra.
ESTÉFANIE. — Pourquoi? si ce ne sont qu'effets de la nature,
Comme lorsqu'on se sent élargir la ceinture.
LÉOCADIE. — Ô Terre! ô terre, mère, entrouvre ton giron
Et me plonge au plus creux des gouffres d'Achéron!
ESTÉFANIE. — Te préserve le Ciel de pire maladie.
(*La Force du sang*, III, I)

Hardy s'intéresse de près aux personnages, il leur donne des traits étonnants de vérité, des éclairs de tendresse et une grande fragilité : celle des passions qui s'étalent au grand jour, éclatent avec fracas et provoquent ensuite la stupeur de toute une catégorie de « faux méchants » repentis. Il faut relire Hardy non seulement pour ces moments privilégiés où la justesse du trait fait oublier les excès rhétoriques, mais aussi pour ses qualités d'observation des rapports sociaux, qui, chez lui, apparaissent déterminants dans la plupart des crises. Ce ne sont plus les dieux ni la Fatalité qui fondent le tragique, mais en grande partie la puissance sans scrupules de groupes qui se permettent d'assouvir toutes leurs passions. Un théâtre « en liberté » à une époque où les règles de composition classiques sont inconnues, voilà qui donne un éclairage différent au premier quart du XVIIe siècle.

BIBLIOGRAPHIE

L'un des premiers ouvrages à s'intéresser à Hardy fut celui d'Eugène Rigal, *Alexandre Hardy et le théâtre français à la fin du XVIe siècle et au commencement du XVIIe siècle* (1889) : il ne se trouve plus qu'en bibliothèque. En dépit de certaines conclusions un peu trop affirmatives sur certains points, la réédition de l'ouvrage de S. Wilma Deierkauf-Holsboer, *Vie d'Alexandre Hardy*, Paris, Nizet, 1972, est essentielle. Pour les œuvres, trois pièces très clairement présentées et intelligemment annotées *(Scédase, la Force du sang, Lucrèce)* par J. Scherer sont facilement accessibles dans *Théâtre du XVIIe siècle*, vol. I, Paris, Gallimard, Bibl. de la Pléiade, 1975. *Scédase ou l'hospitalité violée* est présentée à l'occasion des représentations de la pièce sous forme d'une adaptation de X.-A. Pommeret, précédée du texte original (Paris, Oswald, 1976). Des éditions critiques plus rares et récentes (*Coriolan*, par T. Allott, University of Exeter, et *la Force du sang* par J. H. Davis, University of Georgia Press, 1972) figurent dans les bibliothèques spécialisées.

J.-P. RYNGAERT

HARLAY (famille de) [XVIe et XVIIe siècles]. Les Harlay forment une lignée de nobles influents et amateurs ou praticiens de la littérature. Achille de Harlay, comte de Beaumont, (1536-1619), premier président du parlement de Paris au temps de la Ligue, resta fidèle à la monarchie, ce qui attira à la famille la bienveillance du pouvoir. Il a laissé un ouvrage sur les coutumes d'Orléans. Jacques, seigneur de Champvallon (1565-1639), célèbre pour avoir été l'amant de la reine Marguerite, protégea les poètes, notamment Mainard.

Son fils François (1585-1653) se tourna vers la carrière ecclésiastique. Pourvu dès 1603 de la riche abbaye de Saint-Victor, à Paris, il devint ensuite évêque coadjuteur puis archevêque de Rouen (1616). Il faisait étalage d'érudition et, dans son palais de Gaillon, réunissait des gens de lettres. Il y disposait d'une imprimerie et en fit un centre actif de publication de ses propres ouvrages (nombreux traités de théologie et d'histoire religieuse, sermons...) et écrits d'auteurs à sa solde, comme le *Mercure de Gaillon* (1644). Les cercles littéraires parisiens le raillaient, et Guez de Balzac l'attaqua dans *le Barbon* (1648).

L'autre fils, Achille, marquis de Bréval, laissa des poésies diverses, et surtout une importante traduction des *Œuvres de Tacite* (1644).

Le fils d'Achille, prénommé à son tour François (1625-1695), succéda à son oncle comme archevêque de Rouen (1651) puis comme archevêque de Paris (1671). Il se piquait de littérature et fut de l'Académie; mais il se rendit surtout célèbre par ses mœurs dissolues et par son rôle dans la révocation de l'édit de Nantes et les persécutions antijansénistes.

A. VIALA

HAUDENT Guillaume (?-1557?). Adaptateur d'Ésope, traducteur de Plutarque et d'Érasme, vulgarisateur qui s'emploie à morigéner en vers la jeunesse, Haudent est un témoin exemplaire de l'effort accompli par la Renaissance en son second moment pour conquérir les nombreux lecteurs auxquels la littérature humaniste en latin demeurait interdite.

Né à Rouen, où il semble qu'il ait toujours vécu, occupant tour à tour des emplois de régent puis de maître dans divers établissements religieux de la ville, il a, apparemment, joui d'une certaine gloire locale.

C'est toutefois à ses traductions, diffusées par les grands libraires parisiens et lyonnais, qu'il doit de survivre. A travers le *Mirouer de prudence* (1546), les *Cent Premiers Apothtegmes d'aucuns illustres princes et philosophes* (1551) et les *Propos moralisez, extraictz de plusieurs auteurs tant grecz que latins* (1557), il manifeste avec constance une préférence — que le public partage — pour le genre gnomique. Le choix du décasyllabe à rimes plates, une faiblesse renouvelée pour l'archaïsme et pour le foisonnement conviennent à une littérature d'exemples et de centons qui s'adresse d'abord à la mémoire. Sa traduction de la collection ésopique, les *Trois Cent Soixante-Six Apologues d'Ésope* (1547), est la plus complète du XVIe siècle. Il y suit, comme ailleurs dans son œuvre, les principes de la *copia verborum,* agrémentés toutefois d'une certaine variété rythmique et d'un art notable du détail précis ou amusant. Est-ce à ces qualités qu'il doit d'avoir été lu par La Fontaine?

BIBLIOGRAPHIE

La traduction d'Ésope est la seule d'Haudent à avoir été réimprimée (par Ch. Lotmier, à Rouen, 1877). Elle est étudiée par G. Mombello dans son ouvrage sur *les Recueils français de fables ésopiques de 1480 à la fin du XVIe siècle,* Genève, Slatkine, 1981. Les versions de Plutarque et d'Érasme sont examinées par R. Aulotte, *Amyot et Plutarque. La tradition des Moralia au XVIe siècle,* Genève, Droz, 1965.

M. SIMONIN

HAZOUMÉ Paul (1890-1980). Écrivain dahoméen d'expression française. L'année où naquit Hazoumé, le roi de Porto-Novo — protectorat français depuis 1863 — venait d'envoyer des renforts aux troupes françaises débarquées à Cotonou pour lutter contre Béhanzin, souverain du Dan-Homé, opposé à l'occupation de son territoire. Très tôt élevé dans l'acceptation de l'autorité française, baptisé, lié à de nombreux missionnaires, Hazoumé fut toute sa vie un défenseur de la colonisation française, en déplorant tout au plus les excès, à l'époque où un Kodjo Tovalou Houénou ou un Louis Hunkanrin subissaient emprisonnement et déportation pour leur attitude résistante. Faut-il s'étonner qu'il ait obtenu dès 1919 la nationalité française? Instituteur, il occupa différents postes dans l'enseignement primaire au Dahomey. Lors de son séjour en France en 1939, la Ligue maritime et coloniale française, organe de propagande colonialiste, le chargea de donner des conférences pour célébrer l'œuvre coloniale de la France. Conseiller de l'Union française, il s'installa à Paris où il demeura jusqu'en 1958. Il adhéra alors à l'U.D.D de Justin Ahomadegbé. Sa carrière politique s'acheva avec sa défaite à l'élection présidentielle de 1968.

Trois constantes dans son œuvre : exaltation de la colonisation française, attachement au catholicisme et à l'action missionnaire, anticommunisme. Ses écrits ethnologiques (*le Pacte du sang au Dahomey,* 1937) sont d'intéressantes monographies. Son seul roman, *Doguicimi* (1938), qui fit sa notoriété, représente une tentative de reconstitution des attitudes et des sentiments de l'aristocratie esclavagiste d'Agbomê au XIXe siècle; le récit des malheurs de l'héroïne est attachant, mais la perspective historique se trouve faussée par l'évocation répétée de la grandeur française, seule capable « de faire régner au Dahomey la paix, la liberté et l'humanité ». Une vision contestable de l'histoire dahoméenne, qui incite à mettre en garde contre une surévaluation de l'œuvre.

BIBLIOGRAPHIE

Deux panégyriques, œuvres d'Adrien Huannou : « Paul Hazoumé romancier », *Présence Africaine,* n° 105/106, 1978, et « Hommage à un grand écrivain; Paul Hazoumé », *Présence Africaine,* n° 114, 1980.

N. MÊDJIGBODO

HÉBERT Anne (née en 1916). Écrivain canadien d'expression française. Anne Hébert est issue d'une famille québécoise à vocation intellectuelle et créatrice. Son œuvre, comme celle de son cousin Saint-Denys Garneau, est devenue sous certains aspects un lieu privilégié où s'est perçue ou projetée la fine pointe de l'imaginaire collectif; elle manifeste aussi l'émergence, dans la société québécoise, d'une volonté de s'exprimer et de s'affirmer : « Mais voici que le songe accède à la parole ». C'est dire le parcours de son œuvre, pourtant jamais assuré ni à sens unique. Prolongement du songe autant que recours contre lui, son écriture et sa fiction dressent leur révolte contre les silences et les interdits d'une enfance rêveuse en même temps qu'elles y puisent leur inspiration la plus intime.

Après un premier recueil (*les Songes en équilibre,* 1942), d'une poésie naïve, l'œuvre atteint d'emblée ses résonances essentielles avec *le Torrent* (conte, 1950) et *le Tombeau des rois* (poèmes, 1953) : « J'étais un enfant dépossédé du monde », dit le narrateur matricide du conte; « J'ai mon cœur au poing / Comme un faucon aveugle », dit la jeune fille lucide et fascinée à l'orée du tombeau royal. A mesure qu'il s'accroît, l'univers d'Anne Hébert se révèle de plus en plus unifié et régi par la vision et le langage de ces deux œuvres où apparaissent les contradictions qui en sont l'enjeu fondamental.

Un premier roman, *les Chambres de bois* (1958), tenant à la fois du conte et de la prose poétique, évoque la réclusion débilitante d'une jeune femme auprès d'un mari et d'une belle-sœur confinés dans la complicité du songe. Mais un accent nouveau retentit dans *Mystère de la parole,* publié avec *le Tombeau des rois* sous le titre *Poèmes* (1960) : à la voix grêle interrogeant son dépouillement se juxtapose un chant ample et plein où font irruption les sensations libératrices; une parole annonciatrice de convergence universelle succède aux gravures immarcescibles de l'être réduit à ses os et à l'envoûtement de l'intériorité.

Le théâtre d'Anne Hébert s'inscrit dans l'orientation de l'œuvre, qu'il accentue sans la mener à terme. *Les Invités au procès* (1952), conte radiophonique, a le caractère polyphonique et touffu d'un cauchemar développant les thèmes de la culpabilité et de la mort. *La Mercière assassinée* (1959) prend l'allure d'une enquête policière, mais il apparaît bientôt que la victime est elle-même coupable d'une série de meurtres, alors que le coupable est victime d'une race déchue. Dans *le Temps sauvage* (1966), une famille, tenue sous l'emprise de la mère hors du temps et à l'abri du monde, se défait en un affrontement hiératique.

Avec *Kamouraska* (1970), Anne Hébert revient au roman d'éclatante façon : c'est l'écriture haletante d'une volonté de vivre, d'une conscience partagée entre le besoin de conformité sociale et le souvenir d'une révolte et d'un amour meurtriers, dans un XIXe siècle de violence et de neige. *Les Enfants du sabbat* (1975) et *Héloïse* (1980) empruntent au registre du fantastique : le premier, à la sorcellerie, pour donner libre cours au sabbat triomphal d'une possession diabolique; le second, au vampirisme, en un récit lisse où s'impose la fascination de la mort.

Par-delà la diversité des genres littéraires, l'écriture d'Anne Hébert déploie un réseau intertextuel complexe, où, d'une œuvre à l'autre, réapparaissent des thèmes et des situations, des images et des expressions. A cet égard, les poèmes du *Tombeau des rois* demeurent le pôle auquel tout se rattache. Ainsi *Héloïse* est placé sous l'exergue ironique du poème « En guise de fête »; les maléfices émanant de l'appartement vétuste qu'habite un jeune couple reprennent le thème central du roman *les Chambres de bois,* qui, à son tour, prolonge celui du poème « la Chambre de bois », comme les sortilèges d'outre-tombe du personnage éponyme d'*Héloïse* correspondent à « l'immobile désir des gisants » du poème « le Tombeau des rois ». Dans ce roman, comme partout ailleurs dans l'œuvre d'Anne Hébert, resurgissent les signes d'une interrogation lancinante.

Bon nombre de textes reproduisent un même schéma dynamique : une forme d'infériorité sociale ou d'asservissement psychologique suivie d'une révolte. Ce pourrait être le rapport entre les deux recueils de poèmes de la maturité; c'est l'axe des contes et des nouvelles aussi bien que celui du théâtre et des romans *les Chambres de bois* et *Kamouraska.* Cette structure thématique s'inscrit à son tour dans une irréductible tension entre culture et nature, en quoi se tient l'œuvre entière : c'est, dans *Kamouraska,* le tournoiement vertigineux du personnage d'Élisabeth entre la fenêtre et le miroir, entre le présent et le passé; ce sont les forces antagonistes du couvent et de la montagne des sorciers dans *les Enfants du sabbat.* La culture y est ce qui définit l'être, c'est là qu'on se découvre inexplicablement, mais aussi, paradoxalement, ce à quoi se rattache la fidélité la plus intime; c'est l'espace clos ou souterrain, le passé, le songe, la mort, l'absence au monde; la nature, au contraire, est événement, sensations et parfums, révolte, « passion du monde ». Et ces valeurs opposées polarisent la quête d'identité se formulant dans la question première de l'œuvre : où est « la vraie vie »? Certaines œuvres, tels *Mystère de la parole* et *les Enfants du sabbat,* annoncent ou affirment le triomphe de la nature, mais c'est dans *le Torrent,* dans *le Tombeau des rois,* dans *Kamouraska* que trouve à s'accomplir l'écriture la plus authentique, celle qui explore en le dépouillant de tout artifice le repli sur soi d'un être tendu vers sa révolte et pourtant tenu en ses « liens durs » noués au plus profond de quelque « nuit secrète ».

BIBLIOGRAPHIE
René Lacôte, *Anne Hébert et son temps,* Paris, Seghers, « Poètes d'aujourd'hui », 1969; Jean-Louis Major, *Anne Hébert et le miracle de la parole,* Montréal, P.U.M., « Lignes québécoises », 1975; Pierre Pagé, *Anne Hébert,* Montréal, Fidès, 1965.

J.-L. MAJOR

HÉLINAND DE FROIDMONT (1160-1220). Né dans l'Oise d'une noble famille allemande, Hélinand fait ses études à Beauvais, sous la direction d'un élève d'Abélard, le grammairien Raoul, qui l'aide à découvrir les textes sacrés et les lettres antiques. Au théâtre, dans les écoles et à la Cour, on applaudit ses talents de trouvère. Puis, un jour, pour une raison qu'il ne précisa jamais, le poète adulé renonce au monde et se retire à l'abbaye de Froidmont, près de Beauvais, une abbaye cistercienne marquée par la réforme de saint Bernard.

Son œuvre latine, particulièrement abondante, mériterait attention. Ses sermons révèlent un véritable humaniste chrétien, qui se réfère autant aux auteurs anciens qu'aux Pères de l'Église; il est l'un des premiers à mêler dans ses sermons l'érudition profane et l'érudition chrétienne. Grâce à Vincent de Beauvais nous sont parvenus trois opuscules en latin dont *De cognitione sui* et une lettre à Gautier, *De reparatione lapsi,* riches en détails autobiographiques. Le *De regimine principis,* où l'on décèle l'influence du *Policraticus* de Jean de Salisbury, ne développe guère la théologie du pouvoir royal en relation avec la théocratie pontificale : c'est l'époque où le roi Philippe Auguste demande leur approbation aux seuls prélats français pour faire annuler son mariage; mais l'accent y est mis sur la valeur personnelle du prince.

Entre 1194 et 1197, Hélinand rédige, en français, les *Vers de la Mort.* L'ancien trouvère, désormais convaincu que l'homme ne peut trouver de salut hors du renoncement intégral à la chair et au monde, compose ces vers pour inciter ses amis à venir le rejoindre dans l'ordre de Cîteaux. Ses amis croient assurément en Dieu, mais, jeunes, ils s'imaginent qu'ils auront toujours le temps de se mettre en règle avec Dieu, et, pour le moment, ils vivent en disciples plus ou moins conscients d'Épicure.

Par amour pour ses amis et par désir de leur ouvrir les yeux, Hélinand décide de les « épouvanter » (strophe III), non en dépeignant les tourments réservés aux damnés, mais en exploitant la hantise de la mort subite, forme qui était alors la plus redoutée.

Il créé donc Mort, personnage d'une vitalité débordante. Protéiforme, omniprésente et omnisciente, elle tient entre ses mains tous les hommes et tout l'univers. A elle, comme à Dieu, il faut rendre des comptes. En chantant la toute-puissance de la mort et son pouvoir justicier, le poète clame la vanité des choses d'ici-bas et s'exprime sur le mode satirique. Les flèches qu'il décoche atteignent les puissants de ce monde, les cardinaux, les légats du pape, les princes et même les rois. Au-delà de la leçon d'humilité qu'il veut donner aux grands, il dénonce les injustices sociales, et il prend le parti des opprimés. Cependant, même lorsque, sur un mode majeur, le poète s'abandonne à ses invectives, les autres motifs continuent à se faire entendre, sur un mode mineur. Composition symphonique, par laquelle Hélinand pensait conduire ses amis à découvrir le chemin qui mène au bonheur, dans l'au-delà. Ses *Vers de la Mort* se voulaient un message d'espoir, non de désespoir.

Les *Vers de la Mort* marquent un tournant dans le traitement du thème de la mort en Occident. Aux quelques représentations directes (vers, squelette, pourriture) se substitue, chez Hélinand, une figuration animée : la mort se transforme en personne, elle devient le porte-parole d'une éthique dans laquelle l'état de concept servait jusqu'alors d'argument privilégié.

Dans l'histoire de la poésie, les *Vers de la Mort* consacrent le triomphe de la « strophe d'Hélinand », douzain octosyllabique dont les rimes sont ainsi disposées : aab aab bba bba.

Un lecteur moderne peut sans doute rester sourd à cette « défense » de l'idéal cistercien, à cet éloge de la vie monastique, qui serait la seule porte ouverte sur le bonheur éternel. Mais comment resterait-il insensible aux cris de colère et d'indignation contre les injustices, qui annoncent les sonnets satiriques de Du Bellay, la verve mordante d'un Agrippa d'Aubigné? Cette émotion et cette chaleur humaine confèrent à un message inscrit dans le temps un caractère intemporel.

Plus mystique que philosophe, plus poète que théologien, Hélinand appartient à une lignée de penseurs qui va de l'Ecclésiaste à Claudel, en passant par l'abbé de Rancé.

BIBLIOGRAPHIE

Œuvres latines au tome VII de la *Bibliotheca patrum cisterciensiensium* ou dans Migne, *Patrologie latine*, t. CCXII.

Les *Vers de la Mort* : édition Wulff et Walberg, Paris, S.A.T.A.F., 1905. Texte, adaptation en français moderne par M. Boyer, traduction littérale et notes par M. Santucci, Paris, Champion, 1980.

A consulter. — J.-Ch. Payen, *le Motif du repentir dans la littérature médiévale française, des origines à 1230*, Genève, Droz, 1968.

M. SANTUCCI

HELLENS Franz, pseudonyme de **Frédéric Van Ermenghem** (1881-1972). Écrivain belge d'expression française. Né à Bruxelles, Franz Hellens a passé son enfance et sa jeunesse à Gand, qui sera le décor de ses meilleures fictions. Son œuvre d'avant 1914 prolonge la tradition flamande de Rodenbach, Lemonnier et Eekhoud, en y mêlant un certain fantastique inspiré de Poe. Un long séjour sur la Côte d'Azur, durant la guerre de 1914-1918, va bouleverser sa vie et lui ouvrir des horizons nouveaux : il se lie à des peintres (Modigliani, Matisse...), découvre le cubisme, le futurisme, l'art nègre, la poésie d'Apollinaire, de Cendrars, de Reverdy. De retour à Bruxelles, il va jouer un rôle d'éveilleur et de rassembleur dans la littérature belge et française en animant, entre 1920 et 1955, une série de revues ouvertes à toutes les expériences de la modernité : *Signaux de France et de Belgique, le Disque vert, Écrits du Nord, Nord.*

Son œuvre est immense et protéiforme : elle comprend des recueils poétiques (*Poésie de la veille et du lendemain,* 1932; *Miroirs conjugués,* 1950; *Testament,* 1951), des romans et des nouvelles, depuis *les Hors-le-vent* (1909) jusqu'à *les Yeux du rêve* (1964), du théâtre (*le Diable et le gendarme,* 1954; *Petit Théâtre aux chandelles,* 1960), des essais (*Poétique des éléments et de mythes,* 1966), de la critique — littéraire, musicale et picturale —, un important journal intime (inédit). L'extrême variété de l'ensemble peut donner, de prime abord, une impression de disparate et de dispersion. Dans le domaine narratif, par exemple, Hellens écrit tour à tour des fictions réalistes, fantastiques, oniriques, poétiques ou parodiques, plusieurs récits autobiographiques enfin.

Mais une telle diversité ne doit pas égarer. L'œuvre a sa cohérence souterraine : elle ne cesse de reprendre, en variant le ton, le mode de narration ou l'identité des personnages, les mêmes situations, les mêmes obsessions. Ainsi, le thème de la femme aimée, mais insaisissable parce qu'elle gravite dans un tout autre univers que celui de son amant, est traité sur le mode onirique dans *Mélusine* (1920, récit constitué d'une suite de rêves) et dans *la Femme partagée* (1929), sombre récit psychologique dont Hellens assure, dans *Documents secrets* (1958), qu'il est pour une large part autobiographique. L'énigme du mal, de son impossible conciliation avec le bien, et celle de la nécessaire transgression sont au cœur de *Moreldieu* (1946) et de *Mémoires d'Elseneur* (1954), les deux sommets de l'œuvre. Ces romans, pourtant, ne se ressemblent ni par l'intrigue ni par le climat. Par ailleurs, le thème de la volonté de puissance qui anime le sombre héros de *Moreldieu* avait déjà été traité par le mode parodique et humoristique dans *le Jeune Homme Annibal* (1929) et dans *Œil-de-Dieu* (paru en 1925; à noter l'affinité entre les noms des deux héros : Moreldieu et Œil-de-Dieu).

A partir de 1926 (Hellens a quarante-cinq ans), l'enfance devient pour l'écrivain l'objet d'une préoccupation constante : l'homme mûr comprend soudain qu'il ne fait que répéter l'enfant qu'il fut. Ce retour aux sources commence par une trilogie autobiographique centrée sur le personnage de Frédéric : *le Naïf* (1926), *les Filles du désir* (1930), *Frédéric* (1935). Le drame de Frédéric réside dans son incapacité à vivre dans le présent. *Naître et mourir* (1948), vaste roman sinueux, reprend le personnage, le remodèle et tente de le guérir de son inadaptation. Frédéric connaîtra son ultime avatar : Théophile (qui, par ce prénom, prend place dans la chaîne Moreldieu-Œil-de-Dieu), l'enfant cruel et tendre de *Mémoires d'Elseneur.* Dans ce roman-somme, l'enfance de Frédéric, par une ultime métamorphose, est portée à son plus haut point de vérité.

La plupart des romans et des récits d'Hellens relèvent de ce « réalisme fantastique » dont il a fait lui-même la théorie; ils prennent leur départ dans la réalité la plus quotidienne, mais, peu à peu, celle-ci est insidieusement corrodée par l'intervention de l'insolite et du rêve. Il s'agit pour l'auteur de « dépayser la réalité ». En outre, Hellens a souvent recours à la logique d'enchaînement libre du rêve pour construire ses étranges romans où la succession capricieuse des scènes n'obéit à aucun principe rationnel.

De son propre aveu, ce style onirique, qui fut celui d'Apulée, de Pétrone, de Jean-Paul Richter ou de Melville, le place un peu à l'écart de la tradition romanesque française.

BIBLIOGRAPHIE

Le Dernier "Disque vert". Hommage à Franz Hellens, Albin Michel, 1957; A. Lebois, *Franz Hellens,* Seghers, 1963.

M. OTTEN

HELLO Ernest (1828-1885). A peine fut-il reçu avocat que ce fils de haut magistrat se consacra aux lettres et au journalisme, fondant en 1858 *le Croisé,* qui deviendra en 1861 la *Revue du monde catholique.* Et c'est en Bretagne (il était né à Lorient) qu'il passera sa vie d'écrivain, exception faite de quelques séjours parisiens — une vie tout intérieure, vouée à la lutte contre l'incroyance moderne, et rythmée par la publication de ses articles et de ses livres : *Renan, l'Allemagne et l'athéisme* (1858), *l'Homme* (1872), *Physionomies de saints* (1875), *Paroles de Dieu* (1877), *Contes extraordinaires* (1879), *les Plateaux de la balance* (1880), etc.

Ayant, dès son premier livre, stigmatisé la philosophie allemande et les théories positivistes de Comte, Taine et Renan, Ernest Hello ne cessa de combattre l'athéisme et le scientisme contemporain, mais aussi toutes les formes de la médiocrité bourgeoise. Par sa violence satirique et son enthousiasme mystique, il se place dans la lignée de Joseph de Maistre et de Lamennais, livrant, dans *l'Homme* et dans *les Plateaux de la balance,* ses idées essentielles sur la vie, la science, l'art, et passant de l'hagiographie de ses *Physionomies de saints* à la traduction de grands mystiques, tels Angèle de Foligno et Ruysbroeck l'Admirable. Ses *Contes extraordinaires* révèlent l'influence de Poe, et Villiers de l'Isle-Adam s'en souviendra en écrivant les *Contes cruels*.

Cette œuvre inégale, où le lyrisme supplée à la faiblesse de l'argumentation, où le médiocre côtoie le pathétique, fut admirée de Barbey d'Aurevilly et de Veuillot. Pourtant, Hello resta méconnu du grand public, même catholique; mais il influença Léon Bloy et fut l'un des premiers à contribuer au renouveau spiritualiste de la fin du XIXᵉ siècle.

BIBLIOGRAPHIE

S. Fumet, *Ernest Hello ou le Drame de la lumière*, Genève, Egloff, 1945; M. Angwerd, *l'Œuvre d'Ernest Hello*, thèse, Fribourg, 1947.

M.-O. GERMAIN

HELVÉTIUS Claude Adrien (1715-1771). Fermier général devenu philosophe, grand bourgeois nanti dans un monde encore féodal, Helvétius a vécu socialement au confluent de l'Ancien Régime et d'un monde nouveau dominé par la grande bourgeoisie financière. Libre de tout souci d'argent, il a mis son esprit, ses lectures au service de l'humanité, persuadé que les temps étaient venus où l'on pouvait enfin élaborer comme une physique expérimentale une science du bonheur, une science de la morale, laquelle est inséparable pour lui de la politique, qui elle-même repose sur la législation. Classé parmi les matérialistes parce qu'il pose à l'origine de tout la sensation, il ne soulève en fait jamais le problème de Dieu, les lois de Newton lui semblant suffisantes pour expliquer le monde. Intellectuellement, il s'en tiendra à ce matérialisme mécaniste du début du siècle, restant étranger à la vision de la matière issue, après 1750, des progrès de la chimie et de la biologie.

Originaire du Palatinat comme celle du baron d'Holbach, la famille Schweitzer, ayant latinisé son nom en Helvétius, s'est réfugiée en Hollande au temps de la Réforme. Elle donne naissance à une lignée de médecins, dont le père de Claude Adrien, premier médecin de la reine Marie Leczinska. Une reine comme protectrice, un oncle directeur des Fermes, belle corbeille de fées. A vingt-trois ans, en 1738, Claude Adrien est déjà fermier général. Conscient des abus de ce système, mais ayant accumulé une imposante fortune, il renonce à sa charge en 1750, épouse en 1751 Mˡˡᵉ de Ligniville d'Autricourt, de noblesse lorraine ruinée, passe quatre mois chaque année à Paris, où il se fait mécène des encyclopédistes, huit mois dans ses terres de Voré, dans le Perche, où il se fait bienfaiteur de la population : comme Voltaire à Ferney, il est médecin, pharmacien, manufacturier. Seul échoue son projet d'exploiter le minerai de fer; mais il a du moins forgé son esprit avec *l'Essai sur l'entendement humain* de Locke, lu pendant son adolescence, *l'Esprit des lois*, à trente-trois ans, le *Traité des sensations* de Condillac, à trente-neuf.

Il avait voulu devenir littérateur, mais on a oublié son poème sur *le Bonheur*. Par contre, les réflexions qu'il a développées autour de ce poème ont donné naissance à l'un des grands livres du siècle: *De l'esprit* (1758), ouvrage « réunissant toutes les sortes de poisons qui se trouvent répandus dans différents livres modernes », au dire des théologiens de la Sorbonne. Un an après le décret promettant la mort aux auteurs ou éditeurs d'ouvrages séditieux, l'« affaire » du livre *De l'esprit*, condamné successivement par le roi, le parlement, la Sorbonne, le pape, est un des grands événements du siècle. Le censeur qui avait autorisé la publication est révoqué, Helvétius doit se rétracter; le commentaire amplifié du livre, sous le titre *De l'homme, de ses facultés intellectuelles et de son éducation*, ne paraîtra qu'en 1773, après la mort d'Helvétius, qui a dédié son second ouvrage à Catherine II, car « les lumières et le bonheur vont maintenant vers le Nord ».

L'esprit d'Helvétius a survécu en la personne de sa femme, dont tous les contemporains ont loué la beauté, la vivacité, la générosité spontanée. Installée à Auteuil qu'elle ne quitte plus jusqu'à sa mort en 1800, elle y a tenu, au milieu de ses nombreux amis, un salon qu'ont illustré Turgot, Franklin, Chamfort, Cabanis, et même, au retour de la campagne d'Égypte, Bonaparte. Là s'est formé, postérité de la pensée d'Helvétius, l'esprit des idéologues.

De l'esprit. — « Discours premier : De l'esprit en lui-même ». Toutes nos facultés ont pour origine la sensibilité physique, mais on croit trop aisément que tout ce que l'on voit est tout ce qu'on peut voir. L'ignorance est la principale cause de nos erreurs. Exemple : les différentes opinions sur la question du luxe. « Juger n'est jamais que sentir ».

« Discours second : De l'esprit par rapport à la société ». Les jugements nés de la sensibilité physique sont commandés par notre intérêt. Il n'y a pas de probité absolue; celle-ci n'est que l'« habitude des actions utiles à la nation ». A partir d'exemples historiques, Helvétius essaie de « donner des idées nettes et précises de la vertu ». Seules les bonnes lois font les hommes vertueux : « La morale n'est qu'une science frivole, si l'on ne la confond avec la politique et la législation ».

« Discours troisième : Si l'esprit doit être considéré comme un don de la nature ou un effet de l'éducation. » L'inégalité des esprits humains provient de l'inégal désir de s'instruire, qui provient lui-même des passions qui nous animent en fonction de la « sensibilité physique », des jugements, de notre intérêt. Mais « tout homme est capable du degré d'attention suffisant pour s'élever aux plus hautes idées ».

« Discours quatrième : Des différents noms donnés à l'esprit ». Après une revue très précise et claire des différentes catégories de l'esprit, Helvétius aborde, dans l'important chapitre XVII, la question cruciale de l'éducation. Se débarrasser de l'éducation telle que la conçoivent les jésuites, enseigner la langue nationale au lieu du latin, les sciences, etc. Veiller d'abord à l'éducation des princes (trop souvent abandonnée au hasard) puis à l'éducation publique. Alors, « les grands hommes qui maintenant sont l'ouvrage d'un concours aveugle de circonstances, deviendraient l'ouvrage du législateur ».

« L'amour des hommes et de la vérité »

Le souci essentiel d'Helvétius, entretenu par son horreur de l'ascétisme et par son refus d'une société où il faut être « muet, sot ou menteur » pour vivre à l'abri des persécutions, aura été le bonheur de l'humanité dans la lumière de la vérité. Pour cela, il est nécessaire de connaître la nature et le fonctionnement de l'esprit humain. A l'origine : la « sensibilité physique », les sensations et la mémoire. L'homme est un être qui n'éprouve d'abord que sensations et besoins. Tout va découler de là, en particulier les deux moteurs de l'action : l'intérêt et les passions. Les discours de morale ne peuvent rien contre le mécanisme des comportements. Il faut d'abord comprendre ceux-ci pour ériger une morale et une législation. Mais aussi il faut savoir que tous les hommes sont identiques par l'organisation; l'éducation seule, donc l'influence des milieux selon le hasard de la naissance, crée les différences. L'inégalité vient du désir inégal de s'instruire, mais, en fait, chaque homme peut éprouver s'il le désire les mêmes passions et avoir les mêmes idées. L'éducation joue dans le système d'Helvétius un rôle fondamental. C'est par elle que l'homme comprendra la nécessité d'harmoniser l'intérêt particulier et l'« intérêt général », pierre angulaire de tout l'édifice; qu'il reconnaîtra pour seuls saints les grands législateurs.

Commettant la même erreur que beaucoup de philosophes de son siècle, Helvétius étend à la société son analyse de l'individu; il néglige le fait social et organise ainsi une nouvelle utopie, bien que nombre de ses propositions soient pourtant concrètes : il a bien aperçu les obstacles à cette harmonie; ce sont les nobles et les prêtres. Il faut éliminer les structures féodales de la société, éliminer le despotisme clérical en enlevant l'enseignement aux jésuites. Il faut laïciser et moderniser cet enseignement, établir la liberté de la presse pour discuter des questions politiques. Il faut remédier à l'inégalité des richesses. Acquis à certaines idées des physiocrates sans partager toutefois leur théorie de la grande propriété, Helvétius condamne le mercantilisme, qui « consomme » trop d'hommes pour le seul profit de quelques-uns, entraîne le scandaleux esclavage des nègres; il prône, lui aussi, l'agriculture.

Au-delà des propositions concrètes, Helvétius est surtout sensible au leurre des mots : la vérité, fondement du bonheur, devrait avoir pour base une sorte de dictionnaire où serait fixé une fois pour toutes le sens des termes de morale, de politique, de métaphysique, trop souvent utilisés de façon relative, en fonction des images qu'ils nous rappellent, de nos intérêts, du moment. Il s'emploie à établir ce dictionnaire, fondement d'une entente universelle; cela l'amène malheureusement à une certaine sécheresse, à une abstraction schématique, à des conclusions péremptoires, malgré l'agrément des multiples récits, notes, anecdotes qui illustrent ce schéma du bonheur, et malgré la clarté d'un style hérité de Fontenelle.

« Comme les soleils dans les déserts de l'espace »

Les réactions des autres philosophes ont été multiples. D'Holbach était réticent, Rousseau n'acceptait pas la réduction passive du jugement à la sensation. Diderot, épris de singularité, ne pouvait admettre cette identité originelle de tous les hommes, cette négation de la matière vivante : « Je voudrais bien savoir comment l'intérêt, l'éducation, le hasard donnent de la chaleur à l'homme froid, de la verve à l'esprit réglé, de l'imagination à celui qui n'en a point » *(Réfutation du livre De l'homme).* Il refuse cette négation de l'émotion et du sens esthétique, il ne peut admettre que l'on puisse à discrétion fabriquer des hommes de génie, comme le prétend Helvétius. Il n'en reste pas moins que cette pensée a ouvert la voie à Condorcet, aux Idéologues, nourri l'esprit de Stendhal jeune. Sans dire avec celui-ci qu'Helvétius fut le plus grand philosophe français, on peut se souvenir de cette phrase de *De l'homme* (section II) : « Les livres originaux sont semés çà et là dans la nuit des temps comme les soleils dans les déserts de l'espace pour en éclaircir l'obscurité. Ces livres font époque dans l'histoire de l'esprit humain, et c'est de leurs principes qu'on s'élève à de nouvelles découvertes ». *De l'esprit* et *De l'homme* sont incontestablement de ces livres-là.

BIBLIOGRAPHIE

Œuvres. — *Œuvres complètes,* Liège, 1774; Paris, Didot, 1795 (réédition à Hildesheim, 1967-1969, 7 vol., avec une préface d'Y. Belaval). *De l'esprit* (extraits), Paris, Éd. Sociales, « Classiques du peuple », 1968, préface et commentaires de G. Besse.

A consulter. — Saint-Lambert, *Histoire de la vie et des œuvres d'Helvétius,* Paris, 1772; A. Keim, *Helvétius, sa vie et son œuvre,* Paris, Alcan, 1907; Ch. N. Mondjian, *la Philosophie d'Helvétius,* Moscou, Acad. des Sciences de l'U.R.S.S., 1955; G. Besse, « Helvétius » dans *Histoire littéraire de la France,* Paris, Éd. Sociales, 1969, t. III.

R. VIROLLE

HÉMON Louis (1880-1913). Né à Brest, fils d'un inspecteur de l'Instruction publique, Louis Hémon se sent bientôt à l'étroit dans son milieu. Épris d'aventure, nourri de Fenimore Cooper et de Kipling, il se destine d'abord à l'École coloniale, puis abandonne famille, études, amis et part pour l'Angleterre (1903), où il vagabondera durant huit années avant de s'établir au Canada (1911). Marchant sac au dos le long d'une voie ferrée, il trouvera la mort happé par une locomotive. Daniel Halévy voit dans cette courte existence une série de « disparitions » (préface de *Battling Malone pugiliste,* 1925) : autant de pas vers une liberté ardemment désirée. Premier obstacle à vaincre, l'autorité parentale : les *Lettres à sa famille* (1968, posth.) révèlent un épistolier avare d'épanchements, dont l'humour enjoué tient mieux à distance qu'une rébellion ouverte. Solitaire et besogneux, donnant des chroniques à des journaux sportifs et quelques nouvelles (dont « Lizzie Blakeston », 1908) au *Temps,* le jeune écrivain se perd dans Londres, dont il explore jusqu'aux bas-fonds. Pourtant, malgré l'exil libérateur, le « labyrinthe » de la vie citadine (cf. *Monsieur Ripois et la Némésis,* écrit en Angleterre, publié en 1951, adapté au cinéma par René Clément en 1953) le retient encore prisonnier de compromissions, de pièges sentimentaux : au milieu des pires difficultés financières, il tombe amoureux d'une actrice irlandaise, qui sera emprisonnée après la naissance d'un enfant. Veule et désargenté, l'irresponsable Monsieur Ripois est la figure de cette fausse liberté. Égarés dans le labyrinthe, d'autres personnages ne trouvent d'issue que dans la mort; Lizzie Blakeston, une frêle héroïne dickensienne, se suicide; le boxeur Battling Malone tombe sous les balles d'une cynique lady.

En 1911, le Canada offre à Hémon une nouvelle chance d'évasion. Avant de s'embarquer, il expédie en France une malle pleine de manuscrits, avec défense de l'ouvrir. Après quelques mois à Montréal, il s'enfonce dans la campagne québécoise, défrichant la forêt avec les pionniers de la voie ferrée, travaillant dans une ferme à Peribonka, écrivant son chef-d'œuvre, *Maria Chapdelaine* (publié en feuilleton dans *le Temps,* 1914; chez Grasset, 1923). La soumission au rythme des saisons, « une vie dure dans un pays austère » lui semblent douces en comparaison des servitudes familiales et citadines; elles promettent la sérénité de préférence au bonheur, une frugalité sans superflu ni misère : à l'écoute de la « voix » des ancêtres du Québec, Maria Chapdelaine renonce aux mirages de la ville pour mener cette existence; héros intrépide et fidèle, un anti-Ripois traverse le roman : François Paradis qui goûtera dans ses courses en forêt, jusqu'à y perdre la vie, cette « joie démesurée de bête libre » figurant l'impossible délivrance.

Louis Hémon n'est pas l'homme d'un seul livre : à trente-trois ans, il laisse une œuvre cohérente. Romans et nouvelles (*la Belle que voilà,* 1923; *Colin-Maillard,* 1924) jalonnent un grand dessein, et, tout en ne choisissant que la fiction pour se dire, il emporte l'adhésion du lecteur par un réalisme à la fois poétique et naïf. *Maria Chapdelaine* est sous-titrée *Récits du Canada français,* les écrits d'Angleterre mériteraient d'être appelés « scènes de la vie londonienne ». L'environnement naturel, parcs de Londres ou sous-bois canadiens, se décompose en multiples notations de couleurs et de sonorités; le texte intègre aussi bien les anglicismes (cf. *Battling Malone*) que le parler québécois : « Ne laissez pas amortir le feu ». D'où l'originalité de cette œuvre, apprentissage de la liberté à travers les vicissitudes d'une expérience traduite impersonnellement, avec une fidélité dénuée de prétentions littéraires. D'où aussi le succès de *Maria Chapdelaine,* un roman qui tranche sur toute la production française d'après 1914 : héroïsme sans bataille; exotisme sans tropiques; psychologie presque muette, aux antipodes de l'art proustien. Hémon : « une âme vagabonde » (Daniel Halévy), sous des cieux encore inconnus de la littérature française.

BIBLIOGRAPHIE
A consulter. — Préfaces de D. Halévy à *Maria Chapdelaine* et *Battling Malone* publiés dans « les Cahiers Verts », Paris, 1916 et 1925; A. Mac Andrew, *Louis Hémon, sa vie, son œuvre,* Paris, Jouve, 1936; introduction de N. Deschamps aux *Lettres à sa famille,* la Presse-Université de Montréal, 1968.

M.-A. DE BEAUMARCHAIS

HÉNAULT Charles Jean François (1685-1770). Fils d'un riche fermier général, il fit ses études chez les jésuites et au collège des Quatre-Nations, à Paris. Il entra ensuite à l'Oratoire, mais n'y resta pas. Conseiller, puis président de chambre au parlement de Paris, il mena, grâce à sa fortune personnelle, une vie mondaine et brillante. Fréquentant l'Hôtel de Sully, la société de la duchesse du Maine et celle de la marquise de Luxembourg, il reçut le monde de la finance et des lettres à des soupers fameux et entretint une longue liaison avec Mme du Deffand. C'est dans son Hôtel de la place Vendôme que se réunit, de 1720 à 1731, le club de l'Entresol, fondé par l'abbé Alary sur le modèle anglais, où se retrouvaient, pour lire et commenter les gazettes d'Angleterre et de Hollande, quelques-uns des meilleurs esprits de l'époque, le marquis d'Argenson, l'abbé de Saint-Pierre, l'abbé de Pomponne, Montesquieu, Horace Walpole, Bolingbroke, Ramsay.

Amateur éclairé plus que véritable homme de lettres, le président Hénault s'essaya aux genres les plus divers, tragédie, comédie, ballet, poésies légères; il fut reçu en 1723 à l'Académie française. Sa tragédie de *Cornélie vestale* fut jouée sans succès à la Comédie-Française, en 1713, et il conçut l'idée de créer un « nouveau théâtre français » qui, à l'imitation de celui de Shakespeare, prendrait pour sujets des épisodes de notre histoire nationale. Le projet était neuf et porteur d'avenir, mais seul un *François II de France, scènes historiques* vit le jour en 1747.

Mais Hénault dut avant tout sa notoriété à son œuvre historique, principalement à son *Nouvel Abrégé chronologique de l'histoire de France,* paru en 1744, réédité cinq fois du vivant de l'auteur et constamment utilisé jusqu'au milieu du XIXe siècle (il faut citer aussi un *Abrégé chronologique de l'histoire d'Espagne et du Portugal, 1759-1765*). « Hénault a été dans l'histoire ce que Fontenelle a été dans la philosophie; il l'a rendue familière », a écrit Voltaire, dont on connaît aussi l'apostrophe : « Hénault, fameux par vos soupers et par votre chronologie... ». L'*Abrégé de l'histoire de France* vaut par sa précision, qualité rare dans les ouvrages historiques de l'époque, mais son succès vint surtout de l'esprit qui l'animait. Hénault voulait « qu'on lût son ouvrage avec des yeux philosophiques ». Il n'y attaquait pas la religion de front, mais remarquait qu'« il s'en faut qu'elle ait toujours été aussi épurée qu'elle l'est aujourd'hui ». Il ne faisait plus intervenir dans l'histoire la providence divine, mais seulement les passions humaines, et réservait même une place aux causes matérielles et économiques. Voltaire, dans son *Essai sur les mœurs,* le suivra sur ce point.

BIBLIOGRAPHIE
Les *Mémoires écrits par lui-même* du président Hénault, qui sont un témoignage plein de vie sur son époque, n'ont été publiés qu'en 1855. Une édition complétée, corrigée et annotée par F. Rousseau, a paru à Paris en 1911 (rééd. Genève, Slatkine Reprints 1971).
A consulter. — C.A.L. Herpin, *le Président Hénault et Madame du Deffand,* Paris, 1893; J. Lair, *Origines de l'« Abrégé chronologique » du Président Hénault,* Nogent-le-Rotrou, 1902; H. Lion, *Un magistrat homme de lettres au XVIIIe siècle,* Paris, 1903.

A. PONS

HENEIN Georges (1914-1973). Écrivain égyptien d'expression française. Poète, journaliste, théoricien de la littérature, pamphlétaire, militant politique, Georges Henein a vécu aux premières loges les débats littéraires qui agitèrent son temps; il n'en est pas moins resté largement méconnu. Poète de la « déraison d'être », sans illusion sur la futilité des enjeux littéraires, il fut tout le contraire d'un écrivain mondain : au point de devenir, en refusant à partir des années 60 de publier aucun de ses écrits, l'artisan de son propre anonymat.

Mais ce n'est là qu'un paradoxe parmi bien d'autres chez cet homme dont la vie semble placée sous le signe du double, et n'être d'un bout à l'autre que fusion des contraires : fils d'un diplomate copte, propagateur au Caire des idées socialistes; humaniste convaincu, artiste révolutionnaire mais violemment critique envers l'art « engagé », et dont la poésie, toute d'imaginaire et de culte du rêve, ne concédera jamais rien à la réalité. Henein, c'est avant tout le « flâneur des deux mondes ». Entre l'Orient (sa patrie d'origine) et l'Occident (sa culture d'adoption), sa vie ne cessera d'osciller en constants aller et retour : de l'arabe au français (dans lequel est écrite toute sa poésie), de Paris jusqu'au Caire, où il deviendra le diffuseur privilégié de la culture française. Cela surtout à partir de 1935, année où il publie au Caire son manifeste *De l'irréalisme,* qui l'apparente d'emblée aux vues surréalistes : « Rien n'est inutile comme le réel [...]. En avant pour l'irréalisme, artifice par rapport au réel, vérité par rapport à moi, à l'extrême moi!... » Le voici bientôt, dès 1937, membre actif du mouvement et son émissaire au Caire, où, avec ses amis le poète Edmond Jabès, le peintre Kamel Telmisany et d'autres, il se charge d'organiser le groupe surréaliste égyptien *Art et Liberté.* Henein sera dès lors doublement partagé : entre sa création personnelle, d'une part, et, de l'autre, son action militante pour « initier à la révolution poétique la jeunesse égyptienne ». Mais si son œuvre d'animateur se distingue par une continuité sans faille, de la fondation en 1940, d'*Al Tattawor* (« l'Évolution »), la première revue littéraire et artistique d'avant-garde en langue arabe, à celle en 1947 de *la Part du sable,* éditions et revue surréalistes « pour une plus intense circulation des images à travers la terre et les hommes », et enfin, après son exil forcé d'Égypte en 1960, à sa collaboration à *Jeune Afrique,* puis à *l'Express* (comme chef d'enquête sur les problèmes du Proche-Orient), son œuvre poétique connut, elle, bien des crises et des fluctuations. Après la parution en 1938, chez José Corti, de son premier recueil poétique *Déraisons d'être,* il ne publie pratiquement rien (sinon deux pamphlets de circonstance en 1945, *Prestige de la terreur, Pour une conscience sacrilège*) jusqu'à *l'Incompatible,* en 1949, étape décisive de son écriture révélatrice de l'évolution qui, en ces dix années, s'est produite chez Henein : de l'adhésion au surréalisme à la rupture (1948), d'un langage combatif vers la nostalgie d'exister en pure perte, qui, progressivement, le conduira sur la fin de sa vie à choisir le silence. Dans les années 50, quelques poèmes en prose, recueillis en 1956 dans *Seuil interdit.* Et puis plus rien; du moins, plus de publications : déçu par le « verbiage » et par le dessèchement de l'intelligentsia des années 60, Georges Henein fait retraite. « Je suis le troubadour du silence, écrira-t-il alors, celui qui amplifie la gêne, le poète de la grande disette... ». Au lendemain de sa mort, ses amis rassembleront en éditions posthumes des nouvelles, *Notes sur un pays inutile* (1977), des poèmes, *le Signe le plus obscur* (1977), *la Force de saluer* (1978), des carnets intimes (1940-1973), *l'Esprit frappeur* (1980).

BIBLIOGRAPHIE
Hommage à Georges Henein, Le Caire, La Part du sable, 1974 (avec des textes de Yves Bonnefoy, Henri Michaux, Jean Lacouture...); Sarane Alexandrian, *Georges Henein,* Paris, Seghers, « Poètes d'aujourd'hui », 1981.

N. VASSEUR

HENNEQUIN Émile (1859-1888). Critique, né à Palerme. Tout en vivant de journalisme — comme traducteur à l'agence Havas, avant d'être rédacteur politique au *Temps* —, Émile Hennequin se mêle au monde littéraire parisien : collaborateur à *la Revue littéraire et artistique,* au *Panurge,* il passe ensuite à la *Revue indépendante* et à la *Revue contemporaine,* dans lesquelles paraissent la plupart de ses essais critiques; l'originalité de sa réflexion et l'étendue de sa culture le font estimer des plus grands, et il devient l'ami de Mallarmé, d'Élémir Bourges et d'Odilon Redon, qui illustre sa traduction des *Contes grotesques* de Poe. Son œuvre essentielle, *la Critique scientifique,* paraît en 1888; après sa mort — précoce et accidentelle — à Samois, deux volumes d'*Études de critique scientifique,* le premier sur les « Écrivains francisés » (1889), le second sur « Quelques écrivains français » (1890), seront publiés par les soins de son ami Édouard Rod.

Quoique peu connu du public, Hennequin fut considéré par ses pairs comme un des grands critiques de son temps. Ses travaux cherchent à promouvoir, en opposition avec la critique littéraire — ou d'opinion — et avec l'esthétique pure, une « critique scientifique », qui considère les œuvres d'art comme « les indices de l'âme des peuples ». A cette science « de l'œuvre d'art en tant que signe », Hennequin donnera le nom d'« esthopsychologie »; et il en définira le programme et la méthode — laquelle recourt à une triple série d'analyses : analyse esthétique (par la recherche des procédés littéraires qui ont provoqué l'émotion esthétique), analyse psychologique (celle de l'« organisation mentale » de l'auteur qui se révèle dans l'œuvre), analyse sociologique enfin (celle des groupes sociaux qui se reconnaissent en elle), avant de tenter une synthèse. En disciple infidèle de Taine, il s'attache d'abord à l'œuvre, pour remonter ensuite à l'auteur, puis au milieu social dont celui-ci réalise l'idéal latent.

BIBLIOGRAPHIE

Pierre Audiat, *Biographie de l'œuvre littéraire,* Paris, Champion, 1924.

M.-O. GERMAIN

HENNIQUE Léon (1851-1935). Né à Basse-Terre (Guadeloupe), Hennique est élevé à Paris. Il rejoint le groupe de Médan, se lance dans le roman « naturaliste » avec *la Dévouée* (1878), *Élisabeth Couronneau* (1879), *les Hauts Faits de M. de Ponthau* (1880) et participe au recueil des *Soirées de Médan* (1880) avec la nouvelle «l'Affaire du Grand 7 ». Il publie encore deux nouvelles : *Benjamin Rozès* et *les Funérailles de Francine Cloarec* (1882). Mais la concurrence des romanciers aînés se fait sentir : Hennique s'essaie à la pantomime en collaboration avec Huysmans (*Pierrot sceptique,* 1882), touche au drame historique (*la Mort du duc d'Enghien,* 1886) et au drame naturaliste avec *Jacques Damour,* d'après Zola, ouvrage qui fut bien accueilli au Théâtre-Libre (1897). Entretemps Hennique est retourné au roman (*l'Accident de M. Hébert,* 1883), à la nouvelle (*Pœuf,* 1887, sur ses souvenirs d'enfance), puis de nouveau au roman, mais dans le genre « idéaliste » (*Un caractère,* 1889). Membre de l'académie Goncourt, Hennique en devient le président à la mort de Huysmans.

Écrivain de transition, passant du « naturalisme » à la préciosité « décadente », Hennique illustre peut-être à sa manière les « tiraillements » littéraires de la génération d'après Zola. Car il y a peu de chose en commun entre les visions hallucinatoires d'Agénor de Cluses, « esclave du spectre de sa femme », l'écriture de ses rêves (« C'est des vapeurs bleues, vertes, jaunes, lamellées de rayons, criblées d'étincelles... ») dans *Un caractère,* et la condition des « héros modernes » de *la Dévouée* ou de *l'Accident de M. Hébert :* un père qui empoisonne une de ses filles, par intérêt, et laisse condamner l'autre à sa place (la « dévouée »); une femme enceinte qui trompe son mari avec un officier « beau garçon à moustaches noires, à poitrine d'hercule », et qui avorte à la suite d'un « accident » dans l'escalier. Ce qui domine toutefois cette œuvre étrange, c'est un goût du macabre et du morbide, qui confine souvent au grotesque. Le récit des malheurs de Benjamin Rozès et de son ténia, celui des funérailles de Francine Cloarec sont faits de notations triviales, d'une insignifiance douloureuse et comique à la fois : les funérailles de Francine Cloarec se réduisent à l'évocation d'un escalier malodorant (« Une puanteur d'égout, une odeur de graillon rance et de charnier encombraient la respiration, s'échappant des cabinets mal fermés, des plombs ouverts, de certaines portes, de la poussière huileuse et humide répandue ») et des conversations futiles qui font perdre de vue le convoi funèbre... D'un « pessimisme pratique », Hennique est de ces écrivains qui « eurent l'ivresse de l'écriture triste ».

BIBLIOGRAPHIE

Nicolette Hennique-Valentin, *Mon père, Hennique,* Paris, éd. du Dauphin, 1959; Léon Deffoux, « Léon Hennique ou les divertissements naturalistes », dans *le Groupe de Médan,* Paris, Payot, 1920.

Sur la crise du mouvement naturaliste, voir Christophe Charle, *la Crise littéraire à l'époque du naturalisme,* Paris, Presses de l'École normale supérieure, 1979.

A. PIERROT

HENRI IV (1553-1610). Le roi qui a promulgué l'édit de Nantes en 1598 est aussi l'auteur d'une correspondance digne d'être lue. En dehors des précisions d'ordre historique que ces différentes lettres peuvent apporter, elles sont un assez bon reflet de la personnalité du roi et de ses multiples curiosités. Ses œuvres, qui n'ont pas encore été recueillies dans un ensemble, sont de courts textes généralement tournés vers une efficacité immédiate. Même la correspondance galante du monarque (lettres à Mme la comtesse de La Roche-Guyon, à Mlle d'Entragues, à Mlle de Verneuil...) unit le souci d'informer rapidement et de témoigner de sentiments concis : « Après avoir tant tourné autour du pot que vous voudrez, si faut-il venir à ce point, qu'Antoinette confesse avoir de l'amour pour Henry. Ma maîtresse, mon corps commence à avoir de la santé, mais mon âme ne peut sortir d'affliction, que n'ayez franchi ce saut ». Billets rapidement écrits sur le champ de bataille, missives politiques ou diplomatiques, les fragments littéraires laissés par Henri IV ne semblent pas inspirés par une quelconque « école »; on a parlé de naturel, d'ordre, de spontanéité. Les narrations sont assez proches du style des conteurs de l'époque, et les discours présentent les mêmes défauts que ceux des contemporains : longueur des phrases, articulations syntaxiques complexes et plus ou moins bien maîtrisées. Dans tous les cas, Henri IV sait s'adapter à ses interlocuteurs. Net et précis lorsqu'il s'agit de donner des nouvelles ou des ordres, il enveloppe ses propositions diplomatiques de circonlocutions précautionneuses. Quant aux quelques poèmes qu'il a écrits, ils ont une certaine fraîcheur, même s'ils restent souvent dans le lieu commun. Poésie facile, qui ne se soucie guère de pétrarquiser :

Je vous offre sceptre et couronne;
Mon sincère amour vous les donne.
A qui puis-je mieux les donner?
Roi trop heureux sous votre empire
Je croirai doublement régner
Si j'obtiens ce que je désire.

BIBLIOGRAPHIE
Eugène Yung, *Henri IV considéré comme écrivain*, thèse, Paris, 1855; Bernard Barbiche, « les Lettres de Henri IV : essai de bibliographie », dans *Bulletin de la société des sciences, arts et lettres de Pau*, 1969; J. Hennequin, *Henri IV dans ses oraisons funèbres*, Paris, Klincksieck, 1977.

M.-L. LAUNAY

HENRI DE FERRIÈRES (XIVe siècle). On ne sait à peu près rien de cet écrivain normand, auteur des *Livres du Roi Modus et de la Reine Ratio* (1354-1377). La vogue des traités de chasse, combinée avec le goût des moralisations, explique ce poème allégorique, dans lequel Modus (manière) et Ratio (méthode) tirent d'un manuel cynégétique un enseignement moral. Après une partie en prose consacrée aux animaux, un traité des pièges, des arcs, de la fauconnerie, un développement de 1044 vers sur la précellence des chiens et des oiseaux, l'œuvre culmine dans le « Songe de pestilence » : Modus et Ratio se plaignent devant Dieu que Vérité, Humilité et Charité aient été chassées de la terre par Satan, Chair et Monde; mais les envoyés du Seigneur découvrent que ces fléaux sont le châtiment des vices des hommes. Un livre composite, donc, qui juxtapose les détails techniques sur les mœurs des animaux, leurs traces et excréments, le dépeçage, les observations sur des phénomènes naturels (climat) et les allégorisations d'un bestiaire réactualisé, dans lequel les proies habituelles du chasseur remplacent les êtres mythiques pour symboliser vices et vertus, Christ et diable. L'appareil didactique est pesant, comparé aux aristocratiques traités de Gaston Phébus et de Gace de La Bigne, et le texte est constamment interrompu par des formules du type « cy moralige la roine Ratio des bestes... ». La fin est significative d'une vision de l'histoire qui explique les événements (ici, la guerre de Cent Ans) par des considérations morales et religieuses : « Il vous fust demoustre en votre songe que les gens des trois estats estoient hors du gouvernement de raison ». Le malheur des temps apparaît comme un accident de parcours, causé par la perturbation que l'homme introduit dans l'ordre de l'univers.

BIBLIOGRAPHIE
Édition. — G. Tilander, Paris, S.A.T.F., 1932.

A. STRUBEL

HENRI DE VALENCIENNES (XIIIe siècle). Henri de Valenciennes, qui apparaît comme le continuateur de Villehardouin, est « un clerc, un auteur de profession, attaché à la personne de l'empereur » Henri de Constantinople, sans doute aussi l'auteur d'une *Vie de saint Jean l'Évangéliste;* et peut être est-il ce « maître Henri » qui se signala par sa science et ses mœurs et que le pape Innocent III, dans une lettre du 7 septembre 1205, recommanda au patriarche de Constantinople de nommer chanoine de Sainte-Sophie.

Son *Histoire de l'empereur Henri de Constantinople* qui, écrite entre fin 1209 et 1216, porte sur une brève période (du 25 mai 1208 au mois de juillet 1209), relate des événements capitaux pour l'Empire latin de Constantinople, essentiellement la campagne contre les Bulgares du tsar Boril, qui se termina par la victoire de Philippopoli le 31 juillet 1208 (§ 504-544), la guerre des Lombards (§ 668-694) — c'est-à-dire une guerre étrangère contre les plus dangereux des ennemis, héritiers du redoutable Johannitza — et une guerre civile contre les successeurs de Boniface de Montferrat à Salonique. Bien composée, puisque chacun des deux grands épisodes se termine par un mariage qui renforce la position de l'empereur Henri — celui de Slav, l'ennemi de Boril, avec la fille d'Henri (§ 549-555); celui de la fille de Michel-Ange Comnène avec le frère d'Henri (§ 689, 694) —, destinée aux cours seigneuriales, aux barons, aux dames et aux chevaliers de Hainaut et de Flandre, ainsi qu'à des amateurs de roman, mais se voulant un récit véridique, cette chronique, que l'on a souvent prise à tort pour un poème dérimé, demeure ambiguë : le meilleur manuscrit, *D*, qui est de la fin du XIIIe siècle (Fr. 12203), l'annonce ainsi : « Chi commence l'estore de l'empereur Henri de Constantinoble », tandis que le manuscrit *F* (Fr. 15100), qui est en fait une rédaction nouvelle du XIVe siècle, se termine ainsi : « Explicit le roumans de Costentinoble tout ».

En tout cas, l'œuvre est fortement individualisée, tout entière organisée autour du personnage de l'empereur, lequel s'exprime en de nombreux discours, alors que, dans sa chronique, Villehardouin n'en rapporte aucun. Le portrait sans ombre ni faille que nous donne Henri de Valenciennes de son maître constitue une véritable apothéose d'Henri de Constantinople, empereur de chanson de geste et prince de légende, encore que profondément humain, et Jean Longnon n'a pas eu tort d'affirmer que « c'est seulement le personnage officiel que nous présente le maréchal de Champagne, tandis qu'Henri de Valenciennes nous fait entrer dans son intimité : comme Joinville pour Saint-Louis, il nous le montre familièrement, avec ses défauts mêmes qui font valoir ses grandes qualités ».

Dans ce récit parfois confus (l'agencement des événements n'apparaît pas nettement, ne permet pas d'en fixer les grandes lignes dans l'esprit), mais précieux par les détails pittoresques, la peinture des caractères, la matière historique elle-même, le style, plus souple que celui de ses prédécesseurs, ressortit à la fois à la chanson de geste et au roman courtois, relevé d'allusions à la *Chanson de Roland*, de tours proverbiaux, d'images empruntées à la fauconnerie, de formules amplifiantes venues de l'épopée, d'interrogations plus ou moins oratoires (« Que vaut chou? » « Que vous diroie plus? » « Que vaut autre alonge? »...) reflétant, pour une part, le caractère oral du texte, de souvenirs historiques d'ailleurs erronés : l'auteur prend la Macédoine pour une ville, la bataille de Philippes pour celle de Pharsale, César pour le vaincu. Attentif aux combats singuliers et aux hauts faits d'armes, au décor — plaine unie de Philippopoli; armée bulgare rangée le long d'une bruyère; prés inondés par le Vardar en crue; oliviers sous lesquels campe l'empereur —, aux conditions atmosphériques, au côté technique de la guerre et aux réalités byzantines, Henri de Valenciennes se plaît à mettre en évidence le valeureux chevalier dont la prestance est bien celle d'un empereur (§ 519 et 541). Bon orateur de qui le chroniqueur cite de nombreux discours, admirable entraîneur d'hommes, ayant plaisir à livrer bataille, courageux au point de ne pas craindre les menaces des ennemis et de poursuivre sa route en dépit des embûches, se précipitant au milieu des adversaires pour secourir un de ses hommes imprudemment aventuré, Henri de Constantinople est de surcroît un organisateur compétent, qui sait apprécier la force adverse. Aussi l'emporte-t-il sur ses ennemis pourtant bien plus nombreux. Homme de caractère qui se laisse parfois emporter par la violence au point de renverser son siège, on le voit le plus souvent en la compagnie de ses plus hauts barons (§ 546). Dans un monde manichéen où « le boin empereour Henri » s'oppose à « Burile le trahitour », le prince ne cesse d'être en butte aux menées des traîtres Lombards, qui lui mentent constamment et s'efforcent de lui nuire; aussi est-il obligé d'utiliser en une occasion les armes de ses ennemis, mais son panégyriste d'ajouter aussitôt que les archevêques et évêques de son armée l'ont par avance absous. Bref, à la grandeur chevaleresque Henri unit l'habileté du diplomate qui connaît la valeur du secret et sait négocier même avec les plus perfides.

Enfin, à travers l'exposé de faits précis, tout en dessinant le portrait du véritable « preudome », courageux, pieux, solidaire et fidèle, Henri de Valenciennes aborde un problème politique et juridique essentiel dans la société féodale, celui des menaces que l'individualisme peut faire peser sur la collectivité malgré la valeur de l'individu.

BIBLIOGRAPHIE
Œuvre. — Henri de Valenciennes, *Histoire de l'empereur Henri de Constantinople,* éd. Jean Longnon, Paris, P. Geuthner, 1948 (*Documents relatifs à l'histoire des croisades,* t. II).
Études. — Jean Dufournet, « Robert de Clari, Villehardouin et Henri de Valenciennes, juges de l'empereur Henri de Constantinople. De l'histoire à la légende », dans les *Mélanges Jeanne Lods,* Paris, E.N.S. de jeunes filles, 1978, 2 vol., (pp. 183-202); Louis-Fernand Flûtre, « l'Histoire de l'empereur Henri de Constantinople par Henri de Valenciennes, est-elle un poème dérimé? » dans *Romania,* t. LXV, 1939, (pp. 204-217); Jean Longnon, « le Chroniqueur Henri de Valenciennes », dans le *Journal des Savants,* 1945, pp. 134-150; « Sur l'histoire de l'empereur Henri de Constantinople », dans *Romania,* t. LXIX, 1946, (pp. 198-241); Gaston Paris, « Henri de Valenciennes », dans *Romania,* t. XIX, 1890, (pp. 63-72).

J. DUFOURNET

HENRI DE VALOIS. V. VALOIS Henri de.

HÉRAUT CHANDOS (XIVe siècle). Personnage au service du chevalier anglais sir John Chandos — et connu à ce titre sous le nom de « Héraut Chandos » —, il est l'auteur d'une *Vie du Prince Noir.*

L'aristocratie médiévale découvre vite que la littérature peut servir son prestige et contribuer à l'une de ses valeurs essentielles, la gloire. Aussi voit-on se multiplier une forme d'historiographie centrée sur un personnage marquant donné en modèle. La *Vie du Prince Noir* est à la fois l'une des sources les plus fiables pour la guerre de Cent Ans et le type accompli de la biographie héroïque. Racontant la campagne d'Édouard III en France jusqu'à Crécy et Calais, puis son expédition en Espagne, elle s'attache à démontrer par l'événement, la prouesse et la piété, mais, par là même, n'est pas exempte d'erreurs chronologiques, voire de partialité. Ainsi n'attendons-nous pas l'objectivitité de la part d'un auteur qui déclare : « ... c'est aumône et charité/De bien dire, de vérité/Car bien ne fu onques perduz/... Pour ce vœil je mettre m'entente/De faire et recorder biauz diz/Et de novel et de jadys ».

BIBLIOGRAPHIE
Édition. — M.-K. Pope-E.C. Lodge, Oxford, 1910.
A consulter. — D.B. Tyson, *Vie du Prince Noir,* Tübingen, Niemeyer, 1975; J.J.N. Palmer, « Froissart et le Héraut Chandos », *Moyen Âge,* no 88, 1982.

A. STRUBEL

HEREDIA José Maria de (1842-1905). « Maître mosaïste et maître sonneur » (Faguet), « tortionnaire de la poésie » (de Gourmont) : de quelque façon qu'on le lise, l'auteur des *Trophées* apparaît davantage versificateur que poète. Il est vrai que, de mots rares en périphrases savantes, de rimes travaillées en rejets calculés, sa langue semble surtout l'objet d'un domptage patient qui ne serait qu'une nouvelle préciosité si le poème n'enfermait dans un espace réduit tout un monde vivant et dramatisé. Mais à l'ambition synthétique d'un Hugo voulant « exprimer l'humanité » à travers les amples pièces de *la Légende des Siècles,* Heredia oppose la fragmentation de sonnets qui ne veulent « qu'évoquer des ombres » dans leur spécificité.

Fils d'un père espagnol et d'une mère normande...

C'est à Cuba, où son père possédait des plantations de café, que naît le futur chantre des « Conquérants ». Après une enfance insouciante, il vient en France faire ses études au collège Saint-Vincent de Senlis (1851-1859). De retour dans son île natale (1859-1861), il commence de « taquiner la muse »; mais c'est à Paris où il suit les cours de la faculté de droit et de l'École des chartes qu'il publie ses premiers poèmes dans l'annuaire d'une association estudiantine, *la Conférence La Bruyère;* vers amoureux inspirés d'un romantisme traditionnel :

Il est beau de s'aimer d'un amour virginal
D'être deux dans le monde et ne faire qu'une âme,
Et d'aller, confiant dans le cœur d'une femme
Appuyé sur l'amour conquérir l'idéal!
(« la Nuit d'été », 1861-1862)

Dès 1863, le ton est différent : il donne à la *Revue française* « Pan », « le Triomphe d'Iaccos »; l'année suivante il poursuit son évolution avec « la Mort de l'Aigle » publié dans *la Revue de Paris.* Ami et disciple de Leconte de Lisle, il fréquente dès lors les cénacles de la nouvelle poésie, collabore au *Parnasse* et aux revues. En 1877 il publie le premier volume de sa traduction de la *Véridique Histoire de la conquête de la Nouvelle Espagne* de Bernal Diaz del Castillo; en 1885, il adapte un conte andalou, *Juan Soldado*; deux ans plus tard, il achève la *Véridique Histoire...* et ne retrouve son rôle de traducteur qu'en 1894 avec *la Nonne Alferez* de Catalina de Erauso. 1893 avait été sa grande année : il avait publié *les Trophées,* avait obtenu sa naturalisation française et triomphé à l'Académie devant Zola et Verlaine! Désormais installé, il donne çà et là des chroniques, tient salon, d'abord le samedi en son appartement de la rue Balzac, puis, après sa nomination à l'Arsenal (1901), le dimanche. La fin de sa vie est occupée par l'édition critique des *Bucoliques* d'André Chénier qui sortira peu après sa mort.

A l'écart des mouvements du siècle — « la grave Muse de la Politique dont j'ignore le nom » (*Discours de réception à l'Académie*) —, distillant avec parcimonie traductions minutieuses et poèmes ciselés, Heredia offre l'image parfaite du poète-artiste tout entier consacré à « l'amour de la poésie pure et du pur langage français » (Dédicace des *Trophées*) tel que l'ont rêvé les Parnassiens.

L'abeille et l'architecte

« Il y a des gens qui ont du génie. Moi je n'ai que du talent » : face aux poètes inspirés du XIXe siècle, l'auteur des *Trophées* installe la technique au rang de vertu cardinale de la poésie; à côté des œuvres-fleuves, il érige un unique recueil, lentement mûri; face aux textes engagés, en prise sur leur temps, il avance « la scorie de son rêve », suite de pièces tournées vers un passé à jamais révolu.

De là l'aspect érudit de cette poésie : archaïsmes, mots francisés (« buccinateur », « lectisterne », etc.), emprunts aux lexiques spécialisés (Anatole France n'ironisait-il pas : « selon le cœur de M. Heredia la table alphabétique des pierres précieuses ou le catalogue du Musée d'artillerie est le plus émouvant des romans d'aventure »?), mythologismes dans la pure tradition des salons précieux (« l'appel d'Astarté », « le chanteur de Célène », etc.), périphrases inutiles (ainsi la sauterelle est-elle baptisée successivement « lyre naturelle » puis « muse des guérets, des sillons et du blé »), tout contribue à faire des *Trophées* un livre d'images esthétisantes. Et le choix du sonnet (118 auxquels s'ajoutent les tercets du « Romancero » et les strophes des « Conquérants de l'or »), « cette forme mystique et mathématique », vient renforcer le caractère dilettante d'une poésie conçue comme point de convergence des perfections lexicales, rhétoriques et métriques; encore convient-il que ces matériaux aboutissent à une « composition logiquement déduite »!

Or, l'espace du sonnet s'organise, chez Heredia, à partir de la focalisation d'un regard — celui du narrateur, d'un personnage, d'une foule —, sur l'objet du dernier vers : de là l'omniprésence des verbes de vision et la réduction fréquente des individus à la synecdoque de l'œil; de là, aussi, l'aspect pictural de poèmes où couleurs, plans et perspectives définissent le cadre d'un tableau dans lequel les mouvements font ressortir la pose :

Et là-bas, sous le pont, adossé contre une arche,
Hannibal écoutait, pensif et triomphant,
Le piétinement sourd des légions en marche.
(« la Trebbia »)

Poésie formelle donc, remarquablement économe en moyens (parfois à la limite du constat prosaïque : « L'air fraîchit », « Voici le soir », etc.), et qui laisse trop souvent transparaître sa « fabrication ingénieuse » (R. Sabatier). Au point que nombre de sonnets des *Trophées* ont été pastichés à des fins... politiques :

Comme un vol d'étourneaux loin du prunier natal,
Fatigués de bobards et de calembredaines...

Dérision du fond et de la forme qui n'est peut-être qu'un hommage rendu à cette poésie décriée mais populaire, toujours esthétique, jamais hermétique.

BIBLIOGRAPHIE

Il existe aujourd'hui trois éditions de Heredia : l'une reproduit les *Poésies complètes* de l'édition de 1924 (Slatkine Reprints, Genève, 1979); une deuxième est une réédition de l'édition originale des *Trophées* publiée par Lemerre (« les Introuvables », Éd. d'Aujourd'hui, Plan de la Tour [Var], 1977); la dernière, la moins coûteuse, est aussi la seule édition critique : *les Trophées,* éd. Anny Detalle, Gallimard, « Poésie », 1982.

Pour la critique on se reportera aux travaux de Miodrag Ibrovac : *José-Maria de Heredia. Sa vie, son œuvre,* Paris, Les Presses françaises, 1923.

D. COUTY

HERGÉ, pseudonyme de **Georges Rémi** (1907-1983). Véritable inventeur de la bande dessinée européenne, Georges Rémi est né à Etterbeck, près de Bruxelles. C'est à l'âge de seize ans qu'il crée son premier héros, *Totor, chef de patrouille des Hannetons,* dont les aventures sont bientôt publiées dans la revue *le Boy-Scout belge* sous la signature qui sera toujours la sienne, Hergé, formée des initiales de son nom et de son prénom.

En 1927, au retour du service militaire, il entre au quotidien catholique et conservateur *le Vingtième Siècle.* Il se verra bientôt confier la responsabilité du supplément-jeunesse du journal. C'est pour ce supplément, *le Petit Vingtième,* qu'Hergé va créer, en 1929, le personnage de Tintin, jeune reporter qu'il enverra successivement *Au pays des soviets, Au Congo* et *En Amérique.*

Ces premiers albums, au graphisme encore rudimentaire, ne sont en fait que de simples feuilletons. Reflets directs de l'idéologie qui domine dans le journal, ils n'offrent des pays traversés par Tintin et par son chien Milou qu'une image totalement stéréotypée.

Ce n'est qu'en 1934 que la série démarre véritablement. Ayant décidé d'envoyer Tintin en Extrême-Orient (*le Lotus bleu*), Hergé a la chance de rencontrer un jeune Chinois, du nom de Tchang Tchong-Jen, qui l'initie à la réalité de son pays. Le dessinateur découvre simultanément la nécessité de l'exactitude géographique (et ce souci documentaire qui ne l'abandonnera jamais va faire de ses albums l'un des plus parfaits témoignages sur le siècle) et la peinture chinoise, qui l'influence profondément, contribuant à simplifier son style, où va désormais dominer la surface.

Après *le Lotus bleu,* Hergé va pourtant s'affranchir des limites qu'un réalisme trop strict risquerait de lui imposer. De plus en plus, l'imaginaire va dominer des histoires construites avec une maîtrise du récit qui n'est pas sans évoquer celle de Jules Verne.

L'immédiat avant-guerre puis les années d'Occupation sont pour le dessinateur une période d'intense activité. Se succèdent en effet *l'Oreille cassée* (1937), *l'Île Noire* (1938), *le Sceptre d'Ottokar* (1939), *le Crabe aux pinces d'or* (1941), *l'Étoile mystérieuse* (1942) ainsi que le double album *le Secret de la Licorne* et *le Trésor de Rackham le Rouge* (1943-1944). De nouveaux personnages apparaissent dans la série, dont les silhouettes hautement typées du capitaine Haddock et du professeur Tournesol, nécessaires pendants de la neutralité du protagoniste.

Parce qu'il a publié des dessins dans *le Soir,* journal requis par les Allemands, Hergé connaît quelques difficultés à la Libération, mais bien vite le succès reprend avec la création, en 1946, de l'hebdomadaire *le Journal de Tintin.* En même temps qu'il élabore de nouveaux récits, Hergé redessine ses premiers albums, qui reparaissent en couleur et réduits à soixante-deux pages (les volumes d'avant-guerre comportaient plus de 100 à 130 planches). Ce sera d'ailleurs l'un des traits les plus caractéristiques de l'auteur que cette volonté de sans cesse reprendre ses albums passés pour en éliminer les maladresses ou corriger les détails qu'il juge trop datés.

Pour l'aider dans cette tâche, Hergé va s'entourer d'un certain nombre de collaborateurs. C'est en 1950 que sont créés les « Studios Hergé », où se trouveront progressivement réunies une dizaine de personnes, dont les dessinateurs Bob De Moor et Jacques Martin.

Vont paraître successivement, après le double épisode de l'aventure lunaire (*Objectif lune* et *On a marché sur la lune,* 1953-1954), *l'Affaire Tournesol* (1956), *Coke en stock* (1958) et *Tintin au Tibet* (1960), albums que l'on peut considérer comme des chefs-d'œuvre de la bande dessinée classique. Mais sans doute est-ce avec le volume suivant, *les Bijoux de la Castafiore,* que la série culmine véritablement : parvenu au sommet de son art, Hergé s'y offre le luxe d'un extraordinaire jeu d'autopastiche, se livrant à une subtile dérision de sa propre œuvre et des conventions de la bande dessinée.

Le rythme de travail de l'auteur s'étant considérablement ralenti, il ne nous donnera plus, au cours des dix-huit années qui suivent, que deux nouveaux albums : *Vol 714 pour Sidney* (1968) et *Tintin et les Picaros* (1975), cependant que se multiplient hommages, récompenses et exégèses.

Outre la série des Tintin, Hergé a dessiné une série d'albums plus « familiaux », *les Aventures de Jo, Zette et Jocko,* ainsi que de savoureux gags en deux planches, *les Exploits de Quick et Flupke,* à l'humour souvent stupéfiant d'invention et de non-conformisme.

Critiqué dans les années 1960 pour l'aspect politique de certains de ses récits, Hergé est aujourd'hui unanimement considéré comme le géant de la bande dessinée européenne. Traduits en une trentaine de langues, ses albums ont été vendus à plus de 70 millions d'exemplaires et connaissent un succès qui, depuis plus d'un demi-siècle, n'a fait que s'amplifier.

BIBLIOGRAPHIE

Tous les albums d'Hergé sont publiés aux éditions Casterman, ainsi que les quatre volumes d'*Archives* qui reprennent les versions originales de ses premières bandes.

Parmi les nombreuses études qui lui ont été consacrées, signalons : Numa Sadoul, *Tintin et moi,* entretiens avec Hergé, Casterman, 1975; François Rivière, *l'École d'Hergé,* Jacques Glénat, 1976; Michel Serres, « les Bijoux distraits ou la Cantatrice sauve », dans *Hermès II, L'interférence,* Éd. de Minuit, 1972; Benoît Peeters, *Hergé,* livre-cassette, Éd. Décembre, 1981.

B. PEETERS

HÉRIAT Philippe, pseudonyme de **Raymond Gérard Payelle** (1898-1971). Fils d'un premier président de la Cour des comptes, arrière-petit-fils de Zulma Carraud, l'amie de Balzac, Philippe Hériat fut, dans sa jeunesse, assistant des grands metteurs en scène de cinéma Marcel L'Herbier et Louis Delluc. Il fut aussi l'un des acteurs du *Sexe faible,* la comédie d'Édouard Bourdet. Il écrivit de nombreux romans : *l'Innocent* (1931), qui obtint le prix Théophraste-Renaudot, *la Main tendue* (1933), *l'Araignée du matin,* suivie de *En présence de l'ennemi* et de *Départ de Valdivia* (1933), *la Foire aux garçons* (1934), *Miroirs* (1936). Puis ce fut l'illustre somme des « Boussardel » : *la Famille Boussardel* (1947, grand prix du roman de l'Académie française), *les Enfants gâtés* (prix Goncourt, 1939), *les Grilles d'or* (1957), *le Temps d'aimer* (1968). Hériat composa également un récit historique, *le Secret de Mayerling* (1949), et plusieurs pièces de théâtre : *l'Immaculée* (1947), *Belle de jour* (1950), *les Noces de Deuil* (1953), *les Joies de la famille* (1960), *Voltige* (1967), etc. Il fut reçu à l'académie Goncourt en 1949.

Héritier de Balzac et de Zola, Philippe Hériat s'est voulu l'observateur méticuleux de la société moderne. Il a peint les milieux du cinéma dans *la Main tendue,* ceux du music-hall dans *la Foire aux garçons.* Il a surtout été l'historien et le moraliste de la haute bourgeoisie. Par-delà l'évocation du concret (habitations, rites de l'existence) et les réflexions sur les fortunes qui se font et se défont, il a voulu donner à ce tableau une dimension morale. Dans les « Boussardel » s'opposent les principes du groupe (égoïsme collectif, sacrifice de tous les individus à la puissance familiale, de toutes les aspirations à la réussite financière) et l'« égotisme » d'Agnès, qui se rebelle contre les préjugés et les mœurs de son milieu. Ce conflit est exprimé — et c'est par là que Philippe Hériat se distingue de ses ancêtres réalistes ou naturalistes — avec une sorte de pompe, qui sacralise et poétise la haute bourgeoisie. Le style glace et dore la réalité, lui donne une dimension emblématique. C'est dire l'ambiguïté foncière de cette littérature, qui ennoblit ce qu'elle prétend dénoncer, émiette et pare le réel pour n'en plus laisser que d'harmonieuses représentations.

BIBLIOGRAPHIE

Pierre Gascar, Léonce Peillard, *Philippe Hériat,* Paris, Éd. Innothéra, 1956.

A. NIDERST

HERMANT Abel (1862-1950). Reçu premier à l'École normale supérieure, Abel Hermant abandonna l'Université pour la littérature. Il fut un auteur extrêmement prolifique. Il donna d'abord dans le naturalisme (*le Cavalier Miserey,* 1887), puis dans un psychologisme à la Bourget (*Amour de tête,* 1890; *Serge,* 1892); il se chercha encore dans des évocations du passé (*les Confidences d'une aïeule,* 1893), mais il se fit surtout apprécier par les nombreux romans de mœurs qu'il publia de 1894 (*la Carrière,* satire du milieu diplomatique) à 1926, les plus célèbres ayant été regroupés sous le titre général de *Mémoires pour servir à l'histoire de la société;* dans *les Transatlantiques* (1897) et dans *Trains de luxe* (1910) est décrite avec humour la faune cosmopolite des voyageurs; le demi-monde parisien est vivement campé dans *les Confidences d'une biche* (1909). Abel Hermant eut aussi du succès au théâtre avec *le Faubourg* (1899); il fut l'un des plus brillants amuseurs de la Belle Époque. On lut également ses innombrables chroniques sur la vie mondaine, et surtout celles qu'il consacra, sous le pseudonyme de LANCELOT, à la défense du bon langage (*les Samedis de M. Lancelot,* 1932; *Remarques de M. Lancelot pour la défense de la langue française,* 1938). Académicien en 1927, cet écrivain à qui tout paraissait sourire eut une triste vieillesse; arrêté en 1944 pour avoir collaboré pendant l'Occupation, il mourut six ans plus tard, alors qu'il venait de sortir de prison.

Son œuvre est maintenant oubliée. Elle n'est pourtant pas négligeable. Dans une forme soignée, presque pure malgré quelques archaïsmes, Abel Hermant montra de l'esprit, une attention aiguë à certains mécanismes psychologiques et, surtout, une réelle compréhension de son époque. Cette littérature brillante, parfois cinglante, mériterait d'être lue de nos jours.

BIBLIOGRAPHIE

R. Peltier, *Abel Hermant et son œuvre,* Paris, Nouvelle Revue Critique, 1924; « Hommage à Abel Hermant », par G. Bauër, J. Benda, G. Duhamel, J. de Lacretelle, F. Mauriac, A. Maurois, etc., *le Divan,* février 1927; René Lalou, *Histoire de la littérature française contemporaine,* t. II, Paris, P.U.F., 1940.

A. NIDERST

HERMÉTISME. Il est difficile de savoir si l'hermétisme est, à l'origine, une religion avec ses églises et ses rites ou s'il s'agit d'une simple attitude discursive, rhétorique, et donc littéraire. Venus de Perse et d'Égypte, les mages, initiés au culte du dieu lunaire Toth (l'Hermès des Grecs), ont assurément infléchi le rationalisme grec dans le sens d'une philosophie astrologique ou d'une théosophie postulant l'unité de la création, la correspondance entre le microcosme et le macrocosme, recourant ainsi à un système de représentation plus symbolique que linguistique.

Si l'« art royal », synthèse de toutes les sciences enseignées par Hermès Trismégiste, le maître « trois fois grand », suppose une ascèse personnelle et débouche sur une sagesse païenne, il ne comporte pas d'initiation sacramentelle. Néanmoins l'hermétisme, essentiellement connu par la compilation de Michel Psellos, *Corpus hermeticum* (XIe siècle), coexiste avec le développement des pratiques gnostiques et des mystères chrétiens. Il annonce en outre l'idéal de purifaction individuelle attribué au symbole alchimique de la transmutation du plomb en or, aussi bien que l'allégorie constructiviste de la maçonnerie opérative.

Le fonctionnement des doctrines hermétiques ne peut se concevoir sans la volonté, sinon la nécessité, de cacher le sens réel d'un message à tous ceux qui ne sont pas jugés dignes d'en comprendre la signification profonde. Ainsi les premiers chrétiens durent-ils recourir à l'énigme ou à la parabole pour voiler la vérité divine détenue par leur secte. C'est encore à la polysémie de l'hermétisme que Pascal recourra pour justifier la notion de *Deus absconditus,* nom qui est donné à la divinité dans les Écritures : la religion « travaille également à rétablir ces deux choses : que Dieu a établi des marques sensibles dans l'Église pour se faire reconnaître à ceux qui le chercheraient sincèrement; et qu'il les a couvertes néanmoins de telle sorte qu'il ne sera aperçu que de ceux qui le cherchent de tout leur cœur » (*Pensées,* III, 194).

Au niveau des œuvres païennes, on parlera dans la même perspective de l'hermétisme de Villon : son jargon était-il destiné à n'être compris que des truands? L'argot, le verlan, les sigles ou les signes de reconnaissance des sociétés secrètes, la recherche délibérée de l'obscurité, les messages codés du temps de l'Occupation — qui furent à la source de bon nombre de poèmes surréalistes — sont de même des formes d'hermétisme, aussi bien que l'utilisation d'un langage spécialisé destiné à tenir les néophytes à l'écart des privilèges acquis au sein d'un ordre, d'une corporation ou d'une profession.

Sur le plan littéraire, la poésie est un des lieux de prédilection où s'épanouit l'hermétisme. Genre abstrait par excellence, le poème suppose une concentration réflexive dans le choix et l'agencement de ses signes, et il s'intéresse plus au mécanisme du code linguistique qu'à la réalité référentielle (cf. la définition de la « fonction poétique » du langage d'après Roman Jakobson). Si la prose se veut transparente, le propre de la poésie semble être de ménager une certaine opacité dans le langage. Figurée plus que concrète, elle introduit à un savoir essentiellement symbolique. Ainsi Mallarmé est-il considéré comme « hermétique » au sens d'obscur. Claudel le serait par son niveau de langue et la préciosité d'un style accessible seulement à une élite. Quant à Nerval, il autorise, surtout dans *les Chimères,* toutes sortes d'interprétations cabalistiques, démonologiques ou magiques parce qu'il défie les lois de la logique cartésienne. De même l'entreprise surréaliste, poursuivant en cela le syncrétisme religieux et l'« universelle analogie » du sentiment romantique, tente-t-elle de représenter l'ineffable et de proposer une « vision du monde exprimée par symboles », ce qui est commun aussi bien à l'art de Salvador Dali qu'à la définition de l'illuminisme d'un Jacob Boehme.

Tournant le dos à l'intelligence rationnelle du discours et aux acquisitions cumulatives du savoir scientifique, l'hermétisme présuppose une connaissance initiatique, révélée, héritée d'une Tradition pour laquelle tout est signe, chiffre, mystère, renvoyant à un système d'interprétation métaphysique, à une cosmogonie. Mais cette connaissance du sens caché des choses, pour n'être pas profanée, doit être tenue secrète. Seuls les initiés sont aptes à décrypter les symboles, à en décoder le sens, qui reste impénétrable à la large masse des non-initiés. Un clivage s'établit donc entre un savoir ésotérique, tenu pour immémorial, et une apparence exotérique, accessible à tous mais dépourvue de signification réelle. Ainsi, pour Eugène Canseliet, le sigle I.N.R.I. ne signifie qu'exotériquement *Iesus Nazarenus Rex Iudaeorum* « Jésus de Nazareth Roi des Juifs ». Au plan ésotérique, ces initiales désignent « l'apophtegme de haute philosophie : *Igne Natura Renovatur Integra* « Par le feu, la nature entière est rénovée » (dans E. Canseliet, *Trois Anciens Traités d'alchimie; calligraphie et prolégomènes,* 1975). L'existence d'un double niveau de lecture permet donc d'interpréter tout message comme la représentation allégorique d'une gnose alchimique, astrologique, hiératique, rosicrucienne, etc. Ainsi peut-on considérer que les contes de Perrault, par exemple, voilent en fait des vérités initiatiques, que derrière la fiction narrative du *Roman de la rose* se cache un véritable cryptogramme, tout comme dans la *Divine Comédie* (cf. René Guénon, *l'Ésotérisme de Dante,* 1949). Certains romanciers tels que Marcel Brion, Raymond Abellio ou même Michel Tournier tentent d'échapper aux clichés du positivisme classique en proposant une « grille de déchiffrement » empruntée aux philosophies spiritualistes ou aux traditions légendaires. Régression vers l'obscurantisme ou réaction antimatérialiste, la structure de leurs ouvrages est dominée par le souci d'attribuer une signification mystique ou ésotérique aux événements de l'histoire contemporaine. De même, la description de la nature, apparemment réaliste, d'un Bosco ou d'un Giono renvoie-t-elle à une conception mythique de l'univers, sinon à un savoir occulte. Quant à un opéra tel que *la Flûte enchantée,* tous les exégètes de Mozart se sont fait fort d'y voir, au-delà du manichéisme simpliste formé par le couple déjà symbolique de Sarastro (le Bien) et de la Reine de la Nuit (le Mal), une signification politique à clés (Sarastro = von Born; la Reine = l'impératrice Marie-Thérèse; Tamino = Joseph II; Pamina = la Liberté) et une interprétation initiatique (Sarastro = le Soleil; la Reine = Hécate) reposant sur la symbolique des quatre éléments (Tamino = le Feu; Pamina = l'Eau; Papageno = l'Air; Monostatos = la Terre), lesquels figurent en bonne place dans le rituel d'initiation maçonnique.

Recourir à l'hermétisme, au gnosticisme ou à l'ésotérisme n'est donc, dans bien des cas, qu'une façon de reconnaître et d'affirmer la polysémie du message symbolique, l'ambiguïté et l'ambivalence peut-être inconscientes de la création artistique, la plurivalence enfin de la réception individuelle des œuvres du passé ou appartenant à une culture au code de laquelle on n'a pas directement accès. Dans *Tristan et Iseut,* Bragaine répond de façon sibylline aux soldats chargés de l'exécuter, qu'elle n'est coupable de rien, sinon que « quand madame Iseut partit d'Irlande, elle avait une chemise de lin plus blanche que neige neigée; elle devait en faire présent au roi Marc; et il y avait avec elle une sienne demoiselle qui en avait une autre aussi gente et aussi fine. Madame perdit la sienne dans la mer pendant le voyage; ce dont elle eût été malvoulue, si la demoiselle dont je parle ne lui avait offert, de par moi, la sienne qu'elle avait bien gardée. Madame fut ainsi tirée d'embarras » (Adaptation André Mary). Ses bourreaux saisissent-ils l'allusion périphrastique au pucelage perdu de la reine, sa maîtresse? De même un amateur du XXe siècle, en présence du tableau de Vermeer *l'Atelier,* voit-il en la personne de la femme inspiratrice du peintre l'image allégorique de Clio, la muse de l'Histoire (avec ses attributs conventionnels : un livre, un planisphère, une trompette et une couronne de lauriers)? L'ésotérisme n'est plus ici un sens second, latent par rapport au sens manifeste, mais une signification immédiate perdue du fait de l'affaiblissement du code culturel lui assurant son statut symbolique. C'est ainsi que l'héraldique, issue d'un système sémiologique stable, encore vivace dans les romans du XIXe siècle, finit par nous apparaître hermétique, nimbée de mystère et de poésie, désormais enrichie de connotations imaginaires aux sens multiples.

L'occultisme conduit par conséquent au merveilleux. Les théosophies du XVIIIe siècle développées en marge des Lumières, telles que l'exégèse biblique d'un Swedenborg ou le martinisme, ont été une source d'inspiration pour le fantastique des premiers romans de Balzac mais aussi un modèle explicatif, une philosophie rivale du scientisme positiviste. En rendant vraisemblables les scènes d'évocation et de magie, en réaffirmant l'existence de réalités suprasensibles échappant aux méthodes d'investigation expérimentales et objectives, l'occultisme conférait au XIXe siècle la dimension spiritualiste — spiritiste, chez Victor Hugo — dont le privaient les progrès éclatants de la révolution industrielle. Il ouvrait la voie au symbolisme, à la psychanalyse, aux recherches d'un Jung sur l'inconscient collectif, à la découverte des structures de l'imaginaire. Il n'est pas jusqu'à Saussure qui n'ait étudié dans les allitérations des poésies latines le fonctionnement des anagrammes involontaires et des rébus, tant le rôle de l'hermétisme est lié au jeu de l'inconscient littéraire.

BIBLIOGRAPHIE

J. Boucher, *la Symbolique maçonnique,* Dervy, 1948; M. Eliade, *Forgerons et alchimistes,* Flammarion, 1956; J. Evola, *la Tradition hermétique,* Éd. traditionnelles, 1962; Fulcanelli, *le Mystère des cathédrales* (1926); id., *les Demeures philosophales* (1930), réédition : *Omnium littéraire,* J.-J. Pauvert; C.-G. Jung, *Psychologie et alchimie,* Buchet Chastel, 1970; J. Richter, *Nerval, expérience et création,* Hachette, 1970.

B. VALETTE

HÉROËT Antoine, dit aussi **La Maisonneuve** (1492?-1568). Antoine Héroët a composé pendant une dizaine d'années une œuvre très proche des idées de Marguerite de Navarre, d'une unité rare pour l'époque, et qui mérite d'être considérée comme la première expression poétique cohérente du platonisme français de la Renaissance.

Né à Paris, il appartient à la famille du chancelier François Olivier, homme considérable qui gagne la confiance de Marguerite avant de passer au service de François Ier. Héroët est lui aussi un serviteur discret et respecté de la sœur du roi; celle-ci lui accorde une pension dès 1524 — renouvelée en 1529 et 1539 — et intervient en faveur de sa sœur Marie, victime de mauvais traitements dans son couvent. Héroët est nommé abbé de Notre-Dame de Cercanceaux en 1543; en 1552, il succède à un frère de François Olivier comme évêque de Digne. Il meurt âgé de soixante-seize ans.

Ami de Marot, de Mellin de Saint-Gelais, de Fontaine, de Macrin, il est loué par tous les poètes de son temps — en particulier par les Lyonnais, au point d'être parfois (à tort) rangé parmi eux. Son influence est grande sur Scève et sur Pontus de Tyard, et la Pléiade, si difficile avec ses devanciers, n'a pas cessé de faire son éloge. Une vingtaine d'éditions très rapprochées de *la Parfaicte Amye* et de ses autres œuvres atteste son succès.

L'œuvre de Héroët commence à la Cour et ne s'en éloigne jamais; mais il garde ses distances et semble agir la plupart du temps avec la discrétion qui caractérise Marguerite elle-même, et la hauteur qu'impliquent ses convictions platoniciennes. Il offre au roi, en 1536, le long poème de *l'Androgyne de Platon,* précédé d'une *Épître*-manifeste, dans laquelle il invite le roi à continuer sa politique de défense des belles-lettres. Il ne dédaigne pas les débats qui agitent les écrivains de son temps, participant, sur l'invitation de Marot, aux blasons anatomiques du corps féminin avec le *Blason de l'Œil* (1535), très quintessencié; et son œuvre la plus considérable, *la Parfaicte Amye* (1542), est une contribution hautaine, mais très précisément argumentée, à la querelle des Amies et une réponse à la frivole et cynique *Amie de court* de La Borderie. Dès 1544, d'ailleurs, les deux œuvres seront réunies aux autres textes de la Querelle, comme *la Contramye de court* de Fontaine : réflexion sur les mœurs, principes philosophiques et phénomènes d'édition font bon ménage, et, en grande partie grâce à Héroët, un débat de bon ton s'institue. Enfin, faisant plus nettement œuvre de courtisan, il prépare, en compagnie de Mellin de Saint-Gelais et de Claude Chappuys, des huitains d'abord destinés à servir de légende à un cycle de tapisseries commandé par le roi, *l'Amour de Cupido et Psyché.* Finalement les cartons seront utilisés vers 1542-1544 pour les vitraux du château d'Écouen, propriété du connétable de Montmorency : les dix petits poèmes de Héroët restent ainsi — symbole qui convient bien à son œuvre — fragilement inscrits dans le verre (aujourd'hui au château de Chantilly).

Platonicien — et l'un des plus savants —, Héroët l'est assurément. Il connaît celui qu'il appelle « le sage » grâce à Marsile Ficin et aux commentateurs renaissants, et sans doute a-t-il du texte du *Banquet,* ou du *Lysis* (que Des Périers vient juste de traduire), ou du *Phèdre,* une connaissance encore plus directe. Il reprend essentiellement à Platon un système ascensionnel dans lequel l'Amour est ce puissant moteur qui élève l'âme vers le Beau et le Bon — vers Dieu. Mais encore faut-il préciser que, chez Héroët, il s'agit exclusivement de l'amour partagé entre l'homme et la femme (c'est le choix qu'il fait pour son *Androgyne,* chassé du paradis comme Adam et Ève : par le péché d'orgueil; et recomposé sur terre par un effet de « reconnaissance » tout proche de la réminiscence platonicienne). Si, d'autre part, la vie est bien « un songe », les deux âmes « endormies » se réveilleront en Dieu dans la mort, dont leur union sur terre est la préfiguration la plus parfaite. Cette pédagogie du sommeil traverse l'œuvre, liée à celle de la maîtrise des passions (et l'amour est, selon Héroët, une passion bonne) et à celle des conduites à tenir en société : ainsi parle-t-il constamment d'« exercice », et l'ensemble de l'œuvre se présente-t-il comme une instruction donnée à la première personne par celui — ou plutôt celle — qui sait.

Car la voix, curieusement, est presque toujours féminine, ou, comme l'a dit finement Colletet, attire l'amateur curieux « pour n'avoir pas exactement la lisière masculine et féminine ». La voix qui, dans la *Complaincte d'une Dame surprinse d'Amour,* justifie les évidentes exigences amoureuses et les plus délicats marivaudages du cœur, celle qui, dans *la Parfaicte Amye,* distille les plus choquants conseils d'abnégation et les analyses du bonheur le plus assuré, n'est pas la moindre originalité d'une œuvre composée de façon très serrée, et qui s'organise en un système poétique assez étrange : le premier livre de la *Parfaicte Amye* dit les certitudes du renoncement à tout ce qui n'est pas l'aimé; le deuxième considère la mort comme le bien suprême; le dernier proclame les bienfaits de la vertueuse ignorance, celle qui se donne pour but de se connaître soi-même par la seule connaissance de l'autre, qui est notre double, ou dont nous sommes la moitié. *Douleur et Volupté, De n'aymer point sans estre aymé* ou *Description d'une femme de bien* disent avec autant de finesse que de simplicité cette morale de la jouissance contemplative.

BIBLIOGRAPHIE

Ferdinand Gohin a donné des *Œuvres Poétiques* (Paris, S.T.F.M., 1909; seconde édition, Genève, Droz, 1943) une excellente édition, qui décrit précisément les nombreuses éditions du XVIe siècle, et donne la notice de Colletet sur Héroët.

Le platonisme de Héroët est abordé dans tous les ouvrages qui traitent de cet aspect chez Marguerite de Navarre, ou de la Querelle des Amies : Abel Lefranc, « le Platonisme dans la littérature en France à l'époque de la Renaissance », *R.H.L.F.,* 1896; id., « le Tiers Livre et la querelle des femmes », *Revue des Études rabelaisiennes,* 1904, et *Écrivains français de la Renaissance,* Champion, 1914; E.V. Telle, *l'Œuvre de Marguerite d'Angoulême et la querelle des femmes,* Toulouse, 1937; J. Festugière, *la Philosophie de l'amour de Marsile Ficin et son influence sur la littérature française du XVIe siècle,* Vrin, 1942.

M.-M. FONTAINE

HÉROÏDE. Épître amoureuse en vers fictivement adressée par un héros ou une héroïne, historique ou légendaire, à un partenaire infidèle ou éloigné par un destin contraire. Cette forme de poésie lyrique fut inaugurée par le poète latin Ovide (*Heroides,* 20-15 av. J.-C.), qui composa des lettres imaginaires de Pénélope, Médée, Didon, etc. Elle connut un succès constant du Moyen Âge (cf. le *Salut d'amors* occitan) au XVIIIe siècle, où elle fut pratiquée par Fontenelle, Feutry, Dorat, Colardeau, qui annexèrent aux couples traditionnels de la mythologie (Pyrame et Thisbé, Héro et Léandre), celui d'Héloïse et Abélard appelés à donner la caution de l'Histoire à un genre poétique alors devenu un simple exercice de style.

J.-P. DE BEAUMARCHAIS

HERSART DE LA VILLEMARQUÉ Théodore (1815-1895). Né à Quimperlé, c'est à Paris, où il fréquente les Bretons de la capitale, qu'il conçoit le projet d'un recueil témoignant de l'identité de sa province sous forme d'une histoire poétique de la Bretagne. En 1839, il publie le *Barzas-Breiz, Chants populaires de la Bretagne, recueillis et publiés avec une traduction française, des éclaircissements, des notes et les mélodies originales.* L'ouvrage rencontre un petit succès dans la colonie armoricaine de Paris. En 1842 paraissent *les Contes populaires des anciens Bretons précédés d'un Essai sur l'origine des épopées de la Table ronde.* Se voulant aussi philologue, La Villemarqué publie en 1847 un *Essai sur la langue bretonne* en tête du Dictionnaire français-breton de Le Gonidec. Le *Barzaz-Breiz* (où le *z* remplace désormais l'*s*) est réédité avec divers ajouts en 1845 et 1867;

touchant maintenant les celtisants de Bretagne, le recueil déclenche une vigoureuse polémique sur l'authenticité des textes « recueillis ».

Historique et philologique, tel était le double dessein de La Villemarqué : d'où la conjonction au sein du *Barzaz-Breiz* d'une traduction française, de textes bretons (en dessous et en petits caractères) et de commentaires érudits; le public visé n'est donc pas le lecteur morbihanais ou finistérois mais le lettré parisien avide, en ces temps de romantisme, de couleur locale, de retour aux sources et dont on trouvera l'écho enthousiaste dans les *Promenades autour d'un village* de George Sand. Mais ce recueil n'était-il pas trop beau pour être vrai? Trop vrai pour être véridique? D'abord diffuses — Sainte-Beuve jugeait le livre « médiocrement exact et authentique » —, les critiques se firent plus précises avec le développement scientifique des études folkloriques ou linguistiques : au terme de plusieurs années d'escarmouches, Luzel publiait en 1872 son mémoire *De l'authenticité des chants du « Barzaz-Breiz »*; peu après, le celtisant Joseph Loth affirmait que « les chants anciens sont de pure invention et cette langue une langue factice ». Sans jamais avouer la contrefaçon, La Villemarqué confessa néanmoins à Luzel que les textes avaient été « établis » par les abbés Guégen et Henry. Malgré le flou du terme, il semble donc bien que le *Barzaz-Breiz* soit une supercherie dans le style de l'*Ossian* de Macpherson et que ce « Romancero breton », loin de puiser aux sources de la tradition, ne soit qu'un des nombreux avatars de ces poésies provinciales dont le XIXe siècle s'était fait une spécialité. Poésie non dénuée de talent, d'ailleurs, et qui justifie le jugement de Barrès sur La Villemarqué : « S'il fut un détestable érudit, il demeure un excellent artiste ».

BIBLIOGRAPHIE

Le *Barzaz-Breiz* a été réédité dans la collection de poche « Découverte », Paris, Maspéro, 1983.

Francis Gourvil, *Théodore-Claude-Henri Hersart de La Villemarqué (1815-1895) et le « Barzaz-Breiz » (1839, 1845, 1867)*, Rennes, Imprimerie Oberthur, 1960 (une thèse d'histoire qui fait le point complet sur le problème de la mystification).

D. COUTY

HERVIEU Paul Ernest (1857-1915). D'une famille de bourgeoisie commerçante, Paul Hervieu fait son droit, puis sert dans la haute administration. Le succès de *Diogène le Chien* (1882) décide de sa carrière littéraire : portraitiste sévère du grand monde dans ses chroniques parisiennes — réunies dans *la Bêtise parisienne* (1884) —, ses romans (*Flirt*, 1890, *Peints par eux-mêmes*, 1893, *l'Armature*, 1895), il se consacre au théâtre à partir de 1895, donnant des pièces à thèse : *les Tenailles* (1896), *la Loi de l'homme* (1897), *l'Énigme* (1901), *la Course au flambeau* (1901).

A travers des formes variées, du roman par lettres (*Peints par eux-mêmes* — des *Liaisons dangereuses* nouvelle manière) au théâtre (*Les paroles restent ou les Méfaits de la calomnie*, 1892), l'œuvre d'Hervieu maintient la vision pessimiste d'une humanité guidée, derrière sa façade mondaine, par l'égoïsme et par l'instinct.

Mais si Gyp et Lavedan ont déjà traité des mœurs parisiennes du temps, Hervieu, lui, va plus loin : il tente, à la suite des *Corbeaux* d'Henry Becque, une transposition moderne de la tragédie classique, en portant à la scène des préoccupations sociales contemporaines : les droits de la femme (*la Loi de l'homme*), la question du divorce (*les Tenailles*), et des cas de conscience : conflit de l'amour maternel et de l'égoïsme filial (*la Course au flambeau*). Ce « théâtre algébrique » n'échappe cependant pas aux risques du plaidoyer : les personnages et les dialogues raisonneurs viennent d'un moraliste plus que d'un dramaturge.

BIBLIOGRAPHIE

Sabri Fahmy, *P. Hervieu, sa vie et son œuvre*, Marseille, impr. du Sémaphore, 1942.

A. PIERROT

HESTEAU Clovis, sieur de Nuysement (fin du XVIe - début du XVIIe siècle). A la littérature alchimique, qui « a partie liée avec une philosophie et une esthétique qui sont à leur apogée en France à la fin du XVIe siècle » (W. Kirsop), Hesteau a donné tous ses soins de poète et d'écrivain.

Né à Blois, secrétaire d'Henri II, puis de Monsieur (Hercule François, duc d'Anjou, 1554-1584), on le retrouve, sous Henri IV, receveur du comté de Ligny en Barrois.

Disciple, comme tant d'autres, de Ronsard dans ses premiers vers, traducteur estimé du *De constantia* de Juste Lipse (1584), il se joint ensuite à la troupe des alchimistes, dont André Thevet disait qu'elle était assez forte pour que le roi pût en lever une armée contre le Turc. Alors que Lazare Zetzner publie dans son *Theatrum chemicum* (1602-1624) les grands classiques du genre, Hesteau donne son *Poème philosophique de la vérité de la physique minérale* (1620), sa *Table d'Hermès expliquée par sonnets* (1620) et son *Poème philosophic sur l'Azoth des philosophes* (1624). Favorisée par la vogue de l'allégorie (vive au même moment dans le genre romanesque), fertilisée par une vision de l'ordre des choses empruntée à Paracelse, la poésie scientifique de Clovis Hesteau s'efforce « d'atteindre, par Hermès, le Christ de Gloire, qui doit revenir, lors du Second Avènement » (Albert-Marie Schmidt). A ce « christianisme alchimique », Mersenne reprochera quelques exégèses abusives de la Bible (*la Vérité des sciences contre les sceptiques ou pyrrhoniens*, 1625), manière détournée de signifier l'attention passionnée qu'il lui porte.

BIBLIOGRAPHIE

Les *Visions hermétiques* ont été éditées par S. Matton (Paris, Bibl. Hermetica, 1974) qui met à profit la thèse inédite de Wallace Kirsop, *Clovis Hesteau sieur de Nuysement et la littérature alchimique à la fin du XVIe et au début du XVIIe siècle*. Voir aussi le dernier chapitre de A.-M. Schmidt, *la Poésie scientifique en France au XVIe siècle*, Paris, 1938, et un numéro spécial de *XVIIe Siècle*, « Littérature et alchimie » (juil.-sept. 1978).

M. SIMONIN

HETZEL Jules (1814-1886). Pseudonyme d'écrivain : P.-J. STAHL. C'est un grand bonheur pour la littérature française du XIXe siècle que Hetzel ait abandonné le droit, en 1836, pour se consacrer à l'édition. Commis chez Paulin, associé en 1837, à son compte en 1843, Hetzel est le truchement privilégié des écrivains romantiques, qu'il éditera avec amour, en soignant la présentation, la typographie et l'illustration de leurs ouvrages : 1842 voit les livraisons des *Scènes de la vie privée et publique des animaux* avec les célèbres illustrations de Grandville (Hetzel y collabore sous le nom de STAHL avec *les Souvenirs d'une vieille corneille, les Peines de cœur d'une chatte française* — Balzac écrit celles d'une chatte anglaise —, *Vie et opinions philosophiques d'un pingouin)*; de 1842 à 1846, c'est la publication, avec Furne et Dubochet, de *la Comédie humaine;* en 1843, il fait paraître pour la jeunesse, *le Magasin des enfants*, œuvre collective à laquelle ont collaboré Nodier, Paul de Musset, George Sand, Stahl, illustrée par Bertall et Tony Johannot; en 1845 et 1846, il réédite *le Rouge et le Noir* et *la Chartreuse de Parme*. Il écrit lui-même un *Voyage où il vous plaira* en 1843, imaginé par Johannot, et *le Diable à Paris* en 1845 et 1846, illustré par Bertall et Gavarni.

Républicain convaincu, il est nommé en février 1848 chef de cabinet de Lamartine au ministère des Affaires étrangères; en juin, secrétaire de Cavaignac (être républicain n'implique nullement la défense de la classe ouvrière!). Il connaît l'exil en 1851; il rentre de Bruxelles grâce à l'amnistie de 1859. C'est grâce à lui que *Napoléon le Petit* (1852) et *les Châtiments* (1853) ont été édités. Il publiera également *les Contemplations* (1856) et *la Légende des Siècles* (1859).

Hetzel lutte contre la contrefaçon (cette plaie de l'édition au XIXe siècle) et pour la propriété littéraire; il lance une édition in-32 à bon marché pour diffuser Sand, Erckmann-Chatrian, Hugo, enfin il découvre Jules Verne en 1862 et sera son éditeur (qui ne connaît la splendide collection aux reliures rouge et or ?). Il ne cesse de penser à la littérature pour enfants : il fonde en 1864 un journal, *le Magasin d'éducation et de récréation*; il crée en 1879 la Petite Bibliothèque blanche et adapte de nombreux succès étrangers, que l'on peut toujours lire. Il meurt après avoir terminé une édition des œuvres complètes de Victor Hugo, dernier service rendu à la cause du livre.

BIBLIOGRAPHIE

P.-J. Stahl, *les Aventures de Tom Pouce,* Flammarion, 1962, Folio junior, 1979; id., *Maroussia,* 1955, Rouge et Or, Hachette, Bibliothèque verte, 1978; id., *les Patins d'argent,* Hachette, Bibliothèque verte, 1976.

A consulter. — Antoine Parménie et Catherine Bonnier de la Chapelle, *Histoire d'un éditeur et de ses auteurs,* Albin Michel, 1953; « De Balzac à Jules Verne, un grand éditeur du XIXe siècle, P.-J. Hetzel », *Catalogue de l'exposition à la Bibliothèque nationale,* février 1966.

G. GENGEMBRE

HISTOIRE D'O. Roman français publié en 1954 sous la signature de Pauline Réage, où certains crurent reconnaître Jean Paulhan qui préfaça l'ouvrage. « Les contes de fées », écrit Paulhan, « sont les romans érotiques des enfants ». Ce conte pour grandes personnes, dont l'écriture choisit comme alibi la simplicité stendhalienne du procès-verbal, cultive un sadomasochisme clinquant qui lui valut un succès de scandale dans les années d'après-guerre. Il assura ainsi la promotion mondaine d'un érotisme « littéraire » dont les véritables maîtres, de Sade à Bataille, demeuraient encore ignorés du grand public. En 1969, « Pauline Réage » donna une suite à son récit sous le titre de *Retour à Roissy,* précédé d'*Une fille amoureuse*.

J.-P. DE BEAUMARCHAIS

HISTOIRE ET LITTÉRATURE. L'« histoire », sous sa forme première dans la culture de la chrétienté occidentale, n'est pas historique. Cela va de soi pour l'histoire sainte, qui manifeste un ordre éternel. C'est encore le cas, subsidiairement, pour les histoires de saints, car, si elles s'inscrivent bien dans le temps banal, leur raison d'être est justement qu'elles tranchent sur lui et s'élèvent jusqu'aux hauteurs intemporelles de l'histoire sainte. Quant à l'histoire profane, sa finalité, très proche de celle de l'hagiographie, consiste à enregistrer les *res gestae* non parce qu'elles concourraient en quoi que ce soit à amener le temps présent, mais au contraire parce qu'elles sont par leur éclat exhaussées, elles aussi, hors de l'histoire, qu'elles surplombent à jamais. Écrite pour édifier les vivants et dresser l'édifice posthume des morts illustres au front de la postérité, l'histoire est d'abord leçon.

Des mémorialistes aux moralistes

Il est naturel que les clercs s'attachent à observer leur temps aussi bien qu'à repasser les souvenirs des temps révolus, puisqu'il y a toutes chances que ceux-ci abondent en occasions édifiantes, propres à souder plus étroitement le message sacré aux évidences quotidiennes. S'ils lisent Salluste, Tacite ou Plutarque, leur attention ne va pas au déroulement de l'histoire; elle va toute aux exemples à y puiser. Peu leur chaut de même le mouvement du monde, dont ils vivent retirés, puisqu'il est en lui-même dénué de sens. Mais quel souci, chez Suger à Saint-Denis par exemple, de relever les manifestations qu'on peut y voir des desseins de Dieu, fût-ce en forçant le trait! Connaisseurs du passé et fins historiens du présent, les moines n'y lisent aucune histoire. A l'image du temps quotidien cycliquement rythmé de leurs monastères, ils ne conçoivent le temps que comme un ressassement indéfini d'un même fonds dont il faut se retrancher pour accéder au non-temps, à l'éternité.

Tout un matériau historique s'élabore ainsi en négation explicite de l'histoire. Il ne laisse pourtant pas, par son abondance et sa diversité, d'aller un peu au-delà de sa finalité négative première. Les chroniques se veulent exemplaires et probatoires; mais elles diffèrent, et sont sujettes à comparaisons. Ce qu'elles veulent prouver est identique, mais mille nuances s'introduisent dans la manière d'y parvenir. La porte est ainsi ouverte au développement des deux traits qui bouleversent les prémisses de cette historiographie en l'ouvrant aux aléas de l'historicité : d'une part, l'introduction du sujet, d'autre part, le centrage du sens de l'histoire racontée. Tel est l'apport décisif des mémorialistes.

On le mesure mieux par contraste avec ce qui prévaut auparavant : le sens de l'histoire sainte ne lui appartient pas. Il lui est en partie antérieur, en ce qu'il concerne l'essence divine et ce qui en résulte pour la nature des choses, et en partie ultérieur puisqu'il incombe à chaque génération d'en déchiffrer la lecture avec ses moyens et selon ses préoccupations propres. Elle n'a pas davantage de sujet, puisqu'on ne lui connaît pas d'auteur et que ce dont elle traite a dans sa diversité valeur universelle. C'est à tort, en effet, qu'on penserait trouver un sujet et un sens particulier dans les vies des saints qui forment la masse de la littérature du haut Moyen Âge. Bien qu'il s'agisse chaque fois d'un personnage bien précis, et qu'on puisse souvent nommer leur auteur, l'étude sérielle de ces hagiographies établit qu'elles répètent la même thématique, et les couleurs historiques de chacune ne sont qu'enluminures. *La Chanson de Roland* et, après elle, les chansons de geste singularisent davantage leur héros, et les leçons qu'elles portent revêtent chaque fois des aspects originaux, mais il demeure qu'à travers elles se développe un fonds de traditions collectives, et que la fonction de leur auteur dans l'accréditation du récit est de nulle importance.

Avec l'arrivée des mémorialistes, une étape importante est franchie. Avec eux, le sujet s'impose deux fois. Par la disjonction du cas relaté, du héros célébré, d'avec le fonds des trames du récit traditionnel, d'une part — ainsi est campé un sujet qui possède en lui-même sa logique —, par la manifestation de l'auteur dans la conduite du récit, d'autre part.

Dans l'œuvre du mémorialiste, l'événement tire sa véracité du témoignage de l'auteur, et celui-ci sa crédibilité de ce qu'il en a été témoin. Le réel et son descripteur entretiennent désormais une subtile dialectique de fondation mutuelle. De ce point de vue, le travail des mémorialistes représente l'aboutissement de courants fort disparates, depuis les annales des moines chroniqueurs jusqu'au genre épique de la littérature courtoise, et dont le trait commun consiste à produire une expression autonome des réalités profanes.

Il est intéressant d'observer que cette « autonomisation » de l'intrigue par rapport aux schémas mentaux ancrés dans l'histoire sainte, indissolublement liée d'autre part à l'affirmation du sujet comme acteur décisif des faits relatés, prend d'abord la forme de l'histoire. Étrangeté de l'aventure rapportée et unité dynamique du sujet s'engendrent simultanément et mutuellement : l'histoire est la modalité de cette double genèse.

Les mémorialistes racontent ce qu'ils ont vu, et ce qu'ils ont vu prend consistance par leur récit. C'est désormais la nature du rapport entre sujet observé et sujet observant qui accrédite l'un et l'autre. Dès lors le discours, parce qu'il lui appartient de fonder en droit les deux pôles dont il procède, pose problème — le problème du réel, dorénavant préjudiciel à toute pratique de l'esprit conscient. Ce problème qui en s'énonçant, même obscurément, ouvre aussitôt par contrecoup celui des assises théologiques sur lesquelles repose la chrétienté, est appelé à emplir toute la sphère de la pensée occidentale : initialement introduit sur le mode historique, à travers les mémorialistes, il se développe selon deux destins antinomiques : celui de la science, là où s'impose le « donné » comme difficulté principale; celui de la littérature, là où c'est le pôle du subjectif qui domine. Quant à l'histoire, la difficulté qu'elle présente de penser et comprendre à la fois science et littérature d'une manière cohérente est si grande qu'un millénaire de vicissitudes dans ses approches — et sa formulation — laisse entière la question...

Le critère de vérité que fournissent à elles-mêmes les chroniques et autres « histoires véridiques » ne s'affirme d'abord que prudemment — et sous caution des vérités révélées, autrement plus solides encore. C'est ainsi qu'en tous points où elles sont susceptibles de s'en écarter, ces chroniques intègrent tout naturellement la catégorie du merveilleux pour réconcilier la cohérence du témoignage avec celle de l'ordre admis. L'objectivité s'en trouve paradoxalement renforcée, puisque la fonction du récit est alors d'intégrer l'extraordinaire au champ du normal, et la subjectivité y trouve accréditation, en ce qu'elle atteste l'exceptionnel. Mais ce type de synthèse entre les cadres de la représentation du monde fondés sur le dogme et les surprises de l'expérience ne conserve guère crédit au-delà des premières décennies du XVIe siècle. Il finit en effet rapidement par apparaître que la vertu première de l'histoire aussi bien que des histoires, c'est de décomposer le système établi de représentation du monde. Loin de prétendre, comme nous lui en prêtons aujourd'hui spontanément le projet, à rendre compte du cours universel des choses, l'histoire sert au contraire à en spécifier les traits dérogatoires, à en présenter les aspects inattendus. Par rapport à l'imaginaire théologique, qui est l'ordre du réel, l'histoire a statut d'utopie : ce qu'elle enseigne à connaître, c'est l'inimaginable.

Cette fonction est si évidente que l'effort conscient pour subvertir irrespectueusement les arcanes de la scolastique emprunte spontanément la forme chronologique. Les *Grandes et Horrificques Chroniques du bon géant Gargantua,* la geste de Pantagruel plus encore, pastichent les mémorialistes. Rabelais y pousse à l'extrême cette potentialité de l'histoire qui est de disloquer la représentation ancienne des choses en introduisant des éléments déconcertants. Portée ainsi au bout de ses implications, l'apparente logique même de l'histoire s'y dénoue pour donner cours au fantasque, pour renvoyer l'opération d'histoire à sa signification véritable, qui est le déploiement d'une pensée subjective.

Si, dans la dialectique entr'aperçue plus haut entre auteur et réalité, c'est dans un premier temps par l'introduction des faits que s'est déséquilibré le tableau admis de l'ordre universel, peu à peu l'irruption majeure se révèle être l'apparition du sujet descripteur — et son existence comme support de pensée critique.

Ce dépassement des contraintes historiques, auquel Rabelais fait servir parodiquement la forme historienne, proclame la liberté pour l'auteur d'engendrer des scénarios capables d'expliquer les idées qu'il avance. Il indique à quel mouvement plus général l'histoire prend ainsi part. Médiatrice capitale, car germinatrice du doute, du questionnement, elle ne demeure cependant, dans cette première période, qu'un moment intermédiaire dans le passage d'un univers assujetti à l'ordre divin, vers un monde centré sur le libre sujet humain.

A peine ce renversement d'optique est-il assuré que la fonction de l'histoire se résorbe. Les *Essais* de Montaigne ne font apparaître de l'histoire que des stigmates. Tout entière consacrée à une médiation fondatrice de l'individu comme sujet, l'œuvre de Montaigne fait en effet une énorme consommation d'histoire, mais d'histoire décantée en exemples, en cas, en morales.

A ce stade d'aboutissement de la médiation historienne, le fou, comme l'a parfaitement montré Michel Foucault, est précisément celui qui persiste dans l'histoire et règle sur elle son présent, selon cette triple inversion qu'incarne le Don Quichotte de Cervantès : inversion par rapport au sens commun, demeuré réglé sur la représentation ancienne; inversion par rapport aux acquis de la modernité, puisqu'il aliène sa propre individualité personnelle aux chimères de l'histoire; inversion, enfin, vis-à-vis de la fonction de cette dernière, qui était de catalyser le passage d'un code de représentation stable à un autre et de disparaître : Don Quichotte, au contraire s'engage dans cette histoire à corps perdu. Si Don Quichotte a pu égarer sa raison à force de se gorger d'histoire, c'est à la fois parce que la production d'ouvrages historiques a été considérable et parce que le principe de réalité n'y est pas fixé : l'histoire oscille encore entre sa position divine et son ancrage dans la subjectivité humaine.

Cet éclatement d'une production d'histoire enrichit incontestablement, du XVe au XVIIe siècle, le registre de l'écriture profane; mais, si le genre historique avait pu, avec Villehardouin, Commynes, Joinville, être comme la synthèse des aspirations littéraires antérieures, il se fend en tant que structure modèle du récit, au profit, d'une part, du roman, c'est-à-dire d'une conscience claire de produire des fictions, d'autre part, de la notation, c'est-à-dire de transcriptions « réalistes, positives » d'un code de lecture inconscient, lui, de sa subjectivité.

Du sujet roi aux sujets en arroi

De la visée à la devise

Avec Rabelais, qui tourne en dérision l'enchaînement ordonné et la cohérence logique du récit historique, l'intérêt de la lecture est dirigé vers un autre axe que celui de la fresque; c'est une éthique qui s'en dégage. Les tribulations de Pantagruel ne servent qu'à relever en lui les traits exemplaires de l'homme accompli. La même distillation d'une immense épopée prend, chez Montaigne, un tour beaucoup plus recherché. Un recueil de l'aventure humaine, déjà décantée par les filtres d'une tradition culturelle attachée à l'exemplarité, sert de bain amniotique à l'embryon d'honnête homme dont sa méditation cherche à enfanter l'image idéale. Telle est la tendance, de la Renaissance à l'apogée du Grand Siècle : parcourir d'amples compilations dont l'authenticité importe peu, aux fins d'en dégager une morale. Le point d'achèvement de l'art historien, c'est la devise. Le règne de Louis XIV, assez systématique et long pour porter au classique ce mouvement culturel en cours d'ordonnancement graduel, pousse cette tendance à sa perfection. Le plus grand ouvrage d'histoire du Grand Siècle doit se rechercher au plafond de la galerie des Glaces à Versailles, où d'immenses caissons supportent chacun la représentation peinte d'un grand acte du règne, nommé en phylactère d'une formule frappée comme un proverbe. L'histoire se lit aux frontons des arcs de triomphe, à l'avers des monnaies. Le sens en est épuisé en trois mots : *Nec pluribus impar,* « au-dessus de tous les hommes », la devise de Louis XIV; tout à la fois programme, constat, explication.

Les formes d'écriture qui environnent ce zénith d'une acception fixiste, précopernicienne de l'histoire trouvent leur plénitude parce qu'elles tendent à ordonner le mouvement de la vie en une identité humaine où vient s'abolir l'histoire. La tragédie incarne justement l'esprit de ce siècle où l'histoire relatée n'est perçue que dans la mesure exacte où elle se résorbe en une image de l'humanité exempte de toute référence au temps.

La certitude inébranlable, quant aux canons de l'ordre du monde, qui a habité Louis XIV au long de ses soixante-douze ans de règne, a orienté et soutenu cet immense effort pour inscrire dans des formules aussi réglées que le cours des planètes toute l'histoire humaine, pour faire de l'histoire une écriture. C'est le même effort qui transforme la nature en parc où se donne d'abord uniquement à lire l'écriture d'une volonté; qui orchestre le sabbat des passions humaines, toutes incarnées à la Cour en un cérémonial réglé comme un ballet; qui commande une pensée laïque et religieuse toute tendue vers l'inscription de tout le possible humain dans les quelques très strictes formes qui suffisent à l'épuiser; qui ordonne enfin l'histoire entière en un vaste monnayage d'une unique espèce (*species,* effigie), l'image de l'homme et du monde que synthétise la forme la plus approchante de l'idéal, la personne royale *nec pluribus impar...*

L'âge classique a cherché les asymptotes de l'histoire. Qu'il la décrive comme une fonction — c'est Bossuet rapportant l'Histoire universelle aux desseins de la Providence — ou qu'il mette son génie à établir des archétypes assez sûrs de l'identité humaine — on pense ici à La Fontaine, La Rochefoucauld, Boileau, La Bruyère ou Molière —, il représente l'effort le plus poussé pour abolir l'histoire en une connaissance définitive de l'Être.

Mais la construction de l'homme sujet comme élément unique sur quoi fonder l'univers peut-elle être menée jusqu'au bout sans secours extérieur? Pascal seul a la claire conscience de ce que tel est bien le problème posé, et qu'il n'est d'issue pour le résoudre que de parier qu'il ne se pose pas, autrement dit de parier que Dieu demeure, avec tout ce qui s'ensuit de garanties ontologiques concernant la réalité et l'ordre du monde. Les libertins se passent de ces garanties et parient, quant à eux, à l'inverse, sur la valeur absolue du sujet. C'est toute leur philosophie qu'exprime le *Dom Juan* de Molière, et il est significatif que Pascal reconnaisse en eux les seuls interlocuteurs avec qui entrer en dispute. Sauf à recourir à l'un ou l'autre de ces deux paris antinomiques, expressions à l'état pur de la solution poétique ou littéraire au problème du réel, le rapport ontologique entre le sujet et l'univers est très difficile à établir. La seule façon d'y parvenir est de faire référence à une transcendance cachée, à un absolu intime, auquel le sujet tende à se conformer, ce qui amène au double paradoxe de constituer le sujet par le truchement d'un ordre absolu et de nier l'histoire en l'accélérant par les actes que cette négation exige pour s'imposer.

Louis XIV est en effet obligé, pour être l'exécutant de ce projet, qu'il ne peut que croire divin, de réaliser l'ordre absolu tant dans les choses que dans les caractères et dans la société, de réduire par la force la bigarrure sociale, régionale ou confessionnelle de son peuple. La noblesse est bafouée, les protestants persécutés, les adversaires bousculés. Pour établir un ordre définitif ou absolu, il subvertit complètement l'ordre établi, fait d'équilibre, d'approximations, de compromis (dont l'édit de Nantes offre le modèle), et, ce faisant, il lèse des intérêts, des forces, des conceptions qu'il méconnaît.

Pour ces forces et ces intérêts, l'unique appui dans l'immédiat et le seul recours pour l'avenir, c'est l'histoire. Scruter passionnément le passé pour mettre en évidence l'abus, voire l'imposture, que représentent les actions engagées; en appeler à l'avenir pour faire justice de la tyrannie endurée : dans l'immédiat, croire aux chances et même au primat des forces de vie qui luttent contre l'ordre mortel, tels sont les uniques supports de la résistance, les premiers arguments de la révolte. Elle est multiple : protestants des Cévennes, dont la foi, c'est-à-dire la raison de lutter, est identiquement un récit de leur propre insurrection, dans une prophétie vécue; Boisguilbert (l'auteur du *Détail de la France* et du *Factum de la France*) ou Vauban (*la Dîme royale*), également attentifs à la contradiction entre les effets de l'ordre souhaité et les fins qu'ils s'accordent avec le roi à poursuivre pour sa plus grande gloire; Saint-Simon, aux antipodes de ces deux contraires, luttant *in petto* contre un fait monarchique qui lui semble dévoyé — tous ont un refuge commun : faire de l'histoire.

Si l'esprit de fronde a cette particularité de conjoindre l'appel au mouvement d'une histoire subversive (cardinal de Retz) et la soumission aux canons d'un ordre définitif (La Rochefoucauld), il y a de la fronde dans ces trois veines-là. Le camisard Jean Cavalier se rendit; Vauban accepta sa disgrâce, dans l'obéissance; Saint-Simon demeura courtisan. Il reste que chacune porte en elle un énorme potentiel historique.

Pour achever de décrire le gisement de pensées historiques que le XVIIe siècle accumule, il faut tenir compte de l'exégèse, ou science de l'histoire sainte.

En effet, les vicissitudes de l'humanité trouvent alors leur complète exposition dans une histoire valant représentation; dans l'histoire sainte précisément. Mais les Écritures ne pouvaient que dépasser de fort loin un monde qui, massivement, les ignorait et n'en était plus guère touché. Toute exigence de serrer de près les textes sacrés dans le dessein d'ordonner l'existence selon leurs dogmes ne pouvait que se heurter à la complexité des choses humaines et plus encore au lapsus continu des livres saints. A mesure que se précisait l'intention de régler ce bas monde sur un ordre assimilé peu ou prou aux commandements implicites de l'histoire sainte, celle-ci se révélait incertaine, confuse, ambiguë.

Une double carrière s'ouvrait ainsi à l'herméneutique sacrée : l'une tendant à déterminer à force d'exemples — ou dans la sublimation d'idéotypes — l'invariant dans la nature vécue; l'autre cherchant des preuves pour l'établissement des assurances de la foi. Nous avons vu le premier courant se lier à d'autres mouvements et déboucher sur une sorte de grammaire de l'humain où se résolvent tout discours, toute variation. L'autre présente l'intérêt de n'avoir pu porter que sur des recherches formelles : parce qu'il était inconcevable qu'à la parole divine vînt s'opposer le doute d'une critique, les seules modalités de discussion pour de tels textes étaient la rectitude formelle de leur établissement, les règles correctes de leur assemblage, les codes techniques de leur interprétation.

Au cœur de cet effort d'exégèse, la recherche linguistique : *In principio erat Verbum*; impossible de s'entendre sur le texte de l'Écriture si la langue n'est pas absolument comprise. Mais plus l'on s'attache, par exemple, à établir le caractère de langue originelle de l'hébreu, sans lequel il n'est pas de certitude dans les versions grecque, latine, moderne de l'Écriture, plus s'impose l'évidence démontrée de l'originalité des autres langues : force est bien de convenir de leur historicité. De telle expérience de l'irréductibilité de l'histoire sortira une méthodologie — même rudimentaire — de la critique historique, à laquelle s'attache le nom de dom Mabillon.

L'écriture historique qui gagne ultérieurement tous les domaines de la pensée ne sera jamais autre chose qu'une combinatoire en proportion diverse selon les moments de ces quatre éléments : l'exigence méthodologique et exégétique, avec Mabillon; l'ardeur incantatoire, avec la relation orale cévenole; la volonté de démontrer, avec Saint-Simon; le principe de réalité, avec Vauban. L'avènement de cette écriture n'allait plus tarder : les termes des règnes de Louis XIV et de Napoléon encadrent exactement ce retour de l'histoire, 1715-1815.

Du verbe aux principes

La pensée classique, à son apogée, représentait le degré zéro de l'historicité. Son problème était l'écriture, voire la grammaire. A l'esprit de se construire dans la lettre : « Ce qui se conçoit bien, s'énonce clairement » (Boileau). Autrement dit : « Toute histoire se réduit à un énoncé ». Les mutations historiques prennent qualité de genèse, de conception (processus) par la seule clarté syntaxique, sémantique ou sémiologique des formules qui les décrivent. Toute la difficulté est celle de cet énoncé, qui peut être énonciation, c'est-à-dire à son tour processus. Si la bonne venue naturelle de la conception garantit, comme par réflexion automatique, la clarté de l'énoncé qui en rend compte, à l'inverse il peut falloir un difficile travail d'énonciation pour repérer les voies d'une conception dénuée d'évidence *a priori.* Dans ce cas, il y a littérature, c'est-à-dire exercice discursif sur l'énoncé : le XVIIIe siècle expérimente qu'à la poursuite de cette clarté d'énonciation l'art poétique doit dévier en littérature, lieu privilégié d'un « bien conçu » lui-même évanescent : ainsi la littérarité incorpore-t-elle inévitablement en elle-même l'historicité, ce mystérieux mouvement de genèse confuse qui semble à l'œuvre dans la réalité; l'histoire infiltre irrésistiblement l'Écriture, à raison même de l'effort auquel se livre cette dernière pour inscrire son objet en un appareil textuel achevé comme un monogramme.

Les illustrations abondent de cette dérive qui corrompt sans espoir de retour cet idéal d'une « inscription » définitive : de Montesquieu à Choderlos de Laclos et au Rousseau de *la Nouvelle Héloïse,* c'est la construction d'un texte qui échappe à l'unité d'un discours pour se monnayer en lettres, c'est-à-dire une littérature qui contourne sa propre unité. Chaque lettre est une histoire et un message qui prend son sens du renvoi qu'elle constitue à une textualité absente, celle du livre entier. Cet effort, le plus éloquent, pour donner à une histoire une identité absolue, en esquivant le soin de l'énoncer, pour concevoir un texte avec perfection en éludant son écriture — puisqu'il n'existe qu'au point imaginaire de rencontre des lettres qui en tiennent lieu —, est aussi celui qui ouvre carrière au maximum d'historicité.

D'abord parce que la position, seulement virtuelle, du lieu de production de l'énoncé central laisse toute latitude, dans la textualité concrète, de naviguer à loisir parmi les singularités du monde, sans se soucier de leur référence directe au sens définitif à produire : si *les Liaisons dangereuses* ont pour finalité d'exposer une leçon fort morale, toute licence est offerte de peindre dans telle ou telle lettre les plus scabreuses des situations.

Ensuite, parce que l'absence, dans le texte, de toute focalisation le laisse disponible à toute imposition de sens : les *Lettres persanes* relatent les expériences parisiennes d'Usbek et Rica. Libre à chacun d'y lire un message politique subversif ou une banale chronique mondaine aimablement romancée. L'histoire en train de se faire peut sans abus investir cette littérature, et devenir pour elle une arme, un symbole, un miroir.

L'*Encyclopédie* relève du même genre d'abstraction. Substituer à l'aporie d'un texte positif concentrant toute l'identité universelle la tentative d'une réunion alphabétique des mots, c'est à la fois vouloir, comme au cours du Grand Siècle, l'énoncé naturellement clair de la totalité et permettre qu'en celle-ci s'engouffrent les jeux d'annonce de l'historicité. L'unité de l'*Encyclopédie* est donnée par un centre vide où l'on peut aussi bien placer l'imaginaire Honnête Homme, Dieu, le Serpent d'Eden, la Société, le Pouvoir ou quelque idéologie que l'on voudra. Sa substance est faite de notices où se déploie sans contrainte et jusqu'à la représentation figurée l'expression des singularités du monde, avec l'expression des questions ouvertes qui s'y rattachent. L'histoire investit par les deux bouts — celui de ce centre évanescent, celui de chaque notice — cette ultime tentative pour faire se produire — c'est-à-dire à la fois se concevoir et s'énoncer — l'identité terrestre, et cela grâce à l'artifice d'un non-texte, d'une non-œuvre.

Cette entrée en force de l'histoire dans la littérature, ou plutôt cette identité substantielle de l'histoire et de la littérature en tant qu'écriture du Temps demeure — ici du moins — encore inapparente. Mais il est ailleurs des degrés plus marqués d'intrusion d'une substance historique dans le littéraire. Jacques le Fataliste, dans le récit de Diderot, en offre un assez bon symbole, lui qui renvoie au « Grand Livre » de là-haut le soin de tout tenir écrit, pour s'accommoder sans plus d'embarras des vicissitudes de l'existence : ce voyage, ce récit, cette histoire. Les romans de Voltaire — *Candide,* par exemple — mettent en cause par le seul jeu de leurs épisodes cette hypothèse de l'intégration ultime.

L'histoire est corrosive, et la littérature, qui s'en pénètre, trouve en elle un mouvement, cesse de répondre au ressort qui l'animait, celui d'une pensée du mécanisme universel. Le mouvement a brisé la montre. Il ne s'en amplifie que mieux, prend autonomie et définit lui-même des structures — qu'il ordonne.

Ce comble de la pensée classique, cet unique aboutissement donné par Louis XIV à l'idéal d'identité dans tous les domaines, du territoire national à l'art théâtral, en passant par la politique et la religion, devient, sous la plume de Voltaire, *le Siècle de Louis XIV.* Voilà le roi qui se concevait comme l'instrument d'un ordre infiniment supérieur à lui, dont l'éternité imposait sans conteste qu'il fût observé dans l'instant et sans cesse, devenu désormais le symbole d'une phase historique de transition. Quel renversement! Louis XIV objet d'histoire, son temps caractérisé pour n'avoir été qu'un siècle! Le moteur, l'écriture et l'action sont bel et bien passés de l'extérieur — le Verbe ou ses avatars terrestres — à l'intérieur de la production littéraire; la nature humaine, les époques de l'humanité, les questions de la société se pensent dans les termes et selon les rythmes que leur fournit l'écriture. Corrélativement, tout a vocation à n'être plus qu'histoire, c'est-à-dire matière à littérature. La préoccupation centrale devient celle du mode d'écriture pour celle-ci, c'est-à-dire du code de reconnaissance sociale des discours tenus. A côté de son *Histoire naturelle,* Buffon, significativement, rédige un *Discours sur le style.* Tout est affaire de style : la main qui tient la plume (le style?) gouverne l'identification des réalités en les présentant selon un style dans lequel se reconnaissent les contemporains; l'énonciation gouverne la conception. Et la clé du réel appartient, en somme, au débat vivant, aux enjeux vécus, puisque la manière dont ces problèmes se résolvent décide de l'orientation que prendra l'intelligence du réel. Celui-ci est un discours que les hommes tiennent aux hommes.

L'historicité absolue

Évacuée des formes de l'expression collective par le classicisme, l'historicité n'y a pas retrouvé son lieu d'inscription. C'est par prétérition — ou à titre instrumental, on l'a vu — que le siècle des philosophes l'a réintroduite dans la littérature. L'intention classique continue, au XVIIIe siècle, de servir de base à l'activité de l'esprit; et, lors même qu'il est fait recours à l'historicité, soit explicitement, soit dans les procédés littéraires, ce n'est encore que pour traiter de façon critique, sans doute, mais dans le cadre de la même problématique, la thématique classique : *Candide* se présente, certes, comme un roman à forme historique, mais ce n'est que pour donner plus de force à une rageuse polémique contre la plus puissante expression du classicisme métaphysique : l'algèbre philosophique de Leibniz.

C'est hors de la littérature que l'historicité fait son chemin. Elle y point de place en place, donnant à tel ou tel ouvrage la valeur d'un acte politique. La littérature intègre mal l'histoire, mais déjà elle appartient à l'histoire, par sa fonction sinon toujours par ses objets. L'écriture prend son sens directeur de sa position dans les conflits vivants. L'histoire se saisit d'elle. Chef-d'œuvre dans lequel l'histoire n'a en vérité guère de part, *le Mariage du Figaro* (1784) devient un acte politique, un phénomène historique, un agent dynamique de l'historicité. Lorsque le mouvement de celle-ci, amorcé dans les premières révoltes contre Louis XIV, vient déferler en 1789 sur la conscience européenne, c'est l'historicité qui va brutalement absorber la littérature. Sitôt engagée, la Révolution française fait s'épanouir le discours de l'histoire. Ce n'est plus la pensée qui canalise et dirige l'histoire par la magie d'une forme littéraire maîtrisée, c'est l'histoire qui désormais oriente la pensée.

Mais quelle histoire? Tout le problème est justement de la dire, et peut-être de l'inventer. Car on assiste alors à une extraordinaire poursuite entre les actes et l'expression, entre l'histoire à l'œuvre et l'invention de l'historicité comme modalité de gouvernement des hommes et de conception du monde. Le pouvoir appartient non pas aux discours les plus opératoires, non pas — à l'inverse — aux plus idéalistes, mais bien aux discours qui reflètent le plus immédiatement, le plus instinctivement un moment de l'histoire. Le pouvoir de Robespierre n'a pas d'autre source. Sa parole ne guide ni ne suit. Elle exprime une historicité qu'elle rend consciente pour la collectivité et susceptible, par conséquent, de se traduire en actes, en politique. Actes à l'état pur, politique sans programme autre que de s'affirmer elle-même, et dont la Terreur est la manifestation la plus caractéristique. En quelques mois, de la scène du Jeu de paume à l'enclenchement de la guerre et de la Terreur, l'historicité diffuse dont seules, peut-être, les œuvres incomprises de Sade emprisonné et de Rousseau relégué annonçaient l'énorme poussée subversive, s'impose, cherche sa formulation et parvient enfin à régner sans partage selon la modalité absolue de la Terreur, antonyme parfait de l'ordre intégral recherché jadis sous le Roi-Soleil.

Par cet insupportable effet qu'il comporte, avec son environnement de périls intérieur (la Vendée) et extérieur (l'invasion), de tensions et de drames, l'avènement direct de l'historicité exige une révolution de pensée; il exige que la Révolution se fasse elle-même pensée. La violence dévorante et irréversible de la Terreur, tout à la fois impose sans retour la prise en compte de l'historicité, et appelle d'urgence une capacité nouvelle à la maîtriser par la raison, le discours, l'émotion même. Toute une nouvelle culture est à inventer, qui devra renoncer à penser l'absolu pour réguler le relatif, s'en faire une représentation satisfaisante, lui trouver un sens. Désormais, le mouvement de l'histoire est irréversiblement lâché, et tout le problème devient de la traduire en concepts, en textes, en savoir.

D'une logique de l'écriture absolue érigée à Versailles sous Louis XIV, il n'a fallu qu'un siècle pour passer à l'extrême opposé d'une logique de l'histoire absolue, la Terreur, où l'histoire impose un discours qui implique l'histoire et l'historicité radicale de ceux qui la font.

D'une révolution de pensée à la révolution pensée

L'histoire nécessaire

Ainsi, à l'inverse du mythe romain, la littérature avait nourri de sa mamelle une louve dévorante. Brutalement affranchie, celle-ci avait soudain ravagé la nation et l'Europe. Tout le souci du siècle qu'enfante la Révolution française fut, une fois le fauve capturé et enchaîné, de savoir ce qu'on pouvait en faire. Pas plus que l'ogre exilé à Sainte-Hélène, on ne peut vraiment anéantir l'histoire, moins encore l'oublier; il n'y a pas d'autre ressource que de s'appliquer à la conduire — et d'abord à la connaître.

La nommer est la première des démarches. Le XIXe siècle est le siècle de l'histoire moins pour s'être abandonné à elle que pour l'avoir reconnue, aux deux sens du terme : comme on légitime un enfant et comme on explore une contrée. Les « histoires » fleurissent, et au premier chef celles qui tentent de cerner l'événement capital grâce auquel l'historicité, contenue jusqu'alors dans la littérature, s'est ruée au-dehors, semant la Terreur. De l'*Histoire des Girondins*, de Thiers, à l'*Histoire de la Révolution française* de Jaurès, en passant par les ouvrages de Guizot, de Cochin, de Taine, de Burke, de Tocqueville, de Michelet..., l'événement est indéfiniment remémoré, reconstruit, interprété.

Pratiquer l'histoire est par là une manière de s'engager dans l'histoire. Pour en blâmer les abus et recommander d'autres modes d'expression sociale (« Enrichissez-vous », conclut Guizot); pour en exalter les élans, et appeler à les retrouver, à la manière des communards, qui pensent leur mouvement social comme une véritable investigation de la Grande Révolution; pour en mesurer l'incidence, comme Alexis de Tocqueville, et ouvrir une réflexion sur les rapports entre accidents et continuité — réflexion qui s'inscrit désormais tout entière sous les auspices du temps qui passe.

L'intérêt pour le passé réside d'abord dans le besoin qu'on en a pour donner consistance aux principes que l'on voudrait faire prévaloir pour l'avenir. L'impérieux souci de diriger ce cours de l'histoire dont on a appris à redouter l'impétuosité porte à débattre du futur immédiat en argumentant sur l'histoire récente, ou encore à se repérer sur des exemples du passé mieux connus. L'élan vers l'histoire est l'effet naturel de la course qui s'engage entre partis, entre clans, entre nations, pour la maîtrise d'une histoire qui emplit beaucoup plus le futur qu'elle n'a de fondement dans le passé. L'historicité survenue avec la Révolution française n'a, par nature, presque pas de racines connues dans le passé — toute la vie d'Augustin Thierry tendra à en découvrir dès les temps mérovingiens, et à équilibrer ainsi l'obsession du futur qui est le véritable lieu de l'histoire dans le deuxième quart du XIXe siècle.

Le statut des utopies en est une indication : généralement situées, au XVIIIe siècle, « dans l'enfance des sociétés », « à l'origine », etc., les situations imaginaires, idéalisées ou non, étaient, chez Rousseau comme chez Adam Smith, présumées initiales. Elles n'avaient d'autre fonction que d'exposer des structures en faisant l'économie des singularités contemporaines susceptibles de les voiler. Au XIXe siècle, au contraire, les utopies sont des projets. Elles assignent à l'histoire un point de mire. Là où une histoire fictive, simple convention d'exposition, indiquait le passage de l'état utopique au présent, tout le problème est désormais de peser sur l'histoire pour atteindre un état de cet ordre. L'histoire se joue au futur; ce sont des actes qu'elle appelle, et des idéologies plutôt que des enseignements du passé. Tout impropres que soient ceux-ci à expliquer génétiquement le présent, ils vont pourtant s'avérer de commodes références pour argumenter : la constitution du *Recueil des monuments inédits de l'histoire du tiers état,* à laquelle Augustin Thierry consacre la fin de sa vie, répond dans cet esprit à la volonté de ruiner les prétentions de l'aristocratie restaurée en établissant que le passé se prononce contre elle. D'une histoire annalistique, simple adjuvant d'une représentation stable du monde, on en vient à une histoire centrée sur les enjeux du présent et de l'avenir, construisant à partir du passé les objets qui conviennent à sa problématique.

L'égarement qui préside à l'obligation de savoir comment diriger l'histoire pour demain est redoublé par l'éclatement du champ des curiosités ; ce dont témoigne la littérature. La littérature du XVIIIe siècle, si elle ne manquait pas d'imagination, restait structurée par un ordre cohérent de préoccupations. Celle d'après la Révolution semble avoir elle aussi succombé à la poussée de l'historicité et rompu les cadres de pensée qui la structuraient pour s'épandre dans tous les domaines où il peut s'imaginer quelque chose. Parce qu'elle devient apte à tout porter, à tout absorber, la littérature s'enfle, et les cerveaux débiles de Bouvard et Pécuchet, chez Flaubert, peuvent y trouver pêle-mêle absolument tout. Dès lors, s'il faut qu'un sens demeure attaché aux ouvrages en sus de celui que l'on prête à la musique des mots, un effort de mise en ordre est indispensable. En présence de la boursouflure du registre de la littérature, rendue plus énorme encore par le génie de quelques monstres comme Hugo ou Balzac, Flaubert s'acharne à introduire l'ordre d'une forme qui rende le littéraire à sa fonction de pensée, plutôt qu'à celle de fourre-tout pour le réel : dans *l'Éducation sentimentale,* par exemple, la narration historique s'intègre à la peinture morale en se soumettant à l'ordonnancement savant du roman. Le travail sur la forme littéraire, qui se poursuit concurremment avec le débordement permanent d'une production littéraire au champ de référence illimité, manifeste le souci de trouver une règle, pour donner sens à l'épanchement débondé de la mémoire des faits.

Chez Flaubert encore, une seconde ligne se dessine parallèlement dans *Salammbô.* Le sujet en est historique d'une manière presque hypersymbolique : moins par l'époque reculée que parce que face à Rome, ce substitut du présent de n'importe quelle époque — témoin la tragédie classique, le décentrement du sujet à Carthage — exprime une attitude diamétralement opposée.

A ce titre, *Salammbô* est le blason de la littérature nouvelle; si Flaubert y redouble de scrupules proprement littéraires dans l'écriture, la composition, le traitement du récit, il ajoute à cette manière d'organiser le débridement des images un autre type de mise en ordre : la référence à un sérieux documentaire. Il rejoint par là ce qui anime toute une génération d'historiens, fatigués, avec Augustin Thierry, de cette histoire répétitive et militante à la fois, et résolus à partir désormais de sources sûres pour établir une référence objective inattaquable. L'effort d'exhumation et d'étude qui en résulte porte presque aussitôt des fruits inattendus, et qui donnent d'emblée une tout autre échelle aux questions débattues.

L'homme selon Bossuet et selon Fénelon avait tout simplement les cinq mille ans d'âge que les computs bibliques permettaient de lui assigner — et, quand sir William Petty, au XVIIe siècle, s'avisa d'inventer la démographie, ce fut pour mieux prouver la valeur de la Bible sous l'angle chronologique. L'homme que les historiens du premier XIXe siècle font découvrir échappe vite aux 150 000 ans que Buffon assignait encore à l'histoire entière de l'univers, et il impose rapidement sa précellence dans la construction du monde. Avec Boucher de Perthes, dont, en 1847, les *Antiquités celtiques et antédiluviennes* disent assez combien il appartient pourtant au courant romantique évoqué ci-dessus, naît en effet la paléontologie. Rudimentaire encore en ses datations et analyses, elle représente surtout un seuil fondamental de l'émergence d'une optique scientifique dans la considération du devenir humain. Elle pose en effet la double hypothèse d'une réalité propre de l'histoire humaine, et d'une lisibilité spécifique de celle-ci. Elle qui apparaissait, au Grand Siècle, comme variations superficielles sur un thème éternel, puis, au XVIIIe, comme un mode d'exposition des problématiques débattues, enfin, au début du XIXe, ou bien comme un amas incohérent ou bien comme un classement idéologique devient une évolution dont les traces peuvent former un système lisible.

L'histoire en extension

La Révolution française ressemble à une énorme cataracte engloutissant en chutes tumultueuses les eaux d'un grand fleuve métaphysique où se mirait le Ciel. A la manière dont, au bas du saut, les flots se pressent et semblent lutter pour reprendre leur cours, tous les courants de la société rivalisent à qui trouvera le premier les chemins de l'avenir. C'est dans cette situation que l'histoire jaillit comme instrument polémique. Mais à peine s'exerce-t-elle qu'elle découvre derrière la cascade les assises géologiques sur lesquelles reposait l'ancien fleuve.

Guizot l'exprime nettement : « Il faut bien que les causes en aient été placées dans les temps antérieurs » (*Essais sur l'histoire de France,* 1823). Tocqueville le démontre, et va même beaucoup plus loin en établissant que non seulement la Révolution a été mûrie de longue date par l'histoire mais que les mêmes déterminations persistent après elle. La prise de conscience soudaine de l'historicité se dépasse en une découverte du poids de réalité qui appartient à l'histoire. Derrière le miroir d'une littérature philosophante, brisé par l'historicité, s'ouvre l'immense panorama de l'histoire. L'investigation documentaire sur quelque époque que ce soit devient alors identiquement « histoire philosophique ». Guizot encore le fait comprendre : « Depuis quelque temps, on parle beaucoup, et avec raison, de la nécessité de renfermer l'histoire dans les faits, de la nécessité de raconter [...mais] ce qu'on a coutume de nommer la portion philosophique de l'histoire, la relation des événements, le lien qui les unit, leur cause et leur résultat, ce sont des faits, c'est de l'histoire, tout comme les récits de bataille et des éléments visibles ». Renan peut bien alors écrire que « la recherche historique et critique est la vraie philosophie de notre temps », puisque c'est par elle que se comble le vide pour ainsi dire ontologique qu'avait ouvert le tourbillon de l'historicité, le vortex de la Révolution.

Mais cette valeur de philosophie qui incombe de la sorte à l'histoire n'en simplifie pas le problème : car si elle permet au même Renan d'écrire que « ce qui importe, c'est la ligne générale, les grands faits qui surgissent de celle-ci et qui restent vrais même si les détails se révèlent faux », quel devient son critère de vérité? Faut-il le chercher dans la qualité littéraire de la restitution vivante puisque pour Augustin Thierry, Michelet, Guizot, Thiers ou Barante le propre de l'histoire réside dans la peinture, la narration, l'évocation? Faut-il au contraire, avec les positivistes, s'attacher à la méthode, dont, à la fin du siècle, Charles Seignobos posera les principes? Mais les méthodes sont à leur tour objet de querelles historiques, et si la qualité de l'évocation doit, à l'inverse, l'emporter, le secret n'en appartient-il pas mieux à Chateaubriand, Hugo, Mérimée ou Dumas qu'aux académiques travailleurs?

Ce qui a nom « histoire » et qui embrasse une vaste famille composite, de Sainte-Beuve à Auguste Comte, semble résulter d'une double « solidification » dans la littérarité : solidification d'un code de lecture ordonnée des grands épisodes du passé, que le système éducatif se chargera de pétrifier; solidification d'un mode de qualification du discours historique par quelques règles de recoupement, de vérification — mais sans aucune réflexion sur les puissances falsificatrices qui peuvent affecter l'énonciation. L'histoire est toujours alors l'histoire de quelque chose, et ce quelque chose est la véritable substance, l'histoire n'étant que le répertoire de ses accidents. Or, le débat roule sur l'histoire, ses formes et ses modalités, et non sur cet objet dont elle traite. Et pour cause : ce qui a été compris du basculement introduit par la Révolution, c'est que l'histoire était première. Ce qu'on en a conclu, c'est qu'il fallait la découvrir. L'immensité du champ s'est d'abord offerte, qu'il était naturel de parcourir, quadriller, occuper. Ce faisant, on s'éloignait nécessairement du problème posé, qui était en somme de trouver la formule algébrique permettant de définir et mesurer cette aire épistémologique sans avoir à l'arpenter. Dans l'excellence de ses travaux de quadrillage du territoire de l'historien, l'histoire se condamnait à l'empirisme le plus évasif quant à la personnalité spécifique de ce territoire, tant qu'elle ne reviendrait pas au problème originel de « penser la Révolution française ». Elle trahissait par là son inconsistance en tant que discipline — *a fortiori* en tant qu'objet de science.

L'invention attendue d'une épistémologie des sciences humaines

Deux dimensions de l'esprit sont, en cette fin de XXe siècle, en train de s'affiner : celle qui approfondit le concept et la réalité du subjectif, principalement à travers la littérature; celle qui se fonde sur la réalité concrète par la médiation de la science.

En lançant son fameux « Madame Bovary, c'est moi », Flaubert découvrait le premier la voie ouverte à l'étude du sujet, celle de l'écriture. La recherche formelle sur la textualité touche en effet aux fondements mêmes de la notion de sujet, en posant le problème d'engendrement mutuel de l'auteur et des personnages. Portée à son plus haut degré d'abstraction dans la recherche poétique mallarméenne, la connaissance du « sujet » progresse par l'expérimentation romanesque, qui culmine avec Marcel Proust. La littérature ne consiste plus à produire des textes : elle est, en son essence, une expérience de la subjectivité, un travail sur les formes qui permettent d'appréhender la dimension singulière de l'identité humaine. En allant, pour leur part, au-delà des formes, les surréalistes mènent plus loin encore ce mouvement de recherche. Ils poussent l'autopsie du sujet jusqu'à des limites qui confinent aux progrès du pôle contraire, celui du réalisme objectif des scientifiques : l'expérience littéraire de l'inconscient, par exemple, vient toucher aux recherches psychanalytiques, parties, elles, des connaissances médicales établies aux frontières des sciences exactes. Ces dernières avancent à pas de géant. Les bases de ce qui occupera les scientifiques jusqu'aux abords immédiats de notre décennie sont établies au tournant du siècle. Elles paraissent suffisamment solides pour servir d'appui à une philosophie scientiste tendant à rapporter l'ensemble des phénomènes susceptibles d'être reconnus à des lois immanentes au réel. L'œuvre humaine se ramenant à les découvrir, il est essentiel qu'elle tourne le dos à toute préoccupation subjectiviste, pour s'appliquer à être conforme à ces lois.

L'irrésistible gravitation définie par les deux orientations de la recherche qu'incarnent respectivement l'intellectuel à la française — mi-philosophe, mi-écrivain — et l'ingénieur laisse l'histoire en déshérence, situation qui permettra aux « sciences humaines », dans le vide épistémologique ainsi ouvert, de prospérer anarchiquement. Dans un système axiomatique qui ignore la troisième dimension et, se ramenant à deux axes non sécants, n'est capable de définir aucune origine et *a fortiori* aucun sens, trois voies seulement s'ouvrent à un « désir d'histoire » (Alain Touraine) : celle du matérialisme, qui en fait un très imparfait accessoire dans la panoplie des sciences, loin derrière l'économie et même la sociologie; celle du subjectivisme, qui, après avoir posé comme existants des objets tels que « la France », « l'Ancien Régime », « la Révolution industrielle », etc., en raconte les tribulations; celle enfin de la documentation empirique pure et simple, privée de sens et de valeur, ou simple annexe de l'une des deux premières.

Venue au monde sous l'empire d'une anxiété politique relative à l'avenir qu'il fallait construire au jour le jour dès l'instant où la Révolution avait interdit tout moyen de le faire procéder d'un passé enté sur la transcendance, la pensée historienne participe de cette indétermination qu'elle est appelée, de toutes parts, et dans la contradiction, à lever. Parce que l'histoire se constitue en sous-œuvre d'une historicité qui a jailli au-devant de la scène et entraîne le monde en avant, elle ne peut acquérir l'identité que la science trouve dans l'évidence des lois physiques, et la littérature dans la présence manifeste du sujet pensant au sein de son milieu, la langue.

Engagé dans le paradoxe d'avoir à rendre compte en termes stables d'un processus essentiellement proleptique, c'est-à-dire explicable uniquement selon les repères que lui donnera un avenir indéfiniment aléatoire, l'histoire ne peut y parvenir qu'en s'appuyant sur les acquis — exogènes à son propos — de la science ou de la littérature. Ou bien elle se saisit d'une identité admise, et elle en arrange l'exposé selon une modalité réglée par la chronologie et la caution de pièces authentiques, mais en demeurant tout entière narration — c'est flagrant chez Michelet, mais cela vaut aussi pour le premier académicien de l'audiovisuel, Alain Decaux; ou bien elle s'ingénie à traiter les matériaux légués par le passé en utilisant les méthodes scientifiques, et d'abord afin d'établir ces matériaux. Une infinité de sujets passionnants sont dus à la première approche. La seconde a l'immense mérite d'avoir mis au jour des masses de matériaux ensevelis. Mais dans aucun des deux cas l'histoire ne maîtrise l'historicité.

L'une et l'autre démarche relèvent de l'idéologie, en ce qu'elles cherchent leur centre de gravité dans une zone déterminée comme stable par deux conceptions du monde justement exclusives de l'historicité — la science et la littérature, l'étude de l'objet physique et celle du sujet.

L'histoire des grands sujets est toujours à refaire, car ne fondant pas ce sujet, l'histoire qui en est écrite est inévitablement commandée par l'acception selon laquelle il est posé au départ, cette acception exprimant une manière contingente de voir. L'histoire « scientifique » traite de grandes séries et s'appuie sur des « faits ». Mais que peut-on inférer de ces faits? En quoi sont-ils pertinents? Pour orienter la recherche des « données », justifier le bien-fondé des inférences tirées de telle ou telle série, il faut invoquer une conception mécaniste de l'histoire, conception qui prévoit que l'historicité est déterminée par des « réalités », et qui donc la nie...

C'est par abus de langage qu'on parle d'histoire pour désigner tant l'approche par le sujet que l'étude par les « sources », excroissances respectives de la littérature et des sciences, à la fois parce qu'il s'agit de deux courants contraires et parce qu'il n'y a d'autre unité pour les réunir que la commune imposture de leur accréditation idéologique en qualité d'explication du devenir humain.

Les historiens furent les premiers sensibles à cette supercherie qui consistait à appeler « discipline » un domaine où des efforts assez décousus n'aboutissaient qu'à brasser des informations, échafauder des théories partielles, sans jamais pouvoir rendre raison à l'historicité elle-même. Placés, comme dans l'œil d'un cyclone, en ce lieu vide où était présumée se vertébrer une modalité centrale de pensée du devenir collectif, ils s'employèrent à dissiper l'illusion d'une histoire positive intégrée en énonçant quelques concepts qu'il faudrait bien entreprendre d'articuler, avançant ainsi la construction de l'épine dorsale qu'ils savaient, eux, ne pas représenter : économie, société, civilisation, plus tard démographie, mortalité, anthropologie furent ces premiers concepts qu'ils s'attachèrent à faire jouer. Chacun d'eux fournissait un ensemble de repères précis, caractérisés par d'autres sciences sociales partielles, pour relever des données, les classer, les interpréter de manière méthodique. Il fallait ensuite concevoir la manière de tirer parti de ces contributions, non plus pour écrire une histoire, mais pour penser l'historicité.

L'école des Annales a, dans cette œuvre — dont lui revient, en la personne de Lucien Febvre et Marc Bloch, plus tard de Fernand Braudel, la paternité — engendré un considérable travail de recherche qui a renouvelé totalement le dépouillement du matériau historique et l'établissement des points de vue à son sujet. Là où régnait, à la faveur d'un vocable abusif — l'Histoire —, la fantaisie plus ou moins littéraire, plus ou moins vérifiée, d'un discours descriptif nervuré chaque fois par une idéologie, l'effort des historiens a ouvert un chantier constitué de nombreux ateliers autonomes et posé concrètement la question de savoir comment coordonner ces chantiers par l'architecture de l'historicité. En feignant de se livrer à cette épreuve, les historiens croyaient à vrai dire bien savoir quelle en serait l'issue. Les premiers concepts avancés pour l'entamer — « économies, sociétés, civilisations », ces termes que l'on choisit, en 1946, lorsqu'il fallut donner un nouveau titre aux *Annales d'histoire économique* — n'étaient pas dans un ordre indifférent. Au premier appartenait le maximum de certitude scientifique; le troisième déjà confinait au registre du littéraire.

Mais, si l'immense entreprise de vérification d'une possibilité par l'histoire d'épuiser l'historicité — entreprise menée par le truchement de toutes les sciences sociales — exprimait bien la volonté d'en finir avec le flou artistique d'une historiographie incapable de désigner ce dont elle traitait autrement qu'en montrant ses propres actes, cette entreprise ne s'avérait possible qu'au bénéfice d'une conviction généralement partagée selon laquelle la clef d'explication existait dans telle ou telle philosophie de l'histoire.

Cette conviction a aujourd'hui cédé à trois démentis inégalement dévastateurs : le premier fut la complication progressive des schémas explicatifs. C'est ainsi que l'analyse de la révolution industrielle, morceau de bravoure de l'analyse marxisante, tomba de difficultés en difficultés : les « enclosures » se révélaient avoir fixé les populations rurales, la « révolution » agraire retardait sur celle de l'industrie, le mouvement des mentalités ne coïncidait pas avec celui des mutations sociales, les enchaînements d'où résultait le développement échappaient à tout modèle, bref la recherche manquait de manière décevante à l'intention qui l'animait, de même qu'au XVIIe siècle les honnêtes exégètes, voulant établir l'Écriture, l'avaient démantelée.

Le deuxième fut l'incidence du structuralisme : arc épistémologique tendu entre le pôle d'une linguistique scientifique et d'une ethnologie, seule discipline d'observation du vivant humain où celui-ci eût le statut de chose, il avait vocation à fournir une méthodologie générale. Épistémologie universelle, le structuralisme épuisait l'historicité dans un jeu de lois analogues à celles d'une grammaire (matrice de la langue quel que soit le discours qui est tenu en elle). Il était par nature le déni de l'histoire.

Contre cette attaque frontale, les historiens firent feu de tout leur arsenal idéologique, s'appuyant énergiquement, qui sur le marxisme, qui sur l'irréductibilité du facteur humain dans l'histoire. Il leur fallut mettre en évidence l'impossibilité de penser le changement en termes structuralistes — sauf à établir une sorte de grammaire universelle, rendant compte de ses propres lois de mutation, problème régressif connu et aporique. Ce faisant, ils achevèrent de faire apparaître des situations particulières originales et bien étudiées, dont l'observation invalidait à la fois le structuralisme comme épistémologie plausible du changement, et les théories contraires qui avaient aidé à ne pas y succomber.

Le dernier démenti vint de l'histoire elle-même : la pétrification des forces historiques globales qui semblaient donner corps aux convictions du matérialisme dialectique, l'éclosion, à l'inverse, de mouvements imprévisibles et riches de sens tournent aujourd'hui les esprits vers la notion de pluralité, contribuant à éloigner dans une brume très inactuelle la notion même d'histoire, dans la plénitude de son ambition d'être totale.

Il résulte de ce triple démenti que l'épreuve intellectuelle acceptée en 1929 à la création des *Annales* commence en réalité aujourd'hui. Engagée comme une révision du statut de l'histoire, mais sous l'impulsion néanmoins d'un appétit de l'histoire, d'une confiance en l'histoire, elle prend toute sa dimension à présent qu'il n'est même plus concevable de la mettre sous les auspices, fussent-ils implicites, d'un concept d'histoire laissé en héritage par Marx, Michelet ou Lavisse. [Voir ANNALES (école des)].

Veufs d'un concept central qui réunirait sous une commune appartenance les travaux émiettés qui se réclament inégalement d'une étude du changement, les historiens sont malheureux : leur conquête s'est à ce point étendue, entrelacée à toutes sortes d'autres préoccupations, d'autes disciplines, qu'ils ne savent plus ce qu'est l'histoire, sinon qu'elle est nouvelle. Nouvelle non pas en ce qu'elle poserait autrement l'intelligence du devenir humain, mais par la réunion qu'elle suscite d'approches jusqu'alors disjointes, comme l'atteste le caractère composite que revêtent les ouvrages qui en présentent les grandes caractéristiques.

L'histoire est neuve de ne plus être. Le retour en force des genres et des sous-genres (biographie, histoire régionale, romans champêtres d'Occitanie ou de Bretagne, de jadis ou de naguère) le fait sentir, et les succès d'édition qui les favorisent attestent à leur tour qu'a été abandonnée la quête d'une science historique supérieure capable d'intégrer en une pensée directrice ce que ces genres historiques ou para-historiques monnayent en futilités. Toute ronflante du discours de la science, l'historiographie a choisi le chemin de la littérature, en esquivant le projet d'articuler en une pensée du devenir collectif les éléments qu'elle avait entrepris de rapprocher.

Ce devoir épistémologique qu'elle n'ose pas trouver en elle-même, la pensée historienne se le voit pourtant imposer par les deux pôles entre lesquels elle avait si longtemps joui de la faculté de s'ébattre. Il est en effet symptomatique que les difficultés sur lesquelles buttent aujourd'hui et la science — avec la biologie, dont traitent Monod, ou Prigogine — et la littérature, dans l'épuisement de la création formelle comme sur le terrain de la linguistique, consistent à concevoir une pensée historique.

Pensée du changement pour les ensembles vivants; pensée du changement rendue nécessaire par le problème des traductions, par exemple, et de leur automatisation. Dans les deux registres, des enjeux pratiques et des technologies d'avenir sont en cause. Le chemin que font l'une vers l'autre la science de pointe et la littérature, celle-ci en atteignant aux formalismes logiques qu'exige la traduction automatique, celle-là en touchant aux secrets les plus palpitants du vivant, les amène l'une et l'autre au carrefour où croisent le fer l'option « histoire » et l'option « logique » chère aux néopositivistes. Mais l'avantage de l'histoire dans ce dilemme est que le choix entre les deux options ne peut ressortir à la logique absolue et doit donc être de caractère historique. Des recherches en topologie mathématique s'efforcent déjà de proposer des approximations formalisées — par exemple, la « théorie des catastrophes » — pour décrire non plus les états successifs, mais le changement lui-même.

Or, c'est bien là le cœur du problème de l'histoire. Appliquée à examiner des états successifs tant qu'elle laissait soit aux analogies scientifiques, soit aux archétypes subjectifs le soin de régler la pensée du changement lui-même, elle est aujourd'hui désignée, depuis chacun des deux pôles de la science et de la littérature, comme le lieu où peut s'échafauder la pensée qui fait encore défaut à l'humanité pour se guider dans une historicité pleinement assumée : celle du changement.

Entre celle de l'Être, explorée par la littérature, et celle du devenir, étudiée par la science, la problématique du changement, c'est-à-dire de l'identité dans la différ*a*nce, comme l'écrirait Jacques Derrida, est au cœur des préoccupations et des sciences et de la littérature. Elle en appelle à un nouvelle épistémologie qui ne pourra pas se faire sous les espèces ésotériques d'une scientificité ou d'une littérature également transcendantes à la vie vécue, en dehors de la pratique concrète que les contemporains ont de l'historicité dans leur univers. Elle en appelle à une lecture du passé et du futur qui rende d'abord compte du présent, à une histoire qui soit identiquement expression de l'historicité actuelle. Au plein et double sens du mot, à l'histoire. Enfin.

BIBLIOGRAPHIE

Quelques ouvrages récents ont rassemblé un florilège des problématiques : A. Casanova et F. Hincker, *Aujourd'hui l'Histoire,* Éd. Sociales, 1976; J. Frémeaux *et al., Questions à l'Histoire,* Paris, Éd. Ellipses, 1981; J. Le Goff, J. Revel et R. Chartier, *la Nouvelle Histoire,* Paris, Retz-C.E.P.L., 1978; Pierre Nora et Jacques Le Goff, *Faire de l'Histoire,* Gallimard, 1975.

On se reportera utilement aussi à : *l'Historien entre l'ethnologue et le futurologue,* La Haye, Mouton, 1972 (Actes du séminaire international organisé par l'Association internationale pour la liberté de la culture, Venise, 1971); R. Aron, *Introduction à la philosophie de l'Histoire,* 1938, rééd. Gallimard, « Tel »; M. de Certeau, *l'Écriture de l'Histoire,* Gallimard, 1975; J. Ehrard et G. Palmade, *l'Histoire,* A. Colin, 1964; M. Foucault, *les Mots et les Choses,* Gallimard, 1967 et *l'Archéologie du savoir,* Gallimard, 1969; L. Halkin, *Introduction à la critique historique,* A. Colin, 1963; G. Mairet, *le Discours et l'Historique,* Tours, Mame, 1974; H.I. Marrou, *De la connaissance historique,* 1945, rééd. Le Seuil, « Points », 1975; Ch. Samaran, *l'Histoire et ses méthodes,* encyclopédie de la Pléiade, Gallimard, 1961; P. Veyne, *Comment on écrit l'Histoire,* 2e éd., Le Seuil, « Points », 1979 (préface de Michel Foucault).

Les grands historiens ont presque tous laissé leur témoignage méthodologique : M. Bloch, *Apologie pour l'Histoire, ou le métier d'historien,* Paris, A Colin, 1949; F. Braudel, *Écrits sur l'Histoire,* Flammarion, 1969; P. Chaunu, *De l'Histoire à la prospective,* Paris, Laffont, 1975, et *Histoire, science sociale,* Paris, SEDES, 1974; L. Febvre, *Combats pour l'Histoire,* Paris, A. Colin, 1953; F. Furet, « De l'Histoire récit à l'Histoire problème », *Diogène,* 1975, et « Penser la Révolution française », Gallimard, *N.R.F.,* 1979; G. Lefebvre, *la Naissance de l'historiographie moderne,* Flammarion, 1971 et *Réflexions sur l'Histoire,* Paris, Maspero, 1978; E. Le Roy Ladurie, *le Territoire de l'historien,* Gallimard, 1977.

Parmi les ouvrages d'histoire de l'Histoire, on citera surtout : G. Barraclough, *Tendances actuelles de l'historiograhie,* Flammarion, 1980; C.O. Carbonell, *Histoire et historiens, une mutation idéologique de l'histoire française 1865-1855,* Toulouse, Privat, 1976; B. Guenée, *Histoire et culture historique dans l'Occident médiéval,* Aubier, 1981; C. Jullian, *Extraits des historiens français du XIXe siècle,* Paris, Hachette, 1897, rééd., Genève, Slatkine, 1961.

Ph. RATTE

HISTOIRE LITTÉRAIRE. La locution « histoire littéraire » n'acquiert sa signification actuelle d'« histoire de la littérature et du phénomène littéraire » qu'au cours du XVIIIe siècle. Quand on la rencontre auparavant, elle signifie « histoire ou chronique de la vie (biographie) et des ouvrages (bibliographie) des écrivains » (quels que soient ces écrivains; du passé ou contemporains, mathématiciens, physiciens, poètes ou romanciers...). C'est que la distinction moderne entre science et littérature n'existe pas encore : la « littérature » est généralement définie par les mots « érudition, doctrine », c'est-à-dire comme une connaissance profonde et méthodique du savoir transmis par les livres, et l'adjectif « littéraire », bien que né au XVIe siècle, reste rare (il est enregistré en 1721 par le *Dictionnaire de Trévoux).* Les « lettres » (terme beaucoup plus usuel que « littérature ») désignent l'assimilation par l'esprit humain, et l'exposé écrit des « sciences » qui signifient, elles, toute activité intellectuelle. Pour qu'« histoire littéraire » prenne son sens moderne, il faut donc que le découpage conceptuel et lexical change : peu à peu, au XVIIIe siècle, les mots « lettres », « belles-lettres » et « littérature » se spécialisent, par opposition à « sciences », pour désigner les œuvres où la fonction esthétique, le travail du langage l'emportent sur la référence précise, utilitaire — et bientôt mathématique — à la réalité objective. L'« histoire littéraire », avec beaucoup de lenteur, devient alors une chronique de la république des lettres (*Bibliothèque anglaise ou Histoire littéraire de la Grande-Bretagne,* Amsterdam, 1717-1728), puis, à peu près comme aujourd'hui, une histoire des littérateurs et des livres (Dom Rivet, *Histoire littéraire de la France,* 1733-1750, 12 volumes qui mènent l'entreprise jusqu'au XIIe siècle). Le sens actuel ne se fixe véritablement qu'au début du XIXe siècle.

Après avoir conquis, au prix de durs affrontements et de mainte polémique, une place dominante aux dépens des anciennes « belles-lettres » et de l'ancestrale rhétorique, l'histoire littéraire s'est trouvée, à son tour, contestée par les modernes herméneutiques, psychanalyse et structuralisme, qui prétendent la réduire à un rôle accessoire et l'exclure de l'acte essentiel dont elle avait le monopole : dire le sens — ou les sens — du texte. Aussi le moment semble-t-il favorable à une redéfinition, à une rétrospective, et surtout à la prise de conscience de problèmes nouveaux.

Entre critique et histoire

L'histoire littéraire est un hybride, un sous-genre, issu du croisement de la critique littéraire et de l'histoire. La critique se propose d'expliquer et d'apprécier les ouvrages et les auteurs d'hier et d'aujourd'hui; l'histoire littéraire se spécialise dans l'examen des œuvres du passé. Elle rappelle, conserve et classe des phénomènes qui composent la vie des littératures : les écrivains et leurs productions; le public; les rapports entre l'auteur et le consommateur du livre. Elle en fournit des explications. Plus profondément, elle tente de les faire comprendre et même de les faire revivre, ou de postuler, sous l'amoncellement des faits, les normes ou les lois qui régissent leur structure et leur devenir. Comme l'écrit Gustave Lanson, « nos opérations principales consistent à connaître les textes littéraires, à les comparer pour distinguer l'individuel du collectif et l'original du traditionnel, à les grouper par genres, écoles et mouvements, à déterminer enfin le rapport de ces groupes à la vie intellectuelle, morale et sociale de notre pays, comme au développement de la littérature et de la civilisation européennes ».

Province de l'histoire, qui est mémoire du passé à l'intention du présent et rapport, souvent passionnel, aux grands ancêtres morts, l'histoire littéraire restreint son champ de recherche à un domaine particulier : mais situer les écrits dans leur contexte économique, social, politique et culturel, y voir les symptômes ou les signes d'une mentalité, d'une vision caractéristique du monde, ou le négatif du fait, les virtualités refoulées, l'intentionnalité secrète, c'est côtoyer — et quelquefois envahir — le territoire de l'historien proprement dit; c'est, en tout cas, emprunter les méthodes et les disciplines historiques : établissement des textes (étude comparative des manuscrits et des éditions, restitution d'états corrects ou définitifs et de leur genèse) et des événements (biographiques, sociaux, culturels, plus ou moins rangés en séries propres à un traitement statistique); détermination de causes (immédiates, conjoncturelles; lointaines, profondes, structurelles) ou, du moins, de facteurs qui conditionnent la vie littéraire au cours des âges. Cela exige sens critique, impartialité, sympathie; la réflexion moderne sur l'épistémologie historique a montré que les concepts opératoires qui ordonnent les faits (mouvements littéraires — baroque, classicisme, romantique —, doctrines esthétiques, notion de génération...), le sens dont sont affectés les phénomènes (sens patent ou latent, implicite ou explicite...) dépendent étroitement de la mentalité de l'historien, qui, par son questionnement, introduit dans le passé de nouveaux découpages, des associations originales, des mutations de proportion qui font de toute historiographie un équilibre instable et mouvant. On concevait volontiers, au XIXe siècle, la littérature française comme dominée par le classicisme du règne de Louis XIV : enfance, apogée, déclin, recherche d'un nouveau sommet analogique du premier, au milieu de la corruption du goût; aujourd'hui, on verrait davantage, au fil du progrès technique et de l'évolution culturelle, la succession de différents « modèles » de relation entre un auteur et des cercles de lecteurs de plus en plus larges (avec les résistances et les réactions à ces changements : chapelles, ésotérismes, hermétisme, voire multiplication d'éphémères avant-gardes).

Province de la critique, l'histoire littéraire est discours sur les œuvres, « métalangage » tenu par des lettrés qui ambitionnent peu ou prou de construire, eux aussi, un monument qui prenne rang dans la littérature; aucune hétérogénéité, ici, entre le commentaire et le commenté — d'où rivalités et revendications. L'historien littéraire allègue son métier, sa technique, moyens de l'« objectivité » : en littérateur, il ne saurait s'empêcher d'apprécier; le dilettante, l'honnête homme ou l'amateur passionné méprisent et ses fiches, et les pesanteurs de ses déductions : ils veulent ressentir directement l'empreinte et l'impression des chefs-d'œuvre et n'ont cure de préliminaires ou de points de vue préformés.

Ainsi la situation de l'histoire littéraire au croisement de deux activités mentales de plus en plus séparées lui impose une tension entre deux pôles qui menace sans cesse son unité et sa stabilité, l'expose à toutes les attaques et singularise son évolution par rapport au devenir général de l'historiographie française.

L'émergence de l'histoire littéraire moderne

L'archéologie de l'histoire littéraire s'étend jusqu'au début du XIXe siècle : le romantisme réveille alors définitivement la curiosité et le goût du passé; auparavant, des biographies, des bibliographies, des anthologies, des compilations de jugements fragmentent le champ littéraire en monographies qui se répartissent en catégories convenues : la *Bibliothèque française ou Histoire de la littérature française* de l'abbé Goujet (1740-1756, 18 volumes, poursuivie par divers auteurs pour atteindre finalement 34 volumes) adopte un découpage générique et traite séparément les grammairiens, les rhéteurs, les poètes... *Le Lycée* (1797-1805) de La Harpe (1739-1803), premier cours raisonné de littérature française, confronte les œuvres à un idéal rationnellement défini et les juge, non sans nuances : ce dogmatisme du « beau idéal » règne sans partage sur les siècles classiques (malgré mainte affirmation de la relativité du goût au XVIIIe siècle), décourage toute chaleureuse compréhension du passé et ne s'effrite que lentement, avec la grande mutation des mentalités qui marque la décennie 1760-1770.

Chateaubriand, dans *le Génie du christianisme* (1802), pour prouver la supériorité de sa religion sur le paganisme, inaugure avec brio l'histoire comparée des thèmes et des personnages. Mme de Staël rattache le littéraire au social, au politique et au culturel (*De la littérature,* 1800) et, pour opposer le classicisme français au romantisme allemand, met en action, dans *De l'Allemagne* (1810), des concepts complexes (objectivité et subjectivité; réalisme et idéalisme...) qui désignent à la fois une période et une attitude mentale, synthèses de faits nécessaires pour envisager la complexité du devenir. La première partie du siècle voit, sur ces bases, s'épanouir des tentatives fort diverses : Villemain (1790-1870) donne un *Cours de littérature française* (1828-1830), oratoire et superficiel, sur le Moyen Age et sur le XVIIIe siècle; Saint-Marc Girardin (1801-1873) utilise l'histoire pour stigmatiser l'invasion du matérialisme et de la débauche (*Cours de littérature dramatique,* 1843-1868); Désiré Nisard (1806-1888) ordonne fermement son *Histoire de la littérature française* (1844-1861) selon une architecture synthétique déjà moderne (par périodes et par mouvements). L'idéal moral, religieux et esthétique qu'est pour Nisard le « Grand Siècle » n'y interdit pas la compréhension : même une profession de foi dogmatique s'accompagne désormais, dans la pratique, d'un relativisme historiciste. Sainte-Beuve, enfin, par la grâce de ses « portraits », par l'ampleur de son *Port-Royal* (1840-1859), reste le symbole d'une historiographie littéraire plus intuitive que méthodique, plus soucieuse de vie et de mouvement que d'exactitude pointilleuse ou d'érudition.

La seconde partie du XIXe siècle s'ouvre sur les systématisations d'Hippolyte Taine (1828-1893); un scientisme apparenté à celui de Claude Bernard entend ici fournir une explication totale du phénomène littéraire : la singularité psychologique (la « faculté maîtresse ») se reflète dans l'œuvre et relaie sur le plan individuel une causalité plus générale : race, milieu, moment. Ferdinand Brunetière (1849-1906), voulant restaurer une critique normative dont l'objet soit « de juger, de classer, d'expliquer », privilégie une causalité proprement interne à la « biologie » des genres littéraires et emprunte son modèle au darwinisme (l'*Évolution des genres,* 1900). Entre 1880 et 1900, s'appuyant sur la puissance logistique de l'Université, l'histoire littéraire a conquis droit de cité, et son prodigieux essor l'incline parfois à la démesure. Renan avait déjà déclaré toute admiration historique, et pronostiqué que la nouvelle discipline était « destinée à remplacer en grande partie la lecture directe des œuvres de l'esprit humain ». Les résistances se multiplient, au nom de l'hédonisme, du spiritualisme, du bon goût; le modèle explicatif, mécanique et réductionniste, est de plus en plus contesté au nom d'approches spécifiques, nécessairement subjectives. Gustave Lanson (1857-1934) revient à un strict positivisme; il trace à l'histoire littéraire ses programmes et ses méthodes, en condamnant les usurpations et les abus du scientisme : aux marges de sa mouvance se situent l'intuitionnisme de l'abbé Henri Bremond (1865-1933), dans son *Histoire littéraire du sentiment religieux en France* (1916-1928), le bergsonisme d'Albert Thibaudet (1874-1936) et les biographies d'André Maurois (1885-1967).

Problèmes et réponses

Le succès de la véritable institution universitaire qu'est devenue l'histoire littéraire rencontra toujours des oppositions, sourdes ou vives; dans les années 60, la querelle entre « nouveaux critiques » et tenants de l'historicisme positiviste a envahi les colonnes de la grande presse et fusé en pamphlets (Raymond Picard, *Nouvelle Critique ou nouvelle imposture,* 1965; Roland Barthes, *Critique ou vérité,* 1966). Tout ce bruit révèle une crise profonde; car les attaque issues de l'extérieur ne sont plus lancées, comme dans la première moitié du XXe siècle, au nom de valeurs jugées dépassées ou dépourvues de pertinence (le patriotisme; l'éminence de la culture classique...), mais correspondent à des doutes internes : l'histoire littéraire se trouve confrontée à de nouvelles idéologies qui sapent les fondements théoriques de son activité et à une mutation générale de l'épistémologie en sciences humaines.

Hegel, Marx, Schopenhauer, Nietzsche, Freud, et bien d'autres après eux, ont prétendu tuer, ou destituer, le sujet que le *cogito* cartésien avait installé comme lieu de la pensée : l'idéalisme des formes belles, des notions claires et distinctes, la temporalité, avec ses relations de succession et de causalité, l'intentionnalité, avec ses motifs conscients et ses finalités, seraient les illusions d'un individu en réalité traversé et travaillé par des forces latentes, vitales, essentielles, dont il n'a pas d'emblée conscience. D'où la mise en question d'un mode de connaissance qui fonctionne sur le postulat (implicite ou explicite) d'un objet littéraire rationnellement intelligible; d'où la légitimation de toutes les herméneutiques, procédures de traduction, de décodage : les significations cachées seraient essentielles, et elles échapperaient totalement à la recherche historique. Avec le structuralisme, qui emprunte à la linguistique synchronique ses outils conceptuels, l'antihistoricisme culmine : ce nouveau positivisme veut retrouver sous le texte les structures profondes et rationnelles (mais inconscientes) qui en constituent l'architecture. Aux explications génétiques, fondées sur l'évolution, se substituent des synthèses de relations formant socle, surfaces, fractures, failles : le critique, pour les découvrir, recourt à un modèle qui, comme l'écrit Lévi-Strauss, « compense la renonciation à des dimensions sensibles par l'acquisition de dimensions intelligibles »; il veut construire l'intelligibilité d'un inconscient universel, anonyme, qui remplace le concept d'« homme éternel » sous-jacent à l'histoire littéraire, et qui enserre au filet de ses arrangements immémoriaux et permanents l'observateur et la chose observée. En littérature, cette idéologie se traduit par un retour au texte comme monument (et non plus comme document), comme force où s'originent des sens pluriels.

Les historiens littéraires ont relevé ces défis en conjuguant deux attitudes contradictoires : ils revendiquent l'autonomie et la spécialité de leur discipline, tout en intégrant, avec plus ou moins de bonheur, les herméneutiques nouvelles. La première réaction est strictement défensive : le repli sur l'érudition, la rigueur des méthodes, l'exactitude des dates et des textes. Ce positivisme traditionnel — éloigné de tout scientisme — se nuance vite en empruntant à la « nouvelle histoire » ses processus de quantification et de sérialisation (appliqués à l'édition, aux bibliothèques recensées, au vocabulaire...) qui recourent au travail d'équipes, emploient les techniques de la statistique et de l'informatique et tentent ainsi d'échapper à la subjectivité. Mais surtout, dans un second temps, l'histoire littéraire s'est ouverte toute grande aux idéologies qui la contestaient (comme elle avait « digéré » le bergsonisme et l'existentialisme, qui dynamisaient ou dramatisaient la durée) : psychanalyse, linguistique, structuralisme. Elle fait place aux formes et aux symboles antérieurs et préalables à tout acte de communication littéraire. Elle s'est élargie — sous l'impulsion de la sociologie et du marxisme — à l'étude du folklore, de l'infra-littérature, des mentalités sociales. Comme hypothèse et procédures heuristiques, elle construit — à l'image de l'anthropologie structurale — des modèles, des paradigmes, pour clarifier les rapports entre auteur, œuvre et lecteur à une époque donnée.

Ainsi, après une période de doute qui a mis en question les concepts usuels (objectivité, influence, causalité...) et une épistémologie qui présupposait un observateur immobile de la mobilité temporelle, de nouvelles routes sont tracées pour remplacer les ordinaires monographies du type « l'homme et l'œuvre » : une histoire plus vaste de la vie littéraire, rythmée en tendances à long, moyen et court terme, attentive aux évolutions parallèles de l'économie, de l'art, des attitudes culturelles, décomposée en études d'idées, de thèmes, de formes, voire de sensibilités à telle matière ou à tel événement ou d'aptitudes à telles rêveries; une histoire plus resserrée de la littérarité — repli sur une nouvelle spécificité, réponse au « retour au texte » des structuralistes — qui reconstitue son objet en s'inspirant de l'ancienne rhétorique (histoire des figures, des techniques narratives...). L'agression de la modernité a donc arraché l'histoire littéraire à un empirisme sommeillant et sécurisant pour la rendre à sa double vocation : accueil, synthétique et totalisant, des connaissances qui éclairent les contextes; production d'un savoir singulier issu des textes.

BIBLIOGRAPHIE

Claude Cristin, *Aux origines de l'histoire littéraire,* Presses universitaires de Grenoble, 1973; Pierre Brunel, Daniel Madelénat, Jean-Michel Glicksohn, Daniel Couty, *la Critique littéraire,* Paris, P.U.F., « Que sais-je », 1977; Roger Fayolle, *la Critique littéraire,* Paris, Armand Colin, « Coll. U », nouv. éd., 1978; Pierre Moreau, *la Critique littéraire en France,* Paris, Armand Colin, 1960; *Problèmes et méthodes de l'histoire littéraire* (colloque du 18 novembre 1972), Paris, Armand Colin, 1974; *Revue d'Histoire littéraire de la France,* sept.-déc. 1970, « Méthodologies » (une série d'articles sur les techniques de l'histoire littéraire et ses rapports avec les autres sciences humaines).

D. MADELÉNAT

HOLBACH, Paul Henri Dietrich Thiry, baron d' (1723-1789). D'Holbach fut d'abord un savant, plus particulièrement un chimiste. Ce sont les circonstances de sa vie qui ont déterminé son engagement dans le combat pour les Lumières. Est-ce parce qu'il croyait, avec le célèbre chimiste allemand Stahl, au principe igné, le « phlogistique », comme agent essentiel de la vie et de l'énergie de l'homme, qu'il a donné à ses œuvres cette ardeur et ce feu qui les caractérisent, cette violence explosive nécessaire pour foudroyer les paresses de la raison, exhorter l'humanité à se libérer des tyrans et des prêtres, à assurer son bonheur, *hic et nunc,* par le retour aux lois de la nature et à la clarté rationnelle d'un athéisme conscient?

Juste un siècle après le *Traité théologico-politique* de Spinoza, qui avait ouvert les premières brèches dans l'édifice des dogmes établis, le *Système de la nature,* en 1770, marque par un paroxysme le premier centenaire du combat philosophique contre l'obscurantisme. C'est le sommet d'une œuvre étrange, passionnée, à la fois destructrice et conservatrice, masquée par l'anonymat et les faux noms d'auteurs; œuvre que l'on commence seulement à découvrir, depuis vingt ans à peine qu'elle commence à être explorée scientifiquement, et dont on n'a pas encore bien vu, à côté d'exposés dogmatiques parfois pesants, tout l'éclat littéraire de sermon athée et de discours révolutionnaire.

Vie mondaine et action clandestine

Originaire du Palatinat, étudiant à Leyde, installé à Paris, d'Holbach illustre à merveille le cosmopolitisme de son siècle. Pour son époque, c'est un personnage surprenant, inquiétant : un athée honnête homme. Rousseau, qui ne l'aimait guère pourtant, l'a pris comme modèle pour M. de Wolmar dans *la Nouvelle Héloïse.*

Paul Henri Dietrich Thiry, né en Rhénanie, a été élevé par son oncle d'Holbach, devenu français et baron en 1722 après s'être enrichi sous la Régence. Installé à Paris en 1749 après des études en Hollande, Paul Henri hérite en 1753 d'une partie de la fortune de cet oncle; rentier à vingt-sept ans, il se fait mécène des philosophes, ses amis, qu'il reçoit deux fois la semaine dans son hôtel de la rue Royale-Saint-Roch, à Paris, ou l'été dans le château du Grandval, près de Sucy-en-Brie, propriété de sa belle-mère Mme d'Aine. Dans sa correspondance, Diderot narre complaisamment ces réunions du groupe de quinze ou vingt philosophes hardis, que leurs ennemis — voire leurs amis, affolés de cette hardiesse — appelleront la « coterie d'Holbach » ou la « synagogue ».

La rencontre de Diderot, qui eut lieu probablement en 1750, a été décisive pour le baron. Aussitôt engagé dans l'entreprise de l'*Encyclopédie* à cause de ses connaissances en sciences et en langue allemande, il rédige 376 articles : minéralogie, métallurgie, chimie. Cet homme généreux, désintéressé, d'une érudition immense, travailleur infatigable, facétieux à ses heures, fastueux dans sa table et ses vins, ne pouvait que plaire à Diderot. Par-delà les mauvaises humeurs passagères, trente ans d'amitié en témoignent. D'Holbach a soutenu sans faillir Diderot et l'*Encyclopédie* dans la grande tourmente des années 1757-1762.

En 1758, autre tourmente : l'ouvrage d'Helvétius, *De l'esprit,* épouvante par l'audace de son matérialisme l'Église et un pouvoir déjà en difficulté à cause des défaites militaires en Europe et au Canada. On sévit, on condamne. Helvétius doit se rétracter. D'Holbach perçoit à la fois le danger qui menace les esprits libres et l'extraordinaire pouvoir d'ébranlement des livres boutefeux. Il s'engage dans le combat. Plus prudent qu'Helvétius, il commence par publier les *Recherches sur le despotisme oriental* et *l'Antiquité dévoilée* de Nicolas Boulanger, auteur de textes interdits, mort en 1759. Puis il attribue au même feu Boulanger, en 1766, son premier grand ouvrage polémique personnel, *le Christianisme dévoilé.* C'est le début d'une série de brûlots lancés de 1766 à 1770 contre les religions, source de tout le malheur des hommes. A la différence de Voltaire, qui en ces mêmes années travaille au *Dictionnaire philosophique,* d'Holbach n'use pas systématiquement de l'ironie; mode de communication indirect, elle n'est pas accessible à tous; il faut être clair : « Écrire à mots couverts, c'est n'écrire pour personne ». Mais écrire clairement contre la religion implique l'anonymat. Le baron l'accepte. Son unique but est d'être utile aux hommes. Dans un style violent, net, plein d'anathèmes, de questions, d'images, d'exclamations, agrémenté d'apologues et parfois de contes, il leur enseigne dans *la Contagion sacrée* (1768), la *Théologie portative* (1768), etc., un bonheur fondé sur le refus de Dieu, la confiance dans la nature et la raison.

Condensé de toutes les idées dangereuses émises dans ces premières œuvres, ouvrage plus dogmatique et plus touffu, le *Système de la nature,* dont le dernier chapitre, éloquente prosopopée de la nature annonçant son code aux hommes, a été écrit par Diderot, éclate comme une bombe en 1770. Malgré le prix élevé du livre condamné, dix éditions se succèdent rapidement. A en croire la page de titre, il serait l'œuvre de Mirabaud, autre auteur de textes interdits, mort en 1760; mais personne n'est dupe, et la police propose une récompense à qui découvrira et dénoncera le véritable auteur. Le remous est considérable. Les réfutations surgissent de partout, émanant de catholiques, de protestants, de Voltaire lui-même, ravi de cette aide dans le combat contre l'« Infâme », mais atterré par l'athéisme. Il est encore plus ravi et plus atterré quand paraît, en 1772, *le Bon Sens,* contraction en 250 pages (peut-être par Naigeon, secrétaire de D'Holbach) du lourd *Système de la nature.* « Le petit livret intitulé *le Bon Sens* fera plus de mal ou de bien que toutes les plaisanteries de Voltaire », note Diderot. D'Holbach a choisi le procédé voltairien du « livre de poche » pour vulgariser ses idées. Preuve que, cette fois, il ne s'agit plus seulement de disserter, mais de conquérir. De 1770 à 1970, le *Système de la nature* connaîtra trente rééditions, *le Bon Sens* (longtemps attribué au curé Meslier) plus de soixante, témoignage évident de l'impact toujours très fort de ces livres périodiquement mis et remis à l'index. En 1773, *le Système social,* utopie d'une société naturellement vertueuse, vient compléter cet arsenal de conquête. On a prêté à d'Holbach bien d'autres œuvres « maudites », dont une partie au moins du fameux libelle *le Militaire philosophe.* Des recherches récentes permettent d'écarter cette attribution.

Marque d'un changement : le baron n'aime pas l'Angleterre, si chère à tant de philosophes de son temps. Son espoir va vers l'Amérique; Franklin fréquente son salon. En 1776, l'espoir est en France aussi : le jeune Louis XVI, succédant à un roi qui a déçu, jouit du préjugé favorable. A son intention, d'Holbach écrit l'*Éthocratie* (1776), seul ouvrage où il propose un programme d'action immédiate : protection de la propriété, éducation morale et nationale, liberté de la presse, moralisation de l'armée, abolition des privilèges seigneuriaux, séparation de l'Église et de l'État, réforme de la magistrature, émancipation des femmes, divorce, etc. Tout cela restera lettre morte.

D'Holbach, lui, meurt à la veille d'une Révolution dont on dit trop souvent qu'il avait contribué à la préparer. En fait, sa vie et son œuvre, malgré la virulence révolutionnaire du style, préparent bien plutôt certaines idéologies bourgeoises du XIXe siècle.

« Toute religion est une absurdité »

C'est le titre du chapitre VII du *Bon Sens.* Toute religion est absurde, selon d'Holbach, parce qu'un Dieu infini est inconvenable pour l'homme. Dans toute religion, Dieu est incompréhensible, contradictoire, sinistre; la première fonction de l'œuvre écrite et diffusée est de détruire cette idée de Dieu. De détruire également sa représentation la plus courante : « Un vrai sultan d'Asie, et ses ministres, des vizirs aussi despotiques que lui [...]. Toutes les religions du monde n'ont peuplé l'Olympe que de dieux pervers, qui remplirent la terre de leurs dérèglements, qui se firent un jeu de la destruction des humains, qui gouvernèrent l'univers d'après leurs fantaisies insensées » (*la Contagion sacrée*). La plume brutale du baron fait litière de l'idée admise selon laquelle Dieu, en créant l'univers, aurait voulu rendre l'homme heureux; en fait, personne n'est content de son sort : « Ce qu'on appellera Providence n'est qu'un mot vide de sens » (*le Bon Sens*).

C'est parce qu'ils engendrent le malheur que Dieu et la religion doivent être refusés. Et parce que « toute religion demande pour premier sacrifice un renoncement total à la raison » (*la Contagion sacrée*); sans compter les autres sacrifices : on sacrifie aux dieux, pour s'attirer leurs bonnes grâces, ce que l'on a de plus précieux. La religion est dépossession. Le Dieu chrétien lui-même donne l'exemple en sacrifiant son propre fils, c'est la pire « extravagance théologique ». La religion est aliénation aussi; elle oblige à aimer Dieu avant nous-mêmes et les êtres chers. Tout cela est contraire à la nature; une société se dissoudrait « si chacun était assez fou pour vouloir être un saint » (*le Bon Sens*).

D'Holbach ne manque pas non plus de reprendre les critiques contre les miracles et les prophéties. Mais ce qui réapparaît le plus souvent, la répétition se voulant gage d'efficacité, est un réseau d'idées sur les origines des religions et des sociétés, réseau formé à partir d'un amalgame de Lucrèce, de penseurs anglais comme John Toland, d'auteurs français d'écrits clandestins : Fréret, Dumarsais, Boulainvilliers, Mirabaud, Boulanger... La religion vient de l'ignorance et de la peur des hommes primitifs, qui en ont eu l'imagination troublée, ce qui a entraîné la crédulité, exploitée par des ambitieux et des fourbes. D'où la tyrannie des uns, la résignation des autres à la servitude — et cela depuis des siècles. D'Holbach ne cesse de dénoncer l'universelle imposture exploitant l'ignorance et la crainte. La terre n'est qu'« un cachot ténébreux troublé par les clameurs du mensonge »; tableau sombre d'un monde de fureur et de délire dans lequel l'homme trompé par les prêtres et les tyrans égorge celui qui ne délire pas de la même façon que lui.

« La religion et les prêtres se rendent maîtres des souverains; dans cette rivalité autour du pouvoir réside le plus grand danger : "Peuples, aux armes! il s'agit de la cause de votre Dieu. Le ciel est outragé! La foi est en péril! A l'impiété! au blasphème! à l'hérésie!" Par le pouvoir magique de ces mots redoutables, auxquels les peuples ne comprirent jamais rien, les prêtres furent de tout temps les maîtres de soulever les nations, de détrôner les rois, d'allumer des guerres civiles, de mettre les hommes aux prises » (*le Bon Sens*).

Anticlérical avec plus de véhémence que son ami Diderot, niant plus absolument que celui-ci tout libre arbitre de l'homme, d'Holbach considère la religion comme « nuisible au bonheur de l'État, ennemie des progrès de l'esprit humain, opposée à la saine morale » (*le Christianisme dévoilé*). Seul recours pour retrouver le bonheur : la nature, « seul culte convenable à des êtres intelligents » (*Système de la nature*).

Le Christianisme dévoilé. — « Un être raisonnable doit dans toutes ses actions se proposer son propre bonheur et celui de ses semblables ». La religion n'a d'avantage que si elle nous rend heureux en ce monde. Si l'on consulte l'expérience et la raison, il est évident que ce n'est pas le cas. Pourquoi? C'est que « les hommes, pour la plupart, ne tiennent à leur religion que par habitude ». Ils croient ce qu'on leur a dit dès l'enfance, n'examinent rien, s'en remettent « à ceux qui prétendent les guider ». La religion rend les souverains et les peuples « esclaves du sacerdoce », empêche la science, la grandeur d'âme, l'industrie, tout ce qui soutient une société (chap. I).

Après avoir repris systématiquement les éléments de critique du christianisme utilisés depuis Spinoza et les manuscrits clandestins du début du siècle (chap. II à XIII), d'Holbach en vient aux conséquences politiques de la religion chrétienne (chap. XIV et XV) : « Dans toutes les sociétés politiques où le christianisme est établi, il subsiste deux puissances rivales qui luttent continuellement l'une contre l'autre, et par le combat desquelles l'État est ordinairement déchiré ». Si l'on suivait les maximes du christianisme, aucune société politique ne pourrait subsister.

Conclusion : « La religion chrétienne est contraire à la saine politique et au bien-être des nations ». Ces nations « ne secoueront-elles jamais le joug de ces tyrans sacrés, qui seuls sont intéressés aux erreurs de la terre? »

« Il n'y a qu'un devoir, c'est d'être heureux »

On sera heureux si l'on a, d'abord, une vision juste du monde et de l'homme. « L'homme est un être purement physique » (*Système de la nature*), différent des autres animaux par son organisation, mais non supérieur. Quant à l'âme, elle n'est « que le corps lui-même, envisagé relativement à quelques-unes de ses fonctions » (*ibid.*). Bien que d'Holbach s'avance moins loin que Diderot dans l'hypothèse de la sensibilité universelle de la matière, on trouve chez lui la même conception « chimique » de l'être humain : cerveau, nerfs et fibres. Le monde de D'Holbach est celui de la matière brute.

Le plaisir et l'intérêt sont les moteurs de ce monde. Le dynamisme naturel de la matière se manifeste dans le jeu des besoins et des désirs. Le désir, créant de nouveaux besoins, est la force de progrès; la vie doit toujours « laisser à désirer ».

Mais il n'est pas de bonheur sans vertu, notion qui se confond avant tout, chez d'Holbach, avec celle de sociabilité naturelle. Le bonheur ne peut être individuel, la vertu est l'« art de se rendre heureux soi-même de la félicité des autres ». Optimiste fondamentalement, d'Holbach croit aussi à un instinct inné de justice : si l'égalité ne peut exister entre les hommes, ne serait-ce qu'à cause de leurs différences physiques et intellectuelles (car le baron ne croit pas, contrairement à Helvétius, que tous les hommes soient identiques à l'origine), cette inégalité est corrigée par une notion naturelle d'« équité » qui assure l'harmonie entre les hommes.

C'est à partir de cette conception d'un bonheur fondé sur la matière, le désir, la vertu et l'équité que d'Holbach élabore son projet de société. La société, pour lui, est le prolongement de la nature; la structure politique dépend de la morale. Intervient alors la notion capitale d'utilitarisme : le rôle du gouvernement est de canaliser les passions pour les rendre utiles à l'État. L'éducation jouera par conséquent un grand rôle, avec un ministère spécial chargé, entre autres, de veiller à ce que les idées enseignées aillent bien dans le sens de l'utilité de l'État.

Les bons citoyens seront les vertueux, mais aussi « des hommes intéressés au bien du public, liés à la patrie par des possessions qui lui répondent de leur attachement ». Eux seuls seront habilités à élire les représentants aux assemblées : « Ce droit n'est pas fait pour une populace désœuvrée, pour des vagabonds indigents, pour des âmes viles et mercenaires » (*le Système social*). Hommes de bien et hommes de biens! Les propriétaires, et en particulier les propriétaires terriens, sont les fondements de la richesse nationale. Dans la mesure où cette richesse s'acquiert par le travail, le seul pauvre sera le paresseux, plus à blâmer qu'à plaindre. Moralisation de la propriété, qui donne bonne conscience au citoyen riche, homme utile à l'État.

La conception du bonheur selon d'Holbach amalgame ainsi en un système original, totalement étranger aux principes démocratiques de Rousseau, les principes du matérialisme, du droit naturel et de l'esprit bourgeois, dans ces années 1770-1775 où précisément est en train de prendre consistance la nouvelle classe bourgeoise. Pour d'Holbach, un pays heureux est un pays à population nombreuse, dont les terres sont bien cultivées et les citoyens bien éduqués. Un pays où la vertu trouve sa récompense et le vice son châtiment. Au demeurant, puisque la nature humaine est fondamentalement bonne et juste, « le méchant est un mauvais calculateur », simplement (*le Système social*).

Les failles du système social de D'Holbach apparaissent à l'évidence : contradiction entre matérialisme et idéalisme; primauté du moral sur le politique; l'État considéré comme une somme d'individus, sans perception de la dualité, dans chaque homme, entre être individuel et être social. Affirmant d'un côté que la nature est dynamisme, progrès, changement, destruction des formes existantes pour en créer d'autres, d'Holbach, moins logique que Sade dans les conséquences de son matérialisme, propose par ailleurs un bonheur de conservation. Son idéologie bourgeoise, fondée initialement sur une opposition radicale au christianisme, permet pourtant de récupérer, par le biais de la « vertu », un certain nombre de valeurs de la morale chrétienne. C'est pourquoi le baron, malgré la violence de sa polémique contre la religion, ouvre la voie, bien au-delà de la Révolution — qui se référera plutôt à Rousseau —, à la grande bourgeoisie riche du XIXe siècle, libérale, progressiste et conservatrice à la fois, sûre de sa vérité et pénétrée de sa bonne conscience.

BIBLIOGRAPHIE
Œuvres. — Pour l'état actuel des recherches sur les véritables œuvres personnelles de D'Holbach, voir l'ouvrage fondamental de Jeroom Vercruysse : *Bibliographie descriptive des écrits du Baron d'Holbach* (Paris, Lettres Modernes, 1970). On y trouvera le détail de toutes les éditions de chaque œuvre depuis son origine jusqu'en 1970.

Œuvres actuellement disponibles en librairie : *le Christianisme dévoilé, la Contagion sacrée,* Herblay, Éd. de l'Idée libre, 1961 et 1962; *le Système de la Nature,* Genève, Slatkine Reprints, 1973 (reproduction de l'édition marquée « Londres 1770 »; en fait : Amsterdam); *le Bon Sens,* Paris, Éd. rationalistes, 1971 (excellente préface de Jean Deprun); *l'Éthocratie,* Paris, Éd. d'Histoire sociale, 1967 (reproduction en *fac simile* de l'édition d'Amsterdam 1776). Reproduction sur microfiches (Microéditions Hachette, 1972 et 1973) : *le Bon Sens, le Christianisme dévoilé, la Contagion sacrée, Élements de Morale universelle, Histoire critique de Jésus-Christ, Système social,* traduction des *Lettres à Séréna* de John Toland. Deux textes rares, *Discours préliminaire* et *Réplique au réquisitoire sur le système de la Nature,* ont été publiés par Jeroom Vercruysse dans *Bicentenaire du Système de la Nature,* Paris, Lettres Modernes, 1970.

Une anthologie de textes, avec préface : *D'Holbach portatif,* par Georgette et Bernard Cazes, Paris, J.-J. Pauvert, 1967. Autre anthologie : *Textes choisis (le Christianisme dévoilé, la Contagion sacrée, Histoire critique de Jésus-Christ),* par Paulette Charbonnel, Paris, Éd. sociales, « les Classiques du Peuple », 1957 (très riche introduction de 80 pages).

A consulter. — René Hubert, *D'Holbach et ses amis,* Paris, 1928; Pierre Naville, *D'Holbach et la philosophie scientifique au XVIIIe siècle,* Paris, Gallimard, 1943, rééd. 1967. On consultera aussi avec intérêt, pour la diffusion des manuscrits clandestins du début du XVIIIe siècle, édités ensuite par d'Holbach : Ira O. Wade, *The Clandestine Organisation of Philosophic Thought in France,* Princeton, 1938; John S. Spink, *la Libre-Pensée française de Gassendi à Voltaire,* Paris, Éd. sociales, 1966.

R. VIROLLE

HONNÊTE HOMME (XVIIe siècle). Du latin *honestus* (« honorable »). L'honnête homme représente, au XVIIe siècle, un idéal de comportement social et, plus largement, d'attitude culturelle. Le souvenir affaibli de cette acception subsiste aujourd'hui dans l'emploi de cette expression pour désigner un homme cultivé. Les autres termes du même champ lexical : « honnêteté », « honnêtes gens », sont tombés en désuétude dans cette acception; subsistent surtout des emplois faisant référence à la probité (un « homme honnête »).

La notion d'honnête homme est indispensable pour comprendre la littérature classique. Elle désigne en effet le type de lecteur idéal en fonction duquel s'élaborent les œuvres de ce temps. Ce type idéal, même s'il ne trouve dans la réalité sociale que des illustrations rares ou imparfaites, définit les horizons d'attente qui déterminent alors l'esthétique.

Un modèle social

La réflexion sur les théories de l'« honnête homme » s'est élaborée et précisée peu à peu au long de la première moitié du XVIIe siècle, suscitant de nombreux ouvrages, ainsi que des polémiques.

Pour une part, elle trouve ses sources dans une tradition spécifiquement française, dont Montaigne est le promoteur. Mais elle puise aussi dans des sources italiennes. Ainsi, c'est au *Corteggiano* de Baldassarre Castiglione qu'emprunte le plus Nicolas Faret, qui, le premier, théorise méthodiquement l'honnêteté dans *l'Honnête Homme ou l'Art de plaire à la Cour* (1630). L'honnêteté est encore restreinte au milieu courtisan et à un art de la civilité mondaine. Quoique dotée de justifications plus profondes (les vertus chrétiennes, les responsabilités du conseiller des princes), elle reste avant tout un moyen de parvenir et un art de paraître.

De 1630 à 1650, une floraison de traités et d'essais marque l'extension du débat sur le sujet. La conception de l'honnêteté n'y est plus liée au seul monde de la Cour : les manuels à destination des femmes et des jeunes filles se multiplient, et sont reconnus honnêtes hommes tous les gens d'esprit. On voit se manifester là l'influence des milieux mondains, où se côtoyent nobles et bourgeois, d'Ablancourt et Patru, Mitton et le chevalier de Méré (dont le *Discours sur la vraie honnêteté* apparaît comme la théorisation la plus achevée de cette problématique), Saint-Évremond enfin.

L'honnêteté apparaît alors comme la qualité de ceux qui, nobles ou roturiers, pratiquent la civilité, l'élégance des manières, le sens des bienséances, mais qui ont aussi une solide culture, une intelligence exercée et lucide. Mais cette culture doit être diversifiée et surtout discrète aux deux sens du terme : avoir le goût bon, pour distinguer les vrais mérites du clinquant, et avoir le bon goût de ne pas s'afficher. Cette honnêteté, qui se rencontre aussi bien dans les salons littéraires ou mondains qu'à la Cour, est donc, désormais, une manière d'être.

Un modèle culturel

Si on laisse de côté les textes nés des discussions sur la théorie de l'honnêteté, l'influence de celle-ci sur la création littéraire relève surtout de deux problématiques : l'idéologie et le goût.

Dans le domaine idéologique, l'honnête homme incarne une morale de la lucidité. Il se défie des élans passionnels, sur lesquels la morale de l'héroïsme, très vivace dans le même temps, fondait son optimisme. Il a conscience des faiblesses humaines, et, s'il sait, comme le héros, qu'il faut se vaincre soi-même, il voit là plus un renoncement qu'une conquête. D'où une grande attention portée à l'analyse psychologique, mais aussi un regard sans illusion sur l'homme et sur le monde, qui favorise un pessimisme sensible dans les œuvres de La Rochefoucauld, de Mme de La Fayette ou de Racine.

Mais l'honnêteté est, plus encore, un certain idéal du goût. Elle suppose d'abord, évidemment, le sens de la mesure, de l'ordre, de la discrétion. Les notions de « naturel », de « vraisemblance », d'« ordre », de « bienséance » et de « régularité » trouvent là un ancrage social solide. D'autre part, l'honnêteté est une attitude culturelle excluant toute spécialisation; elle suppose un goût « moyen », c'est-à-dire non pas neutre, mais sensible aux nuances. Elle s'oriente donc vers un style « galant » (voir GALANTERIE), volontiers fait de litotes, mais qui n'exclut nullement l'humour et le trait d'esprit, pourvu qu'ils soient amenés avec élégance. En un mot, elle est un goût fondé sur la « distinction », sur l'« atticisme », terme souvent attesté alors et qui conviendrait peut-être mieux que « classicisme » pour caractériser l'idéal artistique de ce temps.

BIBLIOGRAPHIE
Textes. — N. Faret, *l'Honnête homme,* éd. M. Magendie, Paris, Alcan, 1925; Méré (le Chevalier de), *Œuvres,* t. I, éd. Boudhors, Paris, Belles-Lettres, 1930; voir aussi Saint-Évremond : *Œuvres,* vol. I et VII.

Études. — M. Magendie, *la Politesse mondaine et les théories de l'honnêteté en France au XVIIe siècle (1600-1660),* Paris, P.U.F., 1923; J.P. Dens, « le Chevalier de Méré et la critique mondaine », *XVIIe Siècle,* n° 101, 1973. Dans le n° 6-1976 des *Papers on French 17th Century Literature,* deux articles de J.P. Dens, « Honnête homme et esthétique du paraître » (p. 41-45) et de D.C. Stanton, « l'Art de plaire and the Semiotics of "honnêteté" ». Voir aussi J. Mesnard, *Pascal et les Roannez,* Paris, Desclée de Brouwer, 1965.

A. VIALA

HORY Blaise (1528?-?). V. SUISSE. Littérature d'expression française.

HOTMAN François (1524-1590). Juriste célèbre, polémiste ardent du front protestant, François Hotman a mené une carrière parallèle de professeur de droit et de politicien. Après des études à Orléans, il obtient de Calvin (en 1547) une chaire à Lausanne. Puis il enseigne le droit civil à Strasbourg (1555), accompagne Calvin au synode de Francfort, devient agent politique de l'Électeur palatin à Heidelberg (1556). Il sert d'intermédiaire aux conjurés d'Amboise. Maître des requêtes du roi de Navarre, il recherche des appuis auprès des princes protestants. Il publie un pamphlet anonyme contre le cardinal de Lorraine (*l'Épître envoyée au Tigre de France*), qu'il accuse de fausse piété et de licence (1560); grâce à quoi deux innocents seront pendus. En 1562, après le massacre de Wassy, il défend Orléans avec Condé; la paix d'Amboise le ramène à l'enseignement du droit (Valence, 1563-1565). Le *De sacramento Coenae* exprime son hostilité à la Présence réelle; son souci de réformer la justice lui fait commenter à Bourges l'ancien droit coutumier et publier *l'Antitribonian* dans lequel il revendique l'autonomie du droit français. En 1570, le chancelier Michel de l'Hospital le nomme historiographe du roi, fonction qu'il occupe jusqu'à ce que de nouveaux troubles l'obligent à s'enfuir vers Sancerre, où il subit le siège, puis à Bourges. Il n'échappe à la Saint-Barthélemy que grâce à l'intervention de ses étudiants, et c'est à Genève qu'il s'installe (octobre 1572), avec la mission de contrecarrer l'action des agents royaux. Il y enseigne toujours le droit romain et publie la même année (1573) deux œuvres de circonstance, la *Vie de Coligny* et le *De furoribus gallicis,* et surtout son ouvrage majeur, la *Franco-Gallia seu Tractatus isagogicus de regimine regum Galliae,* probablement composée avant le massacre. Il y défend l'idée audacieuse que la monarchie absolue est illégitime et la thèse selon laquelle seuls les états généraux ont le pouvoir de déposer un roi indigne. Ce livre tente, par d'abondantes références à l'histoire européenne et à l'Antiquité, d'établir les fondements juridiques de la nation française. Il conteste aussi la pertinence de la loi salique. Certains aspects sont à rapprocher du *Discours de la servitude volontaire* de La Boétie. On a attribué la traduction française de la *France-Gaule* à Simon Goulart : assez libre, elle témoigne d'un souci d'adaptation à un public non docte et, par exemple, valorise le peuple plus que ne le faisait le texte original. Hotman continue à servir le roi de Navarre, mais ses idées antimonarchistes s'infléchissent notablement par la suite. Nommé conseiller d'État par Henri IV, Hotman s'efforce de prouver, dans le *De jure successionis,* la légitimité de l'héritier royal. La fin de sa vie est marquée par des préoccupations alchimistes, comme le montrent ses *Epistolae* (Amsterdam, 1700).

BIBLIOGRAPHIE

Rodolphe Dareste, *Essai sur François Hotman,* Paris, A. Durand, 1850; R.E. Giesey, « When and Why Hotman Wrote the *Franco-Gallia* », *Bibliothèque d'Humanisme et Renaissance,* t. XXIX, 1967; François Secret, « François Hotman alchimiste », dans *B.S.H.P.F.,* n° 124, 1978; Michel Glatigny, « Traduction et polémique : la version française de la *Franco-Gallia* », dans *Revue des sciences humaines,* n° 180, 1980; Pierre Mesnard, *l'Essor de la philosophie politique au XVIe siècle,* Paris, Vrin, 1977.

M.-L. LAUNAY

HOUDAR DE LA MOTTE Antoine, dit aussi **La Motte-Houdar** (1672-1731). Poète, dramaturge, critique, Houdar de La Motte eut ses dévots exclusifs, telles la duchesse du Maine et la marquise de Lambert, pour vanter le génie de sa poésie, « son imagination réglée » et son « éloquence si douce ». Rien de plus complexe et de plus ambigu pourtant que cette relation qui s'établissait entre l'orateur et son auditoire; il eut aussi ses ennemis, qui ne surent voir que ses vers laborieux et ses fautes de syntaxe. Cependant ses opéras remportèrent de vifs succès, et, en 1697, sa pastorale *Issé* fut jouée devant le roi à Trianon; *Inès de Castro,* représentée au Théâtre-Français le même jour que *la Double Inconstance,* assura à son auteur une renommée incontestée. Ami du progrès, La Motte choisit le parti des Modernes et fut à l'origine de la seconde querelle des Anciens et des Modernes. Entouré de Marivaux et de son ami Fontenelle, il contribua, en sa qualité de « chef des néologues », à répandre quelques idées nouvelles et audacieuses.

Une passion : le théâtre

D'origine modeste, Houdar de la Motte fait ses humanités chez les jésuites, mais renonce vite à ses études de droit. Son goût très vif pour le théâtre le pousse à offrir au Théâtre-Italien sa première comédie, *les Originaux* (1693). Cette farce n'obtient que peu de succès, si bien que La Motte, désabusé, décide d'entrer à la Trappe. L'expérience monacale ne dure que deux mois, l'abbé de Rancé étant suffisamment lucide pour comprendre la fragilité de cet engagement. La Motte, qui avait joué certaines pièces de Molière, s'adonne à nouveau à son plaisir favori et choisit d'écrire pour le théâtre de l'Opéra. Il ne compose pas moins d'une quinzaine d'œuvres : *l'Europe galante,* ballet mis en musique par Campra (1697); *Issé,* pastorale héroïque (1697), jugée par Laharpe comme « la meilleure de toutes nos pastorales lyriques »; *Amadis de Grèce,* tragédie, musique de Destouches (1699); *Marthésie, première reine des amazones,* tragédie chantée (1699); *le Triomphe des arts,* ballet mis en musique par Michel de La Barre en 1700, qui obtint un vif succès; *Canente,* tragédie (1700); *Omphale,* tragédie jouée en 1701; *le Carnaval et la Folie* (1703), inspiré de l'œuvre d'Érasme; *la Vénitienne,* comédie-ballet (1705); *Alcione* (1706); *Semelé,* tragédie mise en musique par Marais (1709), et qui est, selon Laharpe, « son meilleur opéra »; *Scandenberg,* tragédie (1735); *les Âges* et le *Ballet des fées,* comédies-ballets. Ces opéras que l'on n'a jamais vus sur scène depuis leur création furent fort bien accueillis par les critiques, qui estimaient que La Motte occupait le deuxième rang après Quinault. Mais la faiblesse des intrigues, la médiocrité des vers les ont condamnés à l'oubli. Le jugement de Laharpe fournirait sans doute une explication à ce désintérêt : « Un des défauts habituels de cet écrivain, même dans ses opéras, c'est la gêne des constructions, et le prosaïsme et la dureté s'y joignent encore trop souvent [...]. Le plus souvent, il a l'air d'avoir pensé en prose et traduit sa pensée en vers ».

Confiant dans ses talents, La Motte s'essaie aux comédies en prose (*le Magnifique, l'Amant difficile*), mais obtient peu de succès. Il compose alors des tragédies, dont certaines vont accroître sa renommée, et, dans un souci de réforme, il s'attaque à la règle des trois unités : *les Macchabées* (1722), *Romulus* (1722) et *Œdipe* (1730) connaissent un échec cuisant; seule *Inès de Castro* (1723) est vivement applaudie au Théâtre-Français et remporte « un succès jamais vu depuis *le Cid* ». Pourtant l'histoire reste fade, les personnages manquent d'épaisseur, et, si la pièce n'est plus représentée, la faute en revient surtout au style.

Poète et chef des néologues

En 1709, La Motte publie un recueil poétique, *Odes*, non dénué de facilités mais qui lui vaut maints compliments. Lisant lui-même ses œuvres dans les salons, l'auteur est habile à les mettre en valeur... Il est élu membre de l'Académie française en 1710. Atteint de cécité deux ans plus tard, il n'en continue pas moins ses activités. Ses *Fables* (1719) n'égalent certes pas celles de La Fontaine, mais certaines renferment quelques vers dont la postérité, si elle en ignore l'auteur, garde néanmoins le souvenir : « L'ennui naquit un jour de l'uniformité » (« les Amis trop d'accord »), et peut-être Voltaire, qui écrivit :

On meurt deux fois, je le vois bien :
Cesser d'aimer et d'être aimable
Est une mort insupportable.
Cesser de vivre, ce n'est rien,

se rappelait-il avoir lu ces vers de La Motte :

On meurt deux fois en ce bas monde :
La première, en perdant les faveurs de Vénus.
Peu m'importe de la seconde :
C'est un bien quand on n'aime plus.

Sa préface, comme tous les discours précédant ses œuvres, est empreinte de fausse modestie : « ... il a fallu enfin être tout à la fois et l'Ésope et le La Fontaine. C'en était sans doute trop pour moi; il ne serait pas juste que j'égalasse ni l'un ni l'autre ». Son dessein est qu'« il ne faut songer qu'à imiter la Nature, imitation qui fait seule les Originaux ». Cet homme, qui avait tant peiné à écrire en vers, avoue qu'« il n'a pas le courage de trouver à redire aux négligences de la versification » de La Fontaine.

Si La Motte n'est pas totalement tombé dans l'oubli, c'est pour avoir osé une tentative qui relance la querelle des Anciens et des Modernes; prenant parti pour les Modernes, il publie en 1714, *l'Iliade en vers avec un discours sur Homère*. Sa piètre traduction du livre XII, qui ressemble plus à une parodie qu'à une « imitation », attise une polémique retentissante avec Mme Dacier : à son *Traité des causes de la corruption du goût*, La Motte répond par ses *Réflexions sur la critique* (1715). [Voir QUERELLE DES ANCIENS ET DES MODERNES].

Grand ami de Fontenelle, La Motte, en sa qualité de « chef des néologues », anime un cercle d'auteurs qui fréquentent assidûment le salon de la marquise de Lambert; ce groupe, appelé « les Nouveaux Précieux », estime que l'histoire se caractérise par une progression continue, et répand quelques idées nouvelles; c'est ainsi que La Motte, qui avait tant défendu ses vers et sa versification, comme il défendra le mélange des genres et l'audace de certaines expressions, prétend que tout peut s'écrire en prose. Pour n'avoir vu que la difficulté mécanique de l'écriture en vers, il tente de détromper ceux qui prétendaient que la prose ne pouvait s'élever aux expressions poétiques. Il publie, en les comparant, la première scène de *Mithridate* avec la même scène réduite en prose, ainsi qu'un *Œdipe* en prose, accompagné d'une préface où l'on peut lire qu'« on s'est imaginé (car de quoi la force de l'habitude ne fait-elle pas des principes?) que la pompe, la mesure des vers et l'éclat de la rime étaient essentiels à la dignité de la tragédie; que les grands intérêts et les grandes passions perdraient, sans ce soutien, une grande partie de leur importance, comme si l'admiration, la terreur et le pathétique ne pouvaient être l'effet du langage ordinaire ».

A la fin de sa vie, La Motte, toujours croyant, compose des cantates et rédige un *Plan de preuves de la religion* où se manifeste son hostilité aux jansénistes.

Si l'on peut reprocher à La Motte son manque d'imagination, son style à la fois incorrect et affecté, il faut en revanche reconnaître son rôle dans la diffusion d'idées qui semblaient théoriques ou utopiques en leur temps mais qui ont fait leurs preuves depuis lors. Et une petite nouvelle orientale comme *Salned et Garaldi* mériterait à elle seule que son nom ne soit pas oublié.

Semelé. — Semelé, fille de Cadmus, roi de Thèbes, aime secrètement, et d'un amour partagé, Idas, dont elle ignore la véritable identité et qui n'est autre que Jupiter. Elle accepte cependant, par devoir, d'épouser Adraste, jeune prince thébain. Devant la résistance de la jeune femme, Jupiter avoue qui il est. Adraste ayant réclamé la vengeance de Junon, celle-ci, sous les traits de l'ancienne nourrice de Semelé, insinue le doute dans le cœur de sa rivale et la pousse à exiger de Jupiter qu'il se montre aux Thébains. Atterré par la demande, le dieu y souscrit cependant, en se lamentant car il sait désormais quel est le sort réservé à celle qu'il aime. « Dans un embrasement d'éclairs et de tonnerres », Jupiter foudroie Adraste et fait enlever Semelé :

Volez, Zéphirs, volez, portez-la dans les cieux;
Qu'elle y partage, aux yeux de Junon même,
L'éternelle gloire des dieux.

Inès de Castro. — Alphonse, roi de Portugal, surnommé « le Justicier », a promis d'unir son fils, dom Pedre, à Constance, fille de la reine. Mais le mariage secret du prince avec Inès, fille d'honneur de la reine, contraint celui-ci à refuser l'offre de son père. La reine, ayant tout deviné, se voit confier la garde d'Inès. Afin de l'enlever, dom Pedre prend la tête d'une troupe de rebelles. Inès refuse de le suivre : il est arrêté, jugé et condamné. Constance supplie Inès de fléchir le roi pour sauver le prince. Inès y parvient après lui avoir révélé son union et présenté les fruits de cet amour : deux enfants. Magnanime, Alphonse pardonne à l'instant où Inès expire dans les bras de dom Pedre, empoisonnée.

BIBLIOGRAPHIE

Les œuvres complètes de Houdar de La Motte sont aujourd'hui inaccessibles. Édition originale : *Œuvres*, 10 vol., Paris, Prault l'aîné, 1754.

Voir aussi : *Œuvres choisies*, Paris, 1811; *Pièces de Théâtre*, Paris, Vve Duchesne, 1765. L'édition de la Pléiade, *le Théâtre au XVIIIe siècle*, t. I, contient une pièce de La Motte : *Inès de Castro; Réflexions sur la critique*, Paris, Du Puis, 1716; *Discours sur Homère*, Bordeaux, Société bordelaise de diffusion des travaux de lettres et sciences humaines, 1969; *les Paradoxes littéraires ou discours sur les principaux genres de poèmes*, rééd., Genève, Slatkine, 1971.

A consulter. — Paul Dupont, *Un poète philosophe au commencement du XVIIIe siècle*, thèse, Paris, 1898; É. Faguet, *Cours, Conférences*, t. VII, chap. II, 1899, t. VIII, chap. I, 1899-1900.

Ch. LAVIGNE

HOUGRON Jean (né en 1923). Romancier né à Mondeville (Calvados). Il prépare une licence de droit, tout en enseignant l'anglais et les sciences (1946). Entre dix-huit et vingt ans, il écrit une vingtaine de nouvelles, qu'il publiera ultérieurement. Comme son héros Georges Guersant (*Histoire de Georges Guersant*), il s'interroge : sur quelles voies s'engager? Son rêve d'évasion finit par se réaliser; alors même qu'il souhaitait découvrir l'Afrique noire, il part pour l'Indochine. Il va ainsi parcourir le Sud-Est asiatique, exerçant divers métiers (ramasseur de benjoin, planteur de tabac au Siam), s'initiant au laotien, au chinois : de retour à Saigon, il entre, en qualité de reporter, à Radio-France-Asie, où il reste jusqu'en 1951, puis il revient en France. C'est au cours d'un séjour dans un village du haut Laos, en 1950, qu'il a entrepris la rédaction du premier volume du cycle de *la Nuit indochinoise* : *Tu récolteras la tempête* (1950) : suivront ensuite *Rage blanche* (1951), *Soleil au ventre* (1952), *Mort en fraude* (1953), *les Asiates* (1954), *la Terre du Barbare* (1958). Continuant une tradition réaliste du roman, Hougron met en scène des hommes sans scrupules, des femmes sans pudeur dans un monde colonial en voie de disparition; chacun essaie de survivre, d'aimer s'il le peut, mais se heurte à la violence, à la mort, tel Horcier, qui, dans *Mort en fraude*, est abattu en traversant une impasse : « Autour de son corps, sur lequel Anh était penchée, la foule s'entassait et jacassait ». Les descriptions ne visent pas à esthétiser le roman; leur sobriété les intègre à l'action : « Le soleil se couchait. Le village formait une petite butte d'ombre, et la nuit paraissait l'avoir éloigné. Un feu devait brûler derrière les habitations, car une lueur orange montait parfois à l'assaut du ciel » (*Mort en fraude*). En 1953, l'Académie française lui décerne le grand prix du Roman, et, en 1965, il obtient le prix populiste. Dans ses autres romans (*Je reviendrai à Kandara*, 1955; *les Portes de l'aventure*, 1954; *l'Homme de proie*, 1974; *Histoire de Georges Guersant*, 1974; *l'Anti-Jeu*, 1977) et ses nouvelles (*les Humiliés*, 1971), les héros, impuissants, révoltés, « certains de la défaite » (*Par qui le scandale*), jouent leur vie « après avoir brouillé les cartes ». Parfois la truculence l'emporte : « Ingénu et roublard, avide et tendre, débordant de santé et d'ambition, Alexandre Larsac, c'est Candide en Indochine » (J. Barde) : il s'agit de l'aventurier de *la Gueule pleine de dents* (1970). Observateur lucide, Hougron constate l'incompatibilité entre les rapports sociaux et les rapports humains dans une réalité coloniale restreinte qui n'est pas occultée par une expression imagée.

Ch. LAVIGNE

HOUSSAYE Arsène, pseudonyme d'**Arsène Housset** (1815-1896). Poète, essayiste, romancier, Arsène Houssaye, jeune paysan déraciné, baladin fourbissant ses premiers vers dans des romances sentimentales pour chanteurs ambulants, est un homme à qui tout sourira tant il aura le don de plaire. Ainsi le constate amèrement Flaubert, tempêtant contre le goût du temps pour la mignardise et la grisette : « Cette manie de l'étriqué [...] détourne des choses sérieuses, mais ça plaît [...]. Nous allons revenir à Florian avant deux ans. Houssaye alors fleurira, c'est un berger ».

Théophile Gautier, pourtant, l'introduit dans le groupe de l'impasse du Doyenné; reconnaissant, Houssaye ouvrira ses colonnes à ses amis quand il deviendra directeur de *l'Artiste* (1843). Ce qu'il touche devient or, toutes ses spéculations réussissent. Il devient peu à peu une haute figure du second Empire, successivement administrateur de la Comédie-Française (1849-1856), inspecteur des musées de province (1857), directeur de la *Revue du XIXe siècle* (1866), président de la Société des gens de lettres (1884). C'est à lui que Baudelaire dédie *le Spleen de Paris*.

Critique artistique apprécié, essayiste friand de petite histoire, feuilletoniste passé maître dans l'art de doser l'élégance et la fantaisie, le rêve ou la fausse confidence, conteur curieux de galanterie et d'ésotérisme, « poète des roses et de la jeunesse » (Sainte-Beuve), Arsène Houssaye, petit-maître attardé dans le XIXe siècle plutôt que dandy, répand dans tous ses écrits un hédonisme souriant, bien propre à orchestrer le thème majeur d'un hymne aux amours et à la femme.

Voyage à ma fenêtre (1860), fantaisie autobiographique en même temps qu'inventaire des trésors de la vie élégante et de la société parisienne, renonce, au profit d'élégantes pirouettes, à la profondeur de l'écriture, à une « œuvre faite de temps perdu, c'est-à-dire de temps précieux ». L'auteur des *Mille et Une Nuits parisiennes* (1875) a grand soin d'affadir ses emprunts à Cazotte, à Crébillon fils ou à Restif de La Bretonne à l'intention d'un public bourgeois et prude, aussi prompt à la fascination qu'au scandale. Zola, tout en rendant hommage à son protecteur — « un des derniers grands chênes de la forêt romantique » —, regrettera cette autocensure.

Quant au « poète des roses », Gautier a beau prétendre que « dans ces roses, la goutte de rosée est souvent une larme », il ne parvient pas à faire oublier que celui qui signe *la Poésie des bois, le Foin et le Blé, les Onze Mille Vierges*, est d'abord un poète des lieux communs, à la forme conventionnelle, au lyrisme badin; ainsi quand il adresse à l'aimée ce compliment choisi : « Vous avez la fraîcheur de l'aube et de la rose », il donne des gages de sa conviction :

> Je n'aime que l'esprit des roses
> Et la sagesse de Ninon.
>
> (« les Cent Vers dorés »)

Et lorsqu'il clame, dans « l'Idéal de Greuze » :

> J'aime mieux l'idéal de la Cruche cassée
> Qu'un chaudron de Chardin, chef-d'œuvre sans pensée :
> C'est par l'âme qu'il faut chercher la vérité.

On ne peut que songer au scandale qui entoura la vente aux enchères de sa collection de tableaux, tous faux, et qui marqua pour les Goncourt « la consécration du goût du faux [qu'avait eu] toute sa vie, en littérature et en art, Arsène Houssaye ».

BIBLIOGRAPHIE

On trouvera un choix de textes assez large dans : *Œuvres d'Arsène Houssaye*, Paris, Plon, 1860-1867, et les poésies dans : *Poésies*, 1887.

Sur A. Houssaye, on pourra consulter : Barbey d'Aurevilly, *Romanciers d'hier et d'avant-hier*, p. 271-286, Paris, Lemerre, 1904.

D. GIOVACCHINI

HOUVILLE Gérard d', pseudonyme de **Marie Louise Antoinette de Heredia** (1875-1963). Marie de Heredia, la deuxième fille de l'auteur des *Trophées*, montra dès l'enfance un talent de poète. Elle publia ses premiers vers en 1894. Mariée en 1895 à Henri de Régnier, à qui elle donna un fils prématurément disparu, elle produisit avec une égale fécondité dans tous les genres : des romans, nourris souvent de souvenirs personnels (*l'Inconstante*, 1903; *le Temps d'aimer*, 1908; *Tant pis pour toi!*, 1921; *le Séducteur*, 1914, où sont retracées l'enfance et la jeunesse de son père à Cuba), des vers, rassemblés dans *Poésies* (1930), des chroniques littéraires dans la *Revue des Deux Mondes*, et même des « proverbes » à la manière de Musset (*Je crois que je vous aime*, 1927). A quoi s'ajoutent des ouvrages plus commerciaux : *la Vie amoureuse de l'impératrice Joséphine*, 1925; *la Vie amoureuse de la Belle Hélène*, 1928; et, en collaboration avec Paul Bourget, Henri Duvernois et Pierre Benoit, *le Roman des quatre* et *Micheline et l'amour*, 1923-1926.

Son origine, son mariage, sa parenté avec Pierre Louÿs, Maurice Maindron, René Doumic (les autres gendres de Heredia) font d'elle une figure presque exemplaire de cette littérature aristocratique et cosmopolite des années 1900-1920. Avec la comtesse de Noailles, qui lui ressemble et qui l'admira, elle fut l'une des dernières « muses romantiques ». Ses romans sont plus connus que ses poèmes. On en a loué la délicatesse et le ton primesautier. On y retrouve un piquant mélange de clairvoyance parfois mélancolique et d'ironie nuancée — ou, comme l'a dit Anna de Noailles, un « ton lyrique [...] à la fois aigu et contemplatif ».

BIBLIOGRAPHIE

René Lalou, *Histoire de la littérature française contemporaine*, Paris, P.U.F., 1940; H. de Chizeray-Cuny, « Gérard d'Houville », *Revue des Deux Mondes*, juillet 1966; Pierre Louÿs, *Inédits*, publiés par Robert Fleury et Jean-Louis Meunier, Muizon, éd. A l'Écart, 1982.

A. NIDERST

HUBIN Christian (né en 1941). V. BELGIQUE. Littérature d'expression française.

HUET Pierre Daniel (1630-1721). Peu d'hommes ont joui comme Huet d'une aussi grande réputation en autant de domaines : théologie, philosophie, études hébraïques, poésie latine et grecque, critique littéraire, mathématiques. Le *Huetiana* donne une idée de la variété de ses préoccupations : de l'origine de la rime, de celle de la rougeole, de la rosée, des comètes, de Villon, de l'Antiquité, des jets d'eau, des chiffres... et même de « l'amour, maladie des corps qui se peut guérir par le secours de la médecine ». Leibniz disait de lui : « Je suis vain d'apprendre qu'il se souvient de moi [...]. Tout ce qui vient de cette main est exquis ». Pourtant Mme de Sévigné lui reproche de n'avoir attaqué Descartes que pour complaire au duc de Montausier. Sa *Demonstratio evangelica* a surtout démontré son érudition, et Boileau le critique vivement dans la Préface de sa traduction du *Traité du sublime,* et, après lui, Voltaire raillera son *Traité sur la faiblesse de l'esprit humain*. Champion du fidéisme contre les progrès du rationalisme, il est vite devenu le symbole du savant d'avant les Lumières, à la culture plus vaste que profonde.

Né à Caen, il y fait ses études au collège des Jésuites, mais son père, ancien protestant, lui fait suivre aussi les leçons du pasteur Bochart. Il suit ce savant en Suède, où l'avait appelé la reine Christine. C'est à la Bibliothèque royale de Stockholm qu'il découvre des *Commentaires inédits sur les Écritures,* par Origène, qu'il s'occupe d'éditer dès son retour en France (*Origenis in sacram scripturam...,* Rouen, 1668). Sa culture et ses mérites lui valent en 1670 d'être attaché à la suite de Bossuet à l'éducation du Dauphin, avec le titre de sous-précepteur, et il s'assure lui-même la collaboration de spécialistes de valeur tels que Mme Dacier pour le grec. Il est élu en 1674 à l'Académie française et fréquente beaucoup la Cour, qu'il quittera en 1680 avec le mariage du Dauphin. C'est pendant cette période qu'il se lie avec Mme de Lafayette, collaborant à *Zaïde* (1670) et faisant précéder les deux volumes de cette œuvre d'un *Traité sur l'origine des romans*.

Il est entré assez tard dans les ordres puisqu'il ne reçoit la tonsure qu'en 1676, et, deux ans plus tard, le roi lui accorde l'abbaye d'Aulnay, près de Caen. Il est nommé en 1685 à l'évêché de Soissons, attend quatre ans ses bulles et finit par accepter l'évêché d'Avranches, dont il se démet après sept ans contre l'abbaye de Fontenay. Les vingt dernières années de sa vie se passent paisiblement à Paris, dans la maison professe des Jésuites auxquels il a légué sa riche bibliothèque (que Catherine II proposera d'acheter pour 150 000 livres). Il est jusqu'à sa mort en correspondance avec les plus grands savants d'Europe : « Cet amour indomptable de l'érudition m'a toujours possédé, écrit-il, et, dans l'âge avancé où je suis, je le sens aussi vif qu'au plus fort de mes études ».

A côté d'œuvres latines importantes, il laisse un *Traité de la situation du paradis terrestre* (1691), de *Nouveaux Mémoires pour servir à l'histoire du cartésianisme* (1691, où il critique celui qui fut son maître à penser), des *Origines de la ville de Caen* (1702), une *Histoire du commerce et de la navigation des Anciens* (1716). Paraîtront après sa mort un *Traité sur la faiblesse de l'esprit humain* (1723) et le *Huetiana ou Pensées diverses* (1722) publié par l'abbé d'Olivet, livre précieux pour l'histoire littéraire du XVIIe siècle, en particulier pour Mme de Lafayette et La Rochefoucauld. On relira avec profit ses Mémoires, d'abord écrits en latin (*Commentarius de rebus ad eum pertinentibus,* 1718, traduits par Nizard en 1854).

Traducteur des *Pastorales* de Longus, il écrivit lui-même un assez médiocre roman, *Diane de Castro ou le Faux Inca* (1724). Mais aujourd'hui il reste seulement de lui ce *Traité de l'origine des romans,* dont le premier titre de gloire est qu'il associe son nom à celui de l'auteur de *la Princesse de Clèves* : il y défend, après Jean-Pierre Camus et avant Fénelon, l'idée alors nouvelle que le roman peut être lu avec profit, à condition qu'il ait des fins morales. Il remonte du roman narratif en prose au roman poétique médiéval, étudie les sources modernes et nationales nécessaires à un renouvellement de la littérature, démontre une connaissance très étendue de l'univers romanesque ancien et étranger — de l'espagnol surtout —, rend hommage à des contemporains, à d'Urfé, à Mlle de Scudéry, à Mme de Lafayette, en véritable pionnier de l'histoire littéraire. Mais pour la plupart, le nom de Huet ne se réduit-il pas à celui du dédicataire d'une *Épître* célèbre de La Fontaine?

BIBLIOGRAPHIE

Les Œuvres de Huet sont aujourd'hui inaccessibles, sauf le *Traité sur l'origine des romans* qui figure, joint à *Zaïde*, avec les Œuvres de Mme de Lafayette.

A consulter. — Sainte-Beuve, *Causeries du Lundi,* vol. II, 1852; H. Dupront, *P.D. Huet ou l'exégèse comparatiste au XVIIe siècle,* thèse, Paris, 1938; M. Rat, « P.D. Huet, amateur de beau langage », dans *Vie et langage,* t. V, 1956.

B. RAFFALLI

HUGO

HUGO Victor Marie (1802-1885).

VICTOR HUGO AVANT L'EXIL

Totalité et fractures

Hugo est une totalité. Lui-même l'affirme : « L'ensemble de mon œuvre fera un jour un tout indivisible. Je fais [...] une Bible, non une Bible divine, mais une Bible humaine. Un livre multiple résumant un siècle, voilà ce que je laisserai derrière moi [...]. J'existerai par l'ensemble. On ne choisit pas telle ou telle pierre de la voûte ». Totalité du projet : tout dire, mais aussi totalité du destinataire : tout dire pour tous. Et tout dire de toutes les façons possibles : qu'il n'y ait aucun canton dans l'aire de la parole qui échappe à l'investissement du poète. On comprend à la fois comment on a pu dire que la poésie moderne datait d'après Hugo — comme s'il avait bouché l'horizon — et comment un simple coup d'œil permet de voir que les formes les plus nouvelles de la poésie, le surréalisme et l'après-surréalisme, sont contenues dans Hugo. Pour tous, Hugo est le Poète, mais il a écrit peut-être le plus grand roman du XIXe siècle, ces *Misérables* si dostoïevskiens. Et dans le domaine du théâtre, il est plus novateur qu'on ne croit. Mais surtout l'écriture de Hugo transcende la distinction des genres, faisant poésie de tout — de toute la prose, et même de la critique (voir son *William Shakespeare*) — et inscrivant à l'intérieur du verbe poétique le monde réel, l'histoire, le moi, les hommes.

« Mon père, vieux soldat, ma mère vendéenne »

En 1794, le soldat « bleu » Léopold Hugo est envoyé par la République pour mater la révolte de Vendée; il y rencontre Sophie Trébuchet, royaliste et vendéenne. Victor Hugo est le troisième enfant de ce couple : l'histoire le fait naître non seulement de la Révolution, mais d'une guerre civile, d'un conflit interne à la nation et comme fratricide.

Très vite, les époux se séparent, ne se retrouvant qu'à l'occasion de brefs voyages de Mme Hugo et des enfants en Italie (1807), en Espagne (1810), où le général Hugo est en occupation. La mésentente familiale arrache les enfants à leur mère, d'abord en Espagne, où Victor et Eugène sont placés pour plusieurs mois au collège des Nobles à Madrid; puis lors du procès en séparation des parents Hugo, où ils sont mis à la pension Cordier, avec interdiction d'en sortir, même pour les vacances. Ils vivent tragiquement le conflit de la mère et du père et, en 1815, la séparation définitive qui le conclut.

Un brouillon du *Victor Hugo raconté par un témoin de sa vie* fait cet aveu caractéristique : « Ce qu'ils [les enfants Hugo] voyaient, entendaient était une contradiction continuelle, leur père, soldat de 92, leur parlait révolution; leur mère vendéenne, droit divin [...]. Jusqu'à l'idée de famille qui était contrariée [...]. Quand ils avaient le père, ils n'avaient pas la mère : jamais les deux! jamais qu'un tronçon de famille — une idée était à peine formée qu'elle s'évanouissait, l'une chassait l'autre [...]. Ils allaient de l'affirmation à la négation, le roulis était continuel ». Les enfants vivent charnellement ce clivage de la société française, que les événements historiques mettent cruellement en lumière.

Or, tout se passe comme si le projet hugolien était de combler le fossé, de réconcilier l'irréconciliable et, en disant oui et non à la fois, de trouver les interlocuteurs les plus opposés, tous les interlocuteurs. Tout dire pour tous, c'est unir par l'écriture les oppositions. Telle est la position permanente de Victor Hugo écrivain. Si l'opposition des contraires « que les esprits superficiels nomment antithèse » passe pour le trait distinctif du style de Hugo, elle n'est pas chez lui juxtaposition, ou exclusion de l'un des termes, mais synthèse; plus que l'antithèse, c'est l'oxymoron, présence au même lieu d'objets et de réalités contraires, qui est la figure clef de l'écriture poétique hugolienne.

Expériences

A la suite de son père, Hugo parcourt l'Europe méditerranéenne conquise. Il est l'enfant du vainqueur, position parfois inconfortable, il ne s'en aperçoit que trop, avant de devenir l'enfant du vaincu — le général Hugo oppose une belle résistance aux Prussiens dans Thionville assiégée —, ce qui ne vaut guère mieux. Là encore son expérience embrasse les deux positions antagonistes.

Il est aussi l'enfant du martyr : dans la maison des Feuillantines, où les fils de Sophie passent avec celle-ci leurs plus belles années, il y a un proscrit, un opposant à l'Empire, le général Lahorie, parrain de Victor et aussi — peut-être ne le sait-il pas — amant de sa mère. Ce « père idéal » est arrêté dans la maison, puis fusillé. La mort violente est là, toute proche, inscrite dans le vécu. Et comment faire place simultanément à l'admiration pour la Grande Armée et pour son épopée — et à la haine pour l'oppression sanguinaire? A ce vécu irréconciliable se rattachent non seulement la vocation littéraire et son extraordinaire précocité mais aussi son caractère propre : le « je » s'adresse à tous, pour intégrer et dominer les tensions internes.

Avant de tout dire, il faut tout lire : le cabinet de lecture Royol, le libéralisme intellectuel de Sophie — qui, passablement despotique au demeurant, laissait à ses fils la plus grande liberté de penser et de lire —, la prison du collège font du jeune Hugo un formidable liseur, qui, destiné d'abord à Polytechnique, intègre toute la culture possible de son temps, de l'Antiquité classique à la science moderne. Il y a un encyclopédisme du jeune Hugo, qui se traduit aussi par la durable passion de l'écrivain pour le dictionnaire.

Son univers affectif est également conflictuel; non seulement l'amour qu'il porte à son père et à sa mère est angoissant parce que divisé, mais l'affection qui l'unit à son frère — quasi-gémellité, solitude à deux en pension, commune passion pour leur mère — est aussi rivalité : rivalité poétique — ils briguent ensemble les prix de l'Académie française et des Jeux floraux —, rivalité amoureuse auprès de leur jeune amie Adèle Foucher. Sur tous les terrains, le cadet, Victor, gagne, tandis qu'Eugène, lentement, s'enfonce dans la schizophrénie. Autre drame d'amour : la mère refuse son consentement à l'amour de Victor et d'Adèle; les très jeunes fiancés correspondent clandestinement, et ce sont les admirables, naïves et tragiques *Lettres à la fiancée.* En 1820, Mme Hugo meurt de tuberculose, et Victor, qui souffre de ce deuil, s'empresse pourtant de renouer avec sa fiancée, qu'il épouse en 1822. Le jour du mariage, Eugène a une crise terrible : il faut le soigner, puis l'interner. Perte très douloureuse que celle du « doux et blond compagnon de toute ma jeunesse ». Puis, c'est la mort du premier enfant. La vie de ce garçon de vingt ans est semée de deuils. Deuils que ne compensent ni la tendresse un peu froide d'Adèle ni la réconciliation avec le père retrouvé. Le cœur du poète est déjà plein de « fractures ».

Apprentissages : *le Conservateur littéraire*

A seize ans, Hugo embrasse la carrière du journalisme littéraire : aidé de ses frères, il fonde *le Conservateur littéraire* [voir CONSERVATEUR LITTÉRAIRE], à l'ombre et dans la marge du *Conservateur* de Chateaubriand. Le journal, qui comptera trente livraisons de 1818 à 1821 avant de se saborder, est d'abord, d'après Chateaubriand et sur son modèle, l'affirmation par la pratique des pouvoirs de la littérature. L'existence même d'un organe littéraire à côté du *Conservateur* politique est une déclaration d'indépendance; défenseur du Trône et de l'Autel, il n'en revendique pas moins la liberté de l'esprit.

Organe polémique, *le Conservateur littéraire* fait siennes certaines options : en faveur de ce qu'on appelle déjà le romantisme et en faveur du théâtre et du roman; de là l'importance du grand article sur Walter Scott. Polémique contre les « nouveaux » hommes politiques — les libéraux, en particulier —, c'est un apprentissage de la satire dont le Hugo de la maturité se souviendra.

Défenseur de la langue et du travail formel sur l'écriture, il acquiert la pratique d'une écriture rapide et régulière; et le journal lui donne la possibilité de vivre, fût-ce difficilement, de son travail d'écrivain, lui montrant le chemin d'une indépendance non seulement financière et matérielle, mais morale.

Poésie

Les *Odes* sont à la fois une collection de lieux communs royalistes et un cahier d'exercices, où Hugo joue de plus en plus librement avec les mètres de la poésie lyrique traditionnelle, avant de ressusciter, dans les *Ballades,* les tentatives prosodiques de la Pléiade.

Le plus intéressant peut-être, dans cette suite de poèmes où se fait entendre la voix la plus convenue — où le nom est précédé de l'épithète la plus attendue —, est la volonté de grandeur : « sublime » du ton, majesté de la thématique, liens de l'histoire et du cosmique, chute des empires, présence biblique de Dieu à l'intérieur de l'histoire humaine; un Hugo visionnaire est déjà à l'œuvre, et la volonté, ou la nostalgie, du dire prophétique s'affirme :

> On dit que jadis le Poète
> Savait à la terre inquiète
> Révéler ses futurs destins.

Au fil de leurs quatre éditions successivement enrichies, les *Odes* varient davantage leurs rythmes, s'éloignant des mètres classiques — ainsi *Rêves*, de 1828 —, et acceptent la thématique « romantique » de l'intimité et de l'horreur. Au destinataire classique Hugo tente de joindre le jeune lecteur romantique; et le romantisme aussi évolue, de 1823 à 1829, passant du cléricalisme monarchique au libéralisme. A ce nouveau lecteur rêvé, les *Odes* ne suffisent plus, et les *Ballades* les relaient (novembre 1826-août 1828), les dernières étant plus provocantes par le jeu avec des mètres « impossibles » et par les plaisanteries anticléricales ou grivoises.

A partir du moment où la mutation politique de Hugo s'opère, ce retour au Père qu'il raconte dans *les Misérables* sous le couvert du personnage de Marius, il lui faut prendre ses distances par rapport à la politique immédiate. *Les Orientales* marqueront sa nouvelle orientation. Le souci du public est là : l'Orient des années 1827-1829 est plus qu'une mode, c'est une préoccupation générale; Hugo y trouverait à la fois un point de contact avec ses lecteurs et un moyen d'échapper à la politique présente, en un moment où l'évolution de la monarchie des Bourbons lui rendrait de plus en plus intenable la vieille fidélité : l'art pour l'art est parfois le refuge nécessaire de la liberté.

« Génie lyrique, être soi, génie dramatique, être les autres », écrit Hugo. Mais comment, étant soi, dire à la fois le monde et soi-même? C'est la question que posent les quatre recueils de ce qu'on peut appeler la première maturité : *les Feuilles d'automne, les Chants du crépuscule, les Voix intérieures, les Rayons et les Ombres*.

Prolongeant la quête des *Odes et Ballades*, ils parlent à l'aide de formes éprouvées et des thèmes que tout le monde reconnaît : Napoléon, la Charité, le Printemps, le Souvenir ou la Liberté. Rien d'étonnant que ces recueils soient semés de poèmes d'autant plus célèbres qu'ils correspondent à la vue traditionnelle d'un Hugo poète au lyrisme un peu convenu, écho sonore de son siècle : *« Oceano Nox »*, « Tristesse d'Olympio ». Il y a pourtant là moins conformisme que recherche d'un rapport poétique du moi à son destinataire.

En même temps Hugo inaugure sa recherche d'une histoire du moi, qui lui permettrait non seulement de se dire mais de se reconstituer; les quatre recueils sont la monnaie dispersée du projet des *Contemplations* : tresser sa propre histoire avec l'Histoire. Le premier poème des *Feuilles d'automne* est le célèbre « Ce siècle avait deux ans », où se disent le désir de réconcilier les parents ennemis et l'affirmation d'une destinée du Moi.

Roman

D'emblée, le roman hugolien présente ses caractères permanents. Il procède de la reprise biaisée d'une forme familière : forte et à la mode. *Han d'Islande* est un faux roman noir, sous-genre frénétique, comme *Notre-Dame de Paris* aurait pu être roman historique. De là leur ton « ironique et railleur », qui correspond aussi à l'indécision des convictions de Hugo jusqu'à l'exil. Y échappent cependant *Claude Gueux* et *le Dernier Jour d'un condamné*, tenus à la gravité par leur utilité dans le débat sur la pénalité judiciaire et sur la peine de mort.

Toute une vision du monde est ébranlée lorsque sa forme esthétique est subvertie. Le roman hugolien est critique et non « thétique ». D'abord, vis-à-vis de l'actualité, non politique : domaine qu'il aborde de préférence dans la poésie, mais sociale. Un bric-à-brac romanesque encombre *Han d'Islande* : chevalerie sentimentale, par laquelle Hugo dit le dévouement de sa passion pour Adèle; épouvante, à demi enjouée, avec l'abominable Han : ce petit monstre bestial ravageant les contrées pour venger la mort de son fils, dans le crâne duquel il boit du sang humain; intrigue politico-policière d'usurpation et de cassette à documents dont dépend le sort du royaume. Mais c'est l'un des premiers romans du siècle à montrer une révolte ouvrière de la misère — et non sans sympathie. Hugo, écrit J. Seebacher, « y illustre jusqu'à les retourner les thèses de Joseph de Maistre sur le pouvoir et le bourreau » et, à la violence vindicative de l'absolutisme théocratique, oppose la générosité d'une entente entre l'ardeur de la nouvelle génération, pure des crimes révolutionnaires, la sagesse traditionnelle d'une monarchie régénérée et la bonne volonté du peuple, une fois soulagée sa misère.

Toile de fond pour *Han*, l'actualité historique est au centre de *Bug-Jargal*, récit d'un épisode de la révolte des Noirs à Saint-Domingue, en 1791. Les débats à la Chambre sur l'indépendance de l'île ont sans doute déterminé Hugo à développer en court roman la nouvelle écrite sur un pari en 1819; surtout, l'intrigue, fondée sur le dévouement et le sacrifice, explore, au travers de l'asservissement colonial, les réalités humaines et sociales de la Terreur et de la domination de classe. Les deux versions de *Claude Gueux* et *le Dernier Jour d'un condamné* — avec leurs importantes préfaces — font également référence aux discussions en cours sur la législation pénale et aux scandales de l'exploitation des prisonniers par l'industrie, mais vont aussi au-delà. Au-delà même d'une dénonciation juridique et morale de la peine de mort, ils mettent en évidence la contradiction entre l'assassinat légal et les fondements civils et éthiques de la vie sociale. Inversant le raisonnement commun, ils considèrent la société elle-même du point de vue de la peine de mort et la montrent monstrueuse, jusqu'à l'impensable.

Estompé par l'éclat du modèle balzacien, ce réalisme risque aussi d'être éclipsé par d'autres modes de rapport au réel. Autre trait distinctif du roman hugolien : il s'offre à lire simultanément aux trois niveaux de la saisie des réalités contemporaines, de la pensée et de la résonance des scènes de l'imaginaire.

Assez restreint — l'inventaire en a été brillamment établi par M. Baudouin —, organisé autour du processus du sacrifice de soi et structuré par le schéma de l'inversion — retournement des occasions de bonheur en catastrophes et des promesses en malédictions —, le matériel fantasmatique est mis en œuvre de telle sorte qu'il conserve son inquiétante et violente étrangeté. *Le Dernier Jour d'un condamné*, écrit par Hugo au lendemain de la mort de son père, détaille, du rêve à la syncope, toutes les formes de l'angoisse; moins systématique, tel texte — celui, par exemple, où la Sachette, dans *Notre-Dame de Paris*, d'un seul geste de possession désespérée retrouve sa fille et la voue à la mort — s'adresse plus directement encore à l'inconscient, par-delà l'analyse réflexive mais non pas à l'insu du lecteur. Plus généralement, chaque personnage apparaît comme une instance élémentaire et primitive du moi : la personnification d'une force, d'une conduite, d'un désir ou d'une souffrance. Si bien que l'ensemble des personnages figure une personnalité complète et que l'action forme une vaste psychomachie — si l'on ose dire —, d'une autre vérité que celle de l'analyse psychologique.

On s'explique que le même personnage puisse être image de pulsion en même temps que signe d'une idée : il indexe toujours une réalité partielle de la conscience, préservant le lecteur des empoissements de l'identification. Han, comme l'Habibrah de *Bug-Jargal*, figure toutes les difformités : allégoriquement, le mal lui-même, et son histoire — Y. Gohin l'a bien montré — manifeste « la mystérieuse loi de justice immanente selon laquelle le crime se retourne contre le criminel et devient son châtiment ». Claude Gueux, héros homonyme de tous les misérables, désigne la scandaleuse perversion qui, pour eux, inverse en honte et en crime ce qui est valeur et vertu dans la société — le sens de la justice, la générosité, l'amour — et qui leur interdit d'être bons.

La logique de la combinaison des trois lignes de signification dont le tressage forme le héros n'a guère été envisagée par la critique; non sans motif. De quelle philosophie ou « méthodologie » dispose-t-elle qui soit capable de conceptualiser l'objet même du roman hugolien : saisir la totalité de la vie des individus, sujets en même temps qu'objets de leur histoire, de leur conscience et de leur propre condition d'hommes — articulation problématique de trois contradictions?

De là cette sorte de blancheur des héros hugoliens, réputés dénués d'épaisseur, en réalité simples et composites. On ne les imagine que comme des silhouettes opaques, sans visage, se mouvant dans un décor profond, lui, et coloré. Ils sont devant le lecteur, non en lui, et le fil de leurs aventures forme une succession de scènes spectaculaires. C'est exprimer le dernier trait caractéristique des romans de Hugo : leur théâtralité. Elle ne tient pas seulement au mode d'existence des personnages — sollicitant l'illustration comme ceux du théâtre demandent un interprète —, à l'esthétique de la discontinuité qui brise le récit, au génie visuel propre à Hugo, à l'absence du monologue intérieur et des techniques de restriction de champ, au primat de la représentation des actions sur l'analyse de leurs motifs — tous caractères communs aux romanciers qui, comme Balzac, cherchent aussi, après Walter Scott, la formule d'un roman « dramatique »; elle tient surtout au mode de l'énonciation romanesque : éviction complète ou mise en représentation du narrateur.

Bug-Jargal et *le Dernier Jour d'un condamné* sont le récit, ici écrit et là oral, du protagoniste : technique romanesque — déjà usée — lorsque la situation de parole du narrateur-héros est de quelque manière déliée des circonstances vécues par le héros-narrateur; technique proprement théâtrale lorsque l'énonciation du discours participant à son objet, la narration est un moment de l'action. Ainsi le récit du capitaine d'Auverney lui vaudrait la guillotine s'il n'avait pas été le testament de son suicide; le condamné n'écrit, au fur et à mesure, que ce qu'il vit et ne vit rien d'autre que l'écrire. Surenchère : l'épilogue de *Bug-Jargal* est une « Note », étayée de pièces officielles, ajoutée, après recherches, par l'éditeur-auditeur du récit; la dernière page du *Dernier Jour* est le fac-similé d'une chanson, annotée de la main du condamné.

Han d'Islande et *Notre-Dame de Paris* relèvent d'une autre théâtralité : celle des marionnettes, qui s'instaure lorsque la voix du récitant se distingue comme telle. L'émetteur se dissocie, ici par l'ironie, de son récit et le livre, en plus des figures humaines qu'il fait mouvoir, met en scène, comédien interprétant un personnage, l'auteur dans le rôle du narrateur, chacun parlant tour à tour — ou ensemble.

Claude Gueux emprunte aux deux systèmes. La neutralité du narrateur et l'abondance des dialogues et monologues font du récit une page de théâtre où les indications scéniques seraient seulement très étendues; d'autre part, une vaste péroraison transforme tout le livre en un discours fait à la Chambre et, rétroactivement, le récit lui-même en un grand *exemplum,* dit et mimé par l'orateur. Une « Note », ici encore, consacre cet effet. C'est la lettre d'un certain « Charles Carlier, négociant », demandant au directeur de la *Revue de Paris,* qui avait publié la nouvelle, d'en faire tirer à ses frais « autant d'exemplaires qu'il y a de députés en France, et de les leur adresser individuellement et bien exactement ». Spectaculaire détournement de l'origine du livre : écrit par Hugo mais envoyé par M. Carlier aux députés afin que l'un d'eux s'en empare, et le prononce en discours à imprimer au *Moniteur.* Le mérite de ce négociant — s'il a existé — avait été de bien lire; celui de Hugo de tirer un plein parti de ce geste pour la mise en scène de son texte.

A cette date — 1834 —, Hugo était déjà un homme de théâtre confirmé. Dans sa carrière d'avant l'exil, tout se passe comme si le dramaturge avait fait ses armes chez le romancier avant de lui prendre la parole.

Théâtre

Pour trouver un contact immédiat avec le public, rien ne vaut, surtout au XIXe siècle, le théâtre — au reste, financièrement avantageux. Mais quel théâtre? La scène alors peut être celle, officielle, des subventionnés, l'Opéra ou la Comédie-Française, repaire des genres traditionnels et de la survivance classique — ou bien les scènes populaires du boulevard du Crime, où l'on joue mélodrames et vaudevilles. Ici encore, Hugo témoigne du clivage de la société, non plus politique mais social; c'est à quoi correspond, avec un humour cruel, dans *Notre-Dame de Paris,* la mésaventure du poète dramatique Gringoire, dont le peuple déserte la belle œuvre pour assister à un concours de grimaces. Comment faire un théâtre à la fois artistique et populaire?

Hugo rencontre ici le désir de la jeune génération de bouleverser la vieille tragédie pour faire entrer sur scène le monde contemporain et l'histoire. De cette rencontre naît la *Préface de Cromwell.*

Elle est le manifeste de la liberté au théâtre, liberté non pas abstraite, mais réglée par trois éléments : l'usage et la pensée de l'histoire, éclairant à la fois le passé et le présent; la poésie — rigueur et force du style, usage du vers : machine à éloigner le philistinisme bourgeois —; enfin le grotesque, image mystifiée mais vivante de la réalité populaire introduite au cœur du drame.

Cromwell lui-même est fidèle à cette triple perspective. Ses 6 000 vers composent l'image de ces masses qui entrent dans l'histoire; grandeur poétique, exhaustivité de l'histoire, présence populaire dans les personnages et dans le grotesque — chansons des Fous, facéties burlesques de Rochester, dérision de la puissance —, l'œuvre — théorie et pratique — apparaissait capable de faire sauter le verrou de la tragédie vieillie et de renouveler le théâtre. Drame de l'histoire, *Cromwell* pose en termes immédiatement accessibles le problème de l'action politique : qui prendra en main, après une série de convulsions, les destins d'un monde complexe et décadent?

Au théâtre, la victoire ne se remporte que sur le terrain : *Cromwell,* ce géant, ne pouvait être ni joué ni réduit. En 1829, Hugo écrit coup sur coup deux pièces où il trouve sa propre formule du drame romantique : drame de l'être double cherchant dans les luttes de l'histoire et les vicissitudes de l'amour son identité et l'impossible réconciliation d'un moi déchiré — Didier et Hernani comme Louis XIII et don Carlos —, mais aussi le sens et le rôle du pouvoir.

Marion Delorme interdite par la censure de Charles X, Hugo aussitôt écrit *Hernani,* qui est joué au printemps 1830, non sans remous. La vigueur provocante du style, la violence ou le comique des situations — le roi d'Espagne dans un placard —, la grandeur paradoxale des personnages, l'amour impossible, la présence permanente de la mort ravirent une jeunesse qui voyait dans l'œuvre non seulement le mépris libéral des rois — nuancé d'une pointe de bonapartisme —, mais l'étendard enfin brandi de la liberté dans l'art, et qui y reconnaissait ce mélange diffus d'espérance et de nostalgie qui précéda et suivit la révolution de 1830. La bataille d'*Hernani,* plus idéologique et littéraire que politique, se joue dans le public, mais Hugo avait déjà dû engager un combat contre les Comédiens-Français, incapables d'accepter de telles offenses à la tragédie. Après juillet 1830, Hugo peut faire jouer *Marion,* libérée de la censure; il change de théâtre et choisit la scène — plus « populaire » — de la Porte-Saint-Martin.

Conscient du fait que, pour le théâtre dont il rêve, il n'y a pas vraiment de public, surtout après l'échec immédiat des espérances que la révolution de 1830 avait suscitées, Hugo s'efforce non seulement de trouver un public, mais de le créer un : à la fois bourgeois et populaire. Pendant l'été 1832 — année des émeutes contre le régime —, il adopte une double démarche croisée : pour le Théâtre-Français une sorte de tragédie en alexandrins, mais dont la structure et le personnage principal — un bouffon — sont grotesques; pour la porte Saint-Martin un drame en prose, mais de structure et de personnages parfaitement classiques. La première, *Le roi s'amuse,* essuie au Théâtre-Français, devant un public d'artistes, d'intellectuels et de grands bourgeois, un échec retentissant; interdite le lendemain, elle est l'occasion d'un procès où Hugo défend les droits de la liberté dans l'art contre toute censure. La seconde, *Lucrèce Borgia,* drame de l'amour incestueux et de la culpabilité fatale, proche de ces « grands mélodrames en prose » qu'aimera Artaud, et dont le dernier acte est un chef-d'œuvre de construction poétique et de violence hallucinatoire, eut un succès immense et mérité. Ce fut aussi, pour Hugo, l'occasion de la rencontre d'une petite comédienne, très belle, entretenue par un prince qu'elle quitta pour lui, Juliette Drouet, qui l'aima passionnément et vécut avec lui un amour qui dura cinquante ans.

Le drame en prose qui suit dans le même théâtre, *Marie Tudor,* est peut-être la meilleure pièce de Hugo; ce drame historique, âpre transposition de la révolution de 1830, dérouta les spectateurs par sa complexité. Et Hugo, par amour de Juliette, s'était laissé piéger dans les intrigues de théâtre. Déçu, il retourne à la Comédie-Française, qui accepte un drame en prose mais exige des concessions : Hugo s'y plie, renonce à l'histoire et au grotesque et obtient un vrai succès de public avec *Angélo, tyran de Padoue.*

Une solution : créer une salle où le drame romantique serait chez lui; c'est ce que tentent Dumas et Hugo. Pour l'inauguration du théâtre de la Renaissance, il écrit *Ruy Blas.* Il y pose les problèmes qui lui paraissent essentiels : celui de l'agonie d'une monarchie, cette mort des rois qui l'obsède depuis *Cromwell,* et surtout il met en lumière l'impossibilité pour l'artiste — l'intellectuel ou l'homme du peuple — de l'emporter face à la coalition des privilégiés. *Ruy Blas* est la mise en accusation de toute utopie politico-sociale.

Après le succès discuté de *Ruy Blas,* Hugo entreprend la composition des *Jumeaux,* qu'il laisse inachevés; puis il revient à la scène avec une formule nouvelle, la grande « trilogie » des *Burgraves.* Trilogie parce qu'elle convoque le passé, le présent et l'avenir, unit la tragédie passée et la rédemption future, et entreprend cette réconciliation du « moi » et des forces ennemies qui n'avait pu tenter seulement le moi fracturé de *Ruy Blas,* le laquais-ministre.

Comme tout le théâtre romantique, celui de Hugo souffre de l'inadéquation entre le projet « shakespearien » d'un drame du monde et les blocages techniques — la scène à l'italienne —, institutionnels et politiques de l'appareil théâtral de son temps. Aussi les œuvres théâtrales de Hugo les plus adéquates à son projet — et c'est aussi le cas de Musset — sont-elles peut-être le « monstrueux » *Cromwell* et ce « théâtre dans l'esprit » qu'est *le Théâtre en liberté.*

Proses

En proie aux attaques conjuguées des classiques et des libéraux — ce sont souvent les mêmes —, Hugo publie *Littérature et philosophie mêlées,* pour montrer à la fois le sens de son évolution politique — du *Journal d'un jeune jacobite* au *Journal d'un révolutionnaire de 1830* — et situer sa place exacte dans le mouvement littéraire. Théorie de l'homme de génie — Mirabeau —, le livre donne la monnaie dispensée d'une théorie de la « substitution des questions sociales aux questions politiques » et du passage de « la langue hiératique à la langue démotique », qui est comme l'utopie d'une littérature du peuple.

Dès 1834, Hugo prend l'habitude de voyager un mois, pendant l'été, en compagnie de Juliette. Les nombreux dessins qu'il en rapporte — eux-mêmes infime partie d'une surprenante et abondante œuvre graphique allant de la caricature au véritable tableau — ne témoignent pas seuls de son goût du croquis sur le vif et de l'observation. Publiées après sa mort, les lettres de voyage — *France et Belgique, Alpes et Pyrénées* — ou de simples notes montrent un autre Hugo : attentif, exact, rapide, gai. La même acuité du regard, appliquée à l'actualité, a rendu célèbre le recueil des *Choses vues,* rassemblé par G. Simon et récemment enrichi par H. Juin. Ce talent illustre le métier de journaliste, et il demeure étonnant qu'après le *Conservateur* et *la Muse française* Hugo n'ait plus jamais écrit pour la presse alors même qu'il inspira deux organes tenus par ses fils et ses proches : *l'Événement,* de 1848 à 1851, et *le Rappel* (après 1869).

Le livre *le Rhin* est un livre de voyage, certes, mais très particulier. Le fleuve est son image métaphorique; il charrie avec la plus grande liberté tout ce que véhicule l'imaginaire de Hugo : visions « touristiques », rêves architecturaux, souvenirs d'enfance, expansions du discours au gré des rencontres — les jeunes filles devant la statue du chevalier décapité, le bouffon de Heidelberg —, jusqu'à ce conte du « Beau Pécopin » — préfiguration de *Peer Gynt* —, dont les errances séculaires montrent le néant de la course ambitieuse du moi. Et l'utopie y trouve sa place politique, qui, effaçant les querelles nées de la Sainte-Alliance, fait du grand fleuve le médiateur des sœurs ennemies, Allemagne et France, le médium de l'Europe de demain. C'est un livre du « je » où le narrateur est témoin de soi et du monde à la fois.

Intervalles sombres

En septembre 1843, Hugo est en voyage, comme chaque année, avec son amie Juliette Drouet, quand il apprend par un journal la mort accidentelle de sa fille Léopoldine, récemment mariée, noyée à Villequier, avec son mari, le 4 septembre 1843. Drame affreux. Hugo cesse d'écrire, sauf quelques poèmes d'amour. C'est que, par une réaction explicable, il s'est éloigné de Juliette et dès la fin de 1843, s'est pris d'une passion éperdue pour Léonie Biard, femme d'un peintre — « Thérèse la blonde », du poème des *Contemplations* « la Fête chez Thérèse ». L'aventure aboutit à un constat d'adultère (juillet 1845) qui met en péril la position officielle du poète devenu académicien (1841) et pair de France (1845). Il quitte Paris et commence à écrire son roman *les Misères,* première version des *Misérables.* Peut-être fallait-il ce double choc; la douleur paternelle, la réprobation sociale, pour qu'il entreprenne une œuvre aussi profondément non conformiste.

En juin 1846, Juliette, qu'il n'avait pas quittée, perd sa fille Claire, morte à vingt ans de tuberculose. Cette mort ranime l'amour pour Juliette et rouvre la source des larmes. Coup sur coup, pendant le second trimestre 1846, Hugo écrit la série des célèbres poèmes sur la mort de sa fille qui figurent dans *les Contemplations* sous le titre « Pauca meae » et dont le plus illustre est « A Villequier ». Ces années sombres ouvrent à la fois sur *les Misérables* et sur *les Contemplations.*

Révolutions et évolution

En 1829, Hugo proposait de substituer les questions sociales aux questions politiques : signe d'un sentiment exact de l'inadéquation du débat politique à l'état réel de la lutte des classes, mais aussi demi-refus d'un engagement clair. De là une suite d'apparentes trahisons qui ont été beaucoup reprochées à Hugo. Ultraroyaliste lors du premier recueil des *Odes*, légitimiste libéral, dans le sillage de Chateaubriand, sous Charles X — dont il célèbre encore le sacre en poète officiel et pensionné —, Hugo se rallie sans éclat à la révolution de 1830 et s'éloigne bientôt de la monarchie de Juillet ébranlée par les grands mouvements sociaux auxquels *les Misérables* feront écho. En 1832, le procès du *Roi s'amuse* le classe dans l'opposition, mais ses succès lui donnent une place progressivement plus brillante dans l'élite intellectuelle que Louis-Philippe, notamment par l'entremise du duc et de la duchesse d'Orléans, parvient à rallier au régime. Bientôt familier du roi lui-même — *les Misérables* évoquent ces tête-à-tête du Prince et du Poète —, Hugo est assez en faveur pour que l'intervention royale lui permette d'entrer à l'Académie (1841), condition légale — faute de fortune — de sa nomination à la Chambre des pairs (avril 1845).

C'est le sommet de sa carrière. Les perspectives géopolitiques du *Rhin* passent pour une démonstration de ses aptitudes — voire une candidature — à la conduite des affaires. Le flagrant délit d'adultère de 1845 l'en écarte pour longtemps. Hugo montra ensuite une si constante aversion pour les dignités et les places qu'on dirait cette maladresse suicidaire. En février 1848, par fidélité plus que par conviction, il sait, inutilement, intervenir en faveur de la régence de la duchesse d'Orléans et n'accepte pas l'instauration de la République sans noter combien d'ambitions déçues y trouvent leur compte.

Républicain « du lendemain », mais loyalement respectueux de l'évidente volonté populaire, Hugo, élu dans les rangs de la « droite » — le « parti de l'ordre » —, se montre un député libéral, quoique peu réticent à donner au gouvernement les moyens du rétablissement de l'ordre, conservateur en matière économique et hostile à tout socialisme, mais prêt à des réformes sociales. En juin 1848, il est l'un des soixante députés envoyés aux barricades porter les sommations de l'Assemblée; outrepassant sa mission, il aurait, au moins une fois, conduit l'assaut « pour empêcher l'effusion du sang ».

Trois ans après, devenu — non sans un détour bonapartiste — un orateur écouté de la « Montagne », démocrate et socialiste, il prend une part active à l'organisation de la très minoritaire résistance parisienne au coup d'État. L'expérience concrète de la politique : la certitude acquise d'une provocation politico-militaire en juin, l'autoritarisme des républicains conservateurs — Cavaignac —, l'hypocrisie d'une droite reconnaissant, dans les couloirs, n'avoir ordonné une enquête sur la misère que pour donner une illusoire satisfaction à quelques « chrétiens-sociaux » égarés, ont montré à Hugo vers quel bord politique l'avaient dès longtemps porté, sans qu'il le sût, ses qualités humaines les plus profondes et ses convictions morales.

Surtout, entre 1848 et 1851, Hugo a moins changé que la République. La guerre manifestement engagée contre celle-ci par une bourgeoisie qui se ferme en caste protégée par Louis-Napoléon conduit le régime vers un nouveau despotisme. Le dépérissement de la république la dépouille de son ancienne ambiguïté, montre qu'elle a les mêmes ennemis que les ouvriers de juin et fait voir en elle un processus dynamique de progrès : la solution simultanée et réciproque de la question politique — comme en février — et de la question sociale, à la différence de juin.

Enfin, à mesure qu'elle est attaquée et perd sa réalité, la République prend l'aspect d'un programme, d'un « postulat de la raison pratique dont la réalisation n'est jamais atteinte mais qu'il faut constamment rechercher comme but ». Idéale suppression des rapports de classe — et de la division concrète du public — procédant d'un enchaînement de réforme des lois et de libération des consciences auquel le poète participe et qu'il préfigure : telle est la République que l'histoire offre à Hugo, à laquelle il adhère et dont il contribue à former et répandre l'image parce qu'elle est aussi un principe d'écriture.

🕮 Les *Odes*

Tout au long des *Odes* se lit la marche du poète : progrès de l'écriture, élargissement de la perspective; passéiste et sectaire dans les premiers livres, son catholicisme glisse à un déisme chrétien, son monarchisme s'ouvre à l'admiration de l'épopée napoléonienne — comme s'il cherchait une audience plus large et tentait de réconcilier les contraires. Ainsi, dès l'ode II, « l'Histoire », la vue étroite des premières odes s'est ouverte à la généralisation humaniste :

> Les siècles, tour à tour, ces gigantesques frères,
> Différents par leur sort, semblables en leurs vœux,
> Trouvent un but pareil par des routes contraires.

Cette conciliation — côté du père et côté de la mère, Chateaubriand et Napoléon — se fait sur un triple thème : celui de la chute des rois, du festin de Balthazar — « O rois, comme un festin s'écoule votre vie! [...]/ Mais au concert joyeux de la fête éphémère/Se mêle le cri sourd du tigre populaire/Qui vous attend demain » —, celui du peuple victorieux — « Ce peuple victorieux dans les champs de bataille/A toujours usé ses drapeaux » —, celui de la liberté — « Ni maître, ni sujet ». Ces thèmes n'ont pas fini de jalonner l'œuvre du poète.

A travers les *Odes* court un autre fil, celui qui dessine l'image du Poète, prophète et voix de Dieu, mais aussi, et de plus en plus, figure solitaire et cachée, à la fois exaltant ses pouvoirs, à l'exemple de Chateaubriand et de Lamartine — « L'aigle, c'est le génie, oiseau de la tempête » —, mais aussi poète de l'idylle intime, parlant de sa « douce retraite » et se rêvant « oubliant, oublié ».

🕮 *Les Orientales*

> « L'espace et le temps sont au poète »
> (Préface des *Orientales*)

Les Orientales, publiées le 24 janvier 1829, sont le premier recueil où se lise l'écriture propre de Hugo, où se voie la patte du lion. Bien loin d'être un simple livre de poésie pure, un cahier d'exercices exotiques et prosodiques — les célèbres « Djinns » — *les Orientales* sont un itinéraire où le poète, assurant sa maîtrise, montre comment se fait en lui l'articulation de l'histoire — lutte de la Grèce pour son indépendance et, pour finir, Napoléon, « Lui » — et des passions individuelles — « les Tronçons du serpent ». « Nourmahal la Rousse ». « Victor Hugo, écrit Jean Massin, y opère, à partir du combat de la Grèce pour sa liberté, une recherche à tâtons de sa propre libération intérieure ».

Et sans doute faut-il passer par une culture autre; l'exotisme, marquant un écart par rapport à la culture dominante, à la France de la Restauration, permet une exploration nouvelle du langage et un changement dans la position de l'écrivain : le « je » de la poésie lyrique — celui du poème « Novembre », amorce du recueil suivant — faisant place au « il » historique et épique. Par là, *les Orientales* annoncent *la Légende des siècles*, elle aussi essentiellement éloignée de l'ethnocentrisme.

Les Feuilles d'automne, les Chants du crépuscule, les Voix intérieures, les Rayons et les Ombres

Les Feuilles d'automne ne participent pas seulement au lieu commun romantique de l'automne, saison de désenchantement, elles s'affirment comme feuilles : dispersion, expériences discontinues. Paradoxe : elles sont automnales en la saison du printemps de la monarchie de Juillet, émettant une sorte de doute sur ses vertus de rajeunissement; doute prolongé par *les Chants du crépuscule,* qui accentuent cette incertitude.

Ces textes posent une forme d'écriture poétique spécifique en faisant de chaque développement lyrique un appel à l'autre, une voix qui inscrit son propre destinataire : « Je vous dirai quelque jour... » (poème liminaire des *Feuilles d'automne)* — « Ô vous, qui que vous soyez, jeune ou vieux, riche ou sage » (*ibid.,* XXIII). La voix du poète est celle qui parle à quelqu'un, particulier ou général, individuel ou anonyme, et s'affirme comme ayant pouvoir et droit de parler. Pouvoir et droit qui se disent au long des quatre recueils et qui en font l'unité, tandis que le changement des formes prosodiques en assure la variété. Le poète est, comme il l'affirme dès le départ, une « âme aux mille voix », et « l'écho sonore » est une réponse. « Âme » une, voix diversifiée par les destinataires : femmes, amis, Dieu, la nature, tous, et, à partir des *Chants du crépuscule,* comme l'annonce le dernier poème des *Feuilles d'automne,* les rois aussi, les riches, les puissants, ceux dont dépend la justice de ce monde, et pour qui vibre la « corde d'airain ».

C'est le sens du recueil des *Chants du crépuscule,* dont le premier poème est adressé aux combattants de Juillet et à ces rois et prêtres qui ont causé la chute de l'ancienne dynastie. De là l'importance du poème IV, « Noces et festins », croisement entre la poésie lyrique et le théâtre, et qui, montrant la marche inexorable du destin et lié au poème suivant, « Napoléon II », affirme la fragilité du pouvoir et de la grandeur, dans une perspective plus historique que morale où se fait entendre une voix prophétique annonçant les *Châtiments.*

Après quoi, l'adresse amoureuse à sa nouvelle compagne, Juliette, se croise avec l'appel à Adèle, épouse de toujours; l'appel à la destinataire d'amour implique une certaine forme d'écoute de la part de l'autre, qui, elle-même, exige la voix de l'univers naturel : « Que tout prenne une voix, que tout devienne une âme,/Et te dise mon nom » (XX). Là s'ouvre une nouvelle thématique du discours devenant « hymne de la nature et de l'humanité » — « psaume éclatant » (XXXII) —; parfois déjà parole est donnée à une autre voix — « Dans l'église de *** » (XXXIII). Mais cette voix est encore celle du poète, et le poète lui répond. Ce n'est donc pas un hasard si les derniers poèmes sont adressés à une artiste, une amie musicienne, Louise Bertin.

Ainsi s'amorce le travail des *Voix intérieures,* au titre significatif, où se marquent la diversité et le clivage intérieur du poète. Ces voix, ce sont d'abord les multiples « présences » internes à la culture du poète : Virgile, Albert Dürer...; mais c'est aussi la parole d'une figure nouvelle, Olympio, double et voix seconde, et surtout, peut-être, destinataire subjectif : à partir du moment où l'Autre fait défaut, il reste le moi — ou bien aussi le double disparu, Eugène (« A Eugène, vicomte H. ») —, et, très logiquement, le poème suivant s'intitule « A Olympio ».

Appuyé sur cette hypostase du moi, le poète peut affirmer la « Fonction du poète » au seuil des *Rayons et les ombres,* objectivant ainsi le moi subjectif — « le Poète à lui-même » (IV). Le texte peut alors faire parler d'autres voix : le dialogue s'ouvre entre les voix du monde et celle du poète — « la Statue », « Oceano Nox », « Sagesse ». L'univers n'est pas un cosmos, il est une voix, un arrangement de voix, une symphonie. De là ce poème central, digne des chefs-d'œuvre de la maturité : « Que la musique date du XVIe siècle »; le monde parle, et il parle en poète : « la Création, cette immense figure » — figure de rhétorique aussi —, et encore : « Sous l'être universel vois l'éternel symbole ». Cessant d'être confiné en lui-même et dans son dialogisme interne, le poète dialogue avec toute la planète, et son rôle est de se faire l'interprète des voix de toute la Création : le recueil entier se déplie entre le premier poème, « Fonction du poète », où la fonction créatrice liée aux autres hommes est d'être à la fois l'interprète et le promoteur des forces naissantes — « Le poète en des temps impies/Vient préparer des jours meilleurs » — et le poème final, l'immense « Sagesse », dédié à Louise Bertin et où trouvent leur place le discours de Dieu et celui de la nature, avec toutes leurs incertitudes. Poème témoin de ce que H. Meschonnic appelle « une poétique de la continuité », qui consiste à former un tissu textuel serré, sans fissures, trame construite par le réseau phonique, par la solide syntaxe périodique, par l'unité parfois rhétorique des thèmes. Continuité liée au projet philosophique qui fait de la poésie la peinture ou, pour mieux dire, la construction d'une harmonieuse unité de l'univers.

Le Dernier Jour d'un condamné

Sans nom ni passé, le condamné du *Dernier Jour,* dont même le crime demeure inconnu du lecteur, offre le support d'une méditation sur cette inconcevable réalité : la mort sous sa forme pure, sans agonie ni violence, sans les nécessités naturelles ou accidentelles qui l'accommodent à la pensée. L'extrême détail du journal tenu par le condamné, depuis son jugement jusqu'à quelques mètres de la guillotine, est cohérent avec l'absence de toute construction romanesque du personnage; la pensée sérieuse de la mort n'admet ni les distractions consolantes de la sagesse abstraite ni les diversions de l'histoire individuelle. Allégorique et concret, le roman rompt avec le discours philosophique en même temps qu'avec la philosophie implicite de tout récit d'une vie.

Ainsi considérée, la peine de mort rend l'humanité impensable. L'éditeur avait demandé, sans succès, à Hugo de faire connaître au moins le motif de la condamnation; également subversifs, la modernité formelle et le principe du livre choquèrent. Camus remit les choses en ordre : accusant l'étrangeté de la condition humaine au nom de la société — alors que Hugo avait fait l'inverse.

Notre-Dame de Paris

Tres para una : selon le schéma de plusieurs drames de Hugo, l'intrigue de *Notre-Dame de Paris* fait tourner autour d'Esmeralda le prêtre Frollo, le soldat Phoebus et Quasimodo l'homme de peine. Chacun indexe une forme de l'amour : désir — et ses jalousies, possession — et sa maîtrise, dévouement et contemplation, gratitude, sacrifice, et maladresses désastreuses aussi de l'« amour proprement dit ». Tripartition humaine cohérente avec sa valeur historique : Frollo complète et corrige le symbolisme faustien, replacé au lieu d'où Goethe l'avait extrait : l'Église de la féodalité théocratique; Phoebus reflète la pâle aurore d'un absolutisme royal qu'on voit Louis XI inaugurer; Quasimodo, ancêtre lointain et certain de l'« Homme qui rit », figure les forces et les vertus, mais aussi l'(in)achèvement et les inévitables contresens du légitime souverain futur : le Peuple, encore enfant et muet : *Quasimodo infantes geniti.*

Ce regard de surplomb — l'histoire à vol d'oiseau — scrute l'actualité. Non tant parce que l'anticléricalisme violent des dernières années de la Restauration inspire le roman de l'« *anankè* des dogmes », mais parce que

Notre-Dame met en perspective la Révolution de Juillet, qui, J. Seebacher l'a démontré, vint en modifier, en cours de rédaction, le plan, l'intrigue, la liste des personnages. Primitivement conçu comme roman historique à la manière de Walter Scott — récit de la résolution des contradictions et de la clôture des conflits —, le livre s'installe finalement, image anticipée de 1830, dans une solution de continuité — ou un chevauchement — historique : entre la persistance d'un Moyen Âge caduc et l'ébauche des Temps modernes. Dans cette indécision de l'histoire se posent toutes les questions présentes de la souveraineté et de la nation, de la « constitution de la foule en peuple » et, réciproquement, de sa dégénérescence en « classes dangereuses », de la place de l'individu, sujet de désir, de pouvoir et d'amour au sein d'une société mal sanglée dans les croyances officielles.

Et de celle du poète. La science de Frollo, révélation cachée à tenir secrète une fois découverte, et non savoir public et progressif, est chimérique; l'art de Gringoire, application des règles du beau à la représentation que la société se donne d'elle-même, perd son public, détourné de la copie académique par l'original : spectacle du pouvoir et concours de grimaces; Quasimodo détruit la cathédrale pour la défendre. Comment écrire dans une histoire dont on ne peut repérer le sens, où tout bouge sans rien changer? Que dire à une société d'ordre décomposée? Quelle permanence, et donc quel sens, les œuvres peuvent-elles avoir au milieu des révolutions porteuses de restaurations?

Le chapitre, ajouté au roman comme sa vérité d'après coup, « Ceci tuera cela », la génération initiale du texte par la mise en pièces du spectacle de Gringoire, l'histoire de sa propre genèse et de ses avatars — *la Esmeralda,* opéra —, la mise en scène de sa propre formation à partir de ses sources, le symbole surtout de Notre-Dame évidée par l'histoire et devenant ici un livre — symbole redoublé par l'anecdote fascinante de la décalcomanie d'ΑΝΑΓΚΗ passant de la pierre au papier — : autant de manières de dire que l'histoire recompose ce qu'elle semble détruire. Le livre expose ce déplacement auquel il s'expose; interprète de l'histoire et surtout des silences de son principal spectateur et futur acteur : le Peuple, il s'offre, comme le drame, à l'interprétation.

📖 *Ruy Blas*

Ruy Blas est la pièce de Hugo où se voit le plus clairement un fonctionnement particulier de la parole : surabondante dans le drame hugolien, la parole y est essentiellement inopérante, soit parce que celui qui la dit n'a pas le droit de le faire, soit parce qu'elle est destinée à qui ne veut ou ne peut l'entendre. Ici, le célèbre « Bon appétit, messieurs! » est adressé aux privilégiés qui ferment leurs oreilles et prononcé par l'homme dont l'identité est masquée et qui n'a, en fait, ni pouvoir ni droit parce qu'il est un laquais. Ainsi est dite la vanité de la parole seule et, en particulier, de la parole parlementaire, simple leurre en cette monarchie censitaire. Mais, du coup, le théâtre hugolien peut donner la parole a qui n'y a pas droit : la prostituée, le bouffon, l'histrion, le valet, l'artisan, montrant que cette parole a le droit pour elle, mais qu'elle est présentement vouée à l'impuissance. Leçon qui serait abstraite si elle n'avait pour contrepoint la verve vigoureuse et l'invention poétique du personnage grotesque, ici don César de Bazan.

LE VICTOR HUGO DE L'EXIL

La parole exilée

Il y a dans les textes et dans la vie de Hugo les signes d'une vocation à l'exil. Qu'elle construise des personnages : Bug-Jargal, Hernani, Schumacker, qu'elle organise l'image de Napoléon ou qu'elle colore l'attitude de retrait prise dans les quatre recueils lyriques, la proscription informe, dès les *Odes,* la représentation de toute élection, celle, en particulier, du poète. A l'autre bout de sa carrière, l'exil reste pour Hugo la marque de son destin et le lieu même de la création. Plus exactement le redoublement d'exil. Chassé de Belgique en 1852, Hugo avait dû partir pour Jersey et, de là, pour Guernesey; en 1871, à nouveau expulsé de Belgique, il trouve refuge au Luxembourg, où il compose *l'Année terrible*; une fois encore, en 1872, devenu « étrange au milieu de la ville », il retourne à Guernesey pour y écrire *Quatrevingt-Treize.*

Solitude océane, écho des douloureuses expériences enfantines maintenant sublimées et assumées, mort et rédemption mythiques : l'exil offre à Hugo son « atmosphère respirable ». En 1851, il s'y trouve aussi une justification personnelle. La déréliction des années noires où s'expiaient la mort de Léopoldine, la gloire et les faiblesses, est devenue malédiction sociale injuste et partagée avec tout un peuple. La proscription enfin ratifie l'action politique. Cette célébrité littéraire qui passait pour une girouette politique et n'avait matériellement agi qu'en juin 1848 contre ceux-là mêmes dont l'œuvre en cours — *les Misères* — prenait la défense; cet ouvrier de la dernière heure du combat pour la République qu'un homme du peuple avait couché en joue à la Bastille en février 1848, avait enfin fait son devoir. La sanction de l'histoire, recherchée dans un comportement suicidaire pendant la résistance au coup d'État, donnait à Hugo une consécration civique.

Surtout l'exil est une position de parole. Hugo en avait eu l'intuition depuis longtemps. Le retrait de l'élite artistique et sociale place l'écrivain hors du régime de fonctionnement normal de la littérature — en particulier hors des formes canoniques de l'intervention politique, qui assimilent inévitablement le message à ce qu'il combat parce qu'il est émis dans le même univers institutionnel — et lui confère une stature incomparable. Grandi par son sacrifice, distingué par son isolement, identifié aux motifs idéaux de son dévouement, mythologiquement ajouté aux listes légendaires des grands proscrits, le poète exilé n'est qu'une voix, plus amplifiée par l'éloignement; et personne pourtant n'est plus que lui un individu : unique et libre.

Ce ne serait que singularité grandiose — Baudelaire n'y voit qu'une version venteuse de la tour d'ivoire —, si l'exil n'autorisait pas ce nouveau régime du discours qui avait été l'ambition du romantisme. Elle consistait moins dans la réforme des moyens que dans la réévaluation des fins d'une littérature devenue « vérité, religion, lumière sur notre destinée ». Ainsi s'expliquent la continuité de l'œuvre et ce qui la distingue en deux parties de part et d'autre de 1851. En donnant concrètement au poète un droit à la parole, en lui faisant même un devoir de son art — « à mes yeux l'écrivain est une sorte de mystérieux fonctionnaire » —, l'exil satisfait à une exigence ancienne, que ni les ambiguïtés de la monarchie de Juillet ni l'embrigadement dans les chevau-légers ultras ne pouvaient remplir. Dans la proscription, Hugo a trouvé ce qu'il cherchait : plus qu'un « en-cas acceptable », la bonne place pour un poète.

A juste titre. Car les dimensions socioculturelles de l'exil concrétisent l'essence même de l'acte littéraire. La littérature est chose si familière qu'on en perd de vue le caractère le plus simple : sa destination est ambiguë, universelle en même temps que singulière. Toutes les autres choses écrites s'adressent à un lecteur précisément défini et prennent un tour étrange — poétique — lorsqu'elles sont lues en dehors de leurs conditions normales de réception. Le texte littéraire est le seul dont chacun sent qu'il est écrit pour lui en sachant qu'il l'est pour tout le monde. Corrélativement, l'écrivain est cet être contradictoire qui livre le plus intime de soi dans un dialogue personnel avec le lecteur et se dérobe derrière un personnage public d'auteur, souvent anonyme ou s'abritant sous un pseudonyme. Naufragé éternel, il jette à la mer son message : convocation personnellement adressée à qui le trouvera, mais à tout autre autant qu'à lui. Telle est aussi la parole exilée : jetée aux quatre vents hors des circuits de la communication sociale — même si elle en emprunte les canaux matériels —, injonction et appel, elle constitue son récepteur en son destinataire. Présent, puisqu'il s'adresse à moi, absent parce qu'il est loin, l'exilé est par nature un écrivain : mort et vivant, il écrit, comme tous les poètes, d'outre-tombe.

En 1851, les circonstances redoublaient les vertus poétiques de l'exil : il devenait une réponse adéquate au divorce de la société bourgeoise et de ses écrivains provoqué par le décalage grandissant entre la pratique de la classe dominante et son idéologie. Dès la monarchie de Juillet, plus clairement après les massacres de Juin et le coup d'État, la bourgeoisie a démenti ses propres valeurs : droits de l'homme et du citoyen, République, démocratie, progrès, lumières. Il faut à l'écrivain, contradictoirement, et rompre avec sa classe et s'adresser à elle dans un langage dont elle a d'avance invalidé le sens. Bientôt la Commune ne laissera de choix qu'entre la révolte (Rimbaud) ou le suicide (Mallarmé) et l'abandon, la reddition du divertissement. Pour l'heure, l'art pour l'art offre encore un refuge illusoire.

Autant de formes de complicité. L'exil est l'unique solution tenable, mais coûteuse — Flaubert et Sand ne paient pas tout le prix —, de cette aporie. Retranché hors de la société — et non dans une peureuse et fallacieuse république des lettres —, l'exilé, loin de renoncer à y intervenir, s'en donne les moyens : il défendra sa classe contre elle-même, s'en faisant à la fois le champion et l'adversaire. De là l'universalité enfin possible du discours. Parce qu'il n'est nulle part — et non, comme naguère, dans l'entre-deux —, le poète exilé peut être partout : exilé de l'intérieur aux côtés du peuple, dont il partage la souffrance, en même temps que du côté des oppresseurs, dont il garde le langage et les anciennes convictions. En abandonnant ces convictions, la bourgeoisie aussi s'est exilée : du vrai et d'elle-même. Si bien que la proscription ne chasse l'écrivain que d'une société fausse et l'installe, dans une solitude toute provisoire, en plein centre de la société réelle à venir, qu'anticipent et garantissent son existence et son œuvre. La contradiction persiste, mais l'exil la dépasse. Au moins provisoirement. Illusoirement? C'est affaire de comportement et d'écriture.

Il faut d'abord que l'exil ne sanctionne pas un échec mais soit une douleur glorieusement revendiquée; il faut aussi qu'il atteigne dans l'écrivain le poète et non le responsable d'une action politique dont l'écriture ne serait qu'un moyen. De fait, depuis la publication provocatrice de *Napoléon-le-Petit* qui chasse Hugo de Belgique et l'oblige à trouver refuge à Jersey, jusqu'à celle de *la Voix de Guernesey* (1867), qui provoque l'interdiction à Paris des représentations de *Ruy Blas*, en passant par le refus de l'amnistie en 1859 et par cette affaire de 1855 où Hugo paie de sa propre expulsion sa solidarité avec les autres proscrits expulsés de Jersey, tout se passe comme s'il entendait montrer en chaque occasion que son exil est de nature et non de circonstance, qu'il n'éloigne pas provisoirement un opposant mais rejette nécessairement une idée vivante et cherche à en assourdir l'expression — en vain. Attitude absurde ou prétentieuse si elle devait avoir valeur par elle-même. Plus logique que morale, elle atteste la vocation du titulaire du ministère — au sens religieux — de la parole.

Cette situation laisse le discours se donner un statut d'exception. Protestant au nom du droit contre le fait, au nom de l'humanité contre l'affrontement inhumain des classes, au nom de l'avenir contre le présent, il se pose non seulement comme vrai et, la solitude même de l'exilé le veut, comme seul vrai, mais aussi comme plus réel que la société contre laquelle il s'inscrit en faux. Lorsque le monde est assez radicalement perverti pour exclure celui qui ne fait que parler, l'essence même du langage est en cause, et il faut soit en désespérer — et avouer, vertige pour la raison, que tous les discours se valent dans une commune nullité —, soit l'exhausser à un niveau où il prévaut contre ce qu'il désigne. *Napoléon-le-Petit* et les *Châtiments* le répètent : les mots ont un sens. Et, « puisque le juste est dans l'abîme », le poète exilé, il revient au discours lui-même d'attester sa valeur et d'équilibrer par son propre poids un monde qui tend à frapper le langage d'interdit ou de non-sens. Son existence suffira à prouver sa vérité. Un sursaut d'énergie emporte le langage au-delà et au-dessus de son référent : il ne dit plus les lois d'un monde déréglé, mais lui dicte la sienne.

Cet effort détermine les principaux caractères de la parole hugolienne exilée. Dans son assomption la poésie tend à perdre sa fonction de communication. Telle la parole prophétique, d'autant plus véridique qu'elle est incomprise, elle persuade moins qu'elle ne témoigne. *« Admonet et magna testatur voce per umbras »,* répétait Hugo depuis les *Odes*; cette devise prend son vrai sens lorsque le poète, ombre aux yeux des vivants, est en vérité le seul vivant au milieu des « viveurs ». Objet plus que discours et, à la limite, sans destinataire ni destinateur, le texte n'est pas tant fait pour être compris qu'admis; de message il devient chose en soi : moins à écouter qu'à entendre et à approuver qu'à contempler.

Une ambition totalitaire est le propre d'un tel exercice de la poésie. Il y a, de fait, dans la variation des genres et des sujets pratiquée par Hugo comme la volonté d'accomplir à lui seul toute la littérature possible. Complémentairement, chaque œuvre, résumant l'acte qui la suscite, contient en elle tous les genres : la prose romanesque est poème, la poésie est discursive et narrative, le théâtre descriptif et le discours dramatique. En cela l'exil n'innove pas; il redresse une démarche qui tentait de produire la cause — une juste position d'énonciation — en mimant ses effets.

L'entreprise hugolienne prend donc à bon droit l'aspect d'un vaste ratissage où l'écriture récupère toutes les formes littéraires et tous les idiolectes : science, argot, philosophie... Dénoncés les uns par les autres dans leur rapprochement, les langages sociaux se fondent dans une parole unique qui peut être adressée à tous parce qu'elle n'est la propriété de personne. Cette universalité de l'auditoire, recherchée dès avant l'exil, est pourtant neuve. Il ne s'agit plus de cumuler les publics en offrant à chacun un peu de ce qu'il attend, mais de transformer chaque auditoire particulier en partie de l'auditoire universel que l'œuvre postule et produit. Délibérément émis d'un point d'où il ne devrait être entendu de personne, le texte doit créer les conditions de sa réception. C'est une bonne parole, qui éveille les qualités requises pour son écoute et suscite l'homme nouveau à qui elle s'adresse. De là une rupture avec l'écriture traditionnelle — évidente quand on compare les *Misères* avec *les Misérables* —, et ce mélange surprenant d'une extrême attention aux modes littéraires et d'une complète indifférence envers les courants esthétiques contemporains. Désuète en même temps qu'anticipatrice, datée mais sans qu'on puisse la rattacher à une école, l'œuvre ne ressemble à rien et pourtant donne incessamment le sentiment du déjà vu.

Du déjà vu surtout dans Hugo lui-même. L'abondance est inhérente à la parole exilée, dont le principe d'énonciation veut qu'elle soit incessante. Comment s'arrêterait le discours dont l'émission répare la dénaturation du monde et retient la vérité, les valeurs, le langage même, au bord du gouffre? L'exil rencontre alors un ancien fantasme hugolien : celui du *Drang,* de la « force qui va ». Parce que la logique de cette parole est de prouver sa validité par son existence comme on prouve le mouvement en marchant, le poète doit aller, sans cesse ni trêve. Son geste intitule l'une des plus célèbres pièces des *Contemplations* : « Ibo ». L'inépuisable créativité hugolienne n'est donc pas tant de tempérament que de raison; et ce n'est pas par coquetterie que Hugo fit publier une part considérable de son œuvre longtemps après que celle-ci fut rédigée lorsque, diminué par l'attaque de 1878, il n'écrivait plus guère, laissant d'ailleurs des textes à publier après sa mort. Habilement, il employait les accidents de sa vie corporelle à continuer, sous une autre forme, le mode de présence à son siècle que l'exil lui avait conféré. Proscrit de la vie, il parlait à nouveau d'outre-tombe, se faisant — pour reprendre le mot très juste de Pierre Albouy — fantôme, encore et déjà.

Moins compulsive qu'injonctive — et enjointe —, cette passion d'écriture se manifeste dans l'œuvre. Le ressassement et l'addition lui sont inhérents parce que le peu de choses à dire doit être dit et qu'il ne l'est jamais une fois pour toutes. La période oratoire intarissable, les intrigues qui varient la répétition d'une même figure logique, la construction de poèmes par retour d'une situation de discours, sont les formes que prend une écriture empreinte de la nécessité d'un surgissement ininterrompu. Complémentairement, chaque texte obéit à un mouvement ou en figure un. Chez Hugo, pas de surplace comme chez Flaubert : la fiction conduit ses personnages d'un point à un autre et les lance encore ailleurs à la fin; les recueils poétiques sont désormais construits selon une progression linéaire. La spirale, figure essentielle de l'imaginaire hugolien, résulte de la nécessité faite à la parole exilée de se redire sans se répéter.

Aucun des textes de Hugo n'est clos sur lui-même. Beaucoup se concluent sur un suspens, un envol ou un envoi, ou sur un effacement qui implique recommencement. Au moment de leur conception, presque tous sont pris dans un ensemble plus vaste dont ils ne tiennent qu'en partie la promesse. Enfin, comme en témoignent les trois séries de *la Légende des siècles* ou l'amplification des *Misères* en *Misérables,* leur structure est fondamentalement cumulative; c'est, pourrait-on dire, une structure d'accueil. Plus généralement, les œuvres, particulièrement de poésie, ne se forment pas immédiatement en livres prêts pour la publication. Un flux composite de poèmes et de fragments sans destination s'organise lentement en recueils réunissant des pièces de dates diverses, parfois fort anciennes. L'unité de l'œuvre trouve là une de ses causes.

Il est paradoxal en effet qu'un ensemble si varié par les sujets, les thèmes et les formes donne cependant le sentiment d'une telle permanence, voire d'une si grande monotonie. Cela est dû à une compénétration des textes que Hugo a notée lui-même : « Dans mon œuvre les livres se mêlent comme les arbres dans une forêt. Il y a des branches des *Châtiments* dans *les Feuilles d'automne* et des branches de *la Légende des siècles* dans *les Orientales* et *les Burgraves* ». Mais l'unité profonde de l'œuvre de l'exilé — et ce qui la différencie de l'œuvre du Hugo d'avant l'exil — relève de son énonciation, du lieu d'où elle est émise, de la position prise pour la dire, de son ton. Il y a une manière de s'adresser à son lecteur qui n'appartient qu'à Hugo — au Hugo de l'exil — et qui fait reconnaître la moindre page.

Le texte hugolien est un acte de langage. C'est une profération. Son premier caractère est la force. Constamment « écrite », l'œuvre semble pourtant incessamment déclamée. A condition de ne pas la lire à haute voix — il n'en est guère de plus difficile à prononcer —, elle se lit *magna voce.* Jeté au corps du lecteur avec violence, le texte provoque moins un plaisir, un intérêt ou une émotion qu'une commotion. Intensité épurée par l'abondance : nulle nervosité ni brutalité; et il n'y a rien de facile, de fugace ou de malsain dans cette énergie. Car elle est justifiée et produite par l'accès du poète à une position qui peut lui être refusée par principe, qui récuse moins les idées ou le style que la relation instituée par le texte entre l'auteur et le lecteur — mais qui, une fois admis qu'il s'y tienne, autorise son ascendant.

C'est cette position que visent les formules les plus acerbes — et finalement les plus justes — : « Jocrisse à Pathmos », « garde national épique ». S'il fallait en donner une image approchée, elle associerait les figures du maître d'école, du prophète et, écartées les connotations péjoratives, du bonimenteur. Tous trois pratiquent le régime de discours propre à l'exil, celui de la révélation : d'un savoir élémentaire, d'une vérité primordiale qui ne se réalise, d'ici à la fin des temps, que dans son énonciation d'un événement fabuleux et accessible. Car l'objet de cette révélation n'a rien d'inouï. La philosophie même de l'exil veut que le poète ne découvre que des vérités occultées, mais, à quelque titre, familières. Hugo ne provoque pas le sentiment de sortie d'un rêve qu'on éprouve en refermant d'autres livres. Son monde est grand, mais on y entre de plain-pied, et, s'il présente des escarpements — figure majeure de l'exil —, ce ne sont pas ceux de l'œuvre mais de la réalité : le sacrifice, l'amour fou, la misère, les promontoires du songe.

Même ambiguïté pour le sujet de cette parole faussement monumentale. L'ironie dont on accable la mégalomanie hugolienne est déplacée. Mieux vaudrait crier au blasphème. Dieu seul pourrait être l'auteur d'un discours qui prétend à plus de réalité que le monde — car ce discours créerait le monde —, l'entreprise des grands poèmes métaphysiques, *Dieu, la Fin de Satan,* concurrence ouvertement l'Évangile. Scandale redoublé par une foi en Dieu de bonne logique puisqu'elle assure la nature divine de la parole poétique. Mais il n'y a ni modestie ni orgueil à signer cette dédicace : « Les génies sortent de toi, foule mystérieuse. Donc qu'ils retournent à toi. Peuple, l'auteur, Dieu, te les dédie ».

Car le mouvement qui porte l'auteur jusqu'au voisinage de la divinité le dépouille aussi de toute dimension individuelle. Si bien que le « je » hugolien entretient des rapports complexes avec l'individu Victor Hugo. Il lui emprunte les circonstances de son existence, mais sans les assumer ni se réduire à lui. Il désigne l'instance émettrice du texte — non son auteur —, mais la déborde, étant capable d'autres œuvres et doué d'une existence propre, puisée dans le texte mais persistante au-delà de lui. Si, comme le dit Hugo, Napoléon fut l'Homme-Peuple, lui-même apparaît comme l'Homme-Texte; la formule célèbre « *Ego* Hugo », autant qu'elle l'affirme, efface son nom dans la rime. Personnel et désindividualisé, dilaté jusqu'à absorber toute autre individualité et du même coup effacé, divin mais fortement ancré dans la réalité historique datable d'un homme, le « je » hugolien est moins déchiré qu'inconcevable sous les catégories par lesquelles est ordinairement pensé le sujet.

Aussi est-on tenté de réduire la monstruosité de ce moi et, plus généralement, l'originalité de l'exercice hugolien de la poésie. Un humanisme de bon aloi absorbe le « Insensé qui crois que je ne suis pas toi », assimilé à l'« Hypocrite lecteur... », en méconnaissant la proximité de cet autre avertissement : « Ce livre doit être lu comme le livre d'un mort ». Pour rabattre sur des modèles apaisants le régime de discours pratiqué par Hugo, il suffit de n'y voir « que de la littérature » — une manière de parler — ou bien une vérité qui préexisterait à sa formulation. Or le texte hugolien n'est pas plus forme d'expression pour son auteur que « message » pour son lecteur, mais outil de recherche producteur de pensée. *Les Misérables* forgent un objet nouveau : la Misère, qui qualifie tout ce qui défigure l'existence humaine (la détresse historique, la pauvreté, la corruption de la conscience, les « effondrements intérieurs »), mais qui ne saurait recevoir — encore maintenant, peut-être — de définition conceptuelle, n'a de sens que par le roman tout entier et de pertinence que dans son efficacité morale sur le lecteur. De même la singulière tentative de *la Légende des siècles* est de produire en objet unique le phénomène historique ordinairement dissocié en trois réalités séparées : un matériau de l'imaginaire; un objet de savoir; une dimension de la condition humaine.

Il faut donc interpréter. Plus exactement lire. Car, paradoxalement, pour un auteur si familier et déjà ancien, la vulgate, même grossière, du sens de son œuvre reste à faire, surtout s'agissant du Hugo de l'exil. En sorte qu'il n'est pas question plus gênante pour plusieurs de ses livres que le tout simple « De quoi s'agit-il? » S'il est vrai qu'un texte littéraire ne se laisse analyser qu'une fois passé le temps de son service idéologique actif, c'est là le signe d'une actualité de Hugo qui conduit à retoucher la thèse de Pierre Albouy, jusqu'ici reprise pour l'essentiel.

Un abus de langage qualifie sans doute de bourgeoise l'idéologie à laquelle Hugo se subordonne. L'étiquette implique qu'on se désolidarise d'un projet caduc, pour ne plus admirer que le geste de conduire à ses dernières conséquences une idéologie à l'abandon. Le Victor Hugo ainsi formé demeure grandiose dans son effort désespéré pour sauver l'idéologie en substituant l'œuvre à une réalité renégate, et aussi parce que la protestation de l'idéologie contre le fait — dont elle devrait assurer la représentation — bascule nécessairement hors de l'idéologie. « Hugo est le Dieu qui nous sauve de Dieu », conclut Pierre Albouy. Sans doute. Encore faut-il ne pas croire en Dieu pour lire ainsi Hugo, qui y croyait. Nul inconvénient à ce qu'il nous garde également de la sainte trinité : le Beau, le Bon, le Vrai. Nous sauverait-il aussi de la République, du Peuple, de la Démocratie et du Progrès? Le soubassement idéologique de l'œuvre une fois identifié à l'idéologie bourgeoise, le texte se vide de toute pertinence actuelle — et passée —, et il faudrait reconnaître pour juste — en même temps que totalement fausse, mais c'est alors tout un — sa lecture par les officiels de la IIIe République.

Sa lecture — à dire vrai : son exploitation. Hugo transcrit l'idéal républicain et démocratique bien moins qu'il ne le travaille. La situation d'exterritorialité sociale de l'exil tout à la fois crée les conditions de réponse à la question centrale, enregistre cette question et la pose : de quelle manière l'idéologie, originellement bourgeoise et essentiellement politique, de la démocratie doit-elle être maintenue et transformée lorsque la bourgeoisie la désavoue et que le peuple ne l'a pas encore reprise à son compte? La question des droits de l'homme et du citoyen et celle de la démocratie socialiste ne se posent pas aujourd'hui en des termes si différents. Ce qui explique peut-être le regain d'intérêt observable en France pour le Hugo de l'exil aux périodes d'union populaire. Apparemment toujours en retard d'une révolution — ou de deux —, bourgeois attardé et enclin à freiner l'émancipation du prolétariat, Hugo peut-être nous précède. L'histoire n'a sans doute pas épuisé tous les effets, tiré tous les bénéfices — et par là rendu clair à la critique tout le sens — de l'entreprise hugolienne.

Celle-ci ne s'analysera donc que provisoirement. Sous deux perspectives. Le mode d'énonciation sur lequel sont émis les textes de l'exil — dimension essentielle de leur sens et de leur fonction — implique qu'ils aient en commun non seulement de réaliser leur nature discursive par diverses voies — dont quelques-unes viennent d'être décrites —, mais aussi de l'imager et de la discuter. En sorte qu'on peut les lire comme l'excitation de la stratégie où ils prennent place. Cette autofiguration des textes serait abstraite et vaine — sécessionniste et non militante — si chacun n'y procédait pas pour exposer la portée et les conséquences de sa propre existence au regard de l'objet qu'il aborde. Récit et exécution d'une expérimentation des pouvoirs du discours confronté aux réalités du monde, le texte hugolien se pose comme un absolu face à l'univers dont il rend compte. Ce n'est pas pour le supplanter, mais pour en prendre l'exacte mesure : en dénoncer l'irréalité ici, en avouer l'énigmatique surréalité là, en dévoiler ailleurs la vérité méconnue, afin que le lecteur s'y ajuste et y travaille.

Historien, poète, mage

Une telle pratique de la poésie n'est pas atteinte d'emblée. Arrivé à Bruxelles, Hugo entreprend sans délai l'*Histoire d'un crime*. Ce titre indique assez la contradiction de la position adoptée : comment être historien en même temps que juge? Si un consciencieux travail d'information — d'ailleurs trop lent pour l'urgence du témoignage — garantit la première fonction, sur quoi étayer la seconde? C'est pour elle que Hugo fut bientôt conduit — et autorisé — à opter pour une loi belge, prise à la demande du gouvernement français, qui punissait d'expulsion les auteurs d'écrits hostiles au régime du coup d'État. L'exil changeait de nature : persécution vindicative, il ne sanctionnait plus l'action violente, quoique légale, de l'homme politique, mais violait un droit de l'homme.

Le coup de génie de *Napoléon-le-Petit* fut d'en tirer pleinement parti. Le savant dispositif par lequel Hugo fait exactement coïncider la date de publication avec celle de son arrivée à Jersey signale la stratégie énonciative du texte : anticiper dans le ton et la démarche du livre ses conséquences attendues. *Napoléon-le-Petit* proportionne l'attaque à la riposte. A l'opportune humilité du témoin d'actions où il s'est lui-même illustré, à la nécessaire impartialité de l'historien se substituent la grandeur de la protestation contre l'injustice et la hauteur du juge détenteur et gardien du Droit. Hugo exilé revêt la souveraineté cumulée du représentant du Peuple en mission, de l'écrivain censuré, du juste persécuté.

Après *les Châtiments* où Hugo, achevant cette démarche, accède au plein exercice de la parole exilée, le cadre restait à demi vide d'une fonction poétique dont seule la mission politique venait d'être assumée. La suite de l'œuvre peut s'interpréter comme effort pour le remplir : pour exploiter les bénéfices et explorer les moyens de connaissance offerts par la position d'énonciation occupée dans les *Châtiments*. De 1853 à 1860, tout se passe comme si Hugo couvrait systématiquement les champs ouverts à la conquête poétique entreprise : le moi, dans *les Contemplations*; l'histoire et l'avenir de l'humanité, dans *la Légende des siècles*. Les choses sont moins simples.

La chronologie des publications dissimule en effet l'étonnante fécondité de la création — et sa nature véritable — durant les années qui séparent l'achèvement des *Châtiments* de la reprise des *Misérables*. De cette période datent aussi bon nombre des pièces plus tard recueillies dans *Océan*, dans *Toute la lyre*, dans *Dernière Gerbe*, et dans *les Quatre Vents de l'esprit*, mais surtout plusieurs très grands poèmes dont certains furent publiés après le retour d'exil : *la Pitié suprême* (1879), *l'Âne* (1880), d'autres après la mort du poète : *la Fin de Satan* (1886), *Dieu* (1891), et dont l'un, *le Verso de la page*, reconstitué par Pierre Albouy, fut démantelé par Hugo et employé, *membra disjecta,* en divers endroits. Tout se passe comme si, d'une immense « nébuleuse poétique » qui n'aurait pas réussi à prendre forme, seule une partie, la plus petite, avait été sauvée, une fois polarisée par la force attractive de deux projets marginaux par rapport à l'ensemble : celui des *Contemplations,* antérieur aux *Châtiments,* et celui des *Petites Épopées,* suggéré par Hetzel.

La nature de l'entreprise se devine aux modalités de son échec. Celui-ci tient d'abord à la résistance que le public oppose à Hugo à travers les réticences de son éditeur; en second lieu à l'impossibilité finalement reconnue de réunir ces textes dans un ensemble cohérent et organique; enfin — ceci explique cela —, à leur nature même. Telles quelles, et isolées des *Contemplations* ou de la *Légende,* auxquelles plusieurs projets tentaient de les articuler, ces œuvres naufragées demeurent abstraites. Hugo y manque son objet : non une vérité dogmatique, mais une certaine nature d'appréhension, vécue et participative, de ce qui était (et est demeuré) pensé sous les catégories distinctes — fausses, pour Hugo — du religieux et du philosophique.

L'expérience des tables tournantes est, avec *les Châtiments,* à l'origine d'un effort quasi surhumain vers ce qu'on ne peut qualifier que par des termes inadéquats : une révélation ou une somme. Hugo n'a jamais été « spirite », mais, en signalant les limites des connaissances et la variété des formes du « surnaturel », les Tables autorisaient l'audace de son entreprise. *Les Châtiments* avaient prouvé la viabilité d'une écriture prophétique où la poésie affronte les enjeux essentiels en tant que telle : non plus comme discours — le premier romantisme en était resté là —, mais comme unique moyen d'appréhension, forme nécessaire de manifestation et seule voie de réalisation de vérités autrement hors d'atteinte. Ce que *les Châtiments* avaient fait envers l'histoire présente et future, il s'agissait de le reproduire envers ce qu'il faut — mal — nommer : Dieu, l'Âme, le Mal.

Or, la vision prophétique des *Châtiments* se rapportait à la réalité vécue et publique du coup d'État; les méditations mystico-théosophiques des années 1854-1860 ne s'enracinaient que dans l'expérience personnelle de Hugo et transgressaient celle de ses lecteurs : la religion instituée ou l'institution philosophique. Aucun moyen rhétorique, ni le détour mythologique — combiné dans *la Fin de Satan* avec la duplicité d'un récit alternativement situé « Hors de la terre » et dans l'histoire légendaire — ni la théologie négative de *Dieu* n'ancrait assez le discours pour qu'il échappe, sauf ésotérisme, aux attractions institutionnelles propres à dégrader le Poète en phraseur, en métaphysicien ou en mystagogue.

La Fin de Satan montre Nemrod en route vers Dieu. Attelés à son radeau de l'éther, quatre aigles l'emportent, appâtés par des viandes que maintiennent au-dessus d'eux des perches, elles-mêmes fixées au radeau. Mouvement se nourrissant de son propre élan : c'est l'image parfaite de cette prométhéenne tentative. Il ne devait en rester que ce qui reconnaît l'immanence de l'infini à une réalité concrète : celle du moi dans *les Contemplations,* celle de l'histoire de l'humanité dans *la Légende des siècles.* Il fallait renoncer définitivement à cette première : Dieu par la face nord. *William Shakespeare* en tire la leçon : l'art, fait d'alternances et de tension, est « allées et venues ». « Les génies partent [...], ils tournent aux choses terrestres leur dos formidable [...], ils s'enfoncent dans l'infini terrible avec un immense bruit d'aigles envolés.

« Puis tout à coup ils reparaissent. Les voici. Ils consolent et sourient. Ce sont des hommes. »

En 1860, Victor Hugo abandonne *la Fin de Satan* et revient aux *Misérables,* laissés inachevés depuis 1848.

Portraits de l'artiste

Chaque langage institue en sujet celui qui le parle : roman polyglotte, *les Misérables* opèrent une mise en question de l'identité. Jean Valjean, personnage quasi anonyme, protéiforme et monolithique, réalise l'affirmation de soi la plus héroïque dans un effacement silencieux. Son histoire a deux versions : le gros livre mémorable et le quatrain sans auteur d'une épitaphe effacée où il n'est pas nommé. De même, d'innombrables allusions autobiographiques, mais distribuées sur plusieurs personnages et parfois évidentes mais souvent secrètes, affichent l'image de l'auteur et la dissolvent. La force du ton et les immenses digressions imposent sa présence littéraire, que brouillent la multiplication des formes de son intervention et la variation des points de vue du narrateur. Hugo surplombe son texte et s'y noie, réduit à cette mince définition : « Celui qui écrit ces lignes ».

Ce portrait de l'artiste en anonyme forme le premier volet d'un triptyque autobiographique complété, l'année suivante, par le *Victor Hugo raconté par un témoin de sa vie* et, un an après encore, par *William Shakespeare.* Sur le modèle des *Contemplations,* mais de l'extérieur et de manière critique, Hugo y achève la construction d'un sujet exemplaire : lui-même, mais tout autre à travers lui. Le rapport de ces trois textes les uns aux autres reproduit ce que chacun réalise pour son compte : l'omniprésence d'un auteur absent, l'évidement et la dilatation vers l'universel d'un individu singulier.

Publié sans nom d'auteur, mais joint aux œuvres complètes, le *Victor Hugo raconté* est une biographie défective. Anecdotique et tronquée, elle se consacre aux circonstances externes de la création et prend logiquement fin avec l'entrée à l'Académie. *William Shakespeare* prend la suite et, inversement, fait l'autoportrait du génie. Mais déguisé : Hugo s'y prend pour modèle, et d'autres noms que le sien sont au bas du tableau, où les grands prédécesseurs exilés ne figurent pas comme individus mais par la personnalité mythique en laquelle leurs œuvres se résument. C'est, au milieu de l'exil, la clé consciente et claire de toute l'œuvre, son commentaire composé. La lumière aveugle : ce livre où sont abordées toutes les questions de la littérature — pouvoir sur progrès dont elle est susceptible, moyen de connaissance qu'elle offre, les masses, « utilité du beau », unité et diversité — et de sa réception — critique et enseignement — fut et demeure méconnu tant il heurte, pris au pied de la lettre, les conceptions modestes de l'art.

Seconde manière

Ce retour réflexif semble marquer dans la carrière de Hugo la fin d'une époque. Ayant conquis et fixé lui-même sa place dans la liste des génies, tout se passe comme s'il renonçait, sinon à la logique même de la parole exilée, du moins à l'audacieuse évidence de son ambition.

Désormais moins nombreux, ses livres auront un format et une allure plus conformes aux habitudes littéraires, et, apparemment, plus attentifs aux conditions de leur accueil. Le fonctionnaire de Dieu succède à l'athlète de l'infini. En fait, la recherche de formes nouvelles aboutit à une sorte de « seconde manière » de l'exil, moins spectaculaire mais plus retorse, moins visiblement ardue — et, par là, plus déroutante encore — que la première : en définitive moins bien reçue, jusqu'à aujourd'hui, par le public.

Les Chansons des rues et des bois sont comme l'envers — non le contraire — de *la Légende des siècles,* dont leur premier noyau est contemporain, et de *William Shakespeare,* proposé en même temps à l'éditeur. Le grand poème « Au cheval », prologue et épilogue du recueil, le présente comme une halte, une parenthèse dans l'âpreté de l'effort poétique :

Que fais-tu là? me dit Virgile.
...
Maître, je mets Pégase au vert.

La hauteur de cette réponse dissipe l'idée vacancière d'insouciant divertissement. Destinées à être chantées dans les rues, ces chansons des bois — de la nature, plus familière mais non rapetissée d'être vue au ras du sol, d'être vue couchée parfois — prennent sur les enjeux primordiaux de l'existence individuelle — amour, famille, âges de la vie — et sociale — guerre, « Liberté, égalité, fraternité », progrès — une vue de contre-plongée : désignant leur grandeur par contraste implicite avec l'humilité des objets qui les évoquent.

Un contresens dont Hugo avait redouté l'éventualité dénatura, pour longtemps, ce livre. La litote généralisée d'une tendresse souriante fut retournée en ironie amoindrissante ou en mièvrerie. Les chansons d'un Gavroche peut-être trop savant, mal comprises, furent admirées par la bonne société cultivée du second Empire (Morny lui-même!) et ignorées du peuple. *Les Travailleurs de la mer,* bien reçus, ne le furent peut-être pas plus intelligemment; *l'Homme qui rit* fut un échec. Quant au *Théâtre en liberté,* seul *Torquemada* en sera publié, mais en 1882. La gloire de Hugo, déclinante, se nourrissait de son éloignement et du succès des œuvres antérieures.

L'exil à Paris

Triomphal quoique assombri par la guerre, le retour d'exil n'aurait fait qu'ajouter à la parole hugolienne l'autorité de la prophétie vérifiée, sans la Commune. Démissionnaire d'une Assemblée où il est insulté et impuissant, expulsé de Belgique pour avoir offert l'asile de sa maison aux communards en fuite mais aussi rejeté par ceux-ci qui l'avaient sollicité en vain, battu aux élections de 1872, regardé de travers dans la rue — il s'amuse à le noter — par les bourgeois, en dépit de sa gloire, Hugo éprouve directement l'ampleur de cette nouvelle fracture historique. Surtout, elle retarde indéfiniment les progrès décisifs qu'il attendait de la chute de l'Empire, tend à lui montrer dans la République la forme constitutionnelle de la domination des puissants, bref disqualifie toute la construction idéologique qui soutenait la pratique poétique de Hugo sous l'Empire.

Deux attitudes répondent à ce démenti : la résistance dans *Quatrevingt-Treize,* qui, écrit à Guernesey, est la dernière œuvre de l'exil; le retrait ensuite dans une position plus simplement militante. Comme jadis l'*Histoire d'un crime* pour *Napoléon-le-Petit* et *les Châtiments, l'Année terrible* est une pierre d'attente; la mise au point immédiate et l'intervention politique urgente ménagent le recul nécessaire à *Quatrevingt-Treize.*

Mois après mois, le recueil couvre les événements nationaux, plus rarement personnels, du siège de Paris et de la Commune. Chronique de l'actualité, discours politique, vision lyrique du désarroi historique, méditation douloureusement optimiste sur la « Loi de formation du progrès », le livre ne s'élève pas à la hauteur prophétique des *Châtiments.* Le réalisme — politique et littéraire — sacrifie volontairement la vertu prophétique du poème à un acte de foi dans le progrès historique et à l'efficacité du discours en faveur de l'amnistie des Communards.

Les publications qui suivent *Quatrevingt-Treize* n'en annulent pas la valeur testamentaire. Exception faite de *l'Art d'être grand-père,* ce sont des interventions ponctuelles, soit qu'elles se rapportent directement aux événements, soit qu'elles s'efforcent de corriger telle tendance idéologique dominante ou en voie de l'être. Leur unité de perspective interdit cependant d'y voir des œuvres de circonstance. Hugo y renonce à cet exercice transcendantal de la poésie sur lequel reposait son œuvre de l'exil et gagne en pertinence poétique ce qu'il perd en majesté poétique, mais la valeur de ces textes tient à leur écart paradoxal aux situations : visées de biais et atteintes, pour ainsi dire, par la bande.

En 1877, la dissolution de la Chambre par Mac-Mahon donne l'occasion de publier *Histoire d'un crime* : rappel, avertissement et juste appréciation. L'année suivante, *le Pape* oppose cruellement l'institution terrestre de l'Église au message évangélique, moins pour célébrer l'avènement de Léon XIII que pour fêter la mort de l'autocrate du gouvernement et du dogme, Pie IX, vainqueur de la République romaine et inventeur de l'infaillibilité pontificale. Dans les deux cas, il s'agissait de protéger la République naissante.

A l'horizon de tous les textes publiés depuis 1871, la campagne en faveur de l'amnistie — qui, en 1879, détourne et actualise le sens de *la Pitié suprême* — est faussement « humanitaire ». Il s'agit que la République ne s'enracine pas, comme en 1848, dans la victoire d'une classe. Parallèlement, *Religions et religion* ainsi que *l'Âne,* en 1880, et, en 1882, *Torquemada,* sans revenir sur l'anticléricalisme du *Pape,* combattent moins le matérialisme religieux des cultes institués que celui, semblablement conservateur, de la gauche athée. On comprendrait mal cette obstination, qui éloigne Hugo de beaucoup de ses amis politiques, si l'on ne voyait que son spiritualisme fut alors au réformisme républicain ce que, récemment, la critique de l'économisme a été au révisionnisme et au stalinisme : toujours la gestion d'une société supposée n'obéir qu'à des lois positives ampute le progrès et abandonne des libertés.

Pourtant, ce qui se passe en ces dernières années de la vie de Hugo importe plus, peut-être, à son œuvre que ce qui la complète. Son anticonformisme, non de mode mais de doctrine, s'absorbe dans sa gloire. Au travers de son élection (1876) puis de sa réélection (1882) au siège de sénateur de la Seine, des manifestations officielles auxquelles donnent lieu son soixante-dix-neuvième anniversaire puis son inhumation, des discours, écrits, publications et ovations, s'opèrent l'apothéose de Hugo et l'appropriation de ce nouveau Dieu par la IIIe République. Longtemps le procès de Hugo a été, en fait, celui de ce curieux régime aujourd'hui devenu, pour la conscience commune, aussi mythologique que ses héros, Pasteur et Hugo. Si bien que dans l'image rassurante — et consternante — du « pontife de la démocratie », on distingue mal désormais ce qui fut le fait du prêtre, ce qui revient à son Église et ce qu'il faut rendre à leur commun adversaire : la grande vague antidémocratique de l'entre-deux-guerres.

Le centenaire

Il y a un siècle et demi, *Notre-Dame de Paris* l'avait dit : l'âge féodal et théocratique réunit les forces d'un peuple entier pour l'érection d'une construction vite détruite ou progressivement vidée de son sens. L'âge démocratique fait foisonner les livres : chacun est éphémère, mais leur ensemble est vivant, donc immortel. Hugo — ce n'est pas pour rien que toutes les enquêtes montrent qu'il sature la conscience littéraire de la France — est le seul écrivain de notre langue qui revit sous les trois espèces : par son œuvre elle-même, par l'engendrement d'autres grands poètes — Aragon ne sera pas le dernier —, par les avatars innombrables — de l'adaptation télévisée au billet de banque — où il se métamorphose : dénaturé et reconnaissable. Création continuée, notre Hugo n'est pas un monument mais un effort collectif poursuivi.

Châtiments

« Le misérable n'était cuit que d'un côté, je le retourne sur le gril ». Le recueil ne serait effectivement que l'adaptation versifiée de *Napoléon-le-Petit* si Hugo n'y parachevait sa conquête du droit à la parole. Trois faits rendent compte de cette reprise et de ce progrès.

Le prochain rétablissement de l'Empire a déterminé, pour les *Châtiments,* le jaillissement créateur. Crime contre Napoléon ajouté au crime contre la République, l'entreprise de Louis Napoléon ne relève plus de la prose, qui discute la légalité, mais du vers, qui institue la légitimité : dénonce l'usurpation du faux empereur et consacre le poète.

Napoléon-le-Petit lui-même faisait devoir à Hugo de poursuivre un geste dont la répétition changeait la nature. Parce qu'elle s'est une fois élevée, il faut à nouveau faire entendre la voix que l'on voulait réduire au silence. Se taire serait reniement. La première parole oblige à la seconde, et la porte plus loin; celle-là vaut par son objet, celle-ci par sa seule existence. Entre l'auteur de *Napoléon-le-Petit* et le poète des *Châtiments,* il y a toute la distance du simple hérétique au relaps.

Enfin l'énorme succès de *Napoléon-le-Petit* — bien accueilli jusque dans les Cours européennes, où l'on commença par redouter l'oncle dans le neveu — élevait Hugo à la hauteur historique de son adversaire et le confirmait dans la mission dont il s'était chargé de sa propre initiative. Ayant, en quelque sorte, fait ratifier par le public le coup d'État littéraire de *Napoléon-le-Petit,* Hugo récidive, pour ainsi dire à l'exemple de Louis Napoléon, et s'appuie sur le succès de la première opération discursive pour la reproduire à un niveau supérieur. Il s'était posé en juge et avait conquis son titre à cette magistrature du seul fait de l'exercer; il exécute désormais au nom de l'histoire et de l'avenir la sentence prononcée.

L'acte de parole des *Châtiments* s'apparente donc à un performatif; la démarche de Hugo y consiste moins à formuler un propos convaincant qu'à accomplir une prise de parole et à parler comme si la cause était entendue : en bourreau exécutant un jugement acquis, en prophète dont les malédictions font survenir l'avenir qu'elles prédisent, en confesseur de la foi dont le martyre participe des mystères qu'il enseigne.

La célébrité n'est pas injustifiée du

Et s'il n'en reste qu'un, je serai celui-là!

qui conclut *« Ultima verba ».* Plusieurs autres poèmes, dont le nombre et l'importance sont une nouveauté chez Hugo, fixent ainsi les images du geste poétique, pour en régler la lecture mais, surtout, parce qu'une entreprise poétique sortie du cadre convenu de la littérature ne peut laisser implicite sa nature.

Autre innovation des *Châtiments,* reprise dans tous les recueils ultérieurs : sa division en parties, qui ordonne les poèmes selon une composition où ils trouvent un supplément de sens. Placés entre *« Nox »* — la nuit du coup d'État — et *« Lux »* —, l'avenir républicain ouvert par la chute de l'Empire et, au-delà, la fin radieuse de toute histoire —, sept livres miment les parcours de Josué autour de Jéricho. Faisant naître le progrès de la répétition selon la figure logique du saut du quantitatif au qualitatif — « tant va la cruche... » —, ils figurent l'incessante récidive criminelle de l'Empire en même temps que son envers nécessaire : le surgissement répété de la parole vengeresse, finalement justicière.

La variété était donc la qualité indispensable à ce recueil, qui pratique un constant et violent contraste des teintes et des tons, à la différence de ceux des années 1830, dont la couleur et non l'objet fait l'unité. Élégie, épopée et chanson, discours, diatribe et fable : Hugo varie systématiquement les genres et les mètres. Il y acquiert non la maîtrise mais la souveraineté dans le remaniement du vers. Pierre Albouy l'a dit avec raison : « C'est avec les *Châtiments* que naît ce plus grand poète : le Victor Hugo de l'exil ».

Les Contemplations

Les Contemplations sont à l'œuvre lyrique de Hugo ce que *les Misérables* sont à son œuvre romanesque : le sommet parce qu'en cette somme tout se résume et se fond. Le projet même du livre le veut qui entend, de la jeunesse au moment présent, retracer une destinée « écrite là jour à jour ».

L'expression par laquelle Hugo répond lui-même à la question : « Qu'est-ce que *les Contemplations*? — Les Mémoires d'une âme », fixe précisément l'instance active : une âme, qui est plus qu'un cœur ou qu'une pensée, et son objet, qui est plus qu'une vie. Mais ce que le terme de « Mémoires » implique de récapitulation close efface le trait dominant du recueil : sa dynamique, que signalent les titres : « Ibo », « En marche », « Au bord de l'infini ». Recherche et construction du sens d'une existence, *les Contemplations* évoquent et opèrent une double progression : celle qui ouvre le moi à des expériences cumulées et de valeur croissante — la jeunesse, l'amour, les « luttes et les rêves », le deuil, l'exil, la contemplation —, et celle qui le transforme lui-même et change sa nature.

Cela distingue *les Contemplations* des recueils d'avant l'exil. Une relation complexe s'y élabore entre le moi personnel et le « je » poétique, entre l'objet et le sujet de ce qui, dès lors, n'est plus exactement un discours mais plutôt une activité intérieure rendue objective et communicable. Dans *les Contemplations,* livre doublement poétique, l'histoire de l'individu est appréhendée du point de vue du poète, et elle consiste dans sa sublimation en lui. « C'est encore l'homme, dit Hugo, ce n'est plus le moi ».

De là l'aspect circulaire du recueil. Son titre désigne un comportement spirituel dont l'objet propre n'est atteint qu'au dernier livre; le mot de la fin est « commencement ». De là aussi l'importance de la Préface. Elle corrige l'inévitable erreur de la première lecture en posant au départ, mais de manière schématique et abstraite, ce qui n'est concrètement acquis qu'à l'arrivée : le statut du poète, sa présence-absence au monde : « Ce livre doit être lu comme le livre d'un mort ».

Très logiquement, la structure du recueil dispose en son centre ce qui est à la fois son lieu d'émission et le terme de son parcours : la mort. Dont celle de Léopoldine n'est que l'image. Car on réduirait à tort — non pour l'individu Hugo, mais pour son livre — l'incidence de la mort à ses dimensions intimes et philosophiques. Sans doute le point de vue de la mort peut-il seul donner sens à une vie — et donc à toutes — et pleine signification à l'apostrophe : « Insensé qui crois que je ne suis pas toi ». Mais, dans *les Contemplations,* la mort est une position poétique qui ne résulte pas d'une simple fiction métaphysique et à laquelle le deuil ne fait qu'ouvrir l'accès. L'envoi final, « A celle qui est restée en France », offre à une morte le livre devenu celui d'un mort. Il a fallu, après la ligne de points qui suit la date du 4 septembre 1843 et les *« Pauca meae »,* que le poète « en marche » parvienne « au bord de l'infini » par la prière et par l'exil : par la contemplation, qui est l'activité poétique elle-même, devenue asymptotique à ce que serait la vision d'une âme après la mort.

En cela, *les Contemplations* relèvent de la même démarche que les *Châtiments.* Tous deux racontent, miment et produisent en leur progression la position de parole qu'ils adoptent d'emblée. Ils procèdent à la même anticipation : celle de la République universelle ici, et là celle de la mort; et, supposant acquise leur condition d'énonciation, font le récit de la manière dont ils y parviennent.

Autrefois-Aujourd'hui : cette coupe, lorsque les *Châtiments* n'étaient pas encore achevés, devait, au sein d'un seul recueil, les distinguer d'une première partie de « poésie pure » : *Autrefois,* première version des *Contemplations.* La dichotomie éloignait l'ancien poète du nouveau et renvoyait au passé la poésie du moi personnel. Ce déplacement sur *les Contemplations* de ce qui les séparait des *Châtiments* suffit à indiquer que Hugo a trouvé dans l'achèvement même de ce recueil de quoi conduire la poésie lyrique du moi au point où elle devenait pertinente au poète que les *Châtiments* avaient fait de lui.

Placée naguère à la date de l'exil, maintenant à celle de la mort de Léopoldine, la coupure de l'avant et du maintenant superpose les deux fractures, les deux exils : l'un, retranchant le poète des intérêts affectifs immédiats, en fait un homme de souvenir quant à la vie, de conquête contemplative quant au vrai; l'autre, le retranchant de l'histoire présente, réelle et illusoire, le projette dans la communauté sociale idéale, provisoirement réalisée dans l'écriture et la lecture de son œuvre.

Les Misérables

Quoique d'accès aisé et de lecture populaire, le plus célèbre des romans de Hugo est aussi le plus déroutant. D'une part parce qu'il réalise une synthèse toute classique, plus goethéenne que shakespearienne, entre plusieurs formes romanesques : pour l'essentiel, le roman mélodramatique des bas-fonds lancé avec succès par Eugène Sue, la fresque réaliste d'un milieu, d'une ville et d'une aventure individuelle, la saga populaire d'un héros mythique, le roman didactique, renouvelé du XVIIIe siècle, alternant l'intrigue et de vastes digressions.

D'autre part, parce que ses significations trop nombreuses et trop riches ne le laissent pas réduire à un sens, ni même à un objet unique. De quoi parlent *les Misérables?* De ce trou où l'histoire est tombée en 1815, dont ni la Révolution, ni le Prince, ni l'Insurrection ne surmontent l'escarpement, et où les individus vivent la désespérance du progrès promis; de la rédemption sociale et individuelle par la souffrance et la mort consenties; de la peine profonde des pauvres; de la ruse impitoyable par laquelle la justice et la charité fabriquent et se renvoient les coupables et les secourus dont elles ont besoin pour construire la société sur l'exclusion des « misérables » : criminels et malheureux; du geste mystérieux qui constitue l'humanité et l'individu : celui de la conscience — de soi et du bien; de tous les accomplissements par avortement : celui de la République dans l'échec d'une insurrection; celui de la virilité généreuse dans l'héroïsme suicidaire d'un garçon; celui de la femme dans la féminité embourgeoisée, détruite ou prostituée; celui de la paternité et de « l'amour proprement dit » dans l'adoption d'une orpheline bâtarde par Jean Valjean, forçat évadé et « vieillard vierge ».

Enfin, parce qu'il y a deux textes dans *les Misérables.* Commencé en 1845 et achevé aux quatre cinquièmes en 1848, c'est le roman d'un académicien, plutôt bien-pensant, pair de France provisoirement écarté des charges publiques et qui travaille à reconquérir son auditoire perdu en même temps qu'à prouver ses capacités en matière sociale et politique. Repris en 1860 et publié en 1862, c'est le livre du grand prophète républicain, de l'exilé irréconciliable, tête-à-tête avec Dieu et l'Océan.

Tels sont les débris dont se construit ce texte-barricade. Conçu et composé de part et d'autre de 1848, il s'installe à la limite de l'histoire moderne : entre les deux monarchies restaurées et les deux Empires, entre la Révolution et la République. Il récuse le réalisme conservateur de Balzac et le socialisme paternaliste d'Eugène Sue, mais aussi les certitudes philosophiques et religieuses de Hugo lui-même. Faisant, très logiquement, sens de sa propre genèse, il s'extrait à la fois de sa première version, corrigée — et de sa « Préface philosophique », abandonnée.

Contre les simplicités passives des économistes, qui étudient la « question sociale », des métaphysiciens, qui posent le « problème du mal », des moralistes, friands des fruits de l'arbre de la connaissance du bien et du mal, des historiens du progrès linéaire ou de la tradition immuable, Hugo invente un objet nouveau : la misère, qui désigne l'unité des confins de la société — barrières et égouts parisiens —, de l'histoire — bataille perdue et barricades suicidaires — et de l'individu — « effondrements intérieurs » et « tempête sous un crâne » —, où les hommes tout à la fois accomplissent et manquent leur appartenance à l'humanité.

Hors de portée de tous les discours parce qu'elle est l'ailleurs et l'envers de la société qui les parle, la misère exclut et exige leur inévitable emploi. *Les Misérables* assument et transgressent tous les langages : l'argot, le poème, la langue des tribunaux et celle des « sciences spéciales », toutes les sortes de roman.

La Légende des siècles

La Légende des siècles (premier titre : *les Petites Épopées,* trois séries publiées en 1859, 1877, 1883) offre, après *les Contemplations,* une mise à distance du moi individuel en même temps qu'une vue totalisatrice de l'histoire travaillée par les deux grandes forces que sont l'amour et la justice. Lutte de la volonté de puissance, avec l'inimaginable flot de cruauté qu'elle déverse sur les hommes, et du désir de justice, aidé par le formidable pouvoir qui fait de Ruth et de Booz des ouvriers de l'avenir et par qui le Satyre domine les dieux cruels.

Histoire humaine comprise à la fois comme espace de l'homme, comme place du concret, comme lieu des mythes. De là le va-et-vient entre le réel historique et cette traversée de l'imaginaire qui permet à la *Légende* d'être œuvre poétique. Poétique parce que l'écriture permet la « totalisation impossible » : l'histoire est fragmentée en histoires, le continu de *la Fin de Satan* et de *Dieu,* ces immenses coulées, se révèle impossible à tenir : l'histoire est éclatée, il faut donc la jalonner de récits exemplaires.

A plus d'un titre. Le Hugo le plus connu est celui de ces cathédrales que sont « Ruth et Booz », « la Conscience », « les Pauvres Gens », « Aymerillot », « le Cimetière d'Eylau ». *La Légende des siècles* élève contre la brutalité des faits la protestation de la justice, parfois écrasée, parfois immanente et vengeresse — « le Parricide », « le Travail des captifs », « l'Aigle du casque », « Ratbert », « la Rose de l'infante ». Cette épopée est l'épopée de la mort et déjà de la mort des tyrans — « les Sept Merveilles du monde », « Zim-Zizimi », « l'Épopée du ver ».

Non sans l'intervention des héros — Eviradnus; le Roland du « Petit Roi de Galice » —, qui ne seraient pas hugoliens s'ils n'étaient éloquents — : l'immense discours de la justice se déplie dans la verve vengeresse de « Welf, castellan d'Osbor », d'« Elciis », d'« Eviradnus », du « Satyre ». C'est dans « le Satyre », qui n'a pas usurpé sa célébrité, que se perçoit le plus clairement la perspective de *la Légende* : le poète, le Satyre, bouche des faibles, des monstres, des exclus, décrit le mouvement même qui fait exister l'histoire des hommes, jusque dans ses perspectives d'avenir — « Plein Ciel » —, c'est-à-dire dans sa fin.

Les Travailleurs de la mer

Composés en même temps qu'elles, *les Travailleurs de la mer* s'apparentent aux *Chansons* par leur naturalisme, qui transfère sur une réalité décrite exactement, et non sans pittoresque, ce qui naguère était abordé de front par le poète pensif.

L'histoire est celle d'un conte. Gilliatt arrache à l'Océan le moteur d'un navire naufragé pour obtenir de l'armateur sa récompense : la main de sa fille. Vain exploit : il se laissera engloutir par la mer en assistant au départ de celle qu'il aime avec celui qu'elle préfère. D'abord intitulé *l'Abîme,* le livre mérite ses deux titres. Il exploite la vogue récente du roman maritime ou régionaliste, et il la détourne. L'invention et l'industrie humaines — plus exactement que le travail — y sont magnifiées pour elles-mêmes, mais aussi comme métaphore de toute rencontre avec le « moi de l'infini » — Dieu — et particulièrement de l'aventure laborieuse du génie.

Vie sociale quotidienne, solitude de l'épreuve au sein des éléments, sacrifice de soi et contemplation : les parties du récit explorent les aspects du monde : « Humanité, Nature, Surnaturalisme », qui, dans *William Shakespeare,* sont définis comme « les trois horizons » du Génie. La lutte du héros contre l'Océan reproduit les phases technologiques de l'affrontement de la nature par l'humanité, mais s'achève en un combat avec l'Ange : la prière dépasse l'effort titanesque et répare son échec. Le labeur de Gilliatt relève de la description qui est donnée de l'art dans *William Shakespeare* : « Double et gigantesque travail, physique au début, métaphysique à la fin, qui cherche Dieu et trouve le bien, chemin faisant ».

Enfin, en variant les modes d'apparition de son auteur, le texte figure, mime et réalise ce qu'exprime symboliquement l'aventure du héros. « L'Archipel de la Manche », préambule autobiographique du roman, montre l'écrivain : vivant, concret, historique. Puis le récit gomme l'individualité de l'auteur, encore perceptible cependant à l'affichage de ses goûts et de ses opinions. Dans la seconde partie, la personne et la personnalité s'effacent derrière le Poète et le Penseur : affirmation impérieuse et révélation, la « philosophie » hugolienne s'exprime à nouveau. Enfin, parole laissée aux personnages, le récit devenu impersonnel s'achève dans le silence d'un narrateur disparu.

Par là, Hugo récupère, réunit et concrétise le contenu de l'effort philosophique qui, depuis *les Misérables,* avait conduit à *William Shakespeare* et à plusieurs textes en prose inemployés : la « Préface philosophique » destinée aux *Misérables; l'Âme; Promontorium somnii; les Choses de l'infini; Contemplation suprême; Utilité du beau. Les Travailleurs de la mer* sont à cette entreprise avortée ce que *les Misérables* avaient été à *la Fin de Satan*. De l'un à l'autre, même progrès; le roman surmonte le demi-échec de la pensée abstraite, surtout il universalise ses leçons et les réalise. La philosophie tendait à « démontrer l'âme », et *William Shakespeare* à montrer dans l'art l'unique voie vers l'idéal, la seule vraie rédemption. Par son sens, par l'activité de l'imaginaire qu'il exige et par la position qu'il contraint le lecteur de prendre, face à l'auteur, le roman fait ce qu'il dit : il ouvre à tous le mortel accomplissement du génie.

Le *Théâtre en liberté*

« Comédies où l'on meurt, tragédies où l'on ne meurt pas », le *Théâtre en liberté* — deux groupes de textes, l'un principalement en prose, composé de 1865 à 1867, l'autre en vers, en 1869 — libère le rapport toujours frustré que Hugo entretient avec le théâtre joué : hors de l'institution peut apparaître le carnaval de la subversion et s'affirmer ce qui donne la parole aux exclus. Deux sortes de textes : d'un côté les mélodrames populaires, *l'Intervention* et surtout *Mille Francs de récompense,* où s'épanouit la parole du héros gueux et voleur Glapieu, qui, instrument de la justice, fait entendre à travers la citation ironique du mélodrame la satire terrible des valeurs bourgeoises; de l'autre côté les drames poétiques, comme ce rabelaisien *Mangeront-ils?* où, contre le roi-tyran, le personnage populaire exprime la revendication victorieuse de la bouche qui mange.

Théâtre impossible où s'épanouit ce grotesque rêvé, comique et douleur s'étayant l'un l'autre, qui n'a pu être le lot du théâtre joué. Théâtre des figures subversives : la prostituée, le révolté, la sorcière, le voleur et même l'enfant. Théâtre profondément révolutionnaire dans la mesure où il dénonce avec énergie la difficulté d'aimer dans un monde de l'appropriation et de l'oppression — ainsi les couples de *l'Intervention* ou les amants tragiques des *Deux Trouvailles de Gallus*.

Il faut mettre à part *Torquemada,* ce « Roméo et Juliette » du XIXe siècle, festival d'iniquités, la seule œuvre théâtrale que Hugo ait rendue à la fois historique, épique et grotesque, sorte de somme de l'histoire, sortie toute armée de *la Légende des siècles* et où les puissances temporelles et spirituelles s'unissent malgré leurs divergences pour écraser le couple des jeunes amants.

L'Homme qui rit

Une machine à vapeur réparée et un couple heureux : la mort de Gilliatt sauvait l'avenir, sans laisser de trop grandes illusions sur sa valeur. *L'Homme qui rit* met en doute ce que *les Travailleurs* avaient acquis.

Extravagant et baroque, ce roman exige l'interprétation. « J'ai voulu, note Hugo, forcer le lecteur à penser à chaque ligne. De là, une sorte de colère du public contre moi ». De fait, l'entreprise était provocatrice et suicidaire. Interrogation angoissée d'un Hugo vieillissant dans un trop long exil sur la validité de son œuvre et de sa vie, *l'Homme qui rit* met en question la fonction du poète affronté aux contraintes de l'Histoire.

Le roman est formé de deux récits. Le premier, exploit d'énergie et de bonté, répète *les Travailleurs* et, comme eux, « affirme l'âme ». Le second, sous l'exemple de l'aristocratie anglaise du XVIIe siècle, donne la formule de la France impériale et de toute société historique : division et exploitation; dénaturation et perversion. Le héros, Gwynplaine, en est l'emblème, si bien défiguré « par ordre du roi » pour servir aux spectacles princiers que son malheur est son visage, fixé dans un rire affreux. « C'est de l'enfer des pauvres qu'est fait le paradis des riches ». De sorte que la parole aussi produit l'effet inverse de celui qu'on attendait.

Image « en abyme » du roman, *Chaos vaincu,* drame allégorique, joué par Gwynplaine, de la « victoire de l'esprit sur la matière aboutissant à la joie de l'homme », ne provoque que le rire du peuple, victime d'un inévitable et profond contresens. Auprès des puissants, la seconde œuvre du héros recommence, au lieu de le réparer, l'insuccès de la première. L'échec de Gwynplaine, venu devant la Chambre des lords « plaider la cause des muets », manifeste l'inanité de tout effort pour convaincre, de tout réformisme. La misère aliène aussi ceux qui en sont responsables : le même rire que celui du peuple, hilare au spectacle de sa propre déchéance, secoue les lords à la vue de leur crime. Aussi longtemps qu'il y aura des puissants pour huer le génie, il n'y aura pas de peuple pour l'entendre.

Voici la Révolution justifiée et même, dit Hugo, « prouvée » par ce livre où il conduit la critique sociale plus loin qu'il ne l'avait jamais fait. Terme du processus d'autodestruction de la société, la Révolution procédera du renversement de l'antithèse sociale. Inutilement peut-être — *Quatrevingt-Treize* y reviendra — si le peuple demeure dénaturé en foule.

Le poème ne sauve donc que le poète. Sur le bateau de l'exil, le spectateur unique — et divin — d'une ultime représentation sanctionne l'authenticité de la mission du génie en rendant, à l'instant de leur mort, le sourire à Gwynplaine et la vue à celle qu'il avait sauvée et aimée — beauté, liberté, justice : Déa. *Chaos vaincu* a pris son vrai sens : la mort seule achève la pénétration de la matière par l'esprit; la poésie est une « parole qui tue » d'abord celui qui la prononce.

Tel Gwynplaine jetant son rire à la face des lords, Hugo prend acte de l'inanité de l'écriture et, le temps du livre, la dément. *L'Homme qui rit* retourne en acte d'accusation sociale la scandaleuse inutilité du Beau. C'est, à la veille de la Commune, un geste de révolte — promesse et désespoir de la Révolution.

🕮 *Quatrevingt-Treize*

« Nous avons revu ces mœurs » : dans ce roman, discret sur ce qui allait de soi, aucune autre phrase n'assimile la Révolution à la Commune. Les atrocités des deux camps y seraient équitablement stigmatisées, et la Commune serait excusée par l'œuvre révolutionnaire qui justifie la Terreur, si l'identification des combattants de 1871 dans ceux de 1793 était simple.

Or, sédition contre-révolutionnaire —« en République, l'insurrection, c'est le suicide » — et révolte de la misère ignorante, Vendée parisienne, la Commune peut être condamnée par la Révolution. Ou l'inverse. Après la Semaine sanglante, Hugo pouvait songer qu'il avait bien fait de tenir en réserve l'*Histoire d'un crime*. A juste titre : le livre qui visait Louis Napoléon atteindra MacMahon. 1815, 1830, 1848, 1870 : la révolution tourne tôt ou tard à la réaction et s'achève en monarchie. En rapportant cette involution de la République à l'ambiguïté de ses origines révolutionnaires, *Quatrevingt-Treize* tente de répondre à cette question d'actualité posée par la Commune à l'histoire du siècle : à quelles conditions la Révolution est-elle susceptible d'engendrer un nouvel ordre des choses?

Le tableau du personnel romanesque — tel que chaque force historique est représentée par deux personnages : l'un ayant adopté une position conforme à son origine, l'autre une position contraire à la sienne — met en place et en question une représentation euphorique et idéaliste de la Révolution. Accomplie, au moins en partie, par ceux qui n'y ont pas intérêt, elle n'obéit pas à la loi du plus fort qu'elle doit abolir et ne se réduit pas au retournement d'une oppression dont elle permuterait les acteurs et perpétuerait l'injustice.

L'échec des héros dévoués — et la réussite de ceux qui ne le sont pas —, leur monstruosité ou leur angélisme et les hasards d'une intrigue où le destin des personnages figure la nécessité de la Terreur dénoncent cette illusion et enferment la réflexion dans deux cercles vicieux. Si la Révolution, brisant l'aliénation morale aux castes, ouvre une ère de progrès pacifique où la forme républicaine de l'État permet l'éducation des esprits, comment pourrait-elle procéder elle-même des conversions qu'elle doit rendre possibles? Inversement, comment la Terreur serait-elle l'outil obligé de la Révolution dont elle est la négation? « Méprise habituelle aux esclaves », le peuple vendéen combat la Révolution; la Terreur aussi, qui exécute Gauvain tandis que Cimourdain se suicide. La Révolution est donc inconcevable : impossible si elle doit trouver son moteur dans son effet, inacceptable — et nulle — si elle le cherche dans son involution terroriste. L'histoire se fait, mais sans principes.

Et sans poètes. Car l'écrivain trouvait sa raison sociale et historique d'être dans l'idée d'une Révolution résultant de l'addition progressive des conversions individuelles à la Vérité. Roman de l'impuissance à penser la Révolution, *Quatrevingt-Treize* rend compte de l'échec de la République en le faisant payer au poète de son silence futur et de la caducité de son œuvre passée. C'est le mérite de Hugo que d'avoir su condamner l'idéologie qui avait si longtemps sous-tendu son œuvre pour ne pas avoir à condamner la Commune. Non sans appel.

La scène finale des enfants — destructeurs terroristes du livre *Saint-Bartélémy* : de la culture et du passé dont le « massacre » se termine « par un évanouissement dans l'azur », le discours du héros dans son cachot — acte de foi du personnage dans le credo politique de l'auteur —, l'envol final des âmes de Gauvain et de Cimourdain — « sœurs tragiques » dont la réconciliation restaure dans l'au-delà l'inconcevable unité de la Terreur et de la Révolution — récupèrent au niveau de la transcendance ce qui a été compromis à celui de l'histoire. Images du roman, ces scènes font du poème le salut de la Révolution par le martyre du poète. Dans *Quatrevingt-Treize*, Hugo avoue ne pouvoir absoudre l'histoire et conserver espoir en elle qu'en s'en excluant.

🕮 *L'Art d'être grand-père*

Ce recueil — méconnu et gâché par une lecture bêtifiante — est une pièce en faveur de l'amnistie des communards et, par une sorte d'assimilation entre le peuple et l'enfant, plaide pour le pardon et pour le respect des faibles; partout présentes dans le recueil, et souvent fort explicites, ces connotations ôtent à ces poèmes toute mièvrerie. Le problème qu'ils posent est plus aigu que jamais : comment comprendre l'autorité, comment comprendre le rapport du peuple et du pouvoir? Ce qui s'impose ici, c'est le regard critique de Hugo sur la paternité, ou plutôt sur le paternalisme : ce qu'il rêve, c'est une paternité qui aurait divorcé de l'autorité. Et l'exaltation des enfants, de leur parole balbutiante, s'élève contre tout logocentrisme.

Le recueil contient une impressionnante série de poèmes admirables et pas connus : chansons pour les enfants — « Choses du soir » —, mais aussi grands poèmes subjectifs exaltant l'amour et la beauté physique et comme sensuelle de l'enfance — « Ora, ama », poèmes tout pleins du double sentiment conjoint de la mort et de la vie.

La voix de Hugo est ici celle d'une autorité grand-paternelle et « poétique » : « Je n'ai point d'autre affaire ici-bas que d'aimer »; c'est l'âge, la force de la raison et du savoir, sans aucun pouvoir — la voix de la vieillesse qui dit le présent de l'enfance, l'avenir du genre humain et poursuit la route qui est celle même du poète :

> Mais moi, le croyant de l'aurore,
> Je forcerai bien Dieu d'éclore
> A force de joie et d'amour.

	VIE		ŒUVRE
1797	Mariage, à Paris, de Sophie Françoise Trébuchet, née en 1772, et de Léopold Sigisbert Hugo, né en 1773. Ils se sont rencontrés à Nantes — d'où Sophie est originaire — l'année précédente.		
1798	Naissance d'Abel Hugo, frère aîné de Victor; son second frère, Eugène, naît en 1800.		
1802	26 févr. : naissance de Victor Marie Hugo, prématuré, semble-t-il, et de très faible constitution. Il a été conçu — son père le lui écrira — au sommet du Donon, point culminant des Vosges. Les parents attendaient une Victorine plutôt qu'un Victor. Nov. : Sophie quitte les siens, à Marseille, pour tenter une démarche en faveur de son mari à Paris. Elle s'y attarde, sans doute auprès du général Lahorie, et ne rejoint mari et enfants que près d'un an après, pour revenir, presque immédiatement, à Paris — avec ses enfants, cette fois.		
1803	Naissance d'Adèle Foucher, premier amour et épouse de Victor Hugo.		
1804	Arrestation de Moreau, dont les amis sont recherchés, Lahorie en particulier, que Sophie aide à se cacher.		
1806	Naissance de Julienne-Joséphine Gauvain, plus tard Juliette Drouet, second et unique amour de Victor Hugo. Léopold au service de Joseph Bonaparte, roi de Naples, participe à la « pacification » du royaume. Il aura les mêmes tâches en Espagne, où il suit Joseph deux ans plus tard.		
1808	Sophie et ses enfants rejoignent Léopold à Naples, sans pour autant vivre auprès de lui. Ils en repartent à la fin de l'année et s'installent aux Feuillantines, où vient vivre caché le général Lahorie.		
1810	Lahorie est arrêté aux Feuillantines. Sur la demande du roi Joseph, Léopold fait venir sa famille en Espagne; il apprend tout sur Lahorie et sur sa requête en divorce, Eugène et Victor sont placés au collège des Nobles de Madrid (juillet 1811).		
1812	Sophie rentre en France avec Eugène et Victor, Abel restant auprès de son père, dans l'armée. Après l'échec de leur coup d'État, Malet et Lahorie sont fusillés. Date probable des premiers textes connus de Victor Hugo.		
1814	Léopold défend Thionville; les fils Hugo sont faits « Chevaliers du lys »; Léopold est mis en demi-solde; la procédure de divorce est engagée.		
1815	Leur père met Eugène et Victor à la pension Cordier; il défend à nouveau Thionville, puis s'installe à Blois.	1815	Premier *Cahier de vers français.*
1817	La carrière d'écrivain de Hugo commence avec une mention d'encouragement obtenue à un concours de l'Académie française.		
1818	Il travaille pour l'académicien François de Neufchâteau à la *Revendication de Gil Blas par les Espagnols.* Eugène et lui, études secondaires achevées, sont autorisés par leur père, qui les destinait à Polytechnique, à s'inscrire à la faculté de droit. Quittant la pension Cordier, ils viennent vivre auprès de leur mère.		
1819	Aveu amoureux de Victor à Adèle — et réciproquement. Premier numéro du *Conservateur littéraire,* donné pour ultra et anti-romantique.	1819	L'ode sur *le Rétablissement de la statue d'Henri IV* est primée par l'académie des Jeux floraux de Toulouse (équivalent de notre Goncourt).
1820	Mme Hugo s'oppose à l'amour de son fils, qui entame une correspondance secrète avec Adèle. V. Hugo fait des connaissances dans l'intelligentsia, y noue des amitiés — le duc de Rohan, Lamennais, Lamartine, Chateaubriand. Nouveau prix à l'académie de Toulouse, nouvelle mention à l'Académie française.	1820	Publication de *Bug-Jargal* (première version).
1821	Après la mort de sa mère, Victor Hugo est à nouveau reçu dans la famille d'Adèle et renoue avec son père des relations progressivement plus affectueuses.		
1822	Victor Hugo reçoit une pension royale; il se marie avec Adèle.	1822	Publications des *Odes et Poésies diverses.* Le drame *Inès de Castro* est interdit.
1823	Naissance et mort du premier enfant d'Adèle. Hugo reçoit une seconde pension et participe au lancement de *la Muse française.*	1823	Publication de *Han d'Islande.* Nouvelle édition des *Odes.*

	VIE		ŒUVRE
1824	La naissance de Léopoldine répare la perte de Léopold. Premières réunions du cénacle de Nodier à l'Arsenal. Le sabordage de *la Muse française,* par lequel Soumet achète son fauteuil à l'Académie, l'éviction de Chateaubriand du ministère et l'offensive anti-romantique des institutions écartent Hugo des ultras.	**1824**	Publication de *Nouvelles Odes.*
1825	Derniers succès officiels et Légion d'honneur, à l'occasion du sacre de Charles X.		
1826	Naissance de Charles Hugo et de Claire Pradier, fille de Juliette Drouet et du sculpteur Pradier.	**1826**	Publication des *Odes et Ballades* et de la seconde version de *Bug-Jargal.*
1827	Sainte-Beuve entre en relations intimes avec Victor et Adèle Hugo.	**1827**	La publication de l'ode *A la colonne de la place Vendôme* et celle de *Cromwell* et de sa *Préface* achèvent de ranger Hugo aux côtés des romantiques et, moins nettement, des libéraux.
1828	Mort du général Hugo; naissance du second fils : Victor, dit François-Victor.	**1828**	Édition définitive des *Odes et Ballades.*
1829	Offre, en réparation de l'interdiction de *Marion Delorme,* d'un poste officiel, que Hugo refuse ainsi qu'une troisième pension. Ainsi désolidarisé du régime, il ne se ralliera pourtant pas sans pondération à la révolution de 1830, avec le poème « A la jeune France ».	**1829**	Publication des *Orientales* et du *Dernier Jour d'un condamné.* Interdiction de *Marion Delorme.*
1830	Naissance d'Adèle, seconde fille de V. Hugo. Début, entre Sainte-Beuve et Adèle, d'une assez longue liaison, à laquelle Hugo laisse, inutilement, le champ libre.	**1830**	Représentation d'*Hernani.*
		1831	Publication de *Notre-Dame de Paris* et des *Feuilles d'automne*; première de *Marion Delorme.*
1832	V. Hugo installe sa famille au 6, place Royale (actuelle Maison Victor-Hugo de la place des Vosges).	**1832**	Première, interdiction et procès du *Roi s'amuse.*
1833	Victor Hugo et Juliette se rencontrent; pour elle, dans *les Misérables* : « La nuit du 16 au 17 février 1833 fut une nuit bénie. Elle eut, au-dessus de son ombre, le ciel ouvert ».	**1833**	Première de *Lucrèce Borgia* et de *Marie Tudor.*
1834	Sur une brouille, Juliette quitte Paris; il la rejoint; ils voyagent ensemble en Bretagne et dans le pays de Loire, son pays d'enfance à elle, celui de son père à lui.	**1834**	Publication de *Littérature et philosophie mêlées* et de *Claude Gueux.*
1835	Voyage annuel avec Juliette — Normandie et Nord. Rupture définitive entre V. Hugo et Sainte-Beuve. Hugo est nommé membre du « Comité des monuments inédits » à sa création. Plusieurs articles dont « Guerre aux démolisseurs », en 1832, l'avaient désigné à cette fonction, où il emploie et complète une grande compétence en matière d'architecture.	**1835**	Première d'*Angelo* et publication des *Chants du crépuscule.*
1836	Voyage en Normandie avec Juliette. Éloignement entre Adèle et Sainte-Beuve. Double échec à l'Académie.	**1836**	Échec de *la Esmeralda,* livret de Hugo, musique de Louise Bertin, à l'Opéra.
1837	Eugène meurt, à Charenton. Premières relations, bientôt amicales, entre V. Hugo et la famille d'Orléans. Belgique et le Nord pour le voyage avec Juliette.	**1837**	Publication des *Voix intérieures.*
1838	Premier contrat pour la publication des œuvres complètes; il porte sur une somme équivalant à 5 millions de nos francs.	**1838**	Inauguration du théâtre de la Renaissance avec *Ruy Blas.*
1839	V. Hugo obtient de Louis-Philippe la grâce d'Armand Barbès, condamné à mort. Échec à l'Académie. Juliette et lui s'engagent par une sorte de mariage, secret et morganatique; ils voyagent : Alsace, Rhénanie, Suisse et Provence.	**1839**	Hugo entreprend et abandonne *les Jumeaux.*
1840	Échec à l'Académie. Voyage avec Juliette : Rhin et Forêt-Noire.	**1840**	Publication des *Rayons et les Ombres* et, à l'occasion du transfert des cendres, du *Retour de l'Empereur.*
1841	Élection à l'Académie française.		
1842	Victor Hugo fait connaissance avec Léonie Biard et avec le roi Louis-Philippe.	**1842**	Publication du *Rhin.*

	VIE		ŒUVRE
1843	4 sept. : mort à Villequier, noyés dans la Seine, de Léopoldine et de Charles Vacquerie, qui s'étaient mariés en février. Sainte-Beuve fait tirer, hors commerce, *le Livre d'amour,* autobiographique. A la fin de l'année, Victor Hugo devient l'amant de Mme Biard.	**1843**	Échec des *Burgraves.*
1844	Candidat à l'Académie, Sainte-Beuve reçoit l'appui de Victor Hugo. Plusieurs entretiens privés entre le roi et Victor Hugo.		
1845	Hugo répond au discours de réception de Sainte-Beuve. Il est nommé pair de France. Auguste Biard, artiste peintre, fait constater le flagrant délit d'adultère de sa femme avec V. Hugo. Elle est enfermée deux mois à la prison de Saint-Lazare et six mois au couvent des Augustines. Biard retire sa plainte sur intervention du roi et, moyennant commande, ce qui évite à Hugo une condamnation pour complicité, divorce, laissant Léonie et ses enfants à la charge de Victor Hugo. Bref voyage à l'est de Paris, où Hugo passe par Montfermeil.	**1845**	Hugo commence ce qui deviendra *les Misères,* puis *les Misérables.*
1846	Plusieurs discours à la Chambre des pairs. Mort de Claire Pradier, fille de Juliette.	**1846**	Composition de plusieurs poèmes des futures *Pauca meae.*
1847	Victor Hugo continue la même singulière existence : interventions politiques libérales et réformistes; mondanités et entretiens avec le roi; vie familiale paisible; amour avec Léonie; demi-éloignement douloureux avec Juliette, rencontres diverses, dont Alice Ozy, auprès de qui son fils Charles est son rival.	**1847**	Hugo poursuit la rédaction des *Misérables.*
1848	Févr. : Victor Hugo est hué lorsqu'il tente, place de la Bastille, de proclamer la régence; il refuse la mairie de son arrondissement et le ministère de l'Instruction publique, offerts par Lamartine. En juin, il est difficilement élu à la Constituante, et, après avoir contribué à l'écrasement de l'insurrection, il cherche à adoucir la répression judiciaire. *L'Événement,* dirigé par ses fils, fait écho à cette lente évolution vers la gauche dont l'appui donné à la candidature de Louis Napoléon ne constitue qu'un épisode.		
1849	Élu député à l'Assemblée législative, Victor Hugo rompt progressivement avec la droite, notamment à propos de la Question romaine et à l'occasion de la proposition d'enquête sur la misère.		
1850	Les interventions de Hugo le rangent définitivement à la gauche de l'Assemblée : contre la loi Falloux; contre la peine de déportation; contre la restriction apportée au suffrage universel; pour la liberté de la presse. Interdiction de la vente de *l'Événement* sur la voie publique. Hugo prononce l'éloge funèbre de Balzac sur la tombe de celui-ci au cimetière du Père-Lachaise.		
1851	V. Hugo visite les caves de Lille. Juill. : Grand discours contre la révision de la Constitution demandée par Louis Napoléon : « Napoléon-le-Petit ». Charles et François-Victor Hugo, Paul Meurice et Auguste Vacquerie, condamnés pour délit de presse, sont incarcérés. L'envoi par Léonie de lettres reçues de Victor Hugo apprend à Juliette ce qu'elle ignorait depuis sept ans et la met au désespoir, sans toutefois la faire renoncer. Du 2 au 11 déc. : échappant à la police, Hugo tente, au sein du comité nommé par la Montagne, de susciter la résistance parisienne : affiches, harangues, réunions, contacts avec les associations ouvrières, implantation et défense des barricades. Lorsque le succès du coup d'État est devenu patent, il quitte Paris sous un faux nom. Sans délai, Juliette, qui avait veillé à sa sécurité et était elle-même recherchée, le rejoint à Bruxelles.		
1852	Victor Hugo, officiellement expulsé du territoire, est rejoint par ses fils, peine purgée, et met en vente son mobilier parisien. Il commence *Histoire d'un crime* et l'interrompt pour *Napoléon-le-Petit,* qui paraît à Bruxelles le jour où, devançant son expulsion de Belgique, il arrive à Jersey.	**1852**	Publication, à Bruxelles, de *Napoléon-le-Petit.* Après avoir envisagé la publication d'un volume de vers : *les Contemplations,* puis d'une œuvre en deux volumes : « *Autrefois,* poésie pure..., *Aujourd'hui,* flagellation de tous ces drôles », l'annonce du rétablissement de l'Empire le détermine à y consacrer un livre entier.
1853	Mme de Girardin (Delphine Gay) initie le cercle Hugo aux tables tournantes; on y renoncera en 1855 après la crise de folie d'un des participants.	**1853**	Publication en Belgique des *Œuvres oratoires*; double publication des *Châtiments.*

	VIE		ŒUVRE
		1854	Rédaction de *la Forêt mouillée* — publiée en 1886 dans le *Théâtre en liberté* — et du premier noyau de *la Fin de Satan*. Préparation des *Contemplations*.
1855	La protestation d'une quarantaine de proscrits à Jersey — dont Hugo — contre l'expulsion de trois des leurs à la suite de la publication d'un article condamnant le voyage de la reine Victoria à Paris, leur vaut leur propre expulsion. Victor Hugo et sa famille, Juliette et Auguste Vacquerie s'installent à Guernesey.	1855	Rédaction du premier noyau de *Dieu*. Hugo prend le parti de consacrer aux *Contemplations* tout ce qui peut y trouver place, afin que ce soit son « œuvre de poésie la plus complète », sa « grande pyramide ».
1856	La fille de V. Hugo, Adèle, donne les premiers signes d'une mauvaise santé mentale. Le succès des *Contemplations* permet à Victor Hugo d'acheter sa maison : Hauteville House.	1856	Publication des *Contemplations*; la quatrième page de couverture annonce *Dieu* et *la Fin de Satan*.
1857	V. Hugo entreprend l'aménagement de Hauteville House, œuvre singulière qu'il faut visiter, et installe Juliette dans une maison toute proche, d'où ils peuvent se voir.	1857	Sur le conseil de Hetzel, Hugo diffère la publication de *Dieu* et de *la Fin de Satan* et, se laissant convaincre, signe un contrat pour *les Petites Épopées*. Mais il leur destine *la Révolution* et sans doute aussi *le Verso de la page, l'Ane* et *la Pitié suprême*, achevés l'année suivante.
1858	Malgré qu'en ait V. Hugo, les deux Adèle quittent Guernesey pour Paris, durant quelques mois. Pénibles discussions avec la famille, à qui l'exil devient insupportable : « Ta maison est à toi. On t'y laissera seul ». François Victor publie le permier tome de sa traduction de Shakespeare.	1858	L'exil s'assombrit : embarras devant les grands poèmes, qu'il apparaît impossible de publier avec *les Petites Épopées*; ajournement nécessaire de *la Fin de Satan* et de *Dieu*.
1859	Séjour à Londres des deux Adèle et de Charles. Ce dernier en revient pour visiter l'île de Serk avec son père et Juliette, dont il fait alors la connaissance. Désormais, les enfants de Victor Hugo, et sa femme plus encore, seront le plus souvent absents, et il mène avec Juliette une existence plus familiale. Après Solferino, Napoléon III décrète l'amnistie; réponse de Hugo : « Quand la liberté rentrera, je rentrerai ». Peut-être est-ce l'exécution de John Brown, âme d'une insurrection antiesclavagiste à Charlestown, et dont Hugo ne parvient pas à obtenir la grâce, qui le détermine à revenir aux *Misérables*.	1859	Sur les instances de Hetzel, Hugo publie sans attendre la « première série » de *la Légende des siècles*. Il songe à *Torquemada*, projette et compose en quasi-totalité les *Chansons des rues et des bois*, revient à *la Fin de Satan*.
1860	Lettre à Juliette : « ... Nous sommes le besoin l'un de l'autre... ».	1860	Toute l'année, Hugo travaille aux *Misérables* dont il reprend la rédaction proprement dite en décembre après avoir abandonné la « Préface philosophique ».
1861	V. Hugo laisse pousser sa barbe. Tout l'été, avec Juliette, il voyage en Hollande et séjourne en Belgique, où il visite Waterloo et achève *les Misérables*. Le contrat est signé pour douze ans d'exploitation et 300 000 francs (de 6 à 10 millions de nos francs). Adèle rencontre le lieutenant Pinson, se croit fiancée; son père le reçoit et consent à un mariage qui semble n'avoir eu de réalité que dans l'imagination malade de la jeune fille. Aventure dont Y. Gohin a montré les échos dans *les Travailleurs de la mer* et qui a inspiré le beau film de François Truffaut *Adèle H.*		
1862	Voyage en Belgique, au Luxembourg et en Rhénanie avec Juliette, Charles Hugo et Paul Meurice.	1862	Publication des *Misérables* dont le succès est immédiat et dépasse toute attente.
1863	Adèle s'enfuit rejoindre le lieutenant Pinson — Londres, Halifax, New York, plus tard La Barbade; fait croire à son mariage, que son père annonce, puis le dément. Elle sera reconduite à Paris en 1872 et, folle, internée. Reprenant l'ancienne habitude, Victor Hugo voyage avec Juliette — Luxembourg et Rhénanie.	1863	Publication de *Victor Hugo raconté par un témoin de sa vie*. Après avoir songé à reprendre les grands poèmes de 1854-1859 dans une nouvelle série de *la Légende des siècles*, puis hésité devant *Quatrevingt-Treize*, Hugo écrit *William Shakespeare* et les textes qui l'entourent.
1864	L'été, nouveau voyage en Belgique et en Rhénanie avec Juliette, ses fils et des amis. Adèle, l'épouse, revient à Guernesey après seize mois d'absence et en repart deux mois après.	1864	Hugo entreprend la rédaction des *Travailleurs de la mer*, dont le projet remonte au voyage à Serk de 1859. Publication de *William Shakespeare*.
1865	Adèle et ses fils s'installent à Bruxelles, où Victor Hugo les retrouve au cours de son voyage annuel avec Juliette. Mariage à Bruxelles de Charles Hugo.	1865	*Les Travailleurs* achevés, rédaction de *la Grand'Mère* — qui paraîtra en 1886 dans *le Théâtre en liberté*. Publication des *Chansons des rues et des bois*.

	VIE		ŒUVRE
1866	Séjour d'été accoutumé auprès des siens à Bruxelles, accompagné de Juliette.	**1866**	Retour au théâtre : Hugo écrit *Mille Francs de récompense* — publié en 1934 —, l'*Intervention* — publié en 1951 —, et commence *l'Homme qui rit.* Publication des *Travailleurs de la mer.*
1867	Revenue à Guernesey, Adèle fait une visite, bientôt rendue, de remerciement à Juliette. Voyage annuel en Belgique — baptême de Georges, fils de Charles, premier petit-fils de V. Hugo — et en Hollande. Adèle perd progressivement la vue; Juliette lui fait la lecture; ainsi s'achève cette « rivalité ».	**1867**	Rédaction de *Mangeront-ils?* publié en 1886 dans *le Théâtre en liberté.* Publication de *Paris-Guide,* ouvrage collectif édité à l'occasion de l'Exposition universelle et dont Hugo signe l'*Introduction.* Mais, après la défaite de Mentana, Hugo publie, à la gloire de Garibaldi, *la Voix de Guernesey,* et *Ruy Blas* est interdit alors que se poursuit le succès de la première reprise d'*Hernani.*
1868	Mort du premier fils de Charles; naissance d'un second, nommé Georges également. Adèle rejoint son mari en vacances à Bruxelles et y meurt, peu de jours après qu'il a achevé *l'Homme qui rit.* Hugo accompagne jusqu'à la frontière le corps de sa femme, qui sera enterrée à Villequier.	**1868**	Hugo termine *l'Homme qui rit.* Il écrit une comédie : *Zut dit Mémorency,* dont le texte, perdu, correspond peut-être à cet autre titre d'une comédie inconnue : *Peut-être un frère de Gavroche.*
1869	Voyage à Lausanne, pour présider le Congrès de la paix, avec Juliette, François-Victor, des amis. Naissance de Jeanne, fille de Charles. Charles, François-Victor, Meurice, Vacquerie et Rochefort fondent *le Rappel,* qui, à travers saisies et interdictions, participe à l'offensive républicaine.	**1869**	Pour le *Théâtre en liberté* projeté, Hugo écrit *les Deux Trouvailles de Gallus* — qui formera le « livre dramatique » des *Quatre Vents de l'esprit* —, *l'Épée* — ou *Slagistri* —, *Torquemada* et *Welf, castellan d'Osbor* — qui entrera dans la « seconde série » de *la Légende des siècles.*
1870	Victor Hugo et *le Rappel,* déjà plusieurs fois condamnés, prennent position pour le non au plébiscite. Un voyage de Charles et des siens à Guernesey achève de reformer la famille. Victor Hugo plante le gland du « Chêne des États-Unis d'Europe », tandis que la guerre se prépare. De Bruxelles, où il a attendu les événements, Hugo rentre à Paris le lendemain de la proclamation de la République. « Accueil indescriptible ». De diverses manières, lectures publiques des *Châtiments* dont les recettes payent des canons, présence aux remparts, publication des appels *Aux Allemands, Aux Français* et *Aux Parisiens,* visites aux blessés, Hugo, désormais « chose publique », participe à l'effort de guerre.	**1870**	Reprise à Paris de *Lucrèce Borgia.* Préparation du recueil *les Quatre Vents de l'esprit.* Nouvelle édition des *Châtiments.*
1871	Élu député à l'assemblée de Bordeaux, V. Hugo ne parvient pas à unir la gauche — républicains et radicaux —, déjà très minoritaire, et démissionne lors de l'invalidation de l'élection de Garibaldi, seul général de l'armée française à s'être bien battu. A l'enterrement de son fils Charles, Paris, au tout début de son insurrection, lui manifeste une profonde sympathie; il met pourtant en garde les insurgés, qui lui semblent partir « d'un droit pour aboutir à un crime », et quitte Paris pour Bruxelles, où il règle la succession de Charles. A la fin de la Semaine sanglante, *le Rappel* est suspendu ; Hugo y avait publié trois poèmes dont l'équilibre, dans la fureur anti-populaire générale, penchait en faveur des communards; malgré l'intention affichée du gouvernement belge de fermer la frontière aux insurgés en fuite, Hugo leur offre l'asile de sa maison; elle est attaquée à coups de pierre par une bande de jeunes bien-pensants, et lui-même est expulsé. Il se réfugie au Luxembourg. Largement battu aux élections complémentaires de Paris — où il n'était pas candidat —, il rentre en France à la fin de l'année pour obtenir une commutation de la peine de déportation à laquelle Rochefort avait été condamné.	**1871**	Au Luxembourg, Hugo compose *l'Année terrible.*
1872	Reparution du *Rappel.* Nombreuses interventions de Hugo, qui use de sa gloire, en faveur de condamnés de la Commune; elles se poursuivront jusqu'à l'amnistie. Nouvel échec électoral à Paris : Victor Hugo ne sollicitera plus jamais un mandat du suffrage universel. Pour fuir Paris, ses tentations et ses échecs, et pour achever son œuvre avec *Quatrevingt-Treize,* il rentre volontairement en exil à Guernesey avec Juliette et Blanche Lanvin, une enfant de l'Assistance publique au service de Juliette.	**1872**	Après *Actes et Paroles en 1870-1871-1872,* Hugo publie *l'Année terrible.* La couverture annonce *les Quatre Vents de l'esprit, le Théâtre en liberté, Dieu* et *la Fin de Satan.*
1873	*Quatrevingt-Treize* achevé, retour à Paris; avant qu'ils ne s'y installent ensemble, ultime péripétie passionnelle — à l'occasion de Blanche — : fuite, télégrammes, serments, entre Victor Hugo et Juliette. Mort de François-Victor.	**1873**	Hugo termine *Quatrevingt-Treize* à Guernesey.

VIE		ŒUVRE	
		1874	Publication de *Mes fils* et de *Quatrevingt-Treize.*
		1875	Publication de *Actes et Paroles.*
1876	Élu, au suffrage indirect, sénateur de la Seine — « Union républicaine » : extrême gauche —, Victor Hugo poursuit son action en faveur de l'amnistie; son projet, dont Gambetta s'est désolidarisé, n'est pas adopté.		
1877	Alice, veuve de Charles, se remarie avec E. Lockroy.	**1877**	Publication de la « seconde série » de *la Légende des siècles et* de *l'Art d'être grand-père,* dont les poèmes ont été écrits les années précédentes. En réponse à l'esquisse d'un coup d'État de Mac-Mahon, publication de *Histoire d'un crime.*
1878	En juin, Victor Hugo est victime d'une congestion cérébrale, dont il se remet, assez lentement, pendant un long séjour à Guernesey. L'activité créatrice proprement dite de Hugo prend alors fin.	**1878**	Première représentation de l'adaptation tirée des *Misérables* par Charles Hugo et Paul Meurice. Publication du *Pape* et du discours prononcé pour le centenaire de Voltaire.
1879	Dépôt d'une nouvelle proposition d'amnistie, partiellement adoptée. Mort de Léonie Biard. Voyage à Villequier où, pour la première fois, V. Hugo visite la tombe d'Adèle.	**1879**	Publication de *la Pitié suprême.*
1880	Troisième discours au Sénat pour l'amnistie, cette fois-ci adoptée.	**1880**	Publication de *Religions et Religion* et de *l'Âne.*
1881	Hommage du conseil municipal et de tout Paris à Hugo pour fêter le début de sa quatre-vingtième année. Une partie de l'avenue d'Eylau reçoit son nom. Testament : « Vérité, lumière, justice, conscience, c'est Dieu [...]. Je donne tous mes manuscrits et tout ce qui sera trouvé écrit ou dessiné par moi à la Bibliothèque nationale de Paris ».	**1881**	Publication des *Quatre Vents de l'esprit.*
1882	Victor Hugo est réélu sénateur. *Le Rappel* publie un « Appel de Victor Hugo » au sujet des massacres de juifs en Russie.	**1882**	Publication de *Torquemada.*
1883	Le 11 mai, Juliette Drouet meurt, qui, depuis longtemps malade, semble avoir attendu ce cinquantenaire pour quitter Hugo. Codicille testamentaire : « Je donne 50 000 F (un million de nos francs) aux pauvres. Je désire être porté au cimetière dans leur corbillard. Je refuse l'oraison de toutes les Églises; je demande une prière à toutes les âmes. Je crois en Dieu ».	**1883**	Publication de la « série complémentaire » de *la Légende des siècles,* puis de ce recueil dans sa version définitive. Publication — la dernière du vivant de Hugo — de *l'Archipel de la Manche.*
1885	Mort de Victor Hugo le 22 mai. La Chambre et le Sénat votent à la quasi-unanimité ses obsèques nationales. Exposé sous l'Arc-de-Triomphe, son corps est, assez joyeusement, veillé par le peuple, puis accompagné jusqu'au Panthéon; et l'on criait au passage du cercueil : « Vive Hugo! »		
		1886	Publication de *la Fin de Satan* et du *Théâtre en liberté.*
		1888-1893	Publication du recueil *Toute la lyre.*
		1891	Publication de *Dieu*; première représentation de *Sur la lisière d'un bois.*
		1898	Publication du recueil *les Années funestes*; première représentation de *la Grand'Mère.*
		1901	Publication des *Lettres à la fiancée.*
		1902	Publication du recueil *Dernière Gerbe*; première représentation de *l'Épée.*
		1907	Première représentation de *Mangeront-ils?*
		1913	Publication de *Choses vues* par G. Simon.
		1923	Première représentation des *Deux Trouvailles de Gallus.*

VIE	ŒUVRE
	1934 Publication de *Mille Francs de récompense.*
	1936 Publication des textes critiques et philosophiques en relation avec *William Shakespeare.* Première représentation de *Torquemada.*
	1942 Publication des recueils *Océan* et *le Tas de pierres.*
	1951 Publication de *Pierres,* recueil de fragments formé par Henri Guillemin. Publication de *l'Intervention.*
	1952 Publication de *Strophes inédites,* recueil formé par Henri Guillemin.
	1955 Publication de *Choses de la Bible,* dossier de Hugo reconstitué par R. Journet et G. Robert.
	1961 Première représentation de *Mille Francs de récompense.*
	1964 Première représentation de *l'Intervention.*
	1965 Publication de *Boîtes aux lettres,* dossier de Hugo reconstitué par R. Journet et G. Robert.
	1966 Publication de *Épîtres,* dossier de Hugo reconstitué par F. Lambert.
	1971 Première représentation de *Cromwell.*

BIBLIOGRAPHIE GÉNÉRALE

Ne figurent ici, sauf exception, que des ouvrages postérieurs à 1950. La *Bibliographie des auteurs modernes de langue française* de Talvart et Place (éd. Place, t. 9, 1949) couvre suffisamment la période antérieure et, à défaut, les notices bibliographiques jointes aux *Œuvres choisies* de Moreau et Boudout, au *Victor Hugo par lui-même* de H. Guillemin et au *Hugo, l'homme et l'œuvre* de J.-B. Barrère. C'est aussi pour des raisons pratiques — car il existe, autour de V. Brombert, R.B. Grant et M. Riffaterre, une école hugolienne américaine très active — que nous n'indiquons que des ouvrages en langue française.

ŒUVRES ET DOCUMENTS

Œuvres complètes

Dans l'attente de la collection mise en chantier pour le prochain centenaire par la librairie Hachette et le Centre National des Lettres, aucune édition complète n'est plus disponible chez les éditeurs. En librairie ou en bibliothèque les meilleures collections sont : — Édition Hetzel-Quantin, dite « ne varietur », en 48 volumes, entreprise en 1880 et complétée par 9 volumes d'œuvres posthumes. Édition P. Ollendorf et A. Michel, dite « de l'Imprimerie Nationale » (I.N.), en 45 volumes, établie, de 1902 à 1952, successivement par P. Meurice, G. Simon et C. Daubray; elle demeure, à quelque titre, l'édition de référence. — *Œuvres complètes — Édition chronologique publiée sous la direction de Jean Massin,* (*O.C.,* éd. J.M.) Club Français du Livre, 1967-1970, 18 volumes dont deux de *Dessins et Lavis.* C'est la plus intelligente et la plus complète. Selon l'ordre chronologique de la vie et de la composition des textes, chaque tome offre en première partie les œuvres et le « Portefeuille » des fragments. En seconde, un « Dossier » biographique et historique (photographies, correspondances, carnets et albums, témoignages, notice historique...) s'achève par un très utile « Tableau synchronique » des œuvres et de la vie de Hugo et des événements du siècle. La « Présentation » de chaque texte et plusieurs études générales font de la collection non seulement une édition inégalable de l'œuvre de Hugo, mais aussi sa plus véridique biographie et son commentaire le plus précis et le plus varié.

Extraits des œuvres complètes

Aragon, *Avez-vous lu Victor Hugo?,* Éditeurs français réunis, 1952; rééd. J.J. Pauvert, 1964; P. Moreau et J. Boudout, *Victor Hugo, œuvres choisies,* Hatier, 1950, 2 vol.

Éditions courantes. — Les éditions retenues sont réputées « disponibles » et commentées. Le texte est en général « fiable », les présentations inégales, parfois excellentes, et il arrive, ainsi des *Châtiments* en Garnier-Flammarion, que telle édition de poche vaille une édition critique. (Abréviations : C.G. = « Classiques Garnier », F° = « Folio », G.F. = Garnier-Flammarion, L.P. = « Le Livre de Poche », P/G = Poésie/Gallimard. Entre parenthèses, le nom du commentateur).

« L'Intégrale », Le Seuil : *Théâtre complet* (Purnal, Thierry, Mélèze), 2 vol., 1964, ibid.; *Romans* (H. Guillemin), 3 vol., 1963, ibid.; *Poésie* (B. Leuillot), 3 vol., 1972. *Bug-Jargal,* L.P. (R. Borderie), avec *le Dernier Jour...,* 1954. *Les Chants du crépuscule,* G.F. (M.F. Guyard), avec *les Feuilles d'automne,* 1970; L.P. (P. Albouy), avec *les Voix intérieures* et *les Rayons et les Ombres. Les Châtiments,* P/G (R. Journet), 1977; L.P. (G. Rosa), 1972; G.F. (J. Seebacher), 1979; Athlone Press (P.J. Yarow), 1975 (commentaires en anglais). *Choses vues,* F° (H. Juin), 4 vol., 1972. *Les Contemplations,* P/G (P. Albouy et L.P. Fargue), 1973; C.G. (L. Cellier) 1969; L.P. (J. Gaudon), 1972; Colin, « Bibliothèque de Cluny » (J. Seebacher), 1964. *Les Chansons des rues et des bois,* P/G (J. Gaudon), 1982; G.F. (J. Seebacher), 1966. *Cromwell* et *Préface,* G.F. (A. Ubersfeld), 1968. *Le Dernier Jour d'un condamné,* L.P. (R. Borderie), avec *Bug-Jargal,* 1954; F° (R. Borderie), avec *Bug-Jargal,* 1970. *Les Feuilles d'automne,* L.P. (P. Albouy), avec *les Orientales;* G.F. (M.F. Guyard), avec *les Chants du crépuscule,* 1970. *Han d'Islande,* F° (B. Leuillot), 1981. *L'Homme qui rit,* U.G.E. — 10/18 (H. Juin), 1981; G.F. (M. Eigeldinger et G. Schaeffer), 1982. *La Légende des siècles,* Grancher (P. Berret), 1957; G.F. (L. Cellier), 1967; C.G. (J. Dumas et J. Gaudon), 1974; L.P. (C. Roy et S. Jupin, 1968). *Mille Francs de récompense,* L'Avant-Scène, série Théâtre. *Les Misérables,* Gallimard, Bibl. de la Pléiade, (M. Allem), 1951; F° (Y. Gohin), 1973; C.G. (M.F. Guyard), 1957; G.F. (R. Journet), 1967; L.P. (B. Leuillot), 1972. *Notre-Dame de Paris,* G.F. (L. Cellier), 1967; F° (L. Chevalier et S. de Sacy), 1966; C.G. (M.F. Guyard), 1961; L.P. (J. Maurel), 1972. *Odes et Ballades,* P/G (P. Albouy), 1964; G.F. (J. Gaudon), avec *les Orientales,* 1968. *Les Orientales,* L.P. (P. Albouy), avec *les Feuilles d'automne,* P/G, id., 1981; G.F. (J. Gaudon), avec *Odes et Ballades,* 1968. *Quatrevingt-Treize,* C.G. (J. Boudout), 1957; G.F. (J. Body), 1965; F° (Y. Gohin), 1979. *Les Rayons et les Ombres,* L.P. (P. Albouy), avec *les Chants du crépuscule* et *les Voix intérieures. Les Travailleurs de la mer,* G.F. (M. Eigeldinger), 1980; F° (Y.

Gohin), 1980. *Théâtre,* G.F. (R. Pouillart), non compris *les Burgraves* ni le *Théâtre en liberté,* 1979, 2 vol. *Les Voix intérieures,* L.P. (P. Albouy), avec *les Chants du crépuscule* et *les Rayons et les Ombres. William Shakespeare,* Flammarion, (B. Leuillot), 1973.

Éditions critiques des œuvres. — Tous les travaux de génétique littéraire sur Hugo s'appuient sur les études de manuscrits (publication des variantes et des ébauches, annotation) de MM. Journet et Robert publiés aux Belles Lettres par les « Annales de l'Université de Besançon » et consacrées aux *Contemplations* (3 vol.), aux quatre recueils des *Feuilles d'automne* aux *Rayons et les Ombres,* aux *Misérables,* aux *Chansons des rues et des bois.* S'y ajoutent, très spécialisés, les six volumes des *Contributions aux études sur Victor Hugo.* Mlle F. Lambert a appliqué les mêmes principes au *Manuscrit du « Roi s'amuse »* (ibid., 1964). Procurées par P. Albouy, les *Œuvres poétiques* de la « Bibliothèque de la Pléiade », Gallimard, donnent l'édition savante des recueils antérieurs à l'exil (t. I, 1964), des *Châtiments* et des *Contemplations* (t. II, 1967), des *Chansons des rues et des bois,* de *l'Année terrible* et de *l'Art d'être grand-père* (t. III, 1974). *L'Âne,* prés. par P. Albouy, Flammarion, 1966; *Claude Gueux,* prés. par P. Savey-Casard, P.U.F., 1967; *Dieu (l'Océan d'en haut)* et *Dieu (le Seuil du gouffre),* prés. par R. Journet et G. Robert, Nizet, 1960 et 1961; *Dieu (fragments),* id., Flammarion, 1969, 3 vol.; *la Fin de Satan* in R. Journet et G. Robert, *Contribution...2,* 1979; *la Légende des siècles,* prés. par P. Berret, Hachette, 1921-1927, 6 vol.; *les Travailleurs de la mer,* prés. par Y. Gohin, Gallimard, « Bibliothèque de la Pléiade », 1975 (même volume que *Notre-Dame de Paris*); *Littérature et Philosophie mêlées,* prés. par R.W. James, Klincksieck, 1976, 2 vol.; *Mangeront-ils?,* prés. par R. Journet et G. Robert, Flammarion, 1970; *Notre-Dame de Paris — 1482,* prés. par J. Seebacher, Gallimard, « Bibliothèque de la Pléiade », 1975; *Promontorium somnii,* prés. par R. Journet et G. Robert, Les Belles Lettres, 1961; *Ruy Blas,* prés. par A. Ubersfeld, Les Belles Lettres, 1971-1972, 2 vol.

Éditions des carnets et fragments. — Après sa mort, les papiers de Hugo ont rejoint les manuscrits de ses œuvres à la Bibliothèque nationale ou se sont égarés — contre sa volonté testamentaire — dans des « collections particulières ». L'état le plus avancé de leur publication est l'édition Massin où ils prennent place selon l'ordre chronologique général. Les publications séparées les plus importantes sont dues à : J.-B. Barrère, *Un carnet des « Misérables » — octobre-décembre 1960,* Minard, 1965; C. Gély, *Voyages — France et Belgique (1834-1837),* Presses Universitaires de Grenoble, 1974; H. Guillemin, *Souvenirs personnels — 1848-1851,* Gallimard, 1952; id., *Cris dans l'ombre et chansons lointaines,* A. Michel, 1953; id., *Carnets intimes — 1870-1871,* Gallimard, 1953; id., *Journal — 1830-1848,* Gallimard, 1954, R. Journet et G. Robert, *Carnet — mars-avril 1856,* Les Belles Lettres, 1959; id., *Trois albums,* ibid., 1963; id., *Journal de ce que j'apprends chaque jour — Juillet 1846-Février 1848,* Flammarion, 1965; id., *Fragments tirés du manuscrit « Océan », Contribution...6,* hors commerce, 1983; id., *Théâtre de la gaîté* (choix de dessins), Les Belles Lettres, 1961; id., *Boîte aux lettres,* Flammarion, 1965; F. Lambert, *Épîtres,* Flammarion, 1966; id., *la Légende des siècles, fragments,* ibid., 1970.

Correspondances. — En attendant la publication de la correspondance par J. et S. Gaudon, la collection Massin a recueilli les lettres publiées par l'I.N. et celles éditées séparément ensuite. Elle doit être complétée par plusieurs publications ultérieures, dans la R.H.L.F. en particulier, et par : *Correspondance entre Victor Hugo et P.J. Hetzel,* éd. crit. par S. Gaudon, Klincksieck, t. I : *1852-1853* — publication de *Napoléon-le-Petit* et des *Châtiments,* 1979; P. Souchon, *Mille et une lettres d'amour* (de J. Drouet à Victor Hugo), Gallimard, 1951.

Documents. — Beaucoup — comptes, contrats, factures, notes et mémoires divers —, conservés à la Maison Hugo, demeurent inédits. Les « Portefeuilles » de l'édition Massin donnent plusieurs textes importants de la famille ou de contemporains. Ajoutons : R. Escholier, *Victor Hugo raconté par ceux qui l'ont vu* (extraits de textes contemporains), Stock, 1931; Pierre Foucher (le beau-père), *Souvenirs de Pierre Foucher — 1772-1845,* Introd. et notes de L. Guimbaud, Plon, 1929; *le Journal d'Adèle Hugo,* éd. crit. par F.V. Guille, Minard, t. I, *1852,* 1968; t. II, *1853,* 1971 (c'est ce texte qui a inspiré le beau film de F. Truffaut, *Adèle H*); *Correspondance de Léopoldine Hugo,* éd. par P. Georgel, Klincksieck, 1976; Léopold-Sigisbert Hugo (le père), *Mémoires,* publiés et préfacés par L. Guimbaud, Excelsior, 1934; Adèle Hugo (l'épouse), *Victor Hugo raconté par un témoin de sa vie,* texte joint aux *O.C., éd. J.M.,* dans sa version de 1863, très remaniée par l'entourage, et dont les brouillons sont en cours de publication; les fameux «procès-verbaux » des « tables parlantes » de Jersey, publiés séparément par J. Gaudon (J.J. Pauvert, 1963), ont été reproduits dans les *O.C.,* éd. J.M., t. IX.

Dessins. — Avec quelque 2 000 reproductions, l'édition Massin offrait le catalogue le plus complet de l'œuvre graphique de Hugo en deux tomes, devenus très rares en librairie. Depuis, plusieurs beaux ouvrages valent par la qualité des images, de leur choix et des textes qui les accompagnent : *Victor Hugo — Dessins,* présentés par J.F. Bory, H. Veyrier, 1980; *Victor Hugo,* textes de P. Dassau et H. Focillon, Autrement l'art, 1983; *Victor Hugo visionnaire,* textes et dessins présentés par P. Seghers, R. Laffont, 1983; *Victor Hugo — Dessins et Lavis,* présentés par J. Lafargue, Éd. Hervas, 1983.

L'HOMME ET L'ŒUVRE — GÉNÉRALITÉS

Répertoires — Bibliographie — Musées

A. Laster, *Pleins Feux sur Victor Hugo,* Comédie-Française, 1981; P. Van Tieghem, *Dictionnaire de Victor Hugo,* Larousse, 1970; L. Cellier, « Petite bibliographie critique — Le renouveau des études hugoliennes », *les Nouvelles littéraires,* 8 janv. 1973.

Les deux demeures où Hugo résida le plus longtemps sont devenues musées de la Ville de Paris. Hauteville-House, à Guernesey, vaut par son site et par son décor, signé Hugo et conservé tel quel; l'appartement de la place des Vosges par ses collections de tableaux, dessins et photographies et par la nouvelle présentation donnée aux meubles et aux pièces.

Biographies et albums

Album Hugo, par M. Ecalle et V. Lumbroso, « Bibliothèque de la Pléiade », Gallimard, 1964; H. Guillemin, *Victor Hugo par lui-même,* Le Seuil, « Écrivains de toujours », 1951; H. Juin, *Victor Hugo,* Flammarion, t. I : *1802-1843,* 1980; A. Maurois, *Olympio ou la Vie de Victor Hugo,* Hachette, 1954; *Victor Hugo,* ouvrage illustré avec des textes de J. de Lacretelle, A. Maurois, H. Guillemin, R. Ikor, P. Moreau, C. Roy, G. Sigaux, P.A. Touchard, P. Zumthor, Hachette, « Génies et réalités », 1966.

Aspects biographiques

Moments. — P. Flottes, *l'Éveil de Victor Hugo — 1802-1822,* Gallimard, 1957; M. Levaillant, *la Crise mystique de Victor Hugo — 1843-1856,* Corti, 1954; P. Miquel, *Avec Victor Hugo, du sacre au cabaret — 1825-1829,* Lefort, 1960; id., *Hugo touriste — 1819-1824,* La Palatine, 1958; G. Venzac, *les Origines religieuses de Victor Hugo,* Bloud and Gay, 1955; id., *les Premiers maîtres de Victor Hugo,* ibid.

Dans les *O.C., éd. J.M.* : J. Gaudon, « Victor Hugo à Jersey », t. IX; Y. Gohin, « Victor Hugo à seize ans », t. I; B. Leuillot, « L'été 1821 », t. II.

Politique. — P. Angrand, *Victor Hugo raconté par les papiers d'État,* Gallimard, 1952; J. Massin, « la Fin de la *Muse française* et la mort de l'enfant sublime », *O.C.,* éd. J.M., t. II; C. Pelletan, *Victor Hugo, homme politique,* Ollendorf, 1907; P. Savey-Casard, « l'Évolution démocratique de Victor Hugo », *R.H.L.F.,* juil.-sept. 1960; J. Seebacher, « Juillet du sacre au crépuscule ou Hugo et 1831 l'un dans l'autre », *Romantisme,* n° 28-29, 1980.

Travail. — J.-B. Barrère, « les Livres de Hauteville-House », *R.H.L.F.,* oct.-déc. 1951 et janv.-mars 1952, et *Victor Hugo à l'œuvre — Le poète en exil et en voyage,* Klincksieck, 1965; J. Seebacher, « Victor Hugo et ses éditeurs », dans *O.C.,* éd. J.M., t. 6.

Intimités. — P. Boussel et M. Dubois, *De quoi vivait Victor Hugo?,* Deux-Rives, 1952; Y. Delteil, *la Fin tragique du voyage de Victor Hugo en 1843* (d'après le journal de voyage autographe de J. Drouet), Nizet, 1970; R. Escholier, *Un amant de génie : Victor Hugo,* A. Fayard, 1953; H. Guillemin, *Hugo et la sexualité,* Gallimard, 1954; L. Guimbaud, *Victor Hugo et Juliette Drouet,* A. Blaizot, 1914; *Victor Hugo et Madame Biard,* ibid., 1927 et *la Mère de Victor Hugo,* Plon, 1930; B. Leuillot, « Léopoldine Victor-Hugo », dans *O.C.,* éd. J.M., t. VI; R. Molho, « Critique, amour et poésie : Sainte-Beuve et “les Hugo” dans *O.C.,* éd. J.M., t. IV et XIII.

Aspects divers. — C. Gély, « les Routes et les rêves ou le Voyage d'Olympio », dans *O.C.,* éd. J.M., t. VI; H. Guillemin, « la Prière de Victor Hugo », dans *O.C.,* éd. J.M., t. XII; id., « Hugo ‘traître’ », dans H.G., *Précisions,* Gallimard, 1973; id. « Hugo et ses rêves », « Hugo et les ‘invisibles’ », « Divers », dans *Pas à pas,* Gallimard, 1969; A. Laster, « Victor Hugo, la musique et les musiciens », dans *O.C.,* éd. J.M., t. V.

Études générales de l'œuvre et de la pensée

P. Albouy, *la Création mythologique chez Victor Hugo,* Corti, 1963, et « Victor Hugo au travail », dans *O.C.,* éd. J.M., t. VIII; L. Aragon, *Hugo, poète réaliste,* Éd. Sociales, 1952; J.-B. Barrère, *la Fantaisie de Victor Hugo,* Corti, 3 vol., 1949-1960; rééd. Klincksieck, 1972-73; id., *Hugo, l'homme et l'œuvre,* Boivin, 1952; id., *Victor Hugo,* Desclée de Brouwer, « les Écrivains devant Dieu », 1965; C. Baudouin, *Psychanalyse de Victor Hugo,* (1943), rééd. Colin, « U 2 », 1972; M. Butor, « Victor Hugo critique », *Critique*, n° 221, oct. 1965; J. Delalande, *Victor Hugo, dessinateur génial et halluciné*, N^lles^ Éditions Latines, 1964; J. Gaudon, *le Temps de la contemplation. L'œuvre poétique de Hugo de 1845 à 1856*, Flammarion, 1969; id., *Hugo dramaturge*, l'Arche, 1955; C. Gély, *Victor Hugo poète de l'intimité*, Nizet, 1969; J. Mallion, *Victor Hugo et l'art architectural*, P.U.F., 1962; G. Piroué, *Victor Hugo romancier ou les dessus de l'inconnu*, Denoël, 1964; P. Savey-Casard, *le Crime et la peine dans l'œuvre de Victor Hugo*, P.U.F., 1957; A. Ubersfeld, *le Roi et le Bouffon — étude sur le théatre de Hugo de 1830 à 1839*, Corti, 1974; C. Villiers, *l'Univers métaphysique de Victor Hugo*, Vrin, 1970; P. Zumthor, *Victor Hugo poète de Satan*, Laffont, 1947.

Retentissements et interférences

P. Albouy, « la Vie posthume de Victor Hugo », dans *O.C.*, éd. J.M., t. XV-XVI/2; L. Aragon, « le Parti communiste français et Victor Hugo », *La Pensée*, mai-août 1952; J.-B. Barrère, « Victor Hugo et la Grande-Bretagne », *Revue de littérature comparée*, avril-juin 1954; L. Cellier, *Hugo et Baudelaire*, Corti, 1970; C. Dédéyan, *Victor Hugo et l'Allemagne*, rééd. SEDES, 1977; C. Gély, *Hugo et sa fortune littéraire*, St Médard-en-Jalles, G. Ducros, 1970; M. Lebreton-Savigny, *Victor Hugo et les Américains*, Klincksieck, 1970.

ÉTUDES PARTIELLES DE L'ŒUVRE

Recueils

Ensembles critiques formés d'ouvrages ou de numéros de revues entièrement ou partiellement consacrés à Hugo et cités par ordre chronologique. *Bulletin de l'I.F. en Espagne*, juin-sept. 1953 : Victor Hugo et le cinéma, filmographie hugolienne (D.C. Fernandez Cuenca), Victor Hugo artiste, inspirateur des artistes, Victor Hugo et les musiciens (P. Guinard) et un ensemble de documents et d'interventions sur Victor Hugo et l'Espagne. *Cahiers de l'Association internationale des Études françaises*, n° 19, mars 1967 : P. Albouy (la lumière dans l'œuvre de Victor Hugo*); J.B. Barrère (état présent des recherches); J. Gaudon, « Ambiguïtés hugoliennes »; R. Journet et G. Robert, « Pourquoi Hugo n'a-t-il pas publié *Dieu*? »; M. Riffaterre, « la Poétisation du mot chez Victor Hugo »; J. Seebacher, « Esthétique et politique chez Victor Hugo : l'*Utilité du Beau* ». *Romantisme*, n° 1-2, 1971 : P. Albouy, « Hugo ou le *Je* éclaté »*; A. Nicolas, « Lecture du poème *le Feu du ciel* »; A. Ubersfeld, « le Carnaval de *Cromwell* ». *Romantisme*, n° 6, 1973 : A. Ubersfeld, « le Livre et la plume » (lecture du poème *Aux Feuillantines*); *Dossier* comprenant : B. Leuillot, « Editer Victor Hugo », M. Ecalle, « la Maison de Victor Hugo », A. Ubersfeld, « Catalogue des livres empruntés par Victor Hugo à la Bibliothèque royale ». *Les Nouvelles littéraires*, 8 janv. 1973 : P. Albouy, « l'Aventure poétique de Hugo. — la Voix du prophète »; H. Juin, « Hugo romancier : une conscience mise à nu »; J. Mourgeon, « l'Œil de Victor Hugo et l'image ». *Revue des Sciences humaines*, n° 156, 1974-4 : P. Malandain, « Victor Hugo et La Fontaine »; Y. Gohin, « Psycholecture du poème IV des *Voix Intérieures* »; J.M. Gleize, lecture du poème *A quoi songeaient les deux cavaliers dans la forêt*; J. Seebacher, « Misère de la coupure, coupure des *Misérables* »; A. Ubersfeld, « Nommer la misère » (l'onomastique des *Misérables*); J.-P. Richard, « Petite lecture de Javert »; M. Nemer, « Traduire, dit-il »; J. Maurel, « Victor-Marie, femme à barbe »; J.-F. Peyret, « Dialogues d'exilés » (Brecht et Hugo); G. Rosa, « H. représentant du peuple — 1848-1851 »; N. Danjou, « *Napoléon-le-Petit* : fonction politique de la parole ». *L'Arc*, n° 57, 1974 : J. Seebacher, « *Éditorial* et liminaire »; V. Brombert, « Prison de la pensée, le condamné de Hugo » (à partir du *Dernier Jour...*); J.P. Reynaud, « l'Esthétique du prodige »; P. Georgel, « la Vision en silhouette »; F. Vernier, « *les Misérables* : ce livre est dangereux »; A. Ubersfeld, « le Rêve de Jean Valjean »; J. Maurel, « Victor Hugo par a+b : le défi démocratique de la pensée »; G. Rosa, « Massacrer les massacres » *(Quatrevingt-Treize)*; J.L. Backès, « la Fin de l'histoire » *(l'Année terrible)*; J. Gaudon, « la Mort du livre » (poème final des *Contemplations*). *Magazine littéraire*, n° 84, janv. 1974 : H. Guillemin, « Hugo et les femmes »; H. Juin, « Victor Hugo des profondeurs »; F. Lacassin, « le Guéridon de Victor Hugo »; P.A. Toutain, « Victor Hugo poète du noir et du blanc ». *La Quinzaine littéraire*, n° 235, 16-30 juin 1976 : *Dossier Hugo* par J. Seebacher, H. Juin, J.M. Gleize, P. Pachet, J. Maurel, P. Georgel. *Mythographies*, Corti, 1976 : recueils d'articles de P. Albouy, la plupart consacrés à Hugo; plusieurs déjà cités ici sont marqués d'un *, en outre : « Toute puissance et humilité du poète »; « Victor Hugo et la critique bourgeoise »; « Raison et science chez Hugo »; « Sur la *Psychanalyse de Victor Hugo* » (de C. Baudouin); « le Poète au gourdin » *(Châtiments)*; « Rire Révolution » *(l'Homme qui rit)*; « Victor Hugo et la Commune »; « Péguy et Hugo »; « la Mythologie hugolienne »; « le Mythe du moi » *(William Shakespeare)*. *Lendemains*, n° 10, mai 1978 (Berlin) : articles de T. Bremer sur *Bug-Jargal*, G. Rosa sur les sources de *Notre-Dame de Paris*, J. Seebacher sur les *Châtiments*, A. Ubersfeld sur *l'Art d'être grand-père* et W. Engler sur *Quatrevingt-treize*.

Études

De « poétique ». — Dans les *O.C.*, éd. J.M. : J.P. Brisson, « Victor Hugo à l'école de Virgile et des poètes latins », t. I; M. Butor, « Babel en creux », t. VIII; J. Gaudon, « Digresssions hugoliennes », t. XIV; id., « Vers une rhétorique de la démesure — *William Shakespeare* », *Romantisme*, n° 3, 1972; id., « Victor Hugo, mesure et démesure », *R.H.L.F.*, mars-avr. 1980. M. Grimaud, « Métrique et stylistique chez Victor Hugo : apologie du *e* dit muet », *The French Review*, oct. 1977; id., « Trimètre et rôle poétique de la césure chez Victor Hugo », *Romanic Review*, jan. 1979. H. Meschonnic, *Pour la poétique IV — Écrire Hugo*, Gallimard, 1977, 2 vol.; id. « Ce que Hugo dit de la langue », *Romantisme*, n° 25-26, 1979; id. « Problèmes du langage poétique de Hugo », dans *Linguistique et Littérature, la Nouvelle Critique*, n° spécial d'Actes du Colloque de Cluny de 1968, 1973. A. Nicolas, « le Prix d'une virgule » (la ponctuation chez Hugo), *Langages*, n° 69, mars 1983. G. Poulet, *Études sur le temps humain* (II, 6 : *Hugo*), Plon, 1952; Éd. du Rocher, 1977. J.-P. Richard, « Paysage et langage chez Hugo », *Critique*, n° 264, mai 1969; id., *Études sur le romantisme* (II, 3 : *Hugo*), Le Seuil, 1970. M. Riffaterre, « la Vision hallucinatoire chez Victor Hugo » dans M.R., *Essais de stylistique structurale*, Flammarion, 1971; id., « le Poème comme représentation », *Poétique*, n° 4, 1970. J. Seebacher, « la Polémique chez Victor Hugo », *Cahiers de l'Association internationale des Études françaises*, n° 31, mai 1979.

De « philosophie ». — P. Albouy, « Hugo fantôme », *Littérature*, n° 13; rééd. dans *Mythographies* et dans *Histoire Littéraire de la France*, Éd. Sociales, t. X, 1974. P. Bénichou, *le Sacre de l'écrivain — 1750-1830* (ch. 7 et 8), Corti, 1973. V. Brombert, « Victor Hugo : Prison de la pensée, prison de l'espace » dans V.B., *la Prison romantique*, Corti, 1975; id., « Victor Hugo l'auteur effacé ou le 'moi de l'infini' », *Poétique*, n° 52, nov. 1982. Y. Gohin, « les Réalités du crime et de la justice pour Hugo avant 1829 », dans *O.C. éd. J.M.*, t. III; id., *Immanent et immanence*, Minard, 1968. C. Lefort, « Mort de l'immortalité » (à partir de la *Préface philosophique*, dans *le Temps de la réflexion*), Gallimard, 1982. J. Maurel, « l'Alphabet analphabète ou Victor Hugo de A à Z — Idéologie et idéographie », Colloque de Cluny 2, *la Nouvelle Critique*, n° spécial 39 bis, 1971; id., « le Doigt sur la bouche d'ombre », *Revue des Sciences humaines*, oct.-déc. 1976. M. Riffaterre, « la Poésie métaphysique de Victor Hugo — Style, symboles et thèmes de Dieu », *Romanic Review*, déc. 1960. J. Seebacher, « Poétique et politique de la paternité chez Victor Hugo », dans *Romantisme et politique 1815-1851*, Colin, 1969. A. Ubersfeld, « les Conditions d'un refus idéologique : Hugo devant la presse de 1831 à 1840 », dans *Hommage à G. Fourrier*, Les Belles Lettres, 1974.

Divers. — Dans les *O.C.*, éd. J.M. : P. Georgel, « les Dessins de voyage de Victor Hugo », t. V; P. Halbwachs, « le Poète de l'histoire », t. VII et X; T. James, *« Pictura poésis* ou art rêveur? », t. 15-16/1; C. Mauron, « les Personnages de Victor Hugo — Étude psychocritique », t. II; P. Moreau, « les Deux Univers de Hugo : le visible et l'invisible », t. III; G. Piroué, « le Jeu des rôles dans l'œuvre de Victor Hugo », t. XV-XVI/1 et « Victor Hugo et la mer », t. IX; P. Zumthor, « le Moyen Âge de Victor Hugo », t. IV; J.B. Barrère, « Victor Hugo et les arts plastiques », *Revue de littérature comparée*, avr.-juin 1956. P. Georgel, « Dessins de Hugo dans les collections publiques françaises », *la Revue du Louvre et des musées de France*, n° 4-5, 1971. R. Girard, « Monstres et demi-dieux dans l'œuvre de Hugo », *Symposium*, Spring, 1965. P. Halbwachs, « Victor Hugo, la mythologie et les mythes », *la Pensée*, janv.-fév. 1965. A. Ubersfeld, « Hugo réécrit *Lear* », dans *Recherches en sciences des textes. Hommage à Pierre Albouy*, P.U.G., 1977; id., « le Frère disséminé » (sur la présence d'Eugène dans l'œuvre de Victor), dans *Frères et sœurs*, ouv. coll., Éditions E.S.F., 1981.

Textes

Ne sont rappelés dans cette liste de travaux consacrés à une seule œuvre — ou à un aspect particulier commun à plusieurs — ni les « commentaires » des éditions savantes ou courantes ni les « Présentations » qui accompagnent chaque texte dans l'édition Massin. Ce sont pourtant souvent les meilleures études, et quelquefois les seules, dont on dispose. Dans la recherche de la bibliographie d'un texte on n'oubliera pas de se reporter à la rubrique plus haut : « Études partielles — I. Recueils ».

Poésie. — *Odes et Ballades* et *les Orientales* : B. Guyon, *la Vocation poétique de Victor Hugo — Essai sur la signification spirituelle des « Odes et Ballades » et des « Orientales »*, Gap,

« Saint Jérôme », peinture sur bois d'Antonello da Messina (1430-1479). *National Gallery, Londres. Ph. © du Musée*

Humanisme

Comme celui de classicisme, le terme d'humanisme, d'apparition récente (XIXe siècle), désigne simultanément des valeurs jugées éternelles et un moment précis de l'histoire littéraire. Mais ses implications morales et philosophiques ajoutent à son ambiguïté. Défini par Renan comme « le culte de tout ce qui est de l'homme », il étaye la bonne conscience de tous les systèmes totalisants (on parle ainsi

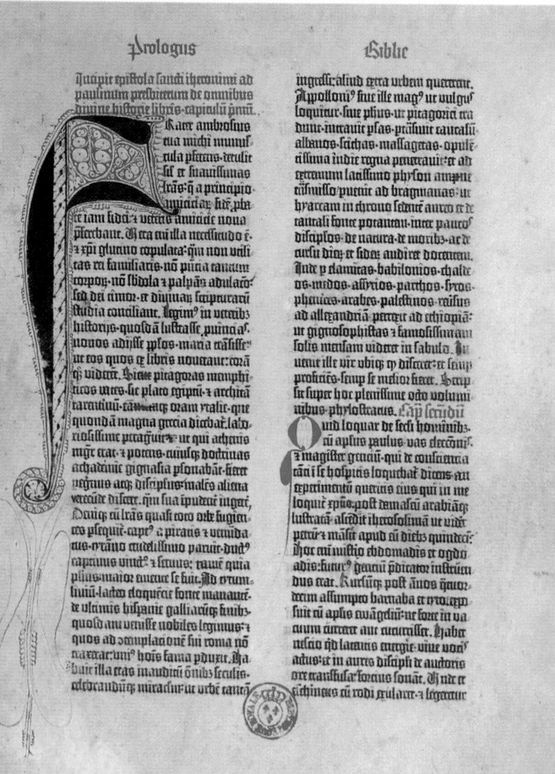

Bible de Johan Gutenberg (v. 1400-1468). Bible latine « à 42 lignes » terminée en 1455 à Mayence.
Ph. © Bibl. nat., Paris - Arch. Photeb

Gravure anonyme sur bois pour « De la divinité de follie » in *De la déclamation des louenges de follie* d'Érasme, début XVIe s. *Ph. © Bibl. nat. Paris - Photeb*

« Marguerite de Navarre », peinture attribuée à François Clouet, XVIe s. *Musée Condé, Chantilly. Ph. H. Josse © Arch. Photeb*

d'humanisme marxiste, d'humanisme chrétien ; et Sartre titre un essai de 1946 *l'Existentialisme est un humanisme*) et celle de leurs adversaires.

Au sens technique du terme, les choses paraissent plus claires. Les *humanistes* (le terme est cette fois d'époque) furent des hommes qui décidèrent, dès la fin du XVe siècle, pour mieux vivre et comprendre la grande rupture des « Temps modernes », de restaurer l'étude directe des textes grecs et latins.

« L'Usage de l'astrolabe » (mesure d'une tour dont le haut est a priori inaccessible). Aquarelle gouachée, école française du XVIe s.
Cabinet des dessins, Musée du Louvre, Paris. Ph. H. Josse © Arch. Photeb

Planche extraite de : « De dissectione partium corporis humani » de Charles Estienne, 1545, chez Simon de Colines. Gravure anonyme sur bois. *Ph. © Bibl. nat., Paris - Photeb*

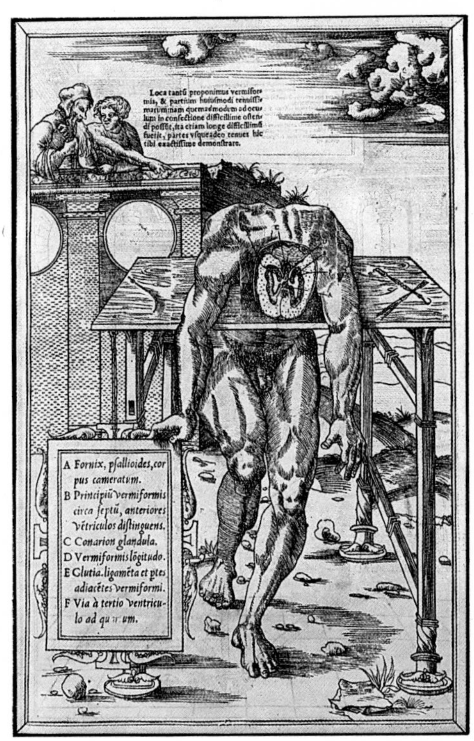

« Humani corporis mensura... », gravure anonyme sur bois extraite de : *De architectura libri dece traducti de latino in vulgare affigurati...* de Vitruve (Ier s. av. J.-C.), imp. à Côme, 1521. *Ph. © Bibl. nat. Paris - Photeb*

Dénonçant constamment un Moyen Age prétendument barbare et « gothique », l'humanisme fut d'abord stylistique. Au goût de la belle latinité succéda celui de l'exactitude philologique : à l'image de saint Jérôme, traducteur de la Vulgate au IVe siècle, Lefèvre d'Étaples traduit la Bible en français ; s'appuyant sur les textes, Guillaume Budé découvre la filiation de l'hellénisme au christianisme.

« Les Bucoliques » gravure anonyme sur bois in *Opera* de Virgile, imp. à Strasbourg chez J. Gruninger, 1502.
Ph. © Bibl. nat. Paris - Photeb

De l'institution du prince de Guillaume Budé, miniature extraite de l'ouvrage posthume, 1547.
Bibliothèque de l'Arsenal, Paris.
Ph. L. de Selva © Photeb/T

Plus généralement, les humanistes affirment dans tous les domaines (mathématiques, médecine, ...) une volonté de savoir que favorise le développement de l'imprimerie et qui les conduit, tel Rabelais, à repenser l'enseignement dans un sens libéral et ouvert sur le monde (1529, création du Collège royal). Violemment attaqué, l'humanisme trouva pourtant de puissants appuis, dont celui de Marguerite de Navarre, contre les théologiens scolastiques, effrayés par cet esprit de découverte et de retour aux sources vives, trop vives, de la foi par cet « évangélisme » critique et limpide qu'incarne si bien la grande figure d'Érasme. Car, paradoxalement, l'érudition humaniste, ambitieuse et passionnée, a pour horizons, à l'aube de la Réforme et des crises du XVIe siècle, un rêve de conciliation ; mais, dans une société figée, le mythe des origines peut être aussi révolutionnaire — Rousseau, deux siècles plus tard, le montrera bien —, que celui des lendemains qui chantent.

1954; M. Riffaterre, « En relisant *les Orientales* », dans M.R., *Essais de stylistique structurale*, Flammarion, 1971.

Châtiments: S. Gaudon, « Prophétisme et utopie : le problème du destinataire dans les *Châtiments* », dans *Saggi e ricerche di letteratura francese*, n° 16, Roma, 1977; J.M. Gleize et G. Rosa, « Celui-là, politique du sujet poétique », *Littérature*, n° 24, déc. 1976; J. Mazaleyrat, « Victor Hugo et l'art de l'invective », dans *Études de langue et de littérature françaises offertes à André Lauly*, Nancy, 1980.

Les Contemplations — la Fin de Satan: S. Gaudon, « Rêves et réalités — Hetzel éditeur des *Contemplations* », *Europe*, nov.-déc. 1980; P. Moreau, *« les Contemplations » ou le temps retrouvé*, Minard, 1962; id., « Paysages introspectifs chez Victor Hugo » dans *Centenaire des Misérables*, Strasbourg, 1962; F. Pruner, *« les Contemplations », pyramide-temple — Essai d'exégèse*, Minard 1962; J. Seebacher, « Sens et structure des *Mages* », *Revue des Sciences Humaines*, juil.-sept. 1963; M. Milner, « Signification politique de la figure de Satan dans le romantisme français », dans *Romantisme et politique 1815-1851*, Colin, 1969.

La Légende des siècles: P. Albouy, « Aux commencements de *la Légende des siècles* » *R.H.L.F.*, oct.-déc. 1962; P. Angrand, « le Centenaire de *la Légende des siècles — la Légende* de 1859 et la critique catholique », *la Pensée*, nov.-déc. 1959; P.T. Comeau, *« le Satyre* dans *la Légende des siècles* de Victor Hugo », *The French Review*, mai 1966; P. Moreau, *Victor Hugo, « la Légende des siècles — 2e série » (1877) et « série complémentaire » (1883)*, C.D.U., 1952.

Théâtre. — Le théâtre de Hugo : M. Butor, « la Voix qui sort de l'ombre et le poison qui transpire à travers les murs — Germe d'encre », dans M.B., *Répertoire 3*, Éd. de Minuit, 1968; id., « le Théâtre de Victor Hugo », *N.R.F.*, nov. 1964, déc. 1964 et janv. 1965; S.C. Fairchild, « les Théories de Victor Hugo appliquées à son théâtre », *Nineteenth-Century French Studies*, Spring-Summer, 1979; A. Ubersfeld, « Une dramaturgie de l'objet : le théâtre de Victor Hugo » dans *le Réel et le Texte*, Colin, 1974.

Pièces : A. Borer, « le Traître mot » *(Angelo tyran de Padoue)*, *Romantisme*, n° 19, 1978; M. Descotes, *l'Obsession de Napoléon dans le « Cromwell » de Victor Hugo*, Minard 1967; P. Halbwachs, « A propos de la bataille d'*Hernani* », dans *Romantisme et politique 1815-1851*, Colin, 1969; M. Riffaterre, « Un exemple de comédie symboliste chez Victor Hugo » *(Mangeront-ils?)*, *l'Esprit créateur*, Fall, 1965; A. Ubersfeld, « D'un commandeur à l'autre ou la Chanson de Gubetta » *(Lucrèce Borgia)*, *Littérature*, n° 9, fév. 1973; id., « les Drames de Hugo : structure et idéologie dans *Le roi s'amuse* et *Lucrèce Borgia* », *la Nouvelle Critique*, n° spécial 39 bis, 1971; id., « *Ruy Blas*: genèse et structure », *R.H.L.F.*, n° 5-6, sept.-déc. 1970; id., « Un 'anti-théâtre' : les fragments dramatiques », dans *O.C.*, éd. J.M., t. VI.

Roman. — Le roman de Hugo : M. Bach, « Critique littéraire ou critique politique — les Derniers Romans de Hugo vus par les contemporains », *The French Review*, oct. 1954; V. Brombert, *Victor Hugo and the Visionary Novel*, Harvard University Press, à paraître au printemps 1984 et, en traduction française, aux P.U.F.; M. Butor, « Victor Hugo romancier », *Tel Quel*, n° 16, 1964; A. Nicolas, « les Écuries d'Argo », *Revue des Sciences humaines*, oct.-déc. 1977; J. Seebacher, « Envers du langage, envers de la société dans le roman hugolien », dans *la Lecture socio-critique du texte romanesque*, Toronto, 1975.

Han d'Islande, Bug-Jargal, le Dernier Jour d'un condamné : M. Larroutis, « J. de Maistre et Victor Hugo : le bourreau dans *Han d'Islande* », *R.H.L.F.*, oct.-déc. 1962; B. Mouralis, « Histoire et culture dans *Bug-Jargal* », *Revue des Sciences humaines*, janv.-mars 1973; A. Nicolas, « Structure linguistique et économie textuelle », dans *Beiträge zur Analyse des sozialen Wortschatzes*, Halle, 1975; G. Schaeffer, « le Mythe de la lecture chez Victor Hugo », dans *le Lieu et la formule* — Hommage à M. Eigeldinger, Neuchâtel, La Baconnière, 1978.

Notre-Dame de Paris: B. Leuillot, « Ceci tuera cela », *Littérature*, n° 36, déc. 1978; J. Seebacher, « le Système du vide dans *Notre-Dame de Paris* », *Littérature*, n° 5, fév. 1972; id., « Gringoire ou le Déplacement du roman vers l'histoire », *R.H.L.F.*, mars-juin 1975.

Les Misérables: *Centenaire des Misérables 1862-1962 — Hommage à Victor Hugo*, Actes du colloque organisé du 10 au 17 décembre 1961 par la faculté des lettres de Strasbourg, Strasbourg, 1962 : J. Pommier, « Premiers Pas dans l'étude des *Misérables* »; R. Journet et G. Robert, « le Classement des papiers de Hugo à la Bibliothèque nationale »; B. Leuillot, « Présentation de Jean Valjean »; J. Gaulmier, « De Fantine aux Vaudois d'Arras »; J. Seebacher, « la Mort de Jean Valjean »; M.-F. Guyard, « Creuser Mabeuf »; P. Albouy, « la *Préface philosophique* des *Misérables* »; N. Banasevic, « les Échos balzaciens dans *les Misérables* »; H.J. Hunt, « le Sens épique des *Misérables* »; R. Ricatte, « Style parlé et psychologie dans *les Misérables* »; J. Gaudon, « Je ne sais quel jour de soupirail... »; J.-B. Barrère, « Observations sur la conception religieuse des *Misérables* »; G. Gusdorf, « Quel horizon on voit du haut de la barricade »; J. Roos, « le Thème de la régénération dans *les Misérables* »; G. Livet, *« les Misérables* au cinéma ». *Europe*, janv.-fév. 1962 : articles de P. Angrand, C. Combes, R. Escholier, J. Gaulmier, C. Gurnaud, J.P. Le Chanois, S. Montfort, et, sur *les Misérables*, de P. Albouy (les personnages de Hugo*); H. Meschonnic, « la Poésie dans *les Misérables* »; G. Milhaud (l'insurrection de 1832 dans le roman); R. Papin, P. Paraf, R. Ricatte, « Dialogue et psychologie »; G. Sadoul, *« les Misérables* au cinéma »; J. Seebacher (la rencontre avec le conventionnel b.); N. Solmtsev : « *les Misérables* en Russie et en URSS »; E. Tersen, « le Paris des *Misérables* ». *Lire Les Misérables*, S.E.D.E.S, à paraître en 1984 : articles de J. Archer, J. Delabroy, J. Gaudon, Y. Gohin, C. Habib, B. Leuillot, J. Neefs, G. Rosa, N. Savy, J. Seebacher, A. Ubersfeld, F. Vernier. P. Angrand, « Genèse et fortune des *Misérables* », *R.H.L.F.*, juil.-sept. 1960; id., « *le Figaro* contre *Les Misérables* », *les Lettres françaises*, 22-28 mai 1958. M. Bach, « Critique et politique : la réception des *Misérables* », *Publications of the Modern Language Association*, déc. 1962. A. Brochu, *Hugo, Amour/ Crime/ Révolution — Essai sur les Misérables*, Les Presses de l'Université de Montréal, 1974. R. Desné, « Histoire, épopée et roman : *les Misérables* à Waterloo », *R.H.L.F.*, mars-juin 1975. J. Gaudon, « Éloge de la digression », dans *Travaux de linguistique et de littérature de l'Université de Strasbourg*, Klincksieck, 1968. R. Journet et G. Robert, *le Mythe du peuple dans les Misérables*, Éd. Sociales, 1964. R. Molho, « Esquisse d'une théologie des *Misérables* », *Romantisme*, n° 9, 1975. J.C. Nabet et G. Rosa, « l'Argent des misérables », *Romantisme*, n° 40, 1983. J. Pommier, « Victor Hugo et *les Misérables* » (résumé de cours), *Annuaire du Collège de France pour 1962-1963;* « l'Étude des *Misérables* (suite) : la vie et l'œuvre de Hugo depuis le printemps 1833 jusqu'à la fin de 1835; ses lectures : *Lélia* de G. Sand, *le Père Goriot...* », ibid., vol. 1964. R. Ricatte, « Sur *les Misérables* — le Moraliste et ses personnages », *Mercure de France*, mai 1961; id., « *les Misérables*: Hugo et ses personnages », dans *O.C.*, éd. J.M., t. XI. M. Riffaterre, « Fonction de l'humour dans *les Misérables* », *Modern Languages Notes*, nov. 1972.

Les Travailleurs de la mer: M. Carlson, *l'Art du romancier dans « les Travailleurs de la mer », les Techniques visuelles*, Minard, 1961. A. Nicolas, « Une économie de la violence — la Description dans *les Travailleurs de la mer* », dans ouv. coll. *la Description*, Lille, Presses universitaires, Paris, Éditions Universitaires, 1975.

L'Homme qui rit : L. Cellier, « *Chaos vaincu* — Victor Hugo et le roman initiatique », dans *Centenaire des Misérables — Hommage à Victor Hugo*, Strasbourg, 1962.

Quatrevingt-Treize : V. Brombert, « Sentiment et violence chez Hugo : l'exemple de *Quatrevingt-Treize* », *Cahiers de l'Association internationale des Études françaises*, n° 26, mai 1974. P. Georgel, « Vision et imagination plastique dans *Quatrevingt-Treize* », *les Lettres romanes*, fév. 1965. G. Rosa, « *Quatrevingt-Treize* ou la Critique du roman historique », *R.H.L.F.*, mars-juin 1975.

G. ROSA et A. UBERSFELD

HUGUENIN Jean-René (1936-1962). Jean-René Huguenin est né à Paris. Parallèlement à ses études de philosophie et de sciences politiques, il devait écrire de nombreux articles dans diverses revues comme *la Table ronde* et *Arts*. Avec cinq amis, il fonde la revue *Tel Quel*, qu'il quitte quelques mois plus tard, continue de collaborer à de nombreux magazines : *le Figaro littéraire, les Nouvelles littéraires, les Lettres françaises, Réalités* (articles recueillis dans *Une autre jeunesse*, 1965), et, en 1960, publie son premier roman. Alors qu'il accomplissait son service militaire, il se tue en automobile au cours d'une permission : de ce fait, le second roman qu'il préparait ne devait jamais voir le jour. Son *Journal* sera publié après sa mort, avec une préface de François Mauriac.

A travers ses deux seules œuvres littéraires, son journal (*Journal,* 1964), et surtout son roman *la Côte sauvage* (1960), J.-R. Huguenin apparaît comme un grand écrivain capable à la fois de renouveler l'évolution de l'écriture romanesque et de porter un témoignage sur les rêves, l'inquiétude et l'intransigeance amère des jeunes intellectuels des années 50-60. Que ce soit dans son roman, où le mariage avec Pierre qu'Anne annonce à son frère Olivier délenche chez celui-ci une véritable crise psychologique, ou dans le *Journal,* qui laisse percevoir un malaise omniprésent malgré une soif très intense d'idéal — ou à cause de cette soif —, Huguenin est le peintre d'une jeunesse romantique, en proie, dans un milieu ou dans un cadre naturel privilégiés, à la torture d'un « vague des passions » moderne.

B. VALETTE

HUGUES CAPET (XIVe siècle). Chanson de geste composée à l'occasion de la crise politique de 1356-1358, cette œuvre n'a d'épique que la forme, la division en laisses. Avec son héros né d'un noble et d'une fille de boucher, illustrant la fusion du peuple et de l'aristocratie, elle est plus symbole de la victoire obtenue par le Dauphin grâce aux marchands parisiens qu'exaltation d'une « geste ». Venu à Paris chez son oncle boucher, Hugues refuse l'apprentissage du métier et, avec les cent florins qu'il a reçus, mène joyeuse vie. Son « service d'amour » en Hainaut, où il échappe à la vengeance d'un père, en Brabant, où il laisse des bâtards, en Allemagne, enrichit le texte d'éléments romanesques. Revenu à Paris à la mort de Louis, il sauve l'impératrice et sa fille Marie, qu'il épouse après avoir, à la tête de la milice bourgeoise, sauvé la ville du siège des Allemands et des Bourguignons. Débauché, mais héroïque, sans scrupules et toujours prêt à l'exploit, ce personnage porte une double signification politique : le souverain régnant est le dernier maillon d'une chaîne ininterrompue, et le pouvoir, d'origine divine, ne peut triompher qu'avec l'appui de toutes les classes. Une œuvre de circonstance donc, témoignage de la conscience nouvelle que la bourgeoisie a de son rôle : préoccupation typique de la littérature de ce temps, envahie par les problèmes d'actualité. *Hugues Capet* est, avec *Baudouin de Sebourc,* l'aboutissement de l'évolution du genre épique : une figure non encore utilisée donne l'impression d'un renouvellement de l'inspiration, mais les éléments étrangers, historiques et romanesques, ont complètement changé un registre dont seul subsiste le prestige.

BIBLIOGRAPHIE

Éd. Marquis de la Grange, *les Anciens Poètes de France,* Paris, 1864.

A. STRUBEL

HUMANISME. Peu de termes prêtent autant à équivoque que celui d'humanisme. Il est bon de rappeler que la Renaissance ne l'a pas connu et que, fruit d'une longue maturation de la pensée historique, il s'est inévitablement chargé de significations complexes et parfois ambiguës. Oublions sa première apparition, en 1765, au sens d'« amour général de l'humanité », acception qui s'est perdue. C'est dans les années 1830-1840 que le terme commence, dans les études allemandes, à s'imposer pour désigner, comme l'indique W.K. Ferguson, « le mouvement intellectuel associé au réveil des langues et de la littérature anciennes » qui marque l'âge de la Renaissance. En 1859, par son livre intitulé *le Réveil de l'Antiquité classique ou le premier siècle de l'humanisme,* l'historien allemand Georg Voigt liait définitivement l'humanisme et la Renaissance. Mais le mot était trop chargé de valeurs connexes pour ne pas se prêter à des emplois très divers et sans attache historique déterminée : avec Renan, il désigne « le culte de tout ce qui est de l'homme, la vie entière sanctifiée et élevée à une valeur morale »; dans les années 1875, où il se répand en France, il s'applique aussi bien à la culture des belles-lettres, des « humanités », qu'à la théorie philosophique qui fait dépendre de l'humanité elle-même ses développements historiques. Depuis lors, on a pu entendre parler de l'humanisme médiéval, de l'humanisme de Dante, de celui de Diderot ou de Malraux, et, dans l'immédiat après-guerre, on se plaisait à définir l'existentialisme (Sartre) ou le marxisme comme des humanismes. De nos jours, au contraire, une certaine critique croit avoir décelé le péché irrémissible quand elle a, à l'encontre d'une interprétation, d'une pensée, d'une philosophie, prononcé le mot d'humanisme. A leur tour, il est des historiens de la Renaissance qui, lassés de ce terme à toutes mains, renoncent à l'employer s'il ne s'applique pas à ce qui caractérise ceux qui méritaient le nom technique d'humanistes.

Il est certain que, notamment en terre italienne, humaniste *(umanista)* désigne souvent le professeur de rhétorique. En un sens plus large, le terme d'humaniste convient à l'homme qui s'adonne avec ferveur à l'étude directe des textes antiques. Plus généralement encore, l'humaniste se distingue du théologien; c'est ainsi que Montaigne écrit : « Il se voit plus souvent cette faute que les Theologiens escrivent trop humainement, que cette autre que les Humanistes escrivent trop peu theologalement » (*Essais,* I, 56). Ces lignes indiquent l'origine historique du terme d'humaniste. L'enseignement médiéval était dispensé par les quatre facultés de théologie, de décret (droit canonique), de médecine et des arts. La faculté des arts dispensait un enseignement préparatoire à celui des facultés supérieures, suivant le *curriculum* bien connu du *trivium* (grammaire, rhétorique, logique) et du *quadrivium* (arithmétique, géométrie, astronomie, musique). Ces disciplines, qui disposaient l'élève à aborder les études sacrées (*divinae lectiones, diviniores litterae*) étaient désignées par le terme générique de lettres humaines (*humaniores litterae, humaniora studia*). Familièrement, l'artiste pouvait donc être appelé humaniste. Le mot d'humanisme en est issu, sans doute par une interprétation lâche et même erronée du mot *humanior,* interprétation dont la responsabilité paraît incomber notamment à Hegel. En effet, dans sa *Philosophie de l'histoire,* celui-ci analysait le « retour de l'esprit à lui-même » comme caractéristique de l'âge de la Renaissance, où l'étude de l'Antiquité, les *studia humaniora,* avait contribué à cette nouvelle naissance : « Le mot *humaniora,* précisait-il, est très expressif, car, dans ces œuvres de l'Antiquité, honneur est fait à l'humain et au développement de l'humanité »; il ajoutait : « Les hommes se tournèrent vers les ouvrages des Anciens, comme *studia humaniora,* où l'homme est reconnu dans ce qui le concerne lui-même et dans ce qu'il effectue. Les hommes, parce qu'ils sont hommes, trouvaient intéressant d'étudier des hommes en tant qu'hommes ».

Les pionniers : l'humanisme stylistique

Quoi qu'il en soit, une telle interprétation, qui jette le discrédit sur le Moyen Age, temps d'exil de l'esprit loin de lui-même, a été préparée par ceux-là même qu'on appelait les humanistes. C'est un lieu commun chez eux, dès 1470, de caractériser l'époque dont ils voulaient se distinguer comme barbare, ignorante et obscure : mouvement particulièrement net en France, où, sur tous les tons, on oppose la lumière retrouvée aux ténèbres qui l'étouffaient, ce « siècle si plein de lumière » au « brouillard épais et presque cimmérien de l'époque gothique » (Rabelais). Chacun connaît le fameux passage de la lettre que Gargantua adresse à Pantagruel : « Le temps estoit encores tenebreux et sentent l'infelicité et calamité des Gothz, qui avoient mis à destruction toute bonne litterature ».

Le propos des premiers humanistes français est de restaurer l'éloquence ou art de bien dire et de bien écrire. Guillaume Fichet (né en 1433) écrit à son ami Robert Gaguin, en 1471 : « J'éprouve un très grand contentement en voyant les Muses et toutes les parties de l'éloquence que l'âge précédent avait ignorées fleurir enfin dans cette ville [Paris]. Quand, au temps de mes jeunes années, je quittai le pays de Baux et me rendis à Paris pour me mettre à l'étude d'Aristote, je m'étonnai de voir qu'à Paris un orateur ou un poète était chose plus rare qu'un phénix. Personne n'étudiait nuit et jour Cicéron, comme beaucoup font aujourd'hui; personne ne savait faire un vers correct, ni scander les vers d'autrui; l'école parisienne avait désappris la latinité, et tous ses docteurs ou presque en étaient descendus à un langage barbare. Mais à présent nous voyons enfin des jours meilleurs, car, pour parler le langage des poètes, les dieux et les déesses font renaître chez nous la science du bien-dire ».

De fait, le premier humanisme français est essentiellement stylistique; restaurer le goût de la belle latinité, apprendre à bien dire et à bien écrire, tel est son projet. Pour y parvenir, Fichet installe à la Sorbonne, dont il est bibliothécaire, le premier atelier typographique français. De ses presses sortent, en 1470, les *Lettres* de l'humaniste italien Gasparino de Barzizza, recueil de modèles épistolaires, puis une *Orthographe* du même auteur. Fichet, pour sa part, rédige une *Rhétorique,* dont la préface exprime fort bien le dessein : « Nos contemporains excellent dans la dialectique et dans la philosophie, mais ils méprisent les orateurs [...]. Contents de la connaissance toute nue des choses, ils ne prennent aucun soin de l'art de bien dire ». Un peu plus tard, en 1473, Gaguin poursuit la réalisation de ce programme de restauration de l'éloquence en publiant une *Ars versificatoria,* qui expose les règles de la versification.

Ce mouvement enregistre assez vite ses premiers succès. De nombreux élèves viennent, le soir, entendre Fichet commenter les auteurs antiques. Guillaume Tardif, auteur d'un *Rhetoricae artis ac oratoriae facultatis compendium,* ou abrégé de l'art rhétorique, est autorisé, en 1484, par la Sorbonne à « lire » la rhétorique dans les écoles. Et surtout, en 1489, l'Université de Paris permet officiellement l'explication des poètes à raison d'une heure par jour, dans l'après-midi. Ces succès encouragent des humanistes italiens à venir enseigner à Paris : en 1483 arrive de Vérone Paolo Emili, qui, auteur, avec Gaguin, de la première histoire des rois de France écrite — avec élégance — en latin, sera le fondateur de l'historiographie humaniste en France; en 1484, Paris accueille Girolamo Balbi, de Venise; en 1488, c'est le tour de Cornelio Vitelli et de Fausto Andrelini. Mais, dès 1476, un érudit de Bologne, Filippo Beroaldo, commentait l'œuvre de Lucain à Paris et, dans sa leçon d'ouverture, exposait le programme humaniste : « Paris est l'illustre patrie de tous les arts [...]. J'ai donc pensé faire œuvre méritoire si j'enseignais ici les humanités et la poésie, si je montrais comment elles s'accordent et s'apparentent avec la philosophie [...]. Amis des lettres, je vous exhorte à suivre les traces des Anciens, à respecter religieusement les poètes ». Autour de ces érudits se forment des cercles humanistes où se retrouve tout un public cultivé, chaque jour plus nombreux. Un jeune Italien, Jérôme Aléandre, qui, en 1511, commente Ausone, raconte sa première leçon dans une lettre qui permet de mesurer l'intensité de cet enthousiasme : « Il y avait une telle foule que le portique et les deux cours du collège ne pouvaient la contenir. Et quel public distingué! Receveurs généraux, conseillers, avocats du roi, recteurs, théologiens, jurisconsultes, principaux de collèges, régents : le nombre en est estimé à plus de deux mille ».

Cette présence italienne ne doit pas faire oublier les liens puissants qui unissent l'humanisme français de la fin du XVe siècle au monde flamand. Dans la Société d'amis des lettres qui se forme à Paris, on rencontre les Comtois Guillaume et Guy de Rochefort, Martin et Gilles de Delft, Charles Fernand, de Bruges, et son frère Jean, le poète Pierre Bury, lui aussi de Bruges. Même si certains d'entre eux, comme aussi Fichet et Gaguin, ont séjourné en Italie, ils continuent, à l'imitation de leurs précurseurs français — Jean de Montreuil, par exemple —, à considérer Pétrarque d'abord comme le parfait modèle de l'humaniste chrétien, l'auteur du *De remediis,* celui qui a su mettre son érudition classique au service de la vérité chrétienne. Eux-mêmes aiment à traiter des sujets religieux : Gaguin écrit, en 1488, un poème latin sur l'Immaculée Conception, que Charles Fernand enrichit, l'année suivante, d'un commentaire. Ils ne cherchent pas à réformer le cycle des études universitaires et continuent à tenir la théologie pour la reine des sciences. Comme l'écrit justement A. Renaudet, ils n'éprouvent pas « ce besoin de donner libre jeu à toutes les activités et toutes les puissances humaines, de satisfaire harmonieusement tous les désirs de l'esprit et des sens, qui tourmentait, au XVe siècle, tant d'âmes italiennes ».

C'est donc presque à leur insu que, en définissant de nouveaux modèles culturels, ils vont provoquer de profonds changements. En critiquant le style de leurs contemporains, ils contestent en même temps des manières de penser. On le remarque en lisant ce passage d'une lettre de Gaguin à Arnold de Bosch : « Tous nos contemporains ont conservé le style et la manière d'écrire qu'ont introduits, depuis deux cent cinquante ans, ceux qu'on appelle les auteurs de questions. Supprimez de leurs ouvrages les mots "puisque", "après que", "comme", "par conséquent", "en outre", "mais au contraire", "réponse", "solution", et autres semblables : leurs livres énormes deviendront extrêmement courts ».

De telles critiques encourageaient à élaborer de nouvelles méthodes de penser. Un travail, encore hésitant, de restauration philosophique s'accomplit. Si le grec renaît, avec Georges Hermonyme, de Sparte, qui vient l'enseigner à Paris en 1476, avec le Français François Tissard, qui, en 1507, publie le premier manuel des études grecques, les humanistes français, encore incapables, dans l'ensemble, de lire par eux-mêmes Platon ou Aristote, tâchent de remplacer les vieilles traductions par celles qui ont désormais cours en Italie. Vers 1470, les presses de la Sorbonne impriment, dans la traduction de Leonardo Bruni, les lettres (apocryphes) de Platon. Vers 1474 paraît la *Rhétorique* d'Aristote, dans la traduction de Georges de Trébizonde. Cet intérêt, qui va s'affirmant, reste toutefois vigilant. Consulté, en 1496, par Érasme, Robert Gaguin précise : « La lecture des philosophes est périlleuse, sauf pour un esprit sage et bien dirigé, d'autant plus qu'ils persuadent et charment par leur éloquence »; s'il reconnaît et recommande « ceux dont l'enseignement s'accorde avec la doctrine chrétienne », notamment Platon et « quelques stoïciens », il note pourtant qu'il est rare qu'on ne rencontre pas chez les philosophes « quelque faste et le goût de la vaine gloire et de la renommée ».

L'humanisme philologique et ses développements

Ces débuts indiquent néanmoins les directions dans lesquelles l'humanisme français est en train de s'engager. L'humanisme stylistique s'élargit en un humanisme philologique, qui ne se préoccupe plus seulement de l'art de bien dire mais cherche à promouvoir une connaissance complète de l'Antiquité, langues, littératures et civilisations.

De ce point de vue, l'œuvre de Guillaume Budé (1468-1540) est exemplaire. Fils de magistrat, il étudie d'abord le droit, puis décide soudain, à vingt-trois ans, de se consacrer à l'étude des belles-lettres. Ses *Annotations aux vingt-quatre premiers livres des Pandectes* (1508) fondent sa réputation de philologue : Budé non seulement est soucieux de restituer le texte original et de le débarrasser des gloses abusives des commentateurs, mais encore il veut, introduisant la méthode historique dans l'interprétation du droit, établir les faits de langue et de civilisation qui permettent de mieux comprendre en lui-même le droit romain. Il poursuit cet effort dans le *De asse* (1515), étude des monnaies antiques et, par là, de la civilisation matérielle de l'Antiquité. En 1529, ses *Commentaires de la langue grecque,* recueil de quelque sept mille articles ou remarques, le désignent comme le premier grand helléniste français.

Ces définitions, trop brèves, des principales œuvres de Budé ne doivent pas laisser penser qu'il est un pur érudit. En 1516, Érasme peut lui écrire qu'il ne craint pas de produire son témoignage « parmi ceux des auteurs éprouvés et consacrés par le temps » dès 1497, Lefèvre d'Étaples lui dédie une traduction d'Aristote comme à un exceptionnel connaisseur du grec et du latin. Mais c'est surtout comme un spécialiste de l'étude grammaticale et linguistique des textes qu'il faut le considérer. Il s'est attaché de tout son être à la philologie, dont il ne cesse pas de souligner la valeur formatrice. Comme il l'indique dans son dialogue *De la philologie* (1530), après l'avoir fait, en 1527, dans le *De studio litterarum recte et commode instituendo,* la philologie n'est pas seulement « l'amour des belles-lettres et le goût de l'étude », mais aussi, selon la formule d'E. Garin, « redécouverte de la sagesse antique, considérée comme l'instrument idéal pour notre éducation »; en effet, les *humaniores litterae* — on pourrait rendre ces mots par la belle expression de Rabelais, les « lettres d'humanité » — donnent accès à toutes les autres disciplines en une science complète, en un savoir encyclopédique — au sens vrai de ce terme, qui signifie, Budé le souligne, « érudition circulaire » (*orbicularis eruditio*). Allant plus loin encore, il s'efforce, dans un ouvrage au titre significatif, le *De transitu hellenismi ad christianismum* (1535), de montrer que l'hellénisme et le christianisme, loin de s'opposer, sont entre eux dans une sorte de continuité, que l'humanisme est au service de la foi chrétienne.

Cet élargissement du regard, qui conduit à réformer les « disciplines », puise dans la philologie l'essentiel de son élan et de son dynamisme, même si tous ceux qui l'illustrent n'ont pas la sûreté philologique de Budé. L'ampleur de leurs curiosités ouvre à l'enquête et à la recherche de larges horizons, et révèle la vigueur novatrice de l'esprit humaniste.

Curieux et profond, Jacques Lefèvre d'Étaples (vers 1450-1536) domine cette période. Malgré son âge, il n'appartient pas proprement aux premiers temps de l'humanisme et attend 1492 pour publier son premier livre. Il est, en outre, peu préoccupé par l'art de bien dire et écrit un latin sans grande élégance. Maître ès arts de l'Université de Paris, il séjourne en Italie et, en 1486, se trouve à Pavie et à Padoue, où il étudie l'aristotélisme sous des maîtres italiens. Après une *Introduction* à la *Métaphysique* d'Aristote, écrite en 1490, et où, en de brefs commentaire, il s'efforce d'expliquer Aristote par Aristote lui-même, il édite le philosophe, de 1494 à 1515, dans des traductions latines d'humanistes italiens. Un deuxième voyage en Italie, en 1491-1492, le conduit à Florence, où il rencontre Marsile Ficin et Pic de La Mirandole : attiré par la renaissance néoplatonicienne, il publie les *Livres hermétiques* (1494) dans la traduction de Ficin et, en 1499, la *Théologie* du pseudo-Denys. L'œuvre de Raymond Lulle, qu'il édite en 1499, lui est particulièrement chère. Après un troisième séjour en Italie, il parcourt l'Allemagne en 1509 et en rapporte une moisson de textes mystiques. Éditant Ruysbroeck (1512), il le défend contre Gerson, qui lui avait reproché son ignorance du latin. Spirituel et mystique, Lefèvre est en quête d'une méthode de lecture — d'un « nouveau genre d'exégèse », comme dit un contemporain —, qu'il définit et met en œuvre dans une série de publications relatives à la Bible. En 1509 paraît le *Quincuplex Psalterium,* qui, comme son nom l'indique, juxtapose cinq versions du Psautier et accompagne chaque psaume d'un résumé, d'une exposition continue, de notes (essentiellement grammaticales et philologiques) et de sortes de méditations très représentatives de ce nouveau genre d'exégèse. Humaniste, Lefèvre est à la recherche de la lettre du texte et n'épargne aucun moyen pour l'établir (même si les résultats peuvent être jugés inférieurs aux intentions); mais, écrivain spirituel, il lui demande un plus haut sens, dont il précise qu'il s'agit d'un « sens littéral sans doute, mais qui coïncide avec l'esprit, sens qui se révèle aux voyants, aux illuminés, et qui se cache aux aveugles, à ceux qui se contentent de la lettre, qui comprennent les choses divines selon la chair ». Cette recherche, Lefèvre la poursuit en éditant, en 1512, les Épîtres de saint Paul. Qui plus est, il veut que la Bible soit pour tous un livre de vie, et il entreprend de la mettre en français : après la traduction des Évangiles (1523), il publie, en 1530, celle de la Bible tout entière.

Figure de premier plan, Lefèvre ne doit pas faire oublier quelques autres humanistes de grande valeur. Ainsi son disciple Charles de Bovelles (1479-1567), qui partage son goût des mathématiques — et spécialement de l'arithmétique spéculative, voie royale vers l'intelligence des substances spirituelles — et son intérêt pour la pensée de Nicolas de Cues et pour le néoplatonisme florentin. Son *De sapiente* (1511), qui définit le sage comme l'accomplissement de l'homme, a pu être considéré comme l'expression puissante et profonde d'un humanisme héroïque, proche de celui de notre temps. Outre son œuvre philosophique, Bovelles a encore écrit des poésies en français et divers travaux relatifs à la langue : *la Différence des langues vulgaires et la variété de la langue française* (1533) marque, pour les langues vulgaires, un intérêt très neuf; il réunit, en 1531, quelque six cent cinquante proverbes usités en France.

Très différent de Bovelles, qui fut un homme discret, secret même, son contemporain le Lyonnais Symphorien Champier (1471-1537?). Parfois superficiel, mais d'une curiosité universelle, il est au cœur de la Renaissance humaniste à Lyon. Armé chevalier sur le champ de bataille de Marignan, il est l'auteur d'une vie du preux chevalier Bayard (1525). Pédagogue, moraliste et poète, il écrit *la Nef des princes* (1502). Mais une très grande partie de son œuvre est consacrée à la médecine. Séduit lui aussi par le ficinisme, il cherche à rendre à la médecine française une dignité en fondant la réflexion médicale sur le platonisme. Il refait le *De triplici vita* de Ficin — lui-même médecin — dans son *De quadruplici vita* (1507). Soucieux d'améliorer la formation des médecins, il compose une foule de petits traités, de brefs manuels, dont certains sont des introductions à la philosophie naturelle et les autres des ouvrages relatifs à la dignité de la médecine, à son histoire, à la matière médicale ou à la pharmacopée. Cette médecine, d'inspiration fondamentalement platonicienne, est orientée par la volonté de combattre et d'anéantir l'influence arabe au profit de la médecine grecque, seule source de la vraie médecine. En cet effort se manifeste ce qu'on a pu appeler son « humanisme médical ».

Résistances et victoires

Malgré son audience, le mouvement humaniste est loin de se développer sans résistances. Omettons les premières escarmouches, qui, toutefois, prouvent que les scolastiques ne voient pas sans inquiétude se former un nouvel esprit et entendent lui résister. En 1515, l'affaire Reuchlin est l'occasion, pour les humanistes, de se regrouper et de manifester comme une force organisée la nouvelle culture qu'ils élaborent. Restaurateur des études hébraïques, Reuchlin est soupçonné d'avoir des sympathies pour la pensée juive. A Paris, le monde des humanistes se mobilise en sa faveur et fait de cette affaire son affaire : « Si tu l'emportes, écrit Lefèvre à Reuchlin, nous aussi l'emportons avec toi ». Un humaniste allemand, Ulrich von Hutten, publie les *Lettres des hommes obscurs,* qui, en prêtant aux scolastiques des propos stupides, portent le débat des Anciens et des Modernes devant le grand public.

Pendant qu'en France la Sorbonne, comme à l'étranger la faculté de théologie de Louvain et celle d'Alcalá, tâche par tous les moyens d'entraver l'essor de l'humanisme et dénonce dans les commencements de la Réforme une conséquence de cet esprit, la cause de l'humanisme gagne à elle des publics de plus en plus nombreux. Des cercles humanistes se constituent en province, comme, autour de l'avocat André Tiraqueau, celui de Fontenay-le-Comte, que fréquente Rabelais. Avec Guillaume Briçonnet, évêque de Meaux, qui accueille Lefèvre d'Étaples (1521), l'humanisme inspire l'esprit de réformation qui se développe dans l'Église de France. Les gentilshommes français, qui, pendant les guerres d'Italie, ont respiré l'air d'au-delà des monts, sont gagnés à la culture nouvelle et trouvent un nouveau modèle d'homme dans l'idéal du courtisan, homme cultivé et « cavalier » délicat, que définit Baldassarre Castiglione. Le roi François Ier, salué comme le Père des lettres et célébré comme le vainqueur du monstre Ignorance, soutient la nouvelle culture; il incite à multiplier les traductions d'auteurs anciens, il ouvre aux humanistes sa bibliothèque, installée à Fontainebleau, et l'enrichit de manuscrits anciens en même temps que, par l'institution du dépôt légal, des productions nouvelles.

Une date : la création, en 1530, des lecteurs royaux. Depuis longtemps, les humanistes souhaitaient l'ouverture à Paris — à l'imitation de l'étranger — d'un collège humaniste. Dès 1517, Budé en entretenait Érasme, dont on souhaitait qu'il en prît la tête. Dans la Préface de ses *Commentaires sur la langue grecque* (1529), le même Budé écrivait au roi : « Nous vous avons représenté la philologie comme une fille pauvre qui était à marier, et nous vous avons prié de lui faire une dot. Vous nous avez promis une pépinière, en quelque sorte, de savants, d'érudits renommés ». En 1530, François Ier crée de nouvelles chaires (grec, hébreu, mathématiques); s'y ajouteront des chaires de latin, de langues orientales, de médecine et de philosophie. Ainsi vit le jour le futur Collège de France.

L'esprit humaniste

La diversité de l'humanisme est trop grande, ses intérêts trop variés, ses orientations trop nombreuses pour qu'il soit possible de le définir comme une doctrine ou une philosophie. Si flou que soit le terme, l'humanisme ne peut être caractérisé que comme un esprit. Son unité profonde, il la trouve dans le sentiment général d'une refloraison, d'une restitution, d'une restauration des lettres, de la culture, et dans le mépris pour les « Barbares », les « Goths » et les « sophistes » qui en ont si longtemps étouffé la clarté; dans une passion de la nouveauté qui s'exprime en l'amour des livres — partout retentit l'éloge du présent divin de l'imprimerie — et en cette soif de culture qui caractérise, par exemple, le jeune Pantagruel dès que ce monde nouveau lui est révélé.

Mais, dans la mesure où il est permis de définir l'humanisme par la promotion, à travers les *humaniores litterae,* de l'idéal d'*humanitas,* on peut, par là, dégager les principaux caractères d'une attitude générale que le célèbre *De dignitate hominis* de Pic de La Mirandole permet assez bien de saisir. Dieu y tient à l'homme ce langage : « Nous ne t'avons assigné, ô Adam, ni une place déterminée, ni une figure propre, ni un héritage particulier, afin que tu aies et possèdes, selon tes vœux et décision, toujours la place, toujours la figure, toujours les biens par toi élus... D'après ton vouloir et pour ton propre honneur, modeleur et sculpteur de toi-même, imprime-toi la forme que tu préfères ». De là, chez les humanistes, tant d'éloges de l'excellence de l'homme et tant d'éloges de la connaissance.

La pédagogie humaniste

On comprend que les humanistes aient accordé une si grande importance à la pédagogie. C'est le rôle, précise Érasme dans son traité de *l'Éducation libérale des enfants* (1529), de l'éducation et de l'exercice que de développer et d'épanouir la nature. Déjà, dans le *De ratione studii* (1497), il en indiquait les voies en soulignant l'importance, dans l'éducation, de la conversation, du jeu, de l'entraînement à écrire et à parler. Dans son *Ciceronianus* (1528), il éclaire la notion souvent mal comprise d'imitation : « Je ne crois pas que Cicéron doive être suivi, mais plutôt imité et même égalé. Celui qui suit marche sur les traces d'autrui et en devient passivement dépendant; et l'on a dit avec vérité que quiconque met toujours les pieds dans les pas d'autrui ne peut bien marcher, de même que ne peut bien nager celui qui n'a pas le courage de jeter sa bouée de sauvetage. L'imitateur, au contraire, ne cherche pas à dire les mêmes choses, mais des choses semblables, et parfois non semblables mais équivalentes. L'émule s'efforce à faire mieux, s'il le peut ». On le voit, l'éducation humaniste veut être, par l'imitation de modèles, une éducation de la liberté. C'est aussi l'avis de Pierre de La Ramée, qui, en 1550, définit la pédagogie du collège qu'il dirige et souligne le rôle de l'exercice : s'il faut d'abord que l'élève analyse le modèle proposé pour en saisir l'art et la technique, ensuite — cette nouvelle étape s'appelle *genèse* — il « commence à exécuter lui-même, par imitation, quelque chose de semblable, puis, sur sa seule initiative, il fait quelque chose d'original ». Si l'humanisme s'est surtout soucié de former un orateur — qu'on se rappelle la page de Rabelais (*Gargantua,* VIII) où Gargantua constate l'échec de la première éducation de son fils qui, en face du disert Eudémon, « se print à plorer comme une vache et se cachoit le visaige de son bonnet, et ne fut possible de tirer de luy une parolle non plus qu'un pet d'un asne mort » —, c'est que les humanistes voient dans cette aptitude à bien parler le signe d'un accomplissement de l'homme dans son humanité; on saisit mieux, dès lors, les promesses dont le premier humanisme, soucieux de l'art de bien dire, était porteur. Même si, à la fin du XVIe siècle, Montaigne, également préoccupé d'éducation, peut faire le procès des collèges, qui enseignent à décliner vertu, non à l'aimer, il reste, dans sa critique, un successeur de ceux qui ont défini l'idéal pédagogique humaniste.

On peut, du reste, se demander dans quelle mesure cet idéal n'entraînait pas une certaine indifférence à l'égard de la recherche scientifique. Certes, parmi les lecteurs royaux, on l'a vu, on compte des mathématiciens et des médecins. De plus, les élèves et les étudiants lisent Euclide, Ptolémée, Strabon, Hippocrate, Galien. Mais ni la découverte du Nouveau Monde, ni l'astronomie de

Copernic, ni l'anatomie de Vésale ne semblent vraiment avoir ouvert de nouveaux horizons à l'esprit humaniste. De plus, certains des savants les plus originaux, Paracelse, Ambroise Paré, Bernard Palissy, sont des hommes sans lettres. Pour la plupart des humanistes, l'*Histoire naturelle* de Pline ou la *Géographie* de Ptolémée suffisent à former le type d'homme qui constitue leur idéal.

La politique humaniste

En politique encore, le souci pédagogique inspire l'humanisme : l'*Institution du prince,* de Budé, l'*Institution du prince chrétien* d'Érasme visent à former le prince, dont la sagesse sera garante du bonheur du peuple. Monarchistes libéraux, les humanistes s'entendent surtout à dénoncer les excès de la tyrannie; s'ils conçoivent l'idée d'une monarchie tempérée, ils se soucient peu de la fonder sur des institutions; ils caressent volontiers l'idée traditionnelle du prince père de son peuple, comme la donnent à voir l'œuvre de Rabelais et, dès 1519, *la Grant Monarchie de France* de Claude de Seyssel.

Un problème les préoccupe particulièrement : celui de la guerre et de la paix. « Un certain polygraphe qui ne cesse d'user de sa plume pour faire haïr la guerre et aimer la paix » : ainsi se définit Érasme, dont la politique, appel insistant à la concorde, à l'entente, à la négociation, inspire celle de nombreux humanistes. Ils aiment à souligner que, par-delà les frontières, tous les hommes sont frères dans le Christ. S'ils sont volontiers patriotes — Budé ou Rabelais en témoignent —, un certain idéal de cosmopolitisme les anime; Érasme en propose le modèle, qui écrivait en 1522 : « Je désire être citoyen du monde »; il ajoute ailleurs que, « pour les amis des lettres, peu importent les différences de pays ».

La religion humaniste

En matière religieuse aussi, l'humanisme ne peut être défini que comme un esprit. Il faut ici se garder des généralisations hâtives : il n'est pas plus vrai de voir dans l'humanisme un nouveau paganisme que d'identifier la Renaissance à la Réforme. Mieux vaut, plus modestement, dégager les traits principaux de la religion des humanistes, en tâchant de n'épouser ni les querelles des scolastiques, qui jetaient contre les humanistes les accusations de paganisme, d'athéisme ou de judaïsme, ni celles des réformés, qui, avec Luther, suspectaient la foi d'Érasme et, avec Calvin, dénonçaient Rabelais, par exemple, comme irréligieux.

Dans les humanités, les humanistes voient une propédeutique à l'Évangile — vérité ancienne, du reste, mais à laquelle ils rendent un puissant éclat. Dans l'un de ses *Colloques,* le « Repas religieux », Érasme remarque : « Évidemment l'Écriture sainte doit avant tout faire autorité. Mais il m'arrive parfois de tomber sur des propos tenus par des Anciens ou sur des œuvres d'auteurs, voire de poètes païens, dont la chasteté, la sainteté, la divinité d'expression m'imposent cette conviction que leur esprit, cependant qu'ils écrivaient, était mû par quelque dieu bienfaisant. Il est d'ailleurs possible que l'inspiration du Christ se soit propagée beaucoup plus loin que nous ne l'imaginons »; dans ce même « colloque », Érasme ose s'écrier : « Saint Socrate, priez pour nous! ». Cette pensée, qui inspire toute la doctrine de la *prisca theologia,* on la retrouve chez Lefèvre d'Étaples, pour qui Aristote est le philosophe qui, « par une faveur divine, nous a bénignement tirés du cachot de l'aveugle ignorance » et dont l'œuvre nous prépare à la Révélation. Même un auteur aussi irréligieux que Lucien est goûté des humanistes, parce qu'il dénonce les impostures. Quant à la mythologie, il ne manque pas d'humanistes pour l'interpréter allégoriquement, allant parfois jusqu'à la tenir pour une première Révélation.

En outre, philologues, les humanistes appliquent au texte biblique les mêmes méthodes critiques qu'à tout autre texte. Cet effort est encouragé par une découverte d'Érasme. Lorenzo Valla, humaniste italien, dont déjà on appréciait beaucoup les *Élégances,* était aussi l'auteur de *Notes sur la version latine du Nouveau Testament*; Érasme publie ces *Notes* en 1505, en soulignant que la grammaire, elle aussi, peut servir à la théologie en éliminant du texte saint les erreurs que les siècles y ont accumulées. Lui-même, préfaçant son édition du *Nouveau Testament* (1516), précise : « Nous avons revu le Nouveau Testament tout entier d'après l'original grec, qui seul fait foi, à l'aide de nombreux manuscrits des deux langues, choisis parmi les plus anciens et les plus corrects ».

Le sens profond de ce travail, Érasme l'indique dans la même préface : « C'est aux sources mêmes que l'on puise la pure doctrine ». La religion des humanistes se caractérise notamment par ce retour aux sources mêmes de la foi. C'est la parole authentique de Dieu qui, seule, doit nourrir la foi du chrétien. Dans sa *Paraclésis* (1516), Érasme formule le vœu de voir les plus simples lire l'Évangile ou les Épîtres de saint Paul. Lefèvre d'Étaples cherche à réaliser ce souhait en mettant la Bible en français. Rabelais nous montre Pantagruel promettant à Dieu de faire prêcher l'Évangile « purement, simplement et entièrement ». De là vient que cette tendance est appelée évangélisme; ses liens avec l'humanisme sont intimes.

Ce retour à la Bible conduit inévitablement à confronter le texte évangélique et un certain nombre de dogmes et de formes de piété qui, alors, sont reçus ou ont cours. Lefèvre d'Étaples constate que l'Évangile ne mentionne ni le célibat des prêtres, ni l'obligation du jeûne, ni un certain nombre de pratiques liturgiques. De même, Rabelais condamne « les abus d'un tas de papelars et faulx prophètes, qui ont, par constitutions humaines et inventions dépravées, envenimé tout le monde ». Sont « constitutions humaines » le culte des saints, les dévotions aux reliques, les pèlerinages, les vœux, le jeûne. Si les humanistes ne répudient pas nécessairement toutes ces pratiques, ils veulent les considérer, non comme des obligations, mais comme des formes simplement possibles de la piété. Parlant de son *Manuel du soldat chrétien,* Érasme écrit que le livre cherche à « guérir l'erreur de ceux dont toute la religion consiste en cérémonies, en observances matérielles et plus que judaïques ». En somme, c'est un certain formalisme qui est stigmatisé.

Cette primauté reconnue à la parole de Dieu explique les sarcasmes et les critiques des humanistes à l'égard de ceux qu'ils appellent les sophistes, c'est-à-dire les théologiens. On connaît les incessantes attaques d'Érasme contre les « subtilités » des théologiens. De même, Lefèvre, qui n'est pas docteur en théologie et n'a pas voulu l'être, répugne profondément à une discipline qui trahit l'incomparable simplicité des paroles du Christ. Ce qu'il cherche, c'est ce qu'il nomme, en épigraphe de son édition des œuvres du pseudo-Denys, une *theologia vivificans,* une théologie, une science de Dieu, qui donne la vie, qui fait vivre. De son côté, Érasme, sous le nom provocateur de « philosophie du Christ », désigne une sagesse évangélique qui se résume aux affirmations religieuses et morales de l'Évangile et des Épîtres de Paul, préceptes qu'il faut sans cesse reparcourir et méditer; et il précise : « Ce genre de philosophie réside dans les sentiments plus que dans les syllogismes, il est plutôt vie que discussion, plutôt inspiration qu'érudition et plutôt conversion que raisonnement ». Le courant savant et érudit qu'est l'humanisme se résout en cette quête de la simplicité, en cette « ignorance sacrée », selon le mot de Lefèvre.

On dit souvent que l'humanisme fut essentiellement éclectique. Si l'on entend par ce terme un penchant à accueillir mollement tous les héritages et à les juxtaposer ou les concilier tant bien que mal, il convient de ne pas l'utiliser; mais s'il qualifie une volonté d'être lucidement disponible à tout et, dans la vigilance, de prendre partout son bien, le terme se trouve alors justifié. En effet, autant que des hommes d'ouverture, les humanistes ont été des hommes de refus; c'est par le refus, souvent difficile, que l'humanisme s'est constitué, et c'est par le refus, souvent coûteux, qu'il s'est imposé. Dans cette mesure, on pourrait dire que l'humanisme a été, si l'expression n'avait été trop galvaudée, une révolution culturelle.

BIBLIOGRAPHIE

F. Simone, *la Coscienza della Rinascita negli Umanisti francesi*, Roma, 1949; W.K. Ferguson, *la Renaissance dans la pensée historique*, trad. fr., Paris, Payot, 1950; id., *Pensée humaniste et Tradition chrétienne aux XVe et XVIe siècles*, Paris, 1950; A. Renaudet, *Préréforme et humanisme à Paris pendant les premières guerres d'Italie (1494-1517)*, 2e éd., Paris, Erasme, 1953; id., *Humanisme et Renaissance*, Genève, Droz, 1958; id., *Courants religieux et humanisme à la fin du XVe siècle et au début du XVIe siècle*, Paris, P.U.F., 1959; A. Dufour, « Humanisme et Réformation », dans *Histoire politique et Psychologie historique*, Genève, 1967; E. Garin, *l'Éducation de l'homme moderne (1400-1600)*, trad. fr. Paris, Fayard, 1968; F. Simone, *Umanesimo, Rinascimento, Barocco in Francia*, Milano, U. Mursia, 1968; *l'Humanisme français au début de la Renaissance* (Actes du colloque international de Tours), Paris, Vrin, 1973.

J. CÉARD

HUMBERT-DROZ Jules (1891-1971). V. SUISSE. Littérature d'expression française.

HUON DE BORDEAUX. (XIIIe siècle). Cette chanson de geste est rattachée traditionnellement au cycle du roi; mais sa thématique lui assigne une place tout à fait à part. Composée sans doute entre 1261 et 1268, elle doit beaucoup aux problèmes et aux réalités politiques de son époque. On a longtemps été sensible au rôle qu'y joue le merveilleux. Une lecture superficielle peut conduire à trouver cette œuvre composite : deux parties épiques, politiques, encadrent un long récit d'aventures en Orient, où le nain Aubéron protège Huon et l'aide à accomplir sa mission.

Charlemagne, vieilli, souhaite transmettre la couronne à son fils Charlot. Un traître, Amauri, annonce à l'empereur que Huon se comporte en rebelle : pure invention, destinée à nuire aux Bordelais. Charlemagne envoie à Bordeaux un messager chargé de convoquer Huon à Paris. Huon, parfaitement loyal, s'y rend, lorsqu'il est pris dans une embuscade tendue par Amaury avec le concours de Charlot. Huon tue le fils de l'empereur, ignorant son identité. Accusé de ce meurtre par Amaury, il subit la haine de Charlemagne. Un duel judiciaire, où il tue le traître, ne règle pas son sort; il devra partir en Orient, y réaliser une série d'actions aussi pittoresques que dangereuses et rapporter à Charlemagne des preuves de son succès. Mais Girart, frère de Huon, qui s'est emparé de Bordeaux en son absence, lui dérobe ses preuves. Aux yeux de l'empereur, Huon n'a donc pas accompli sa mission. Au moment où il va être condamné, Aubéron le sauve, grâce à ses dons de magicien.

Cette œuvre est difficile à classer : elle ne relate pas les hauts faits de Charlemagne, comme le fait ordinairement la geste du roi. Elle ne présente pas non plus la rébellion d'un vassal. Certes, elle conserve des réminiscences du cycle des rebelles, et en particulier du petit cycle des Lorrains : emprunt de personnages (lignage bordelais), d'épisodes (le jugement des pairs, qui se présente sous une forme voisine dans *Gerbert de Mez* ou *Anséis de Mez). Huon de Bordeaux* a également des liens étroits avec *Renaut de Montauban* : les deux héros sont injustement poursuivis par la haine de Charlemagne, et l'intrigue de la partie épique suit des étapes très semblables. Mais l'esprit a changé : notre auteur abandonne son modèle lorsque Renaut devient un rebelle.

La composition de *Huon de Bordeaux* est solide et soignée : symétrie exacte des épisodes autour de l'épisode central de Babylone; regroupement constant des personnages autour d'un héros que l'on ne perd jamais de vue; enchaînement causal aussi strict qu'on peut le souhaiter dans une chanson de geste.

L'auteur a choisi le décasyllabe et l'assonance (et non l'alexandrin rimé, plus fréquent à l'époque). L'alternance de laisses longues, propices au développement narratif, et de laisses courtes, qui maintiennent le caractère épique et manifestent une sûre connaissance des procédés de l'épopée, atteste la haute qualité de l'œuvre. Le style formulaire s'écarte des stéréotypes ordinaires et révèle une grande maîtrise de la composition.

Épopée narrative, *Huon de Bordeaux* ne peut être considéré comme une sorte de roman d'aventures. L'auteur a voulu divertir : mais surtout il a voulu imprimer à son œuvre ce caractère politique qui est le propre du genre. Il conçoit essentiellement cette politique sous la forme d'un débat juridique, sans guerre. Renforcement du pouvoir royal, affaiblissement de la noblesse, montée d'une bourgeoisie commerçante, tout cela caractérise bien la seconde moitié du XIIIe siècle. L'idéal de vie est aussi plus humain, et la sagesse a supplanté la prouesse au sommet de l'échelle des valeurs profanes. Tous ces aspects ont été remarquablement analysés par Mme M. Rossi dans la thèse qu'elle a consacrée à cette chanson.

BIBLIOGRAPHIE

Édition. — P. Ruelle, Paris, P.U.F., 1960.

Étude. — M. Rossi, *Huon de Bordeaux et l'évolution du genre épique au XIIIe siècle*, Champion, 1975.

Il faut signaler que cette œuvre, mise en prose au XVe siècle, a été imprimée sous cette forme dès le XVIe siècle, et qu'on en dénombre 32 éditions jusqu'en 1859, date du retour au texte initial.

D. BOUTET

HUON LE ROI (seconde moitié du XIIIe siècle). Sous ce nom se dissimulent peut-être plusieurs écrivains, en qui certains sont tentés de voir un seul et même personnage, sans que l'on puisse rien affirmer, malgré la parenté de certains traits dialectaux, un goût commun de la rime riche et une semblable vivacité de la narration.

A HUON LE ROI, DE CAMBRAI, poète dévot, reviennent, peu avant la première croisade de Saint Louis, *Li Regrés Nostre Dame* et, en 4 000 vers, la *Vie de saint Quentin*, dédiée à Philippe III.

LE ROI DE CAMBRAI, qui est sans doute le même, a composé : *li Abecés par ekivoche et li signification des lettres*, jeu moralisant sur la valeur symbolique des lettres de l'alphabet; *Li Ave Maria en romans*, paraphrase de la salutation angélique; *la Description des religions* ou *la Devision d'ordres et de religions*, revue critique des ordres monastiques.

HUON LE ROI est l'auteur du lai *le Vair Palefroi*, qui raconte comment un pauvre chevalier tournoyeur finit, grâce à son « vair palefroi », son cheval pie, par épouser la fille d'un riche seigneur, malgré l'opposition du père.

Enfin, HUON DE CAMBRAI raille les faiblesses du roi Henri III d'Angleterre dans un fabliau moralisant, *la Male Honte*.

De cet ensemble émerge sans conteste *le Vair Palefroi*, qui, influencé par *Aucassin et Nicolette*, ressortit au genre du lai narratif, dont il présente les principales caractéristiques. Mais ce lai rationalisé, cette belle histoire d'amour, dans laquelle le conflit naît d'une opposition non pas entre les lignages, mais entre les fortunes et les générations, tend, malgré son style soutenu, vers le fabliau : tout peut s'y expliquer prosaïquement, et l'humour ne perd jamais ses droits, surtout quand nous est présentée la troupe des vieillards qui s'endorment sur leur monture, l'auteur renouvelant d'autre part le dessein et le cadre arthuriens dans une inversion piquante et habile. Cependant, le plus intéressant est peut-être le rôle important des vieillards, qui monopolisent pouvoir, revenus, honneurs, responsabilités, et, parmi eux, du père de la jeune fille et de l'oncle du jeune Guillaume : Huon nous présente un portrait très critique du second; plus nuancé, sans être favorable, du premier. Peut-on aller jusqu'à penser que le père, qui joue le rôle du mari jaloux, est amoureux de sa fille, tenté par l'inceste qu'il souhaite en quelque sorte commettre par personne interposée, en la donnant pour femme à son vieux compagnon plutôt qu'au jeune chevalier?

BIBLIOGRAPHIE

Textes. — *Li Regrès Nostre Dame...*, éd. par A. Långfors, Helsingfors, 1907; *la Vie de saint Quentin*, éd. par A. Långfors et W. Söderhjelm, dans *Acta Societatis Scientiarum Fennicae*, t. XXXVIII, I, 1909; *li Abecés...*, *li Ave Maria...*, *la Descrissions des religions...*, éd. par A. Långfors, dans *Huon le Roi de Cambrai, Œuvres*, t. I, Paris, 1913; *Huon le Roi, le Vair Palefroi, avec deux versions de la Male Honte par Huon de Cambrai et par Guillaume*, éd. par A. Långfors, 3e éd., Paris, 1927.

Traduction et étude. — *Huon le Roi, le Vair Palefroi, conte courtois du XIIIe siècle*, trad. par J. Dufournet, Paris, Champion, 1977.

J. DUFOURNET

HURET Jules. V. NATURALISME.

HUYSMANS

HUYSMANS Charles Marie Georges, dit **Joris Karl** (1848-1907). La vie littéraire et spirituelle de Huysmans, son œuvre semblent s'organiser autour d'une rupture « au milieu du chemin » : le naturaliste de la veille devient un amateur d'âmes, le peintre de la grisaille parisienne « entre dans la liturgie » (lettre du 1er novembre 1899 à Grillot de Givry), pour un peu le pécheur deviendrait un saint. Que l'auteur de *Sainte Lydwine de Schiedam* suscitât autour de lui des hagiographes, c'était difficilement évitable. « Mais les saints se font rares », il l'avait lui-même écrit : « Les ordres contemplatifs diminuent ou se tempèrent; et le pauvre Seigneur est bien obligé de s'adresser à nous, qui ne sommes pas des saints, pour faire des appoints ». Un appoint : c'est bien ainsi qu'il faut considérer l'œuvre « mystique » de Huysmans. Elle est venue s'ajouter à son œuvre antérieure comme Joris-Karl à Charles Marie Georges; elle est venue aussi s'ajouter humblement à l'œuvre de Dieu, en restant à sa place, qui n'est pas celle des saints. C'est donc bien l'unité d'un ensemble qu'il convient de faire apparaître.

Les ruptures apparentes

On parle de rupture en amour. Mais les amours de Huysmans furent bien peu romanesques. En 1867, une petite actrice de Bobino accouche d'un enfant qui n'est pas de lui, le dégoûtant à jamais de la paternité. Comme André Jayant et Jeanne, dans *En ménage*, Huysmans et sa maîtresse Anna Meunier, une midinette de la maison Hentenaar, se querellèrent et, au bout de quelques mois, se séparèrent, sans doute en 1872. Puis ils reprirent des relations qui s'achevèrent dans l'étrange maladie et la folie d'Anna — cf. la scène de la mort du chat errant à laquelle assiste, terrorisée, Louise Marles dans *En rade*. Les femmes qui devaient servir de modèle à l'Hyacinthe Chantelouve de *Là-bas*, Henriette Maillat entre autres, ne pouvaient guère lui laisser que des souvenirs repoussants. Les avances de « Madame X. », celles du « petit oiseau », Henriette du Fresnel, le tentent et l'horripilent à la fois : « Je suis si las... si las... si obsédé à la fin par ces effluves de femmes qui se succèdent, qu'il y a des moments où je me sens à bout », écrit-il le 15 janvier 1905. Car si l'on rompt encore facilement avec une femme, il est plus difficile de rompre en soi avec le vieux pécheur que l'on est, et Huysmans le sait bien.

Des ruptures d'amitié, on en trouve aussi dans la vie de Huysmans. Après la publication de *A rebours* en 1884, il est presque devenu l'inséparable de Léon Bloy, qui vient même passer des vacances avec lui à Jutigny. Mais passer des vacances en compagnie de Bloy, cela signifie, pour Huysmans, « vomir à pleins pots avec [lui] sur la salauderie contemporaine », et il était inévitable qu'ils ne finissent un jour par se vomir l'un l'autre. En 1891, Bloy s'acharne sur *Là-bas*, et Huysmans, sans riposter, conclut que « c'est un malheureux homme dont l'orgueil est vraiment diabolique et la haine incommensurable ». Sans doute le livre « satanique » a-t-il surpris Bloy, qui attendait l'ouvrage d'« un catholique éperdu »; mais il se dit plagié, travesti, prostitué, et il découvre dans celles de Mme de Chantelouve les manières habituelles d'Henriette Maillat, son ancienne maîtresse — sans se douter qu'elle a été aussi celle de Huysmans...

Les relations avec Zola sont bien plus importantes. C'est en 1875, semble-t-il, que Huysmans fit la connaissance et de l'œuvre et de la personne de Zola, par l'intermédiaire de son ami Henry Céard. Un petit groupe se constitua qui, chaque jeudi, se rendait chez l'écrivain, rue Saint-Georges : le « groupe des Cinq » — outre Céard et Huysmans, Paul Alexis, Léon Hennique et Guy de Maupassant. Ils prirent la défense de *l'Assommoir* (1876-1877). Huysmans, en particulier, donna, dans *l'Actualité* de Bruxelles quatre importants articles où il plaidait la cause d'un naturalisme complet : « Nous ne préférons pas, quoi qu'on en dise, le vice à la vertu, la corruption à la pudeur, nous applaudissons également au roman rude et poivré et au roman sucré et tendre, si tous les deux sont observés, sont écrits, sont vécus! » En retour, Zola, recevant *Marthe*, déclara que Huysmans serait « sûrement un de nos romanciers de demain ». Du coup, le disciple s'emploie à une « étude réaliste très poussée », racontant l'histoire de deux jeunes brocheuses dans un établissement qui rappelle celui de la mère de Huysmans : ce sera *les Sœurs Vatard*, dédié en 1879 à Zola par son « fervent admirateur et dévoué ami ».

Mais Huysmans n'avait pas l'intention d'être un larbin, d'être longtemps traité en débutant, et la déclaration citée plus haut indiquait bien qu'il se voulait autant du côté d'Edmond de Goncourt que du côté de Zola. En 1884, Zola accueillit froidement *A rebours*; il y eut même une explication orageuse, dont on trouve un écho dans la Préface à la réédition de 1903 : la rupture y est manifeste avec l'école naturaliste « condamnée à se rabâcher, en piétinant sur place ». En 1887, Huysmans ne s'était pourtant pas joint aux signataires du « manifeste des Cinq » (*le Figaro* du 18 août) contre *la Terre*, mais parmi eux se trouvait au moins un de ses amis, Lucien Descaves.

Il est une rupture plus secrète, plus insaisissable, c'est la rupture avec soi-même. Le 12 juillet 1892, Huysmans arrive à la Trappe d'Igny; le 14, il se confesse; le 15, il communie : cette chronologie paraît aussi brutale que la conversion qu'elle résume. Huysmans en est le premier surpris, comme en témoigne *En route* : « Quand je cherche à m'expliquer comment, la veille, incrédule, je suis devenu sans le savoir, en une nuit, croyant, eh bien! je ne découvre rien, car l'action céleste a disparu sans laisser de traces ».

L'oblat de Saint-Benoît apparaît comme un Huysmans tout neuf, mais il sait bien lui-même qu'« on ne tue pas le vieil homme ». Durtal, dans *l'Oblat,* le constate à un moment de découragement : « L'orgueil est peut-être mort, mais l'amour-propre, mal inhumé, survit; l'étiage du péché diminue, mais la boue subsiste, et y trouve encore et longuement son compte ».

La continuité réelle

Cette continuité de l'homme est attestée par la continuité même de l'œuvre. Le roman huysmansien s'organise le plus souvent autour d'un personnage central de célibataire. Dans *A vau-l'eau* (1882), un fonctionnaire minable, M. Folantin, mène dans la grisaille parisienne une pauvre vie qui ne fait que répéter les « désastreuses conditions » qui ont présidé à ses débuts. Dans *A rebours* (1884) — Huysmans lui-même l'a souligné dans la Préface de 1903 —, des Esseintes n'est qu'« un monsieur Folantin plus lettré, plus raffiné, plus riche et qui a découvert, dans l'artifice, un dérivatif au dégoût que lui inspirent les tracas de la vie et les mœurs américaines de son temps ». Le triste héros de *la Retraite de M. Bougran* (1881), petit rédacteur de ministère, est brusquement mis à la retraite; mais il s'est tellement identifié à sa fonction qu'il continue à la vivre jusqu'au jour où un problème administratif imaginaire — un pourvoi devant le Conseil d'État — lui donne tant de fil à retordre qu'il en meurt d'apoplexie. Dans *Là-bas* (1891), puis dans *En route* (1895), *la Cathédrale* (1898), *l'Oblat* (1903), Durtal, l'écrivain inquiet en quête d'apaisement, c'est l'éternel M. Folantin, nerveusement sensible aux variations de température, englué dans l'ennui, ne se faisant pas plus d'illusions sur lui que sur les autres, matériellement et spirituellement à la dérive. Des premières aux dernières œuvres nous trouvons autant d'autoportraits de Huysmans rond-de-cuir et célibataire. L'homme nouveau est apparu avec l'homme de prière, mais il vomit plus que jamais la médiocrité d'un monde qui semble pourtant à l'image de sa propre médiocrité.

Huysmans est l'homme du rejet. Il le fait dans un ressassement qui n'est pas sans conférer à son œuvre une certaine monotonie, avec les gargotiers infâmes et les concierges empoisonneurs, les chairs blettes et les alcôves fétides, et le spectre omniprésent de la muflerie. La dernière page de *A rebours* est secouée par ce hoquet devant la médiocrité humaine. Mais c'est encore la médiocrité que flétrit Durtal au début de *En route* devant le prêtre de Saint-Sulpice, « la vaseline de son débit », « la graisse de son accent » et les rengaines qu'il sert en guise de sermons à une poignée de dévotes.

Pour exprimer ses dégoûts, Huysmans met en œuvre toutes les ressources du lexique. L'éditeur Hetzel disait déjà, à propos du *Drageoir aux épices,* que son auteur « recommençait la Commune de Paris dans la langue française ». Mais Huysmans qui, replié à Versailles, n'a pas vécu la Commune, ne se soucie guère d'être un révolutionnaire en matière de style, de « mettre un bonnet rouge au vieux dictionnaire », comme Victor Hugo. Il cherche bien plutôt à l'exploiter, ce vieux dictionnaire. Veut-il, dans *A rebours,* célébrer le poème en prose, il le définit comme « l'osmazome de la littérature, l'huile essentielle de l'art ». Veut-il, dans *En route,* exprimer l'émotion qu'il a ressentie à entendre les voix des moniales de la Glacière, il décrit une voix « tenant de celle de l'enfant, adoucie, mondée, épointée du bout, et de celle de l'homme, mais écorcée, plus délicate et plus ténue, une voix asexuée ».

Pour lui, l'absolu, dans le style, c'est l'inattendu. Il aime la langue d'Edmond de Goncourt : celle des *Frères Zemganno,* « une langue inversée, pirouettant par endroits avec les clowns, attachée et collée à eux comme un étincelant et pailleté maillot »; celle de *la Faustin,* qui « fait vibrer tous les nerfs et vous tient, haletant et tendu, jusqu'aux dernières pages ». C'est à ce « nervosisme » que tend son style, qui mérite d'autant plus d'être qualifié de décadent que les décadents antiques et modernes sont les modèles dont il se réclame : le chapitre III de *A rebours* nous donne à respirer le délicieux faisandage de la langue latine après Pétrone, « décomposée comme une venaison », et le chapitre XIV parle encore de « faisandage » à propos de Tristan Corbière ou de Théodore Hannon, deux des poètes aimés de Des Esseintes et de Huysmans.

Ce style décadent est admirablement adapté à l'expression d'un monde en décomposition. Mais convient-il pour l'expérience mystique? Dans *En route,* l'abbé Gévresin expose devant Durtal qu'« afin d'en parler proprement, il faudrait oublier l'usage séculaire des expressions souillées ». C'est pourquoi Huysmans se tourne vers l'art médiéval, qui donne une impression d'éternité que nous avons perdue, vers le plain-chant et « ces répétitions de notes sur la même syllabe, sur le même mot, que l'Église inventa pour peindre l'excès de cette joie intérieure ou de cette détresse interne que les paroles ne peuvent rendre ». Au même moment, Mallarmé a eu le sentiment de l'insuffisance de la langue comme moyen d'expression de l'Essence et a appelé de ses vœux le « trait incantatoire ». C'est encore à Mallarmé, célébré à la fin de *A rebours,* que se réfère Durtal dans *la Cathédrale* quand l'abbé Gévresin expose sa théorie du symbole comme art de laisser « à deviner l'énigme » et aussi d'« en garder la solution résumée en une visible formule, en un durable contour ». Ce choix d'une langue à la fois précise et ambiguë pourrait bien être, comme le suggère Richard Griffiths, le choix de Huysmans.

Ce style est-il encore un style romanesque? Les romans de Huysmans sont-ils encore des romans? On peut se le demander quand on constate, à partir de *Là-bas,* et même en restant dans le cycle de Durtal, un processus d'effacement de l'intrigue, d'amenuisement des personnages, de disqualification de la fiction. Mais déjà *A rebours* se présentait curieusement comme un catalogue des goûts de Des Esseintes, et Huysmans avait voulu tenir la gageure de fonder un roman sur la structure énumérative, sur l'accumulation de thématiques successives. C'était peut-être là l'héritage même de la méthode naturaliste, méthode avec laquelle Huysmans n'a jamais véritablement rompu. Des premiers aux derniers romans, il s'agit toujours d'emmagasiner une somme d'observations sur un sujet précis : la vie des ouvrières, dans *les Sœurs Vatard*; les cultes sataniques, dans *Là-bas*; la symbolique médiévale, dans *la Cathédrale.* Pour montrer, dans ce dernier livre, « l'âme de l'Église », Huysmans s'est imposé ce qu'il juge lui-même un « travail fantastique » de documentation, qui aboutit là encore à une énumération vertigineuse. C'est un danger, dont Huysmans avait conscience et qui explique que *la Cathédrale,* après avoir été le plus lu de ses livres, connaisse aujourd'hui l'oubli.

On a parfois présenté Huysmans comme un naturaliste repenti. L'expression est trop forte; elle est même inexacte. S'il a dénoncé l'impasse du naturalisme, il a encore moins de sympathie pour un idéalisme exsangue, pour Puvis de Chavannes, pour Eugénie de Guérin, ce « lymphatique bas-bleu », et pour toute forme de style sulpicien. Il note lui-même, dans la Préface de *A rebours,* que Des Esseintes a repassé à Durtal son goût pour les épices. Lui, il n'a jamais perdu le sens de la chair et de l'incarnation. Philippe Berthier écrit très justement qu'« une partie du drame de Huysmans a été de se trouver impitoyablement renvoyé du sanctuaire au bordel, et inversement, comme si le corps voulait se venger de l'âme, et le contraire, dans un Ping-Pong sans issue ».

Dans l'œuvre de Barbey d'Aurevilly, Huysmans a déjà trouvé l'exemple de ce qu'il appelle, dans *Là-bas,* « un naturalisme spiritualiste ». Dans celle de Dostoïevski aussi — qu'il connaît comme on pouvait le connaître à l'époque. Mais plus encore dans le « naturalisme » d'un peintre religieux qu'il admire entre tous, Matthias Grünewald. Il a été bouleversé, en 1888, à Cassel, par *la Crucifixion* comme il le sera en 1903 par le retable d'Issenheim, à Colmar. La première révélation nous vaut une page somptueuse — qui est aussi une page-programme — dans *Là-bas.* La seconde lui inspire la première partie des *Trois Primitifs.* L'art chrétien y apparaît comme l'exagération des contraires, l'exaspération des excès : « Grünewald était le plus forcené des réalistes; mais à regarder ce Rédempteur de vadrouille, ce Dieu de morgue, cela changeait. De cette tête exulcérée filtraient des lueurs; une expression surhumaine illuminait l'effervescence des chairs, l'éclampsie des traits. Cette charogne éployée était celle d'un Dieu ».

La voie est désormais trouvée, et Huysmans saura s'y tenir : il faut « garder la véracité du document, la précision du détail, la langue étoffée et nerveuse du réalisme », mais il faut aussi se faire « puisatier d'âmes ».

Les refuges

Grünewald n'est pas le seul peintre qui ait retenu l'attention de Huysmans. A côté des primitifs — Memling ou le Maître de Flémalle —, il fait place aux modernes. A l'instar de Zola, il s'est fait très tôt critique d'art, en particulier au cours des années 1879-1883. Il rapproche Degas des Goncourt. Il avoue sa prédilection pour Félicien Rops, qui a su célébrer « le surnaturel de la perversité ». Il est fasciné par l'art de Gustave Moreau, ses « féeries écloses dans le cerveau d'un mangeur d'opium ». Les pages sur Salomé dans *A rebours* sont restées célèbres. Elles constituent un véritable drame en trois actes : la tentation d'Hérode (« le tableau de la Salomé »); l'épouvante de Salomé (l'aquarelle intitulée *l'Apparition*); l'effacement dans l'ombre du crime et des criminels, tandis que la femme sort plus blanche et plus nue du fourreau de ses joailleries (l'*Hérodiade* de Mallarmé).

Gustave Moreau est, pour Huysmans, l'artiste qui a su se retirer des horreurs du monde moderne. Il a été capable de « s'abstraire assez du monde pour voir, en plein Paris, resplendir les cruelles visions, les féeriques apothéoses des autres âges ». Comment ne serait-il pas l'artiste de prédilection de ce Des Esseintes qui s'est retiré lui aussi dans sa maison de Fontenay-aux-Roses? Comment ne serait-il pas l'élu de Huysmans, que toute son œuvre montre obsédé par la recherche d'un refuge, qu'il s'agisse de la thébaïde, qu'il s'agisse de la rade, qu'il s'agisse de la Trappe ou du couvent.

On trouve dans *En route* une page étonnante où Huysmans imagine autour de Paris une ceinture de maisons conventuelles et de prières protectrices. Cette vision dans l'espace a son correspondant dans le temps : c'est celle de l'Histoire comme chaîne d'expiations. Comme l'a bien montré Christian Berg, la loi de la substitution, clef de la théologie huysmansienne, constitue la métamorphose ultime des thébaïdes et des rades destinées à protéger l'homme contre une extériorité menaçante. Cette doctrine, d'origine paulinienne, repose sur la croyance dans le Corps mystique du Christ (si épouvantablement, si justement représenté par Grünewald) et la réversibilité des mérites : la souffrance réparatrice des âmes équilibre le poids des iniquités commises par les pécheurs et travaille, malgré eux, à les effacer.

Huysmans, depuis longtemps, était hanté par le terrible problème de la douleur. Sa « conversion » correspond au moment où le message chrétien lui apporte une réponse, où il rend compréhensible la douleur, où, bien plus, il la rend « aimée par des âmes qui la devaient appeler pour hâter l'expiation de leurs péchés et de ceux des autres, l'aimer en souvenir et en imitation de la Passion du Christ » *(L'Oblat).*

Le danger serait d'établir, avec la divinité, des relations de type mercantile. La doctrine de l'ex-abbé Boullan, que fréquenta Huysmans avant sa conversion, reposait sur une interprétation économique du sacrifice. Il fallait que le néophyte allât au-delà de cette conception dangereuse. Huysmans s'en est d'autant plus difficilement détaché qu'il avait besoin de cette croyance comme d'un refuge.

L'étonnant est que, dans les dernières années de sa vie, la souffrance ne lui fut pas épargnée. Atteint par le cancer, Huysmans décrit dans ses lettres ses mille et une misères. Il y trouve une raison supplémentaire de s'en remettre à la Vierge. « Je ne désire pas guérir », écrit-il dans une lettre aux Leclaire, « mais continuer à être épuré pour que la Vierge m'emmène Là-Haut ». Ce là-haut, qui avait failli être le titre d'un de ses livres, était le dernier refuge...

	VIE	ŒUVRE
1845	Mariage de Victor Huysmans, dessinateur-lithographe d'origine hollandaise, et de Malvida Badin, Parisienne.	
1848	5 févr. : naissance de l'écrivain, prénommé pour l'état civil Charles Marie Georges. Il est baptisé le lendemain à Saint-Séverin.	
1856	Mort de son père. La veuve s'installe rue de Sèvres, et l'enfant entre en pension à l'Institution Hortus, rue du Bac, dont il gardera un exécrable souvenir.	
1857	Sa mère se remarie avec Henri Og, dont elle aura deux filles. Ouverture d'un atelier de brochage.	
1866	Baccalauréat. Il s'inscrit aux facultés de droit et de lettres, mais, parallèlement, il occupe un petit poste de fonctionnaire (employé de 6e classe) au ministère de l'Intérieur.	

	VIE		ŒUVRE
1867	Mort de Jules Og. Liaison avec une petite actrice de Bobino.	1867	Nov. : publication dans *la Revue mensuelle* de son premier article, « Des paysagistes contemporains ».
1870	Mobilisé, il est atteint de dysenterie et évacué. En nov. il est affecté au ministère de la Guerre (commis aux écritures).		
1872	Liaison avec une midinette, Anna Meunier.		
		1873	Il soumet à Hetzel les poèmes en prose du *Drageoir aux épices.*
		1874	Publication du *Drageoir* chez Dentu.
1875	Début des relations littéraires et amicales avec des écrivains belges.	1875	Projet d'un roman sur le siège de Paris, qui s'intitulerait *la Faim.*
1876	Avr. : son ami Henri Céard l'introduit auprès de Zola. Mai : mort de sa mère. Il est nommé tuteur de ses deux demi-sœurs. Il est affecté à la Sûreté générale. Déc. : constitution du « groupe des Cinq » (Huysmans, Alexis, Céard, Hennique, Maupassant).	1876	Sept. : publication, en Belgique, de *Marthe, histoire d'une fille.*
1877	16 avr. : dîner des Cinq chez Trapp, avec Goncourt et Flaubert.	1877	« Émile Zola et *l'Assommoir »,* dans *l'Actualité* de Bruxelles (mars-avr.); dans la même revue, première version de « Sac au dos » (août-oct.).
1878	15 sept. : les Cinq se rendent chez Zola, à Médan.		
		1879	Févr. : publication des *Sœurs Vatard.* Mai-juill. : « le Salon de 1879 », dans *le Voltaire.*
		1880	Publication des *Soirées de Médan,* auxquelles Huysmans collabore avec « Sac au dos ». Publication des *Croquis parisiens.* Mai-juil. : « le Salon de 1880 », dans *la Réforme,* avec l'éloge de Gustave Moreau.
1881	Juill.-sept. : séjour à Fontenay-aux-Roses, pour raison de santé.	1881	*En ménage.*
1882	Rencontre de Lucien Descaves.	1882	Publication de *A vau-l'eau,* à Bruxelles.
		1883	*L'Art moderne,* avec l'éloge des impressionnistes.
1884	Entre en relations avec Bloy.	1884	14 mai : Publication de *A Rebours;* sept.-oct. : « Un dilemme », dans *la Revue indépendante.*
1885	Séjour à Lourps avec Anna Meunier; difficultés financières de la maison de brochage.		
		1887	Publication de *En rade* et d' *Un dilemme.*
1888	Voyage en Allemagne; à Cassel, découverte de *la Crucifixion* de Matthias Grünewald. Liaison sans lendemain avec Henriette Maillat.		
1889	Remy de Gourmont le présente à sa maîtresse Berthe Courrière. Voyage à Tiffauges. Rupture avec Bloy.	1889	Publication de *Certains.*
1890	Début de la correspondance avec l'ex-abbé Boullan, qui l'initiera au satanisme. Premier séjour à Lyon.		
1891	Première rencontre avec l'abbé Mugnier. Voyage à La Salette avec Boullan et nouveau séjour à Lyon.	1891	Publication de *Là-bas.*
1892	Juill. : première retraite à la Trappe d'Igny. Automne : Huysmans prend comme directeur spirituel l'abbé Ferret.		
1893	Mort de Boullan. Internement d'Anna Meunier. Août : deuxième retraite à Igny. Déc. : Visite à Chartres.		
1894	Rencontre de dom Besse; deux séjours à l'abbaye de Saint-Wandrille; troisième retraite à Igny.		

	VIE		ŒUVRE
1895	Mort d'Anna Meunier, à l'asile Sainte-Anne. Fréquents séjours à Chartres.	**1895**	Publication de *En route.*
1896	Amitié avec Descaves, avec les Leclaire. Dernière retraite à Igny, séjour à Solesmes.		
1897	Huysmans découvre un jeune peintre inconnu, Dulac. Second séjour à Solesmes. Voyage en Belgique et Hollande avec les Leclaire.		
1898	Huysmans est mis à la retraite et nommé chef de bureau honoraire. Retraite à Solesmes; premier séjour à Ligugé. Mort de Dulac.	**1898**	Publication de *la Cathédrale.*
1899	S'installe à Ligugé.		
1900	18 mars : cérémonie de vêture de l'oblat Huysmans à Ligugé.		
1901	Sept.-oct. : obligé de quitter Ligugé (à la suite de la séparation de l'Église et de l'État), s'installe dans l'annexe du couvent des Bénédictines de la rue Monsieur.	**1901**	Publication de *Sainte-Lydwine de Schiedam.*
1902	Premiers symptômes du cancer de la bouche. Installation rue de Babylone.	**1902**	Publication de *De tout.*
1903	Mars : séjour à Lourdes. Sept. : voyage en Allemagne et en Belgique avec l'abbé Mugnier; découvre le retable de Grünewald à Colmar.	**1903**	Publication de *l'Oblat.*
1904	Installation rue Saint-Placide. Séjour à Lourdes. Il prend pour confesseur l'abbé Fontaine.	**1904**	Préface pour *A rebours.* Publication de *Trois Primitifs.*
		1906	Publication de *les Foules de Lourdes.*
1907	12 mai : mort de Huysmans.		
		1908	Publication de *Trois Églises et Trois Primitifs.*

Les romans de la période naturaliste

Si Huysmans n'a jamais cessé d'être naturaliste (le « naturalisme spiritualiste »), il ne l'a peut-être jamais été purement, pas même à ses débuts. Son projet-limite n'a en effet jamais été réalisé : un roman où l'on aurait vu un employé sortant de chez lui pour aller au bureau, se rendant compte en cours de route que ses souliers ne sont pas cirés et se hâtant lentement, rêveusement, de les faire cirer...

Ses premiers romans sont les plus nettement matérialistes. Mais *Un dilemme* (1887) l'est encore, et, dans une large mesure, *A rebours* aussi. *Marthe* (1876) est l'« histoire d'une fille », dans un milieu qui est à la fois populaire et proche de la bohème des lettres et des arts. *Les Sœurs Vatard* (1879) mettent en scène deux ouvrières, l'une sérieuse, l'autre désireuse de s'amuser. *En ménage* (1881) présente deux personnages de célibataires manqués : un romancier, trompé par sa femme, la chasse, mais ne parvient pas à mener de nouveau la vie de garçon et reprend la triste vie conjugale; un peintre, ennemi juré du mariage, s'englue dans un concubinage qui ne vaut pas mieux. *A vau-l'eau* (1882) dit les promenades dans Paris d'un vrai célibataire qui, devant prendre ses repas au restaurant, passe par des gargotes plus effroyables les unes que les autres. Il en vient à prononcer un *De profundis* à la manière de Schopenhauer : « Seul le pire arrive ».

Comme l'a fait observer Marc Fumaroli, *A vau-l'eau* est le premier volet d'un triptyque romanesque qui se continue par *A rebours* (1884) et *En rade* (1887) : « La trilogie représente trois stades de la même expérience à la fois littéraire et secrètement religieuse, celle d'un "ennui" plus proche encore de l'"angoisse" de Kierkegaard que de la "névrose" diagnostiquée par Zola dans *la Confession de Claude* et *la Joie de vivre* ».

Des Esseintes

A rebours commence par une « Notice ». Rien, apparemment, de moins romanesque. C'est un morceau académique, nécrologique même — l'exposé succinct des éléments notables d'une vie, non le surgissement d'une existence. Cette étrange présentation généalogique que fait Huysmans d'un dégénéré est en réalité celle d'un congénère, mais aussi, à certains égards, celle d'un homme de génie.

Un dégénéré

C'est le décadent selon Max Nordau; mais Huysmans ne pose pas le problème en termes de philosophie : il le pose en termes scientifiques (ce que Nordau d'ailleurs lui reprochera). Dans le passé de la famille, Huysmans éclaire trois moments : le temps des soudards; le mignon renaissant; le rejeton moderne. C'est que, comme Zola, il pense que l'hérédité est déterminante pour l'individu : s'il y a la possibilité d'une mutation brutale, d'un « trou » dans la filière, le double héritage (du sang, des caractères) procède d'une hérédité continue (dégénération progressive) ou discontinue (hérédité de retour ou atavisme). La science médicale intervient déjà dans la présentation de l'hérédité. Elle y ajoute le compte rendu des maladies de l'enfant (les scrofules, la chlorose) et l'indication du remède : le grand air.

Un congénère

La chlorose, Huysmans a pu l'étudier chez sa concubine, Anna Meunier. C'est l'indice déjà d'un rapprochement qu'il établit entre sa vie intime et Des Esseintes. Le portrait physique de Des Esseintes rappelle celui que les contemporains font de l'auteur de *A rebours* — celui que trace Odilon Redon, par exemple : « Une grande silhouette mince, maigre : Huysmans ». C'est d'ailleurs celui d'à peu près tous les premiers personnages du romancier : Cyprien Tibaille, « frêle et nerveux à l'excès » (*les Sœurs Vatard*); Jean Folantin, avec son « aspect un peu chétif » (*A vau-l'eau*). L'enfance, l'éducation du personnage et celles de l'auteur se ressemblent. Mais il y a quelques différences : Huysmans n'a perdu sa mère qu'à l'âge de vingt-huit ans, il a reçu une éducation laïque, et il a passé des vacances urbaines, non campagnardes. La transposition « aristocratique » doit sans doute à un modèle lointain, le comte Robert de Montesquiou, que Huysmans connaissait tout au plus par ouï-dire (peut-être par un dire de Mallarmé). Mais bien plus important est le transfert des fantasmes. C'est déjà le signe d'une « fantaisie » que Huysmans fait partager à son personnage.

Le « génie » de Des Esseintes

Il a une intelligence indocile : c'est un don naturel, que les jésuites remarquèrent très vite chez l'enfant, « mais, en dépit de leurs efforts, ils ne purent faire qu'il se livrât à des études disciplinées » : il pratique la sélection dans ses études, dans ses lectures, dans les sujets mêmes de ses réflexions. Sa mère lui a transmis une imagination fertile (et pourtant finalement stérile), si bien qu'il s'enivre de solitude. La caractéristique majeure de Des Esseintes est peut-être une maturité artificielle : physiquement, elle est l'œuvre des nerfs; intellectuellement, elle tourne à la monomanie; spirituellement, elle se réduit à un autodidactisme livresque.

Il y a, dans *A rebours* et à la date où ce livre a été écrit, un ultranaturalisme qui finit par se retourner contre le naturalisme. Le portrait de Des Esseintes en témoigne. Sans doute fait-il place à l'hérédité, à l'influence du milieu, à l'étude de soi. Mais c'est aussi une rêverie qui part du naturel et qui aboutit au spirituel en passant bizarrement par l'artificiel.

Le « cycle de Durtal »

Durtal, la dernière incarnation romanesque de Huysmans, le représente lui-même le plus clairement. C'est l'un des modes de l'effacement du romanesque qui est si remarquable après 1890.

Là-bas (1891) correspond au détour par le satanisme qui précède la conversion. Devant la *Crucifixion* de Grünewald, Durtal, figure du romancier, décide de se faire « puisatier d'âmes », c'est-à-dire d'assumer complètement sa condition charnelle. Le champ est ouvert à toutes les expériences, celles du haut (le havre de paix chez Carhaix, le sonneur des cloches de Saint-Sulpice), celles du bas (les relations avec Hyacinthe Chantelouve, l'initiation à la magie noire). Parallèlement, Durtal mène une enquête sur Gilles de Rais, et, au bout du parcours, il découvre, comme son héros, qu'il y a une limite à la noirceur, au crime, non à la beauté ou à l'amour : « Si l'au-delà du Bien, si le là-bas de l'Amour est accessible à certaines âmes, l'au-delà du Mal ne s'atteint pas ».

En route (1895) est la relation de la conversion survenue trois ans plus tôt sous la direction spirituelle de l'abbé Mugnier et pendant une retraite à la Trappe d'Igny. Durtal se demande s'il n'a pas été « converti moins par la voie de la raison que par celle des sens ».

Dans *la Cathédrale* (1898), Durtal se rend à Chartres et cherche, dans le calme mystique de la cathédrale, une paix que la culture et l'étude ne lui donnent pas. L'abbé Gévresin lui sert de guide spirituel. Mais Durtal reste indécis quand on lui propose de se faire oblat bénédictin.

Le pas est franchi dans *l'Oblat* (1903). Durtal ne s'accommode pas tout de suite de la règle austère et dure des cisterciens et cherche une règle plus douce. Il passe des « moines blancs » au « moines noirs ». Mais le décret qui expulse les congrégations religieuses met fin au séjour de Durtal à Solesmes. L'abbaye est vide, et il devra rentrer, plein d'inquiétude sur le monde et sur lui-même, à Paris.

BIBLIOGRAPHIE GÉNÉRALE

Éditions

Le plaisir qu'un lecteur d'aujourd'hui a à utiliser les éditions originales de Huysmans reste très grand. Les récentes rééditions dans des collections de grande diffusion vont du pire (les volumes de « 10/18 », remplis de fautes et de coquilles) au meilleur (les éditions de P. Cogny pour Garnier/Flammarion, l'édition de M. Fumaroli pour *A Rebours* dans « Folio », Gallimard). Pour ce dernier texte, on admirera aussi le superbe travail fait par Mme Rose Fortassier pour les éditions de l'Imprimerie nationale (1981). On s'étonne pourtant de l'absence de véritables éditions critiques et d'une collection d'*Œuvres complètes* digne de ce nom. Celle publiée par les éd. Crès en 1929 et reproduite par les Slatkine Reprints, Genève, en 1972 reste fort incomplète.

Critiques

Pour le détail de la bibliographie, on se reportera au *Bulletin de la Société J.K. Huysmans*. La meilleure biographie est sans aucun doute celle de Robert Baldick (trad. franç., Denoël, 1958). Pour une initiation on lira l'ouvrage de bonne compagnie d'Ernest Seillière, *J.K. Huysmans*, Grasset, 1931; il est évidemment vieilli. Le livre de Pierre Cogny, *J.K. Huysmans à la recherche de l'unité*, Nizet, 1953, a le grand mérite de proposer, en s'appuyant sur une connaissance solide des textes, une interprétation d'ensemble.

Parmi les travaux d'érudition, on signalera la thèse abondante de Fernande Zayed, *Huysmans peintre de son époque*, Nizet, 1973. Mais la plupart du temps, il faudra consulter des articles isolés (ceux de J. Lethève, de P. Cogny, etc.), des travaux collectifs (le numéro spécial des *Cahiers de la Tour Saint-Jacques* dirigé par R. Amadou, 1959; les *Mélanges Pierre Lambert* consacrés à Huysmans, Nizet, 1975; le numéro spécial (XLIII, 1978) de la *Revue des Sciences humaines;* le *Cahier de l'Herne* préparé sous la direction de P. Brunel et A. Guyaux). Un hommage particulier doit être rendu à Pierre Lambert, dont le travail de bénédictin, en grande partie inédit, est d'un grand secours à ses successeurs.

P. BRUNEL

HYDROPATHES (les) [1878-1880]. Dès la fin de la guerre de 1871, dans les cafés, hauts lieux de la littérature, s'échangent des idées, des théories, surgissent des écoles et de nouvelles tendances. Des groupes, souvent éphémères et tapageurs, se constituent, tel celui des Vilains Bonshommes, dont fit partie Verlaine. Le plus célèbre d'entre eux sera celui des Hydropathes.

Le nom de ce groupe vient du titre d'une valse (*Hydropathen*) que chantonnait le fondateur du club, Emile Goudeau, dont le nom se prête, lui, à un facile calembour. Le terme choisi est révélateur : « Hydropathes, chantons en chœur/La noble chanson des liqueurs », écrit Charles Cros.

S'ils aimaient le vin, les Hydropathes se réunirent cependant pour célébrer — du moins à l'origine — un autre culte, celui des vers, et c'est à ce titre qu'ils figurent dans l'histoire littéraire. Loin de constituer une génération spontanée, même si leur apparition sur la scène parisienne suscite un engouement tout nouveau, ils se réclament d'un courant universel, d'une lignée immémoriale, le fumisme, comptant parmi ses représentants illustres Diogène et Amérigo Vespucci, lequel, « loin de découvrir l'Amérique, ne découvrit rien ».

Dès sa création, le 11 octobre 1878, le club des Hydropathes, informe, bruyant et nombreux (75 personnes lors de la première séance; de 300 à 350 plus tard), trancha sur les autres groupes épisodiques du Quartier latin. La personnalité du talentueux président, Goudeau, comme l'indulgence amusée de la presse — « cette société mérite les honneurs du pavois tintamarresque, écrit un journaliste; il y circule un air libre dégagé de toute influence d'école » — ou la bienveillance du préfet de police, qui ne prête pas trop l'oreille aux plaintes des cafetiers, expliquent le libre épanouissement du cercle. Le succès est également assuré par le mode de recrutement : « Pour faire partie du club, stipulent les statuts, il suffit d'adresser sa demande au Président. Le futur Hydropathe doit faire preuve d'un talent quelconque : poète, musicien, littérateur, déclamateur, etc. ». Ivrognes, étudiants en mal de chahut se mêlent donc très rapidement aux artistes et aux poètes. Une seule règle cependant : les intervenants doivent lire eux-mêmes leurs poèmes ou leur prose devant le public, juge suprême. D'où l'aspect plus souvent pittoresque, satirique ou provocateur que vraiment esthétique ou « littéraire » des textes proposés, dont le caractère oral est à la fois le signe d'une inscription dans le ponctuel, l'actuel, et l'annonce d'une rapide disparition. Les soirées sont épiques, et les locaux toujours combles : mais ce succès même recèle quelque danger, et le club sombra, après un tapage monumental, deux ans après sa fondation.

Un bihebdomadaire, *l'Hydropathe,* qui parut de janvier 1879 à mai 1880, se fit l'écho de ce mouvement dédaigneux de l'avenir : « Il n'y a qu'une Cour de cassation, qu'on appelle la Postérité, mais elle ne se réunit que rarement du vivant de l'auteur ». La couverture du journal — un dessin humoristique, une caricature d'une célébrité du club — donne le ton de la revue. *Le Tout-Paris,* qui succède à *l'Hydropathe,* aura une existence encore plus brève.

Derrière les charges, les provocations ou les jubilations sarcastiques, retenons que bien des poètes se sont reconnus dans cette effervescence fumeuse, dans ces bouillonnements qui répondent à des aspirations confuses, bien des talents aussi divers que ceux de P. Bourget de L. Bloy, de G. Nouveau, de F. Coppée, de J. Moréas ou de J. Laforgue. On peut discerner là une crise des valeurs qui contribue à la formation d'un nouvel esprit. Le symbolisme n'est pas loin.

BIBLIOGRAPHIE

Émile Goudeau, *Dix Ans de bohème,* 1888; Jules Lévy, *les Hydropathes,* Delpeuch, 1928; Raymond de Castéras, *les Hydropathes,* Messein, 1945; Noël Richard, *A l'aube du symbolisme,* Nizet, 1961; Pierre Labracherie, *la Vie quotidienne de la bohème au XIXe siècle,* Hachette, 1965.

F. COURT-PÉREZ

HYMNE ou **HYNNE** (XVIe siècle). Comme bien des genres poétiques, l'hymne se développe en France dans la seconde moitié du XVIe siècle, marqué par toutes les hésitations et pressions auxquelles sont soumises les formes littéraires du temps. Il doit presque tout à Ronsard, et sa vogue disparaît avec l'influence de celui-ci, au début du XVIIe siècle.

En toute rigueur, le terme, hérité du grec, désigne « la glorification en vers d'un héros, tantôt sous une forme épique, tantôt sous une forme lyrique ». A vrai dire, c'est aux lectures et à l'inspiration de Ronsard qu'il doit sa tendance à la forme poétique longue, non strophique, à rimes suivies, et ses sujets de nature didactique et/ou encomiastique (du grec *egkômiastês* : « panégyriste »), mythologique et/ou religieuse. L'hymne est né à la suite de l'enthousiasme provoqué chez les élèves de Dorat par les textes grecs — hymnes orphiques et homériques, *Hymnes* de Callimaque, qui font encore naître un « intime plaisir » chez Ronsard, à la veille de sa mort; plus encore par la poésie didactique alexandrine (Aratos, Apollonios de Rhodes) et les œuvres épiques en général. Enfin, l'influence italienne est ici aussi considérable, puisque le chemin est tracé par un Italien d'origine byzantine, Marulle, chez qui Ronsard trouve des hymnes cosmologiques et mythologiques; continué par les *Inni* de Luigi Alamanni et par les six livres d'*Hymni* que le poète néo-latin Salmon Macrin offre en 1537 au cardinal Jean du Bellay, et qui sont d'inspiration chrétienne.

A tous, Ronsard pille formes métriques variées et matière, dès 1549 dans son *Hymne de France,* poursuivi en 1554 par un très brillant *Hymne à Bacchus,* et surtout en 1555-1556 par le double recueil des *Hymnes.* Les genres voisins, dont l'hymne se démarque progressivement, mais jamais complètement, sont l'ode, le blason, l'épopée et, finalement, le « poème », au sens ronsardien. Les reclassements successifs opérés par Ronsard lui-même en 1560, 1567 et 1578 prouvent assez les hésitations du genre : à l'ode et au blason, il emprunte parfois la forme lyrique et strophique, et surtout le goût pour des descriptions qui peuvent porter sur des thèmes plus modestes (la surdité chez du Bellay, la cerise ou l'escargot chez Belleau, etc.); à l'épopée ou au « poème », la forme de *l'épos,* et des sujets plus élevés — exposés philosophiques sur le ciel, les astres, les étoiles, les saisons, la mort, l'éternité... et la philosophie elle-même, narrations mythologiques, développements allégoriques, éloges des grands de ce monde et de leurs victoires, etc. La poésie est alors ce voile qui cache et révèle à la fois les vérités les plus secrètes.

Comme toute la littérature de l'époque, ce genre est marqué par les conflits religieux et politiques et, en quelque sorte devient une réponse de la Contre-Réforme au développement des psaumes et cantiques réformés. Ce fut du moins l'ambition de Ronsard quand il tenta de faire de l'hymne, dans l'*Hercule chrestien,* un genre de réflexion apologétique catholique. A la fin de sa vie, en écrivant des hymnes pour les saints paroissiaux les plus populaires (saint Blaise, saint Roch), il invite les catholiques à le suivre dans la voie qu'avaient indiquée des poètes de l'Église primitive, tels que Prudence. Mais l'essentiel de ce grand genre poétique était dans son inspiration encomiastique et savante, qui a contribué précisément à le faire tomber dans l'oubli, car, dès le début du XVIIe siècle, et malgré les rééditions de certains hymnes de Ronsard, le terme ne se maintient plus que dans la poésie lyrique religieuse.

Outre Ronsard, Macrin, du Bellay et Belleau déjà nommés, ont écrit des hymnes — selon leur propre aveu — Magny, Amelin, Tagaut, Grévin, Passerat, Buttet, F. d'Amboise, Garnier, Le Fèvre de la Boderie, Pellejay, Baïf, Aubert, P. de Brach, C. Des Roches, I. Habert...

BIBLIOGRAPHIE

P. Laumonier, introduction au t. VIII des *Œuvres complètes* de Ronsard, Didier, S.T.F.M.; M. Raymond, *l'Influence de Ronsard,* Champion, 1927, rééd., Genève, Droz, 1965; A. M. Schmidt, *la Poésie scientifique au XVIe siècle,* A. Michel, 1938; rééd., Lausanne, 1970. Édition de *l'Hymne des Daimons* de Ronsard, A. Michel, 1939; P. de Nolhac, *Ronsard et l'humanisme,* Champion, 1921; G. Lafeuille, *Cinq Hymnes de Ronsard,* Droz, 1973; J. Céard, *la Nature et les prodiges,* Droz, 1977, ch. VIII.

M.-M. FONTAINE

HYVRARD Jeanne. V. CARAÏBES ET GUYANE. Littérature d'expression française.

ICONOLOGIE. V. LIVRE.

IDÉOLOGUES (Les) [fin du XVIIIe-début du XIXe siècle]. On ne saurait parler d'une « école » des Idéologues, mais plutôt d'un groupe d'intellectuels et d'hommes de lettres partisans des Lumières et soucieux de définir une attitude cohérente pour leur classe sociale : la bourgeoisie voltairienne.

La pensée des Idéologues, qu'il s'agisse de philosophes comme Condorcet, Gérando ou Maine de Biran, de savants comme Laplace, de médecins comme Cabanis et Bichat, d'historiens comme Daunou et Volney, de linguistes comme Destutt de Tracy, s'articule sur quelques principes fondamentaux : refus de la métaphysique — vaine spéculation vouée à l'incertitude —, projet d'une science de l'homme fondée sur la raison, l'analyse et l'esprit critique, conception sensualiste de la connaissance, affirmation de la perfectibilité et foi dans le progrès.

Ce *lobby* intellectuel constitue un groupe d'amis dont les affinités sont renforcées par une commune jeunesse. On se réunit dans le salon bourgeois de Mme Helvétius, et surtout on s'attache à occuper les places que le pouvoir issu de Thermidor offre à ces défenseurs du nouvel ordre bourgeois débarrassé des menaces populaires. Les Idéologues vont ainsi investir les nouveaux organismes qu'ils ont largement contribué à créer : l'Institut, et en particulier sa classe des sciences morales et politiques, les Écoles centrales, l'École normale supérieure.

Malgré les avanies subies pendant la Terreur, les Idéologues se distinguent par une remarquable continuité de présence dans les assemblées révolutionnaires : Tracy et Volney siègent à la Constituante, Lakanal et Daunou à la Convention, on retrouve Tracy, Cabanis et Maine de Biran aux Cinq-Cents... Ils y maintiennent la constance d'une ligne de juste-milieu bourgeois : contre la réaction trop voyante, qui s'en prend à la philosophie des Lumières; contre la petite bourgeoisie alliée au mouvement populaire. C'est ce qu'ils appellent promouvoir « l'utilité générale et la gloire de la République ».

Ils occupent ainsi une position stratégique qui leur permet de soutenir la Déclaration des droits de l'homme, le principe de l'égalité devant la loi, celui de la laïcité de l'État et d'affirmer la nécessité d'une instruction publique comme premier souci de la nation. De ce point de vue, ils se font les porte-parole et les artisans de la grande révolution culturelle bourgeoise d'où procédera pour une bonne part le mouvement républicain tout au long du XIXe siècle. Ils représentent la pointe de l'idéologie bourgeoise (au sens marxiste du terme), qui, selon Lénine (*Iskra* du 14 février 1902), ouvre la voie au marxisme en identifiant révolution et rationalisme. On les opposera donc à ces spiritualistes conservateurs et religieux — dont le chef de file est Victor Cousin — qui récupéreront Maine de Biran sous la Restauration. Les deux mouvements se réclament cependant de Condillac et de son sensualisme.

Les Idéologues poussent l'empirisme, en effet, de Condillac (ainsi que celui de Locke, d'Adam Smith et des Écossais) vers le primat de l'expérience et le culte de la connaissance scientifique, dont le corrélat est une attitude politique opposée au despotisme et soutenant les libertés bourgeoises. La réaction napoléonienne et la Restauration ne pouvaient que combattre ces tendances libérales. Napoléon dénoncera dans les Idéologues des adversaires de l'« autorité existante » et la « source de tous les malheurs qui éprouvent notre belle France » (1812). L'éclectisme cousinien, inséparable du contrôle politique et ecclésiastique sur l'Université, calquera son extérieur sur le rationalisme analytique des Idéologues pour exprimer sur le fond une doctrine réactionnaire.

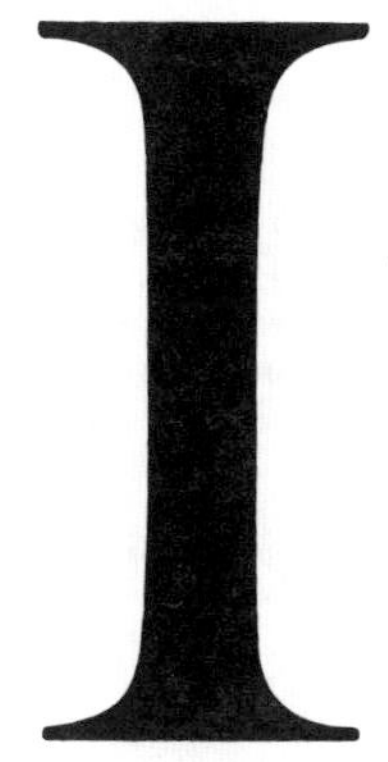

Ce combat interne à l'idéologie bourgeoise entre matérialisme et idéalisme trouve naturellement son prolongement et son illustration dans le domaine littéraire. L'Idéologie (le mot fut forgé par Tracy, alors que le terme d'Idéologues fut consacré par Chateaubriand, leur adversaire, et qu'ils préféraient s'appeler eux-mêmes des Idéologistes) inspirera la gauche libérale sous la Restauration, tant dans les pamphlets de Paul-Louis Courier que dans les chansons de Béranger. On peut également suivre la filiation de *la Décade* au *Globe,* et l'influence de Destutt de Tracy sur Stendhal apparaît à l'évidence.

La situation des Idéologues par rapport au romantisme est assez ambiguë : leur rigorisme analytique s'oppose au vague des passions, leur héritage voltairien au « hideux sourire », mais leur optimisme humaniste rejoint l'ambition prométhéenne, leur foi en l'avenir recoupe le poème de l'humanité, qu'il s'exprime dans l'*Introduction à l'histoire universelle* de Michelet (1831), dans l'*Ahasvérus* de Quinet (1833) ou dans les *Visions* lamartiniennes (1851-1853).

Tenter de dresser un bilan de l'Idéologie n'est possible qu'en considérant cet ensemble complexe qu'est l'esprit du XIXe siècle. Si l'on admet avec Paul Bénichou, dans son ouvrage fondamental *le Sacre de l'écrivain* (Corti, 1973), que « la société nouvelle a établi sa croyance sur une refonte spiritualisée des idées qui avaient opéré son violent avènement » et que « la transposition spiritualisante des idées héritées du siècle précédent a été une "plébéianisation", une adaptation au niveau et dans le langage de la peine commune, des idéaux conçus précédemment par une minorité favorisée », on peut penser que les Idéologues prennent place dans une époque de transition et de gestation : transition entre les têtes pensantes des Lumières, dont ils systématisent les conquêtes intellectuelles, et le libéralisme du « grand soleil de juillet 1830 »; gestation de l'idéologie républicaine sociale, dernier avatar et conséquence d'un romantisme en lequel fusionnent l'Idéal reconquis et le Réel dignifié.

En somme, les Idéologues élaborent une pensée destinée à se combiner avec — *horresco referens!* — l'irrationalisme. Peut-être ceux-là mêmes qui auraient rejeté tout ce que le « littéraire » comporte d'indéfinissable spiritualité doivent-ils leur fécondité et leur postérité à la littérature du XIXe siècle, dont « la nouvelle dignité crée alors, ou ébauche, dans une forme libérée des anciennes entraves, le lyrisme pensant des Temps modernes, l'épopée de l'humanité : le roman et le drame symbolique » (Bénichou, *op. cit.*).

BIBLIOGRAPHIE

M. Régaldo, « Matériaux pour une bibliographie de l'Idéologie et des Idéologues », dans *Répertoire analytique de littérature française,* Saint-Médard-en-Jalles, no I, janvier 1970, no 2, mars 1970; F. Picavet, *les Idéologues,* Paris, 1891, Reprint O.L.M.S.

1972, Reprint Lénox, 1970; D.G. Charlton, *Secular Religions in France (1815-1870)*, London, Oxford University Press, 1963.

G. GENGEMBRE

IKOR Roger (né en 1912). Né à Paris, normalien, agrégé de grammaire, Roger Ikor eut une longue carrière de professeur de lycée (interrompue par la captivité de 1940 à 1945). En 1969, il devint maître-assistant à l'Université de Paris. Il avait publié un essai sur *l'Insurrection ouvrière de juin 1848* en 1936 et une *Vie de Saint-Just* en 1937, mais c'est après la guerre que s'affirma sa vocation littéraire : entré comme journaliste au *Figaro* en 1955, il donna une pièce de théâtre, *Ulysse au port* (1956), des essais, *Mise au net* (1957), *les Cas de conscience d'un professeur* (1965). Il s'est fait connaître du grand public par ses romans, *A travers nos déserts* (1950), *les Grands Moyens* (1951), *le Tourniquet des innocents* (1972). Ses œuvres les plus célèbres demeurent des romans-cycles : *les Fils d'Avrom* (comprenant *les Eaux mêlées*, qui obtint le prix Goncourt en 1955, et *la Greffe du printemps*), *Si le temps...* (six volumes : *le Semeur de vent*, 1960; *les Murmures de la guerre*, 1961; *la Pluie sur la mer*, 1962; *la Ceinture du ciel*, 1964; *les Poulains*, 1966; *Frères humains*, 1969).

Peu soucieux d'innovations techniques, Roger Ikor écrit de façon simple et vivante. Deux thèmes essentiels circulent dans son œuvre : la jeunesse, avec ses problèmes, ses folies, parfois sa violence, et la situation des israélites implantés en France et peu à peu assimilés. Ces sujets sont présentés de façon concrète et colorée, quoique le professeur reste marqué par sa fonction et schématise parfois les cas et les solutions qu'il envisage. A la fin des années 1970, il vécut un drame familial qui l'engagea dans un combat passionné contre les trafiquants de drogue (*Je porte plainte*, 1980).

BIBLIOGRAPHIE

Pierre Cogny, *Sept Romanciers au-delà du roman*, Paris, Nizet, 1963; Louis Barjon, « Romanciers de la quarantaine », *Études*, sept. 1966; Pierre-Henri Simon, « *le Tourniquet des innocents* de Roger Ikor », *le Monde*, 19 mai 1972.

A. NIDERST

ILLUMINISME ET LITTÉRATURE. Le terme « illuminisme » apparaît officiellement en 1819 comme un dérivé d'« illuminé » et se définit comme étant à la fois la (ou les) doctrine(s) de certains mystiques dits illuminés, tels Böhme ou Swedenborg. « Illuminé » apparaît dès 1653 pour désigner tout mystique croyant à l'illumination intérieure. Quant à l'illumination, c'est-à-dire la lumière extraordinaire que Dieu répand dans l'âme, elle est attestée lexicalement dès 1361, date à laquelle Oresme l'utilise pour traduire le latin *illuminatio*.

La filiation religieuse est donc claire. Historiquement, il s'agit de la constitution progressive d'hérésies plus ou moins reliées, avec formation de sectes. L'apogée doctrinal se situe à la fin du XVIIIe siècle. Littérairement, le préromantisme est imprégné d'illuminisme, mais, quand ce terme apparaît, la diffusion de l'illuminisme dans le romantisme se fait au prix d'un changement de nature.

Le concept

On aimerait pouvoir répertorier les différentes formes d'illuminisme avec la belle assurance de Mme de Staël : « Il y a trois classes d'illuminés : les illuminés mystiques, les illuminés visionnaires et les illuminés politiques (*De l'Allemagne*, IV, 8). En fait, il faut admettre avec Paul Bénichou que « ce qu'on appelle l'illuminisme se présente sous des formes apparemment si variées qu'on a peine à le définir dans son ensemble » (*le Sacre de l'écrivain*).

On sait que le siècle des Lumières est aussi celui de l'occultisme et de l'illuminisme. On peut remonter, en suivant les influences successives, jusqu'au néo-platonisme, en passant par les mystiques allemands du XVIe siècle, les quiétistes vaudois et les piétistes, sans oublier les kabbalistes et les gnostiques : un certain nombre de traits communs fondamentaux apparaissent. L'illuminisme professe une croyance en une tradition primitive universelle que seuls les initiés peuvent connaître par la compréhension des forces surnaturelles et la communication avec l'au-delà. Cette tradition enseigne que la chute originelle, ce divorce entre l'homme et la Création, a engendré la matière et qu'une régénération se produira, par réintégration de l'homme dans l'Être premier. Donc, l'illuminisme conçoit l'univers comme une unité hiérarchisée entre la divinité et l'homme, la liaison s'opérant par des puissances intermédiaires, avec lesquelles un contact peut exister par magie ou divination.

Cette vision s'oppose au rationalisme apparemment triomphant et prend l'exact contrepied des théories matérialistes, dans la mesure même où le catholicisme semble affaibli. La diversité des doctrines — et des pratiques — des illuminés est fonction des filiations reconnues ou revendiquées, des niveaux de culture... et de sincérité. On distinguera donc les adeptes de la magie, de la sorcellerie et de l'alchimie, des sectes, loges, confréries qui pullulent en Europe, visionnaires de Copenhague, quiétistes vaudois, philalèthes parisiens, etc.; les tenants d'un illuminisme mondain, qui se pratique dans les salons de la duchesse de Noailles, de la marquise de Clermont-Tonnerre ou de la marquise d'Urfé, et auquel on peut rattacher les cas célèbres du comte de Saint-Germain ou de Cagliostro; enfin les fidèles de la scientologie mesmérienne.

L'illuminisme comme tel

Sur le plan littéraire, l'illuminisme théosophique est, avant la Révolution, le plus fécond. La recherche spiritualiste de quelques hommes-phares leur fait bâtir de véritables systèmes philosophiques qui constitueront autant de bibles, et cela particulièrement au XIXe siècle. Il convient de citer au moins, parmi ces novateurs, Martinès de Pasqually, Saint-Martin, Lavater et Swedenborg.

Le premier martinisme est créé par Martinès de Pasqually, en particulier dans son *Traité de la réintégration* (rédigé en 1771-1772). Ce personnage, encore mal connu aujourd'hui, y expose une théorie de l'homme à la fois émanation du Créateur et être entièrement libre, mais dont la liberté ne peut prendre tout son sens que par la communication avec le supra-réel et le déchiffrement des mystères métaphysiques. Plusieurs écoles martinistes se fondent, en particulier à Lyon, à Bordeaux et à Paris. Un des disciples de Pasqually, Saint-Martin, surnommé le « philosophe inconnu » (1743-1803), transforme la doctrine : il réunit messianisme illuministe et messianisme poétique, préfigurant ainsi le poète romantique. Dans ses nombreux textes, publiés entre 1775 et 1807, il affirme l'identité de l'esprit et de la matière, l'unité de la création (« Tout est individuel et pourtant tout n'est qu'un ») — manifeste dans l'Homme-Dieu primitif aujourd'hui dégradé — et annonce l'avenir radieux par la régénération. Surtout, il fait de l'initié une voix, l'écho et l'interprète de la voix d'en haut, le prophète de la théologie humaniste. Le monde sensible n'est autre qu'une figure analogique de l'Être : la voie est ouverte à la prédication poétique; « la poésie est plus qu'une faculté divine de l'homme; elle est, en quelque sorte, l'unité même de l'univers célébrant Dieu » (Bénichou, *op. cit.*). C'est là l'une des origines de la conception romantique et de ses ambiguïtés.

Lavater développe une théorie plus naturaliste : la nature est définie comme la révélation essentielle de Dieu; il faut donc interpréter ce grand texte et, pour ce faire, l'observer scientifiquement. Balzac en retiendra surtout la physiognomonie, interprétation du caractère d'après la forme du visage.

Swedenborg (1688-1772) aura une influence considérable. Ce naturaliste suédois illustre la double tentation scientifique et mystique du XVIIIe siècle : il passa de la rédaction d'ouvrages de sciences naturelles à la fondation de l'Église de la Nouvelle-Jérusalem, plaçant la connaissance affective au-dessus de la connaissance scientifique ou sceptique. Ses deux textes fondateurs sont *Arcana coelestia,* 1749 et *De nova Hierosolyma,* 1758. Leur lecture imprégnera beaucoup d'esprits. Il existe encore aujourd'hui des églises swedenborgiennes, notamment aux États-Unis.

L'ensemble de cet illuminisme première manière permet déjà toutes les utilisations, non seulement parce qu'il est multiple, mais surtout parce qu'il propose de nouveaux horizons à l'ambition humaine. En ce sens, il complète le rationalisme qu'il combat. La vision illuministe permet le renouvellement du fantastique (que l'on pense à Jacques Cazotte, martiniste convaincu) et alimente la sensibilité révolutionnaire. Auguste Viatte va jusqu'à distinguer un illuminisme révolutionnaire, qui serait représenté par Rétif de La Bretonne et Bonneville, entre autres. En fait, la Révolution mettra un terme à l'« ancien » illuminisme.

La coupure révolutionnaire ou le sommeil de l'illuminisme

Si les maîtres continuent de publier, et en particulier Saint-Martin, qui, contrairement à la plupart des théosophes, semble plutôt approuver la Révolution, laquelle ne peut être que providentielle, les sectes se dispersent et les écoles se ferment. Tout se passe comme si les dogmes républicains étouffaient l'élan de religiosité qui s'opposait aux dogmes chrétiens, comme si l'attrait pour le mystère, l'au-delà et l'infini s'étiolait à l'ombre de la Nation, comme si l'exaltation de la sensibilité se perdait dans le règne de la Vertu, comme si les aspirations vagues s'effaçaient devant la détermination des Montagnards.

Cette interprétation est pourtant trompeuse; s'il est vrai que la Terreur ne favorise guère le maintien des courants de pensée ésotériques, on peut parler d'un « illuminisme des carrefours » qui se perpétue en amalgamant les doctrines illuministes et les superstitions plus populaires (le vieux fond irrationaliste reste une constante, une sorte de décor qui ne se laisse jamais oublier). Il n'y a pas de véritable solution de continuité avec la génération de l'Empire. Le Directoire et le Consulat voient une floraison de publications illuministes : derniers ouvrages de Saint-Martin; querelle philosophique de ce dernier avec Garat à l'École normale; œuvres de ses disciples Gilbert, Joannie, Prunelle de Lierre et Gence; traduction, par le comte de Divonne, des dialogues de W. Law, continuateur anglais de J. Böhme; diffusion des écrits d'Eckartshausen; traduction de Swedenborg...

On a parlé d'un illuminisme néo-païen pour qualifier les nouvelles tendances de ces années 1795-1805 qui se perpétuent sous l'Empire. Il s'agit, en fait, d'un syncrétisme à base d'ésotérisme pythagoricien, dans lequel Moïse est considéré comme un initié de Memphis et le christianisme comme une forme de la tradition unique originelle : les représentants les plus intéressants de ce courant sont Quintus Aucler avec sa *Thréicie* (autrement dit « culte pur des dieux »), où il annonce une doctrine inspirée des mystères de Samothrace et prône un retour aux cultes de l'Empire romain, Fabre d'Olivet, qui reprend les traditions orphiques — notamment le thème des rapports harmoniques de l'univers en une musique sacrée —, et J.-A. Gleizes, pour qui le végétarisme est la clef de l'épuration progressive de la matière. On peut y ajouter Dupont de Nemours, dont *la Philosophie de l'univers* tente une conjonction du rationalisme et de la théosophie.

Il convient également de considérer le maintien de l'intérêt manifesté par les illuministes du XVIIIe siècle à l'égard des sciences : on s'efforce d'intégrer les découvertes nouvelles aux sciences de l'invisible et à l'ésotérisme. (Cette tentative de fusion se manifeste encore de nos jours). Origine du langage, magnétisme, unité cosmique, action et réaction..., d'innombrables publications traitent de ces questions.

Ajoutons à ce rapide tableau la prise en compte des questions politiques : le bouleversement révolutionnaire provoque une recrudescence du millénarisme, et deux tendances divisent l'illuminisme : la contre-Révolution, au nom d'un univers hiérarchisé par un Dieu représenté par le souverain; la démocratie égalitaire et fraternelle, au nom de la communion des individus dans un monde unifié. Cette option débouchera sur les socialismes mystiques d'après 1830 : Fourier commence à publier sous l'Empire.

Concrètement, les illuministes peuplent la franc-maçonnerie avant la Révolution, et un Willermoz tente de lui assigner un idéal religieux, mais les mystiques christianisants la quitteront, et la maçonnerie se transformera, sous l'Empire et la Restauration, en une organisation politique libérale. Le personnage de Napoléon fascine certains illuministes comme Fabre d'Olivet, qui voit en lui l'union de la Volonté et du Destin, ou Coëssin, qui rêve d'un héros associé à une autorité spirituelle suprême, ou encore Mme de Krüdener, qui identifie l'Empereur à l'Antéchrist auquel il faut opposer un homme providentiel : le tsar Alexandre Ier.

Si la plupart des œuvres illuministes ne se distinguent pas par des qualités littéraires déterminantes, la fin de l'Empire et, surtout, la Restauration marquent une nouvelle étape et, à certains égards, un véritable tournant : l'illuminisme va se diffuser dans le champ littéraire, mais aussi s'y diluer.

Le romantisme ou l'illuminisme dilué

Citons Auguste Viatte : « Au début de la Restauration germent tous les systèmes qui s'épanouiront plus tard. La métaphysique y devient fonction des utopies sociales. La réforme du culte n'apparaît que comme un aspect de la refonte générale des institutions. Saint-Martin ou Swedenborg séduisent encore par les aliments qu'ils offrent à l'imagination, mais l'on vise à des résultats plus tangibles. Leurs systèmes survivront à la condition de se mélanger à ceux des révolutionnaires et d'ajouter une poétique à leur théologie » (*les Sources occultes du romantisme*).

En fait, dès la fin de l'Empire, l'illuminisme intrigue les écrivains autant par les thèmes qu'il développe que par les possibilités qu'il offre à l'inspiration. De là une ambiguïté certaine : dans quelle mesure les écrivains sont-ils vraiment imprégnés des doctrines illuministes? S'il semble clair que, pour un Nodier, l'illuminisme est avant tout une source de renouvellement du fantastique, même s'il affirme : « Il était si facile alors de me faire monter sur les ailes mystiques des anges de Swedenborg, de m'enterrer tout vivant dans les entéléchies de Saint-Martin, que je fus néophyte au premier appel, comme Saint Paul », on peut s'interroger sur Senancour, dont les *Libres Méditations* de 1819 montrent une élévation mystique à la recherche du divin, et sur le groupe de Coppet, autour de Mme de Staël : le mysticisme n'y est-il qu'une consolation sentimentale?

De plus, l'illuminisme inspire nettement la pensée de Joseph de Maistre et de Ballanche : tous deux prônent la réintégration et considèrent la révélation chrétienne comme définitive. L'illuminisme ne signifie donc pas l'unité des pensées politiques. Sans doute appréciera-t-on mieux son importance littéraire en insistant sur la promotion de l'activité poétique (au sens le plus large) qu'il entraîne, à la fois par le rôle qu'il lui assigne dans la communion et dans la connaissance, par la primauté de l'évocation et de l'expression, par la constitution d'un fonds d'idées, de thèmes et de mythes qu'on ne peut qu'énumérer : goût du mystère et des spéculations; ferveur brûlante, mais indéterminée; révolte contre le dogme, la discipline, la tradition édulcorée et l'ordre imposé; lassitude du monde terrestre; aspiration à l'amour; attente d'une régénération et d'une rédemption; inquiétude vague et désir; souffrance expiatoire; unité cosmique; conception analogique du monde et des êtres; harmonie; sentiment de la faute; nostalgie de l'androgyne; opposition et union des contraires...

Relisons Viatte : « Déformée de mille façons, adaptée aux aspirations de l'heure, l'œuvre des théosophes, longtemps souterraine, n'en sourdra pas moins au grand jour, les multiples filets dérivés de cette rivière viendront alimenter et nuancer le grand fleuve romantique » (*op. cit.*). A la limite, l'histoire de l'illuminisme va se confondre, pendant une cinquantaine d'années (disons jusqu'au texte de Nerval *Illuminés et illuminisme,* de 1852), avec celle de la littérature même, et surtout de l'idée neuve qu'elle s'est faite de son rôle : assumer le pouvoir spirituel des Temps modernes. S'ouvre alors le temps des prophètes.

L'illuminisme et l'ensemble des doctrines ésotériques cessent d'être véritablement eux-mêmes en étant digérés par la littérature. Le phénomène révolutionnaire a permis, certes, de séparer le nouveau d'avec l'ancien; il n'en permet pas moins leur coexistence et les tentatives de fusion. S'il existe un esprit du XIXe siècle, c'est une nouvelle foi fondamentalement humaniste (quel que soit son degré de religiosité, plus ou moins vague ou affirmée), modelée par une refonte spiritualisée des idées — même contradictoires — qui ont contribué à l'avènement de la nouvelle société.

Le romantisme, issu à la fois de la contre-Révolution et du libéralisme, ne devient tel qu'après la fusion de ces deux courants dans une vision qui met en évidence les correspondances (concept illuministe par excellence) de l'idéal et du réel. L'analogie est plus qu'une figure de pensée, pour le romantisme : c'est un principe unificateur. Tout écrivain romantique peut donc être étudié de ce point de vue, et, au-delà, toute la littérature du XIXe siècle : « La nouvelle dignité de la littérature crée alors, ou ébauche, dans une forme libérée des anciennes entraves, le lyrisme pensant des Temps modernes, l'épopée de l'humanité, le roman et le drame symboliques » (Paul Bénichou, *op. cit.*).

L'illuminisme porte en lui la consécration du Poète : inspiré d'« En Haut », ce nouveau personnage quasi démiurgique prend en charge le mystère des choses. Conçu d'abord comme l'anti-Philosophe, il se confond vite avec lui pour donner naissance au Poète-Penseur, nouvel avatar de l'Homme de lettres : « Toute pensée progressive ou émancipatrice se trouva alors enveloppée d'un halo d'idéal, et la poésie régna sur la prose même. Le Poète-Penseur garantissait à la fois la régénération finale et son accomplissement sans violences ni haines. Il semblait présider dignement à la société nouvelle, dont le progrès était la loi avouée » (Paul Bénichou, *op. cit.*).

Se crée alors une véritable communauté d'écrivains qui transcende les classes sans que pour autant s'abolissent les distinctions; l'échec de 1848 sera celui de la littérature comme parole prophétique autant que celui de la République. Les intellectuels se réfugieront dans le pessimisme et le dégoût, et se constitueront en caste méprisante. Le second Empire verra du même coup la disparition non pas de l'illuminisme, mais de son optimisme humaniste et de son syncrétisme régénérateur. Il se dégradera alors en fausse monnaie de l'ésotérisme : il y a loin de la théosophie d'un Saint-Martin au théosophisme fin de siècle d'une Mme Blavatsky.

L'illuminisme a pu inspirer, orienter, alimenter le romantisme parce qu'il est un discours et une quête de la liberté. Il se trouve à l'origine d'une fascination devant la Poésie et l'Art, « unique couronne mystique de l'Esprit dans le siècle commençant » (Bénichou). Les nuances, voire les oppositions, entre les divers écrivains romantiques ou de l'âge romantique importent peu en regard de cette évidence; Balzac et Nerval se rejoignent ainsi, en passant par Lamartine et Hugo. Illuminisme et littérature s'accordent pour assigner à la Parole une responsabilité capitale. Échappons-nous à cette Foi?

BIBLIOGRAPHIE

Auguste Viatte, *les Sources occultes du romantisme,* Champion, 1927; rééd. 1965 (2 vol.); Paul Bénichou, *le Sacre de l'écrivain,* Corti, 1973; id., *le Temps des prophètes,* Gallimard, 1977; Léon Cellier, *l'Épopée humanitaire et les grands mythes romantiques,* S.E.D.E.S., 1971; B. Juden, *Traditions orphiques et tendances mystiques dans le romantisme français, 1800-1855,* Klincksieck, 1971; Jean-Claude Fizaine, « les Aspects mystiques du romantisme français. État présent de la question », dans *Romantisme* no 11, 1976.

On consultera également les bibliographies particulières consacrées aux différents illuministes cités. Voir aussi : P. Deghaye, *la Doctrine ésotérique de Zinzendorf,* Klincksieck, 1968; id., *Kirchberger et l'illuminisme du XVIIIe siècle,* La Haye, Mouton, 1966; id., *Eckartshausen et la théosophie chrétienne,* 1969; R. Amadou et R. Kanters, *Anthologie littéraire de l'occultisme,* Julliard, 1950; R. Savioz, *la Philosophie de Charles Bonnet,* Vrin, 1948; H.-T. Richard, *la Tradition ésotérique et la science,* La Colombe, 1965; M. Martin, *Un aventurier intellectuel sous la Restauration et la monarchie de Juillet : le docteur Koreff (1783-1851),* Paris, 1925; G. Boas, *French Philosophers of the Romantic Period,* Baltimore, 1925; H.B. Riffaterre, *l'Orphisme dans la poésie romantique. Thèmes et styles surnaturalistes,* Nizet, 1970.

La revue *Romantisme* consacre régulièrement des articles à tel aspect du mysticisme au XIXe siècle. Pour le XVIIIe, on consultera la collection de la revue *XVIIIe Siècle.* D'autres revues, comme *la Revue des sciences humaines, Littérature,* contiennent souvent d'excellents articles sur la question.

G. GENGEMBRE

IMAGE. V. RHÉTORIQUE ET LITTÉRATURE.

IMAGES. V. LIVRE.

IMBERT Barthélémi (1746-1790). Né à Nîmes, Imbert vient à Paris à dix-neuf ans, se fait connaître par un dialogue entre *Poinsinet et Molière* (1770), dédié à Piron, à qui il se lie. Parmi d'autres pièces mineures, *le Jugement de Pâris* (1772) le consacre homme de lettres; une *Ode pour le mariage du Dauphin* (1774) lui obtient la bienveillance de Marie-Antoinette; puis *Grisélidis,* des *Fables,* des *Historiettes,* des *Nouvelles en vers,* des romans précèdent ses essais dramatiques : fantaisies, parodies, petites comédies préludent au *Jaloux sans amour* (1781, repris en 1785). Sous sa plume alternent contes et pièces; il écrit pour le Théâtre-Français et pour le Théâtre-Italien : *la Fausse Apparence ou le Jaloux malgré lui* (1789), *Marie de Brabant, reine de France* (1790) comptent parmi ses dernières œuvres.

Son caractère était ouvert et généreux. Son abondante production (une quarantaine d'ouvrages) est celle d'un écrivain aimable, à la plume facile, à l'inspiration aisée mais superficielle. De l'esprit; un ton léger; des vers bien faits, souvent jolis, voire élégants; des récits point trop mièvres; des pièces encore lisibles : toute son œuvre reflète fort bien certain aspect de la société de son temps; on peut encore y puiser pour se délasser, et y trouver un charme agréable.

BIBLIOGRAPHIE
A. Michel, *Nîmes et ses rues*, Nîmes, Clavet & Ballivet, 1876-1877.

P. PEYRONNET

IMPAIR. V. VERS ET VERSIFICATION.

IMPRESSION. V. LIVRE.

INCIPIT/DESINIT. L'*incipit* (premières phrases ou premiers mots, voire premier hémistiche d'un vers) permet de désigner un texte — généralement un poème — qui ne comporte pas de titre. Mais cette fonction utilitaire n'est qu'un des aspects de l'incipit. Son rôle essentiel est de faire pénétrer le lecteur dans un monde imaginaire en déclenchant un discours littéraire dont le côté artificiel, sinon arbitraire, a bien été senti par un Valéry, par exemple, se demandant, au seuil de toute narration : par où commencer? A cette question, les romanciers ont apporté des solutions diverses : vastes descriptions liminaires chez Balzac, dialogues chez les Goncourt, tandis que Zola reste fidèle au début classique *in medias res*. Si la formule magique du type « or, dit le conte » ou « il était une fois » est abandonnée à la littérature orale, dont l'invraisemblance fait sourire plus qu'elle ne choque, la littérature réaliste, elle — ou la science-fiction, lorsqu'elle veut donner à son témoignage fictif la crédibilité d'une chronique réelle —, cherche à gommer au maximum l'arbitraire de son fonctionnement en choisissant pour point de départ de la narration non un événement isolé, fortuit, mais le moment qui semble coïncider avec le projet explicite d'un destin supérieur : ainsi Julien Sorel obéit-il à la destinée qui lui était annoncée dans les signes symbolico-prémonitoires des premières pages du *Rouge et le Noir*. Anna Karénine se suicidera dans la gare même où elle avait vu mourir un employé, déchiqueté par un wagon, au moment de sa première rencontre avec Vronski. La première phrase est donc initiatrice autant qu'initiale, selon le mot d'Aragon (*Je n'ai jamais appris à écrire ou les Incipit*, Skira, 1969). Elle introduit dans un univers d'où le hasard est exclu, où règne l'anthropomorphisme, et qui tire sa signification de la cohérence et des correspondances qui s'établissent entre les signes d'un langage spécifique.

Si certains genres littéraires sont interminables (on peut ajouter un nombre illimité d'apologues à un recueil de fables, de maximes à un recueil de sentences, une pensée à l'aphorisme précédent, etc.), d'autres, au contraire, obéissent à des règles, explicites ou non, qui codifient leur séquence terminale *(desinit, explicit)*.

Ainsi le dernier quatrain (envoi) d'une ballade est-il invariablement introduit par « Prince »; le dernier vers d'un sonnet classique est reconnaissable à son effet de chute; le dénouement d'une nouvelle est généralement abrupt et surprenant. De façon plus diffuse, mais non moins stéréotypée, le « message » d'une œuvre, qu'elle soit didactique, théâtrale ou simplement narrative, est fréquemment contenu dans les derniers mots du texte. Le lecteur identifie alors la fin à une sorte de conclusion morale et confond celle-ci avec la philosophie qu'il attribue à l'auteur. D'ailleurs, les derniers mots étant souvent proférés par le personnage principal (cf. *Une vie*, de Maupassant), il est d'autant plus aisé de considérer celui-ci comme le porte-parole de l'auteur. De fait les écrivains se sont rarement privés, sinon d'exprimer une « thèse », du moins de laisser deviner leur vision personnelle de la condition humaine ainsi que leur jugement sur l'ordre cosmique au travers de formules de clôture riches en significations symboliques multiples : que l'on songe aux deux fins possibles du *Dom Juan* de Molière suivant que l'on supprime ou non la réplique matérialiste de Sganarelle, à l'énigmatique sagesse contenue dans les dernières lignes de *Zadig* ou de *Candide*, au couplet de Brid'oison (« Tout finit-it par des chansons »), désamorçant en apparence la portée révolutionnaire du *Mariage de Figaro*, ou encore aux fins déceptives des romans de l'époque réaliste.

Quoi qu'il en soit, la fin de l'œuvre littéraire pose les mêmes problèmes que son commencement : il s'agit d'un passage d'un univers à un autre, de la vie à l'écriture, puis du retour au silence. D'où la tentative pour ritualiser ce passage à l'aide d'un discours de clôture spécifique qui parfois reprend textuellement les formules liminaires, substituant ainsi à l'écoulement linéaire du temps profane la circularité du mythe de l'éternel retour (cf. Ionesco, *la Cantatrice chauve*; F. Marceau, *Creezy*, etc). Répéter un même cérémonial, c'est confirmer ce que l'univers littéraire a d'artificiel, mais aussi de solennel, voire de sacré.

B. VALETTE

INCUNABLES. V. LIBRAIRIE, LIVRE.

INSTITUTION LITTÉRAIRE. La notion d'institution littéraire, qui trouve son origine dans certains développements de la sociologie culturelle, est d'un usage récent et encore mal assuré. Pourquoi cette apparition tardive? Pourquoi ce retard théorique? On peut avancer plusieurs éléments d'explication. Tout d'abord, l'idéalisation dont s'est toujours entourée l'activité artistique, et qui lui confère un caractère à demi sacré, est peu propice au dévoilement d'une infrastructure. De l'Antiquité au romantisme, toute une tradition transforme en inspiration divine la part de convention et d'arbitraire, la part de métier et de calcul aussi qui entrent dans les pratiques de littérature. Une autre raison de cette émergence difficile est que le modèle institutionnel n'est pas propre à tous les états de la littérature et, par-delà, à toutes les formations sociales. En fait, il correspond surtout à une étape moderne et occidentale de l'histoire des lettres. Enfin, on ne peut ignorer que la littérature n'est pas tout à fait une institution comme les autres et que, prenant appui sur un appareil moins structuré et moins codifié que, par exemple, la justice ou l'école, elle ne présente pas la même netteté que celles-ci. En somme, elle forme une institution floue et comme inachevée, que le discours social a quelque raison de ne pas prendre en compte.

La sociologie emploie le terme d'institution dans une acception large et dans une acception plus restreinte. L'acception large veut que, dans toute société, les pratiques humaines soient l'objet d'une codification et d'une organisation qui les répartissent en domaines distincts au sein de l'ensemble qui forme la culture. De ce point de vue, il n'est guère de pratiques qui demeurent à l'état « sauvage » et qui échappent au procès d'institution. Les sociétés modernes, en tout cas, réduisent l'en deçà institutionnel à très peu de chose. L'acception restreinte, qui prévaudra ici, se fonde sur l'idée d'autonomie. L'institution commence là où des spécialistes (des professionnels) exercent un monopole sur un secteur d'activités, s'attribuent une légitimité reconnue par le corps social, assument leurs rôles au sein d'un appareil disposant d'une base matérielle. Ce sens plus précis ne prend toute sa valeur qu'en référence à une conjoncture historique particulière. Et c'est d'emblée un troisième niveau d'analyse qui se dessine de la sorte. Les États modernes dominés et gérés par la classe bourgeoise, tels que la France ou la Grande-Bretagne, organisent sous une forme stable et réglementée de grands corps spécialisés qui sont tout à la fois reliés au pouvoir et indépendants dans leur exercice — depuis la justice jusqu'à la médecine. Cette instauration de grandes sphères professionnelles s'opère à la faveur de différents processus sociaux : industrialisation et développement de l'économie de marché; division du travail et opposition des classes; expansion démographique et scolarisation.

Pour la littérature, et spécialement pour les lettres françaises, le moment de la mutation institutionnelle correspond à la première moitié du XIXe siècle et au romantisme. Jusqu'alors, les écrivains vivaient largement dans la dépendance de pouvoirs et de structures tels que l'Église, la monarchie, la Cour, les salons [voir SALONS]. Pas d'activité autonome ni de statut professionnel lorsqu'on est tributaire d'une pension royale, du mécénat ou d'un système de clientèle. Certes, le XVIIe siècle voit s'organiser la carrière d'écrivain, en une première ébauche [voir ÉCRIVAIN]. Des instances apparaissent, comme la grande Académie, qui esquissent un statut d'auteur. Mais, parce qu'il est lié à un pouvoir — quand ce n'est pas à plusieurs —, ce statut demeure hybride, tout comme le système littéraire auquel il appartient. A l'inverse, l'indépendance revendiquée ou obtenue par les écrivains et penseurs du siècle des Lumières, si elle crée les conditions d'une autonomie professionnelle, retarde l'avènement d'une corporation spécialisée : parce qu'il joue un rôle plénier dans la vie sociale, l'auteur du XVIIIe siècle échappe à la spécialisation et au repli qu'elle entraîne.

Il faut donc attendre l'installation du régime politique bourgeois pour que la littérature devienne cette sphère autonome d'activité que l'on va décrire. Outre l'effet de la division du travail, le facteur décisif est ici la formation d'un marché des produits littéraires procurant de quoi vivre à un nombre important d'agents. C'est le développement de l'instruction qui, au lendemain de la Révolution, vient soutenir l'expansion de ce marché. Apparaissent des couches de population nouvellement acquises au savoir et qui demandent des objets de lecture. En réponse, une sphère de production se constitue, qui va rapidement se diversifier et se structurer selon une opposition entre littérature de grande diffusion et littérature cultivée. La grande presse, née à Paris vers 1840, est le tremplin de la première, qui s'exprime dans le feuilleton et dans le mélodrame. Pour la seconde, elle va se définir par le cercle d'initiés qui la pratiquent et par le credo esthétique qui lui tient lieu de loi. C'est à partir de là que s'ouvre l'ère des cénacles ou écoles qui assurent la reproduction de la littérature reconnue ou légitime. Trois traits définissent cette production nouvelle. Le premier est son repli sur elle-même, sa coupure — d'ailleurs relative — d'avec l'ensemble social : le romantisme offre, à cet égard, le dernier grand exemple d'une poésie et d'un théâtre « populaires ». Le deuxième, corollaire du précédent, est l'aptitude nouvelle de cette littérature à se donner un code à elle, une légitimité interne : à partir du Parnasse, chaque école élabore un programme conçu comme redéfinition de l'orthodoxie littéraire, comme justification de la littérature par elle-même. Le troisième trait veut que, par opposition à la littérature de grande diffusion soumise aux exigences du marché, la littérature reconnue recherche avant tout les gratifications symboliques — les gratifications économiques n'étant obtenues que de surcroît [voir GRATIFICATIONS].

Mais ce ne sont pas les écrivains et leurs groupes qui fondent le plus sûrement l'institution. Dès les débuts apparaissent des instances spécifiques dont la fonction est de garantir l'autonomie, d'exercer une autorité et d'assurer la relation avec le public (petit ou grand). Façade visible du système, ces instances sont la critique, les académies et l'enseignement littéraire — sans parler de la machine éditoriale. Ces trois instances principales s'étagent sur le parcours que suivent les œuvres dans leur montée vers la notoriété et soumettent celles-ci aux épreuves successives de la reconnaissance, de la consécration et de la conservation. On sait que la critique moderne prend son essor avec Sainte-Beuve; elle remplit plusieurs rôles : contrôler la production par ses choix et ses sanctions; donner existence et notoriété aux auteurs qu'elle retient; entretenir la communication des auteurs avec le public, avec la sphère sociale. La première académie émanant du corps des écrivains, et les représentant de ce fait, est conçue et mise sur pied par les frères Goncourt à la fin du XIXe siècle. Elle fut pensée comme une juridiction indépendante vouée à distinguer, par un jeu de prix et d'élections, la littérature novatrice. Enfin, l'enseignement des lettres, qui se déploie à l'époque du positivisme et qui trouve l'un de ses points d'appui dans l'histoire littéraire selon Gustave Lanson, va remplir une double fonction. Il rend classiques les novateurs d'hier ou d'avant-hier, et ses manuels, à la manière de musées, gèrent le patrimoine. Il participe, pour les enfants de la classe bourgeoise, à une formation graduée dans laquelle les lettres font office d'instrument d'initiation, en conférant aux élus la distinction. Cette part prise par l'école au dispositif d'ensemble rappelle utilement que l'autonomie des lettres demeure relative puisqu'il peut y avoir interférence entre les institutions [voir ACADÉMIE FRANÇAISE, ACADÉMIES DE PROVINCE, CRITIQUE, ENSEIGNEMENT DE LA LITTÉRATURE, PRIX LITTÉRAIRES].

Si le procès d'autonomisation que l'on vient d'esquisser délimite des conditions de production, il a également des incidences sur la production même. Ainsi les premiers temps de l'institution voient se développer une philosophie de l'art qui est celle de la modernité. Pendant que le mouvement parnassien, premier cénacle type, prône l'art pour l'art, Baudelaire se fait le prophète du moderne. Dans un cas comme dans l'autre, l'art est affirmé comme fin et même comme projet de vie.

Alors que les instances forment le cadre de légitimation et de contrôle du « système », le mode de reproduction de celui-ci est pris en charge par les cénacles, par leur succession, par leurs luttes. Toute émergence d'un groupe nouveau — correspondant, en gros, à celle d'une génération nouvelle — s'exprime, suivant ce qui est désormais la logique du champ littéraire, dans la dénonciation de l'école au pouvoir et dans la réfutation du programme de cette école. Conformément à l'impérative loi de distinction mise au jour par Pierre Bourdieu, chaque mouvement nouveau se doit de proclamer un credo esthétique en rupture avec la « religion » jusque-là reconnue et qui s'enferme dans la routine. Il s'agit proprement de l'avènement d'une hérésie qui se prévaut d'un retour aux origines et qui, à la faveur du succès qu'elle rencontre, va peu à peu devenir le dogme avant d'être à son tour contestée et renversée. Ainsi du Parnasse, qui prend le contrepied du romantisme. Ainsi du symbolisme, dont les prophètes, parnassiens initialement, contredisent le Parnasse pour, plus sûrement, prendre sa place. Mais si une école accède à la reconnaissance et conquiert le pouvoir symbolique en s'opposant à ses aînés, elle est contrainte aussi, pour y parvenir, d'affronter et d'éliminer des groupes contemporains : la réussite littéraire implique divers investissements et stratégies.

Bien entendu, on ne saurait réduire la succession des écoles et de leurs esthétiques à ce triple mécanisme d'opposition, de distinction et d'alternance. L'évolution historique n'est ni aussi régulière ni aussi schématique. S'il y a dans le cycle des ruptures un mouvement pendulaire caractéristique des modes et de leurs « éternels retours », on peut y reconnaître également la progression tendancielle vers un formalisme de plus en plus élaboré (que l'on considérera aussi bien comme un négativisme). D'autre part, le système n'est pas assez fermé sur lui-même pour empêcher l'interférence et la pression d'événements extérieurs et propres à d'autres champs ou institutions. Il est sûr que l'investissement de certains écrivains dans l'affaire Dreyfus [voir AFFAIRE DREYFUS] ou dans la Résistance a entraîné des perturbations du mode normal de reproduction et, par-delà, a pu conduire à un nouvel aménagement du domaine de la littérature. De façon plus générale, les emprunts que font périodiquement les écrivains à des disciplines comme la philosophie ou la psychologie et qu'ils incorporent à leurs programmes témoignent de ce que l'autorégulation de l'institution n'est que partielle et que des influences extérieures s'exercent, qui, pour réfractées qu'elles soient, n'en sont pas moins efficaces. Cela éclaire le fait que la postulation de l'art pour l'art, inhérente à l'autonomie du système, ne l'emporte pas définitivement et demeure contrebalancée par l'exigence de réalisme et d'engagement que divers facteurs remettent périodiquement à l'ordre du jour. Ainsi l'évolution vers l'autonomie des pratiques littéraires serait fortement contrariée si ne venait la confirmer et la consolider la position critique que la littérature de pointe est vouée à prendre envers l'art commercial et les productions dites de masse.

Par rapport au schème général de reproduction, les avant-gardes, telles qu'elles s'affirment à partir de 1900 environ, représentent une autre forme de distorsion. Portées à n'annoncer la révolution, à ne prophétiser les temps nouveaux que sur fond de négativité radicale, elles ne se contentent plus de s'opposer aux écoles antérieures mais tournent leur force de rupture et de contestation vers l'institution même à laquelle elles appartiennent. Avec le surréalisme, temps fort de l'avant-gardisme en France, la problématique de la modernité se radicalise. Des écrivains nient désormais la littérature dans l'espoir d'un dépassement qui réconcilierait art et vie. L'expérimentation sur l'imaginaire et sur le langage comme diverses formes de défi et de provocation sont garantes de cette volonté de dépassement. René Lourau a pu montrer comment un mouvement tel que le surréalisme se posait à la fois comme anti- et contre-institutionnel, soucieux qu'il était de retourner violemment l'instituant contre l'institué, mais aussi d'établir des modes d'existence parallèles. Il reste que l'institution a survécu et que les œuvres surréalistes sont entrées au musée des classiques. Mais est-ce seulement là un effet de récupération ou bien, plus profondément, l'échec de la révolte surréaliste n'est-il pas prétexte, pour toute une idéologie conservatrice, à rejeter aujourd'hui le projet de la modernité et à contester le droit même de la littérature à l'existence?

On doit convenir toutefois que, avec leurs aspects terroristes, les avant-gardes tendent à former des phénomènes paroxystiques qui ne représentent pas à eux seuls toute la production novatrice. Celle-ci est également prise en charge, même si c'est de manière moins éclatante ou moins tapageuse, tantôt par des courants peu structurés, peu définis, tantôt par des auteurs isolés : face au surréalisme, par exemple, *la Nouvelle Revue française*, mais aussi Céline ou Ponge. Ceux-ci n'en font pas moins partie de la littérature reconnue. Mais la position des « solitaires » dans le système soulève des questions. La trajectoire d'un Francis Ponge est sinueuse et ne conduit qu'à une reconnaissance tardive. Si ce poète revendique hautement sa marginalité et l'intègre à tout son programme, il a besoin aussi que les mouvements en vogue (surréalisme, existentialisme, *Tel Quel*) viennent successivement à la rescousse pour assurer sa notoriété. A propos de la situation marginale de Céline ou encore de Beckett, on a pu parler de « littérature mineure » (Deleuze et Guattari), par référence à des écritures qui assument, d'une manière ou d'une autre, un statut dominé, un statut de « sous-développement ». Ces questions conduisent à considérer aussi (tout autrement) tout un champ minoritaire dans lequel viennent prendre place la littérature prolétarienne, la littérature féministe, les littératures régionales...

Si l'analyse d'institution permet de cerner des conditions de production tout en donnant à l'histoire littéraire une forme construite qui lui manquait jusqu'ici, a-t-elle quelque chose à dire de la production elle-même? Ou encore : les stratégies et positions des auteurs sont-elles déterminantes pour le travail d'écriture, pour le contenu des œuvres? Sans verser dans un idéalisme qui maintiendrait une pleine séparation entre les textes et les circonstances — souvent médiocres — de leur apparition, on doit convenir que la force de vérité de ces textes est d'un autre ordre que le système producteur dans ce qu'il peut avoir de contingent, d'artificiel et de purement reproducteur. Les œuvres de Mallarmé ou de Proust ont une profondeur de sens qui n'est pas réductible aux rivalités entre écoles ou aux légitimations de la critique. Tout cela oblige à apporter une réponse prudente aux questions posées. Mais lorsque Roland Barthes décrivait l'éclatement des « écritures » en France à partir de 1850, il relevait un effet spécifique de type institutionnel : l'écrivain moderne, nous disait-il, est tenu de manifester le caractère littéraire de son travail, d'affubler son discours de marques qui sont reflets de sa position historique, de son statut d'auteur. En même temps, Barthes prenait soin d'ajouter que l'écriture ainsi conçue n'était pas le style personnel. En somme, l'écriture serait la face instituée-instituante du texte, et d'autant plus visible qu'elle émane d'un projet collectif. Ainsi de l'écriture artiste à l'époque du naturalisme ou de la métaphore surréaliste, de l'écriture blanche de Camus ou des jeux sur le signifiant qui parcourent un courant né chez Apollinaire autant que chez Mallarmé. Le défaut de cette perspective est de sous-évaluer les marques scripturales en les tenant pour des effets de surface. Au vrai, écriture et style ne sont pas aisément séparables, et le travail de l'un passe par celui de l'autre chez maints auteurs contemporains. La conscience aiguë des formes que possède l'écrivain moderne veut qu'il réserve beaucoup d'attention à leur traitement, à leur accommodation. Ainsi, lorsque cet écrivain choisit de s'exprimer dans un genre, c'est avec le souci de penser ce genre, de le mettre en question et de le transformer. Qu'il s'agisse d'une opération citative (Tournier reprenant *Robinson Crusoé*) ou d'une opération transgressive (Butor réduisant les frontières entre roman, poème et essai), l'enjeu est à la fois la tradition et la norme. Est en cause la face instituée des textes, à travers le code et la hiérarchie des genres. On pourrait en dire autant du retour contemporain à une conception rhétorique de l'écriture (Paulhan, Queneau, Pérec), conception qui marque un recul du style comme expression individuelle et subjective.

Un reproche que l'on adresse à l'analyse institutionnelle est que, se voulant explication sociologique, elle semble évacuer la question des rapports de classe en tant qu'ils déterminent la production des œuvres. On fera deux remarques à ce sujet. La première est que l'analyse d'institution se veut complémentaire d'autres méthodologies — comme la sociocritique à laquelle est réservé l'examen idéologique des textes. Cela ne signifie pas que cette division du travail soit satisfaisante à tous égards ni que la complémentarité soit déjà effective. La seconde remarque est que le point de vue des rapports sociaux n'est pas vraiment absent de la description de l'appareil des lettres. Il intervient même dès l'abord, là où la structure du système est représentée en termes de plusieurs sphères distinctes mais dépendantes. L'image est ainsi donnée d'un ensemble stratifié dont les couches correspondent à des publics socialement différenciés. Il faudrait pouvoir débattre ici de notions comme celles de littérature populaire, de littérature de masse, de littérature moyenne, de littérature *kitsch* et des effets qu'elles recouvrent provenant de la division en classes du corps social. Pour s'en tenir à la production reconnue et cultivée, on notera que l'appartenance de classe d'un auteur est jugée déterminante de sa situation dans l'« appareil ». C'est en fonction de ses caractéristiques socioculturelles, de ses possibilités d'investir dans le champ littéraire en misant sur un succès immédiat ou retardé que l'écrivain occupe telle situation dans ce champ, pratique tel genre, se reconnaît dans telle esthétique. On parlera, à cet égard, de la réfraction par l'institution des origines sociales des agents. Plus largement, l'analyse ici décrite ne perd jamais de vue que les luttes symboliques transposent, suivant leur logique propre, les antagonismes sociaux, y compris dans ce qu'ils ont de violent.

La sociologie de l'institution peut paraître rigide et schématique. Mais elle n'en est encore qu'à la première phase de construction de son modèle explicatif. Elle demande d'autant plus à être assouplie et dialectisée qu'elle porte sur un objet singulièrement complexe et contradictoire. Elle ne saurait se contenter, en tout cas, de proposer une vision « mécaniste » d'un lieu social dont le potentiel d'intervention critique demeure grand, en dépit des pesanteurs commerciales, des effets de récupération et de la perte actuelle de légitimité.

BIBLIOGRAPHIE

R. Barthes, *le Degré zéro de l'écriture,* Paris, Gonthier, 1965; P. Bénichou, *le Sacre de l'écrivain,* Paris, Corti, 1973; P. Bourdieu, *la Distinction : critique sociale du jugement,* Paris, Éd. de Minuit, 1979; J. Dubois, *l'Institution de la littérature,* Bruxelles, F. Nathan et Éd. Labor, 1978.

J. DUBOIS

INVENTIO. V. RHÉTORIQUE ET LITTÉRATURE.

IONESCO

IONESCO Eugène (né en 1912). Quoi qu'il arrive, Ionesco est sûr d'appartenir à l'histoire du théâtre et de la littérature : il a été « classé » de son vivant. Et cela dès ses débuts, dans les années 1950, où il fait partie de la trilogie Adamov-Ionesco-Beckett, premiers représentants de ce qu'on a appelé, d'après le titre d'un essai de Martin Esslin traduit en 1963, le « théâtre de l'absurde ». Le mot a fait fortune. Créées respectivement en 1950 et 1951, traduites à peu près dans toutes les langues, jouées par les plus grands acteurs, les deux premières pièces de Ionesco, *la Cantatrice chauve* et *la Leçon,* fondent à elles seules la gloire d'un écrivain dont le nom, banal en Roumanie, son pays d'origine, paraît être devenu synonyme d'un style, d'un art spécifiques, comme le furent les noms de Kafka ou de Picasso.

Du bon usage de l'Assimil

Sur l'origine de *la Cantatrice chauve* — écrite en 1948 —, Ionesco s'est suffisamment expliqué pour qu'on veuille bien être dupe de ses commentaires paradoxaux. Il a dit et écrit qu'il avait eu la révélation de l'absurdité du langage ou, plus exactement, de celle de nos échanges verbaux quotidiens en lisant la méthode Assimil d'anglais : « Dès la troisième leçon, deux personnages étaient mis en présence, dont je ne sais toujours pas s'ils étaient réels ou inventés : M. et Mme Smith, un couple d'Anglais. A mon grand émerveillement, Mme Smith faisait connaître à son mari qu'ils avaient plusieurs enfants, qu'ils habitaient dans les environs de Londres, que leur nom était Smith, etc. » (*Notes et contre-notes*).

L'absurde de Ionesco, ce n'était donc pas, au départ, l'absurde philosophique hérité de Kierkegaard, développé par Sartre et par Camus, c'était l'étonnement devant le quotidien, le lieu commun, la banalité anonyme des êtres — de préférence petits-bourgeois. De cette simplicité formelle de la pensée et de la syntaxe Ionesco allait faire très vite un usage multiple. Si *la Cantatrice chauve,* « anti-pièce », pouvait passer pour un exercice comique, mais inquiétant à force de gratuité, sa pièce suivante, *la Leçon,* quoique fidèle à une logique absurde, utilisait les rapports sado-masochistes d'un professeur bizarre et de sa jeune élève, et l'acte sexuel était tout bonnement remplacé par le meurtre. Cette symbolique freudienne, volontairement caricaturale, allait servir de toile de fond ou de trame aux dialogues toujours aussi « banals » des pièces qui se suivirent à un rythme accéléré : *Jacques ou la Soumission, Victimes du devoir* et *Amédée ou Comment s'en débarrasser.* De la famille stupide de *la Cantatrice chauve,* Ionesco était passé à la description imitative d'autres formes d'abrutissement, contre lesquelles la simplicité de son langage théâtral portait de sournoises accusations. Entre le pauvre type de *Victimes du devoir,* qu'un pseudo-policier oblige à fouiller son passé, et le cadavre qui ne cesse de grandir dans *Amédée ou Comment s'en débarrasser,* c'est la même culpabilité imaginaire et congénitale que semble vouloir dénoncer Ionesco, comme avant lui Kafka, avec les moyens du récit.

Homme de théâtre, donc extraverti par nécessité esthétique, Ionesco prend soin de donner chaque fois au spectateur les preuves tangibles de sa logique absurde. La fiancée à trois nez de *Jacques ou la Soumission,* les centaines d'œufs qu'elle pond dans la pièce qui fait suite : *L'avenir est dans les œufs,* le cadavre et les champignons d'*Amédée,* les meubles qui étouffent *le Nouveau Locataire,* la multiplication des chaises dans *les Chaises* sont les signes concrets, visibles, d'une angoisse qui va nourrir ce théâtre, où la subjectivité — on y retrouvera sans cesse les personnages et les événements de la vie privée de l'auteur — le dispute à un malaise à la fois social, politique et métaphysique.

A cet égard, et pour s'en tenir à cette première période du théâtre de Ionesco, le vieux couple des *Chaises* est certainement le plus pathétique que nous ait donné, avec les deux clochards de Beckett, le théâtre contemporain. On dirait que, parti de la comédie et même de la farce, Ionesco en est arrivé très vite au drame, sinon à la tragédie. Dans *les Chaises,* le gâtisme de ces deux vieillards cernés par un déluge qui a englouti Paris (« Allons, mon chou, ferme la fenêtre, ça sent mauvais l'eau qui croupit et puis il entre des moustiques ») a beau s'exprimer de façon comique et parodique, comme en un lointain souvenir des petits-bourgeois de Labiche ou de Henri Monnier, on a beau rire à l'évocation de ces ambitions, toutes médiocres et jamais réalisées, une vérité plus profonde : le drame de la vieillesse et de la solitude, s'exprime là dans sa réalité dérisoire. Si nombre de pièces de Ionesco traitent du couple, de la vie à deux et de son échec, c'est avec *les Chaises* que, dans ce registre, il aura donné sa note la plus haute. Anouilh ne s'y est pas trompé qui, par un article retentissant paru dans *le Figaro* (1954), consacrait le talent de Ionesco et, dès lors, le signalait à un public plus vaste que celui des petits théâtres de la rive gauche, où ses premières pièces avaient été créées.

La peur des rhinocéros

Auteur typique d'avant-garde, Ionesco s'était heurté, à ses débuts, à la critique conservatrice. En multipliant les provocations inhérentes à son style de théâtre et aux explications faussement naïves qu'il en donnait, il s'exposait à un certain isolement qu'allait accentuer bientôt l'évolution du théâtre parisien. L'engagement politique des hommes de théâtre, qui devait profondément troubler Adamov, la venue de théoriciens comme Bernard Dort ou Roland Barthes, autant de circonstances qui allaient obliger Ionesco à se défendre sur sa gauche, après avoir été vilipendé sur sa droite. Des attaques dont il a été l'objet, et qui devaient trouver bizarrement leur prolongement dans les journaux anglais, après un fameux article du critique Kenneth Tynan dans *The Observer* (juin 1958), on trouvera la savoureuse illustration théâtrale dans *l'Impromptu de l'Alma*. Sur un mode moliéresque, un auteur nommé Ionesco se trouve en butte aux conseils et interdictions de docteurs en théâtrologie, tous nommés Bartholomeus.

Cette atmosphère polémique a certainement contribué à faire évoluer le théâtre de Ionesco vers une signification plus nette de ses intentions et de ses buts. Si, au début, il expliquait volontiers qu'il ne voulait que traduire le vide et la vacuité, au point de faire apparaître, à la fin des *Chaises*, un orateur muet, incapable de délivrer le « message » qu'on attend de lui, Ionesco, avec *Tueur sans gages* (1954), défend une morale de l'individu contre une forme de société qui veut le supprimer. C'est dans cette pièce qu'apparaît pour la première fois le personnage de Bérenger, *alter ego* de l'auteur, personnage naïf et courageux, fort de son innocence, qui s'oppose ici à un tueur ricanant et monstrueux.

Passant de l'individuel au politique, Ionesco donne tout de suite après, sur la grande scène de l'Odéon-Théâtre de France, alors dirigé par Jean-Louis Barrault, *Rhinocéros* (1960), œuvre plus ambitieuse que toutes celles qui ont précédé.

Dans une contrée imaginaire, où la vie est simple et heureuse, on signale soudain la présence d'un, puis de plusieurs rhinocéros, qu'on croit un moment échappés d'un cirque. De fait, ce sont les habitants de la petite ville, les collègues de bureau de Bérenger, qui se transforment peu à peu en fauves. Une corne leur pousse, leur corps se couvre d'une carapace, ils détruisent tout ce qui ne leur ressemble pas. Bérenger, lui, est le seul à lutter contre cet effrayant mimétisme : « Contre tout le monde, je me défendrai, contre tout le monde, je me défendrai! Je suis le dernier homme, je le resterai jusqu'au bout! Je ne capitule pas! »

Avec raison, on a aussitôt vu dans *Rhinocéros* une critique des régimes totalitaires : montée du fascisme pour les uns, monde étouffant du communisme pour les autres. Et si Ionesco se référait effectivement à ce qu'il avait connu en Roumanie des « Gardes de Fer » de Codreanu, assimilables à des rhinocéros, l'actualité le conduisait aussi sûrement à condamner les régimes communistes, comme le confirment de nombreux articles et interviews où il s'est exprimé sans ambiguïté.

En fait, c'est toute expérience politique que Ionesco tournera désormais en dérision, qu'il s'agisse des puissants, comme dans l'excellente parodie inspirée de Shakespeare qu'est *Macbett*, ou des peuples contaminés par les fascismes, comme dans *Rhinocéros*, ou encore des velléités de révolte populaire, comme dans *Ce formidable bordel*, où l'on peut lire des répliques de ce genre : « LE PATRON. — (...) C'est parce que ce ne sont pas des révolutionnaires, ce sont des réactionnaires. — LA SERVEUSE. — Et leurs adversaires? — LE PATRON. — Ce sont aussi des réactionnaires. Les uns sont payés par les Lapons, les autres sont payés par les Turcs. — LA SERVEUSE. — Vous avez bien vu les gueules d'Ottomans qu'ils avaient. — LE PATRON. — Ah, ne soyez pas raciste! — LA SERVEUSE. — Si, je suis raciste. Parce que moi, je suis pour toutes les races, je ne suis pas antiraciste ».

Hantise de la mort

Encore inachevée, l'œuvre de Ionesco (qui, en plus du théâtre, comprend des essais, un recueil de nouvelles, un roman et un film dont il est lui-même le protagoniste, *la Vase*) garde une grande unité dans sa diversité. On peut dire seulement qu'avec les années son angoisse a augmenté et qu'il a eu tendance à se mettre lui-même en scène de plus en plus. Ceux qui le connaissent — et ils sont nombreux, notamment grâce à la télévision — ne peuvent ignorer qu'il a directement utilisé ses ennuis de santé, ses névroses, sa vie familiale et sa soif de solitude dans des pièces comme *la Soif et la Faim, Ce formidable bordel, l'Homme aux valises, le Piéton de l'air, Délire à deux* et, plus encore, dans une pièce parue dans *la Nouvelle Revue française* (janvier-février-mars 1980), *Voyages chez les morts ou Thèmes et variations*, où le personnage principal, Jean, retrouve ses parents et grands-parents morts, comme si le temps était aboli.

Cette dernière œuvre peut être considérée comme un exorcisme. Partout présente dans l'œuvre de Ionesco, l'angoisse de la mort s'est surtout exprimée à l'état pur dans une pièce qui a été considérée comme son chef-d'œuvre : *Le roi se meurt* (1962), une des deux seules pièces, avec *Macbett*, « en costumes », où un roi de conte de fées se prépare aussi mal que possible à sa disparition finale. D'abord créée par Jacques Mauclair, un des premiers « découvreurs » du théâtre de Ionesco, *Le roi se meurt* a fait l'objet d'une somptueuse mise en scène à l'Odéon par la troupe de la Comédie-Française (mise en scène : Jorge Lavelli). C'est que, là comme ailleurs, le décor, les objets, les personnages secondaires sont les signes visibles de cette agonie, constamment tournée en dérision, et qui puise sa grandeur dans un lyrisme où l'on retrouve quelque chose d'Alfred Jarry et même de Shakespeare.

Mais on peut mettre en parallèle une autre pièce, donnée huit ans plus tard, en 1970, cruellement intitulée *Jeux de massacre*, qui n'hésite pas, cette fois, à se servir de la peste, en un noir hommage à Artaud, sans doute, pour montrer la mort sous tous ses visages. Là non plus, l'allégorie ne prend pas les allures d'un mystère néo-médiéval, comme l'a fait, par exemple, le Flamand Michel De Ghelderode, mais celles d'une réalité quotidienne et, par là, bouleversante, comme parmi d'autres scènes, le beau dialogue du « vieux » et de la « vieille », qu'on croirait repris des *Chaises* et qui, au seuil de la mort, est un hymne à la vie.

Ironie et tendresse, attachement au monde et déréliction, étonnement devant les mots et les sentiments, rêveries en forme d'évasion ou de cauchemar, l'œuvre de Ionesco, qui paraissait, au début, reprendre à son compte les recettes du dadaïsme et du surréalisme, est probablement la dernière illustration d'un humanisme qui, depuis Molière, n'avait pas été le fait des auteurs comiques. Il est certain que ses origines étrangères, les difficultés matérielles qu'il a connues pendant la première moitié de son existence, le souci profond qu'il n'a cessé de ressentir à l'égard des événements de son temps — à commencer par ceux qui frappaient son pays d'origine — expliquent en grande partie ce va-et-vient perpétuel entre les formes les plus aiguës du désespoir et son besoin de défendre des valeurs traditionnelles, qu'il a pensé retrouver en entrant à l'Académie française.

Auteur pessimiste, c'est quand Ionesco est comique qu'il est le plus triste — comme ces grands clowns du passé auxquels ses personnages font souvent penser, à cette différence près qu'eux n'ont ni maquillage ni défroque ridicule : ils sont comme lui, comme nous.

VIE		ŒUVRE	
1912	26 novembre : Naissance d'Eugène Ionesco à Slatina (Roumanie), de père roumain et de mère française.		
1913	La famille vient s'installer en France; elle y restera jusqu'en 1927. De cette époque, Ionesco garde la nostalgie du village de La Chapelle-Anthenaise (Mayenne). Sa première langue est le français.		
1927	Retour à Bucarest.		
1934	Est reçu à sa *capacitate* (équivalent roumain de l'agrégation). Il devient professeur de français au collège national Stanful Sava, à Bucarest.	**1934**	Premiers essais littéraires et poèmes.
		1935	Publie en roumain un essai sur l'identité des contraires : *Nu (Non),* où l'on trouve notamment une critique désobligeante sur un écrivain roumain, suivie d'une critique élogieuse sur le même écrivain.
1936	Mariage avec Rodica Burileanu, étudiante en philosophie.		
1938	Retour en France, avec une bourse du gouvernement roumain, pour y préparer une thèse de doctorat sur « le Péché et la mort dans la poésie française depuis Baudelaire ».	**1938-1940**	De France, envoie des articles à la revue *Viata Românească* (Bucarest).
1942-1944	Ionesco et son épouse s'installent à Marseille, où le couple connaît de grandes difficultés financières.		
1945	Retour à Paris. Naissance d'une fille, Marie-France. Ionesco exerce divers métiers.		
1948	Correcteur dans une maison d'éditions juridiques, il vit dans un rez-de-chaussée de la porte de Saint-Cloud, souvent évoqué dans son œuvre. C'est là qu'encouragé par Pierre-Aimé Touchard, alors administrateur de la Comédie-Française, il écrit sa première pièce, *la Cantatrice chauve.*		
1950	Ionesco se lie avec André Breton, Luis Buñuel, Adamov, Maurice de Gandillac, sans parler de ses amis « roumains », comme Cioran ou Mircea Eliade, écrivains comme lui de langue française. Ionesco est naturalisé français.	**1950**	Création par Nicolas Bataille de *la Cantatrice chauve* au théâtre des Noctambules, à Paris. La pièce est aussitôt remarquée par un petit cercle d'amateurs. Écrit *les Salutations,* théâtre (éd. 1963).
1951	Ionesco joue dans un spectacle de Nicolas Bataille, *les Possédés* (d'après Dostoïevski).	**1951**	Création de *la Leçon* (écrite en 1950) au théâtre de Poche, à Paris.
		1952	*Les Chaises* (écrites en 1951), théâtre. *Le Salon de l'automobile,* sketch radiophonique.
		1953	Première édition (Arcanes) de *la Cantatrice chauve,* « anti-pièce », et de *la Leçon,* « drame comique ». Avec une préface du critique Jacques Lemarchand, qui ne cessera de le soutenir contre une critique en majorité hostile. *Le Maître* (écrit en 1951), théâtre. *Victimes du devoir* (écrit en 1952), théâtre. *La Jeune Fille à marier,* théâtre.
1954	Lors d'une reprise des *Chaises* par Jacques Mauclair et Tsilla Chelton, Jean Anouilh écrit un article retentissant en première page du *Figaro,* où le théâtre de Ionesco avait été jusque-là attaqué.	**1954**	*Amédée ou Comment s'en débarrasser* (écrit en 1953), théâtre. Début de la publication, aux éditions Gallimard, du *Théâtre* de Ionesco (5 vol., 1954-1974). Le premier volume est préfacé par Jacques Lemarchand.
		1955	*Jacques ou la Soumission* (écrit en 1950), théâtre. *Le Nouveau Locataire* (écrit en 1953), théâtre. *Le Tableau* (écrit en 1954), théâtre.
		1956	*L'Impromptu de l'Alma* (écrit en 1955), théâtre.
1957	*La Cantatrice chauve* et *la Leçon* entament, au théâtre de la Huchette, une carrière qui, en 1984, se poursuit encore.	**1957**	*L'avenir est dans les œufs* (écrit en 1951), théâtre.
1958	Polémique à Londres, menée par Kenneth Tynan, contre le théâtre de Ionesco, joué désormais un peu partout dans le monde.		

VIE	ŒUVRE
	1959 *Tueur sans gages* (écrit en 1957), théâtre. *Scène à quatre,* théâtre.
1960 Avec *Rhinocéros,* mis en scène et joué par Jean-Louis Barrault à l'Odéon-Théâtre de France, c'est la première fois que Ionesco est joué dans un grand théâtre. Par la suite, J.-L. Barrault montera également *le Piéton de l'air* et *la Lacune,* satire d'un académicien qui n'a jamais réussi à passer son bachot.	**1960** *Rhinocéros* (écrit en 1958), théâtre. *Apprendre à marcher,* ballet.
	1961 *La Colère,* scénario pour le film *les Sept Péchés capitaux* (1962); sketch réalisé par Sylvain Dhomme.
	1962 *Délire à deux,* théâtre. *Le roi se meurt,* théâtre. *La Photo du colonel,* récits. *Notes et contre-notes,* écrits divers sur son théâtre.
	1963 *Le Piéton de l'air* (écrit en 1962), théâtre.
	1965 *La Soif et la faim* (écrit en 1964), théâtre.
1966 La Comédie-Française crée *la Soif et la Faim,* avec Robert Hirsch. Elle reprendra ensuite (à l'Odéon) *Le roi se meurt,* créé par Jacques Mauclair.	**1966** *La Lacune* (écrit en 1962), théâtre. *L'Œuf dur* (écrit en 1963), scénario. *Entre la vie et le rêve,* entretiens avec Claude Bonnefoy.
	1967 *Journal en miettes.*
	1968 *Présent passé, passé présent.*
	1969 *Exercices de conversation et de diction françaises pour étudiants américains,* écrits à la demande d'un professeur américain. Certains de ces « exercices » feront l'objet d'une mise en scène de Claude Confortès, dix ans plus tard. *Découverte,* essai.
1970 Élu à l'Académie française, au fauteuil de Jean Paulhan, dont il prononce l'éloge. La même année, tourne dans un film qu'il a écrit : *la Vase.*	**1970** *Jeux de massacre,* théâtre. *La Vase,* scénario de film pour la TV suisse, réalisé par Wolfgang Dauner. *Ionesco à cœur ouvert,* entretiens avec Gilbert Tarrab.
	1972 *Macbett,* théâtre.
	1973 *Le Solitaire,* seul roman connu de Ionesco. *Ce formidable bordel,* théâtre.
	1975 *L'Homme aux valises,* théâtre.
	1976 *Contes pour enfants de moins de trois ans,* illustrés par E. Delessart, N. Claveloux, Ph. Corentin. Ces contes avaient paru dans *Présent passé, passé présent.*
	1977 *Antidotes,* essai.
1978 En août, un colloque est consacré à Ionesco à Cerisy-la-Salle.	
	1979 *Un homme en question,* recueil d'articles de revues.
	1980 Publication, en trois livraisons de *la Nouvelle Revue française,* de *Voyage chez les morts,* qui est la trente-troisième pièce de Ionesco.

🕮 *La Cantatrice chauve*

« Tiens, il est neuf heures. Nous avons mangé de la soupe, du poisson, des pommes de terre au lard, de la salade anglaise. Les enfants ont bu de l'eau anglaise. Nous avons bien mangé ce soir. C'est parce que nous habitons les environs de Londres et que notre nom est Smith... ». Ainsi débute *la Cantatrice chauve,* la première et la plus célèbre des pièces de Ionesco, qui lui a été inspirée par la méthode Assimil d'anglais. Un couple, M. et Mme Smith, reçoit un autre couple, M. et Mme Martin. Ils ne prononcent que des banalités, la plupart du temps privées du sens le plus élémentaire. Ils sont rejoints par le capitaine des pompiers, qui se plaint de manquer d'incendies, débite des anecdotes vaseuses. Il y a également la bonne, Mary, qui, elle, récite un poème débile sur le feu. A la fin, les Smith et les Martin se disputent, retombent en enfance, ne parlant que par allitérations ou onomatopées. Et « la cantatrice chauve »? Elle n'existe que dans la bouche du pompier, qui, avant de sortir, demande des nouvelles de cette bizarre personne, dont nous saurons seulement qu'« elle se coiffe toujours de la même façon ».

Chef-d'œuvre de *nonsense, la Cantatrice chauve,* créée en 1950, se joue sans interruption au théâtre de la Huchette, à Paris, depuis 1957, sans qu'on puisse prévoir — en 1984 — la fin de cette étonnante carrière.

BIBLIOGRAPHIE

R. Jouanny, *la Cantatrice chauve et la Leçon,* Paris, Hachette, 1975.

Le roi se meurt

Le décor représente la salle du trône, « vaguement délabrée, vaguement gothique », dans le palais du roi Bérenger Ier. Deux reines, une vieille et une jeune — les deux épouses du roi —, une femme de ménage, un médecin, qui est aussi astrologue et bourreau, un garde enfin, qui joue le rôle du chœur antique, peuplent ce palais qu'on va voir se fissurer de toutes parts, jusqu'à la disparition finale. Tous veulent préparer le roi à mourir, tout simplement parce qu'il faut bien mourir un jour. Lui n'y tient pas spécialement. Contre tous les avis, il veut continuer à vivre, ce qui paraît aux autres une preuve de faiblesse. La première reine est pleine de sarcasmes, la seconde voudrait apprendre à son époux à trouver la mort joyeuse. Seule, la femme de ménage partage les angoisses du roi... En une farce tragique, qui n'est pas sans rappeler *le Malade imaginaire,* le médecin et les reines décrivent au roi, qui se sent de plus en plus mal, les symptômes les plus précis ou les plus extravagants de la mort toute proche. Sous ces encouragements macabres et ces imprécations, le roi devient somnambule, sourd, aveugle. Il a beau crier : « Moi! Moi! Moi! », la vieille reine le conduit vers le néant au cours d'une longue tirade, telle une sorcière qui commanderait aux éléments et serait l'ordonnatrice d'un monstrueux cauchemar.

Personnage tout symbolique, le roi de Ionesco ressemble à l'Homme, tel que le décrivent Shakespeare ou Pascal. Le grotesque des situations, la richesse des métaphores illustrent à merveille le pessimisme d'un destin inéluctable, « la misère et la grandeur » de l'homme, qu'aucun Dieu, ici, ne vient sauver.

BIBLIOGRAPHIE

B. Gros, *Le roi se meurt,* Paris, Hatier, 1972.

BIBLIOGRAPHIE GÉNÉRALE

La bibliographie la plus complète des écrits sur Ionesco se trouve dans le livre publié en Grande-Bretagne par Richard N. Coe, *Ionesco, a Study of his Plays* (Edimburgh-London, 1971). On consultera également l'étude de Leonard Pronko, *Eugène Ionesco* (Columbia University Press, New York, 1965) et celle de Peter Ronge, *Polemik, Parodie und Satire bei Ionesco* (Gehlen Verlag, Berlin-Zurich, 1967).

En français, on se référera, par ordre alphabétique, aux livres de Claude Abastado (Bordas, 1971), Simone Benmussa (Seghers, « Théâtre de tous les temps », 1966), Raymond Laubreaux (Garnier, 1973) et de Paul Vernois, *la Dynamique théâtrale d'E. Ionesco* (Klincksieck, 1972).

Plusieurs revues ont consacré des numéros spéciaux à l'œuvre de Ionesco, dont les *Cahiers des Saisons* (no 15, 1959), les *Cahiers de la Cie Renaud-Barrault* (no 29, 1960 et no 42, 1966).

Les communications faites au Colloque de Cerisy de 1978 ont paru en un volume chez Pierre Belfond (1980), sous le titre : *Ionesco, situation et perspectives.*

G. DUMUR

ISAMBERT Anselme (XVIe siècle). Honorable témoin de la vogue de l'églogue politique et religieuse pendant les guerres de Religion, Isambert est un poète d'occasion, discret et médiocrement doué. Originaire de Thouars en Poitou, il exerça en qualité d'avocat au parlement de Paris. Son *Éclogue de deux bergers de France* (1568), où l'on discourt sur la pacification des troubles, la conversion d'un berger ou la naissance de Charles IX, revêt la « forme pastoralle, pour y avoir plus de plaisir et gayté, que en tout autre manière ». Elle prêche la modération, comme le *Discours pastoral* contemporain de Pierre de Brach. C'est toutefois la *Seconde Éclogue* (1568) qui présente le plus d'intérêt. Isambert y loue l'intervention de Dieu, qui a créé Charles IX pour accomplir le miracle d'éteindre la haine des partis et d'assurer la paix à la France : on sait ce qu'il en sera quatre ans plus tard. Très présent à son temps, le poète déteste les gourmandises charnelles de ses vertes années et affirme avoir renoncé à la littérature lascive et païenne. La piété la plus orthodoxe sera désormais sa muse.

La mince contribution littéraire d'Isambert ne prend tout son sens que rapprochée des productions similaires de Des Masures (*Églogue spirituelle,* 1568) et d'Étienne Valancier (*Bergerie spirituelle,* 1568), pour le parti protestant, ou de Jean Willemin chez les catholiques (*Eclogue du Verbe divin,* 1573). C'est l'heure où prend forme dans l'églogue le rêve précaire de la paix civile et religieuse.

BIBLIOGRAPHIE

Alice Hulubei est la seule (*l'Églogue en France au XVIe siècle,* Paris, E. Droz, 1939) à avoir accordé quelque attention à une œuvre qui n'a par ailleurs jamais été réimprimée.

M. SIMONIN

ISOPETS (Moyen Âge). Ce terme (du nom d'Ésope, fabuliste par excellence) désigne des recueils de fables de provenance variée, mais remontant, pour l'essentiel, à Phèdre, dont circulent au Xe siècle des versions latines (*Ésope d'Ademar, Ésope de Wissembourg, Romulus*). Le *Romulus* est repris en prose (*Romulus* « ordinaire », de Vienne-Berlin, de Nilant), abrégé (Vincent de Beauvais), ou rimé en vers élégiaques (Walter l'Anglais) ou autres (Alexandre Neckham). Ce sont les traductions de ces deux dernières versions que l'on appelle « isopets » : d'après Walter, l'*Isopet de Lyon,* les *Isopets I* et *III de Paris;* à partir de Neckham, l'*Isopet II de Paris* et celui de *Chartres.* Le plus connu est le recueil de Marie de France. Ce corpus complexe ne représente que des variations sur un répertoire commun d'apologues, où l'auteur médiéval trouve, entre l'*exemplum,* simple anecdote illustrative, et l'allégorie ou la parabole, un procédé d'exposition didactique et morale qui permet de dégager la « sentence » *(Chartres)* ou la « moralité » (*Paris I*) d'un court récit. Ce type d'écriture correspond d'ailleurs parfaitement au schéma familier de la glose, que les prologues explicitent avec la métaphore exégétique de la fleur et du fruit (« Li flours est example de fable/Li fruiz doctrine profitable » *Lyon,* vers 13-14). Alors que le *Roman de Renart* et le fabliau relèvent d'une philosophie pragmatique, où chaque cas a sa loi et constitue une situation non renouvelable, la fable médiévale prend l'anecdote comme démonstration du proverbe et tente d'atteindre un niveau élémentaire de généralité.

BIBLIOGRAPHIE

J. Bastin, *Recueil général des Isopets,* S.A.T.F., Champion, 1929; L. Hervieux, *les Fabulistes latins depuis le siècle d'Auguste jusqu'à la fin du Moyen Âge,* Paris, 1893-1899, 5 vol.

A. STRUBEL

ISOU Isidore, pseudonyme de **Jean Isidore Goldstein** (né en 1925). Isidore Isou se présente comme le « pape » incontesté du mouvement lettriste, dont il est, au demeurant, le fondateur et qu'il anime avec Maurice Lemaître. D'origine roumaine, né à Botosani (Roumanie), il se fait connaître en publiant dans l'immédiat après-guerre *l'Agrégation d'un nom et d'un messie* et surtout l'*Introduction à une nouvelle poésie et à une nouvelle musique* (1947), ouvrage dans lequel, tout en offrant sa « première épître aux lettristes », sans renier absolument l'expérience poétique antérieure, il s'explique sur « le devenir et le futur de la lettrie », synthèse originale de la poésie et de la musique, qui doit mettre au jour le matériel poétique dans sa substance primitive. Il veut ainsi approfondir et justifier théoriquement une recherche qui n'avait fait auparavant l'objet que de tentatives limitées. La lettre devient intrinsèquement l'unité de mesure, et l'alphabet usité se voit enrichi pour permettre l'élargissement de la gamme des signes lettristes et la multiplication des combinaisons possibles. La poésie d'Isou, « symphonie de voix », se débarrasse donc, *in abstracto,* du mot porteur de sens, qui n'a plus rien à dire, pour retenir uniquement le mot en tant que « morceau sonore ».

La nostalgie de l'art total, de l'invention absolue, qui se manifeste dans ce livre amène Isidore Isou à déborder de son cadre de départ; ses prétentions s'étendent très vite à l'économique et au politique, de même qu'au roman, au théâtre (*Fondements pour la transformation intégrale du théâtre,* 1953-1970) et à la peinture (*les Champs de force de la peinture lettriste,* 1964) : son activité picturale participe du désir affiché de constituer le lettrisme en un mouvement de création capable de transformer l'ensemble des disciplines esthétiques de notre temps, puis de bouleverser les autres domaines de la culture.

Une telle ambition se passe difficilement de la violence polémique (cf. *la Revue lettriste et hypergraphique,* les revues *Lettrisme* et *Arguments lettristes),* ainsi que d'une pratique certaine de l'anathème et surtout de l'hyperbolique et du spectaculaire. On a plus parlé du personnage Isou et de ses intentions que de ses œuvres, en grande partie ignorées.

L. PINHAS

ITALIE. Influence de la littérature italienne sur la littérature française. C'est à l'aube des Temps modernes que se noue entre la France et l'Italie un incessant dialogue dans lequel chacune contractera la dette indispensable à l'éveil ou à la résurrection de son génie propre, quand l'heure l'exigera.

Dans une Europe des Lumières fascinée par la culture française, c'est à l'ombre des engouements encyclopédistes et voltairiens qu'un Vico élaborera, pour l'admiration future de Michelet, sa *Scienza nuova,* ou qu'un Alfieri, reniant ses premières idoles dans son *Misogallo,* rêvera d'une littérature nationale revivifiée.

Lorsque l'imaginaire anglo-saxon déferlera sur l'Europe romantique, écrivains français et italiens échangeront leurs égales incertitudes et d'identiques préoccupations d'originalité.

Mais au XVIe siècle, à l'époque où l'humanisme triomphant voit dans l'Italie la dépositaire de l'héritage gréco-latin et la mère de la civilisation occidentale, nul ne songe à contester à Dante, à Pétrarque ou à l'Arioste un rôle d'initiateurs privilégiés. Leur patrie n'offre-t-elle pas le modèle d'un monde pétri par les idées, où les lettres et les arts tendent à ériger leurs lois et à bâtir leurs rêves? d'un État dont l'idée existe sans pour autant que sa forme soit? L'Italie, adulte dans sa culture, est encore à faire dans ses institutions. Mais elle vit déjà en tant que patrie du poète, de l'artiste ou du savant.

Amour des êtres, amour des formes

Dès le XIe siècle, la lyrique provençale, dont les troubadours vont répandre les idéaux, contribue de façon décisive, en jetant les bases de la *fin'amor,* à construire en Italie comme en France l'univers courtois, monde tout entier voué à la fiction profane où l'amour tient lieu de foi; où la femme, objet d'un véritable culte, devient le plus sûr guide de toute quête.

Sous l'impulsion de Guido Guinicelli, de Guido Cavalcanti ou de Cino da Pistoia, au XIIIe siècle, puis de Dante et de Pétrarque, au XIVe, la poésie toscane va y puiser le fonds d'une spiritualité nouvelle et d'une expression plus ambitieuse d'absolu, le *Dolce Stil Nuovo.* Amour et platonisme y définissent une morale dont le raffinement et l'élévation enthousiaste auront tôt fait de forger une rhétorique. Images précieuses, métaphores distillées, musiques fluides et syntaxe moderne, ciselée, y tracent les contours béatifiques propres à idéaliser et pérenniser la chose touchée par la magie poétique. Laure, dont la figure n'existe, dans le *Canzoniere* de Pétrarque, que par la modulation, « en des rimes éparses », des « soupirs » qu'elle a inspirés, va vite susciter des imitations serviles et alambiquées.

Pietro Bembo ne retiendra du pétrarquisme que l'aristocratique postulation à une littérature éprise de perfection et de virtuosité formelles. Et c'est peut-être sous cet aspect restrictif que la littérature française le découvre, lorsque Marot paraît y emprunter les éléments d'un renouvellement poétique encore bien hésitant, aiguisant en son exil de Ferrare son goût pour le sonnet et ouvrant la voie à l'école lyonnaise de Maurice Scève et de Louise Labé, sourciers d'une poésie prise du vertige d'elle-même pour laquelle l'amour devient langue sublime dont il faut décliner chaque délicatesse, arithmétique spirituelle dont le chiffre est le vers. Le « feu » et la « glace » qui mettent à la torture l'amant de *Délie* font du dizain l'architecture exacte et minutieuse d'un tourment délectable, tout entier compris dans son énonciation :

> Mais moi, je n'ai d'écrire autre souci
> Fors que de toi, et si ne sais que dire,
> Sinon crier merci, merci, merci.

Une telle écriture ne poursuit-elle pas le rêve de désincarnation en l'idée même de l'amour, déjà exprimé par Pétrarque? L'amoureux pétrarquiste, ivre de sa propre passion, conduit tout naturellement le poète, qui s'identifie à lui, à l'ivresse de sa simple parole. Pourrait-il être satisfait par ce qu'il désire de façon confuse et ne possède qu'imparfaitement, si la forme parfaite que le sonnet, le dizain ou les stances confèrent à l'inintelligible chaos de son âme ne venait lui offrir une figure d'accomplissement? Aux genres poétiques médiévaux, souvent fondés sur la notion d'un discours réitératif (ballades, rondeaux, refrains...), semblent se substituer des genres plus affranchis de toute tradition orale, trouvant leur seule substance en l'écrit — et donc plus clos et résolutifs.

Si le lyrisme italien a le mérite d'inspirer cette tendance, son influence, il est vrai, doit composer avec celle d'une Antiquité redécouverte et s'imposera difficilement face à l'éveil d'une sensibilité « gauloise », séduite par l'idée de soumettre la fureur poétique aux douces contraintes de la *terza rima* et, en même temps, rétive à toute conception mystique de la quête amoureuse.

De fait, le pétrarquisme a presque autant suscité d'enthousiasme qu'il a provoqué de défiance. A force d'abstraction et de jeu, ses thèmes ont vite fait de se scléroser, de perdre tout naturel pour verser dans la convention la plus empesée. Du Bellay, avec les cent quinze sonnets de l'*Olive* (1550) lance véritablement une mode dont Pontus de Tyard, Ronsard, Baïf seront entichés. Mais il ne lui faut que trois ans pour pouvoir clamer (1553) :

> J'ai oublié l'art de pétrarquiser,
> Je veux d'amour franchement deviser...

Que marinisme et préciosité poursuivent le courant jusqu'au crépuscule de l'Europe baroque importe peu. Dépassant rapidement la pratique du plagiat ou du pastiche, la littérature française a conçu à partir de l'imitation une théorie de l'art, à partir de l'utilisation de ses modèles une esthétique qui permet de les dominer, faute de s'en dégager totalement. Pétrie de culture italienne, Marguerite de Navarre n'en invoque, pour son *Heptaméron,* qu'une très superficielle inspiration formelle : « Si je me sentois aussy suffisante que les Antiens, qui ont trouvé les arts, je inventerois quelque passetemps ou jeu pour satisfaire à la charge que me donnez; mais cognoissant mon sçavoir et ma puissance, qui à peine peult rememorer les choses bien faictes, je me tiendrois bien heureuse d'ensuivre de près ceulx qui ont desja satisfaict à vostre demande. Entre autres, je croy qu'il n'y a nulle de vous qui n'ait leu les cent Nouvelles de Bocace, nouvellement traduictes d'ytalien en françois... »

Mais, à la différence de Boccace, elle prétend : « n'escripre nulle nouvelle qui ne soit véritable histoire ».

Reconnaître aux maîtres italiens la paternité des « choses bien faites » tout en plaçant la vérité au centre de sa propre recherche, n'est-ce pas le pire des reniements?

Les maîtres de l'illusion

L'Arioste et le Tasse auront une influence plus durable, sinon plus profonde. C'est à leur école, en effet, que la France s'accoutume à la conception d'un univers littéraire absolument autonome et riche en lui-même de tous les possibles. Pour s'être abondamment illustrés dans l'*Orlando furioso* ou dans la *Gerusalemme liberata,* magie, féerie et fantastique trouvent droit de cité au sein d'un fabuleux assez éloigné du merveilleux médiéval pour séduire la sensibilité des modernes.

Sur le plan formel, il est vrai, ce courant se révèle décevant, voire dérisoire. De Ronsard à Voltaire, pour ne citer que *la Franciade* ou *la Henriade,* mille entreprises, toutes stériles ou avortées, vont s'inspirer du Tasse pour concevoir une épopée nouvelle, fondée sur un sujet à la fois sacralisé par l'histoire et susceptible d'autoriser la fiction, l'expression libre du poète. L'*Aminta* du Tasse fera beaucoup pour mettre en vogue la pastorale, genre promis, lui aussi, à un rapide déclin. Le romanesque précieux ne saura pas davantage pérenniser la fortune des thèmes de l'Arioste.

Reste à ces œuvres le mérite essentiel d'avoir suscité un climat culturel propice à valoriser la fiction et à promouvoir, contre les valeurs officielles, les idéaux d'une éthique résolument profane, volontiers frondeuse. De tous ces hymnes aux voluptés de l'amour, aux déchaînements sublimes des passions et de l'héroïsme, La Fontaine ou Voltaire, Garnier ou Corneille sauront tirer parti. Ainsi peut être revendiquée cette toute-puissance de l'imaginaire dont *l'Illusion comique* de Corneille, œuvre nourrie de féerie et de pastorale, apparaît comme le véritable manifeste.

De fait, le théâtre va se révéler le domaine d'élection des influences italiennes. A l'enthousiasme de leurs poètes pour l'invention, les artistes de la Comédie-italienne — définitivement fixés à Paris en 1660, mais exerçant en France dès le début du XVIe siècle — ajoutent l'efficacité de leur jeu dramatique, leur science de la scène, leurs vertus d'improvisation, dont l'exemple décidera en grande partie de l'art de Quinault, Corneille ou Régnard. Molière, plus encore, est le disciple de ce théâtre. Le premier en France, il considère la troupe des acteurs comme le matériau vivant du dramaturge et la mise en scène comme la vraie dimension de son écriture. Il ne se contente pas de l'imitation besogneuse, voire de la traduction pure et simple des pièces italiennes, comme en usaient ses prédécesseurs au XVIe siècle. Il consacre l'évolution d'un art dramatique qui, ayant digéré ses emprunts, est devenu adulte, comme en témoigne, au XVIIIe siècle, le parallélisme des carrières d'un Marivaux, dont l'œuvre tout entière est traversée par les lumineuses sarabandes d'Arlequin, et d'un Goldoni, écrivant en français son *Bourru bienfaisant.*

En 1582, Robert Garnier trouvait dans l'Arioste le sujet de *Bradamante.* Il s'engageait dans la voie tracée par une culture qui tendait déjà depuis deux siècles à faire de toute représentation la mise en forme, rituelle et initiatique, de l'imaginaire individuel aux fins d'une sublimation collective. Plus que jamais, pour la société qui l'écoute, l'instant où parle le poète devient « un moment solennel de l'existence [...], où l'idéal moral, religieux et poétique qu'[elle] s'est formé prend une forme visible » (Jacob Burckhardt).

Ainsi peut triompher une littérature d'essence mondaine, aux visées profondément civilisatrices, et donc aussi capable d'exalter que de morigéner. Fantaisie débridée, culte baroque d'un univers des apparences, de l'illusion pure et du merveilleux, n'ont pas pour seul but, chez l'Arioste, de fasciner. Parodie, burlesque, dérision malicieuse y montrent le nez de façon insistante. C'est dans *Orlando furioso* que Cyrano de Bergerac trouve l'idée de ses très irrévérencieux voyages aux *États et Empires de la Lune.* Libertins et précieux auront tôt fait de trouver là les accents de leurs revendications et les premières incitations à rêver le monde littéraire comme une société élitiste, fondant sur les idées un nouveau pouvoir et réalisant, au sein d'une véritable république des lettres, en l'intelligence des « beaux esprits », la réalité harmonieuse, éclairée par les sciences, les arts et la philosophie, à laquelle ils aspirent.

A l'évidence, depuis la *lieta brigata* des dix conteurs de Boccace ou l'Enfer imaginé par Dante, jusqu'à l'abbaye de Thélème ou les salons du Grand Siècle, tout ce que touche la littérature prend la forme de la cité. C'est dans cette mouvance que la Pléiade, premier « état » des poètes français, premier cénacle, préfigure une durable ambition de nos lettres à gouverner à partir de la pensée le monde tel qu'il devrait être. Il était dans le destin naturel du néo-platonisme italien de faire évoluer ceux qu'il inspira d'un spiritualisme mondain à une réflexion plus nécessairement politique. Se rendre, par le jeu poétique, maître de l'illusion ne revient-il pas à régner de droit sur ce qui importe infiniment plus que les choses : les idées?

Poésie de l'histoire, raison de l'État

Plus qu'il ne domine ou n'investit totalement la littérature française, le modèle italien contribue de façon essentielle à son éveil critique. Jusque dans la négativité du rejet qui s'exprime avec véhémence chez Agrippa d'Aubigné, fulminant contre « nos sçavans apprentifs du faux Machiavel » (*Tragiques*). Reste que Machiavel va se trouver au centre de tous les débats politiques qui, jusqu'à la Révolution, agiteront nos écrivains.

Montaigne veut bien reconnaître que « le Prince, quand une urgente circonstance et quelque impétueux et inopiné accident du besoin de son État lui fait gauchir sa parole et sa foi, ou autrement le jette hors de son devoir ordinaire, doit attribuer cette nécessité à un coup de la verge divine; vice n'est-ce pas, car il a quitté sa raison à une plus universelle et puissante raison... » (*Essais,* III, 1). Aveu qui lui coûte et dont le conservateur qu'il demeure saisit les redoutables possibilités d'extrapolation.

Balançant sans cesse entre l'horreur et la fascination, les théoriciens français élaborent différents modes de récupération du machiavélisme. Soit en le tempérant, en voulant n'y voir qu'un pur rationalisme et en cherchant à le relativiser par la mise en avant du *Discours sur la première décade de Tite-Live* de préférence au *Prince* : ainsi en use Montesquieu, qui doit à Machiavel l'essentiel d'une vision de l'histoire bâtie sur les notions de grandeur et décadence des États, où la dégradation des formes anciennes sert de moteur à l'invention de nouveaux systèmes, échappant donc aux représentations cycliques traditionnelles. Soit comme Rousseau, pour qui Machiavel est plutôt le dénonciateur de la perversité du tyran que l'apôtre de la raison d'État et de la violence nécessaire en matière politique.

Le rationalisme français, de Descartes à Bayle, devait déjà beaucoup à Galilée ou à Giordano Bruno. Ce dernier, notamment, ne prétendait-il pas que « la nature n'est que la puissance innée aux choses, la loi selon laquelle tous les êtres achèvent leur propre cours »? (*De immenso*). En méditant sur *le Prince*, philosophes et encyclopédistes voient démontrée l'existence d'un pouvoir d'agir entièrement acquis à l'homme dans l'ordre d'un réel qui n'a de sens que par l'affrontement des forces et des volontés. Dans une pensée qui célèbre l'opposition des contraires, structurante et créatrice, la France découvre la préfiguration d'une dialectique.

Domaine privilégié du discours pendant deux siècles, le politique sera analysé sous nos cieux à partir de concepts forgés par une philosophie persuadée que l'État est une « création calculée, voulue, comme une machine savante » (Burckhardt), que le Prince est d'abord un artiste, l'inventeur d'un nouveau langage. Et quand Vico place dans « la sagesse poétique l'origine de toutes choses divines et humaines » (*Scienza nuova*), inspirant à Rousseau l'*Essai sur l'origine des langues*, il pousse à son terme une conception de l'histoire couronnant l'évolution interne de l'esprit humain comme véritable agent de toute mutation dans son devenir ou son état.

Au fur et à mesure que la sensibilité poétique offre aux hommes des noms pour désigner les choses dont ils n'ont pas encore la connaissance, le progrès devient possible : « L'homme n'étant proprement qu'intelligence, corps et langage, et le langage étant comme l'intermédiaire des deux substances qui constituent sa nature, le CERTAIN en matière de justice fut déterminé par des actes du corps dans les temps qui précédèrent l'invention du langage articulé. Après cette invention, il le fut par des formules verbales. Enfin, la raison humaine ayant pris tout son développement, le certain alla se confondre avec le VRAI des idées relatives à la justice, lesquelles furent déterminées par la raison d'après les circonstances les plus particulières des faits » (*Ibid.*). La vérité originelle de l'histoire devient poésie, tandis que sa fin ne trouve de raison qu'en l'art, postulation sublime de toute civilisation.

Ballanche et surtout Michelet, traducteur enthousiaste de Vico, s'emparent de ce qui leur paraît être la part la plus recevable, pour le romantisme, de l'héritage des Lumières. Et cela, bien évidemment, parce qu'elle en diverge radicalement, tournant le dos au scientisme étroit, au rationalisme absolu d'un Condorcet ou d'un d'Holbach. « Son système nous apparaît, au commencement du dernier siècle, comme une admirable protestation de cette partie de l'esprit humain qui se repose sur la sagesse du passé conservée dans les religions, dans les langues et dans l'histoire, sur cette sagesse vulgaire, mère de la philosophie et trop souvent méconnue d'elle. Il était naturel que cette protestation partît de l'Italie » (Michelet, *Discours sur le système et la vie de Vico*). Tout le mérite de Vico consiste donc à permettre de ré-humaniser l'histoire, au point de faire de l'humanité l'objet d'une nouvelle foi.

Dialogue, monologue

Née d'un premier humanisme, la complicité des littératures française et italienne tend ainsi à en fonder un nouveau. Au-delà, le dialogue semble tourner court.

Le romantisme français, en effet, devra fort peu de choses à l'Italie, dont il ne revendique de préférence que les grands maîtres de la Renaissance, et plutôt à titre d'alibis que de pères. A travers le culte de Dante, par exemple, dont l'évocation sert de support à la figure mythique de l'intransigeante pureté du poète inspiré. A peine si la *Lettre à Chauvet* de Manzoni trouve quelques échos dans la Préface de *Cromwell*.

Même quand les influences italiennes paraissent plus évidentes, elles ne devraient jamais en occulter d'autres, plus immédiates et décisives. Les rhétoriqueurs ont au moins autant appris à Scève ou à Ronsard que Pétrarque. Et l'on ne doit pas ignorer non plus que les tendances que l'Italie inspire sont parfois les plus éphémères et les moins fécondes : l'expérience et la sensibilité propres de nos écrivains ont sans doute apporté la part majeure à l'éclat de notre littérature.

Que doit le réalisme français, sa veine la plus originale, à la patrie du Politien? Presque rien. A l'Espagne? Bien davantage — et encore fort peu. « Ce n'est pas un hasard si la décomposition d'une réalité devenue chant s'est transformée, dans la prose de Cervantès, en la spontanéité pleine de souffrance d'une grande forme épique alors que la danse gracieuse des vers de l'Arioste reste jeu et lyrisme » (Lukács, *Théorie du roman*).

Balzac, Stendhal, Zola connaîtront une certaine fortune au-delà des Alpes. Mais, pour leur avoir emprunté, le vérisme d'un Verga n'en trouvera qu'un peu plus vite ses propres voies. Et quand Ionesco songe à un théâtre rénové par la subversion des stéréotypes du Boulevard, c'est à peine si Pirandello a encore voix au chapitre.

Traductions des grandes œuvres de la littérature italienne ayant influencé les écrivains français

Pétrarque : *Œuvres vulgaires* (écrites en langue italienne), traduites en 1555; *Œuvres amoureuses*, traduites en 1669; *Poésies*, traduites en 1830, 1841, 1842, 1848.

Arioste : *Roland furieux*, trente fois traduit entre 1543 et 1829, puis huit fois jusqu'en 1905.

Le Tasse : l'*Aminta*, huit fois traduite de 1584 à 1785; *Jérusalem délivrée*, cinq fois traduite de 1593 à 1667.

Machiavel : *le Prince*, six fois traduit de 1552 à 1743.

Dante : *la Divine Comédie*, quatorze fois traduite (partiellement ou en totalité) de 1597 à 1877.

Boccace : *le Décaméron*, vingt fois traduit de 1495 à 1845.

Vico : *Principes de la philosophie de l'histoire*, traduit en 1827.

BIBLIOGRAPHIE

Philippe Van Tieghem, *les Influences étrangères sur la littérature française*, Paris, P.U.F., 1967; Paul Van Tieghem, *le Mouvement romantique*, Paris, Vuibert, 1968; C. Pellegrini, « Il Petrarca nella cultura francese », *Rivista di Letterature Moderne*, Florence, 1946; F. Nicolini, « la Teoria del linguaggio dans G.B. Vico e G.G. Rousseau », *R.L.C.*, 1930.

D. GIOVACCHINI

IVOI Paul d', pseudonyme de **Paul Charles Deleutre** (1856-1915). Le plus célèbre roman de Paul d'Ivoi, *les Cinq Sous de Lavarède* (1894), fut écrit en collaboration avec Henri Chabrillat (1842-1893) qui devait mourir avant la publication de l'ouvrage. Ce roman apparut comme une heureuse réaction contre le récit d'aventures anglo-saxon qui avait régné pendant des décennies : un héros très français, voire parisien, à la fois gouailleur et chevaleresque, dont Arsène Lupin sera le modèle achevé; des aventures héroï-comiques qui s'efforcent à la vraisemblance; un exotisme facile à prétentions pédagogiques, une action allègre. Cette action, dans le cas des *Cinq Sous*, est la conséquence d'une sorte de pari : Armand Lavarède vient d'hériter d'un cousin; il ne touchera cependant l'héritage qu'à condition d'accomplir, en moins d'un an, le tour du monde avec cinq sous seulement en poche. Si la condition n'est pas remplie, c'est un Anglais, sir Murlyton, qui héritera. Double populaire de Phileas Fogg, Lavarède traverse les villes, les déserts, les océans, à pied, en bateau, à bicyclette et même en ballon; suivi et surveillé par Murlyton et sa fille miss Aurett, il séduit celle-ci et l'épouse après avoir triomphé par sa débrouillardise, des obstacles — somme toute complaisants — placés sur son chemin.

L'ouvrage eut plusieurs éditions dans les années 1894-1895. Chabrillat était mort; Paul d'Ivoi tira parti du succès de son héros en donnant une suite à ses exploits. Le nom des deux auteurs apparut encore sur la deuxième partie des *Cinq Sous, les Compagnons du lotus blanc* (1903), mais Paul d'Ivoi signa seul la troisième partie, *Miss Aurett* (1903). En 1902, au Châtelet, *les Cinq Sous de Lavarède* devinrent une pièce à grand spectacle, en quatre actes et vingt et un tableaux. Publiant la plupart de ses romans dans le cadre d'une série nommée « Voyages excentriques », d'Ivoi conçut un nouveau personnage d'aventurier, le *Corsaire Triplex* (1898), héros d'une nouvelle trilogie, *le Corsaire invisible* (1901), *Triplex* (1901), *l'Ile d'or* (1902). Toujours sous le titre générique de « Voyages excentriques », parurent ensuite *Massiliague de Marseille* (1902), *les Semeurs de glace* (1904), *Millionnaire malgré lui* (1906), *le Maître du drapeau bleu* (1907), *Miss Mousqueterr* (1908). D'Ivoi lança enfin, dans *le Petit Journal* (février-juin 1910), un feuilleton ultramoderne, *l'Aéroplane fantôme*, annoncé par l'image d'un avion enlevant une femme dans les airs, au-dessus des villes et des campagnes.

R. BELLET

IZOARD Jacques (né en 1936). Poète belge d'expression française. Né à Liège, Izoard est toujours resté fidèle à sa ville, et à l'Ardenne toute proche. Lecteur précoce, il choisit l'enseignement, rencontre en 1958 Breton et Supervielle, publie en 1962 son premier recueil, *Les sources de feu brûlent le feu contraire*, que suivront *Des lierres des neiges des chats* (1968), *la Patrie empaillée* (1973), *le Corps caressé* (1976), *Vêtu, dévêtu, libre* (1978), *Petites Merveilles poings levés* (1980). En 1965, il découvre l'Espagne, qui devient le contrepoint géographique et imaginaire de son paysage familier. Personnage discret et même solitaire, il ne se contente pourtant pas d'écrire, et joue un rôle important d'animateur dans le domaine de la poésie, dirigeant la revue *Odradek*, collaborant aux éditions « l'Atelier de l'Agneau », organisant de nombreuses rencontres littéraires en Belgique ou à l'étranger, encourageant de jeunes poètes comme Eugène Savitzkaya, Jean-Marie Mathoul, François Watlet.

Très tôt, Izoard ajuste la formule d'écriture à laquelle il se tiendra avec constance : textes brefs en vers ou prose, d'une extrême concision, auxquels le discontinu sémantique donne une allure énigmatique. Poésie moderne donc, dans la lignée de Char et de Reverdy, mais qui n'a rien de cérébral. Sans cesse y reviennent les images de la maison et de ses parties, du jardin, du village, mais surtout du corps. Corps qui n'est jamais monolithe, mais panoplie d'organes, puzzle dont les pièces émigrent, s'émancipent, le Dedans et le Dehors entrant l'un dans l'autre. Et pourtant, l'espace bouleversé reste essentiellement familier, et même exigu, voué au rétrécissement. Amour du lieu clos, du réceptacle, de la cachette. Du corps morcelé témoignent les innombrables fragments : œil, doigt, peau, nerf, rotule, mélangés à d'autres menus objets, aiguilles, marrons, bouts de laine ou de papier, qui se prêtent au ramassage, au larcin. A l'errance... La poésie d'Izoard est dense, secrète, répétitive, sans rien de spectaculaire ou d'emphatique. Elle est à la fois douce et tragique, sensible et inquiète. Elle aime le concret, ustensiles quotidiens, choses de jadis, fer et bois, herbe et feuille, auxquels elle donne un relief hallucinatoire. Elle rend compte d'une extraordinaire activité où se mêlent déambulation, exploration, sommeil, manipulation; activité cruelle et enfantine, d'où le vieux clivage entre l'homme et le monde aurait disparu.

D. LAROCHE

JABÈS Edmond (né en 1912). Poète d'origine juive, né au Caire, Edmond Jabès se situe dans la tradition mallarméenne. Il a écrit une œuvre importante qui est à la fois une méditation sur l'écriture et une confrontation de la littérature à sa propre utopie, à son propre horizon : cet auteur secret, mais aussi très rigoureux, est d'abord un « poète de la poésie », au sens où son travail interroge les fondements mêmes de l'entreprise poétique. D'où le paradoxe de cette œuvre exigeante qui semble pulvérisée entre deux zones contradictoires, aux limites de la folie : pour Jabès, l'écriture se construit et se détruit en même temps, elle explore un ailleurs fictif tout en implosant constamment sur son propre chaos. Car tel est le risque de toute parole : de retourner au silence d'où elle est sortie.

Deux grands ensembles forment l'essentiel de la quête poétique d'Edmond Jabès : *le Livre des Questions* (1963-1973), qui comporte sept livres étalés sur dix années, *le Livre des Questions, le Livre de Yukel, le Retour du Livre, Yaël, Elya, Aely, El,* et *le Livre des Ressemblances* (1976-1980), qui en comporte trois, *le Livre des Ressemblances, le Soupçon le Désert, l'Ineffaçable l'Inaperçu.* D'un titre à l'autre, on suit toujours le même approfondissement, au carrefour de quelques thèmes fondamentaux : le judaïsme (un judaïsme « après Dieu », dit Jabès), l'angoisse (celle d'écrire, celle de l'holocauste auquel fut livré le peuple juif et, aussi, celle du désert égyptien, qui est ici une métaphore de la création), la réflexion, sur l'origine et sur la fin, l'interpellation réciproque entre la poésie et les grands textes sacrés; le refus de toute certitude en matière d'écriture... Cela fait la beauté erratique, la tendresse et la fragilité de la poésie d'Edmond Jabès, poésie très consciente de sa solitude, mais qui réconcilie pourtant la tradition et la modernité.

BIBLIOGRAPHIE

Maurice Blanchot, *l'Entretien infini,* 1969, et *l'Amitié,* 1971, Gallimard; Jacques Derrida, *l'Écriture et la différence,* Le Seuil, 1967; Joseph Guglielmi, *la Ressemblance impossible, Edmond Jabès,* E.F.R., 1978; *Du désert au livre,* entretiens d'Edmond Jabès avec Marcel Cohen, Belfond, 1981. On pourra également consulter le numéro spécial de la revue *les Nouveaux Cahiers* (n° 31), le n° 22 de la revue *Change* ainsi que le n° 5 des *Cahiers Obsidiane.*

A. CLAVEL

JACCOTTET Philippe (né en 1925). Poète suisse d'expression française. Né à Moudon, en Suisse, Philippe Jaccottet, après des études littéraires, séjourne en France, où il s'installe définitivement, à Grignan, dans la Drôme, en 1953. Il mène dès lors une vie retirée consacrée à son œuvre. Traducteur admirable de Rilke et de Musil, essayiste, Jaccottet est avant tout un poète jusque dans les « proses » et carnets qui jalonnent son itinéraire. Ses recueils poétiques essentiels pour la période 1946-1967 — *Requiem,* 1947; *l'Effraie,* 1953; *la Promenade sous les arbres,* 1957; *l'Ignorant,* 1958; *Airs,* 1967 — ont été réunis dans un volume de la collection « Poésie Gallimard » (1971), avec une préface de Jean Starobinski. Depuis, l'œuvre s'est diversifiée, offrant des proses : *Paysages avec figures absentes* (1970), *A travers un verger* (1975); des carnets : *la Semaison* (1971) et *Journées* (1977); enfin et toujours des poèmes : *A la lumière d'hiver* (1977).

Dès ses premiers écrits, en 1944, une obsession de la mort se fait jour. Secrètement miné par le regret, la perte, Jaccottet est parfois tenté par le désespoir du Maître, personnage du récit *l'Obscurité* (1961). Le mouvement qui l'attire vers le bas ne provoque cependant jamais chez lui de complaisance morbide. Sa conscience du négatif nous engage au contraire dans la voie d'une

vie plus ardente et plus noble. A l'accablement répond un mouvement vers le haut. Est-ce alors quelque aspiration romantique à un dépassement du monde? La « Vraie Vie » est-elle « ailleurs », comme le proclamait Rimbaud? A ces excès, Jaccottet oppose une vision d'équilibre entre douleur et beauté de la vie. Cette mesure n'est jamais rassurante sagesse ni crainte aveuglée des extrêmes, mais oscillation et incertitude fondatrice : car selon Jaccottet, tout système clos, toute affirmation ne peut que laisser échapper l'essence de la réalité, qui est avant tout énigme et richesse fuyante. Humilité et patience sont donc nécessaires à qui veut alors recevoir et non saisir la beauté d'un monde qui se donne d'abord à voir comme nature. Celle-ci, objet de descriptions aussi fines qu'admirables, n'est jamais refuge mais lieu d'une attention aux saisons, aux fragiles beautés de l'herbe, lieu encore d'un recueillement nécessaire à ce qui, en nous, parle profondément. Le monde s'adresse à nous d'une manière insaisissable. Le langage tâtonne, avance vers le secret qui se dérobe sans cesse.

Être aux écoutes du monde constitue d'emblée un apprentissage du dépouillement poétique. Toute perfection close et séduisante de l'image serait une trahison. Puisque l'essentiel nous échappe, le poème ne sera jamais révélation triomphante mais suggestion et secret. C'est l'exigence d'un écrivain qui veut rester fidèle à la réalité. Une poésie juste est nécessairement incertaine et fugace, d'où ces thèmes du souffle, du fragile. Jaccottet possède au plus haut point le sens d'une éthique de l'écriture : la beauté ne doit pas être différente de la vérité. Si Jaccottet écrit des textes courts, fragmentés, des notes, si un discours continu lui est impossible, ce n'est jamais par impuissance ou choix formel mais par fidélité à la nature même du réel. Plus profondément, le langage recrée l'expérience d'une écoute. Celle du « pas léger de l'insaisissable » qui se trouve dans les plus humbles réalités. Il y a, certes, des moments lumineux et intenses, où le temporel semble dépassé, dont le seul souvenir valide la vie. Mais la tentation mystique est récusée : le poète est homme de la limite, d'où une thématique du clair-obscur. L'illimité se donne à voir dans le mystère fragile d'une fleur. Le plus simple est donc aussi le plus « saint ». Jaccottet ne se détourne jamais de l'ici-bas, même si les chants montent « d'en bas » comme d'une vallée de larmes, même si les images de l'envol se multiplient. Éloignée de toute complaisance, de toute ostentation, la poésie de Jaccottet nous touche profondément. On n'oublie pas son ton grave, sa ferveur dépouillée. Dans une forme souple qui refuse les dislocations bruyantes de la langue et les recettes formelles, elle atteste une continuité de la poésie française. Elle nous apporte la sagesse d'un climat spirituel, une leçon d'intégrité; avec Jaccottet, la beauté est liée à une haute morale, non seulement de l'écriture mais de la vie.

BIBLIOGRAPHIE
J. Borel, *Poésie et nostalgie*, Paris, Berger-Levrault, 1979; A. Clerval, *Philippe Jaccottet*, Paris, Seghers, 1976; J.-P. Richard, *Onze Études sur la poésie moderne*, Paris, Le Seuil, 1964. A consulter également le nº spécial 32-33 de la revue *Sud* (1980).

A. DÉCHAMPS

JACOB Antoine. V. MONTFLEURY.

JACOB Max (1876-1944). Vers la fin de sa vie, Max Jacob a brossé de lui-même un sublime portrait : cravaté d'ombre comme une cathédrale, jambes et pieds ogivaux, il dit s'être désiré gothique, lui qui n'alla qu'en sabots. Et il ajoutait : « Le fond de mon ventre est un opéra comique ». Aussi l'imagine-t-on assez bien en habit d'Arlequin. Chez ce grand frère d'Apollinaire qui influença fortement le surréalisme, la farandole et la fantaisie vont au rendez-vous d'une poésie paradoxale, dont on se plaît souvent à souligner les contrastes. Ces contrastes font, par exemple, que ce blagueur infatigable fut aussi un mystique; Max Jacob aimait le silence, mais il est également un des plus somptueux flambeurs de mots que le XXe siècle ait connus... Et si beaucoup de facéties ont roulé de son cornet à dés sur le tapis vert d'une langue essentiellement ludique, il ne faudrait pas oublier que ce genre de pratique est une des plus dangereuses qui soient : jouer avec la langue, comme Max Jacob l'a fait toute sa vie, c'est porter la crise au plus profond des fondations du sujet, ce sujet qui ne tient précisément que d'être chevillé au langage.

La biographie de Max Jacob est devenue tellement légendaire qu'elle a parfois occulté l'œuvre elle-même. Ce fils d'un tailleur juif émigré, qui découvre Rousseau à dix ans entre deux scénarios de Guignol, a passé son enfance à Quimper, dans une Bretagne profondément catholique et terriblement superstitieuse. Aussi, dès le départ, sa vie s'inscrit-elle sous un triple signe : déracinement, mysticisme, goût pour le mystère. Nous sommes à la fin du siècle lorsque le jeune Max décide de quitter sa province natale et de monter à Paris. Il y publie des contes pour enfants (*le Roi Kaboul et le marmiton Gauvin,* 1904) et fait un peu tous les métiers avant d'aller saupoudrer ses irrésistibles badinages sur la bohème avant-gardiste de Montmartre, que ses amis Picasso et Apollinaire lui font découvrir. C'est l'époque où les rêves bleutés et la misère noire conjuguent leurs roulis contre les planches mal jointes du « Bateau Lavoir », cette étrange demeure que le poète évoquera dans *le Roi de Béotie* (1921). Pour occuper ses journées, Max Jacob peint des gouaches; mais surtout, il ébauche ses premiers poèmes en prose, qu'il empile dans une grosse malle.

En 1909, coup de théâtre : le Christ lui apparaît dans sa chambre, surgi brutalement d'une aquarelle accrochée au mur. Il se précipite chez un prêtre, qui se moque de lui, mais il persiste dans sa conviction. Cet épisode sera d'ailleurs suivi d'une autre rencontre avec le surnaturel, cinq ans plus tard. Fantasme, hallucination due à l'éther, parodie de religiosité, influence du mysticisme breton, singerie de cette bigoterie dont regorgeait le Quimper de son enfance? On a beaucoup épilogué sur ces visions de Max Jacob. Toujours est-il qu'elles ont provoqué un bouleversement dans sa vie : sa conversion au catholicisme. Une conversion qui donne alors à son existence une tournure toute différente : après avoir publié un roman truffé de vers (*Défense de Tartuffe,* 1919) ainsi que les textes poétiques qui feront sa célébrité (*les Œuvres burlesques et mystiques de frère Matorel,* 1912, *le Cornet à dés,* 1917 et *le Laboratoire central,* 1921), il se retire en effet, à partir de 1921, dans une cellule quasi monacale, non loin de la basilique de Saint-Benoît-sur-Loire, s'astreignant uniquement à la méditation religieuse, à l'écriture et à la correspondance. Pendant cette période de repli, Max Jacob n'en continue pas moins de publier : il donne deux romans parodiques, *le Cabinet noir* (1922) et *le Terrain Bouchaballe* (1920-1923), un traité rassemblant des aphorismes sur l'*Art poétique* (1922), et un recueil de nouvelles, *le Roi de Béotie.*

Après six années — entrecoupées de courts voyages en Bretagne, en Italie, en Espagne — de cette retraite passée entre l'écritoire de bois et la messe du matin où on le voit se battre la poitrine, Max Jacob revient à ce Paris du dandysme qui l'avait dégoûté. Nous sommes en 1927. Dix ans passent. A nouveau lassé de sa vie factice, il aspire à retrouver la paix de Saint-Benoît. Il s'y fixe définitivement, vivant de la vente de ses gouaches. Dès lors, vers la fin des années 30, l'obsession de la guerre le tenaille, mais aussi la passion du divin. Les persécutions antijuives et la déportation de sa sœur vont le convaincre qu'il « mourra martyr ». Il est en effet arrêté par la Gestapo, le 24 février 1944, et meurt le 5 mars d'une bronchopneumonie au camp de Drancy, rejoignant ainsi ces « visages de papier brûlé » qu'Éluard chanta dans *Au rendez-vous allemand.* Son corps repose aujourd'hui, comme lui-même l'avait souhaité, à Saint-Benoît-sur-Loire.

L'œuvre de Max Jacob s'ouvre avec deux titres qui donnent assez bien la tonalité de l'ensemble : *Saint-Matorel* (1911), qu'illustra Picasso, et *les Œuvres burlesques et mystiques de frère Matorel,* un recueil de poèmes que Michel Leiris place dans sa « bibliothèque idéale », auprès de Desnos et de Roussel. Trop longtemps négligés par la critique, ces livres sont de la trempe du futur *Laboratoire central*: le mysticisme latent s'y incurve sans cesse vers une ironie qui n'hésite pas à se plagier elle-même, et, dans un mouvement inverse, le fou rire intérieur dérape fréquemment vers une lucidité désespérée. Lucidité qui, chez Max Jacob, se métamorphose souvent en ludicité : *les Œuvres burlesques,* en particulier, cascadent sur la rampe fortuite d'un théâtre dont le registre essentiel est le jeu verbal, quelque part entre la comptine traditionnelle et le *limerick* anglo-saxon. Ainsi Max Jacob passa-t-il sa vie à faire bruisser la langue comme il faisait tinter le domino dans ses récréations d'adolescent.

Quant à ses autres recueils poétiques, il faut les placer à l'origine de la poésie moderne avec ceux d'Apollinaire. Si la langue du poète d'*Alcools* est plus musicale, celle de Max Jacob joue sur des unités plus courtes, préférant ainsi le travail sur le signifiant à la modulation mélodique. Publié en 1917 à compte d'auteur alors que le jeune bohème débarqué de Quimper était encore un inconnu, *le Cornet à dés* est sans doute le livre le plus lu et le plus important de son œuvre. Après une préface célèbre, où Max Jacob fait part de son credo esthétique en définissant la poésie à partir de la notion de « situation », le recueil rassemble deux grandes parties d'où surgissent des poèmes en prose qui évoquent plus d'une fois les tours de l'escamoteur, et même les loopings des premiers aéroplanes : dérision, goût du calembour, collages, jeux d'ombre qui rappellent un Aloysius Bertrand, fallacieuses illusions d'optique, prestiges de saltimbanque tout droit sortis de la gidouille du Père Ubu, anecdotes inspirées par les rêves, tels sont les procédés qui font de l'art un « mensonge réussi », comme l'affirmera une phrase de l'*Art poétique.* Un mensonge dont le ressort essentiel vient sans doute du traitement « raisonné » et systématique du hasard, comme à la roulette.

Et c'est sur ce point que *le Cornet à dés,* ce journal de tous les instants, innove le plus. Par petites phrases discrètes qui semblent jalonner le quotidien du poète comme les sortilèges d'une loterie, la réalité s'y présente de revers, offrant une vision télégraphique d'elle-même

Illustration de Joan Miró (1893-1983) pour le texte de Jacques Prévert : « Adonides », imp. décembre 1975, chez Arte.
Galerie Adrien Maeght, Paris. Ph. Jeanbor © Photeb © by ADAGP, 1984

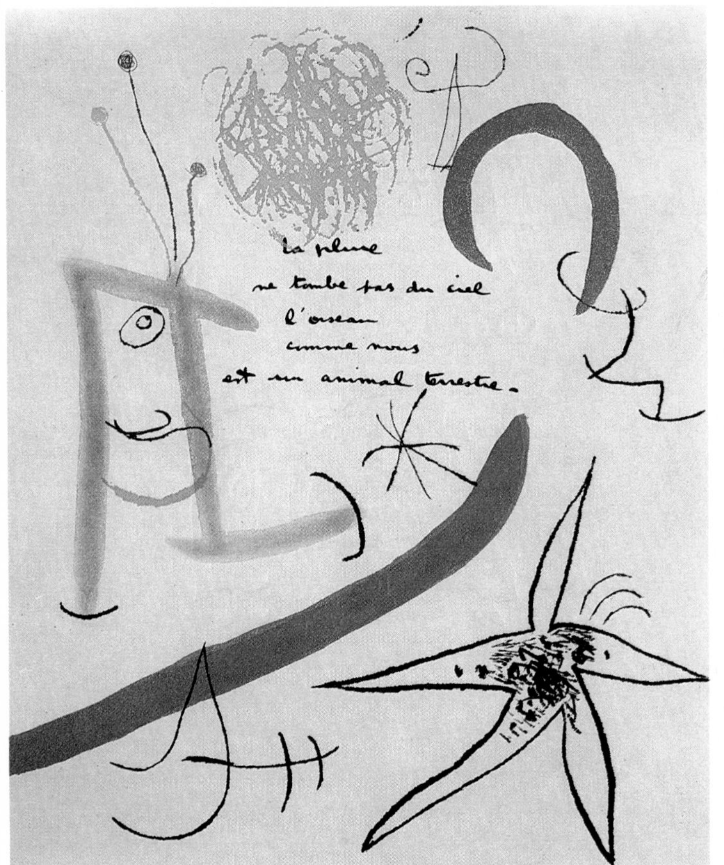

Aquarelle de Louis Marcoussis en 1913 pour « Zone » in *Alcools* de G. Apollinaire. *Ph. © Bibl. nat. Paris. Arch. Photeb © by SPADEM, 1984*

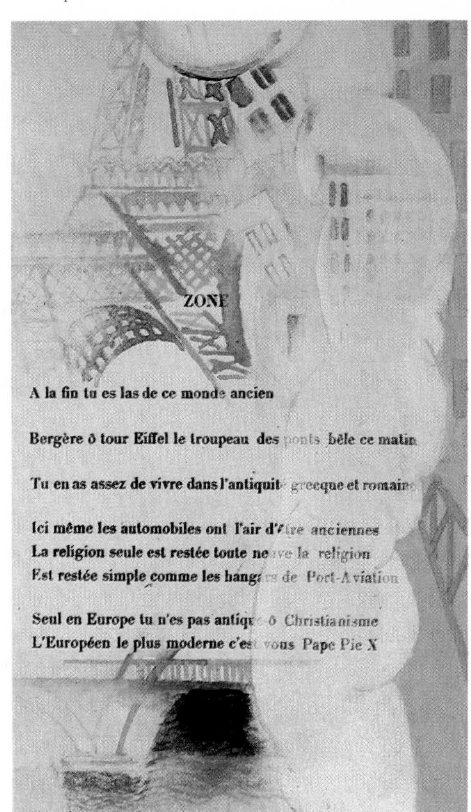

Illustration

S'il arrive qu'il soit intégré, réciproque, dialogique – c'est le cas de Prévert avec Miró, d'Apollinaire avec Marcoussis –, le rapport texte-image dans l'illustration est en général hiérarchique et orienté. Plus qu'un dialogue, l'illustrateur instaure une lecture, mais aussi un enrichissement et la révélation d'un envers du texte. Celui-ci peut déclencher des séries d'images logiquement liées – la narration – ou des visions imprévisibles dans leur genèse – la poésie.

L'« illustrateur » doit entrer dans les textes, dans les phrases, parfois même dans les mots pour les voler, les faire voler. Il s'empare du déroulement de l'écriture pour en faire un écheveau que son graphisme dénouera tout autrement qu'il ne l'était par le verbe. Au lieu d'être provoquées par ce mécanisme sournois qu'on nomme sémantique, d'être requises par l'imaginaire, les images matérielles s'imposent, se vengeant des mots : peut-être gardent-elles leur trace, mais elles les détruisent, en appelant une

Illustration d'Auguste Rodin pour « Une charogne » in « 27 poèmes des Fleurs du mal » de Ch. Baudelaire. (Soc. des amis du livre moderne, Paris 1918).
Ph. © Bibl. nat. Paris - Arch. Photeb

Eau forte d'Alméry Lobel-Riche pour « Un voyage à Cythère », in *les Fleurs du Mal* de Ch. Baudelaire. Éd. par les membres du Cercle Grolier, Paris 1923. *Ph. © Bibl. nat. Paris - Photeb © by SPADEM, 1984*

Paul Klee, dessin à la plume, 1911 : « chassa Candide du château à grands coups de pied dans le derrière » in *Candide* de Voltaire.
Fondation P. Klee Kunstmuseum, Berne. Ph. © Bibl. nat. Arch. Photeb © by ADAGP, 1984.

Illustration de Carlos Schwabe pour *Pelléas et Mélisande* de M. Maeterlinck en 1922.
Bibliothèque de l'Arsenal, Paris.
Ph. Jeanbor © Photeb - D.R./T

Eau-forte de Salvador Dali pour *les Chants de Maldoror* de Lautréamont. Éd. Skira 1934. *Ph. © Bibl. nat. Paris - Arch. Photeb © by SPADEM, 1984*

Dessin de René Magritte en 1948 pour *les Chants de Maldoror* de Lautréamont.
Coll. particulière Ph. Jeanbor © Arch. Photeb © by ADAGP, 1984

infinité de langages.
Baudelaire lu par Rodin reste poétique et formellement admirable ; mais l'espace, la lumière, les formes, le mouvement chez le plasticien, sont autres. Chaque créateur exalte, provoque, annule l'art de l'autre.
De même, Klee fabrique un autre Voltaire, un récit inouï dont nul ne sait ce qu'il doit encore à Arouet.
Magritte s'oppose à Dali : ils se déchirent Lautréamont, le dépècent. L'un y exalte le magicien, la source d'apparitions fuligineuses ; l'autre le colleur de fragments par la grâce obsessionnelle de Meissonier et de Millet. L'illustrateur inspiré est le plus profond des critiques.

« La critique », gravure anonyme vers 1840.
Bibliothèque des Arts décoratifs, Paris - Ph. J.L. Charmet © Photeb

Journalisme littéraire

Bernard Pivot présentant l'émission littéraire *Apostrophes*, le 9-9-1983. *Ph. © J.P. Guilloteau - Kipa*

Chargé de la prélecture d'une production livresque toujours plus abondante, le journaliste littéraire doit, au surplus, découvrir à date fixe le chef-d'œuvre de la semaine, et en rendre compte à chaud, sans le recul douillet du critique universitaire. C'est dire l'engagement nécessaire de son écriture, et son désir de créer lui aussi l'« événement » au même titre que ses confrères, mieux lotis des informations générales. Qui plus est, les médias lui ont suscité un redoutable rival : l'auteur lui-même, dont les interviews, voire l'image, suffiront parfois à entraîner la décision d'achat. Pourtant, écrivant ou montreur, le journaliste littéraire exerce une indispensable fonction sociale de sélection....

qui révèle la part d'inconnu qu'elle recèle, à la manière d'une toile cubiste. Anamorphosée sous le jeu de loupes qui la renvoient à sa magie inquiétante, elle se déploie en corolles, faisant ainsi apparaître toutes les facettes du dé à la fois : les poussières du vécu, les lapsus, les actes manqués, les petites coïncidences qui attiseront plus tard la fantaisie surréaliste, les faits divers, la babiole, le gag, tout cela y côtoie le tragique et la gravité sans qu'aucun filtre, aucune censure vienne privilégier un élément ou transformer le chaos en cosmos. A n'en pas douter, de toutes les faces de ce dé, il en est une qui hantait souvent Max Jacob : la septième. Celle qui se trouve dans l'envers du miroir et dans la logique illogique des songes : « Je me suis appliqué à saisir en moi, de toutes les manières, les données de l'inconscient : mots en liberté, associations hasardeuses des idées, rêves de la nuit et du jour, hallucinations, etc. ». C'est dire le régime nocturne des textes de Max Jacob, dont le lyrisme tient à cette inconscience contrôlée qui fait de la poésie un « rêve inventé », comme l'a dit Marcel Béalu.

Comme au jeu de trictrac, on voit alors les poèmes du *Cornet à dés* résonner en rebondissant selon une combinatoire infinie, dont le sens ultime est à rechercher du côté d'une esthétique « non-sensique ». Chantre de la transcendance lorsqu'il s'agenouillait devant le tabernacle de Saint-Benoît, Max Jacob vide la poésie de cette même transcendance. Il la débarrasse de ses vieux stigmates religieux : il démystifie et désacralise les métaphysiques de l'inspiration, abandonnant sa plume aux règles aléatoires du signifiant, à cette mécanique d'auto-engendrement qui désamorce le langage de sa fonction sociale et utilitaire. Autre effraction : *le Cornet à dés* fait entrer dans le domaine poétique tout ce qui, jusque-là, était censuré pour trivialité, qu'il s'agisse de l'argot familier, des noms de rues ou d'enseignes, ou encore de cette quincaillerie d'objets désuets qui passent « de l'autre côté de l'équateur »...

Publié quatre ans après *le Cornet à dés, le Laboratoire central* rassemble des poèmes en vers (réguliers pour certains, libres pour la plupart) qui furent écrits entre 1903 et 1921. Même si leur disposition ne respecte pas l'ordre chronologique de leur création, on y devine une logique interne, une trame qui ressemble aux figures d'un menuet. Quatre grandes parties, quatre décors : les souvenirs de Quimper d'abord, puis ceux de la bohème parisienne; vient ensuite une longue rhapsodie sur le thème du bal masqué, le tout finissant en feu d'artifice du côté du ciel et du surnaturel. Le fil conducteur est le même que celui du *Cornet à dés* : une volonté de se démarquer de toutes les vieilleries poétiques et d'incarner « l'esprit nouveau » né vers 1915, un lyrisme sans romantisme ni éloquence. Un lyrisme « déshamlétisé », dira Max Jacob, qui retourne le quotidien comme un gant et démultiplie le langage à la manière cubiste, afin de mieux faire « frissonner l'inconscient ». Les deux livres ont d'ailleurs d'autres points communs : mêmes bestiaires exotiques, mêmes floralies, même tendresse, mêmes titres parfois, même palette de rires jaunes et d'amourettes rosées, même parenté avec les grands aînés, Laforgue et Corbière...

Quant à la tonalité du *Laboratoire central*, outre l'humour, elle repose sur une orfèvrerie stylistique presque maniaque. La « folie harmonieuse » de Max Jacob soupèse les diphtongues, compte les voyelles et les consonnes, fait mûrir l'épithète et rebondir l'euphonie. Il faut aimer les mots comme un peintre aime les lignes, dira-t-il dans ses *Conseils à un jeune poète* (1945, posth.). La logique interne du langage est donc le seul guide de cette pensée qui veille en survolant celle qui rêve, et c'est alors le son qui donne l'impulsion créatrice, bien avant le sens. Ainsi, la parole poétique repose sur la *mimesis*, comme l'a si bien montré Yvon Belaval, elle se déploie par redondance, par ressemblance : « La répétition du rythme, l'écho de la rime, les rappels de l'assonance, les doublets du calembour, les reflets du pastiche », tels sont les procédés qui ont engendré *le Laboratoire central*. Et si Max Jacob s'est tellement intéressé à l'astrologie (cf. *Miroir d'astrologie*, éd. 1949), c'est peut-être parce qu'il y avait là une cartographie impeccable qui évoquait en lui une autre marqueterie tout aussi pointilleuse, celle de la poésie. Peut-être aussi parce que les constellations du zodiaque étaient le signe de ce qu'il a toujours visé : une sorte d'apesanteur à la belle étoile où le diurne et le nocturne pourraient enfin se confondre sur l'étroite nacelle d'une syllabe. « Trappiste » à Saint-Benoît, Max Jacob fut un trapéziste en écriture, un équilibriste, et cela jusqu'aux *Pénitents en maillots roses* de 1925, au *Sacrifice impérial* de 1929, aux *Ballades* de 1938 ou aux *Derniers Poèmes*, publiés en 1945 après sa mort : une modernité étonnante, une des plus belles spéléologies jamais effectuées dans les gouffres du langage.

Mais là ne s'arrête pas le génie de ce Protée ventriloque. Il y a encore le Max Jacob « régionaliste », qui publie *la Côte* en 1911, et qui, dans les années 30, signe d'un pseudonyme (MORVEN LE GAÉLIQUE) des chants bretons publiés en 1953, qu'il puise dans le folklore populaire. Et puis, bien sûr, il y a le mystique : l'enfer hantait Max Jacob, ainsi que la question du mal. Un grand nombre de ses textes sont d'une authentique inspiration chrétienne, en particulier ceux qu'on trouve réunis dans *la Défense de Tartuffe* et dans les *Visions infernales* (1924). De ce point de vue, l'énorme correspondance de Max Jacob, éditée en partie seulement (*Lettres à un ami*, 1951; *Correspondance I et II*, 1953 et 1956) devrait être très précieuse pour éclairer son cheminement spirituel. Quant à ses contes et à ses romans, il reste encore à leur donner leur vraie place. On y découvrirait un La Bruyère moderne, comme l'a dit René Guy Cadou. Toujours le même humour, la même verve satirique qui croque d'une seule phrase tel travers ou telle mesquinerie : les tics de la petite bourgeoisie provinciale dans *le Roi de Béotie*, les ridicules du genre humain dans ce roman épistolaire qu'est *le Cabinet noir*. Sans oublier la galerie de portraits de *Filibuth ou la Montre en or* (1922), ni *le Terrain Bouchaballe*, cette truculente parodie de la vie à Quimper au début du siècle.

Ainsi, tour à tour bouffon ou derviche, Faust ou Pinocchio, Max Jacob a été de toutes les parties. Ce clown enfariné, qui aimait aussi se grimer de noir, a tâté de tous les registres, ange lorsqu'on le jugeait pantin, et canaille quand on le croyait dévot. Jamais l'imagination n'aura autant voltigé, jamais la poésie n'aura autant innové. La littérature de notre temps lui doit, ainsi qu'à Rimbaud, Apollinaire, Desnos et quelques autres, d'avoir découvert la magie du verbe, l'eldorado magnétique du langage. Et s'il a brûlé sa vie entre deux pirouettes avant de disparaître tragiquement, Max Jacob ne s'est jamais installé dans aucun de ses rôles. Pour lui, l'écriture restait justement cette force capable de brouiller les cartes, de choquer, de déranger l'ordre établi, fût-il celui du burlesque. Aussi, comme l'a dit Michel Leiris, a-t-il inventé ce « fantastique quotidien » qui fait de lui notre grand perturbateur.

BIBLIOGRAPHIE

Marcel Béalu, *Dernier Visage de Max Jacob*, Lyon, E. Vitte, 1946; Yvon Belaval, *la Rencontre avec Max Jacob*, Paris, Charlot, 1946; André Billy, *Max Jacob*, Seghers, « Poètes d'aujourd'hui », suivi d'une anthologie, 1945; Michel Leiris, « Saint Matorel martyr » dans *Brisées*, Mercure de France, 1969; René Plantier, *l'Univers poétique de Max Jacob*, Klincksieck, 1963 (un essai indispensable qui renouvelle totalement nos lectures de Max Jacob; une longue partie est consacrée à l'étude de la métaphore chez l'auteur du *Cornet à dés*). *Europe*, n° spécial Max Jacob, avril-mai 1958. La *Revue des Lettres modernes* a également consacré un n° spécial à Max Jacob (Minard, 1973).

A. CLAVEL

JALOUX Edmond (1878-1949). Né à Marseille, Edmond Jaloux publia, dès seize ans, un recueil de poésies, *Un ami d'automne*, dès vingt et un ans, *l'Agonie de l'amour*, son premier roman, qui sera suivi de plus de quarante autres. Il obtint le prix Femina en 1909, le grand prix de littérature de l'Académie française en 1920; il devint, en 1924, directeur littéraire chez Grasset, fut élu à l'Académie française en 1936. Il donna des pièces pour Radio-Sottens, il écrivit dans de nombreux journaux, français, suisses, anglais, sud-américains et se fit surtout connaître comme feuilletoniste des *Nouvelles littéraires*. Ses chroniques furent rassemblées dans *l'Esprit des livres* (1924-1940), *Figures contemporaines* (1925), *Au pays des romans* (1931). Il publia, en 1946-1948, la première partie d'une *Introduction à l'histoire de la littérature française*.

Edmond Jaloux apparut d'abord comme l'un de ces romanciers artistes qui marquèrent les deux premières décennies du XXe siècle. Tournant le dos au naturalisme, il sut évoquer les sortilèges d'Aix-en-Provence, de Versailles, de certains quartiers de Paris. Mais il fut bien autre chose : le romancier du rêve. Nourri de romantisme allemand, admirateur de Meredith, de Rilke, d'Edgar Poe, de Schnitzler, il conçut le roman comme un « essai poétique ». Il y voulut mettre « ces songes à demi fabuleux faits de rencontres à développement lyrique, de paysages ou de monuments grandioses ». Son œuvre de critique éclaire son œuvre de créateur; elle témoigne, en effet, d'une vaste et généreuse intelligence des recherches étrangères et des plus modernes tentatives : Edmond Jaloux sut comprendre le surréalisme. Sans doute fut-il le meilleur intermédiaire entre Baudelaire et Breton; ses fictions nous éclairent sur les voies qui conduisent de la rêverie symboliste à la magie de *Nadja* ou du *Paysan de Paris*.

BIBLIOGRAPHIE

Charles Du Bos, *Approximations*, 2e série, Paris, Corrêa, 1932; Yanette Delétang-Tardif, *Edmond Jaloux*, Paris, La Table Ronde, 1947; « Hommage à Edmond Jaloux » (par J. Chennevière, E. Henriot, J. de Lacretelle, etc.), *Vie, art, cité*, Paris, 1949; Jack Colbert, *Edmond Jaloux et sa critique littéraire*, Genève, Droz, 1962; Marthe Bosenfeld, *Edmond Jaloux*, New York, Philosophical Library, 1972.

A. NIDERST

JAMMES Francis (1868-1938). Né à Tournay dans les Hautes-Pyrénées (région où il passera toute sa vie), Jammes fait ses études à Pau. Il échoue au baccalauréat en 1888. C'est à Orthez qu'il publie ses premiers poèmes, *Six Sonnets* (1891), que suivront *Vers* (1892-1894) et *Un jour* (1895). Au cours de sa vie, il rencontrera tous les grands écrivains de l'époque, notamment Colette, Gide, Valery Larbaud, avec lesquels il échangera une importante correspondance. Jammes se convertit au catholicisme en 1905, se marie en 1907. Il se voit décerner le grand prix de littérature de l'Académie française en 1917 et meurt à Hasparren, âgé de soixante-dix ans.

Nul poète, plus que Jammes, n'a paru exempt de toute influence, étranger à toute école; au point qu'on parlera de jammisme, mouvement sans maître, pour désigner cette poésie inimitable. Il semble que son œuvre n'ait pas d'âge tant elle s'affirme originale, extérieure à tout processus historique. Gide la qualifie d'« accident heureux dans le cours de notre littérature ». Heureux en effet car nul n'a su, mieux que Jammes, rendre l'immédiateté pleine de la nature, que ce soit dans ses vers (*De l'Angélus de l'aube à l'Angélus du soir*, 1898; *le Deuil des primevères*, 1901; *Sources et feux*, 1944) ou dans ses proses poétiques. « Poète rustique », pour reprendre le titre d'une de ses œuvres (1920) mais non régionaliste, il s'étonne d'une fleur, d'une herbe dans un pré, de l'hirondelle déchirant le ciel d'un coup de faux rapide, du lièvre (*le Roman du lièvre*, 1903), de l'âne humble aux champs (« Prière pour aller au Paradis avec les ânes », dans *le Deuil des primevères*). Avec Jammes, nous découvrons une poésie épicurienne, sensible à la terre et au désir, nommant tout ce qui peuple la nature, mais aussi suppliante et priante : « C'est que la poésie est l'âme de la vie » (*Clairière dans le ciel*, 1902-1906). Et d'ajouter : « Je suis la voix qui chante à l'humble foyer noir ». Que cette voix simple et pure pourtant est séduisante! Nul mot abscons, aucune recherche visible : le naturel, ici, est au plus haut point de sincérité. Que cette poésie soit apparue alors que le symbolisme finissant se sclérosait en précieuses formules accroît encore son prix. Certains écrivaient, en savantes révoltes, contre les règles; lui, à côté, il les ignore. Sa vérité est ailleurs : « J'ai fait des vers faux, et j'ai laissé de côté, ou à peu près, toute forme et toute métrique. Mon style balbutie, mais j'ai dit ma vérité [...]. Pour être vrai, mon cœur a parlé comme un enfant ». Cela ne signifie nullement une naïveté feinte mais un rapport direct au monde qui ne nie pas le travail sur l'écriture. Simplement il n'y a pas de méfiance à l'égard des pouvoirs du langage. Le mot donne la chose dans sa totalité et sa spontanéité. Aussi cette poésie imprégnée de nostalgie et de souffrance a un tel pouvoir d'évocation que ce qui procure la souffrance, par la magie du verbe devient objet présent et saisissable, conquis enfin par la parole, comme ces « jeunes filles » toujours refusées au poète, et que le désir transforme en êtres présents à jamais : *Clara d'Ellébeuse* (1899), *Almaïde d'Étremont* (1901). Le catholicisme rendra plus grave, plus profonde cette poésie charnelle : la nature devient alors figure de Dieu dans ses plus petits détails (*les Géorgiques chrétiennes*, 1912). Jammes restera l'humble poète de la vie rurale, des choses simples et de la paix de l'âme :

J'irai, et je dirai aux ânes mes amis :
Je suis Francis Jammes et je vais au Paradis.

BIBLIOGRAPHIE

Robert Mallet, *Francis Jammes, sa vie, son œuvre*, Paris, Mercure de France, 1961; id., *Francis Jammes et le Jammisme*, Paris, Mercure de France, 1961; id., *Francis Jammes*, Paris, Seghers, 1969.

B. CONORT

JAMYN Amadis (1541?-1593). Poète d'origine champenoise, Amadis Jamyn n'eût pas existé sans sa rencontre avec Ronsard, dont il fut le page, le secrétaire et le disciple. Mais la proximité du maître laisse le compagnon dans une demi-obscurité qui en fausse l'image : plus léger, plus direct, d'effet plus modeste, bien réel cependant, Jamyn s'adapte mieux, par ses limites mêmes, au monde de la cour de Charles IX et de Henri III, qui lui assure en retour un assez beau succès.

A côté de Ronsard

Né à Chaource, près de Troyes, il commence peut-être ses études à Paris; on ignore par qui (Jean Passerat?) et quand il fut présenté à Ronsard. De nombreux éléments font penser qu'il est ce « Corydon » qui apparaît vers 1553 dans la poésie de Ronsard; mais peut-être ne devint-il son page, puis son secrétaire, que vers 1557. Il reçut en tout cas une précieuse formation en latin, grec et italien, sans cesser de s'imprégner des anciens textes français, en particulier le *Roman de la Rose* et les œuvres de Lemaire de Belges.

Formé auprès de Ronsard, Jamyn n'en est pas écrasé aux yeux de ses contemporains. En même temps qu'il participe aux travaux de son maître au prieuré de Saint-Cosme, entre 1567 et 1570, il pénètre dans le cercle de Nicolas de Neufville, sieur de Villeroy, et écrit déjà quelques poèmes pour son album de poésies. Il est lecteur royal à la cour dès 1560, écrit des vers pour la Fête des Polonais, en 1573, qui célébra avec splendeur l'accession du futur Henri III au trône de Pologne. Comme Jodelle, Tyard, Ronsard..., il fréquente dans ces années-là le salon de Claude Catherine de Clermont, maréchale de Retz, participe à son album poétique et lui dédie un recueil de poésies amoureuses : le livre d'*Artémis* (*Œuvres* de 1575, rééditées partiellement par S.A. Carrington, Droz, 1973 et 1978).

Bien établi auprès de Henri III après la mort de Charles IX (1574), au point de subir les attaques qui visaient l'entourage du roi, il n'économise pas sa peine : sous l'influence de la dévotion royale, il compose des discours ou poèmes d'inspiration religieuse. Lorsque, en avril 1578, les mignons Quélus, Maugiron, Livarot et Schomberg s'entre-tuent dans un duel célèbre, et que, peu après, Saint-Mégrin est assassiné, ce qui plonge le roi dans la douleur la plus extrême, Jamyn, impressionné par la grandeur du deuil et des manifestations funèbres, écrit sans doute ses plus beaux vers, les *XXVI Sonnetz du deuil de Cléophon*. Pour fournir à l'académie du Palais quelques conférences fort appréciées, il s'adonne à la philosophie, à la logique, aux sciences à la mode (optique, etc.). Tous les textes de cette époque sont rassemblés dans le *Second Volume des Œuvres* de 1584; mais Jamyn n'est plus à Paris depuis 1580, et ne semble pas surveiller cette dernière édition de ses œuvres. Revenu, en notable philanthrope, dans son Chaource natal, atteint par la mort de Ronsard (décembre 1585), il meurt sieur de Basly, après avoir doté sa ville d'un collège où l'on enseigne le grec et le latin (1593).

A Ronsard il est redevable d'un apprentissage long et sûr, avant les premières publications, ainsi que de l'aisance procurée par les bénéfices d'une cure en Touraine. Son travail auprès du maître était de calligraphier ses poèmes, voire d'écrire sous sa dictée la moindre lettre, si bien que les manuscrits qui demeurent mêlent étroitement les deux écritures, comme furent sans doute mêlées leurs lectures, leur travail, divergeant parfois à partir d'inspirations communes. Ainsi, pendant que Ronsard compose *la Franciade*, tentant de créer une grande épopée française, Jamyn prépare-t-il une table des « apophtegmes, proverbes, oracles, etc. » contenus dans *l'Iliade* et s'attache à compléter la traduction d'Homère commencée, pour les onze premiers livres, par Salel et Magny : en 1574 paraîtront les livres XII à XVI; en 1577, l'édition complète, augmentée de la traduction des trois premiers livres de *l'Odyssée*, tous écrits dans le nouveau mètre de l'épopée, l'alexandrin, que Ronsard aurait préféré pour sa *Franciade*.

Sur bien des sujets, et dans les commandes royales, Ronsard et Jamyn se croisent, empruntant l'un à l'autre : poèmes sur la chasse, la danse, etc., sans parler, bien sûr, des variations sur la thématique amoureuse. Comme prédestiné par son prénom — celui du plus populaire héros romanesque —, Amadis se doit de chanter une Oriane, mais elle est simple Tourangelle, comme la Marie de Ronsard. A l'exemple de celui-ci (et de Desportes), il consacre tout un livre à Callirée : c'est Marguerite d'Aquaviva, la maîtresse de Charles IX, que l'on chante sans se forcer. Il n'est pas jusqu'à l'Artémis de Jamyn, la maréchale de Retz, qui ne préfigure la thématique ronsardienne des sonnets pour Hélène de Surgères, l'amie de la maréchale. Rivalité sereine, comme tout ce que fit, paisiblement, Jamyn... Les livres d'*Oriane* et de *Callirée* figurent dans les *Œuvres* de 1575.

Une muse docile

Pourquoi s'en irriter? Jamyn n'est jamais mieux inspiré que par l'émotion d'autrui. C'est sa façon d'écrire. Elle a ses droits et ses processus particuliers, que les contemporains goûtaient mieux que nous. Avoir tenu la plume de Ronsard y est sans doute pour quelque chose : Jamyn est à l'écoute de son temps, avec patience, simplicité, clarté, et sans engagement excessif dans les modes qui se suivent. On dit qu'il s'inspire de Desportes après Ronsard; en fait, c'est toujours la même écriture, qui se plaît à décrire sans arrière-pensée un bois, une rivière, le plaisir d'une danse ou d'une promenade nocturne avec Oriane; ou bien la forge dans laquelle Charles IX aime à passer le temps. Ou bien encore l'extravagante douleur de « Cléophon », devant les beaux corps morts, ensanglantés. « Il y a des tendresses » qui font encore pleurer Colletet, quelques décennies plus tard, dans *le Deuil de Cléophon :*

> Le fer qui transpersa voz poitrines d'ivoire
> Persa des mêmes coups d'outre en outre mon cœur [...]
> J'ay donné voz beaux noms en garde à la mémoire
> Qui jamais ne taira mon feu ny vostre honneur...

BIBLIOGRAPHIE

P. Champion, *Pierre de Ronsard et Amadis Jamyn, leurs autographes...*, Paris, 1924; T. Graur, *Amadis Jamyn, sa vie, son œuvre, son temps*, Paris, 1929 (thèse rassemblant beaucoup d'éléments sur l'auteur et son œuvre).

Amadis Jamyn est souvent abordé dans les ouvrages concernant Ronsard, en particulier H. Chamard, *Histoire de la Pléiade*, Didier, 1939-1940 et M. Raymond, *l'Influence de Ronsard*, 1927, rééd. Droz, 1965, ainsi que dans J. Lavaud, *Philippe Desportes*, 1936.

Sur l'influence de l'Arioste dans l'œuvre d'Amadis Jamyn, cf. A. Cameron, *The Influence of Ariosto's Epic and Lyric Poetry on the Works of Amadis Jamyn*, 1933.

Gisèle Mathieu-Castellani, *les Thèmes amoureux dans la poésie française (1570-1600)*, Klincksieck, 1975 (cette thèse contient les études les plus récentes et les plus fournies sur l'auteur).

M.-M. FONTAINE

JANIN Jules Gabriel (1804-1874). Par la critique, Janin règne sur son temps. Elle lui vaut des amitiés qui le grandissent (Balzac, Gautier) ou des haines qui l'honorent. Mais certains remarqueront qu'un « feuilleton de Jules Janin, lu dans un volume à soixante ans du jour où il l'écrivit, n'a plus de sens ». Balzac, plaçant *la Confession* (1830), roman marquant de l'« école du désenchantement », aux côtés du *Rouge et le Noir*, Baudelaire, rappelant au critique cauteleux que celui-ci fut d'abord l'auteur visionnaire de *l'Âne mort et la Femme guillotinée* (1829), mettent peut-être Janin face à son avenir. De fait, cette partie dédaignée de son œuvre, conçue probablement dans des intentions parodiques ou divertissantes, demeure, des rééditions récentes en font foi, la plus neuve et la plus convaincante.

Du « Jeune-France » au bourgeois orléaniste

Tout porte Janin à des établissements pleins de quiétude; son père médecin, sa jeunesse studieuse et sans orage, sa conception de la littérature des temps nouveaux, qui lui semble favoriser un embourgeoisement de l'écrivain : « L'homme de lettres d'aujourd'hui a cela de particulier, c'est qu'avec sa plume il a une existence assurée et conquise, tout aussi bien que les avoués et les notaires ». Aussi n'attend-il que 1833 pour morigéner ses débuts frondeurs d'opposant à l'ancien régime politique et littéraire dans les colonnes du *Figaro* (1825) : « Nous étions très jeunes, tous honnêtes gens, tous sans ambition, tous méchants sans méchanceté et cruels sans le savoir! » (préface des *Contes nouveaux*, 1833). Il tient déjà depuis trois ans le feuilleton de critique dramatique au très conventionnel *Journal des débats* — l'essentiel de ses articles sera publié sous le titre *Histoire de la littérature dramatique* (1853-1858) —, mais n'est demeuré que deux années à *la Quotidienne*, l'organe le plus enflammé de la réaction monarchiste. Janin se veut libéral. Aux ennemis d'*Antony*, il demande si « tout le théâtre antique n'était pas fondé sur l'inceste et tout le théâtre classique moderne sur l'adultère ». Il proclame : « L'opposition a été ma vie à moi, comme à d'autres la défense du pouvoir est leur vie ». L'orléanisme lui tend les bras et lui offre la sérénité douillette dont il aime s'entourer dans sa maison de Passy, « rococo, toute pleine encore des souvenirs de Louis XV, avec des amours partout, des bergères partout, des moutons partout » (Balzac).

Or, cet idéal d'une vie ouatée et étriquée, Janin semble le honnir quand il le reconnaît dans la littérature. Le héros de *la Confession,* Anatole, est étouffé par une « société de milieu, des croyances de milieu, des littérateurs de milieu », écrasé par une « monotone indifférence ». Ailleurs, Janin raille « la poésie nationale, comme on dit, pour ne pas dire la poésie médiocre », telle que l'illustre Delavigne. Il hait le théâtre de Scribe, ce monde de « petites soubrettes », « petits boudoirs », « petits jardins », qui « n'a jamais ressemblé à rien ni à personne ». Peut-être comprend-il, tout comme Sainte-Beuve, que Scribe « exprime fort bien le rêve et la conception de la vie dont s'entretient la bourgeoisie moyenne... », et dont Janin ne peut se départir, condamné à admirer au loin Hugo sur le rocher de son exil et tous ceux qui vivent dangereusement : « C'est vous, Maître, qui êtes la vie et le mouvement, la parole et le bruit, la justice et le châtiment; nous autres, nous sommes l'apathie, le silence, l'abnégation et la pitié » (1854).

« Le prince de la critique »

Une critique qui n'exercerait que la police de la littérature ne satisferait pas Janin. Il désire l'élever au rang d'un art et contribue à la faire reconnaître telle. Ce qui lui vaut, peut-être, son élection à l'Académie au fauteuil de Sainte-Beuve (1870). S'il lie sa destinée littéraire au journalisme, c'est qu'il est persuadé de la nouvelle grandeur de l'instant, de l'éphémère, du présent : « La poésie n'est plus dans les poètes, la poésie est dans les faits ». D'où son appel à un réalisme moderne et hardi. A propos de l'adaptation à la scène d'*Eugénie Grandet* (1838), il s'exclame : « Il a fallu le grand nom de Balzac pour faire admettre Grandet au théâtre. Quelle est cette prudence du public qui exclut de la scène tout sujet qui palpite dans la société? ». Le causeur rêve de créer et vénère son rêve à travers ceux qui le vivent.

Prompt à réparer ses propres injustices, il tempérera en louant *Ruy Blas* les traits dont il a par ailleurs accablé le drame hugolien. Admirateur de Nerval, de Berlioz et de Gavarni (*Critique, portraits et caractères contemporains,* 1859), conscient que « le journal est le souverain maître du monde », Janin, avec mesure mais efficacité, constitue à l'intérieur même du *Journal des débats* un véritable contre-pouvoir face aux censeurs fielleux du conservatisme littéraire, Cuvillier-Fleury, Saint-Marc Girardin...

Ce que valorise par-dessus tout sa critique? L'émotion, la spontanéité, l'impression telle qu'elle s'impose avant de se prêter au scalpel de la raison et du savoir. Le feuilleton devient « un petit cri de joie que nous arrache le spectacle du jour ». La manière de Janin s'offre comme un premier jet, fulgurant d'aisance et d'esprit, d'une luminosité voltairienne. Il dispense avec autant de talent son estime sans amour pour Stendhal (« un observateur à froid, un railleur cruel, un sceptique, méchant, qui est heureux de ne croire à rien ») ou son mépris pour Casimir Delavigne.

Mais un tel brio est, pour beaucoup, preuve de facilité, de légèreté désinvolte. Janin ne confond-il pas, dans sa verve, l'Orgon du *Tartuffe* et l'Argan du *Malade imaginaire*? A ceux qui réclament une critique savante et érudite, Janin répond en fixant au critique des ambitions d'écrivain. Fi des tâcherons! Peintre de la vie moderne, le critique ne saurait lire en vulgaire pédant, mais de manière élitiste et originale. Endossant l'habit de lumière du dandy, il écrit « pour un lecteur d'élite, actif, intelligent, dévoué; [qui] aime avant tout l'élégance et la correction, tout comme il aime, à son lever, le bain frais et le linge blanc ». Sourcier d'universel dans un quotidien chaotique, impalpable à force de frivolité et de profusion, le critique s'engage à son tour dans la voie vertigineuse des grandes « recherches », où s'aventurent déjà poètes et romanciers. Au-delà d'un genre, le feuilleton se fait essai, repoussant de jour en jour les frontières du projet créateur dans lequel s'obstine l'écrivain. Sainte-Beuve en est conscient : « M. Janin a l'honorable ambition de faire un livre [...]. Ce livre auquel il songe tant, il le fait chaque jour sans y songer, ou plutôt le livre se fait, bon gré mal gré, de lui-même » (*Causeries du lundi,* V). Livre à venir que l'auteur élabore opiniâtrement dans ses contes (*Contes fantastiques et littéraires,* 1832; *Contes nouveaux*; *Contes du chalet,* 1859; *Contes non estampillés,* 1862) ou ses romans.

« *La Confession,* par l'auteur de *l'Âne mort et la Femme guillotinée* »

Ainsi parut, en 1830, *la Confession,* sans nom d'auteur. *L'Âne mort et la Femme guillotinée,* il est vrai, avait, deux ans plus tôt, défrayé la chronique. Imitant la manière de Radcliffe, de Walpole et des romantiques fascinés par le roman noir, Janin prétendait y démontrer que « rien n'est d'une fabrication facile comme la grosse terreur ». Raillant les stéréotypes de l'époque (courtisanes maudites, jeunes gens geignards et désespérés) et les débats à la mode (le chapitre XXV emprunte son titre à Victor Hugo : « le Dernier Jour d'un condamné »), l'auteur accumulait les horreurs. Baudelaire en dresse l'accablant inventaire : « Jules Janin ne veut plus d'images chagrinantes. Et la mort de Charlot? Et le baiser dans la lunette de la guillotine? Et le Bosphore si enchanteur du haut d'un pal? Et la bourbe? Et les capucins? Et les chancres fumant sous le fer rouge? ». En faisant de *la Confession* l'enfant d'un même père, Janin, outre le clin d'œil publicitaire, veut-il faire entendre que la dérision présiderait encore à son entreprise?

La Confession. — Anatole attend ses quarante ans pour prendre un état dans la vie politique et se laisse marier à une charmante jeune femme. Il a mené jusque-là une vie studieuse et rangée. Faisant à travers son mariage la première expérience de la désillusion, il étrangle son épouse au cours de la nuit de noces. Son crime n'est pas découvert, mais Anatole se trouve rapidement saisi de remords. Après avoir vainement cherché dans l'étude un remède à la « maladie morale » qui le ronge, songé à se livrer à la justice, il cède à un sentiment religieux hérité de l'enfance et veut se confesser à un prêtre afin d'obtenir l'absolution. Mais où donc en trouver un, en ce siècle laïcisé? Ceux à qui il s'adresse en premier, jeunes curés peu assurés en leur foi, se dérobent. D'autres, prélats casuistes, mécènes mondains, ne veulent pas comprendre la signification exceptionnelle de sa confession. Quant aux moines qu'Anatole va visiter dans leurs couvents, ils n'ont à lui offrir que des lamentations papelardes sur la perte de leurs richesses, de leur bien-être et de leur puissance. Après avoir accumulé les expériences d'un clergé déclassé, incapable de l'entendre et de lui répondre, Anatole, feuilletant, dans le presbytère d'un curé de campagne, un *Dictionnaire des cas de conscience* conclut : « Je suis en dehors de ce livre, en dehors de la confession de ce prêtre, qui, après m'avoir entendu, ira feuilleter dans son dictionnaire, et ne saura que me répondre quand il verra que mon meurtre n'est pas prévu! » Finalement, il songe au suicide; mais « nous [hommes du XIXe siècle] en avons trop abusé comme de tout le reste ». Il se raccroche une dernière fois à son projet initial. Il vient d'entendre louer un prêtre espagnol de grande vertu. L'Espagne, terre de l'Inquisition et de l'extrême fanatisme religieux! Ayant assisté à la confession d'une jeune femme qu'il a suivie en cachette jusqu'au saint homme, au cours de laquelle ce dernier s'avoue pris en défaut et confie à la belle, Juana, une introduction auprès du « plus grand confesseur de l'Église romaine », un jésuite proscrit, Anatole séduit Juana et trouve le confesseur. Il reconnaît en lui un mystérieux personnage qui, lors des obsèques de sa femme, l'avait obscurément menacé; il se confesse, s'en trouve si ébranlé que « ses parents furent obligés de l'enfermer six mois dans une maison de fous ». Puis il devient prêtre, rejoignant ainsi l'idéal d'une vie mièvre et végétative que décrivaient les moines pleurards.

Si pastiche il y a, il se fait plus amer que souriant. « Assez déplorable histoire » d'un « honnête homme coupable », *la Confession* revendique l'héritage de Crébillon fils : « Nous avons toujours [...] comme type du roman de toutes les sociétés finies, le roman comme le faisait Crébillon fils ». On soulignera à loisir que le romancier Janin, friand d'allusions, féru de dissertations morales et esthétiques, reste bien proche du critique et du causeur mondain. Le préfacier s'adresse à un certain Ariste, dont se souviendra peut-être le journaliste quand il choisira, pour signer ses articles dans *l'Indépendance belge*, le pseudonyme d'ÉRASTE. Écrivant à la hâte, au mépris de la vraisemblance, il fait surgir sur le chemin de son héros, Anatole, un mystérieux et redoutable confesseur, sans expliquer comment ce démiurgique personnage peut tout savoir du drame du jeune homme. Désinvolture ou feinte?

Janin ne maîtrise plus ses canulars. Son imagination s'y est débridée dans des dimensions qui l'inquiètent assez pour lui faire renoncer à insérer *la Confession* parmi ses *Œuvres diverses*. Oubliées les modes dont se gausse *l'Âne mort et la Femme guillotinée*, demeure une œuvre sulfureuse et satanique, que le lecteur peut parcourir du même songe dont l'auraient entretenu *les Contes d'un buveur d'éther* ou les *Histoires extraordinaires*. Ce que Janin renie, Balzac le recueille et l'offre avec *la Peau de chagrin* comme une preuve supplémentaire que « la raillerie est toute la littérature des sociétés expirantes ». Corseté dans l'institution critique, Janin n'ose clamer trop haut qu'il étouffe à jouer les chiens de garde de l'entendement bourgeois. Quand le héros de *la Comédie humaine*, s'apprêtant à entrer dans « le grand bagne où il perdra ses illusions », laisse à l'écrivain l'espoir d'une immense quête, celui de Janin se hâte d'achever le cycle de son désenchantement. Dès qu'il ne trouve « plus d'espérance dans [son] âme, plus de larmes dans [ses] yeux, plus de fleurs dans [ses] mains », il laisse la parole au préfacier, qui bredouille ses justifications face à l'autorité qui encense ou condamne.

L'auteur de *Séraphita* sourit, et, pour montrer à Janin jusqu'où l'on va trop loin, il écrit un trentième chapitre à *l'Âne mort et la Femme guillotinée :* « le Couteau à papier ».

BIBLIOGRAPHIE

Romans et contes. — Outre les *Œuvres diverses* publiées de 1876 à 1883 par la Librairie des Bibliophiles (12 vol.), on relèvera *la Religieuse de Toulouse*, Paris, Michel Lévy, 1850, et *les Gaîtés champêtres*, Paris, Michel Lévy, 1851. *L'Âne mort et la Femme guillotinée* et *la Confession* ont fait l'objet d'une réédition chez Flammarion, Paris, 1973. *L'Âne mort* figure également au catalogue de la « Bibliothèque excentrique », suivi d'un chapitre inédit écrit par Balzac (Marabout, Verviers, 1974).

Essais critiques. — Les feuilletons du *Journal des débats* en constituent l'essentiel et se trouvent regroupés sous le titre *Histoire de la littérature dramatique*, Paris, Michel Lévy, 1853-1858, (6 vol.), le reste figurant dans les *Œuvres diverses*.

A consulter. — *Jules Janin et son temps, un moment du romantisme*, Publications de l'université de Rouen, P.U.F., 1974, qui regroupe les actes du Colloque d'Évreux consacré à notre auteur. J.L. Willrich, *Jules Janin et son temps*, North Western University Press, 1966.

D. GIOVACCHINI

JANKÉLÉVITCH Vladimir (né en 1903). D'origine russe, né à Bourges, Jankélévitch est le fils du premier traducteur de Freud en langue française. Sa carrière universitaire suit la voie royale qui mène de l'École normale supérieure à une chaire de philosophie à la Sorbonne; elle est interrompue par une blessure de guerre (1940), sa révocation par le gouvernement de Vichy et quatre années de résistance : son étude sur *le Nocturne* (1942) a été publiée dans la clandestinité. A la Libération, il est chargé d'émissions musicales à la Radio française.

Chez Jankélévitch, une culture éclectique — hellénisme et littérature slave, patristique et philosophie allemande, existentialisme kierkegaardien — nourrit une métaphysique du dévoilement de l'Être sur fond de durée (*Bergson*, 1931), dans l'intuition de l'« instant » : ce « presque rien » fugace, raccourci vertigineux de la vie humaine dont l'éphémère apparition touche cependant à l'absolu par sa mystérieuse singularité (cf. *Philosophie première, introduction à une philosophie du « presque »*, 1954; *le Je-ne-sais-quoi et le Presque-rien*, 1957). A cette ontologie font écho une morale paulinienne chérissant dans le prochain « un miracle qui ne se renouvellera plus » (cf. *la Mauvaise Conscience*, 1933; *l'Ironie ou la Bonne Conscience*, 1936; *le Mal*, 1947; *le Traité des vertus*, 1949; *le Pardon*, 1967) et une méditation sur l'expérience philosophique de la mort : continuellement vécue dans l'engloutissement de l'instant, elle fait le « sérieux de la vie », donnant un poids d'absolu à toute relation, à tout sentiment, à tout risque (*le Pur et l'Impur*, 1960; *la Mort*, 1966).

Critique musical averti, s'intéressant surtout à l'école impressionniste française (*Maurice Ravel*, 1939; *Debussy et le mystère*, 1949; *Gabriel Fauré, ses mélodies, son esthétique*, 1951; *la Musique et l'Ineffable*, 1961), instrumentiste distingué, Jankélévitch aborde la musique en métaphysicien et en styliste. Dans la mélodie, il retrouve l'ambiguïté d'une durée composée de fugitives appositions : lorsqu'il fait parler le compositeur de *Jeux de vagues* d'« un flot pulvérisé, un ruissellement de gouttelettes, une giboulée de petites perles » (*la Vie et la Mort dans la musique de Debussy*, 1968), le discours du philosophe musicien est au second degré un discours sur l'Être. Mais son écriture tourbillonnante, habile à saisir les plus fines nuances du langage (le presque-rien, « c'est-à-dire mieux que rien, car mieux vaut le moindre-être que le non-être », *Philosophie première*) fait merveille dans la conceptualisation des plus évanescentes tonalités : dans *la Mer* de Debussy, « à la fois informe et multiforme, l'eau n'est-elle pas la forme informe par excellence? »

Cette philosophie de l'éphémère conduit paradoxalement au seuil d'une espérance éternelle : Jankélévitch dénie à la mort le pouvoir d'annihiler l'impérissable fait d'avoir vécu (*la Mort*). D'où la coloration pascalienne d'un pari mettant en balance « l'absurdité de l'anéantissement » et « l'impossibilité de la survie » (*ibid.*), l'originalité d'une écriture vouée à saisir l'insaisissable et qui trouve dans la musique à la fois un prolongement et un modèle.

BIBLIOGRAPHIE

L. Jerphagnon, *Jankélévitch*, Paris, Seghers, 1969.

M.-A. DE BEAUMARCHAIS

JANSÉNISME (XVIIe-XVIIIe siècle). Doctrine théologique exposée par Cornelius Jansen (dit « Jansénius », 1588-1638), évêque d'Ypres, dans son *Augustinus* (posth., 1640). Aux XVIIe et XVIIIe siècles, jansénisme et janséniste sont des termes péjoratifs employés par les adversaires de ces thèses tenues pour hérétiques (les jansénistes, eux, se désignent comme « les amis de la vérité »). Par extension, jansénisme désigne tout un courant de pensée qui prône une morale austère et une vie retirée.

JANSÉNISME

Le jansénisme est avant tout une théologie et une ecclésiologie : à ce titre, il relève d'abord de l'histoire des religions. Mais il a pris en France, dès son apparition, une dimension originale, devenant un fait de société et de mentalité. Par là, il intéresse aussi l'histoire de la littérature : comme sujet de polémiques et comme attitude face au monde, il éclaire un ensemble d'œuvres.

Du point de vue théologique, le jansénisme est une question extrêmement complexe, qu'il serait vain de vouloir résumer. L'essentiel est de discerner la problématique qui l'a suscité. Elle relève d'une crise de la théologie à propos de la grâce et de la prédestination, crise sensible dès la fin du XVe siècle et exacerbée au temps de la Réforme et des guerres de Religion. D'un côté, les tenants d'une tradition qui se voulait strictement conforme aux vues de saint Augustin affirmaient que le salut ne tient qu'à la volonté divine, la prédestination : Dieu donne à ses seuls élus une grâce efficace (elle les sauve à coup sûr), le libre arbitre humain étant perverti par le péché. Vision pessimiste de l'homme, qui était, entre autres, celle de Calvin. Face à cela, le courant catholique moderniste, fortifié par l'humanisme, exalte les possibilités de l'homme : la prédestination repose sur la prescience divine, qui connaît d'avance les mérites de chacun et accorde à tous une grâce suffisante; à l'homme ensuite d'exercer son libre arbitre, d'accepter ou non cette grâce, de la rendre ou non efficace. Ce second courant était animé par les jésuites. La publication par l'un d'eux, Molina, du *De concordia liberi arbitrii cum divinae gratiae donis* (1588), à l'optimisme marqué, suscita un regain de polémiques. L'*Augustinus* de Jansénius parut dans ce contexte. La controverse, jusqu'alors confinée au monde des théologiens, prit en France une ampleur nouvelle.

Le jansénisme s'inscrivait donc dans la lignée d'un siècle de débats. Son pessimisme se retrouvait, en partie au moins, dans plusieurs courants de la Contre-Réforme. La pensée de saint Augustin exerçait une grande influence sur l'ensemble de la religion contemporaine. Le cardinal de Bérulle et la congrégation de l'Oratoire prônaient une dévotion plus épurée et plus rigoriste. Certes les oratoriens n'adhèrent pas au jansénisme; il reste que le terrain était, en France, favorable.

De plus, lorsque l'*Augustinus* paraît, un mouvement est déjà engagé. L'abbé de Saint-Cyran (1581-1643), disciple de Bérulle et ami de Jansen, s'était fait le défenseur d'un augustinisme rigoureux. Il était le confesseur de Port-Royal; or, ce couvent avait adopté une réforme interne très austère. Sous son influence se trouvaient aussi les premiers « solitaires » : dans les milieux parlementaires parisiens, quelques hommes, renonçant au succès social, avaient opté pour une vie retirée. Ainsi se forma au pied de Port-Royal une petite communauté laïque, mais très pieuse, d'érudits. Antoine Le Maistre en fut l'initiateur en 1638; ses frères le suivirent, et plus tard, Antoine Arnauld, Pierre Nicole, le médecin Hamon, et Claude Lancelot (1615-1695), pédagogue, helléniste et grammairien. Ils furent les défenseurs actifs du jansénisme, et Port-Royal en devint le symbole : non que les nonnes fussent théologiennes, mais leur attitude face à la répression antijanséniste fut toujours intransigeante, attirant sur elles les persécutions.

Mais l'importance de ce mouvement (que ses adversaires nommèrent « secte », l'assimilant presque à l'hérésie protestante) tient aussi au fait qu'il toucha assez vite une fraction du grand public.

L'histoire du jansénisme aux XVIIe et XVIIIe siècles est celle d'une longue lutte, dont il sortit enfin vaincu. Le détail des faits est complexe, mais on peut en dégager les repères essentiels :

CHRONOLOGIE

1640	Parution de l'*Augustinus*, aussitôt attaqué par les jésuites.
1644-1645	Héritier spirituel de Saint-Cyran, Antoine Arnauld compose deux *Apologies pour Jansénius*; il fait alors figure de chef du mouvement janséniste.
1653	Une bulle d'Innocent X, *Cum occasione*, condamne cinq propositions de Jansénius comme hérétiques.
1656	Arnauld est exclu de la Sorbonne, et doit chercher refuge à l'étranger. Pascal publie les *Provinciales*. Obligation est faite aux ecclésiastiques de signer un formulaire condamnant les Cinq propositions.
1664-1665	Les religieuses de Port-Royal, refusant de signer, sont excommuniées et soumises à une surveillance policière.
1669-1678	Période d'apaisement dite « Paix de l'Église »; Nicole collabore avec Bossuet dans la lutte antiprotestante.
1679	Interdiction au couvent de Port-Royal de recevoir des novices.
1701	Nouvelles polémiques, qui amènent l'arrestation de Quesnel, qui fait alors figure de chef des jansénistes.
1710	Destruction de Port-Royal.
1713	La bulle *Unigenitus* condamne 101 propositions de Jansénius.
1716	16 évêques et 3 000 ecclésiastiques favorables au jansénisme signent un appel à un concile général.
1730	Le cardinal de Fleury fait de la bulle *Unigenitus* une loi d'État.
1730-1732	« Miracles » et « convulsions » de quelques jansénistes fanatiques au cimetière Saint-Médard, mais le « mouvement » est sur le déclin.

La violence de la répression s'explique par le fait que le jansénisme, débordant le domaine théologique, est devenu un fait de société et une question politique.

Comme fait de société, le jansénisme se caractérise d'abord par le rôle considérable qu'y joue un « clan » de la noblesse parlementaire, celui des Arnauld [voir ARNAULD (la famille)]. La cohésion, le dynamisme et la puissance de cette famille expliquent en partie l'expansion du mouvement. Elle trouvait de nombreux appuis dans le monde parlementaire, où se maintenait une forte tradition d'hostilité aux jésuites. Peut-on pour autant expliquer le jansénisme comme une systématisation de l'idéologie de la classe de robe menacée par le centralisme monarchique? Cette thèse de Lucien Goldmann (*le Dieu caché*, 1955) est contestée. Car le mouvement janséniste touche, outre des robins, des aristocrates aussi bien que de simples curés. Henri Lefebvre y a vu plutôt l'attitude de tous ceux qui, nobles ou bourgeois, étaient hostiles à la centralisation des pouvoirs. En fait, on ne peut réduire le jansénisme à l'attitude d'un seul groupe social sans négliger la diversité de ses manifestations.

Les jansénistes restèrent toujours très minoritaires. Pourtant, les pouvoirs les pourchassèrent énergiquement. Il est vrai que ce petit groupe était actif et capable de porter le débat à la connaissance d'un large public : les *Provinciales* de Pascal (1656) le montrent bien. Or les querelles théologiques débouchaient sur des conséquences politiques, tant sur le plan civil que sur le plan religieux (les deux étant alors indissociables). Les jansénistes se sont toujours déclarés fidèles au pape et au roi. Mais leur réflexion s'inscrit dans la tradition gallicane, leur ecclésiologie défend les droits sans partage de l'évêque en son diocèse, du curé en sa paroisse. Cela les oppose aux visées absolutistes de la monarchie et de la papauté et aux jésuites, militants du centralisme. Plus largement, les pouvoirs voyaient dans ce mouvement une attitude de « refus » même s'il s'affirmait respectueux (ainsi les jansénistes ne refusaient pas le Formulaire, mais niaient que les cinq propositions condamnées fussent dans l'*Augustinus*) et un danger de « secte » (Saint-Cyran fut pour cette raison emprisonné avant même 1640). Condamnations et poursuites finirent par abattre le mouvement; mais l'attitude morale et religieuse subsiste dans les consciences, notamment dans le bas clergé; tout au long du XVIIIe siècle, les écrits de polémique abondent, et le courant de pensée se prolonge largement au XIXe siècle.

Le mouvement janséniste a suscité, directement, une abondante production textuelle : traités de théologie, ceux d'Arnauld notamment, mais aussi un grand nombre de pamphlets, dont les *Provinciales*. De plus, les *Pensées* de Pascal ne peuvent se comprendre hors de ce contexte. L'influence du jansénisme sur la vie littéraire s'est aussi exercée de façon plus indirecte, mais non moins profonde. D'une part, le groupe des solitaires a joué un rôle considérable dans la vie intellectuelle, en diffusant les thèses jansénistes, mais aussi en publiant des travaux d'érudition et de pédagogie et en propageant le cartésianisme dont Arnauld était empreint : la *Logique* et la *Grammaire* de Port-Royal en portent la marque.

Les jansénistes interviennent aussi dans des questions d'esthétique littéraire, en particulier pour condamner la pratique du théâtre, alors même qu'un ancien élève de Port-Royal, Racine, devenait un des principaux représentants de ce genre.

L'influence de la vision du monde janséniste sur l'œuvre de Racine reste d'ailleurs un sujet de controverses. Mais l'empreinte de ce courant de pensée est sensible, de façon plus diffuse, sur nombre d'œuvres de la seconde moitié du XVIIe siècle : vision pessimiste de l'homme et du monde, morale qui se défie des faiblesses humaines (cf. La Rochefoucauld, voire Mme de La Fayette). Il ne s'agit donc plus seulement de théologie ou de doctrine. Au-delà, le goût de la pensée méthodique, l'esprit d'analyse de soi, de dédain des choses du monde et le rigorisme moral en honneur à Port-Royal ont joué un rôle, encore peu analysé, dans la formation de l'esprit moderne.

BIBLIOGRAPHIE

La bibliographie générale du jansénisme est immense : 15 000 titres en 1950, et les travaux n'ont cessé de s'étendre depuis. On trouvera une bonne mise au point, et une bibliographie sélective dans J. Delumeau, *le Catholicisme entre Luther et Voltaire*, Paris, P.U.F., « Nouvelle Clio », 1979. Sur les origines du jansénisme : J. Orcibal, *J. Duvergier de Hauranne, abbé de Saint-Cyran, et son temps*, Louvain, Duculot, 1947, prolongé dans les 5 vol. des *Origines du jansénisme* (1947-1962). Voir aussi : R. Taveneaux, *Jansénisme et politique*, Paris. A. Colin, « coll. U 2 », 1965; A. Adam, *Du mysticisme à la révolte : les jansénistes du Grand Siècle*, Paris, Fayard, 1967, ainsi que L. Goldmann, *le Dieu caché*, Paris, Gallimard, « Idées », 1976 (1re éd. 1955), et R. Taveneaux, « Permanences jansénistes au XIXe siècle », dans *XVIIe siècle*, déc. 1980, no 129. Pour le promoteur des études en ce domaine : Sainte-Beuve, *Port-Royal*, éd. Leroy, Bibl. de la Pléiade, 1955.

A. VIALA

JANVIER Louis Joseph (1855-1911). V. CARAÏBES ET GUYANE. Littérature d'expression française.

JAPRISOT Sébastien (né en 1940). V. ROMAN POLICIER.

JARDIN Pascal (1934-1980). Fils du diplomate Jean Jardin, qui fut chef du cabinet de Pierre Laval pendant la guerre, puis banquier, Pascal Jardin exerça divers métiers de 1952 à 1958. Il fut journaliste à *l'Aurore* en 1959 et assistant de Marc Allégret en 1960. Il écrivit ensuite les dialogues d'une centaine de films. Il rédigea deux livres de souvenirs, *la Guerre à neuf ans* (1971), où il évoque son enfance à Vichy au temps de l'État français, et *Guerre après guerre* (1973), consacré à sa jeunesse et à sa carrière cinématographique. S'y ajoute un roman autobiographique, *Toupie la Rage* (1972).

Pascal Jardin est un anecdotier amusant et parfois émouvant. Il a recréé mieux que beaucoup d'historiens l'atmosphère de Vichy durant la guerre et su évoquer de façon saisissante certaines grandes figures du monde du spectacle ou de la politique, à commencer par son père (*le Nain jaune*, 1976). Son originalité réside surtout dans la composition. Refusant la chronologie, il enchaîne images et réflexions en un ordre apparemment capricieux. Ses livres deviennent ainsi tout autre chose que des recueils d'anecdotes : ils apparaissent comme des réflexions sur le souvenir — ou comme des exercices pour le ranimer magiquement. C'est l'essence même du passé que l'écrivain tente de saisir à travers tant de singularités éparses et tout le faux désordre de son écriture.

A. NIDERST

JARDIN DE PLAISANCE (1501). Le *Jardin de plaisance et fleur de rhétorique*, paru en 1501 chez l'imprimeur parisien Antoine Vérard, semble bien être la première de toutes les anthologies poétiques imprimées en France. Il connut au moins neuf éditions au cours du XVIe siècle et marque la naissance d'un type d'ouvrage qui sera fort apprécié pendant deux siècles; même si, par plus d'un trait, il déroute le lecteur moderne, il instruit à la fois sur les goûts des amateurs de la Renaissance et sur l'habileté des imprimeurs-libraires à développer, dans leur propre intérêt, cet engouement pour la poésie : derrière Vérard suivront Michel Lenoir, Jean Petit, Jean Trepperel, Philippe Lenoir, tantôt à Paris, tantôt à Lyon, les deux centres les plus importants.

A la manière des « histoires-cadres » déjà développées en Italie depuis Boccace, le compilateur de tous ces poèmes, un certain Jourdain, dit « l'Infortuné », recueille non pas des récits, mais des ballades, rondeaux et autres genres poétiques du XVe siècle, pour les réunir dans un « jardin », combinant les différentes pièces en une histoire, enchaînant les moments comme dans une intrigue romanesque qui culmine en un « Parlement d'Amour », entouré de dialogues entre amants, de débats et complaintes. Ces fleurs, transplantées dans un terrain nouveau, ont perdu en route leurs auteurs réels, mais on peut reconnaître les plus grands de la fin du Moyen Âge, en particulier des rhétoriqueurs : Alain Chartier, Guillaume Cretin, Jean d'Auton, Eustache Deschamps, Charles d'Orléans, Meschinot, Molinet, Octavien de Saint-Gelais... Villon se taille la part du lion avec vingt-quatre pièces. La présence de Guillaume de Machaut nous oblige à rapprocher ce type de livre des recueils de musique, qui obtiennent, eux aussi, un succès considérable dans la même période et sont tout aussi anonymes. Quoique ce ne soit pas une règle absolue, la plupart des poètes cités sont morts à chaque réédition du recueil : ainsi conserve-t-il pendant de longues années la mémoire de la poésie médiévale — fût-ce en diminuant progressivement la part de celle-ci — chez l'homme de la Renaissance.

BIBLIOGRAPHIE

Édition. — Droz-Piaget, Champion, 1925. Cf. F. Lachèvre, *Recueils collectifs de poésies du XVIe siècle*, Paris, 1922.

M.-M. FONTAINE

JARRY

JARRY Alfred (1873-1907). Il y a un « cas » Jarry. Les symptômes en sont multiples. Le plus éclatant d'entre eux s'observe au niveau du lexique : il n'existe pas d'adjectif usuel formé sur le nom de Jarry — même si quelques-uns des spécialistes de son œuvre, d'ailleurs assez peu nombreux, utilisent de loin en loin « jarryque » ou « jarryesque ». Mais le nom d'Ubu a donné lieu à la formation du dérivé « ubuesque », qui est entré dans le lexique commun, avec le sens de « simultanément odieux et ridicule » — l'une ou l'autre de ces qualités étant alternativement accentuée. Cas relativement rare d'occultation de l'auteur par l'une de ses créations. Autre symptôme : le déséquilibre patent qu'on observe dans la connaissance de l'œuvre de Jarry. *Ubu roi* est universellement connu (et traduit), constamment réédité, fréquemment représenté. *Ubu enchaîné, Ubu cocu* et l'ensemble du cycle ubique profitent petitement du prestige d'*Ubu roi.* Mais le reste de l'œuvre était il y a peu presque inconnu, et il y a encore beaucoup à faire pour que les romans de Jarry, ses poèmes, ses *Spéculations,* sans parler de la non négligeable production critique et de la correspondance, atteignent véritablement le public. Et ce n'est évidemment pas un hasard si les différents projets d'édition des *Œuvres complètes* de Jarry n'ont encore abouti qu'à des résultats insuffisants ou partiels. Dernier aspect du cas Jarry : l'intérêt qui se porte sur sa « vie » — ou, plus justement, sur certains épisodes, jugés significatifs : les trop fameuses anecdotes, rapportées à foison par des témoins souvent fugitifs, voire indirects ou franchement mythomanes et reprises dévotement par les biographes, y compris les plus « sérieux ». Même si André Breton a, indirectement, appuyé de son autorité cette attitude hagiographique, elle n'en a pas moins comme conséquence d'occulter le texte aux dépens d'un mythe, en lui-même intéressant, mais fort éloigné de ce qu'on peut savoir (ou deviner) du (des) sujet(s) Jarry.

Un petit-bourgeois déclassé

Alfred Jarry est né à Laval (Mayenne). Son père, Anselme Jarry, alors négociant en toiles et coutils, est à la tête d'une petite fortune immobilière, et sa profession lui permet de faire vivre dans le confort son épouse — fille d'un juge de paix breton — et la jeune Charlotte, sœur aînée d'Alfred. Mais bientôt ses affaires périclitent, et il est contraint de reprendre son ancien métier de représentant de commerce, en sauvegardant toutefois une part non négligeable de ses biens immobiliers. Mais à cette époque son épouse s'éloigne définitivement de lui, et s'installe avec ses deux enfants à Saint-Brieuc (1879) — où réside son père — puis à Rennes (1888).

Après quelques mois passés dans la classe des « minimes » du lycée de Laval, Jarry fera — de façon à la fois brillante et désinvolte — ses études classiques aux lycées de Saint-Brieuc, puis de Rennes. Dès la classe de quatrième, il écrit de nombreux textes poétiques, que, plus tard, il réunira sous le titre *Ontogénie,* avec l'intention — à la fois affichée et retenue — de les publier.

Lorsqu'il entre en rhétorique (première) au lycée de Rennes, Jarry a pour professeur de physique un M. Hébert, qui est abominablement chahuté, depuis la nuit des temps, par ses élèves. Le triste Félix Hébert, sous les noms variés de P.H., père Heb, Eb, Ebé, Ébon, Ébance, Ébouille, est depuis plusieurs années le héros d'une geste potachique abondante et multiforme. Entre plusieurs autres textes, un épisode de ses aventures a pour titre *les Polonais :* il a été rédigé vers 1885 — soit trois ans avant l'arrivée de Jarry au lycée — par un élève, Charles Morin, et relate les aventures du P.H. devenu roi de Pologne. Ce texte, dont la version originelle est perdue, est à l'origine du futur *Ubu roi.*

Muni du baccalauréat, le jeune Jarry se prépare, d'abord comme « vétéran » au lycée de Rennes, puis, à la Khâgne du lycée Henri-IV, au concours de l'École normale supérieure. Il y est par trois fois refusé (1891, 1892, 1893), comme il est, à deux reprises (en 1894) refusé à la licence ès lettres.

Dès 1892, Jarry fréquente le milieu littéraire parisien. Il commence à publier en 1893.

Après la mort de sa mère (1893), puis de son père (1895), Jarry mène, à Paris, la vie d'un homme de lettres à la mode. Le modeste héritage de ses parents lui permet de vivre, d'abord confortablement, puis de plus en plus petitement. Aucun de ses ouvrages — à la seule réserve, peut-être, de *Messaline* — ne sera vraiment lucratif : il en est vite réduit à la chasse aux « piges » dans les revues. Lorsqu'en avril 1903, *la Revue blanche,* à laquelle il collaborait régulièrement, cessera de paraître, ce sera la misère noire.

Miné par l'alcool — c'était le moyen qu'il avait trouvé pour compenser sa sous-alimentation chronique — Jarry meurt de tuberculose à trente-quatre ans. Depuis plusieurs mois, ses ultimes efforts de production littéraire n'aboutissaient qu'à des ébauches partielles, qu'il ne parvenait plus à intégrer à un texte. On trouve la trace — émouvante — de ces efforts dans l'immense dossier de son dernier « roman », *la Dragonne.*

On ne connaît à Jarry aucune relation féminine affichée, et l'on ne peut que spéculer (inutilement?) sur la nature de ses rapports avec quelques femmes, jeunes (Fanny Zaessinger) ou, bien souvent, beaucoup plus âgées que lui (Rachilde, Mme Claudius-Jacquet, Berthe de Courrière). Quant au personnage de sa mère, on est évidemment tenté d'en trouver la mise en scène textuelle dans *l'Amour absolu,* sous le nom de Varia : objet, précisément, de l'« amour absolu » du jeune Emmanuel Dieu.

Les relations masculines de Jarry étaient moins secrètes. Son amitié avec Léon-Paul Fargue fit scandale dans le milieu littéraire parisien, et le fils de Mme Claudius-Jacquet fut certainement fort intime avec lui. On peut repérer la trace, plus ou moins profonde, laissée par ces tensions dans *les Jours et les Nuits.*

Existence étrange, hantée par l'échec (ou ses apparences?). A chacun de ces échecs, Jarry opposait une indifférence désinvolte, qui, pour être sans doute partiellement feinte, n'en est que de façon plus significative à l'exact opposé de cette intention de « faire de sa vie une œuvre d'art » que lui ont prêtée, après Breton, de trop nombreux critiques.

La machine à décerveler

Rien de plus hétéroclite, apparemment, que l'œuvre de Jarry. La simple énumération des genres littéraires qu'il a abordés est, à cet égard, édifiante : du poème au roman, du théâtre à l'essai philosophique, de la chronique à la critique. Encore ne faudrait-il pas se laisser abuser par l'identité des termes : quoi de commun en effet entre le drame hypersymboliste (à tous les sens du mot « symbole ») de *César-Antechrist* et l'extrême légèreté (à tous les sens du mot « légèreté ») du « théâtre mirlitonesque »? Quelle ressemblance, dans le domaine dit « romanesque », entre l'autobiographie rêvée de *l'Amour absolu* et les descriptions de paysages littéraires ou les calculs pataphysiques des *Gestes et opinions du docteur Faustroll*?

On ne se donnera pas ici le ridicule de chercher à mettre en évidence une « cohérence » qui risquerait fort de ne se situer qu'au niveau de notre propre discours critique. On se contentera de décrire quelques textes, en insistant toutefois sur les relations, parfois peu attendues, qui se manifestent entre eux, et qui constituent une sorte de réseau, à la fois souple et contraignant, entre les mailles duquel les textes en viennent comme à jouer une interminable partie d'échecs.

Jarry n'a pas encore trouvé tous ses lecteurs. Il scandalise encore jusqu'aux universitaires qui lui consacrent des thèses. Tabou sexuel? Tabou sémiotique — moins apparent, mais aussi fort? Sans doute. L'essentiel est ailleurs : le véritable scandale du texte jarryque, c'est qu'il ne comporte pas de sens préétabli : c'est bien plutôt une étrange machine — ingénieusement bricolée — à produire et détruire le sens. « Voyez, voyez, la machin' tourner! » hurlent les Palotins d'*Ubu roi* autour de la Machine à décerveler. C'est un fait qu'on peut la faire tourner indéfiniment, et dans tous les sens. Les lecteurs d'aujourd'hui ne semblent pas encore tout à fait prêts à ces jeux et à ces tours.

	VIE		ŒUVRE
1863	Mariage, à Hédé (Ille-et-Vilaine), d'Anselme Jarry et de Caroline Quernest.		
1865	Naissance, à Laval, de Caroline — bientôt appelée Charlotte —, sœur aînée de Jarry.		
1873	8 sept. : naissance, à Laval, d'Alfred Jarry.		
1878	Alfred Jarry entre au lycée de Laval, dans la division des Minimes.		
1879	Mme Jarry quitte son mari et s'installe avec ses deux enfants à Saint-Brieuc.		
		1885-1886	Jarry, qui vient d'entrer en quatrième, écrit de très nombreux textes poétiques, qui seront plus tard réunis dans *Ontogénie*.
1888	Mme Jarry s'installe à Rennes. Jarry entre en première au lycée de la ville.	**1888**	Composition de *la Seconde Vie ou Macaber*, poème. Adaptation théâtrale, par Jarry, du texte des *Polonais*. Déc. : représentation des *Polonais* par les marionnettes du Théâtre des Phynances, chez les parents de Charles Morin.
		1888-1889	Jarry écrit *Onésime ou les Tribulations de Priou*, première ébauche du futur *Ubu cocu*.
1889	Oct. : Jarry entre en classe de philo.		
1890-1893	Il prépare, d'abord à Rennes, puis à Paris, le concours de l'École normale supérieure.		
1893	10 mai : mort, à Paris, de la mère de Jarry.	**1893**	Premières publications.
1893-1894	Période de l'amitié de Jarry et de Léon-Paul Fargue.		
1894	Jarry fréquente les mardis de Mallarmé, puis ceux de Rachilde. Oct. : fonde la revue *l'Ymagier* avec Rémy de Gourmont (7 numéros). 13 nov. : il est incorporé à Laval au 101e R.I.	**1894**	Publication successive de « Visions actuelles et futures », d'« Haldernablou » (dans *le Mercure de France*), de l'« Acte unique » (futur « Acte prologal »), de *César-Antechrist*, enfin des *Minutes de sable mémorial*.
1895	Janv. : rupture de Jarry et de Fargue. 19 août : mort du père de Jarry. Sept. : épisode de « la vieille dame » (Berthe de Courrière) qui déclare sa flamme à Jarry (bien en vain!). Déc. : Jarry est classé « réformé définitif ».	**1895**	Publication, dans *le Mercure de France*, de la suite de *César-Antechrist*. Le texte entier paraît en volume en nov.
1896	Jarry propose à Lugné-Poe, directeur du théâtre de l'Œuvre, de monter *Ubu roi* (nouveau titre des *Polonais*). Il devient, en juin, secrétaire de Lugné-Poe. 10 déc. : la première représentation d'*Ubu roi* déclenche un énorme scandale	**1896**	Publication du « Vieux de la montagne », d'*Ubu roi*, de « l'Autre Alceste » et des « Paralipomènes d'Ubu ».
1897	Jarry, qui connaît déjà de sérieuses difficultés pécuniaires, s'installe dans un étrange local, au 7, rue Cassette; l'appartement a été coupé en deux horizontalement!	**1897**	Jarry achève, puis publie *les Jours et les Nuits*. Il remanie le texte d'*Ubu cocu*. Il travaille en outre à *l'Amour en visites* (dont un chapitre deviendra *l'Amour absolu*) et aux *Gestes et opinions du docteur Faustroll, pataphysicien*.
1898	Jarry passe plusieurs mois au Phalanstère, grande maison de Corbeil louée en commun avec plusieurs amis, dont Rachilde et son époux Alfred Vallette, directeur du *Mercure de France*.	**1898**	Publication de *l'Amour en visites*. Jarry continue à travailler à *Faustroll* et à *l'Amour absolu*. Il termine une première version de *Par la taille* et commence, avec Claude Terrasse, à rédiger une première version de l'opéra bouffe *Pantagruel*.

VIE		ŒUVRE	
1899	Après la dissolution — en janv. — du Phalanstère, Jarry passe la période des vacances dans une maison louée, toujours avec Rachilde et Vallette, à La Frette.	**1899**	Jarry publie (à ses frais) *l'Amour absolu.* A La Frette, il écrit *Ubu enchaîné.*
1900	Jarry passe une partie de l'année dans un petit local, près du barrage du Coudray. 15 mai : il fait représenter *Léda,* opérette bouffe rédigée en collaboration avec Berthe Danville (Karl Rosenval).	**1900**	Publication d'*Ubu enchaîné,* précédé d'*Ubu roi.* Jarry achève *Messaline,* qui sera publiée d'abord par fragments successifs dans *la Revue blanche* (juil.-sept), puis en volume (janv. 1901).
1901	Jarry s'occupe activement d'une représentation d'*Ubu roi* (réduit à deux actes) au théâtre des 4-Z'Arts. La répétition générale a lieu le 27 nov.	**1901**	Pendant toute l'année, Jarry publie ses « Spéculations » dans les numéros bimensuels de *la Revue blanche.* Il travaille au *Surmâle,* qu'il achève le 18 déc.
1902	Peu avant de partir pour Bruxelles prononcer une conférence sur « les Pantins », Jarry accuse bruyamment de « plagiat » un certain Nonce Casanova, auteur d'une *Messaline, roman de la Rome impériale.*	**1902**	Publication du *Surmâle.* Dans *la Revue blanche,* la série des « Gestes » prend la suite de celle des « Spéculations ».
1903	Début des relations — peu intimes — entre Jarry et Apollinaire. Jarry passe les derniers mois de l'année chez Terrasse, au Grand-Lemps (Isère), dans l'intention d'achever l'interminable *Pantagruel.*	**1903**	Jarry collabore — fugitivement — à *la Renaissance latine,* puis à *la Plume,* au *Canard sauvage,* à *l'Œil.* Dans *la Revue blanche* (agonisante), il publie « la Bataille de Morsang », fragment de *la Dragonne,* roman auquel il ne cessera plus de travailler, sans parvenir à l'achever.
1904	Jarry poursuit — dans la morosité — son séjour travailleur au Grand-Lemps. Il acquiert un petit terrain au Plessis-Coudray, sur lequel il fera construire une baraque qu'il baptisera « le Tripode ».	**1904**	En même temps qu'il poursuit la rédaction de *Pantagruel,* Jarry travaille à *la Dragonne.* Il collabore fugitivement au *Figaro.*
1905	Janv. : Jarry fait représenter une opérette, *le Manoir de Cagliostro,* qu'il a composée en collaboration avec Demolder. Il tarde à achever le *Pantagruel,* ce qui lui attire les reproches de Terrasse. Nov. : il est gravement malade : l'« influenza », prétend-il.	**1905**	Toujours *la Dragonne,* parallèlement à *Pantagruel.* En outre, Jarry commence à traduire, en collaboration avec son médecin, le Grec Jean Saltas, le roman d'Emmanuel Rhoïdès, *la Papesse Jeanne.*
1906	Mai : Jarry, très gravement malade, se croit à l'agonie; il dicte à sa sœur Charlotte un vaste plan de *la Dragonne,* écrit à ses amis (Vallette et Saltas) de longues lettres exaltées, reçoit les derniers sacrements et rédige, avec pompe, son faire-part. En juin, il est tiré d'affaire, mais sa situation pécuniaire ne cesse de se dégrader.	**1906**	Avr. : publication, dans *Vers et Prose,* de *« Omne viro soli »,* premier chapître de *la Dragonne.* En mai, *Ubu sur la Butte :* texte de l'*Ubu roi* réduit à deux actes.
1907	La santé de Jarry et sa situation financière vont s'aggravant. En juill. il se réfugie à Laval, près de sa sœur. Il en repart pour Paris en oct. Le 29, il est admis à l'hôpital de La Charité, où il meurt, le 1er nov. d'une méningite tuberculeuse.	**1907**	En même temps qu'il cherche désespérément à achever *la Dragonne* — et peut-être même à en extraire un autre roman, *le Mousse de la « Pirouïtt »* —, il classe les « Spéculations », en vue d'en faire un volume : *la Chandelle verte.* (Ce projet de publication sera réalisé par Maurice Saillet en 1969). Juin : *le Moutardier du Pape,* opérette sur la Papesse Jeanne.
		1908	Publication de *la Papesse Jeanne,* traduit par Alfred Jarry et Jean Saltas.
		1911	Publication de *Gestes et Opinions du docteur Faustroll, pataphysicien, roman néoscientifique,* suivi de *Spéculations.*
		1943	Publication de *la Dragonne.*
		1944	Publication d'*Ubu cocu.*
		1947	Publication par Henri Massat des *Œuvres complètes* (en réalité, très gravement incomplètes).
		1964	Publication de « Saint-Brieuc-des-Choux », fragments du dossier *Ontogénie.*
		1972	Publication du premier volume des *Œuvres complètes,* par Michel Arrivé, Bibl. de la Pléiade.

Le cycle ubuesque

Comment lire *Ubu roi*? Comme un canular de potache bien doué? Un « drame historique »? Une « farce politique »? Ces lectures sont possibles, et même simultanément possibles : elles rendent compte, chacune de son côté, d'éléments complémentaires du texte. Il faut toutefois avouer qu'elles laissent insatisfait. Elles se heurtent en effet, tout au long du tissu textuel, à des obstacles, blocs d'illisibilité impossibles à contourner et difficiles à intégrer : ce sont ces « mots d'auteur » — pourquoi pas « mots de texte »? — que sont les néologismes, les déformations lexicales, les composés de forme aberrante, etc. Devant ces inventions monstrueuses, deux attitudes possibles : les neutraliser par l'histoire, les renvoyer au pittoresque des « sonorités », de la « fraîcheur » (?), de l'« actualité » (?). Ainsi pour le mot inaugural d'*Ubu roi* : le fameux « Merdre! », hurlé par Ubu dès le lever du rideau, sans même l'ombre d'une justification dramatique ou psychologique. Désir de scandale? C'est l'évidence, et le résultat suivit, comme le prouvent les démêlés de Jarry avec la censure théâtrale. Mais le simple « merde » — peu fréquemment proféré, à l'époque, sur une scène! — eût été, à cet égard, aussi efficace — plus, peut-être, car on a pu analyser l'« r » infixé comme indice d'euphémisation. Ce qui arrête le lecteur, c'est précisément cet affixe insolite. Et c'est alors que fleurissent les « explications » historiques (« merdre » prononciation populaire; « merdre » atténuation de « merde »; etc.) ou esthétisantes (« un accent neuf et la plus affirmative des sonorités », « une majesté, une puissance plus grande », etc.). Analyses dont on conviendra qu'elles n'éclairent en rien la valeur du mot dans le texte. On ferait des remarques du même ordre sur les autres mots spécifiques d'*Ubu roi* : ainsi « phynance » a été présenté comme une graphie archaïsante ou comme une fantaisie pédantesque d'élève de *phi*losophie. On a décelé en « bouffre » et en « tuder » des traces de parlers provençaux.

Exactes — pour « bouffre » et, vraisemblablement, pour « tuder » —, inexactes, seulement discutables ou invérifiables, de telles analyses laissent les mots à leur illisibilité. Les faits ne s'éclairent que lorsqu'on lit *Ubu roi* comme élément d'un intertexte plus complexe. A la manière d'une phrase relative enchâssée dans une phrase matrice, le texte d'*Ubu roi* — à quelques menues modifications et suppressions près — est inséré dans *César-Antechrist,* dont il constitue l'« Acte terrestre ». Or *César-Antechrist* comporte un contenu érotique aussi explicite et redondant que possible, notamment manifesté par l'« Acte héraldique », qui précède l'« Acte terrestre », et s'articule avec lui de façon parfaitement précise. Il est donc inévitable que le contenu d'*Ubu roi* se trouve, par cette insertion, totalement sexualisé, tant dans sa structure narrative que dans ses éléments lexicaux. Citons un détail, entre tous révélateur : le « Bâton-à-physique » est, dans *Ubu roi* lu indépendamment, une arme offensive utilisée par le père Ubu. Mais, dans l'« Acte héraldique », le même « Bâton-à-physique », qui bénéficie du double statut de pièce de blason et de personnage, est explicitement donné comme symbole phallique. Ce second contenu se trouve donc nécessairement affecté au « Bâton-à-physique » de l'« Acte terrestre ». On ferait sans difficulté de semblables démonstrations pour d'autres éléments du texte, à commencer par le personnage même d'Ubu, explicitement donné comme « double » de César-Antechrist, qui est lui-même un des nombreux termes de l'exubérant inventaire de la symbolique phallique.

On voit la spécificité de ce mode de fonctionnement textuel. Le contenu du texte ne se trouve pas à proprement parler transformé ni inversé, mais stratifié, feuilleté. Il devient possible de le lire, de façon continue, sur un double registre. Quand on procède à la lecture érotique — un érotisme, faut-il le dire? pour l'essentiel homosexuel — on constate que les mots déformés ou néologiques perdent leur caractère de blocs illisibles : ils se disposent au contraire, de façon aussi cohérente que possible, sur la ligne du contenu sexuel. Ainsi les « Palotins », dont la désignation repose sur la paronymie « pal-phalle ». Quant aux noms qui leur sont attribués — « Giron, Pile, Cotice » —, ils sont empruntés au lexique de l'héraldique, constamment sexualisé chez Jarry. Il est d'ailleurs possible d'affecter à chacun d'eux, comme au nom de « Bordure », un contenu sexuel compatible avec l'aspect de la pièce du blason qui leur sert de nom. La « phynance »? La déformation graphique marque la relation établie avec la « physique ». Ainsi se trouvent paradigmatiquement mis en place les deux aspects de l'activité sexuelle d'Ubu : la « physique » connote ses comportements sadiques (dont les instruments sont, précisément, le « Bâton-à-physique », doublé du « petit bout de bois à oneilles »); la « phynance » métaphorise la substance fécale, objet des convoitises ubuesques. Et l'on rencontre ici l'équivalence bien connue en psychanalyse entre l'argent et l'excrément.

Reste l'énigmatique lexème « merdre ». Il condense, en sa « jaculation joculatoire », les deux aspects — excrémentiel et sexuel — du contenu du texte. D'où sa place à l'initiale absolue du drame : « mot », selon la belle formule de Lacan, « d'avant le commencement ».

Le cycle des transformations textuelles ne s'arrête pas là. Dans *Ubu enchaîné* — « contrepartie », selon le mot de Jarry lui-même, d'*Ubu roi* —, la royauté se transforme en esclavage, le sadisme en masochisme : « destin » que, en termes freudiens, ne pouvait manquer de connaître cette « pulsion ». D'où ce texte étrange (allusif et contrariant, à tous les sens du mot), qui ne peut se lire qu'en référence constante à *Ubu roi.* Ainsi *Ubu enchaîné* s'ouvre sur le silence d'Ubu, qui « s'avance et ne dit rien » : par là se trouve à la fois évoqué et inversé le désir d'Ubu, qui, dans la suite du texte, ne manifeste plus de convoitise qu'à l'égard des postures les plus humiliantes et les plus douloureuses : l'esclavage, la captivité, la flagellation. Mais qu'on y prenne garde : le désir sadique fait retour dans *Ubu enchaîné,* au point d'inverser la formulation de certaines situations. Ainsi dans ce très curieux passage (Pléiade, p. 445) où Ubu se vante, par un verbe actif, d'avoir « accablé » Pissedoux des coups de fouet qu'il a lui-même reçus!

Faisons, avec Jarry, un pas de plus. Si masochisme et sadisme peuvent ainsi se contaminer réciproquement, c'est qu'ils sont « équivalents », comme le sont les contraires : « Nous sommes libres de faire ce que nous voulons, même d'obéir; d'aller partout où il nous plaît, même en prison! La liberté, c'est l'esclavage! » (Pléiade, p. 457). Type de manipulation ludique des mots et des concepts qui se retrouve, manifeste ou sous-jacente selon les cas, dans la plupart des textes de Jarry. Au point qu'il a fallu lui trouver un nom : la pataphysique.

BIBLIOGRAPHIE

Textes. — *Tout Ubu,* éd. Maurice Saillet, Paris, le Livre de Poche, 1962; *Ubu,* éd. Noël Arnaud et Henri Bordillon, Paris, Gallimard, « Folio », 1978.

A consulter. — Henri Béhar, *Jarry dramaturge,* Paris, Nizet, 1980; J.-P. Giordanengo, *Petit Traité théorique et pratique sur la dramaturgie d'Alfred Jarry,* coll. du Théâtre universitaire de Marseille, 1965; J.-P. Lassalle, *Ubu et quelques mots jarryques,* Toulouse, Imp. Maurice Espic, 1976. On consultera aussi les n°s 3-4 et 20 des *Cahiers du Collège de Pataphysique.*

La Pataphysique

L'origine potachique de la pataphysique est attestée par une occurrence — fortement déceptive! — du terme et de sa définition (« la pataphysique est une science que nous avons inventée et dont le besoin se faisait généralement sentir »!) dans *Ubu cocu* (Pléiade, p. 497). Le mot apparaît de nouveau dans une très énigmatique note parenthétique du « Linteau » (Préface) des *Minutes de sable mémorial :* « La simplicité n'a pas besoin d'être simple, mais du complexe resserré et synthétisé (cf. *Pataph.*) » (Pléiade, p. 172). La « pataphysique » est absente du texte d'*Ubu roi.* Mais point tout à fait de celui de *César-Antechrist,* où elle se manifeste sous la forme du dérivé « pataphysicien » : « Axiome et principe des contraires identiques, le pataphysicien, cramponné à tes oreilles et à tes ailes rétractiles, poisson volant, est le nain cimier du géant par-delà les métaphysiques; il est par toi l'Antechrist et Dieu aussi, cheval de l'Esprit, Moins-en-Plus, Moins-qui-es-Plus, cinématique du zéro restée dans les yeux, polyédrique infini » (Pléiade, p. 290). Texte capital, en dépit (ou à cause?) de ses aspects ludiques. On y repère en effet l'ancrage sexuel de la pataphysique : car tous les objets mis en scène dans ce fragment de *César-Antechrist* sont, de façon aussi explicite et redondante que possible, des symboles phalliques : le « poisson volant » n'est autre qu'une métaphore du « phallus déraciné » — c'est-à-dire du Bâton-à-physique. On y décèle aussi l'accent mis sur le principe d'identité des contraires (originellement sexuels, puis mathématiques : d'où l'expression « Moins-qui-es-Plus ») —, qui, explicite ou non, sous-tend de nombreux aspects du texte de Jarry, à commencer par celui d'*Ubu enchaîné* : Ubu lui-même s'y trouve d'ailleurs glorifié du titre, entre tous prestigieux, de docteur en pataphysique. Compétence qui lui a permis d'écrire *César-Antechrist,* qui doit, de ce fait, être lu — compte tenu du rôle qu'il y tient lui-même —, comme sa propre autobiographie :

> Et de la dispute du signe Plus et du signe Moins, le R.P. Ubu, de la Cie de Jésus, ancien roi de Pologne, a fait un grand livre qui a pour titre *César-Antechrist,* où se trouve la seule démonstration pratique, par l'engin mécanique dit *Bâton-à-physique,* de l'identité des contraires (*Gestes et opinions du docteur Faustroll, pataphysicien,* La Pléiade, p. 730).

Plus tard, la pataphysique est soumise à diverses dérives. Dans *les Jours et les Nuits* — dont l'un des chapitres est précisément intitulé « Pataphysique » —, elle finit par désigner, selon la belle formule de Jacques Bonnaure, « cette technique, apparentée à la toxicomanie, destinée non à fuir la réalité, mais à la faire fuir et à se garantir de son atteinte », et, finalement, la pratique de production textuelle mise en œuvre dans le texte même des *Jours et les Nuits,* particulièrement dans le si étrange chapitre des « Propos des assassins » (il s'agit évidemment de fumeurs de hachisch) où se développe une conversation exclusivement fondée sur le signifiant des mots : « Tu es un pied, et un cor au pied, donc tu es un madrépore, madrécoraux, madré cor au pied! Conclus, tu ne comprends pas, tu es un cor au pied » (Pléiade, p. 822).

C'est évidemment dans les *Gestes et opinions* que se déploie dans tous ses aspects la pataphysique. Elle y donne d'abord lieu à une série de définitions de style caricaturalement universitaire : « La pataphysique, dont l'étymologie doit s'écrire ἔπι (μετὰ τὰ φυσικά) et l'orthographe réelle *'pataphysique,* précédé d'un *(sic)* apostrophe, afin d'éviter un facile calembour, est la science de ce qui se surajoute à la métaphysique, soit en elle-même, soit en dehors d'elle-même, s'étendant aussi loin au-delà de celle-ci que celle-ci au-delà de la physique » (Pléiade, p. 668). Et plus bas : « Définition : la pataphysique est la science des solutions imaginaires, qui accorde symboliquement aux linéaments les propriétés des objets décrits par leur virtualité » (Pléiade, p. 669). Pastiche des manuels à l'usage de la classe de philosophie? Sans doute. Mais on aurait tort de ne pas lire à la lettre cette définition, en retenant particulièrement l'adverbe symboliquement — qui, pour pasticher à notre tour, cerne l'aspect sémiotique de la pataphysique —, et surtout le dernier élément de la proposition : il donne en effet leur fondement théorique — c'est-à-dire, nécessairement, pataphysique — aux très étranges pratiques de production textuelle qui génèrent le texte du *Faustroll*: reproduction littérale d'exploits d'huissier — jusqu'à l'alternance des romains et des italiques; descriptions d'univers sémiotiques — picturaux, musicaux et surtout littéraires — sous l'aspect de paysages réels : certains lecteurs s'y sont trompés et n'ont pas repéré le référent textuel à l'arrière-plan de la description; analyse exhaustive du discours de Bosse-de-Nage — limité il est vrai au « monosyllabe tautologique » : « ha ha! »; pastiche désobligeant du *Livre de la pitié et de la mort,* de Pierre Loti; calculs aberrants — et d'autant plus indiscutables — sur la surface de Dieu :

> Donc, *définitivement :*
> DIEU EST LE POINT TANGENT DE ZÉRO ET DE L'INFINI.
> *La pataphysique est la science.*

BIBLIOGRAPHIE

Gestes et opinions du docteur Faustroll, pataphysicien, éd. Noël Arnaud et Henri Bordillon, Paris, Gallimard, 1980.

Messaline et *le Surmâle*

Écrits dans la foulée l'un de l'autre (*Messaline* en 1900, *le Surmâle* en 1901), les deux romans sont à la fois parallèles, opposés et complémentaires. Parallèles, en ce que les deux récits sont, quant à leur structure, superposables dans leurs grandes lignes : il s'agit fondamentalement de la quête d'un absolu sexuel que Marcueil, le surmâle, et Messaline, la surfemelle — pour reprendre le mot de Thieri Foulc, excellent éditeur des deux textes —, trouvent dans la mort. Selon des modalités nécessairement différentes, et au plus haut point signifiantes. Messaline se prend d'amour pour le glaive qui la transperce :

> Tue-moi, Bonheur! La mort! donne... la petite lampe de la mort. Je meurs... je savais bien qu'on ne pouvait mourir que d'amour! Je l'ai... maman!
>
> (Éd. Foulc, p. 161)

Quant à Marcueil, après avoir affolé la Machine-à-inspirer l'amour, il périt de son dérèglement : la couronne crénelée « aux pointes dirigées vers le bas » qui enserre son crâne passe au rouge-blanc, se plie, bascule et, « devenue mâchoire incandescente, mord de toutes ses dents l'homme aux tempes ». Sort où l'on ne peut manquer de reconnaître celui qui est réservé à César-Antechrist, ceint, dans l'« Acte héraldique », d'une bien étrange « Couronne d'épines » — qui n'est autre que le « reflet » (le signe) d'un personnage quelque peu suspect : la pièce de blason nommée Orle —, elle-même symbole du sphincter anal. D'où une tentation : projeter l'une sur l'autre l'image du surmâle et celle de César et, nécessairement, les assimiler l'un et l'autre au phallus, soumis à l'étreinte d'un orifice (sphincter? vagin?) muni de dents.

Parallèles quant aux structures, *Messaline* et *le Surmâle* sont fortement opposés au niveau de la mise en forme textuelle. *Messaline,* « roman de l'ancienne Rome », accumule les références historiques et archéologiques, parfois — mais pas toujours — truquées, non sans faire apparaître çà et là tel ou tel monstrueux anachronisme, évidemment intentionnel. *Le Surmâle,* « roman moderne » — l'action est fixée en 1920 —, joue sur d'autres registres : la spéculation pseudo-scientifique, la pataphysique du record sportif et/ou sexuel, jusqu'au « réalisme » des descriptions de réunions mondaines.

Les deux textes, enfin, sont complémentaires, dans la mesure où *Messaline* paraît être, dans l'ordre du symbolique, ce que *le Surmâle* serait dans l'ordre du réel. A cet égard, *Messaline,* discours sur le sexe et discours sur le signe — et, il va sans dire, sur le signe du sexe et le sexe du signe —, est un texte proprement fascinant, par la façon dont, dans un infini jeu de miroirs, se superposent, se structurent et se destructurent les signes — à commencer par ce signifiant majeur : le phallus.

On a pu, enfin, être tenté de repérer des éléments « autobiographiques » dans l'un et l'autre texte. Quoi qu'il en soit du degré de vraisemblance de ces spéculations — certaines sont assez satisfaisantes, d'autres très arbitraires —, elles reposent toutes sur une conception extrêmement distendue du concept d'autobiographie : il faut une bonne dose de témérité théorique pour reconnaître l'« auteur » (mais qu'est-ce à dire?) ou « Jarry » (mais qui est Jarry?) dans l'Asiatique de *Messaline* ou dans l'Indien du *Surmâle.*

BIBLIOGRAPHIE
Messaline, le Surmâle, éd. établies et présentées par Thieri Foulc, Paris, Losfeld, 1977.

Les romans « autobiographiques »

Ce n'est pas sans une certaine timidité que nous avançons ce terme — même protégé de rassurants (?) guillemets. C'est un fait que, dans aucun des quatre romans — *l'Amour en visites, l'Amour absolu, les Jours et les Nuits, la Dragonne* — que nous groupons sous ce titre, le « pacte autobiographique » n'est respecté ni même, à vrai dire, établi. Mais, à la différence de *Messaline* et du *Surmâle,* le donné biographique est, dans ces quatre textes, continûment identifiable. Nous persisterons donc à parler d'autobiographie, mais d'une autobiographie singulièrement subvertie : rêvée ou construite (construite comme un rêve), travaillée par le désir.

L'Amour en visites (1848) est le plus transparent des quatre romans. On y décèle, d'une façon exceptionnelle chez Jarry, un soupçon de complaisance pour une lecture référentielle — nécessairement scandaleuse — de certains chapitres : ainsi le voit-on reproduire tels quels (à l'orthographe et à la ponctuation près, « rétablies » par lui!) les textes et les lettres qui lui ont été effectivement adressés par « la vieille dame » (Berthe de Courrière)! Mais d'autres chapitres évoquent de façon à la fois émouvante et ironique l'initiation sentimentale et sexuelle d'un très jeune homme. Mise sur le même plan que ces « visites » presque accessibles au public vulgaire qu'elles tentaient de séduire, la somptueuse et baroque mise en scène du « Vieux de la montagne ». Enfin, le texte se clôt, scandaleusement, sur les amours furtives et latrinaires de Madame Ubu avec Barbapoux : type de manipulation intertextuelle familière à Jarry. La fonction évidente en est de marquer l'équivalence fondamentale entre les productions littéraires (et littérales) les plus élaborées et les borborygmes infantiles de la geste potachique.

L'Amour absolu (1891) devait originellement constituer, sous le titre « Chez dame Jocaste », le dernier chapitre de *l'Amour en visites.* Mais le texte s'est développé de façon indépendante et a donné naissance à ce très bref roman, où l'on a pu voir « une des concrétions les plus extraordinaires de la chose écrite ». Au départ, il y a la construction du roman familial, au sens psychanalytique du terme. Le désir d'Emmanuel, c'est le désir d'Œdipe, comme le manifeste la qualification de « très pure Jocaste » qu'il confère à sa mère. Mais Œdipe, ici, est Dieu. Il est Dieu pour la plus irréfutable des raisons : il s'appelle Dieu. D'où le dédoublement des personnages : le notaire breton qui tient le rôle du père est aussi Joseph, et Varia, son épouse, est aussi Marie, la Vierge. Faut-il le dire? Le désir de Dieu ne se confond en rien avec le désir des hommes : son désir crée la vérité — une vérité qu'il est, anachroniquement, certes (mais qu'importe?), tentant de prendre au sens lacanien : « Moi, la vérité, je parle ». Aussi ne s'étonnera-t-on pas de voir les structures de la langue se dissoudre sous l'effet du signifiant-maître de la parole divine. Ainsi la négation se trouve-t-elle détruite, et reconvertie en affirmation :

> La place est vide, comme le siège d'un spectre de théâtre.
> Le trône où ne s'est assis Personne.
> Personne.
> L'une des Personnes.
>
> (Pléiade, p. 945)

Sengle, le « héros » de *les Jours et les Nuits,* n'est pas Dieu. Il n'en est pas moins habité par un désir qui en vient à restructurer la réalité ou, à tout le moins — mais cela revient au même —, les systèmes lexicaux qui la signifient. Ainsi le lecteur du roman s'aperçoit-il, avec quelque stupeur, que dans les premiers chapitres le jour est la nuit et la nuit est le jour : c'est que le désir de Sengle restructure — selon qu'il reçoit ou non une ombre de satisfaction — le continu de la durée :

> Son frère l'avait accompagné partout parce que cette chère tête devant lui, et non un astre plus jaune ou plus blanc, distinguait de la nuit le jour, afin qu'il ne fût très malheureux.
>
> (Pléiade, p. 748)

D'où cette explication du titre du roman : « Et il pensait qu'il n'y a que des hallucinations ou que des perceptions, et qu'il n'y a ni nuits ni jours (malgré le titre de ce livre, ce qui fait qu'on l'a choisi) » [Pléiade, p. 794].

Reste *la Dragonne.* C'est sans doute le texte « romanesque » auquel Jarry consacra le plus de temps, sans parvenir à l'achever. Le texte publié en 1943 chez Gallimard — avec une non négligeable collaboration posthume de Charlotte Jarry — ne peut en rien être considéré comme répondant aux intentions de Jarry. Mais l'énorme dossier que l'écrivain laissa à sa mort au *Mercure de France* — et qui dut attendre 1965 pour être publié par les soins de Maurice Saillet et Jean-Hugues Sainmont — n'est pas plus achevé : ce n'est, selon l'appréciation des éditeurs, rien de plus qu'un projet. Dans ce chantier — ou ce champ de ruines —, il n'est que trop facile de repérer quelques-uns des traits récurrents de l'imaginaire jarryque : ainsi Jeanne Sabrenas reçoit la mort exactement de la même façon que Messaline. Il faut errer dans ce « roman » comme dans une île, pour y reconnaître les efforts vainement prodigués par Jarry pour construire en forme de texte son mythe personnel et familial. Ne citons ici qu'un exemple : les traits affectés au père d'Erbrand Sacqueville sont précisément ceux du grand-père maternel de Jarry : élimination discrète (ou meurtre camouflé?) du personnage du père, auquel est substituée la figure complexe du père de la mère, père maternel, à la fois masculin et féminin.

BIBLIOGRAPHIE
L'Amour absolu, Paris, Mercure de France, 1964. Gloses de R. Queneau, L. Fieu, J.H. Sainmont, M. Saillet.

La Chandelle verte

Sous ce titre — qui correspond fidèlement à une intention explicitement affichée par Jarry —, Maurice Saillet a réuni, en 1969, l'ensemble des chroniques publiées par Jarry dans les périodiques qui lui permirent de subsister : *la Revue blanche, la Plume, le Canard sauvage, l'Œil* et, sporadiquement, quelques autres. On peut lire ces textes de plusieurs façons : on peut en retenir un témoignage halluciné — et d'autant plus lucide — sur la Belle Époque et les crises qui la traversèrent. Il est également possible d'y prélever les opinions de Jarry sur différents problèmes : le suicide, la peine de mort, le viol, la justice, l'armée (objet privilégié de sa sollicitude)... Là n'est sans doute pas l'essentiel. *La Chandelle verte* constitue à nos yeux une vaste manufacture de jeux de mots et de langage. C'est dans ce recueil que se trouve formulé, commenté, justifié et appliqué le célèbre aphorisme « Il n'y a que la lettre qui soit littérature »; la lettre, osons-le dire, à tous les sens du mot : graphique — d'où la curiosité constante de Jarry pour l'écriture, l'imprimerie, l'orthographe; sémantique — d'où le procédé constant de prendre les mots « au pied de la lettre »; psychanalytique enfin — d'où l'instance de la lettre dans plusieurs textes « poétiques », par exemple *les Minutes de sable mémorial.* Quant à la productivité du jeu sur les mots, contentons-nous d'en donner un exemple : la célèbre spéculation sur « la passion considérée comme course de côte » est construite sur une assimilation ludique des mots croix et bicyclette : « Le cadre est d'invention relativement récente. C'est en 1890 que l'on vit les premières bicyclettes à cadre. Auparavant, le corps de la machine se composait de deux tubes brasés perpendiculairement l'un sur l'autre. C'est ce qu'on appelait la bicyclette à corps droit ou à croix » (*la Chandelle verte,* p. 357).

On voit comment fonctionne le jeu de mots; l'énoncé sous-jacent « la bicyclette a un corps droit » donne lieu à une première métaphore, qui produit l'énoncé : « la bicyclette a une croix ». La transformation nominale de cet énoncé donne : « la croix de la bicyclette ». Syntagme ambigu : il peut en effet renvoyer soit à une interprétation métonymique (la croix que comporte la bicyclette), soit à une interprétation métaphorique (la croix qu'est la bicyclette). C'est cette dernière interprétation qui est retenue : d'où, finalement, la formulation « la bicyclette est une croix » qui génère tout le récit. Ce type de manipulation — parfois plus simple, parfois plus complexe, parfois, comme ici, fondé sur le signifié, parfois sur le signifiant — est constant dans *la Chandelle verte.* Il serait facile de montrer qu'il apparaît aussi, mais moins affiché, dans les textes romanesques — spécialement dans *la Dragonne.*

BIBLIOGRAPHIE

La Chandelle verte, éd. établie et présentée par Maurice Saillet, Paris, le Livre de Poche, 1969.

BIBLIOGRAPHIE GÉNÉRALE

Textes

Alfred Jarry, *Œuvres complètes,* vol. I, publiées par Michel Arrivé, Paris, Gallimard, Bibl. de la Pléiade, 1972. Voir également ci-dessus les bibliographies particulières.

A consulter

Noël Arnaud, *Alfred Jarry, d'Ubu roi au docteur Faustroll,* Paris, La Table Ronde, 1974; Michel Arrivé, *les Langages de Jarry,* Paris, Klincksieck, 1972, et *Lire Jarry,* Bruxelles, Complexe, 1976; Henri Béhar, *Jarry, le monstre et la marionnette,* Paris, Larousse, 1973; François Caradec, *A la recherche d'Alfred Jarry,* Paris, Seghers, 1973; J.-H. Lévesque, *Alfred Jarry,* Paris, Seghers, 1951; Rachilde, *Alfred Jarry ou le Surmâle des lettres,* Paris, Grasset, 1928. On consultera également les revues publiées par le Collège de Pataphysique : *Cahiers du Collège de Pataphysique* (1950-1959), que suivirent *les Dossiers acénonètes* et depuis 1965 les *Subsidia pataphysica.*

M. ARRIVÉ

JAUFRÉ Rudel. V. RUDEL Jaufré.

JAURÈS Jean (1859-1914). Et la chair se fit verbe... Ainsi peut-on cerner le destin littéraire de Jaurès. Car Jean Jaurès, né à Castres, député des mineurs et verriers de Carmaux (1881-1889, 1895-1898, 1902-1914), défenseur de Dreyfus (*les Preuves,* 1898), unificateur du socialisme français (1906), fondateur en 1904 de *l'Humanité,* dernier rempart du pacifisme en 1914 (cf. son *Armée nouvelle,* 1910), Jaurès dont les historiens ont tant à dire, du point de vue du mouvement social et de l'histoire politique française, laisse par ailleurs de lui deux registres de souvenirs, aussi extraordinairement présents dans l'inconscient collectif que difficiles à cerner.

Il y a tout d'abord l'image qui s'impose de lui, et dont l'élaboration depuis un siècle constitue à elle seule tout un discours jaurésien : mémoire sacrée sur laquelle en 1981 va s'incliner au Panthéon, pour en revenir consacré par l'histoire, un président soucieux de se faire enfanter rétroactivement par la France éternelle; formidable incarnation du dernier cri d'espoir d'une Belle Époque à tout jamais brisée par les massacres de la Grande Guerre; devenu en 1924 le symbole, grave comme la mort — tandis qu'on transfère dans un profond recueillement son catafalque au Panthéon —, du pacifisme; expression supérieure, avant 1914, d'un idéal paraissant composite de n'avoir pu aller jusqu'à l'achèvement, mais si fécond que, des communistes aux républicains, tous trouvent encore à s'y nourrir; archétype précoce d'un style politique fondé sur la présence, la parole, la générosité et l'éminence; exemple parfait du boursier, issu de classes moyennes à forte insertion campagnarde, porté au sublime grâce à l'école et à son couronnement de la rue d'Ulm — Jaurès cumule sur sa personne les dépouilles de notre mémoire collective. Non qu'il fût Protée; au contraire sa personnalité et son œuvre sont d'une homogénéité remarquables. Mais deux aspects de cette personnalité se prêtent à ce qu'il cristallise de la sorte toute une dimension mythique : d'une part, l'idéal auquel il a identifié sa vie et son action a consisté précisément en cet appel au syncrétisme des forces de progrès entraînant avec elles toutes les puissances de la tradition; d'autre part, son personnage, jusque dans cette posture de mangeur attablé dans laquelle il reçut, le 31 juillet 1914, la balle de Raoul Villain, et surtout dans la puissance physique de l'infatigable orateur qu'il fut, suggère l'énergie, l'élan, la capacité à porter l'humanité sur ses épaules. Jaurès figure au nombre des puissances tutélaires, mais plus forte encore de capter les énergies populaires.

Il y a aussi l'œuvre effective de Jaurès qui communique directement avec cette présence ambiante du mythe jaurésien. Car s'il est un écrivain raffiné, tout nourri de réminiscences attiques, soulevé par une quasi-mystique à la Michelet, fort d'une connaissance approfondie de ses sujets, et notamment de la pensée socialiste, Jaurès est avant tout un orateur.

C'est dans le discours oral que sa pensée se forme, sollicitant, au gré de l'improvisation, l'érudition la plus inattendue ou l'emportement inspiré, fabriquant en public des formules immédiatement appropriables par la foule qui écoute.

Jaurès laisse une belle œuvre écrite, plus de 2 000 articles parus dans la seule *Humanité,* une *Histoire socialiste de la Révolution française* (1901-1908), parue d'abord sous forme de livraisons périodiques, et qui soutient la comparaison tant avec les travaux universitaires qu'avec les grandes œuvres littéraires de Michelet ou de Quinet, onze volumes de textes divers, sans oublier ses thèses de philosophie, *De la réalité du monde sensible* et *De primis socialismi germanici lineamentis apud Lutherum, Kant, Fichte, Hegel* (1891).

Pourtant, toute cette œuvre tend à la parole, ne contient pas une ligne qui ne soit pour communiquer.

« Vous vous proposez d'adresser un exemplaire de ce volume à chacun de vos abonnés, écrit-il à Péguy, qui lui demande de réunir pour les *Cahiers de la Quinzaine* ses *Études socialistes,* je me réjouis d'entrer ainsi en communication avec des esprits libres, habitués à la critique indépendante et probe ». C'est de cette intention d'être accessible à tous que l'*Histoire socialiste de la Révolution française* tire son épithète. Mais c'est en même temps de cette communication facilitée entre les citoyens que Jaurès attend l'émancipation universelle, cette continuation jusqu'à sa plénitude du mouvement engagé par la Révolution française. L'œuvre de l'intellectuel rejoint ici l'engagement du militant et les convictions du théoricien : aider le peuple à s'approprier son histoire afin qu'il ait la pleine capacité de la conduire. Inlassablement, Jaurès prêtera sa parole au peuple pour le conduire à la prendre lui-même.

Cet idéal subtil, et tellement attaché à l'action de son auteur qu'il a pu paraître n'avoir de consistance qu'en elle, a pour contrepartie l'inconvénient de faire passer son action pour une illusion lyrique aux yeux de maints observateurs du mouvement socialiste.

A la fois parce qu'il se place, de propos délibéré, dans la lignée de la Révolution française et parce qu'il confie à l'action populaire le soin d'accomplir les pas ultérieurs, le socialisme de Jaurès passe, depuis 1917, pour avoir été « de transition », pour être entaché d'incomplétude, sinon même d'inhibitions. Écartelé, dépassé, suspensif, pour ne pas dire négatif, Jaurès est, à la lumière d'événements postérieurs à sa mort, rangé dans le camp de la bourgeoisie, lequel ne peut cependant l'admettre sans de graves réserves, de sorte que ce héros faisant l'unanimité est aussi une âme sans tombeau.

Entre cette gloire drapée autour de son image et cette gêne autour de son souvenir, quels furent effectivement l'œuvre, le personnage de Jaurès?

Nulle rupture, chez lui, avec le passé. Comme ses électeurs de Carmaux, il appartient à l'ère du charbon, du verre et du fer, mais garde ses jardins dans les campagnes de toujours. Visionnaire d'un monde meilleur, il connaît assez l'histoire pour mesurer toute l'amélioration déjà acquise. Familier de la vie sous toutes ses formes, il n'attend la vitalité future de la mort de personne. La Révolution française est pour lui un profond objet de méditation, car, loin d'y voir une rupture brutale, il la conçoit comme le moment où l'on a doublé le pas, pressé l'allure. Solidaire de toute l'aventure humaine, son esprit franchit la Révolution comme une inclinaison plus marquée vers l'avenir. Pourquoi dès lors craindre, comment même ne pas souhaiter de semblables inflexions positives dans la course de l'histoire future? On saisit là les deux registres majeurs du personnage de Jaurès : le respect et l'énergie.

Respect d'abord pour l'humanité en marche. C'est à elle qu'il appartient de gouverner son mouvement, et nul ne peut s'arroger le droit de la bousculer, ni de l'arrêter. Respect — et non déterminisme : cette conviction de Jaurès ne repose sur aucune attente messianique, mais sur la simple et très haute idée qu'il se fait de l'homme : « Il nous plaira, à travers l'évolution à demi mécanique des forces économiques et sociales, de faire sentir toujours cette haute dignité de l'esprit libre, affranchi de l'humanité elle-même par l'éternel univers », annonce-t-il poétiquement en introduction à l'*Histoire socialiste de la Révolution française.* Respect d'intellectuel mesurant ses responsabilités : « Je n'ai jamais considéré l'article de journal comme une œuvre hâtive et superficielle, et j'y mets, par respect pour le prolétariat qui les lit, toute ma conscience d'écrivain », rappelle-t-il à Péguy. Respect aussi de conducteur d'hommes : « Je dis qu'il n'y a et ne peut y avoir Révolution que là où il y a conscience, et que ceux qui construisent un mécanisme pour véhiculer le prolétariat à la Révolution presque à son insu, ceux qui prétendent l'y conduire comme par surprise vont à rebours du vrai mouvement révolutionnaire ». Respect enfin pour la République, en tant qu'elle-même procède du respect que les hommes se déclarent mutuellement, et qu'elle représente la condition première de toute évolution positive : « Il n'y a de justice sociale que par la liberté républicaine », professe-t-il.

La conjonction du respect envers soi et de celui qui gouverne les relations au monde extérieur — autrui, l'histoire, les institutions... — implique une exigence intellectuelle d'honnêteté.

C'est là que le rôle de l'intellectuel prend toute sa dimension : à la fois comme analyste fournissant les indications les plus utiles pour déterminer l'action et comme modèle, comme professeur implicite de rigueur intellectuelle. Ainsi Jaurès voit-il Marx : « La gloire de Marx est d'avoir été le plus net, le plus puissant de ceux qui mirent fin à ce qu'il y avait d'empirisme dans le mouvement ouvrier, à ce qu'il y avait d'utopisme dans la pensée socialiste ». Jaurès ne peut admettre ni le dogmatisme, ni l'aventurisme, ni la démagogie : « Ce sont les appels déclamatoires à la violence, c'est l'attente quasi mystique d'une catastrophe libératoire qui dispensent les hommes de préciser leur pensée et de déterminer leur idéal », s'indigne-t-il. La rectitude intellectuelle et scientifique exige du courage. C'est ainsi qu'en démenti des clichés complaisants, propagés par l'école, d'une Révolution française bienfaitrice relevant la France des prostrations de l'Ancien Régime, Jaurès s'emploie à expliquer, sans économie de nuances, comment la Révolution a résulté d'un long siècle d'aisance croissante et d'élévation de la conscience publique.

Mais le prix que procure cette exigence, c'est le droit de libérer l'énergie. Dès lors que le respect pour le droit de tous et les singularités de chacun a imposé jusqu'au bout une intelligence complète de la situation considérée, plus rien ne peut retenir l'ardeur à aller de l'avant, puisque la qualité de l'effort accompli pour la mettre dans le bon chemin garantit qu'elle ne se donnera carrière qu'à bon escient, et dans une juste mesure.

L'homme qui annonçait que son « interprétation de l'histoire était à la fois matérialiste avec Marx et mystique avec Michelet » doit peut-être à la date et à la soudaineté de sa mort d'incarner intemporellement la grandeur tragique de la vie : « La Déclaration des droits de l'homme, écrivait-il dans son étude intitulée "le Socialisme et la Vie" (*Études socialistes,* 1906), avait été aussi une affirmation de la vie, un appel à la vie. C'étaient les droits de l'homme vivant que proclamait la Révolution. Elle ne reconnaissait pas à l'humanité passée le droit de lier l'humanité présente. La vie n'abolit pas le passé : elle se le soumet ».

BIBLIOGRAPHIE

Les *Œuvres complètes* ont été éditées par Max Bonnafous, Paris, Rieder, 1931-1939, 9 vol. parus.

A consulter. — Ch. Rappoport, *Jean Jaurès, l'homme, le penseur, le socialiste,* Paris, 1922; Henri Guillemin, *l'Arrière-pensée de Jaurès,* Paris, Gallimard, 1966; Georges Lefranc, *Jaurès et le socialisme des intellectuels,* Paris, Aubier, 1968; Jean Rabaut, *Jean Jaurès,* Paris, Perrin, 1981. On consultera également le numéro spécial de la revue *Europe,* oct.-nov. 1958, et l'ouvrage collectif *Jean Jaurès,* Paris, P.U.F., 1962.

Ph. RATTE

JAY Antoine (1770-1854). Né à Guîtres (Gironde), Jay est l'un des nombreux héritiers du XVIIIe siècle tant par son idéologie politique que par ses convictions littéraires. Avocat de formation, précepteur par occasion, historien par profession — il enseigna Clio à l'Athénée et publia en 1815 une *Histoire du Cardinal de Richelieu* —, c'est dans le journalisme qu'il s'est essentiellement illustré, collaborant à diverses feuilles, dirigeant le *Journal de Paris,* fondant enfin les organes d'opposition que furent *le Constitutionnel* et *la Minerve.* Ouvert à la novation en politique — il fut député libéral de Paris sous Louis-Philippe —, Jay refusait toute innovation en littérature comme en témoignent son *Éloge de Corneille* (1808), son *Discours sur le genre romantique en littérature* (1814) et surtout sa *Conversion d'un romantique* (1830; Slatkine Reprints, 1973). L'Académie ne pouvait dès lors que l'admettre en son sein, quelque médiocres que soient ses récits qui, juxtaposant courtes scènes et discussions diverses, tiennent davantage du tableau de mœurs que du roman (*le Glaneur,* 1812, et surtout *les Hermites en prison,* 1823 et *les Hermites en liberté,* 1824, écrits en collaboration avec de Jouy).

Plus que réplique à *Vie, poésies et pensées de Joseph Delorme* que venait de publier Sainte-Beuve, *la Conversion d'un romantique* s'en veut la suite : prenant prétexte d'un « manuscrit de Jacques Delorme » — le demi-frère oublié par « le biographe de Joseph Delorme » —, Jay entend démontrer que le romantisme, loin d'être un état n'est qu'un passage; ainsi se justifie ici la traditionnelle thématique de la « maladie » romantique, maladie curable puisque Joseph « ne pense plus aujourd'hui comme il y a six mois; son irritation s'est calmée, la raison lui est revenue ». Reste que du *Discours* de 1814 à *la Conversion* de 1830, le rôle de Jay a changé dans le même temps que le rapport de force se modifiait en faveur des romantiques : le fougueux pamphlétaire au ton militaire — « L'ennemi nous menace; il est à nos portes; il entretient même des intelligences au milieu de nous » — a cédé la place au médecin-pédagogue beaucoup plus humble — « Je croirais avoir rendu un grand service à mon pays si je pouvais contribuer à ramener la jeunesse à des idées saines, au culte de l'antique... ». Ce passage du martial au dialectique disait assez que pour les classiques il s'agissait désormais moins de vaincre que de convaincre...

BIBLIOGRAPHIE

E. Eggli, *le Débat romantique en France (1813-1816),* Paris, 1933, Genève, Slatkine Reprints, 1972.

D. COUTY

JEAN Raymond (né en 1925). Raymond Jean est né à Marseille. Il fit ses études à l'université d'Aix-en-Provence, où il enseigne actuellement la littérature française. Agrégé des lettres en 1948, il fit divers séjours et voyages comme attaché culturel aux U.S.A., au Viêt-nam, au Maroc, puis en U.R.S.S.

Professeur de littérature moderne et contemporaine, Raymond Jean poursuit parallèlement une œuvre de critique (*la Littérature et le Réel,* 1965; *Pratiques de la littérature,* 1978) et collabore régulièrement à diverses revues (*l'Arc, Europe, la Quinzaine littéraire,* etc.) et à des journaux comme *le Monde.*

Mais Raymond Jean est surtout connu comme romancier. Les thèmes de la solitude, la difficulté de tout rapport humain apparaissent dès son premier roman (*les Ruines de New York,* 1959), reviennent dans *la Ligne 12* (1973; D. Moosmann en a tiré son film *le Bougnoul,* 1975). Le voyage est le moyen privilégié qui permet aux héros de Raymond Jean à la fois de se sentir isolés (cf. *la Conférence,* 1961), de s'enfermer dans un monde d'images intérieures (*Photo-Souvenir,* 1980) et de se porter au-devant des autres. Ainsi, l'amour, la rencontre, voire le donjuanisme, tiennent-ils une place importante dans cette œuvre romanesque. L'histoire événementielle y joue aussi un grand rôle, soit qu'elle apparaisse sous forme de souvenirs, soit que la recherche de documents et d'archives réels constitue le centre du récit, comme dans *la Fontaine obscure* (1977), qui retrace le procès en sorcellerie intenté à l'abbé Louis Gaufridy et à Madeleine de Demandolx de La Palud au début du XVIIe siècle, soit enfin que l'espace géographique parcouru (l'Europe, les deux Amériques, les anciennes colonies) impose lui-même le poids de son passé. Si les personnages sont le plus souvent fictifs, Raymond Jean cependant ne s'éloigne jamais de la réalité, qu'il décrit avec une minutie scrupuleuse (cf. *la Femme attentive,* Prix populiste 1975). En cela son écriture est très classique, mais le souci même d'objectivité, de neutralité, rattache par certains côtés le style de Raymond Jean à l'« école du regard » dont on a pu parler à propos des « nouveaux romanciers », ses contemporains.

B. VALETTE

JEAN DE GARANCIÈRE. V. GARANCIÈRE Jean de.

JEAN DE MANDEVILLE. V. VOYAGES DE JEAN DE MANDEVILLE.

JEAN DE MEUNG ou **DE MEHUN** ou **DE MEUN,** pseudonyme de **Jean Clopinel** ou **Chopinel** (vers 1240-av. 1305). « Puis vendra (viendra) Jehan Clopinel/Au cuer joli, au cors inel/Qui nestra sur Loire a Meun » : c'est ainsi que se présente le continuateur de Guillaume de Lorris, personnage sur lequel les informations sont moins parcimonieuses que sur son prédécesseur; on sait même qu'il habitait au n° 218 dans le faubourg Saint-Jacques, hôtel de la Tournelle. Maître ès arts, ecclésiastique, il est l'auteur de diverses œuvres savantes postérieures au *Roman de la Rose* (1270-1285); nous en trouvons l'énumération dans une épître à Philippe le Bel qui sert d'introduction à sa traduction de la *Consolatio* de Boèce : traduction du *De re militari* de Végèce; *Epistres Abailard et Heloïs*; livre sur les merveilles d'Inde (perdu); traduction du *Livre d'Espirituel Amistié* (Aelred). Sa contribution au *Roman de la Rose* le montre mêlé aux querelles entre Université et ordres mendiants, comme Rutebeuf. [Voir aussi ROMAN DE LA ROSE].

A. STRUBEL

JEHAN DE PARIS (le roman de) [fin du XVe siècle]. Dernier « roman médiéval » (1490-1500), *Jehan de Paris* est une curieuse variante du thème du « prince charmant ». Son héros est le jeune roi de France. L'intrigue pourrait se résumer en une histoire d'amour (la rivalité entre les rois de France et d'Angleterre pour l'infante de Castille), si l'auteur ne s'attachait pas à démontrer la supériorité du premier, au point de faire de son récit une œuvre de prestige, sinon de propagande. Pour avoir maté par sa seule présence une révolte de la noblesse du pays, le roi père obtient pour son fils la promesse de la main de l'infante, mais les parents de celle-ci, oublieux, voient avec faveur les prétentions du vieux roi d'Angleterre. Le roman se construit sur le voyage des deux rivaux vers l'Espagne, le souverain français s'étant déguisé en riche marchand qui déploie à chaque occasion sa magnificence et ses talents et ainsi ridiculise le concurrent, qui ne se doute de rien et le prend même pour un fou, à force de l'entendre prononcer des paroles à double sens. Le point culminant est atteint dans les scènes à grand spectacle de l'arrivée à Burgos, du défilé somptueux des Français sous l'œil attendri de la jeune fille, et l'auteur ménage savamment une gradation qui fait apparaître le héros après un étalage de splendeurs inouï, l'imposant avant qu'il ne se fasse connaître. Le roi de France n'a aucune peine à triompher auprès de la belle. Faut-il accorder quelque importance à ce déguisement en bourgeois, et y voir une reconnaissance de la nouvelle dignité de cette classe? Ou voir ici briller les derniers feux d'une aristocratie dont la fonction est de prestige, de luxe, de dépense?

BIBLIOGRAPHIE
Deux éditions, assez différentes, de E. Mabille (*Bibliothèque elzévirienne,* 1855) et A. de Montaiglon (Paris, 1867, plus scientifique).
A consulter. — W. Soderhjelm, *la Nouvelle française au Moyen Âge,* Champion, 1910; « Jehan de Paris », *Neuphilologische Mitteilungen,* nos 3/4, Helsinki, 1906.

A. STRUBEL

JEHAN DE SAINTRÉ (Le Petit). V. LA SALE Antoine de.

JE-NE-SAIS-QUOI (XVIIe siècle). La notion de « je-ne-sais-quoi » forgée au XVIIe siècle, est parfois considérée aujourd'hui avec quelque dérision, comme une subtilité des analyses « précieuses ». Certes, la vogue du terme fut telle qu'en ses multiples emplois, il en est de galvaudés. Néanmoins il s'agit, pour l'essentiel, d'un élément majeur des conceptions psychologiques et esthétiques de l'époque.

Le je-ne-sais-quoi relève d'abord de la problématique des relations amoureuses. Il désigne alors la source irrationnelle d'où naît la passion : ce sont les « nœuds secrets », les « sympathies », « ces je-ne-sais-quoi qu'on ne peut expliquer » (Corneille, *Rodogune*), dont la puissance est extrême. Les effets de ce « charme » initial s'analysent volontiers en termes tragiques : « Ce je-ne-sais-quoi, si peu de choses qu'on ne peut le reconnaître, remue toute la terre, les princes, les armées, le monde entier » (Pascal, *Pensées,* I, 162).

Cette part insaisissable, mais décisive, de la sensibilité, qui mobilise tout l'être, devient ensuite une problématique du goût artistique. Bouhours y consacre un des *Entretiens d'Ariste et d'Eugène* (1671, rééd. Bibl. de Cluny, 1962) : il montre la dette de la France envers l'Italie et l'Espagne à cet égard (lui-même emprunte à Balthasar Gracián) et analyse les implications esthétiques de la psychologie du je-ne-sais-quoi. Ainsi une œuvre, si bien faite soit-elle, reste de peu de prix si elle ne suscite pas cette émotion. Le P. Rapin (*Poétique,* 1674, rééd. Droz, 1970) rattache celle-ci plus précisément au rythme et à la mélodie poétiques (Réflexion 37).

Le je-ne-sais-quoi atteste donc la nette conscience, dans les conceptions et le goût classiques, du rôle décisif de la sensibilité, qui défie la raison, mais aussi la vivifie.

BIBLIOGRAPHIE
R. Bray, *la Formation de la doctrine classique en France,* Paris, Nizet, 1963 (1re éd. 1927); P.H. Simon, « le Je-ne-sais-quoi devant la raison classique », *C.A.I.E.F.,* mai 1959; P. Dumonceaux, *Langue et sensibilité au XVIIe siècle,* Genève, Droz, 1975.

A. VIALA

JÉSUITE (littérature) [1540-1773]. De sa création par Ignace de Loyola (1540) à sa dissolution temporaire en 1774, la Compagnie de Jésus a pris une part importante à la vie religieuse et culturelle. La production littéraire de ses membres culmine au XVIIe siècle, et son influence se prolonge par l'éducation, puis par la presse. On ne saurait donner ici que les lignes principales de son action, en tenant compte de son rôle international et des attaques violentes qu'elle a suscitées.

Le combat et la Contre-Réforme

La Compagnie de Jésus a été fondée pour restaurer la catholicité en Europe, où elle est attaquée par le protestantisme, et la diffuser en terre païenne (missions au Japon, en Chine, au Canada). Plusieurs moyens de lutte contre l'hérésie sont simultanément employés :

— l'élaboration d'ouvrages théologiques clairs et précis, qui serviront longtemps de référence; ils sont écrits en latin, par ex. les *Controversiae* du cardinal Bellarmin, le catéchisme (*Summa doctrinae christianae*) du P. Canisius;

— des travaux érudits abondants sur la tradition catholique, appuyant la théologie moderne sur l'histoire et les textes anciens : Fronton du Duc, Sirmond, Maimbourg, Pétau...;

— la controverse orale et imprimée, surtout pendant les règnes d'Henri IV et de Louis XIII : Auger, Coton et surtout Véron, qui, le premier, utilise systématiquement la Bible pour combattre les protestants sur leur propre terrain.

Durant la période initiale de la Contre-Réforme, et bien que les jésuites français célèbrent à l'envi la monarchie, l'ordre est suspect de favoriser le pape et le roi d'Espagne (controverse sur le tyrannicide, dont les jésuites espagnols Mariana et Sa soutiennent la légitimité contre un roi hérétique), et l'action des prédicateurs et des confesseurs royaux jésuites est souvent jugée néfaste par les milieux gallicans et surtout les parlementaires (Pasquier, Arnauld, Servin).

Le militantisme religieux donne ensuite aux jésuites d'autres adversaires : les libertins (le P. Garasse obtient l'ouverture de poursuites contre Théophile de Viau), puis les jansénistes (dont Pascal, qui écrit contre eux ses *Lettres à un provincial*). Leurs doctrines théologiques, marquées d'un certain optimisme (doctrine de Molina sur l'efficacité de la Grâce) et du souci de l'individu (casuistique qui juge de la gravité des péchés selon leur contexte) les font accuser d'immoralité par les partisans de l'augustinisme, plus austère. Ils sont enfin condamnés (1715) dans la « querelle des rites chinois », où, à propos des Chinois nouvellement baptisés, le problème des relations entre le catholicisme et les habitudes de culte de chaque civilisation était posé.

Spiritualité, imagination, langage : le « style jésuite »

Encore qu'ils n'en soient pas les initiateurs, les jésuites semblent avoir consciemment suivi les lignes de force de la sensibilité baroque : une spiritualité exigeante, aidée par l'imagination, guidée par la séduction et la force du langage. Le goût du pathétique (culte des martyrs, du Sacré-Cœur) s'allie au sens du lyrisme et de l'ornement. Les *Exercices spirituels* d'Ignace de Loyola, écrits en espagnol, servent de modèle à une littérature qui use de l'imaginaire pour une pédagogie du sacré (méditations sur la Passion, par ex.) — tendance générale qui est perceptible dans les livrets édifiants (variations sur les *Artes moriendi* de Costerius, d'Alvarez de Paz), dans les prédications en milieu populaire (Bourdaloue, Jean-François Régis), comme dans la plus haute spiritualité (Lallemant). Les œuvres mêlées de travaux érudits, polémiques et littéraires des P.P. Binet, Pétau et Le Moyne montrent le lien qui unit alors l'héritage de l'humanisme dévot (celui de François de Sales, du P. Richeome) et le style orné, foisonnant de figures et de descriptions symboliques : « Je n'ai pas suivi, dans ce traité des choses divines, le chemin battu de la vieille école; j'ai pris un chemin nouveau et, je puis le dire sans orgueil, un chemin où jusqu'ici personne n'avait encore posé le pied. Mettant de côté cette théologie subtile qui marche, à l'exemple de la philosophie, à travers je ne sais quels dédales obscurs, j'en ai fait une simple, agréable, sortant comme un fleuve rapide de ses sources pures et natives qui sont l'Écriture, les conciles et les Pères, et, au lieu d'un visage hérissé et presque barbare qui fait peur, je lui ai donné une physionomie polie et aimable qui attire » (Lettre du P. Pétau présentant en 1644 ses *Dogmata catholica*).

Contre la sobriété du classicisme naissant, contre le style érudit enrichi de citations prôné par les parlementaires, les jésuites choisissent de prolonger l'érudition disparate de la fin du XVIe siècle et préfèrent l'art de cour. Pour les nécessités de l'enseignement et de la prédication, ils deviennent les auxiliaires d'un renouveau de la rhétorique, ce dont témoignent les traités latins du P. Caussin (*Eloquentiae sacrae et humanae parallela*, 1619), du P. de Cressolles (*Theatrum veterum rhetorum, oratorum et sophistarum*, 1620), du P. Pelletier (*Reginae palatium eloquentiae*, 1640) et du P. Josset (*Rhetorica*, 1650). Puis s'amorce la réconciliation de la rhétorique avec le goût classique du « je-ne-sais-quoi » et l'esthétique du sublime, réconciliation marquée par un intérêt nouveau pour les belles-lettres et ce que nous nommerions une « sociolinguistique » (Bouhours, *Entretiens d'Ariste et d'Eugène*, 1671; Rapin, *Réflexions sur la poétique de ce temps*, 1675).

L'enseignement des humanités

Utiliser les goûts mondains pour une fin religieuse n'est possible que dans une politique culturelle visant à la conquête des classes dirigeantes par l'éducation. Dès leur installation en France, les jésuites ont placé au collège de Clermont, à Paris, leurs meilleurs professeurs (Maldonat, Fronton du Duc, Sirmond, Pétau). Favorisés par le déclin de l'Université, ils vont développer un enseignement qui conjugue les visées doctes et les visées mondaines. Les programmes (*Ratio studiorum* du P. Possevin de 1586 et 1599, revu en 1692 par le P. de Jouvancy) privilégient les lettres anciennes, enseignées sur des textes expurgés et annotés à l'usage des élèves (souvent utilisés jusqu'au XIXe siècle), selon des difficultés graduées.

La ratio studiorum s'organise en :
— cinq ans de *studia inferiora* : trois ans de grammaire, un an d'*humanitates*, un an de rhétorique. Les exercices de base sont la *praelectio* ou lecture commentée, la déclamation et la composition en prose et vers latins, qui, seule, peut apprendre le beau style et le goût. On enseigne à propos des textes l'histoire et la géographie. Les auteurs profanes sont abordés avant les auteurs chrétiens, réputés plus difficiles. Ce cycle d'enseignement est le plus fortement suivi et constitue donc la base de la formation des élites de l'âge classique;
— trois ans de *studia superiora*, consacrées à la philosophie, où sont comprises les sciences;
— quatre ans de théologie pour les futurs membres de l'ordre.

Vers le début du XVIIIe siècle, on enseigne la culture française en prenant pour modèles des auteurs modernes (Patru, pour l'éloquence judiciaire; Bourdaloue, pour l'éloquence religieuse; Corneille; Racine), inaugurant ainsi le mythe des « grands classiques », et le P. Porée fait composer ses élèves en français. On cherche à suivre la mode plutôt qu'à la contrarier : ainsi, un des aspects originaux est la pratique du théâtre dans les fêtes des collèges. Alors que l'hostilité au théâtre corrupteur est un lieu commun des universitaires et des théologiens, les jésuites l'encouragent. Ils ont une grande influence sur leurs élèves (Corneille, Voltaire en font partie) et eux-mêmes se font auteurs (Stefonio, Delidel, Porée) ou traducteurs (Brumoy, *le Théâtre des Grecs*, 1730). La représentation théâtrale doit développer l'aisance, la mémoire, l'art oratoire et former l'esprit des élèves; les sujets, le plus souvent tragiques, servent à l'instruction religieuse, morale et politique; ils sont choisis dans l'hagiographie, mais surtout dans la Bible et dans l'histoire romaine; ils comportent des ballets, intermèdes dansés en rapport ou non avec le thème de la pièce, à dominante allégorique ou démarqués d'œuvres littéraires (*Télémaque* fournit près de vingt canevas).

L'exemple du collège de Clermont (aujourd'hui lycée Louis-le-Grand). Entre 1701 et 1761 sont représentées 136 pièces (4 drames, 38 comédies, 94 tragédies [dont 7 comédies et 22 tragédies en latin] et 48 ballets. En 1764, à sa vente, la Bibliothèque comprend le théâtre complet de onze auteurs (dont Corneille, Molière, Regnard, Boursault), 42 volumes d'*Anciennes Pièces de théâtre*, et les 13 volumes de l'*Histoire du théâtre français* des frères Parfaict.

Face à la philosophie des Lumières

La Compagnie de Jésus a eu le souci du modernisme scientifique, et elle a formé de nombreux savants (Ricci, Kircher, Morand, Pézenas...). L'enseignement des sciences touche peu d'élèves, mais les pères sont très liés aux milieux savants et aux académies pour des recherches en mathématiques, physique et astronomie. L'ordre est plus réticent envers la philosophie : le P. Daniel réfute Descartes, puis la physique cartésienne trouve des défenseurs (André, Regnault) contre celle de Newton et de ses successeurs. Face au mouvement des Lumières, les jésuites adoptent donc une position ambiguë, que va refléter leur journal.

De même qu'ils avaient compris le rôle que pouvait jouer la publication des lettres de missionnaires (*Lettres édifiantes et curieuses*) dans la diffusion des idées et des découvertes, ainsi les jésuites, seul ordre à posséder un journal (mensuel), se donnent un moyen moderne de participer à la vie intellectuelle. Fondés en 1701, les *Mémoires pour servir à l'histoire des sciences et des beaux-arts*, dits *Mémoires de Trévoux* ou *Journal de Trévoux* (du lieu de leur publication), se veulent érudits et impartiaux, visant le plaisir de connaître. L'équipe des rédacteurs est dirigée par des savants (les PP. Lallemant et Tournemine, Le Tellier, puis Buffier; Castel, à partir de 1720; Rouillé et Castel, de 1733 à 1745; Berthier, jusqu'en 1762). La publication consacre une large place aux comptes rendus de livres. Pour leurs adversaires, les *Mémoires* sont une arme de l'obscurantisme, mais jésuites et philosophes ne sont pas toujours ennemis (Montesquieu est l'ami de Castel, Voltaire l'ancien élève et l'ami de Tournemine et de Porée). Certaines de leurs idées sont hardies : les *Mémoires* commentent avec sympathie philosophes et moralistes anglais, font l'éloge du commerce, du libéralisme, de l'inoculation, s'intéressent à la pédagogie, à l'astronomie, aux pays étrangers. Après 1750, ils s'intéressent plus aux sciences et aux arts qu'à la théologie, ainsi que le montre la part que le journal y consacre :

Matières traitées dans les Mémoires de Trévoux
d'après J. Ehrard et J. Roger, dans *Livre et société dans la France du XVIIIe siècle,* Mouton, 1965 (pourcentages arrondis)

	1715-1719			1750-1754		
Théologie	**25**			**8**		
dont controverse, apologétique		27			55	
patristique		23			10	
liturgie, dévotion		16			4	
écriture sainte		32			30	
Belles-lettres	**14**			**16**		
dont orateurs		38			6	
poésie		32			56	
grammaire		18			8	
dictionnaires et divers		12			30	
Sciences et arts	**24**			**40**		
dont beaux-arts		8			11	
techniques		10			15	
philosophie		15			16	
sciences		57			58	
{ physique			30			25
{ médecine			27			25
{ sciences naturelles			24			25
{ mathématiques			19			25
Histoire	**34**			**32**		
dont géographie, voyages		20			10	
histoire ecclésiastique		20			7	
histoire profane		60			83	
{ ancienne			12			20
{ moderne			40			39
{ sciences auxiliaires			48			41
Droit	**3**			**2**		
dont jurisprudence, pratique		42			62	

25 = % g^al^; 27 = % de la fraction.

Mais leur pensée se fait peu à peu plus dogmatique, érigeant l'Antiquité en idéal moral et esthétique (progrès de l'histoire ancienne, de la poésie, de la morale) et affirmant que la culture et la littérature doivent servir à l'ordre du monde, Providence et monarchie liées.

Après sa reconstitution en 1807, la Compagnie de Jésus connut de nombreuses difficultés au XIXe siècle (cf. les attaques de Michelet, ou *le Juif errant* d'Eugène Sue), mais elle a poursuivi sa mission d'éducation et d'érudition jusqu'à nos jours (nombreuses revues). Sa production n'appartient plus à la littérature proprement dite.

BIBLIOGRAPHIE

L'ensemble de la production des jésuites est répertorié dans Sommervogel et Bliard, *Bibliothèque de la Compagnie de Jésus,* 11 vol., Bruxelles, 1890-1932, complétée par E. Rivière, *Supplément...,* Toulouse, 1911. Sur l'œuvre religieuse : J. Crétineau-Joly, *Histoire religieuse, politique et littéraire de la Compagnie de Jésus,* Lyon, 1844-1846; H. Bremond, *Histoire littéraire du sentiment religieux,* t. III, Paris, 1916; J. de Guibert, *la Spiritualité de la Compagnie de Jésus,* Rome, 1953. Sur l'œuvre pédagogique : J.B. Herman, *la Pédagogie des Jésuites au XVIe siècle,* Louvain, 1914; F. de Dainville, *l'Éducation des Jésuites,* Éd. de Minuit, 1978, synthèse récente qui renvoie à une nombreuse bibliographie. Sur la conception du langage : M. Fumaroli, *l'Âge de l'éloquence,* Droz, 1980. Sur le combat d'idées et l'ordre au XVIIIe siècle : *les Jésuites,* n° spécial de la revue *XVIIIe Siècle,* n° 8, 1976; *Études sur la presse au XVIIIe siècle : les Mémoires de Trévoux,* Publ. de l'Univ. de Lyon, n° 1, 1973, n° 2, 1975; A. Desautels, *les Mémoires de Trévoux et le mouvement des idées au XVIIIe siècle,* Rome, 1956.

Éditions de textes : rares. Œuvres collectives : *Lettres édifiantes et curieuses sur la Chine,* Paris, Garnier-Flammarion, 1979.

M.-M. FRAGONARD

JEU. Le Moyen Âge ne connaît pas de mot équivalent à notre « théâtre ». Si, au XIVe et au XVe siècle, la situation paraît assez claire (existence de « types » comme la « moralité », la « farce », la « sotie », le « mystère », le « monologue dramatique »), il n'en va pas de même au XIIe et au XIIIe siècle. La plupart des productions dramatiques de ce temps sont désignées comme « jeux » : *Jeu de la feuillée, Jeu de Robin et Marion, Jeu du pèlerin,* d'Adam de la Halle; *Jeu de saint Nicolas,* de Jean Bodel, voire « Jeu » d'*Adam* (bien que ce terme soit moderne). La notion de « jeu » pose le problème des origines du théâtre « religieux » et « profane » (voir ces articles). Elle correspond à deux concepts latins : *ludus,* qui qualifie des représentations liturgiques (*Ludus super iconia sancti Nicolai,* 1150) et *ordo,* texte sacré découpé en tirades faisant intervenir des personnages de l'Ancien Testament. Y a-t-il eu transfert de *ludus* à *jocus* (*joculator* = jongleur)? Robert de Clari l'emploie pour décrire le théâtre de Constantinople : « les *jus* l'Empereur », où, dit-il, « les Grecs montaient pour regarder les jeux... » Le jeu comporte l'idée de la dramatisation, du passage en gestes, actions et paroles d'un texte préexistant, ou celle d'un montage à partir d'éléments traditionnels (*Feuillée, Robin*); il implique la prédominance des facteurs extra-linguistiques : le texte n'est pas clos, il n'est que le support ou le résidu d'une manifestation. Sous l'appellation de « jeu » on trouve deux catégories d'œuvres, que l'on peut distinguer comme sacrées et profanes; le procédé d'écriture est comparable (« farciture » et amplification).

L'office religieux comprend des éléments spectaculaires (rituel, gestes, chant), et les textes se prêtent à la distribution en rôles (antiennes et répons); très tôt se dégage une tendance à la dramatisation, surtout en ce qui concerne les sermons; dès les Ve/VIe siècles, un *Contra Judaeos et Paganos et Arianos sermo de symbolo* prévoit des « voix » séparées pour chacun des Prophètes. Les fêtes patronales, le culte des reliques, la faveur des processions, la présence de jongleurs lors de ces fêtes encouragent une évolution vers la représentation. Au niveau des textes, la pratique généralisée de la glose conduit à l'insertion de pauses, de commentaires, de développements qui seront bientôt en langue vernaculaire : le *Sponsus* (XIe siècle), « farcit » la parabole des Vierges avec de l'occitan. C'est ainsi qu'au XIIe siècle apparaissent les premières pièces liturgiques encore liées au lieu sacré : *ordo prophetarum* (suite de monologues de personnages, d'Adam à Nabuchodonosor), joué dans l'abbaye; *ordo resurrectionis,* joué à la fin de la messe du samedi saint. Le théâtre naît quand ces représentations s'affranchissent de leur lieu d'origine. Le *Jeu d'Adam,* encore appelé *ordo* par le manuscrit, semble en être le premier exemple : composé en répons selon la technique de la farciture, il garde encore la structure du texte liturgique, mais s'ouvre régulièrement en dialogues (Ève et le Serpent); des *didascalia* en latin décrivent les costumes et les accessoires, ainsi que les décors : le Paradis est une place surélevée, entourée de rideaux, où l'on voit les acteurs à partir de l'épaule. Le jeu hagiographique, lié à la fête patronale, illustre un épisode de la vie du saint : le *Jeu de saint Nicolas,* de Jean Bodel (vers 1200), mélange le registre épique et le trivial (scène de taverne) et crée une tradition, conservée jusque dans les mystères. *Courtois d'Arras* reprend ce procédé pour la parabole du fils prodigue. Le *Miracle de Théophile,* de Rutebeuf, est à l'origine d'une série de « miracles par personnages » qui fleuriront au XIVe siècle.

Mais, parallèlement à ce jeu liturgique qui gagne progressivement son indépendance, existent des « jeux » profanes, plus difficiles à classer. S'il y a très tôt une comédie latine scolaire et cléricale (les pièces de Hroswita, les textes comme le *Geta,* l'*Aulularia,* l'*Alda,* le *Pamphilus*), les rapports qu'elle entretient avec les premières pièces profanes en langue romane ne sont pas évidents. Elle n'explique pas l'apparition, dans les villes du Nord, d'un répertoire hétéroclite dont le *Jeu de la feuillée,* d'Adam de la Halle, est un exemple : l'auteur se met en scène lui-même dans une sorte de revue satirique de ses contemporains (dramatisation du « congé »?), un véritable pot-pourri où l'on trouve la féerie, l'allusion politique et sociale; scènes de taverne, consultation médicale, apparition d'un fou, d'un moine vantant ses reliques y apportent l'effet de farce. Du même auteur, *Robin et Marion* est un montage à partir d'éléments d'une tradition littéraire, la pastourelle, dans une ambiance d'opéra-comique. *Le Garçon et l'Aveugle* (1266-1282) semble la plus ancienne farce : on nous invite à rire des mauvais tours joués par un garçon à un aveugle dont il a gagné la confiance. Le corpus profane n'offre donc pas l'unité de son pendant religieux; le terme de « jeu » désigne la constante minimale de tous ces textes : le fait de la représentation, lui-même difficile à prouver en l'absence d'indications explicites de mise en scène. Le « jeu » est, dès lors, une notion aussi floue que le « dit ».

Par « jeu », l'on entend donc des types d'écriture dramatique variés, qui vont de la mise en scène du texte sacré à la farce, en passant par la parabole, la revue, la féerie, la pastourelle. Le mot est commode pour cerner les débuts confus du théâtre en langue vulgaire, jusqu'à ce que la multiplication des acteurs, la sophistication de la mimique et du décor, les directives de régie exprimées produisent, après 1350, une forme d'art dramatique plus familière à nos conceptions modernes, mais qui reste originale. « Jeu » est à prendre surtout comme le signe que le texte que nous avons conservé n'est qu'une faible partie de ce qui faisait sens; le fonctionnement du « drame », sa perception par le public, tout ce qui compose vraiment le jeu nous échappe. Aussi, ce premier théâtre français est-il un domaine plein d'interrogations : *Courtois d'Arras* est-il une pièce religieuse ou comique, voire simplement un monologue de jongleur? Faut-il compter dans le corpus la « chantefable » d'*Aucassin et Nicolete*? L'apparition soudaine du théâtre profane au XIIIe siècle à Arras est aussi problématique que le fossé qui sépare la production religieuse de cette veine séculière : comment recréer la filiation entre le *Jeu d'Adam* et le *Jeu de la feuillée*? Il semble que le point commun soit l'élaboration « dramatique », la transformation d'un texte, d'un registre donné : *Genèse,* d'une part; registres littéraires de la satire, de la féerie [voir LAIS], du lyrisme, d'autre part.

BIBLIOGRAPHIE

R. Axton, *European Drama of the Early Middle Ages,* Londres, Hutchinson Univ. Library, 1974; J. Chevalier, *le Théâtre comique du Moyen Âge,* « 10/18 », 1973 (traductions de textes); L. Cledat, *le Théâtre en France au Moyen Âge,* Paris, 1885; K. Schoell, *das Komische Theater des französischen Mittelalters,* Munich, Fink, 1975; M. Sepet, *le Drame chrétien au Moyen Âge,* Paris, 1878; G. Wickham, *the Medieval Theater,* Londres, Weidenfeld & Nicholson, 1974.

A. STRUBEL

JEU (le Grand). V. GRAND JEU (le).

JEU D'ADAM (XIIe-XIIIe siècles). L'*Ordo representationis Adae,* représenté entre 1175 et 1225, est le chef-d'œuvre du drame liturgique médiéval, genre qui mettait en scène, dans l'église et à leur place « historique », des épisodes de l'histoire sacrée, complétant ainsi le culte sans le remplacer. On y retrouve les principaux caractères de ce théâtre rituel : mélange des chants liturgiques et du jeu dramatique; hiératisme et stylisation de la mise en scène (il ne faut pas être trompé par les nombreuses indications du manuscrit : elles désignent un décor et un jeu d'une extrême simplicité); lieu théâtral enfin, qui, contrairement à ce qu'on a cru longtemps, est sans doute l'intérieur de l'église et non son parvis. Mais, comme on le voit, ce n'est que par son aspect, par sa forme que le *Jeu d'Adam* se rattache à la tradition. Dès qu'on pénètre dans le texte (ce texte qui, justement, prend pour la première fois une importance considérable), on sent cette tradition éclater de toutes parts. Alors que les drames liturgiques sont des représentations fragmentaires du mythe chrétien (Nativité, Résurrection, par exemple), l'*Adam* offre un aspect nettement cyclique. Il est en effet formé de la réunion de trois ensembles qui ont pu être, à l'origine, distincts mais qui sont ici revivifiés par une totale unité d'inspiration : le jeu d'Adam et Ève, le jeu d'Abel et Caïn, une procession de prophètes annonçant la venue du Messie et se terminant, comme il est d'usage, par la prédiction du Jugement dernier (ce long sermon final de l'antique sibylle christianisée, parfois refusé par les éditeurs, est indispensable à la structure de la pièce). De la Création à la fin du monde, c'est donc toute l'histoire chrétienne qui est proposée au spectateur, mais une histoire sélective, celle des moments forts du péché humain. Le dessein n'est donc pas, comme dans le drame traditionnel, la représentation objective d'événements sacrés, mais une approche morale de l'aventure humaine. L'homme est alors poussé au premier plan, par le biais de la psychologie et du réalisme. Les héros ne cessent de délibérer et agissent sans déterminisme. Le personnage d'Ève est si fouillé qu'il devient ambigu, du moins pour le lecteur moderne prêt à y voir du féminisme. Le diable, pour tenter la femme, prend les allures d'un séducteur courtois. La pièce enfin a un caractère politique : son premier acte donne en effet l'image non de la création de l'homme naturel, mais de l'*homo* féodal et paraît destiné à accorder la caution du sacré à la féodalité tout en rappelant au public aristocratique, auquel visiblement le jeu s'adresse, qu'il doit son existence et son relatif pouvoir à la toute-puissance du [illegible] ne se découvre une [illegible] peut être ressentie [illegible] utes les formes de [illegible] es des expériences [illegible] ne des expériences [illegible] sie. Trop en avance [illegible] son temps, jamais imité, le *Jeu d'Adam* est moins un document sur l'évolution du théâtre religieux médiéval qu'un témoin de la mentalité religieuse de ce XIIe siècle où se forme l'homme moderne.

BIBLIOGRAPHIE

Parmi les nombreuses éditions, on préférera celle de P. Aebischer, Genève, Droz, 1964, parce qu'elle offre l'indispensable sermon final.

Sur les éléments liturgiques de la pièce, consulter W. Noomen, « le *Jeu d'Adam*, étude descriptive et analytique », *Romania*, 1964, p. 145-193; sur l'aspect politique, M. Accarie, « la Légitimation de la société féodale dans le *Jeu d'Adam* », *Mélanges Jeanne Lods*, Paris, 1978, p. 1-18; sur la mise en scène, M. Mathieu, « la Mise en scène du *Mystère d'Adam* », *Marche Romane*, 1966, p. 47-56 (reconstitution sur le parvis), et M. Accarie, « la Mise en scène du *Jeu d'Adam* », *Mélanges Pierre Jonin*, Aix-en-Provence, 1979 (reconstitution dans l'église); synthèse par M. Accarie, « le Théâtre sacré de la fin du Moyen Âge », *Étude sur le sens moral de la Passion de Jean Michel*, Genève, Droz, 1979, p. 41-49.

M. ACCARIE

JEU DE LA FEUILLÉE. V. ADAM DE LA HALLE.

JEU DE ROBIN ET DE MARION. V. ADAM DE LA HALLE.

JEU-PARTI (XIIIe siècle). C'est une pièce lyrique de six strophes, suivies de deux envois. Dans la première strophe, un trouvère propose à un partenaire de soutenir un des deux points de vue qu'il énonce sur question d'amour; le partenaire fait son choix, et le premier défend la proposition qui reste. L'un et l'autre composent à tour de rôle une strophe; enfin, dans les envois, chacun désigne son juge. A l'origine, « partir un joc », en provençal, c'était proposer une question; le « joc partit » ou *partimen* était une sorte de débat dérivé de la *tenson* occitane, laquelle dépassait largement le cadre de l'amour courtois.

Les jeux-partis d'oïl présentent en général des ressemblances thématiques et formelles avec la « chanson d'amour », appelée parfois « grand chant courtois ». Le texte, soutenu par une mélodie, développe avec application les mêmes motifs stéréotypés, mais cette fois sous la forme d'un dialogue antithétique qui tend à élaborer une véritable casuistique courtoise. De ce point de vue, et malgré leur ton savant et souvent élégant, parfois aussi malicieux et sarcastique, ils n'éclairent guère la philosophie courtoise.

Le jeu-parti est plutôt l'occasion d'un divertissement plus social qu'individuel, une sorte de défi que se lançaient deux poètes. Ils se nommaient, et ce sont effectivement des personnages réels, comme devaient l'être les juges, lesquels ne rendent d'ailleurs jamais de jugement et pour qui cette sollicitation ne constituait qu'une sorte d'hommage. Le public, connaisseur, éprouvait le même plaisir qu'à un tournoi et trouvait là de quoi satisfaire son goût de la procédure et du droit, transposés dans l'étude subtile ou parodique des cas de la vie amoureuse.

Si l'on considère que les trois-quarts de ces jeux-partis ont été écrits au XIIIe siècle, à Arras, dans un cénacle littéraire bien connu dont le personnage principal était Jean Bodel, on comprend mieux que ces textes renvoient l'écho d'une société dont l'inspiration est plus bourgeoise qu'aristocratique : on y parle au moins autant de la femme que de la dame, beaucoup plus de l'infidélité conjugale et des rivalités amoureuses que du désir pur ou de l'ascèse; on y disserte sur la nature ou sur la fréquence des faveurs accordées, voire sur l'âge de la femme aimée! Dans la mesure où il semble mettre en représentation la tension d'une société masculine occupée à se partager l'amour et la femme de la même façon qu'elle se partageait l'argent et le pouvoir, le jeu-parti semble plus s'apparenter au théâtre qu'à la chanson courtoise.

BIBLIOGRAPHIE

Arthur Långfors, *Recueil général des jeux-partis français*, Paris, Champion, 1926; Paul Rémy, « Jeu-parti et roman courtois », dans *Mélanges Maurice Delbouille*, Gembloux, Duculot, 1965, p. 545-562.

M. FAURE

JODELLE

JODELLE Étienne (1532?-1573). Entre du Bellay et d'Aubigné — entre la hauteur et la violence —, Jodelle, qui participe des deux, a difficilement trouvé place devant la postérité; ce n'était pas faute d'avoir reçu leur appui enthousiaste, pourtant; mais la gloire qui entoura ses débuts s'achève en exécration. Déjà mal accepté de son époque, Jodelle ne trouvera grâce qu'à la nôtre, qui aime justement en lui le caractère impulsif, fragmentaire, inachevé de ses ébauches — de ses chefs-d'œuvre.

« Pourquoy, pourquoy, fortune,
O fortune aux yeux clos!
Es-tu tant importune? »

Ces vers de *Cléopâtre captive*, l'œuvre la plus vivement saluée, peut-être, de tout le siècle, semblent en pleine gloire présager ses malheurs.

Parisien — il se glorifiera toujours de cette origine, assez mal représentée dans le groupe de la Pléiade, auquel il appartient —, Jodelle est né dans une famille bourgeoise; d'une très relative aisance, le poète prend le titre de sieur du Lymodin, du nom d'une terre qu'il possède au sud de Paris. Sa mince fortune va s'émietter tout au long de sa vie. Un oncle maternel possède une riche bibliothèque dans laquelle Jodelle a dû puiser tout jeune; et il semble que dès l'âge de quatorze ans, il ait composé en l'honneur de Marot; suivront — au dire de son futur éditeur, Charles de La Mothe — des « sonnets, odes et charontides », en 1549. Alors commence une vie mystérieuse, contradictoire, louée et maudite, dont les deux extrêmes figurent peut-être dans le succès provocant de *Cléopâtre* (1553) et dans le premier échec — amplifié avec fureur dans le propre récit qu'il en fait — de la fête de l'Hôtel de Ville, en 1558. Tout est paradoxal chez Jodelle : proche des milieux réformés par l'intermédiaire de Guillaume Guéroult (à Lyon, vers 1551-1552), il écrira, à partir de 1567, des textes d'une très grande violence contre les protestants et Michel de l'Hôpital; quoiqu'il ait approuvé la Saint-Barthélemy, il trouvera en d'Aubigné son meilleur défenseur posthume. Tenté au moins à deux reprises par une carrière militaire (en Italie, vers 1551, auprès du lieutenant général du roi à Turin, Charles de Cossé, puis en 1559), il ne rêve que de la gloire poétique la plus austère et d'une vie solitaire qu'il mènerait en vagabond dans la campagne. S'étant laissé aduler en 1553 par la Cour, les nouveaux poètes du cercle de Jean Brinon, le groupe de Boncourt et celui de Coqueret (Muret, Belleau, Denisot, Fontaine; puis Baïf, Ronsard, Du Bellay...), il ne trouve plus le repos qu'auprès des amis les plus chers, Claude de Kerquefinen et le comte de Dammartin, pour lesquels il compose de ses plus beaux vers, français et latins. Condamné à mort vers 1564 — pour des raisons demeurées mystérieuses —, il réapparaît à Paris trois ans plus tard, dans le salon le plus élégant et le plus cultivé, celui de Claude-Catherine, maréchale de Retz — et lui, qui n'a guère aimé les femmes, dédiera à celle-là de magnifiques poèmes d'amour refusé. Son comportement à l'égard de la Cour, ses ambitions et ses réussites dans ce milieu reflètent son instabilité; assez heureux après *Cléopâtre* pour faire figure, aux yeux des échevins parisiens, de « poète du roi », il gâche tout en 1558, par l'horreur qu'il éprouve de son échec; mais de nombreuses pièces offertes à Catherine de Médicis et à Charles IX, un appui constant à leur politique lui valent en 1571 de participer, avec son *Hyménée,* aux fêtes du mariage royal. Richement doté en 1572, il meurt un an après, dans la misère.

Le *Recueil des Inscriptions* nous révélera assez de quelle « fureur » fut capable celui que du Bellay appela, avec la plus grande admiration, un « Démon », et en qui Ronsard a d'abord salué le premier poète tragique français.

Désordres

Tels qu'ils nous parviennent, les fragments de son œuvre semblent échappés d'un désastre. Cette partie visible est faite de pièces liminaires disséminées dans les œuvres d'autres écrivains, de vastes poèmes épiques inachevés, comme la haute dissertation morale et politique des *Discours de Jules César avant le passage du Rubicon* (à la fin des 2 266 vers qui nous restent, César n'a pas encore parlé...) ou les strophes de l'*Ode de la chasse*; des dernières envolées complexes *Contre la Rière Vénus* (tenant de Platon et de Dante); des poèmes d'amour écrits pour l'album de la maréchale de Retz, avec leur contrepartie impatiente des refus; de magnifiques poèmes d'amitié, qui disent la confiance et la sérénité dans un monde trop injuste; des priapées grotesques, etc. Dominent la seule comédie et les deux tragédies sauvées, et le *Recueil des Inscriptions.*

Consubstantiellement désorganisée, inachevée, maudite par son auteur « si fasché, si despit, si resveur et si pesant que tous les instruments de [ses] malheurs, qui sont les livres, les papiers et les plumes, [lui] puoient de telle sorte, que peu s'en fallut qu'[il] n'en fît un beau petit sacrifice dans son feu », l'œuvre fut encore plus saccagée par ses éditeurs, comme en témoigne d'Aubigné :

> L'un en tient un lopin dont il bave sans cesse,
> L'autre en tient un cayer enfermé dans l'estuy.
> Un autre à qui l'argent ne feroit tant d'ennuy
> Le vent à beaux testons pour mettre sur la presse.

On n'a même pas respecté l'ordre qu'il voulait pour le *Recueil,* assez clair pourtant sur la manière dont Jodelle concevait son œuvre : composite, encadrant les vers de sa « mascarade » de poèmes à son livre, de récits autobiographiques, de devises latines et de vers latins, dédiés à son ami Kerquefinen, pour conclure sur un « chapitre » *A sa Muse,* dont la vigueur, le mépris conjoint pour la Cour et le vulgaire et l'idéal de vertu solitaire cimentent l'ensemble du recueil.

En fait, l'idée de Jodelle est que dans la multiplicité des projets réside la profondeur de l'atteinte. S'il s'est voulu « de tous mestiers », architecte (comme à Verneuil), peintre, brodeur, chanteur, ou poète, c'est que, de ce désordre excessif, de ce bricolage génial doit naître l'œuvre totale, le grand spectacle (dont il ne pouvait que pressentir le développement : l'opéra) qui réunit musique, paroles et décor dans un propos hautain, politique et moral. Alors, tout est littéralement « en jeu », comme il l'explique dans l'*Épithalame* de Marguerite de France, extravagant à force d'imagination concrète. Et l'on comprend qu'il ait cherché à séduire le grand Roland de Lassus.

« Jamais l'Opinion ne sera mon collier »

Un tel idéal, qui ne supporte pas les échecs, pourtant inéluctables du fait de l'originalité d'un tel projet, se heurte cruellement à la mentalité « mécanique » des bourgeois qui le paient ou à la versatilité d'une Cour plus occupée d'apparence que de vertu :

> Tu sçais, ô vaine Muse, ô Muse solitaire
> Maintenant avec moy, que ton chant qui n'a rien
> Du vulgaire ne plaist non plus qu'un chant vulgaire.

Malgré tous les soutiens, malgré l'enthousiasme qu'il fait partager — ou à cause de lui —, Jodelle peu à peu « s'étrange » du monde, « furieux et demi-mort ». Cette fureur (fureur poétique et folie), ce forcènement continuel et ce caractère démoniaque qui fit l'admiration de Du Bellay, cet autre fou de vertu et de raison, forment son langage le plus constant : « J'ay déjà dépassé toutes les bornes de Raison ».

Les événements ont tant de prise sur lui qu'il ne sait plus s'il est lui, comme il l'avoue avec amertume. « Trop de malheur ou trop de capacité » sont une seule et même chose à ses yeux. Et d'Aubigné dit encore son impuissance à l'égaler dans la violence :

> ...Je n'ay pu, Jodelle
> Pour louer ta fureur estre assez furieux.

La malédiction qui marque sa vie devait se montrer tenace :

> Si tost que Jodelle est mort
> Voici la canaille qui sort,

dit le poète des *Tragiques.* Il est curieux qu'il y ait eu besoin de quatre siècles et d'un érudit italien pour reconnaître, non seulement le poète tragique, mais encore le poète tout court.

VIE	ŒUVRE
1532 (?) Naissance à Paris.	
	1546 Épitaphe de Marot dans les *Œuvres* de Marot.
	1549 (?) Sonnets, odes et charontides, selon Charles de La Mothe.
1551-1552 (?) Jodelle à Lyon. Noue des relations avec Guillaume Guéroult chez l'imprimeur Arnoullet. Jodelle en Italie? Turin : rencontre Charles de Cossé, lieutenant général du roi en Italie?	**1551** Sonnet pour la traduction des *Psaulmes* par Théodore de Bèze.
1552-1553 Paris. Fréquente le cercle de Jean Brinon, le collège de Boncourt (Muret, Denisot, Fontaine, Belleau, puis Ronsard, Baïf...).	**1552** (Seconde moitié) : *l'Eugène; Ode* et *Sonnet* pour Denisot; *Épigramme* et *distique latin* pour Muret.
1553 Février-mars : Représentation de *Cléopâtre captive* devant le roi, à l'Hôtel de Reims, puis au collège de Boncourt; Jodelle loué par tous. « Fête du Bouc », à Arcueil, pour fêter le succès de *Cléopâtre*.	**1553** *Cléopâtre captive*. Poèmes pour Henri II, Hugues Salel, Ronsard, Étienne Pasquier, Claude Colet.
1554 Continuation des éloges.	**1554** Poème pour le *Tombeau* de Brinon.
1555 Jodelle sans protecteur. Premiers emprunts sur sa terre de Lymodin, au sud de Paris. Fontaine se plaint qu'il ne publie pas tous ses vers.	
1556 Loué par Le Caron et divers.	**1556** *Ode* pour une traduction de Paul Émile par J. Regnart; *Chanson pour répondre à celle de Ronsard : « Quand j'étois libre »; Épître à ...Marguerite de France.*
	1557-1558 Poèmes pour Gruget, Thévet.
1558 Semble protégé par Marguerite de France. Loué par du Bellay (*les Regrets*). Commande, par les échevins parisiens, d'un spectacle pour fêter la victoire du duc de Guise. Échec de la fête, le 17 février.	**1558** *Recueil des Inscriptions, figures et masquarades ordonnées en l'hostel de ville à Paris, le jeudi 17 février 1558...*
1559 Jodelle n'est pas à Paris. Tente une carrière militaire? Relations d'amitié avec Claude de Kerquefinen, qui restera un appui constant pour le poète.	**1559** *Épithalame* pour les noces de Marguerite de France.
	? *Discours de Jules César avant le passage du Rubicon* (inachevé).
1561-1563 Toujours loué par Ronsard et Grévin.	**1563** Poèmes pour Catherine de Médicis et Charles IX. *Ode de la chasse.*
1564 Philippe de Boulainvilliers, comte de Dammartin et de Fauquenberge, ami et protecteur de Jodelle. Jodelle l'aide dans les projets de construction de son château de Verneuil.	**1564** Poèmes pour Philippe de Boulainvilliers (en latin).
	? *Didon se sacrifiant.*
	1565 *Chanson pour respondre à celle de Ronsard : « Je suis Amour... »*
1564-1566 Jodelle condamné à mort; loin de Paris.	
1567 Jodelle à Paris; maladie.	**1567** *Élégie* pour Baïf. *Sonnets* contre les protestants.
1568 Loué par du Bellay (*Œuvres* posthumes).	**1568** *Satire* contre Michel de l'Hospital. *Sonnets* politiques.
1569 D'abord loin de Paris, Jodelle y revient et fréquente le salon de la maréchale de Retz (?).	**1569** *Tombeau* pour un seigneur catholique. *Tombeau* pour Timoléon de Cossé. Sonnet et vers latins pour la mort de Florimond Robertet.

	VIE		ŒUVRE
		1570	Poèmes pour la mort de Jeanne de Loynes; vers latins en l'honneur de Roland de Lassus; *Tombeau* de Gilles Bourdin; *Sonnet* au roi sur la paix de Saint-Germain.
1571	Participe aux fêtes pour le mariage de Charles IX par *l'Hyménée,* peut-être commandé par la Ville de Paris.	**1571**	*Chapître en faveur d'Orlande, excellent musicien.* *Hyménée de Charles IX.* Participation à plusieurs « tombeaux ».
1572	Approuve la Saint-Barthélemy; reçoit 500 livres tournois de Charles IX.		
1573	Saisie de sa terre de Lymodin. Testament (juillet). Mort (juillet).		
1574	*Vers funèbres sur la mort d'Estienne Jodelle, parisien, Prince des poètes tragiques,* par Agrippa d'Aubigné. *Épitaphe* élogieuse de Jean de La Gessée. Retournement de Ronsard, qui lui préfère Garnier.	**1574**	Publication, par Charles de La Mothe aidé par un groupe d'amis du poète, du premier volume des *Œuvres et meslanges poétiques d'Estienne Jodelle.* Les « quatre ou cinq volumes suivants » annoncés ne verront jamais le jour, malgré les plaintes de d'Aubigné. Nouvelles éditions en 1583 et 1597.
	Après 1575, quelques éloges paraissent encore (Le Loyer, M.C. Buttet, G.M. Imbert, Lefèvre de La Boderie, d'Aubigné encore), mais Ronsard, Pasquier reprennent leurs critiques.		

Eugène

A un moment où les textes comiques français sont très rares et tiennent encore de la farce, quand ils ne sont pas des traductions de la comédie érudite italienne ou de la commedia dell'arte, ou de simples adaptations de Plaute ou de Térence, l'*Eugène* (1552) de Jodelle occupe une place originale et apparaît bien comme la première comédie bourgeoise d'une longue tradition. « Rien d'étranger on ne vous fait entendre », dit Jodelle dans un prologue-manifeste. Il a cherché à atteindre « le plus bas populaire », mais avec des personnages qui ne chaussent pas les « sabots » de la farce ou de la comédie paysanne de Ruzante : de condition plus élevée, l'abbé Eugène, qui vit en épicurien, sa sœur Hélène, personnage noble et touchant, l'homme d'armes Florimond, qui vient de se distinguer dans la campagne du duc de Guise, sont plus que des personnages de farce. De même, dit Jodelle, « le style est nôtre », il est « de ce langage », et le débat — la rivalité entre l'homme d'Église et le gentilhomme — revêt un caractère national et d'actualité. La couleur locale, la réalité parisienne, l'idéal héroïque opposé aux aspirations de la bourgeoisie, à son confort luxueux, font de la pièce la première comédie humaniste sans pédantisme, qui sait prendre à la farce l'octosyllabe en même temps que le sujet traditionnel du cocuage, à la comédie érudite des analyses très fines, à Plaute et surtout à Térence la vigueur de la construction. Mais surtout, la comédie doit à une écriture vive de dépeindre avec précision un idéal libertin d'indépendance épicurienne :

Nul ne garde si bien en soy
Ce bonheur comme moy à moy [...]
Toujours, Monsieur, moy je seray
Et tous mes ennuis chasseray [...]
Je ne voûray jamais à rien,
Sinon au plaisir mon étude...

Comme d'autres pièces, *Eugène* fut sans doute jouée dans un collège.

Synopsis — L'abbé Eugène aime une jeune rouée, Alix, et la marie au bon Guillaume, qu'il sait berner par des cadeaux. Le jeune Florimond revient de guerre et apprend qu'Alix, qui était sa maîtresse avant son départ, l'a trompé. Il la bat, tandis que Guillaume se lamente. Mais Eugène réussit à faire revenir Florimond vers sa propre sœur, la noble Hélène, qu'il avait aimée avant Alix. Guillaume et Eugène se partagent dorénavant Alix en toute bonne conscience.

Cléopâtre captive

Innovateur dans la tragédie comme dans la comédie, Jodelle est l'auteur de la première grande tragédie française à sujet profane. C'est dans l'enthousiasme le plus général que cette pièce fut jouée devant le roi à l'hôtel de Reims, en février 1553, puis au collège de Boncourt, en mars. Les rôles étaient tenus par Jodelle et ses compagnons, dont Rémy Belleau. Pour constituer un spectacle complet à l'antique, elle était accompagnée d'une nouvelle comédie dans le style bourgeois de l'*Eugène,* et qui est aujourd'hui perdue, *la Rencontre.* On date communément du succès de *Cléopâtre* la première manifestation à valeur de programme du groupe de la Pléiade.

La pièce, qui prenait son sujet à Plutarque et non à une tragédie antique (ce passage de la *Vie d'Antoine* venait d'être traduit par l'historien Claude de Seyssel), montrait par là sa modernité : Jodelle comptait tirer de la vie des grands personnages historiques, que, dès le prologue adressé à Henri II, il rattache aux princes de son temps, une leçon morale et politique; les royaumes se défont, et la direction du monde passe d'une main à l'autre, de l'Égypte à Rome — mais aussi, en trame, de l'Italie à la France. Pour ce relais fatal, le prince sert d'instrument : en Cléopâtre, comme en Antoine, l'amour a été la figure de la fatalité. Cette vision, toute racinienne déjà, d'une faute dont ils ne sont pas coupables confère aux personnages une grandeur tout à fait nouvelle, et la démesure grecque, l'orgueil humain s'incarnent en péché. La *Didon se sacrifiant* le dira encore davantage, usant plus encore de Sénèque que de Virgile pour dévoiler le gouffre de la passion.

La structure de la tragédie est à l'antique : en cinq actes, dont l'unité est parfaite, alternent chœurs et dialogues. Mais on ne dira jamais assez à quel point cette pièce, par la volonté de variété dans la symétrie, appartient à la Renaissance. A chaque acte voué à Cléopâtre — écrit en alexandrin, le mètre le plus lyrique alors — succède un acte où domine Octavian (Octave) — écrit en décasyllabe, le mètre « héroïque ». Au centre, à l'acte III, la rencontre et l'affrontement. Chacun des deux personnages s'entoure lui-même de deux conseillers ou de deux suivantes, qui se font écho ou s'opposent; au centre, un intermédiaire, traître à Cléopâtre, Séleuque. A tous les niveaux se répètent les rythmes en se décalant, et particulièrement dans les chœurs « à l'antique », qui ont fait à juste titre la gloire de *Cléopâtre*. De plus en plus abondants à mesure que la pièce avance, ils varient, comme l'ode ronsardienne, les strophes et les mètres, au point qu'il n'y en a aucun de semblable : du quatrain à la strophe de onze vers, du vers de trois syllabes à celui de sept, avec un goût très évident pour l'impair. Valse-hésitation des rythmes, à laquelle notre oreille est peu sensible, mais qui ravit celles du XVIe siècle.

La beauté constante des vers, l'absence de toute surcharge mythologique (seuls les chœurs ébauchent et réveillent les mythes), le lyrisme élégiaque de Cléopâtre opposé physiquement à la noblesse tourmentée d'Octavian justifient l'intensité de l'accueil fait à la pièce. Tragédie politique, tragédie du destin et de la mort, de la mort différée et de la mort glorieuse, *Cléopâtre* est aussi une tragédie de l'adieu, puisqu'il fallait

> [...] rompre paix et combattre
> Ou séparer Antoine et Cléopâtre.
> Séparer, las! ce mot me fait faillir...

Synopsis — Acte I. L'ombre d'Antoine annonce : « Cléopâtre mourra »; Cléopâtre, devant son tombeau, souhaite la mort.

Acte II. Octavian souhaite que Cléopâtre vive, pour figurer à son triomphe romain.

Acte III. Cléopâtre affecte de vouloir vivre, pour sauver la vie de ses enfants. Octavian le lui accorde.

Acte IV. Cléopâtre se prépare à la mort.

Acte V. Le récit de la mort de Cléopâtre affecte les Romains et le chœur, qui chante la mort « heureuse », celle qui délivre de la servitude et donne une gloire immortelle.

Didon se sacrifiant

Le sujet est identique à celui de *Cléopâtre* : à la femme qui va mourir, et que la passion a rendue fatalement coupable, il oppose l'homme politique dont le destin est de réaliser la grandeur d'une nation, Énée. Le traitement est différent : Jodelle a abandonné la structure mobile de *Cléopâtre* pour une composition régulière, et utilise systématiquement l'alexandrin. Celui-ci lui permet, dans la lignée de Sénèque, de suivre d'une façon toute nouvelle la psychologie du personnage, ou d'en décrire les bouleversements physiologiques. Comme la Phèdre de Racine, Didon, proie offerte à Vénus, qu'elle supplie, est mise à nu :

> Je palli, je me pers, je me trouble et retrouble;
> Je croy ce que j'ai veu n'estre rien fors qu'un songe [...]
> Faible, palle, sans cœur, sans raison, sans haleine,
> Anne, mon cher support, maugré moy je me traîne
> De rechef çà et là, mal apprise à souffrir
> Un repos qui me vient l'impatience offrir.

Du Bellay avait traduit avec moins de génie le IVe chant de l'*Énéide*; le récit du songe d'Anne, violent et baroque, est un véritable morceau de bravoure. Cette violence, en effet, du sang, des mouvements furieux, des imprécations, de la mort — exacerbée dans *Didon* —, oppose à la Raison, sans cesse invoquée, toute sa dérision tragique. Que de ressources dans cette tragédie, écrite après 1560 et dont on ne sait si elle fut jouée, si même elle fut lue par ses héritiers, non seulement les auteurs baroques, mais encore Racine!

Le Recueil des Inscriptions

Plus encore que *Cléopâtre*, c'est pour nous l'apogée de Jodelle, dans son échec même. Le 11 février 1558, Jodelle accepte la commande des échevins parisiens : il doit, en six jours, composer un spectacle pour fêter la victoire du duc de Guise sur les armées impériales, et son retour à Paris; il doit non seulement l'écrire, mais le réaliser, recruter les acteurs et chanteurs, les peintres et artisans qui vont construire tout le décor de l'Hôtel de Ville (l'escalier d'entrée, la salle de banquet qui est aussi celle du spectacle), leur donner les thèmes, les devises, acheter et faire coudre les costumes, etc. Il fera tout. Il écrira une « masquarade » qui a pour thème les Argonautes (le navire *Argo* est identifié à celui qui figure sur les armes de Paris), il veillera à la moindre devise, il déplacera la moindre feuille de lierre.

Forcené, il travaille avec fureur; nulle allégorie que sa mémoire peut lui offrir, nulle symbolique, nul mythe qu'il ne tisse comme ces branches de lierre dont il décore tout. Mais Jodelle est maudit : il rencontre là son « désastre accoutumé ». La salle de banquet ne laisse plus aucune place aux évolutions de ses acteurs, tant il y a de monde, et qui parle et qui mange, et qui ignore — vulgaires bourgeois qu'ils sont — ce qu'aiment les rois. Les décors — des rochers trop pointus, comme des clochers — doivent être amputés pour pouvoir entrer dans la salle; les chanteurs n'ont plus de voix. Lui-même — lui qui a écrit ces vers et qui a si bonne mémoire! — ne se souvient plus d'un mot et devient la risée de ceux qui écoutent encore.

Autour de ces événements, Jodelle, fou de malheur, va écrire quelques pages de prose qui comptent parmi les plus belles du XVIe siècle, témoignage lyrique qu'il publie en juin, encadrant les fragments du spectacle de ses explications, de ses défenses, de ses injures. Seule la pression excessive du sentiment de l'injustice peut mener à une littérature autobiographique si maîtresse d'elle-même :

> Combien que j'en aye porté et porte encore un tel regret, que je ne le puis autrement nommer que desespoir, non pas tant pour la faute que pour voir que Dieu m'a fait naistre si malheureusement, que de toutes choses que j'ay bien faictes, ou que j'eusse peu bien faire en ma vie, je n'en sceu jamais avoir l'usage, vivant presque en ce monde tout tel q'un Tantale aus enfers, s'il faut ici parler encore de fable : qui est ce toutesfois qui en ceci n'estimera ceus impitoyables qui avecques leurs brocards publiques, leurs secretes reproches, et leurs injustes injures ne m'ont point pardonné d'avantage que si j'eusse esté coupable du plus grand crime et lese maiesté?

Ce bourreau de soi-même était bien fait, avant Rousseau, pour l'exécration générale.

BIBLIOGRAPHIE GÉNÉRALE

Le seul texte intégral publié du vivant de Jodelle est le *Recueil des Inscriptions, Figures, Devises et masquarades ordonnées en l'hostel de ville de Paris le jeudi 17 février 1558. Avec autres Inscriptions en vers Héroïques Latins pour les images des Princes de la Chrestienté*, Paris, A. Wechel, 1558.

L'édition Marty-Laveaux, Lemerre, 2 vol., Paris, 1868-1870, ajoute quelques poèmes à l'édition La Mothe (1574; cf. la chronologie).

Enea Balmas a publié la totalité des œuvres connues de Jodelle, chez Gallimard, 2 vol., 1965. C'est la meilleure édition actuelle; elle comprend une biographie de l'auteur, des notes importantes, la traduction des textes latins, et les textes de D'Aubigné sur Jodelle.

Éditions particulières : *les Amours et autres poésies*, avec une notice de G. Colletet, éd. A. Van Bever, Paris, 1907; *Eugène*, éd. E. Balmas, Turin, 1955; *Cléopâtre captive*, éd. F. Gohin, Paris, 1925, et S.F. Baridon, Milan 1949; *Didon se sacrifiant*, éd. D. Stone, dans *Four Renaissance Tragedies*, Harvard U.P., 1966; *Recueil des Inscriptions*, éd. V.E. Graham, Toronto/Londres, 1972.

A consulter. — L'étude essentielle est celle d'Enea Balmas, *Un poeta del Rinascimento Francese, Etienne Jodelle, La sua vita, Il suo tempo,* Florence, Olschki, 1962.

Malgré leurs jugements sommaires et l'insuffisance de leurs analyses, on peut consulter H. Chamard, *Histoire de la Pléiade,* Paris, t. IV, Didier; et Marcel Raymond, *l'Influence de Ronsard,* Champion, 1927, Droz, 1965, t. I, p. 270 et sq.

Sur le théâtre : Raymond Lebègue, *la Tragédie française de la Renaissance,* Paris, éd. 1954, chap. 5; — « la Pléiade et le théâtre » , dans *Lumières de la Pléiade,* Paris, 1965; *les Tragédies de Sénèque et le théâtre de la Renaissance,* C.N.R.S., 1964; *les Fêtes de la Renaissance,* C.N.R.S., 1965; *le Lieu théâtral à la Renaissance,* C.N.R.S., 1964 (ouvrages dirigés par J. Jacquot); *Dramaturgie et société, rapports entre l'œuvre théâtrale, son interprétation et son public aux* XVI*e et* XVII*e siècles,* ouvrage dirigé par J. Jacquot, C.N.R.S., 1968; Donald Stone, *French Humanist Tragedy. A Reassessment,* Manchester, U.P., 1974; Bryan Jeffery, *French Renaissance Comedy,* Oxford, Clarendon press, 1970; Madeleine Lazard, *la Comédie humaniste au* XVI*e siècle et ses personnages,* Paris, P.U.F., 1978; Madeleine Lazard, *le Théâtre en France au* XVI*e siècle,* Paris, P.U.F., 1980; May Morrison, « Some Aspects of the Treatment of the Theme of Antoine and Cléopâtre in Tragedies of the 16th Century », *Journal of European studies,* 1974, juin, p. 113-125; R. Griffin, *« Cléopâtre captive* devant la critique », *Œuvres et Critiques,* t. I, chap. I, p. 111-118; K.M. Hall, « Notes on Jodelle's *Cléopâtre captive », French Studies,* XX, 1966, p. 1-14; R.E. Hallowell, « J'ayme mieux embrasser la gloire des morts », *B.H.R.* XXX, 1968, I, p. 133-138; V.L. Saulnier, « l'Actualité militaire dans l'*Eugène* de Jodelle », *Revue universitaire,* 1951.

Cléopâtre a été mise en scène en 1974 par Henri Ronse au Théâtre Oblique.

Le *Recueil des Inscriptions* a inspiré un roman à Florence Delay : *l'Insuccès de la fête,* Gallimard, 1980.

M.-M. FONTAINE

JOINVILLE Jean, sire de (vers 1224-1317). Fils de Simon, sire de Joinville, et de Béatrice de Bourgogne, il reçut une éducation soignée. En 1240, il épousa Alix de Grandpré; il se croisa en 1245. En 1248, il devint sénéchal de Champagne. L'esprit de croisade était chez lui d'abord un puissant sentiment religieux. Les hasards des événements d'Égypte l'ont amené à devenir progressivement l'un des familiers du roi. Après la mort de Louis IX, il contribua à la canonisation du souverain par son témoignage sur les mérites de celui-ci. Hostile à Philippe le Bel, il entreprend pour lui-même, puis pour répondre à la demande de Jeanne de Navarre, reine de France, la rédaction d'un « livre des saintes paroles et des bons faits » de Saint Louis, pour l'édification du futur Louis X. Commencé dès 1272, l'ouvrage est finalement dédié au roi en 1309; ultime témoin de l'esprit du XIIIe siècle après la mort de Philippe le Bel.

Joinville ne cherche pas à faire œuvre historique; il ne se considère pas comme un chroniqueur : la chronologie est le dernier de ses soucis. Son but est l'édification du lecteur, et en premier lieu de Louis X. Le projet didactique se confond avec l'hommage au grand disparu. A la manière des *exempla* en latin, Joinville utilise tous les événements de la vie quotidienne du roi pour en tirer ou en suggérer des leçons : les conversations les plus hautes (sur Dieu, sur le droit...) côtoient les plus triviales (le vêtement ou les bonnes manières à table). Il s'agit de montrer les qualités du « preudome » dans l'accomplissement de tous ses devoirs : chez le roi, la courtoisie sublime la politesse, comme l'amour divin transcende le respect scrupuleux des préceptes religieux. Au demeurant, l'apologie reste sincère et n'exclut pas des critiques : Joinville s'étonne, par exemple, de la froideur de Louis envers sa femme et ses fils.

Au-delà de ce que l'auteur veut nous dire, de ce dont il veut témoigner, il y a tout ce qu'il laisse percer ou ne parvient pas à masquer. On discerne ainsi l'influence de Philippe Auguste sur la formation de Louis IX (qui s'est souvenu, par exemple, de sa conception du preudome); celle, aussi, de Blanche de Castille.

Joinville ne parvient pas non plus à se départir de son orgueil aristocratique. Il rappelle à Robert de Sorbon son origine roturière; il s'applique à protéger les chevaliers pauvres, dont les problèmes se posaient alors avec une grande acuité. Son mépris des vilains éclate en plus d'un endroit. Cela ne l'empêche pas d'être d'abord un homme de devoir : du devoir envers les autres, du devoir envers soi-même, du devoir envers Dieu. Sa curiosité psychologique est ainsi toujours orientée vers une finalité moralisatrice.

Joinville est également l'auteur d'un commentaire du *Credo.* Lors de la croisade de 1245, il avait vu des combattants mourir : la foi de certains d'entre eux faiblissait au moment suprême. L'idée lui est ainsi venue de préparer un ouvrage abondamment illustré, qui serait destiné à fortifier la foi. Chaque membre de phrase du *Credo* est commenté selon un triple schéma : un renvoi à l'image (élaborée sous la direction de Joinville, très sensible à l'art pictural), une prophétie « par œuvres » et une prophétie « par paroles » : la seconde est une prophétie au sens ordinaire (prononcée), attribuée à un prophète de l'Ancien Testament; la première est, en fait, une allégorie contenue dans la Bible et analysée selon les règles de la typologie.

L'œuvre de Joinville est rapidement tombée dans l'oubli; la simplicité, le naturel l'emportent d'ailleurs sur les qualités proprement littéraires.

BIBLIOGRAPHIE

Éditions. — *Joinville, Histoire de Saint Louis, Credo, Lettre à Louis X,* et *Joinville, Histoire de Saint Louis,* édités par Natalis de Wailly, Hachette, 1874 et 1881.

Études. — A. Debidour, *les Chroniqueurs,* Paris, 1888-1903, Slatkine Reprints, 1980; H.F. Delaborde, *Jean de Joinville et les seigneurs de Joinville,* Paris, 1894; A. Foulet, « Notes sur la vie de Saint Louis », *Romania,* 1932, p. 551-564; Ch.-V. Langlois, *la Vie en France au Moyen Âge,* t. IV, Hachette, 1928.

D. BOUTET

JONGLEURS. Le jongleur est un personnage essentiel de la vie culturelle médiévale, du moins jusqu'au XIVe siècle. La diversité de ce métier rend difficile une définition homogène et serrée. Selon Edmond Faral, on peut appeler jongleurs « tous ceux qui faisaient profession de divertir les hommes ». Définition qui englobe aussi bien les acrobates, les montreurs d'ours, les bateleurs et saltimbanques en tout genre que les musiciens et que ces personnages à nos yeux plus « dignes » qui récitaient, en s'accompagnant à la vielle, des œuvres à caractère littéraire. Bien souvent, d'ailleurs, le jongleur était tout cela à la fois : il serait vain de tenter une classification à l'intérieur de la profession.

Les origines demeurent incertaines; aucun texte ne mentionne expressément les jongleurs (*joculares* ou *joculatores*) avant le IXe siècle. Cela ne signifie évidemment pas qu'il y a eu génération spontanée au début de la période carolingienne. On pensait, au siècle dernier, que les jongleurs étaient les descendants des *scôps* germaniques, chanteurs épiques honorés dans les cours princières, en même temps que les héritiers des mimes du monde antique. E. Faral récuse ce syncrétisme et ne voit en eux que de purs produits de la latinité tardive.

En dépit des foudres de l'Église, qui les considérait comme des suppôts de Satan et leur refusait tout rôle dans la société, les jongleurs ont largement prospéré. On les retrouvait partout, et jusque dans les églises, où les prêtres les introduisaient (malgré les interdictions épiscopales!) lors de la célébration de certaines fêtes; ils accompagnaient les pèlerins, les amusaient sur les lieux de pèlerinage (même si la collaboration entre clercs et jongleurs dans l'élaboration des légendes épiques n'était pas ce que Joseph Bédier a imaginé), déclamaient, faisaient leurs tours sur les places publiques, dans les châteaux, à la table des seigneurs. Ils étaient de toutes les fêtes, publiques ou privées : leur présence était habituelle dans les noces. On les reconnaissait, à partir du XIIe siècle, à leurs costumes aux couleurs vives (jaune, rouge...) destinés à flatter le regard.

Les jongleurs vivaient, plus ou moins largement, de dons en argent ou en nature; les seigneurs leur offraient fourrures et vêtements somptueux. Plusieurs chansons de geste réservent quelques vers à un appel à la générosité de l'auditoire, et plus d'un texte déplore le déclin de la largesse des grands. La plupart des jongleurs dépensaient aussitôt à la taverne, au jeu, ce qu'ils venaient de gagner, mais quelques-uns édifiaient des fortunes importantes. Le plus grand nombre connaissait la faim et la misère. Au demeurant l'Église elle-même distinguait, au sein de la profession, les « bons » jongleurs, qu'elle acceptait de favoriser, et qui constituaient à ses yeux une catégorie infiniment supérieure : ceux qui chantaient les vies de saints et les chansons de geste. A vrai dire, au XIIIe siècle, la véritable aristocratie était formée par les ménestrels, jongleurs attachés à une cour seigneuriale qui les entretenait et leur versait des appointements. Certains ménestrels parvinrent même à devenir les confidents et les conseillers de leurs maîtres. Le terme de ménestrel, plus prestigieux, a fini par désigner, au XIVe siècle, l'ensemble des jongleurs, perdant ainsi toute sa dignité initiale.

Dès la fin du XIIe siècle, les jongleurs s'assemblèrent en corporations, comme les autres corps de métiers, et en confréries (ainsi la confrérie d'Arras) : mais il ne semble pas que cela ait changé grand-chose aux conditions de vie du plus grand nombre ni à la considération (médiocre) attachée à la profession.

Le seul problème important que posent les jongleurs est celui de leur rôle exact dans la vie littéraire. On sait qu'ils ont été les principaux propagateurs des chansons de geste, des vies de saints, des lais (lyriques ou narratifs), des fabliaux, de la poésie lyrique [voir TROUBADOURS]... Mais cette littérature, qu'ils récitaient, contribuaient-ils à l'élaborer? Le jongleur était-il aussi trouvère?

Il est certain que des jongleurs écrivaient : Rutebeuf est le plus célèbre d'entre eux, et quelques chansons de geste sont peut-être des œuvres jongleresques. Mais le problème le plus épineux est celui du mode de création de notre « épopée ». La question a été posée clairement, un siècle après L. Gautier, par J. Rychner, en 1955 (*la Chanson de geste, essai sur l'art épique des jongleurs*). Ce savant considère que les chansons de geste témoignent d'une totale oralité : leur transmission, et souvent même leur création, ignorait le stade de l'écrit. Sur un canevas donné, chaque jongleur improvisait sa propre version (toujours quelque peu différente à chaque récitation) : telle serait l'origine, tel serait le sens du style formulaire et de la composition stéréotypée qui caractérisent ce genre et que l'on retrouve dans l'art des modernes chanteurs yougoslaves. Cette théorie, qui confère au jongleur un rôle à peu près exclusif dans l'élaboration de la littérature épique, a été contrebattue dès sa naissance par M. Delbouille, qui récuse également les arguments d'E. Faral. Le trouvère et le jongleur seraient le plus souvent, de surcroît, deux personnes distinctes : le texte serait écrit dès l'origine, et il ne serait qu'exceptionnellement chanté par son créateur. A vrai dire, les déclarations que contiennent les textes eux-mêmes sont peu claires et, malheureusement, bien suspectes. De nombreux prologues de chansons de geste insistent sur la grande ancienneté de l'œuvre, sur sa conservation à la bibliothèque de l'abbaye de Saint-Denis, sur le rôle du clerc qui l'a mise en forme ou « renouvelée » : mais le Moyen Âge use et abuse des faux, et la mention de l'autorité littéraire d'un clerc ne peut que rehausser, aux yeux du public, la valeur de l'œuvre qu'il va entendre. Du moins cette référence, pour être vraisemblable, devait-elle correspondre à un usage. Enfin, M. Tyssens signale, à propos des chansons du cycle de Guillaume, un détail qui pourrait modifier quelque peu l'image que l'on se fait de la « récitation » jongleresque : ces textes, consignés dans un véritable manuscrit de bibliothèque, étaient destinés à être lus en public, et non récités par cœur. Mais il ne peut s'agir, à cette époque (fin XIIIe-XIVe siècle), que d'un usage concurrent : trop de chansons, en effet, vantent la parfaite connaissance qu'a le jongleur de l'œuvre qu'il va débiter, ce qui serait absurde si celui-ci lisait devant son auditoire.

La figure du jongleur créateur demeure donc insaisissable. Reste qu'il a joué un rôle essentiel de diffusion, d'ornement de la vie quotidienne et, surtout, de communication intellectuelle de région à région, car le jongleur, à la différence du ménestrel — et du manuscrit de bibliothèque —, est demeuré un itinérant au contact de toute la population.

BIBLIOGRAPHIE

Outre les ouvrages généraux indiqués à l'article GESTE (chanson de), en particulier ceux de L. Gautier et J. Bédier, on citera : E. Faral, *les Jongleurs*, Paris, Champion, 1910; J. Rychner, *la Chanson de geste, essai sur l'art épique des jongleurs*, Droz, 1955; M. Delbouille, « les Chansons de geste et le livre », *la Technique littéraire des chansons de geste*, Université de Liège, 1959, et « le Mythe du jongleur-poète », *Studi in onore di Italo Siciliano*, t. I, Firenze, 1977; M. Tyssens, « le Style oral et les ateliers de copistes », *Mélanges M. Delbouille*, Gembloux, J. Duculot, 1964, t. II; M. de Riquer, « Épopée jongleresque à écouter, épopée romanesque à lire », *la Technique littéraire des chansons de geste*, Liège, 1959; R. Louis, *L'épopée française est carolingienne*, Paris, 1956; « l'Épopée vivante », *La Table Ronde*, fasc. n° 132, 1958.

D. BOUTET

JOSIPOVICI Albert (1892-1932). V. ÉGYPTE. Littérature égyptienne d'expression française.

JOUBERT Joseph (1754-1824). « La réputation de Joubert, disait avec irritation Rétif de La Bretonne, est assise tout entière sur l'idée qu'on a conçue de ce qu'il est capable de faire ». Il semble que l'histoire littéraire continue à faire crédit à l'auteur des *Carnets*. De tous les écrivains dont elle a retenu — et consacré — les écrits privés au nombre des grandes œuvres littéraires, Joseph Joubert est, sans doute, le cas le plus surprenant. Ses carnets intimes, qui ne doivent qu'à l'amitié et à l'estime de Chateaubriand une publication tardive (et tronquée), ne se soutiennent d'aucun ouvrage canonique publié ou achevé (achever, quel mot!) — même mineur ou méconnu, dont ils pourraient constituer une sorte de revanche posthume —, ni d'une quelconque notoriété publique de leur auteur; la vie de Joubert est aussi discrète que son œuvre.

Joseph Joubert est né à Montignac, en Dordogne, dans une famille sans fortune. Après une brève expérience de l'enseignement, à Toulouse, dans l'établissement religieux où il avait été élevé, il tente une première aventure parisienne, qui lui permet de rencontrer des philosophes, et surtout Diderot. A un intérêt timide pour les débuts de la Révolution se substituèrent assez vite des convictions religieuses solides et une sagesse politique qui lui firent juger favorablement l'avènement de Bonaparte (« Le pouvoir donne du génie »). Une de ses grandes affaires fut de conclure un mariage qui lui assurera la sécurité financière et la jouissance d'une propriété à Villeneuve-sur-Yonne. Son ami de toujours,

Fontanes, une fois devenu grand maître de l'Université impériale, le recommanda à Napoléon, en 1809, pour un poste d'inspecteur général de l'enseignement. Il partagea une vie tranquille entre les charmes de la conversation avec ses amis, dont Chateaubriand, une longue et fidèle amitié amoureuse avec Pauline de Beaumont, et surtout la rédaction de son journal intime, commencée en 1786, qu'il poursuivra sans interruption jusqu'à sa mort. Chateaubriand, en 1838, prit l'initiative de faire paraître un recueil de *Pensées* de son ami disparu, choisies et classées par ses soins. Ce n'est que cent ans plus tard, en 1938, que fut publiée une édition complète des *Carnets*, fidèle à leur ordre chronologique.

Œuvre unique, sans référence externe, ces *Carnets* ne sont pas l'envers secret et obscur de quelque grande entreprise avortée, ou une esquisse paresseuse et indéfiniment recommencée, rêverie impuissante sur l'œuvre à faire... Ou plutôt si, impuissante, mais revendiquée — et parfois avec optimisme — comme condition première et nécessaire de toute ambition littéraire : il faut « savoir ne pas écrire » et commencer par « écarter avec soin la multitude des mots ». Or, partout autour de lui, c'est le triomphe du discours plein et euphorique, le règne de ceux qui se prennent pour des « architectes » parce qu'ils « construisent de longs murs ». Quand il commence, en 1786, la rédaction de son journal, les grandes voix qui ont occupé l'espace discursif du siècle se sont tues. Joubert n'est pas tendre pour elles : Voltaire, cet « homme adroit » qui pouvait écrire sur tout et si légèrement; Rousseau, qui « a donné des entrailles et des mamelles aux mots » et voulu peindre « les viscères humains »; Diderot, dont il fut un familier dans les débuts de sa vie parisienne et qui lui a probablement inspiré ce jugement : « Des esprits rudes, pourvus de robustes organes sont tout à coup entrés dans la littérature, et c'est eux qui en pèsent les flux... ». L'éloquence révolutionnaire ne pouvait évidemment pas trouver grâce à ses yeux; « abus des mots, fondement de l'idéologie ». Même sévérité pour les gloires littéraires montantes : Mme de Staël, qui a pris « les fièvres de l'âme pour sa force », et Chateaubriand lui-même, à peine ménagé par l'amitié, suspect d'exploiter, « toutes ses facultés au-dehors », la veine des « gémissements de l'exilé ». Une condamnation aussi universelle relève, bien sûr, beaucoup du parti pris, de la rancœur ou tout simplement de la méconnaissance; on est frappé, cependant, par la cohérence de ces critiques; elles ont, à nos yeux, le mérite de dépasser les clivages traditionnels de l'histoire littéraire, et surtout de manifester le souci d'une exigence — non contradictoire — de morale et d'esthétique littéraires. Il y a, pour Joubert, une morale de la littérature, une morale de la phrase, du mot, et qui commence par le dépouillement : « J'aime le papier blanc... »

Il nous a découvert le vide en littérature, dont ses contemporains ont horreur, obsédés qu'ils sont par le « plein » et les « fausses solidités »; il a pressenti un espace propre à l'émergence du texte, à la fois milieu et distance, où le découpage, les blancs et le silence signifient autant que les mots et avec eux : « Quand vous voulez employer une figure [...], préparez-lui d'abord une région »; « avant d'employer un beau mot, faites-lui une place ». D'où le recours fréquent à la métaphore de l'architecture : écrire, c'est habiter un espace, c'est donner à voir — tout comme parler, « c'est écrire dans l'air ce qu'on dit »; mais c'est aussi creuser l'espace (Joubert est bien le seul penseur qui ait pu sérieusement vanter les « idées creuses »), selon les lois de la perspective et de l'harmonie visuelle mais aussi auditive (« Les mots se peignent à l'oreille ») et même tactile (« Les mots où boit la pensée »); enfin la lumière, exigence suprême, que Joubert, en disciple fidèle de Platon, fait procéder du monde des Idées, car « Toute pensée est lueur ». Il restera, alors, au lecteur à imaginer ce monde, c'est-à-dire à lui donner « forme et figure ».

Joubert n'a pas créé l'œuvre poétique dont il a défini avec tant de soin les contours ambitieux (« J'aurai rêvé le beau comme ils disent qu'ils rêvent le bonheur »), et la hantise de l'idéal inaccessible, qui lui arrache parfois des accents mallarméens (« Je ne suis propre qu'à la perfection »), n'est pas seule en cause. Sa vision esthétique reste prisonnière d'un schéma platonicien qui, posant la primauté de l'idée à la recherche de sa meilleure forme sensible, condamne l'œuvre d'art à une fragmentation infinie en petits îlots de sens, de son et d'harmonie, à une sorte de beauté éclatée et finalement impossible. Son esthétique est une esthétique de la phrase et même du mot, qui « subsiste tout seul et porte avec lui sa place »; ajoutons, pour lui être fidèle : sa lumière. Il n'a pas voulu voir ou comprendre cet étrange pouvoir combinatoire et productif du discours, capable de faire un chef-d'œuvre de la littérature la plus larmoyante ou la plus soumise, en apparence, à la tyrannie du forum. Mais, en rêvant l'ouvrage impossible, auquel il renonçait avec fierté (« N'ayant rien trouvé qui valût mieux que le vide, il laisse l'espace vacant »), il a fait la théorie de sa réelle pratique d'écrivain, celle du journal intime : une écriture différente, protégée par sa temporalité propre de la prolixité du discours continu, dispensée par sa nature intransitive de la nécessité de séduire ou de convaincre, privée enfin — et fatalement — du soin ultime de conclure. Nous savons aujourd'hui reconnaître aussi à ces signes l'engagement dans la littérature.

BIBLIOGRAPHIE

Textes. — *Carnets*, éd. A. Beaunier, Paris, Gallimard, 1938; *Pensées*, prés. G. Poulet, Paris, « 10/18 », 1966.

A consulter. — A. Billy, *Joubert, énigmatique et délicieux*, Paris, Gallimard, 1969; A. Girard, *le Journal et la notion de personne*, Paris, P.U.F., 1963; L. Perche, *Joubert parmi nous*, Limoges, Rougerie, 1954; R. Tessonneau, *Joubert éducateur*, Paris, Plon, 1944.

F. SUZZONI

JOUBERT Laurent (1529-1583). Médecin renommé, successeur de Rondelet comme chancelier de l'université de Montpellier (1574), Laurent Joubert n'est pas seulement l'auteur d'un important corpus d'études médicales (*De peste*, 1567, *Traicté des arcbusades*, 1570, *Traicté du ris*, 1579, édition de la *Grande Chirurgie* de Guy de Chauliac, 1580, etc.); il est aussi et surtout connu pour la façon dont il a abordé la médecine, la philosophie comme la pratique de cette science dans ses *Erreurs populaires ou Propos vulgaires au fait de la médecine et régime de santé* (1578). De nombreuses éditions montrent à la fois le succès rencontré et le scandale provoqué par ce livre qui restitue à la médecine la noblesse d'une vraie science mal vulgarisée et sa véritable nature, à savoir l'étude des cas médicaux à partir non pas des textes mais de l'expérience. La valeur professionnelle de Joubert est établie, puisqu'il a été appelé à la Cour pour guérir Louise de Lorraine de sa stérilité et qu'il en est revenu (sans avoir accompli la cure, d'ailleurs) avec la charge de médecin ordinaire du roi.

Joubert a mis l'accent sur le lien étroit qui existe entre les maladies que l'on considérait comme « spirituelles » et la physiologie, deux domaines qu'il explore dans un souci d'expérimentation et d'observation. La dernière partie des *Erreurs* fait de ce médecin un précurseur en matière de compréhension des phénomènes linguistiques : « Quel langage parlerait un enfant qui n'aurait jamais ouï parler? » (ajouté à partir de 1579). Sans rejeter absolument les explications traditionnelles, Joubert remarque que le langage est beaucoup plus social et naturel que divin. Son intérêt pour ces problèmes est confirmé par ses commentaires sur la « cacographie française », en annexe au *Traité du ris*. Mais Joubert a été peu suivi dans ses innovations thérapeutiques ou orthographiques. Sa philosophie pratique se refuse aux préjugés et insiste sur la méthode d'observation. Un séjour à Padoue (avant 1558), où enseignait l'anatomiste Fallope est peut-être à l'origine de cette liberté d'esprit.

BIBLIOGRAPHIE

Ernest Wickersheimer, *la Médecine et les médecins en France à l'époque de la Renaissance*, Genève, Slatkine Reprints, 1970; Dr Pierre Amoreux, *Notice historique et bibliographique sur la vie et les ouvrages de Laurent Joubert*, Genève, Slatkine Reprints, 1971; Dr L. Dulieu, « Laurent Joubert, chancelier de Montpellier », dans *Bibliothèque d'Humanisme et de Renaissance*, t. XXXI, 1969.

M.-L. LAUNAY

JOUFFROY Alain (né en 1928). La rencontre d'André Breton que fit en 1946, encore adolescent, Alain Jouffroy dans un hôtel d'Huelgoat (bel exemple de « hasard objectif »!) se révéla pour le jeune homme décisive et marqua de façon durable son évolution littéraire, même s'il prit assez rapidement ses distances avec le mouvement surréaliste proprement dit, dans une revue duquel (*Néon*), pourtant, il avait publié ses premiers poèmes. Les recueils poétiques qu'il publie dans les années 50 (*Attulima*, 1954; *les Quatre Saisons d'une âme*, 1955; *A toi*, 1958) manifestent nettement l'influence du « pape du surréalisme ». Par la suite, quitte à des falsifications (cf. la polémique autour de *la Fin des alternances*, 1970), Alain Jouffroy cherchera à réconcilier « les grands aînés » et à porter Aragon aux nues à la mort de Breton, en dépit des cadavres qui, selon ce dernier, les séparaient irrémédiablement.

Si l'on aime, dans l'écriture d'Alain Jouffroy, « un heureux concours de familiarité et de lyrisme, de sobre économie verbale et de spontanéité, d'observation directe et de surréalité » (Jean Rousselot), il faut cependant bien reconnaître que, peu à peu, le poète a eu tendance à l'encombrer trop souvent de considérations brumeuses sur le devenir de la révolution et à vouloir de manière bien forcée convaincre — et se convaincre — des vertus de « la guerre des mots qui changent l'Histoire ». Dans la même optique, il ne finit par retenir du surréalisme, outre l'interpénétration du rêve et de la réalité « jusque dans la mort » et la violence érotique (*Tire à l'arc*, 1962), que l'exaltation de l'individu, par essence, ou presque, révolutionnaire (*De l'individualisme révolutionnaire*, 1975; *le Gué*, 1977) : « Dans la mesure où la poésie n'a pas d'autre sens social que celui, extrême, d'une révolte de l'individu contre l'autorité, on pourrait peut-être commencer à admettre que l'individu a tous les droits, sauf celui de se confondre avec une autorité suprême » (*Éternité, zone tropicale*, 1976).

D'une production poétique surabondante, il faut retenir, outre les premiers recueils, *Aube à l'antipode* (1966), *Trajectoire* (1968), *Liberté des libertés* (1971) et *New York* (1976). Alain Jouffroy, qui est codirecteur de la revue *Opus international*, a également publié un essai sur l'art contemporain (*Une révolution du regard*, 1964), de nombreuses présentations de peintres, de même que des romans poétiques à la langue charnelle et lyrique, où se mêlent expérience mystique et voyage initiatique, fiction et réalité, prémonition et amour, ainsi qu'errance dans la ville où plane l'ombre de Gérard de Nerval (*Un rêve plus long que la nuit*, 1964; *le Temps d'un livre*, 1966; *l'Usage de la parole*, 1971; *l'Indiscrétion faite à Charlotte*, 1980).

BIBLIOGRAPHIE

Jean Rousselot, *Poètes français d'aujourd'hui*, Paris, Seghers, 1965.

L. PINHAS

JOUFFROY Théodore Simon (1796-1842). La carrière de ce philosophe semble rectiligne, depuis sa naissance aux Pontets, dans le Doubs, jusqu'à sa mort à Paris : l'École normale supérieure, comme élève puis comme enseignant, les cours particuliers, la collaboration à divers périodiques, la chaire de philosophie ancienne à la Sorbonne en 1828, le retour à la rue d'Ulm en 1830, la députation... Devenu entre-temps l'adepte et l'émule de Victor Cousin, ce philosophe éclectique accumule les publications : *Comment les dogmes finissent*, 1825; *Du problème de la destinée humaine*, 1830; *Mélanges philosophiques*, 1833; *Cours de droit naturel*, 1835; *Nouveaux Mélanges*, 1842; *Cours d'esthétique* (posthume, 1843); plus un *Cahier vert*, édité en 1929. Il convient d'y ajouter les traductions des philosophes écossais Stewart et Reid.

Cependant, cette apparence sereine cache une vocation philosophique qui procède d'une crise intense : la perte de la foi une nuit de décembre 1813, véritable « contre-nuit » de Pascal. De là, une mission capitale assignée à la philosophie, celle de répondre au besoin de foi des hommes : « La philosophie sera la religion du monde vieilli, comme la religion a été la philosophie du monde enfant ». Comme Cousin, Jouffroy prône un spiritualisme laïque, conscience du genre humain, réalisant l'accord entre le sens commun et la réflexion du philosophe.

De tels concepts l'amènent naturellement à soutenir la politique de juste milieu, à laquelle semblent condamnés les penseurs libéraux, préoccupés avant tout de maintenir la discipline sociale, condition nécessaire à l'épanouissement de l'éclectisme, savant équilibre entre le conservatisme et le réformisme. Jouffroy, cependant, mettra plus de grandeur qu'un Cousin à défendre un idéal de progrès, même affadi — ce qui lui vaudra l'animosité des saint-simoniens.

BIBLIOGRAPHIE

Sainte-Beuve, *Portraits littéraires*, tome I; Taine, *les Philosophes français au XIXe siècle*, 1857; Paul Bénichou, *le Sacre de l'écrivain*, Paris, Corti, 1973.

G. GENGEMBRE

JOUHANDEAU Marcel (1888-1979). Marcel Jouhandeau était le fils d'un boucher de Guéret, homme dur, violent, volage. Son enfance fut entourée d'affections féminines : sa mère, sa grand-mère Blanchet, la boulangère, tante Alexandrine. C'est à dix ans qu'il découvrit le plaisir, et toute sa « vie sensuelle et sentimentale, écrit-il, n'a été que le recommencement de cet assassinat ». L'influence d'une jeune fille, qui avait été carmélite, et celle de Mme Alban, une dame mûre qui veut l'orienter vers la prêtrise, colorent de spiritualité son adolescence. En 1908, il se rend à Paris, pour y poursuivre ses études. Il deviendra, en 1912, professeur de sixième au pensionnat Saint-Jean de Passy, et il y enseignera durant trente-sept ans, appréciant cette vie modeste et l'indépendance qu'on lui laisse en dépit de toutes les routines...

L'amitié jouera un grand rôle dans sa jeunesse — amitiés sensuelles, qui se bornent souvent à de furtives rencontres; amitiés féminines surtout, plus durables et plus enrichissantes — celles d'Éliane et de Véronique Pincengrain, celle de Mme Laveine, qui deviendra dans ses livres « la duchesse », celle aussi de Marie Laurencin. S'il a brûlé, en 1914, tous ses premiers écrits, il envoie à Gallimard, en 1919, la première partie de *la Jeunesse de Théophile*. C'est ainsi que commencera sa carrière littéraire. *La Nouvelle Revue française* publie, en octobre 1920, *les Pincengrain*, et *la Jeunesse de Théophile* paraît l'année suivante. Jouhandeau devient l'ami de Gide, de Jean Paulhan, de Roger Martin du Gard, qui l'admirent et qui l'aident. Ses ouvrages se succèdent avec une belle fécondité : citons *Monsieur Godeau intime* (1923), *Prudence Hautechaume* (1927), *Astaroth* (1929), *Images de Paris* (1934 et 1956), *Chaminadour* (1934), *De l'abjection*

(1939), *Essai sur moi-même* (1945), les sept livres du *Mémorial* (1948-1972), les neuf volumes des *Scènes de la vie conjugale* (parmi lesquelles *Élise,* 1933, *Chroniques maritales,* 1938), les vingt-sept *Journaliers* (1961-1981).

En juin 1929, il épouse Élisabeth Toulemon (dite Caryathis), une ancienne danseuse. Ses démêlés conjugaux sont célèbres. La jalousie, la méchanceté, les accès de rage d'« Élise » feront d'elle un personnage inoubliable. La vie sexuelle de l'écrivain demeurera absolument parallèle à ce mariage, et, en 1948, s'illuminera d'un « pur amour » pour un soldat, qui l'élève de la simple sensualité à la véritable passion.

La mort de son père en 1930, de sa mère en 1936, puis de la chère Véronique Pincengrain en 1947, quelques inquiétudes au moment de la Libération pour un article publié en 1941 où le peuple allemand était exalté, la retraite de l'enseignement en 1949, l'adoption de la jeune Céline, enfin la mort d'Élise en 1971 et l'éducation de Marc, le fils de Céline, rythment cette existence finalement assez sereine, où la débauche et le mysticisme poursuivent leur interminable dialogue.

Chaminadour

A Guéret, les premiers livres de Marcel Jouhandeau firent scandale. C'est que, tel Asmodée, l'auteur soulevait les toits. Les menus scandales, les petites lâchetés, les hypocrisies, les horreurs de la vie provinciale y étaient dépeints, et sans aucun travestissement. La réalité brute nous était livrée. On a parlé du « picaresque ironique » de *Chaminadour* (nom sous lequel Guéret était rebaptisé). L'évocation qui y est faite des « monstres de village » a été rapprochée des plus acerbes pages de La Bruyère, de Saint-Simon, de Jules Renard. Jouhandeau, commère de sa ville natale, se plaît à détruire les apparences, mais ce n'est pas seulement une cruauté intrépide qui l'inspire; il entre beaucoup de tendresse dans cette diffamation.

Jouhandeau est, en tout cas, l'un de nos plus grands « anecdotiers ». Toute son œuvre signifie, d'une manière ou d'une autre, que la réalité, dans sa discontinuité, sa fraîcheur, est infiniment plus singulière et plus instructive que les fictions les mieux construites. Même dans ses évocations de Paris, dans ses confidences sur sa vie sexuelle ou conjugale, rien n'est inventé. Un empirisme radical, dépourvu jusqu'à un certain point de tout système d'organisation, est le secret principe de cette littérature, qui n'offre d'abord qu'une succession de tableautins à la Frans Hals ou à la Hogarth — peu de couleurs, mais un dessin rude, qui sculpte et isole les formes.

Le « Fou de Dieu »

La vie conjugale de Jouhandeau fut un long enfer : querelles mesquines, humiliations publiques, tempêtes, tromperies.. Rien de bien comique dans cette interminable comédie, qui semble mettre en cause toute possibilité d'entretenir un rapport humain en dehors de la haine et du masochisme. L'échec de ce mariage était prévisible, puisque, d'une part, Jouhandeau n'aimait pas les femmes et que, d'autre part, Elise n'admettait aucun compromis.

Cette longue désunion est transcrite avec la même exactitude que les horreurs de Chaminadour. Dieu y est également présent. Il sert d'abord d'excuse : « Je n'étais pas mariable. Je ne suis mariable qu'à l'Absolu ». Du reste, l'infidélité conjugale est une image de la vie chrétienne : « Comme j'ai aimé Dieu dans mes péchés, je n'admire Élise jamais plus qu'au moment où je la trompe ».

Nourri de l'*Imitation,* de saint Jean de la Croix, de sainte Thérèse d'Avila, appelé, dans son adolescence, au sacerdoce, Jouhandeau est un mystique : il a par deux fois, dans sa jeunesse, éprouvé la présence de Dieu. C'est à la lumière du catholicisme qu'il contemple sa ville natale, sa vie conjugale ou son homosexualité. A Chaminadour, il ne cherche pas tout à fait le conflit de la lumière et de la nuit. Il y guette plutôt des « âmes » — c'est-à-dire, de toute façon, des abîmes, et ces abîmes se révèlent dans les plus petits gestes et les plus provinciales bassesses. Quant à Élise, elle lui semble une image de Dieu; et l'homosexualité, un péché sans rémission. Comme l'a dit J.-P. Sartre, Jouhandeau, au lieu de se chercher des excuses, « est un catholique écrasé par l'Église [...], il joue perdant [...], accepte la métaphysique de l'Église, tout, jusqu'à la psychologie traditionnelle des directeurs de conscience ». Se sachant immortel et souverainement libre, comme l'enseignent les Écritures et les prêtres, il choisit le péché, il choisit l'enfer. Mais cette déchéance n'est pas sans issue. « L'Enfer est la plus grande souffrance de Dieu avant d'être la mienne ». Ainsi que l'a montré Nietzsche, Dieu est vulnérable par son amour des hommes. Ne s'agit-il que d'une damnation orgueilleuse, qui prouve la liberté du pécheur et humilie Dieu lui-même? Ou bien, au-delà de cet orgueil et de cette révolte, ne peut-il surgir un amour plus profond de Dieu et une plus grande abnégation? Ou même le véritable humanisme catholique ne suppose-t-il pas cette tension entre la révolte et l'humilité, entre une solitude luciférienne et l'imploration angoissée?

Un classique

Jean Paulhan et André Gide ont admiré Jouhandeau. L'écrivain a longuement médité sur son art. Son idéal est tout classique : approche patiente, précautionneuse des âmes dans leur mystère et leur solitude; souci de l'harmonie d'ensemble et encore davantage de la propriété des termes; effort tenace, mais dissimulé.

Dans ses plus belles pages, Jouhandeau nous laisse deviner cette prudente méticulosité, cette lente démarche vers la vérité. Le lecteur peut être rebuté par ce catholicisme du concile de Trente, que l'Église même a abandonné; il peut encore plus être lassé par ces interminables ratiocinations, ces redites, cette attention de myope à toutes les petitesses; et, malgré tant de religion et tant de réalisme, l'écrivain demeure enfermé en lui-même, dans son narcissisme ou, comme il le dit, son exhibitionnisme. L'œuvre de Jouhandeau est, en tout cas, absolument cohérente; on doit tout accepter (même le désuet, même l'agaçant) pour en atteindre le suc; et, dans les derniers livres, à force de maîtrise et de simplicité, sa prose acquiert une sorte de noblesse qui la rend presque incantatoire.

BIBLIOGRAPHIE

Claude Mauriac, *Introduction à une mystique de l'enfer,* Paris, Grasset, 1938; Maurice Blanchot, « Chaminadour », dans *Faux Pas,* Paris, Gallimard, 1943; Henri Rode, *Marcel Jouhandeau et ses personnages,* Paris, Chambriand, 1950; José Cabanis, *Jouhandeau,* Paris, Gallimard, 1959; article de Jean-Paul Sartre, dans *les Temps modernes,* XL, 1950.

A. NIDERST

JOURNAL DE PARIS (le). Premier quotidien français, créé en 1777 à l'imitation de la presse journalière britannique, il eut rapidement un grand succès. Sous diverses formes, et avec de rares interruptions, il survécut jusqu'en 1840 : *Journal de Paris national* de 1792 à 1795, absorbant divers autres titres au moment de la réforme autoritaire de la presse (1811) décidée par Napoléon, absorbé lui-même par *la Gazette de France* entre 1827 et 1833, *le Journal de Paris* fut publié sur quatre pages in-4° jusqu'en 1811, ensuite dans le format moderne in-folio. Son tirage était énorme pour l'époque : on l'estime à 12 000 exemplaires au début de la Révolution.

Il traitait, dans des rubriques à peu près immuables, de tous les sujets, à l'exclusion de la politique : nouvelles de Paris, de l'étranger, nouvelles des lettres, sciences et arts, variétés, Bourse et météorologie. Idéologiquement, il se confina dans un réformisme modéré : suscité par les milieux financiers, mais dirigé par des intellectuels amis de Rousseau et défenseurs de sa mémoire, il s'engagea dans quelques grands débats esthétiques : gluckiste en musique, il devint plus anodin après 1785 quand il entra dans la nébuleuse de la presse Panckoucke. Feuillant au début de la Révolution, il publia les comptes rendus des Assemblées — nouveauté à succès — et quelques auteurs du même bord : le poète André Chénier ou l'économiste Dupont de Nemours. Girondin ensuite, sous Condorcet, il eut à souffrir de la défaite du parti. Sous l'Empire, contrôlé à la fin par Jay, « membre du bureau de l'Esprit public », il fut l'organe des Idéologues. Son tirage était alors très inférieur à celui de la première période : la concurrence de la presse quotidienne était rude.

Le Journal de Paris offre, au moins pour ses premières années, l'exemple d'une presse relativement libre, véhicule des idées des Lumières digérées par une certaine bourgeoisie libérale.

BIBLIOGRAPHIE

Presque inexistante. Sur les rédacteurs de l'Ancien Régime, on se reportera au *Dictionnaire des journalistes (1600-1789)*, dirigé par J. Sgard (Presses universitaires de Grenoble, 1976) et à son *Supplément I* (1980). Pour le rousseauisme du *Journal de Paris*, voir la revue *Dix-Huitième Siècle* (nº 12, 1980), et sur son gluckisme, l'ouvrage de J.G. Prod'homme, *Glück*, Paris, 1948.

F. MOUREAU

JOURNAL DES SAVANTS (le). *Le Journal des savants* est le plus ancien périodique scientifique français : à part des interruptions de quelques années pendant la tourmente révolutionnaire, il a paru sans discontinuer de 1665 à aujourd'hui. Né de la « Petite Académie » de Colbert — future Académie des Inscriptions —, *le Journal des savants* tenta au premier chef, par l'emploi de la langue vernaculaire — et non plus du latin —, une entreprise de vulgarisation scientifique. Il se distingue en cela des *Acta eruditorum* de Leipzig. De coloration janséniste, au début, il devint un organe officiel lors de la réforme de 1701, qui le mettait sous la coupe directe de la Chancellerie et des Académies. Peu sensible à la littérature moderne, il tient registre de toutes les nouveautés intellectuelles ou scientifiques grâce à des collaborateurs souvent académiciens — compilateurs infatigables et, pour la plupart, inconnus aujourd'hui : Bourzeis, Gallois, Terrasson...

Feuille in-4º de quelques pages à sa création, connu aussi dans une édition de petit format, *le Journal des savants* eut un succès international, qu'attestent maintes contrefaçons étrangères. L'éditeur d'Amsterdam ami des philosophes Marc-Michel Rey en donna, de 1754 à 1775, une version adaptée à ses goûts en puisant largement dans d'autres journaux littéraires. En 1724, *le Journal des savants*, d'hebdomadaire, devint mensuel. Dès l'origine, il fut illustré de gravures scientifiques ou techniques. *Le Journal des savants* est le premier périodique français à avoir bénéficié d'une rédaction spécialisée. A partir de 1701, et plus encore en 1816, lors de sa seconde réforme, chaque rédacteur eut en charge un secteur de l'activité érudite.

Si *le Journal des savants* rechercha une vulgarisation de haut niveau et refusa des articles hérissés de trop de technique ou de mathématique, il n'en fut pas moins l'écho averti de tous les progrès de la science, au moins sous l'Ancien Régime. Un peu passéiste ou pédant, quand il s'agit de traiter d'histoire ancienne, de numismatique ou d'archéologie, il tient du volontarisme colbertiste la passion de toutes les nouveautés. Conventionnel dans le domaine de l'idéologie, de la morale et de la religion, il donne de la science en marche une image sereine, offrant le minimum de polémique, le maximum d'information. Il se flatte d'exprimer le meilleur de la République des lettres et des sciences. Ses rédacteurs, érudits un peu besogneux, représentent une face des Lumières qui n'est pas à négliger. Grâce à ses *Tables* (1665-1750), on a de la meilleure partie de son existence une vision assez exacte : rien d'essentiel ne lui a échappé de la communauté scientifique européenne.

La série moderne du *Journal*, depuis 1816, mérite d'être signalée plus par ses qualités académiques que par l'influence qu'elle exerça. Aujourd'hui trimestriel, publié sous la direction de l'Académie des inscriptions et belles-lettres, *le Journal des savants* se consacre plus particulièrement à l'archéologie.

BIBLIOGRAPHIE

Outre les *Tables* (1665-1750; 1816-1936), consulter divers ouvrages sur sa Section ancienne : B.T. Morgan, *Histoire du « Journal des Savants » de 1665 à 1701* (1928), et R. Birn, « *le Journal des Savants* sous l'Ancien Régime », *Journal des Savants* (1965). Des notices sur ses collaborateurs se trouvent dans le *Dictionnaire des journalistes (1600-1789)* dirigé par J. Sgard (Presses univ. de Grenoble 1976) et dans son *Supplément I* (1980).

F. MOUREAU

JOURNAL D'UN BOURGEOIS DE PARIS (XVe siècle). Témoignage étonnant d'une histoire vue « par le petit bout de la lorgnette », rédigé par un Parisien anonyme pendant la guerre de Cent Ans entre 1405 et 1449. Nous y lisons les conditions de vie du peuple de la capitale menacée par un ennemi, puis par un autre, le vrai visage de la guerre, dénué de tout prestige chevaleresque, en dehors des cadres mythiques ou moralisants. C'est le choc de l'événement subi, dégagé de toute interprétation finaliste, l'attention au quotidien, guidée par le plaisir de l'énumération, de l'inventaire du monde, à une époque où la littérature redécouvre le concret. L'ennemi approche-t-il? Le prix du pain s'envole, fromage et œufs se font inabordables. Jeanne d'Arc est vue sans excès de sentimentalité : les uns la disent martyre, les autres auraient voulu la voir plus tôt sur le bûcher, « mais quelle mauvestié ou bonté qu'elle eut faicte, elle fut arse celui jour ». L'auteur — peut-être un ecclésiastique — enregistre au jour le jour, mais juge aussi : « C'est grant pitié et d'une part et d'autre que fault que chrestienté tue ainsi l'un l'autre sans savoir cause pourquoy, car l'un sera de cent lieues loing de l'autre, qui se vendront entretuer, pour gaigner pou d'argent ou le gibet ou corps ou enfer a la pauvre ame ». Surprenante lucidité, là où un Froissart ne voyait qu'exploits et fastes de la chevalerie. Aussi bien l'auteur n'a-t-il guère d'illusions sur l'aristocratie : « Mais quand la taille estoit cueillie... plus ne leur challoit que de jouer aux dez ou chacer ou dancer, ne se faisoient mais ne joute ne nulz fais d'armes, pour paour des horions ». La noblesse a perdu sa crédibilité auprès du peuple exploité, qui ne recueille de la guerre que les misères.

BIBLIOGRAPHIE

Éd. A. Mary, Paris, 1929.

A. STRUBEL

JOURNAL ENCYCLOPÉDIQUE (le). Créé en 1756 à Liège, ville qui était le siège d'un actif commerce de contrefaçons littéraires avec la France, *le Journal encyclopédique* avait l'ambition de diffuser et de vulgariser par la presse le contenu idéologique de l'*Encyclopédie* de Diderot et d'Alembert. Le Toulousain Pierre Rousseau, son fondateur, en fut d'abord l'unique rédacteur; il s'adjoignit ensuite divers collaborateurs, réguliers ou épisodiques, dont d'Alembert, Naigeon, Marmontel et Formey, et quelques correspondants parisiens, tels Chamfort et Meusnier de Querlon. Contraint par l'Église (la faculté de Louvain et le nonce de Cologne) de se réfugier à Bouillon, Rousseau y organisa la *Société typographique* et, à partir de 1760, y publia son *Journal*. Dirigé depuis 1785 par Weissenbruch, il fusionna en 1793 avec *l'Esprit des journaux*.

Le Journal encyclopédique est un très important périodique des Lumières. Il tient registre des combats philosophiques les plus avancés. Outre celle de l'*Encyclopédie*, Rousseau y soutient la cause des matérialistes et des déistes : il se méfie de Jean-Jacques, son homonyme genevois, et lutte sans répit contre l'« infâme ». Mais il est ennemi des polémiques trop vives. Ce bimensuel de belle tenue eut un public européen extrêmement vaste. De 1756 à 1786 parut une traduction italienne du *Journal* qui, elle aussi, s'attacha « au progrès des sciences, à l'amour de la vertu, à l'avancement de la vraie philosophie » (*Journal encyclopédique*, 1er avril 1769).

BIBLIOGRAPHIE

Il existe un *reprint* en 76 vol. des 304 vol. du *Journal encyclopédique* (Slatkine, 1976). Le même éditeur en a publié un *index* (D. Lenardon, 1975). Pour connaître la personnalité de P. Rousseau, on consultera sa notice dans le *Dictionnaire des journalistes 1600-1789* dirigé par J. Sgard : ce texte est suivi d'une bibliographie à jour (Presses univ. de Grenoble, 1976). Une première connaissance du *Journal* peut être prise grâce à l'ouvrage de G. Charlier et R. Mortier, *le Journal encyclopédique*, Paris, Nizet, 1952.

F. MOUREAU

JOURNAL INTIME. La locution « journal intime » apparaît au XIXe siècle pour désigner la relation, au jour le jour, d'événements ou de pensées personnels, privés, non destinés à la publication. « Journal » est d'abord adjectif (ce qu'il est resté dans l'expression « livre journal », registre où un commerçant inscrit journellement achats et ventes, dépenses et recettes); il se substantive au XIVe siècle pour signifier le cahier où l'on dépose quotidiennement des notes (le sens de « périodique » n'est attesté qu'à partir du XVIIe siècle). L'anglais, parallèlement, a dérivé de *day* (« jour »), *diary* (« journal »). « Intime » est emprunté, au XIVe siècle, au latin *intimus*, superlatif archaïque de *intus* (« en dedans ») : il dénote, avec de fortes connotations affectives, ce qui est essentiel et intérieur à la fois. Ainsi, dans « journal intime », la concentration profonde de l'adjectif balance et compense la périodicité mécanique impliquée par le substantif.

Genre littéraire mineur, le journal intime fascine et séduit : il assure entre l'écrivain et son public un tête-à-tête, une conversation calme et suggestive, une sorte d'amicale complicité. Beaucoup attachent plus de prix à ces plaisirs méditatifs qu'à la jouissance d'œuvres littéraires closes et bien finies.

« Je suis moi-même la matière de mon livre »

La déclaration célèbre de Montaigne, pour peu qu'on y ajoute l'indication d'une finalité (« pour moi-même »), définit bien l'esprit du journal intime, la permanence d'une aspiration à la confidence; elle montre aussi qu'un même projet peut se concrétiser en formes très différentes; Sénèque recommande, avant les directeurs et les moralistes chrétiens, la pratique de l'examen de conscience : nul écrivain n'organise ni ne conserve ses réflexions et ses observations quotidiennes. Jusqu'au XIXe siècle, l'autobiographie est infiniment plus rare que les Mémoires des observateurs ou des acteurs de l'histoire : les *Confessions* de saint Augustin ou de Jean-Jacques Rousseau élaborent en un récit linéaire des souvenirs choisis et un propos religieux, apologétique ou éthique; la narration tend à s'y charger d'embryons d'essais. Inversement, les *Essais* de Montaigne adoptent d'emblée l'ordre libre et brisé du discours sur toutes sortes de sujets, mais ils émiettent, au fil des pages, les aperçus qui révèlent la vie et l'évolution de l'homme. Le roman personnel — ou autobiographique — transforme l'expérience vécue en une structure littéraire qui impose ses exigences à la psychologie des personnages et à l'intrigue : précaution inspirée par la prudence ou la pudeur, résultat d'une séduction du romanesque, la fiction s'y mêle au vrai, et la référence au réel y devient accessoire. Dans les correspondances, l'autre, le destinataire, est trop impliqué pour ne pas diriger et gauchir les épanchements déjà limités par les normes sociales.

L'intimité peut donc s'exhaler en dehors du journal; et les recueils de notes au jour le jour ne sont pas tous « intimes » : aide-mémoire, agendas, mémentos ne servent souvent qu'à l'enregistrement de rendez-vous, à la fixation de repères temporels, et, au mieux, de leur développement, au témoignage sur l'actualité; le fameux « Bourgeois de Paris » oblitère à ce point toute subjectivité, dans son *Journal de 1405 à 1449*, qu'il est impossible de l'identifier, et mainte chronique quotidienne, du XVIe au XIXe siècle, atteste la même et volontaire réduction de la conscience percevante à la fonction de miroir : ainsi le *Journal* des Goncourt, piquante enfilade d'échos de la vie parisienne et magasin d'anecdotes ou de croquis préliminaires aux œuvres publiées. Mais on touche ici à un second type de journal : cahiers, carnets, où s'accumulent notes de lectures, brouillons, esquisses, qui sont l'échafaudage, le carénage ou l'alluvion d'une entreprise artistique ou d'une vie consacrée à la création. Paul Valéry — lui-même auteur de *Cahiers* plus riches en réflexions sur le fonctionnement de la pensée qu'en effusions — écrit, à propos des *Carnets* de Léonard de Vinci : « Ce trésor de confidences intellectuelles ne nous livre rien des sentiments personnels, rien des expériences affectives de l'auteur ». Les *Cahiers* de Montesquieu, les *Cahiers de jeunesse* de Renan entretiennent le même rapport de subordination à une œuvre : ils en sont l'ombre, et ils la désignent comme fin objective.

Ainsi le journal intime se caractérise à la fois par une forme — la fragmentation de l'énoncé par journée, l'« autobiographie au jour le jour » (Goncourt) —, par un contenu — le « moi du dedans », par opposition au « moi du dehors », pour reprendre l'expression de Maurice Barrès — et par un but : la connaissance de soi au seul service de la conscience de soi. Mais il reste difficile de trouver des journaux intimes à l'état pur, sans historiettes, portraits, transcriptions de dialogues, esquisses de descriptions; et les « blocs-notes » les plus objectifs (par exemple, ceux où François Mauriac commentait l'actualité) se doivent, aujourd'hui, de faire une place à la chimie de la personne, au foyer où se compose une vision du monde.

L'émergence du genre

Le journal intime apparaît à la fin du XVIIIe siècle et il se constitue comme genre au cours du siècle suivant : à la fracture qui sépare la royauté théocratique de la démocratie, la société communautaire de l'individualisme libéral, les normes littéraires néo-classiques de la relative anomie qu'instaure le romantisme. Les anciennes procédures de communication se dévaluent, en même temps que la place de chaque individu dans une pyramide sociale, religieuse ou culturelle devient problématique, et sujette à révision : la confession sacramentale auprès du directeur de conscience, la convivialité professionnelle (au sein des villages ou des corporations), les règles du bien-dire s'effacent; livrée à elle-même, solitaire dans une foule abstraite, la personne se constitue en sanctuaire; elle résiste ainsi aux agressions d'une actualité brutale. Michelet, par exemple, en 1834, veut, « dans le château de l'âme, se réserver une enceinte au milieu du vacarme ». Un sentiment d'aliénation, presque de perdition, impose cette retraite vers les sources du moi, quête d'une identification qui transcende les déterminations sociales; il s'accorde aux philosophies en vogue, issues de l'empirisme de Locke — le sensualisme des « Idéologues » (Cabanis, Destutt de Tracy), le subjectivisme impressionniste des Écossais (Dugald Stewart, Adam Smith) — pour fonder sur l'introspection une image nouvelle de l'unicité individuelle; il inspire sur l'introspection une image nouvelle de l'unicité individuelle; il inspire bien d'autres traits de la culture romantique : la passion de la singularité, la recherche d'une authenticité spirituelle, le goût des existences concrètes que manifeste la prolifération des biographies.

Les premiers « intimistes » (ou « journal-intimistes », ou encore « diaristes »), nés au XVIIIe siècle, comme Joubert (1754-1824), Maine de Biran (1766-1824), Benjamin Constant (1767-1830), Stendhal (1783-1842), tiennent un journal strictement privé, sans considération de modèles ou de forme, sans aucune idée de publication. Leur rationalisme, issu des Lumières, limite l'effusion sentimentale qui se développe dans les journaux de la première génération romantique (Vigny, Michelet, Maurice de Guérin). En même temps, dès la fin des années 1820, le journal commence d'être pensé comme une structure littéraire utilisable : Sainte-Beuve (qui rédigera bientôt de fameux cahiers, *Mes poisons* [posth., 1926]) se donne, en 1829, comme l'« éditeur » d'un jeune écrivain qui vient de mourir, Joseph Delorme, et illustre la vie et les pensées de ce poète en livrant au public de prétendus extraits de son journal; procédé vite imité par des littérateurs de moins haute volée. A partir de 1845 sont publiés les premiers extraits significatifs de cahiers intimes : ceux de Maine de Biran, de Joubert, de Maurice et Eugénie de Guérin. Les parutions, d'abord fragmentaires, circonspectes, parfois inexactes, n'en fournissent pas moins des exemples et des défis : elles provoquent, vers 1850-1860, une évolution du concept même de journal intime; tout en gardant son rôle antérieur de « secrétaire particulier », celui-ci devient de plus en plus une œuvre qu'il faut soigner, puisqu'elle risque d'être divulguée : il en va ainsi des journaux de Barrès, de Jules Renard ou de Marie Bashkirtseff. Enfin l'abondance des publications de textes complets et annotés, l'effondrement des anciens tabous qui protégeaient la vie sexuelle ou les fantasmes les plus clandestins ouvrent, après la Grande Guerre, une troisième époque : le journal est définitivement conçu comme une création destinée aux lecteurs que l'œuvre « ordinaire » a déjà séduits, comme un dernier présent, le plus précieux peut-être; la publication en est de moins en moins différée; l'auteur en procure des extraits, des échantillons, des versions expurgées (ainsi font Charles Du Bos, Gide ou Léautaud). Parfois, l'écrivain, par testament, en ordonne l'immédiate et totale parution au lendemain de son décès, parfois il le livre très régulièrement, comme Julien Green.

« Votre journal est une œuvre, est votre œuvre », disait, en 1918, André Gide à Charles Du Bos. Le genre s'est alors tout à fait constitué; il est devenu un procédé à la disposition des romanciers (au même titre que l'échange de lettres) : les héros de Georges Duhamel, Salavin ou Laurent Pasquier, le Jallez des *Hommes de bonne volonté* de Jules Romains, le Roquentin de *la Nausée* de Sartre tiennent leur journal. Cela permet le jaillissement de la subjectivité au milieu d'une narration objective : le cours trop régulier du récit se rompt, cède la place à du fragment, de l'inachevé, qui nous promettent davantage, et qui sont à l'ordre rationnel du récit ce que la destructuration cubiste est à la vision perspective classique. Cette révolution esthétique amorcée dès l'aube du romantisme ne s'est pas accomplie sans contradictions : si le journal intime tend à être de plus en plus intime et de moins en moins journal (au sens d'enregistrement journalier), c'est qu'il recherche un contenu spécifique et une organisation profonde qui échappent à l'atomisation des éphémérides; c'est que la volonté d'architecture et d'élaboration artistique, liée à la perspective de la divulgation, l'emporte sur le simple repérage du temps vécu.

« O mon cahier! mon doux ami! »

Cette apostrophe de Maurice de Guérin dit assez le rapport affectif que le « diariste » entretient avec le trésor sans cesse accru de sa mémoire; l'adresse secrète du moi au moi n'est pas une manie anodine, mais un acte à la fois hédoniste et angoissant. Les moralistes ou les politiques ne s'y sont pas trompés, qui condamnent ces délectations moroses : « Le moi est haïssable », écrit un Pascal qui conserve, cousu sur lui, le « Mémorial » qui éternise le moment le plus fulgurant de sa vie religieuse. S'il se trouve des psychologues ou des hommes d'Église pour tenter de récupérer une confession laïcisée, la plupart réprouvent un culte du moi stérile qui détourne de Dieu et de l'action, qui enferme l'esprit dans une solitude desséchante, rétrécie, malsaine, qui émousse bientôt une attention rabaissée au microscopique, et finit par débiliter ou dissoudre la personnalité. Ainsi Georges Duhamel voit dans cette pratique égotiste et narcissique « déformations » et « perversions »; Léon Brunschvicg stigmatise « l'infantilisme morbide, qui s'attache pour lui-même au processus de la vie intérieure »; Paul Valéry, soucieux d'idées et de raison, s'écrie : « Que me fait ma biographie? Et que me font mes jours écoulés? »

Sans doute une pleine ouverture aux joies du monde, une commission avec cet univers que Platon nommait « un dieu bienheureux » excluent-elles les plaisirs moroses du journal intime, qui se développent, au contraire, dans une atmosphère de culpabilité et d'individualisme exacerbé. Le christianisme, on l'a souvent remarqué, joue un rôle essentiel pour former une conception de la personnalité qui exige une culture du divin et une éradication du diabolique : chaque moi devient une scène unique où s'affrontent le bien et le mal (la psychanalyse renouvellera les décors et les protagonistes de ce théâtre intérieur). Le journal, qui naît sur les cendres de la foi mais reste imprégné d'une sensibilité religieuse, se donne pour première fonction de rétablir l'équilibre, le calme, l'aptitude à la vie d'une personne qui, privée des anciennes transcendances, n'accepte pas de se noyer dans la pure immanence mais revendique lucidité et ipséité pour dominer et même transcender les circonstances. Il tente d'abord de réaliser l'unité temporelle du moi, de relier le présent aux divers passés, de fabriquer une durée à partir du temps. « Il me semble, écrit Eugène Delacroix, que je suis encore le maître des jours que j'ai inscrits, quoiqu'ils soient passés; mais ceux que ce papier ne mentionne point sont comme s'ils n'avaient point été. Dans quelles ténèbres suis-je plongé? » Et Maine de Biran veut « se sentir exister » : c'est-à-dire, selon l'analyse de Heidegger, « ek-sister », transgresser la finitude des autres existants, transcender, en s'en échappant, l'atomisation des instants.

Mais cette unité se saisit dans une altérité qu'Amiel découvre en relisant un de ses anciens cahiers : « Ces pages me frappent comme si elles étaient d'un autre ». Pour se connaître et se comprendre, il faut se dédoubler, s'objectiver sous le regard de la conscience, et l'angoisse baigne cette soucieuse interrogation. Maine de Biran souligne « ce vide que nous sentons en nous, lorsque nous réfléchissons sur notre existence ». L'homme se pense comme entouré et pénétré de néant : son ouverture vers les possibles, son cheminement vers la mort, sa chute quotidienne dans la facticité lui renvoient les figures de la vacuité, de l'insignifiance, de la faute. Le moi échappe à la raison, se réfracte en mille reflets :

cerner et traiter une telle gerbe d'ébauches est la tâche majeure de l'intimiste. Pour apaiser l'anxiété qu'engendre cette prolifération de simulacres inconsistants, l'auto-analyse développe un microclimat qui devra « forcer » le moi à la plénitude unitaire : « guide et sanction de la vie intérieure » (Amiel), le journal est reconquête de soi; il abonde en résolutions éthiques, religieuses ou esthétiques qui posent des buts; il instaure un dialogue pacificateur entre les aspects contrastés de la personnalité. Niant les limitations et les insatisfactions de la réalité vécue, il donne corps aux fantasmes en une sorte de défoulement cathartique. Mais il aboutit souvent à un délire d'introspection qui multiplie encore les images du double, et, comme l'a bien vu Freud, le *heimlich* (l'« intime », le « secret ») devient en même temps l'*unheimlich* (l'« inquiétant », le « tout autre ») : quelque chose de refoulé se montre à nouveau, nous assaille et nous prouve que notre vérité ultime reste problématique.

Cette fonction de médiation du moi au moi, de reconnaissance, de repossession de soi, pour majeure qu'elle apparaisse, se subordonne souvent à une fonction de communication avec le monde. Paradoxe : l'intimiste, insatisfait, blessé par les autres, ne prétend souvent s'approfondir que pour mieux s'armer, s'adapter au contact social et sortir de sa solitude. Sa retraite serait une parenthèse, une transitoire propédeutique; son écriture secrète — qui prolifère quand les difficultés de relation et de création culminent — préparerait un retour harmonieux au réel. Le jeune Delacroix proclame : « C'est de vivre dans l'esprit des autres qui enivre »; sa méditation sur les génies s'ouvre sur l'émulation : « Ils ont peint leur âme en peignant les choses, et ton âme te demande aussi son tour ». Le solitaire s'adresse d'abord à un public virtuel et implicite, à un lecteur fictif qu'il se représente comme une instance d'appel contre les échecs et les incompréhensions. La libre et vraie parole du journal, naïvement informelle, commente, explique, justifie; et, à mesure que la publication entre dans les mœurs littéraires, ce recours vise explicitement un groupe de *happy few* qui sauront apprécier l'ensemble d'une œuvre à sa juste valeur. Car la divulgation des pensées intimes d'un écrivain modifie son image : le Benjamin Constant philosophe et politique, distant et cynique, n'est pas celui du *Journal*, mélancolique et inquiet, ballotté entre les femmes qu'il aime ou qu'il aima. En général, l'intimité — ce déshabillé du génie — rapproche l'auteur de son public, car elle se compose de faiblesse, d'amours ou de peines qui leur sont connues; la curiosité qui nous entraîne vers le contrepoint caché des existences publiques n'est pas seulement, comme on l'a écrit, simple « voyeurisme », regard érotisé et convoitise : elle manifeste aussi un désir de communion.

Ainsi, œuvre d'introversion, le journal intime aboutit à un éclaircissement ou à un enrichissement des rapports entre le créateur et son public. S'il échoue à édifier une personne stable et rassurée, il en recueille le charme pathétique qui s'attache aux tentatives désespérées. Aux exhortations et aux injonctions — « Travaille sur toi-même », s'ordonne Stendhal —, aux élans vers la gloire et l'action répondent les plaintes et les cris de déréliction, le sentiment de déclin et de glissement de l'être : l'un ou l'autre de ces pôles domine, mais la tension reste la même. Ces colloques intérieurs ne vont pas sans complaisances ni ressassements; du moins témoignent-ils d'une volonté de lucidité et d'un désir d'assumer, dans le secret, toute la condition humaine. « L'enfer, note Vigny, c'est la pensée et la contemplation de soi-même et de la nature » : les « intimistes », qui nous accompagnent dans ce pèlerinage aux sources troubles de l'existence individuelle, fournissent des harmoniques à notre expérience, des lueurs dans notre nuit; ces solitaires finissent par peupler notre propre solitude.

Quelques grands journaux intimes

Joseph Joubert (1754-1824), *Journal* (1774-1785 et 1786-1824). Publication partielle sous la forme d'un *Recueil de pensées* par Chateaubriand, dès 1838, et intégrale en 1938 : *les Carnets de Joseph Joubert*, prés. par André Beaunier, Paris, Gallimard, 1938, 2 vol.

Maine de Biran (1766-1824), *Journal* (1792-1795 et 1811-1824). Publication partielle en 1845, et intégrale par Henri Gouhier, Neuchâtel, La Baconnière, 1954-1957, 3 vol.

Benjamin Constant (1767-1830), *Journaux intimes* (1803-1807 et 1811-1816), publiés par Alfred Roulin et Charles Roth, Paris, Gallimard, « La Pléiade », 1952.

Stendhal, (1783-1842), *Journal* (1801-1815 et 1818-1823), publié par Henri Martineau, Paris, Le Divan, 1937, 5 vol.

Alfred de Vigny (1797-1863), *le Journal d'un poète* (1823-1863), publié par Fernand Baldensperger dans les *Œuvres complètes*, t. II, Paris, Gallimard, « La Pléiade », 1948.

Eugène Delacroix (1798-1863), *Journal* (1822-1824 et 1847-1863), publié par André Joubin, Paris, Plon, 1950, 3 vol.

Jules Michelet (1798-1874), *Journal* (1820-1823 et 1828-1874), publié par Paul Viallaneix, Paris, Gallimard, 1959-1976, 5 vol.

Maurice de Guérin (1810-1839), *le Cahier vert* (1832-1835), publié par Bernard d'Harcourt dans *Œuvres complètes*, Paris, Les Belles-Lettres, 1947, 2 vol.

Henri Frédéric Amiel (1821-1881), *Journal intime* (1838-1881). Ses 17 000 pages, seul titre de gloire de leur auteur, en font le monument du genre. Publication des années 1839-1866, Lausanne, L'Age d'homme depuis 1976.

Maurice Barrès (1862-1923), *Mes cahiers* (1896-1922), Paris, Plon, 1929-1950, 13 vol.

Paul Claudel (1868-1955), *Journal* (1904-1955), Paris, Gallimard, « La Pléiade », 1968-1969, 2 vol.

André Gide (1869-1951), *Journal* (1889-1949), Paris, Gallimard, « La Pléiade », 1960-1965, 2 vol.

Jules Renard (1871-1910), *Journal* (1887-1910), Paris, Gallimard, « La Pléiade », 1960.

Paul Valéry (1871-1945), *Cahiers* (1894-1945), édités en fac-similé, Paris, Imprimerie nationale, 1957-1961, 29 vol.; édition thématique par Judith Robinson, Paris, Gallimard, « La Pléiade », 1973-1974, 2 vol.

Paul Léautaud (1872-1956), *Journal littéraire* (1893-1956), Paris, Mercure de France, 1954-1966, 19 vol.

Charles Du Bos (1882-1939), *Journal* (1921-1939), Paris, Corréa, 1946-1961, 9 vol.

Julien Green (né en 1900), *Journal* (1926-1972), Paris, Gallimard, « La Pléiade », 1975-1977, 2 vol.

BIBLIOGRAPHIE

Béatrice Didier, *le Journal intime*, Paris, P.U.F., 1976; Alain Girard, *le Journal intime*, Paris, P.U.F., 1963 (avec d'importantes études sur les grands journaux intimes de l'époque romantique); Georges Gusdorf, *la Découverte de soi*, Paris, P.U.F., 1948; Michèle Leleu, *les Journaux intimes*, Paris, P.U.F., 1952 (avec une recension des journaux qui vise à l'exhaustivité).

D. MADELÉNAT

JOUVE Pierre-Jean (1887-1976). L'œuvre de Pierre-Jean Jouve est sans doute l'une des plus originales et des plus exemplaires de ce siècle. Néanmoins, à l'image de son ambitieux dessein, elle demeure d'un accès difficile et non dépourvu de mystère — « la Poésie est soumise à une secrète interdiction », proclama Jouve —, ce qui peut expliquer le relatif silence dont l'entoure la critique. Pourtant, d'un recueil à l'autre, Jouve n'a cessé d'affirmer une même exigence de perfection formelle et de vérité. Par là même, il faisait de l'exercice de la poésie, seule activité capable de répondre aux formes obscures et prolixes du Mal, l'instrument privilégié de sa libération.

L'originalité fondamentale de l'entreprise, outre le fait qu'elle ne se départit jamais de sa confiance dans le pouvoir du Verbe — « la Poésie est l'expression des hauteurs du langage » —, résidait dans le reniement maintes fois réaffirmé par l'auteur de toute l'œuvre antérieure à 1925. « Pour le principe de la poésie, écrivait Jouve en 1928, le poète est obligé de renier son premier ouvrage » (« Postface » à *Noces*). Ainsi l'année 1925 est-elle l'amorce d'une *vita nuova*: Jouve entreprenait une œuvre nouvelle, fondée sur la « distance » et le refoulement des « années profondes ».

L'œuvre se scindait en deux ensembles : une œuvre bannie, que Jouve s'emploiera toujours à occulter, et une œuvre assumée, seule valable à ses yeux et « différant complètement de l'écriture passée — comme après métamorphose » (*En miroir*, 1954).

L'œuvre reniée (1909-1924)

On relèvera aisément deux constantes essentielles dans l'œuvre du jeune Jouve : une même attitude altruiste qui le poussait à se choisir un père auquel il se dévouât; une même thématique du désir sexuel, du sang et de la mort, grands thèmes que l'œuvre ultérieure parachèverait.

De fait, Jouve adopta successivement trois figures du père, qui influencèrent tour à tour sa manière d'écrire et jusqu'au choix de ses thèmes. Né à Arras, étudiant à Lille et à Poitiers, victime dès son adolescence d'une santé fragile, il lance, en 1906, *les Bandeaux d'or*, petite revue dont Debussy dira du titre qu'il est tout un programme. Il se donne alors pour disciple des néo-symbolistes, en particulier Vielé-Griffin. Installé à Paris en 1908, fréquentant le groupe de l'Abbaye, il publie dans sa revue, outre ses propres poèmes, des textes de poètes qu'il admire : Verhaeren, Régnier, Vildrac et Duhamel. Puis, fasciné par l'autorité de Jules Romains, il se range sous les bannières de l'unanimisme (*les Ordres qui changent*, 1911; *les Aéroplanes*, 1911, poèmes; *la Rencontre dans le Carrefour*, 1911, roman; *les Deux Forces*, 1913, théâtre). Ayant pris ses distances vis-à-vis de Romains, Jouve devait élire en Romain Rolland la plus haute figure du père tant recherché, dont il adoptera l'idéal pacifiste (*Poème contre le grand crime*, 1916; *Danse des morts*, 1917; *Tragiques*, 1922, le plus beau de ses recueils d'alors; *Hôtel-Dieu*, « récits d'hôpital en 1915 », 1919; et, hommage suprême, *Romain Rolland vivant*, 1920).

Cependant, l'éloignant « de plus en plus cruellement de son domaine », confie-t-il dans son *Journal sans date*, ce choix lui inspira des œuvres dont « la bonne conscience et la générosité ne tempéraient pas l'affreuse médiocrité » (*En miroir*).

Dès les premiers textes se manifestaient des forces profondes et parfois antagonistes, qui projetaient sur les êtres et les paysages l'étrange fascination de la sexualité. Tel lac entr'aperçu entre deux collines évoque « un sexe d'or ». Les différents ouvrages demeuraient fidèles à quelques obsessions :

> L'amour nu entièrement
> D'une femme impure et sauvage
> Ou Dieu, ou bien du génie,
> Ou des insurgés pleins de sang!
>
> (*Tragiques*)

Engluement dans les fantasmes sexuels, évocation de l'ardeur mystique ou de la fièvre révolutionnaire, ces thèmes seront explicités dans le célèbre « Avant-propos » de *Sueur de sang* (1933) : « La révolution comme l'acte religieux a besoin d'amour. La poésie est un véhicule intérieur de l'amour. Nous devons donc, poètes, produire cette "sueur de sang" qu'est l'élévation à des substances si profondes, ou si élevées, qui dérivent de la pauvre, de la belle puissance érotique humaine ». Mais, pour qu'une telle œuvre fût possible, il fallait que Jouve, reniant l'œuvre antérieure, eût tué le père, rencontré celle qui l'initia à la psychanalyse — Blanche Reverchon — et qu'il se fût « converti » à une haute et exigeante « Idée » religieuse, plus proche de la gnose que du véritable dogme catholique.

L'œuvre assumée (1925-1967)

En reconnaissant l'ampleur de sa dette envers Baudelaire, auquel il consacrera d'admirables pages critiques (« Tombeau de Baudelaire », 1942, repris dans *Défense et Illustration*, 1943), Jouve ordonnait presque mystiquement son œuvre et sa vie à la figure archétypale, quasi mythique, de l'auteur des *Fleurs du mal* et de *Mon cœur mis à nu*. De la même façon, l'œuvre accomplissait les quêtes de Rimbaud et de Mallarmé, sans pour autant s'achever dans la « fureur du transfuge » de l'un, ni conduire au « détachement insensé » de l'autre. Par ailleurs, on ne saurait omettre la vie mystérieuse des « figures tutélaires » (Jean Starobinski) qui, sur fond de drame ou d'opéra, ponctuent les étapes de l'ascension. Agissantes et salvatrices présences que celles du Tasse, de Blake, de Hölderlin — dont Jouve traduisit les *Poèmes de la folie* (1930) —, de Novalis, de Berg et de Mozart, guides bienveillants qui dévoileront la présence du Verbe, « puissance inanimée, capable d'extrême amour » dont « le moindre sens est fidélité au monde » et le plus grand sens « émanation de Dieu quand il se crée et retour direct à Dieu quand il est consommé » (*Proses*, 1960).

Si Jouve écrivait précédemment de l'homme qu'il « écoute battre son cœur/Dans l'immensité de sa chair » et que les « millions de soleils bleus/Que peut contenir une nuit/Ne sont pas trop pour son espoir », l'Avant-propos de *Sueur de sang*, très expressivement intitulé « Inconscient, Spiritualité et Catastrophe », approfondissait de telles intuitions. En effet, Jouve affirmait très solennellement :

> Nous avons connaissance à présent de milliers de mondes à l'intérieur du monde de l'homme, que toute l'œuvre de l'homme avait été de cacher, et de milliers de couches dans la géologie de cet être terrible qui se dégage avec obstination et peut-être merveilleusement (mais sans jamais y bien parvenir) d'une argile noire et d'un placenta sanglant.

A ces trois mots essentiels (Inconscient, Spiritualité, Catastrophe) il convient d'ajouter ceux qui commandent l'accès de *Proses*: « la Voix, le Sexe et la Mort ». Ces termes fondamentaux donnent la clef de l'œuvre, qui restera désormais fidèle à la proclamation précédente lorsqu'elle explorera, d'un recueil à l'autre, le monde terrible de l'homme, déchiré par le conflit du Ça et du Sur-moi.

« Inconscient » : Jouve mettait en scène « les bouches méchantes » du « cœur de l'homme », le « Désir » et les pulsions; et, s'il utilisait les ressources de l'Inconscient, ce n'était pas à la façon des surréalistes : il insista toujours sur la nécessité du lent travail de l'œuvre; mais, en unissant douloureusement l'Éros freudien au péché mortel, il élargissait le drame humain et retrouvait la misère pascalienne de l'homme sans Dieu (*le Paradis perdu*, 1929).

« Spiritualité » : en reprenant les termes de la double postulation baudelairienne à Dieu et à Satan, mais en en renouvelant la portée, il exprimait l'aspiration à la Divinité, toujours présente malgré l'obscurité, et que signifiait un réseau d'images : lumière, haut ciel, colombe.

> O Dieu clair, soutiens mes pas chancelants.
> Sombre Cerf, fais trébucher mes pas clairs.
>
> (*Sueur de sang*)
>
> Ciel, matière de Dieu! Symbole plus qu'éther.
>
> (*Diadème*, 1949)

Poésie contemporaine, car édifiée sur l'Absence, l'œuvre de Jouve ne s'accomplit vraiment que dans la nuit, presque la Nuit des mystiques, où l'homme implore la venue du « Bien-Aimé » et « [meurt] de ne pas mourir » (*Glose de sainte Thérèse d'Avila*, traduite par P.-J. Jouve, 1939). D'ailleurs :

TOUTE POÉSIE EST A DIEU. Sans cette ambition d'ange
Et cette humilité d'archange et l'engendrement humain
Des accords des nombres du temps et du secret de lumière,
Le vers ne serait que le jeu des osselets de la mort.
(*Mélodrame,* 1957)

« Catastrophe » : le conflit se révélait d'autant plus redoutable qu'à la suite de Freud, Jouve découvrait l'instinct de mort — la « catastrophe » —, enfoui au tréfonds de l'homme, le poussant à la destruction individuelle ou collective. La Seconde Guerre mondiale — vécue d'abord en France, puis à Genève à partir de 1941 — répondra tragiquement à ce pressentiment : la ruée des forces du Mal sur la « patrie pleine de larmes » (*la Vierge de Paris,* 1944) sera l'occasion de poèmes magnifiques. D'ailleurs, l'œuvre atteignait alors à ses plus belles pages avec l'accomplissement de la parole poétique, tour à tour « lyrique » ou prophétique (*Kyrie,* 1938; *Porche à la nuit des saints,* 1941; *la Vierge de Paris,* 1944) :

Je vois
Les morts ressortant des ombres de leurs ombres
Renaissant de leur matière furieuse et noire [...]
Je les vois chercher toute la poitrine ardente
De la trompette ouvragée par le vent.
(*Gloire,* 1940)

Chaque recueil, supposant une savante architecture, répondait au dessein d'une « poésie qui se justifiât entièrement comme chant ». Les ultimes ouvrages confirmeront ce que la quête avait de rigoureux et d'inapaisé, avec parfois comme une hésitation entre l'ample verset (*Ode,* 1950; *Lyrique,* 1956) et la forme plus compacte, haletante et parfois même brisée (*Mélodrame,* 1957; *Inventions,* 1958; *Moires,* 1962; *Ténèbre,* 1965), érigeant l'image d'un homme solitaire, « pleurant dans une âme / L'unique prophétie à l'homme en ses enfers » et cherchant, « par-delà les regard usés et les faces d'ennemis », le but ultime, « la sainte Indifférence ».

Toutefois, pour combler un « fort désir de réel qui ne trouvait pas toute son issue dans la poésie » (*En miroir*), Jouve devait écrire cinq romans qu'il définira lui-même comme « poétiques » et non « réalistes » : en effet, « le personnage du romancier poète [n'est] pas tout à fait semblable à celui du pur romancier. La tendance du poète est de faire le personnage unique, le personnage symbole » (*Commentaires*). Toutes les forces que les recueils avaient orchestrées y devaient être « projetées ». De même que les recueils poétiques aboutissaient à des réseaux de symboles (l'œil, le sexe, l'arbre, le Cerf, le Cygne, le Diadème), de même les figures romanesques, qui hantent également les poèmes, s'animaient dans des décors cristallins ou sordides, identiques à ceux de la poésie et aptes à conduire la nécessaire *catharsis*. De ces drames romanesques se dégagent trois figures envoûtantes : Paulina, héroïne de l'amour et de la rupture (*Paulina 1880,* 1925); Catherine Crachat, sorte de « Diane infernale, face fatidique de la lune » (*Hécate,* 1928), personnage que, pour la première fois dans l'histoire moderne du roman, son créateur soumettra à la psychanalyse, en se servant pour ce faire du récit d'une véritable thérapie (*Vagadu,* 1931); Hélène de Sannis, enfin (« Dans les années profondes », in *la Scène capitale,* 1935 [qui contient aussi *Histoires sanglantes,* 1932]), qui institue le mythe central de toute l'œuvre, en ordonnant autour d'elle poèmes, réminiscences et obsessions, comme autant de phases d'un même rite initiatique. Outre *le Monde désert* (roman, 1927), il faut mentionner d'admirables exégèses musicales (*le Don Juan de Mozart,* 1942; *Wozzeck ou le Nouvel Opéra,* 1953) et les innombrables traductions que Jouve avait entreprises (de Shakespeare : *la Tragédie de Roméo et Juliette,* 1937; *les Sonnets,* 1955; *Macbeth,* 1958; *Othello,* 1961; de Tchekhov, *les Trois Sœurs,* 1958; de Wedekind, *Lulu,* 1959).

Outre le retour des mêmes thèmes douloureux, et la commune exigence formelle, on peut déceler dans l'œuvre entière un ton poignant et ironique, d'un lyrisme mesuré, parfois cinglant, qui ne sera pas sans exercer une puissante fascination sur des auteurs aussi différents qu'Yves Bonnefoy, Pierre Emmanuel ou Salah Stétié.

BIBLIOGRAPHIE

René Micha, *Pierre-Jean Jouve,* Paris, Seghers, 1971; Jean Starobinski, préface à *Noces,* Paris, Gallimard, 1966; "Pierre-Jean Jouve", *Cahier de l'Herne,* Paris, 1972. A consulter également : Marcel Raymond, *De Baudelaire au surréalisme,* Paris, Corréa, 1933; rééd. Paris, José Corti, 1972; Gaétan Picon, *l'Usage de la lecture,* Paris, Mercure de France, 1958.

Ph. DELAVEAU

JOUVENEL DES URSINS Jean (1388-1473). Prélat, président du parlement de Poitiers, ce grand personnage rédigea une chronique du règne de Charles VI, le roi qui, pendant la période la plus sombre du pays, voulut ressusciter les fastes de la chevalerie. Son texte, abrégé de la chronique latine du religieux de Saint-Denis, a été récupéré dans les *Grandes Chroniques de France.* Sous une apparente impartialité, nous lisons les passions politiques de l'auteur : aussi bien appartenait-il à ce temps où chaque parti, Armagnacs et Bourguignons, avait ses interprètes officiels. Mais son œuvre n'est pas qu'apologie; il juge sévèrement la « folie » aristocratique de la génération précédente, de ce parti des jeunes dont la fougue intempestive a conduit à Azincourt : « Le duc d'Orleans, frere du roy, se gouvernoit aucunement trop a son plaisir [...]. Mais il avoit jeunes gens autour de luy qui l'induisoient a faire plusieurs choses que, bien adverty, il n'eust pas fait ». Il est aussi un polémiste, le plus fécond de son temps. L'*Épistre au roy* de 1433 dénonce la triste situation du royaume et le vrai visage de la guerre : « Je ne die mie que selement les ditz delitz se commettent par les ennemis, mais ont esté fais et commis par aucuns qui se disoient au roy »; la *Nouvelle Épistre* accuse le roi de ne pas écouter les plaintes des pauvres et de ne pas mener la guerre assez vigoureusement; le *Discours tranchant les différends entre les rois de France et d'Angleterre* (1435) défend les droits de Charles VII, tandis que le *Traictié compendieux de la querelle de France contre Anglois* (1449) montre qu'Édouard III n'a jamais eu de droits sur la couronne de France et que sa guerre est criminelle.

BIBLIOGRAPHIE

Édition. — J. Michaud, *Nouvelle Collection de mémoires,* t. II, 1836; extraits publiés dans *Choix de chroniques,* éd. Buchon, Paris, 1875.
A consulter. — L. Pechenard, *Jean Jouvenel des Ursins, historien de Charles VI et évêque,* Paris, 1876.

A. STRUBEL

JOUY Victor Joseph Étienne de (1764-1846). Écrivain né à Versailles, Jouy doit sa renommée au personnage de l'Hermite de la Chaussée d'Antin qui fut sans doute à l'origine de la vogue des « physiologies » dans la première moitié du XIXe siècle. De son existence, où la légende le dispute au réel, émergent quelques épisodes militaires et sentimentaux en Inde que Stendhal a consignés dans ses *Souvenirs d'égotisme* (chap. 8). Mais la littérature le tentait : il brossa d'abord quelques portraits pour la *Galerie des femmes célèbres* (1799), puis composa pour la scène de courts vaudevilles, des comédies de mœurs (*M. Beaufils,* 1806; *l'Avide Héritier,* 1807), des livrets d'opéras (*les Amazones,* 1811, musique de Méhul) et même des tragédies (*Tippô-Saïb,* 1813; *Sylla,* 1821). De 1811 à 1814, il avait alimenté la *Gazette de France* d'articles dont la réunion en volume devait donner naissance à *l'Hermite de la Chaussée d'Antin ou Observation sur les mœurs et les usages français au début du XIXe siècle.* Devant le succès, Jouy transporta son Hermite *en province* (16 vol. à partir de 1818), *en Guiane, en prison* (1823, avec la collaboration de Jay) avant de lui faire recouvrer la *liberté* (1824).

« Ni un précurseur ni un attardé, il est de son temps » : comme le souligne Apollinaire, l'intérêt de Jouy réside dans la banalité de son regard; à défaut d'analyser, il enregistre, décrit — avec ironie souvent —, éventuellement moralise... Car il y a loin du *Spectator* d'Addison, dont Jouy se voulait l'émule, à l'Hermite, et si l'un profite de l'exemple vécu pour élargir la réflexion à la discussion théologique ou philosophique, l'autre s'avère incapable de se désengluer du détail ou du fait monté en épingle. Peut-être faut-il voir, finalement, en *l'Hermite* le livre par excellence « adapté à l'esprit du bourgeois français » (Stendhal)? Il est vrai qu'à défaut d'être le fils spirituel de Voltaire, comme il aimait à le proclamer, il fut avant tout le défenseur de l'orthodoxie esthétique, l'un des farouches « dictateurs littéraires » dont l'humour s'émoussa rapidement devant les assauts répétés de la jeunesse romantique.

BIBLIOGRAPHIE

Pierre Martino, *l'Époque romantique en France,* p. 57-62, Paris, Hatier, « Connaissance des Lettres », 1944; Claude Pichois, « Pour une biographie d'Étienne Jouy », *Revue des sciences humaines,* avril-juin 1965 (le titre l'indique clairement : les renseignements anecdotiques abondent; point d'idées...).

D. COUTY

JUIN Hubert (né en 1926). Écrivain belge d'expression française. Né en Gaume (Belgique), Hubert Juin, qui s'est fixé en France, assume un étrange exil. Il n'est en rien un déraciné : toute son œuvre de prosateur (*le Chaperon rouge,* 1963; *le Repas chez Marguerite,* 1966; *les Trois Cousines,* 1968; *Paysage avec rivière,* 1974) et une bonne part de son œuvre poétique (*l'Automne à Lacaud,* 1972; *Cinquième Poème,* 1972; *l'Arbre au féminin,* 1980) attestent la « récupération » du monde de l'enfance. Il a bien retrouvé le temps perdu. En même temps, il est toujours « ailleurs ». Le critique (cf. *l'Usage de la critique,* 1971; *Aragon,* 1960; *Victor Hugo,* 1980), l'inlassable préfacier voyage aussi bien dans le temps que dans l'espace. Cet homme qui sait ce que l'on doit au passé est le contraire d'un passéiste. Il gagne le large avec la boulimie des seuls vrais exilés : ceux dont le voyage n'a point de terme.

Le romancier s'est voulu le chroniqueur du hameau de Tige, dont il nous apprend : « On pense que c'est petit chez nous; et il y a du vrai dans ce propos, mais il y en a là-dedans à voir, à entendre, à comprendre, que c'est pas la peine de courir plus loin... ».

On retrouve ici comme la nostalgie d'un lieu matriciel, mais c'est parce qu'il s'agit du lieu où une parole a lieu. Au sein du hameau gaumais cher au cœur de Juin s'agite une poignée de personnages dont l'histoire personnelle se confond avec celle de la terre qu'ils foulent et qu'ils travaillent. Le café de Cécile ou le bordel des trois cousines, le moulin de Mathieu dressent les frontières d'un monde que le lecteur n'appréhende qu'au travers des récits, des « parlotes », des propos tout en ouï-dire de ses habitants. Les mots sont morts. Le village est frappé de mutisme : ayant perdu son langage propre, il bascule dans le monde de l'industrialisation et se sous-prolétarise. L'écrivain, quant à lui, n'a pas à guérir de son passé : tout simplement, il n'en est jamais revenu. De même, le poète peut bien « s'évader jusqu'aux bornes du monde », il sait qu'on ne va jamais loin : « Las! le monde s'est retourné sur Colomb : une cage où il erre... ».

Et il ajoute : « Il y fallait d'un rien pour retourner chez nous, à vingt ans en arrière, devant le bol de lait et les grosses mouches de l'été ».

On est voué à l'errance. Dans *les Guerriers du Chalco* (1976), Juin tend la main à d'autres poètes rencontrés ailleurs, en d'autres temps et en d'autres pays, ceux qui furent assassinés quelquefois, pour fixer avec eux des vertiges, assurer un moment d'éternité. Ainsi seulement rentre-t-on d'exil car : « Être, écrit encore Juin, c'est habiter ».

BIBLIOGRAPHIE

Guy Denis, *Hubert Juin,* Paris, Seghers, 1978.

P. MERTENS

JULYOT Ferry (milieu du XVIe siècle). Né à Besançon, il suit à l'université de Dôle les cours du jurisconsulte parisien Charles Dumoulin, devenu son ami; après une jeunesse estudiantine apparemment assez gaie, il revient à Besançon faire ses preuves comme tabellion, au sein de la bonne bourgeoisie de la ville. Il publie, chez Jacques Estauge, en 1557, les *Élégies de la belle fille lamentant sa virginité perdue : avec plusieurs épistres, épigrammes, instructions et traductions morales,* dont le titre indique assez à quel point le propos est encore marotique, ainsi que les genres adoptés. Un souci réel de composition lui fait alterner les élégies avec les dizains, ceux-ci jouant le rôle de la moralité conclusive des fables. Mais on n'est pas loin, non plus, des « moralités », puisque la malheureuse fille adresse ses longues complaintes « en forme de monologue » à la nature, ou à ses père et mère, ou à ses amants, qui, tous, lui répondent dans l'élégie suivante : la nature lui reproche ses artifices, ses vêtements — gants et vertugadins, etc. —; ses parents regrettent leur indulgence coupable; ses amants lui disent à peu près qu'elle l'a bien cherché. Comme dans les textes variés qui leur font suite, le ton des *Élégies* mêle une vigoureuse franchise, assaisonnée d'injures rabelaisiennes, à de belles leçons fortement articulées. Tout cela est un peu archaïsant, assez provincial (l'historien de la langue y trouve un document de choix sur le parler de Franche-Comté) et bien représentatif de la tradition française des parodies de procès. Mais le charme vient surtout de l'abondance des détails réalistes, énoncés sans détour.

Écriture naïve, sur une pensée plus retorse qu'il n'y paraît, voilà qui n'est guère à la mode aujourd'hui, mais qui fit, à juste titre, les délices d'un amateur curieux comme Nodier.

BIBLIOGRAPHIE

Cf. le catalogue Nodier, n° 418; le catalogue Yemeniz, n° 1832, et le catalogue de la librairie Morgand, 1883.
A consulter. — V.L. Saulnier, *les Élégies de Clément Marot,* Paris, S.E.D.E.S., 1968.

M.-M. FONTAINE

JURIEU Pierre (1637-1713). Fils d'un ministre protestant, Pierre Jurieu naquit à Mer, près de Blois; il fit ses études à l'académie de Saumur, enseigna quelques années la théologie à l'académie de Sedan et, en 1681, se retira à Rotterdam, où il fut l'un des pasteurs du Refuge.

Son œuvre est immense et presque entièrement vouée à la polémique. Pierre Jurieu fut l'un des premiers à s'élever contre la politique du roi et de l'Église catholique, qui visaient, avant la révocation de l'édit de Nantes, à anéantir par des voies obliques le culte calviniste. Ce furent la *Politique du clergé de France pour détruire le protestantisme* (1680), les *Derniers Efforts de l'Innocence affligée* (1682). Après l'édit de Fontainebleau, il publia les *Préjugés légitimes contre le papisme* (1686), l'*Accomplissement des prophéties ou la Délivrance prochaine de l'Église* (1686), où il annonçait, éclairé par la lecture de l'*Apocalypse,* qu'en 1689, Louis XIV et le catholicisme français devraient s'écrouler; il fit diffuser, malgré la censure, des *Lettres pastorales adressées aux fidèles de France qui gémissent sous la captivité de Babylone,* et les huguenots persécutés y trouvèrent un immense encouragement dans leur lutte contre les dragons et les prêtres. En 1689, il donna un ouvrage aussi véhément que les précédents, les *Soupirs de la France esclave qui aspire après la liberté.*

Outre ses exhortations à la résistance, Jurieu composa maints écrits contre les philosophes et les historiens catholiques. Arnauld est visé dans l'*Apologie pour la morale des réformés* (1675) et surtout dans l'*Esprit de Monsieur Arnauld* (1684); Bossuet dans le *Préservatif contre le changement de religion* (1680) et la *Suite du Préservatif* (1682), qui répondent à l'*Exposition de la foi catholique;* à l'*Histoire du calvinisme* du père Maimbourg est opposée, en 1682, l'*Histoire du calvinisme et du papisme;* la querelle de Bossuet et de Fénelon lui inspire le *Traité historique contenant le Jugement d'un protestant sur la theologie mystique* ... (1699).

Ce zèle et cette violence, Jurieu les manifesta aussi envers ses coreligionnaires. Dès 1671, il avait publié l'*Examen* [...] contre Huisseau. A Amsterdam, il devint le chef de l'Église wallonne et fut ainsi amené à combattre à la fois contre le fidéisme de Bayle et contre la religion libérale des arminiens. Au *Commentaire philosophique* de Bayle, il opposa *Des droits des deux souverains en matière de religion, la Conscience et le Prince* (1687). Bayle, sur son intervention, fut accusé de trahison et interdit d'enseignement; cette polémique se poursuivit jusqu'au *Philosophe de Rotterdam accusé, atteint et convaincu* (1707). Claude Pajon avait proposé une interprétation de la grâce que Jurieu jugea laxiste : il la critiqua dans le *Jugement sur les méthodes rigides et relâchées d'expliquer la Providence et la Grâce* (1686) et le *Traité de la Nature et de la Grâce* (1688). Élie Saurin et les arminiens furent attaqués dans la *Religion des latitudinaires* (1696).

On peut considérer Jurieu comme un homme du passé. Tel son vieil adversaire, Bossuet, il paraît, en effet, s'opposer à tous les ferments du monde nouveau; alors que le fidéisme de Bayle annonce le rationalisme critique de Kant et de Rousseau, alors que l'arminianisme de Le Clerc et de Saurin présage la religion libérale des Lumières, Jurieu se fait le défenseur obstiné de l'orthodoxie calviniste. Il refuse tout compromis, tout relâchement, toute tolérance. Mais cette intransigeance, qui lui donne une sombre grandeur, l'amena, par un apparent paradoxe, aux thèses les plus révolutionnaires. Jurieu délia les huguenots français du devoir d'obéissance au souverain, il légitima ainsi l'insurrection et fut l'un des pères de la démocratie, l'un des précurseurs les plus évidents de l'esprit de 1789. Ce mystique des anciens âges, qui prophétise et ne voit que diabolisme dans l'esprit moderne, est paradoxalement à l'origine de la destruction de l'ordre et de l'idéologie classiques.

BIBLIOGRAPHIE

Frank Puaux, *les Précurseurs français de la tolérance au XVIIe siècle,* Paris, 1880; F.R.J. Knetsch, *Jurieu theoloog en politiks der Refuge,* Kampen, Kok, 1967; Elisabeth Labrousse, « le Refuge hollandais : Bayle et Jurieu », *XVIIe Siècle,* 1967, et « Note sur Jurieu », *Revue d'histoire et de philosophie religieuses,* 1978; Jacques Le Brun, « les Œuvres spirituelles de Jurieu », *Travaux de linguistique et de littérature,* 1975.

A. NIDERST

JUSSIE Jeanne de (1503-1561). V. SUISSE. Littérature d'expression française.

JUVÉNAL DES URSINS Jean. V. JOUVENEL DES URSINS Jean.

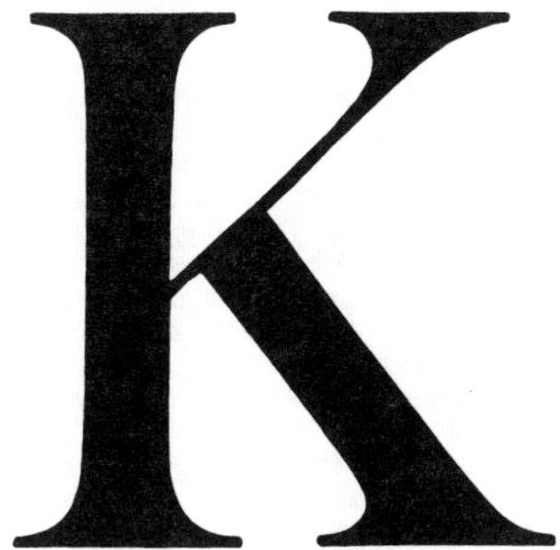

KAHN Gustave (1859-1936). Né à Metz, Gustave Kahn s'installe à Paris avec sa famille en 1870. Encore étudiant, il commence à écrire dans des revues, participe activement à la vie littéraire — malgré l'échec d'un volume de *Proses* refusé par les éditeurs (1879) —, rencontre Mallarmé, assiste rue Cujas aux soirées des Hydropathes. Il passe quatre années en Afrique (1880-1884), et fonde, après son retour, la revue *la Vogue* (1886) et le journal *le Symboliste;* en 1888, Édouard Dujardin lui confie la direction de *la Revue indépendante.* Deux ans plus tard, il se marie et accomplit un long séjour en Belgique (1890-1895). Sans abandonner une carrière de journaliste qui se poursuivra au *Mercure de France,* Kahn se consacre alors davantage à son œuvre poétique : un premier recueil, *les Palais nomades* (1887), est suivi par *Chansons d'amant* (1891), *Domaine de fée* (1895) et *le Livre d'images* en 1897. Cette année-là, il organise à l'Odéon avec Catulle Mendès les « Matinées de poètes » destinées à faire connaître au grand public la nouvelle poésie. Il se tourne ensuite vers le roman, avec *les Fleurs de la passion* (1900) et *l'Adultère sentimental* (1902). Toutefois son engagement dans le débat littéraire contemporain (*Symbolistes et décadents,* 1902) n'éteint pas sa curiosité pour d'autres époques ou d'autres moyens d'expression : après des études sur *Boucher* (1905), *Fragonard* (1906), *Rodin* (1906), il publiera un *Fantin-Latour* (1926) et un *Baudelaire* (1928).

L'activité littéraire de Gustave Kahn s'étend sur un demi-siècle; pourtant son œuvre est aujourd'hui oubliée, alors qu'elle a exercé une influence considérable sur tous les écrivains de la modernité. Il n'est pas sûr que cette influence soit avouée par tous ceux qui l'ont subie; elle reste, de ce fait, diffuse, Kahn ne s'étant jamais érigé en porte-parole d'une école, en chef de file d'un mouvement. Il reste avant tout un défricheur des domaines nouveaux de l'expression, incapable souvent de pousser lui-même jusqu'au bout l'expérience poétique de la nouveauté. La critique refusera de voir chez lui la moindre trace d'un quelconque génie littéraire : injustice à l'égard d'un précurseur, ou limites réelles d'une œuvre multiple? Les œuvres du début, *Palais nomades* ou *Chansons d'amant,* ne manquent pourtant pas d'intérêt; *le Livre d'images* a peut-être influencé Apollinaire.

Réfléchir sur l'œuvre de Gustave Kahn consiste aujourd'hui à définir son apport à la littérature, sachant qu'il n'est, pour le génie poétique, ni Rimbaud ni Mallarmé. Ce qui différencie Kahn de la génération des symbolistes et de la génération de 1885 éminemment classique (Moréas, Régnier...), c'est qu'il aborde le problème de l'expression littéraire d'une manière tout à fait nouvelle. Alors que les symbolistes s'enferment dans une poésie à forme fixe dont les procédés stylistiques et de versification sont évidents, Gustave Kahn ouvre des voies créatrices pour des esprits aussi divers que Gide ou Mac Orlan, Apollinaire ou Max Jacob, Marinetti ou Colette... Sa conception de l'art sera à l'œuvre dans tout le XXe siècle.

L'« inventeur » du vers libre

C'est, en effet, Kahn qui a introduit le premier l'idée de la libération du vers dans un article de *l'Événement* du 28 septembre 1886. Il écrit à propos du vers : « La tentative actuelle consiste à l'amplifier et à le libérer... »

Le *Manifeste du symbolisme* de Moréas, qui est déjà paru à cette date, n'aborde pas la question de la transformation du vers. Ce qui confirme la place de Gustave Kahn dans l'histoire du développement et des transformations des techniques d'expression, de la fonction communicative dans les pratiques littéraires.

Gustave Kahn précisera de façon remarquable, jusqu'en 1891, la définition du vers libre, se gardant de formuler des indications trop rigoureuses, examinant les dangers qui feraient du vers libre de la prose, même poétique. Le vers, s'il est libéré, ne doit pas perdre sa qualité musicale, dont les garants sont la rime et l'assonance : « Nous ne proscrivons pas la rime : nous la libérons, nous la réduisons parfois et volontiers à l'assonance... ». Pour Gustave Kahn, il ne faut pas confondre « vers libre » et « vers blanc ».

Autour de 1886, la question de savoir quel est l'inventeur du vers libre suscite de nombreuses querelles. Édouard Dujardin écrira pour sa part : « Que Gustave Kahn ait "trouvé" le vers libre, j'en suis persuadé. Je veux dire par là que je crois fermement, non seulement pour l'avoir lu attentivement, mais pour l'avoir personnellement fréquenté de 1886 à 1888, qu'il n'a pris le vers libre ni à Rimbaud, ni à Laforgue, ni à Moréas, ni à personne » (dans « les Premiers Poètes du vers libre », *Mercure de France,* 1922).

Ces querelles, reprises par la critique universitaire, ne doivent pas nous cacher l'apport de l'œuvre de Gustave Kahn à la littérature. *Les Palais nomades* ou *Chansons d'amant* ont eu une influence considérable sur la poésie moderne parce qu'ils inaugurent la période de l'utilisation consciente du vers libre dans l'histoire de la littérature. Cette découverte sur la forme prend chez Kahn le pas sur le fond. Son influence essentielle ne s'exerce pas sur les idées mais sur les procédés d'écriture, que ce soit pour la poésie avec le vers libre ou pour le roman, dont il esquisse la théorie qui fonde le style du XXe siècle lorsqu'il parle de l'écoulement des idées et des sensations, de la notation psychologique.

L'histoire littéraire a tranché, semble-t-il, sur l'œuvre de Gustave Kahn. Mais la littérature du XXe siècle doit à cette œuvre un apport important dans le domaine des innovations techniques, le théoricien du vers libre l'emportant aujourd'hui sur le poète, et plus encore sur le romancier et sur le critique d'art. [Voir aussi VERS LIBRE].

BIBLIOGRAPHIE

J.C. Ireson, *l'Œuvre poétique de Gustave Kahn,* Paris, A.G. Nizet, 1962.

Ch. GAMBOTTI

KAGAME Alexis. V. NÉGRO-AFRICAINE (littérature d'expression française).

KALISKY René (1936-1981). Auteur dramatique belge d'expression française. Né à Bruxelles, René Kalisky est issu d'un milieu d'artisans prolétarisés d'origine juive polonaise. Son père est arrêté au cours d'une des dernières rafles organisées par les nazis et envoyé à Auschwitz, où il périt fin 1944. Partiellement autodidacte, Kalisky poursuit des études de radio-navigateur jusqu'en 1958 et obtient un diplôme de journalisme en 1960. Tandis qu'il exerce les fonctions de secrétaire d'édition aux Presses académiques européennes, qu'il collabore comme journaliste indépendant au *Phare-Dimanche*, au *Patriote illustré*, à *la Presse* et au *Devoir*, et rédige deux *house-organs*, Kalisky écrit force pièces, encore inédites (*Coma, Charles XII, le Droit du plus fort, Babylone II, le Magnétophone*...), qui sont refusées par les théâtres belges auxquels l'auteur les présente. Il est par contre repéré chez Gallimard, en 1968, par Jacques Lemarchand, qui publie *Trotsky, etc.* (1969) ainsi que les trois pièces suivantes du dramaturge (*Skandalon*, 1970; *Jim le Téméraire*, 1972; *le Pique-Nique de Claretta*, 1973). « Désespérant d'intéresser des metteurs en scène en Belgique » et « convaincu de la nécessité d'avoir du temps pour écrire », Kalisky part pour la Corse en octobre 1971, puis s'installe à Paris en janvier 1973. Durant la saison 1974-1975, Antoine Vitez crée *le Pique-Nique de Claretta*, qui reçoit par ailleurs en Belgique (1975) le prix triennal de Littérature dramatique. Ainsi s'amorce la carrière scénique d'une œuvre qui connaîtra toutefois d'innombrables malentendus entre son auteur et ses metteurs en scène successifs : Benoin, pour *Skandalon*, en 1975; Lheureux, pour *la Passion selon Pier Paolo Pasolini*, en 1978; Vitez, pour *Dave au bord de mer*, en 1979, et Miquel, en 1980, pour *Sur les ruines de Carthage*. Entre-temps, Kalisky, qui poursuit sa carrière de dramaturge, écrit des scénarios, dont *le Tiercé de Jack*, réalisé par la télévision belge.

Persuadé que la question de l'écriture dramatique est au cœur du problème actuel du théâtre — en tout cas, dans le monde francophone —, l'auteur propose, fin 1977, aux pouvoirs publics belges la création en 1980, à Bruxelles, Liège et Charleroi, d'un festival international du théâtre francophone qui se consacrerait aux pièces d'auteurs de langue française; il ne reçoit même pas d'accusé de réception à sa proposition... Lui échoit par contre en 1979 la bourse de séjour du sénat de Berlin dont Gombrowicz avait été jadis le bénéficiaire. Alors que l'incompréhension de la critique le marque douloureusement et qu'il prépare, en collaboration avec un médecin, un livre sur le cancer, Kalisky est emporté en deux mois par ce mal et meurt à quarante-cinq ans laissant deux inédits presque achevés : *Falsch* et *Charles le Téméraire*, ainsi que les esquisses de deux pièces, l'une consacrée à la mort des *Romanov*, l'autre intitulée *Fango*.

Cette mort fauchait en pleine maturité le plus novateur des dramaturges belges de l'après-guerre. Les dix pièces tragiques qu'il nous a laissées à partir de *Trotsky* constituent toutefois un cycle, suffisamment élaboré et diversifié, pour prendre place parmi les apports essentiels au théâtre de langue française depuis Beckett. Parti de pièces-fresques comme *Trotsky* et *Skandalon*, où l'emmêlement des lieux et des époques restitue progressivement sur la scène les contradictions du héros révolutionnaire ou les impostures de la vedette (Fausto Coppi), Kalisky aborde, avec *Jim le Téméraire*, un sujet tabou : la fascination qu'ont exercée Hitler et le nazisme. Dans cette pièce centrale, la dramaturgie se resserre autour du rapport entre le Führer et Jim le Juif. Autour du duo se déploient les mystagogues qui marquèrent la jeunesse du futur maître du Reich; puis, dans la seconde partie, les hauts dignitaires du régime, dont les rôles sont scéniquement assumés par les mêmes acteurs. Cet aspect de démultiplication du jeu est approfondi dans la pièce suivante, *le Pique-Nique de Claretta*, consacrée à Mussolini : là, les acteurs jouent à la fois les personnages historiques, les acteurs répétant une pièce sur ce thème et les individus confrontés personnellement à ces enjeux trente ans après. Le procédé, nommé « surjeu » par l'auteur, se renforce d'une écriture équivalente, le « surtexte », dans *Dave au bord de mer* (pièce dont l'action se situe en Israël, et où les protagonistes réactualisent le vieux combat entre Saül et David) et dans *la Passion selon Pier Paolo Pasolini*, dans laquelle le célèbre cinéaste-écrivain italien, censé tourner à nouveau son film sur l'Évangile, préfigure en fait sa propre mort tragique. A ces pièces, d'une extrême complexité dialectique, succéderont deux textes à faible distribution, centrés sur une situation simple et noués par une écriture moins polyphonique. Ils avaient été préparés par *Europa*, pièce inspirée d'un roman de Romain Gary. *Aïda vaincue* met en scène une famille dont la fille est partie outre-Atlantique et tente de revenir en Europe; son impossible retour réactualise tous les conflits sur fond lancinant d'absence du père, mort à Auschwitz en chantant le grand air d'Aïda. *Sur les ruines de Carthage* (1980) concentre, quant à elle, son attention sur l'intellectuel au sein des mécanismes totalitaires, sur l'enjeu du rapport à l'histoire, sur la déviance. Avec *Falsch* enfin, nous sommes à Berlin, dans une famille juive, peu avant les pogroms nazis, et à New York avec quelques-uns des survivants. Au beau milieu de la superposition des lieux et des époques, des fragments de songe et de réalité, se déroule une saga familiale que rien n'idéalise, où s'opposent les différents destins sociaux dans la danse forcenée qui les ramène sans cesse autour des figures œdipiennes... Vaste scénario de film commandé par la télévision belge — mais jamais réalisé — *Charles le Téméraire* vaut aussi d'être cité ici tant l'écriture des dialogues y atteint à un pouvoir d'autant plus grand que le media cinématographique libère l'auteur des contraintes d'espace et de temps. Focalisée autour de la reconnaissance du cadavre de Nancy, toute l'histoire, collective et individuelle, se recompose peu à peu à partir du dialogue entre l'ami parjure, Commynes, et Panigarola, l'ambassadeur étranger devenu le proche du duc de Bourgogne.

Entêté à prouver envers et contre tous que le théâtre peut exister aujourd'hui encore, mais que, pour ce faire, il doit assumer à la fois les contradictions historiques du moment où il s'écrit et les exigences de la littérature dont il est partie intégrante, Kalisky a cherché à réintroduire sur la scène l'histoire dans sa violence et ses ambiguïtés, aussi bien à partir de figures historiques impossibles que de situations presque quotidiennes. En conséquence, il a voulu réutiliser au théâtre la séduction mais s'est efforcé, simultanément, d'empêcher l'identification fusionnelle des spectateurs avec les personnages — et ce en démultipliant leurs identités scéniques comme leur temporalité, et en recourant à un dialogue qui passe d'un registre à un autre en un mouvement véritablement tourbillonnant. De même, l'auteur a souhaité instaurer une durée purement théâtrale où s'affrontent sans pitié des personnages en dédoublement constant, capables d'incarner et de distancier leur rôle tout en réincarnant conjointement un personnage historique dont ils reproduisent l'impossibilité d'être. L'effet recherché est renforcé par une surimpression des temps et des lieux qui accentue la dénonciation de l'aveugle répétition historique. Cela amena Kalisky à formuler, au milieu de son parcours, ces notions de « surjeu » et de « surtexte », directement issues des questions que lui posèrent la mise sur la scène de personnages tels que Hitler et Mussolini.

Engagé, l'auteur le fut aussi par l'essai. Son savoir et sa passion, il les appliqua à l'analyse du monde arabe et du monde juif. Il dégagea notamment les constantes sionistes et diasporiques qui constituent depuis toujours la subtile oscillation d'Israël. Non croyant, il ne cacha toutefois pas que la nouvelle fixation d'une partie du peuple juif en Chanaan et l'évolution du sionisme selon Begin altéraient la nature même du judaïsme et reflétaient les impasses du monde occidental. Ces idées forment le soubassement de l'unique récit de l'auteur, *l'Impossible Royaume* (1979). Cette histoire d'un scénario consacré à la révolte des Maccabées permet à l'auteur, prophétiquement, de fustiger Begin et ceux qu'il représente face au geste « biblique » de Sadate. L'audace de cette prose libérée, pulvérisant par l'ironie tous les tabous de la question israélo-arabe, fut telle qu'un silence quasi complet en entoura la parution.

BIBLIOGRAPHIE

Un hommage à Kalisky figure dans la revue *Théâtre* du Centre dramatique national de Reims (tome XII, 1981).

M. QUAGHEBEUR

KANE Cheikh Hamidou (né en 1928). Écrivain sénégalais d'expression française, Hamidou Kane est né à Matam (Sénégal). Après son baccalauréat, obtenu à Dakar en 1948, il entre à l'École nationale de la France d'outre-mer tout en poursuivant des études de philosophie à la Sorbonne. De retour au Sénégal, il occupe divers postes dans l'administration, comme préfet de Thiès, puis au Plan. Il travaillera ensuite dans le cadre d'une organisation internationale dépendant de l'O.N.U., notamment à Lagos et à Abidjan.

Son célèbre roman *l'Aventure ambiguë* (1961), centré sur le personnage de Samba Diallo, repose sur une structure antithétique nettement marquée. Une première partie retrace l'enfance du héros, dans une petite ville du nord-est du Sénégal. A la demande de sa famille, le jeune garçon entre à l'école européenne, abandonnant ainsi l'enseignement de Thierno, le maître de l'école coranique. Une deuxième partie, située quelques années plus tard, évoque le séjour de Samba Diallo en Europe, puis, dans un chapitre qui sert d'épilogue, son retour au pays et son assassinat par le Fou venu l'inviter à prier sur la tombe du maître, mort entre-temps. Ce roman a donné lieu à deux types de lecture. Pour les uns, l'itinéraire et l'échec de Samba Diallo renvoient à la problématique du conflit des cultures, et à la difficulté où se trouvent les Africains déchirés entre le désir de rester fidèles à leurs propres valeurs et les exigences de la modernisation. Pour d'autres, le drame du héros doit être situé dans une perspective proprement religieuse : celle, justement, d'un homme que brûle depuis l'enfance la faim de Dieu et qui découvre en même temps, quels que soient son désir et ses actes, que « Dieu n'est pas un parent », pour reprendre la formule que Cheikh Hamidou Kane avait d'abord donnée comme titre à son roman. Bien qu'elle ait moins retenu l'attention, cette thèse nous paraît plus convaincante, dans la mesure où elle souligne la spécificité de Samba Diallo par rapport à son père, le Chevalier, ou à la Grande Royale, qui, tout en demeurant profondément religieux, réussissent à élaborer une vision du monde cohérente parce que la rencontre avec l'Occident s'y trouve assumée.

BIBLIOGRAPHIE

L'Aventure ambiguë, préface de Vincent Monteil,
A consulter. — J.-L. Goré, « le Thème de la solitude dans *l'Aventure ambiguë* de C.H. Kane », dans *Actes du colloque sur la littérature africaine d'expression française*, Dakar, Publications de la Faculté des Lettres, 1965; S.O. Anozié, *Sociologie du roman africain*, Paris, Aubier-Montaigne, 1970.

B. MOURALIS

KARR Jean-Baptiste Alphonse (1808-1890). Écrivain d'origine germanique né à Paris, Karr, après de brillantes études, tenta sa chance en poésie et au théâtre mais connut le succès avec un roman, *Sous les tilleuls* (1832), histoire d'un amour contrarié qui se termine en récit nécrophilique : « Quand je serai morte, viens dire adieu à mon cadavre; viens me donner un baiser d'amour sur ma bouche morte! » L'année suivante, dans *Une heure trop tard*, il romançait sa liaison avec Juliette Drouet. A partir de 1834, il partagea sa vie entre Paris et la côte normande (Sainte-Adresse, Étretat), poursuivant une féconde carrière de romancier (*Fadièze*, 1834; *Vendredi soir*, 1835; *le Chemin le plus court*, 1836, etc.) et collaborant aux journaux en place comme aux revues d'un jour. Mais, à l'étroit dans une presse jugulée par la « mauvaise foi », il entreprit de rédiger seul *les Guêpes* (1839-1846), « expression mensuelle de [sa] pensée sur les hommes et sur les choses, en dehors de toute idée d'ambition, de toute influence de parti ». Au lendemain de 1848, après un bref passage dans la politique, il prit parti pour Cavaignac et fonda un quotidien de soutien, *le Journal*; le coup d'État de Louis Napoléon le contraignit alors à un « noble exil volontaire » (E. Sue) en Belgique, puis en Italie, à Nice enfin où il s'adonna à l'exploitation des fleurs coupées dont il fit commerce à travers toute l'Europe. Continuant sa carrière littéraire et journalistique, il parvint enfin à se faire jouer mais connut un double échec avec *la Pénélope normande* (1860) et *les Roses jaunes* (1867). Réfugié dans la solitude — qu'il ne brisait que pour adresser son feuilleton au *Figaro* —, il s'éteignit à Saint-Raphaël.

Médiocre romancier par son incapacité à maintenir l'intérêt d'une intrigue sans cesse diluée artificiellement au gré d'épisodes, Karr excelle dans les genres brefs du type causerie — qu'illustre le charmant *Voyage autour de mon jardin* (1854), pot-pourri de propos botaniques — et plus encore dans le journalisme d'humeur. Le succès des *Guêpes* — 20 000 exemplaires pour chaque livraison —, succès qui encouragea les initiatives malheureuses de Paul Lacroix, de Nestor Roqueplan, d'Alphonse Peyrat, de vingt autres encore dont Balzac et son éphémère *Revue parisienne* (1840), montrait que l'entreprise reposait sur l'association étroite d'un format (in-12) pratique (« Je veux qu'on les mette dans sa poche, que l'employé les porte à son bureau, le député à la chambre, le juge au palais, l'étudiant au cours »), d'un ton à mi-chemin du sérieux et du satirique (« Je ne veux pas qu'on s'aperçoive que je fais aussi penser ») et surtout d'une constante adaptation à l'actualité. On le vit *a contrario* avec *les Guêpes* de l'exil azuréen, *Nouvelles Guêpes* (1853-1855) et *Guêpes hebdomadaires* (1871-1876), « plus bourdonnantes que piquantes ». Finalement, et comme le prévoyait Karr lui-même, il ne demeure de cette œuvre polymorphe que quelques formules : « La vie privée doit être murée »; « L'amour naît de rien et meurt de tout »; « Plus ça change, plus c'est la même chose », etc. Propos aphoristiques qui par leur efficacité formelle traduisent davantage un tempérament de journaliste que d'écrivain.

BIBLIOGRAPHIE

Derek P. Scales, *Alphonse Karr, sa vie et son œuvre*, Genève/Paris, Droz/Minard, 1959 (seule étude disponible, d'orientation essentiellement biographique).

D. COUTY

KATCHA Vahé (né en 1928). V. LIBAN. Littérature libanaise d'expression française.

KATEB Yacine (né en 1929). Écrivain algérien d'expression française, Yacine Kateb a vu le jour à Constantine, mais a été inscrit sur les registres de l'état civil de Condé Smendou (aujourd'hui Zirout Youcef). Il est issu d'une grande tribu où les mariages endogamiques étaient fréquents. Son père, qui était *Oukil* judiciaire (défenseur), mourut en 1950. Yacine Kateb suivit les leçons de l'école coranique, puis son père le mit à l'école française, « dans la gueule du loup ». Il est au lycée de Sétif lors de la manifestation du 8 mai 1945. Il est arrêté avec d'autres Algériens, à seize ans. Alors en classe de troisième, il est expulsé du lycée. Libéré, il part pour Bône avec « un grand chagrin au cœur » à cause de Nedjma (une cousine aimée). En 1946, il publie son premier recueil de poèmes, *Soliloques*. En 1947, il donne une conférence à Paris sur *Abd-el-Kader et l'indépendance algérienne*. Il fréquente les milieux nationalistes de l'époque, principalement les communistes. Inscrit au parti communiste, il travaille à *Alger républicain*. Il voyage comme reporter jusqu'en Asie centrale. Quelque peu nomade en Algérie, il l'est bientôt en France à partir de 1951. Il tâte de tous les métiers, mais pense toujours à ses amours lointaines : Nedjma, l'Algérie, sa mère. Il fait la rencontre de Brecht en 1954 à Paris et voyage en Europe durant la guerre de libération. En 1956, paraissait *Nedjma*; en 1959, sa pièce de théâtre *le Cercle des représailles*. Dans le même volume, édité au Seuil et préfacé par Edouard Glissant, figuraient *le Cadavre encerclé, la Poudre d'intelligence* et *Les ancêtres redoublent de férocité*. En 1967, il effectue un voyage au Viêt-nam. Ses pièces sont jouées à l'étranger durant la guerre, puis, après 1962, en Algérie (*l'Homme aux sandales de caoutchouc*, 1970). En 1972, après bien des errances, il revient se fixer en Algérie. Il anime d'abord le Groupe théâtral de l'action culturelle des travailleurs du ministère du Travail, puis dirige le théâtre de Bel-Abbès. Durant ces années, il fait jouer des pièces en arabe parlé algérien, de manière à atteindre un très large public populaire. Il réside actuellement à Alger.

L'œuvre de Yacine Kateb est connue dans de nombreux pays — en français, mais aussi traduite en diverses langues. Le premier poème sur Nedjma paraissait dans *le Mercure de France* en janvier 1948, mais *Nedjma*, en 1956, représentait un tournant dans le roman maghrébin : mélange des genres littéraires, luxuriance du vocabulaire, plongée dans les profondeurs de l'inconscient algérien. Cela aussi bien dans *Nedjma* que dans *le Cercle* et, en 1966, dans *le Polygone étoilé*. L'auteur disait d'ailleurs qu'une grande partie de son travail était inconscient, ouvrant ainsi la porte à une interprétation psychanalytique, à côté de plusieurs autres approches. Un Kateb tragique se manifestait dans cette œuvre à la recherche de l'identité nationale, des racines ancestrales, du passé enseveli. *Nedjma* est comme le roman du grand dérangement : tout y est bouleversé et en déplacement. Il s'agit pour l'auteur de rassembler les bribes éparses des amours aliénées, des identités raturées, de l'inconscient mutilé.

L'œuvre romanesque de Kateb (*Nedjma* surtout) a été, en 1956, un apport considérable dans la littérature maghrébine sur le plan de l'écriture, des techniques littéraires et de l'expression. Dans *Nedjma*, par exemple, il n'y a pas de déroulement chronologique cohérent : « La mémoire n'a pas de succession chronologique » (*le Polygone étoilé*). Des bribes de la réalité vécue et de la réalité rêvée se mêlent à la réalité imaginée et aux souvenirs du passé. Kateb aime les redoublements, les répétitions donnant du même événement ou de la figure de tel personnage des points de vue particuliers. Les personnages sont souvent interchangeables : Kateb a parlé d'« autobiographie au pluriel ». Des phrases nominales, des phrases courtes dans le feu de l'action et de la fièvre alternent avec des phrases longues, coulées qui n'en finissent pas, moments indéfiniment prolongés. Kateb utilise les *ma'na*, des allusions tirées de la langue et de la sagesse populaires. Le texte baigne enfin, en général, dans une atmosphère poétique où s'opère la libération de l'imaginaire et des énergies inconscientes. « J'étais comme un oued sous un orage inattendu », déclarait-il. Par-dessus tout, son œuvre montre l'utilisation du mythe, son intercession dans le face-à-face avec les grands drames de l'existence du poète : l'identité collective de la nation disparue, les ancêtres fondant autrefois la nation, l'errance mutilante. Cette œuvre de Kateb en français demeure un grand moment de l'histoire de la littérature maghrébine.

Le Kateb satirique et ironique surgit ici et là dans *Nedjma* et dans *la Poudre d'intelligence* ainsi que dans *le Polygone étoilé*. Il vitupère les faux dévots, les hypocrites, les forces rétrogrades; il veut démythifier et démystifier; il critique donc — parfois lourdement. La satire prend toute son ampleur dans les pièces jouées en arabe algérien : *Mohammed prends ta valise* (1971), *Saout-En-Nisa* (1972), *la Guerre de 2000 ans* (1974), *le Roi de l'Ouest* (1977), *Palestine trahie* (1978). Le combat acquiert alors des dimensions universelles puisque tout prolétaire est opprimé par la classe au pouvoir. Kateb a toujours voulu être « la révolution dans la révolution ». Il dérange donc souvent les gens satisfaits et conformistes, qui se contentent de l'ordre établi. A travers toutes ces œuvres en français et en arabe, Kateb dit, avec ses exigences de vérité, le tragique de sa quête d'une Algérie profonde, nettoyée de toutes les scories.

BIBLIOGRAPHIE

M. Gontard, *Nedjma de Kateb Yacine*, Rabat, imp. de l'Agdal, 1975; P. Sarter, *Kolonialismus im Roman (...)*, Francfort, P. Lang, 1977.

J. DÉJEUX

KEEPSAKE. Bien que, dans *les Misérables*, Hugo la fasse remonter à 1817 (I, 3, III), ce n'est qu'à l'époque du romantisme triomphant que s'est répandue la mode du keepsake, le premier recueil à porter ce titre — *le Keepsake français* — datant de 1830.

Venu d'Angleterre — c'est en 1828 que fut fondé, à Londres, par l'éditeur F. Mansel Reynolds, *The Keepsake* —, le phénomène s'est non seulement répandu en France, mais aussi aux États-Unis et en Allemagne où il a sensiblement modifié l'aspect des *Taschenbücher* qui tenaient lieu d'annuaires poétiques. D'aspect très luxueux, souvent présenté sous cartonnage moiré, le keepsake est une publication annuelle offerte à un être cher dont le nom peut être inscrit dans un cartouche dédicatoire (*to keep for somebody's sake*, « garder en souvenir de quelqu'un »). Mêlant étroitement textes et illustrations en taille-douce, le keepsake français consiste souvent en « une alliance entre les arts de l'Angleterre et la littérature de France » (avis de Mme Tastu en tête des *Soirées littéraires de Paris*, 1832); d'où les divers sous-titres des livraisons d'alors : *le Keepsake du cœur ou Recueil de littérature contemporaine orné de vignettes anglaises* (1838), *le Selam, Morceaux choisis inédits de littérature contemporaine. Orné de dix vignettes anglaises*, etc.

Plus que leur intérêt littéraire — on a beau trouver dans les sommaires tous les noms de la littérature romantique, c'est dans les revues et journaux littéraires qu'il faut surtout chercher le talent —, plus que l'anglomanie qu'ils traduisent, les keepsakes sont l'expression de l'interdépendance des arts dont le livre romantique manifestera de façon éclatante l'existence, grâce aux « vignettes » des frères Johannot, de Charlet, de Boulanger ou Devéria. Alliant la suggestion de l'écrit au réalisme de l'image, les keepsakes ont ainsi contribué à la formation d'un imaginaire dont Flaubert a ironiquement décrit l'espace dans *Madame Bovary*: « Quelques-unes de ses camarades apportaient au couvent les keepsakes qu'elles avaient reçus en étrennes [...]. Maniant délicatement leurs belles reliures de satin, Emma fixait ses regards éblouis sur le nom des auteurs inconnus qui avaient signé, le plus souvent, comtes ou vicomtes, au bas de leurs pièces.

« Elle frémissait en soulevant de son haleine le papier... » (I, 6).

Né avec le triomphe du romantisme, le keepsake s'est éteint avec la réaction réaliste : dès 1845, *la Croix d'Or* déclare que « la mode en est passée; on se lasse de tout, même des vignettes anglaises, surtout quand on est français ». Il est vrai que la multiplication des keepsakes — F. Lachèvre en dénombre plus d'une centaine entre 1823 et 1848, sans compter les autres types de recueils collectifs — en avait grandement dénaturé la fonction initiale, au point que l'on vit fleurir des keepsakes à caractère « thématique » religieux (le *Keepsake religieux. Dédié aux femmes chrétiennes,* 1835), maritime (*le Brick. Album de mer,* 1836), régionaliste (le *Keepsake breton,* 1832), etc. Ainsi, loin de demeurer un lieu de rencontre entre artistes, le keepsake était devenu le refuge d'auteurs en mal d'éditeurs.

BIBLIOGRAPHIE

Il n'existe pas d'étude littéraire ou sociologique des keepsakes. En revanche on trouvera une recension importante dans Frédéric Lachèvre, *Bibliographie sommaire des keepsakes et autres recueils collectifs de la période romantique, 1823-1848,* Paris, 1929, rééd. Genève, Slatkine Reprints, 1973.

D. COUTY

KEGELS Anne-Marie (née en 1912). V. BELGIQUE. Littérature d'expression française.

KEITA Awa. V. NÉGRO-AFRICAINE (littérature d'expression française).

KESSEL Joseph (1898-1979). Né à Clara, en Argentine, de parents russes, Kessel passe son enfance tantôt chez ses grands-parents maternels, au pied de l'Oural, tantôt dans le Lot-et-Garonne, où son père, médecin, et sa mère se sont installés. Après avoir fréquenté le lycée russe d'Orenbourg, puis le lycée de Nice, il poursuit en 1914 ses études au lycée Louis-le-Grand, à Paris. Mais il est déjà tenté par le journalisme et, la même année, devient rédacteur au *Journal des débats.* Il obtient ensuite (1915) une licence de lettres classiques à la Sorbonne, devient élève au Conservatoire d'art dramatique, puis acteur à l'Odéon. La guerre interrompt tous ses projets de carrière; en 1916, Kessel s'engage dans l'aviation, participant, avec le grade de lieutenant, à de dangereuses missions de combat et de reconnaissance. Après la fin des hostilités, le journalisme et la littérature vont occuper son existence : les voyages se succèdent, qui formeront la matière de ses livres. La Seconde Guerre mondiale suspend ces activités : après avoir participé, en 1936, à la guerre d'Espagne, après être devenu correspondant de guerre en 1940, Kessel entre en 1941 dans la Résistance française; puis, passant clandestinement en Angleterre, il effectue, de nouveau dans l'aviation, des missions spéciales en France. La guerre terminée, voyages, reportages et romans reprennent. L'œuvre littéraire de Kessel sera souvent mise à l'honneur et couronnée — notamment en 1959 par le prix du Prince Rainier de Monaco; l'écrivain sera élu à l'Académie française en 1963.

Jusqu'à sa mort, Kessel ne cessera donc de faire cohabiter littérature et action; attitude sans doute caractéristique de toute une génération d'écrivains qui, de Saint-Exupéry à Malraux, ont tenté de faire du roman l'« expression privilégiée » de l'aventure « vécue ». Tous les livres de Kessel reposent sur des expériences personnelles, qu'ils décrivent les combats aériens des premiers avions (*l'Équipage,* 1923), les révoltes irlandaises (*Mary de Cork,* 1925), la naissance du cinéma américain (*Hollywood, ville mirage,* 1936), les luttes de la Résistance (*l'Armée des ombres,* 1946), le Kenya (*le Lion,* 1958), l'Afghanistan (*les Cavaliers,* 1967), ou le milieu des truands parisiens (*Nuits de Montmartre,* 1932).

Au milieu de ces « témoignages » émergent des personnages au statut incertain, qui, sans toujours correspondre aux figures traditionnelles de l'aventurier, vivent en marge de la société « normale »; d'où peut-être la prédilection de Kessel pour les peuples nomades, comme les Masaï du Kenya : « Personne au monde n'était aussi riche qu'eux, justement parce qu'ils ne possédaient rien et ne désiraient pas davantage » (*le Lion*). Mais l'errance n'est pas seulement une caractéristique ethnique; c'est souvent un trait de psychologie qui fait des héros de Kessel des aventuriers : un même besoin d'espace unit les aviateurs de *l'Équipage* et le cavalier afghan Ouroz. Les passions « anormales » accentuent encore cette marginalisation : Patricia, la petite fille du *Lion,* cesse d'être une enfant « comme les autres », par l'amour excessif qu'elle voue à son fauve — substitut inconscient de son père. De même, Séverine, l'héroïne de *Belle de jour* (1928), qui mène la trop tranquille et bourgeoise existence de femme de médecin, éprouve le désir animal de se prostituer : « Déjà il y avait communication entre le monde ordonné où elle avait toujours vécu et celui qui s'était ouvert à elle sous la poussée d'un instinct dont elle hésitait à mesurer le pouvoir ». Vivre dans l'insécurité et le mystère, c'est éviter la redoutable stabilité du quotidien; les personnages de Kessel communient avec le monde par le mouvement de désirs et d'instincts que l'auteur juge éternels. Continuer d'être « le premier, le seul à courir sans autre but que sa course » définit la philosophie d'Ouroz, dans *les Cavaliers,* comme celle de Kessel; la démesure devient un mode de vie qui permet de transcender les règles formelles et sclérosantes de toute société constituée.

Le choc inévitable entre l'individu solitaire, livré à ses passions, et les structures sociales est souvent exprimé par une écriture très mélodramatique; Kessel, qui allie dans ses descriptions le lyrisme au style lapidaire du reportage, recourt aussi à l'analyse psychologique traditionnelle pour évoquer la dangereuse grandeur de ses personnages; il peint alors des amitiés « viriles » confrontées à l'amour hétérosexuel exclusif (*le Coup de grâce,* 1931; *l'Équipage*), ou des conflits entre la raison familiale et les excès du désir (*le Lion, Belle de jour*). Kessel, évitant les nuances, entend faire saisir au lecteur les lignes de force conflictuelles qui opposent les personnages. Parfois, au-delà des stéréotypes, de telles scènes transforment les héros en figures mythiques : dans *le Coup de grâce,* Hippolyte, comme son nom d'amazone le signale, incarne tout à la fois l'ambiguïté sexuelle, la vie dangereuse, l'errance loin de la cité des hommes.

Tous les reportages que paraissent être les romans de Kessel constituent, en fait, les fragments complémentaires d'une épopée humaniste; à travers la complexité des situations ou des événements, Kessel confronte l'être humain à l'espace et au temps, cherche à préciser sa place dans l'ordre du monde. Par ailleurs, l'écrivain s'intéresse peu à l'histoire et à l'évolution des sociétés, dans la mesure où il ne pense pas que celles-ci puissent modifier un comportement humain fondamentalement instinctif; d'œuvre en œuvre, il souligne la part essentielle occupée par le mystère dans la conscience de l'homme. « Le héros national, c'est le clandestin, c'est l'homme dans l'illégalité », écrit-il dans *l'Armée des ombres* : ce n'est pas là une simple remarque de reporter; cet aphorisme symbolise, en fait, son idéal de l'« Homme » : un être solitaire, recherchant la liberté et le dépassement de soi dans l'action, la guerre, le voyage ou la fraternité; par là, l'œuvre de Kessel prolonge sans doute, en plein XXe siècle, les mythes romantiques du héros.

BIBLIOGRAPHIE

Roger Vailland a consacré quelques pages à l'écrivain : « Joseph Kessel », dans *Livres de France,* Paris, octobre 1959.

J.-P. DAMOUR

KHAÏRALLAH T. Khaïrallah (1882-1932). V. LIBAN. Littérature libanaise d'expression française.

KHAÏR-EDDINE Mohammed (né en 1941). V. MAGHREB. Littérature d'expression française.

KHATIBI Abdelhédir (né en 1938). V. MAGHREB. Littérature d'expression française.

KINDS Edmond (né en 1907). V. BELGIQUE. Littérature d'expression française.

KLAT Hector (1888-1977). V. LIBAN. Littérature libanaise d'expression française.

KLINGSOR Tristan, pseudonyme de **Arthur Justin Léon Leclère** (1874-1966). Poète mais aussi musicien de talent, peintre et critique d'art, Tristan Klingsor est né à La Chapelle-aux-Pots (dans l'Oise). Son père, ancien ingénieur devenu fermier, l'envoie au collège à Beauvais. Après le baccalauréat, il passe quatre ans dans l'armée, et, lorsqu'il s'agit de trouver un emploi, il se présente à un concours de la Ville de Paris (1895) : il y sera d'abord chargé de choisir les livres destinés aux bibliothèques municipales; lassé de ce travail, il changera ensuite de service, mais restera à l'Hôtel de Ville, et pour longtemps. Ses premières admirations, dès sa jeunesse, vont à Nerval et, surtout, à Aloysius Bertrand, un auteur rare à l'époque et dont il recopie religieusement le *Gaspard de la Nuit.* Il n'a pas vingt ans qu'il a déjà obtenu un prix au concours poétique de *la Plume* : à cette occasion, il s'est d'ailleurs choisi son pseudonyme, à la fois brillant, médiéval et wagnérien.

En 1894, il fonde avec des amis la revue des *Ibis,* où il publie ses auteurs préférés, des étrangers souvent, mais aussi des Français comme le jeune André Gide. La suite de sa carrière sera rythmée par la publication de nombreux recueils où l'inspiration symboliste du départ s'épure progressivement et devient plus personnelle : il sera d'ailleurs l'un des maîtres de ces « fantaisistes » qui apparaissent peu avant 1914. Édités en 1892 et 1894, ses premiers poèmes sont assez « orthodoxes »; ce sont deux triptyques, *le Triptyque des Châtelaines* et *le Triptyque à la Marguerite,* où l'on retrouve des thèmes d'époque : un Moyen Âge de rêve, enchanté par des silhouettes féminines qu'on retrouve dans les *Filles-Fleurs* (1895). Suivront, parmi bien d'autres, *Squelettes fleuris* (1897), *l'Escarpolette* (1899), *le Livre d'esquisses* (1902) — entre-temps, Klingsor a dirigé la troisième série de *la Vogue* —, *Schéhérazade* (1903), *Humoresques* (1921), *l'Escarbille d'or* (1922) et les *Poèmes du brugnon* (1932). Parmi les derniers recueils qu'il publia, on peut évoquer aussi les *Cinquante Sonnets du dormeur éveillé* (1949) ou *le Tambour voilé* (1960).

Une vie longue et féconde, donc, et une poésie qui jamais ne paraît vieille ou dépassée. Même sa période symboliste échappe aux poncifs de l'école, aux atmosphères vénéneuses ou languides. Bien sûr, on y retrouve ce que Klingsor appelle, dans un article écrit pour Léon Vérane, « le vieux trésor des légendes », « leurs personnages fabuleux et familiers » : des filles-fleurs, des lutins, des gnomes à grelots, des fées et aussi l'enchanteur en personne :

> Je suis Klingsor, le roi des magiciens,
> Je sais tous les sortilèges de demain.

Le Moyen Âge offre naturellement tous les charmes d'une époque différente, fascinante, parée de cette étrangeté sans laquelle, selon Klingsor, il n'est pas de beauté parfaite. La musique du vers lui-même participe à cette impression, qu'il s'agisse du vers de onze syllabes, d'abord employé, ou du vers libre.

Et, dans l'espace, l'Orient tient le même rôle : d'où les jardins persans, les khalifes, les muezzins, Schéhérazade. On comprend aussi que Klingsor, amateur d'Omar Khâyyam, en ait transposé les poèmes : les mirages orientaux font partie de ces sortilèges auxquels succombent les enfants. Car certains textes de l'ensorceleur ont tout de la comptine, à la fois drôle et parfois étrange. En fait, cette poésie est plus ambitieuse qu'il n'y paraît : elle prend possession du monde, le dérègle et, avec humour, le recrée, décelant un univers en chaque objet (on a rapproché des textes de Ponge certaines pages du *Livre d'esquisses*). Chez Klingsor, l'écriture n'est pas une fiction plaisante, elle repose sur l'idée que le poème a de vrais pouvoirs — ceux, peut-être, d'une formule magique.

BIBLIOGRAPHIE

P. Menanteau, *Tristan Klingsor,* Paris, Seghers, 1965; Lester J. Pronger, *la Poésie de Tristan Klingsor (1890-1960),* Minard, « Lettres modernes », 1965.

A. PREISS

KLOSSOWSKI Pierre (né en 1905). Pierre Klossowski est arrivé à la littérature tardivement et par d'étranges voies. Né à Paris, élevé dans une famille d'artistes (son père, peintre et historien d'art, est un ami de Gide et de Rilke; son frère sera le peintre Balthus), il se tourne d'abord vers des études de théologie, passe par le noviciat des dominicains avant de retourner, en 1945, à la vie laïque. Deux ans plus tard, il publie *Sade, mon prochain...*

Ce revirement à parfum de scandale illustre et résume la personnalité ambiguë de Klossowski, catholique fasciné par l'hérésie, et pour qui, comme chez Bataille, les ardeurs érotiques se confondent avec la passion mystique.

Il a quarante-cinq ans lorsque paraît son premier roman, *la Vocation suspendue* : ce titre semblerait annoncer une autobiographie si l'auteur ne se masquait derrière l'illustration, souvent aride, de deux tendances qui se disputent le pouvoir au sein de l'Église.

Mais le plus important de son œuvre est contenu dans la trilogie des *Lois de l'hospitalité,* qui commence en 1954 avec *Roberte ce soir,* se poursuit par *la Révocation de l'édit de Nantes* (1959) et se clôt sur *le Souffleur* (1960). Elle a pour cadre la haute bourgeoisie parisienne, où Roberte pratique assidûment les « lois de l'hospitalité », c'est-à-dire se livre, avec complaisance et sous les yeux de son mari, aux hôtes de passage... Dans *Roberte ce soir,* la question est de savoir si elle débauchera son neveu, qui vit sous le même toit.

En contrepoint de cette trame, qui pourrait être bouffonne, se mêlent les discussions et remarques d'ordre théologique, que le profane ne saisira pas toujours. En fait, Roberte s'applique à briser consciemment tous les obstacles à ce qu'elle vit comme son « progrès ». Les débordements du corps ne lui arrachent aucun soupir, aucune faiblesse; elle parcourt le champ des perversions sexuelles sans émotion ni remords.

Avec *la Révocation de l'édit de Nantes,* les personnages s'étoffent : Roberte est député radical (et ... membre de la commission de Censure), pendant qu'Octave, son mari, analyse les toiles d'un peintre pompier du nom de Tonnerre, qu'il imagine reconstituer sous forme de « tableaux vivants ». Ce que dit Octave de ces tableaux pourrait s'appliquer au livre : « Nous assistons à d'interminables expropriations du corps d'autrui, comme aussi à une complicité naissante de la femme avec une image de soi-même qu'elle a passé des années peut-être à combattre ».

L'expropriation du corps d'autrui est le principe sadien par excellence. Pour ce qui est de son corps à elle, Roberte ne cherche rien qui soit de l'ordre de l'épanouissement : elle semble plutôt désirer qu'il s'anéantisse. « Le sentiment de son corps, auquel la femme est plus intimement inhérente que l'homme, fait aussi qu'elle atteint plus sûrement à la mort des sens que l'ascète; plus de corps, plus d'âme; la mort parfaite; néant avec lequel nous avons cependant un rapport presque doux, et tendre; notre néant est aussi *chaud* que notre corps ».

Peu prolixe en publications, Klossowski devait donner un autre roman, en 1965, *le Baphomet*, scènes de magie dans le cadre d'une commanderie de l'ordre des Templiers. On lui doit aussi *la Monnaie vivante*, recueil abondamment illustré par ses peintres de prédilection (notamment Bellmer), et diverses études sur Nietzsche, qu'il n'a cessé de commenter (*Nietzsche et le cercle vicieux*, 1969) ou de traduire (*le Gai Savoir*, 1973).

La langue de Klossowski ne trahit aucune influence contemporaine. Ennemi de tout lyrisme, il possède, comme Sade, l'art d'enchâsser les représentations sexuelles les plus audacieuses dans des phrases impeccablement maîtrisées comme des exemples grammaticaux. Il faudrait souligner aussi ce que doit la beauté de cette langue à la pratique du latin; Klossowski a beaucoup traduit Suétone, Virgile, Augustin, et ne se prive pas de les citer.

Pourtant, le personnage n'est pas si anachronique qu'il y paraît. En témoigne la facilité de son adaptation dans un domaine où personne ne l'attendait, le cinéma. Deux films où il a pris une part directe s'inspirent avec quelque réussite des *Lois de l'hospitalité*. Le thème des « tableaux vivants » apparaît dans *l'Hypothèse du tableau volé*, où l'on retrouve le peintre pompier Tonnerre, tandis que le protagoniste conduit comme une enquête la reconstitution des liens qui unissent six toiles, en prenant pour hypothèse que la septième aurait été volée; la quête érotique est mise en images dans *Roberte au cinéma*, où Klossowski joue lui-même, non sans humour, le rôle d'Octave, soulevant de temps à autre une tenture pour surveiller les ébats d'alcôve de son épouse... L'humour, on l'aura compris, est aussi une composante de cette œuvre.

BIBLIOGRAPHIE

M. Blanchot, « la Prose d'action », *N.R.F.*, mars 1964; J. Decottignies, *l'Écriture de la fiction*, Paris, P.U.F., 1979; M. Foucault, « le Rire des dieux », *N.R.F.*, juillet 1965; M. Spada, *Fictions d'Eros*, Gand, 1970; D. Wilhem, *Pierre Klossowski, le corps impie*, Paris, U.G.E., 1979. Voir aussi G. Perros, *Papiers collés II*, Paris, Gallimard, 1973.

B. VISAGE

KLOTZ Claude. V. CAUVIN Patrick.

KOCK Charles Paul de (1794-1871). Paul de Kock était le fils d'un banquier hollandais vivant à Paris et qui fut exécuté sur l'échafaud. Cause ou non? Le fils fut farouchement opposé à la Révolution française et diffusa toujours une idéologie « réactionnaire ». Ses débuts littéraires se situent dans les années 1820; sa vogue déborde sur le second Empire; vers 1855-1860, elle se tarit et son public se tourne vers les œuvres, à vrai dire moins frénétiques, de son fils, Henri de Kock. Dans la période qui va de 1820 à 1860, Paul de Kock livrera au public une moyenne de six volumes romanesques par an; sans compter les pièces de théâtre souvent extraites de ses romans; sans compter sept drames, quatre opéras-comiques et quarante vaudevilles. Les romans ont été par excellence « romans de la portière » — la portière, représentante privilégiée de ce public. En 1812, à dix-huit ans, il édite à ses frais son premier roman, au titre provocant : *l'Enfant de ma femme*, en trois volumes. Aussitôt après, il donne successivement cinq mélodrames à l'Ambigu-Comique. Puis des vaudevilles : *Monsieur Mouton* (1818), *Monsieur Graine de lin ou le Jour de noce* (1820), *Georgette ou la Nièce du tabellion* (1820, grand succès); *Sœur Anne* (1825). Puis trois opéras-comiques : *Une nuit au château* (1818), *le Muletier* (1823), *le Camp du drap d'or*. Il revient ensuite au roman, romans à succès (plusieurs éditions, toujours) et traductions très rapides; se succèdent, entre autres : *Gustave ou le Mauvais Sujet* (1821), *Monsieur Dupont* (1824, 4 volumes), *André le Savoyard* (1825), *Un tourlourou* (1837), etc.; des nouvelles aussi.

Cette fécondité ne pouvait aller sans le recours à des stéréotypes très déterminés et indéfiniment répétés. Le critique du *Figaro*, Bernard Jouvin, écrivait : « Doit-on dire le roman ou les romans de Paul de Kock? » Si on rapproche, dit-il encore, « les types, les personnages, les procédés », les effets et l'action sont calculés pour que tout se résolve doucement dans le sang. Les romans de Paul de Kock sont des histoires sentimentales compliquées, mais sauvées par un comique diffus, par une gaieté facile. Les aventures ne manquent pas, les catastrophes s'accumulent, mais ce sont là petites catastrophes du quotidien : elles surviennent souvent dans la rue, elles tiennent à de petits hasards de la ville. Paul de Kock excelle à dramatiser la succession d'aventures et de catastrophes qu'il agence; il procède à l'inverse même de tant de feuilletonistes. Une de ses aventures favorites est l'amour, et l'amour dans la ville; mais cet amour est réduit aux petits adultères d'une petite bourgeoisie (en 1825, il publie, en 4 volumes, *le Mari, la Femme et l'Amant*; en 1831, *le Cocu*). Une grivoiserie épidermique, facile et bien « française », qui donne un roman non comique, mais à demi gai; non érotique, mais semi-égrillard; urbain sans drame urbain véritable. Peut-être le roman du « Français moyen » d'alors : la lecture de Paul de Kock nous invite à reprendre cette notion moderne. Beaucoup de titres féminins, souvent à clins d'œil au lecteur (« vous voyez, lecteur! ») : *la Laitière de Montfermeil* (1827), *la Pucelle de Belleville* (1834), *la Jolie Fille du faubourg* (1840), *Une gaillarde* (1849, 6 volumes), *Cerisette* (1850, 6 volumes), *la Fille aux trois jupons* (1863), *Une femme à trois visages* (1869). Les femmes favorites du romancier sont liées à la rue : en tête, de loin, les grisettes, les ouvrières, les laitières, puis les employées de maison; enfin des personnages-spectacles au statut ambigu : les actrices... De Kock pense ainsi atteindre une humanité moyenne de lectrices. Les personnages masculins correspondants, formant une sorte de ligne parallèle, sont composés de commis, de boutiquiers, d'artisans, de concierges; quelques bourgeois enrichis, idiots et ventrus; une moyenne, là encore, une petite bourgeoisie qu'on peut croiser dans la rue. Leurs petites aventures? Là encore, quelques titres suffisent à en révéler la hauteur : *l'Homme aux trois culottes ou la République, l'Empire et la Restauration* (1841), *l'Amoureux transi* (1843), *Physiologie de l'homme marié* (1841). Les « drames » de la rue oscillent entre les imprévus de l'adultère et l'accident (chute d'une cheminée, chien méchant, etc.); les drames sont aussi volontiers des « drames familiaux » (*la Famille Fanfreluche*, vaudeville, 1840; *Monsieur Choublanc à la recherche de sa femme*, 1858). A travers ses nombreux personnages de femmes apparaît aisément une idéologie de la femme qui les aimante tous mais que certaines œuvres révèlent plus nettement : grands stéréotypes encore. Paul de Kock a même trouvé le moyen de fabriquer un vaudeville portant le titre *Samson et Dalila* (1836).

Dans *Édouard et sa cousine* (1835-1836), le récit offre un bréviaire moral de la conduite féminine : les vertus de la Femme sont le dévouement, le sacrifice, la patience, l'économie, que les hommes ont décrétés vertus; les mères ont heureusement éduqué ainsi leurs filles, qui deviendront de bonnes mères. Ainsi se fait et se transmet la tradition. L'adultère est la rupture du « devoir », l'accroc au tissu familial, qu'on relativise par le rire, mais qu'on impute à la femme; le corps féminin est à protéger et à calfeutrer; le vêtement féminin est, chez Paul de Kock, souvent l'occasion simultanée de morale et de « gaîté »; morale quotidienne à maintenir, « gaîté » de demi-voyeur : *la Pucelle de Belleville* met en scène la jeune Virginie, qui montre sa cuisse (un insecte l'a piquée) mais se voit interdire par sa grand-tante de prononcer le mot « cuisse » : « Ma nièce, une demoiselle bien élevée ne doit jamais dire la cuisse... il y a comme cela des mots qui choquent dans la bouche d'une femme et qui provoquent des pensées inconvenantes! — Ma tante, comment faut-il que je dise?... — Dites... le fémur, ce sera plus décent ». Bref, le rire qui s'attache aux ouvrages de Paul de Kock est un produit social, historique, relatif, dépendant d'un état d'esprit dominant dans la classe moyenne, à une époque donnée. La Femme est toujours une propriété, mais une propriété infiniment plus fragile que la propriété foncière : elle doit être entourée de morale, mais cette morale est dissimulée derrière un art du discours « gai » et faussement « pudique », pour classes moyennes. *La Jolie Fille du faubourg* (1840) est d'une autre veine : c'est une sorte de « roman judiciaire » (comme on dira une vingtaine d'années plus tard); une erreur judiciaire s'est produite : l'originalité de l'œuvre — si l'on peut dire —, c'est qu'une femme en est la victime, du reste fille d'un condamné à mort; elle ne peut donc être aimée du bon héros, défini comme tel dès le début. Ainsi le récit est tissé à partir de trois personnages clés : l'innocent (ici une femme), un coupable (et persécuteur), un bienfaiteur ou vengeur, le héros. Le reste est petites aventures, c'est-à-dire petits événements chargés de retarder, dans la « gaîté », le dénouement. Le schéma du triangle se retrouve dans *la Maison blanche* (1840) : une héroïne encore, un bienfaiteur, un persécuteur. L'anecdote : un employé de bureau, venu en Auvergne (l'Auvergne commence à être province de roman) pour hériter d'un château inattendu, rencontre une orpheline, chevrière de son état; il l'aime, mais bientôt elle disparaît, car « elle a son mystère ». Le récit est ici la quête de l'identité d'une femme; or, elle est « fille naturelle », comme on disait : elle ignore elle-même son identité; elle la cherche, elle la retrouve et tue son père, un vagabond, ce qui rend le meurtre plus véniel. Fausse catastrophe : tout s'arrange.

On voit que Paul de Kock s'efforce déjà d'offrir au « peuple » des images du « peuple ». Ses romans sont des romans où un peuple de petite bourgeoisie se reconnaît dans des personnages et des aventures qui ne semblent comporter qu'un léger décalage avec la vie quotidienne des lecteurs. Le roman *Sans cravate ou les Commissionnaires* (1844; le titre associe un objet vestimentaire, absent, et un métier des rues) dépeignait ou était censé dépeindre des quartiers populaires, des métiers de brodeuses et de grisettes; dans ce milieu donné, une petite destinée de fille séduite, sœur du héros; une quête d'identité encore (avec une vraie « croix de ma mère », inscrite sur la peau). On trouve même ici un prolétaire, dont le vrai nom — noble — est « Paul de Saint-Cloud ». Un roman d'ouvriers, en un sens : leurs amours, leurs misères, leurs cabarets, l'alcool qui les mine. Le stéréotype de l'ouvrier a encore de belles années devant lui. La Ville est une ville dévorante : ce n'est pourtant pas celle d'Eugène Sue avec ses bouges; la plus grande misère de ses rues est le cabaret, mais il n'est pas l'« assommoir » fatal. Paul de Kock dédramatise sans cesse et y prend plaisir; il ne mélodramatise que par instants; sa théâtralisation est toujours mesurée et dosée. Les Goncourt grognent, et écrivent : « Un homme admirable, après tout, ce Paul de Kock, pour avoir appris de la Révolution, à la masse du public, tout ce qu'il en pense et tout ce qu'il en sait. Admirable pour avoir immortalisé poncivement tous ces types consacrés, qui traînent dans la mémoire du peuple, toutes ces vieilles connaissances du préjugé populaire, tous ces personnages hiératiques du drame écœurant et salé de gros rire et de larmes bêtes : l'émigré hautain, le jeune républicain triste et honnête, la vieille mère apitoyée, la femme adultère déesse de nos libertés, le portier dénonciateur, dont le caractère moral est une queue de renard au bonnet ».

Paul de Kock a aussi créé *le Millionnaire* (1857) et *la Famille Gogo* (1858) : c'est sa façon à lui de toucher à la question de l'argent. Sous le second Empire, il l'aborde carrément par le biais de la Bourse. *La Famille Gogo* est un roman construit autour du type issu du drame et du dessin de la monarchie de Juillet, repris par Daumier. M. Gogo, le bourgeois parvenu, est réinséré dans une famille partagée par le sang, par le Bien et le Mal. Encore une image offerte à la petite bourgeoisie, qui croit retrouver ses mœurs et sa morale. Paul de Kock a un manichéisme populaire, qui sépare nettement le Bien et le Mal; mais il adoucit et estompe la dualité; tout finit par se concilier; le Bien, en définitive, l'emporte. Il ne fut jamais reproché à Paul de Kock de distiller dans le peuple lecteur le « socialisme », une croyance quelconque en la justice; Paul de Kock désamorçait tout : « Paul de Kock est consolant », écrivit Chateaubriand.

C'est à partir de 1843 que Paul de Kock commence à publier des romans en feuilletons : *l'Amoureux transi,* d'abord feuilleton, occupa ensuite quatre volumes; *l'Amant de la lune* (1847), dix volumes. Dans la seconde moitié du siècle, les romans s'étirent encore : *la Famille Braillard* (1860); *le Petit-Fils de Cartouche* (1864), suite des *Enfants du boulevard,* est interminable (mais le thème est révélateur). Paul de Kock se répète encore dans *la Grande Ville* (1867). On avait vu, en 1834, ses premières « œuvres complètes » : trente volumes; en 1844, les « œuvres complètes » grossissent : cinquante-six volumes; on ne compte plus le nombre de publications, en 1849, dans la collection des « Romans populaires illustrés »... Dans le même temps, il donne des articles, au *Musée des familles* notamment. Et il ne cesse de fournir des pièces au théâtre : seul ou avec les dramaturges Cogniard, Dupenty, Boyer et Varin; tirées de ses romans ou non. Citons quelques repères parmi les pièces ne provenant pas de ses romans mais qui s'y apparentent par les titres et les thèmes : *le Commis et la Grisette* (1834), *la Bouquetière des Champs-Élysées* (1838), *Un bal des grisettes* (1839), *le Théâtre et la Cuisine* (1844), *l'Atelier des demoiselles* (1848) et *Monsieur Gogo* (1859, 5 actes; Frédérick Lemaître y joue Gogo, presque trente ans après avoir joué le Robert Macaire qui gruge M. Gogo dans *l'Auberge des Adrets,* grand succès de la monarchie de Juillet).

Paul de Kock a un style de transparence clairette, marqué par un rythme rapide — cela n'est pas étonnant de la part d'un auteur qui écrivait certains de ses romans en quinze jours et ne se relisait pas. Les dialogues occupent beaucoup de place; il sait à la fois les rendre vivants et les allonger, pour en faire les instruments de cette fameuse « gaîté » que Jules Vallès, lui aussi, regrettera : « Je mentirais et je serais ingrat si je disais que Paul de Kock ne m'a pas fait rire comme, ma foi! je ne sais plus rire. Les histoires de M. Bidois et de M. Dupont, un tas d'aventures cocasses, semées comme des pois fulminants [...] tout le long de son œuvre, des feux d'artifices révélateurs, les gymnastiques indiscrètes, les quiproquos rabelaisiens, cette bêtise, cet esprit m'ont fait passer, je m'en confesse, des quarts d'heure de gaîté folle, où la rate se dilatait sans souci de la vraisemblance et de la vertu.

« Ce temps-là n'est plus. Le génie bourgeois de Paul de Kock a baissé; on s'épuise, on se fait vieux! et il faut dire en outre que notre génération n'est pas, comme autrefois, accessible à ce bon gros rire qui gonflait nos joues » (*le Progrès de Lyon*, 28 décembre 1864).

BIBLIOGRAPHIE

Y. Olivier-Martin, *Histoire du roman populaire en France*, Paris, Albin Michel, 1980.

R. BELLET

KOUROUMA Ahmadou (né en 1927). Écrivain ivoirien d'expression française. Né en Côte-d'Ivoire, il commence des études à Bamako, puis, expulsé, à la suite d'une grève, de l'établissement qu'il fréquentait, il doit effectuer son service militaire. Envoyé en Indochine pour avoir refusé de participer à la répression d'une manifestation, il reprend à son retour des études à Paris et à Lyon. Il travaille ensuite dans le secteur bancaire à Alger, puis à Abidjan.

Le succès très vif remporté par *les Soleils des indépendances* (1968), qui reçut le prix de la revue *Études françaises* de Montréal et fut suivi d'une réédition au Seuil (1970), tient d'abord à la façon dont Kourouma a su donner pleinement corps, une dizaine d'années après les indépendances, à un profond sentiment d'insatisfaction jusqu'alors latent. Le roman retrace la déchéance de Fama, un authentique prince malinké, découvrant progressivement qu'il n'a plus sa place dans la société nouvelle qui s'édifie depuis l'indépendance. L'action, qui se déroule à la fois sur le territoire de la Côte des Ébènes et sur celui de la République socialiste du Nikinaï — deux pays imaginaires —, est l'occasion pour le romancier de dénoncer au fond un même univers où règnent l'« indépendance », le « parti unique » et la « carte d'identité ». Parallèlement, Salimata, l'épouse de Fama, fait l'objet d'un portrait extrêmement fouillé, grâce auquel le romancier suggère la double exclusion dont se trouve frappée la femme, dans le contexte traditionnel comme sous les « soleils des indépendances ». La stérilité du couple pourra apparaître comme une métaphore de l'indépendance, combinée d'ailleurs avec le thème — non moins essentiel — de la « bâtardise ».

Sur le plan de la forme, le roman innove considérablement en ayant recours à une écriture qui transpose en français nombre de particularités linguistiques et stylistiques du Bambara.

Kourouma est par ailleurs l'auteur d'une pièce de théâtre, *Tougnantigui ou le Diseur de vérité*, qui a été créée à l'Institut national des arts d'Abidjan, en 1972, et constitue, sous une forme plus symbolique, un prolongement direct de la perspective adoptée dans le roman.

BIBLIOGRAPHIE

Collectif, *Essai sur « les Soleils des indépendances »*, Dakar/Abidjan/Lomé, N.E.A., 1981.

B. MOURALIS

KOUYATÉ Seydou Badian (né en 1928). V. NÉGRO-AFRICAINE (littérature d'expression française).

KRAINS Hubert (1862-1934). V. BELGIQUE. Littérature d'expression française.

KRÉA Henri (né en 1933). V. MAGHREB. Littérature d'expression française.

KRÜDENER, Barbara Juliane de Vietinghoff, baronne de (1764-1824). Femme de lettres russe d'expression française. Mme de Krüdener occupe une place non négligeable dans la production romanesque du début du XIXe siècle, avec sa *Valérie* (1803), dans le courant ésotérique de cette époque et dans la politique de la Sainte-Alliance.

Sa naissance à Riga, son mariage en 1781 avec un diplomate russe l'ont peut-être prédisposée à devenir l'égérie d'Alexandre Ier et à le convertir à son illuminisme : elle le persuade de devenir un homme providentiel, âme d'une coalition contre les forces du mal.

Cependant, celle qui rendait Sainte-Beuve « sentimental et à plaisir nuageux » (*Cahier vert*) nous intéresse encore par son appartenance au groupe de Coppet, son amitié avec Bernardin de Saint-Pierre, Mme Necker et Mme de Staël. Après quelques nouvelles, elle publie *Valérie*, inspirée, a-t-on dit, par une aventure de jeunesse. Les deux volumes de ce roman, qui enthousiasma le public féminin, racontent la langueur de Gustave, qui se meurt d'un amour impossible.

Par-delà un style conventionnel scandé de clichés usés jusqu'à la trame (« Ce pauvre Gustave nous manque, il est tombé dans la profonde nuit de la mort! »), l'œuvre de Mme de Krüdener s'inscrit dans une continuité jalonnée par Werther, René et l'Amaury de Sainte-Beuve, dans une thématique romantique du mal de vivre, de l'impossibilité d'aimer, de l'inassouvissement du désir.

Roman épistolaire, *Valérie* se situe également dans la confusion progressive qui se produit entre le journal intime et le roman par lettres, confusion qui précède l'extinction de ce dernier vers 1840. Mme de Krüdener peut être comparée, de ce point de vue, à Mme de Charrière, à Mme de Souza, à Senancour ou au Nodier d'*Adèle*.

BIBLIOGRAPHIE

Textes. — Édition critique et présentation de *Valérie* par M. Mercier, Paris, Klincksieck, 1974. Les *Écrits intimes et prophétiques* de Mme de Krüdener sont publiés depuis 1975 par J.-R. Derré et une équipe de l'Université de Lyon II (Paris, Éd. du C.N.R.S. vol. I, 1975).

A consulter. — Francis Ley, *Mme de Krüdener et son temps*, Paris, Plon, 1962; id., *Bernardin de Saint-Pierre, Mme de Staël, Chateaubriand, Benjamin Constant et Mme de Krüdener*, Paris, Aubier-Montaigne, 1967.

G. GENGEMBRE

LAÂBI Abdellatif (né en 1942). V. MAGHREB. Littérature d'expression française.

LABAT (père) Jean-Baptiste (1663-1738). V. CARAÏBES ET GUYANE. Littérature d'expression française.

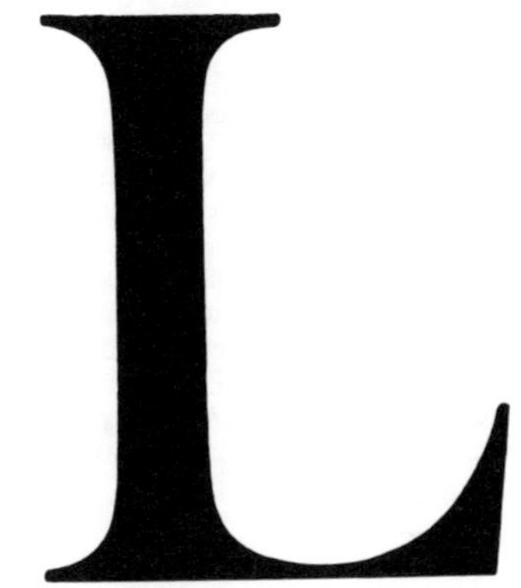

LABÉ Louise (avant 1524-1566). Louise Labé est l'un des très rares écrivains dont la séduction et le mystère offrent à chacun — et cela même en dehors des frontières de sa langue — l'illusion qu'elle est un jardin secret dont il serait seul à posséder la clef. Curieux phénomène, si l'on songe que l'œuvre de la Belle Cordière (puisque c'est ainsi qu'on l'appela à Lyon, de son temps) est mince et d'une grande simplicité apparente.

Née peut-être à la Grange Blanche, un domaine que possédait sa famille aux abords de Lyon, Louise est fille d'un riche marchand cordier, Pierre Charly, dit Labé. De son éducation, on sait ce qu'elle nous en dit : qu'elle brodait bien, et que, telle une héroïne de l'Arioste, elle savait

> [...] en armes, fière, aller
> Porter la lance et bois faire voler,
> Le devoir faire en l'estour furieus,
> Piquer, volter le cheval glorieus...

Il est possible qu'en compagnie de son frère maître d'armes elle ait participé à un tournoi, en 1542, devant le futur Henri II, qui montrera une évidente complaisance dans le privilège qu'il accordera plus tard à son œuvre. Maintenant elle chante, accompagnée de son luth, et compose en français et en italien, langue que, comme beaucoup de Lyonnais, elle domine parfaitement; elle connaît aussi l'espagnol, mais elle ne fait pas pour autant figure de femme savante, et, dans ce milieu où telle dame écrit en latin et telle autre s'entoure d'instruments d'astronomie, ses choix sont tout poétiques : elle se nourrit d'auteurs italiens, depuis Pétrarque jusqu'aux derniers disciples de Bembo, dont elle fait siens les rythmes et les obsessions.

Mais Louise, qui a un sens très vif du réel, raffole de tout ce que peut lui offrir, dans une ville aussi brillante que Lyon, une société bien vivante, aux codes raffinés; elle crée autour d'elle un petit monde d'admirateurs fidèles, qui n'hésiteront pas à lui tresser une couronne de poèmes : les *Escrits*. Sa très célèbre beauté lui vaut de nombreux amants; elle ne les aime pas tous. Son mari, Ennemond Perrin, riche cordier lui aussi, épousé vers 1540 et mort en 1560, est une présence que seul Olivier de Magny a l'audace de moquer : méchant procédé quand on a été, comme lui, aimé avec tant de passion et de talent. Sur la route d'Italie, en effet, le poète, frais émoulu des cercles parisiens, s'éprend d'elle; tels Sand et Musset, ils composent ensemble, et l'on voit paraître les mêmes vers ambigus dans leurs deux œuvres. De cette passion et de bien d'autres naissent les *Élégies* et les *Sonnets* de Louise, mais cela ne plaît pas aux vulgaires ni aux moralisateurs : des chansons circulent, qui font d'elle une courtisane; et de Genève, Calvin la traite de *plebeia meretrix*; il sera de bon ton, chez les historiens réformés de Lyon, de lui garder cette mauvaise réputation. Loin de tout cela, Louise ne s'inquiète que de l'absence de l'amant, et de poésie : « La récréation de l'étude laisse un contentement de soi, qui nous demeure plus longuement. Car le passé nous réjouit, et sert plus que le présent, mais les plaisirs des sentiments se perdent incontinent et ne reviennent jamais [...]. Nous retrouvons le plaisir passé qu'avons eu ou en la matière dont écrivions, ou en l'intelligence des sciences où lors étions adonnés ». Ainsi dédie-t-elle son *Débat d'Amour et Folie* à la vertueuse Clémence de Bourges, qui se laissera mourir d'amour.

Louise, elle, meurt après avoir dicté un testament qui nous la montre entourée de ses amis italiens, toute préoccupée de remercier la fidélité de ses fermiers et serviteurs et d'offrir aux jeunes femmes voisines quelques robes neuves.

« Le plus grand plaisir qui soit après amour, c'est d'en parler » : tel est bien le mobile qui lui fait écrire cette petite merveille en prose, le *Débat d'Amour et Folie*, qui paraît dans la gerbe de ses *Œuvres* de 1555. Ce n'est pourtant pas un chef-d'œuvre de composition : quatre discours inégaux, dont le dernier — deux longs monologues des dieux Apollon et Mercure — mange tout. Elle semble avoir pris son sujet un peu à tout le monde, aux traités italiens sur l'amour de Bembo ou d'Ebreo, à l'*Éloge de la folie* d'Érasme, aux *Contes de Cupido et d'Atropos* de Lemaire de Belges, à tous les poèmes qui affrontent l'amour à la mort ou l'amour à la haine. Quoi de plus banal, en effet, que l'idée de mettre en présence Amour et Folie, se disputant la préséance avec tant de vigueur que Folie en crève les yeux d'Amour, puis panse sa blessure d'un bandeau que l'on ne pourra plus arracher? Vénus se lamente : Amour ne verra plus sa beauté; et puis il accouplera les vieux avec les jeunes, les beaux avec les laids, les nobles avec les vilains. Apollon prend la défense d'Amour, Mercure celle de Folie. Jupiter tranche dans l'ambiguïté, comme le dira très bien La Fontaine, qui réécrira à sa manière ce petit dialogue d'humour :

> Le résultat enfin de la suprême cour
> Fut de condamner la Folie
> A servir de guide à l'Amour.

En fait, sous la procédure contradictoire, les points de vue sont les mêmes; Apollon, comme Mercure, fait l'éloge des conduites humaines et justifie la présence de l'amour dans la société; puisque, de toute manière, amour est fou, on le loue comme le puissant moteur de toutes les séductions, de tous les raffinements, des modes (Louise écrit sur le vêtement les plus belles pages que l'on puisse alors imaginer). L'originalité de Louise est d'avoir pour la première fois allié l'amour et le rire : le mélancolique, dans le *Débat*, c'est l'homme solitaire et sans amour, le « loup-garou ». Pas de complaisance pour le tragique, chez elle. Cela n'étonnera que ceux qui n'interprètent pas en termes de vie la mort sensuelle qu'elle appelle dans sa poésie.

Outre le *Débat d'Amour et Folie*, trois élégies à l'ancienne mode (marotique) et vingt-quatre sonnets à la nouvelle (celle de Du Bellay, de Ronsard, et de l'ami plus proche, Tyard) ont suffi pour immortaliser le nom de Louise Labé. C'est un peu un mystère d'écriture, tant celle-ci est vigoureuse et simple, musicale comme celle des plus grands. Les érudits peuvent s'acharner à lui trouver des modèles italiens et français. Louise leur échappe. On croit à du laisser-aller, et on s'aperçoit que rien n'est plus construit que le sonnet « Tant que mes yeux pourront larmes espandre/A l'heur passé avec toi regretter... ».

On ne sait pas davantage pourquoi ses poèmes nous semblent les plus érotiques d'un siècle qui, pourtant, s'y connaissait bien. Car les audaces et les langueurs ne sont ici le fait d'aucune recherche apparente, d'aucune impudeur travaillée. Les mots, les images sont depuis longtemps usés; les rythmes, si parfaitement équilibrés, ne laissent place qu'à des soupirs et des questions depuis longtemps répétés par tous les poètes.

En fait, cette poésie contenue fait rêver. La leçon finale de celle qui a tant réfléchi sur l'amour est de lui préserver son dangereux mystère.

Ne reprenez, Dames, si j'ay aymé,
Si j'ay senti mile torches ardentes [...].
Amour
Pourra, s'il veut, plus vous rendre amoureuses,
En ayant moins que moy d'occasion,
Et plus d'estrange et forte passion.
Et gardez vous d'estre plus malheureuses!

BIBLIOGRAPHIE

Les œuvres de Louise Labé ont connu de nombreuses éditions, partielles ou complètes, depuis l'édition originale de 1555 et les trois éditions (Lyon, Jean de Tournes, et Rouen, Jean Garou) de 1556 jusqu'à celles de G. Guillot, Paris, Seghers, 1962, et d'E. Giudici, Genève, Droz, 1981.

Louise Labé est aussi l'un des auteurs français du XVIe siècle le plus traduit à l'étranger : en anglais, nombreuses traductions depuis 1584; *idem* en allemand, depuis la traduction de R.M. Rilke, 1918; traductions polonaises depuis 1925, hongroise, hollandaise, italiennes (dont celle de E. Giudici, 1965), espagnole (1976), et même provençale (1882), etc.

Dans la très abondante bibliographie critique, signalons : Ch. A. Sainte-Beuve, « Louise Labé, la Belle Cordière », *Revue des Deux Mondes*, 15 mars 1845; et *les Nouveaux Lundis*, t. IV, 1869-1878; Giovanni Tracconaglia, *Contributo allo studio dell'Italianismo in Francia*, 1915-1917; Dorothy O'Connor, *Louise Labé : sa vie et son œuvre*, Paris, 1926; Ferdinando Neri, « Il contrasto dell'Amore e della Follia », *la Cultura*, 1929, réédition dans *Storia e Poesia*, 1944 : pour Jean Lemaire de Belges, source de Louise Labé *(Contes de Cupido et d'Atropos)*; Georges Tricou, « Louise Labé et sa famille », *B.H.R.*, t. V, 1944; Kenneth Varty, « Louise Labé and Marsilio Ficino », *Modern Languages Notes*, nov. 1956; Enzo Giudici, *Louise Labé e l'« École lyonnaise »*, *Studi e ricerche con documenti inediti*, Naples, 1964 (recueil des articles antérieurs de ce spécialiste et éditeur de Louise Labé); et *Louise Labé*, Rome, Paris, Nizet, 1981. La revue *les Pharaons. La Voix des poètes* a consacré un de ses numéros à Louise Labé, n° 44, 1972. Nicolas Ruwet, *Langage, musique et poésie*, Paris, Le Seuil, 1972; Joël Lefebvre, *les Fols et la Folie*, Paris, 1968; M. R. Logan, « la Portée théorique du *Débat d'Amour et Folie* de Louise Labé », *Saggi e ricerche di letteratura francese*, vol. XVI, 1977.

M.-M. FONTAINE

LA BEAUMELLE Laurent Angliviel de (1726-1773). Né à Valleraugue, dans les Cévennes, il renonce vite au commerce, étudie la théologie à Genève, puis se rend au Danemark où, après avoir été précepteur et journaliste, il est nommé par le roi professeur de langue et belles-lettres françaises. Il publie à Copenhague un ouvrage, *Mes pensées ou le Qu'en-dira-t-on?* (1751), et quitte le Danemark pour Berlin où il se brouille avec Voltaire qui le poursuivra désormais d'une haine tenace. De retour en France, il est enfermé quelque temps à la Bastille. Attaqué par Voltaire dans le *Supplément au Siècle de Louis XIV*, il publie une *Réponse* (1754). Ses *Mémoires pour servir à l'histoire de Mme de Maintenon* (1757) ont un grand succès. Arrêté de nouveau, il prépare, à la Bastille, une traduction de Tacite. Quand il est libéré, en 1757, il part en exil pour le Languedoc, où il a des démêlés avec les capitouls de Toulouse. Beau-frère d'un des accusés de l'affaire Calas, il prend la défense des victimes du fanatisme, sans pour autant se réconcilier avec Voltaire qui continue à l'accabler de ses sarcasmes. On l'autorise enfin à revenir à Paris, où il trouve un emploi à la Bibliothèque du roi. Il meurt à l'âge de quarante-sept ans. La postérité a surtout retenu de lui ses écrits contre Voltaire, et en particulier ses spirituelles *Lettres à M. de Voltaire* (1763). Mais il faut signaler encore la *Suite de la Défense de l'Esprit des lois* (1750), les *Mélanges de morale et de littérature* (1754), le *Commentaire sur la Henriade* (1755), et *l'Esprit* (posth., 1802).

BIBLIOGRAPHIE

M. Nicolas, *Note sur la vie et les écrits de Laurent Angliviel de La Beaumelle*, Paris, 1852; Claude Lauriol, *La Beaumelle : un protestant cévenol entre Montesquieu et Voltaire*, Genève, Droz, 1978.

A. PONS

LABERGE Albert (1871-1960). V. QUÉBEC (littérature du).

LABICHE Eugène (1815-1888). Auteur de cent soixante-treize comédies et vaudevilles entre 1837 et 1877, Labiche « devait être le rire de la bourgeoisie française pendant plus d'un quart de siècle » (Zola, *Nos auteurs dramatiques*, 1881). C'est dire le nécessaire conformisme de son théâtre. Mais son génie est d'avoir compris, comme Flaubert et à la différence de pseudo-moralistes comme Augier ou Dumas fils, qu'un groupe social se définit par son langage autant que par ses mœurs; surtout lorsqu'il s'agit de la pontifiante bourgeoisie du second Empire. D'où, ici, la particulière pertinence de la forme théâtrale, et la modernité d'un discours coupé du réel dont l'absurde annonce parfois Vitrac ou Ionesco : « Ce n'est pas pour me vanter, mais il fait joliment chaud aujourd'hui! » (*Vingt-Neuf Degrés à l'ombre*).

Un bourgeois organisé

La jeunesse d'Eugène Labiche est celle d'un bourgeois de la seconde génération, qu'un patrimoine fraîchement accumulé autorise à des activités désormais « libérales » : né à Paris, fils d'un industriel en sirop et fécule, il fait ses études au collège Bourbon, satisfait au rituel romantique du voyage en Italie et en Suisse (1834), prépare sa licence en droit, tâte du journalisme et de la critique dramatique à la *Revue du théâtre*. Mais cet aimable dilettante va devenir bientôt un travailleur acharné. On ne sait rien de sa première pièce, *la Cuvette d'eau* (1837). L'année suivante, il donne au Palais-Royal *Monsieur de Coyllin ou l'Homme infiniment poli*. D'emblée, il s'est adjoint des collaborateurs : Auguste Lefranc, Marc-Michel, les premiers d'une longue série d'auteurs mineurs qui grâce à lui connaîtront la gloire, Alfred Delacour, Adolphe Choler, Édouard Martin. Seuls parmi eux Anicet-Bourgeois, coauteur de *l'Avare en gants jaunes* (1858), et Émile Augier (pour *le Prix Martin*, 1876) possèdent encore un semblant de notoriété propre... Peut-être cette méthode de travail doit-elle plus à une réelle modestie — Labiche semble affecté d'une sorte de complexe d'infériorité face à la « grande » comédie — qu'à une impuissance devant l'effort solitaire; car il écrira seul l'une de ses meilleures comédies, *Vingt-Neuf Degrés à l'ombre* (1873). Sans doute aussi est-il guidé par un souci d'efficacité : dans ses grandes années, Labiche signe couramment une demi-douzaine de productions. En 1851, avec *Un chapeau de paille d'Italie*, il donne cinq autres pièces; de même en 1860, pour accompagner *le Voyage de M. Perrichon*. 1864 est une cuvée exceptionnelle : *la Cagnotte, Moi, Un mari qui lance sa femme, le Point de mire*, joués respectivement au Palais-Royal, à la Comédie-Française, au Gymnase. Car l'auteur connaît bien son ou ses publics; ici, des amateurs de comédie de mœurs ou de caractères, là, de vaudeville : « Soyons gymnase! » dit le héros d'un vaudeville... joué au Palais-Royal (*l'Avocat pédicure,* 1848). Il choisit aussi avec soin ses comédiens : les « bouffons » Grassot ou Hyacinthe, Geoffroy spécialisé dans les rôles de père de famille; « Geoffroy, c'était le Bourgeois », dit Sarcey qui s'y connaissait. Une présence plus inattendue, celle de Sarah Bernhardt à vingt ans dans *Un mari qui lance sa femme* (rôle de Douchinka).

Ce critique acéré mais jovial de la morale bourgeoise n'est pourtant pas un révolutionnaire : le conformisme ne prête à rire, à ce rire-là, qu'autant que l'ordre règne. Un ordre politique : candidat malheureux à la députation en 1848, Labiche règle ses comptes à l'agitation quarante-huitarde dans *le Club champenois.* Un ordre de langage et d'écriture : *Deux Papas très bien* (1844) s'en prend à l'argot à la mode et *les Précieux* (1855) attaquent avec cruauté au nom d'un « bon sens » à la Ponsard les romantiques attardés, en leur opposant comme modèle... Paul de Kock!

Maire de Souvigny en Sologne où il possède un château bien gagné, Labiche s'y retire pendant la guerre de 1870. En 1877, après l'échec de *la Clé,* il cesse d'écrire pour la scène et prépare la publication de son *Théâtre complet* (1878-1879), ne retenant que cinquante-sept pièces : moins du tiers de sa production. Entré à l'Académie française en 1879, il se partage entre la Sologne et Paris où ses chefs-d'œuvre sont repris triomphalement. Il meurt à Paris âgé de soixante-treize ans.

Chacun à sa place

Malgré une certaine diversité sociale de surface, le théâtre de Labiche trouve son unité et sa véritable drôlerie dans la description d'un type humain précis : le bourgeois. Non plus le travailleur vertueux du XVIIIe siècle, mais le rentier; personnage essentiellement théâtral pour qui la grande affaire n'est plus de produire des biens mais des phrases (le fils du commerçant enrichi devient avocat : *la Poudre aux yeux,* 1861, *Un pied dans le crime,* 1866, etc.), ni d'amasser un patrimoine mais de le transmettre. D'où une stratégie du beau mariage... et de l'adultère, à la fois interdit et toléré, culpabilisant et prenant en charge les résistances du moi face à la contrainte sociale. Tout est prêt pour cent ans de théâtre de boulevard : « Je me trouve seul, sans armes, en face d'une affreuse jeune fille de dix-huit ans... Une peau éblouissante! Des yeux noirs et des sourcils à vous manger l'âme! Je ne sais ce qui se passe en moi... » (*Un garçon de chez Véry,* 1850).

Jusqu'où ne pas aller trop loin? Car ce rentier oisif, affranchi de toute servitude économique, dispose désormais d'une dangereuse liberté, et Labiche entreprend de lui faire peur; non par des catastrophes à la Dumas fils, mais par le ridicule : le bourgeois quittant sa place quitte aussi la réalité pour la scène, le vivant pour le mécanique (témoin l'importance de Labiche dans *le Rire* de Bergson, 1900). D'où l'omniprésence d'un thème : celui du voyage. Voyage réel, tout d'abord, qui conduit l'individu à sortir de son lieu « naturel » de vie et d'épanouissement pour se retrouver les quatre fers en l'air dans une crevasse de la mer de Glace : « Des carrossiers qui vont en Suisse! Quel siècle! » (*le Voyage de M. Perrichon*). Mais aussi dans *Maman Sabouleux* (1852), des Parisiens qui vont à la campagne; dans *la Cagnotte,* des provinciaux qui se rendent à Paris. Plus lourd de conséquences est le voyage « social », par quoi le bourgeois sort de sa condition : par le bas, en nouant des liaisons ancillaires comme *Edgard et sa bonne* (1852) ou Alzéador du Loiret dans ce *Voyage autour de ma marmite* (1859), au titre symbolique; ou vers le haut, en affichant une situation de fortune qu'il n'a pas (*la Poudre aux yeux*), en recherchant pour ses filles des partis trop élégants (*Un mari qui lance sa femme*) ou trop riches *(le Point de mire).* Le ton ici se fait plus âpre, comme si la tentation était plus grande, et la comédie frôle parfois le drame. Labiche dénonce le cynisme de mères prêtes à tout pour décrocher le gros lot : « Quand on a une fille à marier, il n'y a plus d'amis » (*le Point de mire*), de parents sacrifiant froidement leurs enfants : « Nous nous sommes dit : Célimare n'est pas jeune, Célimare n'est pas beau; mais la jeunesse, la beauté, ça passe, tandis que quarante mille livres de rente, quand on a de l'ordre, ça reste! » (*Célimare le bien-aimé,* 1863). En revanche, il est admis qu'un jeune homme de bonne famille appâte des grisettes en leur promettant le mariage, à condition de rompre définitivement au moment de se ranger (*les Marquises de la fourchette,* 1854). Enfin, au-delà du millionnaire et de la fleuriste, « points de mire » d'excursions dangereuses mais tolérées, commence le domaine de l'Autre, celui que le bourgeois n'a pas à connaître et que Labiche rejette dans le néant de la caricature : bohèmes *(les Précieux),* hobereaux (*Deux Merles blancs,* 1858), yankees excentriques (*les Trente Millions de Gladiator,* 1875), rastaquouères (*Doit-on le dire?,* 1872), dont le rôle finalement positif consiste à venir à Paris épouser les cocottes désireuses de faire une fin : *Similia similibus...*

Ainsi l'aventure sociale se trouve-t-elle circonscrite dans d'étroites limites qui la maintiennent, à de rares exceptions près, dans le champ de la comédie : dès lors l'apologie du conformisme peut s'allier à une joyeuse liberté d'écriture prenant pour cible ce « voyageur » maladroit.

Un mobilier de famille

Comme la « commode de Victorine », titre d'une comédie de 1863, la langue bourgeoise a la pesanteur d'un mobilier de famille : elle refuse obstinément de s'adapter aux situations inattendues, au risque de paraître déplacée, contraire à ce sens commun qu'elle prétend pourtant défendre. Risque d'autant plus grand qu'elle est par essence métaphorique, conventionnelle. On ne dit pas un « cornichon », et Labiche en fait toute une pièce (*Un gros mot,* 1860), un cochon devient un... « Sainte-Menehould » (*Agénor le dangereux,* 1848). Ce qui rend ce code bourgeois inintelligible aux non-initiés. Un maître décide de marier son valet : « — Mon ami, j'ai une ouverture à te faire. — Une ouverture? où ça? » répond l'autre (*Voyage autour de ma marmite*). Un degré de plus et les métaphores se télescopent, libérant des sens propres mutuellement incohérents : — « Tu ignores les mystères de la vie parisienne! Tu ne sais pas qu'il y a des tigres qui viennent déposer leurs œufs dans le ménage des colombes. — Mais papa, les tigres n'ont pas d'œufs. — Ces reptiles ne devraient pas en avoir, mais ils en ont » (*les Trente-Sept Sous de M. Montaudoin,* 1862). Car le bourgeois ne voit et ne dit le monde qu'au travers de clichés culturels déformants : « Je proteste au nom de la civilisation! » lance Champbourcy emmené au poste dans *la Cagnotte*; une érudition de potache, rappelant *la Belle Hélène* d'Offenbach (1864), vient faire irruption dans les moments les plus prosaïques : « Il boite... comme feu Vulcain » *(Un chapeau de paille d'Italie),* « Tu t'es attaché à moi... comme la ronce au tombeau de Virgile » (*On dira des bêtises,* 1853). A moins qu'à l'inverse la réalité, en l'occurrence une « grosse maman » suspectée de vouloir s'offrir un amant, ne donne au propre de la métaphore une pertinence inattendue : « Les voilà donc, ces femmes qui enveloppent la jeunesse dans leurs replis tortueux » (*la Station Champbaudet,* 1862). Mais toujours l'art de Labiche consiste à mettre cet absurde en situation : il multiplie surprises et quiproquos, tandis que de nombreux monologues et apartés témoignent de la difficulté du dialogue pour un « voyageur » empêtré dans une inutilisable langue de bois...

En ce sens, le théâtre de Labiche apparaît à la fois comme la mise en scène du *Dictionnaire des idées reçues* (« Français, le premier peuple de l'univers », Flaubert/« Adieu, France, reine des nations », Perrichon), et comme la face rose de l'absurde moderne : « Es-tu mort? Si tu es mort, je le sentirais : rien n'est sensible comme les entrailles d'une mère » (R. Vitrac, *Victor ou les Enfants au pouvoir*). Mais ici, sous le « mécanique », le « vivant » est toujours là, ainsi qu'une formidable joie de vivre. La fossilisation du langage ne signifie pas encore celle de l'être, et *Un chapeau de paille d'Italie* est plus proche de Monnier que de Brecht, de *Joseph Prudhomme* que de *la Noce chez les petits-bourgeois*.

Un chapeau de paille d'Italie. — Jour de noces pour Fadinard, rentier parisien, qui doit épouser la fille de Nonancourt, un pépiniériste de Charentonneau. Mais la journée commence mal; lors d'une promenade au bois de Vincennes, Fadinard a laissé son cheval dévorer le « chapeau de paille d'Italie » d'une inconnue. Celle-ci, une femme mariée, vient s'installer chez lui avec son compagnon en réclamant la restitution de l'objet, seul moyen d'éviter un drame conjugal. Surgit la noce (acte I). Cohorte de provinciaux ridicules que Fadinard traîne successivement chez une modiste qui reconnaît en lui un ancien amant alors que la noce se croit à la mairie (acte II), chez une baronne qui le prend pour un chanteur italien (acte III), enfin chez un barbon acariâtre qui n'est autre que le mari de l'inconnue : « Ce chapeau que je pourchasse depuis ce matin avec ma noce en croupe... C'est le chapeau mangé! » (acte IV). La situation se dénoue *in extremis* lorsqu'on découvre enfin parmi les cadeaux de mariage un chapeau identique. L'infidèle Anaïs peut alors berner son mari, tandis que Nonancourt, de plus en plus exaspéré jusque-là, accepte de passer l'éponge : « Ton groom nous a conté l'anecdote [...]. C'est beau, c'est chevaleresque, c'est français! [...] Je te rends ma fille, je te rends la corbeille, je te rends mon myrte » (acte V).

Le Voyage de M. Perrichon. — M. Perrichon, carrossier retiré des affaires, emmène à « Chamounix » son épouse et sa fille Henriette. Celle-ci est aimée de deux jeunes gens, Armand et Daniel, qui décident de la suivre (acte I). Perrichon, tiré d'une crevasse de la mer de Glace par Armand, manifeste à celui-ci une reconnaissance bientôt agacée. Habilement, Daniel se laisse glisser dans un trou pour offrir à Perrichon la gloire de l'avoir sauvé. Daniel est au comble de la faveur (acte II). Retour à Paris. Nouveau service rendu par Armand : Perrichon se sent obligé de lui donner la préférence. Mais de nouveau Daniel pare le coup. Survient alors un commandant de zouaves, que Perrichon a insulté en voyage et qui demande réparation (acte III). Fausse manœuvre d'Armand; Perrichon est contraint de faire des excuses au commandant. Humiliation, fureur contre Armand : « Non, monsieur, on ne me domine pas, moi! Assez de services! Assez de services! » En aparté, Daniel expose à Armand sa philosophie : « Les hommes ne s'attachent point à nous en raison des services que nous leur rendons, mais en raison de ceux qu'ils nous rendent ». Mais Perrichon, ayant surpris cette conversation où Daniel le tourne en ridicule, choisit finalement Armand pour gendre (acte IV).

BIBLIOGRAPHIE

On trouvera dans Le Livre de Poche et la collection Garnier-Flammarion (prés. G. Sigaux) un choix de pièces de Labiche, dont plusieurs ne figurent pas dans le *Théâtre complet* (préfacé par Émile Augier) de 1878-1879. Un monument : les *Œuvres complètes* de Labiche, éd. Gilbert Sigaux, Paris, Club de l'Honnête Homme, 1967-1968, 8 vol., avec des études de M. Achard, J. Dutourd, etc.

A consulter. — Émile Zola, *Nos auteurs dramatiques*, Paris, Charpentier, 1881; H. Bergson, *le Rire*, Paris, Alcan, 1900 (nombreuses références à Labiche dans l'analyse du comique de situation et de mots); Philippe Soupault, *Labiche, sa vie, son œuvre*, Paris, Sagittaire, 1945, rééd. Mercure de France, 1964 (la première étude moderne); J. Autrusseau, *Labiche et son théâtre*, Paris, l'Arche, 1971.

J.-P. DE BEAUMARCHAIS

LA BODERIE. V. Lefèvre de la Boderie.

LA BOÉTIE Étienne de (1530-1563). Né à Sarlat, il est issu d'une famille de petite noblesse de robe. Il fait ses humanités au collège de Guyenne, que fréquentera par la suite Montaigne. Après avoir étudié le droit à Orléans, où professe Anne du Bourg (qui sera en 1559 l'un des premiers martyrs de la Réforme en France), il est reçu licencié en droit civil (1553). Âgé de vingt-trois ans à peine, il est nommé conseiller au parlement de Bordeaux. Montaigne devient son collègue en 1557, et c'est alors que s'établit entre eux une indéfectible amitié. Lors des premiers troubles civils, La Boétie réagit avec sang-froid et fait preuve d'une relative modération, comme en témoigne son *Mémoire sur l'édit de janvier* composé en 1562. Soucieux de voir préservées l'unité et l'harmonie du royaume, il juge difficilement concevable, en dépit de sa tolérance, l'existence de deux religions et de deux partis. Emporté par la maladie à l'âge de trente-trois ans, il confie à son inconsolable ami Montaigne ses ultimes volontés. Son œuvre, entièrement posthume, comprend des traductions de Xénophon (*la Ménagerie*) et de Plutarque (*les Règles de mariage*), des poèmes latins et français d'un pétrarquisme des plus tempérés et, surtout, un traité politique écrit avec la fougue de l'adolescence et dont la fortune allait être considérable : le *Discours de la servitude volontaire* ou *Contr'un*.

En relation avec les membres de la Pléiade, Jean-Antoine de Baïf et Jean Dorat, La Boétie s'était essayé avec succès au métier des Muses. De « sa plus verte jeunesse » datent les *Vingt-Neuf Sonnets* insérés par Montaigne au centre exact du livre I des *Essais* qui leur servent d'« encadrement maniériste » (Michel Butor). Suivent les *Vers françois*, qui, au dire de l'ami jaloux, se ressentent déjà de quelque « froideur maritale ». Inspirés par une flamme amoureuse aussi rude que sincère, ils sont dédiés à l'épouse fidèle, Marguerite de Carle, sœur du controversiste catholique Lancelot Carle. Une traduction versifiée de l'Arioste (*Chant XXXII des Plaintes de Bradamant*) commandée par la compagne exigeante, et à laquelle le poète a passé mainte veille « en se rongeant les ongles », introduit à un *canzoniere* de vingt-cinq sonnets qui déclinent la vue, le nom, l'absence et la constance de celle pour qui il a nourri une sage et réciproque affection. Composé à l'âge de dix-huit ans, au temps de la grande révolte paysanne de Gascogne contre la gabelle et à une époque où La Boétie n'avait en tête que les *Moralia* de Plutarque et les illustres exemples de Tite-Live, le *Discours de la servitude volontaire* a suffi à assurer la gloire posthume de l'écrivain. Très tôt considéré comme un pamphlet antimonarchique invitant au tyrannicide, ce texte a été publié d'abord dans un recueil d'inspiration protestante, le *Réveille-Matin des Français* (1574), puis repris, toujours à des fins de propagande réformée, dans les *Mémoires des états de la France sous Charles le Neuvième* (1577). Réimprimé à chaque période de lutte pour la démocratie, il devait être plagié par Marat dans les *Chaînes de l'esclavage* (1774), réédité et préfacé tour à tour par Lamennais (1835), Pierre Leroux (1847), Auguste Vermorel (1863). Drapeau de la cause républicaine, puis socialiste, le *Contr'un* a pu servir les principales révolutions des deux derniers siècles, de 1789 à la Commune. La phrase célèbre, qui en résume la thèse : « Soyez résolus de ne servir plus, et vous voilà libres », a été comprise comme un mot d'ordre.

Prudemment, Montaigne avait proposé de ne voir dans cet écrit de jeunesse qu'une « exercitation » rhétorique, une déclamation à l'antique prenant pour prétexte ce paradoxe : il est impossible à un homme seul, « nud et deffait », d'asservir un peuple si ce peuple ne s'asservit pas d'abord lui-même. Or, « c'est le peuple qui s'asservit, qui se coupe la gorge, qui, ayant le choix ou d'être serf ou d'être libre, quitte sa franchise et prend le joug ». Ce discours enflammé et oratoire, qui analyse ensuite les moyens — et notamment la « pyramide » des intérêts — dont s'aide le tyran pour demeurer au pouvoir et faire que, de complicité en complicité, le corps social s'enchaîne lui-même, constitue sans doute une réplique aux écrits de Machiavel. Il reste que, par la logique fulgurante qu'il déploie, le *Discours* dépasse de beaucoup les usages partisans et souvent intéressés auxquels il a pu prêter. Son objet, c'est, fondamentalement, la politique comme telle. A l'instar du Cannibale de Montaigne, La Boétie s'étonne du spectacle de l'obéissance. Vue de l'extérieur et en toute ingénuité, celle-ci cesse d'aller de soi.

Contre les sociétés étatiques de son temps et du nôtre, le jeune La Boétie a peut-être rêvé, à mi-chemin entre la nostalgie d'une fraternité égalitaire à l'antique et le modèle des peuples réputés sauvages que son siècle découvrait, d'une « société contre l'État » (Pierre Clastres).

BIBLIOGRAPHIE

Œuvres complètes d'Estienne de La Boétie, éditées par P. Bonnefon, Bordeaux et Paris, 1892; *Vers François de feu Estienne de La Boetie. Six Sonnets. Vingt-Neuf Sonnets*, dans *Poètes du XVIe siècle*, édition établie et annotée par Albert-Marie Schmidt, Paris, Gallimard, La Pléiade, 1953; *Œuvres politiques*, prés. Fr. Hincker, Paris, Éditions Sociales, 1963; *Discours de la servitude volontaire*, texte établi par P. Léonard, Paris, Payot, 1976. Le même volume contient : *La Boétie et la question du politique*, textes de Lamennais, P. Leroux, A. Vermorel, G. Landauer, S. Weil et de Pierre Clastres et Claude Lefort; *Mémoire sur la pacification des troubles*, éd. crit. par Malcolm Smith, Genève, Droz, 1983.

A consulter. — P. Bonnefon, *E. de La Boétie. Sa vie, ses œuvres et ses relations avec Montaigne*, Bordeaux, 1888; Pierre Mesnard, *l'Essor de la philosophie politique au XVIe siècle*, Paris, J. Vrin, 1951; Cl. Paulus, *Essai sur La Boétie*, Bruxelles, 1949.

F. LESTRINGANT

LA BORDERIE Bertrand de (après 1507-?). D'origine normande, Bertrand de La Borderie est un peu plus qu'un disciple de Marot et que le poète de cour consacré par le scandale mondain de *l'Amie de court* (1541). Il serait né vers 1507, dans la famille de Jean de La Forest, premier ambassadeur de François Ier auprès du sultan; il a reçu une éducation soignée, attestée, dans sa poésie, par une bonne connaissance de la littérature classique et de la mythologie. Il semble avoir fréquenté la Cour avant 1531, et avoir participé aux campagnes militaires en Piémont et en Flandre. Une expédition vers Constantinople, à laquelle ont pris part beaucoup de gentilshommes et des savants comme Guillaume Postel (1537), lui donne l'occasion de découvrir, très jeune, des mers, des pays et des coutumes, dont il goûte la nouveauté, au point de poursuivre seul sa découverte de la Turquie : il en sortira, en 1542, le *Discours du voyage de Constantinople*, texte très brillant qui paraît sans nom d'auteur, adressé à une dame non identifiée, et qui est peut-être sa future femme. Sa célébrité est complète lorsqu'il déclenche, en 1541, la « querelle des Amies »; mais il reste un homme de cour, chargé d'une mission en Suisse en 1541, valet de chambre du roi de 1540 à 1545, pannetier royal en 1545. Il offre à François Ier, en 1544, le manuscrit de la traduction d'une célèbre nouvelle de Boccace (*Décaméron*, X, VIII). On a parfois — à tort — confondu La Borderie avec l'un des participants de la querelle des Amies, Paul Angier, parce que leurs devises se ressemblaient : La Borderie signait « Mort en Vie » et Angier « De mort à vie ». De telles confusions ont d'autant plus de chances de se produire que les œuvres de La Borderie ont rapidement été rééditées dans des recueils collectifs : *Opuscules d'amour* (1547), pour le *Voyage de Constantinople*, et recueils de la querelle des Amies, pour *l'Amie de court*, suivie d'une *Énigme du ballon* et d'un poème *A l'un de ses amys*, pour se défendre d'avoir pris femme.

L'Amie de court développe la conception de la dame de cour telle que Castiglione l'avait élaborée; mais, plus soucieux de décrire ce qu'il a sous les yeux que de tracer un idéal plus ou moins platonicien, La Borderie trace le portrait d'une femme libre, maîtresse — jusqu'au cynisme — de son cœur et de son corps qu'elle ne donne à personne; point n'est besoin d'enfermer les femmes : leur intérêt est dans la franchise même de leurs coquetteries et de leurs refus; c'est là leur vraie défense. Plus d'un vers, évoquant déjà les Célimène du XVIIe siècle, choquera les contemporains de La Borderie :

> Je retiens tout et personne ne chasse [...]
> Sans aymer nul, estre de tous aymée [...]
> Sans aymer tout, j'ayme bien quelque chose [...]
> Je ne suis point difficile en devis :
> A toutes gens je leur dis mon advis...

Quant au mari, la femme décide « de l'avoir riche ou de n'en avoir point », ce qui n'exclut ni le mariage ni l'entente dans le mariage. Les vers de La Borderie ont toute la sécheresse et la densité des maximes morales que requiert ce petit traité d'immoralité et de bonne conduite en société [voir QUERELLE DES FEMMES, QUERELLE DES AMIES].

D'une certaine manière, le *Discours du voyage de Constantinople*, quoiqu'il se souvienne de toute une tradition de récits de voyages et de tempêtes, à commencer par ceux de *l'Énéide*, ou de Folengo, ou du récit d'une navigation de son ami Claude Chappuys, est tout aussi original et provocant : à côté des références de toutes sortes et des allusions mythologiques, sa poésie devient vraiment l'écriture des impressions fugitives autant que celle des curiosités. Il paraît à La Borderie aussi important de noter « le bleu vif et céleste », la transparence d'une mer inconnue, la peur de la mort « qui nage entre deux eaux », les jeux sur la plage avec les vagues, que l'étonnement des Cypriotes ou des Turcs, la tristesse ou l'enthousiasme devant les ruines d'Athènes, devant Sainte-Sophie de Constantinople, la pitié devant la souffrance des galériens. Curieux homme, qui ne semble pas s'être davantage intéressé au sort de ses œuvres.

BIBLIOGRAPHIE

Il n'y a pas d'édition moderne de *l'Amie de court*, souvent publiée au XVIe siècle (1541, 1544, 1545, 1546, 1547, 1549, 1550, etc.).

Le *Discours du voyage de Constantinople*, publié à plusieurs reprises au XVIe siècle (1542, 1547...), a été largement cité dans V.L. Bourilly, « Bertrand de La Borderie et le *Discours du voyage de Constantinople* (1537-1538) », *Revue des études rabelaisiennes*, 1911, t. IX, p. 183-200.

La traduction de *la Huitième Journée du Décaméron de Boccace touchant l'amytié de Tite et de Gisippe*... a été reproduite intégralement par C.H. Livingston, « Un disciple de Marot, Bertrand de La Borderie », *Revue du XVIe siècle*, t. XVI, 1929, p. 219-282.

Les deux articles cités, de Bourilly et de Livingston, constituent les meilleures études sur La Borderie.

La Borderie est aussi abordé, à propos de la Querelle des Amies, dans R. L. Hawkins, *Maistre Ch. Fontaine et ses amis*, 1916, reprint New York, 1966, chap. V; Ferdinand Gohin, édition des *Œuvres poétiques* de Héroët, Genève, Droz, 1943.

M.-M. FONTAINE

LA BRUYÈRE Jean de (1645-1696). L'œuvre, déjà brève, de La Bruyère a souffert de l'usage pédagogique que l'on fit d'elle depuis l'Empire : dépecée dans des anthologies, émiettée en citations ornementales, elle n'a même plus droit à revêtir un sens puisque l'on admet souvent, avec Suard (1781), qu'il faut y « être moins frappé des pensées que du style ». Elle séduisit pourtant d'assez bons esprits, Vauvenargues, Sainte-Beuve, Flaubert, Proust, Gide, quelques autres aussi; notre temps est peut-être à même d'en goûter l'exquise qualité et, qui sait? la modernité.

L'homme?

Proust, qui imita La Bruyère dans *les Plaisirs et les Jours,* eût pu invoquer son exemple dans son *Contre Sainte-Beuve,* et la « nouvelle critique » eût dû mieux encore le servir : en effet, les *Caractères* sont presque un livre sans auteur, ou dont l'auteur est à peine un homme. Belle occasion de les examiner pour eux-mêmes et par eux-mêmes, sans donner dans les paralogismes des lectures biographiques.

Car la vie de La Bruyère est merveilleusement obscure. Hasard ou effet de sa discrétion, les traces de son passage sur terre sont rares et pauvres. Tenons-nous-en à ce qui est certain. Ni parisien ni, comme on le croyait, d'une vieille lignée bourgeoise et ligueuse, La Bruyère, issu de petits propriétaires fonciers du Perche, est baptisé à Paris en 1645. Rien ne prouve qu'il y vécut ni qu'il y étudia chez les oratoriens. Grâce à sa famille, il poursuit une lente ascension sociale : licencié en droit à Orléans (1665), il acquiert, en 1673, un office modeste à Caen; un héritage lui permet de vivre à Paris en petit rentier. De 1684 à 1687, il est sous-précepteur du duc de Bourbon, petit-fils du grand Condé, qu'il suit à Chantilly, à la Cour ou au palais du Luxembourg. Son élève se mariant, La Bruyère cesse ses leçons mais reste attaché aux Condé en tant que « gentilhomme de M. le duc »; il vend son office, s'assure une situation financière indépendante et se décide à faire paraître (mars 1688) un livre prêt depuis longtemps, les *Caractères.* Grand succès, rééditions immédiates, articles de presse, compliments flatteurs (Bussy). Désormais, La Bruyère est l'homme de son livre, qu'il enrichit incessamment et sur lequel il compte pour entrer à l'Académie. Se succèdent les éditions revues, et surtout très augmentées : 4e éd. en 1689; 5e éd. en 1690; 6e éd. en 1691; 7e éd. en 1692; 8e éd. en 1694, et 9e éd. en 1696. Chaque fois, l'opinion salue ce livre où elle trouve une pensée dont elle loue la pénétration psychologique, la rigueur religieuse ou la vivacité satirique; elle y goûte aussi des portraits où elle veut reconnaître des contemporains (dès 1692 circulent des « clefs » manuscrites) et apprécie enfin un engagement de plus en plus âpre dans les débats du temps, affaires religieuses et politiques, paix et guerre, querelle des Anciens et des Modernes, etc. Protégé par les Condé, par Pontchartrain (ministre à partir de 1689), par les milieux dévots, et notamment par les Jésuites, il brigue un fauteuil académique, une première fois en vain (novembre 1691), une seconde fois, en mai 1693 : les pressions du pouvoir imposent alors cet « Ancien » à une Académie gagnée à la cause moderne. Le discours de réception de La Bruyère (15 juin 1693), violemment agressif à l'encontre des Modernes, provoque un petit scandale que La Bruyère aggrave en faisant imprimer seul son discours, que l'Académie voulait étouffer. *Le Mercure galant* de Thomas Corneille et Fontenelle se déchaîne; en 1694, La Bruyère se venge dans sa huitième édition, qui offre son *Discours* assorti d'une venimeuse *Préface.* Couvert par le pouvoir, allié aux dévots, La Bruyère semblait décidé, en 1696, à s'illustrer par un autre livre que ses chers *Caractères*; il avait entrepris des *Dialogues sur le quiétisme,* où, solidaire de la Cour et de Bossuet, il attaquait la nouvelle spiritualité. La mort le surprend, à Versailles, dans l'hôtel des Condé (10-11 mai 1696). Quelques mots, bien brefs, de Saint-Simon, de Bossuet, de Claude Fleury expriment une vague sympathie. Puis le silence s'appesantit sur l'homme, et l'on ne parle plus que de l'auteur des *Caractères* que, pendant un demi-siècle, on va piller et plagier.

Cette vie est donc à peu près inconnue; mieux : nous n'y devinons rien que de très banal — une ambition sociale que La Bruyère partage avec toute la petite bourgeoisie, une ambition littéraire qu'une élection académique suffit à combler, une expérience humaine limitée (l'achat d'un office, le préceptorat, une charge chez les Condé, un conformisme politique et religieux, le labeur obscur de l'homme de lettres surtout). Plutôt que de romancer arbitrairement cette vie (comme on l'a souvent fait), remarquons, avec Cl. Cristin (*Aux origines de l'histoire littéraire,* 1973), que La Bruyère fut, en son temps, l'un de ceux qui plaidèrent le plus vigoureusement en faveur de la dignité du métier d'écrivain; il est bien l'un de nos premiers « intellectuels ».

« C'est un métier que de faire un livre... » (*Caractères,* I : « Des ouvrages de l'esprit »)

Il est malaisé de juger les *Dialogues sur le quiétisme*; en effet, on admet que sept seulement des neuf dialogues publiés en 1698 appartiennent à La Bruyère — mais dans quelle mesure? Et quelques trouvailles comiques ne parviennent pas à faire oublier que ces idées de polémique doivent beaucoup aux *Provinciales.* La Bruyère demeure bien l'homme d'un seul livre, les *Caractères de Théophraste, traduits du grec, avec les caractères ou les mœurs de ce siècle.*

Ce livre a une histoire complexe où subsistent bien des énigmes qui excitent la curiosité. Entrepris bien avant 1688, longtemps travaillé, soumis à la critique de quelques proches (Boileau?), l'ouvrage ne parut qu'accompagné d'une traduction, honorable pour l'époque, des *Caractères* du Grec Théophraste (372?-287 av. J.-C.); non que La Bruyère eût besoin, par timidité ou prudence, de s'abriter derrière un illustre Ancien, mais parce qu'il ne pouvait qu'être intéressé par cette brillante série de portraits moraux; s'aidant de travaux érudits anciens (Casaubon, 1592 et 1599, traduction latine des *Caractères*) et modernes (Gilles Boileau, du Rondel), il traduit un livre bien connu des doctes, paraphrasé par quantité de moralistes anglais et français depuis le XVIe siècle, mais dont n'existait plus, depuis 1613, de traduction française; il trouvait là de quoi satisfaire son goût pour l'Antiquité, pour le style coupé, pour le réalisme moral. Il assortit sa traduction d'un savant *Discours sur Théophraste* et la fait suivre de 420 remarques personnelles.

Par la suite, la place impartie à Théophraste va s'amenuiser; en 1696, 1 120 remarques éclipsent la traduction, au reste imprimée en menus caractères depuis 1690; déjà, lors de la quatrième édition (1689), le volume des *Caractères* français a plus que doublé, et l'auteur, qui n'a jamais fait figurer son nom en tête de son livre, ose enfin le signer en 1691; c'est que, très vite, La Bruyère a décidé d'être non pas plus, mais autre chose qu'un traducteur.

Son propre livre, La Bruyère l'écrivit avec un soin étonnant. Soucieux d'étoffer chacun des seize chapitres qui le composent, il organise d'édition en édition tout un jeu subtil de modifications : il se corrige, modifie l'ordre de succession de ses remarques, les transpose d'un chapitre à l'autre — surtout, il pratique des additions, qu'il veille à signaler par des artifices typographiques. Par de lentes concrétions, le livre, tel un madrépore, s'accroît et se construit, et la critique aujourd'hui se soucie de deviner les critères que suivit cet écrivain si volontaire et si concerté, dont le labeur, qui évoque assez celui d'un Proust, semble avoir visé à réaliser déjà l'esthétique de Valéry : mettre systématiquement en échec le hasard dans l'écriture. Plus qu'aucun de ses contemporains, trop souvent passifs devant un classicisme dégénéré en académisme, La Bruyère est l'écrivain qui fait ce qu'il veut et qui veut ce qu'il fait.

Cet ouvrage, La Bruyère le donne au lecteur avec un mode d'emploi : il faut le lire d'abord en référence à une culture que proclament, outre la traduction de Théophraste, d'innombrables allusions, citations, paraphrases, etc., rassemblant un savoir littéraire et religieux; ensuite, par rapport à un art poétique exposé notamment par le premier chapitre, « Des ouvrages de l'esprit ». Ce chapitre, si souvent pris pour un court traité « de fine et exquise rhétorique » (Sainte-Beuve), couronnant et aiguisant un classicisme dont La Bruyère est l'héritier tardif, doit, pour prendre tout son sens, être lu « historiquement » : en effet, il est écrit contre une époque qui, tourmentée par la crise de conscience européenne, veut croire que la littérature est au service des idées, donc doit se dissoudre en une pure transparence — ou qui, repue, somnole sur le trésor de certitudes morales et esthétiques d'un classicisme qu'elle croit pouvoir exploiter indéfiniment; utilitarisme ou académisme, tels sont les adversaires que La Bruyère s'est choisis. Et son idéal de rigueur, de justesse, de science et de goût, d'élévation morale aussi, il le crie contre les « grands » écrivains de son temps qu'il exècre : Thomas Corneille, Quinault, Mme Deshoulières, Fontenelle surtout, dont il fut l'adversaire implacable. Contre une littérature dont il mesure lucidement la décadence (de fait, il est le témoin de la mort de la poésie, de la tragédie, de la grande comédie, de l'éloquence, du roman même), il décide d'écrire un livre provocant par sa perfection même.

« Moi je me suis bourré à outrance de La Bruyère... » (Flaubert)

Les *Caractères* demandent à être lus comme un livre, c'est-à-dire de façon suivie; La Bruyère lui-même l'exige dans la préface de son *Discours* académique : n'a-t-on pas observé que « de seize chapitres qui le composent, il y en a quinze qui [...] ne tendent qu'à ruiner tous les obstacles qui affaiblissent d'abord et qui éteignent ensuite dans tous les hommes la connaissance de Dieu; qu'ainsi ils ne sont que des préparations au seizième et dernier chapitre, où l'athéisme est attaqué et peut-être confondu [...] »? Encore que la critique ait souvent penché à estimer que cette déclaration tardive (1694) n'était qu'une mauvaise raison polémique, nous tenons que La Bruyère a composé son livre comme il l'assure. Non certes selon la méthode de l'exposé suivi, requis alors par la philosophie et la théologie, mais à la fois selon le goût de son temps qui, par réaction contre les « sommes », privilégie les formes brèves, éclatées, disparates (vogue des « petits » genres, des essais, des recueils composites, des *ana*, des nouvelles), et surtout selon les règles propres au genre moral qui, en cette fin de siècle, implique un morcellement du discours (les *Pensées* pascaliennes, les *Maximes* de La Rochefoucauld, les *Essais* de Nicole, les *Conversations morales* de Mlle de Scudéry l'attestent, et avec eux une foule obscure de petits moralistes). Ainsi, chacun des seize chapitres des *Caractères* traite d'un aspect de l'homme réel, c'est-à-dire incarné dans une contingence, celle d'un statut social, donc d'un moment donné, ou celle de dispositions et incapacités innées. On commence avec l'homme « psychologique » : ses goûts (chap. I, « Des ouvrages de l'esprit »), ses talents (chap. II, « Du mérite personnel »), ses affections (chap. III, « Des femmes », chap. IV, « Du cœur »); puis La Bruyère traite de l'homme « social » : saisi dans ses relations quotidiennes avec autrui (chap. V, « De la société et de la conversation »), cet homme est tour à tour, selon une gradation hiérarchique, manieur d'argent (chap. VI, « Des biens de fortune »), bourgeois (chap. VII, « De la ville »), courtisan (chap. VIII, « De la cour »), prince (chap. IX, « Des grands ») et monarque (chap. X, « Du souverain ou de la république »). Enfin est en cause l'homme « métaphysique » : sa misère morale (chap. XI, « De l'homme »), intellectuelle (chap. XII, « Des jugements »); l'emploi imbécile qu'il fait de son temps, et individuellement (chap. XIII, « De la mode ») et collectivement (chap. XIV, « De quelques usages »). Que peuvent, là contre, prédication (chap. XV, « De la chaire ») et apologétique (chap. XVI, « Des esprits forts »)? Cette grille est commode « pour rendre l'homme raisonnable, mais par des voies simples et communes » (*Discours sur Théophraste*) : une lecture suivie du livre fait surgir en nous un monde où erre un homme à notre image (« Je rends au public ce qu'il m'a prêté : j'ai emprunté de lui la matière de cet ouvrage » Préface des *Caractères*) — monde tantôt absurde, tantôt cruel, homme tantôt pervers et odieux, tantôt vain et pitoyable ou méprisable. Le livre tout entier prouve ce que le dernier chapitre explicite : en Dieu seul gît le secret d'une grandeur, d'une profondeur, d'une dignité et même d'une humanité, par ailleurs perdues, de l'homme; et pour vivre (sinon pour agir) dans un tel monde, le sage devra se fonder sur Dieu. Nombre de critiques du siècle dernier, aveuglés, voulaient que La Bruyère prêchât une sagesse toute laïque : c'était ne pas lire de nombreux endroits où ce chrétien ombrageux précise que la vertu telle qu'il l'entend se confond avec la sainteté (cf. II, 44; XI, 3; XI, 81; XIII, 30; etc.).

Cette lecture suivie, où nous devons interpréter un texte qui, selon les lois du genre, ne développe pas une théorie mais en indique les implications concrètes tout en y renvoyant de manière oblique, elle nous est rendue plus aisée par la structure même de l'ouvrage, parcouru en tous sens par trois sortes de réseaux qui en assurent la solidité. D'abord, d'un chapitre à l'autre, d'une remarque à l'autre, de multiples échos, d'infimes transitions (par analogie, par contraste, par répétitions verbales, etc.) tissent une continuité, et c'est un plaisir rare, pour le lecteur attentif, que de glisser d'un texte au texte qui le suit. Ensuite, on observe que chaque chapitre est ordonné, parfois selon le sens, parfois selon des schémas rhétoriques plus ou moins complexes. Enfin, et le lecteur moderne y est plus sensible, l'unité de l'ensemble est garantie par la récurrence d'un certain nombre de motifs : constat de la superficialité et de la vanité de l'homme, ironie devant sa mécanisation, rêve d'une solitude où le sage pourrait se replier, indignation ou amertume d'un moraliste qui étale son « moi », nostalgie du temps passé et du temps perdu, dénonciation rageuse de l'inauthenticité sous toutes ses formes, etc. Ces motifs, qui rythment le livre, lui confèrent une remarquable unité de ton — gageure, si l'on songe que les *Caractères* sont non seulement morcelés, mais encore d'une variété éblouissante.

« Le soir, lu quelques pages de La Bruyère, qui m'ont lavé de toutes les agitations, les tourments, les médiocres et vaines contorsions de ce jour... » (André Gide, *Journal*)

Les *Caractères* peuvent aussi se lire ainsi. Leur aspect typographique même nous y autorise. Au niveau d'un chapitre, d'une page, voire d'une remarque, nous saisissons alors des « pensées détachées » comme l'époque de La Bruyère les aimait depuis les *Pensées* de Pascal (1670). Plus encore que la diversité des textes que le regard déchiffre — diversité étonnante : maximes, petites dissertations, portraits et de bien des sortes, énigmes, définitions, fables, lambeaux de roman, oraison funèbre en raccourci, discours et dialogues, boutades, et même un « fragment » —, c'est la perfection quasi poétique de chacun de ces morceaux qui séduit. Chacun, construit savamment, fait briller ses diverses parties pour mieux servir l'essentiel. « Bourreau délicieux de la langue », dont il « disloque » les membres (Henri Bremond), La

Bruyère se joue aussi des vocabulaires, des tons (il va du solennel au trivial), des genres (il les domine presque tous), des styles (d'où souvent, chez lui, du burlesque) et, enfin, des cultures. Le grand intérêt des recherches de « sources », dans le cas de La Bruyère, fut de prouver que son art était un art savant, et que son livre exigeait, pour être goûté, la participation active d'un lecteur lettré : si « tout est dit » (I, 1), La Bruyère réussit, à force de culture, à le redire « comme sien » (I, 69), écrivant toujours en marge d'autres textes. Ainsi tel endroit des *Caractères* ne prend son sens que si l'on songe au livre dont il est l'écho, la transposition ou la réfutation; tel autre ne vaut que par son contexte, qui seul en dit la portée; tel autre, secrètement allusif, appelle toute une enquête — sans compter avec les clefs, et les *realia* qu'elles évoquent. De la sorte se trouvent construits de véritables objets d'art, et l'on conçoit qu'ils aient la faveur de quelques *happy few* épris de beauté et de subtilité tout à la fois.

Il y a mieux. C'est que la réflexion de La Bruyère sur les moyens stylistiques dont il disposait a abouti chez lui à la conviction, toute moderne, que la forme même avait un sens, était sens. Critiques « structuralistes » (S. Doubrovsky, R. Barthes) et surtout spitzériens (J. Brody) l'ont heureusement souligné. Ainsi La Bruyère, plutôt que de dire ce qu'il pense, le donne à penser en l'écrivant, c'est-à-dire en usant d'une écriture très particulière. Par exemple, la discontinuité des textes ou, au niveau de la syntaxe, le style coupé qu'affectionne La Bruyère se mettent à signifier l'incohérence du monde et de l'homme que visent les *Caractères*; ou bien les hyperboles, superlatifs, accumulations, etc., disent à eux seuls le luxe d'une société bouffie d'opulence, l'épaisseur toute matérielle de Giton le Riche (VI, 83); ainsi les édifices verbaux que La Bruyère s'ingénie à construire, à grand renfort d'anecdotes pittoresques, de détails « réalistes », ces entassements d'images, de tropes, qui soudain s'effondrent sur le trait final ou sur une glose incongrue de l'auteur, miment, et donc disent, le vide foncier des objets décrits, hommes, sentiments, idées : ce style luxueux signifie que les hommes « n'ont point d'âme », « n'ont point de caractère » — sont des choses. À l'opposé, et par contraste, la verticalité abrupte d'une maxime ou d'une définition vient en elle-même prouver que, dans ce monde réifié, le moraliste seul a accès à la profondeur. Dans l'univers des *Caractères,* seul est doté d'une intériorité l'auteur, qui peut, en une effusion, exprimer un sentiment personnel : « Il y a du plaisir à rencontrer les yeux de celui à qui l'on vient de donner » (IV, 45), ou encore prendre par rapport à l'objet décrit plus ou moins de recul — le simple fait de varier la perspective atteste alors une liberté de jugement qui fait défaut chez ces êtres déshumanisés qui hantent les *Caractères.* Nous ne voyons que Saint-Simon qui, au temps de La Bruyère, ait de la sorte (mais dans un genre, celui des Mémoires, qui l'y portait) découvert un langage « qui est à lui tout seul une idéologie » (R. Barthes). C'est que l'un et l'autre avaient beaucoup à dire, ou à redire, sur leur époque.

« Il y a des créatures de Dieu qu'on appelle des hommes... » (XII, 102)

La Bruyère a peint tout un monde, surabondant en personnages, en choses, en mots; ce petit livre contient bien presque tout ce qu'un honnête homme de 1688 estimait digne de son attention. Encore faut-il s'entendre : La Bruyère s'est bien gardé de donner dans ce que le XIXe siècle nommera si mal « réalisme »; même les endroits qui lui ont valu la réputation d'être un observateur scrupuleux du réel (ainsi ses portraits, ou sa peinture de « l'envers du grand siècle », ou le célèbre « L'on voit certains animaux farouches... [XI, 128]) sont, en fait, « inventés » : nourris de réminiscences littéraires autant et plus que du spectacle du monde réel, écrits avec un soin extrême, éclairés du reste par un contexte où abondent maximes et jugements, ces endroits ne reflètent pas un monde, ils le condamnent.

Monarchiste résolu, La Bruyère s'en prend à son temps au nom d'une utopie (dont il n'est pas dupe) : un roi très chrétien devrait gouverner absolument un État où chacun, restant dans son ordre et s'acquittant de sa fonction, vivrait conformément à l'Évangile; point d'histoire (sinon celle, toute individuelle, du salut personnel) pour troubler un ordre garanti par Dieu.

Catholique, il rêve (sans illusions) d'un retour vers une mythique Église apostolique, où, proche encore de la Révélation, l'homme n'est pas « enduit contre la Grâce » (Péguy). Critique littéraire, il radicalise pareillement l'opposition entre Anciens et Modernes et crédite les premiers de toutes les vertus. Éminemment réactionnaire, on le voit, la pensée de La Bruyère a donc besoin, pour se déployer vers l'idéal qu'elle retient comme seule norme, de prendre appui sur un monde déchu; elle se l'invente à tout moment, noircissant à loisir le tableau. Certes, le livre de La Bruyère est écrit de 1688 à 1696, donc sur fond de décadence militaire, économique, morale; mais on a le sentiment que le moraliste l'eût inventée, s'il l'avait fallu, afin que le lecteur éprouvât le besoin de s'arracher au relatif et de se convertir à l'absolu. Il demeure, évidemment, que nombre de condamnations portées par La Bruyère touchent des maux et des abus bien réels — dégénérescence de la noblesse, imposture religieuse, luxe exorbitant des nouveaux riches, sénescence du pouvoir, crise de conscience de toute une société.

La Bruyère, même si le XVIIIe et le XIXe siècle crurent souvent (et à tort) qu'il annonçait les revendications de l'esprit philosophique des Lumières (et c'est ainsi que, de son temps, le lit le curé Meslier), comptait en fait sur le parti dévot pour remédier, au moins en partie, aux abus qui l'indignaient; mais bien des endroits de son livre nient que l'histoire puisse être orientée (sinon dans le sens d'une décadence) et assignent à l'homme une nature immuable (et pervertie) : c'est qu'il n'escompte guère que l'humanité s'améliore. On le voit alors se raidir dans une réprobation tantôt indignée, tantôt méprisante (et l'on conçoit que Stendhal ou Nietzsche aient pu le goûter) — ou bien, parce qu'il est chrétien, se bander contre la tentation du pessimisme ou celle, pire, du cynisme; dans les deux cas, c'est un homme qui, apparaissant sous le moraliste, se livre. Par là, la philosophie des *Caractères* est fortement personnelle; passionnée, elle passionne.

Un lecteur actuel peut aussi goûter tous les endroits des *Caractères* où La Bruyère est moraliste au sens strict du terme; car « le moraliste n'est pas un moralisateur; il ne se propose pas un manuel de conduite; son seul souci est d'examiner sans illusions [...] ce qu'est l'homme et comment il se comporte. Pour comprendre en quoi consiste la valeur morale de telles œuvres, il faut admettre, ce que d'ailleurs tout le monde n'admet pas, que la lucidité est en soi un bien... » (Odette de Mourgues, *O Muse fuyante proie*). Ce déploiement d'une lucidité, on est souvent tenté de croire qu'il est la raison d'écrire (de vivre?) de La Bruyère; certains « grands sujets lui sont défendus », qu'il « entame quelquefois » (I, 65) ou qu'il donne à deviner à propos de petites choses — là-dessus, on perçoit chez lui la jubilation d'avoir raison (« Ne nous emportons point contre les hommes [...]. Ils sont ainsi faits, c'est leur nature [...] » [XI, 1]), ou d'avoir eu raison de quelque imposture (« Que dites-vous? Comment? Je n'y suis pas... Je devine enfin... » V, 7). Loin d'un monde qu'il a scruté, mesuré, inventorié, ordonné — et jugé —, La Bruyère alors nous propose de jouir de notre propre clairvoyance : « Le sage quelquefois évite le monde, de peur d'être ennuyé » (v, 83). Plusieurs chapitres s'achèvent ainsi sur l'image d'une retraite austère, taciturne, où, exempt de misanthropie, le sage tentera, presque seul, de vivre en homme : raisonnablement, il s'appliquera à conquérir une vie intérieure. Ce repli que La Bruyère préconise autour du mérite personnel dont certains ont le privilège ne s'opère pas sans hésitations. En effet, ce moraliste, trop scrupuleux parfois dans son enquête pour ne pas mesurer que la lucidité a ses limites, est mis en échec : le chapitre « Des femmes », celui « Du cœur » prouvent bien, par leur accent volontiers intime, que même le sage est à la merci des passions; sans compter que l'homme se révèle parfois opaque (La Rochefoucauld n'est pas le seul moraliste du XVIIe siècle à ouvrir la psychologie sur les profondeurs...) ou imprévu : loin de toujours décevoir, il se révèle capable, ne serait-ce que par faiblesse, de vertu, ou alors, inconséquent, il fait un bon usage de ses défauts! D'où, chez La Bruyère, une inquiétude et une impatience qui font que sa lucidité, sommée de demeurer éveillée, ne s'est jamais drapée d'orgueil. De la sorte, les *Caractères*, ouvrage définitif à tant d'égards, restent ouverts : l'histoire même du livre, s'augmentant d'édition en édition, et sa disposition morcelée semblent indiquer aussi que, pour La Bruyère, le procès de l'homme n'est pas clos.

Mais, avec La Bruyère, il en faut toujours revenir à l'art, surtout si l'on veut estimer le moraliste. La comparaison entre lui et ses imitateurs du début du XVIIIe siècle est ici très instructive. La Bruyère fut en effet très exploité — auteurs comiques (Dufresny, Regnard), satiriques (Montesquieu, dans les *Lettres persanes*), amateurs de portraits en vers ou en prose le pillèrent; mais aussi s'inspirèrent de lui des moralistes professionnels (P.-J. Brillon, Bordelon, Morvan de Bellegarde...; il faut attendre l'abbé Trublet [1697-1770] pour trouver un digne émule de La Bruyère) : on constate que, animés d'un dessein moral *a priori* identique, ces « copistes » (I, 64), incapables d'écrire comme La Bruyère, ne parviennent à proposer aucun enseignement, et que leurs œuvres, pourtant surabondantes, ne signifient rien. C'est bien que chez La Bruyère « le profond, c'est la forme » (A. Béguin), et que l'analyse que proposait la critique spitzérienne de son écriture mérite d'être poussée plus avant. En effet, l'on peut se demander si le choix par La Bruyère d'une écriture luxueuse pour flétrir le monde où il vit — et tout monde humain — ne procède pas d'intentions plus profondes encore que celles que relevait à bon droit un J. Brody. Risquons l'hypothèse que La Bruyère aurait pu faire sien le mot de Baudelaire : « J'ai pétri de la boue, et j'en ai fait de l'or ». Ce monde déchu, cette humanité rongée par l'inauthenticité, ces courtisans-automates et ces financiers-baudruches, le chrétien La Bruyère décide, en vertu de cette « compassion » dont il a si bien parlé, de s'en emparer et d'en faire la matière d'un livre dont l'écriture — elle, authentique — leur prêtera non pas cette substance qui leur fait lamentablement défaut, mais une apparence moins décevante, car belle, que celle qu'ils se donnent ici-bas. Instrument d'une condamnation, exercice d'une sagesse, le style chez La Bruyère est peut-être acte d'amour.

Une richesse cachée

Ce petit livre, on le voit, ne cesse de poser des questions. Tolérant deux lectures à la fois, renvoyant au monde des livres comme à celui des hommes de 1688, cachant et révélant simultanément un homme, écrit avec un art savant, il dit, par un style complexe, une pensée plus profonde qu'on ne le crut; et ce style, nous commençons seulement à l'apprécier dans toute sa puissance. Nous ne pouvons plus croire, en effet, que la littérature soit naïve *mimesis* du réel, et l'œuvre de La Bruyère, qui reçut tant de suspectes étiquettes (« réaliste », « impressionniste », « styliste », inventeur de l'écriture « artiste », etc.), subit heureusement les effets de cette crise de la conscience critique. En cours de réévaluation, les *Caractères* sont appelés à profiter aussi de l'actuel renouveau des études sur le genre même qu'illustrent ceux que nous nommons « moralistes »; historiquement, ils peuvent être interprétés avec plus de rigueur depuis que l'époque où ils parurent nous est mieux connue. Ainsi le christianisme de La Bruyère, sa culture, ses engagements politiques, religieux et littéraires ont été récemment précisés. Mais des progrès sont encore possibles, dans l'établissement des « sources » du texte de La Bruyère donc dans l'étude des mécanismes de son *imitatio*, dans l'inventaire des lectures que firent de lui ses contemporains et ses immédiats successeurs (un beau travail reste à écrire sur La Bruyère au XVIIIe siècle), dans l'analyse enfin de la structure du livre et des règles du genre où il se situe. Surtout, ce livre, à propos duquel les contemporains parlaient déjà d'un « je-ne-sais-quoi », conserve pour nous le prestige d'avoir tissé de subtils et serrés rapports entre le sens et le style, entre la pensée et ses signes; sa beauté mystérieuse semble moins que jamais vouée à se ternir, dès lors que l'on aime, comme La Bruyère lui-même, manier et remanier les textes (XIV, 72).

Les *Caractères* : fragments

La gloire ou le mérite de certains hommes est de bien écrire, et de quelques autres, c'est de n'écrire point (I, 59).

À juger de cette femme par sa beauté, sa jeunesse, sa fierté et ses dédains, il n'y a personne qui doute que ce ne soit un héros qui doive un jour la charmer. Son choix est fait : c'est un petit monstre qui manque d'esprit (III, 27).

Cesser d'aimer, preuve sensible que l'homme est borné, et que le cœur a ses limites (IV, 34).

L'on doit se taire sur les puissants : il y a presque toujours de la flatterie à en dire du bien; il y a du péril à en dire du mal pendant qu'ils vivent, et de la lâcheté quand ils sont morts (IX, 56).

Les enfants sont hautains, dédaigneux, colères, envieux, curieux, intéressés, paresseux, volages, timides, intempérants, menteurs, dissimulés; ils rient et pleurent facilement; ils ont des joies immodérées et des afflictions amères sur de très petits sujets; ils ne veulent point souffrir de mal, et aiment à en faire : ils sont déjà hommes.

C'est une grande difformité dans la nature qu'un vieillard amoureux (XI, 111).

C'est abréger et s'épargner mille discussions, que de penser de certaines gens qu'ils sont incapables de parler juste, et de condamner ce qu'ils disent, ce qu'ils ont dit, et ce qu'ils diront (XII, 70).

De quoi n'est point capable un courtisan, dans la vue de sa fortune, si pour ne la pas manquer il devient dévot? (XIII, 18).

Je ne mets au-dessus d'un grand politique que celui qui néglige de le devenir, et qui se persuade de plus en plus que le monde ne mérite point qu'on s'en occupe (XII, 75).

Une grande âme est au-dessus de l'injure, de l'injustice, de la douleur, de la moquerie; et elle serait invulnérable si elle ne souffrait par la compassion (XI, 81).

L'esprit de parti abaisse les plus grands hommes jusques aux petitesses du peuple (XI, 63).

Les *Caractères* : Irène

Irène se transporte à grands frais en Épidaure, voit Esculape dans son temple, et le consulte sur tous ses maux. D'abord elle se plaint qu'elle est lasse et recrue de fatigue; et le dieu prononce que cela lui arrive par la longueur du chemin qu'elle vient de faire. Elle dit qu'elle est le soir sans appétit; l'oracle lui ordonne de dîner peu. Elle ajoute qu'elle est sujette à des insomnies; et il lui prescrit de n'être au lit que pendant la nuit. Elle lui demande pourquoi elle devient pesante, et quel remède; l'oracle répond qu'elle doit se lever avant midi, et quelquefois se servir de ses jambes pour marcher. Elle lui déclare que le vin lui est nuisible : l'oracle lui dit de boire de l'eau; qu'elle a des indigestions : et il ajoute qu'elle fasse diète. « Ma vue s'affaiblit, dit Irène. — Prenez des lunettes, dit Esculape. — Je m'affaiblis moi-même, continue-t-elle, et je ne suis ni si forte ni si saine que j'ai été. — C'est, dit le dieu, que vous vieillissez. — Mais quel moyen de guérir de cette langueur? — Le plus court, Irène, c'est de mourir, comme ont fait votre mère et votre aïeule. — Fils d'Apollon, s'écrie Irène, quel conseil me donnez-vous? Est-ce là toute cette science que les hommes publient, et qui vous fait révérer de toute la terre? Que m'apprenez-vous de rare et de mystérieux? et ne savais-je pas tous ces remèdes que vous m'enseignez? — Que n'en usiez-vous donc, répond le dieu, sans venir me chercher de si loin, et abréger vos jours par un long voyage? » (XI, 35).

BIBLIOGRAPHIE

Les textes. — *Œuvres complètes* de La Bruyère, éd. G. Servois, Paris, Hachette « les Grands Écrivains de la France », 1865-1882, 4 vol.; *les Caractères*, éd. R. Garapon, Paris, Garnier, 1962.

A consulter. — R. Barthes, « La Bruyère », dans *Essais critiques*, Paris, Le Seuil, 1964; J. Brody, *Du style à la pensée : trois études sur les « Caractères » de La Bruyère*, Lexington (Kentucky), French Forum, 1980; R. Couallier, « Naissance et origines de La Bruyère », *R.H.L.F.*, juil.-sept. 1963; S. Doubrovsky, « Lecture de La Bruyère », *Poétique*, n° 2, juil. 1970; M. Lange, *La Bruyère, critique des conditions et des institutions sociales*, Paris, Hachette, 1909, Genève, Slatkine Reprints, 1970; G. Michaut, *La Bruyère*, Paris, Boivin, 1936; L. Van Delft, *La Bruyère moraliste*, Genève, Droz, 1971.

A. LANAVÈRE

LA CALPRENÈDE, Gautier de Costes, sieur de (1610?-1663). Écrivain très fécond, La Calprenède fut le principal représentant de la vogue du roman héroïque et historique au milieu du XVIIe siècle. Né dans une famille de robe de rang moyen, au château de Toulgoud, près de Cahors, il fit ses études dans cette ville, puis à Toulouse. Venu à Paris en 1632, il entreprit une carrière militaire. Il obtint par la suite une charge de gentilhomme du roi. Il appartenait à l'entourage de Condé, mais ne suivit pas ce dernier dans son exil après la Fronde.

Parallèlement, il menait une carrière d'écrivain. Il se fit d'abord connaître au théâtre. De 1632 à 1641, il donna neuf pièces (cinq tragédies, quatre tragi-comédies). Certaines empruntent leur sujet à l'histoire ancienne (comme *la Mort de Mithridate*, 1635); trois sont inspirées par l'histoire d'Angleterre (*Jeanne, reine d'Angleterre*, 1636; *le Comte d'Essex*, 1638; *Édouard*, 1639). Puis il se consacra au roman, publiant successivement *Cassandre* (1642-1645), *Cléopâtre* (1647-1656) et *Faramond* (1661-1670; inachevé à la mort de La Calprenède, ce roman fut continué par Vaumorière). Ces livres, fort copieux (10 volumes pour le premier, 12 pour chacun des autres), connurent un très grand succès (et certains rapportèrent à leur auteur des sommes appréciables : ainsi 3 000 livres pour les parties II et III de *Cléopâtre*).

La Calprenède était de ceux qui tenaient le roman pour un substitut en prose de l'épopée. Ses œuvres prétendent à l'historicité : ainsi l'intitulé complet de la dernière est *Faramond ou l'Histoire de France*; d'ailleurs, il souligne que la trame de son récit contient force « histoires dans lesquelles toutes les personnes considérables du siècle que nous traitons entreront avec assez de vraisemblance » (« Avis au lecteur » de *Cléopâtre*). De même, il s'impose de respecter la règle des unités de temps, lieu et sujet. Pour cela, il réunit ses protagonistes dans un espace restreint (une ville ou un camp et leurs environs) et un temps limité (une année), pour une action principale. Mais le jeu compliqué des retours en arrière et des récits faits par les personnages lui permet d'adjoindre à l'intrigue centrale de nombreuses histoires annexes et de diversifier largement le temps et l'espace. Enfin son style se veut toujours noble; en fait, il est souvent guindé ou emphatique à force de recherche. Et si son œuvre témoigne, par comparaison avec celle de ses devanciers (Gomberville, par exemple), d'un souci de la couleur historique, les procédés traditionnels du récit d'aventures y abondent (déguisements, enlèvements, substitutions de personnes ou d'identités, intrigues amoureuses enchevêtrées...). Ses héros, fictifs, sont toujours beaux, braves, galants et passionnés. A travers les stéréotypes se manifeste pourtant une problématique de la générosité et de la volonté de gloire. Le succès que connurent ces romans témoigne de la persistance, à une époque de crise de l'idéologie aristocratique, de la thématique héroïque et d'un goût tourné vers la grandeur des passions et des actes.

BIBLIOGRAPHIE

Quelques pages d'analyses éclairantes dans H. Coulet, *le Roman jusqu'à la Révolution*, Paris, A. Colin, 1967, et dans M. Magendie, *le Roman français au XVIIe siècle; de l'Astrée au Grand Cyrus, 1600-1660*, Paris, Droz, 1932.

A. VIALA

LACAN Jacques (1901-1981). A peine mort, Jacques Lacan est entré dans la légende. De tous les acteurs de la vie intellectuelle et littéraire du XXe siècle en France, il est sans doute l'un des seuls à avoir rejoint la troupe de cette *commedia dell'arte* de la république des lettres, ceux dont le nom à lui seul évoque une silhouette, un masque, une attitude : comme Matamore, en posture de bretteur, brandissant son épée de carton, les yeux exorbités et le poil hérissé, Scapin et ses entrechats, Pantalon, vieillard hargneux, Molière sur le fauteuil du malade imaginaire, Chateaubriand sur le rocher du Grand Bé, la chevelure soulevée par les orages désirés, Rousseau herborisant en robe de chambre — Jacques Lacan faisait irrésistiblement penser à eux lorsque, sur l'estrade de populeux amphithéâtres, arborant d'étonnants nœuds papillon, il proférait le texte de son séminaire, d'une voix « qui n'est la voix de personne / Tant que des ondes et des bois ». Aussi bien fut-il tous ces personnages — et d'autres encore — et s'était-il voulu ainsi, rejoignant les figures de ce théâtre d'ombres dont il anima lui-même l'avant-scène parisienne.

Peut-être eût-il disparu avec elles, rentrant dans l'épaisseur aveugle du mur quand la lanterne s'est éteinte, s'il n'eut porté ce pouvoir de l'illusion jusqu'au cœur du langage, soumettant la langue française, dans sa syntaxe et dans ses tropes, à l'une des tentatives les plus radicales de réorganisation qu'elle eût connues depuis longtemps. Si nombreux sont ceux qui en ont éprouvé le charme et qui ont tenté, avec plus ou moins de bonheur, de le reproduire qu'il n'est pas inutile, au milieu de tant de contrefaçons, de chercher à montrer ce que fut réellement dans sa forme cette entreprise qui visait à changer le cours de la langue sinon de la pensée française.

Une première évidence s'impose : le travail de Jacques Lacan sur le langage va à contre-courant des principales tendances du français, parlé ou écrit, au XXe siècle : primauté du parlé sur l'écrit; simplification de la syntaxe; destructuration — inconsciente ou délibérée — de la phrase. Le texte de Lacan, bien que dit, recourt avec délectation aux tours et aux détours les plus élaborés de la syntaxe, échafaude et complique à plaisir les constructions et les figures de style, poétise et restructure ainsi une langue que menaçait d'asphyxie la pauvreté de l'idiome psychanalytique. On n'en a bien souvent retenu que les procédés (fréquents) de l'inversion et du calembour; bien d'autres, plus subtils mais non pas nouveaux, sont empruntés à l'arsenal rhétorique et poétique de la plus ancienne tradition lettrée, et la plus affectée. C'est aux baroques et aux précieux, à Gongora, à Marini, sinon à Voiture et à *la Guirlande de Julie*, autant qu'aux effets plus austères de Mallarmé ou de Valéry qu'ils renvoient. Et c'est sous cette double ascendance qui prend sa commune origine dans l'art baroque, privilégiant l'expression symbolique de la pensée par les tropes et les figures de construction, qu'il faut situer, pour le comprendre, le texte lacanien depuis *Écrits* (1966) jusqu'aux volumes de *Séminaire*, publiés depuis 1973 par les soins de J.A. Miller. La première ascendance, d'inspiration précieuse, développe en spirale la chaîne continue et redondante de la métonymie dans ses formes diverses; Lacan s'y abandonne à l'entraînement de l'« efficacité symbolique », comme il le montre de Dupin — le héros d'Edgar Poe — dans le séminaire de la *Lettre volée*: « [...] Sans avoir besoin [...] d'écouter aux portes du professeur Freud, il ira très droit là où gît et gîte ce que ce corps est fait pour cacher, en quelque beau mitan où le regard se glisse, voire à cet endroit dénommé par les Séducteurs le château Saint-Ange, dans l'innocente illusion où ils s'assurent de tenir là la Ville ».

Mais c'est pour affirmer aussitôt que l'efficacité symbolique ne s'arrête pas là. Car « le signifiant [...] n'est, par sa nature, symbole que d'une absence ». Elle suppose aussi le jeu des « non-tropes », figures de construction, figures de style dont la raison est de dissimuler et qui, par le déplacement, l'ellipse, l'allusion, la réflexion, renvoient au foyer symbolique absent ou caché, le processus en miroir de la métaphore par excellence, l'image absente mais supposée de l'autre, centre et principe du discours symbolique. Constante de notre tradition poétique, de Scève à Mallarmé, c'est la seconde ascendance littéraire du texte lacanien. Art de l'absence et du déplacement : « C'est qu'on ne peut dire, à la lettre, que ceci manque à sa place, que de ce qui peut en changer, c'est-à-dire est symbolique ».

Voilà l'expression manifeste, dans le style du discours lacanien, de ce qui en est le principe théorique. Ce déploiement rhétorique et poétique tient en ces quelques formules et en quelques autres qui en résument le processus analytique : « L'inconscient est structuré comme un langage »; « L'inconscient, c'est le discours de l'autre »; « Le style c'est [...] l'homme à qui l'on s'adresse... ». Propositions qui conduisent sa démarche jusqu'à la découverte et à l'analyse du « stade du miroir » comme étape première de la formation du symbole — et de ses deux composantes formelles, où il s'organise : la chaîne métonymique et l'acte métaphorique.

Le style de Lacan apparaît bien comme l'objet de sa recherche, et son œuvre comme le miroir de cet « objet » (le « discours de l'autre ») « [...] qui traverse le sujet sans qu'ils se pénètrent en rien », objet, pour reprendre encore ses propres termes, « qui répond à la question sur le style, que nous posons d'entrée de jeu. A cette place que marquait l'homme pour Buffon, nous appelons la chute de cet objet, révélante de ce qu'elle l'isole, à la fois comme la cause du désir où le sujet s'éclipse, et comme soutenant le sujet entre vérité et savoir ».

« Entre vérité et savoir... », tout est dans l'instance — et dans l'inconstance — de ces figures de l'illusion que fait surgir le style, inventant sinon une discipline et une école, comme le crurent et le voulurent certains, du moins une démarche, ouvrant un chemin poétique vers la connaissance. Sans nier l'apport théorique que représente la définition du stade du miroir, on peut penser que c'est là que s'exercera le plus durablement l'influence de Lacan, le rendant à une tradition poétique où, parmi les surréalistes, il se situa lui-même dès l'origine.

BIBLIOGRAPHIE

La bibliographie critique de Jacques Lacan est innombrable, et le serait encore davantage si l'on prenait en considération tout ce que, de près ou de loin, son œuvre a inspiré. Nous ne proposons ici que quelques titres d'ouvrages ou d'articles sur la langue et le style.

Catherine Clément-Backès, « Lacan ou le Porte-Parole », *Critique*, nº 249, févr. 1968; Georges Mounin, « Quelques Traits de style de Lacan », *N.R.F.*, nº 33, 1969; Philippe Boyer, « le Roi du fou, le fou du roi (M. Blanchot, G. Bataille, J. Lacan) », *Change*, sept. 1972; Alfredo Zenoni, « Métaphore et métonymie dans la théorie de J. Lacan », *Cahiers internationaux de symbolisme*, nºs 31-32, 1976; Barbara Johnson, « the Frame of Reference: Poe, Lacan, Derrida », *Yale French Studies*, nºs 55-56, 1977; Stuart Schneiderman, « Lacan et la littérature », *Tel Quel*, nº 84, 1980; Serge Doubrovsky, « Vingt Propositions sur l'amour-propre. De Lacan à la Rochefoucauld », *Cahiers Confrontation*, janv. 1980.

A. LE PICHON

LACASCADE Suzanne. V. Caraïbes et Guyane. Littérature d'expression française.

LA CEPPÈDE Jean de (vers 1550-1623). Originaire de Marseille, La Ceppède fait carrière dans la magistrature et devient conseiller au parlement d'Aix. Grâce à sa fidélité à la cause royale au temps de la Ligue — et peut-être sur une intervention personnelle de son ami Malherbe —, il obtient la charge de premier président de la chambre des comptes de Provence (1608). Auteur d'une *Imitation des Psaumes de la pénitence* suivie de *Douze Méditations* (1594), il a consacré l'essentiel de son activité littéraire à ses *Théorèmes sur le sacré mystère de nostre redemption*, dont les deux parties (1613 et 1621) comportent respectivement 300 et 215 sonnets. Il s'éteint en Avignon âgé de soixante-treize ans. Les *Théorèmes* — ce titre doit être pris au sens étymologique de « méditations » — apparaissent à la fois comme un itinéraire spirituel et comme l'épopée mystique du Christ montant au Calvaire. Trois moments forts scandent ce parcours : la nuit de Gethsémani (liv. I, art. 1), l'*Ecce homo* (liv. II) et le cri sur la croix (liv. III). Exclusivement composée de sonnets qui forment chaînes, grappes, cristaux d'un même bloc, les *Théorèmes* entrelacent le récit de l'Évangile, assez fidèlement suivi, et les apartés du croyant qui partage, de station en station, les « mystiques étreintes » de son Rédempteur. Un même nœud enserre la chair martyrisée du Christ et l'âme « resserrée, captivée » du fidèle (I, 91). L'architecture baroque de la conception d'ensemble se révèle dans les éclairages abrupts : le Christ mourant s'offre tout en contraste de fleurs et de fruits (II, 70), et, devant Pilate, l'antithèse de sa chair humiliée et de la gloire divine qu'elle masque s'affirme dans l'opposition du « Sonnet en rouge » (II, 54), évoquant l'écarlate du manteau d'infamie, et du « Sonnet en blanc » (II, 69), qui se dissout dans l'« étincelant pennage » de l'Esprit saint.

BIBLIOGRAPHIE

Les Théorèmes sur le sacré mystère de notre rédemption. Reproduction de l'édition de Toulouse de 1613-1621, avec une introduction de Jean Rousset, Genève, Droz, 1966.

A consulter. — Pierre Clarac, « Jean de La Ceppède », dans *IVe Centenaire de la naissance de Malherbe*, Aix, 1956; François Ruchon, *Essai sur la vie et l'œuvre de Jean de La Ceppède*, Genève, 1953; Lance K. Donaldson-Evans, *Poésie et Méditation chez Jean de La Ceppède*, Genève, Droz, 1969.

F. LESTRINGANT

LA CHAUSSÉE Pierre Claude Nivelle de (1692-1754). « On nous promet pour le premier jeudi de Carême, ou pour le mercredi des Cendres, un sermon du Révérend Père de La Chaussée sur "le retour sur soi-même". Déjà toutes les chaises sont retenues ». L'annonce humoristique de *l'École de la jeunesse* qu'on trouve dans le *Journal historique* de Collé rend bien compte du caractère moralisateur de la « comédie larmoyante », genre mis à la mode par le talent de La Chaussée, et qui devait ouvrir la voie au « drame bourgeois » de Sedaine et Diderot.

Ce serait pourtant beaucoup limiter l'œuvre de cet auteur dramatique que de la réduire à une telle production. Fournisseur des théâtres publics ainsi que des théâtres privés de Mme de Pompadour ou du comte de Clermont, il tente sa chance dans les parades et dans les tragédies; il broche des comédies romanesques (*le Rival de lui-même,* 1746; *l'Amour castillan,* 1747) et s'efforce de faire revivre la comédie aristophanesque (*les Tirynthiens,* 1754) aussi bien que la tragi-comédie du siècle précédent (*la Princesse de Sidon,* 1754, et son personnage de Mélisende). Ni sa vie ni son œuvre ne permettent de l'identifier au moralisme pathétique et didactique de ses plus grands succès. Ce fils de bonne bourgeoisie parisienne, ancien élève du collège Louis-le-Grand, mène une vie heureuse et fréquente les joyeuses sociétés du comte de Livry ou des « dîners du bout du banc ». De caractère et d'esprit assez caustiques, un moment touché par la banqueroute de Law, il retrouve chaque fois l'équilibre, le succès et, dit-on, les joies d'amours dépourvues d'élans mystiques. Il n'est pas non plus dévoré par la passion de la carrière littéraire : à quarante et un ans (1733), avec sa *Fausse Antipathie,* il aborde les théâtres publics. S'il y exploite les ressources littéraires de la vertu et des larmes, c'est pour répondre à l'attente de son époque. En son for intérieur, sans doute préfère-t-il la libre expansion que son héroïne Katinon propose aux Tirynthiens : « La nature est avant les lois,/Le plaisir est l'âme du monde ».

La célébrité lui vint grâce aux pièces que Gustave Lanson plus tard devait qualifier de « larmoyantes ». *Le Préjugé à la mode* (1735), *Mélanide* (1741), *la Gouvernante* (1747), *l'École des mères* (1744) ou même *l'École des amis* (1737) connurent un succès qui compense largement l'accueil sévère que reçurent *l'École de la jeunesse* (1749) ou *l'Homme de fortune* (1751).

Fondée sur l'observation des inégalités sociales — mais non celles qui touchent le vrai peuple, représenté seulement par quelques valets ou suivantes, beaucoup moins nombreux que dans la comédie traditionnelle, et qui n'apportent ici ni leur habituelle fantaisie ni leurs revendications parfois vindicatives —, l'œuvre de La Chaussée présente tout un cortège de nobles en exil, de bourgeois menacés dans leurs affaires financières et de femmes souffrant de l'infériorité sociale de leur sexe. Cette inégalité est la source principale des obstacles qui retardent l'heureux dénouement des comédies; à quoi peuvent s'ajouter les tyrannies de la mode (ainsi le « préjugé » qui couvre de ridicule l'amour conjugal), ou le parti pris des parents qui, pour établir leurs enfants, préfèrent la fortune à l'amour. Pour compliquer l'intrigue, faire naître le pathétique et retarder le dénouement, La Chaussée utilise toutes les ficelles du romanesque : quiproquos et méprises entretenus jusqu'au dernier instant, père cru mort réapparaissant à point nommé, gouvernante qui n'est autre que la mère de son élève, père cachant chez lui sa fille à l'insu de tous, alors qu'on la croit au couvent...

Dans ce monde à la fois vrai par l'observation des inégalités et faux par la mise en œuvre d'obstacles qui, en réalité, n'en sont point, Nivelle de La Chaussée fait circuler des héros qu'animent la vertu, le devoir et les bons sentiments. On y pleure beaucoup. Larmes de tristesse, parce que le malheur — le plus souvent inattendu — accable les personnages, et parce que leur vertu empêche la réalisation de leurs désirs : familles unies ou mariages heureux. Mais aussi larmes de joie, parce qu'à la dernière minute le jeu des reconnaissances permet d'effacer les obstacles. Comment d'ailleurs ne pas trouver une *happy end,* lorsque les faiblesses des héros ne sont que des erreurs passagères, ou lorsque « les vices de l'esprit ne sont pas ceux du cœur »? Le volage mari du *Préjugé à la mode* revient à sa femme sans les arrière-pensées du comte Almaviva retrouvant la comtesse, et Mélanide récupère aisément son époux devenu sans le savoir le rival en amour de son propre fils : « Madame, vous voyez dans quelle douce chaîne/Aussi bien que l'amour le devoir me ramène ».

L'alliance d'une dramaturgie romanesque et d'une psychologie optimiste autorise un triple mouvement dans la démarche idéologique de ce théâtre. Au milieu des préjugés et des inégalités dont ils souffrent, certains personnages manifestent quelque velléité de révolte : « Quoi, les hommes ont-ils d'autres droits que les nôtres? » s'exclame la jeune Sophie du *Préjugé*; et le fils du financier Brice, l'« homme de fortune », exhale sa fureur contre les avantages dont jouissent dans la carrière militaire les nobles de vieille souche. C'est ici presque le « vous vous êtes donné la peine de naître » de Figaro. Mais le sentiment du « devoir » étouffe aussitôt la révolte : « Le devoir d'une femme est de paraître heureuse », dit l'épouse délaissée, et Brice fils, s'adressant au grand seigneur dont il aime la fille : « Du fond de mon néant j'envisage l'espace/Que je ne puis franchir, à moins que vos bontés/Ne daignent m'élever jusqu'à vous... ». Il ne reste plus aux personnages de haut rang qu'à faire montre de leur générosité : « Renaissez dans mon sein, ma fille est votre bien ».

Tel est ce monde à la fois bourgeois — où les personnages qui ont l'aveu de l'auteur s'appliquent à faire coïncider le paraître avec l'être, au contraire des nobles écervelés et de leurs imitateurs — et cornélien, puisque le devoir et la vertu y conduisent à la réconciliation générale. On constatera donc sans surprise que le style de La Chaussée, où règnent ces alexandrins que plus tard le drame bourgeois saura abandonner, bien loin d'être l'archétype de l'écriture sensible que Lanson voulait y trouver, est essentiellement un démarquage bourgeois de la langue de la tragédie classiques. « Respectez à la fois Méranie et ma gloire/[...] Adieu, même en mourant je ne sais qu'obéir » C'est ainsi qu'on s'exprime chez le financier Brice...

BIBLIOGRAPHIE

Lanson avait consacré à *Nivelle de La Chaussée et la comédie larmoyante* sa thèse de doctorat (Paris, 1887). On lira *Mélanide* dans le *Théâtre du XVIIIe siècle* (Ier vol.) préparé par J. Truchet pour la Bibl. de la Pléiade, Gallimard, 1972.

R. LANDY

LACLOS Pierre Ambroise Choderlos de (1741-1803). Le scandale qui, en son temps et presque jusqu'au nôtre, entoura Laclos et *les Liaisons dangereuses* a aujourd'hui disparu. Restent deux énigmes : celle d'un écrivain amateur, produisant presque à son premier essai un chef-d'œuvre d'analyse psychologique et d'élaboration narrative; et surtout celle d'un roman par lettres à la signification ambiguë, prétendant condamner le libertinage du XVIIIe siècle tout en l'incarnant dans la fascinante figure de Mme de Merteuil, une « Ève satanique » (Baudelaire); s'attachant moins peut-être à décrire l'affrontement du libertin et de la société que le dérèglement généralisé des principes de l'un et de l'autre. Bref, un roman dont « les ouvertures vers des interprétations opposées » (T. Todorov) ajoutent à un érotisme elliptique le plaisir plus moderne encore d'un incertain dialogue entre le texte et le lecteur.

Un officier au-dessus de tout soupçon

La vie de Laclos ne livre guère le secret de son chef-d'œuvre. Officier de carrière, il écrit peu, et la tradition rousseauiste, dont il paraît se réclamer dans ses lettres ou ses rares ouvrages, ne s'exprime que de biais dans *les Liaisons dangereuses.* Né à Amiens dans une famille de petite noblesse, il choisit l'armée par vocation et l'artillerie par nécessité : c'est une arme « technique », et l'on n'y regarde pas de trop près à la naissance. A partir de 1763, la France est en paix, et Laclos, qui sort de l'École militaire de La Fère, doit subir une triste vie de garnison : Toul, Strasbourg, Grenoble — où, d'après une tradition accréditée par Stendhal, se seraient trouvés les modèles réels des *Liaisons* —, Besançon, Valence. Une carrière sans histoire, avec pour seule évasion des poèmes galants (*les Désirs contrariés, les Souvenirs*), des contes érotiques (*la Procession, le Bon Choix*), généralement publiés dans *l'Almanach des Muses*. Son *Ernestine*, opéra-comique tiré d'un roman « sensible » de Mme Riccoboni, joué à la Comédie-Italienne, connaît un échec immédiat (1777).

En 1779, nommé capitaine, Laclos est envoyé à l'île d'Aix, au large de Rochefort, pour en construire les fortifications. C'est dans cette solitude, à Paris aussi où il se rend en permission, que mûrissent *les Liaisons dangereuses*. Le roman paraît en mars 1782 : triomphe (deux mille exemplaires vendus en un mois), scandale. Laclos part précipitamment pour La Rochelle afin d'en restaurer l'arsenal. Dans la bonne société rochelaise, il rencontre Marie-Soulange Duperré à laquelle il fait un enfant, puis qu'il épousera (en 1786), avec qui enfin il connaîtra un bonheur conjugal authentique, fût-il vécu et exprimé au travers de références littéraires à la mode : « Rousseau a écrit presque tout ce que tu m'as inspiré et tu m'inspires encore... ». Laclos affiche encore ce rousseauisme dans un article sur *Cecilia* (roman de l'Anglaise Francesca Burney) où il note : « *la Nouvelle Héloïse*, le plus beau des ouvrages produits sous le titre de roman » (1784); enfin dans trois textes inachevés, regroupés par ses éditeurs sous le titre *De l'éducation des femmes* (à partir de 1783), féconde grille de lecture pour *les Liaisons*, et où les thèses du *Discours sur l'inégalité*, largement reproduites, conduisent au même pessimisme : « La femme sociale n'est pas susceptible d'éducation ». Le troisième texte, nettement plus tardif (entre 1795 et 1802, selon Laurent Versini), tentera cependant la gageure.

Nouveau scandale : en 1786, devenu lui-même un spécialiste en la matière, Laclos se livre à une critique en règle du système de fortifications conçu et réalisé par Vauban (*Lettre à MM. de l'Académie française sur l'éloge de M. de Vauban*); l'année suivante, il propose un curieux projet de numérotage des rues et maisons de Paris, fondé sur un découpage de la ville en carrés. En 1788, retour à la vie civile. Le duc d'Orléans engage Laclos comme « secrétaire des commandements », et aussi pour tenir sa plume. Au nom de Philippe-Égalité, dont il partage du reste les vues progressistes, Laclos rédige des *Instructions aux assemblées de bailliage* (1789), un *Exposé de la conduite de M. le duc d'Orléans* (1790), le *Journal des amis de la Constitution* (1790-1791). Danton, son autre protecteur, le fait nommer en 1792 commissaire du pouvoir exécutif, et il contribue, par ses conseils, à la victoire de Valmy; général de brigade, il participe à la mise au point du « boulet creux ». Emprisonné sous la Terreur, libéré après Thermidor, Laclos donne alors son point de vue sur les origines et les objectifs souhaitables de la Révolution (*De la guerre et de la paix*, 1795). En 1800, Bonaparte, qui a apprécié son rôle lors du 18-Brumaire, l'envoie comme général de brigade à l'armée du Rhin, puis l'emmène en Italie (1800-1801). Nommé en 1803 commandant de l'artillerie française de Naples, il meurt de la dysenterie à Tarente, cette même année.

Depuis longtemps (cf. ses *Observations du général Laclos sur le roman théâtral de M. Lacretelle aîné*, 1803), il songeait à un nouveau roman qui, à l'image du *Fils naturel* de Louis Lacretelle (1802), eût été, cette fois, « le roman des liaisons heureuses » (L. Versini).

Le roman par lui-même

Au siècle de *Clarisse Harlowe* et de *la Nouvelle Héloïse*, le choix par Laclos de la forme épistolaire n'a rien d'original. Mais *les Liaisons dangereuses* vont plus loin, en conférant à cette forme une nécessité impliquée par le contenu même du récit. Car la lettre se donne ici comme un élément constitutif de la stratégie libertine; elle permet de nouer et d'entretenir une « liaison » que le code social interdit d'établir au niveau de la parole, et d'investir ainsi peu à peu l'« esprit » de la victime désignée : « Vous m'entourez de votre idée plus que vous ne le faisiez de votre personne » (lettre 66, Mme de Tourvel à Valmont). Cependant l'ambition explicite du libertin n'est pas seulement de conquérir mais de perdre sa victime, de « publier » sa déchéance et celle de la morale qu'elle prétendait défendre en produisant dans le public, sur le « grand théâtre », la lettre d'amour qui en portera témoignage : « Dans les affaires importantes, on ne reçoit de preuves que par écrit » (lettre 20, Mme de Merteuil à Valmont). Or, dans *les Liaisons dangereuses*, cette stratégie échoue : la lettre d'amour de Mme de Tourvel n'arrivera jamais (Laclos l'avait rédigée, puis à juste titre supprimée), sinon sous la forme d'un délire épistolaire (lettre 156) dicté au moment de sa mort par la Présidente, qui échappera ainsi de justesse à la « perte » sociale à quoi Valmont l'avait condamnée. Les « liaisons dangereuses » ont donc pour condition de possibilité à la fois le consentement de Mme de Tourvel à poursuivre la « liaison » épistolaire et le retard, justifié par divers attendus psychologiques — craintes, pudeur, etc. —, apporté à la rédaction de cette fameuse « preuve » : « L'œuvre n'existe que dans l'acte de différer sa propre fin » (M. Roëlens).

Écrire/décrire

Moteur et enjeu de l'intrigue libertine, la lettre des *Liaisons* élimine systématiquement toute information périphérique sur les lieux, les objets, l'« époque », etc. Mais cette omission est en soi significative. Elle désigne un milieu social élevé et homogène, où l'on sait écrire : symboliquement Émilie, la « fille d'opéra », est réduite au rôle de pupitre pour Valmont; un milieu où les objets sont toujours disponibles, donc inintéressants en soi, et réduits à leur seule valeur fonctionnelle : une clef, un déshabillé, une « ottomane »; où, d'un château à l'autre, chacun évolue en des décors identiques, qu'il est par conséquent inutile de détailler. Effacement qui valorise le seul objet digne d'attention, car toujours il se désire et se renouvelle : la lettre. De même se trouve soulignée la distance qui sépare les correspondants au détriment des lieux où ils se trouvent : distance « psychologique » et nullement topographique, car on franchit comme un trait les quelques lieues qui séparent de Paris le château de Mme de Rosemonde, lequel à l'inverse peut se distendre pour donner lieu à un échange de lettres : Valmont et Mme de Tourvel s'y écrivent d'une chambre à l'autre (lettre 40). Dans cet espace aussi réel qu'un échiquier, seule compte la position des « pièces », leur capacité de prendre ou d'être prises; d'où ces métaphores guerrières fréquentes chez les libertins (« une victoire complète, achetée par une campagne pénible, et décidée par de savantes manœuvres », lettre 125, Valmont à Mme de Merteuil), qui sont celles aussi du joueur.

Il pourrait toutefois sembler paradoxal de confier à la lettre, écriture solitaire, la fonction de rendre compte d'une vie sociale essentiellement orale, fondée sur la conversation mondaine et la vie de salon. Mais ce n'est là pour Laclos qu'un paraître ritualisé, ce « grand théâtre » dont parle Mme de Merteuil, tandis que le moi véritable ne se donne à voir que dans le secret de ses lettres; surtout le moi du libertin, que l'hypocrisie sociale contraint à dissimuler. Dédoublement vécu à son plus haut degré par ces Valmont et Merteuil qui échangent une correspondance scandaleuse tout en jouant pour la galerie les amoureux et les prudes et qui empruntent aux livres le naturel qui leur manque : « Je lis un chapitre du *Sopha*, une lettre d'*Héloïse* et deux *contes* de La Fontaine pour recorder les différents tons que je voulais prendre » (Mme de Merteuil à Valmont, lettre 10). Ce qui leur confère une redoutable supériorité sur ces « sentimentaires » tout d'une pièce, et aveuglés par leur passion, machines à sentiment dont les libertins démontent les rouages : « Vous ne possédez absolument que sa personne; je ne parle pas de son cœur, dont je me doute bien que vous ne vous souciez guère; mais vous n'occupez seulement pas sa tête » (Mme de Merteuil à Valmont, lettre 113). Face à la subtilité de ces analyses, la naïveté de Cécile, marquée par le retour obsessionnel du mot « bien » (« je vous aime bien », « je suis bien malheureuse », etc.) et le « je » mal assuré de Mme de Tourvel assaillie par des interrogations douloureuses : « Cet empire que j'ai perdu sur mes sentiments, je le conserverai sur mes actions [...]. Ne vaut-il pas mieux pour tous deux faire cesser cet état de trouble et d'anxiété? » (à Valmont, lettre 90). Infériorité encore soulignée par la juxtaposition des lettres portant sur un événement identique. La bonne œuvre de Valmont racontée par celui-ci à Mme de Merteuil apparaît comme ce qu'elle est : une manœuvre tactique (lettre 21), alors que Mme de Tourvel la prend pour argent comptant (lettre 22). Les *Liaisons* apparaissent ainsi comme un récit à deux voix : d'un côté l'illusion, de l'autre la vérité que détiennent les seuls libertins et qui est comme le signe de leur pouvoir sur le monde.

La transgression généralisée

« Ne jamais écrire », proclame Mme de Merteuil dans sa grande lettre autobiographique (lettre 81). « Quelle femme pourrait avouer être en correspondance avec vous? » demande Mme de Tourvel à Valmont (lettre 43). La lettre est donc une transgression à la règle, tant celle des libertins que celle des gens honnêtes, causant finalement la perte des uns et des autres. L'accumulation d'une correspondance explosive entre Valmont et Mme de Merteuil instaure entre eux un véritable équilibre de la terreur : une fois celui-ci rompu, Valmont sera tué en duel par Danceny (« perdre » une femme ne va pas sans risques : d'où à nouveau le bien-fondé d'une phraséologie militaire), et Mme de Merteuil condamnée à la mort sociale; enfin, les aveux écrits de Cécile constituent un accablant dossier dans les mains de Mme de Merteuil, et Mme de Tourvel n'est sauvée du déshonneur que par la mort. Pourquoi dès lors cède-t-on à la si dangereuse tentation de l'écriture? Pour le libertin, il s'agit de témoigner avec éclat de sa double nature, de trouver un public pour saluer sa performance : « Écoutez, et ne me confondez plus avec les autres femmes » (Mme de Merteuil à Valmont, lettre 85). Pour les « vertueux », écrire donne l'illusion de tenir le péché à distance, alors même que s'établit une « liaison » interdite. Et c'est ici qu'affleure le rousseauisme fondamental de Laclos. Moins sans doute dans la nostalgie d'une pureté originelle corrompue par la vie sociale et les dangers du rituel mondain (*cf.* la lettre 32) que dans l'expression romanesque d'un thème philosophique précis : celui de l'écriture, comme cause et symptôme de la dégradation des mœurs, « supplément » pervers et mensonger venu se substituer à la parole translucide des premiers temps. Rousseauisme droit venu du *Discours sur l'inégalité*, et de *l'Essai sur l'origine des langues*. Cécile, « élève » de Valmont et de Mme de Merteuil, est invitée par la marquise à « soigner davantage [son] style » (lettre 105) : symboliquement, l'apprentissage du vice va de pair avec celui de l'écriture.

La « morale » des *Liaisons*

Comme récit, *les Liaisons dangereuses* posent un problème de vraisemblance : comment le « rédacteur » de la préface a-t-il pu recevoir communication des lettres, les rassembler alors qu'elles devraient se trouver dans les mains de leurs destinataires? Laclos se refuse à toute supercherie (lettres mystérieusement découvertes, etc.), si bien que le récit impose ses servitudes à l'histoire : il faut que dans celle-ci les libertins aient rompu la loi du silence; dès lors, puisque nous les lisons, les lettres les plus triomphantes de la marquise disent aussi sa perte future. Dans le dénouement, par contre, tout n'est pas imposé par la loi du récit. On y trouve en effet un luxe narratif, un quelque chose de plus qui dit l'intention moralisatrice de l'auteur : l'issue fatale pour Valmont de son duel avec Danceny, les épreuves qui s'abattent sur Mme de Merteuil (petite vérole, ruine, etc.)... Mais cette gratuité est équivoque : n'est-ce pas un hommage ironique rendu aux bonnes mœurs, une punition des méchants comme on n'en voit que dans les contes? D'où les interprétations divergentes que suscite cette fin des *Liaisons*, et partant l'œuvre entière. Si l'on se refuse à chercher le sens du roman à l'extérieur de lui-même (par exemple dans *De l'instruction des femmes*, dans l'édifiante *Ernestine*), il est permis d'y voir aussi bien une condamnation du libertinage qu'un « vrai manuel de la débauche » (Gide). A moins que l'infraction à l'ordre du récit commise par Laclos, et de quelle indiscrète manière, ne soit le reflet formel de cette « inconséquence » générale (lettre 32) qui, libertins et « vertueux » confondus, apparaît comme le propre d'une époque contradictoire où « tout-le-monde aime contre le principe qui lui interdit d'aimer » (J. Rousset).

Les Liaisons dangereuses. — Invité par son ancienne maîtresse, Mme de Merteuil, à séduire la jeune Cécile Volanges, fiancée à un homme dont elle souhaite se venger (lettre II), le vicomte de Valmont lui oppose un refus : il a jeté son dévolu sur la vertueuse Présidente de Tourvel (IV). Mais celle-ci repousse avec horreur les avances du libertin, tandis que Cécile vit son premier amour avec le jeune Danceny (XVI). De lettre en lettre la Présidente paraît céder peu à peu, mais sa conduite reste irréprochable. Bientôt le ton s'aigrit entre les deux complices; Mme de Merteuil se moque des fausses manœuvres de Valmont (XXXIII), lui donne une leçon de méthode dans une longue lettre autobiographique (LXXXI), et, par défi, feint de se laisser séduire par le beau Prévan à qui elle inflige une punition cruelle (LXXXV). Cependant Valmont, ayant appris le rôle joué par Mme de Volanges, la mère de Cécile, qui l'a démasqué auprès de la Présidente (IX), entre dans le jeu de Mme de Merteuil et, avec la complicité involontaire de Danceny, devient l'amant de Cécile (XCVI). La Présidente de Tourvel se refuse toujours, malgré l'amour qui la dévore. Invoquant une prétendue conversion et sous prétexte de lui rendre ses lettres, Valmont obtient un rendez-vous; elle cède enfin (CXXV). Mais Mme de Merteuil ayant exigé de Valmont, qui désire renouer avec elle, le sacrifice préalable de sa nouvelle conquête, le libertin mis au défi envoie à la Présidente que pourtant il aime une lettre de rupture. « Ce n'est pas ma faute... » (CXLII). Cependant Mme de Merteuil se dérobe : c'est « la guerre » (CLIII). Les libertins s'entredétruisent en divulguant leurs lettres : Danceny, outré, tue Valmont en duel; Mme de Merteuil, déconsidérée, frappée par la petite vérole, s'enfuit; Mme de Tourvel meurt, Cécile entre au couvent et Mme de Volanges se lamente (CLXXV).

BIBLIOGRAPHIE

Laclos, *Œuvres complètes*, éd. par Laurent Versini, Paris, Gallimard, Bibl. de la Pléiade, 1979. Cette édition, qui fait aujourd'hui autorité, réunit *les Liaisons dangereuses*, *Des femmes et de leur éducation*, des textes de critique littéraire, des « pièces fugitives » en vers, la *Lettre* sur Vauban, le *Projet de numérotage des rues de Paris*, divers opuscules politiques et la correspondance de Laclos. *Les Liaisons dangereuses* sont disponibles dans de nombreuses éditions, notamment celle de Y. Le Hir, Paris, Garnier, 1952, qui offre une étude sur la langue et le style de Laclos, et celle de R. Pomeau, Paris, Imprimerie nationale, 1981. **A consulter.** — Une excellente introduction d'ensemble qui tient compte des acquis de la critique la plus récente : R. Pomeau, *Laclos*, Paris, Hatier, 1975; les quelques pages consacrées aux *Liaisons* par J. Rousset, dans *Forme et signification*, Paris, Corti, 1962, et par H. Coulet dans *le Roman jusqu'à la Révolution*, Paris, Colin, 1967, t. I; deux lectures célèbres, par A. Malraux, « Laclos » dans le *Tableau de la littérature française des* XVII*e et* XVIII*e siècles*, Paris, Gallimard, 1939, reprise comme préface aux *Liaisons* dans la collection Folio (« cette belle confiance en la puissance de l'esprit sur la vie »), et par Roger Vailland, *Laclos par lui-même*, Paris, Le Seuil, 1953 (les *Liaisons* comme roman révolutionnaire et le libertinage comme « jeu de société dramatique »). La recherche actuelle sur les *Liaisons* développe la thèse d'un Laclos moraliste, proche de Richardson et de Rousseau : voir à ce sujet L. Versini, *Laclos et la tradition*, Paris, Klincksieck, 1968. L'on s'attache simultanément à analyser le fonctionnement dans les *Liaisons* de la forme épistolaire : J.-L. Seylaz, *« les Liaisons dangereuses » et la création romanesque chez Laclos*, Genève, Droz, 1958; T. Todorov, « les Catégories du récit littéraire », *Communications* n° 8, 1966; M. Roëlens, « le Texte et ses conditions d'existence : l'exemple des *Liaisons dangereuses* », *Littérature*, févr. 1971. On lira aussi : C. Belcikowski, *Poétique des « liaisons dangereuses »*, Corti, 1972; S. Diaconoff, *Eros and Power in « les liaisons dangereuses »*, Genève, Droz, 1979; et deux recueils collectifs, « Laclos », *R.H.L.F.*, juil.-août 1982, et *Laclos et le libertinage*, P.U.F., 1983.

J.-P. DE BEAUMARCHAIS

LACORDAIRE Jean-Baptiste Henri Dominique (1802-1861), généralement connu sous le nom du père Lacordaire. Prêtre, prédicateur et écrivain, le père Lacordaire appartient au mouvement du renouveau catholique qui traverse tout le XIXe siècle. Il convient de le replacer dans l'évolution du néo-catholicisme qui va pivoter autour de Lamennais.

Avant de participer aux combats autour de Lamennais, Lacordaire connaît une évolution classique : perte de la foi au cours de ses études; retour dans le giron de l'Église, après la lecture du *Génie du christianisme* : « Si je cherche au fond de ma mémoire les causes logiques de ma conversion, je n'en découvre pas d'autres que l'évidence historique et sociale du christianisme »; entrée au séminaire en 1824, où il se nourrit de Pascal, Bossuet, Joseph de Maistre et Bonald; découverte de Lamennais.

Dès lors, Lacordaire participe à part entière aux combats de *l'Avenir*, mais il rompt avec Lamennais sur la question des rapports avec Rome : « Sans renoncer à mes idées libérales, je comprends et je crois que l'Église a eu de très sages raisons, dans la profonde corruption des partis, pour refuser d'aller aussi vite que nous l'aurions voulu », écrit-il le 11 décembre 1832 à Lamennais.

Sa carrière s'infléchit vers la prédication (il occupe la chaire de Notre-Dame en 1835 et 1836) et la renaissance dominicaine (1839, *Mémoire pour le rétablissement en France de l'ordre des frères prêcheurs*). Il mène de pair la réfutation des positions mennaisiennes par ses *Considérations sur le système philosophique de M. de La Mennais* (1834). La révolution de 1848 le verra à la Constituante, qu'il quittera en mai. Il meurt au monastère de Sorèze, dans le Tarn.

Par la diffusion des idées libérales dans les milieux catholiques, par l'accent mis sur le renouveau monastique, Lacordaire mérite le qualificatif de prêtre engagé, et il a exprimé cet engagement par un discours et une écriture qui font jouer la rhétorique du pathétique : « Assemblée, assemblée, dites-moi : que me demandez-vous? Que voulez-vous de moi : la vérité? Vous ne l'avez donc pas en vous. Vous la cherchez donc. Vous voulez la recevoir, vous êtes venus ici pour être enseignés » (*Conférence de Notre-Dame*, 1835); « Vous êtes français, je le suis comme vous. Libres et fiers, je le suis comme vous » *(ibid.)*.

BIBLIOGRAPHIE

Œuvres complètes, 1872 (rééditées en fac-similé, O.L.M.S.). **A consulter.** — L.C. Sheppard, *Lacordaire, a Biographical Essay*, Londres, 1964; Maurice Escholier, *Lacordaire ou Dieu et la liberté*, 1959. On peut également consulter les *Lettres à Madame Scetchine*, Genève, Slatkine Reprints, 1980. Une étude traditionaliste : Marteau de Langle, de Cary et Jean-Guy Monneret, *Prophète en son pays : Lacordaire*, Apostolat de la presse, Société Saint-Paul, 1961.

G. GENGEMBRE

LACRETELLE Jacques de (né en 1888). Né dans le Mâconnais, Jacques de Lacretelle a pris très tôt le goût des voyages, son père étant diplomate. Son éducation aussi élargit son horizon : après avoir fréquenté le lycée Janson-de-Sailly, il poursuivit ses études à l'université de Cambridge. C'est après la Première Guerre mondiale qu'il commença de se faire connaître en littérature, avec un roman, *la Vie inquiète de Jean Hermelin* (1920), qui reprenait un thème alors à la mode : celui de l'adolescence. A travers l'histoire d'un personnage timide et fier, il trouvait l'occasion de dépasser sa propre jeunesse. Comme ses amis Proust et Rivière, il cherchait aussi à explorer les moyens du récit et à tenir compte des idées nouvelles en psychologie : le roman, écrit à la première personne, se présente comme le carnet tenu par un héros soucieux de comprendre son itinéraire, interrompu à sa mort à la guerre en 1914. La forme choisie imposait presque cette fin au roman, sous peine d'en faire un journal perpétuel de l'auteur.

Mais c'est *Silbermann* (prix Femina en 1922) qui devait permettre à Lacretelle d'être vraiment connu et reconnu. Comme on colle habituellement sur lui l'étiquette de romancier d'analyse, on présente d'ordinaire *Silbermann* comme un roman où Lacretelle se penche sur l'« âme juive ». La question était d'ailleurs à la mode depuis l'affaire Dreyfus. En fait, de ce point de vue, même si c'est avec talent, Lacretelle ne fait que reprendre les idées en usage sur les juifs, et il ne se montre guère plus original dans sa peinture de l'antisémitisme. En revanche, la structure même de l'œuvre est beaucoup plus intéressante. Silbermann, personnage principal du roman, n'est pas le personnage central : il est vu de l'extérieur, par un narrateur qui va se rapprocher vers lui en s'éloignant de ses anciens amis antisémites. Le récit repose sur une dialectique opposant rejet et sympathie, mouvement vécu par un narrateur d'autant plus sensible qu'il n'est pas tout à fait comme les autres, lui non plus, puisqu'il est protestant. Ce roman est donc un roman de la différence, de la difficulté (illustrée aussi bien par le narrateur que par Silbermann) que tout homme rencontre pour satisfaire à deux exigences : le maintien de son originalité et le besoin de s'intégrer à un milieu. Le mécanisme même du racisme se trouve ainsi mis en évidence. On peut reprocher à Lacretelle, dans la suite qu'il donna en 1930 à son livre (*le Retour de Silbermann*), d'avoir réduit le problème à sa dimension psychologique.

Entre-temps, il avait publié un autre roman, *la Bonifas* (1925), et un recueil de quatre nouvelles, *l'Âme cachée* (1928). *La Bonifas* avait des relents de naturalisme, mais Lacretelle, influencé par la psychanalyse, y développait une idée qui lui tenait à cœur : « Il n'est rien qui ne soit inclus en nous dès l'origine ». Ce qui pour lui imposait une double nécessité au romancier : « montrer la trame permanente » des caractères et « exploiter dans une large mesure le pressentiment ».

Lacretelle devait donner une œuvre importante avec un roman cyclique, *les Hauts-Ponts*, composé de quatre volumes — *Sabine* (1932), *les Fiançailles* (1933), *Années d'espérance* (1935) et *la Monnaie de plomb* (1935) — qui montrent l'attachement d'une femme, Lise Darembert, au domaine vendéen qui obsède sa vie. Le talent de l'auteur reçut alors une consécration officielle : Lacretelle fut élu à l'Académie française (1936). Mais cela n'interrompit pas sa carrière : après la Seconde Guerre mondiale, il publia notamment *le Pour et le Contre* (1946), *Deux Cœurs simples* (1953) et *les Vivants et leur ombre* (1977), souvenirs et essais qui éclairent son œuvre romanesque.

Silbermann. — Au lycée où il va entrer en troisième, le narrateur découvre l'antisémitisme de ses amis. Surgit un nouvel élève, un juif, Silbermann, accueilli avec froideur (I). Silbermann se distingue tout de suite par son intelligence, sa culture et son goût pour la littérature. Il cristallise ainsi la haine des autres. Seul le narrateur est fasciné : c'est le début de son amitié avec Silbermann, qui l'isole de ses anciens camarades (II). Reçu chez Silbermann, dont le père est un riche antiquaire, le narrateur découvre chez son ami une volonté farouche de s'intégrer à la France (III). Mais, après avoir fait sa connaissance, les parents du narrateur s'inquiètent de l'assurance de Silbermann et du pouvoir qu'il a sur leur fils. Par ailleurs, à l'occasion d'élections, l'antisémitisme se déchaîne jusque dans le lycée, et Silbermann est victime de brimades de plus en plus violentes. Le narrateur et lui sont mis en quarantaine par les autres élèves (IV). Un été passe; à la rentrée (V), la position de Silbermann devient plus critique encore : une plainte a été déposée contre son père pour achat et recel d'objets volés. Il demande au narrateur d'intervenir auprès de son père, qui se trouve être le juge d'instruction désigné pour l'affaire; non seulement la démarche échoue, mais encore les parents du narrateur font chasser Silbermann du lycée, trouvant que les relations qu'il entretenait avec leur fils étaient dangereuses pour lui et pour eux (VI). Dix jours plus tard, Silbermann apprend à son ami qu'il va partir pour les États-Unis (VII). Bien que convaincu de la culpabilité de Silbermann père, le père du narrateur, cédant à des pressions politiques, fait rendre un non-lieu, et obtient l'avancement qu'il convoitait. Le narrateur se rend ainsi compte de « l'imperfection humaine » (VIII); mais il va aussi découvrir la sienne : à la fin, il renoue avec ses anciens camarades, en se laissant même aller à une lâcheté gratuite.

BIBLIOGRAPHIE
Une seule synthèse, en anglais : Douglas Alden, *Jacques de Lacretelle, An Intellectual Itinerary*, New Brunswick, New Jersey, Rutgers University Press, 1958.

C. LESBATS

LA CROIX DU MAINE, François Grudé, sieur de [en latin **Crucimanius**] (1552-1592). Avec Antoine Du Verdier, La Croix du Maine est l'un de ces bibliographes passionnels sans lesquels notre connaissance des œuvres et des auteurs du XVIe siècle ne serait pas ce qu'elle est.

Né au Mans, il vient à Paris chargé de projets et de manuscrits où il tente en vain d'intéresser les autorités à sa passion. On l'aperçoit cependant dans l'entourage d'un mécène cultivé, René de Voyer, sieur de Paulmy. Il finit assassiné à Tours par des fanatiques qui le soupçonnaient d'être protestant.

Après Conrad Gessner, en même temps que Claude Fauchet mais en portant l'essentiel de son attention sur les seuls écrivains contemporains, il conçoit l'idée d'une histoire littéraire, et il entreprend de réunir les matériaux qui permettront de l'écrire. La *Bibliothèque françoise* (1584), fruit d'une gigantesque enquête épistolaire, se propose de dresser un catalogue de la production en langue vulgaire classée selon l'index alphabétique des prénoms. Place est faite aux inédits et même aux projets d'œuvres. En même temps qu'il enregistre les ouvrages édités, La Croix du Maine tient compte des velléités d'écriture de ses correspondants.

Venu à la fin du siècle, son livre, qui se veut mémoire de tous les livres qui sont (ou vont être) imprimés à son époque, lutte contre l'oubli et la destruction. Il constitue pour le sociologue un document unique sur l'origine et les goûts des auteurs du moment, et pour le chercheur un instrument de travail où figurent nombre d'ouvrages et d'éditions perdus depuis.

> La Croix du Maine est fou; il avoit une chambre toute pleine de lettres de divers personnages mises dans des armoires, *in nidis*; j'y allai, et en sortant, Aurat (= Dorat) me dit, *oscura diligentia*, car il ne prononçoit point le B. Telles gens sont des crocheteurs des hommes doctes, qui nous amassent tout; cela nous sert beaucoup, il faut qu'il y ait de telles gens.
>
> (*Scaligerana*, édition de 1667, p. 147).

BIBLIOGRAPHIE
De conserve avec celle de Du Verdier, la *Bibliothèque françoise*, assortie d'annotations complémentaires, a été réimprimée au XVIIIe siècle par Rigoley de Juvigny (Paris, 1776, 6 vol.), édition reproduite depuis par Slatkine Reprints (Genève, 1975).
A consulter. — G. Huppert, *l'Idée de l'histoire parfaite*, Paris, Flammarion, « Nouvelle Bibliothèque scientifique », 1970, p. 193-200, et les actes du colloque Renaissance-Classicisme du Mans, Paris, Nizet, 1973.

M. SIMONIN

LACROSIL Michèle. V. CARAÏBES ET GUYANE. Littérature d'expression française.

LA FARE Charles Auguste, marquis de (1644-1712). « Je sais, sans me flatter d'une vaine apparence,/Que c'est à mes défauts que je dois mes vertus », dit La Fare de lui-même dans une « Ode à la vérité ». L'orgueilleuse modestie de ces vers peint parfaitement un homme qui échappa à toutes les gloires par une sorte d'inadvertance. Saint-Simon dit de lui : « Tout le monde l'aimait », mais il trouva le moyen de ruiner sa carrière en s'attirant la haine de Louvois.

Né à Valgorge, en Vivarais, issu d'une ancienne et illustre maison languedocienne, il parut à la Cour à dix-huit ans, promis au plus brillant avenir, comblé de tous les dons, ajoutant à la naissance la prestance, la valeur et un esprit poli par une éducation soignée. Il chercha la faveur sur les champs de bataille, d'abord, en 1664, avec le contingent d'aristocrates envoyé par Louis XIV à l'empereur pour combattre les Turcs et qui se fit décimer en Hongrie à la bataille de Raab. Puis, de 1671 à 1674, il se distingua dans la guerre contre la Hollande, avec Condé à Senef, avec Turenne en Alsace. En vain. On retenait ses affaires de duel, on oubliait ses mérites.

Destitué des jouissances de l'ambition, il lui restait les plaisirs du corps, du cœur et de l'esprit. Avec son inséparable, l'abbé de Chaulieu, il les cultiva pendant près de quarante années. La Fare est une figure marquante de la société libertine de la fin du siècle, férue de science, de poésie et de débauche. On le trouve dans l'entourage de Mme de La Sablière d'abord, à qui le lia une passion exemplaire; de la duchesse du Maine et des Vendôme ensuite.

Il vint tard à l'écriture. Il se dit lui-même, dans une « Ode à la Muse lyrique », « né poète à cinquante ans ». Ses poésies circulèrent longtemps en manuscrit. Les hardiesses de leur contenu et la modestie de leur auteur les vouaient à une existence clandestine. Les premières à être éditées le seront avec les œuvres de Chaulieu, en 1724 et 1731; il faudra attendre 1755 pour voir un recueil assez complet des poésies de La Fare paraître à Londres. Chaulieu le considère comme un « Maître libertin de la rime,/Sur qui Phébus a répandu/Le badinage et le sublime ». Il définit ainsi la double vocation de sa poésie. La Fare revendique, en effet, l'héritage de Marot, qu'il trouve moins « gothique » que Ronsard. Mais, outre des pièces légères et galantes, madrigaux, chansons, on trouve chez lui un ensemble important d'*Odes*, à contenu philosophique, où s'exprime un épicurisme profond qui renoue avec la doctrine authentique. Avec des accents empruntés à Lucrèce, il chante la volupté, « âme de toute la nature, reine de la terre et des cieux ». Il dénonce le scandale de l'intolérance religieuse et formule, dans une « Ode à l'honneur de la religion », une profession de foi déiste :

> Heureux qui, respectant la majesté suprême,
> Se livrant tout entier aux mains d'un Dieu qu'il aime,
> Aux lois de sa raison accorde ses désirs.
> Jamais dans ses besoins le ciel ne l'abandonne,
> La volupté le sert, le calme l'environne,
> Et toute la nature a soin de ses plaisirs.

Voltaire s'est trop hâté de trouver ses vers mauvais, peut-être pour éviter de reconnaître la dette, considérable, qu'il a envers lui. On trouve chez La Fare, remarquable précurseur des idées du XVIIIe siècle, non seulement les thèmes voltairiens de la tolérance et du rationalisme, mais aussi les thèmes rousseauistes, plus affectifs, de la primitive bonté de l'homme et de la vanité des ambitions. Ce lyrisme philosophique, où l'on perçoit cependant le frémissement discret d'une âme sensible, a été mal reconnu. Hector Malot, au XIXe siècle, tranche avec sévérité : « Ses vers ne méritent pas d'être lus aujourd'hui ».

Il ajouta à son œuvre de nombreuses traductions en vers de poèmes d'Horace, Virgile, Lucrèce, Tibulle, Catulle, Lucain, qui ne sont pas indignes de leurs modèles, ainsi que le livret d'une tragédie lyrique, *Penthée.*

L'autre volet de son œuvre, les *Mémoires et réflexions sur les principaux événements du règne de Louis XIV et sur le caractère de ceux qui y ont la principale part,* parus à Rotterdam en 1716, deux ans après sa mort, ont beaucoup fait pour sa réputation. C'est un contresens que d'y voir, comme certains l'ont fait, l'œuvre d'un courtisan aigri par la disgrâce. Il se flattait seulement de « penser librement et même d'oser écrire la vérité » et possédait la lucidité et la franchise d'un spectateur observant sans prévention ni indulgence la politique de son temps. A aucun moment, dans son livre, La Fare ne pratique un dénigrement systématique, et l'éloge, sous sa plume, s'il refuse l'hyperbole dans le superlatif même, n'en prend que plus de relief. Il dira par exemple de Turenne : « De tous les hommes que j'ai connus, c'est celui qui m'a paru approcher le plus de la perfection ». Les *Mémoires,* dans lesquels souffle constamment un esprit de liberté, expriment une extrême sévérité contre la montée et les excès du despotisme sous le règne de Louis XIV. Ce Languedocien n'aura pas de mots assez durs pour flétrir les conversions forcées. Il ne néglige pas pour autant la petite histoire. Son livre fourmille d'anecdotes sur la vie des héros et des princes, où « ce n'est qu'amour et guerre ». Sainte-Beuve a mis La Fare au-dessus de Saint-Simon : « Ce que Saint-Simon dit en débordant, La Fare le dit d'un mot en courant, mais on a la note la plus juste ».

BIBLIOGRAPHIE

Après les éditions du XVIIIe siècle, on trouve encore des éditions des *Poésies* de Chaulieu et La Fare en 1825. La dernière édition des *Mémoires* est de 1884. Des *Poésies inédites du marquis de La Fare* ont été publiées par Gustave L. Van Roosbroeck (notice et commentaire en anglais), Paris, Champion, 1924.

A consulter. — Frédéric Lachèvre, *les Derniers Libertins,* Paris, 1924.

O. BIYIDI

LA FAYETTE

LA FAYETTE ou **LAFAYETTE, Marie-Madeleine Pioche de La Vergne, comtesse de** (1634-1693). Si Mme de La Fayette a pu être reconnue comme « la plus grande romancière française », c'est sans doute en dépit d'elle-même, qui prit tant de soin à ne pas paraître « auteur ». Son œuvre, assez mince (deux nouvelles, des fragments de Mémoires, deux romans, dont *la Princesse de Clèves,* vraie Joconde de la littérature), recouvre en fait la plus grande révolution de l'histoire du roman. Avec l'abandon d'un climat et de formes héritées de l'épopée, Mme de La Fayette défend sans doute les droits du naturel et du vraisemblable, mais surtout elle introduit l'auteur dans le récit, présence complexe et ambiguë qui implique une vision du monde, impose un regard. De plus, née elle-même de conversations et de collaborations diverses, cette œuvre romanesque, qui suscita dès sa parution débats et polémiques, consacre l'importance d'une perspective sociale qui sera l'avenir du genre. La vérité du personnage est à rechercher dans l'auteur, celle de l'auteur dans ses lecteurs; en même temps qu'une histoire, le roman décrit son fonctionnement et suggère sa lecture. Il est devenu genre majeur, son hégémonie commence.

« Le Brouillard »

Ainsi la nommaient ses amis, et, après eux, la postérité ne parvient pas à décider si Mme de La Fayette fut un être fragile et languissant ou une politique ambitieuse et passionnée d'intrigue. Mme de Sévigné, sa meilleure amie, parle de « sa divine raison », et, en tout cas, le monde des lettres ne l'ignore pas, car elle figure, très jeune, dans le *Dictionnaire des Précieuses* de Somaize, dans le *Cercle des femmes savantes* de La Forge ou dans la *Pléiade des dames illustres* de Caillères. On dit d'elle, sous le portrait d'Hypéride, dans *l'Amour échappé* (1669) : « Elle écrit parfaitement bien, et n'a nul empressement de montrer ses ouvrages ».

Dès sa naissance — à Paris —, on peut la situer dans un univers protégé : de très petite noblesse par son père — Marc Pioche, seigneur de La Vergne, est « écuyer » —, elle se rattache par sa mère, Isabelle Péna, à une famille de médecins et de savants humanistes. Son parrain est le marquis de Brézé, maréchal de France, et sa marraine Mme du Combalet, nièce de Richelieu, future duchesse d'Aiguillon, à qui Corneille va dédier *le Cid.* Après une petite enfance passée au Havre, où son père exerçait le commandement de la place, Marie-Madeleine rentre à Paris avec sa famille en 1640. Capitaine et ingénieur de formation, son père est précepteur d'un neveu du père Joseph (l'« Éminence grise ») et reçoit chez lui le père de Blaise Pascal, l'abbé d'Aubignac, le poète Jean Chapelain. L'enfant doit écouter beaucoup. La légende veut qu'elle ait été présentée très tôt à l'Hôtel de Rambouillet, alors très déclinant. Elle a quinze ans à la mort de son père, et sa mère se remarie, un an plus tard, avec le chevalier de Sévigné, janséniste et frondeur, oncle de la jeune marquise de Sévigné avec laquelle se lie très vite Marie-Madeleine. Grâce à la duchesse d'Aiguillon, Mlle de La Vergne est nommée fille d'honneur de la reine, et c'est dans ce cercle qu'elle observe la Cour et ses manèges. En même temps, elle fréquente les Scarron, dans le sillage de sa mère, et aussi le savant Ménage, qui lui voue une amitié amoureuse et lui apprend le latin, l'italien, l'espagnol. La Fronde lui fait suivre ses parents en Anjou, où Sévigné est exilé. L'abbé Arnauld, qui la rencontre alors, lui reconnaît « tous ces talents acquis et naturels qui la distinguent si bien aujourd'hui parmi toutes les personnes de son sexe ». Le savant Costar la qualifie d'« incomparable » tandis que Ménage lui dédie ses commentaires de l'*Aminta* et lui envoie de Paris la *Clélie* de Mlle de Scudéry. Rentrée à Paris, elle épouse le comte François de La Fayette, veuf et plus âgé qu'elle de vingt ans, de vieille noblesse auvergnate. Elle suit son mari en Auvergne, où elle lit beaucoup; en 1658, elle met au monde un premier fils, Louis (futur prêtre, qui mourra en 1729), et, en 1659, un second fils, René Armand (futur soldat, qui mourra en 1694).

Après le décès de sa mère en 1660, Mme de La Fayette rentre à Paris et s'installe rue de Vaugirard, moins, semble-t-il, à la suite d'une mésentente conjugale que pour mieux gérer les intérêts des La Fayette et plaider leurs nombreux procès. « Jamais femme sans sortir de sa chambre n'a fait de si bonnes affaires... Elle a cent bras, elle atteint partout » (Sévigné). Elle publie son premier écrit, un portrait de Mme de Sévigné, dans le recueil de Mademoiselle, chez qui elle a rencontré Segrais et Huet, qui seront ses collaborateurs. Elle fréquente beaucoup, du fait de son appartenance à la maison de la reine, Madame (Henriette d'Angleterre), qu'elle a connue enfant au couvent de Chaillot; en 1662, elle publie *la Princesse de Montpensier* : « Elle court le monde, mais par bonheur ce n'est pas sous mon nom », et, la même année, rencontre le duc de La Rochefoucauld. Elle est assidue à l'Hôtel de Nevers, chez les Plessis-Guénégaud, foyer de jansénisme et d'opposition discrète au régime, ce qui ne l'empêche pas d'entretenir de parfaites relations avec la Cour. En 1671, Louis XIV lui fait les honneurs de Versailles « comme un particulier qu'on va voir dans sa campagne » (Sévigné); c'est pourtant le temps où elle commence à préférer la solitude de sa campagne de Saint-Maur aux intrigues mondaines : « Paris me tue ».

Sous le nom de Segrais, elle fait paraître *Zaïde* (2 vol., 1670-1671), roman héroïque hispano-mauresque au goût du jour, qui obtient un vif succès. Car depuis Segrais lui-même et ses *Nouvelles françaises* (1656) et le *Journal amoureux* de Mme de Villedieu (1669-1671), la nouvelle historique est à la mode, et Mme de La Fayette travaille, dans l'intimité de La Rochefoucauld, à *la Princesse de Clèves,* qui paraît chez Barbin le 18 mai 1678, après au moins cinq ans d'élaboration. La mort du chevalier de Sévigné laisse Mme de La Fayette à la tête d'une solide fortune, mais, en 1680, elle perd La Rochefoucauld, et c'est pour elle un coup très rude. Elle continue pourtant de beaucoup recevoir dans son Hôtel de la rue Férou, où Corneille, La Fontaine, Retz sont venus lire leurs œuvres. Très liée avec Louvois, elle fut peut-être son intermédiaire entre lui et la cour de Savoie. Elle entretient de 1680 à 1690 une correspondance suivie avec Lescheraine, secrétaire de Madame Royale. M. de La Fayette meurt en 1683. Mme de La Fayette commence la rédaction de ses *Mémoires de la cour de France, pour les années 1688 et 1689,* s'occupe de payer les dettes de ses fils, marie le cadet à Mlle de Marillac en 1689, « une alliance agréable, tous les Lamoignon » (Sévigné). Sa santé ne cesse de s'affaiblir : « Je suis toujours triste, chagrine, inquiète [...], je me désapprouve continuellement ». Elle correspond avec Rancé, mais c'est l'oratorien janséniste Du Guet qui la rapproche de Dieu quand vient la fin.

Une œuvre-écho

Peut-être mue par le sentiment, commun à l'époque, que le métier d'écrivain ne convient pas à une grande dame, Mme de La Fayette s'inquiète : « On croira que je suis un vrai auteur de profession de donner comme cela mes livres ». Ce qui ne l'empêche pas d'agir en écrivain de métier : pour *la Princesse de Montpensier,* elle revoit avec soin les épreuves : « Il y a une faute à la 58e page qui ôte tout le sens! » Surtout, sous la pudeur aristocratique, s'exprime le désir de se faire le juste écho d'une société d'honnêtes gens occupés avec passion à ne pas être dupes des apparences, à déchiffrer le caché, les mystères de la conscience et du cœur. Nées d'un questionnement collectif, les œuvres de Mme de La Fayette soumettent à l'épreuve d'un vécu romanesque les maximes du monde. Le texte constitué fait le prétexte d'autres conversations, réclame un discours critique, seul capable de dégager un sens. On a beaucoup insisté (André Beaunier, Émile Magne) sur tout ce que la romancière doit à Ménage, qui lui fournit sa documentation historique. C'est à Segrais qu'elle doit son initiation aux techniques romanesques. Le *Traité de l'origine des romans* de Huet (publié avec *Zaïde*) éclaire beaucoup les conceptions de Mme de La Fayette et de ses amis : « Rien ne dérouille tant un esprit nouveau venu des universités, ne sert tant à le façonner et à le rendre propre au monde que la lecture des bons romans ».

La romancière se veut avant tout moraliste. La vraie nature de ses rapports avec La Rochefoucauld importe moins que les effets de cette relation privilégiée. En 1664, date de la publication des *Maximes,* Mme de La Fayette écrit : « Quelle corruption il faut avoir dans le cœur et l'esprit pour imaginer tout cela! » Elle reconnaîtra plus tard : « M. de La Rochefoucauld m'a donné de l'esprit, mais j'ai réformé son cœur ». Du reste, ses nouvelles, qui sont ses œuvres les plus sévères sur la faiblesse humaine, sont antérieures aux *Maximes,* et c'est à vingt ans à peine que Mlle de La Vergne écrivait : « Je suis si persuadée que l'amour est une chose incommode que j'ai de la joie que mes amis et moi en soyons exempts ». C'est Mme de Sévigné qui a le mieux évoqué le rapport si original entre les deux écrivains : « Il me paraît qu'à la Cour, on n'a pas le loisir de s'aimer. Le tourbillon qui était si violent pour tous était paisible pour eux et donnait un grand espace au plaisir d'un commerce délicieux ». L'amitié qui unit l'épistolière et la romancière procède d'une vision du monde assez proche qui nourrit la substance morale de *la Princesse de Clèves* : même méfiance envers la passion, même perspective féministe sur le mariage qui aliène la femme et ne sert que l'homme, même refus janséniste de « trouver auprès des casuistes des accommodements entre leur vie mondaine et leurs aspirations religieuses » (Francillon). Plus que Descartes, c'est Pascal qui influence les deux femmes, l'auteur de ces *Pensées* dont Mme de La Fayette pensait que de ne pas les goûter était un bien mauvais signe. *La Princesse de Clèves* peut aussi se lire comme l'histoire d'une conversion. La part de tant d'influences prouve surtout « la coïncidence incertaine du sujet de l'écriture et du sujet vivant » (M. Laugaa).

L'invention de l'auteur

« Je le trouve très agréable, bien écrit sans être extrêmement châtié, plein de choses d'une délicatesse admirable et qu'il faut relire plus d'une fois, et surtout, ce qui s'y trouve, c'est une parfaite imitation du monde de la Cour et de la manière dont on y vit. Il n'y a rien de romanesque et de grimpé. Aussi n'est-ce pas un roman. C'est proprement des Mémoires, et c'était, à ce que l'on m'a dit, le titre du livre, mais on l'a changé » (lettre de Mme de La Fayette à Lescheraine, 13 avril 1678). Ainsi, tout en niant être l'auteur de *la Princesse de Clèves,* Mme de La Fayette, à l'abri du masque de critique, pose-t-elle son œuvre comme une sorte d'anti-roman.

De fait, dès 1678, le livre parut à ce point issu des préoccupations mondaines — une femme doit-elle avouer à son mari qu'elle en aime un autre que lui? Un amant doit-il être heureux que sa maîtresse aille seule au bal? etc. — que les commentaires qu'il suscita furent vite aussi célèbres que lui. Ce fut le cas de la correspondance semi-privée échangée à ce sujet entre Mme de Sévigné et Bussy-Rabutin, des articles et de l'enquête à propos de l'« aveu » dans *le Mercure galant* (janvier-octobre 1678), et surtout des deux livres inspirés par *la Princesse de Clèves :* les *Lettres à la marquise de XXX...*, par Valincour, et la réponse à ce livre, par l'abbé de Charnes, avec sa *Conversation sur la critique de « la Princesse de Clèves »* (1679).

Un tel succès prouve moins l'habileté d'une campagne publicitaire qu'une implication évidente des lecteurs par une littérature de la réalité morale, à cent lieues de l'idéalisme romanesque traditionnel : l'auteur se montrant d'autant plus efficace qu'il s'efface derrière son livre de « Mémoires ». Bussy lui-même, pourtant si sévère, a bien senti l'originalité révolutionnaire du livre : « L'auteur, en le faisant, a plus songé à ne pas ressembler aux autres romans qu'à suivre le bon sens ». Le cœur de la « querelle » sur *la Princesse de Clèves* — querelle presque aussi chaude que celle du *Cid* en 1637 — porte précisément sur la « vraisemblance » du comportement des héros, et surtout de l'héroïne, avec son refus ultime du monde et de l'amour et la condamnation qu'elle entraîne d'une société contemporaine tout entière dénoncée dans ses illusions.

Mais il faut attendre le premier tiers du XVIIIe siècle et la publication posthume des œuvres « historiques » de Mme de La Fayette (*Histoire de Madame,* 1724, *Mémoires de la cour de France pour 1688 et 1689,* 1731) pour que cette lecture « sociologique » soit vraiment assumée. Réalisme insuffisant, selon Prévost : « En voulant peindre les hommes au naturel, on y fait des portraits trop charmants de leurs défauts ». Cependant Rousseau espère que pour ce qui est de l'impression de l'authentique du cœur, la quatrième partie de sa *Nouvelle Héloïse* n'est pas indigne de *la Princesse de Clèves.* Et Stendhal, après lui, impose l'idée que le mystère d'une telle œuvre a sa source dans le secret d'une vie. En 1880, la découverte de la correspondance de Mme de La Fayette avec la cour de Savoie vient charger d'ombres le personnage. De là certaine tendance à privilégier le génie volontariste et quasi viril de la romancière, c'est le cas chez Gustave Lanson, qui parle de « transposition du tragique cornélien ».

La critique moderne, elle, a substitué à l'auteur caché l'image de la femme glorifiée par son œuvre. « Usage double, note Laugaa, d'un roman exemplaire proposé par les tenants de la tradition comme un manuel de savoir-vivre [...] ou condamné comme le premier maillon d'une chaîne scandaleuse ».

Les esquisses d'un chef-d'œuvre

Tous les écrits de Mme de La Fayette vont à *la Princesse de Clèves* comme les rivières se jettent dans la mer. C'est pourquoi, sans évoquer le problème d'attributions modernes douteuses (*le Triomphe de l'indifférence, Isabelle*), sans s'arrêter à l'*Histoire de Madame* (1669), qui est déjà l'histoire d'une femme plongée dans l'enfer des intrigues de cour, ni même aux intéressants *Mémoires de la cour de France,* nous ne retiendrons que le cas des deux nouvelles que la romancière composa vraisemblablement à la même époque, soit vers 1660-1662; *la Princesse de Montpensier* et *la Comtesse de Tende,* formes resserrées et traitement plus radical d'une problématique commune. Dans les trois cas, il s'agit en effet de la faute commise par une femme mariée : dans les trois cas, le cadre historique, choisi en utilisant un habile décalage, n'est ni une Antiquité de fantaisie ni la France contemporaine, mais la cour des Valois, où le mélange de violence et de raffinement va permettre un jeu de miroirs où se reconnaîtra sans peine la société de Louis XIV. Une même musique anime les mises en situation initiales, où le symbole amorce déjà un dévoilement du sens : « Pendant que la guerre civile déchirait la France sous le règne de Charles IX, l'amour ne laissait pas de trouver sa place parmi tant de désordres et d'en causer beaucoup dans son empire » (*la Princesse de Montpensier*).

Dans *la Princesse de Montpensier,* le mariage de la jeune femme est d'abord présenté comme lié à la rivalité entre la maison de Bourbon et la maison de Guise. Le politique empoisonne déjà tout. Retirée à sa campagne de Champigny, l'héroïne est « assiégée » par deux amoureux, le duc de Guise, qu'elle a autrefois aimé, et le duc d'Anjou. Le mari n'aime sa femme que parce qu'il la sait courtisée. De plus, le comte de Chabannes, ami du prince et confident de la princesse, éprouve pour celle-ci la plus violente passion; il va jusqu'à aider la jeune femme à recevoir secrètement Guise et sauve les apparences quand le mari va surprendre sa femme sur le point de succomber. Chabannes meurt pendant la Saint-Barthélemy, Guise s'éloigne et oublie la princesse, qui meurt « d'avoir perdu l'estime de son mari, le cœur de son amant et le plus parfait ami qui fût jamais ».

La nouvelle intitulée *la Comtesse de Tende* est plus cruelle encore. Ici également le mari ne s'intéresse à sa femme que lorsqu'il soupçonne l'intérêt que lui porte le chevalier de Navarre, lequel est fiancé à la princesse de Neufchâtel. La comtesse, après avoir poussé Navarre au mariage, devient sa maîtresse au lendemain des noces. Malgré une tromperie des amants, le mari finit par apprendre la vérité. La guerre éloigne Navarre : il y meurt. Mais la comtesse attend un enfant de lui, le comte reçoit avec mépris l'aveu de sa faute, et elle meurt en couches.

On le voit, l'abandon de l'idéalisme héroïque dans les deux nouvelles illustre pleinement la distinction de Segrais entre le roman et la nouvelle, genre neuf : « Le roman écrit les choses comme la bienséance le veut et à la manière du poète [...]; mais la nouvelle doit un peu davantage tenir de l'histoire et s'attacher à donner les images des choses comme d'ordinaire nous les voyons arriver... » (*Nouvelles françaises,* 1656).

L'Histoire n'occupe dans les nouvelles de Mme de La Fayette qu'un rôle secondaire, les grands événements se situant dans le lointain; mais le milieu mondain et son rituel contraignant pèsent fortement sur les personnages en leur imposant les masques exigés par la « réputation ». Monde hypocrite qui ne connaît d'autres lois que celles du désir ou de l'ambition. Les hommes attaquent, les femmes succombent, le mensonge et l'inconstance menacent tous les rapports. Partout l'amour, pitoyable ou ridicule, met en péril l'ordre social. Nulle morale ne semble habiter ces aristocrates tout débordants de vie violente : le comte de Tende se réjouit de la mort de sa femme; Chabannes, repoussé par Mme de Montpensier, se détruit comme ferait un personnage de Dostoïevski, acceptant toutes les humiliations. L'originalité des nouvelles éclate si on les compare à celles de l'époque, qu'elles soient de Saint-Réal ou de Mme de Villedieu. La même ligne narrative confond l'historienne et la psychologue qui laisse ses personnages se révéler par leurs seules actions et ne se risque qu'à de rares aphorismes, tel « ce doute que l'amour-propre nous laisse toujours pour les choses qui coûtent trop cher à croire ». Mais ce n'est que dans la perspective de l'héroïne que nous sentons avec Mme de Tende que « la honte est la plus violente de toutes les passions ». Par ces effets de raccourci, par toute une esthétique d'angles marqués et de lumière froide, les nouvelles de Mme de La Fayette, de très loin, annoncent le meilleur Mérimée, comme le ton de la chronique évoque la passion future de Flaubert pour le style nu. Une vision du monde est déjà en place, qu'un certain schématisme tire presque vers la satire. Il reste à la romancière à trouver une forme.

	VIE		ŒUVRE
1634	Naissance à Paris de Marie-Madeleine de La Vergne, baptême à Saint-Sulpice.		
1649	Mort du père. **La Fronde.**		
1650	Remariage de la mère avec Renaud de Sévigné, Mlle de La Vergne est nommée fille d'honneur de la reine. **Fin des troubles.**		
1652	Le chevalier de Sévigné, partisan de Retz, est exilé en Anjou.		
1655	Mlle de La Vergne épouse le comte François de La Fayette.		
1658	Naissance de Louis de La Fayette.		
1659	Naissance de René Armand de La Fayette.		
1661	Après la mort de sa mère, Mme de La Fayette rentre à Paris. **Mort de Mazarin, début du règne personnel de Louis XIV et mariage d'Henriette d'Angleterre avec Monsieur, frère du roi.**		
		1662	*La Princesse de Montpensier.*
1664	*Maximes* de la Rochefoucauld.		
		1669	*Zaïde* (premier volume).
1670	**Mort de Madame.**		
		1672	Mme de La Fayette commence à travailler à *la Princesse de Clèves.*
1676	Mort du chevalier de Sévigné.		
1677	*Phèdre* de Racine.		
		1678	*La Princesse de Clèves.*
1680	Mort de La Rochefoucauld.		
1683	Mort de M. de La Fayette. **Louis XIV épouse Mme de Maintenon.**		
1689	Mariage de René Armand de La Fayette avec Mlle de Marillac, dont il aura une fille.	1689	Mme de La Fayette entreprend la composition des *Mémoires de la cour de France...*
1693	Mort de Mme de La Fayette, à Paris.		

La Princesse de Clèves

Les quatre « volumes » de *la Princesse de Clèves* (1678) ne correspondent pas à quatre parties : le récit, d'un seul tenant, se déroule sur un an, en 1559, sous le règne de Henri II, entre le mariage des princesses royales et la mort du roi.

Synopsis. — Après une longue présentation de la Cour et de ses principaux acteurs — Diane de Poitiers, Catherine de Médicis, la Dauphine, Marie Stuart —, est introduit le personnage de Mlle de Chartres, riche et belle héritière élevée loin des intrigues, qui, peu après son arrivée, épouse par raison le prince de Clèves, qui l'aime de passion. Au cours d'un bal, la princesse rencontre le duc de Nemours, le plus séduisant des gentilshommes : c'est entre eux le coup de foudre. Tandis que le duc en prend aussitôt conscience, la princesse, instruite par sa mère du danger des liaisons, résiste longtemps à son trouble, mais — surtout après la mort de sa mère — avec de plus en plus de mauvaise foi. Des épisodes adventices (les amours du roi et de Diane; celles d'Henri VIII, l'histoire de Mme de Tournon), loin de briser le fil du récit, élaborent, dans la perspective de l'héroïne, la suite de ces « peintures de l'amour » qui devraient l'avertir de son destin malheureux, mais qu'elle ne comprendra que trop tard. Au cours d'un séjour dans ses terres de Coulommiers, Mme de Clèves cède aux soupçons de son mari et lui avoue, en implorant sa protection contre elle-même, qu'elle est éprise d'un autre homme; bientôt M. de Clèves n'ignore plus que Nemours est son rival heureux — à la faute près. Tandis que les amants s'abandonnent, chacun de son côté, aux rêveries de l'amour, le prince se laisse mourir de douleur, la princesse se retire dans ses terres. Une entrevue a lieu, où les amants se parlent pour la première et dernière fois à cœur ouvert. La princesse refuse de revoir Nemours et renonce à jamais au monde.

La Princesse de Clèves doit se lire comme un livre de Mémoires : la lettre de Mme de La Fayette à Lescheraine le dit clairement. D'où, pour des lecteurs comme Bussy ou Valincour, le reproche d'anachronisme, même si Mme de La Fayette a pris soin de définir ses protagonistes comme non historiques. On fut même étonné de ne retrouver que rarement dans le fil du récit les figures célèbres posées à l'introduction. C'est justement que le point de départ, a-romanesque, n'est purement descriptif que pour que l'action romanesque, avec l'apparition du duc de Nemours, soit ressentie comme la rupture d'un ordre, désir et obstacle, condition du roman et fondement du récit. Dès lors, l'ample prélude « historique » de même que les intrigues secondaires fonctionnent autour de l'action centrale comme à l'intérieur d'une composition musicale, avec effets d'échos et de contrepoint. L'héroïne « lira » son histoire à la fin du roman seulement. Pour Mme de La Fayette — comme plus tard pour Flaubert —, il n'y a pas d'« éducation sentimentale » possible. Mais alors, où se situe la réalité? Dans l'ordre historique ou dans l'expérience passionnelle représentée comme désordre? Le génie de Mme de La Fayette tient dans ce vertige créé : « Si vous jugez sur les apparences dans ce lieu-ci, vous serez souvent trompé : ce qui paraît n'est presque jamais la vérité ». Seul le retour sur soi, fatalement vécu après l'acte aveugle, ramène l'être à la conscience du réel, tout trouble qu'il soit. On peut aussi percevoir indirectement la vérité, comme dans la scène de Coulommiers, où le rôle de l'amant se confond avec celui du voyeur.

Dans le jeu des regards et des silences, le regard d'autrui est seul perspicace. D'où le caractère dramatique des rencontres, traitées ici en gros plan et au ralenti, où l'être craint de se trahir et s'échappe à soi-même, pour se découvrir dans la solitude « avec étonnement ». Ainsi, le « commentaire » de l'auteur se confond avec celui de ses personnages.

« L'auteur derrière sa toile » (Abbé de Charnes)

Peu de romanciers ont à un tel point recherché ce degré d'effacement à travers cet « état égal et uni » du style qui, négligences comprises, est la manière de Mme de La Fayette. Le plus souvent, elle se borne à ne soulever qu'un pan du voile : ainsi dans cette scène extraordinaire où la princesse éprouve par anticipation la souffrance de la jalousie en lisant une lettre qu'elle croit adressée à Nemours. A mesure, d'ailleurs, que l'héroïne prend ses distances par rapport au monde, la construction en double fond s'amenuise, le regard d'autrui comme révélateur psychologique s'impose moins; avec l'importance accrue du soliloque de la princesse de plus en plus lucide, la romancière finit par déléguer à son personnage la prérogative de déchiffrement du réel, trahissant du même coup la sympathie qui lie le créateur à sa créature. C'est dans cette perspective que la scène de l'entrevue finale avec Nemours se charge d'une telle profondeur. L'auteur et le personnage étant à ce point confondus, le roman court à sa clôture.

Un monde de ténèbres et de lumière

« L'aveu de Mme de Clèves à son mari est extravagant [...], Il est ridicule de donner à son héroïne des sentiments si extraordinaires » (Bussy-Rabutin). Ainsi le roman put-il apparaître comme invraisemblable, par rapport à un « devant être », c'est-à-dire à une idéologie. *La Princesse de Clèves* dénonce la mise en équation du monde et fait passer aux maximes l'examen du romanesque assimilé au vécu : avec elle, les *a priori* n'ont plus cours, et le roman n'est plus que le lieu de l'affrontement du personnage, de l'auteur et du lecteur, le sens se dégageant de leurs seuls rapports. L'étonnement que causa le livre est bien dû à cette mise en place d'un personnage hors du commun défiant le comportement habituel des gens de cour. Peut-être faut-il voir en Mme de Clèves l'exemple de l'un des pièges les plus subtils de l'amour-propre : « Je sais bien qu'il n'y a rien de plus difficile que ce que j'entreprends ». Le refus de la vie serait-il le seul choix de la liberté? L'illusion ou la nostalgie du bonheur parsèment pourtant ce livre sombre d'îlots lumineux : l'éblouissante apparition du bal, la nuit de Coulommiers, Mme de Clèves rêvant devant le portrait de Nemours, l'image discrètement sensuelle de ses cheveux défaits — poésie troublante mais nécessaire, car liée à cette autre invention de Mme de La Fayette qui est la mémoire de ses héros. Les images pèsent sur les destins. « Divertissement » — mais au service du dévoilement des ténèbres —, l'ouvrage de Mme de La Fayette est peut-être le plus chrétien de son temps. Ayant accompli le récit d'un désir et de son refus, l'écrivain s'arrête sur le seuil d'une conversion qui ne relève plus de l'écriture.

BIBLIOGRAPHIE GÉNÉRALE

Il n'existe pas d'édition des œuvres complètes de Mme de La Fayette; la meilleure édition pour les romans et nouvelles est l'édition Garnier, due à E. Magne, avec une introduction et des notes de A. Niderst (1961). Pour *la Princesse de Clèves,* l'édition d'A. Adam dans *Romanciers du XVIIe siècle* (Gallimard, Bibl. de la Pléiade, 1958); celle de M.J. Mesnard (Impr. Nat., 1981); *l'Histoire de Madame* et les *Mémoires de la cour de France pour les années 1688 et 1689* sont édités et commentés par G. Sigaux, Mercure de France, 1965. Malheureusement la *Correspondance,* éditée par A. Beaunier (Gallimard, 1942) n'est plus accessible. Enfin, une édition critique de *la Princesse de Montpensier* et de *la Comtesse de Tende* est parue en 1980 grâce aux soins de Micheline Cuénin (Genève, Droz).

Par ailleurs, il faut signaler qu'en l'absence de documents irréfutables, il est toujours loisible de contester ce qu'une solide tradition tient désormais pour bien établi, à savoir que Mme de La Fayette est bien l'auteur de ses œuvres. Geneviève Mouligneau, après un examen minutieux des pièces sur lesquelles se fonde la tradition, vient de conclure que le véritable auteur des œuvres de « Mme de La Fayette » serait Segrais (*Mme de La Fayette romancière?,* Bruxelles, Éd. de l'Université, 1979).

Sur l'auteur

Les ouvrages de base les mieux documentés demeurent ceux de H. Ashton, *Mme de La Fayette, sa vie et ses œuvres,* Cambridge University Press, 1922; E. Magne, *le Cœur et l'esprit de Mme de La Fayette,* Paris, Émile-Paul, 1927; A. Beaunier, *l'Amie de La Rochefoucauld,* Flammarion, 1927; B. Pingaud, *Mme de La Fayette par elle-même,* Le Seuil, 1959; M.-J. Durry, *Mme de La Fayette,* Mercure de France, 1962.

Sur l'œuvre

Les bibliographies de Klapp ou de Ricœur attestent l'attrait de l'œuvre de Mme de La Fayette auprès de la critique : A. Camus, « l'Intelligence et l'échafaud », Lyon, *Confluences,* 1943; J. Fabre, *l'Art de l'analyse dans la Princesse de Clèves,* Les Belles Lettres, 1946; G. Poulet, dans *Études sur le temps humain,* Plon, 1950; S. Doubrovski, « *la Princesse de Clèves :* une explication existentielle », *la Table ronde,* juin 1959; M. Butor, dans *Répertoire,* Éd. de Minuit, 1960; J. Rousset, dans *Forme et signification,* José Corti, 1962; et deux ouvrages importants : M. Laugaa, *Lectures de Mme de La Fayette,* A. Colin, 1971, et R. Francillon, *l'Œuvre romanesque de Mme de La Fayette,* José Corti, 1973.

Une adaptation cinématographique de *la Princesse de Clèves* a été donnée en 1961 par Jean Delannoy. Jean Marais était le prince de Clèves, Jean-François Poron le duc de Nemours et Marina Vlady la princesse. Jean Cocteau avait travaillé au scénario. En dépit de la beauté de certaines scènes, le film fut un échec à cause de sa fidélité littérale au récit qui aboutissait à une imagerie digne du musée Grévin. Mais cette fidélité se dissipait avec une trahison ultime : la vision d'une Mme de Clèves en majesté sur son lit de mort éludait la notion de retraite et faussait tout à fait le sens de l'œuvre.

B. RAFFALLI

LAFITAU ou **LAFITEAU Joseph François** (1670-1740). Jésuite et missionnaire, il effectua deux séjours au Canada, de 1712 à 1717 et de 1727 à 1746. Son ouvrage le plus important, *Mœurs des sauvages américains comparées aux mœurs des premiers temps,* paraît en 1724; en 1733, il publie l'*Histoire des découvertes et des conquêtes des Portugais dans le Nouveau Monde.* Son premier livre est une polémique dirigée contre les athées; sa méthode comparative le conduit à affirmer que « la religion est le principe des mœurs » et « à conclure la conformité des mœurs à un fonds de religion commun dont les vestiges se retrouvent partout » (M. Duchet). Frappé par certaines identités entre les peuples américains et ceux de l'Antiquité classique, Lafitau s'interroge sur leur origine : « Je ne me suis pas contenté de connaître le caractère des sauvages, et de m'informer de leurs coutumes et de leurs pratiques, j'ai cherché dans ces pratiques et dans ces coutumes des vestiges de l'Antiquité la plus reculée ». Mais qu'il s'agisse de l'histoire des Américains ou de celle des premiers temps, tout n'est que conjectures; son analyse incertaine l'oblige donc à recourir aux textes bibliques autant qu'à la mythologie et à une tradition érudite. Son projet ne se borne pas à comparer les mœurs de ces « barbares » à d'autres mœurs, il veut « remonter des mœurs à leur principe, à l'"esprit" des usages, à la raison des coutumes, qui ne peut être que d'essence religieuse ». Cette œuvre, qui se veut mi-historique, mi-philosophique, et « dont la comparaison est la seule raison du texte » (M. Duchet), expose les limites de son propre objet. En cela, elle ne ressemble à aucun autre récit de voyages.

BIBLIOGRAPHIE

Lafitau, *Mœurs des sauvages américains comparées aux premiers temps,* Paris, Saugrain l'aîné, 1724. L'édition de 1845, *Mœurs, coutumes et religions des sauvages américains,* Lyon-Paris, Périsse Frères, a supprimé tout aspect comparatif.

A consulter. — M. Duchet, « Discours ethnologique et discours historique », dans *Studies on Voltaire and the Eighteenth Century,* Oxford, 1976.

Ch. LAVIGNE

LA FONTAINE

LA FONTAINE Jean de (1621-1695). La Fontaine nous a laissé deux œuvres qui restent méconnues : une tragédie et une fable. Piètre dramaturge, mais fabuliste sans rival, notre poète a raté sa tragédie et réussi sa fable : celle-là est l'histoire de sa vie, celle-ci sa légende.

Une tragédie ratée

Classicisme oblige, La Fontaine ne pouvait faire autrement qu'organiser en cinq actes, en cinq tableaux, sa vivante tragédie : le temps des engagements d'abord, le temps des « songes » ensuite, puis le temps des contraintes et celui de la mondanité, enfin le temps des reniements.

Le temps des engagements (1621-1656).

Dès l'ouverture, La Fontaine donne le ton. Rien du dilettantisme qu'on lui prête trop souvent. Mais plutôt une suite de choix hasardeux, nés de l'occasion ou de la nécessité, et dans lesquels, pendant un temps fort bref, La Fontaine s'engage à fond. Mais à peine en route, il rebrousse chemin. Il se dérobe sur l'obstacle. Engagement religieux (1641-1642) à l'oratoire de la rue Saint-Honoré : moins un coup de tête qu'un probable élan mystique qu'il retrouvera à l'occasion dans sa vie... mais qui dure peu : à vingt ans, il joue en fin de compte *l'Astrée* contre saint Augustin. Engagement poétique (1643), à la lecture des vers de Malherbe, dans la troupe de ses imitateurs. Il ne tardera pas toutefois à constater que cette voie est, pour la poésie, une impasse. Engagement conjugal (1647) au bras de la trop jeune (quatorze ans et demi), trop bavarde et trop sage Marie Héricart, épousée pour complaire à son père. Engagement professionnel (1652), en qualité de maître des Eaux et Forêts de Château-Thierry — une charge qu'il a dû acheter — : s'il remplit honnêtement les devoirs de cette charge, il se lasse bientôt des adjudications, des délits de basse justice, du recrutement des gardes ou des bûcherons, de la fixation du prix des coupes ou du taux des amendes. Gageons qu'il s'ennuie ferme. Heureusement, il sait réussir ses sorties.

Le temps des « songes » (1657-1663)

En 1657, le fonctionnaire champenois va entrer de plain-pied dans les songes. Grâce à son oncle Jannart et à Mme de Sévigné, qui le protègent, il sait amuser, par son *Épître de l'abbesse,* le surintendant Fouquet, qui, en ces temps de troubles et de disette, présentait le triple avantage d'être riche, puissant et cultivé. La Fontaine lui offre, en hommage, le manuscrit calligraphié de son *Adonis* (1658). Il a désormais ses entrées à Saint-Mandé, puis au château de Vaux, en cours d'achèvement. Il devient l'un des pensionnés du surintendant. Pensionné, non parasite : La Fontaine en retour s'engage à « pensionner » trimestriellement son bienfaiteur... sous forme de poésies. *Le Songe de Vaux,* description poétique, anticipée et inachevée des splendeurs de Vaux, imaginées dans leur aspect définitif, pourvoira ainsi au paiement de plusieurs « termes ». La Fontaine se prend au jeu et au rêve : ce miracle réussi de facilité, de culture, de plaisir et de beauté lui ferait presque oublier ses éternels soucis d'argent et le difficile règlement de la succession paternelle. Il se sent frère de Poliphile, le héros du *Songe* de Francesco Colonna, qui l'inspirera à tant d'égards durant cette période. Aussi la chute de Fouquet l'invite-t-elle brutalement à laisser là ses rêves, à revenir de ses « songes ». Adieu, veau, vache... Et, comme un malheur vient rarement seul, La Fontaine, dont les parents avaient cru pouvoir attacher à son nom un titre nobiliaire, est poursuivi pour usurpation et condamné à une forte amende. Adieu, cochon, couvée... Son oncle Jannart s'exile en Limousin. Consentant ou contraint, notre poète l'accompagne : occasion de quelques missives adressées à sa femme, qui constitueront une de ces « relations de voyage » dont on était friand à l'époque (*Relation d'un voyage de Paris en Limousin,* 1663).

Le temps des contraintes (1664-1672)

Au troisième acte, la scène se vide. Les acteurs autrefois entrevus, les amis de Vaux et de Saint-Mandé, sont passés au service du roi. La Fontaine seul reste à l'écart. On ne lui a pas pardonné son *Ode au roi* en faveur de Fouquet (1663). Aussi erre-t-il tristement dans les couloirs du palais du Luxembourg, résidence de la duchesse douairière d'Orléans, dont il est l'un des neuf « gentilshommes servants ». Atmosphère sombre : l'évêque de Bethléem, aumônier de la duchesse, a l'œil sur notre poète, dont le rôle reste bien modeste. Sa charge lui laisse de nombreuses heures libres qu'il peut consacrer à son œuvre : quand il ne s'amuse pas avec le petit chien Mignon, il trousse, en trois recueils successifs, des *Contes et Nouvelles en vers* (1665, 1666, 1671), qu'il soumet en première lecture à la jeune duchesse de Bouillon, née Marie-Anne Mancini, que les gaillardises n'effarouchent pas. En même temps paraissent les six premiers livres des *Fables* (1668) et l'étrange roman prosodié *les Amours de Psyché et de Cupidon* (1669). La Fontaine gagne en prestige littéraire ce qu'il a perdu en considération sociale. Mais sa protectrice meurt (1672). Le héros de la tragédie est disponible pour un nouvel emploi.

Le temps de la mondanité (1673-1679)

Le quatrième acte aura pour décor l'hôtel de la rue Neuve-des-Petits-Champs, où Mme de La Sablière tient salon. « Iris » éprouvait pour le poète plus que de l'estime; La Fontaine éprouvait pour sa bienfaitrice plus que de la reconnaissance. C'est auprès d'elle qu'il retrouve le climat de culture mondaine qu'il avait connu à Saint-Mandé. Lieu propice à de nouvelles expériences littéraires : La Fontaine tâte de la poésie religieuse (*la Captivité de saint Malc,* 1673), écrit pour Lulli le livret d'un opéra qui ne sera jamais joué *(Daphné),* donne une suite « scandaleuse » à ses *Contes* qui sont interdits à la vente par le lieutenant de police, et complète les six premiers livres des *Fables* de cinq livres nouveaux, d'une inspiration renouvelée, qui lui valent un très vif succès (1678-1679).

Le temps des reniements (1680-1695)

Le drame finit sombrement. Mme de La Sablière, déçue par le monde, se tourne vers Dieu. Cette conversion spirituelle s'accompagne, matériellement, d'un déménagement : elle abandonne son Hôtel pour une demeure plus modeste, rue Saint-Honoré, où elle logera encore La Fontaine, à l'entresol. Le charme est rompu. La Fontaine, vieillissant, est aux prises avec une redoutable crise d'identité : Qui est-il? Qui sera-t-il désormais pour les autres? Le personnage du « bon garçon » distrait qu'il s'est appliqué à jouer, l'auteur scandaleux des *Contes* ou le lettré repenti qui traduit les *Épîtres* de Sénèque et qui chante, dans un fiévreux poème de trois cents vers, les vertus du *Quinquina* (1682)? Le poète, à la fin de sa vie, est amené à renier ce qu'il a aimé dans sa jeunesse ou dans son âge mûr. Il est probable qu'il a eu longtemps plus d'attachement pour ses *Contes* que pour ses *Fables.* Il les renie pourtant publiquement, comme il renie sa vieille amitié pour Furetière, comme il renie son indépendance pour briguer un fauteuil à l'Académie. Mais la société française, elle aussi, a changé. L'austérité est désormais de mise. La Fontaine quitte la vie dans les pas du Solitaire, compagnon du Juge arbitre et de l'Hospitalier, le héros de sa dernière fable : celle qui, en couronnant le douzième livre des *Fables* (1694), fera de cette œuvre la seule que le poète aura le sentiment d'avoir achevée. Rideau.

Au total, une tragédie ratée, parce que l'unité d'action y manque, parce que, jusqu'à l'ultime catastrophe, chaque acte y répète inlassablement le précédent. Volonté délibérée — pour le premier acte — ou hasard trop bien venu, chaque fois les liens qui attachent La Fontaine à un maître, à un genre, à un goût se trouvent rompus. Toutes les étapes de sa vie suivent une même trajectoire. Ce « papillon du Parnasse » dissimule sous une fausse insouciance, une fausse paresse, une fausse distraction, cette perpétuelle instabilité, ce refus constant de l'engagement sous quelque forme que ce soit. Il s'éprend de toutes les femmes qu'il sait ne pouvoir obtenir, comme il taquine, jusqu'à la fin de sa vie, des genres — tel l'opéra — pour lesquels il n'est pas fait. Reconnaissant au destin de le délivrer de ses engagements, il n'hésite pas à proclamer : « Diversité, c'est ma devise ». Triompher de cette insurmontable difficulté à « aller jusqu'au bout » ne lui coûte pas peu. Mettre la dernière main aux *Fables* est une victoire sur lui-même. Plusieurs fois, il est tenté de s'arrêter en route :

Les longs ouvrages me font peur.
(Épilogue du livre VI)

D'autres pourront y mettre une dernière main.
Favoris des neuf Sœurs, achevez l'entreprise.
(Épilogue du livre XI)

Il aimerait qu'on prît pour de la paresse cette inconstance. A partir d'une disposition naturelle, il a su se camper peu à peu un personnage de « distrait » qui lui assure à bon compte la tranquillité, l'impunité ou le pardon.

Cette aspiration à l'indépendance, à la tranquillité morale ne signifie pas pour autant misanthropie, haine de la société ou indifférence à l'égard de la sanction sociale. Si la carrière littéraire de La Fontaine commence tard — à quarante ans —, elle se poursuit dans le constant souci de plaire. Le poète n'en fait pas mystère : « Mon principal but est toujours de plaire : pour en venir là, je considère le goût du siècle » (Préface des *Amours de Psyché et de Cupidon*).

En trente années pourtant, ce goût évolue. Et La Fontaine, animé du souci de plaire, change avec lui. Ces continuels changements auront eu le mérite de placer La Fontaine à tous les carrefours de l'histoire, de l'opinion, de la mode... et du goût.

Ce Champenois, dont on a tort de faire un campagnard, résida la plupart du temps à Paris, et il s'y plut. C'est là que Conrart lui apprit la poésie précieuse, Maucroix l'amitié véritable, Fouquet la magnificence, Colbert l'aversion rancunière, Mme de La Sablière l'amour mondain, Bernier l'exotisme. C'est là qu'il a trouvé, dans les bibliothèques des grands, ces fabliers qui s'impriment en Italie — tels ceux de Faërno, 1564, ou de Verdizotti, 1577 —, à Bruges ou à Prague — tels ceux de Gheraerts, 1567, ou de Sadeler, 1608 —, dont les gravures, imitées par bon nombre d'éditions françaises, sont un constant appel à l'imagination. A Vaux ou à Versailles, il se plaît dans les jardins dessinés par Le Nôtre — jardins pour la « vue », à l'italienne, ou jardins de divertissement, labyrinthes et rocailles — : c'est là qu'il trouve les ombrages, les bosquets et l'eau jaillissante qui manquent à son pays champenois, avare de ruisseaux et de bocages. C'est là qu'il rencontre ces groupes d'animaux opposés, sculptés dans la pierre, dans le bronze ou dans le plomb, par Girardon, par Tuby ou par Le Hongre. C'est dans les « petits appartements » des palais qu'il découvre la peinture rustique hollandaise, qui l'inspirera autant que les délicats motifs animaux ou végétaux de la porcelaine orientale dont la haute société s'éprend alors. C'est dans les salons qu'il fait l'apprentissage des jeux précieux, dont les mécanismes animent savamment son œuvre. La Fontaine, surtout auprès de Mme de La Sablière, baigne dans ce climat de culture mondaine qui marquera le deuxième recueil des *Fables.*

En somme, une tragédie sans intrigue, sans nœud véritable, sans drame réel — chez ce poète qui voulait plaire et qui n'était pas sans ambition — que celui de la misère littéraire; sans véritable aveuglement que celui du poète sur ses propres dons; sans volonté directrice sinon celle qui consiste à suivre les inspirations du moment; sans but apparent enfin, si son auteur ne nous avait laissé, à travers ses *Fables,* une fable hors de pair.

Une fable réussie

Par quelle prodigieuse métamorphose ce poète attentif aux êtres et aux choses, expert à nous rendre attentifs à nous-mêmes et au monde, soucieux de ses affaires (sa correspondance avec Jannart le prouve), épris, à la fin de sa vie, de solitude et volontiers mélancolique, a-t-il fini par revêtir l'habit épicurien de l'insouciant « Bonhomme »? Comment ce « connaisseur » qui avait su si bien se placer au carrefour des goûts venus du Midi —

pour les *Contes* — et de Septentrion — pour les *Fables* —, puis humer les parfums insolites de l'Orient a-t-il réussi à devenir le barde de la terre française? La postérité de La Fontaine est sans doute sa meilleure fable.

Dès leur origine, les *Fables* furent utilisées comme un manuel scolaire. C'est là le ressort initial du mythe. La Fontaine lui-même y avait contribué en dédiant son recueil au jeune Dauphin, « par bénéfice d'inventaire ». Pourtant, il avait senti le danger : la fable de « l'Écolier, le Pédant et le Maître d'un jardin » (IX, 5) évoque avec conviction la hantise de cet épouvantable « gâchis pédagogique » causé par une troupe d'écoliers et un maître d'école pédant envahissant à l'improviste le délicieux jardin des fables : jardin de l'intelligence, de la finesse, de la délicatesse, destiné aux lettrés et non aux enfants des classes primaires, et dont il faut laisser éclore les beautés. Ce mal tant redouté ne tardera guère à « répandre la terreur ». Si les *Fables* de La Fontaine rassemblent encore au XVIIIe siècle le « parti flamand » qui se crée à la Cour, le genre de la fable sera utilisé par une multitude d'imitateurs — Houdart de La Motte, Grécourt, Florian... — à des fins pédagogiques, morales ou civiques. C'est ce qui permet à l'ouvrage de La Fontaine de surmonter l'épreuve révolutionnaire et de se voir conférer un brevet de civisme : il apparaît comme l'un des seuls textes « démocratiques » de l'Ancien Régime. Plus tard, la généralisation de l'enseignement obligatoire et l'utilisation des *Fables* dans les petites classes font du recueil de La Fontaine le premier et l'unique patrimoine culturel commun à tous les Français, le « Notre Père » laïque et national. Sainte-Beuve retrouve dans les *Fables* le parfum de la campagne française... respiré par Sainte-Beuve. Taine présente le Champenois comme l'exemple parfait illustrant sa « théorie de la race ». La montée du nationalisme terrien, les grandes secousses des guerres mondiales : il n'en faut pas plus pour faire de La Fontaine le chantre de la France, le protecteur du « bon » peuple de ce « doux pays ». A preuve un petit recueil patriotique intitulé *les Fables de La Fontaine et Hitler*, qui parut en 1939.

L'évolution dans la compréhension de l'œuvre s'est reportée sur son auteur. « Bien françaises », les *Fables* n'ont pu être écrites que de la main d'un « bon Français ». Et chacun d'ajouter au portrait ses péchés véniels, ses sympathiques défauts. Un malencontreux glissement de l'œuvre à l'homme a peu à peu dessiné la silhouette d'un « bonhomme » joyeux comme le savetier, libre comme le loup, amical comme la gazelle ou la tortue, insouciant, trousseur de filles et passablement paresseux. La « facilité », la « négligence », la « naïveté » que les contemporains de La Fontaine — Baillet, l'abbé de La Chambre, Charles Perrault, La Bruyère, Fénelon... — louaient dans le style des *Fables* ont été perçues, par méprise, comme autant de traits de caractère. Désormais La Fontaine est prisonnier de son mythe. N'y avait-il pas au fond lui-même aidé (cf. son *Épitaphe d'un paresseux*)? A coup sûr, il a raté sa tragédie, il a réussi sa fable.

L'Accordeur, le Bonneteur et le Maître d'un jardin

La Fontaine pourrait sans doute à bon droit reprocher à la postérité de n'avoir, de son œuvre, retenu que les *Fables*.

S'il voit lui-même, en celles-ci,

> ... le livre favori
> Par qui j'ose espérer une seconde vie
> (*Fables*, livre VII, dédicace à Mme de Montespan),

il est certain qu'elles perdent, isolées ainsi du reste de l'œuvre, de leur épaisseur historique. Cette partialité n'est pas nouvelle : *les Amours de Psyché*, dès leur publication, déroutèrent le public et connurent l'insuccès. Les poésies élégiaques ou héroïques sont encore méconnues aujourd'hui. Il fallut attendre Paul Valéry pour tirer *Adonis* de l'oubli. Le théâtre et l'opéra de La Fontaine ne furent jamais représentés. Enfin si les *Contes*, par leur audacieux libertinage, excitent encore au XVIIIe siècle l'esprit de quelques amateurs et de quelques illustrateurs, un XIXe siècle austère et moralisant leur fera un sort... qu'ils ne méritaient pas. Des *Contes* aux poèmes d'inspiration janséniste, des *Fables* aux louanges du quinquina, on est surpris par la diversité de ces œuvres, que le poète mène concurremment à terme, et auxquelles il paraît longtemps attacher une égale importance.

L'Accordeur

Sans doute La Fontaine a-t-il eu l'ambition de faire la preuve d'un talent qui s'exerçait, avec un égal bonheur, dans tous les genres. La pseudo-comédie de *Clymène*, jointe tardivement au troisième recueil des *Contes*, place dans la bouche des Muses neuf « pastiches » d'art dramatique ou de poésie passée ou présente : à la manière d'Horace, de Marot, de Malherbe, de Voiture... La Fontaine sait trousser une lettre comme Mme de Sévigné et un livret d'opéra comme Quinault, il sait conter comme Marot, il sait faire résonner les graves comme Malherbe et vibrer les aigus comme Voiture ou Benserade. De là vient tout son mal — et sa carrière tardive. Tout est décidément trop facile. Il réussit par négligence ce que d'autres déploient leurs efforts à entreprendre; et une carrière de second rôle, de plat imitateur ne saurait en aucun cas le satisfaire :

> C'est un bétail servile et sot, à mon avis,
> Que les imitateurs...
> (*Clymène*)

Aussi La Fontaine, semblable à l'accordeur, va-t-il, pendant des années, mettre au point son instrument, son « appareil stylistique ». Pour s'assurer cette maîtrise, il l'utilise dans tous les genres; il le fait chanter sur tous les tons. La virtuosité ne s'acquiert qu'à ce prix.

Le Bonneteur

Être un virtuose dans les pas de ses devanciers ne suffit pas. La poésie en effet est, à l'époque, dans une impasse :

> Chacun forge des vers; mais pour la Poésie,
> Cette princesse est morte, aucun ne s'en soucie.
> (*Clymène*)

La princesse Poésie, en 1660, a des sœurs qui s'appellent la Pédagogie, la Rhétorique ou la Langue. De toutes parts, deuil et consternation : les issues sont bloquées. Le regard de « myope », la vision pointilliste des poètes libertins — Maynard, Théophile, Saint-Amant — ont rendu à jamais « impossible » (Odette de Mourgues) la description poétique, en particulier celle d'un paysage. La toute-puissante rhétorique impose à la pédagogie le carcan de ses figures et l'artifice de ses raisonnements antithétiques. La préciosité enfin a semé le désordre dans l'univers des mots et des choses : la langue, contournée, métaphorique et référentielle, n'adhère plus à la réalité des choses, des êtres ou des sentiments. Gangue protectrice, elle isole d'un contact trop direct avec une réalité qu'un lexique prédicatif sectionne, classe, disloque, émiette : le règne de la « distinction » précieuse a consacré le divorce des mots et des choses. « La fonction du langage cesse d'être celle d'un instrument destiné à atteindre la réalité avec force et exactitude. Il faut au contraire que le mot évite son objectif » (Odette de Mourgues, *Ô Muse, fuyante proie*).

Impasse du récit. Impasse du tableau. Impasse de la rhétorique. Impasse du langage. Quelle voie choisir quand, tel La Fontaine, on considère le « goût du siècle » et qu'il ne vous engage pas aux révolutions bruyantes? Une seule tactique demeure possible : celle du bonneteur, de l'illusionniste. La Fontaine ne refuse aucune des cartes que lui ont laissées ses devanciers, mais, à l'insu de tous, il brouille subtilement le jeu. Chaque couleur, chaque valeur a pris la place qu'on croyait être celle d'une autre.

Ainsi celui qui, plus tard, dans la querelle des Anciens et des Modernes [voir QUERELLE DES ANCIENS ET DES MODERNES], prendra parti pour les Anciens réussit-il, en terroriste discret, sa moderne révolution littéraire. La Tradition mise à mort par son serviteur même... La Fontaine joue chaque fois de l'écart entre le genre et le goût. Quand il paraît s'inscrire dans la tradition d'un genre littéraire, il s'y applique dans un style qui appartient à un autre genre. De ce contraste réussi entre le fond et la forme naissent une surprise sans étonnement et une innovation sans scandale, car, si l'alliance est nouvelle, les composants sont clairement identifiables. En quelque sorte, une poésie « déplacée »... en toute bienséance.

De souche mi-gauloise mi-italienne, dans la filiation de Boccace et des *Cent Nouvelles nouvelles,* les *Contes* ne devaient craindre ni la truculence du langage, ni la gaillardise des situations, ni la franchise de l'expression. C'est pourtant le lieu que choisit La Fontaine pour déployer son arsenal précieux : vers libres, évocations détournées, métaphores, suggestions et langage distanciateur. Dans « les Lunettes » (IV, 12), il ne lui faut pas moins de vingt-deux vers galants et le rappel d'un mythe ancien pour désigner le membre viril de son héros.

Les Amours de Psyché mettent en scène des personnages mythologiques et des situations prodigieuses. Apulée, le modèle de La Fontaine, avait, dans *l'Âne d'or,* utilisé le récit mythique comme une allégorie afin de lui donner une réelle profondeur philosophique. Là où l'on attendrait un ton relevé, un style héroïque, La Fontaine mise sur la légèreté et la galanterie. Il mêle les vers à la prose, et, au lieu de respecter la logique chronologique du récit, il recompose dans un espace géographique — celui du parc de Versailles, découvert par quatre amis en promenade — le récit « au second degré » des aventures de Psyché. Il mêle ainsi à l'héritage d'Apulée celui de Colonna (*le Songe de Poliphile,* 1499).

Écrit-il une comédie? Il nous prévient, dans sa note sur *Clymène,* qu'elle est contraire à toutes les règles dramatiques et qu'elle n'est, à proprement parler, ni une comédie ni un conte. Étrange théâtre, qui n'est pas destiné à la scène, « la chose n'étant pas faite pour être représentée ».

Il reprendra dans ses *Fables* ce manège de bonneteur. A cette époque, les recueils ésopiques ne manquent pas. Emblèmes moralisés, dans la tradition d'Alciat — comme ceux de Baudoin —, ou quatrains moraux — comme ceux de Pibrac —, ces fables hautement pédagogiques assènent platement les vérités élémentaires de la sagesse des nations. La Fontaine, lui, livrera à une société étonnée une suite de tableaux de genre, inspirés des petits maîtres hollandais, et disposés dans une architecture surprenante qui seule donne, en fin de compte, la clef d'une « morale » très personnelle. La Fontaine a repris la pédagogie et la rhétorique classiques pour mieux leur tordre le cou.

Le Maître d'un jardin

A toutes ces œuvres deux points communs : l'art de décrire en rejetant tout procédé descriptif; l'art de conter en refusant les modèles traditionnels du récit. Cette double ambition et ce double refus font de La Fontaine le maître d'un jardin des illusions. Il nous donne l'illusion d'avoir vu, quand il ne nous a donné que l'ébauche d'une silhouette ou les points de repère d'un décor. La langue de La Fontaine, qui éveille en nous tant d'images, est pourtant très pauvre lorsqu'il s'agit de décrire, de peindre ou de colorer. Dans les *Fables,* c'est le mouvement des personnages, leur déplacement dans un espace sans support qui sollicitent notre imagination et exigent peu à peu d'elle qu'elle leur fournisse un cadre. La seule véritable paresse de La Fontaine est ainsi d'avoir laissé au lecteur, à son insu, une partie du travail créateur. Le jardin n'existe que pour qui fait l'effort de s'y promener. « L'art du sacrifice » (Odette de Mourgues) s'assortit naturellement d'un art de la connivence, de la complicité créative, qui justifie le plaisir que le lecteur éprouve à la lecture des *Fables.* L'écriture de La Fontaine est une écriture piégée. L'œil est abusé par cet artificieux jardin où le lecteur, croyant pénétrer de plain-pied, est pris au piège du naturel. Mais la nature de La Fontaine est une nature en liberté magistralement surveillée.

Les lettres du *Voyage de Paris en Limousin* sont éclairantes : le poète apprécie, dans les paysages ou dans les œuvres des hommes, les dissymétries heureuses, la variété et la diversité dans l'unité, les harmonies subtiles et surprenantes d'éléments apparemment hétérogènes. Ce goût est le fondement de son art poétique. « Tout élément d'irrégularité doit avoir son contrepoids exact dans un élément de régularité » (Odette de Mourgues, *op. cit.*). A la rhétorique des oppositions et des figures codifiées, il substituera une logique nouvelle, celle du jardinier : points de vue sans cesse changeants, attirantes perspectives, compositions en abymes, glissements progressifs du discours. En un mot, le rythme est le seul vrai fondement de la poésie, la rime devra se contenter du second rôle :

> Avec un peu de rime, on va vous fabriquer
> Cent versificateurs en un jour, sans manquer.
>
> *(Clymène)*

Ce jardin savamment rythmé est tout entier un piège pour les sens. A l'instar du vieillard mis en scène dans la fable du « Philosophe scythe » (XII, 20), La Fontaine a su choisir chaque arbre, chaque fleur — chaque mot —, élaguer dans de justes proportions et composer un paysage que le lecteur fait renaître chaque fois en le « reconnaissant ».

Ainsi le poète parvient-il à rendre à la langue son pouvoir créateur et à réconcilier le langage et l'action, les mots et les choses. La Fontaine sait bien qu'il n'est plus temps de rêver, comme l'un des aventuriers de sa fable (« les Deux Aventuriers et le Talisman », X, 13), d'un impossible retour à l'analogie entre les mots et les choses. Du moins fait-il la preuve qu'un langage en prise sur la réalité, et qui « fait mouche » à tout coup, retrouve, dans l'imaginaire poétique, la puissance et la vitalité que le siècle lui avait ôtées. A l'écart des stéréotypes, chaque mot « induit » le lecteur vers des significations multiples, étroitement superposées. Le verbe redevient un acte. L'arbre désormais ne cache plus la forêt.

	VIE		ŒUVRE
1621	8 juillet : naissance et baptême de Jean de La Fontaine, à la paroisse Saint-Crépin de Château-Thierry. Il est le fils de Charles de La Fontaine, conseiller du roi et maître des Eaux et Forêts, et de Françoise Pidoux.		
1635 (environ)	La Fontaine, qui a commencé ses études au collège de Château-Thierry et y a sans doute connu François de Maucroix, quitte sa ville natale pour poursuivre à Paris ses études.		
1641	La Fontaine entre à l'Oratoire, rue Saint-Honoré, à Paris.		
1642	La Fontaine quitte l'Oratoire et abandonne sa vocation religieuse. **Mort de Richelieu.**		
1643	La Fontaine, au cours d'un séjour à Château-Thierry, découvre avec enthousiasme la poésie de Malherbe. **Mort de Louis XIII. Régence d'Anne d'Autriche. Installation au pouvoir de Mazarin.**		
1645	La Fontaine entreprend ses études de droit à Paris. Il y est le compagnon de Maucroix, de Pellisson, de Furetière, de Cassandre, avec lesquels il constitue une petite académie littéraire.		
1647	Par « complaisance » pour son père, La Fontaine épouse la jeune Marie Héricart, âgée de quatorze ans et demi.		
1648	**Début de la Fronde parlementaire.**		
1650	**Début de la Fronde des princes.**		
1652	La Fontaine achète la charge de « maître particulier des Eaux et Forêts » du duché de Château-Thierry.		
1653	Naissance et baptême du fils de Jean de La Fontaine et de Marie Héricart : Charles de La Fontaine. Premières difficultés financières. **Nicolas Fouquet est nommé surintendant des Finances.**		
		1654	Publication de l'*Eunuque* de Térence, traduit et adapté par La Fontaine (sans nom d'auteur).
1656	Nouvelles difficultés financières.		
1657	Le duc de Bouillon prend possession de Château-Thierry (extinction des offices).		
1658	Mort de Charles de La Fontaine, qui laisse une difficile succession.	**1658**	L'*Épître à l'abbesse de Mouzon* est fort goûtée par Fouquet et son entourage. Peu après, La Fontaine est présenté au surintendant. Il lui offre le manuscrit calligraphié de son *Adonis*.
1658-1661	La Fontaine fréquente la cour de Fouquet à Saint-Mandé et à Vaux, où il retrouve Pellisson et Maucroix. Il reçoit une pension du surintendant en échange d'une « pension poétique ».	**1659**	La Fontaine met en chantier *le Songe de Vaux*.
1660	**Mariage de Louis XIV et de Marie-Thérèse.**	**1660**	La farce des *Rieurs de Beau-Richard* est représentée à Château-Thierry.
1661	**Mort de Mazarin. Début du règne personnel de Louis XIV.** **Fouquet donne à Vaux une fête en l'honneur du roi. Peu après, il est arrêté et emprisonné à Nantes.** La Fontaine est poursuivi pour usurpation d'un titre de noblesse.	**1660-1662**	La Fontaine commence probablement à composer ses premières fables, sans toutefois les publier.
1662	Il est, pour cette raison, condamné à une amende.	**1662**	Publication de l'*Élégie aux nymphes de Vaux* (sans nom d'auteur).
1663	La Fontaine accompagne son oncle Jannart en exil dans le Limousin.	**1663**	La Fontaine, en route pour le Limousin, adresse six lettres à sa femme *(Lettres du Limousin).*
1664	La Fontaine entre au service de la duchesse douairière d'Orléans, au palais du Luxembourg, comme « gentilhomme servant ». Sa femme se retire à Château-Thierry. **Fouquet est transféré à Pignerol. Colbert est nommé contrôleur général des Finances. Le roi donne à Versailles les fêtes de l'île enchantée.**	**1664**	Publication, à titre d'essai, de deux contes : « Joconde » et « le Cocu battu et content », imités de Boccace.
		1665	Publication du premier recueil de *Contes et Nouvelles en vers.* La Fontaine collabore à la traduction de *la Cité de Dieu* de saint Augustin.
1666	Remontrances de Colbert au maître des Eaux et Forêts de Château-Thierry sur les abus commis dans son district.	**1666**	Publication de la seconde partie des *Contes.*

	VIE		ŒUVRE
		1667	Publication, dans un recueil à Cologne, de trois nouveaux contes.
1668	**Paix d'Aix-la-Chapelle.**	1668	Publication du premier recueil des *Fables choisies mises en vers par M. de La Fontaine* (124 fables en six livres), chez Barbin et Thierry, avec des illustrations de François Chauveau.
1669	**Premiers travaux d'installation du labyrinthe de Versailles, orné de statues représentant les *Fables* d'Ésope.**	1669	Réédition en France de la deuxième partie des *Contes,* augmentée des trois pièces publiées à Cologne. Publication des *Amours de Psyché et de Cupidon,* suivies d'*Adonis.* Composition de la fable de « l'Huître et les Plaideurs ».
		1671	Publication, sous le nom de La Fontaine, d'un recueil de *Poésies chrétiennes et diverses,* où il a seulement collaboré et où apparaissent seize fables déjà publiées.
1670	La Fontaine quitte sa charge de maître des Eaux et Forêts, rachetée par le duc de Bouillon.	1671	Publication de la troisième partie des *Contes.* Publication d'un recueil de *Fables nouvelles et autres poésies par le sieur de La Fontaine,* où apparaissent huit fables originales qui prendront place dans le second recueil.
1672	Mort de la duchesse d'Orléans. La Fontaine perd sa fonction. **Début de la guerre de Hollande.**	1672	Publication séparée de deux fables : « le Soleil et les Grenouilles », « le Curé et le Mort ».
1673	La Fontaine est accueilli et logé par Mme de La Sablière. Il fréquente son salon, où se retrouvent hommes de lettres, voyageurs et savants (Perrault, Bernier, Roberval...).	1673	Publication du poème de *la Captivité de saint Malc.*
		1674	La Fontaine écrit, à la demande de Lulli, le livret de l'opéra *Daphné,* qui ne sera jamais joué. La Fontaine, irrité contre Lulli, compose la satire du *Florentin.* Publication de *Nouveaux Contes* (quatrième partie des *Contes*), jugés plus licencieux que les précédents.
		1675	Le lieutenant de police La Reynie interdit à la vente cette publication des *Nouveaux Contes.*
1676	La Fontaine, confronté à de nouvelles difficultés financières, vend sa maison natale de Château-Thierry.		
1678	**Paix de Nimègue.**	1678	La Fontaine écrit divers poèmes, notamment pour célébrer la paix de Nimègue.
1679	**Achèvement du « troisième Versailles ».**	1678-1679	Publication d'un second recueil des *Fables* (cinq livres), adjoint au premier recueil en une édition de quatre tomes. Chaque fable est illustrée d'une vignette par François Chauveau.
1680	Madame de La Sablière se tourne vers Dieu. Elle quitte son Hôtel de la rue Neuve-des-Petits-Champs pour une demeure plus modeste, rue Saint-Honoré, où elle loge encore La Fontaine. **Mort de Fouquet à Pignerol.** **Affaire des Poisons. Exil de la duchesse de Bouillon.**		
		1681	La Fontaine traduit les citations poétiques et revoit la traduction par Pintrel des *Épîtres* de Sénèque.
1682	La Fontaine brigue un fauteuil à l'Académie. **La Cour se transporte à Versailles.**	1682	Publication du poème du *Quinquina.* Publication de deux contes « classiques » : « Belphégor » et « la Matrone d'Éphèse ». Publication de *Galatée* et de *Daphné.*
1683	Mort de Colbert. La Fontaine est élu à l'Académie française au fauteuil de Colbert. Mais le roi suspend cette élection, au profit de Boileau, son historiographe. **Mort de Marie-Thérèse. Mariage secret de Louis XIV et de Madame de Maintenon. Déclaration de guerre à l'Espagne.**	1683	La Fontaine commence probablement à écrire une tragédie, *Achille,* qui restera inachevée. Représentation et échec d'une pièce aujourd'hui disparue : *le Rendez-Vous.*
1684	Élection définitive et réception de La Fontaine à l'Académie française.		
1685	La Fontaine se brouille avec Furetière. **Révocation de l'édit de Nantes.**	1685	Publication des *Ouvrages de prose et de poésie des sieurs de Maucroix et de La Fontaine,* contenant notamment onze fables, qui paraîtront dans le dernier recueil, et cinq nouveaux contes.
1686	**Formation de la ligue d'Augsbourg.**		
1687	**Querelle des Anciens et des Modernes.** **Déportation des huguenots.**	1687	*Épître à Huet,* évêque de Soissons (à propos des Anciens et des Modernes). *Épître à Monsieur de Bonrepaux.*

VIE	ŒUVRE
1688 **La France en guerre contre la ligue d'Augsbourg.** La Fontaine devient l'ami et le « chaperon » de Mme Ulrich, qu'il a rencontrée dans l'entourage des Vendôme et des Conti.	
	1690 Publication séparée, dans *le Mercure galant,* des « Compagnons d'Ulysse ».
	1691 Publication séparée, dans *le Mercure galant,* de deux autres fables : « les Deux Chèvres », « le Thésauriseur et le Singe ». Représentation et échec de la « tragédie musicale » d'*Astrée* (livret de La Fontaine, musique de Colasse).
1692 La Fontaine fait une confession générale à l'abbé Pouget, vicaire de Saint-Roch , et exprime son regret sincère d'avoir écrit des œuvres « scandaleuses ».	**1692** Publication séparée de « la Ligue des rats ».
1693 Mort de Mme de La Sablière. La Fontaine trouve refuge auprès du riche fils de banquier, Anne d'Hervart. Il répudie publiquement ses *Contes* devant une délégation de l'Académie.	**1693** Paraphrase du *Dies irae.* Publication de dix nouvelles fables dans un recueil de *Vers choisis* du père Bouhours.
	1694 Date de publication du dernier livre des *Fables,* qui comprennent désormais douze livres en trois parties. (L'ouvrage, bien qu'il porte la date de 1694, est paru en fait fin 1693).
1695 Mort de Jean de La Fontaine. On trouve sur lui un cilice.	
	1696 Publication, par les soins de Mme Ulrich, d'œuvres posthumes du poète, dont un conte (« les Quiproquos »).
1709 Mort de Marie Héricart, veuve du poète.	
	1714 Publication d'un « Conte tiré d'Athénée », jusqu'alors non publié.
1723 Mort de Charles de La Fontaine, fils unique du poète.	

Relation d'un voyage de Paris en Limousin

Le talent d'épistolier est sans doute le premier et le plus naturel chez La Fontaine. Comme chez Mme de Sévigné. Il écrit à tout propos : affaires d'argent, débats littéraires ou politiques, sollicitations, remerciements, avis divers. Tout lui est prétexte à prendre la plume et à mêler la prose aux vers. Nombreux furent sans doute ses correspondants. Malheureusement, de cet abondant échange épistolaire, une faible part seulement nous est parvenue.

En septembre 1661, Fouquet, protecteur du poète, est arrêté et emprisonné sur ordre du roi. L'oncle de La Fontaine, Jannart, substitut de Fouquet dans sa charge de procureur général au parlement, est contraint de s'exiler à Limoges en 1663. La Fontaine le suit dans cet exil. Entre le 25 août et le 19 septembre 1663, de Clamart, d'Amboise, de Richelieu, de Châtellerault ou de Limoges, il adresse à sa femme six lettres qui sont plus qu'une correspondance de mari à épouse. Ces épîtres littéraires fort soignées, mêlées de vers, étaient destinées à circuler dans un « micro-milieu » intellectuel — salon de Marie Héricart à Château-Thierry, et ancienne cour de Fouquet — qui appréciait et jugeait en première lecture les œuvres écrites. Bien qu'elles n'aient jamais été éditées du vivant de La Fontaine, ces six lettres forment un ensemble cohérent et appartiennent à un genre bien défini dont, la même année, en 1663, *le Voyage de Chapelle et de Bachaumont* donnait un remarquable exemple. Il s'agit d'un genre mêlé où, sur la trame d'un itinéraire géographique vécu, se succèdent des descriptions d'art (la ville d'Orléans, le château de Richelieu, le château de Blois), des impressions personnelles, des notations poétiques ou des souvenirs littéraires. Sur le ton plaisant, les lettres de La Fontaine nous instruisent à la fois sur l'« art de voyager » au XVIIe siècle, les fatigues endurées, les dangers encourus, les rencontres fortuites — ici une troupe de bohémiens, là un parent éloigné, ailleurs une avenante fille d'auberge — et sur ses goûts en matière de paysage, d'art et d'architecture. Il y loue d'un même cœur la majesté des rives de la Loire, le panorama harmonieux d'Orléans et de Blois et les captifs enchaînés de Michel-Ange au château de Richelieu. Témoignage capital : le poète soulève un coin du voile et se laisse voir — presque — à découvert.

Le Songe de Vaux, les Amours de Psyché, récits poétiques

Le Songe de Vaux, entreprise inachevée dont seuls quelques fragments seront publiés en 1671, représente néanmoins trois années du travail littéraire et poétique de La Fontaine. Fouquet lui commande cet ouvrage en 1659. Lourde tâche pour le poète : il lui faut décrire un palais en cours d'achèvement et célébrer des jardins à peine plantés. Calliopée, la fée de la poésie, doit pourvoir à ce que Palatiane, Apellanire et Hortésie — les fées de l'architecture, de la peinture et du jardinage — ne peuvent encore offrir. Il faut ruser, inventer un subterfuge, un procédé littéraire pour rendre vraisemblable cette vision anticipée : rejetant la prophétie et l'enchantement, La Fontaine imagine, plus simplement, que le Sommeil, par faveur divine, lui accorde de voir en songe le palais de Vaux achevé. Sur ce parcours enchanté, La Fontaine entend bien, une fois encore, mêler les genres et les tons. Sous la fiction onirique devaient se succéder des pièces et des morceaux divers : descriptions poétiques d'œuvres d'art — l'apothéose d'Hercule, les Muses, la Nuit, peintes par Le Brun aux plafonds du château; évocations de bosquets ou de fontaines, fréquentées par les Nymphes — la cascade; réflexions poétiques ou littéraires — tel le débat sur les mérites comparés de l'architecture, de la peinture, de la poésie et de l'art des jardins; enfin épisodes « plaisants » — aventures d'un cygne, aventure d'un saumon et d'un esturgeon —, dont le ton évoque parfois déjà celui des *Fables*. La Fontaine s'est évidemment amusé à rhabiller au goût du jour, et en vers, le *Songe de Poliphile,* de Francesco Colonna (1499), qu'il évoque dans son Avertissement et qui demeurait encore la bible des lettrés et des artistes. Il débarrasse simplement l'aventure onirique de son caractère mystique et initiatique et inverse le rapport entre les mots et les choses. Colonna décrivait les paysages ou les monuments sortis de son imagination comme des réalités archéologiques dont il essayait de percer les mystères et qui devaient inspirer des générations de jardiniers et d'architectes. La Fontaine, lui, s'ingénie à devancer ceux-ci, à achever poétiquement leurs œuvres entreprises pour y loger des épisodes de fantaisie. Premier indice, dans la carrière de La Fontaine, de ces « détournements littéraires » dont il allait se faire une règle.

Dans la Préface des *Amours de Psyché* (1669), ce « Songe de Versailles », selon le mot de P. Clarac, La Fontaine revendique clairement cette « manipulation littéraire ». L'écriture de ce roman poétique fut, si on l'en croit, laborieuse. Apulée, sans doute, lui fournissait la trame du récit : Psyché, jeune et superbe mortelle, est condamnée par les oracles à épouser un « monstre » qui n'est autre que l'Amour, et doit subir, avant d'être admise parmi les dieux, les épreuves imposées par la jalousie de Vénus. Ce qui était, dans le modèle latin, une quête mystique et philosophique devient toutefois chez notre poète un incomparable hymne à l'amour. La Fontaine, en outre, modifie hardiment certaines scènes, ajoute des épisodes de son invention — telle la rencontre du vieux pêcheur et de ses filles, dans la seconde partie — et surtout expérimente un procédé de composition « en abyme » qu'il réutilisera fréquemment dans ses *Fables* ou dans ses *Contes*. Le récit des aventures de Psyché est lu par Poliphile, l'un des héros du roman, devant trois autres amis — Ariste, Acante et Gélaste —, au cours d'une promenade à Versailles. Entre chaque lecture, les quatre personnages reprennent haleine : le poète en profite pour nous décrire les lieux où leurs pas les ont conduits — la ménagerie, la chambre et le cabinet du roi, l'orangerie, la grotte de Thétys, etc. L'ouvrage de La Fontaine apparaît ainsi comme une marche (*diabasis*), dont les scènes du conte d'Amour et Psyché constituent chaque fois une station (*stasis*), telles des statues destinées à orner les carrefours du parc où se joue le récit au premier degré. En outre, dans le récit au second degré, celui des amours de Psyché, les descriptions d'art (*ekphrasis*) ne manquent pas : palais de l'Amour, tapisseries, jardins... Ces descriptions font souvent référence à des œuvres d'art bien réelles mais participent à une fiction, elle-même désignée comme l'ornement d'une description.

Elles imposent donc une troisième stratification, un troisième niveau de lecture du récit. Système complexe, en fin de compte, où la réalité et la fiction, la description d'œuvres réelles et de tableaux imaginaires échangent leur place et leur rôle, à l'instar des jardins et des palais lors des fêtes de l'Île enchantée : « Palais devenus jardins, et jardins devenus palais ».

Pourtant, l'enchantement littéraire, le trompe-l'œil stylistique savamment élaborés par La Fontaine n'atteignirent pas leur but à l'époque. L'ouvrage n'eut guère de succès. On reprocha au poète de s'y être montré « provincial » : une façon vaniteuse et bien parisienne de faire entendre que son style était trop insolite pour qu'on le goûtât pleinement.

📖 *Adonis, la Captivité de saint Malc, le Quinquina,* poèmes

Les vers sont pour la société mondaine le seul mode civilisé de communication. La Fontaine n'échappe pas à cette étiquette sociale. C'est en vers qu'il intercède auprès du roi pour Fouquet, en vers qu'il raille le jésuite Escobar ou le Florentin Lulli, en vers qu'il félicite la surintendante de la naissance de son fils, en vers enfin qu'il prend parti dans la querelle des Anciens et des Modernes.

Toutefois, par leur portée et leur ampleur — de 500 à 700 vers —, trois poèmes se signalent dans cette abondante production poétique : *Adonis,* dont le manuscrit, superbement calligraphié par Nicolas Jarry, fut offert à Fouquet en 1658, mais qui ne devait être publié qu'en 1669 et 1671; le poème de *la Captivité de saint Malc,* publié en 1673, et le poème du *Quinquina,* qui parut en 1682.

Apparemment, trois œuvres fort dissemblables. Toutes révèlent pourtant un même « cas de figure » :

Le dédicataire de chaque poème donne le ton. L'œuvre répond aux goûts d'un « micro-milieu » culturel qui, temporairement ou durablement, joue un rôle déterminant dans la vie de l'« intelligentsia » et avec lequel La Fontaine entretient des relations suivies : avec Fouquet,

> Qui connais les Beaux-Arts, qui sais ce qui doit plaire,

et son entourage de connaisseurs et d'esthètes, pour *Adonis*; avec le cardinal de Bouillon et les cercles jansénistes pour *Saint Malc*; enfin, pour *le Quinquina,* avec la duchesse de Bouillon et les salons de « la deuxième génération », où l'on rencontre plus de médecins, d'explorateurs et de philosophes que de trousseurs de sonnets.

Dans chaque cas, l'engagement de La Fontaine prend l'allure d'un « challenge » : il s'attaque à des sujets qu'aucun poète français n'avait encore abordés, et dont le « maître » avant lui demeure un Ancien ou un étranger (Ovide et Marino, pour *Adonis*; Lucrèce, pour *le Quinquina*) :

> Matière non encor par les Muses traitée,
> Route qu'aucun mortel en ses vers n'a tentée.
>
> (*le Quinquina*)

Sujets, en outre, pour lesquels l'œuvre antérieure du poète ne semble pas particulièrement le destiner :

> Je ne voulais chanter que les héros d'Ésope.
>
> (*le Quinquina*)

En position de « challenger », La Fontaine ne peut emporter la partie qu'en la déplaçant sur un autre terrain, conforme au goût de son dédicataire. *Adonis* retrace la rencontre, l'amour et la séparation fatale de Vénus et du trop bel Adonis, tué en terrassant un monstrueux sanglier au cours d'une chasse. Héros mythologiques, scènes guerrières : le poème appartient au genre épique. Mais La Fontaine, maladroit dans l'évocation de la chasse et du monstre, se plaît à donner un pur exemple de poésie lyrique. Il reconnaît lui-même que son œuvre mérite plus le nom d'idylle que celui de poème héroïque. Et, pour le maître de Vaux, il fait concurrence aux beaux-arts : il tisse subtilement une suite de tapisseries d'une finesse de ton qui n'a d'égale que la ténuité des moments d'amour qu'il évoque :

> Jours devenus moments, moments filés de soie.
> Délicieux moments, vous ne reviendrez plus...

Valéry y voyait le prélude aux plaintes raciniennes.

Une lettre de saint Jérôme a fourni le canevas du *Saint Malc*. Chrétien désireux de se consacrer à Dieu, Malc, enlevé par les Infidèles, est contraint par son maître d'épouser une autre esclave. Celle-ci, par bonheur, avait formé des vœux identiques à ceux de Malc.

Ces chastes époux devront lutter contre le désir et la tentation, avant de pouvoir se retourner l'un et l'autre vers Dieu au terme d'une miraculeuse évasion. Au lieu de la paraphrase patristique qu'on aurait pu redouter, La Fontaine, en près de six cents alexandrins à rimes plates, bâtit une tragédie ou, plus exactement, un drame psychologique. Il n'hésite pas à forger des « circonstances » qui rendront plus tragique l'épreuve morale que subissent ses héros et confèrent à cette œuvre originale rigueur et noblesse.

Le poème du *Quinquina*, quant à lui, peut nous paraître aujourd'hui bien ennuyeux. C'est, en vers « irréguliers », un traité abrégé de la circulation du sang, selon la théorie de Harvey, et un guide d'utilisation des fébrifuges, selon les préceptes de Monginot. Ce poème est avant tout un signe : le signe d'un état social où le poète assume la fonction de médiateur dans le transfert de l'information spécialisée — scientifique, technique, politique, etc. La poésie, les vers sont les instruments irremplaçables d'une vulgarisation plaisante... qu'assument aujourd'hui les *mass media*.

BIBLIOGRAPHIE
Sur *Adonis*: Paul Valéry, *Au sujet d'« Adonis »*, dans *Variété I*, Paris, Gallimard, 1924. Valéry, en se fondant sur le texte d'*Adonis*, met en lumière l'importance du travail conscient chez le poète prétendu de l'insouciance.

🕮 *Contes et nouvelles en vers*

La Fontaine collabore à la traduction de *la Cité de Dieu* de saint Augustin et à un recueil de poésies chrétiennes. Il compose le poème de *la Captivité de saint Malc*. Dans le même temps, il écrit et publie, en plusieurs « livraisons » (1664-1685), ses *Contes et nouvelles en vers*, dont la quatrième partie, jugée trop licencieuse, sera interdite à la vente (1674) [pour l'histoire de l'édition, voir la chronologie].

En écrivant ces contes, La Fontaine a cherché tout à la fois à relever un défi et à profiter d'une mode.

La mode est celle du retour au passé littéraire français : goût des vieux auteurs, goût du vieux langage cher à Voiture, et qui, entre le mot et la chose, introduit l'épaisseur de l'histoire.

Le défi, c'est celui de conter pour conter, de faire entrer le lecteur dans un jeu où l'évocation licencieuse sera si habilement déguisée qu'elle suscitera moins une émotion sensuelle qu'une admiration esthétique pour l'art du conteur. Détournés du contenu, les yeux ne doivent que s'émerveiller de la forme, de cet art consommé de l'effeuillage littéraire :

> Contons, mais contons bien : c'est le point principal.
> C'est tout.
>
> (*les Oies de frère Philippe*, III, 1)

Relevant ce défi et profitant de cette mode, La Fontaine se heurte à une double difficulté : l'une posée par le style, l'autre par la matière des contes.

En effet, le retour au vieux langage s'accommode mal d'une versification libérée. Le décasyllabe marotique à rimes plates est plus séant. Pourtant la conduite du récit exige des effets que seule la souplesse du vers peut donner. Le poète, dès l'origine, pressent cette contradiction. Lorsqu'il présente ses deux premiers contes à titre d'essai, il émet le vœu que le public se fasse l'arbitre du débat : la versification de « Joconde » est libre, en vers irréguliers, comme celle des *Fables*. Au contraire, le décasyllabe, les tours marotiques et les mots du vieux langage règnent chez « le Cocu battu et content ». Le public toutefois se refuse à choisir. La Fontaine se garde bien de trancher lui-même, et il utilisera, jusqu'au dernier conte, les deux procédés. Dans un cas, la souplesse du vers autorise toutes les facéties du conteur; dans l'autre, le recul historique l'assure de l'impunité.

Il y a bien du danger, cependant, à s'engager dans la voie de la virtuosité formelle. Celle-ci exige pour se surpasser que le sujet choisi soit sans cesse plus scabreux. Or, les situations grivoises sont en nombre fini. Aussi La Fontaine doit-il, pour rendre toujours plus éclatante sa prouesse de conteur, creuser l'écart entre la situation licencieuse et les personnages qu'il y confronte. Si, dès les premiers recueils, les filles troussées, les maris cocus et les femmes infidèles sont légion, la quatrième partie ne met plus guère en scène que des nonnes (« le Psautier », « les Lunettes »), des abbesses (« l'Abbesse »), des confesseurs (« le Cas de conscience »), ou des révérends pères... fort irrévérencieux (« Comment l'esprit vient aux filles »). L'arrêt du lieutenant de police sanctionnera comme il se doit cette « prouesse » littéraire.

Cependant, bien qu'il les ait reniés, La Fontaine s'est trop impliqué dans ses *Contes* pour ne pas avoir eu, à leur endroit, un profond attachement. Même si les sujets sont empruntés à Boccace, à l'Arioste ou aux *Cent Nouvelles nouvelles*, le poète s'introduit sans cesse clandestinement dans son récit. Il apporte, au détour d'un vers, une réflexion désabusée ou une suggestion personnelle. Si les *Contes* peuvent aujourd'hui nous sembler fades, La Fontaine y fait preuve de certains des dons qui contribuent à la gloire des *Fables* : le sens du rythme, de la composition et de la mise en scène, un langage emprunté aux terroirs, un « art des transitions » (Léo Spitzer) et une « esthétique de la négligence » (C.J. Lapp) : en un mot, le trompe-l'œil du naturel, l'absence affectée d'affectation. Le langage ici tient à distance ce que l'aventure évoque à nos sens, et, par un délicieux paradoxe, la chair s'est faite verbe... [Voir aussi CONTE.]

BIBLIOGRAPHIE
John C. Lapp, *The Esthetics of « Negligence ». La Fontaine's Contes*, New York, Fall, 1964.

🕮 *Fables*

Les *Fables* sont l'œuvre d'une vie. Leur publication s'étend sur un quart de siècle (1668-1694); leur composition sur plus de trente années peut-être si l'on fait remonter les premières fables à 1660 ou 1662 (pour l'histoire de l'édition, voir la chronologie).

La composition du recueil entier des *Fables*, le classement de celles-ci, la division par livres et sa finalité réelle laissent perplexes. On ne parvient à rendre compte ni de l'invention ni de la construction de cette mystérieuse machine des *Fables*. Il est surtout malaisé de concilier le projet d'utilité et de moralité invoqué par La Fontaine dans ses Préfaces avec l'« immoralité » apparente de certaines fables — dénoncée par J.-J. Rousseau — et les constantes contradictions de l'œuvre : non seulement contradiction de fable à fable, mais parfois aussi contradiction au sein d'une même fable : La Fontaine, dans sa morale, prend le contre-pied de sa démonstration (ainsi dans « l'Horoscope », VIII, 16). Comment concilier l'idée d'une efficacité morale et pratique des *Fables* avec ces fréquentes contradictions?

Certains indices sont sûrs : les quelques publications séparées dont nous disposons montrent qu'il y a eu, dans la présentation en recueils, à la fois un tri — certaines fables à caractère ouvertement politique ne seront jamais admises dans les recueils — et une répartition, un classement par livres des *Fables* qui déjoue l'ordre chronologique de leur composition.

Il apparaît, d'autre part, dans les Épilogues des deux premiers recueils, que l'œuvre, à ces moments, est simplement « suspendue » et non pas achevée. Seule la dernière fable du douzième livre, « le Juge arbitre, l'Hospitalier et le Solitaire », vient officiellement, dans ses vers ultimes, clore à jamais l'ensemble du recueil :

Cette leçon sera la fin de ces ouvrages...
Par où saurais-je mieux finir?

Il existe donc un itinéraire des *Fables*, et celui-ci se trouve jalonné par de constants appels, par des échos significatifs de fable en fable. « Les Frelons et les Mouches à miel » (I, 21) font déjà allusion à « l'Huître et les Plaideurs » (IX, 9); « la Souris métamorphosée en fille » (IX, 7) semble reprendre le thème et le schéma de « la Chatte métamorphosée en femme » (II, 18); beaucoup de « fables doubles » comme « la Laitière et le Pot au lait » et « le Curé et le Mort » s'appellent l'une l'autre, etc. Ainsi les *Fables* constituent-elles une totalité, achevée seulement au terme du livre XII, et dont l'ordre délibéré est celui d'une progression jalonnée par des signes évidents.

Ce « parcours » nous en évoque d'autres : *le Songe de Vaux* était conçu dès l'origine comme une promenade enchantée dans le palais et les jardins de Vaux, encore inachevés; les *Lettres du Limousin* rendaient compte d'un itinéraire géographique vécu, avec ses haltes, ses stations devant certains paysages ou certains monuments; enfin *les Amours de Psyché et de Cupidon*, qui paraîtront seulement un an après le premier recueil des *Fables*, substituent à une composition historique du récit une disposition « topographique » résultant des déplacements de quatre amis dans le parc de Versailles. Décidément, chez La Fontaine, Hortésie, la fée du jardinage, fait bon ménage avec Calliopée, la Muse de la poésie.

Or, c'est à partir de 1669 que les jardiniers installent, dans un coin forestier du parc de Versailles, un labyrinthe de verdure. Ce labyrinthe est constitué de multiples petites allées, jalonnées par des fontaines de plomb coloré reproduisant des sujets des *Fables* d'Ésope. L'instigateur du projet? Charles Perrault, premier commis à la surintendance des Bâtiments du roi depuis la disgrâce de Fouquet. Le dessinateur de l'ensemble? Le Brun. Les sculpteurs des fontaines? Le Gros, Tuby, Houzeau, Le Hongre. Le jardinier? Le Nôtre. Bref, toute l'ancienne équipe constituée autour de Fouquet lors de l'aménagement de Vaux; tous des amis de La Fontaine. Que de similitudes entre la construction littéraire de La Fontaine et ce labyrinthe où les animaux sont représentés « dans leur forme naïve », où la nature est partout présente, où l'eau ruisselle de toutes parts, où les perspectives ne s'ouvrent qu'une à une, où la fonction pédagogique enfin est clairement affirmée puisque Bossuet, dit-on, conservait la clef du labyrinthe pour y promener le Dauphin, son jeune élève! Au pied de chaque fontaine, on trouve un quatrain de Benserade qui relate brièvement la fable illustrée. Qu'un tel projet de « jardin fabuleux » ait pu être imaginé dès 1658 ou 1659 pour le palais de Vaux, que La Fontaine ait été pressenti depuis longtemps pour rédiger les textes versifiés des *Fables*, qu'après la chute du surintendant on lui ait, en fin de compte, préféré Benserade — ce qui légitimerait encore l'hostilité de La Fontaine, jusqu'en 1678, contre les partisans de la brièveté de la fable —, certains indices conduisent à le penser, mais rien ne nous en assure. Que le succès des *Fables* de La Fontaine ait fait naître l'idée d'aménager ce labyrinthe est également probable. Quoi qu'il en soit, retenons l'adéquation du fablier à la disposition en labyrinthe. Un labyrinthe qui ne comporte qu'une sortie.

La Fontaine ne parle-t-il pas de ses *Fables* comme d'un « enchantement », une « feinte », c'est-à-dire un délicieux trompe-l'œil? Ne pouvons-nous imaginer, dès lors, que les fables, à l'instar des statues du labyrinthe, sont disposées de telle sorte qu'on puisse prendre plusieurs chemins mais qu'ils mènent tous à une même issue? Ainsi entre les fables, comme entre les fontaines des sculpteurs de Versailles, sont aménagées des perspectives que déterminent aussi bien une attirance de sens qu'une concordance plastique. On voit se tisser peu à peu un réseau où toutes les fables finissent par entrer et par se répondre. Les livres ne sont pas, dès lors, des chapitres séparés, des unités en enfilade, mais plutôt des entrées possibles du labyrinthe. En effet, La Fontaine a composé chacun d'eux d'un nombre suffisant de fables pour que la douzaine de personnages principaux — l'homme, la femme, les dieux, l'oiseau, le loup, le renard, le lion, le rat, l'âne, le singe et la « gent aquatique » — y prennent place, ainsi que la douzaine d'éléments constants, pour ainsi dire « stéréotypés » du décor — forêt, champ, rocher, rivière, mer, chemin, rue de ville, échoppe, palais, chaumière. Dès lors, à nous de suivre un animal ou de remonter le cours de « la » rivière des *Fables*. Nous finirons toujours par aboutir à la « source » où se tiennent « le Juge arbitre, l'Hospitalier et le Solitaire » (XII, 29). Par là s'expliquent les contradictions et l'immoralité prétendue de certaines fables des premiers livres. Chaque fable, en effet, ne marque qu'une étape dans l'itinéraire total. Elle annule et périme une « moralité » tirée antérieurement, elle sera à son tour surpassée par une autre. Quel que soit l'itinéraire choisi, la découverte de la leçon finale exige qu'on ne s'arrête point à l'une des stations mais qu'on poursuive la quête jusqu'au bout, comme l'amant précieux ne devait point s'en tenir à « Billet galant » ou à « Billet doux » pour parvenir à « Tendre-sur-Inclination ». La Fontaine renouvelle, dans sa composition, cet art de la cartographie littéraire qui fut celui des Précieux et auquel dut s'amuser son maître Fouquet. Le labyrinthe des *Fables*, c'est, sur le papier, une carte en perspective cavalière, avec son paysage, ses lieux d'étape, et ses « mers dangereuses ». Dans sa progression thématique, le labyrinthe apparaîtrait conçu de la manière décrite dans le schéma ci-après.

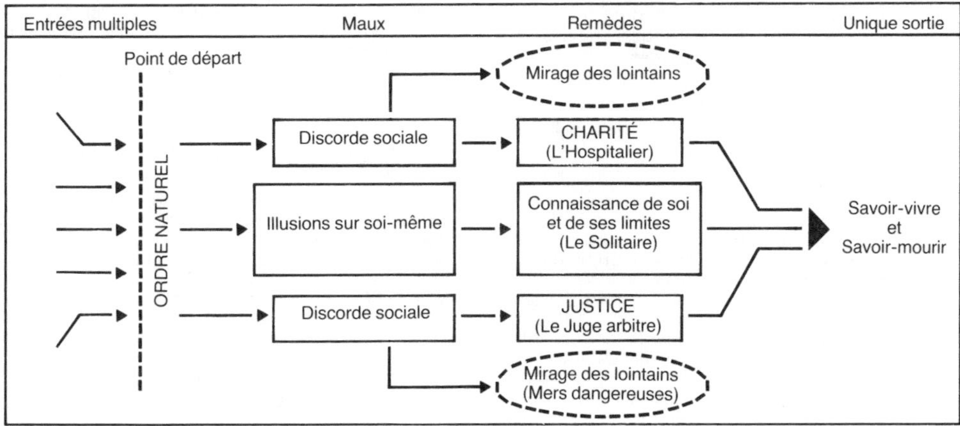

Toute fable naît d'une perturbation de l'ordre naturel ou de la hiérarchie sociale. A l'origine de cette perturbation, un mal qui se loge dans le cœur de l'homme — l'illusion sur soi-même — et dans le corps social lui-même — la discorde. Échapper à ces deux maux en fuyant dans un pays idéal, cet Orient de rêve qui n'apparaît dans les *Fables* qu'à partir de 1678, est, au bout du compte, un vain espoir, un mirage, une illusion. Les vrais remèdes s'appellent la justice — le Juge arbitre —, la charité — l'Hospitalier —, propres l'une et l'autre à guérir le corps social, et la connaissance de soi-même — le Solitaire —, qui détrompe des illusions vaniteuses et rétablit en chaque homme l'ordre et la paix intérieure. Ainsi, des trois voies ouvertes encore au bout du parcours, pour qui ne s'est point laissé prendre aux mirages des lointains, une seule mène véritablement à la sortie du labyrinthe : au moment ultime, la justice et la charité sont en effet encore une fois « surpassées » par la connaissance de soi-même et de ses limites, seule clef du savoir-vivre et du savoir-mourir. Par l'addition des volontés individuelles, la connaissance de soi peut devenir la garantie de l'ordre social. Les chemins suivis par le Juge arbitre et par l'Hospitalier recoupent, juste avant la sortie, la voie royale du Solitaire, préparée dès longtemps.

Ce plan d'un « labyrinthe enchanté » pour les *Fables* correspond en fait, chez notre poète, à une double sublimation.

Sublimation d'abord de la rhétorique classique. Dans sa marche vers la leçon finale, La Fontaine a en effet conservé l'étroite voie de la rhétorique traditionnelle qui mène de la *propositio* à la *confirmatio* par le détour d'une série de « réfutations ». Mais il l'a proprement sublimée en substituant aux artifices de la rhétorique des articulations plastiques, à ses nécessités rigides et arbitraires une sollicitation constamment naturelle de perspectives tentantes et au vieux schéma scolastique un paysage vivant.

Sublimation de la pédagogie classique également : La Fontaine parvient, en effet, à faire passer dans un dessin de jardin le traditionnel système des « arts de mémoire » — ces procédés de mémoire artificielle qui faisaient largement appel à l'image et au souvenir visuel. Ces architectures, ces figures composites où Quintilien autrefois conseillait à l'orateur de loger, de façon imaginaire, les diverses parties d'un discours à apprendre par cœur, les voici à présent remplacées par un fabuleux jardin. Le projet pédagogique rencontre ici, avec une prodigieuse aisance, l'esthétique du temps.

Ainsi La Fontaine nous invite-t-il à la promenade dans un jardin fabuleux et semé de pièges. Toutefois, pour nous guider, il nous a laissé un cicérone : le jardinier des *Fables*, qui, nul ne s'en étonnera désormais, se trouve être le seul personnage constamment sympathique de l'ouvrage.

Sous la conduite d'un tel guide, nous apprendrons à déchiffrer les multiples allusions politiques, références philosophiques, citations littéraires ou même picturales qui nourrissent le « sous-sol » du jardin des *Fables*. La Fontaine ne nous a-t-il pas lui-même invités à méditer la leçon du Laboureur et ses enfants? [Voir aussi FABLE].

BIBLIOGRAPHIE

Au contraire des autres œuvres, les *Fables* ont suscité une abondante littérature. On pourra consulter utilement les ouvrages ou articles suivants. Pour la construction et la composition des *Fables* : Pierre Moreau, *Thèmes et variations dans le premier recueil des Fables de La Fontaine*, Paris, C.D.U., 1960; Jacques Proust, « Remarques sur la disposition par livres des *Fables* de La Fontaine », dans *Mélanges... Pierre Jourda*, Paris, 1970, p. 227-248; Pierre Bornecque, « Thèmes et organisation des *Fables* », *Europe*, n° 515, 1972, p. 39-52 (on se reportera utilement à ce numéro de la revue *Europe* presque entièrement consacré à La Fontaine); Alain-Marie Bassy, « les *Fables* de La Fontaine et le labyrinthe de Versailles », *Revue française d'histoire du livre*, n° 12, 1976, p. 1-63 (cet article développe les remarques esquissées ci-dessus). — Pour une réflexion d'ensemble sur l'art du fabuliste, René Bray, *les « Fables » de La Fontaine*, Paris, Malfère, 1929 (un des premiers ouvrages scolaires qui ont renouvelé la critique des *Fables*), et surtout Odette de Mourgues, *Ô Muse, fuyante proie... Essai sur la poésie de La Fontaine*, Paris, José Corti, 1962 (brillant essai qui met admirablement en lumière les choix nécessaires que La Fontaine s'est imposés devant l'héritage de la poésie libertine et précieuse. On y trouvera de pertinentes remarques sur « l'art du sacrifice », « l'esthétique de la transparence » et « l'ironie poétique »). — Pour les sources et la poétique de La Fontaine : Georges Couton, *la Poétique de La Fontaine. Deux Études : 1/ La Fontaine et l'art des emblèmes; 2/ Du pensum aux « Fables »*, Paris, P.U.F., 1957 (petit ouvrage capital sur les rapports de la poésie de La Fontaine avec l'art des emblématistes et avec les structures de la rhétorique). — Pour le style des *Fables* : Jean-Dominique Biard, *the Style of La Fontaine's « Fables »*, Oxford, Blackwell, 1966 (cet ouvrage, très complet, est paru en français à Paris, chez Nizet, en 1970). — Pour la vision et la sensibilité de La Fontaine : Félix Boillot, *les Impressions sensorielles de La Fontaine*, Paris, P.U.F., 1926 (présente un inventaire méthodique du vocabulaire descriptif et chromatique de La Fontaine). — Pour la philosophie de La Fontaine : René Jasinski, « Sur la philosophie de La Fontaine dans les livres VII à XII des *Fables* », *Revue d'histoire de la philosophie*, Paris, 1933 (p. 316-330) et 1934 (p. 218-242) (où les rapports de la philosophie de La Fontaine avec le gassendisme, sa théorie de l'homme, de l'animal, de l'univers sont étudiés très précisément). — Pour la politique de La Fontaine : Georges Couton, *la Politique de La Fontaine*, Paris, Les Belles-Lettres, 1959 (ouvrage clair et complet); René Jasinski, *La Fontaine et le premier recueil des « Fables »*, Paris, Nizet, 1966, 2 vol. (où l'auteur effectue une lecture essentiellement politique du premier recueil des *Fables*, qui retracerait l'itinéraire de La Fontaine avant et après la chute de Fouquet, constituant ainsi une sorte de chronique au jour le jour des événements de l'actualité). — Pour une information plus complète, on se reportera aux bibliographies fournies dans les ouvrages cités ci-après de Jean Orieux, Renée Kohn ou Jean-Pierre Collinet.

Adaptations

La première « adaptation » qui fut réalisée d'une œuvre de La Fontaine est peut-être la tragi-comédie-ballet de *Psyché*, écrite par Molière, en collaboration avec Corneille et Quinault, sur une musique de Lulli (1671).

Les *Contes*, malgré la vivacité de leur mise en scène, n'ont guère inspiré les hommes de théâtre. Seul André Verdun, dans la décennie 1960, a tenté de transposer sur les planches quelques-uns de ces *Contes*. Sa mise en scène faisait appel à la fois à des acteurs et à des marionnettes, présents en même temps sur la scène. En outre, on retrouve dans le *Décaméron*, porté à l'écran par Pier Paolo Pasolini (1971), un certain nombre de contes de Boccace, repris par La Fontaine.

Les personnages des *Fables*, quant à eux, ont, de bonne grâce, servi de modèles aux artistes les plus divers depuis quatre siècles et se sont prêtés à toutes les fantaisies : on les retrouve sur des tapisseries, des boiseries, des plaques de cheminée, des rideaux, des services à thé, des meubles, des tabatières, des pendules, etc. (On trouvera un inventaire non exhaustif de ces objets dans Léon Garnier, *Vie de notre bon Jehan de La Fontaine, contée par l'image, Essai iconologique*, Paris, Deruelle, 1937).

Enfin, par leur universalité, leur brièveté, mais aussi leur charme, les *Fables* devaient séduire les auteurs de courts métrages ou de dessins animés. En 1897, Georges Méliès réalise, en court métrage, *la Cigale et la Fourmi*, avec des figurants. Il est suivi par Louis Feuillade (1909) en France et G. Asagarof (1927) en Allemagne : l'un et l'autre mettent en scène la fable du poète en la transposant dans l'univers des hommes. Ce sont des acteurs qui y interprètent les différents rôles. S'inspirant de la même fable, réécrite par Ivan Krilov (*Striekoza i Muraviej*), Ladislas Starevitch réalise en 1913 un court métrage d'animation avec des poupées filmées « image par image ». Ce film sera suivi de deux autres, réalisés d'une façon identique par Starevitch, *les Grenouilles qui demandent un roi* (1923) et *le Rat de ville et le Rat des champs* (1927). Louis Feuillade, fidèle à la transposition théâtrale, avait mis en scène, quant à lui, en 1909, une fable à sujet humain : *le Savetier et le Financier*.

Les *Fables* ont toujours séduit les illustrateurs. La naissance du dessin animé leur ouvre de ce fait de nouvelles perspectives. Benjamin Rabier, le père du canard Gédéon, collabore avec Émile Cohl pour donner en 1922 un dessin animé retraçant la rencontre du *Renard et la Cigogne*. Lortac et Landelle traitent pour la première fois sous forme de dessin animé le thème de *la Cigale et la Fourmi* (1923). Jean Image oppose à l'écran en 1940 *le Loup et l'Agneau*. Dès cette époque les Américains, spécialistes du dessin animé, s'intéressent aux fables du Champenois. Jack Hanna et Fred Spencer donnent en 1935 une version très personnelle — et désopilante — du *Lièvre et la Tortue* : le lièvre y perd son temps à séduire les jolies lapines et à disputer contre lui-même, d'un côté à l'autre du court, une essoufflante partie de tennis. Le ton est donné : chaque fois que les fables réapparaîtront désormais dans les « cartoons » d'outre-Atlantique, leur morale finale sera celle du « nonsense ». Qui sait si La Fontaine n'aurait pas applaudi?

BIBLIOGRAPHIE GÉNÉRALE

Éditions

Il existe trois bonnes éditions des *Œuvres complètes* de La Fontaine : *Œuvres*, par Henri Régnier, Paris, Hachette, 1883-1892; *Fables, Contes et Nouvelles*, par Edmond Pilon, René Groos et Jacques Schiffrin; *Œuvres diverses* par Pierre Clarac, Paris, Gallimard, La Pléiade (3e éd., revue), 1966, 1968; *Œuvres complètes*, préface de Pierre Clarac, prés. et notes de Jean Marmier, Paris, Le Seuil, « L'Intégrale », 1965. En outre, pour les *Fables* seules, on pourra utiliser: *Fables*, éd. par René Radouant, Paris, Hachette, 1929; *Fables*, éd. par Georges Couton, Paris, Garnier, 1962 (sans doute l'une des meilleures éditions disponibles à l'heure actuelle); *Fables*, éd. par Pierre Michel et Maurice Martin, Paris, Bordas, 1964, 2 vol. (instrument de travail pratique et richement documenté). *Fables*, éd. par Jean-Pierre Collinet, Paris, Gallimard, « Poésie », 1976. Pour les *Contes* seuls : *Contes et Nouvelles en vers*, éd. par Jean-Pierre Collinet, Paris, Flammarion, « GF », 1980; *Contes et Nouvelles en vers*, éd. par Alain-Marie Bassy, Paris, Gallimard, « Folio », 1982.

Critiques

Pour faire connaissance avec l'homme et son mythe, on consultera la meilleure biographie de La Fontaine : Jean Orieux, *La Fontaine, ou la vie est un conte*, Paris, Flammarion, 1976. Parallèlement, on examinera le portrait qu'ont donné de La Fontaine quelques grands de la littérature : Charles-Augustin Sainte-Beuve, *Portraits littéraires*, Gallimard, La Pléiade, t. I, p. 696-720; id., *Causeries du Lundi*, éd. Garnier, tomes I, VII, XII, XIII; id., *Port-Royal* où se trouvent dispersées plusieurs allusions à La Fontaine; Hippolyte Taine, *La Fontaine et ses « Fables »* (3e éd. entièrement refondue), Paris, Hachette, 1861; Jean Giraudoux, *les Cinq Tentations de La Fontaine, Cinq Conférences*, Paris, Grasset, 1938.

Trois ouvrages généraux peuvent servir d'introduction à l'œuvre du poète : Pierre Clarac, *La Fontaine, l'homme et l'œuvre*, Paris, Boivin-Hatier, « Connaissance des Lettres », 1947. On se servira plutôt de la seconde édition (1959) de cet ouvrage de base; — *La Fontaine par lui-même*, Paris, Le Seuil, « Écrivains de toujours », 1961; Antoine Adam, *Histoire de la littérature française au XVIIe siècle*, t. II (1951), IV (1954), V (1956), Paris, Domat.

Pour aller plus loin dans l'univers de La Fontaine, on se reportera à : Philipp A. Wadsworth, *Young La Fontaine, a Study of His Artistic Growth in His Early Poetry and First Fables*, Evanston (Ill.), 1952; Renée Kohn, *le Goût de La Fontaine*, Grenoble, Allier, 1962, qui replace La Fontaine dans le concert des arts et l'évolution des goûts; Jean-Pierre Collinet, *le Monde littéraire de La Fontaine*, Paris, P.U.F., 1970, une des plus récentes études d'ensemble sur la création littéraire de La Fontaine.

BIBLIOPHILIE

Dès la publication du premier recueil, les *Fables* de La Fontaine, conformément à une tradition de la librairie, étaient ornées de vignettes dues au crayon et au burin de François Chauveau. Depuis 1668, près de mille cinq cents éditions illustrées ont vu le jour. Plusieurs centaines de ces séries d'illustrations sont originales. C'est dire l'intérêt que peuvent porter les bibliophiles, depuis quatre siècles, aux éditions des *Fables*.

En revanche, *les Amours de Psyché et de Cupidon* et les *Contes et Nouvelles* parurent, à l'origine, sans illustration. Il faut attendre la fin du XVIIe siècle pour voir paraître à Amsterdam, chez Henry des Bordes, une édition des *Contes* illustrée par Romyn de Hooghe.

Nous disposons, jusqu'à la date de 1911, d'un outil bibliographique de grande valeur en l'ouvrage du comte René de Rochambeau, *Bibliographie des œuvres de La Fontaine*, Paris, Rouquette, 1911.

Nous nous bornons ici à signaler les éditions les plus recherchées par les bibliophiles :

Les Amours de Psyché et de Cupidon, éd. illustrée par Moreau le Jeune, Paris, Saugrain, 1795; éd. illustrée par Gérard, Paris, Didot l'Aîné, 1797. — *Les Contes et Nouvelles en vers* : c'est le XVIIIe siècle qui a principalement rendu aux *Contes* l'hommage graphique qu'ils méritaient. Il semble que l'héritage littéraire de La Fontaine (*Fables* et *Contes*) soit nettement partagé entre deux écoles picturales : l'école des « Grâces » — autour de Boucher — qui illustre les *Contes*, et l'école réaliste et coloriste, autour de J.-B. Oudry, qui s'empare des *Fables* (voir sur ce sujet Alain-Marie Bassy, « le Paradoxe du réalisme et du merveilleux dans l'illustration des *Fables* de La Fontaine au XVIIIe siècle », *Bulletin du Bibliophile*, t. II, 1979, p. 216-238). Les éditions illustrées des *Contes* les plus célèbres sont : éd. illustrée par Charles Eisen, Paris (avec la rubrique d'Amsterdam), Barbou, 1762 (Édition des Fermiers généraux); éd. illustrée par Duplessis-Bertaux, Paris (avec la rubrique de Londres), Cazin, 1778; suite des dessins improvisés par Fragonard pour le duc de Choiseul, et partiellement repris puis abandonnés dans l'édition Pierre Didot, Paris, 1795. — *Les Fables* : éd. illustrée par François Chauveau, Paris, Barbin, 1668, in-4o; et Paris, Denys Thierry, 1668-1694, 5 vol. in-12; éd. illustrée de dessins de J.-B. Oudry, retouchés et gravés par Ch.-N. Cochin, Paris, Desaint et Saillant, 1755-1759; éd. gravée par Fessard, sur les dessins de divers artistes, à Paris, chez l'auteur, 1765-1775; éd. illustré par J.-J. Grandville, Paris, H. Fournier Aîné, 1838-1840; éd. illustrée par G. Doré, Paris, Hachette, 1867; éd. illustrée par M. Chagall (1931), Paris, Tériade, Imprimerie nationale, 1952.

A.-M. BASSY

LA FORCE Charlotte Rose de Caumont de (1654?-1724). Avec le prestige d'une grande naissance et sans aucune fortune, Mlle de La Force brilla à la Cour par son esprit, comme fille d'honneur de la Dauphine. Faut-il la qualifier d'« effrontée aventurière », comme le fait sévèrement Antoine Adam, pour avoir, revêtue d'une peau d'ours, et avec la complicité d'une troupe de baladins, fait s'évader le fils du riche président de Brion, séquestré par son père, et l'avoir épousé en 1687? Son mariage fut annulé en 1689, après un interminable procès soutenu avec acharnement par son beau-père.

Elle composa d'abord des *Contes de fées* (1692), suivant la mode du temps, élégants et moralisateurs, puis un grand nombre d'*Histoires secrètes*, entre autres celles *de Bourgogne* (1694), *d'Henri IV, roi de Castille surnommé l'Impuissant* (1695), *de Marguerite de Valois*

(1696), *de Gustave Vasa de Suède* (1697). Dans un style facile, elle raconte des anecdotes galantes, souvent invraisemblables, parfois scabreuses, toujours malheureuses. Ses portraits des personnages historiques sont mordants. Son récit sait varier les techniques, utiliser les ressources des dialogues, des lettres. En 1697, à la suite d'une histoire de couplets impies, qu'on lui attribua, elle fut enfermée dans un couvent. Elle continua d'y écrire ses *Histoires*. Il faut enfin signaler, parmi ses derniers écrits, une œuvre curieuse : *les Jeux d'esprit ou la Promenade de la princesse de Conti à Eu*, qui fut publiée en 1862. Sur un argument analogue à celui de l'*Heptaméron*, une série de jeux littéraires y est proposée, entre autres le « jeu du songe », le « jeu de la métamorphose », le « jeu de la pensée ». Deux siècles avant le « cadavre exquis » des surréalistes, on y trouve une brillante démonstration des possibilités créatrices du hasard, exploitées dans leur bizarrerie signifiante.

BIBLIOGRAPHIE

Les *Histoires secrètes* de Mlle de La Force n'ont pas été rééditées, certaines même sont encore inédites. *Les Jeux d'esprit* ont été édités par le marquis de La Grange, avec une notice sur sa vie et ses œuvres, Paris, Aubry, 1862. Les *Contes de fées* ont été souvent réédités, dans divers recueils, ou isolément : *Contes des contes*, Paris, 1888, *la Bonne Femme*, Paris, 1936.

O. BIYIDI

LAFORGUE Jules (1860-1887). Poète aux accents d'adolescent, mort trop tôt (à vingt-sept ans), laissant derrière lui une œuvre dissonante, comme si l'harmonie s'était constamment refusée à celui qui écrivait : « Ah! je suis-t-il malhûreux », Laforgue reste, dans les années 1880, un solitaire, isolé dans son originalité, qui incarne cependant l'esprit même de la décadence. Il est avant tout le poète des trois recueils publiés de son vivant : *les Complaintes* (publiées en 1885 à compte d'auteur et dédiées à Paul Bourget), *l'Imitation de Notre-Dame la Lune* (1886) et *le Concile féerique* (1886). Un recueil de vers (*Derniers Vers*, publiés par Félix Fénéon en 1890) et un recueil de nouvelles (*Moralités légendaires*) paraîtront après sa mort.

Laforgue passe sa toute première enfance à Montevideo où il est né, puis rentre en France avec sa famille et fait ses études au lycée de Tarbes. Une nouvelle de l'adolescence, « Stéphane Vassiliev », nous donne un écho attristé de cette période : le héros s'enfuit du lycée, où il se morfond, et meurt bientôt poitrinaire. Après ses échecs successifs au baccalauréat de philosophie, Laforgue se mêle aux Hydropathes dans les cafés de la rive droite [voir HYDROPATHES]. Le goût des farces macabres qu'affectionnaient ses joyeux compagnons se retrouve dans son œuvre, avec, par exemple, l'adresse passionnée au crâne de Margaretha, la « bien-aimée », crâne d'un poli d'ivoire, si pratique pour boire comme en une coupe et qu'on peut vendre, « n'est-ce pas »? Or, Laforgue a aimé à quinze ans, avec vertige, une Marguerite vite mariée à un autre; on saisit là son goût de la profanation, de la dérision et de la cruauté. Il entreprend un recueil de vers, *le Sanglot de la terre*, où il voudrait concentrer, entre autres, « l'hôpital, l'amour, l'alcool, le spleen, les massacres, les Thébaïdes, la folie, la Salpêtrière », et qui ne verra jamais le jour. Grâce à une recommandation de son ami Gustave Kahn, Laforgue devient le secrétaire de Charles Éphrussi, riche collectionneur et critique d'art très averti, qui regroupe des œuvres impressionnistes, des Sisley, des Renoir, des Degas, et dont Proust s'est inspiré pour le personnage de Swann. Là, il acquiert un goût certain pour la peinture, et, tout au long de sa courte vie, il remplira des carnets de notes sur les tableaux qu'il lui est donné de voir. En 1881, grâce à quelques appuis amicaux, il part pour l'Allemagne, comme lecteur de la reine-impératrice Augusta. Il est à l'abri du besoin, mais devient, malgré quelques amours et quelques amitiés, la proie d'un ennui bientôt intolérable. Il reviendra de Berlin avec Leah Lee, une jeune Anglaise qu'il épousera fin 1886 avant de mourir bien vite, miné par la phtisie et dans un grand dénuement, à Paris. En Allemagne, une illumination lui a donné la définition de son esthétique, « une esthétique qui s'accorde avec l'inconscient de Hartmann, le transformisme de Darwin, les travaux de Helmholtz ». Il compose aussi des poèmes en écoutant jouer son jeune ami pianiste, Théodore Isaye. C'est dire que sa poésie, avec ses nombreux refrains, ses plaintes — qui sont aussi des chants (*les Complaintes*) —, ses litanies, se berce de musicalité :

> Orgue, orgue de Barbarie!
> Scie autant que souffre-douleur,
> Vidasse, vidasse ton cœur,
> Ma pauvre rosse endolorie.

Cette musique n'est pas celle de Verlaine, même si l'on y trouve parfois de la langueur, de la mélancolie ou le rêve de l'inconnue (par exemple, la « femme inconnue, et que j'aime et qui m'aime » de Verlaine devient chez Laforgue : « Elle, loyal rêve mort-né », avec ce tragique prosaïque du dernier vers : « Vrai, je ne l'ai jamais connue »). Pourtant Verlaine est peut-être le poète dont Laforgue se sent le plus proche : « Je rêve, écrit-il en 1882, de la poésie qui ne dise rien, mais soit des bouts de rêverie sans suite », et, un an plus tard, la lecture de *Sagesse* le bouleversera. Laforgue serait un Verlaine mâtiné de Rimbaud ou de Lautréamont. De Rimbaud il a les élans, les révoltes grinçantes, les haines et surtout, plus tard — peut-être a-t-il lu *les Illuminations* —, la force de briser les carcans de la versification pour innover dans le vers libre, comme le montrent les *Derniers Vers*, qui reprennent maints poèmes précédents; la découverte du vers libre a été revendiquée par Gustave Kahn, et il est bien difficile, en fait, de l'attribuer à un auteur précis. De Lautréamont, Laforgue a ces trouvailles presque surréalistes, cette cruauté qui font une grande part de sa modernité. De Baudelaire il a ce goût du spleen, qu'il acidule avec rage; de Mallarmé, pour lequel s'accroît son admiration, ce désir de briser la syntaxe :

> Oh! qu'une d'Elle-même, un beau soir, sût venir
> Ne voyant que boire à mes lèvres! ou mourir...

Mais ces influences, ces tentations sont bien légères et fugaces, et l'œuvre reste parfaitement singulière. Certes, on pourra y discerner des traces de *la Philosophie de l'inconscient* de Hartmann — on l'a vu —, du pessimisme de Taine, mais tout va se fondre dans une poésie désinvolte et désespérée, irréductible aussi.

La musique de son vers, dit M.-J. Durry, Laforgue « l'accorde et la désaccorde », et voilà bien en effet l'étrangeté de cette œuvre que la disharmonie devenue art, avec ses multiples brisures, non seulement dans le rythme — l'alexandrin voit sa majesté raillée ou saccagée — mais dans le ton, où se mêlent les accents les plus hétérogènes; ainsi un vers aussi tristement limpide que :

> L'âme des hérons fous sanglote sur l'étang

va-t-il côtoyer la suave raillerie :

> Tant il est vrai que la saison dite d'automne
> N'est aux cœurs mal fichus rien moins que folichonne.

Un clin d'œil, un crissement, un grincement de l'âme, mais furtif, un grand soupir qui chasse le sanglot, toujours le pathétique est frôlé, mais, au dernier moment, on lui fait la nique.

Le personnage central de cette poésie, qui est toujours parole mise en scène avec tendresse et dérision, est donc tout naturellement, semble-t-il, le Pierrot qui apparaît dès *les Complaintes*, prend le beau rôle dans *l'Imitation de Notre-Dame la Lune* et pirouette encore dans les poèmes suivants. La souffrance du Pierrot reste aérienne :

Je ne suis qu'un viveur lunaire
Qui fait des ronds dans les bassins,

un Pierrot voué aux « amours blancs, lunaires et distraits », un lord Pierrot amoureux qui refuse de croire à l'amour, dont le cœur est triste « comme un lampion forain », un « dandy de la Lune », frivole, changeant, qui abandonne la femme « cramponne » avec « un sanglot faux » pour se consoler avec « la Bonne Fortune/De l'alme lune », un Pierrot fidèle à son « vieil ennui » qui l'effleure « ah! tout le long du cœur ».

Il est un autre héros fantasque dans l'œuvre de Laforgue, un autre double dérisoire, moins poétique cette fois que mythique, c'est Hamlet, un des héros des *Moralités légendaires*. Ce n'est pas le Hamlet de Mallarmé, ou, plutôt, c'est son envers, un piètre, un pleutre Hamlet, la trentaine molle, qui se donne des airs de Néron (il meurt en s'écriant : ah, ah! qualis... artifex... pereo!) mais reste un garnement un peu sadique, massacreur de limaces.

La prose de Laforgue est à l'image de sa poésie : prose poétique (d'une poésie qui se raille), raffinée et méchante, crispée, glacée, pleine d'exclamations violentes, virulentes. Les personnages légendaires, de Lohengrin à Persée, sont toujours abîmés, corrodés par une verve sarcastique. La Syrinx que poursuit Pan est une pédante; Persée, « le petit chéri des dieux », un jeune gandin « miraculeux et plein de chic ». Laforgue opère un remaniement du mythe qui fait basculer celui-ci dans le grotesque : Salomé, qui prend mal son élan pour jeter la tête de saint Jean, va rouler dans l'abîme; Andromède épousera le bon dragon métamorphosé en prince charmant. Dérision de l'épique dans le combat de Persée et du monstre, du mal de vivre dans Hamlet, de la fascination dans Salomé. Dérision du corps, surtout : de celui, bariolé et mièvre, de Persée avec ses lis peints sur le gras des mollets; de celui, trop banal, de Hamlet; de celui de la femme avant tout.

Écartèlement entre le désir et la répulsion; le corps de la femme, raillé, haï (envié?), est au centre d'une œuvre qui crie de dégoût, exprimant une horreur panique des jupes (de ce qu'elles cachent). Corps féminin étonnamment semblable, d'ailleurs, toujours identique, mince et sans rondeurs, d'une jeune fille « à la poitrine sans sexe », parfois phtisique comme l'héroïne du « Miracle des roses », cette « idéale agonisante » avec son « air trop tard, trop tard adorable ». A croire que l'hécatombe de poitrinaires qui marque la vie de Laforgue (son père, sa mère, morts jeunes, lui-même, suivi dans la tombe de fort près — quelques mois seulement — par la frêle Leah Lee, qu'il venait d'épouser) empreint son œuvre. Corps parfois admiré comme celui d'Andromède ou comme celui de la Syrinx, légers dans leur course folle à travers la nature; parfois haï avec rancune, celui d'Elsa (abandonnée d'ailleurs la nuit de ses noces par un Lohengrin s'envolant sur son oreiller-cygne), celui de Salomé, ingrat sous la profusion ridicule des atours. Horreur du corps (« Je hais ces inflexions molles qui coulent d'avance par la satiété à la pourriture »), effroi de ce qu'il contient (« Oh! le petit Messie à matrice »), dégoût pour ce « dandinement perpétuel de petit mammifère délesté depuis quelques jours à peine des kilos de ses couches »...

C'est pourquoi la femme aimée, la seule triomphante, c'est la femme au corps absent, la lointaine, la fausse maternelle, la blanche au sang oublié, la lune indifférente (n'a-t-elle pas du « coton dans les oreilles »?), figure centrale de l'œuvre poétique. Et l'amant, celui qui est accordé à elle par son désaccord avec la terre (avec la chair), c'est le Pierrot lunaire qui délaisse l'étreinte pour la pirouette. La poésie de Laforgue, moins éloquente dans la répulsion que sa prose, est construite sur un désir fou de diaphanéité, de pureté; et son grincement de dents vient de ce que le Pierrot toujours gambadant, le visage tourné vers la lune, retombe sur le sol : élan toujours brisé. Il en ricane méchamment et joue, dans le désespoir et la gaieté factice, avec son reflet comme avec les mots.

Cette ironie grinçante défait, refait les mots; elle aime les mêler, leur faire violence, les tordre pour les faire geindre ou crisser sous des ciels « crépusculâtres », « sous la céleste Éternullité ». La présence de mots rares comme « aptère », « déhisant », « manuterge » rappelle que Laforgue est un poète décadent — le premier, peut-être. Le plaisir de construire des néologismes (félinant, hallaliser, élixirer...) fait de lui un précurseur de Queneau ou de Michaux. Mais il faut aussi tendre l'oreille à cette mélopée autour d'un mot :

Falot, falote!
Et c'est ma belle âme en ribote,
Qui se sirote et se fait mal,
Et fait avec ses grands sanglots,
Sur les beaux lacs de l'Idéal,
des ronds dans l'eau!
Falot, falot!

Si falot s'oppose à éclatant, la lune s'oppose au soleil et autant l'une est adulée, autant l'autre est voué aux gémonies. Les invectives pleuvent sur ce symbole de la fécondité, de la rondeur lumineuse : « Bellâtre, Maquignon, Ruffian, Rastaquouère ». Le soleil est trop violent, dans son existence irréductible et quotidienne, pour être vrai, et le poète ne veut pas croire à ce grossier décor de carton-pâte; et puis le couchant est trop rouge, trop triomphal, trop pédant pour le Pierrot lunaire; il fait trop « classique » (le mot est dans *les Moralités légendaires*). Et l'« Astre Pacha » ferait presque croire que le ciel n'est pas vide, ce que nie toute l'œuvre, traversée par une angoisse métaphysique toujours réaffirmée. Il n'y a pas de soleil ni de dieux dans l'univers de Laforgue; seulement, peut-être, un inconscient dominateur (« L'Art est tout, du droit divin de l'Inconscience... ») et comme séparé, étranger (« L'Inconscient me mène/Or il sait ce qu'il fait, je n'ai rien à y voir »).

Il n'y a pas non plus de couple heureux, comme le montre la veine abondante qui égratigne les jeunes filles à marier et leur feinte pureté gracile. Il n'y a pas d'été épanoui, ni d'hiver vivifiant, seulement la redondance d'un automne languide, pluvieux, s'étirant dans les flaques, un peu décomposé, en accord parfait avec le poète (« Ah! l'automne est à moi/Et moi je suis à lui »), saison des ratages, des nostalgies à en mourir, du vague à l'âme aigu et sans rémission.

L'invective alterne donc avec l'apaisement, l'émotion avec la raillerie, la formule poétique avec le prosaïsme le plus cru, et ces alternances fantasques (qui ont parfois agacé) donnent à l'œuvre sa légèreté, son étrangeté, sa force acide, cette désinvolture avec une griffe d'atrocité qui strie la langueur :

Ah! ce soir, j'ai le cœur mal, le cœur à la lune.

BIBLIOGRAPHIE
Œuvres complètes, Mercure de France, 1902-1903; *Poésies complètes*, Gallimard, « Poésie », 1970; *Moralités légendaires*, Mercure de France, 1964.
A consulter. — M.-J. Durry, *Laforgue*, Seghers, « Poètes d'aujourd'hui », 1952; Pierre Reboul, *Laforgue*, Hatier, 1956.

F. COURT-PÉREZ

LA FOSSE Antoine de, sieur d'Aubigny (vers 1653-1706). Antoine de La Fosse est, de nos jours, bien oublié — plus encore que son oncle, Charles, le peintre, dont les mythologies gracieuses et laquées se peuvent voir pourtant dans maints musées de Paris et de la province.

Antoine était le fils d'un orfèvre, et, comme tant de poètes du règne de Louis XIV, il sut utiliser ses talents pour « parvenir ». D'importants personnages jetèrent les yeux sur lui, et le choisirent comme secrétaire : ce fut d'abord Foucher, envoyé de France à Florence, puis le marquis de Créqui, qu'il servit jusqu'en septembre 1702 et dont il chanta la mort, à cette date, à la bataille de Luzzara, enfin Louis d'Aumont, qui le fit nommer secrétaire général du Boulonnais, la province dont il était gouverneur.

Cet homme, dont la littérature n'était pas le souci essentiel, a laissé une traduction des *Odes* d'Anacréon (publiée en 1704, réimprimée en 1706 et en 1716), une traduction du poème latin de Jean de Santeuil (*Adieu aux Muses profanes,* 1686), et quelques pièces de vers, « Odes, idylles, églogues, madrigaux, épigrammes ».

En outre, La Fosse avait fait représenter quatre tragédies, qui incitèrent son ami La Grange-Chancel à le présenter comme un « grave et sublime auteur » et à voir en lui presque un second Racine. *Polixène* fut créée le 3 février 1696. C'était, avoue-t-il, son « coup d'essai »; il avait choisi un « sujet terrible », et avait voulu faire goûter au public « ce qu'il a de sauvage et de féroce... ». On a pu reconnaître dans cette pièce l'influence du *Cid* et celle d'*Andromaque,* assez habilement mêlées. *Le Mercure galant* affirma que « par sa beauté [...] [elle] avait réveillé le goût de la tragédie ». Vint ensuite *Manlius Capitolinus,* créé le 8 janvier 1698, où, dans une intrigue empruntée à Tite-Live, reparaissent les personnages et les passions que Saint-Réal avait décrits dans la *Conjuration des Espagnols contre la République de Venise* et Otway dans *Venice Preserved.* Le succès fut encore plus considérable : deux cent cinquante représentations; Voltaire et La Harpe en parlent encore; jusqu'en 1849, la tragédie resta au répertoire de la Comédie-Française. Dans *Thésée,* le poète voulut faire une tragédie à dénouement heureux : créée le 5 janvier 1700, la pièce fut jouée vingt-six fois en 1700, ce qui n'est pas méprisable, quatre fois en 1701, cinq fois en 1708, puis elle sombra dans l'oubli. *Corésus et Callirhoé* fut représenté en 1703, et son insuccès détourna le poète du théâtre.

Une carrière banale, presque trop banale — la protection des ducs, quelques traductions, quelques poèmes, quelques tragédies. Rien, au fond, qui mérite que la postérité sorte La Fosse de la poussière. Sa seule originalité — qu'il avait peut-être acquise dans les voyages qu'il fit à la suite de Foucher ou de Créqui —, ce fut son cosmopolitisme. Il adapte Guarini, il s'inspire d'Otway. L'Italie baroque et l'Angleterre de Charles II nourrissent ses poèmes et y transparaissent. C'est ainsi que cet écrivain habile et pondéré put aider Voltaire et ses émules à renouveler la tragédie. A travers Otway, il lui est arrivé de rencontrer Shakespeare — un Shakespeare, il est vrai, fort pâle et un peu convenu, bien loin des fureurs élisabéthaines...

BIBLIOGRAPHIE

Œuvres, Paris, 1747, 2 vol.; *Manlius Capitolinus,* éd. par Cosimo Amantonico, Bari, 1972.

A consulter. — Alfred Johnson, *Étude sur la littérature comparée de la France et de l'Angleterre à la fin du XVIIe siècle, La Fosse, Otway, Saint-Réal,* Paris, Hachette, 1901; Johann Thiemer, *A. de La Fosse, sieur d'Aubigny, als Tragiker,* Leipzig, 1906; Lancaster, *History of French Dramatic Literature (...),* t. IV, ch. I.

A. NIDERST

LAGRANGE-CHANCEL, François-Joseph de Chancel, sieur de La Grange, dit (1677-1758). Né à Antoniac en Dordogne, François-Joseph de Chancel, protégé par Racine, donna à dix-sept ans sa première tragédie, *Adherbal.* Elle fut suivie d'*Oreste et Pylade* (1699), d'*Amasis* (1701), d'*Alceste* (1704), de *Cassandre* (1706), de *Ino et Mélicerte* (1713), de *Sophonisbe* (1716). « Mon Dieu, pourquoi faire des vers et les faire mal? » demandera Voltaire. De fait, ces caricatures de Corneille ou Racine ont pour meilleurs endroits ceux que l'auteur emprunte à ses modèles : ici un écho de *Phèdre* (« Je le vis, j'en rougis, mon âme en fut émue/Et pour quelques moments qu'il s'offrit à ma vue... », *Amasis*), là du *Cid* ou de *Polyeucte.* Pasticheur appliqué, Lagrange-Chancel se permet tout juste quelques écarts métriques (*Cassandre* mêle octosyllabes et alexandrins), et ses innovations d'écriture relèvent soit de la maladresse (une vengeance « qui fera trembler l'avenir », *Cassandre*) soit d'une trivialité congénitale. En 1717, une brouille avec le duc de La Force, membre du conseil de régence, l'envoie à la Bastille, puis en exil sur ses terres. Il réplique par des *Philippiques,* satires en vers qui traînent dans la boue le régent Philippe d'Orléans, l'accusant d'avoir empoisonné la descendance directe de Louis XIV, de comploter la mort du jeune Louis XV et d'être l'amant de sa propre fille la duchesse de Berry. Enfermé au fort Sainte-Marguerite (1719-1722), Lagrange-Chancel s'évada, se réfugia à Amsterdam pour une quatrième et une cinquième *Philippique,* puis rentra en France à la mort du Régent, donnant encore quelques tragédies (*Érigone,* 1731), des opéras et des cantates. Seules ses *Philippiques* lui ont valu un semblant de gloire posthume. Pourtant ces « vers impurs » (Voltaire), qui connurent un immense succès de scandale, ont mal vieilli. Emporté par sa haine, qui lui inspire des injures outrancières (« inflexible léopard »), et son érudition, qui l'égare dans la mythologie antique (« Monstres d'Argos et de Mycènes »...), le satiriste manque sa cible, et ses exagérations mêmes confèrent à sa « victime » une certaine grandeur. En 1875, L. de Labessade réédita les *Philippiques* en hommage à l'auteur des *Châtiments,* rapprochement que Victor Hugo n'apprécia guère; Barbey d'Aurevilly, lui, avait d'emblée vu juste : « Du carton-pâte qu'on prend pour du bronze ». Il est vrai que certains s'y étaient trompés.

BIBLIOGRAPHIE

Les Philippiques, prés. L. de Labessade, Paris, Nouveau et Levesque, 1875 (avec une lettre de Victor Hugo).

A consulter. — H.C. Lancaster, *French Tragedy in the Time of Louis XV and Voltaire,* Baltimore Univ. Press, 1950 (pour le théâtre); J. Barbey d'Aurevilly, *A côté de la grande Histoire,* Paris, Lemerre, rééd. 1906 (pour les *Philippiques*).

J.-P. DE BEAUMARCHAIS

LA HARPE ou **LAHARPE, Jean-François Delharpe** ou **Delaharpe, dit de** (1739-1803). Poète et critique. Comme tant d'hommes de lettres de la deuxième génération des « Lumières », comme son contemporain et ami Marmontel, La Harpe, interprète de la pensée moyenne des milieux « cultivés» de son époque, ne suscite guère l'enthousiasme des lecteurs modernes. On ne voit en lui que le conservateur sourcilleux d'une esthétique et d'une poétique vieillies, longuement développées dans son *Cours de littérature.* Tout au plus se délecte-t-on à l'évocation des scandales ridicules qui parsèment sa vie, et surtout de la volte-face spectaculaire qui, dans les geôles de la Terreur, fit de ce disciple de Voltaire un dévot ami de l'ordre et de la royauté.

Certes, sa vie prête à la critique. Cet orphelin, élevé par les sœurs de la Charité, boursier au collège d'Harcourt, connaît la prison du Fort-l'Évêque à l'âge de vingt ans pour de mauvais couplets rédigés contre ses maîtres. Plus tard, déjà célèbre par sa tragédie de *Warwick* (1763) et devenu à Ferney le protégé de Voltaire, il soustrait à son bienfaiteur un dangereux manuscrit, qu'il répand dans Paris. Peu après la mort du grand écrivain, il critique sévèrement dans *le Mercure de France* sa plus mauvaise tragédie. A quoi s'ajoutent ses rixes avec d'autres gens de plume et, plus tard, une lettre compromettante envoyée à Robespierre, ainsi qu'un second mariage, union ridicule, rompue au bout de quelques semaines par la jeune épouse malheureuse. Et l'on ne peut que se gausser de l'immense vanité et de la hargne avec laquelle il affirme ses convictions de converti.

Mais l'existence de La Harpe est aussi celle d'un homme efficace. Grand travailleur, édifiant sa fortune matérielle grâce à ses traductions, son *Abrégé de l'histoire des voyages,* son travail de journaliste, notamment au *Mercure de France,* et de correspondant littéraire du futur tsar Paul Ier, puis par ses cours de littérature au « Lycée », établissement de « formation continue » pour gens du monde, il est brutalement ruiné par la Révolution. Il sait aussi lutter pour les idées qui lui tiennent à cœur. Il combat les vœux forcés et l'état monastique dans *Mélanie,* drame en vers (1770), voit son *Éloge de Fénelon* condamné par la Sorbonne (1771), est blâmé par le parlement pour avoir inséré dans *le Mercure de France* un extrait osé de Voltaire (1775). A partir de 1789, il entraîne cette même revue « dans le sens de la Révolution et de la Constitution »; il réclame la liberté des théâtres et fréquente les Jacobins. Mais, rendu vite inquiet par la politique montagnarde, il suscite le soupçon, est incarcéré à la prison du Luxembourg, où la lecture de l'*Imitation* lui fait rencontrer le Dieu des chrétiens. Libéré après le 9-Thermidor, il joue un rôle actif à sa section de la Butte-aux-Moulins, fait de sa chaire de littérature au Lycée une tribune antirévolutionnaire, réfute les philosophes matérialistes, notamment Helvétius et Diderot (à qui il attribue par erreur des œuvres de Morelly ou de l'abbé Coyer). Enfin il participe à la création du journal royaliste *le Mémorial* (mai-septembre 1797). Après avoir été menacé d'arrestation au 13-Vendémiaire, il fut proscrit au 18-Fructidor mais échappa à la déportation en se cachant à Corbeil pendant de longs mois (septembre 1797-janvier 1800). Depuis longtemps miné par la maladie, il meurt peu après la fin d'un nouvel exil auquel l'avait contraint le Premier consul.

Son œuvre, multiple et abondante, souffre d'un manque d'originalité et de puissance créatrice, et s'est trop rarement élevée au-dessus du niveau des « Discours », des « Éloges » et des « Poèmes » qu'il faisait couronner dans sa jeunesse en d'innombrables concours académiques. De ses onze tragédies, aucune n'a survécu, bien que *Warwick* et plus tard *Philoctète* (1783, imitation, dépourvue de chœurs, de la tragédie de Sophocle) aient connu le succès auprès de ses contemporains. Il s'agit en général, comme chez Corneille et chez Voltaire, de tragédies « politiques » au sens le plus large du mot. Dans les dernières (*Coriolan,* 1784; *Virginie,* 1786-1791), on assiste au développement d'une idéale thématique républicaine. Il a négligé d'écrire dans le seul genre littéraire qui, au XVIIIe siècle, ouvrait l'avenir : le roman. De son volume de poésies ne se lisent plus que quelques poèmes empreints d'une mélancolie « préromantique », à quoi il faudrait ajouter la belle *Épître à Schowalov sur la poésie descriptive.* Ses dernières œuvres n'ont d'importance qu'historique, comme témoignage, à l'aube du romantisme, du renouveau d'une certaine sensibilité chrétienne (adaptation des *Psaumes*).

Mais on a longtemps consulté, notamment pour l'étude des théâtres de Racine et de Voltaire, les dix-huit volumes de son *Lycée ou Cours de littérature ancienne et moderne* (1799). Cet ouvrage est le premier dans lequel un écrivain ait tenté de présenter la littérature dans son devenir historique, des anciens Grecs jusqu'à la fin du XVIIIe siècle. Mais La Harpe s'y est heurté à l'impossibilité d'échapper aux lacunes de son érudition (« l'état des lettres en Europe depuis la fin du siècle qui a suivi celui d'Auguste jusqu'au règne de Louis XIV » est traité en un seul « Discours » de 78 pages!), ainsi qu'à son propre souci de juger les œuvres littéraires selon les canons d'un « bon goût » classique, directement issu de l'esthétique voltairienne. Constamment réédité jusqu'en 1880, ce *Cours* a servi de modèle à la critique universitaire du XIXe siècle et lui a imposé un certain point de vue, réactionnaire et « bien-pensant », sur le XVIIIe siècle des « philosophes ». Les historiens de la littérature ont encore aujourd'hui recours au témoignage de sa *Correspondance littéraire,* qui les renseigne utilement sur les divers événements de la vie littéraire parisienne entre 1774 et 1791. Le texte manuscrit de cette *Correspondance* a été malheureusement beaucoup transformé en vue de la publication (1801-1807), après la conversion de son auteur.

Déformation regrettable, car ce qui peut encore intéresser le lecteur moderne, dans l'œuvre de La Harpe, c'est précisément, au-delà des redondances, des répétitions d'un texte à l'autre et des recours à toutes les formules d'une rhétorique vieillie, un certain ton de polémiste obstiné qui, parfois, pendant sa période contre-révolutionnaire — notamment dans sa brochure *Du fanatisme dans la langue révolutionnaire* —, annonce la vigueur des pamphlétaires catholiques de la fin du XIXe siècle, de Louis Veuillot à Léon Bloy.

BIBLIOGRAPHIE

Le *Cours de littérature* se trouve facilement dans toutes les bibliothèques importantes. L'ensemble des *Œuvres diverses,* y compris la *Correspondance littéraire,* ont été rééditées par Slatkine, Genève. Un certain nombre de lettres de cette correspondance, retrouvée en manuscrit dans leur état initial, sont publiées dans la collection anglaise des *Studies on Voltaire.* De ses œuvres d'imagination, seules *Mélanie* et la *Prophétie de Cazotte,* un temps célèbre lorsqu'on croyait qu'en 1788 Cazotte avait réellement prédit les massacres révolutionnaires, ont été rééditées au XXe siècle. On peut lire la première dans le *Théâtre du XVIIIe siècle,* t. II, Gallimard, La Pléiade, et la seconde figure au volume *Cazotte,* coll. « Chefs-d'Œuvres du mystère et du fantastique », Genève, Éd. de Crémille, 1968.

A consulter. — Christopher Todd, *Voltaire's Disciple, Jean-François de La Harpe,* Modern Humanities Research Association, London, 1972; Alexandre Jovicevich, *Jean-François de La Harpe, adepte et renégat des Lumières,* Seton Hall University Press, 1973.

R. LANDY

LA HAYE Maclou de (milieu du XVIe siècle). Poète d'origine picarde, Maclou de La Haye doit sans doute à la place originale qu'il tient dans les années 1550 d'avoir été si vite et si injustement oublié : on ne peut en faire un disciple de Marot ou de Saint-Gelais, ni de Scève ou des Lyonnais; et quoique Ronsard, pendant plusieurs années, le fasse figurer dans les listes de ses amis, il n'est pas non plus de leur groupe. Pourtant, son œuvre s'est frayé un chemin entre tous ces courants, s'en inspirant pour en saisir le meilleur.

Né à Montreuil-sur-Mer, dont sa poésie se souvient par éclats fugitifs, il assiste dans cette ville au siège soutenu par les Anglais en 1544, et célèbre la paix conclue avec eux en 1550, après avoir chanté la guerre, dans un texte aujourd'hui perdu. Vite reconnu à la Cour, il est chargé d'une mission à Rome en 1547 et reçoit l'office fort envié de valet de chambre du roi. Il épouse vers 1548 une Vendômoise, Jeanne Desmons, dont le nom fournit motif aux jeux de sa poésie, et réside à Vendôme lorsqu'il n'est pas appelé à la Cour. On sait peu de chose de lui, sinon ce que Ronsard en écrit : liés dès leur jeunesse, ils auront en commun le Vendômois, le goût des arbres et des rivières, des repas amicaux et des fêtes de l'esprit. En réponse aux nombreux poèmes que Ronsard lui adresse jusqu'en 1553, La Haye loue le talent de Ronsard et de Du Bellay

> Qui pour m'avoir compagnon de leur grâce
> N'ont en dédain mon doux luth argentin.

Sans doute est-il aussi redevable qu'eux à la bienveillance de Marguerite de France, la sœur de Henri II. Après la parution, à Paris, des *Œuvres* de 1553, plus rien ne sera publié sous sa signature; c'est par une sorte de malentendu que figurent dans des recueils très tardifs de *Blasons du corps féminin* certains de ses *Cinq Blasons des cinq contentements en amour,* contenus dans les *Œuvres* de 1553. Sa mort est peut-être annoncée dans les derniers vers adressés au roi :

Las! je m'en vois au camp de malladie
Battu, vaincu, sous tremblante langueur.

L'œuvre de La Haye est trompeuse par l'impression qu'elle donne d'une grande facilité, par un don des images simples et gracieuses. Mais, sous cette trame aisée, on peut découvrir une bonne connaissance des philosophes (ceux qui s'intéressent au travail des sensations) et des poètes italiens et français (dont les marotiques, Scève, Ronsard et du Bellay). Sensible aux étrangetés et aux raffinements de la perception des choses et des corps — mouvements et respiration en particulier —, La Haye libère, pour mieux en parler, les rapports de la syntaxe et du vers, d'une façon plus discrète que Ronsard, mais aussi efficace, faisant glisser aussi la structure d'ensemble du poème. Ainsi a-t-il modulé l'expression du corps comme paysage sous plusieurs formes : « chant d'amour » (long poème fait de huitains savants); blason (long poème à rimes suivies); sonnet (où il introduit, aussi tôt que Ronsard, les alexandrins parmi les décasyllabes). Si l'on a perdu en partie les textes qui constituent son œuvre politique, son *Chant de paix,* qui loue les bonheurs humbles et poétiques de la sérénité en même temps que les métiers de la paix et qui commence par un portrait de Henri II, est d'un style tout à fait nouveau, et il semble que Ronsard s'en souviendra dans son *Hymne à Henri II,* en 1555.

Homme fêté par Ronsard,

Aiant reveu celui que tant
J'ai conneu seur ami d'épreuve,

esprit clair, libre et aimable, La Haye a été réduit et méconnu lorsqu'on l'a cantonné — au XIXe siècle — au statut de contributeur des recueils de *Blasons* qui lui étaient antérieurs.

BIBLIOGRAPHIE
Il n'y a pas d'étude et d'édition modernes de Maclou de La Haye. On trouvera des renseignements sur lui dans l'édition Laumonier de Ronsard (tomes I, II, III, IV et V) et dans P. Laumonier, *Ronsard, poète lyrique,* Paris, 1909. Les *Cinq Blasons des cinq contentements en amour* ont été publiés dans le recueil des *Blasons* donné par Gay, Amsterdam, 1866; et par A.-M. Schmidt, *Poètes du XVIe siècle,* Paris, Gallimard, 1953, p. 309 et *sqq.*

M.-M. FONTAINE

LA HONTAN, Louis Armand de Lom d'Arce, baron de (1666-1715?). Voyageur et écrivain, La Hontan est un hobereau dépossédé de ses terres lorsqu'il s'embarque en 1683 comme garde-marine pour le Canada. Promu au grade de lieutenant du roi (1693) à Terre-Neuve, il se heurte avec le gouverneur, quitte son poste et erre à travers l'Europe à partir de 1694. Pendant son exil, il publie en 1703 à La Haye (ce qui pour lui est un acte de défiance à l'égard de Louis XIV) les trois ouvrages qui constituent l'essentiel de sa production. En premier lieu, *les Nouveaux Voyages de M. le baron de La Hontan dans l'Amérique septentrionale,* composés de vingt-cinq lettres, innovation dans le genre de la littérature de voyage. Ces lettres représentent une chronique de la vie canadienne à laquelle se mêlent les anecdotes personnelles, telle l'expédition qu'il entreprend dans le dessein de découvrir la rivière Longue, et qui fut considérée comme « pure fiction » par le père Charlevoix. Ses *Mémoires de l'Amérique septentrionale ou la Suite des voyages de M. le baron de La Hontan* sont le premier ouvrage à jeter les bases d'une réflexion ethnologique dans une perspective philosophique et polémique. Si l'homme blanc demeure au centre de son dialogue, c'est parce que « le sauvage est témoin, juge, modèle avant d'être ou en même temps qu'il est l'objet d'étude » (M. Roëlens). Mais on y trouve surtout « toutes les objections que la raison naturelle peut opposer aux dogmes et aux mystères de la religion révélée ».

Dans le *Supplément aux voyages du baron de La Hontan* (1703), le dialogue tourne à la parodie : le sauvage avec lequel l'auteur s'entretient symbolise la nature. Son témoignage fait vaciller les bases de la société monarchique et chrétienne. Dénonçant ainsi tous les maux engendrés par la société occidentale, La Hontan exalte en revanche le mode de vie simple et indépendant des Indiens qu'il a désiré adopter avec sincérité.

BIBLIOGRAPHIE
Seul le dernier ouvrage de La Hontan est aujourd'hui accessible, sous le titre de *Dialogues avec un sauvage,* Paris, Éditions Sociales, 1973, avec une introduction de M. Roëlens.
A consulter. — M. Duchet, « Aspects de la littérature française de voyages au XVIIIe siècle », *Cahiers du Sud,* n° 389, 1966; V. Ravary, « La Hontan et la rivière Longue », *Revue d'histoire de l'Amérique française,* mars 1952; G. Lanctôt, *Faussaires et faussetés en histoire canadienne,* Montréal, 1948.

C. LAVIGNE

LAÎNÉ Pascal (né en 1942). Né dans la banlieue parisienne, Laîné a suivi le parcours classique des études littéraires réussies : bon élève, il entre à l'E.N.S. de Saint-Cloud, devient agrégé des lettres. Il est de ces jeunes professeurs que les mutations sociologiques et la démocratisation de l'enseignement mettent en contact avec un public d'adolescents auxquels ne peut plus s'adresser l'enseignement littéraire traditionnel. Nommé à Saint-Quentin dans des classes de l'enseignement technique, où il enseigne à de futurs chaudronniers ou experts-comptables, Laîné innove et tente de restituer le langage à ceux qui en sont exclus en faisant rédiger un journal par ses élèves. Il se heurte à l'incompréhension de l'administration et doit renoncer. A Louis-le-Grand, il aura peu d'enthousiasme pour servir les intérêts d'un public scolaire bourgeois. Il rejoint alors l'enseignement technique. Ses premiers romans témoignent d'un désarroi et d'un grand écœurement : ceux d'un jeune homme plongé dans la société de consommation des années 60, et qui prend conscience que cette société a renforcé les clivages socioculturels en les rendant plus insidieux. *B. comme Barrabas* (1967) dépeint avec amertume l'impuissance d'un enseignant à se sacrifier utilement; *l'Irrévolution* (prix Médicis 1971) met aux prises, après 1968, le jeune agrégé avec le refus par les fils d'ouvriers d'une culture de classe. *La Dentellière* (prix Goncourt, 1974) présente une shampooineuse aliénée par les images que les magazines féminins donnent de la femme (ce dont témoigne, sous la forme d'une étude sociologique, *la Femme et ses images,* 1974). Depuis, Laîné semble avoir choisi une voie différente : son goût pour la litote et la demi-teinte, son observation de la vie des choses et des signes minuscules révélateurs d'un être, il les a mis au service d'une sorte de conte érotique (*Tendres Cousines,* 1979) et de brefs romans comme *Si on partait* (1978), proche d'un exercice de style à la Queneau ou *l'Eau du miroir* (1980). Avec *Terre des ombres* (1982) cependant, Laîné engage une réflexion sur le divorce entre le réel et l'imaginaire, la construction de l'avenir et la séduction du néant. Ses entretiens avec Jérôme Garcin ont été publiés également en 1982 sous le titre *Si j'ose dire.*

M.-P. SCHMITT

LAIS. Sous le nom de « lais » sont conservés quelque 35 à 40 textes de 100 à 1 000 vers composés entre le dernier tiers du XIIe siècle, et le milieu du XIIIe siècle, groupés en recueils (Londres, Upsal, Paris). Des listes d'époque et des allusions (*Renart jongleur*) nous apprennent qu'il s'en est perdu. Le mot est attesté avant 1150 en provençal (au sens de mélodie, chant), ainsi qu'en celtique pour désigner des pièces lyriques que les jongleurs bretons jouent et/ou chantent, à la harpe ou à la rote. Bien que le terme figure dans la plupart de ces textes, il est difficile d'en cerner l'unité. L'aspect le plus constant en est la brièveté; J. Frappier disait que le lai breton est au roman arthurien ce que la nouvelle est au roman moderne. Le registre d'écriture « aristocratique » oppose le lai à d'autres récits brefs comme le fabliau [voir FABLIAU], mais il y a des interférences (*Lecheor, Nabaret*). La structure est celle du conte merveilleux (*Volksmärchen*) si l'on reprend la terminologie de Jolles, mais le travail littéraire est souvent mis en valeur par les auteurs (prologues et épilogues); le lai est donc aussi *Kunstmärchen*. Le motif merveilleux, présent dans la majorité des cas, peut manquer comme dans quelques lais de Marie de France (*Equitan, Chaitivel, Chievrefeuil, Laostic*). Le contexte « breton » (toponymie, personnages, emprunts au fonds des légendes celtiques, *topos* de l'origine) semble un trait caractéristique, mais il est malaisé de déterminer s'il s'agit vraiment de la source de cette littérature : le genre a pour les écrivains une « couleur bretonne », qui peut être surajoutée. D'ailleurs, certains « lais courtois » *(Oiselet, Vair Palefroi)* en sont dépourvus. La terminologie médiévale est toujours floue [voir aussi DIT]. La plupart des lais se présentent néanmoins comme l'élaboration poétique d'une tradition orale ou lyrique : « les Bretons en firent (en chantèrent) un lai », pour dire une « aventure », pour remémorer un événement singulier, extraordinaire par son caractère surnaturel ou pathétique. L'amour est une autre constante de ces histoires, dont on peut donner une définition *a minima* : conte en vers d'aventure et d'amour, souvent merveilleux, toujours bref, et concentré sur une action digne de passer à la postérité.

Les *Lais* de Marie de France

La collection la plus connue, d'une douzaine de textes (cf. manuscrit Harley), porte la signature de Marie de France, poétesse qui semble avoir vécu au XIIe siècle à la cour d'Henri II d'Angleterre. Ce nom, dont la formule complète apparaît dans l'épilogue des *Isopets* (« Marie ai nun, si sui de France ») est tout ce que nous connaissons d'elle : on lui attribue, sans doute à tort, l'*Espurgatoire saint Patrice*. La date de ces œuvres se situe entre 1160 et 1178. Le prologue annonce un renouvellement de l'inspiration qui s'inscrit dans ce grand mouvement d'appropriation de la culture antique par le Moyen Âge (« gloser la letre et de lor sens le sorplus metre »); mais Marie choisit une autre veine : elle veut « conter par rime » des aventures qu'elle a entendues. Ainsi, *Guigemar* raconte celle d'un jeune chevalier indifférent à l'amour, blessé au cours d'une chasse à la biche blanche, qui est conduit par une nef enchantée dans un pays où il rencontre sa dame; leur amour découvert, le héros est banni, mais son amie le rejoint grâce au bateau. *Equitan* met en scène un roi ami des plaisirs qui séduit la femme de son sénéchal, mais tombe lui-même dans le piège qu'il a préparé pour se débarrasser du mari (une cuve d'eau bouillante). Le *Chaitivel* évoque une dame qui perd successivement trois chevaliers qu'elle aime et voit son quatrième ami mutilé, le tout dans un même combat. Le *Chievrefueil* reprend un épisode de la légende de Tristan : la rencontre et la reconnaissance des amants grâce au signal-emblème du chèvrefeuille enroulé sur le coudrier. *Fresne* est une histoire d'enfant abandonné, de reconnaissance et de restauration, grâce à des signes. Dans *Bisclavret,* le héros est loup-garou : sa femme lui extorque son secret et veut le perdre en volant ses vêtements; mais elle est cruellement châtiée avec son complice. *Lanval* retrace l'extraordinaire rencontre, à la cour d'Arthur, d'un chevalier solitaire avec une femme fée qui lui propose son amour et l'emmène dans son « autre monde »; le secret est trahi par les manœuvres de Guenièvre, nouvelle Putiphar, qui accuse celui qui a dédaigné ses avances; une intervention inopinée de la « fée » sauve Lanval et le conduit en Avalon. Dans les *Deux Amants,* récit lié à un toponyme, un roi, gardien jaloux de sa fille (le lien incestueux est estompé), impose aux prétendants l'impossible épreuve qui consiste à la porter sans la poser à terre au sommet d'une colline; l'amant, par démesure, refuse de prendre la potion magique pour lui préparée et succombe à la tâche. Le *Laostic* montre un mari jaloux qui épie les rendez-vous nocturnes de son épouse : il tue le rossignol qui servait d'alibi; la dame le met dans une châsse précieuse et le garde sur son cœur comme emblème de son amour. Une autre dame séquestrée dans une tour par son mari, dans *Yonec,* fait le vœu d'aimer : un oiseau paraît, qu'elle prend pour le diable, mais le test de l'hostie l'innocente; le mari pose un piège à la fenêtre, l'oiseau se blesse et la femme qui a suivi les traces de sang trouve un chevalier mourant qui lui annonce la naissance d'un fils vengeur; le dénouement accomplit la prédiction : le fils tue le mari devant le tombeau de l'amant. *Milun* est encore une histoire d'enfant éloigné par ses parents, que son père retrouve en le combattant dans un tournoi, et qu'il reconnaît grâce à son anneau. *Eliduc* est le lai le plus complexe : les péripéties essentielles en sont l'enlèvement de Ghilliadon par son amant, la léthargie de l'héroïne et sa « résurrection ». Chez Marie, le travail poétique est plus sensible que le merveilleux, résiduel, déformé et rationalisé; l'emblématisme y tient une place importante, l'aventure a toujours un retentissement affectif; l'accent est mis sur la singularité de l'anecdote et sur le pathétique.

Les lais anonymes

Dans cet ensemble édité par P.M. O'Hara Tobin, la plupart des textes accumulent les motifs merveilleux. *Graëlent* est une variante de *Lanval,* avec une scène étonnante où Arthur exhibe la reine nue à la Pentecôte pour vérifier qu'elle garde la palme de la beauté. De même, *Melion* reprend le thème du *Bisclavret* : Melion se fait loup grâce à son anneau, pour capturer le cerf réclamé par sa femme, et celle-ci en profite pour lui voler ses vêtements et partir en Irlande; Melion la suit, devient compagnon d'Arthur et se venge. *Guingamor* est sans doute le plus extraordinaire de la collection : resté au château pour se faire saigner, ce jeune chevalier repousse, horrifié, les avances de la reine qui, pour se venger, le met au défi de chasser le blanc sanglier, une fois le roi rentré; avec le brachet du roi, Guingamor poursuit longuement l'animal, se retrouve dans un château magnifique mais désert, rencontre une jeune fille à une fontaine en train de se baigner. Il lui dérobe ses habits, mais elle lui demande de l'accompagner trois jours dans son monde; il y trouve une agréable société, formée de tous les chevaliers disparus depuis dix ans. Après trois jours, il demande à partir. Son amie lui apprend qu'il a passé trois siècles avec elle; la requête de départ est acceptée, à la condition que Guingamor, une fois dehors, ne mange pas; après avoir franchi une rivière, il retrouve le monde, plus vieux de trois siècles. Poussé par la faim, il transgresse l'interdit, croque une pomme et accuse immédiatement les signes de son âge. Au moment de tomber en poussière, il est récupéré par des envoyées de son amie. *Désiré* mêle au thème classique de la rencontre d'un être de l'Autre Monde de curieuses préoccupations religieuses, tandis que *Tydorel* montre une dame qui pendant son sommeil dans un verger voit un chevalier : il l'emmène dans le lac où il vit, et elle le revoit souvent. Un fils naît, règne, mais ne peut dormir; quand il apprend ses origines, il retourne dans le lac paternel. *Tyolet* repose sur des scènes de métamorphose de cerf en chevalier, et de chasse (un pied de cerf doit être rapporté à une jeune fille), sur la trame d'une histoire de supercherie (un chevalier à qui Tyolet a donné le pied du cerf se vante de l'avoir pris lui-même). Le lai de *l'Espine* narre les aventures et les combats qui se déroulent au gué de l'Aubépine la nuit de la Saint-Jean : le héros y gagne un cheval qui n'a pas besoin de manger tant qu'on lui laisse la bride. Trois lais de ce recueil sont « bretons » sans merveilles : le *Trot,* le *Lecheor* et *Nabaret*; les deux derniers sont en marge du genre par leur caractère parodique.

Techniques et thématique

Marie de France et les lais anonymes forment un corpus d'une certaine unité. Le cadre breton est constant, le type de composition reste peu ou prou celui d'un récit linéaire (enchaînement de séquences retraçant la vie d'un personnage avec un point culminant) ou concentrique (convergence des segments vers un point central : *Chievrefueil, Laostic*). Nous sommes dans un domaine proche du « conte de fées », du conte d'initiation, avec projection de phantasmes, de désirs et d'images fondamentales, offrant des solutions imaginaires et symboliques aux problèmes psychologiques ou sociaux (voir CONTE). Les lais sont liés à un temps privilégié (mai, Pentecôte, Saint-Jean), comportent des moments « hors du temps » (*Guingamor*). Les lieux ne sont pas indifférents non plus : lac, gué, rivière, tertre, forêt forment une géographie de l'imaginaire. Les récits de chasse sont nombreux (*Guigemar, Graëlent, Bisclavret, Guingamor, Melion, Tyolet*) et participent d'archétypes immémoriaux. Le monde aquatique — lié à la sexualité et la mort — constitue un pôle essentiel de cet univers : séparation des mondes, lieu de refuge, eau lustrale dans laquelle on surprend la fée en train de se laver les cheveux. Rappelons ici l'analyse par Gaston Bachelard du « complexe d'Ophélie » : cette scène de voyeurisme (cf. l'histoire de Suzanne et des vieillards, la légende d'Actéon) désigne sans doute l'initiation aux mystères de la féminité; la femme-cygne dépouillée de ses plumes perd ses pouvoirs surnaturels, épouse celui qui l'a trouvée. La femme se montre mère bienveillante, dispensatrice des dons, amante qui s'offre, mais aussi figure menaçante de la marâtre (la reine dédaignée qui se venge dans *Lanval, Graëlent* et *Guingamor*), incarnant les dangers de la sexualité (*Melion, Bisclavret*). L'homme est de préférence le jeune solitaire à la découverte de l'amour, ou le mari jaloux, cruel gardien de sa femme, voire le père surnaturel, personnage de l'Autre Monde qui sort des eaux, se métamorphose en oiseau, en cerf. L'ombre de l'inceste plane, plus ou moins estompée. Comme dans le conte, l'enfant abandonné puis reconnu, l'absence ou le désir d'un enfant sont des motifs favoris. La rencontre est l'aventure par excellence : elle met en présence un humain et un être surnaturel qui offre son amour, donne une descendance (bientôt on cherchera là l'origine de lignages : cf. *Mélusine*), comble le mortel de cadeaux. Mais un interdit pèse sur la relation : silence exigé de Lanval, de Graëlent, de la reine de *Tydorel,* interdiction alimentaire de *Guingamor,* interdiction d'enlever le frein du cheval de *l'Espine.* La transgression de cet interdit est source de malheurs : elle provoque la disparition de l'être aimé (*Lanval, Graëlent, Désiré*) ou sa destruction physique (*Guingamor*). A côté d'un monde quotidien (château, monastère, ville) existe une contrée géographiquement à peine différente, mais où tout est possible : forêt et lande constituent l'espace intermédiaire de la rencontre; ce résidu de l'Autre Monde celtique (*Lanval* le nomme Avalon) est plus ou moins net selon le texte. Enfin, les nombreux objets magiques, talismans (anneau de *Désiré,* de *Milun,* de *Mélion*), les animaux extraordinaires (biche blanche, cerf, sanglier, loups et oiseaux métamorphosés, chevaux) composent un fonds commun aux légendes celtiques, voire aux archétypes immémoriaux, à tout ce que, faute de mieux, on rassemble sous le vague « folklore » : traditions orales, traces des transformations du mythe dans des sociétés qui ne vivent plus de pensée mythique. L'élaboration littéraire, très développée chez Marie, change la fée en amie courtoise dont seuls quelques attributs (les bassins de *Lanval*) rappellent l'origine aquatique. Les finalités exemplaires, didactiques, pathétiques du lai relèguent tous ces motifs au rang de matériau dont les résonances inconscientes et mythiques ne sont plus aperçues par les auteurs. Ce qui intéresse Marie, ce sont les dames vivant des amours mémorables, plus que les fées.

Les frontières du genre

Sous l'appellation de « lais » ont été transmises deux séries de textes qui ne rentrent guère dans ce schéma thématique, que la critique, pour des raisons de commodité, range dans des catégories déterminées par le contenu : les « lais courtois » et les « lais comiques ». Dans le premier groupe on trouve par exemple le *Lai de l'ombre* de Jean Renard (centré autour de l'épisode de l'anneau jeté dans un puits comme symbole d'amour), le *Vair Palefroi* de Huon le Roi de Cambrai (les souffrances de deux amants qui ne peuvent s'épouser parce que le père a choisi un prétendant vieux et riche, et qui sont réunis par le hasard), ou le *Lai d'Ignauré* (un don Juan qui a douze amies est tué par leurs maris, et son cœur leur est servi à manger), voire le *Lai de l'Oiselet* : un oiseau donne à un vilain des conseils en échange de sa liberté — ne pas pleurer ce qu'on a possédé, ne pas croire tout ce que l'on dit, ne pas jeter ce que l'on a —, et s'envole pour illustrer ses leçons. Nous sommes à la limite des textes romanesques courts, des « nouvelles courtoises » du type de la *Chastelaine de Vergi.* Quant aux « lais comiques », le *Lecheor,* le *Lai du Cor* de Robert Biket, le *Lai d'Aristote* (histoire du philosophe « chevauché » par l'amie d'Alexandre, Phryné, sous les yeux de son élève hilare), leur thématique les apparente aux fabliaux.

Les lais disparaissent au XIIIe siècle, presque en même temps que les fabliaux, au moment où les « dits » se mettent à proliférer. La tendance est alors au didactisme, et le « plaisir de conter » qui est la condition d'existence de ces registres d'écriture ne constitue plus une finalité suffisante ou acceptable : l'anecdote est récupérée, pour le sens, par l'allégorie, comme métaphore. Le merveilleux breton a été canalisé, désamorcé, démystifié dans le roman arthurien allégorique. [Voir aussi ALLÉGORIE, ARTHUR].

BIBLIOGRAPHIE

Textes. — Marie de France, *Lais,* éd. J. Rychner, Paris, Champion, 1966; *les Lais anonymes des XIIe et XIIIe siècles,* éd. P.M. O'Hara Tobin, Genève, Droz, 1976. Divers : « Lai de l'Épervier — Lai d'Amour », éd. G. Paris, *Romania,* t. VII, 1978; *Lai d'Aristote,* éd. M. Delbouille, Paris, 1951; « Lai de Conseil », éd. A. Barth, *Romanische Forschungen,* t. XXXI, 1912; *Haveloc,* éd. A. Bell, Manchester, 1925; *Ignauré,* éd. R. Lejeune, Bruxelles, 1938; « Lai de l'Oiselet », éd. R. Wecks, *Mediaeval Studies in Memory of G. Schoepperlé-Loomis,* 1927; *Lai de l'ombre,* éd. J. Bédier, Paris, 1913; *Vair Palefroi,* éd. A. Langfors, Paris, 1912. Les éditions Stock Plus ont publié des traductions de lais anonymes en livre de poche, éd. D. Régnier-Bohler, 1979.

A consulter. — H. Baader, *die Lais. Zur Geschichte einer Gattung der altfranzösischen Kurzerzählungen,* Francfort, 1966; R. Baum, *Recherches sur les œuvres attribuées à Marie de France,* Heidelberg, K. Winter, 1968; E. Hoepffner, *les Lais de Marie de*

France, Paris, 1935; M. J. Donovan, *the Breton Lay. A Guide to Varieties*, Indiana, 1969; Ph. Ménard, *les Lais de Marie de France*, Paris, P.U.F., « Littératures modernes », 1979; J. Ch. Payen, « le Lai narratif », dans *le Fabliau et le Lai narratif*, par O. Jodogne et J. Ch. Payen, Turnhout, Brepols, 1975; E. Sienaert, *les Lais de Marie de France. Du conte merveilleux à la nouvelle psychologique*, Paris, Champion, 1978. Voir aussi B. Bettelheim, *Psychanalyse des contes de fées*, Paris, R. Laffont, 1976.

A. STRUBEL

LAISSE. On appelle laisse, dans la littérature médiévale, la strophe souple qui sert d'élément de base à la composition des chansons de geste, de quelques vies de saints, de quelques chansons de toile et des tout premiers « romans ». Une laisse est d'abord un ensemble de vers caractérisés par une même assonance ou par une même rime. Elle se distingue donc à la fois de la strophe à rimes complexes (poésie lyrique) et du couplet à rime plate (romans, fabliaux, etc.). Sa forme même semble liée aux nécessités du chant, d'une part, de l'étendue souvent vaste du poème, d'autre part. De fait, la musique de laisse se caractérise par la succession d'un timbre d'intonation (accompagnant le vers initial), d'un timbre de développement (qui se répète de vers en vers) et d'un timbre de conclusion (sur le vers final). Cette structure, beaucoup plus souple que celle de la musique de strophe (qui change à chaque vers), permet de composer — et de retenir — aisément des œuvres dont les dimensions varient de quelques centaines de vers à quelques milliers, voire dizaines de milliers.

Partant de cette structure musicale, J. Rychner a dégagé un certain nombre d'aspects désormais classiques de la composition de la laisse épique. Celle-ci s'ouvre le plus souvent sur un vers d'intonation : ce vers commence généralement par le nom d'un personnage qui jouera un rôle marquant dans la laisse, par une apostrophe, une exclamation, ou enfin par une « inversion épique ». Elle se clôt sur un vers de conclusion, fréquemment typé lui aussi : présage, commentaire individuel ou collectif sur l'action qui s'achève, geste marquant la fin de cette action. Idéalement la laisse, unité lyrique et narrative, se concentre autour d'un événement unique, et ses dimensions sont modestes : une vingtaine de vers tout au plus. Mais cet idéal ne se rencontre guère que dans *la Chanson de Roland*. Dans les œuvres postérieures, la laisse s'allonge sur plusieurs dizaines, et même sur plusieurs centaines de vers (une laisse de *Huon de Bordeaux* atteint même 1 139 vers!).

Les laisses ne se succèdent pas comme de simples unités narratives : elles s'enchaînent de manière plus ou moins complexe. L'enchaînement est simple lorsque le premier vers ou les premiers vers d'une laisse répètent sous la même forme ou sous une forme voisine le dernier ou les derniers vers de la laisse précédente. Le procédé, combiné avec le style formulaire, contribue à définir une rhétorique de la répétition qui est bien caractéristique du genre. Celle-ci atteint ses limites lorsque la reprise d'une laisse porte sur l'ensemble de ses vers : on a alors des laisses dites similaires, où l'action ne progresse plus, et où le lyrisme peut s'épanouir. Les laisses sont dites parallèles lorsque des actions semblables sont traitées identiquement dans des laisses successives : seul l'acteur, ou le destinataire, ou l'objet, change d'une laisse à l'autre. Bien des enchaînements complexes sont possibles : bifurqués, lorsqu'une laisse reprend des vers du corps de la précédente et non ses derniers vers, faisant ainsi « découler deux futurs d'un même présent » (J. Rychner); dispersés, lorsqu'une laisse reprend des éléments épars; la structure « en escalier », particulière à quelques laisses de *Raoul de Cambrai*, instaure un chevauchement de laisses dont chacune reprend plusieurs éléments, dans leur succession temporelle, de la laisse précédente. Il est à remarquer que même les œuvres épiques du XIIIe siècle, dont le caractère narratif est très marqué, conservent un nombre non négligeable d'enchaînements : le procédé est inséparable du genre.

La laisse, au départ, était sans doute unité lyrique et unité narrative : l'élément de base de la composition. Mais, dès le milieu du XIIe siècle, son rôle structurel évolue. Les laisses longues ne sont plus centrées sur un événement unique; dans le meilleur des cas, elles renferment un épisode; dans le pire, sur une assonance ou une rime facile (en -é, par exemple) se déroulent les événements multiples et sans unité. Deux types de chansons s'opposent donc : un type « très respectueux de la laisse et très lyrique » et « un type très dédaigneux de la laisse et très narratif » (J. Rychner). Certes. Mais les nuances sont variées, et il semble que les auteurs cherchent à épuiser les possibilités de la laisse : laisses courtes, moyennes et longues ont des fonctions différentes, et leur agencement peut être fort subtil; les actions essentielles peuvent se situer au cœur des laisses, comme dans le *Roland* d'Oxford, aussi bien qu'aux frontières où joue la répétition, comme dans *le Couronnement de Louis*. On peut distinguer des laisses spécialisées : laisses de transition, laisses de dramatisation (très concentrées), laisses de progression dramatique (généralement longues, pauvres en motifs stéréotypés et en répétitions, riches en rebondissements artificiels). En bref, l'art de la laisse est un art complexe, que l'on ne saurait réduire à un modèle idéal, fût-il celui du *Roland*.

Les origines de la laisse sont encore incertaines. La question n'est guère séparable de celle de l'origine de la musique qui l'accompagnait. Deux théories s'affrontent : pour l'une, la laisse est née de la pratique de l'« épopée vivante », ses dimensions souples, ses vers d'intonation et de conclusion étant des procédés caractéristiques du « style oral »; pour l'autre, la laisse dérive de la strophe employée dans les vies de saints du Xe siècle, sa musique procède du chant liturgique. On retrouve ici l'opposition du jongleur et du clerc, de la création orale plus ou moins collective et de l'acte poétique individuel : vaste débat, où bien des arguments sont à double tranchant, et où bien des forces se sont épuisées sans jamais emporter une totale conviction. [Voir aussi RYTHME ET POÉSIE.]

BIBLIOGRAPHIE

De la bibliographie concernant la chanson de geste, on retiendra surtout les chapitres sur la laisse des ouvrages suivants : A. Iker Gittleman, *le Style épique dans « Garin le Loherain »*, Genève, Droz, 1967; M. Rossi, *Huon de Bordeaux*, Paris, Champion, 1975; J. Subrenat, *Étude sur Gaydon*, Aix, 1974; J. Rychner, *la Chanson de geste, essai sur l'art épique des jongleurs*, Genève, Droz, 1955; et les articles suivants : E.A. Heinemann, « Sur l'art de la laisse dans le *Couronnement de Louis* », dans *Charlemagne et l'épopée romane*, Actes du VIIe congrès international de la « Société Rencesvals », Les Belles Lettres, 1978, t. II, p. 383-393; Th. D. Hemming, « la Forme de la laisse épique et le problème des origines », Actes du VIe congrès international de la « Société Rencesvals », Aix, 1974, p. 221-234; A. Monteverdi, « la Laisse épique », dans *la Technique littéraire des chansons de geste*, Actes du colloque de Liège, 1959, p. 127-140; F. Suard, « les Petites Laisses dans le *Charroi de Nîmes* », Actes du VIe congrès international de la « Société Rencesvals », Aix, 1974, p. 653-667. Enfin, sur la forme musicale : J. Chailley, « Études musicales sur la chanson de geste et ses origines », *Revue de musicologie*, t. XXVII, 1948, p. 1-27.

D. BOUTET

LA JESSÉE Jean de (1551-1596). Né à Mauvesin, en Gascogne, La Jessée acquiert une large culture humaniste à l'université de Bordeaux. Séduit par les Muses, il devient le protégé de Jeanne d'Albret et tente une carrière de poète-courtisan. Il ose s'amouracher, au printemps 1572, de la princesse Marguerite, sœur du roi Charles IX et fiancée à Henri de Navarre. Naturellement éconduit, le jeune provincial compose ses *Amours de Marguerite*; il se résigne mal à son destin d'éternel soupirant. Protestant, mais d'une foi assez tiède, il doit fuir Paris au lendemain de la Saint-Barthélemy. C'est *l'Amoureux errant* qui, bientôt las de l'austérité genevoise, regagne la France, chante les victoires du futur Henri III sur les huguenots (*la Rochelliade,* 1573) et soupire auprès de maintes dames, à qui son humble personne reste indifférente (*Amours de Sévère, A la dédaigneuse,* 1579). Entré au service du duc d'Alençon, il publie en 1583 les 1 500 pages de ses *Premières Œuvres françoises,* qui le font apparaître comme un épigone attardé de la première Pléiade. Il révère Ronsard, dont la gloire décline, et lui adresse un *Discours de la Franciade,* où il invite le maître à parachever son épopée. La principale originalité de La Jessée consiste dans l'invention de l'« ode-satyre », genre mixte où le lyrisme gagne une âpreté inattendue à se voir parasité par des vers d'une vigueur haineuse. Écrivant d'une « aigreur enfiellée » dans le registre des *Regrets* de Du Bellay, La Jessée s'élève parfois à la hauteur prophétique et baroque d'un d'Aubigné pour vitupérer « les mœurs de nostr'age » et peindre « les maus d'un siecle massacreur ».

BIBLIOGRAPHIE

Marcel Raymond, *l'Influence de Ronsard sur la poésie française,* Paris, Champion, 1927, t. II, p. 163-173; Guy Demerson, « "Vers Satyriques" : remarques sur l'esprit satirique de J. de La Jessée », dans *Études seiziémistes offertes à M. V.-L. Saulnier,* Genève, Droz, 1980, p. 269-288; Jacques Pineaux, *la Poésie des protestants de langue française (1559-1598),* Paris, Klincksieck, 1971, p. 319-321, 440; Géralde Nakam, *Au lendemain de la Saint-Barthélemy,* Paris, Anthropos, 1975, p. 58-59 (contient quelques détails sur le rôle de La Jessée lors du siège de Sancerre en 1573).

F. LESTRINGANT

LALEAU Léon (1892-1979). L'œuvre poétique de cet écrivain haïtien est précieuse, son œuvre romanesque pleine de lucidité, mais l'une et l'autre ont été assez vite étouffées par les exigences d'une importante carrière gouvernementale et diplomatique. Chez lui, l'orgueil national coexiste avec un culte passionné de la langue française. Dans sa poésie il vise la sobriété et la pureté. Ami de Maurice Rostand et de Tristan Derème, il est un bon représentant de leurs recherches de raffinement dans l'expression avec ses premiers recueils : *A voix basse* (1919), *la Flèche au cœur* (1926), *le Rayon des jupes* (1928). Cet esprit culmine dans *Abréviations,* pochades poétiques sur un mode mineur. A partir de 1930, sous l'influence probablement des artisans de la *Revue indigène,* Price-Mars et Roumain, dont il a suivi avec sympathie les recherches, il intègre à sa poésie, avec la pudeur et la discrétion qui sont les siennes, l'expression de l'être haïtien. Il publie alors *Musique nègre* (1933), *Ondes courtes* (1933), *Orchestre* (1937). Senghor publiera des poèmes de Laleau dans son *Anthologie* de 1948.

En prose, Laleau fait passer dans *le Choc* (1932) sa protestation contre l'occupation d'Haïti par les Américains et les humiliations qui en découlèrent. La pratique de l'éloquence d'apparat, par contre, ne lui vaudra rien. Le recueil *Apothéoses* (1952), qui regroupe des éloges assez traditionnels de Dessalines et de Christophe, mais aussi des hommages hyperboliques à Salazar et à l'image d'une France mythique, surprend péniblement chez quelqu'un que ses premières œuvres semblaient montrer comme particulièrement méfiant devant les excès de langage.

BIBLIOGRAPHIE

Un numéro spécial de la revue *Conjonction,* n°s 87-88, Port-au-Prince, 1963, a été consacré à Léon Laleau, avec des textes de Jean Fouchard, Pradel Pompilus, Maurice Rat. Voir aussi : Maurice Rat, « Léon Laleau, Haïtien et poète français », dans *la Muse française,* 15 juin 1937.

O. BIYIDI

LA MARCHE Olivier de (vers 1426-1502). Né à Bruxelles d'une famille qui est à la Cour depuis le XIIIe siècle, Olivier de La Marche sert comme page dès 1439, puis gravit tous les échelons : écuyer panetier en 1447, écuyer tranchant en 1448, maître d'hôtel de Philippe le Bon en 1461. Sous Charles, il est chargé de missions (affaire du bâtard de Rubempré, 1464) et, en 1465, assiste à la bataille de Monthléry, où il est fait chevalier. Le Téméraire le couvre de gratifications et lui donne des terres confisquées au connétable de Saint-Pol en 1471; il sera aussi gouverneur de Bouillon, commandant de place d'Abbeville, maître de la monnaie de Gueldre, bailli. Prisonnier à Nancy, il reprend du service chez Maximilien, qui lui confie l'éducation de l'archiduc Philippe le Beau, pour lequel il rédige ses chroniques. Il fut « la quintessence de ce factotum officiel, qui s'applique aux tâches les plus variées et qui, tour à tour, est homme d'armes, homme d'affaires et homme de lettres » (Doutrepont).

L'histoire comme fascination

Il est l'ordonnateur des fêtes de la Cour, l'auteur du *Traictié des nopces de monseigneur le duc de Bourgogne* (1468), de l'*Épistre pour tenir et célébrer la noble feste de la Toison d'or* (1500), le technicien de l'étiquette, que l'on consulte à l'étranger (*Estat de la maison de Charles de Bourgogne,* rédigé en 1473 pour Édouard IV d'Angleterre; *Advis des grands officiers que doit avoir ung roi,* en 1500). Le metteur en scène des fastes de la souveraineté se trahit dans ses *Mémoires,* qui englobent une période ininterrompue de cinquante-trois ans, de 1435 à 1488. L'introduction, composée en 1490, est pleine de généalogies fantaisistes, mais le premier livre a une grande valeur documentaire, tandis que le second est rempli de lacunes et d'erreurs matérielles (noms, lieux, dates) qui semblent le lot de l'historien médiéval, même quand celui-ci prend soin de prévenir le lecteur si ses témoignages sont de source orale ou autre. Mais là n'est pas l'intérêt de la chronique. La vénération de La Marche pour la « très haute, puissante, doubtée et renommée maison de Bourgogne », son admiration pour le « bon duc Philippe » qui « fist deux choses à l'extrémité, car il régna le plus large et le plus libéral duc des crestiens, et si morut le plus riche de son temps » (I, 105), sont bien compréhensibles. Mais pour lui, tenir le journal des événements, c'est faire partager sa fascination du luxe, des « festes et esbatemens, emprinses », des tournois et réceptions; c'est donner à voir dans tous ses détails cette opulence qui fait partie de la fonction du prince. Ainsi le récit des noces de Charles occupe un tiers des chroniques du règne, et La Marche n'hésite pas à la reprendre dans le *Traictié...* La description du « Banquet du faisan » est un autre morceau d'apparat, de soixante pages : « entremets » du géant turc et de Sainte-Église, de la Toison d'or, vœux, « surprises », tel ce cheval monté par deux trompettes dos à dos et sans selle, qui fait le tour de la salle à reculons; monstre apocalyptique sur un sanglier, cerf blanc à cors d'or chevauché par un garçon de douze ans chantant, bals, procession de Grâce de Dieu escortée de douze dames de la Cour incarnant des vertus et porteuses d'un « brief », ce ne sont que quelques-uns des intermèdes proposés aux convives. A la Cour, la représentation est permanente. Son organisation est complaisamment détaillée, jusqu'aux cuisines, véritable univers, autre cour où trône un cuisinier armé d'une grande cuiller en bois pour goûter les sauces et battre les marmitons. Cet important personnage sert lui-même, un flambeau à la main, les premières truffes ou le premier hareng frais. Les questions d'étiquette (pourquoi est-ce le cuisinier qui assiste au repas de son seigneur et non l'écuyer de cuisine?) sont d'intérêt national. Il est vrai que c'est là que naît le cérémonial de la cour d'Espagne, qui sera celui de Versailles. La vie de l'aristocratie est spectacle, et, quand les chroniques n'en décrivent pas les fêtes, elles en exposent l'idéologie, cette conception chevaleresque de l'histoire qui cherche dans les grands sentiments la cause des événements : le devoir d'honneur et de revanche explique toute la guerre, et Philippe est celui « qui pour vengier l'outraige fait sur la personne du duc Jehan, soustint la gherre seize ans » (I, 89). On ne s'étonne donc pas de retrouver l'historien rédacteur de traités de technique chevaleresque : *Livre de l'advis du gaige de bataille* (1494), *Traité du tournoi de Gand* (1469) et *Relation des pas d'armes et tournois*.

Olivier de La Marche poète

Il échange des rondeaux avec Charles d'Orléans, sur le thème de l'« observance » et, à l'instar de Molinet et de Chastellain, pratique une poésie « de circonstance », qui répercute l'exaltation de la fête comme l'histoire l'inscrit dans la durée. Le poème moral (*Débat de Cuidier et de Fortune; Dialogue de l'âme et de l'œil*) l'intéresse, comme il intéresse tous ses contemporains, mais c'est au lyrisme courtois, qui, loin de jeter ses derniers feux, est devenu une seconde existence, imaginaire, de l'aristocratie qu'il consacre l'essentiel de son œuvre (*Droit Atour des Dames, Triomphe ou Parement des Dames,* rempli de pantoufles d'humilité, de souliers de soin et de bonne diligence...). *Le Chevalier délibéré* est un joyau de la création allégorique, dans lequel l'auteur insère, comme René d'Anjou, des directives pour les illustrateurs. A l'automne de son âge, l'« Acteur » part avec Pensée pour se mesurer à Accident et Debile dans la forêt d'Atropos. Il combat Hutin, fils de Gourmandise, et doit son salut à Reliques de Jeunesse. Recueilli chez Entendement, il est armé et se bat contre Âge dans la Plaine de Temps; prisonnier, on le relâche sur la promesse de ne pas s'arrêter dans Pays amoureux. Au palais d'Amour, son désir l'entraînerait si Remembrance ne lui montrait Âge le poursuivant, dans son Miroir des Choses passées. Évitant l'abbaye de Decrépitude, il arrive au manoir de Bonne Aventure chez Estude. Il y est accueilli par Fraîche Memoire, qui lui montre ce qu'elle sait (les morts récentes par Accident et Debile); il est conduit aux lices, où, devant Atropos, Philippe est vaincu par Debile et Charles par Accident.

Olivier de La Marche est un représentant typique de cette littérature bourguignonne qui connut sa période la plus brillante au XVe siècle, et dont les ducs savaient faire un instrument de prestige et de propagande; la rivalité politique avec le roi de France se double, en cette occasion, d'une concurrence intellectuelle.

BIBLIOGRAPHIE

Éditions. — *Mémoires,* Beaune et d'Arbaumont, Société de l'Histoire de France, 1883-1888, 4 vol.; *le Chevalier délibéré,* F. Lippmann, Londres, 1898; *Débat de Cuidier...,* K. Heitmann, Archiv für Kulturgeschichte, n° 48, 1965.

A consulter. — G. Doutrepont, *la Littérature à la cour des ducs de Bourgogne;* H. Stein, *Olivier de La Marche, historien, poète et diplomate bourguignon,* Bruxelles-Paris, 1888 (plaquette qui est une mise au point sur la vie et les œuvres).

A. STRUBEL

LAMARTINE

LAMARTINE Alphonse Marie Louis de (1790-1869). Qui, aujourd'hui, lit Lamartine? Présent dans tous les manuels scolaires, édité (pour les *Méditations poétiques*) à grand renfort de « petits classiques », il semble pourtant concerner fort peu la sensibilité d'un amateur contemporain de poésie. Les imageries du rêveur, du « pleurard », d'un idéalisme politique dépassé, nous font négliger une relecture nécessaire. En parler, ce sera donc ici, en partie, réhabiliter l'auteur du trop méconnu *Voyage en Orient,* une intelligence, une éthique, une haute qualité d'émotion. Avec Lamartine, qu'il soit politicien ou écrivain, c'est un homme, au sens le plus élevé du terme, que nous rencontrons, une vision de l'action et du langage qui doit retenir notre attention, voire constituer une leçon insoupçonnée au sein d'une modernité qui a voulu, trop souvent, séparer l'écriture et la vie.

Plusieurs Lamartine?

Lorsque l'on considère l'existence et l'œuvre de Lamartine, on peut être tenté d'y voir un certain nombre de ruptures, voire de contradictions qui nous empêcheraient de saisir l'unité d'un visage.

Ruptures au niveau de la biographie, tout d'abord. Certes, l'enfance heureuse à Milly, l'existence parfois dissipée du jeune aristocrate et même les débuts de sa carrière poétique se placent sous le signe de la continuité. Mme de Lamartine écrit, en 1818 : « Mon fils a bien besoin de foi positive, car sa religion, trop libre et trop vague, me paraît moins une foi qu'un sentiment ». Elle indique ici une constante fondamentale de la personnalité de Lamartine. Celui-ci est l'homme de l'individualité, qu'il s'agisse de l'amoureux d'Antoniella en 1811, de celui de Julie Charles en 1816 ou même de l'époux heureux dont la fille Julia naît en 1822, du poète des *Premières Méditations* (1820) ou de celui des *Nouvelles Méditations* (1823). Même lorsqu'il semble vouloir quitter cette orientation en affirmant que le moi ne doit plus être un objet d'inspiration pour le poète (*le Dernier Chant du pèlerinage d'Harold,* 1825), il ne peut nous convaincre, montrant avec les *Harmonies poétiques et religieuses* (1830) qu'il est avant tout le grand poète de l'émotion et du lyrisme individuel.

Pourtant, lorsque après la publication du recueil de 1830, qui le consacre comme poète lyrique, Lamartine abandonne la carrière diplomatique, ce n'est pas vers la solitude de l'écrivain qu'il se tourne mais vers l'engagement politique. Le légitimiste et le chantre du moi de 1820 va devenir, au cours d'une évolution incessante vers la gauche, le chef du gouvernement provisoire de la République de 1848. L'homme du privé va se transformer en orateur politique. N'est-ce point là un nouveau Lamartine? Le ton d'une poésie qui ne serait plus celle du moi se dessine avec plus de force qu'en 1825. Ce sont des odes politiques : *Contre la peine de mort* (décembre 1830) et la fameuse *Ode à Némésis* (juillet 1831), où Lamartine affirme vigoureusement : « Honte à qui peut chanter tandis que Rome brûle! ». C'est en 1831 encore qu'il se présente à la députation et publie son essai *Sur la politique rationnelle,* où il définit les grandes lignes de sa vision politique. Après son périple oriental, Lamartine semble consacrer cette rupture. Pour oublier, peut-être, les épreuves de la vie privée (mort de sa fille Julia en décembre 1832), il se lance plus intensément encore dans la tâche politique, cherchant à promouvoir une politique progressiste pénétrée d'esprit évangélique. L'action littéraire, qu'il n'a jamais abandonnée, s'oriente vers une vision sociale très marquée. L'idée d'une instruction des « humbles » que l'on trouve dans *Jocelyn* (1836) annonce bien tel article de 1843 ou la préface de *Geneviève* (1851), où il proposera une conception de la lecture d'instruction (littérature édifiante, pensent certains). L'écrivain a une mission sociale. Toute la production littéraire, toute l'action politique de Lamartine à cette époque est marquée par cette préoccupation.

Mais voici une nouvelle rupture : après son échec aux élections présidentielles en décembre 1848, Lamartine quitte définitivement la scène politique. Confronté à des problèmes financiers, il devient un « galérien des lettres » et doit écrire pour vivre. La qualité s'en ressent : compilations historiques (*Histoire des constituants, de la Turquie*...) ou romans. Pourtant, Lamartine peut encore montrer sa véritable valeur dans des écrits autobiographiques attachants : ce sont les *Confidences* (dès 1849), qui contiennent *Graziella* et *Raphaël*. Dès 1856, il livre à ses abonnés un *Cours familier de littérature*. On peut y lire, parfois, de très beaux textes, où l'auteur montre qu'il est resté le grand poète de l'émotion et du souvenir.

Si l'on n'envisage que les événements de la biographie de Lamartine, on a le sentiment d'un fil discontinu permettant d'envisager une succession de périodes : le poète du moi, l'homme public, le « galérien des lettres ». Cette absence d'unité biographique serait confirmée par les aspects forts différents de l'homme : comment concilier le personnage du poète plongé dans l'émotion personnelle avec celui du voyageur aventureux de 1832 ou de l'orateur politique véhément? Un autre élément pourrait nous confirmer dans l'idée qu'il n'y aurait pas un mais plusieurs Lamartine, c'est la multiplicité des genres abordés : poésie lyrique, histoire, romans, essais, récits de voyage, autobiographies plus ou moins romancées. Plus profondément, on pourrait voir une contradiction entre la tendance mystique qui habite profondément l'œuvre et la conception morale d'un engagement dans le monde, d'une tâche envers autrui qui marque très tôt la personnalité de l'homme. Pourtant, derrière ces apparences morcelées, quelques attitudes éthiques et esthétiques assurent la profonde unité de l'œuvre.

Au-delà des conventions

Le lyrisme de Lamartine apparaît, en effet, comme une constante : que nous considérions le poète de l'amour, l'orateur politique, le poète de la foi ou même l'auteur du *Voyage en Orient*, nous rencontrons une même qualité d'émotion, le souffle d'une sincérité. Dans tous les cas, cette qualité essentielle permet de dépasser les conventions. Tout d'abord les conventions du style que l'on a tant reprochées au poète des *Méditations* ou des *Harmonies* : ces réminiscences nombreuses de la tradition élégiaque, ce manque d'originalité du mètre et des images qui le firent comparer à « un Chateaubriand en vers » (Faguet). En fait, dès 1820, l'expression directe du moi et l'abolition du distinct dans la perception de réel constituent une nouveauté dans l'écriture elle-même. Une poésie de l'indicible émerge, dont Georges Poulet a souligné la modernité. La foi profonde qui anime les *Harmonies*, la volonté douloureuse de suggérer par le langage ce que celui-ci, par essence, est impuissant à dévoiler, tout cela nous met en présence d'un ton devant lequel on ne saurait rester insensible. L'univers des images lui-même, leur dialectique de l'ouvert et du clos, du clair et de l'obscur fondent un mouvement original. Il faut aujourd'hui refuser l'image toute faite sur la poésie lyrique de Lamartine.

Conventions des partis, ensuite : elles aussi sont balayées dans la pratique politique de Lamartine. Lorsqu'il est élu député, il refuse d'entrer dans un parti. Il avait d'ailleurs, avant son départ pour l'Orient, mesuré l'étroitesse de vues des chapelles politiques. C'est animé par un idéal supérieur, par la foi profonde en un projet divin qui doit se réaliser dans l'Histoire que Lamartine accumule sur les sujets les plus ardus une documentation abondante. On ne saurait lui faire le reproche pascalien de ne s'occuper que des moyens et non des fins. Cette position était délicate : orateur enthousiaste, Lamartine restera fidèle à sa vision lors de la révolution de 1848. Refusant le pouvoir, celui qui pouvait devenir « ministre exécutif » du gouvernement provisoire se retrouve seul et doit quitter la scène. Ce mépris des conventions politiques fut sa grandeur et causa sa perte.

Lamartine sait aussi dépasser les conventions du voyage au cours de son périple oriental. Contrairement à l'image, accréditée par sa poésie lyrique, d'un écrivain incapable de décrire, il montre au contraire dans le *Voyage en Orient* et dans de nombreuses autres pages (pensons à *Graziella*, notamment) une passion de regarder, un sens aigu de la description, une ouverture sur autrui qui constituent un véritable lyrisme de l'observation. Lamartine sait voir l'Autre, et cette ouverture passionnée lui fait dépasser les imageries de l'Orient. C'est là un aspect de son œuvre que l'on a injustement ignoré.

Une vision de l'Histoire

Il est un peu facile d'opposer le légitimiste de 1820 à l'homme de 1848. Il l'est tout autant de montrer que l'idéalisme de Lamartine peut cacher des intérêts de classe : partisan d'une démocratie politique, Lamartine cherche à canaliser la violence virtuelle d'un prolétariat misérable en proposant des réformes sociales qui cependant préservent le principe essentiel de la propriété, auquel il est attaché.

Ce qui nous semble fondamental, c'est de saisir l'unité profonde de la vision de l'Histoire de Lamartine, et cela dès 1820. Car elle détermine la pratique politique de l'auteur des *Méditations*.

Il l'expose en 1831 dans un court essai : *Sur la politique rationnelle* (fac-similé, Slatkine, Genève, 1977). Il en conservera les éléments essentiels, qui, d'ailleurs, ne sont aucunement en contradiction avec la vision des premières *Méditations* (vision d'un projet divin) : « Nous sommes à une des plus fortes époques que le genre humain ait à franchir pour avancer vers le but de sa destinée divine ».

Comme Michelet, Lamartine croit, après Juillet, que la France est devenue le pilote d'un avenir de progrès. Il se sent en accord avec le peu « d'esprits élevés et rationnels qui ont fait de leur pensée politique un sanctuaire où l'intrigue et la passion ne pénètrent pas [...], qui placent la morale, le devoir, le salut et le progrès de l'humanité au-dessus de leurs théories d'école et de leurs affections de famille ». « Au-dessus de la mêlée », donc, il propose avec éloquence et conviction les points forts de son idéalisme politique. Il est assuré d'être finalement entendu car toute « idée sociale, descendue du ciel sur l'humanité, n'y retourne jamais à vide ». « Elle porte en soi quelque chose de vital, de divin... ».

Lamartine se présente donc en guide de l'humanité et en promoteur de l'idée de liberté. Dans le ton de l'ouvrage, on sent un respect religieux pour ses convictions politiques. C'est pour conserver l'intégrité de celles-ci, les défendre sans compromission que Lamartine refuse de s'associer à un journal politique. Il est déjà un solitaire et un croyant de la politique. A son retour d'Orient, il fera encore, dans ses engagements, figure d'opposant en marge des partis.

Dans son ouvrage, Lamartine ne propose aucune analyse ponctuelle mais tente de dégager une vue générale de l'Histoire conçue comme progrès organique et nécessaire. Il existe une « destinée divine » du genre humain, et « la vérité sociale ne se développe qu'à la lueur de la vérité divine ». Si le langage est tout pénétré par un vocabulaire du sacré, c'est que l'histoire est le lieu du progressif dévoilement d'un projet divin. L'homme politique digne de ce nom devient le guide précédant les générations comme la colonne de feu de Moïse. Toute l'évolution humaine prépare l'avènement d'une « époque évangélique » qui consacrera « l'égalité politique et civile de tous les hommes devant l'État, comme le Christ avait consacré leur égalité naturelle devant Dieu ». Or, cette époque, toute proche, nous devons, par une reconnaissance du projet divin, contribuer à la réaliser pacifiquement maintenant que la révolution a fait table rase, au terme d'un trajet nécessaire et prévisible.

Cette logique du progrès, qui réalise un « christianisme rationnel » dont la France est le porte-drapeau, il conviendrait de la mettre en rapport avec la vision d'un Michelet (dont l'*Introduction à l'histoire universelle* paraît également en 1831) et avec les autres conceptions de l'évolution des sociétés que l'on nourrit à l'époque chez Hugo et bien d'autres...

Lamartine rappelle quelques principes essentiels à la réalisation de la société souhaitée : monarchie constitutionnelle, liberté de la presse, enseignement libre et gratuit, séparation de l'Église et de l'État, élections au scrutin proportionnel, législation pénétrée d'esprit évangélique (abolition de la peine de mort), respect de la propriété, reconnaissance d'une centralisation administrative et exécutive...

Ces divers principes, Lamartine ne les pose pas, cependant, en absolus indépassables. Il note ainsi que la propriété, certes, a bien été jusqu'ici la seule base donnée par Dieu à la famille et à la société. Cependant : « Peut-être l'humanité découvrira-t-elle un jour un autre principe social ». Les attachements « idéologiques » ne sont donc que des modalités pour réaliser un plus vaste projet : elles fondent seulement une pratique justifiable au plan divin.

Mais, dans la confusion du présent, la réalisation d'une si haute visée exige un homme « complet dans l'intelligence et la vertu », « fort de la force de sa conviction et de celle de son époque [...], palpitant de foi dans l'avenir [...], capable d'entrevoir l'autre monde politique, de nous convaincre de son existence, et de nous y conduire par la persuasion de son éloquence... ». Cet homme ne pourrait-il être Lamartine en personne, qui va méditer et observer en Orient?

Une éthique fondatrice

Si la poésie doit être de la « raison chantée », si Lamartine, dans sa pratique littéraire, présente avec *Jocelyn,* ou même dans plusieurs passages de *la Chute d'un ange* (1838) et des *Recueillements* (1839), des préoccupations sociales qui inspireront toujours les romans qui suivront, si, dans une épître de 1837, l'auteur oppose cette nouvelle conception poétique à la poésie des *Méditations,* l'unité profonde de la vision lamartinienne reste, à l'analyse, une donnée essentielle.

Poète du souvenir et de l'amour, songeur dans le désert ou homme politique, c'est bien du même personnage qu'il s'agit : les méditations du solitaire nous renvoient en effet à la prière et à la reconnaissance fervente d'un Dieu. Mais la réflexion sur l'histoire amène, elle aussi, à la reconnaissance d'un dessein divin. Dans les deux cas, nous sommes renvoyés à une transcendance qui fonde une pratique de la vie dont l'unité est profonde. Dans les premières *Méditations* (où le thème de l'amour est bien loin d'occuper tout le recueil), on lit : « Partout où nous voyons les hommes/Un Dieu se montre à leurs regards ». Poète du privé ou homme politique, c'est tout un : c'est le chrétien qui instaure ces deux pratiques. L'amour d'Elvire est déjà une étape vers l'amour divin; l'engagement politique est une prière en acte. L'idéal est bien en effet la prière, la communion « cœur à cœur ». Un tel état, le langage poétique est impuissant à le créer. Il peut seulement en donner le désir, en suggérer l'émotion. Quand cette communion est là, comme dans l'amour innocent de Laurence et Jocelyn, la voix est inutile (« Quels vers vaudraient pour moi son âme? » dit Jocelyn). La pratique politique doit apporter une contribution à la communion des hommes. Elle est fondée sur la même aspiration. C'est pourquoi Lamartine n'a jamais voulu faire de la poésie un « métier » ni adhérer à un parti. L'orientation sociale de sa production littéraire ne fait que confirmer une unité de vision préalable : acte politique, acte littéraire, c'est la même action morale, la même tendance à inscrire dans le temporel une aspiration mystique.

Relire Lamartine?

Si on ne lit plus véritablement Lamartine aujourd'hui, c'est tout d'abord que l'on se contente des idées reçues sur son œuvre, que l'on méconnaît des ouvrages qui, d'ailleurs, sont souvent peu accessibles en librairie. Certes, les conceptions religieuses et politiques de l'auteur, ses allusions mythologiques ou ses figures de style peuvent arrêter certains lecteurs. Mais le discrédit relatif que subit sa poésie a aussi une autre cause : ce que recherche le plus souvent la poésie moderne, c'est une densité des images, une sorte de pudeur du langage qui vise à une émotion plus concentrée. Lamartine nous propose une voie différente, celle d'un langage plus accessible, qui sait pourtant nous confronter à une émotion poétique authentique. L'homme lui-même est une figure profondément attachante, dont l'éthique, au-delà des querelles idéologiques, peut constituer un véritable modèle.

VIE		ŒUVRE
1789	**Révolution française.**	
1790	21 oct. : naissance, à Mâcon, d'Alphonse Marie Louis de Prat de Lamartine.	
1801	Lamartine est mis en pension à Lyon. Jusqu'à cette date, il a vécu à Milly, où sa famille s'était réfugiée.	
1802	**Amnistie des émigrés.** **Bonaparte consul à vie.**	
1803	Entrée au collège jésuite de Bellay.	
1804	**Sacre de Napoléon.**	
1810	**Répression française en Espagne.**	
1811-1812	Voyage en Italie et rencontre d'Antoniella, qui est la première Elvire.	

	VIE		ŒUVRE
1812	**Campagne de Russie.**		
1814- 1815	Entrée dans les gardes du corps. Lamartine est en garnison à Beauvais.		
1814	**Abdication de Napoléon.** **Déclaration de Louis XVIII.** **Charte.** **Waterloo.** **La chambre introuvable.**		
1816	Date importante dans la vie de Lamartine. Il rencontre à Aix-les-Bains Mme Julie Charles, qui devient Elvire, incarnation de l'amour romantique, inspiratrice des *Méditations*.		
1817	Déc. : mort de Julie Charles.		
		1818	Échec à la Comédie-Française d'une tragédie biblique de Lamartine, *Saül*.
1819	Rencontre avec Maria Anna Elisa Birch, une riche Anglaise. Mariage le 6 juin 1820.		
		1820	Mars : parution des *Premières Méditations*. Le succès est « inouï et universel », selon les propres termes de Lamartine. Ce mince recueil (cent dix-huit pages pour vingt-quatre méditations) marque la naissance de l'écriture poétique romantique.
1821	**Ministère Villèle.** (Entre 1820 et 1830, Lamartine occupe différents postes d'ambassade en Italie.)		
		1823	Publication des *Nouvelles Méditations*.
1824	**Charles X.**		
1829	**Ministère Polignac.**		
1830	Lamartine est élu à l'Académie française. **Révolution.** **Louis-Philippe.**	**1830**	Il publie les *Harmonies poétiques et religieuses*.
1831	Échec à la députation. **Émeute des canuts lyonnais.**	**1831**	Publication de l'ouvrage *Sur la politique rationnelle*.
1832	Juin : départ à Marseille pour un voyage en Orient, avec sa femme et sa fille. Ce voyage constitue une étape importante dans la vie de Lamartine. Mort de Julia. Pendant ce voyage, qui prend fin en septembre 1833, Lamartine est élu député. Dès son retour en France, il prend une part de plus en plus active à la vie politique, et de plus en plus tournée vers l'opposition.		
1834	**Émeutes à Paris et Lyon.** **Lois de septembre.**		
		1835	Publication du *Voyage en Orient*.
1836	**Ministère Thiers**	**1836**	*Jocelyn*.
		1838	*La Chute d'un ange*.
		1839	*Recueillements poétiques*.
1843	**Querelle scolaire.**	**1843**	*Graziella*.
1846	**Crise économique.**		
		1847	*Histoire des Girondins*.
1848	**Révolution.** A cette date, la popularité de Lamartine est immense. Aux côtés de Ledru-Rollin, il fait partie du gouvernement provisoire. Il est nommé ministre des Affaires étrangères. En décembre 1848, il ne recueillera que 17 900 voix aux élections présidentielles.		

VIE		ŒUVRE	
1849	**Assemblée législative.**	**1849**	A partir de 1849, Lamartine entreprend la publication d'œuvres autobiographiques avec *Raphaël* (1849), les *Confidences* (1849), dont il isolera *Graziella* (1852).
1850	**Loi Falloux.** **Loi électorale.**		
1851	**Coup d'État du 2 décembre.** Le coup d'État lui fait abandonner la politique. A partir de cette date, il devient un « galérien de la plume », publiant sans cesse des ouvrages souvent médiocres pour payer les dettes qu'il a accumulées.		
1852	**Proclamation de l'Empire.**		
		Entre 1856 et 1869	Lamartine publie son *Cours familier de littérature*, qui comprend 28 volumes.
		1857	Parution du dernier poème de Lamartine, *la Vigne et la Maison*.
1863	Mort de Maria Anna Elisa Birch.		
1864	**Loi sur les coalitions ouvrières.**		
1867	Lamartine accepte la rente viagère que lui attribue l'État.		
1868	**Loi sur la presse et les réunions publiques.**		
1869	28 févr. : mort de Lamartine.		

Méditations poétiques

L'année 1820 semble moins celle de la rupture que celle de l'accomplissement : Lamartine se marie, il est nommé attaché d'ambassade à Naples, mais, surtout, il publie les premières *Méditations*. C'est la révélation d'un poète [voir CONSERVATEUR LITTÉRAIRE (le)].

Cette publication constitue la première manifestation poétique reconnue du romantisme français. La première — et petite — édition de mars 1820 est immédiatement épuisée. En avril, une deuxième édition disparaît tout aussi vite de la vitrine des libraires : « Les *Méditations* ont un succès inouï et universel pour des vers en ces temps-ci », note l'auteur dans sa correspondance.

Comment expliquer un tel succès? Ce mince recueil de vingt-quatre poèmes (l'édition de 1849 en comprendra quarante et un) ne semble d'abord que formaliser la sensibilité diffuse de l'époque. Cette insatisfaction fondamentale du moi devant le monde, l'aspiration à « ce bien idéal que toute âme désire/Et qui n'a pas de nom au terrestre séjour », cette exaltation sans but de l'individu ressemble fort à celle du René de Chateaubriand. Le « Et moi, je suis semblable à la feuille flétrie :/Emportez-moi comme elle, orageux aquilons » de Lamartine reprend avec une mélancolie plus accentuée le « Levez-vous vite, orages désirés, qui devez emporter René dans les espaces d'une autre vie ». Même si le décor reste le plus souvent celui d'une campagne française paisible, les paysages évoqués dans « l'Homme », l'hommage à Byron, ne nous étonnent pas : ces « rivages couverts des débris du naufrage » sont ceux que l'on trouvait dans les prémices du romantisme européen, ceux que l'on pouvait admirer dans les tableaux de Caspar David Friedrich à la même époque.

Tout cela ne semble guère nouveau. De plus, le recueil, s'il reprend les thèmes lyriques, les imageries, les clichés à la mode, s'il reprend, en outre, la tradition élégiaque, si les réminiscences d'un Parny, d'un Millevoye et de bien d'autres y sont sensibles, ne paraît pas innover davantage dans la forme, qui reste fort conventionnelle pour ce qui concerne le mètre et les images. Lamartine lui-même écrit en 1823 : « Classique pour l'expression, romantique dans la pensée, à mon avis, c'est ce qu'il faut être ». Le succès inouï de l'œuvre ne serait donc pas dû à ses qualités intrinsèques?

Au-delà de ces conventions, l'ouvrage apportait en réalité plusieurs éléments essentiellement nouveaux. Tout d'abord, l'investissement dans l'écriture d'une sincérité absolue. Ce n'est plus la convention, ce sont « les fibres mêmes du cœur de l'homme, touchées et émues par les innombrables frissons de l'âme et de la nature », qui fondent la poésie. L'expression directe du moi nous éloigne fort de Chénier ou des élégiaques de la tradition.

Mais comment exprimer ce moi? C'est ici qu'apparaît le second élément essentiel de nouveauté de l'œuvre : Lamartine n'est pas seulement un « Chateaubriand en vers » (Faguet). Le style lui-même, sous des apparences de convention, constitue une nouveauté. Le distinct disparaît au profit de l'indistinct. La perception d'un réel détaillé s'abolit. Il s'agit de dire l'indicible, cette part sensible de l'homme difficilement cernable avec les mots. Il s'agit d'écrire sur la communion des âmes et de la nature, sur ce qui semble appartenir au domaine du silence. La poésie ne sera donc jamais descriptive. Le regard romantique s'approprie la nature, en fait une réalité immatérielle. « Lamartine gagne cette gageure impossible d'établir par des mots entre son lecteur inconnu et lui ces intimes commnications qui se forment dans le silence entre deux âmes sœurs ». La musicalité extrême du vers rend sensible cet état des âmes.

L'esprit cartésien de distinction et de clarté, devenu canon de la beauté avec les classiques, est totalement éliminé. Lamartine peut écrire : « La poésie s'est dépouillée de plus en plus de sa forme artificielle; elle n'a presque plus de forme qu'elle-même ». Cette poésie de l'indistinct se voudrait paradoxalement en deçà de l'expression. D'où sa difficulté (« Toute parole expire en efforts impuissants ») et le thème de l'insuffisance du langage. Cette conscience du paradoxe de la parole poétique est profondément moderne.

Le repli sur le privé constitue l'une des idées reçues à propos du recueil de 1820. Le poète, marqué par les épreuves de l'amour, se détourne du monde, solitaire et songeur (« l'Isolement »). Le caractère tragique du temps l'amène soit au désespoir (« Je ne veux pas d'un monde où tout change, où tout passe,/Où jusqu'au souvenir, tout s'use et tout s'efface »), soit à la nostalgie des « ombres chéries », à la valorisation du familial ou de l'individuel. Les premières *Méditations* retraceraient un itinéraire de ce cœur blessé par le privé.

En fait, si l'on trouve dans cette œuvre la tentation du renoncement ou même celle de la mystique, on voit bien plus souvent se développer l'idée d'un dessein divin qui permet d'ouvrir, de déployer le temps comme une perspective positive et non plus tragique. Lamartine, plus que vers les soupirs éplorés du moi, se tourne vers l'inspiration d'un christianisme rationnel, d'un hymne à l'« Éternelle Raison ». Il reconnaît, en dépit des épreuves personnelles, un ordre voulu par Dieu. La révolte cède à la confiance en ce projet qui dépasse l'individu.

C'est pourquoi la perspective des *Méditations poétiques* n'exclut pas le problème de l'histoire, même si cette dernière, en 1820, n'est pas une voie pour le poète. La vision du temps comme projet divin est celle qui fondera dix ans plus tard la pratique politique de Lamartine. Celui-ci demeurera encore l'homme du songe sur la destinée, celui qui se consacre à une tâche : contribuer à réaliser l'ordre voulu par la raison divine. L'engagement politique ne sera jamais chez lui un oubli ou un rejet de la solitude. Il en sera, au contraire et paradoxalement, une conséquence.

BIBLIOGRAPHIE

Éditions. — Il faut se reporter aux premières éditions pour comparer les différents états du recueil depuis l'édition du 11 mars 1820 (Nicolle, Paris, 1820) ne comprenant que 24 poèmes jusqu'aux 41 textes de l'édition des souscripteurs. On compte 6 éditions chez Nicolle en 1820, une nouvelle chez Nicolle en 1821; 8e édition en 1822 chez Gosselin, Paris; 9e édition en 1823 chez le même éditeur qui fera paraître les éditions jusqu'à la 12e en 1825. On devra se référer à la très bonne édition de G. Lanson (2 vol., Paris, Hachette, 1915) qui constitue la 1re édition critique. Le lecteur contemporain se référera soit aux divers petits classiques scolaires, soit au texte des *Œuvres poétiques complètes* de l'édition de la Pléiade (Paris, Gallimard, 1977) établie par Marius François Guyard, soit à l'édition des classiques Garnier en 2 vol. (réédition 1975, Paris). Une édition de poche existe aussi, Paris, Gallimard, « Poésie », 1969.

A consulter. — Sur les circonstances de rédaction et de publication, on lira l'ouvrage de M. Levaillant, *Lamartine et l'Italie en 1820*, Paris, Flammarion, 1944; on peut aussi consulter : E. Estève, *Byron et le romantisme français*, Paris, Hachette, 1907.

Il est intéressant de signaler que les *Méditations* furent l'un des plus grands succès de l'édition du XIXe siècle : de 1869 à 1882 : 22 626 exemplaires ont été vendus chez Hachette et 42 600 de 1895 à 1914!

Quant aux *Nouvelles Méditations*, elles peuvent être consultées dans l'édition originale parue en septembre 1823 (Paris, Urbain Canel, Et. Audin).

Harmonies poétiques et religieuses

Dans *le Dernier Chant du pèlerinage d'Harold*, Lamartine opposait à l'amour, sentiment du moi pur, la liberté du peuple, seul objet digne, désormais, pour le poète. En fait, il va montrer qu'il est, bien plus qu'un chantre de la liberté, un poète de l'effusion lyrique.

On pouvait croire qu'il resterait l'homme d'un seul livre. Lorsqu'il arrive à Florence en 1825, comme diplomate, il ignore encore qu'il va réaliser, dans cette Toscane qu'il quittera en 1828, l'une de ses œuvres poétiques les plus importantes, *les Harmonies poétiques et religieuses*, dont la première édition paraît en 1830.

Dans une lettre à Mme de Raigecourt, il annonce dès 1826 qu'il s'agira de « poésies purement et simplement religieuses ». L'ouvrage semble en effet un hymne au Créateur. Pourtant le ton n'est pas uniforme : plusieurs textes écrits après le retour d'Italie sont plus angoissés ou nostalgiques (« Premier Regret », « *Novissima verba* »...). Mais que la poésie s'élève vers la méditation ou qu'elle ait un ton familier ou douloureux, elle reste toujours pénétrée de foi. L'unité du recueil n'est jamais altérée. Les *Harmonies*, divisées en quatre livres d'une dizaine de poèmes chacun, contiennent sans doute les textes les plus travaillés de Lamartine.

Poésie de l'hymne tout d'abord : les titres suffiraient à l'indiquer (« Hymne du matin », « Hymne de la nuit », « Hymne du soir »...). Dans la louange, c'est le cœur qui doit « résonner comme un temple », dans une effusion intime. Nous retrouvons alors le paradoxe des premières *Méditations*, car ces effusions du cœur constituent en vérité des « concerts muets ». Il s'agit donc d'exprimer encore une fois par le langage poétique un autre langage, qui le transcende : « Quelque chose en moi soupire [...]/Et mon cœur ne peut parler ». Il se dévoile une insuffisance essentielle du langage humain. La poésie n'est que la marque même de cette insuffisance. La parole n'est pas, comme il conviendrait, l'âme elle-même, mais l'« ombre » de l'âme.

Alors apparaît la nostalgie d'un langage sensible, dont la nature fournit un modèle. C'est le thème de l'« hymne silencieux » du monde. La nature ne fait que clamer à celui qui sait y lire la louange du Créateur. Le cosmos est un langage :

> O nuits, déroulez en silence
> Les pages du livre des cieux!
>
> (« Hymne de la nuit »)

La poésie n'est donc jamais une fin en soi mais le signe extérieur et imparfait d'une ferveur intime, seule véritablement essentielle. Un cœur pur et une vie simple sont un hymne suffisant. La poésie est éloge indirect d'un modèle d'existence qui est à lui seul une louange. Nous sommes donc en présence d'un discours qui fait l'apologie du silence.

Si, néanmoins, la poésie se justifie, c'est dans la mesure où, par la communication d'une ferveur, elle cherche à fondre les cœurs dans l'unité de cette émotion. Elle est une incitation à la communion des hommes. Cette qualité d'émotion, il serait vain de la refuser aux *Harmonies* en remarquant des références mythologiques trop nombreuses ou des options idéologiques désuètes. Il y a incontestablement dans de très nombreux textes un ton qui ne peut laisser insensible. Georges Brassens a pu choisir des strophes de « Pensée des morts » pour l'une de ses chansons.

Si le langage poétique est insuffisant, la nature elle-même l'est aussi pour une conscience qui tend au dépassement du temporel et du sensible (« Que tes temples, Seigneur, sont étroits pour mon âme! »). En effet, ni les astres ni l'homme « ne peuvent achever son Nom ». Cette aspiration mystique n'est plus l'élan vers l'infini de René ou des *Méditations poétiques*. Si la nature, dans son immensité ouverte, est louange mouvante de Dieu, le temple clos, la lampe du sanctuaire cachée dans l'ombre renvoient encore à cette ouverture que constitue la ferveur. L'âme n'est pas une intériorité close, mais son caractère le plus intime a vocation d'ouverture et d'effusion. Cette effusion alterne avec le recueillement et lui répond. La tombe fermée de la mère nous renvoie à Dieu. Au germe qui se déploie, à la source qui devient fleuve répondent les images du resserrement dans la terre, la tombe, l'obscurité, l'intimité du cœur. A l'aspiration mystique répond l'insistance des titres sur le temps humain : saisons, moments cruciaux du jour ou de la vie. Ainsi peuvent se multiplier les images de l'écho (le terme lui-même est très fréquemment utilisé). Partout, au cœur même de l'obscur, le poète perçoit un chant de louange, repris par l'univers entier. Pour le comprendre, apprenons à lire dans le monde et en nous-mêmes :

Ah! l'homme est le livre suprême!
Dans les fibres de son cœur même
Lisez, mortels : il est un Dieu.

On ne saurait reprocher à Lamartine son inspiration purement religieuse. A travers les imageries d'un monde patriarcal, pieux, paisible qui traverse les *Harmonies*, dans cette poésie du souvenir et de l'enfance (« Milly ») qui apparaît en d'admirables passages, il faut ressentir l'œuvre comme une vaste prière, une aspiration fervente au dépassement de la violence et non comme les rêveries faciles d'un idéalisme de pensionnat.

BIBLIOGRAPHIE

On pourra consulter l'édition originale (2 vol., Gosselin, Paris, 1830); comme édition moderne, celle de la Pléiade reste la référence.

A consulter. — Pierre Jouanne : *les Variantes des « Harmonies » de Lamartine*, Paris, Jouve, 1926; M.-Fr. Guyard, « Chronologie des *Harmonies poétiques et religieuses* », Bulletin de la faculté des lettres de Strasbourg, 1961.

Voyage en Orient

Cette œuvre de Lamartine, qui ne comporte pas moins de 1 000 pages, est complexe et injustement méconnue.

La première édition a vu le jour en 1835, après la reprise des activités politiques de Lamartine en France. Aux élections de 1831, l'auteur des *Méditations poétiques* essuie un échec. Dès lors, « comment employer ces deux ans? J'avais trop d'activités dans l'esprit pour les passer oisif à la campagne ou dans une petite ville de France. Je résolus de voyager » (*Mémoires politiques*).

A l'époque de la Renaissance, l'Italie était, en quelque sorte, le pèlerinage nécessaire. Au XIXe siècle, l'Orient n'est pas éloigné d'une telle approche. Chateaubriand a effectué son « Itinéraire de Paris à Jérusalem » en 1806-1807. Plus tard viendront Nerval, Flaubert...

Chateaubriand voyageait dans les références culturelles : il attendait peu du monde oriental. Nerval voyagera dans le moi et ses mythes. Lamartine seul accomplira un véritable voyage. En dépit de ses préconceptions politiques, religieuses, morales (l'apologie de la famille), bref, de toute l'idéologie qu'il véhicule, il a su ouvrir les yeux sur une véritable altérité, montrer une volonté authentique de découvrir, d'observer, d'amasser une foule de renseignements précieux et détaillés : « Il y a plus de philosophie dans cent lieues de caravanes que dans dix ans de lectures et de méditations », déclare-t-il d'ailleurs. Même si les images n'ont pas — loin de là — été absentes, il a su dépasser une simple imagerie de l'Orient.

La noblesse morale de l'auteur, qui se manifeste à chaque page, la splendeur des descriptions, une valeur littéraire injustement négligée rendent encore aujourd'hui cette lecture particulièrement attachante. En outre, le *Voyage* pose devant la conscience du lecteur de grands problèmes religieux et historiques. Tout cela va bien au-delà des notes « exclusivement pittoresques » annoncées dans l'Avertissement.

Un long itinéraire de deux ans va conduire l'écrivain de Marseille, où il s'embarque le 10 juillet 1832, en Sardaigne, à Malte, à Athènes, à Rhodes, au Liban, aux Lieux saints, à Istanbul et jusqu'aux forêts bulgares.

C'est au cours de ce périple que Lamartine perdra sa fille Julia, emportée par la maladie, le 7 décembre 1832, à Beyrouth. Profondément affecté, Lamartine se lancera à nouveau dans la vie politique dès 1833, pour oublier une vie personnelle trop douloureuse.

Un voyage privilégié

Ce n'est pas en pèlerin misérable que Lamartine s'embarque à Marseille en juillet 1832 : un navire de deux cent cinquante tonneaux a été nolisé pour la durée du voyage. Il s'agit d'une véritable maison flottante, emportant toute la famille, plusieurs amis, des femmes de chambre. On y trouve même « une bibliothèque de cinq cents volumes » (t. I, p. 12-13). Cela ne suffit pas : les adieux à la terre natale se font en vers : « Un jeune homme de Marseille nous récitait des vers admirables où il confiait ses vœux pour nous aux vents et aux flots » (t. I, p. 20). Rien ne manque à ce départ : ni l'image attendrissante de Julia, « les cheveux dénoués et flottants sur sa robe blanche », au milieu des figures mâles et sévères de l'équipage, ni l'émouvante prière du soir, les songeries de Lamartine contemplant la mer, ni même la tempête. Ainsi se constitue d'emblée une imagerie romantique du poète voyageur et contemplateur.

Voyageur, donc, mais privilégié, libre pour la contemplation puisque les soucis matériels lui sont épargnés : à peine arrivé à Beyrouth, le voilà qui engage des équipes de charpentiers, qui loue plusieurs habitations : « J'ai loué cinq maisons... » (t. I, p. 123); « Je fais faire des selles et des brides arabes pour quatorze chevaux... » (t. I, p. 128).

Partout, le poète voyageur est accueilli par les notables : même dans les endroits les plus sauvages (t. I, p. 334 et t. II, p. 171-172), à grand renfort de cavalerie et de fête. Partout il est introduit dans les endroits les plus secrets, grâce aux recommandations des chefs et des ambassadeurs.

Le poète, assuré d'une reconnaissance qu'il avait un peu perdue en France, peut contempler d'un lieu sûr, dans un cadre bienveillant, hospitalier, souvent familial, les spectacles qui s'offrent à lui.

Un voyage vers les autres

Le voyage devient alors, tout d'abord, l'expérience de la sociabilité humaine. On ne compte plus les remarques de Lamartine sur l'affabilité des Orientaux, qu'il s'agisse de l'émir de Beschir (t. I, p. 173) ou de ses cavaliers druzes (t. I, p. 197) : « Nous fûmes salués partout avec politesse et grâce » (t. I, p. 202). Du pacha de Jérusalem (t. I, p. 324) au simple M. Mauridès (t. I, p. 174), c'est un plaisir sans prix que de voyager en Orient. La poésie n'est pas absente : à Khaïfa, lors de l'agréable soirée chez les Malagamba, il y a assaut de poésie entre Lamartine et un jeune poète oriental en l'honneur des beaux yeux de Mlle Malagamba.

Au-delà de l'imagerie, on perçoit chez Lamartine un authentique sens de la communauté humaine; la soirée passée au couvent de Damas est significative à cet égard (t. II, p. 18-19) : « La cordialité et la simplicité la plus parfaite régnaient dans cette soirée d'hommes des extrémités du monde ».

Cette transparence des cœurs n'est pas toujours une donnée immédiate pour Lamartine : dans l'entretien entre ses hôtes et l'étonnante lady Stanhope, qui pourrait aisément prendre un tour polémique, Lamartine cherche ce qui rapproche les interlocuteurs : « On ne peut la juger qu'à son point de vue ».

Toute son attitude par rapport aux diverses traditions religieuses va dans le même sens d'une universalité et d'un accord qui n'est pas sans supposer une diplomatie de la sociabilité : l'entretien avec le pacha de Jérusalem le montre fort bien. Cette habileté n'a pas pour seule fonction d'ouvrir les chemins, elle correspond à une véritable ouverture sur autrui.

L'Orient offre l'image d'une humanité sociable et sensible : les dangereux brigands rencontrés ici ou là sont toujours éloignés ou tenus à distance par un minimum de précautions pratiques et une habile diplomatie.

Lamartine reste réaliste, il n'ignore pas l'importance des formes.

Un voyage romantique

L'Orient est aussi le lieu attendu d'une esthétique romantique : les belles descriptions de clair de lune (t. I, p. 35, 152, 209, 271; t. II, p. 88), de ruines, de tempêtes (t. I, p. 246; t. II, p. 29) se multiplient. Les épisodes romanesques : apparition d'un chacal sous la tente (t. I, p. 271), excursions périlleuses, épidémies, déguisements, ruines fabuleuses et pillards (poésie des ruines de Balbek le soir, t. I, p. 454 *sqq*.; pillards, t. I, p. 264 *sqq*.) ne manquent pas non plus.

L'Orient, en fait, correspond d'abord à l'image que s'en faisait le voyageur. Ainsi, à Khaïfa, « l'Orient tout entier était là, tel que je l'avais rêvé dans mes belles années, la pensée remplie des images enchantées de ses conteurs et de ses poètes » (t. I, p. 249).

Ce pays fabuleux, Lamartine le voit avec ses personnages hors du commun (lady Stanhope), ses costumes fascinants, la supériorité de ses paysages (la vallée de Hamana, t. II, p. 36), ses coutumes étranges (le bain des femmes et la noce, t. I, p. 135 *sqq*.), et il sait nous le faire voir de même.

L'Orient biblique n'est pas stérile comme l'affirmait Chateaubriand. C'est un pays vert et riant, plein d'avenir (textes prophétiques sur la Palestine, t. I, p. 216-217). Une esthétique du chagrin oriental apparaît dans la belle scène de la femme qui pleure à Jérusalem (t. I, p. 364-365). L'exotisme s'en donne à cœur joie : Liban paradisiaque; Damas, ville splendide et périlleuse, avec ses femmes admirables (t. II, p. 5).

Dans un tel environnement, l'image romantique du poète songeur en haut d'un pic, méditant et priant au sommet du Carmel, ou moribond et prévoyant sa tombe (t. II, p. 174 *sqq*.), ne peut manquer de se présenter.

Pour le poète contemplatif, la nature reste l'élément essentiel : cadre admirable, elle renvoie essentiellement à Dieu par sa profusion, sa surabondance de splendeurs. Elle est le lieu d'une plénitude unique, propice aux méditations du croyant. D'où cette insistance sur les lieux inspirés, singulièrement au Liban (t. I, p. 167 *sqq*.), dans la région de Tyr (t. I, p. 206 *sqq*.), à l'entrée de la Palestine... On a négligé la beauté littéraire de ces paysages lamartiniens.

Un voyage spirituel...

En ces lieux privilégiés, Lamartine découvre avec émerveillement une harmonie patriarcale sur laquelle le temps n'a pas eu de prise (t. I, p. 387), l'anticipation d'un monde parfait de prière et d'adoration. Ainsi, cette vallée des couvents maronites du Liban (t. II, p. 50-51) : « Nous restâmes muets et enchantés [...]. Nous comprîmes ce que serait la poésie à la fin des temps, quand, tous les sentiments du cœur humain éteints et absorbés dans un seul, la poésie ne serait plus ici-bas qu'une adoration et un hymne! »

Voyager en Orient, c'est donc se rapporter au Divin : à l'Origine et à la Fin. L'Origine ce n'est pas seulement le lieu sacré, berceau du christianisme, mais aussi le rappel de l'enfance de Lamartine, l'image douce de sa mère : « Ma mère avait reçu *de sa mère au lit de mort* une belle bible de Royaumont dans laquelle *elle m'apprenait à lire,* quand j'étais petit enfant » (t. I, p. 5).

Donc pèlerinage aux sources du christianisme et aux images chéries de l'enfance, de la continuité familiale, d'une stabilité affective, d'une vie simple, liée encore à l'apprentissage du langage : origine de la poésie, de la vocation de Lamartine.

L'Orient est la terre des cultes, des prodiges, des superstitions même. La grande idée qui y travaille les imaginations en tout temps, c'est l'idée religieuse (t. II, p. 17). Au-delà des prestiges d'un Orient de profusion, de civilité et de couleurs, Lamartine cherche à approfondir cette idée religieuse qui est le fondement même de toute civilisation. Le voyage de Lamartine sera pour lui l'occasion d'une évolution religieuse : le Divin devient à la fois plus sensible et plus immatériel. Cette pensée, qu'il développera dans *Jocelyn,* les *Recueillements poétiques* et le *Livre primitif,* éclot au contact de l'Orient où Lamartine voit d'abord des hommes goûter simplement la nature, au contraire des Occidentaux corrompus par la civilisation occidentale (t. II, p. 144). Puis, dans une reconnaissance sincère d'une spécificité indéductible de l'Orient, qui refuse les images toutes faites concernant l'Orient : pourtant il cherche à trouver sous les coutumes, sous la « nature populaire » des religions, la « nature rationnelle et philosophique » qui les unit toutes. Cette possibilité de communauté humaine en dépit des diversités d'usages (qu'il admire chez les Bédouins) lui paraît essentielle : « Toutes les religions avaient leur divine morale, toutes les civilisations leur vertu, et tous les hommes le sentiment du juste, du bien et du beau, gravé en différents caractères dans leur cœur par la main de Dieu » (t. II, p. 181). Insistons : ce sentiment d'unité passe toujours chez Lamartine par une authentique reconnaissance de l'Autre.

... en prise sur le réel

Cette dernière attitude, essentielle, apparaît nettement dans sa manière de regarder. Voyager, c'est ouvrir les yeux. Lamartine a beau se rêver maintes fois en ermite, solitaire inconnu sur un rivage désert, il ne cesse d'engranger une moisson — passionnante pour un lecteur moderne — de documents, de notations extraordinairement concrètes et précises des choses et des coutumes; Lamartine est un homme de la campagne : il sait observer admirablement les chevaux arabes (t. I, p. 174, 338, 347; t. II, p. 8-9), les animaux. Derrière tout cela se devine le rêve patriarcal de Lamartine (t. I, p. 107), c'est cette beauté simple « évidente et sensible » et non historique ou conventionnelle qu'il recherche (t. I, p. 90). A Égine, ce ne sont pas les ruines qu'il décrit mais les beaux fruits qu'on lui apporte sur le navire (t. I, p. 85). Il note toujours avec acuité la beauté des femmes (Arméniennes de Constantinople, esclaves abyssiniennes [t. II, p. 139]), les moindres récits ayant une valeur humaine ou documentaire. Assurément, la vision de Lamartine reste prise dans une « idéologie ». Dans ces limites, elle reste pourtant ouverte, attentive aux êtres et aux choses. L'écrivain ramène d'ailleurs une abondance d'analyses historiques et politiques, de documents littéraires et culturels : fragments du poème d'« Antar » (t. II, p. 405 *sqq*.); chants serviens (t. II, p. 205 *sqq*.); récits inédits et étonnants (récit du séjour de Fatalla Sayeghir chez les Arabes du désert)...

Là où Chateaubriand ne voyageait que dans les souvenirs et l'Histoire, Lamartine se déplace dans un monde bien réel avec ses couleurs, ses odeurs, ses émotions véritablement nouvelles. Il est un véritable voyageur : « Il n'y a d'homme complet que celui qui a beaucoup voyagé, qui a changé vingt fois la forme de sa pensée et de sa vie ».

Lamartine reste cependant le représentant et l'apologiste de notre civilisation. En Syrie, le 20 octobre 1832, il note : « Combien de sites n'ai-je pas choisis là, dans ma pensée, pour y élever une maison, une forteresse agricole et y fonder une colonie avec quelques amis d'Europe et quelques centaines de ces jeunes hommes déshérités de tout avenir dans nos contrées trop pleines? » Il remarque la facilité de se procurer « des travailleurs à bas prix ». Dans une lettre au baron de Lesseps, datée du 6 janvier 1833 à Beyrouth, il précise son projet d'un établissement agricole. Lamartine est un tenant de la colonisation, d'une colonisation d'ailleurs humaniste par son respect des coutumes et des religions... Il anticipe sur ce mouvement qui se développera dès le dernier tiers du siècle. Le résumé politique du *Voyage en Orient* ne peut être plus significatif : aux diverses contradictions intérieures de la France, la solution est l'expansion (t. II, p. 478). Lamartine préconise un patronage européen en Orient, l'établissement de protectorats... Les restrictions que Lamartine apportera en 1849, dans l'Épilogue, à ces propositions n'en montrent pas moins les aspects idéologiques du voyage.

BIBLIOGRAPHIE

L'édition originale en 4 vol. (Gosselin, 1835) est introuvable; l'édition Furne-Daguerre (Paris, Hachette, 1855) a été reproduite en deux vol. (Éditions d'Aujourd'hui, Plan de la Tour, 1978).

Jocelyn

C'est en 1836 que paraît la première édition de *Jocelyn,* que Lamartine remaniera ultérieurement. L'auteur avait entrepris cet ouvrage dès 1831, avant même son départ pour l'Orient.

Le projet original, qui semble remonter à 1825, prévoyait une immense épopée dont les épisodes divers nous auraient fait parcourir l'histoire tout entière de l'humanité. Dans ce vaste ensemble, *Jocelyn* ne devait constituer qu'un « épisode ». Mais Lamartine ne pourra réaliser cette épopée gigantesque. Seuls *Jocelyn* et, en 1838, *la Chute d'un ange* seront achevés. *Jocelyn* obtiendra un immense succès populaire. C'est sans doute l'œuvre de Lamartine qui, après *Graziella,* aura le plus de lecteurs.

Pourquoi le succès populaire?

Tout d'abord, Lamartine réussit parfaitement à présenter dans la forme conventionnelle du vers une narration dont le caractère émouvant ne pouvait que toucher un auditoire populaire. Est-ce à dire qu'il s'agit là d'un roman en vers s'adressant à la sensiblerie plus qu'à la sensibilité? Non, il y a là, une fois encore, un ton, une authenticité qui n'étonnent pas lorsqu'on découvre à quel point Lamartine a pu investir de lui-même dans l'ouvrage. Dans ce chant de foi et de douleur, on reconnaît de nombreux souvenirs personnels : l'histoire est d'ailleurs globalement inspirée par celle de l'ancien précepteur du poète, l'abbé Dumont. La poésie de l'enfance, l'amour de la figure maternelle, les éléments du paysage sont, eux aussi, nourris de l'expérience propre de l'auteur.

En outre, l'histoire, loin d'être un mièvre encouragement à la vertu ou une pieuse apologie du sacrifice, possède, dans ses meilleurs moments, une indiscutable acuité tragique. La ferveur, la souffrance, le sens du don ont fait pleurer des générations de lecteurs, et méritent aujourd'hui d'être reconnus, même si leur contexte idéologique nous paraît archaïque.

L'homme et la nature

Le lecteur ne peut qu'être frappé de l'importance accordée dans *Jocelyn* aux évocations de la nature, notamment de la haute montagne. Le rythme des saisons y est essentiel : en effet le mouvement des cœurs s'unit ou s'éloigne du mouvement de la nature selon une harmonie proprement musicale. L'épanouissement de la nature estivale cède la place lors du premier hiver à la grotte des Aigles, à un amour encore confus dans le cœur de Jocelyn. La guérison de Laurence s'associe au mouvement même du printemps.

Si cette nature est idéalisée, sa beauté n'en est pas moins admirablement mise en valeur par le style. La montagne suscite la nostalgie d'un monde plus pur. C'est pourquoi, au printemps, elle apparaît comme le lieu même du divin : les fleurs sont un mouvement d'épanchement des parfums. Or, la prière n'est justement qu'un « parfum des cœurs ». Tout aspire à cette effusion, à cette communion. Les dialogues lyriques évoquent singulièrement l'opéra dans ses plus intenses moments. La prière devient union fervente avec l'Autre et avec la nature.

Cependant l'univers de Jocelyn est loin d'être celui d'un paysage constamment harmonieux. Un mouvement d'alternance organise le texte : à la campagne riante du début succède le lieu clos du séminaire et de l'église. A la haute montagne succède le cachot de l'évêque. Mais, au fond même de ce cachot, c'est la lumière du visage du prélat qui frappe Jocelyn. Le négatif renvoie donc, en son fond, au positif.

Amour et christianisme social

Les étapes d'un renoncement sont nécessaires : elles recèlent un ordre secret, voulu par Dieu. C'est tout d'abord à l'amour humain qu'il faut renoncer, au prix du plus haut tragique. Ce qui, d'un point de vue humain, est épreuve insoutenable permet d'accéder à un ordre supérieur du point de vue divin. Par une vie de sacrifices, l'homme ne peut qu'entrevoir ce point de vue qui le dépasse. Il accepte l'épreuve et garde foi dans les hommes eux-mêmes. La violence pourtant n'est pas absente. L'évocation du peuple en furie envahissant les lieux saints, massacrant les vieillards, celle des cachots nous parlent et marquent assez l'horreur de la violence qui habite Lamartine. C'est pourquoi, dans ce monde de larmes (et les références à *l'Imitation de Jésus-Christ* ne sont pas indifférentes), il convient de s'atteler à la tâche évangélique, de promouvoir un christianisme social, s'attachant non aux dogmes mais à l'esprit, à la pratique, et ce dans une optique déiste peu conforme aux vues de l'Église officielle.

Roman de l'amour et de la foi, *Jocelyn* est aussi le livre d'une idéologie : Dieu, le travail et la famille. Les passages sur l'éducation annoncent une perspective plus sociale, et en particulier l'intérêt pour l'instruction du peuple que Lamartine exprimera en 1843.

Synopsis. — L'ouvrage, qui ne compte pas moins de 9 000 vers, est réparti en neuf « époques » : il est censé constituer le journal trouvé chez un humble curé de campagne après sa mort et recueilli par son ami.

Première époque. Après la rapide évocation d'une adolescence heureuse dans un cadre familial et champêtre apparaît une donnée essentielle : le sacrifice. Afin que sa sœur puisse épouser celui qu'elle aime, Jocelyn renonce à sa part d'héritage et entre au séminaire. C'est alors l'adieu aux lieux et aux êtres chéris de l'enfance.

Deuxième époque. Jocelyn vit une foi intense dans le lieu clos et sombre du séminaire et de l'église. Ce recueillement est bientôt troublé : nous sommes en 1793, et la violence de la Révolution gronde à l'extérieur. Jocelyn apprend la fuite de sa famille. Le peuple en furie envahit les lieux sacrés. Le jeune homme échappe au massacre et réussit, non sans peine, à gagner un refuge en pleine montagne : la grotte des Aigles, dans les Alpes du Dauphiné. La splendeur de la nature est pour Jocelyn l'objet d'amples et exaltantes contemplations.

Troisième époque. En dépit de l'harmonie des lieux, la solitude pèse au jeune homme. Mais les événements se précipitent : Jocelyn sauve deux proscrits poursuivis par les soldats. Il s'agit d'un adolescent, Laurence, et de son père, qui, blessé dans la poursuite, meurt en confiant son enfant à Jocelyn. Laurence devient le compagnon de Jocelyn. Vie d'amitié et de bonheur dans un cadre grandiose.

Quatrième époque. Au printemps, c'est l'émerveillement devant la nature, une joie de vivre magnifiquement rendue. L'amour, lui aussi, va faire son chemin à travers le lyrisme des dialogues. Soudain, à l'occasion d'une blessure de Laurence, c'est la révélation : le compagnon est en réalité une jeune fille, qui n'a caché son identité que par respect des dernières volontés de son père. L'amitié se change en un amour pur. Les deux jeunes gens se promettent d'unir leur destinée par le mariage.

Cinquième époque. Jocelyn est appelé auprès de l'évêque de Grenoble, condamné à l'échafaud. Pour pouvoir faire communier le condamné, Jocelyn doit accepter d'être ordonné prêtre. C'est le retour des épreuves. Désespoir de Laurence et souffrances de Jocelyn.

Sixième époque. Jocelyn, séparé de Laurence, traverse une période de terribles souffrances morales. Il est finalement envoyé comme prêtre dans un petit village des Alpes : Valneige. Là, il mène une vie de foi et de renoncement.

Septième époque. Après un pèlerinage sur les lieux de l'enfance, Jocelyn subit une nouvelle et terrible épreuve, la mort de sa mère.

Huitième époque. Méditations de Jocelyn séjournant chez sa sœur, à Paris. Ici se trouve le fameux texte sur la caravane humaine. Jocelyn aperçoit Laurence malheureuse et quitte Paris dans le désarroi.

Neuvième époque. Retour à Valneige, avec pour tout amour celui de son chien. Jocelyn se voue entièrement au prochain, prêchant la tolérance, éduquant les enfants, mettant en pratique l'idéal de l'Évangile. Apologie d'une vie patriarcale, laborieuse mais pure. Un soir, il est appelé au chevet d'une jeune femme mourante : c'est Laurence. Les retrouvailles sont marquées d'un sceau tragique. Laurence et Jocelyn seront tous deux enterrés dans la grotte des Aigles, après que le pauvre prêtre aura trouvé la mort en soignant des malades.

BIBLIOGRAPHIE

Édition originale chez Furne et Gosselin, Paris, 1836, 2 vol. On se procurera le texte de l'édition de la Pléiade ou celui de Garnier-Flammarion (Paris, 1967) pour une édition courante.
A consulter. — Henri Guillemin : *le « Jocelyn » de Lamartine*, Paris, Boivin, 1936.

Histoire des Girondins

L'*Histoire des Girondins* paraît à Paris en 1847, chez Furne et Coquebert. Cet ouvrage monumental compte près de trois mille pages, réparties en soixante et un livres, eux-mêmes divisés en chapitres plus ou moins nombreux. Trente-six portraits-vignettes ornent l'ensemble. Des sommaires, très détaillés, aident le lecteur à trouver son chemin dans l'histoire des quarante mois qui forment le sujet de l'entreprise : la Révolution française, d'avril 1791 à juillet 1794.

Tous les grands événements de la période y trouvent leur place : la fuite et l'arrestation du roi à Varennes en juin 1791 (livre II); la déclaration de guerre de la France « au roi de Hongrie et de Bohême » en avril 1792 (livre XIV); l'invasion des Tuileries par le peuple le 21 juin 1792 (livre XVI); la chute de la monarchie le 10 août 1792 (livre XXII); l'exécution du roi le 21 janvier 1793 (livre XXXV); la chute des Girondins le 12 juin 1793 (livres XLI, XLII); la Terreur (livres L, LIII...), jusqu'à la chute de Robespierre le 27 juillet 1794 (9 thermidor, livre LXI).

Mais ces éléments, qu'on pourrait trouver dans un manuel d'histoire, ne représentent pas l'essentiel de l'*Histoire des Girondins* : l'originalité et l'intérêt de cet ouvrage résident plutôt dans la méthode suivie par Lamartine et dans les intentions qui ont précédé à son entreprise.

Lamartine ne prétend pas à la « minutieuse servilité des annalistes », même s'il affirme ne s'être servi que de documents et de témoignages avérés et n'avoir écrit qu'après « une scrupuleuse investigation des faits et des caractères » (Avertissement de 1847). De fait, le cadre temporel est souvent très flou, et Lamartine fait toujours passer l'unité d'action et d'intérêt avant le strict respect de la chronologie : c'est ainsi qu'il mène le récit de la chute de la royauté jusqu'à la mort du roi le 21 janvier 1793 (livre XXXV), avant de reprendre (livre XXXVI) la narration des événements militaires qu'il avait menée précédemment jusqu'à la bataille de Valmy, en septembre 1792.

De même, il n'accorde pas la même place à tous les événements qu'il prend en considération. Il est vrai que la Révolution invite à cette démarche puisque ses journées de crise (juin, août, septembre 1792, par exemple) et ses moments d'hésitation correspondent à l'alternance des temps forts et des temps faibles du récit. On remarque notamment que le récit des événements du 10 août 1792 occupe à lui seul la majeure partie des livres XX à XXIII, alors que, pour les mois d'octobre, novembre, décembre 1791 et le début de janvier 1792, le lecteur doit se contenter des vingt pages du livre IX.

Enfin, Lamartine se borne à reproduire les discours prononcés par Danton, Vergniaud, Robespierre et les autres grands orateurs de la Convention, non sans accentuer le côté un peu bavard et théorique de ces discours révolutionnaires. On reste parfois indécis sur l'importance qu'il y a lieu d'accorder à toutes ces protestations de républicanisme exprimées dans un style grandiloquent. Lamartine, orateur politique lui-même, commente volontiers la valeur oratoire et littéraire de certains discours de la Révolution (ces manifestations parlementaires représentant, à tout prendre, les seules pièces justificatives du discours tenu par Lamartine sur la période girondine).

Mais, si les discours sont si importants pour l'auteur, c'est qu'ils expriment la doctrine des orateurs, qui correspond à la conception historique de Lamartine. Ce choix explique l'abondance et la minutie des portraits. On sent même, à travers eux, poindre les sentiments de l'auteur : une secrète admiration pour la fortune militaire de Dumouriez, une fascination certaine pour Robespierre, tout au long de sa carrière révolutionnaire, une discrète tendresse pour la reine déchue; un mépris mal réprimé pour Marat et, en général, pour tous les hommes de sang.

Il ne faut cependant pas s'y tromper : les portraits ressortissent moins à une intention littéraire qui parcourrait l'ouvrage qu'à un système moral qui permet de mettre l'Histoire en jugement. Éthique, plutôt qu'esthétique.

On voit bien une tentation littéraire, romanesque en l'occurrence, lorsque Lamartine essaie de deviner les sentiments des personnes qu'il cite à comparaître dans son texte (les frayeurs de Marie-Antoinette, les secrètes illusions du roi, l'idylle plus ou moins imaginaire entre la reine et Barnave, ou encore la tentative de refaire l'histoire avec des « si », à la fin des livres I et II...).

Mais au fond, il ne s'intéresse aux individus que pour porter à travers eux un jugement sur l'Histoire. « L'impartialité de l'Histoire n'est pas celle du miroir qui reflète seulement les objets, c'est celle du juge qui voit, qui écoute, et qui prononce. Des annales ne sont pas de l'Histoire : pour qu'elle mérite ce nom, il lui faut une conscience; car elle devient plus tard celle du genre humain. Le récit, vivifié par l'imagination, réfléchi et jugé par la sagesse, voilà l'Histoire telle que les Anciens l'entendaient, et telle que je voudrais moi-même, si Dieu daignait guider ma plume, en laisser un fragment à mon pays » (livre I, I).

Pour ce faire, pour devenir la conscience du genre humain (« La conscience est la loi des lois », livre XLV, XVI), Lamartine essaie d'approcher l'Histoire par une meilleure connaissance de ses artisans apparents, même les plus répugnants : « Il y a des abîmes qu'on n'ose pas sonder, de peur d'y trouver trop de ténèbres et trop d'horreur, mais l'Histoire, qui a l'œil impassible du temps, ne doit pas s'arrêter à ces horreurs, elle doit comprendre ce qu'elle se charge de raconter » (livre I, XVII; on verra une application de ce choix théorique dans les descriptions minutieuses des scènes d'horreur correspondant aux massacres de septembre 1792, livre XXV).

L'hypothèse qui sous-tend la mise en accusation de l'Histoire est qu'il existe des individus personnifiant en eux une époque, une nécessité, une idée. Les révolutionnaires avaient raisonné de même au sujet de Louis XVI : « [...] Louis XVI était cette victime innocente, mais chargée de toutes iniquités des trônes, et qui devait être immolée en châtiment de la royauté » (livre I, XI). De fait, les occurrences du verbe « personnifier » (parfois « résumer ») abondent dans l'ouvrage : Drouet, sur la route de Varennes, personnifie « toute l'agitation et tous les soupçons du peuple » (livre II, XXX); Pétion, l'Assemblée législative, Robespierre, Marat personnifient respectivement l'inviolabilité de la commune de Paris (livre XVI, I), le peuple (livre XXI, VI), les aspirations des députés vers l'idéal social (livre XXXIX, XXI), le crime (livre XL, XV). Cette hypothèse se retrouve dans les pages ultimes de l'ouvrage : « Les hommes naissent comme des personnifications instantanées des choses qui doivent se penser, se dire ou se faire » (livre LXI, XVII).

Afin de juger avec le maximum de justesse et de justice, Lamartine va jusqu'à emprunter parfois à Lavater les présupposés chancelants de la physiognomonie, si chère à Balzac... Mais, en jugeant des individus, Lamartine veut juger l'Histoire. Or, s'il veut dépasser le jugement anecdotique d'une conscience individuelle malade des excès de l'Histoire, il ne peut le faire qu'en laissant à Dieu le dernier mot des vicissitudes humaines. De fait, il ne cesse de se référer à la Providence. « L'Histoire est l'éternel pilori des noms infâmes » (livre XXV, XVII), mais elle marche vers l'achèvement de l'idée chrétienne sur la terre, d'où la légitimité des appréciations morales portées sur les actes et les acteurs de la Révolution : « Idéal divin mille fois trahi par l'imperfection des instruments et des institutions qui tentèrent de le réaliser, mille fois noyé dans le sang des martyrs du perfectionnement social, mais qui traverse néanmoins toutes les déceptions, toutes les tyrannies, toutes les époques, et que l'humanité revoit sans cesse briller devant elle, sinon comme un port, du moins comme un but » (livre XXXI, XXIX).

On trouvera un exemple de mise en œuvre de cette conscience du genre humain lors du jugement final sur l'exécution de Louis XVI (livre XXXV, XXIII à XXVIII).

Enfin, si Lamartine assume le rôle du Dieu du Jugement dernier, ce n'est pas pour jouir scandaleusement de cette puissance usurpée (comme Chateaubriand le fait, avec délices, dans ses *Mémoires d'outre-tombe*), mais bien pour promouvoir l'idée républicaine, en distinguant soigneusement les excès d'une populace sanguinaire et le peuple véritable, sur lequel et par lequel doit s'édifier la république. A cette intention, avouée dès le début (« Cette histoire pleine de sang et de larmes est pleine aussi d'enseignements pour les peuples », livre I, I), fait écho la profession de foi de l'historien : « Jamais il n'y eut tant de sang sur la vérité. L'œuvre de l'Histoire est de laver ces taches, et de ne pas rejeter la justice sociale parce que des flots de sang sont tombés sur les dogmes de la liberté, de la charité et de la raison » (livre XXXIX, XXI).

La dernière instance de l'*Histoire des Girondins* n'est donc ni la littérature, ni l'Histoire, ni la morale, mais la politique, conçue comme un moyen emprunté par le bien pour se diffuser sur la terre. Et, « si cette histoire est pleine de deuil, elle est pleine de foi ». Les rapprochements incessants faits par Lamartine entre la période révolutionnaire et la monarchie de Juillet, bien avant l'appel solennel à la réconciliation des fils des victimes et des fils des combattants de la Révolution, bien avant l'invitation à poursuivre l'œuvre laissée en plan par les révolutionnaires (dernière page), montrent aux lecteurs d'aujourd'hui qu'une *Histoire des Girondins*, en 1847, est moins œuvre historique ou littéraire que témoignage polémique, politique, à la veille d'un nouveau sursaut révolutionnaire.

Et les contemporains ne s'y trompèrent pas. Dès février 1848, Victor Hugo salue ainsi Lamartine : « Son éloquente et vivante *Histoire des Girondins* vient pour la première fois d'enseigner la Révolution à la France ». Il ajoutait, résumant d'une formule toute la problématique qui hantait l'ouvrage de Lamartine, et que rendaient actuelle le vide soudain du trône et la vacance du pouvoir : « République, c'est bien. Tâchons que le mot n'empêche pas la chose ».

BIBLIOGRAPHIE

L'Histoire des Girondins est rééditée par les Éd. Plon (2 vol., Paris, 1984).

BIBLIOGRAPHIE GÉNÉRALE

Sur la pensée religieuse de Lamartine, on consultera avec intérêt la thèse de Moïse Edery, *la Pensée religieuse de Lamartine*, Aix-Marseille, Université, 1974. Sur la biographie : P. de Lacretelle, *les Origines et la jeunesse de Lamartine*, Paris, Hachette, 1911; Marquis de Luppé, *les Travaux et les jours d'A. de Lamartine*, Paris, A. Michel, 1942, réédition 1948; M.-Fr. Guyard, « l'Homme politique », *Annales de l'académie d'Alsace*, n° 1, 1973, p. 16-20; P. Dominique, « l'Homme politique », *Écrits de Paris*, juin 1969, p. 62-69. On consultera avec intérêt la correspondance de Lamartine chez Hachette et Furne, Paris, 6 vol., 1873-1875, ou la *Correspondance générale de 1830 à 1848*, publiée sous la direction de M. Levaillant, Genève, Droz, 1943, t. I, 1948, t. II.

Études littéraires : Pierre Jouanne, *l'Harmonie lamartinienne*, Paris, Jouve, 1926; Jean Gaulmier, « Sur un thème obsédant de Lamartine : la chevelure », *Mercure de France*, 1er mars 1957; Marius-François Guyard, « la Survivance du style et des formes classiques dans la poésie », dans *Stil- und Formprobleme in der Literatur*, Heidelberg, Carl Winter, 1959. Des lectures plus « modernes » ont été proposées. Signalons Jean Gaudon, « Lamartine, lecteur de Sade », *Mercure de France*, novembre 1961; le chapitre consacré à Lamartine par Georges Poulet dans *les Métamorphoses du cercle*, Paris, Flammarion, réédition 1979.

A. DÉCHAMPS

LAMBERSY Werner (né en 1942). Dès ses premiers recueils, Werner Lambersy (né à Anvers) cultive et explore toutes les possibilités signifiantes, formelles et émotionnelles du poème bref, qui devient saisie fulgurante (quoique longuement ruminée) de l'instant. Dans ces recueils (*Caerulea*, 1967; *Radeub*, 1967; *A cogne mots*, 1968; *Haute Tension*, 1969; *Temps festif*, 1970) et surtout dans des recueils tels que *Silenciaire* (1971), *Moments dièses* (1972), *Groupes de résonances* (1973), ou *le Cercle inquiet* (1974), le vers libre se limite fréquemment à quatre ou cinq vocables, les phrases nominales sont nombreuses, et l'asyndète domine parmi les figures syntaxiques. Le jeu des métaphores est extrêmement dense, fondé tant sur les assonances que sur la logique des éléments sémantiques véhiculés. Chaque vocable, chaque syntagme est chargé d'une sensuelle incertitude entre silence et cri. Prendre la parole entre ces deux pôles semble presque impossible, et c'est cependant cette signification momentanée et fragile que Lambersy mise sur l'échiquier des langues et du monde (« L'écriture, tatouage du néant »), visant ainsi la syllabe rare qui trouve sa diction entre naissance et mort, caresse et jouissance : « Parole à serrer toute la plus étroite vibration ». A ces ruptures sur le plan syntaxique répond une sémantique morcelée, le refus d'aboutir à l'une ou l'autre « image totale » (ou prétendue telle). Des détails du paysage, de la matière, du corps féminin se suivent ou se glissent les uns dans les autres. Une telle « miniaturisation » du réel, si elle ne manque pas de communiquer à l'ensemble une charge érotique, risque parfois de déboucher sur une fixation répétitive aux pulsions partielles.

Les rites et le rituel (qui n'ont jamais cessé de travailler l'écriture de Lambersy) exigeaient, à ce moment-là, un investissement plus ample. Cet investissement, l'auteur le trouvera dans *Trente-Trois Scarifications rituelles de l'air*, paru en 1977. C'est l'époque où Lambersy entame de grands voyages : les Indes, New York — et cette expérience cosmopolite l'amène à ce qu'on peut appeler une nouvelle technique du souffle. Dans *Trente-Trois Scarifications rituelles de l'air* alternent systématiquement le poème bref et le poème long, l'inspiration et l'expiration. La saisie brève, instantanée (qui rappelle l'esthétique des recueils antérieurs) est à chaque coup suivie d'une large plage lyrique en « prose ». Ces pièces, amples, aux rythmes heurtés, offrent une libre investigation de toute une série de rituels religieux (orientaux/occidentaux), qui se voient fondus dans une même tentative dramatique et lyrique de donner sens à l'insensé, au vide — un vide qui n'aboutit guère au désespoir mais qui se révèle être l'espace dynamique, disponible, où vie et mort, amour et haine, destruction et création, présence et absence interfèrent, se reconnaissent, se dissolvent et se résolvent dans une dynamique poétique nouvelle. La nouveauté de ce livre réside aussi dans la manière dont le poète a assumé, inscrit et radiographié des « volumes de culture » de plus en plus considérables.

Ce processus se poursuit avec un ouvrage publié en 1979, *Maîtres et maisons de thé*. Dans la poésie française actuelle, ce livre peut être considéré comme une performance rare, dont les enjeux mériteraient une analyse approfondie. Le recueil contient une centaine de poèmes en prose, dont le rythme égal et la forme précise sont maintenus d'un bout à l'autre. Ces proses sont suivies d'une vingtaine de poèmes brefs, qui viennent clore le livre et la « fiction » que celui-ci développe. *Maîtres et maisons de thé* est, en effet, le récit d'une expérience programmée par la cérémonie japonaise du thé (le *chanoyn*), cérémonie « mise en œuvre » plutôt que simplement « décrite ». Les significations subtilement stratifiées du rite et la symbolique architecturale des « maisons de thé » sous-tendent la progression des méditations lyriques de l'auteur. De cette manière, l'écrivain arrive à faire coïncider une quête amoureuse « occidentale » et un rituel d'initiation « oriental » qui vise à favoriser la rencontre du sujet avec l'absolu et l'infime, la présence et l'absence.

L'ampleur du projet, la parfaite conjonction d'une émotion subjective et d'un corpus culturel complexe font de *Maîtres et maisons de thé* un véritable livre de poésie, à la fois vécu, construit et pensé.

F. DE HAES

LA MÉNARDIÈRE ou **LA MESNARDIÈRE Hippolyte Jules Pilet de** (1610-1663). La Ménardière fit figure de critique en son temps grâce à sa *Poétique*. Il est oublié aujourd'hui au profit de l'abbé d'Aubignac, dont la *Pratique du théâtre* demeure un ouvrage étudié. Ses autres œuvres n'avaient guère eu de succès.

Né à Nantes, il exerça la profession de médecin. C'est par celle-ci qu'il s'introduisit dans le monde. A Paris, il fut médecin ordinaire de Gaston d'Orléans, qui le prit sous sa protection, puis de Mme de Sablé, ce qui lui permit d'être reçu à l'Hôtel de Rambouillet. Il intervint dans l'affaire des possédées de Loudun et, en 1635, publia un *Traité de la mélancholie*. En 1638, il donna des *Raisonnements sur la nature des esprits qui servent au sentiment*.

Sa *Poétique*, parue en 1640, servit un temps de texte de référence à l'appui des nouvelles théories dramatiques. Dans un « Discours préliminaire », La Ménardière encensait Chapelain.

Comme souvent dans des cas semblables, La Ménardière eut moins de réussite en tant qu'auteur dramatique. Sa tragédie *Alinde* (publiée en 1643), oubliée aujourd'hui, fut ignorée de son temps. On pense qu'elle avait été commencée avant 1639, car La Ménardière avait inclus dans sa *Poétique* un long extrait de la pièce, présentée par lui comme modèle de l'expression de la jalousie. C'est la trace principale d'une œuvre dont Tallemant des Réaux écrivait : « Il a fait une poétique, où il donne pour modèle de la tragédie une pièce de théâtre qu'il avait faite, nommée *Alinde*; mais lorsqu'on vint à la jouer, elle fut sifflée ».

La Ménardière était entré à l'Académie en 1655.

BIBLIOGRAPHIE

Helen Reese, *La Mesnardiere's Poetics. Sources and Dramatic Theories*, thèse, Baltimore, John Hopkin's Studies, t. XXVIII, 1937; F.K. Dawson, « La Mesnardiere's Theory of Tragedy », *French Studies*, t. VIII, 1954, p. 132-140.

J.-P. RYNGAERT

LAMENNAIS ou **LA MENNAIS Félicité Robert de** (1782-1854). Homme d'Église, essayiste, doctrinaire, Lamennais (c'est l'orthographe qu'il choisit) connaît le destin de ceux qui, d'abord loués et adulés, sont honnis sitôt qu'ils développent toutes les implications de leur pensée.

La première partie de sa vie, de sa naissance à Saint-Malo à la publication de l'*Essai sur l'indifférence en matière de religion* (1817-1823), en passant par la prêtrise en 1816, suit le tracé d'une foi exigeante qui l'engage dans un combat contre-révolutionnaire. Comme Bonald et de Maistre, il affirme la source divine de la nature humaine et de la société, le caractère absolu du pouvoir politique, la primauté du religieux sur le juridique qui en procède nécessairement, l'infaillibilité du dogme, qui précède la raison. Il rejette les Lumières comme hérésie du genre humain au même titre que la Réforme : « L'homme, borné dans ses facultés, insatiable dans ses désirs, tourmenté également par sa curiosité et par son impuissance, a besoin tout ensemble d'une lumière qui l'éclaire, et d'une autorité qui réprime son excessive avidité de connaître » (*Réflexions sur l'état de l'Église de France pendant le XVIIIe siècle et sur sa situation actuelle*, 1808).

A partir de là, seule l'apologétique peut restaurer une société sous l'égide du christianisme et de son Église : « Le christianisme avant Jésus-Christ était la raison générale manifestée par le témoignage du genre humain. Le christianisme depuis Jésus-Christ, développement naturel de l'intelligence, est la raison générale manifestée par le témoignage de l'Église » *(Essai sur l'indifférence...)*.

Lamennais soulève l'enthousiasme des milieux catholiques et suscite l'engagement de disciples comme Lacordaire et Montalembert. La revue *le Mémorial catholique* se fonde dans sa mouvance spirituelle; il collabore aux journaux ultra-légitimistes : *le Conservateur, le Défenseur, le Drapeau blanc*, et, dans *De la religion considérée dans ses rapports avec l'ordre politique et civil* (1826) il affirme la subordination du pouvoir temporel au pouvoir spirituel. La rupture avec les gallicans (car cette position a pour conséquence l'ultramontanisme) en amorce une autre avec tout le pouvoir monarchique.

Réprouvant la société temporelle, Lamennais en vient assez vite à associer christianisme et liberté. En 1830, il fonde *l'Avenir*, dont la devise est : « Dieu et la liberté ». En fait, Lamennais prône l'alliance des catholiques et des libéraux pour une moralisation du pouvoir : « Il ne peut exister aujourd'hui en France qu'un seul genre de gouvernement, la République » (17 octobre 1830). Lamennais n'attend plus que l'approbation de Rome. Le

Saint-Siège répondra par deux encycliques : *Mirari vos*, en 1832, et *Singulari nos*, en 1834; condamnation sans appel, surtout après *les Paroles d'un croyant*, de 1834, qui marquent la rupture avec une Église dénoncée comme complice de la tyrannie, une Église qui a « divorcé avec le Christ, sauveur du genre humain, pour forniquer avec tous ses bourreaux ».

Certes, son audience diminue : Lacordaire et Montalembert l'abandonnent, et la publication des *Troisièmes Mélanges* (1835), et des *Affaires de Rome* (1836), aggrave la situation. Pourtant *le Livre du peuple* (1837), *la Religion* (1841), *l'Esquisse d'une philosophie* (1840-1846) développent une doctrine de la régénération en vue d'un avenir radieux, « mystérieux, dont les horizons se dilatent sans fin, sans repos, au sein de l'immensité et de l'éternité », assomption d'un peuple généreux et fraternel, et antithèse d'une bourgeoisie étriquée et médiocre.

La révolution de 1848 le voit député et directeur du journal *le Peuple constituant*, dont le dernier numéro contient les paroles fameuses : « Quant à nous, soldats de la presse, on nous traite comme le peuple, on nous désarme. Il faut aujourd'hui de l'or, beaucoup d'or pour jouir du droit de parler. Nous ne sommes pas assez riches. Silence aux pauvres ».

La lecture humanitariste des Évangiles que pratique Lamennais aura une longue résonance : le royaume du Messie n'a pas d'autre essence que celle du bonheur terrestre. Tout un socialisme religieux s'inspirera de Lamennais : étrange postérité pour celui qui se fit l'apôtre de la contre-révolution; mais belle fécondité pour celui qui proclama que « l'unité véritable ne se formera jamais que par la liberté » (*Discussions critiques*, 1841).

BIBLIOGRAPHIE
Œuvres complètes, Minerva Verlag, Francfort-sur-le-Main, 1968; *Paroles d'un croyant*, Millerey, 1979; *Correspondance*, A. Colin, 1972-1979 (7 volumes parus).
A consulter. — J.-R. Derré, *Lamennais, ses amis et le mouvement des idées à l'époque romantique*, Klincksieck, 1962; Louis Le Guillou, *l'Évolution de la pensée religieuse de Lamennais*, A. Colin, 1966; Yves Le Hir, *Lamennais écrivain*, 1949; Paul Bénichou, chapitre « Lamennais » dans *le Temps des prophètes*, Gallimard, 1977. Voir aussi dans *Romantisme* n° 9, 1975, « le Dossier Lamennais » par Louis Le Guillou, qui présente une bibliographie exhaustive, et dans le n° 12, Louis Le Guillou, « Dieu et Peuple chez Lamennais ». La Société des Amis de Lamennais publie régulièrement des *Cahiers menaisiens*, depuis 1971.

G. GENGEMBRE

LA METTRIE Julien Offray de (1709-1751). Né à Saint-Malo, d'une famille de commerçants aisés, il fait ses études à Coutances, puis dans une institution de Jésuites à Caen. Ses parents le destinent à une carrière ecclésiastique, mais, à Paris, il abandonne la théologie et se tourne vers la médecine; en 1728, il se fait recevoir docteur à Reims. En 1733, il se rend à Leyde, où il suit à l'Université les leçons du célèbre iatromécanicien Boerhaave, qui professe que tous les processus vitaux se ramènent à des phénomènes physiques, et que les maladies proviennent de l'altération des solides et des humeurs. A son retour, il traduit plusieurs œuvres de son maître et publie des études médicales originales (*Traité du vertige avec la description d'une catalepsie hystérique*, 1737; *Traité sur la dysenterie*, 1739; *Traité de la petite vérole*, 1740; *Observations de médecine pratique*, 1743), en même temps qu'une série de pamphlets contre les médecins parisiens (*Saint-Cosme vengé*, 1744). Nommé, en 1742, médecin aux gardes-françaises, il participe au siège de Fribourg (1744). Atteint de fièvres, il a l'occasion de « s'apercevoir que la faculté de penser n'était qu'une suite de l'organisation de la machine » (Frédéric II, *Éloge de La Mettrie*) et il développera cette intuition fondamentale dans l'*Histoire naturelle de l'âme* (1745). L'ouvrage fait scandale, et La Mettrie doit quitter le régiment des gardes. Nommé médecin-chef des hôpitaux militaires du Nord, il publie un pamphlet, *Politique du médecin de Machiavel ou le Chemin de la fortune ouvert aux médecins* (1746), qui est condamné par le parlement, et il doit s'enfuir à Gand, puis à Leyde. C'est là qu'il compose et publie *l'Homme-machine* (1747), son œuvre la plus célèbre, où il développe une anthropologie matérialiste. L'ouvrage connaît un grand succès, mais provoque la colère des dévots de Leyde, et La Mettrie, au début de 1748, part pour la Prusse, où l'appelle Frédéric II. Il devient le lecteur préféré du roi et son ami. Maupertuis, qui dirige l'Académie de Berlin, le protège, mais Voltaire, jaloux, le dénigre. C'est en Prusse qu'il publie ses dernières œuvres, *l'Homme-Plante* (1748), *l'Anti-Sénèque ou Discours sur le bonheur* (1748), *Réflexions philosophiques sur l'origine des animaux* (1750), *les Animaux plus que machines* (1750), *le Système d'Épicure* (1750), *l'Art de jouir* (1751), *Vénus métaphysique, essai sur l'origine de l'âme humaine* (1751). Il meurt à quarante-deux ans, pour avoir mangé d'un pâté corrompu. « Il est mort comme il devait mourir », écrit Diderot, « victime de son intempérance et de sa folie; il s'est tué par ignorance de l'art qu'il professait ».

Ses *Œuvres philosophiques*, en trois volumes, ne connurent pas moins de dix éditions entre 1751 et 1796, mais son nom resta éclipsé par ceux de Condillac, Diderot, Helvétius, d'Holbach, dont les systèmes sensualistes ou matérialistes étaient cependant postérieurs au sien. Il fallut attendre Marx (*la Sainte Famille*, 1845) et surtout Albert Lange (*Histoire du matérialisme*, 1866) pour qu'une plus juste place lui fût faite dans l'histoire des idées scientifiques et philosophiques.

« Écrire en philosophie, c'est enseigner le matérialisme » : dès l'*Histoire naturelle de l'âme*, La Mettrie soutient sans concessions le point de vue matérialiste qu'il illustrera dans *l'Homme-Machine*. Celui qui se désigne lui-même comme M. Machine étend à l'homme l'explication mécaniste que Descartes réservait au seul animal : « Le corps humain est une horloge, mais immense et construite avec tant d'artifice et d'habileté que si la roue qui sert à marquer les secondes vient à s'arrêter, celle des minutes tourne et va toujours son train ». Les formes substantielles, l'âme sont des hypothèses inutiles pour expliquer la vie, le mouvement, la sensibilité, la pensée elle-même : « Posé le moindre principe de mouvement, les corps animés auront tout ce qui leur faut pour se mouvoir, sentir, penser, se repentir et se conduire, en un mot, dans le physique et dans le moral qui en dépend ».

Athée radical, disciple d'Épicure et de Lucrèce, La Mettrie, même s'il admet « ignorer comment la matière, d'inerte et simple, devient active et composée d'organes », refuse le finalisme et toute tentative de démontrer par le spectacle des merveilles de la nature l'existence d'un Dieu créateur et organisateur. Il n'y a pas à choisir entre le hasard et la finalité, et « détruire le hasard, ce n'est pas prouver l'existence d'un Être suprême, puisqu'il peut y avoir autre chose qui ne serait ni hasard, ni Dieu, je veux dire la nature ». Le simple jeu des forces naturelles suffit à expliquer tous les phénomènes : la nature, « ayant fait, sans voir, des yeux qui voient, elle a fait, sans penser, une machine qui pense ». La nature, d'autre part, est une, et *l'Homme-Plante* reprend dans un sens matérialiste l'idée leibnizienne de la chaîne des êtres. Il y a progression de la plante à l'homme, et tous les êtres vivants se forment selon un plan unique : « Le dernier ou le plus vil des animaux succède à la plus spirituelle des plantes ». *Le Système d'Épicure* reprend les idées de Lucrèce sur l'élimination des individus mal formés et non viables et réserve la survie aux espèces « auxquelles aucune partie essentielle n'aura manqué ».

Comme chez d'Holbach, le matérialisme n'a pas seulement, chez La Mettrie, une fonction théorique; il a aussi une portée éthique. En débarrassant l'homme du spiritualisme théologique, en mettant fin au règne de la superstition, il lui permet d'être heureux : « La nature infectée d'un poison sacré reprendrait ses droits et sa pureté ». Mais, alors que d'Holbach fait de l'impératif matérialiste la condition première d'une reconstruction de la société sur des bases nouvelles, La Mettrie tire son naturalisme dans un sens individualiste et se fait l'apôtre d'une éthique hédoniste de la pure jouissance. Si « le plaisir est de l'essence de l'homme et de l'ordre de l'univers », s'il est « le maître souverain des hommes et des dieux, devant qui tout disparaît », l'homme, en tant qu'il est machine, est condamné au plaisir.

BIBLIOGRAPHIE
Œuvres philosophiques, 3 vol., Berlin, 1796; *Textes choisis,* par M. Bottigelli-Tisserand, Paris, Éditions sociales, 1974; *l'Homme-Machine,* éd. A. Vartanian, Princeton, 1960; *id.,* prés. P.L. Assoun, Denoël/Gonthier, 1981.
A consulter. — A. Lange, *Histoire du matérialisme,* trad. française, Paris, 1877; J.E. Poritzky, *Julien Offray de La Mettrie, Sein Leben und seine Werke,* Berlin, 1900; R. Boissier, *La Mettrie, pamphlétaire et philosophe,* Paris, 1931; P. Lemée, *les Sciences de la vie dans la pensée française du XVIII*e *siècle,* Paris, 1963 (2e éd. 1971); E. Callot, *la Philosophie de la vie au XVIII*e *siècle,* Paris, 1965; Ann Thomson, *Materialism and Society in the Mid-Eighteenth Century : La Mettrie's « Discours préliminaire »,* Genève-Paris, Droz, 1981.

R. VIROLLE

LA MONNOYE Bernard de (1641-1728). Poète d'expression latine, française et bourguignonne, La Monnoye mériterait d'être mieux connu. Tout d'abord comme témoin et acteur d'une vie intellectuelle provinciale intense qui le lia à Dijon avec le père Oudin, Dumay le grand voyageur, Taisaud le jurisconsulte, le président Bouhier, l'abbé Nicaise, le « facteur du Parnasse », en correspondance avec Bayle et Leibniz.

Fils de marchand, il fait de solides études au collège des Jésuites et, très tôt, marque une prédilection pour les vers latins. On l'envoie étudier le droit à Orléans, il en revient avocat, ne plaide pas mais achète une charge de conseiller-correcteur en la Chambre des comptes de Dijon. Surtout, il se consacre à la poésie. Le seul chagrin de sa vie fut, en 1723, la mort de sa femme, Claudine Henriot, qu'il avait épousée en 1675, et qui lui inspira des vers émouvants.

Entre 1675 et 1685, il reçoit cinq fois le prix de poésie de l'Académie française sur des sujets de circonstance comme l'abolition du duel, la conquête de la Franche-Comté ou l'éducation du Dauphin, traités dans des pièces brillantes et un peu guindées qui ne nous touchent plus guère.

Il ne quitta Dijon pour Paris qu'en 1707 et fut élu à l'Académie en 1713.

Érudit, à qui cinq langues étaient familières, bibliophile, il se rend célèbre par l'édition considérablement enrichie qu'il donne du *Menagiana* (4 volumes) en 1715, puis par ses *Remarques sur les jugements des savants de Baillet* (7 volumes) en 1722.

Ruiné par le système de Law, il écrit beaucoup et en tous sens : poésies héroïques, poésies sacrées (sa *Glose de sainte Thérèse* fut un grand succès), traductions d'Anacréon, de l'*Anthologie grecque* et d'Horace, des épitaphes, des étrennes, des madrigaux, des fables, des contes, des chansons — œuvre assez considérable qui sera plusieurs fois rééditée à travers le XVIIIe siècle (ses *Œuvres choisies* paraissent encore in-quarto en 1770).

De ce prodigieux polygraphe et homme d'esprit qui prolongea en son temps l'humanisme de la Renaissance, aucune œuvre n'est aujourd'hui accessible, et Maurice Allem, dans son *Anthologie de la poésie française au XVIIe siècle,* n'a retenu de lui que quelques pièces légères. Son vrai chef-d'œuvre, les *Noei borguignons,* publiés sous le nom de GUI BAREZAI (1701), devrait bénéficier du retour d'intérêt pour les cultures régionales. Ces Noëls firent scandale à l'époque; on tonna en chaire contre eux à Dijon, et ils furent même déférés à la censure de Sorbonne. D'où certaine réputation d'athéisme déguisé qu'on a prêtée parfois à La Monnoye et qui a fait voir en lui un précurseur de l'esprit des Lumières, à l'instar d'un Fontenelle. En fait, en « Bourguignon salé », il applique à la poésie populaire les ressources d'un art raffiné, mais, plutôt que l'impiété, ce qui marque cet ouvrage, c'est une malice traditionnelle à travers une représentation faussement naïve des mystères, c'est le goût profond d'un terroir et de la vie tranquille des campagnes de la vieille France.

BIBLIOGRAPHIE
Œuvres choisies, éd. Rigoley de Juvigny, Paris, 2 vol., 1970; *Noëls bourguignons* de Gui Barezai, avec notice de F. Fertiaut et traduction en français, Paris, Locard-Davi, 1858.
A consulter. — D'Alembert, « Éloge de La Monnoye », dans *Histoire de l'Académie française,* t. IV, Paris, 1787; L. Jarrot, « la Poésie dans les *Noëls* de La Monnoye », *Bulletin* du diocèse de Dijon, 1903.

B. RAFFALLI

LA MOTHE LE VAYER François de (1588-1672).Fils d'un substitut du procureur au parlement, La Mothe Le Vayer lui succéda dans cette charge en 1625. Il avait suivi des études de droit mais n'avait aucun goût pour la magistrature et s'intéressait surtout à la philosophie. Il fut l'un des promoteurs du libertinage érudit (voir aussi LIBERTINS).

Il fréquentait l'académie savante des frères Dupuy et lia une étroite amitié avec Naudé et Gassendi. Sa pensée s'inscrit dans la lignée de l'épicurisme. Elle se structure autour du concept — et de la méthode — de doute sceptique. Pour lui, la raison humaine est limitée et ses conclusions illusoires; elle ne peut donc être tenue pour un moyen d'accéder à la vérité. Aussi il ne soutient pas, face au système établi, un autre système mais il pousse à l'extrême l'attitude critique. Il était athée, mais ne le professait pas. L'essentiel de sa pensée se trouve dans les *Quatre Dialogues faits à l'imitation des Anciens* (1630, augmentés de cinq autres l'année suivante), qu'il publia sous le pseudonyme d'ORASIUS TUBERO. Dans cet ouvrage, il déploie une immense érudition pour dénoncer les traditions religieuses et montrer la vanité de leurs preuves de l'existence de Dieu. En particulier, il bat en brèche la thèse du consentement universel en cette matière (dialogue *De la diversité des religions*). Et il conclut : « Faisons donc hardiment profession de l'honorable ignorance de notre bien-aimée sceptique ». Mais il voile ses hardiesses en déclarant exclure la religion catholique de son propos et en affirmant que dénoncer les erreurs de la raison ouvre la voie à une foi plus pure. Reste que, pour tout lecteur conséquent, les conclusions du propos tendaient à l'athéisme, et que ces critiques frappaient directement la tradition catholique de conciliation entre la foi et la raison.

Ce scepticisme critique, qui se prolonge dans ses *Opuscules* de 1643, ne pouvait en son temps être compris que par une minorité d'esprits avertis et, comme l'auteur, hostiles aux opinions « vulgaires ». En revanche, des catholiques sincères n'y virent qu'une légitime dénonciation des préjugés. L'importance de La Mothe Le Vayer dans l'histoire des idées tient davantage à sa postérité lointaine : Bayle, Fontenelle et leurs successeurs.

Il allait aussi contre les courants dominants de son temps en matière de philologie. Ses *Considérations sur l'éloquence française* (1637) prennent le contre-pied des remarques de Vaugelas, récusent le modèle mondain comme critère du beau langage et revendiquent pour l'érudition, seule capable de discerner les origines grecques et latines de la langue française, l'autorité en la matière.

La Mothe Le Vayer se montra toujours soucieux de son confort matériel et social. Machiavéliste en politique, il appartint à la clientèle de Richelieu, puis de Mazarin. Mettant ses opinions sous le boisseau, il écrivit un *Petit Discours chrétien sur l'immortalité de l'âme* (1637); en retour, on lui ouvrit les portes de l'Académie française (1639). Il publia (1641) un traité de *la Vertu des païens* hostile aux jansénistes et conforme aux vues de Richelieu. En 1649, il se vit confier par Anne d'Autriche l'éducation du duc d'Orléans, frère du roi; en 1652, celle de Louis XIV, alors âgé de quatorze ans. Son fils (comme lui érudit, écrivain et philosophe) fut un abbé à son aise.

BIBLIOGRAPHIE

R. Pintard, *le Libertinage érudit,* Paris, Boivin, 1943, est l'ouvrage essentiel. On peut lire quelques extraits des dialogues dans A. Adam, *Des libertins au XVIIe siècle,* Paris, Buchet-Chastel, 1964.

A. VIALA

LANCELOT (cycle de) [XIIIe siècle]. *Lancelot-Graal* ou *Cycle de la Vulgate* est, de tous les cycles arthuriens, celui qui a eu jusqu'à la fin du Moyen Âge la plus grande diffusion et connu la plus grande popularité. Publié, de 1909 à 1913, par H.O. Sommer sous le titre de *the Vulgate Version of the Arthurian Romances,* seule édition intégrale du corpus (une première et ample analyse avait été donnée de 1868 à 1877 par Paulin Paris sous le titre *les Romans de la Table ronde*), il est constitué de cinq textes qui retracent chronologiquement l'histoire du Graal, d'Arthur et de ses chevaliers.

L'Estoire del Saint-Graal (éd. Sommer, vol. I), centrée sur Joseph d'Arimathie et son fils Joséphé, le premier évêque, consacré par le Christ en personne, retrace, en amplifiant les données du *Joseph* de Robert de Boron, l'origine du Saint Graal, les aventures en Orient de Joseph et de ses compagnons, leur transfert miraculeux en (Grande-)Bretagne, la christianisation du pays et l'institution, avec Alain, de la lignée des rois pêcheurs, gardiens du Graal désormais conservé au château de Corbenic.

L'Estoire Merlin (éd. Sommer, vol. II) reprend, de la naissance de Merlin à l'avènement d'Arthur, le *Merlin* en prose de Robert de Boron et se poursuit par le récit des débuts difficiles du règne d'Arthur, de ses luttes contre les barons révoltés puis contre l'ennemi héréditaire, les Saisnes (les Saxons), et de son expédition contre Rome, relatant, pour finir, la naissance de Lancelot, de Bohort et de Lionel.

Le *Lancelot propre* (éd. Sommer, vol. III, IV, V), que l'on peut désormais lire dans l'édition d'A. Micha, sous le titre *Lancelot,* et, pour le début du texte, dans l'édition d'E. Kennedy, est consacré aux « enfances » puis aux aventures chevaleresques et sentimentales du meilleur chevalier du monde, lequel ne pourra cependant mener à bien la quête du Graal, à cause de son amour adultère pour Guenièvre. Cet honneur sera réservé au fils qu'il a eu de la fille du roi pêcheur, Galaad. La dernière partie du *Lancelot propre* (éd. Micha, t. IV-VI), qui est une préparation à la quête du Graal (naissance et enfance de Galaad, folie de Lancelot durant dix ans et quête de Lancelot, visites des chevaliers de la Table ronde à Corbenic où se multipliaient les apparitions du Graal), est souvent appelée l'*Agravain.*

Deux textes achèvent enfin le cycle : l'un au plan divin, *la Quête du Saint-Graal,* dont le héros est Galaad, entouré de Perceval et de Bohort, mais seul admis à contempler l'intérieur du saint Vase et les secrets de Dieu; l'autre au plan terrestre, *la Mort le roi Artu* : ce dernier roman retrace les discordes qui, une fois dénoncé l'adultère de Lancelot et de la reine, opposent, à la cour d'Arthur, Lancelot à Gauvain et à ses frères; la guerre, que mènent en Gaule Arthur et Gauvain contre Lancelot; l'ultime victoire sur les Romains, suivie par l'annonce de la trahison de Mordret, le fils incestueux d'Arthur. La grande bataille de Salesbieres (Salisbury) entre Arthur et Mordret entraîne la quasi-disparition de la chevalerie arthurienne. Grièvement blessé, Arthur est emmené par sa sœur, la fée Morgain, dans l'île d'Avalon.

La *Vulgate* comprend encore, dans l'édition Sommer (vol. VII), un texte très intéressant, le *Livre d'Artus,* dont le contenu correspond en gros à celui de *l'Estoire Merlin,* avec de nombreuses amplifications.

L'ordre des textes dans l'édition Sommer (à l'exception du *Livre d'Artus,* conservé par un manuscrit unique et isolé) reproduit fidèlement l'ordre proposé par les manuscrits cycliques complets du *Lancelot-Graal.* Tout comme le cycle épique de Guillaume d'Orange, qui se développe, dans les manuscrits cycliques, de l'histoire de l'ancêtre à celle de ses ultimes descendants, le cycle romanesque du *Lancelot-Graal* a été copié et organisé, dans les manuscrits, selon une perspective chronologique. Mais ni dans un cas ni dans l'autre la disposition finale ne correspond à l'ordre réel de composition. Le noyau primitif à partir duquel s'est élaboré le cycle est le *Lancelot propre,* composé vers 1215-1225, sur lequel s'articulent étroitement la *Quête* (vers 1225-1230) et la *Mort Artu* (vers 1230-1235). Ces trois textes forment ce qu'on appelle souvent le *Lancelot en prose. L'Estoire Merlin* et *l'Estoire del Saint Graal* ont été composées ultérieurement (mais avant 1240) pour former un double prologue qui clôture le récit en amont. L'ensemble constitue ainsi un cycle complet de l'histoire du Graal et du monde arthurien, plus vaste encore que le cycle proposé dès le début du XIIIe siècle par la trilogie en prose de Robert de Boron.

Dans son *Étude sur le Lancelot en prose,* Ferdinand Lot a essayé de démontrer aussi bien l'unité de plan, d'esprit et d'écriture du *Lancelot en prose* que celle du *Lancelot-Graal,* qui, « loin d'être un assemblage de pièces et de morceaux [...], apparaît comme une énorme cathédrale bâtie depuis les fondations jusqu'au faîte par un seul et même architecte ». Cette position extrême, qui exprime en son temps une saine réaction contre les critiques trop prompts à mettre en pièces le roman, a été nuancée avec pertinence par J. Frappier dans son *Étude sur la Mort le roi Artu,* où s'énonce la thèse d'un architecte unique, sans doute l'auteur du *Lancelot propre,* responsable du plan d'ensemble du *Lancelot en prose,* chacune des trois œuvres étant due, cependant, à un auteur différent. Il semble même, à lire la version éditée par E. Kennedy sous le titre significatif de *Lancelot do Lac, the Non-Cyclic Old French Prose Romance,* qu'il y ait eu un premier état du Lancelot propre où n'étaient annoncées ni une quête du Graal par Galaad ni une *Mort Artu* et qui constituait une œuvre autonome. Quoi qu'il en soit de cette hypothèse, il est indéniable que le cycle tel qu'il nous est parvenu, tel qu'il a été sans doute partiellement récrit et harmonisé par les copistes-remanieurs, témoigne d'un plan d'ensemble, peut-être imposé *a posteriori,* mais qui donne à l'œuvre sa cohérence thématique et idéologique.

Le point de départ de cette cohérence complexe — où subsistent des failles — est à chercher dans un transfert, dans le remplacement de Perceval, seul élu de la quête du Graal dans la trilogie de Robert de Boron, dans le *Perlesvaus,* dans l'ensemble du roman arthurien en vers après Chrétien de Troyes, par le couple Lancelot-Galaad. Dès la première page du *Lancelot,* il est dit en effet que le héros « avoit non Lancelos en sournon mais il avoit non en baptesme Galaaz » (éd. Micha, t. VII, p. 1) et que le conte expliquera plus loin la raison d'être de ce surnom et de la perte du nom, essentiel, de baptême. Ainsi, non seulement la mention du nom véritable, d'origine biblique, occulté à la génération du père, « crée » Galaad, personnage jusqu'alors inconnu du roman arthurien, mais surtout la relation nom/surnom, ultérieurement transposée et explicitée dans la relation charnelle père/fils, métaphorise la continuité nécessaire que l'architecte du *Lancelot en prose* va instituer entre la chevalerie « terrienne », représentée par Lancelot, et la chevalerie « célestielle », incarnée par Galaad. A partir de cette donnée initiale, de la progression historique et symbolique qu'elle impose à la figure du chevalier, le *Lancelot en prose* peut se lire comme un texte écrit à la gloire de la chevalerie arthurienne (emblématique de la classe chevaleresque) et définissant idéalement sa fonction au monde et son triple rapport à la prouesse, à l'amour et à Dieu.

Le *Lancelot propre,* dans cette perspective, apparaît comme le volet « mondain » de la trilogie. S'inspirant, dans sa première partie, d'un récit perdu sur les enfances de Lancelot, le *Lanzelet* (traduction en moyen haut allemand par Ulrich von Zatzikhoven de l'original français), récrivant *le Chevalier à la charrette* de Chrétien, à qui il doit la donnée fondamentale de l'amour de Lancelot et de Guenièvre, l'auteur donne d'abord à son héros une origine « historique » et sacrée. Lancelot est le fils du roi Ban de Benoïc, terre vaguement située dans l'ouest de la Gaule, et de la reine Hélène, descendante de la lignée de David... Dépossédé à trois ans de son futur royaume (son père meurt de douleur en voyant Claudas, l'usurpateur, brûler son dernier et son meilleur château), Lancelot, ravi à sa mère par la Dame du lac, Viviane, qui tient ses pouvoirs féeriques de Merlin, est élevé par celle-ci dans son domaine — une vaste forêt emplie de somptueuses demeures —, qui constitue un double parfait de l'univers chevaleresque. L'éducation pratique que Lancelot y reçoit avec ses cousins Bohort et Lionel est parachevée sur le plan théorique par un long discours de la fée (éd. Micha, t. VII, p. 248-256) qui est un discours sur les origines et la mission de l'ordre des *militantes.* Idéalement éduqué sur le plan chevaleresque, Lancelot est conduit par la fée, le jour de ses dix-huit ans, à la cour d'Arthur. Adoubé par le roi, il reçoit son épée de la reine, dont il devient ainsi le chevalier — et au premier regard il tombe amoureux de sa souveraine. Les innombrables aventures et exploits qui vont suivre — et notamment la délivrance du château de la Douloureuse Garde ou la délivrance de la reine, enlevée par Méléagant—, qui l'opposent souvent seul mais parfois avec les autres chevaliers de la Table ronde aux ennemis d'Arthur (les Saisnes, Galehaut, Claudas...), et qui sont autant de victoires sur les forces du mal (chevaliers cruels, mauvaises coutumes à détruire, interventions hostiles de Morgain, etc.), sont désormais entrepris et menés à bien pour mériter puis obtenir l'amour de la reine.

De cet amour, vécu tout au long du texte selon l'éthique courtoise, suivant le rituel du « service d'amour », de la soumission absolue aux ordres et à la volonté de la Dame, et qui le mène à trois reprises jusqu'à la folie (motif hérité de l'*Yvain* de Chrétien), Lancelot dans une scène célèbre et justement immortalisée par Dante (*Inferno,* V, vers 127-138), est d'abord « saisi », investi par un baiser que lui accorde la reine. L'adultère n'est réellement consommé que plus tard, le jour où Arthur, séduit par l'enchanteresse Camille, est lui aussi infidèle à la reine. Ce même jour se soudent les deux parties d'un merveilleux écu fendu, envoyé par la Dame du lac à Guenièvre.

A travers le réseau touffu, parfois monotone, des guerres, des quêtes, des aventures, des joutes et des rares scènes d'amour qui réunissent les protagonistes se dessine une conception de la chevalerie en partie héritée, en partie originale. Cette conception suppose d'abord une relation dialectique entre l'amour et la prouesse, déjà formulée par Chrétien, dans la *Charrette* notamment, et que reprend sans réserve l'auteur du *Lancelot* par la bouche de son héros : « Dame, fait Lanceloz... sachiez que je ja ne fusse venuz a si grant hautesce com je sui, se vos ne fuissiez, car je n'eusse mie cuer par moi au comancement de ma chevalerie d'amprandre les choses que li autre laissoient par defaute de pooir. Mais ce que je baoie a vos et a vostre grant biauté mist mon cuer en l'orgueil ou j'estoie si que je ne poïsse trover aventure que je ne menasse à chief; car je savoie bien, se je ne pooie les aventures passer par proesce, que a vos ne vandroie je ja, et il m'i couvenoit avenir ou morir » (éd. Micha, t. V, p. 3).

Destinataire de la prouesse, la Dame — ici, superlativement, la reine — en est aussi le destinateur. Mais si la prouesse permet au chevalier d'obtenir l'amour de la reine, la *force d'amors* — qui le lie à tout jamais — le maintient dans l'orbite de la Cour, du pouvoir royal et définit par là même sa mission : aider le roi à maintenir, voire développer, son pouvoir. Tandis que dans les lais bretons du XIIe ou du début du XIIIe siècle comme *Lanval* de Marie de France, *Graelent* ou *Guingamor,* l'amour du chevalier pour la fée, le refus de l'amour de la reine coupent le chevalier de la cour royale et l'obligent à choisir l'autre monde de la féerie, ici, au contraire, l'amour de la reine et surtout la féerie, par l'intermédiaire de la Dame du lac, de l'éducation chevaleresque qu'elle dispense, de l'initiation amoureuse sur laquelle elle veille (l'épisode de l'écu fendu en est une illustration), facilitent l'insertion au monde du chevalier, canalisent sa force physique, ses instincts sexuels pour la plus grande gloire de la royauté. Inversement, une donnée fondamentale du *Lancelot,* source de multiples épisodes et aventures, l'amour de Morgain pour le héros, la jalousie de la mauvaise fée à l'égard de Guenièvre, son acharnement, couronné de succès dans la *Mort Artu* (épisode de la salle aux images), à révéler au roi l'adultère des amants, représente sans doute les « forces dissipatives » capables de ruiner l'équilibre globalement harmonieux qu'établit le *Lancelot propre* entre la prouesse et l'amour, entre le pouvoir royal et la classe chevaleresque.

Dès ce texte, cependant, avec le personnage de Galehaut d'abord que sa passion pour Lancelot mène à la mort, et avec les folies du héros, puis, de façon insistante, dans l'*Agravain,* se multiplient les signes qui condamnent une prouesse uniquement fondée sur le désir charnel, aussi maîtrisé soit-il. Chevalier parfait selon les normes du code courtois mais coupable devant Dieu, Lancelot, dans la *Quête,* est contraint de reconnaître son infériorité par rapport à Galaad, de se repentir de sa passion pour Guenièvre et d'y renoncer, et n'a droit qu'à une révélation imparfaite et ambiguë des secrets du Graal. La prouesse de Galaad, insurpassable, n'a d'autre destinataire que l'amour de Dieu. La reine comme la Dame du lac s'effacent au profit de la sainte, de la vierge, sœur de Perceval, seule capable d'initier Galaad, de le conduire jusqu'à la nef de Salomon, de lui révéler l'origine des trois fuseaux, avant de parvenir, une fois morte, jusqu'à Sarras, lieu de l'ultime révélation.

L'auteur de la *Mort Artu,* cependant, n'a pas suivi cette voie. L'univers de ce dernier texte est un univers vieilli, abandonné par la grâce, où se déchaînent surtout toutes les formes de la jalousie, de la convoitise, où la féerie reprend ses droits avec le personnage de Morgain, largement responsable de la destruction du royaume mais aussi de la survie d'Arthur, tandis que seul Lancelot continue d'observer, mais en vain, le code sentimental et chevaleresque illustré par le *Lancelot propre*.

Deux procédés complémentaires, mis en évidence par Ferdinand Lot, caractérisent l'écriture du *Lancelot propre* : le procédé chronologique et le procédé de l'entrelacement. Repris à l'histoire, le procédé chronologique, utilisé avec rigueur dans le *Lancelot* (avec une extrême désinvolture dans la *Quête*), tend à constituer le texte sur le modèle du récit historique, à gommer, d'une certaine manière, son caractère fictionnel.

Relèvent sans doute de la même volonté de garantir l'authenticité du texte, d'évacuer les traces d'une quelconque manipulation de la matière :

— l'anonymat du *Lancelot propre* et l'attribution — véritable supercherie littéraire, puisque ce clerc, écrivant en latin, de l'entourage d'Henri II Plantagenêt, est mort vers 1209 — de la *Quête* et de la *Mort Artu* à *mestre* Gautier Map, donné par la *Quête* comme le traducteur d'un livre conservé à la bibliothèque de Salisbury, contenant le récit de la quête, dicté par Bohort aux clercs de la cour d'Arthur, donc émanant directement d'un témoin oculaire;

— l'attribution de *l'Estoire del Saint Graal* au Christ lui-même (au cours d'une vision, un ermite reçoit du Christ un « livret », qu'il est chargé de transcrire);

— le jeu complexe des instances narratives dans la *Quête*;

— l'effacement constant, dans l'ensemble du cycle, d'un narrateur au profit de la formule *Or dist li contes*...;

— la tendance, enfin, du texte en prose à tout dire, à faire semblant de ne pas choisir, de ne pas hiérarchiser la narration ou privilégier tel ou tel point de vue, l'instance *or dist li contes* apparaissant comme le garant de cette objectivité.

La *Quête*, en revanche, inaugure une procédure complexe où la narration, le récit des aventures, fait l'objet d'une exégèse systématique de la part des ermites, entre autres, qui représentent le point de vue de Dieu.

Le procédé de l'entrelacement des aventures, qui se retrouve à la même époque dans le genre historique (la *Conquête de Constantinople* de Villehardouin, par exemple), témoigne également de la volonté de créer une épaisseur spatio-temporelle (par rapport au déroulement linéaire du lai ou de la plupart des romans arthuriens en vers postérieurs à Chrétien), de donner l'illusion d'un univers décentré et foisonnant, d'englober surtout, en quadrillant l'espace et le temps, le plus de matière possible pour donner une histoire totale, une somme de l'univers arthurien. Dès le *Lancelot propre* apparaît également la technique du *flash-back*, du récit destiné à expliquer l'origine d'un être, d'un objet, d'une coutume, etc., qui se développe dans la *Quête* (la légende des trois fuseaux ou celle de l'Arbre de vie, par exemple) et qui, comme l'a bien montré E. Vinaver, génère à son tour de nouveaux textes destinés à expliquer, à élucider et à combler les lacunes des premiers récits. Ainsi de *l'Estoire Merlin*, qui remplit le vide chronologique entre le temps de Joseph, celui de Joséphé et celui de Lancelot. Ainsi de *l'Estoire del Saint Graal*, qui remonte aux origines du Graal et du temps chrétien et explicite certaines données trop fragmentaires de la *Quête*, telles l'ordination de Joséphé comme évêque ou la signification des vêtements sacerdotaux — cette dernière explication reproduisant le schéma du discours de la Dame du lac sur l'origine de la chevalerie.

L'influence du *Lancelot-Graal* — du *Lancelot propre* surtout — sur la littérature ultérieure, comme modèle narratif, idéologique et stylistique, a été considérable. Ce texte a servi de référent, à tous les sens du terme, aux romans en prose postérieurs, tel le *Tristan en prose*, qui récrit l'histoire des amants de Cornouailles sur le modèle du couple Lancelot-Guenièvre, tels *Guiron le Courtois*, consacré à l'histoire des chevaliers de la génération d'Uterpendragon, père d'Arthur, telle la *Suite du Merlin*, qui élucide des données aussi fondamentales que l'origine d'Escalibur, l'épée d'Arthur, l'origine du Coup douloureux responsable de la Terre Gaste, de la blessure du roi pêcheur et, sans doute, de l'occultation du Graal. Tous ces romans ou ces fragments de romans intègrent leur narration dans l'espace textuel circonscrit par le *Lancelot* et se présentent comme des compléments destinés à achever le cycle, à clore l'histoire, à constituer l'univers arthurien, de sa genèse à sa disparition, sur le modèle archétypal de l'univers chrétien. [Voir aussi Arthur et la légende arthurienne; Robert de Boron; Chrétien de Troyes; Continuations; Lois; Perlesvaus et Tristan].

BIBLIOGRAPHIE

Éditions. — E. Kennedy, *Lancelot do Lac, the Non-Cyclic Old French Prose Romance*, 2 vol., Oxford, Clarendon Press, 1980; A. Micha, *Lancelot, roman en prose du XIIIe siècle*, 7 vol. parus, Genève, Droz, 1978-1980 (le tome VII donne en fait le début du texte); H.O. Sommer, *the Vulgate Version of the Arthurian Romances*, 7 vol., Washington, 1909-1916.

A consulter. — J.D. Bruce, *the Evolution of Arthurian Romance*, 2e éd., 2 vol., Göttingen-Baltimore, 1928; J. Neale Carman, *a Study of the Pseudo-Map Cycle of Arthurian Romance*, Kansas, 1973; J. Frappier, *Étude sur la Mort le Roi Artu*, 2e éd. revue et augmentée, Genève, Droz, 1901; id., « the *Vulgate* Cycle », dans *Arthurian Romance in the Middle Ages*, éd. par R.S. Loomis, Oxford, 1959, p. 295-318; id., « l'Institution de Lancelot dans le *Lancelot* en prose », art. repris dans *Amour courtois et Table Ronde*, Genève, Droz, 1973, p. 169-179; id., « le Personnage de Galehaut dans le *Lancelot* en prose », art. repris, *ibid*, p. 181-208; « le Cycle de la *Vulgate* », dans *Gundriss der Romanischen Literaturen des Mittelalters*, t. IV, vol. 1, p. 536-589, C. Winter, Heidelberg, 1978; F. Lot, *Étude sur le Lancelot en prose*, Paris, Champion, 1918, réimpression 1954; A. Micha, « l'Esprit du *Lancelot-Graal* », *Romania*, n° 82, 1961, p. 357-378, art. repris dans *De la chanson de geste au roman*, Genève, Droz, p. 251-272; id., « The *Vulgate Merlin* », dans *A.L.M.A.*, op. cit. p. 315-324; E. Vinaver, *A la recherche d'une poétique médiévale*, Paris, Nizet, 1970, ch. vi et vii. Pour des compléments bibliographiques on consultera : *Bulletin bibliographique de la Société arthurienne*; B. Woledge, *Bibliographie des romans et nouvelles en prose françaises antérieurs à 1500*, Genève, Droz, 1954, et *Supplément 1954-1973, ibid.*, 1975.

E. BAUMGARTNER

LANDRY Charles François (1909-1937). V. Suisse. Littérature d'expression française.

LANGEVIN André (né en 1927). L'œuvre romanesque d'André Langevin, peu abondante mais d'une grande densité, compte parmi les plus significatives de la jeune littérature québécoise. André Langevin connut une enfance difficile dans un milieu peu favorisé du Montréal francophone. L'expérience de l'orphelinat, qu'il vécut entre sept et douze ans, le marqua profondément. On en trouve de nombreux échos — directs ou indirects — dans toute son œuvre, qui comprend, outre cinq romans, quelques textes dramatiques pour la scène ou la télévision, des nouvelles et une quantité impressionnante d'articles, de critique littéraire, d'analyse politique ou culturelle, publiés dans divers journaux, revues et magazines.

C'est vers l'âge de dix-huit ans qu'André Langevin, garçon de courses au quotidien *le Devoir*, découvre sa vocation littéraire. Un an plus tard, il devient, dans le journal, titulaire de la chronique des lettres et des arts, occupation qu'il exerce ensuite au journal *Notre temps* (1947). En 1951, il publie son premier roman, *Évadé de la nuit*, qui lui vaut le prix du Cercle du livre de France. Deux ans plus tard, la même distinction récompense son deuxième roman, *Poussière sur la ville* (1953), que plusieurs critiques considèrent comme la révélation la plus étonnante des années 50. En 1956, *le Temps des hommes* clôt ce premier cycle romanesque, où se reflètent les contradictions de la société « canadienne-française » du Québec, écartelée entre une idéologie conservatrice omniprésente, sous la bannière du catholicisme ultramontain hérité du siècle précédent, et le besoin de se hausser au diapason du siècle des découvertes et des libertés. André Langevin a été l'un des premiers écrivains à introduire au Québec la problématique existentialiste; il est plus proche, à cet égard, de Camus que de Sartre, en dépit de l'insistance de certains thèmes comme celui du regard.

Ce qui éloigne radicalement Langevin des positions sartriennes, c'est un fatalisme digne de l'antique — la lecture des tragiques grecs semble d'ailleurs être à l'origine même de son éveil à l'univers littéraire. Ses trois premiers romans sont une mise en accusation — qui peut aujourd'hui sembler modérée, d'une divinité mauvaise, s'ingéniant à empêcher les aspirations de l'homme au bonheur et l'acculant à la mort. Le réalisme urbain des romans de Langevin, l'individualisme passionné de ses personnages, leur révolte ou leurs angoisses métaphysiques ont permis à la littérature du Québec de se mettre à l'heure des grandes interrogations contemporaines sur l'homme et sur divers aspects de sa condition (liberté, justice, bonheur...).

Après un silence de seize ans, Langevin, qui avait sans doute été victime de sa précocité, est revenu au roman avec deux œuvres qui cherchent, non sans difficulté, leur voie entre un intense lyrisme personnel et les techniques baroques du « nouveau roman ». Le lecteur attentif est vite récompensé de ses efforts par *l'Élan d'Amérique* (1972), où Langevin renoue avec les thèmes de grands devanciers tels que F.-A. Savard ou Yves Thériault, tout en fragmentant l'histoire comme l'a fait, dans *l'Incubation,* Gérard Bessette. Modernité et tradition constituent les termes d'un affrontement passionnant, dans ce chant de l'existence déchirée.

Le très beau livre intitulé *Une chaîne dans le parc* (1974), qui a fait l'objet d'une traduction en russe, nous introduit dans les mystères émouvants d'une enfance désolée, hantée par la recherche du père. Une étonnante pureté y oppose ses courages à toutes les puissances de misère et d'étouffement qu'incarnent les adultes. Par certains côtés, ce dernier roman se révèle proche de ceux de Réjean Ducharme et Marie-Claire Blais.

Sans doute peut-on voir chez Langevin le premier grand écrivain québécois de la ville moderne, tout en reconnaissant les mérites d'une Françoise Loranger (dont l'unique roman, *Mathieu,* parut en 1949) et de précurseurs tels que Roger Lemelin, Gabrielle Roy et Roger Viau. Dans ses écrits de journaliste, Langevin fut l'analyste attentif et souvent prophétique de la « révolution tranquille » (1960-1968); et il reste, par ses romans, qui sont constamment réédités, l'un des principaux artisans de la littérature québécoise actuelle.

BIBLIOGRAPHIE

Gabrielle Pascal, *la Quête de l'identité chez André Langevin,* Montréal, Aquila, 1977.

A. BROCHU

LANGUE ET LITTÉRATURE AU MOYEN ÂGE. V. MOYEN ÂGE.

LANGUE FRANÇAISE ET LITTÉRATURE. Support et matériel de base de la création littéraire, la langue, le système linguistique — ici la langue française — est doublement une abstraction.

D'abord, ce n'est pas le système abstrait de cette langue (une phonologie, plus ou moins bien représentée par des formes graphiques, une syntaxe, une composante lexicale — dont on sent déjà, intuitivement, l'intense variabilité — qui est en cause, mais, dans chaque situation sociolittéraire, des usages déterminés, de nature temporelle, géographique, sociale, et des images de ces usages, les « normes ». Ensuite, dans une description faussement unitaire qui stipule commodément l'apparition de ce qu'on nomme « le français », il faut au moins distinguer des états chronologiques entre lesquels une seule communication est possible : celle, passive, que garantit la notation écrite, et qui permet un décodage, la « lecture ».

Immédiatement, on remarque que l'apparition de la notion du « littéraire » en français coïncide avec celle même d'une langue qu'on peut nommer le français (et non plus le roman) : indice que toute langue, dans une société donnée, produit, parmi tous les discours, une classe de « textes » orientés vers une finalité esthétique (mêlée souvent à d'autres finalités, éthiques, religieuses...) même en l'absence d'écriture et de « lettre » (*littera*).

On sait que les historiens de la langue utilisent une périodisation large où s'opposent grossièrement, mais assez clairement, l'« ancien français » (XIe-XIIIe siècle), le « moyen français » (XIVe-début XVIe siècle), le « français classique » (du XVIe au XVIIIe siècle), le « français moderne » (de la Révolution à la première moitié du XXe siècle) et un « français contemporain » évidemment très subjectivisé. L'illusion d'optique commune en histoire fait que cette périodisation, acceptée pour le passé lointain, paraît insuffisante et est toujours contestée, à partir du français dit « moderne ».

Sans entrer dans des considérations réservées à l'histoire de la langue, on se bornera ici à donner des repères sur la situation de la langue française dans l'ensemble social concerné, aux diverses époques de notre littérature, puis, à titre d'exemples, à indiquer comment le discours littéraire subit les contraintes structurales dues à l'état de langue à chaque époque et, surtout, à la configuration sociale de la variation linguistique interne : usages et normes.

Enfin, la littérature a toujours eu, par nécessité, des attitudes, parfois organisées en théories, quant au langage et notamment quant à « sa » langue.

L'évolution du matériel littéraire

Si l'ancien français dès les premiers témoignages « littéraires », qui sont religieux et didactiques, qui sont versifiés et assonancés, constitue un matériel acceptable pour un discours à visée partiellement esthétique, c'est en prenant une place dans le corpus des textes notés par écrit et par rapport au latin. La *Séquence de sainte Eulalie* (vers 900), une *Passion,* la *Vie de saint Léger* (transcrite vers l'an 1000) pèsent de peu de poids dans la production littéraire de l'époque; mais ces textes attestent les possibilités de la langue vulgaire dite d'« oïl », déjà bien distincte du bas latin contemporain et des parlers du sud des territoires gallo-romains (qui vont devenir l'occitan). Sa structure est — très grossièrement — celle d'une langue dont la morphosyntaxe (les règles de la construction des phrases — syntaxe — et de la formation des mots — morphologie) s'appauvrit par rapport à celle du latin, rendant du même coup plus contraignant l'ordre des mots. Littérairement, le caractère récent et incertain de la notation graphique conserve à la structure phonique un rôle à la mesure de la prédominance orale. Ces textes, et ceux des XIe et XIIe siècles, sont comparables à de la musique notée. Le passage de l'assonance à la rime, dans les poèmes du XIIe siècle, l'apparition d'une prose littéraire et même poétique (début XIIIe siècle) marquent une évolution vers une rhétorique de l'écrit. Les aspects proprement littéraires et rhétoriques de la littérarité médiévale et de ses rapports avec la langue sont traités ici par Paul Zumthor (voir MOYEN ÂGE : langue et littérature). On insistera donc sur la nature fondatrice du système linguistique. Par exemple, l'évolution du phonétisme (labialisation, nasalisation..., réduction des diphtongues..., amuïssement de consonnes, qui rendent la transcription graphique rapidement archaïque) et celle de la morphosyntaxe (disparition progressive de l'importance des flexions nominales, augmentation de celle de l'ordre des mots) ont évidemment des conséquences pour la formation des discours littéraires. Il en va de même pour l'enrichissement lexical, les formes réempruntées au latin s'ajoutant à celles qui ont subi la longue érosion phonétique des siècles, les formes issues du fonds germanique (mots en *b*, en *w* ou en *h* « aspiré », par exemple) s'y joignant pour créer un stock d'éléments (préfixes, suffixes) capable d'engendrer un vocabulaire abondant, fertile en nuances qu'il nous est très difficile d'interpréter.

Seul l'examen attentif des différences entre discours littéraire et non littéraire, aux diverses époques, permettrait de dégager, à travers l'utilisation qui en est faite, les virtualités de l'ancien français dans la production de discours à fonction esthétique et de les comparer à celles d'autres états de langues. Malheureusement, la construction scientifique du modèle par les linguistes (les grammaires et les lexiques ou dictionnaires de l'ancien français) provient par induction, de l'observation des textes, et ces textes mêlent inévitablement les variantes discursives, les rhétoriques et les stylistiques; d'où l'incroyable difficulté d'un tel programme, peut-être même naïf et irréalisable.

S'il est déjà malaisé d'évaluer le disponible, le virtuel d'une maîtrise individuelle de la langue chez Balzac ou Flaubert, on imagine l'impossibilité d'une telle opération, quand il s'agit des créateurs — poètes, narrateurs, musiciens oraux des chansons de geste ou poètes scripteurs savants des romans courtois.

Le seul investissement progressif de la « littérature » par l'écriture constitua une immense révolution. Ce qui souligne une autre dimension du problème : si la « langue », le « français » conçu abstraitement, commande un grand nombre de caractères discursifs, les usages de cette langue (ici un usage écrit dominant opposé aux autres, et à des usages oraux) ont, dans leurs variations, dans leurs oppositions, une action très considérable. Cet écho discursif, et en particulier littéraire, de la variation linguistique, est fortement marqué au Moyen Âge par la variété linguistique dite dialectale. En fait, les variantes des discours littéraires, aux XIIe et XIIIe siècles, dans le domaine gallo-roman septentrional, correspondent à des formes dialectalisées d'un usage normalisé ou plutôt « normé », usage élaboré en grande partie à Paris, et non pas à des dialectes au sens oral et spontané du terme. Le franco-normand qui domine au XIIe siècle, le franco-picard du XIIIe sont le produit — discursif et littéraire — d'un effort de substrat (vraiment normand, vraiment picard) sur un usage réglé, sur une norme qui n'a rien à voir avec un « vrai » dialecte, et qu'on a nommé le « francien ». Champenois, Chrétien de Troyes écrit bel et bien en français : il n'a ni l'usage ni même la langue de ses compatriotes paysans. Quant à l'« anglonormand », c'est le français officiel parlé en Angleterre, un peu teinté de particularismes normands. Ainsi, littérairement, les dialectes, au sens fort du terme, ont été marginalisés très tôt.

Du moyen français (XIVe-début XVIe siècle), on peut dire qu'il scelle le mouvement constant de la syntaxe : la déclinaison du nom disparaît, l'ordre des mots en assume de plus en plus les fonctions, le *s*, autrefois marque du cas sujet, devient celle du pluriel, les cas sujet et régime, s'ils sont conservés, deviennent des mots différents (*sire/seigneur*), la conjugaison se régularise un peu (restant très complexe), et surtout, le vocabulaire prolifère pour répondre à un besoin social, lié à l'envahissement de tous les domaines par le français, à coup de traductions des ouvrages didactiques latins, par exemple. La prose des chroniqueurs (Froissart notamment) est caractéristique d'un nouveau type de discours. Du côté de la poésie, Charles d'Orléans, Christine de Pisan, Villon donnent au lecteur moderne la sensation d'une entrée en modernité, tandis que les grands rhétoriqueurs, dans le baroquisme, donnent aux combinatoires et aux procédés formels une importance majeure, apportant une conscience parfois pesante, souvent aiguë, toujours vive du matériel verbal qui est (pour nous) la conscience poétique même; que ce soit ou non au détriment de l'« émotion » est aujourd'hui affaire d'estimation intuitive.

Linguistiquement, le XVIe siècle renaissant appartient au « moyen français ». Mais la réflexion sur le langage (voir ci-dessous) y rétroagit sur les conditions de la création. En outre, si l'évolution des structures ne permet guère d'opposer XIVe-XVe siècles, d'une part, XVIe siècle de l'autre, la prolifération lexicale prend une autre allure. La dérivation et la composition fonctionnent plus librement; aux emprunts latins s'ajoutent les hellénismes; les relatinisations de mots de tradition se multiplient; l'italien fournit de nombreux vocables empruntés. L'illustration littéraire des pouvoirs de ce nouveau lexique est éclatante : en prose, c'est Montaigne, surtout Rabelais, mais aussi Calvin, des Périers et *l'Heptaméron;* quant au renouvellement poétique, Ronsard et la Pléiade, mais aussi Scève, Sponde puis d'Aubigné et tout autrement Desportes en témoignent. Indépendamment de l'évolution des poétiques, le combat pour la norme, mené très intuitivement mais avec talent par du Bellay, par Pasquier, etc., conduit à la condamnation des régionalismes (Pasquier critique à ce sujet Montaigne), et plus généralement, à une doctrine de l'unité du français, qu'il faut « défendre » contre les envahissements déformants. La guerre de l'orthographe entre tenants du phonétisme et ceux de la tradition étymologique, où les réformateurs échouent, est un aspect de ce combat pour l'unicité de la norme, qui va aboutir aux conceptions du français « classique ».

C'est au XVIIe siècle que le phonétisme du français moderne s'établit : disparition des dernières diphtongues, recul du *r* roulé, etc. Mais l'évolution phonétique et morphosyntaxique est peu significative par rapport à celle du vocabulaire qui, dans l'ensemble, se précise et s'épure. Cependant, il ne faut pas confondre les intentions, notamment littéraires, attestées par les textes de Malherbe ou de Guez de Balzac, puis des grands « classiques » (désignation anachronique : voir CLASSICISME) avec les évolutions objectives, d'ailleurs elles aussi attestées par d'autres textes (les baroques, Sorel ou Scarron en prose, la préciosité). La chasse aux dérivés et composés chers aux écrivains du XVIe siècle provient d'une attitude normative; leur recul effectif traduit une tendance lexicale, d'ailleurs mineure, car la plupart de ces mots qui disparaissent appartenaient plutôt à un usage et même à un type de discours (notamment littéraire) qu'au fonds lexical partagé. Il en va de même de la lutte contre le pédantisme hellénisant et latinisant, attitude éternelle, semble-t-il, et sans effet profond sur les évolutions nécessaires.

Plus important, le fait que le français, l'ayant emporté dans la majeure partie de la France, y ayant investi la plupart des fonctions nobles du langage — car pour la vie rurale et familiale, dialectes, patois et autres langues restent bien vivants — n'a plus besoin d'être « défendu » et « illustré ». Telle est la situation dans la partie nord de la France, en Wallonie ou à Genève, mais non pas en

Occitanie. Racine relatant à La Fontaine, en 1661, son voyage de Paris à Uzès, raconte qu'il ne peut plus guère communiquer, dans les auberges où il s'arrête, à partir de Lyon (en plein domaine franco-provençal); l'occitan parlé à Uzès lui paraît être un mélange d'espagnol et d'italien, langues grâce auxquelles il parvient à se faire comprendre. Là, dans les milieux cultivés, le bilinguisme ou plus exactement la « diglossie » (bilinguisme où une langue domine l'autre) est de règle. Diglossie, car la langue vernaculaire est privée de prestige et on note qu'à Marseille, le provençal est remplacé par le français, dans l'usage écrit, vers le milieu du XVIIe siècle. On estime qu'à la fin du XVIIIe siècle, encore, la moitié des habitants de la France était incapable de parler le « français standard ». C'est au réglage interne de ce français qu'on s'emploie, avec des distinctions sociologiques d'ailleurs en partie fictives (« la Cour et la Ville ») qui recouvrent une répartition sociale très complexe, à l'intérieur du français normatif d'Île-de-France. Un « français bourgeois » assumant les discours technique, didactique, souvent scientifique et politique..., accepte toutes les innovations lexicales nécessaires : Furetière, avant les Encyclopédistes, en est un bon témoin, dans la mesure où il s'essaie à contester le modèle reçu du discours romanesque par une satire interne, le *Roman bourgeois* (1666), avant de constituer le répertoire des termes nécessaires dans son *Dictionnaire* (1690).

Mais l'évolution littéraire ne se laisse pas décrire en termes de causalité langagière : la poésie étouffe et se dessèche au contact de l'expression lexicale des réalités (échec de la poésie didactique), la prose, au contraire, se poétise ou se polémise au gré des talents immenses de Rousseau, de Voltaire, de Diderot. Ce dernier, avec Marivaux ou Prévost dans leurs narrations romanesques, introduit la pluralité des discours, relativement au blocage relatif des dernières décennies du XVIIe siècle.

Après l'explosion discursive, les mutations rhétoriques, stylistiques et, au niveau de l'usage du langage, les transformations lexicales de l'usage révolutionnaire (admirablement étudiées dans l'*Histoire de la langue française* de F. Brunot), une nouvelle tentative de normalisation coïncide avec l'Empire et la Restauration. Mais rien ne peut enrayer les évolutions profondes, et surtout pas les attitudes explicites, souvent archaïques et procédant par dénégation. Le *Discours* de Rivarol (1784) est écrit au moment où l'« universalité de la langue française » devient un mythe.

Donc, ce « français moderne » du XIXe siècle continue à évoluer, mais fort peu dans sa phonétique et sa syntaxe. Certes, on peut trouver de nombreux points de détail évolutifs : Littré, qui recommande de prononcer aiguille avec un l « mouillé », est en retard de cinquante ans et atteste lui aussi la résistance inutile contre l'évolution. De nombreuses restitutions de sons sont néanmoins dues à la graphie, car, de plus en plus, on sait lire. Du même coup, on ne dit plus : « i vient » comme au XVIIIe siècle, mais « il vient », ni « le peup », mais « le peuple », ni « un our », mais « un ours » : ces variantes marquent les usagers, le nouvel usage standard étant neutre, et l'ancien étant senti comme populaire, rural ou — au début — « vieil aristocrate » (M. Cohen). Certaines formes verbales reculent (imparfait et plus-que-parfait du subjonctif) ou sont sélectionnées par l'usage écrit (passé simple). On pourrait donner maints exemples, mais le système, dans son ensemble, reste le même : un texte de 1820 n'a guère vieilli — à part les stratégies de discours et les rhétoriques — que par son lexique.

Car le lexique, lui, évolue vite, par un enrichissement constant, déjà très sensible dans la seconde moitié du XVIIIe siècle, et lié au développement des sciences, des techniques, de l'économie, des connaissances culturelles, des relations internationales (emprunts), enfin au mouvement global de l'Histoire. Le « dictionnaire », qui représente la disponibilité lexicale de l'écrivain, est surmultiplié : l'attitude explicite et politique de Hugo qui le coiffe d'un « bonnet rouge » recouvre l'inévitable reconnaissance d'un double mouvement. La littérature assume des besoins langagiers et expressifs nouveaux; la langue, dans ses vocabulaires, lui en apporte les moyens. Ce besoin de nommer s'applique dès le début du siècle au développement de l'univers du savoir, il s'accroît avec les progrès du capitalisme, articulé sur la mutation techno-scientifique, et avec l'apparition de forces politiquement hostiles, mais non moins influencées par cet univers de connaissances. Ainsi les vocabulaires idéologiques et politiques, comme les terminologies, s'accroissent : la morphologie redevient très productive, les emprunts se multiplient, la langue anglaise devenant de loin la principale source (l'anglicisme avait déjà été puissant dans la seconde moitié du XVIIIe siècle).

Mais on assiste surtout, au XIXe siècle, à un double mouvement sociolinguistique. D'une part la grande majorité des Français, des Wallons et des Suisses romands, à l'aube du XXe siècle, a une connaissance au moins passive du français; patois, dialectes et mêmes langues (comme le breton) sont en recul, sous la pression du brassage géographique, de l'urbanisation, de l'évolution des transports, de la conscription militaire, et surtout, avec la IIIe République, de l'école laïque, gratuite et obligatoire. Cependant « plus de la moitié de la population continue [alors] à parler le patois local et l'utilise largement » (P. Guiraud, *Patois et dialectes français*). Ce mouvement s'accentuera au XXe siècle. A cette unification de la langue, ainsi parlée et écrite par un beaucoup plus grand nombre de personnes (la démographie aidant), correspond une complication et une différenciation interne des usages. Ces usages du français ne sont pas des systèmes différents, mais des sous-systèmes définissables par rapport à une référence abstraite et normée, celle du « français standard », qui est en fait un français urbain, notamment parisien, réservé aux classes aisées pourvues d'un bon « capital scolaire ». Ces usages sont pourvus de traits phonétiques, morphosyntaxiques et lexicaux spécifiques, et aussi — ceci est peu analysé — d'aptitudes particulières, de stratégies de discours différentes. Ces caractéristiques, fonctionnelles et inaperçues dans leur milieu d'origine, deviennent ailleurs des marques sociales; depuis toujours, la littérature utilise — à l'intérieur du même système linguistique — la variation comme une caractérisation sociale : celle des discours, certes, mais, à travers elle, celle des usages qui les sous-tendent. C'est la narration romanesque, et ce depuis le Moyen Âge, qui est surtout concernée; l'importance grandissante du roman au XIXe siècle correspond à l'utilisation littéraire accrue d'une variété des paroles sociales, variété elle-même croissante. Après les fabliaux, après le roman baroque (Sorel, Scarron), après l'ouverture sociale du XVIIIe siècle, couronnée par Restif, ce sont Balzac, Sue, Murger, Hugo, Flaubert, Maupassant, Daudet, Zola, les Goncourt, Villiers, Huysmans, Proust et la plupart de leurs successeurs (mais il y a des contre-exemples : Radiguet et les admirateurs de *la Princesse de Clèves*) qui utilisent la variété de la parole sociale pour caractériser, évoquer les personnages et les milieux. Leurs œuvres, par la disposition de ces éléments langagiers, par les jugements implicites qu'ils supposent (sans parler des jugements explicites que sont les nombreuses remarques sur la parole de l'autre) constituent un corpus de réactions révélatrices pour l'historien de la société. Il en va de même du théâtre.

La grande œuvre en prose du XIXe siècle (et souvent du XXe siècle) se caractérise entre autres choses comme un lieu fictif où se confrontent les produits d'énonciations socialement distinctes. Dialogues, discours rapportés, discours indirects libres, éléments lexicaux, syntactiques, phonétiques mis en scène sont évidemment soumis au creuset de l'unité narrative et stylistique. Mais, dans l'intertextualité littéraire, ils révèlent sélectivement une intertextualité plus vaste, celle de la société. L'argot, le « français populaire », les usages sociaux ou géographiques — français patoisants et régionaux — ne sont jamais utilisés systématiquement dans l'œuvre littéraire, sauf peut-être si elle vise elle-même à témoigner de la spécificité d'un usage (certains romans dits régionalistes). Ces usages sont enchâssés dans l'usage dominant, mais leurs éléments sont révélateurs d'une richesse et d'une complexité qui étaient souvent niées à l'époque classique; ils fournissent ainsi à la norme un matériel enrichi. Ainsi l'«argot», cessant d'être un lexique secret, se reflète (imparfaitement, mais de plus en plus richement) dans le discours littéraire : voici Balzac, Hugo, Sue, avant Carco, Céline ou Genet, sans parler de la naissance d'une « littérature argotique » passablement artificielle, qui se sert du « vocabulaire du crime » comme d'un matériel privilégié (Richepin, Bruant...) [voir ARGOT]. Ainsi, les usages régionaux se reflètent capricieusement chez Balzac (Touraine), George Sand (Berry), Flaubert et Maupassant (Normandie), comme plus récemment chez Genevoix, Henri Pourrat ou Giono. Les oppositions sociales du langage sont véhiculées par tout le roman balzacien et, autrement, par les formes plus récentes du genre. Du même coup, l'oralité rentre en scène, tout autrement qu'au Moyen Âge : reflétée, médiatisée, intégrée au projet littéral. Et l'oralité préservée, mais souvent truquée, du théâtre et de la chanson intègre elle aussi la variation.

Celle-ci, au XIXe et au XXe siècle, concerne à l'évidence les entreprises littéraires et leurs résultats hors du domaine normatif polarisé sur Paris : c'est vrai des interférences avec d'autres langues, en France même (le félibrige ne s'inscrit pas seulement dans la littérature provençale, ni même occitane en général, mais aussi dans la littérature « française »); c'est vrai des usages littéraires du français hors de France, au sein desquels la prépondérance absolue de l'usage « français standard » recule (Ramuz, Chesseix sont plus « suisses » que ne l'était Constant) et notamment des usages extra-européens : français d'Amérique du Nord, exalté depuis peu par la littérature québécoise; français du Proche-Orient, d'Afrique du Nord et d'Afrique noire, qui se trouvent dans la situation très différente de langue étrangère apprise par choix ou surtout — historiquement — par force.

Les tendances évolutives de la langue, tendances générales et intégrables au modèle de la norme, mais aussi tendances locales construisant peut-être d'autres normes, se reflètent plus diversement et plus richement dans le discours littéraire. On trouve dans *les Misérables* de nombreuses attestations des évolutions de la syntaxe ou de la phonétique. La « grammaire des fautes », créatrice des normes futures, fait dès lors partie intégrante du discours littéraire.

La période contemporaine accentue toutes les tendances évoquées, et la situation particulière de l'observateur-observé a donné lieu à une illusion d'optique révélatrice et intéressante, celle d'un « néo-français » (Queneau), liée à la modernité des *media* de masses, des vagues d'emprunts, des discours de la bande dessinée, etc., liée surtout à la conscience plus aiguë de la pluralité des usages, dont certains aspects, du phonétique au lexical, se laissent aisément décrire, pour peu que l'on déplace les conventions de la description (ainsi le *Dictionnaire du français non conventionnel* de J. Cellard et A. Rey tente de proposer une convention renouvelée du dictionnaire). Mais le célèbre « doukipudonktan » qui ouvre le *Zazie* de Raymond Queneau ne fait que prolonger, sans rien révolutionner, le *keksékça* des *Misérables*. On retiendra du mythe d'un néo-français la conscience plus aiguë de la variation linguistique et la position avancée de la littérature dans la lutte pour l'expression des différences sociales, pour l'éclatement de la norme unique et contraignante. Sans oublier que cette liberté nouvelle n'est qu'une soumission à l'existence de normes reconnues plurielles.

Mais la littérature n'est pas seulement un produit discursif et textuel élaboré à partir du matériel langagier que propose l'histoire sociale; c'est aussi un modèle de communication. Modèle où un producteur-créateur, usant d'abord de sa voix pour proférer, ensuite de sa main pour tracer, envoie à des consommateurs un objet de langage qui est un message. Les créateurs se sont trouvés, de par la structure sociale du langage, dans des situations bien différentes. Le trouvère, le chanteur ont un public que détermine la capacité d'entendre (ce qui n'exclut que les sourds), de se trouver là, et de comprendre une même langue. L'écrivain voit s'ajouter aux mêmes contraintes la nécessité d'une technique partagée, la lecture-écriture, alors même que s'allège la contrainte spatio-temporelle. Au XVIe, au XVIIe siècle, on n'écrit en français que pour une partie restreinte de la population sachant cette langue. Cette partie, on l'a vu, augmente en même temps qu'augmente le nombre de francophones partiels — car les autres langues et les dialectes s'emploient encore largement. Or, la sélection correspond à un clivage social : les masses, les premiers prolétaires ne sont pas plus concernés par la littérature en français, avant 1815, que ne le sont aujourd'hui les masses rurales africaines, en partie dépossédées de leurs traditions, par les œuvres des écrivains en français, même s'ils sont africains.

La question « pour qui écrire? » et, par là, « comment écrire? » change profondément de sens avec le changement social. Au XIXe siècle, le peuple apprend enfin à lire; des millions de regards se posent sur la page imprimée, qui ne cesse qu'alors d'être pour la majorité un fourmillement vide de sens. L'écrivain se sent vu par tous, par le savoir et par l'ignorance, par le discernement et la grossièreté. Après les profondes questions de Rousseau, qui sait déjà que le style tend un miroir illisible au monde extérieur, et que l'on ne peut écrire que pour soi-même, le lecteur devient un voyeur ambigument sollicité. On passe alors à la construction fictive d'un public épuré, rejeté dans l'avenir, et c'est l'utopie-uchronie de Stendhal, les *happy few*, ainsi désignés dans une autre langue comme pour mieux signaler l'écart social.

La sensibilité du plus haut talent littéraire à l'égard du « message » (au sens technique de ce terme) correspond à une sensibilité langagière accrue par une position personnelle excentrée par rapport à la norme : Rousseau, de Genève (comme il signe dans l'*Encyclopédie*) et le Grenoblois Henri Beyle sont les témoins directs du conflit des usages en français. Et derrière l'impossibilité de trouver à coup sûr dans le lecteur encore caché, monstrueux, pluriel un « semblable », un « frère », il y a la difficulté à garantir les conditions de cette consommation fraternelle, de ce partage intellectuel et langagier. Rousseau, Beyle savent bien qu'ils écrivent surtout pour Paris, ce Paris qu'ils connaissent, mais qui leur reste étranger. Leur utopie, trouvée en l'île du lac de Bienne ou à Milan, imaginée à Parme, est aussi un refuge hors langage, si le langage est ce lieu terriblement réel d'où sont en partie exclus ceux qui auraient dû savoir lire, et où se pressent les imbéciles fiers de leur maîtrise, englués dans la norme.

Le repli vers le reflet narcissique ou vers les micromilieux imaginaires est d'ailleurs une réaction fréquente de l'écrivain de tous les temps, face aux regards trop nombreux d'un public hétérogène. Mais le nombre, l'hétérogénéité s'accroissent follement, et avec eux le double mouvement qui tourmente le littérateur, fait de recul et d'une volonté de séduire le plus grand nombre.

Enfin il arrive que les textes littéraires, en reflétant la variété des usages sociaux de la langue, nous rendent une image de la pression sociale, des jugements et des prescriptions, du réglage de la relation de pouvoir qui commande la prise de parole ou le droit d'écoute. Le théâtre et le roman ont toujours constitué des observatoires privilégiés pour l'étude des discours-symptômes sociaux. La caractérisation sociale ou psychique des personnages passe par des « changements de vitesse » discursifs, que l'on repère par des faits phonétiques, graphiques, syntactiques, lexicaux spécifiés. Les paysans et les bourgeois de Molière, les ruraux et les aristos de Proust sont souvent plus marqués par leurs adjectifs et leurs locutions que par leurs vêtements (montrés au théâtre, décrits par le roman).

Quant aux pressions sociales et à leurs effets, le discours littéraire s'en préoccupe parfois, jusqu'à en faire un ressort narratif. Lorsque Monsieur Perrichon, chez Labiche, écrit dans le livre d'or de l'hôtel de « Chamounix » sa fameuse phrase sur la « mère » de glace, il va s'attirer une cinglante réplique de la part d'un officier amoureux du bon usage. Le même Labiche, dans *la Grammaire,* construit une pièce entière sur l'incapacité, non pas d'ailleurs grammaticale, mais orthographique, d'un notable de province à écrire ses discours. Témoignage historique pertinent, peu de temps après l'instauration d'une orthographe officielle (1832), et perspicacité sociologique, au moment où l'enseignement répandu rend l'ignorance sur ce plan impardonnable : c'est la jeune fille du cacographe, lequel est démuni par ses origines du capital scolaire requis, qui va sauver la situation. Le passage de la notion technique d'« orthographe » à celle de « grammaire » peut marquer une tendance générale à identifier la règle à l'institution scolaire.

Théories et attitudes

A chaque stade de l'histoire littéraire en français, et comme induite par le projet même de littérature, une réflexion plus ou moins spontanée, plus ou moins théorique, exprime les attitudes quant à cette langue et à ses usages. Ceci, bien distinct de la réflexion proprement littéraire, stylistique, que nous transmettent les arts poétiques ou, plus tardivement, les discours de la critique et de l'histoire littéraire.

Au Moyen Âge, la pratique l'emporte. Les problèmes de norme interne, alors que la langue qui va devenir le français est entourée d'usages concurrents, sont forcément secondaires. Cette spontanéité dans la formation du discours littéraire, très remarquée par les auteurs du XVIe siècle — notamment par du Bellay — ne doit pas nous égarer : la grammaire s'organise avant les grammaires, la poétique se subtilise alors que les arts poétiques sont encore en latin, et la norme langagière de Chrétien de Troyes, de Charles d'Orléans, puis de Villon, est aussi bien construite que le seront celles de Malherbe et de Boileau. Reste que cette construction est, pour la plus grande part, implicite.

C'est avec la Renaissance qu'on commence à s'interroger ouvertement sur les caractères de cette langue parlée spontanément par la majorité des habitants de la moitié nord de la France, et qui s'écrit depuis plusieurs siècles avec succès, tant sur le plan des valeurs sociales que des valeurs éthiques et esthétiques. Lorsque du Bellay célèbre la « défense » et l'« illustration » de cette langue vulgaire (1549), lorsque Pasquier en explore le passé dans les *Recherches de la France,* lorsque Henri Estienne a le sentiment critique d'« un nouveau langage françois... italianisé » (1578), ils savent bien que le triomphe de cette langue n'est plus en question, surtout en littérature. Le problème est surtout pour eux d'affirmer la valeur, la « précellence » du français sur le latin (Estienne) ou sa qualité face aux langues anciennes. En sous-main, parfois explicitement (Pasquier, par exemple), il s'agit de définir une norme essentiellement parisienne, face à la prolifération des usages géographiques. L'apparition de dictionnaires bilingues importants (Henri Estienne, 1539), où le français devient de plus en plus dominant, jusqu'au *Trésor* de Nicot, correspond à un inventaire de cette norme, tandis que les grammairiens, souvent empêtrés dans leurs habitudes d'analyse du latin, essaient de le justifier par divers raisonnements analogiques (cf. J.-C. Chevalier, *Histoire de la syntaxe, Naissance de la notion de complément,* 1968).

Le souci constant de garantir une norme unitaire aboutit au XVIIe siècle au succès d'une notion qui unit un jugement social à une acceptation de la réalité : on ne parle pas tant du « bon langage » que de « bon usage ». L'usage est roi. Un système de valeurs qui reflète les tendances de la société (recul des pouvoirs aristocratiques, en proie à des conflits mortels, face à la royauté; montée bourgeoise...) doit s'articuler à la reconnaissance du réel sociolinguistique et de ses tendances évolutives. D'où l'impression, en grande partie justifiée, que Malherbe et plus tard Vaugelas et Bouhours volent au secours de la victoire, attaquant des usages archaïques en voie de disparition, ou encore trop marginaux pour constituer un danger pour leur propre notion de la pureté langagière. Il en va de même de la critique des excès de la préciosité, popularisée par Molière : critique proprement littéraire, visant un type de discours très limité, déjà à demi discrédité, bien plus qu'un usage social partagé.

Or c'est l'usage, pour les théoriciens du XVIIe siècle, qui doit gouverner les jugements sur les discours et constituer un modèle, indépendamment des styles, hiérarchisés du bas au noble, et articulés sur la typologie des genres. Cet « usage » abstrait peut ne pas se conformer à la raison, c'est-à-dire à la régularité, à l'*analogia.* A l'époque dite plus tard classique, en profond accord avec Aristote, c'est le social qui règne. Les *Remarques* de Vaugelas (1647) illustrent cette tendance. Les « escrits des meilleurs autheurs » y permettent par induction de construire le « bon usage ». La pureté de la langue, souvent invoquée, n'y est guère autre chose que le respect des bienséances, le respect de soi-même et de l'autre, le respect d'une qualité des rapports sociaux, l'exigence d'être agréable et exact, la dialectique du plaisir contrôlé et de la vérité acceptable — contraintes par rapport à la vérité et au plaisir non qualifiés — que Boileau proposera comme l'un des piliers de son esthétique. Bouhours, plus linguiste, utilise des éléments de description plus généraux, justifiant par exemple sa conception du bon usage par des remarques morphologiques : après Malherbe et Vaugelas, pourtant, Bouhours rejette la créativité par dérivation incontrôlée, et surtout par la composition, procédé proliférant au XVIe siècle.

Ces exigences, parfois contradictoires, de respect de la logique (les grammairiens-logiciens de Port-Royal alimentent la réflexion des linguistes mondains) et de la bienséance sociale évoluent. La manière de parler de la Cour, vers la fin du XVIIe siècle, n'est plus forcément la meilleure. Entre la noblesse et l'entourage du roi, les écrivains, reflétant des conflits et des oppositions d'usage plus larges, les savants, parfois même des usagers plus modestes, élaborent un modèle implicite du futur « bon français ». Celui-ci est souvent conçu comme quasi parfait et devant donc s'immobiliser; mais les évolutions qu'il ne peut manquer de subir rendent caduques les tentatives de célébration trop figées. Le latin cesse d'être

« La Bibliothèque » peinture de M. Elena Vieira da Silva en 1949.
Musée national d'art moderne, Centre Georges Pompidou, Paris. Ph. © du Musée © by ADAGP, 1984

Lecture publique

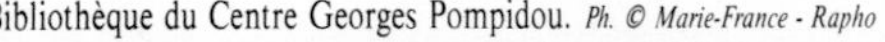

Bibliothèque du Centre Georges Pompidou. *Ph. © Marie-France - Rapho*

Dissocier l'usage et la propriété du livre : tel est le principe de toute institution de lecture publique, depuis l'*armarium*, réservé aux clercs, du monastère médiéval jusqu'aux 400 000 volumes, accessibles à tous, du Centre Pompidou (1977). Entre ces deux extrêmes, quelques étapes importantes : l'ouverture aux savants de la bibliothèque de Mazarin (1647), puis de la Bibliothèque Royale (1720), ultérieurement nationale ; la « nationalisation » en 1789 des bibliothèques religieuses ; l'alphabétisation générale du pays, déclenchée par la loi Guizot (1833), laquelle provoque l'essor de la presse, des cabinets de lecture, des bibliothèques populaires. Après 1945,

« La lecture du journal au jardin des Tuileries », aquarelle de François Huot (XVIIIe s.).
Ph. © Bibl. nat. Paris - Photeb/T

Un cabinet de lecture vers 184
dessin anonyme. *Bibl. nat. Paris -*
M. Didier © Arch. Pho

Salle de lecture du département des Imprimés à la Bibliothèque nationale.
Ph. © Bibl. nat. Paris - 1977 - Photeb

les Bibliothèques centrales de prêt diffusent le livre en milieu rural ; municipalités, universités, entreprises, associations diverses offrent des facilités accrues à des ayants droit définis de façon plus ou moins restrictive, abonnés, chercheurs, simples curieux. Symbole du progrès culturel, le livre est paradoxalement menacé par sa prolifération même. D'où le développement du classement informatique et du microfichage, lequel substitue au fantasme borgésien de la bibliothèque-labyrinthe celui d'un savoir universel prodigieusement rédui aux dimensions d'un seul livre.

une référence obligée de qualité langagière. Les traductions se multiplient et leurs auteurs, tel Perrot d'Ablancourt, soulignent chez les latins des traces d'excès, d'emphase, de mauvais goût, considérant que le génie du français le rend apte à réparer ces faiblesses. Ainsi Bouhours peut préférer ces traductions aux textes originaux, attitude impensable quelques décennies plus tôt.

Cependant, la description des usages rend moins facile l'élaboration d'un modèle unique et stable. Le grand ennemi de Vaugelas et de Bouhours, c'est la description objective, même lorsqu'elle est conforme à leurs vues. L'épanouissement des dictionnaires, Richelet (1680), surtout l'Académie (1694), plus encore Furetière (1690), manifeste une tension entre le goût de la pureté et de la règle et l'existence de besoins sociaux que le langage doit satisfaire. Le changement d'attitude vis-à-vis de la nouveauté, notamment lexicale, est flagrant. Certes, les critiques du néologisme, considéré comme un dévergondage, restent actifs, mais les tenants de la néologie utile sont poussés et soutenus par les évidentes nécessités de la terminologie spécialisée. Ils jouent d'ailleurs un rôle actif dans la normalisation, en codifiant les formes nouvelles, souvent empruntées, qui flottaient dans l'imprécision graphique et formelle. La *Néologie* de Sébastien Mercier (1801) est à la fois un aboutissement et un prélude aux amplifications du XIXe siècle.

L'exploration de la dimension évolutive et temporelle du langage, de la « diachronie », comme on dira après Saussure, va dans le même sens. La réalité de l'histoire des mots, même épurée et quelque peu reconstruite (Ménage, *Origine de la langue française,* 1650) choque souvent les exigences doctrinales du bon usage, du goût et des bienséances.

Pendant tout le cours du XVIIIe siècle, l'œuvre des encyclopédistes, après celle de Bayle, à côté et contre celle des Jésuites (Dictionnaires, *Journal* et *Mémoires de Trévoux*), reflète un nouvel équilibre. La pureté du langage doit céder devant les exigences de la pensée à exprimer (la terminologie) et devant les données objectives (histoire des langues, apparition de l'esprit philologique chez Leibniz, d'une théorie étymologique dans l'*Encyclopédie*). En outre, le discours littéraire intègre la lutte des idées et les chocs sociaux de discours, comme c'était le cas au XVIe siècle et pendant la période baroque et préclassique.

La théorie linguistique interfère peu avec les attitudes sociales immédiates. Plus active est l'apparition d'une doctrine de la nomination réglée, d'une reconnaissance des besoins terminologiques de la science et des techniques. L'idée que toute science est d'abord une « langue bien faite » ne donne pas à « langue », ni d'ailleurs à « bien fait », le même sens qu'autrefois. Pour Lavoisier et Guyton de Morveau, par exemple, la « langue », d'après les idées de Locke, de Diderot, de Condillac, est une structure de dénomination, la face formelle (morphologique, lexicale) d'un système de noms. Car ce système est fait de noms, pas de mots, et tout nom doit être soumis à ce qu'il nomme : faits classés par la connaissance, idées...

La dialectique de l'expression et du contenu penche alors vers la sémantique, vers le signifié, et compromet l'assurance de plus en plus vaine des tenants du bel usage, de l'élégance. Elle compromet aussi une extraordinaire illusion, celle de la valeur ineffable du français parmi toutes les langues du monde, valeur prouvée par une domination apparente et, on va bientôt le voir, aussi fragile que toute situation historique, sur les autres idiomes, en Europe et dans le monde. Tout l'esprit de Rivarol ne lui sert qu'à construire un vaste décor, à l'image d'un universel jardin à la française, prêt à se gondoler et à se déchirer sous les rafales de l'histoire. Ce décor cache imparfaitement des coulisses mesquines, bien réelles; il ne saurait défendre le français contre l'expansion d'autres langues.

Devant les accélérations du XIXe siècle, où le lexique, on l'a dit, connaît une prolifération remarquable, la variation et la variété linguistiques sont de plus en plus perçues et reflétées, au-dessous de la norme urbaine, bourgeoise, parisienne. Les attitudes métalinguistiques, pourtant variées, sont unies par une tension défensive. Si le romantisme est une ouverture, une libération artistique et idéologique, il s'accommode pourtant très bien de la normalisation.

Mais celle-ci change de nature. Au lieu de rayonner d'un lieu de pouvoir, et d'être justifiée par des abstractions rationnelles, elle va décidément se fonder en histoire, en la connaissance du passé. Inépuisable, contradictoire, ce passé compromet l'idée même d'une norme unique. De Descartes et de Port-Royal, qui permettaient de fonder la valeur de la langue française sur une généralité logique, sémiotique, on va passer à la leçon philologique, à la découverte des pouvoirs fondateurs des formes, celles, en particulier, de l'ancien français, des dialectes et des patois. Ce mouvement philologique est international comme le romantisme : l'Allemagne joue, là aussi, un rôle primordial.

Après 1830, donc, la langue n'est plus perçue comme un système abstrait et général, d'essence logico-syntactique, ni même comme une idéologie, pour faire allusion au mouvement de pensée illustré par Destutt de Tracy, puissant au début du XIXe siècle, et qui joua un rôle majeur dans l'institution pédagogique française. La langue, pour les savants français de la Restauration, est avant tout un « hypertexte » à déchiffrer, alors même que la linguistique allemande (Franz Bopp) prépare les voies du structuralisme. C'est l'herméneutique, chez Champollion, Burnouf, Chézy, et la critique textuelle, au nom d'un humanisme historien, qui justifient l'étude des langues et du langage.

Du coup, le divorce entre la théorie et l'empirie, entre les historiens et les philosophes du langage, entre les médiévistes ou philologues et les praticiens de la grammaire ou de la lexicographie, devient total. D'un côté, les critères de la description objective, qui apporte un matériel vertigineux; de l'autre, ceux de la norme unitaire; chez les théoriciens, la primauté de l'évolution temporelle (dans un temps abstrait et interne, d'abord, mais qui va peu à peu s'imprégner d'histoire), primauté donc, de la variation; de l'autre, le mythe, triomphant, puis inquiet et dérisoire, de la pureté, de l'élégance, de la quasi-perfection du « bon français », face à tout autre système linguistique, à l'exception de deux langues mortes (par là même aptes à servir de « bons objets » fantasmatiques). A lire les grammairiens et les « vocabulistes » du XIXe siècle, avant 1860-1870, et jusqu'aux plus talentueux, Villemain, Nodier...., on est confondu par la raideur, l'autoritarisme, l'aveuglement, étonné par le masochisme, le respect, la pudeur blessée. Reflets d'une société crispée sur des valeurs mourantes, mais aussi conscience d'une perte de sens et de pouvoir pour la reproduction didactique, pour la stabilité sociale.

Les progrès de la science philologique, de l'étymologie vont d'ailleurs servir à justifier les rigueurs sélectives des hérauts de la norme. Hautain et sévère, le discours académique s'enfonce dans une illusion qui n'en finit pas de se dissiper — celle qu'une institution est capable de fixer, d'épurer —, de retenir les mouvements spontanés de la langue dans l'histoire. Ce discours institutionnel utilise le savoir étymologique fraîchement acquis pour fustiger des concurrents (Landais, Raymond, auteurs de dictionnaires médiocres) et célébrer ses réussites (la préface de Barré au *Complément du Dictionnaire de l'Académie,* en 1842, est à cet égard remarquable).

Mais dans la seconde moitié du siècle, le paysage change. Certes les puristes et les pédagogues rétrogrades ont la vie dure, comme ceux qui refusent le réel, les rapports de force entre langues et cultures, le besoin de nommer, ou encore cette logique évolutive qu'on nommera plus tard (H. Frei) la « grammaire des fautes ». A vrai dire, il semble que l'attitude passéiste et la culture des illusions, au nom de la vérité et de la pureté, soient éternelles.

Cependant, la scientifisation des jugements langagiers, qui promeut l'observation et l'objectivité, alimente paradoxalement l'idéologie, en fournissant une justification au passé. Ceci est évident pendant la Restauration, et reste vrai, plus ambigument, durant le second Empire, époques où les connaissances linguistiques sur le français, venues d'abord d'Allemagne, ainsi que la philologie des textes, se marient avec la tradition logicienne du XVIIe siècle pour donner une doctrine aux grands lexicographes français, Littré, puis Hatzfeld et Darmesteter.

Littré, on le sait, absorbait aussi une réflexion épistémologique majeure, celle d'Auguste Comte. Or, Comte développe, débordant de toutes parts les positions de Littré, une sémiologie générale où le langage, un peu comme chez Rousseau ou chez l'Italien Vico, inspirateur de Michelet, occupe une place sociale centrale.

Une autre théorie apparaît, celle du créateur de la sémantique, Michel Bréal. Elle tente, peu avant 1900, de réconcilier le formalisme linguistique dont l'ancêtre est pour Bréal le grammairien sanskrit Pânini, et la tradition sémiotique grecque. Bréal, malgré ses ambiguïtés théoriques et pédagogiques, redonnait à la linguistique son prestige, à côté d'une philologie florissante, grâce à Renan et à des chercheurs comme Gaston Paris.

Mais ce sont les créateurs littéraires, qui, en soulignant dès le premier romantisme le pouvoir des mots, du signifiant (on pense d'abord à Hugo), en utilisant les formes comme symptômes ou indices sociaux, en travaillant la matière lexicale (le style artiste des Goncourt, par ses nominalisations, fait fonctionner la morphologie), en juxtaposant les registres (Verlaine), en jouant sur l'exotisme graphique (Leconte de Lisle), convergent tous, malgré les oppositions littéraires, vers une même attitude : redonner aux formes du langage leur vertu compromise par une usure séculaire.

Chez Mallarmé, le programme philologique de Renan, prémonitoire (*l'Avenir de la science*, 1848) est profondément intégré en poésie et en théorie. La quête de la lettre et du Livre, la subversion des valeurs quotidiennes de l'échange au nom d'une pureté non plus abstraite et légère, mais sociale et profonde, « tribale » (« donner un sens plus pur aux mots de la tribu ») vont de pair avec le travail déconcertant de la syntaxe, avec la subversion de la logique, du sujet cartésien, etc. La critique contemporaine (notamment Julia Kristeva) a suffisamment insisté sur l'importance de la révolution mallarméenne pour qu'il ne soit pas nécessaire d'y revenir. D'autant que ses effets furent d'abord discrets. Pourtant, le philologisme historique, le purisme tempéré de Littré rejoignent sans le vouloir certaines des positions du poète.

S'il a fallu découvrir tardivement l'apport profond de Comte, de Mallarmé et même d'Anatole France (cf. Derrida, « la Mythologie blanche »), celui de Littré fut immédiatement perçu. Malheureusement, sa recherche patiente de la raison historique de la langue fut masquée par la construction d'un modèle artificiel, panchronique et unitaire de la norme, modèle qui servit de bouclier aux puristes les plus névrotiques, alors que Littré lui-même cherchait surtout à rationaliser la Loi, dans un esprit libéral.

Après les révélations de la philologie et de la linguistique allemande, un autre bouleversement, d'abord tenu secret, avait lieu. Ferdinand de Saussure fut redécouvert deux fois, porté aux nues avec la gloire du structuralisme, ensuite critiqué, assez injustement. Le relai théorique essentiel du linguiste danois Louis Hjelmslev, l'intérêt de Lévi-Strauss, de Lacan, du premier Barthes allaient entraîner l'héritage saussurien dans des voies multiples. D'autant que les derniers travaux du maître de Genève, loin d'enfermer la langue et ses usages dans une machinerie sèche inspirée de la logique, révélait dans le texte littéraire (la poésie latine lui servant de champ d'expérience) une cohérence secrète due aux structures du langage. Cet aperçu vertigineux découvrait « les mots sous les mots » (Starobinski) et les pouvoirs révélateurs-générateurs des structures formelles de la langue — chez Saussure, en ceci profondément anti-mallarméen, au niveau des sons et non pas des lettres.

De nos jours, les relations entre la linguistique (ou plutôt les linguistiques, s'agissant d'une science plurielle, contradictoire, autocritique) et la littérature sont médiatisées par des méthodes elles-mêmes mouvantes : stylistique, poétique, rhétorique renouvelée... Les plus grands créateurs, à commencer par Valéry et Claudel, ont réfléchi à la poésie, sans d'ailleurs se préoccuper des professeurs et de leurs théories. Mais celles-ci doivent se préoccuper d'eux.

Parallèlement, la place du discours littéraire dans la construction d'un modèle de la langue — grammaires non théoriques, dictionnaires — reste très importante, et sans doute trop, du point de vue du linguiste. Le reflet brisé, kaléidoscopique et en même temps artificiellement unifié que donnent du discours littéraire, après Littré (1863-1872), le *Robert* (1951-1954), le *Bon Usage* de Maurice Grevisse (1936) ou le *Trésor de la langue française* (depuis 1971) trahit des jugements mêlés sur la langue, les usages, les discours, la « qualité littéraire », et constitue une information précieuse, encore que difficilement analysable. Une tendance s'en dégage, malgré de multiples résistances : celle qui consiste, dans la perception de la langue française, à ne plus valoriser exclusivement le type de discours qualifié de littéraire, et aussi à ne plus assimiler la norme géographique et sociale à l'usage parisien cultivé. L'ouverture des dictionnaires de langue française les plus récents aux régionalismes français, aux belgicismes, helvétismes, québécismes, africanismes reste timide, mais inaugure une évolution essentielle, comme l'intégration des formes dites populaires ou argotiques [voir ARGOT], ou le recul des interdits et des tabous. La création littéraire n'avait pas attendu la lexicologie moderne pour refléter les faits de langue déviants par rapport au traditionnel « bon usage »; mais la connaissance objective de ces faits, qui constituent le matériel d'une bonne partie du discours littéraire contemporain, tend à s'étendre significativement.

A. REY

LA NOUE François de (1531-1591). Capitaine, mémorialiste et écrivain, La Noue appartenait à une famille aisée de gentilshommes campagnards bretons. Par son mariage en 1564 avec Marguerite de Téligny, il devint seigneur de La Roche-Bernard, près de Châteaudun. Acquis dès 1558 aux idées de la Réforme, il combattit, lors des guerres civiles successives, dans le camp protestant. Sa vaillance et sa droiture l'avaient fait surnommer « le Bayard huguenot ». La Noue, dit aussi « Bras de Fer » parce qu'il portait une prothèse en fer de son bras gauche, fracassé à Fontenay-le-Comte, mit à profit ses nombreuses captivités — après la bataille de Saint-Quentin contre les Espagnols (1557), après les combats de Moncontour et de Jarnac (1569), puis de nouveau entre 1580 et 1585 — pour écrire ses *Remarques sur l'Histoire de Guichardin* (1568) et surtout ses *Discours politiques et militaires, suivis d'observations sur les troubles civils* (1587) — dont le vingt-sixième renferme ses Mémoires sur les événements de 1562 à 1570, rédigés avec un grand souci d'impartialité et de tolérance. Après avoir obtenu son brevet de maréchal lors de la victoire de Senlis remportée sur les Ligueurs, il mourut au siège de Lamballe.

Dans ses *Discours,* La Noue définit un programme politique et social, où l'utopie le dispute à la nostalgie d'un patriarcat de type féodal. Il s'agit de rendre à la noblesse son rôle primitif, qui est d'enseigner par l'exemple la vertu au reste des mortels. Aussi le gentilhomme idéal est-il moins chef de guerre qu'homme de paix. Retiré sur ses terres dans l'intervalle des combats, il exerce alors « plus dévotement les offices de religion, et avecques moins d'empêchement ceux de charité ». Administrant la justice et se proposant pour modèle, il offre à ses sujets une figure exemplaire « pour se rendre meilleurs ». Rêvant d'une société où le terme d'aristocratie retrouverait son sens étymologique de « gouvernement des meilleurs », La Noue souhaiterait que les privilèges soient la récompense et le signe même de la vertu. Dès lors, toute ascension sociale coïnciderait avec une élévation morale. En conséquence de quoi, et pour susciter l'émulation, il convient d'exempter la vertu de trop lourds impôts. Pour réformer la noblesse de son temps — et, partant, la société tout entière —, La Noue recommande à ses pairs de ne pas apparaître prisonniers du métier des armes, et de ne pas s'y tenir « comme en un coffre », afin de s'y conserver « sans rouillure » dans l'intervalle des guerres. Moraliste, La Noue vitupère la mode désastreuse des duels, qui consiste à « s'entre-couper la gorge pour choses frivoles » et à « s'entre-charpenter » des heures durant à la façon de modernes gladiateurs. Il dénonce avec la même force le danger qu'il y a pour la jeunesse à lire les romans d'*Amadis,* « instruments fort propres pour la corruption des mœurs » et guère moins pernicieux que les traités de Machiavel, puisqu'ils vantent des amours illégitimes et dépeignent des combats de fantaisie qui ne présentent rien de commun avec l'exercice réel des armes et ses risques. Afin d'étendre à l'Europe entière cette harmonie sociale et politique dont la noblesse serait l'indispensable ferment, La Noue prêche une nouvelle croisade contre le Turc, dans laquelle catholiques et protestants se retrouveraient frères d'armes dans la lutte contre « l'horrible fléau » (*Discours XXII*).

BIBLIOGRAPHIE

Discours politiques et militaires, éd. F.-E. Sutcliffe, Genève, Droz, 1967.

A consulter. — Henri Hauser, *François de La Noue,* Paris, Hachette, 1892; Arlette Jouanna, « Gentilshommes guerriers et gentilshommes "professeurs de vertu" : l'exemple de François de La Noue », dans *l'Idée de race en France au XVIe et au début du XVIIe siècle,* ouvrage publié avec l'aide du ministère des Universités et de l'université Paul Valéry (Montpellier III), 1981, t. I, p. 378-386.

F. LESTRINGANT

LANOUX Armand (1913-1983). D'origine très modeste, né à Paris dans le XIIe arrondissement, Armand Lanoux fréquente le cours complémentaire de Meaux jusqu'en 1929, date à laquelle il obtient le brevet élémentaire, qui demeurera son seul diplôme. Commence alors pour lui une période riche d'expériences professionnelles, puisque Lanoux pratiquera des métiers aussi divers que ceux d'employé de banque, de décorateur, de représentant, d'artiste peintre, d'instituteur et de journaliste; il entrera seulement dans la carrière des lettres en 1943, ne renonçant toutefois définitivement à la peinture qu'en 1950. Il commence ainsi à composer des romans policiers, souvent proches des récits d'un Mac Orlan ou d'un Simenon. Élargissant son domaine littéraire, il publie en 1948 *la Nef des fous,* qui obtient le prix du roman populiste, et en 1949 *la Classe du matin.* Dès lors, la vie de Lanoux se confond avec ses activités d'homme de lettres, consacrées par divers prix littéraires (grand prix du roman de la Société des gens de lettres 1952 pour *les Lézards dans l'horloge,* prix Interallié 1956 pour *le Commandant Watrin,* prix Goncourt 1963 pour *Quand la mer se retire*). Cependant que romans ou essais se succèdent avec régularité, Armand Lanoux s'occupe d'émissions radiophoniques ou d'adaptations télévisuelles d'œuvres littéraires — *le Lys dans la vallée,* d'après Balzac, *Yvette,* d'après Maupassant (1971). Président du Comité de la télévision française de 1958 à 1959, Lanoux exerce de nombreuses responsabilités : directeur de la revue *A la page* (1964-1970), membre du Conseil supérieur des lettres à partir de 1974, membre du Haut Comité de la langue française à partir de 1977, président du Conseil permanent des écrivains à partir de 1979, c'est surtout comme membre (1969), puis comme secrétaire (1971) de l'académie Goncourt qu'il confirme sa notoriété auprès du grand public; il multiplie également les interventions pour défendre les droits et le statut des auteurs. Il soutiendra notamment la lutte des écrivains soviétiques pour la liberté d'expression.

Le rôle de Lanoux à l'académie Goncourt illustre au mieux l'attachement de l'écrivain à la tradition naturaliste et réaliste; ses essais littéraires, et parmi les plus connus, *Bonjour, Monsieur Zola,* 1954 et *Maupassant le Bel-Ami,* 1967, s'attachent tous à restituer l'univers du XIXe siècle finissant plutôt qu'à développer de longues études de textes : c'est que, pour lui, ce type d'ouvrage paraît être plus un roman tissé sur une très vaste documentation historique et biographique que le développement d'analyses théoriques. « L'auteur, précise-t-il dans le préambule de *Bonjour, monsieur Zola,* a fait parler son héros sans romancer, mais en romancier ». L'homme et l'œuvre se confondent dans une même histoire; ainsi, évoquant la parution de *Nana,* Lanoux précise-t-il : « Oui, Nana est mythique. Mais d'où vient ce mythe? De la haine de Zola pour le second Empire et la bourgeoisie, du refoulement de Zola à l'égard de la femme » : l'écriture ne peut être séparée de la vie réelle de l'auteur.

Plus encore que sa poésie, dont l'apparence de fausse naïveté et l'irrégularité formelle dénotent clairement l'influence de Verlaine et d'Apollinaire (*la Fille de Mai,* 1943; *le Petit Colporteur,* 1953), les romans de Lanoux reflètent la tendance générale des essais : très peu théoricien, l'auteur aime à décrire une société, une région, un milieu, pour livrer, à travers une narration « classique » que viennent enrichir quelques traces de langage parlé, un message simple et humaniste : la célèbre trilogie qu'il a consacrée aux deux guerres mondiales (*Margot l'Enragée : le Commandant Watrin,* 1956; *le Rendez-Vous de Bruges,* 1958; *Quand la mer se retire,* 1963) illustre cette vocation. Dans *le Commandant Watrin* s'exprime, par-delà les oppositions sociales et nationales, le désir de défendre l'homme avant tout : « L'ennemi, pour moi, c'est tout ce qui abaisse l'homme ». En conséquence, Lanoux valorise l'espoir de liberté qu'il croit déceler en l'être humain : ses héros revendiquent cette liberté contre l'oppression sociale, mais aussi contre l'histoire et le temps, qui écrasent l'individu plus sûrement que la disparité ethnique et géographique : pour le Québécois Abel Leclerc, parti à la recherche de ses souvenirs de guerre en Normandie, « ce n'était pas une immense étendue de mer qui séparait Arromanches de Québec, mais une énorme quantité de temps » (*Quand la mer se retire*).

Dans un univers sans Dieu, fait d'oubli, où l'homme ne peut reconnaître une mémoire commune avec « le monde qui continue et qui s'en fout », Lanoux fait confiance à la Vie, qu'il érige en véritable mythe. En elle s'abolissent souffrance et contradictions. Les personnages de Lanoux, s'ils n'ont pu comprendre ou dominer la marche du monde, retrouvent leur confiance dans la contemplation d'une nature prospère où ils trouvent l'illusion de la liberté : « Les usines, les terrains vagues, les murs lépreux disparaissent : le blé éclate dans les champs! Alleluia [...]. Le lin de l'été tisse une coupole où trois nuages flottent comme des montgolfières » *(les Passagers du 113)*. On comprend pourquoi Lanoux n'a cessé de croire à la survie du naturalisme : la réalité ne peut que confirmer l'aventure de l'homme; le présent tangible est là pour bannir un passé fallacieux : les personnages de Lanoux ne sont pas de simples hommes, mais, comme les mineurs de *Germinal,* les fruits de la terre et de la nature; ainsi la Normande Bérangère fait oublier à Abel l'horreur du débarquement de juin 44; elle incarne « la Normandie vraie, beurrée, pas stérile, rétive, pas "morale", la Normandie à la pourriture odorante des cidres » (*Quand la mer se retire*). A l'instar de l'auteur de *la Terre,* Lanoux croit en la force mythique de l'existence : non loin du tombeau de Zola « la vie palpite devant la Seine, au bord du beau fleuve tranquille, pour attester tranquillement que si l'homme porte tant de rêves c'est pour qu'ils soient parfois réalisés » (*Bonjour, monsieur Zola*). Armand Lanoux, qui a publié un autre roman, *Adieu la vie, adieu l'amour* (1977), est aussi l'auteur d'une *Histoire de la Commune de Paris* (*la Polka des canons,* 1971; *le Coq rouge,* 1972) et de nouvelles (*Yododo,* 1957). Son œuvre poétique est rassemblée dans *le Montreur d'ombres* (1982).

Lanoux n'est sans doute pas l'un des auteurs les plus originaux de la tradition naturaliste. Peut-être incarne-t-il surtout, par la teneur de son œuvre, la survie d'une idéologie littéraire ignorant les subtilités théoriques, et qui voit dans la diversité de l'écriture le reflet du cours « naturel » de la vie.

BIBLIOGRAPHIE

Quelques éclairages sur l'œuvre de Lanoux seront fournis par Jacques Alegre : « Armand Lanoux », Paris, revue *Pourquoi?,* février 1964, et par Anne Rives, « Armand Lanoux », postface à *Quand la mer se retire,* Genève, éd. de Crémille, 1973.

J.-P. DAMOUR

LANSON Gustave (1857-1934). Symbole — et presque allégorie — de l'histoire littéraire traditionnelle, Gustave Lanson ne fut jamais « lansonien » — si l'on entend désigner, voire injurier, en leur accolant cet adjectif, les « paléocritiques », positivistes se limitant à l'enregistrement des faits, des dates, des influences prouvées, fermés à l'hédonisme esthétisant, aux joies des herméneutiques psychanalytiques ou aux beautés de l'analyse textuelle. Maître impérieux, critique et historien précis, mais ouvert et éclectique, il a donné un cadre souple à une recherche littéraire qui ne naît pas avec lui, mais qui ne saurait ignorer sa réflexion.

Normalien, professeur de lycée (avec une brève interruption en 1886, où il enseigne en Russie la littérature au futur empereur Nicolas II), il obtient son doctorat en 1888 avec une thèse sur *Nivelle de La Chaussée et la comédie larmoyante.* Disciple et suppléant de Brunetière à la Sorbonne et à l'École normale supérieure, il adopte la perspective de son maître dans ses premiers livres, qui célèbrent la gloire du XVIIe siècle (*Bossuet,* 1890; *Boileau,* 1892). Il achève en 1894 une *Histoire de la littérature française,* qu'il modifiera avec beaucoup d'honnêteté intellectuelle au fil de ses nombreuses rééditions. Se succèdent alors *Corneille* (1898), *Voltaire* (1906), le *Manuel bibliographique de la littérature française moderne de 1500 à nos jours* (1909-1921), les éditions critiques des *Lettres philosophiques* de Voltaire (1909), et des *Méditations* de Lamartine (1915). Après avoir contribué, au début du siècle, à la réforme des études universitaires, il exerce, comme directeur de l'École normale supérieure, de 1902 à 1927, une influence déterminante sur deux générations de maîtres.

Dès la première décennie du siècle éclate la querelle du lansonisme : une campagne de presse accuse le professeur de trahir l'esprit français, de livrer les étudiants à la science germanique, à ses brumes et à ses lourdeurs. Henri Massis, qui signe AGATHON, stigmatise ceux qui oublient « notre génie français, fait d'ordre, de clarté et de goût »; Charles Péguy ajoute à ces critiques dans *l'Argent, suite* qui comprend : *M. Lanson tel qu'on le loue* et *Vies parallèles de M. Lanson et de M. Andler* (avril 1913), une interminable concaténation d'attaques haineuses; la polémique rebondit après la guerre, toujours avec les mêmes thèmes, et dans les années 60, quand la critique d'interprétation prétend revenir au texte nu que les érudits écraseraient sous les faits historiques, l'amas des sources et les minuties biographiques ou philologiques.

Ces remarques hostiles, devenues banales, valent peut-être contre les disciples rigides de l'initiateur; mais Gustave Lanson lui-même réagit contre les abus du scientisme quand il condamne les démesures de ses devanciers, Taine et Brunetière : « Leur parti pris de contrefaire les opérations ou d'employer les formules des sciences physiques et naturelles les condamnait à déformer ou à mutiler l'histoire littéraire. Aucune science ne se construit sur le patron d'une autre : leur progrès tient à leur indépendance réciproque qui leur permet de se soumettre à leur objet. L'histoire littéraire, pour avoir quelque chose de scientifique, doit commencer par s'interdire toute parodie des autres sciences, quelles qu'elles soient ». Cette revendication d'une méthodologie et d'une épistémologie spécifiques est un axe constant de la pensée lansonienne, qui refuse toute satellisation des études littéraires au profit de l'histoire ou de la toute nouvelle sociologie : elle se fonde sur la conviction que la recherche et l'exégèse sont, en fin de compte, des propédeutiques à la jouissance de la lecture : « Nulle mesure extérieure, nulle logique même ne pouvant saisir la beauté, rien ne pouvant ici remplacer la réaction du sentiment esthétique, il y aura toujours dans nos études une part fatale et légitime d'impressionnisme ». Une telle conscience de l'inexplicable, reflet d'un plaisir que n'étouffe pas l'encyclopédisme des connaissances, sème de remarques pénétrantes les travaux les plus sévères et les développements les plus méthodiques; elle donne aux programmes de recherche et aux cadres conceptuels que définit Lanson une perspective d'où ils s'éclairent, s'animent et, encore aujourd'hui, peuvent guider avec profit notre amour des livres.

BIBLIOGRAPHIE

Éditions. — *L'Art de la prose,* Paris, Nizet, 1968; *Esquisse d'une histoire de la tragédie française,* Paris, Champion, 1954; *Essais de méthode, de critique et d'histoire littéraire,* rassemblés et présentés par Henri Peyre, Paris, Hachette, 1965 (textes essentiels précédés d'une dense introduction sur l'œuvre de Lanson); *Histoire de la littérature française* (édition complétée), Paris, Hachette, 1967, 42e éd.; *le Marquis de Vauvenargues,* Paris, 1930, réimp., Genève, Slatkine, 1970; *Méthode de l'histoire littéraire,* Genève, Slatkine, 1979; *Nivelle de La Chaussée et la comédie larmoyante,* Paris, 1903, 2e éd., réimp. Genève, Slatkine, 1970; *Origines et premières manifestations de l'esprit philosophique dans la littérature française de 1675 à 1748,* réimp. en fac-similé, New York, Lenox, 1980.

Critique. — Gérard Delfau et Anne Roche, *Histoire, Littérature,* Paris, Le Seuil, 1977, pp. 126-174; Antoine Compagnon, *la Troisième République des Lettres,* Paris, Le Seuil, 1983.

D. MADELÉNAT

LANZA DEL VASTO, pseudonyme de **Joseph Jean Lanza di Trabia-Branciforte** (1901-1981). Il naquit à San Vito dei Normanni (Sicile) dans une famille d'ancienne noblesse sicilienne. Très jeune, il est touché par une inquiétude métaphysique que viendront tempérer de vastes lectures, la prière et des débuts poétiques prometteurs (*Conquête du vent*). Après la guerre de 1914, il voyage en Europe et se lance dans la vie mondaine : Florence, Paris.... Cependant un autoportrait recueilli dans *le Chiffre des choses* (1942) le dépeint « aimant chevaux, fêtes, parfums et bijoux », mais « aimant plus [...] l'eau, le pain dur et le lit le plus rude ». Une révolution intérieure le jette bientôt dans un mysticisme qui s'exprime dans *Judas* (1938), somme philosophique en vers, hantée par le problème du mal. La lecture des études de Romain Rolland sur Gandhi et Ramakhrishna l'atteint profondément : il prend la route de l'Inde, répondant à « l'appel d'un grand amour auquel on se rend comme en volant ». Revêtant la tunique des disciples du Mahātmā, avec lequel il s'entretient, le poète remonte jusqu'aux sources du Gange, approfondissant la doctrine de la non-violence, pratiquant le yoga, s'enfermant enfin dans un *ashram*, communauté aux règles austères. Durant son retour, il accomplit un pèlerinage aux Lieux saints.

La fameuse relation de son voyage en Inde, *le Pèlerinage aux sources* (1943), est suivie des *Principes et préceptes du retour à l'évidence* (1945), aux accents augustiniens. Désormais, Lanza del Vasto se fait l'apôtre d'un retour à la nature, combattant l'orientation technologique du siècle qui lui inspire, à l'instar de Vigny, un recul aristocratique. Il lutte par l'écriture — *Commentaires de l'Évangile* (1951), *Approches de la vie intérieure* (1962), *Noé* (1965) — et par la parole, mais aussi par l'action, fondant des « tribus rurales » capables de vivre en autarcie : la communauté de l'Arche (Hérault), la plus célèbre, connaîtra un certain rayonnement, profitant de l'intérêt qu'éveillent les voies menant spirituellement vers l'Inde. Son message atteint la première vague des écologistes. Ses dernières apparitions publiques, alors qu'il vit dans la solitude, seront pour soutenir les marcheurs du Larzac, à la fin des années 1970.

BIBLIOGRAPHIE

Le Pèlerinage aux sources se trouve dans « Folio », Paris, Gallimard.

A consulter. — *Qui est Lanza del Vasto?*, Paris, Denoël, 1955 (textes de J. Madaule, L. Dietrich, etc.); J.-M. Varenne, *Lanza del Vasto, le précurseur*, Paris, Retz, 1976.

M.-A. DE BEAUMARCHAIS

LANZMANN Jacques (né en 1927). Écrivain, parolier, journaliste, scénariste, Jacques Lanzmann a abandonné assez vite une première activité d'artiste peintre pour vagabonder à travers le monde. Marcheur infatigable, il mène une vie d'aventures et fait l'expérience « de la misère et du merveilleux ».

Outre une production régulière de romans à partir de 1954, sa carrière littéraire est marquée par son activité de critique dramatique aux *Lettres françaises*, la création avec Daniel Filipacchi du magazine *Lui* et avec J.-C. Lattès d'*Éditions spéciales*, la création et la direction littéraire de la société « Jacques Lanzmann et Seghers éditeurs ». Il a écrit pour le cinéma (scénarios pour Philippe Labro) et composé de nombreuses chansons pour Jacques Dutronc.

L'œuvre de Lanzmann se place sous le signe de l'aventure : largement autobiographique, elle rapporte les pérégrinations de Jacques; on suit son enfance et son adolescence dans *le Têtard* (1976), son passage dans la Résistance dans *Qui vive* (1965), ses voyages dans *La glace est rompue* (1954), *le Rat d'Amérique* (1956) qui porte notamment témoignage de la condition des exploités, ou dans *Cuir de Russie* (1957). Certains de ses livres élaborent des fictions plus proprement romanesques : *Mémoire d'un amnésique* (1971), *Tous les chemins mènent à soi* (1979), *la Baleine blanche* (1982). *La Rue des mamours* (1981) est une tentative pour voir le monde par les yeux d'un petit garçon. Lanzmann affectionne les situations à la fois burlesques et tragiques. Jacques, le héros picaresque de plusieurs de ses romans, a différentes obsessions : il est juif, rouquin, tenaillé par le désir sexuel. Il fait son apprentissage de la vie en traversant un monde qu'il ne comprend jamais tout à fait; le regard qu'il porte sur les choses est un mélange de rouerie, de tendresse et d'humour, et, comme Lanzmann lui-même, il « s'en tire avec une pirouette », parce que « c'est dans [son] tempérament ». Sa truculence vient en grande partie d'une liberté à l'égard de la langue populaire et du goût pour le jeu avec les mots.

M.-P. SCHMITT

LA PERRIÈRE Guillaume (1499-vers 1565). Précieux témoin de la vogue et de la diversification des recueils d'emblèmes, Guillaume de La Perrière a su donner à ce genre, très fréquenté à son époque, une allure à la fois originale et — grâce à la qualité des encadrements et des gravures — séduisante [voir EMBLÈME].

Prêtre, prieur du collège Saint-Mathurin, ce Toulousain fidèle à son terroir est en outre chargé par les capitouls de rédiger les annales de la ville pour laquelle, sans doute en quête d'un maigre salaire complémentaire, il multiplie, à l'occasion, devises pour célébrer les « entrées » et inscriptions pour les chapiteaux de portails d'hôtels nobles.

Du *Théâtre des bons engins* (1539) à *la Morosophie* (1553) en passant par les *Cent Considérations d'amours* (1543) et *les Considérations des quatre mondes* (1552), La Perrière, servi par des artistes comme Reverdy, le maître P.V. ou Guiraud Agret, s'efforce d'épuiser les ressources de l'*emblema triplex* dont parle Alciat. La concision le fascine : « A... bresveté m'a induit Valere disant, que clorre grand sens en peu de parolles n'est pas petit artifice ». Il propose même, en tête de *la Morosophie*, de policer la poétique des vers de la souscription en utilisant le seul quatrain. Il n'est pas jusqu'à la composition de ce recueil, où La Perrière s'efforce de suggérer un itinéraire, qui ne l'ait retenu. Signalons encore l'intérêt particulier que présente son *Miroir de la vie politique*, imprégné d'érasmisme et ordonné selon la doctrine de l'analogie sous sa forme la plus rigoureuse.

BIBLIOGRAPHIE

Il existe une reproduction en fac-similé du *Théâtre des bons engins* (avec une introduction de la spécialiste de La Perrière G. Dexter, Gainesville [Florida], Scholar's Facsimiles and Reprints, 1964). Voir la description des œuvres de La Perrière dans Brun, *le Livre français illustré de la Renaissance*, Paris, Picard, 1969, p. 231-233.

M. SIMONIN

LA PÉRUSE Jean Bastier de (1529-1554). Originaire de l'Angoumois, La Péruse fait ses humanités à Paris sous la férule de Marc-Antoine de Muret. En 1553, il a peut-être tenu l'un des principaux rôles lors de la représentation au collège de Boncour de la *Cléopâtre captive* d'Étienne Jodelle. A ce renouveau de la tragédie antique qu'encouragent les leçons de Muret et de Buchanan, il apporte sa propre pierre en composant dès le début de 1553 une *Médée* imitée de Sénèque et plus secondairement d'Euripide. Célébré dès la représentation de sa pièce comme l'« Euripide des François », La Péruse, que Ronsard avait déjà admis dans les rangs de sa Brigade, retourne alors à Poitiers pour achever son droit, chanter ses amours et celles — moins heureuses — de son camarade Guillaume Bouchet. La peste le chasse de Poitiers, non sans l'avoir contaminé, et il meurt âgé de vingt-cinq ans, au terme d'une fulgurante carrière littéraire de deux années à peine. Ses œuvres poétiques, dont sa *Médée* retouchée par Scévole de Sainte-Marthe, furent publiées à titre posthume par ses amis en 1556. La tragédie en cinq actes de *Médée* se tient entre la traduction pure et simple du modèle latin et l'œuvre originale. Tout en manifestant une prédilection pour les vers sentencieux et les répliques bien frappées, La Péruse adapte en rythmes variés les longues parties chorales qui concluent chacun des actes. Il édulcore le caractère monstrueux de l'héroïne, censure les leçons de sorcellerie de l'original et, surtout, réagence l'ordre des scènes. Ses œuvres lyriques, où il se montre un disciple attentif de Ronsard et de Du Bellay, rassemblent les formes les plus variées, odes, chansons, sonnets, épigrammes. Dans son « Antre », ode élégiaque qu'il composa sur son lit de mort, le souvenir de la *Complainte du désespéré* cède le pas à des rêveries morbides : voûtes peuplées de couleuvres et d'aspics, « estang » de sang bouillant où le poète, comme hanté une ultime fois par les sortilèges de Médée, rêve de se noyer...

BIBLIOGRAPHIE
N. Banachevitch, *J. Bastier de La Péruse (1529-1554). Étude biographique et littéraire,* Paris, 1923; Marcel Raymond, *l'Influence de Ronsard sur la poésie française (1550-1585),* Paris, Champion, 1927, t. I, p. 270-272, 279-284; Marie Delcourt, *Étude sur les traductions des tragiques grecs et latins en France depuis la Renaissance,* Bruxelles, 1925.

F. LESTRINGANT

LA PLACE Pierre-Antoine de (1707-1793). Né à Calais, La Place fit ses études au collège des Jésuites anglais de Saint-Omer, qui lui donnèrent l'ambition, sinon la capacité de traduire Shakespeare, fleuron de son *Théâtre anglais* en huit volumes (1745-1749). Précédé d'un discours préliminaire qui insiste sur l'historicité et la relativité culturelle du goût, mettant en cause l'universalité des règles classiques, l'ouvrage étonne cependant par sa platitude; condition peut-être de son immense succès. La Place élimine systématiquement trivialités, érotisme (*a gipsy's lust* devient « les feux d'une maîtresse »), voire pittoresque; obsédé par le modèle tragique français, il croit servir son grand homme en glosant certains passages remplacés par des résumés analytiques, alors que d'autres sont rendus par des tirades en alexandrins. Cette traduction inspira les adaptations de Ducis, et fit autorité jusqu'à celle de Letourneur (1776-1783); elle fut suivie d'un *Tom Jones* d'après Fielding, également épuré (1750). Auteur de médiocres tragédies, dont *Adèle de Ponthieu* (1757), pastiche de *Zaïre,* de romans, *les Mémoires de Cécile* (1751), *les Désordres de l'amour* (1768), de poèmes, d'épitaphes humoristiques, La Place joua son petit rôle dans la vie littéraire du temps comme ami de Voltaire, membre de diverses sociétés badines (les « Dominicains ») ou libre-penseuses, et surtout comme directeur du *Mercure* (1760-1768). Sa conception anecdotique du journalisme se retrouve dans ses *Pièces intéressantes et peu connues pour servir à l'histoire et à la littérature* (1781-1790).

La Place doit à Shakespeare un reste de notoriété. Plus attentif dans ses traductions à restituer l'intrigue que l'écriture originale, il démontra du moins que ce génie « gothique » était un bon dramaturge : première étape de sa lente et difficile conquête du public français [voir SHAKESPEARE].

BIBLIOGRAPHIE
Aucune réédition récente.
A consulter. — J.-J. Jusserand, *Shakespeare en France sous l'Ancien Régime,* Paris, 1898; L. Cobb, *Pierre-Antoine de La Place, sa vie et son œuvre,* Paris, De Boccard, 1928.

J.-P. DE BEAUMARCHAIS

LAPOINTE Paul-Marie (né en 1929). L'œuvre de Paul-Marie Lapointe est sans doute la plus audacieuse, la plus radicale de la poésie québécoise. Elle se dresse en un perpétuel défi, comme une exigence sans cesse renouvelée. Rien d'étonnant qu'à son propos on évoque Rimbaud, moins pour expliquer un certain silence après la publication, à dix-neuf ans, du *Vierge incendié* (1948) que pour marquer le caractère absolu de son entreprise.

S'opposant à un ordre où tout lui paraît asservi, Lapointe propose de « récupérer l'âme de l'homme, l'âme du réel », en précisant que « âme est très terre à terre : joie, colère, orgueil, bonheur, fureur, justice, beauté ». S'installant explicitement dans l'utopie d'une « création du monde », sa poésie ambitionne moins de changer le monde que de « rivaliser » avec lui en faisant tenir toutes choses dans une fête : à la fois potlatch et célébration, rupture et insertion du temps dans l'instantané multiple. Cette fête s'accomplit dans le langage, tout ensemble excessif et réglé, de ce qu'on pourrait nommer un lyrisme objectif : c'est le déploiement du multiple, le sens animé, suscité en un langage heureux, sans secret, livré à soi, le monde possédé-désiré par le poème en son détachement apparent.

Chez Paul-Marie Lapointe, l'écriture trouve à s'accomplir d'abord dans l'autonomie des énoncés, dans l'instantanéité des images et des mots plutôt que dans le poème comme discours. Malgré une continuité certaine, celle d'une écriture de l'évidence — présent intemporel, effacement des instances d'élocution, prépondérance et autonomie des substantifs, clarté aphoristique des énoncés —, l'œuvre, jusqu'aujourd'hui, s'établit en trois phases.

De la première, Paul-Marie Lapointe dira : « Il m'est arrivé en 1948-1949 un peu ce qui est arrivé à Rimbaud »; c'est la transparence absolue des *Illuminations,* suivie d'une absence à l'écriture. Des cent poèmes du *Vierge incendié* surgit un monde contre le monde. Les corps sont morcelés, l'ordre établi, le passé, l'avenir prévu éclatent en une dissonance multiple qui, à son tour, s'impose comme vision. En un chant anarchique, sauvage, le « je » se livre tout entier à l'espace substantif d'énoncés parfaitement clairs mais hors de la correspondance au « réel ». Cacophonie objective et accord des mots, la vision naît d'une écoute de l'énonciation se modulant en ses différences : le « je » s'y définit hors de soi, pour se reconnaître dans le devenir du langage à quoi il donne syntaxe de son corps.

Daté par son titre, *Nuit du 15 au 26 novembre 1948* ne paraît pourtant qu'en 1971, lors de la publication des quatre premiers recueils sous le titre *le Réel absolu, poèmes 1948-1965* (dans la collection « Rétrospectives » aux Éditions de l'Hexagone). A la façon d'un retour sur l'expérience du *Vierge incendié,* dont ils reprennent le langage et certaines des représentations, ces quelque trente poèmes expriment une prise de conscience des limites du langage et de l'être : ils éprouvent la persistance du monde en son propre état malgré l'exercice de la poésie. Le « je », ici, se tient en un savoir exaspéré qui tente de rompre avec ce qui tout ensemble le fonde et le nie.

« Arbres », vaste poème incantatoire publié dans la revue *Liberté* en 1959, puis avec *Choix de poèmes* en 1960, s'impose d'emblée comme le modèle de la deuxième phase de l'œuvre. A partir de l'énoncé performatif « j'écris arbre » et gravitant dans l'espace multiple du thème se déploient les formes nominatives suscitées par la variété des espèces et des associations figuratives : « arbre d'orbe en cône et de sève en lumière / racines de la pluie et du beau temps terre animée / pins blancs pins argentés pins rouges et gris... ».

Transposant en poésie le mode de composition du jazz, cette forme sera aussi celle de *Pour les âmes* (1965) : « Nul amour n'a la terre qu'il embrasse », déclare le premier vers de ce recueil. La poésie y supplée : le plaisir spontané des rapprochements et des différences suscite en leur dissémination un espace chaleureux où se ranime la ferveur élémentaire de vivre, d'aimer, de mourir. *Tableaux de l'amoureuse* (1974) amplifie la syntaxe en y insérant les détails précis et nombreux de représentations agencées selon un point de vue privilégié, mais resserre l'articulation des poèmes, fragments d'un espace intemporel où ressuscite la « tendresse de la création ».

Après le *Tombeau de René Crevel,* hommage au surréaliste français le plus marginal, c'est un grand recueil, *Écritures* (1980), qui étonne d'abord par son ampleur : ses deux tomes se composent de neuf sections désignées par une lettre pour former l'anagramme du titre, les huit premières comprenant cent textes chacune alors que la dernière en réunit trente-six, suivis de cinquante-deux calligrammes non figuratifs intitulés « Dactylologie ». De même que, selon Michel Foucault, le rire suscité par la taxinomie désordonnée de Borges secoue « toutes les familiarités de la pensée » et fait surgir « le foisonnement des êtres », de même l'humour saccageur d'*Écritures* ébranle l'univers du discours et de l'entendement. Les mots et leurs définitions, les figures, les formes figées, tout se profère sur le ton de la sentence, tout s'aligne comme pour le dire mais rien ne se dit, l'écriture ne déploie que ses ruptures; les mots disposent de leur matière et de leur sens, ils s'inscrivent souverains dans le côtoiement d'autres mots. Le langage, en cette troisième phase de l'œuvre, se refuse à la vision, au lyrisme, à l'écoute de son énonciation, pour opposer à toutes les formes du discours culturel la seule profusion de ses énoncés.

A l'autre pôle de la littérature québécoise, chez Nelligan, le caractère absolu de l'aventure se mesurait à son échec, dans l'angoisse du terme entrevu et de l'inaptitude du langage; chez Paul-Marie Lapointe, il apparaît dans l'évidence heureuse d'une poésie s'appropriant la totalité des choses et du langage. C'est en chacune des phases de son œuvre, vierge et incendié, le « réel absolu » : du moi, du monde, du langage.

BIBLIOGRAPHIE
« Paul-Marie Lapointe », *Études françaises,* n° 16, avril 1980; Jean-Louis Major, *Paul-Marie Lapointe : la nuit incendiée,* Montréal, P.U.M., « Lignes québécoises », 1978; Pierre Nepveu, *les Mots à l'écoute. Poésie et silence chez Fernand Ouellette, Gaston Miron et Paul-Marie Lapointe,* Québec, P.U.L., « Vie des lettres québécoises », n° 17, 1979.

J.-L. MAJOR

LA POPELINIÈRE Henri Lancelot du Voisin de (1540-1608). Gentilhomme de Guyenne tôt passé à la Réforme, il prit une part active aux guerres civiles jusqu'en 1576. Mettant à profit la trêve instituée par l'édit de Beaulieu, il se retira de la mêlée pour se consacrer désormais à son œuvre littéraire. La publication en 1581 de son *Histoire de France depuis 1550,* où il se montrait un témoin impartial des guerres de Religion, manqua provoquer sa rupture avec le camp de la Réforme et lui valut plus tard de sévères réprimandes de la part de D'Aubigné. Dans *l'Histoire des histoires* (1599), il esquissait une véritable archéologie des sciences historiques en distinguant, à partir des origines de l'humanité, quatre étapes, depuis l'histoire « monumentale » chantée et dansée des tribus primitives du Brésil jusqu'à l'histoire écrite des modernes compilations, en passant par l'histoire hiéroglyphique des Aztèques et la poésie épique des anciens Grecs. Cet essai épistémologique, étonnamment novateur dans ses préoccupations, et qui importe sans doute plus que le catalogue de jugements que l'auteur émet ensuite sur les chroniqueurs anciens et modernes, avait abouti, dans *les Trois Mondes* (1582), à une sorte d'histoire prospective. Constatant que l'entreprise coloniale est le meilleur remède aux troubles civils, puisqu'« elle purge par sueurs, evacuation de sang corrompu ou autrement » le corps malade de la nation, La Popelinière enjoignait à ses compatriotes de coloniser l'hypothétique continent austral ou « magellanique », ce troisième monde non moins fabuleusement riche que l'Ancien et le Nouveau.

BIBLIOGRAPHIE
De Ruble, éd. de *l'Histoire universelle* d'Agrippa d'Aubigné, 1886, t. I, p. 371-376; Geoffroy Atkinson, *les Nouveaux Horizons de la Renaissance française,* Paris, Droz, 1935, p. 425-426 et *passim*; Numa Broc, *la Géographie de la Renaissance (1420-1620),* Paris, Bibliothèque nationale, 1980, p. 170-172.

F. LESTRINGANT

LA PORTE Maurice de (1530-1571). Maurice de La Porte a laissé un livre unique et captivant, *les Épithètes* (1571, posthume), à la fois florilège des bonheurs de plume de son temps et manuel « fort propre [...] pour illustrer toute [...] composition françoise », à quoi s'ajoutent, notable ambition lexicale, de « briefves annotations sur les noms et dictions difficiles ».

Né à Paris dans une dynastie de libraires, il vend en 1553 le fonds familial à Gabriel Buon. Maître ès arts, il vécut dans le milieu intellectuel.

Rangées par ordre alphabétique, *les Épithètes* veulent être un recueil pratique qui servira aussi bien à lire (« à l'intelligence des poètes ») qu'à écrire. A ce dernier titre, il n'est pas dédaigné même des célébrités (nous possédons l'exemplaire de Chassignet). La Porte propose moins un dictionnaire des idées reçues qu'un réservoir de stéréotypes saisis chez les meilleurs auteurs (en particulier Ronsard). Par là, il adapte en langue vulgaire un genre, le recueil de « lieux communs », d'*elegantiae,* qui prospérait depuis longtemps en latin pour répondre aux exigences pédagogiques. Sous une forme plus élaborée, Pontus de Tyard rédigera un peu plus tard ses *Modèles de phrase.* Il n'est pas indifférent qu'au moment où les théoriciens insistent sur l'inspiration supérieure des poètes, on se préoccupe, dans les échoppes de libraires, de fournir aux candidats versificateurs des méthodes démystificatrices qui réconcilient lecture et écriture.

BIBLIOGRAPHIE
Slatkine Reprints (Genève, 1973) a donné une reproduction photographique de l'édition originale de 1571. Sur le genre de l'ouvrage, on verra les pages passionnantes de Paul Porteau dans *Montaigne et la vie pédagogique de son temps,* Paris, Droz, 1935, p. 178-189.

M. SIMONIN

LAPRADE Pierre Marin Victor Richard de (1812-1883). D'une famille légitimiste du Forez, Victor de Laprade se fait connaître par *Psyché* (1841), poème spiritualiste inspiré de l'Antiquité, et par ses *Odes et poèmes* (1843), qui mêlent à l'hellénisme (« Éleusis », « Sunium »...) un vif sentiment de la nature (« Poème de l'arbre », « la Mort d'un chêne »). Ce sentiment s'exprime également dans les *Symphonies* (1855). Si les *Poèmes évangéliques* (1852) retrouvent la source de l'Évangile, le ton poétique de Laprade se modifie dans les années qui suivent le coup d'État : les diatribes de cet ancien disciple de Lamennais et Pierre Leroux contre l'Empire lui valent la suppression de sa chaire de littérature française à Lyon (1847-1861) et lui fournissent la matière de recueils satiriques : *les Voix du silence* (1865) et, plus tardivement, *les Poèmes civiques* (1873). Des pièces patriotiques, une épopée rustique (*Pernette,* 1869), un poème intimiste (*le Livre d'un père,* 1876) s'ajoutent à l'œuvre fort variée de cet académicien, auteur également d'ouvrages universitaires : *Ballanche, sa vie et ses écrits* (1848), *le Sentiment de la nature dans la poésie d'Homère* (1848), *le*

Sentiment de la nature chez les modernes (1868), de *Questions d'art et de morale* (1861) et d'*Essais de critique idéaliste* (1882).

Fort diverse, la poésie de Laprade reste marquée par son idéalisme et l'expression d'un lyrisme qui joint à l'effusion personnelle le goût de la beauté formelle. Avant Ménard, il renouvelle l'intérêt pour l'hellénisme, unissant au mythe de Psyché une philosophie chrétienne et néoplatonicienne : si le poète abuse des épithètes conventionnelles et de l'alliance entre l'abstrait et le concret, il suggère dans ses alexandrins une image du monde antique (« Les guerriers chevelus, vêtus de grandes peaux », les « coupes d'onyx » ou « l'argent ciselé, le bronze où l'encens fume ») qui devait fasciner l'auteur des *Poèmes barbares*.

BIBLIOGRAPHIE

Aucune œuvre de Laprade n'est actuellement disponible. Il existe une édition critique de *Psyché*, établie par Henri Le Maître, Paris, Droz, 1940. Sur la vie et l'œuvre de Laprade, on peut consulter la thèse de Pierre Séchaud, *Victor de Laprade, l'homme, son œuvre poétique*, Paris, Picard, 1934.

A. PIERROT

LA PRIMAUDAYE Pierre de (1546-1619). Document complet sur la vogue de la « philosophie morale » dans la seconde moitié du XVIe siècle, l'*Académie françoise* de Pierre de La Primaudaye est de ces ouvrages, nombreux, dont la comparaison avec les *Essais* permet de mieux faire ressortir l'originalité de Montaigne.

Né dans une grande famille protestante d'Anjou, La Primaudaye, au service d'Henri III puis d'Henri IV, demeura toute sa vie fidèle à sa foi. Il avait été membre de l'Église réformée de Saumur, où fut imprimée l'édition définitive de son œuvre principale en 1613.

Fruit de sa récolte « ès odorants vergers de la philosophie morale des anciens sages », l'*Académie françoise* se veut érudite école de vertu. Encouragé par le succès rencontré, La Primaudaye donnera, après deux tomes complémentaires (1580 et 1581), un pieux accomplissement à son entreprise avec *la Philosophie chrestienne* (1598), où, délaissant l'Antiquité, il fait entendre la leçon de la « sapience éternelle » touchant l'œuvre de Dieu et le salut de l'homme. Fidèle au procédé en vogue du dialogue philosophique, La Primaudaye met en scène quatre interlocuteurs qui s'expriment sur le « suject choisi pour discours »; chacun propose « quelque poinct memorable à la louange de la chose vertueuse ou blasme la vicieuse »; le dernier est chargé de donner l'« entière instruction ». Divisé en journées, le livre progresse de la philosophie morale à l'ontologie, puis à l'eschatologie. Dans le même esprit, La Primaudaye a aussi pratiqué la poésie religieuse (*Cent Cinquante Quatrains sur les Psaumes de David*, 1581 et *Cent Quatrains consolatoires*, 1582).

BIBLIOGRAPHIE

Les travaux les plus complets sur La Primaudaye ne sont pas accessibles en français. A défaut, voir la thèse de Pierre Villey, *les Sources et l'évolution des « Essais » de Montaigne*, édition de 1933, t. I, p. 174-175, et celle de M. Benouis, *le Dialogue philosophique dans la littérature française du XVIe siècle*, La Haye-Paris, Mouton, 1976.

Les trois premiers tomes de l'*Académie françoise* ont été réimprimés sur les éditions de 1580, 1581 et 1590 par Slatkine Reprints, Genève, 1972.

M. SIMONIN

LA RAMÉE Pierre de. V. RAMUS.

LARBAUD Valery (1881-1957). « Un petit oublié du commencement du XXe siècle », c'est ainsi que Larbaud se définit lui-même, et l'histoire littéraire lui a, en partie, donné raison.

Une œuvre personnelle relativement mince, étroitement liée aux événements de sa vie, une voix secrète et retenue devaient naturellement souffrir de l'écrasant voisinage d'écrivains à l'envergure plus vaste ou au souffle plus puissant. Larbaud n'a pas trouvé sa place parmi les « grands » du début du XXe siècle; Gide, Valéry, Claudel ou Saint-John Perse, dont il fut l'ami et le compagnon littéraire. Avant que la maladie ne le condamne à un oubli prématuré, des absences prolongées hors de France, un souci constant de garder ses distances l'avaient déjà, de son vivant, maintenu dans une situation marginale à demi consentie.

Ses abondants travaux de traducteur et de critique lui valent une notoriété à l'étranger, mais le relèguent encore au rang second de découvreur dépassé par ses découvertes et de pionnier victime de son enthousiasme pour des œuvres rares qui n'intéressent que des spécialistes. La célébrité de Joyce a occulté le nom de son introducteur en France; Landor et Butler, auxquels il consacra des années de sa vie, n'ont pas fait plus pour sa renommée que Levet, Gomez de la Serna, Svevo ou Dondey de Santeny. Paradoxale et injuste destinée d'un lecteur à la curiosité insatiable, ouvert aux littératures de toutes langues et animé d'une foi de prosélyte qui fut sans doute sa fondamentale vocation.

On semble le redécouvrir aujourd'hui, en France, comme l'un des témoins privilégiés d'une époque qui resurgit à tous les détours de la mode : au moment où disparaît l'Orient-Express, sa légende de voyageur cosmopolite alimente la nostalgie des palaces et des wagons-lits. Mais son nom a trouvé aussi une place dans des études consacrées à la mutation du genre romanesque : l'écrivain dont on vantait surtout la « délicatesse » est reconnu, timidement, comme un novateur. Le titre d'« amateur » qu'il s'est donné a facilement entretenu à son sujet le soupçon de dilettantisme, mais, dans l'acception généreuse que Larbaud lui prête, ce mot a gouverné avec force sa vie et son œuvre de romancier et de critique.

Un riche amateur

Né de l'union tardive de Nicolas Larbaud et d'Isabelle Bureau des Estiveaux, Valery est l'héritier attendu d'une fortune et d'une position sociale. Son père, pharmacien à Vichy, a conquis aisance et notoriété par la découverte et l'exploitation de la source Saint-Yorre, dont il est devenu propriétaire après dix ans de luttes judiciaires. Son grand-père maternel, d'une famille terrienne de vieille souche bourbonnaise, jouit d'un prestige que lui valent son autorité d'avocat et son passé politique : ardent républicain, il a dû s'exiler à Genève après le coup d'État du 2 décembre 1851.

Comblé dès sa naissance de ces biens qui favorisent, en province surtout, l'entrée dans la vie, la richesse et l'établissement, l'enfant est cependant immédiatement menacé par une santé fragile. L'existence de Larbaud sera une longue suite de maladies jusqu'à l'attaque d'hémiplégie de 1935 qui l'enfermera tragiquement dans une survie de vingt années. Cette « lutte patiente du côté de l'ombre » entretient en lui l'habitude et le goût de la solitude, la familiarité avec l'idée de la mort et donne à certaines de ses pages leur accent particulier : gravité mélancolique, désinvolture pudique, ferveur hédoniste retenue.

La disparition de son père quand il a huit ans le livre à l'affection étouffante d'une mère tyrannique. L'étroite surveillance qu'elle exerce sur les études, les amours, les voyages de son fils, la limitation de ses revenus qu'elle lui impose à sa majorité maintiennent celui-ci sous sa dépendance jusqu'en 1930. Image de la rigueur protestante, elle détermine sans doute la conversion de Valery au catholicisme en 1910. Incarnation de la respectabilité bourgeoise, elle suscite chez le jeune homme des réactions d'opposition, sensibles dans ses œuvres : dandysme provocateur, haine de la province, symbole de sclérose et de petitesse; sentiment de la malédiction de la richesse.

Le cosmopolitisme de Larbaud, à quoi on l'a souvent réduit, est donc d'abord aspiration à la liberté. Avide d'espace, de mobilité, curieux de tout, il ne connaît pas cependant la fébrilité gidienne. Toute la vie de Larbaud est jalonnée de voyages : à dix-sept ans, il a fait — concession à la mode du temps — son « tour d'Europe », qui l'a mené, émerveillé, en Russie et à Constantinople; à vingt ans, il est le « citoyen des wagons-lits », riche des images des pays et des grandes villes d'Europe; quelques mois avant sa dernière maladie, il va du Bourbonnais en Albanie, en traversant l'Italie. Mais il fuit, en quête de refuges : abris d'intimité — en 1905 en Scandinavie, avec « Inga »; à partir de 1922 très souvent en Italie, en compagnie d'Angela Nebbia, qui sera sa compagne jusqu'à sa mort — ou retraites studieuses. Dans les années 1910, il se cache « au cœur de l'Angleterre », absorbé par la fièvre créatrice qui donnera naissance à la plupart de ses œuvres romanesques; en 1912, il se retire à Florence pour achever *Barnabooth.* Prenant ses distances avec une actualité où il n'a pas sa place — il est réformé —, de 1916 à 1920 il s'installe à Alicante et se consacre à la traduction de Butler. Ce vagabond hanté par le vers de Scève, « Le vain travail de voir divers pays » (titre d'un essai paru en 1927), conjure les risques opposés de sclérose et de dispersion du moi par l'équilibre entre évasion et enracinement — aux refuges étrangers répond la « retirance » réhabilitée dans le Bourbonnais natal — et les exorcise dans son œuvre par une thématique de l'ambiguïté : ivresse de l'espace et amour des « petits états », oscillation entre nonchalance et travail, libertinage et mariage, innovation et tradition.

Autre moyen de libération : le voyage dans les livres. Élève médiocre — mis à part les années heureuses au collège Sainte-Barbe-des-Champs de Fontenay-aux-Roses (le collège Saint-Augustin de *Fermina Márquez*), Larbaud n'a que dégoût pour la vie des lycées, se fait renvoyer de Louis-le-Grand et conquiert difficilement le baccalauréat à vingt ans — il n'obéit qu'à sa passion de lecteur et découvre « en cachette » les symbolistes, Rimbaud, Laforgue. Il obtient en 1907 une licence de langues anglais-allemand et entreprend une thèse de doctorat sur les *Conversations imaginaires* de Walter Savage Landor, qu'il n'achèvera pas. Cette vie d'étudiant attardé est riche d'enthousiasmes divers : littérature américaine, Whitman surtout, Emerson, Thoreau, Hawthorne, littératures espagnole et brésilienne, écrivains français contemporains, Levet, Claudel, Charles-Louis Philippe. C'est aussi une période de création : il termine et publie en 1908 le premier *Barnabooth.*

Car la vocation littéraire, très tôt apparue chez Larbaud (il publie ses premières œuvres, à compte d'auteur, à dix-neuf ans), est pour lui la plus sûre évasion : défi contre son milieu, revanche contre la facilité de la richesse, refus d'une « vie faite d'avance », elle lui permet de s'affirmer dans un choix libre.

Ainsi s'éclaire l'ambiguïté volontaire des mots « riche amateur » : le dilettantisme du déclassé qui s'amuse à la littérature est la face déformée de l'amour passionné pour un métier, source de joie et moyen de salut.

Les sentiers de la création

Ceux-ci se signalent chez Larbaud par une rivalité accusée entre l'œuvre personnelle et le travail de traduction et de critique qui consacrera finalement le triomphe du « bénédictin » sur l'« artiste », selon la distinction de son ami Marcel Ray. Larbaud fait son entrée dans l'édition parisienne en 1901 par deux traductions, *la Complainte du vieux marin* de Coleridge et un recueil de vieilles chansons anglaises. Avant de se signaler à l'attention d'un cercle littéraire restreint par le premier *Barnabooth,* il donne au *Nouveau Mercure* de Buenos Aires un article en espagnol sur « l'Influence française dans les littératures de langue espagnole ». Et, en 1911, ses recherches sur Landor aboutissent à la publication de *Hautes et Basses Classes en Italie,* dans l'intention avouée de faire reconnaître l'écrivain anglais.

L'essentiel de son œuvre romanesque paraît avant la Première Guerre mondiale : le premier *Barnabooth* en 1908; *Fermina Márquez* — à qui on refuse le prix Goncourt parce que son auteur est trop riche — en 1911; le second *Barnabooth* en 1913; *Enfantines* — dont les huit nouvelles ont paru en revues de 1908 à 1914 — en 1918.

A partir de 1920, sa production personnelle s'espace — de 1920 à 1923, les trois nouvelles d'*Amants, heureux amants*; en 1927, *Allen* et *Jaune bleu blanc*; en 1938, *Aux couleurs de Rome.* L'activité de Larbaud pendant cette période se multiplie en « notes » sur des auteurs français ou étrangers, en articles sur la traduction ou le fait littéraire, dont il recueillera l'essentiel pour constituer peu à peu ses livres critiques : *Ce vice impuni, la lecture; Domaine anglais* (1925); *Domaine français* (1941); *Sous l'invocation de saint Jérôme* (1945). Cette espèce de conversion a sans doute été influencée par la longue plongée dans la traduction des livres de Butler de 1915 à 1919, par la découverte de l'*Ulysse* de Joyce en 1920 et par l'écrasant travail de révision qui aboutit à la publication de cette œuvre en français en 1929; mais, parallèlement à l'effervescence créatrice de ses débuts, Larbaud avait déjà mené une carrière de traducteur et d'introducteur. Surtout, il est l'homme des multiples projets abandonnés ou laissés en attente, des manuscrits détruits, des publications refusées : la genèse de presque toutes ses œuvres offre l'exemple de conceptions abouties à long terme, métamorphosées par la transfusion d'un livre dans l'autre. Le souci de perfection explique ces lenteurs, mais aussi le plaisir d'une longue maturation et la mobile attirance vers la nouveauté.

Le démon de la nouveauté

Dans *les Poésies de A.O. Barnabooth,* le jeune Larbaud reste encore soumis aux nombreux modèles que lui ont proposés ses lectures. Le ton nouveau qu'il recherche par l'alliance de l'exotisme américain au lyrisme de ses aspirations et de ses souvenirs est dominé par le souffle de Whitman — chantre des villes, des machines et de la communauté humaine —, mais rompu par l'élégie étranglée de Laforgue et la gouaille de Levet. L'accent original, noté par Gide, est dans l'ivresse de la fuite et une « voluptueuse sensibilité ».

Larbaud romancier s'ouvrira une voie plus personnelle parmi les tentatives de son époque. Comme les pionniers de la modernité du roman, de Proust à Gide et au « nouveau roman », il veut rejeter « la vieille carcasse rouillée de l'intrigue » et proclame : « Surtout, pas d'histoires! » La forme du journal intime dans le second *Barnabooth* répond à une exigence de nouveauté que Larbaud définit à propos de Conrad : « Il faut qu'un roman moderne ait une conscience critique et agissante quelque part ». Par la perspective du narrateur, *Barnabooth* détruit les éléments traditionnels de la narration : la description se fragmente et s'intériorise en impressions, les personnages ne prennent vie qu'à travers le regard du héros, l'événement se convertit en aventure intime. La seule « action » du livre est l'exploration intérieure d'un être à la quête de lui-même, sa seule matière celle des « états de conscience », oscillation entre la sensation, l'analyse et l'émotion. De là naît une écriture discontinue qui, par son impressionnisme souvent libéré des articulations syntaxiques, devient un style des données immédiates de la conscience. Le premier grand livre de Larbaud témoigne des recherches de son auteur vers la forme la mieux adaptée au roman nouveau, qu'il conçoit comme « une succession d'aventures morales ». La rencontre avec Joyce le conduira, dans *Amants...* et *Mon plus secret conseil,* à renouveler, avec plus de finesse et de vigueur, l'expérience, tentée pour la première fois en France par Dujardin, de nouvelles entièrement écrites en monologue intérieur.

Mais, parallèlement à la composition de *Barnabooth,* Larbaud avait déjà tenté de « s'affranchir du récit » par une série de « portraits d'enfants et d'adolescents », dont les plus achevés forment le volume d'*Enfantines.* Inscrites dans un espace clos et privilégié, comme le jardin ou la chambre (« Portrait d'Éliane », « la Grande Époque »), dans un temps hors de la durée, comme les vacances (« Devoirs de vacances », « la Grande Époque », « le Couperet ») ou l'enfance retrouvée (« Rose Lourdin »), ou réduit à des instants préservés (« l'Heure avec la Figure »), ces nouvelles échappent à la continuité d'une intrigue. Elles refusent le « personnage » et le « caractère » pour l'exploration ténue de moments fugitifs de l'âme enfantine. La liberté des modes narratifs — témoin objectif, narrateur central, ébauches de monologue intérieur —, le pouvoir suggestif des thèmes — rêverie d'évasion, puissance transformatrice du monde, rêve amoureux de l'adolescence — opèrent dans *Enfantines* la confusion entre le roman et la poésie et justifient la place que donne à cette œuvre J.-Y. Tadié dans son étude sur *le Récit poétique.*

Cette recherche d'une « nouvelle liberté » aboutit, avec *Allen* et les deux recueils de *Jaune, bleu, blanc* et *Aux couleurs de Rome,* à une dilution du romanesque par l'alliance de la méditation, de la confidence et de la narration. Dans ces œuvres inclassables (Larbaud appelle « poème » la prose dialoguée d'*Allen,* où s'entrelacent, sur le mode du jeu, ses thèmes les plus chers, et propose, avec une belle désinvolture, les définitions les plus diverses pour les « écrits » qui composent *Jaune bleu blanc*), en refusant toute forme donnée parce qu'il les accepte toutes, l'écrivain devient, selon le mot d'Yves-Alain Favre, « créateur de forme ». Ce témoignage d'une parfaite indifférence aux genres et aux « étiquettes » est le signe distinctif de tout auteur moderne.

Mais modernité n'est pas concession à l'actualité tapageuse et provisoire : Larbaud recherche la nouveauté dans la mesure où elle lui semble répondre à l'évolution nécessaire du genre romanesque et à une exigence intérieure. Cette œuvre si intimement autobiographique trouve dans de nouvelles formes, après l'abandon définitif de la poésie par Larbaud en 1908, les moyens d'expression de son lyrisme, quête et reconquête du moi.

Une œuvre militante

Guidé, dans son rôle de critique et de traducteur, par sa curiosité et son plaisir, soutenu par l'idée d'un devoir à accomplir — le souci d'internationalisme littéraire et le désir de réhabilitation —, Larbaud ne conçoit que la critique spontanée, missionnaire et militante.

Dès ses débuts dans la vie littéraire, il entreprend, selon ses vœux, « une politique intellectuelle interlinguistique ». De 1908 à 1914, il donne régulièrement à *la Phalange,* fondée par Jean Royère, disciple de Mallarmé, des comptes rendus, des « notes » (parfois accompagnées de traductions) sur des auteurs anglais ou américains souvent immédiatement contemporains (Hardy, Chesterton, Henley, Wells, Stevenson, London...), qu'il recueillera pour la plupart dans son *Domaine anglais.* Dans le même esprit, privilégiant « jeunes poètes et jeunes revues » ou « la poésie anglaise contemporaine », il signe de 1913 à 1920 les « Lettres anglaises » de *la Nouvelle Revue française.* Inversement, de mars à août 1914, il envoie chaque semaine au *New Weekly* de Londres une « Lettre de Paris », écho des événements importants en littérature, en peinture ou en musique. De 1923 à 1925, il collabore hebdomadairement à *la Nación* de Buenos Aires par des articles sur des auteurs français anciens ou récents. Son long séjour en Espagne pendant la Grande Guerre lui a permis un contact direct avec les auteurs contemporains de langue espagnole, et, à son retour, il se dépense en conférences et articles sur « les poètes espagnols et hispano-américains », sur « la renaissance des lettres espagnoles » et entreprend, sous le titre d'*Échantillons,* la traduction de quelques *Grequerias* de Ramón Gomez de la Serna.

Cette « politique » explique sa participation aux revues les plus diverses. Collaborateur de *la Nouvelle Revue française,* où il publie, outre des écrits de combat, des œuvres majeures comme *Barnabooth, Fermina Márquez, Allen,* de *la Revue de France* et de *la Revue de Paris,* auxquelles il donne ses importants articles sur la critique et la traduction, il fait renaître les *Écrits nouveaux* sous le nom de *Revue européenne* en 1923, avec Soupault, et fonde *Commerce* en 1924, avec Valéry et Fargue, qu'il soutient par la publication de traductions d'ouvrages appartenant à tous les « domaines » et de textes importants de son œuvre personnelle. Mais Larbaud reste attiré par des périodiques plus modestes ou plus originaux : *Littérature, les Marges, Intentions.* Il participe aux *Cahiers d'aujourd'hui,* créés en 1912 par George Besson et qui regroupent les amis de Charles-Louis Philippe. Fidèle à ses amitiés de jeunesse, il aide Jean Royère à faire vivre *le Manuscrit autographe,* réincarnation de *la Phalange,* en livrant régulièrement, de 1926 à 1932, des « Bouts de papier », textes courts abordant toutes sortes de sujets, où, sous la désinvolture du titre, emblème d'une critique éloignée du dogmatisme, se retrouvent des thèmes qui font l'unité de toute son œuvre : l'amour de la littérature, la passion de la langue et des mots.

Sa vocation militante se manifeste avec plus de vigueur dans ses « campagnes littéraires » : l'enthousiasme d'une lecture suscite en lui le besoin de propagande. L'exemple le plus spectaculaire est son combat pour *Ulysse* : conférence (chez Adrienne Monnier, 1921), article (*Nouvelle Revue française,* 1922), traductions (*Commerce,* 1924) alertent le public, tandis que le roman paraît en anglais en 1922 et que Larbaud s'acharne à la traduction française qui imposera *Ulysse* avec le retentissement que l'on sait. Pour forcer l'attention des éditeurs et des lecteurs, il se livre en 1920 et 1923, avec les mêmes moyens, à des « offensives » semblables en faveur de Butler. Une découverte imprévue, l'émotion d'une lecture, l'intuition d'un accent nouveau l'entraînent, en faveur de Dondey de Santeny, de Gianna Manzini, de Logan Pearsall Smith, à présentations, traductions ou préfaces. Il combat pour la survie de l'œuvre d'un ami : pour Ricardo Guïraldes, pour Louis Chadourne, pour Charles-Louis Philippe surtout (il assure avec vigilance, en collaboration avec ses amis de la N.R.F., la réédition de ses livres). Il combat aussi par fidélité aux enthousiasmes de sa jeunesse : son introduction aux traductions de Whitman (N.R.F., 1918), la publication des *Poèmes* de Levet (1921) sont de vieux projets, conçus à vingt ans.

Le choix critique de Larbaud est donc animé par le désir de faire reconnaître des œuvres méconnues, stimulé par la nouveauté ou l'originalité, qu'il les découvre chez des « jeunes » ou dans l'« exhumation » d'auteurs oubliés comme les poètes français des XVIe et XVIIe siècles — Scève, Héroët, Jean de Lingendes — auxquels il consacra de long essais. En se dérobant consciemment à la facile position de qui célèbre des écrivains reconnus, il affirme son indépendance d'« amateur », son refus des valeurs conventionnelles et assume le risque de n'être pas suivi. Il a cependant gagné le mérite d'avoir ouvert un espace littéraire illimité, d'avoir le premier écrit un article sur Saint-Léger (le futur Saint-John Perse) et sur William Carlos Williams, d'avoir contribué à la renaissance des études scéviennes en France.

Critique de goût, partiale et passionnée, la critique larbaldienne évite naturellement l'éreintement, mais aussi l'impressionnisme vague. En rejetant une part de l'héritage du XIXe siècle, elle s'engage également dans les voies de la critique moderne. Ainsi, à la biographie de l'homme Larbaud prétend substituer la biographie de l'œuvre. Comme il le montre dans un article sur Valéry, il ne retient de l'expérience d'un écrivain que ce qui explique la formation d'un esprit — études, voyages, lectures — et favorise un développement intellectuel et sensible, dont l'œuvre est le fruit et l'aboutissement. Surtout, il demande inlassablement que l'on distingue l'histoire littéraire, travail d'érudition, science réservée aux « doctes », aux universitaires (qui sont pour Larbaud l'image de l'immobilisme et du dogmatisme), de sa compagne royale, la critique littéraire. Celle-ci exige des dons de sympathie et d'expression et « comporte une part de création poétique ». Si sa culture ne l'a pas toujours gardé du péché d'érudition — dans ses savantes exhumations ou ses laborieuses recherches de sources —, si, dans l'investigation critique, il se méfie de la psychanalyse et ignore les sciences humaines, Larbaud annonce du moins une idée qui fera son chemin : la critique appartient à la littérature. Aventure d'une lecture, elle peut être aussi, selon la formule de J.-P. Richard, « aventure d'être ».

Il en est de même pour cette autre forme de la critique : la traduction. Les « droits et devoirs » du traducteur, définis dans *Sous l'invocation de saint Jérôme*, consistent à privilégier « l'interprétation personnelle » aux dépens de l'exactitude grossière d'une traduction littérale, car, « pour rendre le sens littéraire des ouvrages de littérature, il faut d'abord le saisir; il ne suffit pas de le saisir, il faut encore le recréer ». Requérant, avec plus d'exigence, les mêmes dons que la critique, la traduction est acte de création. Elle est un « art », mais aussi un « métier », qui exerce celui qui le pratique aux vertus d'humilité, de patience et d'amour. La passion de servir qui anime ses combats de critique et son dévouement de traducteur donnent à l'amateurisme de Larbaud son sens le plus profond et le plus plein, « l'éminente dignité » qu'il accorde à son entreprise militante rend à son œuvre, apparemment écartelée, son unité.

« Un peu de prose française », dit modestement Larbaud de son travail d'écrivain. Un peu de prose française pour l'amour des lettres, « pour le service », pour vaincre le temps et la mort : ce « lettré », comme il aimait à se nommer, a trouvé dans l'écriture — c'est sa grandeur et sa limite — le seul bonheur et l'unique noblesse qui puissent conjurer « la mesquine méchanceté de vivre ».

Barnabooth I

1908 : *Poèmes par un riche amateur, ou Œuvres françaises de M. Barnabooth. Précédés d'une introduction biographique* (Paris, Messein).

Le « premier Barnabooth », renié par Larbaud qui refusa de le publier dans ses *Œuvres complètes*. Composé d'une « biographie de M. Barnabooth », des « Poèmes » et d'un conte, « le Pauvre Chemisier », sans nom d'auteur, il est présenté par un éditeur fictif : Xavier Maxence Tournier de Zamble.

« Biographie » : Archibald Olsson Barnabooth est un jeune homme de vingt-quatre ans, d'apparence modeste, d'une grande timidité et immensément riche. Né au Chili, il s'est fait naturaliser américain à sa majorité. Il est le descendant de colons finlandais qui vinrent s'installer en Amérique au XVIIe siècle. Son père fut un homme remarquable, type du *self-made man* américain; après avoir exercé tous les métiers, il s'installa au Pérou, accumula une fortune colossale et devint fermier général des dépôts de guano. A dix ans, le jeune Barnabooth est orphelin; il fait avec son tuteur un tour d'Europe et se lie avec le fils d'un grand-duc russe, Stéphane. Pour assurer son éducation, négligée jusqu'alors, on l'envoie dans une luxueuse pension de New York d'où il s'échappe à quatorze ans pour se réfugier en Russie. Son tuteur meurt quand il a dix-sept ans : Barnabooth est libre et riche. Il parcourt le monde en compagnie d'une belle Grecque, rencontrée à Constantinople, Anastasia Retzuch, qui finit par épouser un duc ruiné. Il se forme alors un joyeux ménage à trois, qui mène une existence de vice et de folie à travers l'Europe jusqu'à la mort d'Anastasia. Barnabooth, qui a alors vingt ans, revient à ses études, règle ses affaires commerciales et financières et, libéré de toute obligation sociale, entreprend un second tour du monde. En 1907, date à laquelle se termine cette « biographie », on le retrouve à Londres, protecteur de deux jeunes Péruviennes et menant une vie fastueuse (I à VII). Le chapitre VIII, « la Personnalité de M. Barnabooth, anecdotes », rapporte des propos provocants du jeune milliardaire, destinés à expliquer son caractère à la fois « cynique » et « sentimental ». Le chapitre IX, « M. Barnabooth poète : ses idées sur l'art », contient une longue profession de foi de Barnabooth; il revendique son indépendance, en littérature, en se proclamant « amateur », dans la vie, en acceptant son existence de vagabond et le pouvoir maléfique de sa richesse. Il passe en revue les poètes qui l'ont inspiré et qui sont également les modèles de Larbaud. Les chapitres X et XI évoquent d'autres « Propos de table » de Barnabooth, toujours provocants et cyniques, et ses idées sur la France : pays plein de charme mais « peuple de voyous ».

« Poèmes » : Cinquante poèmes divisés en deux parties : « Borborygmes » et « Europe ». Tissés des souvenirs des voyages et des rencontres de Larbaud, ils sont écrits dans un mode prosodique très bigarré, dû aux influences les plus diverses. Certains d'entre eux sont d'un ton agressif, voire trivial, et seront supprimés dans l'édition de 1913.

« Le Pauvre Chemisier » : Ce conte moral, sorte de parodie des contes du XVIIIe siècle, dans lequel on sent aussi l'accent des *Moralités légendaires* de Laforgue, raconte l'histoire d'un fabricant de chemises au bord de la ruine. Barnabooth lui donne les moyens de rétablir sa situation avec l'intention de séduire Hildegarde, la fille du chemisier dont il est tombé amoureux. Celle-ci, liée par de tendres sentiments à un jeune homme pauvre, accepte un rendez-vous avec Barnabooth. Mais, magnanime, Barnabooth renvoie la jeune fille, permet, par ses dons, aux amoureux de se marier et conclut tristement que « personne, ici-bas, n'aime le pauvre homme riche ».

Barnabooth II

1913 : *A.O. Barnabooth. Ses Œuvres complètes, c'est-à-dire : un conte, ses poésies et son journal intime.* (Éditions de *la Nouvelle Revue française;* paru en feuilleton la même année dans *la Nouvelle Revue française* sous le titre, *A.O. Barnabooth : journal d'un milliardaire*).

La couverture, cette fois-ci, porte le nom de l'auteur, mais un avertissement présente Larbaud comme un simple « exécuteur littéraire » de Barnabooth. Dans cette nouvelle version de *Barnabooth*, « le Pauvre Chemisier », qui commence le volume, n'a subi que quelques retouches; dans les « Poésies », quinze pièces ont été retranchées; le « Journal intime » de Barnabooth remplace la « Biographie ».

Ce « Journal intime », beaucoup plus ample que la « Biographie », et d'un ton tout différent (le cynisme et les outrances ont disparu), est composé de quatre « Cahiers » dont les titres sont les noms des villes où séjourne Barnabooth.

« Premier Cahier : Florence ». Le jeune (23 ans) et riche Barnabooth vient d'arriver à Florence. Il consigne dans son journal ses promenades, ses « crises de boutiquisme », médite sur la solitude et le malheur de l'homme riche. Il retrouve un ami, le journaliste Maxime Claremoris, directeur d'une revue d'art, *le Pèlerin passionné*, qui poursuit de ses sarcasmes toutes les manifestations vulgaires de l'art ou de la vie modernes : ce personnage d'esthète offre au jeune homme à la recherche de lui-même une « formule de vie » possible. Il traverse une grave crise sentimentale : par besoin de donner et volonté de réparation sociale, il propose le mariage à une danseuse, mais se heurte à un refus. Blessé de voir méconnu son sincère élan de générosité, il est aussi atteint dans son amour-propre quand il apprend que cette jeune femme était secrètement déléguée à sa surveillance par son mentor.

« Deuxième Cahier : Florence. Saint-Marin. Venise ». Le désespoir plonge Barnabooth dans l'« inertie du cœur » : méditations désabusées sur lui-même, sur son idéalisme bafoué. Une rencontre le sauve de cette crise : celle du marquis de Putouarey. Ce gentilhomme français vif et gai lui révèle un autre style de vie : plaisirs donnés par la richesse, collection des aventures galantes, des timbres-poste et des décorations. Mais ce « viveur » cache un amour passionné pour le métier qu'il a choisi (l'étude de la chimie, qui l'a délivré des contraintes de son milieu), une grande générosité, une secrète inquiétude religieuse. Les deux voyageurs descendent de Saint-Marin en passant par Ravenne et gagnent Venise et Trieste, où il quitte Putouarey.

« Troisième Cahier : Trieste, Moscou, Serghiévo ». Barnabooth rencontre une ancienne amie, Gertrude Hansker, belle et riche Américaine, dont l'allure sportive cache une inquiétante perversité. Barnabooth songe à nouveau à l'amour et au mariage, mais, par peur d'être incompris, quitte en secret Trieste et « Gertie ». Il s'enfuit vers la Russie, où il retrouve ses souvenirs d'enfance et son ami Stéphane. Les deux jeunes gens ont de longues conversations sur l'éducation, la société, les inquiétudes de Barnabooth à la recherche de lui-même. Stéphane offre à Barnabooth une autre formule de vie, fondée sur le dévouement aux autres et sur la foi, mais lui révèle que « toute expérience est incommunicable ».

« Quatrième Cahier : Saint-Pétersbourg, Copenhague, Londres ». Barnabooth se sépare de Stéphane et de son influence. Il songe à une existence conforme à ses penchants, « paisible, aisée, retirée et studieuse », dans une grande capitale d'Europe. Il arrive à Copenhague en passant par la Suède, retrouve Max Claremoris, plus pauvre que jamais et au bord du suicide, qui lui confie ses doutes sur sa vocation de défenseur de l'art. A Londres, il rencontre une dernière fois Putouarey, absorbé dans ses recherches et converti à la fidélité conjugale. Ces ultimes exemples le confirment dans ses résolutions. Parvenu à la fin de sa quête, Barnabooth a enfin trouvé sa loi : se plaire à soi-même. Pour assouvir sa faim de tendresse et son besoin de dévouement, il épouse l'une des deux Péruviennes qu'il avait recueillies naguère. Pour retrouver la vraie vie, il abandonne la littérature et quitte le Vieux Monde pour le pays de ses origines, l'Amérique du Sud. Son initiation par les voyages, les rencontres et l'« exigeante introspection » est terminée : son « Journal » « s'achève » et lui, « commence ».

Fermina Márquez

La vie des pensionnaires d'un collège cosmopolite des environs de Paris est subitement bouleversée par l'apparition d'une éblouissante créature de seize ans, Fermina Márquez, sœur d'un des élèves. Émerveillés, les jeunes garçons forment une cour de chevaliers servants autour de la jeune fille; c'est alors l'ébauche d'intrigues particulières (I à VI).

Joanny Léniot est le fort en thème du collège : son physique ingrat, sa maladresse et sa raideur l'ont rejeté dans une angoissante solitude dont il ne s'échappe que par un travail acharné, couronné chaque année par tous les premiers prix : applaudi par ses camarades, il n'est guère aimé d'eux. Nourri de réminiscences livresques, il ne conçoit l'amour que comme une « séduction » et décide d'ajouter la conquête de Fermina à ses victoires scolaires. Mais, au lieu de l'ennemi à vaincre qu'il attendait, il trouve une franche camarade qui écoute avec étonnement et respect ses discours pompeux de bon élève; dans cette créature parée de toutes les grâces de la vie, il découvre une piété exaltée dont le modèle est sainte Rose de Lima. Déconcerté, le conquérant doit renoncer à ses ambitions; sa vie étriquée et terne a du moins été illuminée quelque temps par la tendresse (VII à XV).

Pendant ce temps, un élève de cinquième, Camille Moutier, écrasé par l'« enfer » de la vie d'internat, adore silencieusement Fermina. Son seul bonheur sera d'avoir obtenu d'elle un regard en traversant la cour du collège, tel un chevalier paré des couleurs de sa dame, un drapeau colombien à la main (XVI). C'est Santos Iturria, un séduisant et audacieux Sud-Américain, qui gagne finalement le cœur de Fermina. Joanny tient un long discours de rupture à celle-ci, dans lequel il proclame sa certitude en son génie et en sa gloire future; mais, à jamais troublé, il maudit, comme Télémaque, la fièvre de la jeunesse et comprend que son enfance est finie. Malgré la lutte que se livrent en son cœur l'amour et la piété, Fermina laisse triompher le bonheur, et son idylle avec Santos suscite l'admiration et l'envie dans tout le collège (XVII à XIX).

Plusieurs années après la fermeture de Saint-Augustin, le narrateur témoin de cette histoire revient sur les lieux de son enfance; long entretien avec le gardien sur la destinée des élèves — « beaucoup sont morts », parmi lesquels Léniot, victime d'une épidémie; Iturria est marié à une belle Allemande —, méditation mélancolique sur la fuite du temps et la fragilité des amours enfantines (XX).

BIBLIOGRAPHIE

Éditions. — Les *Œuvres complètes* de Larbaud, œuvre romanesque, les deux recueils critiques (*Ce vice impuni, la lecture — Domaine anglais; Ce vice impuni, la lecture — Domaine français*), *Sous l'invocation de saint Jérôme, Journal,* sont publiées aux éditions N.R.F. Gallimard (10 tomes), mais actuellement épuisées (présentations et notes de Robert Mallet).

Valery Larbaud, *Œuvres,* 1 vol., Gallimard, La Pléiade (préface de Marcel Arland, notes par G. Jean-Aubry et Robert Mallet, 1958). Cette édition ne comporte pas les deux *Domaines, Saint Jérôme,* ni le *Journal.* On y trouve en appendice un *Essai de bibliographie chronologique* établi par Jacqueline Famerie, précieux pour retrouver les articles critiques que Larbaud n'a pas recueillis dans les *Domaines* ou dans *Saint Jérôme.*

Beauté, mon beau souci, éd. critique par Jacques Nathan, Nizet, 1968; *le Cœur de l'Angleterre, Luis Losada,* présentés et annotés par Frida Weissman, Gallimard, 1971; *A.O. Barnabooth, Poésies,* présentation de R. Mallet, Gallimard, « Poésie »; *Fermina Márquez,* Gallimard, « Folio »; *Enfantines,* Gallimard, « l'Imaginaire »; *Amants, heureux amants...,* Gallimard, « Folio ».

Correspondances de Larbaud : *Lettres à A. Gide,* notes de G. Jean-Aubry, Stols, 1948; *V. Larbaud - L.-P. Fargue,* prés. et notes par le prof. Alajouanine, Gallimard, 1971; *V. Larbaud - G. Jean-Aubry,* prés. et notes de Frida Weissman, Gallimard, 1971; *V. Larbaud - A. Reyes,* prés. et notes de Paulette Patout, Didier, 1971; *V. Larbaud - M. Ray,* prés. et notes de Françoise Lioure, 3 vol., Gallimard, 1979-1980.

A consulter. — Francisco Contreras, *Valery Larbaud, son œuvre,* éd. de la Nouvelle Revue critique, 1930; G. Jean-Aubry, *Valery Larbaud, sa vie et son œuvre,* Éd. du Rocher, Monaco, 1949 (ce livre, interrompu par la mort de l'auteur, n'est consacré qu'à *la Jeunesse* [1881-1920]) : essentiellement biographique, il est précieux, quoique un peu vieilli, et publie des textes inédits; « Hommage à Valery Larbaud », *N.R.F.,* 1er septembre 1957, no spécial : recueil d'articles d'intérêt inégal, textes inédits et bibliographie; Bernard Delvaille, *Essai sur Valery Larbaud,* Seghers, « Poètes d'aujourd'hui », 1963 (recueille des textes publiés en revues qui ne figurent pas dans les *Œuvres complètes,* contient une bibliographie); Ortensia Ruggiero, *Valery Larbaud et l'Italie,* Nizet, 1963; Frida Weissman, *l'Exotisme de Valery Larbaud,* Nizet, 1966; Jean-Philippe Segonds, *l'Enfance bourbonnaise de V. Larbaud,* Éd. des Cahiers bourbonnais, Moulins, 1967; *Colloque Valery Larbaud,* annales du colloque tenu à Vichy en juillet 1972, Nizet, 1975; *Valery Larbaud et la littérature de son temps,* annales du colloque tenu à Vichy en juin 1977, Klincksieck, 1978; Anne Chevalier, *l'Égotisme de Valery Larbaud,* thèse d'État, 1980; *Valery Larbaud. La Prose du monde,* annales du colloque tenu à Amiens en mai 1981 (études réunies par Jean Bessière, Université de Picardie, P.U.F., 1982). Ces colloques ont été organisés par l'Association internationale des amis de V. Larbaud dont le siège est à Vichy et qui publie régulièrement des *Cahiers* contenant des études critiques et des notes bibliographiques. Enfin, le Fonds Larbaud à la bibliothèque municipale de Vichy (15, rue Foch), qui détient la presque totalité de la bibliothèque de Larbaud et des manuscrits, est ouvert à tous les visiteurs.

F. LIOURE

LARGUIER Léo (1878-1950). Né à la Grand'Combe, dans le Gard, issu d'une famille huguenote et cévenole, Léo Larguier poursuit ses études au lycée d'Alès; à dix-huit ans, il se rend à Paris, se lie avec Jean Moréas et fréquente les milieux artistiques de la capitale. Au cours de son service militaire, il rencontre Cézanne, auquel il consacrera quelques livres de souvenirs. A partir de 1903, Larguier obtient une certaine notoriété grâce à ses recueils de vers (*la Maison du poète* est couronnée par l'Académie française). Dès lors, il ne cessera de publier, abordant tous les genres littéraires : la poésie — *la Maison du Poète* (1903), *les Isolements* (1905), *Jacques* (1907), *Orchestres* (1914); le théâtre — *l'Heure des tziganes* (1912), *les Bonaparte* (1928); le roman — *les Heures déchirées* (1918), *François Pain, gendarme* (1919), l'*An Mille* (1931), *la Trahison d'Eurydice* (1947); sans oublier des essais — *Théophile Gautier* (1911), *Alphonse de Lamartine* (1929), *Mistral* (1930), *le 4-Septembre* (1931), *le Citoyen Jaurès* (1932), *Cézanne ou le Drame de la peinture* (1936); ou des recueils de souvenirs — *Saint-Germain-des-Prés, mon village* (1938), *les Dimanches de la rue Jacob* (1938), *Mes vingt ans et moi* (1944), *Petits Loyers et Tours d'ivoire* (1947).

Larguier meurt à soixante-douze ans dans son « village » de Saint-Germain-des-Prés, qu'il habitait depuis près de cinquante ans.

Fortement attaché au monde de la bohème parisienne, Larguier a développé une œuvre plus proche du romantisme que des courants littéraires du XXe siècle. Ses vers, qui n'abandonnent jamais les structures traditionnelles, doivent beaucoup à Hugo; recherchant volontiers un certain pittoresque antique ou médiéval, ils reposent généralement sur les effets de rime, les rejets, l'exaltation rhétorique :

J'habitais au sommet de la montagne à peine
Élevée au-dessus du niveau de la Seine
Mais plus haute pour moi que les pics rocailleux
Des monts pyrénéens...

L'amour du petit détail vrai, le respect des grandes figures de la littérature, un goût prononcé — parfois un peu naïf — pour l'érudition biographique font de Larguier un auteur de « souvenirs » plus qu'un véritable critique ou un romancier; ses essais, qui n'offrent guère de perspectives originales, montrent indirectement comment l'apparente marginalisation sociale de certains écrivains de la bohème a pu se transformer en notabilité littéraire.

Au reste, quelle que soit l'ingénuité de son propos, la « véritable » poésie de Larguier réside sans doute dans cette recherche, à travers les écrits et les lieux, de l'accord rompu entre le moi et les choses, entre le corps et l'histoire : écriture de la nostalgie qui tente de cerner les sensations qui n'ont pas encore tout à fait disparu. Oubliée des lecteurs modernes, l'œuvre de Larguier paraît quelquefois, en dépit de son anachronisme, refléter les préoccupations d'un Apollinaire : « Je ne suis qu'un flâneur sans constance, un homme d'automne [...], et je ne me plais qu'avec mes fantômes, mes ombres, chérissant le passé et ce qui est à son déclin » (*Petits Loyers et Tours d'ivoire*).

J.-P. DAMOUR

LARIVEY Pierre de (1540-1619). Né en Champagne, où le négoce a conduit ses parents, Larivey, qui appartenait à la famille florentine des Giunti (*giungere* = arriver), a peut-être joué sur la traduction de son nom italien et fait son nom français en opérant une transformation graphique de « l'arrivée ». Ceci après son installation à Paris où il fréquente le milieu des gens de justice. D'une vaste culture et parfaitement bilingue, il se fait connaître en traduisant de l'italien des œuvres de Straparole, de Firenzuola, de Piccolomini et de l'Arétin. En 1579, il publie six comédies, conçues, selon toute vraisemblance, pour la représentation : *le Laquais, la Veuve, les Esprits, le Morfondu, les Jaloux, les Écoliers*. Ordonné prêtre, il est pourvu d'un canonicat à Troyes. C'est là que paraissent en 1611 ses trois dernières comédies : *la Constance, le Fidèle, les Tromperies*.

Considéré comme le créateur de la comédie en France, Larivey est moins un auteur original qu'un traducteur talentueux spécialisé dans la littérature italienne de son temps. En effet, toutes ses pièces sont des versions libres de comédies italiennes dont les noms et les auteurs sont bien connus. La meilleure d'entre elles, *les Esprits*, suit de très près l'*Aridosia* de Lorenzino de Médicis, elle-même imitée de Plaute. Larivey s'est contenté de resserrer son modèle un peu verbeux, de supprimer quelques personnages secondaires et de franciser le nom de ceux qu'il retenait. Pour parachever son œuvre d'adaptation et d'appropriation, il a affublé « sa » comédie d'un titre et d'un prologue empruntés à une autre pièce italienne, *I Fantasmi*, d'Ercole Bentivoglio... Un pareil trucage semblerait devoir justifier l'accusation de plagiat qu'on a parfois portée contre lui. Pourtant, Larivey ne faisait que se conformer aux habitudes littéraires de son temps et à cette éthique de l'imitation que prônait Jacques Peletier. Puisque « la plus vraie espèce d'imitation, c'est de traduire » et qu'« une bonne traduction vaut trop mieux qu'une mauvaise invention », Larivey, pleinement conscient de son métier, pense élaborer une œuvre authentique et « d'un nouveau genre ». L'aisance avec laquelle les répliques se coulent dans un langage parlé émaillé de dictons et de proverbes, les allusions nombreuses à l'actualité française du temps et, surtout, l'expression des sentiments confèrent à ce théâtre d'imitation sa pleine autonomie. Comédies d'intrigue, qui procèdent du genre de la *commedia sostenuta*, plutôt que comédies de caractère, les pièces de Larivey mettent en scène les types traditionnels du valet malin (Frontin), du vieillard avaricieux et concupiscent (Séverin, dans les *Esprits*), de l'entremetteuse, du pédant ridicule, du matamore et du ruffian, tout en les adaptant aux situations sociales de la France des derniers Valois. Ici et là, au cours de la suite échevelée des scènes, perce le comique de caractère, comme dans ce monologue de Séverin (*les Esprits*) qui inspirera directement le soliloque d'Harpagon pleurant son or et sa cassette. C'est alors que, conformément au vœu de son auteur, qui a lu Horace, la comédie accède à cette « morale filosophie, donnant lumière à toute honnête discipline et, par conséquent, à toute vertu ».

BIBLIOGRAPHIE
Ancien Théâtre françois ou Collection des ouvrages dramatiques les plus remarquables depuis les Mystères jusqu'à Corneille, Paris, P. Jannet, 1854-1857, 10 vol. in-16 (Bibliothèque elzévirienne). Les tomes V, VI et VII contiennent les 9 comédies connues de Pierre de Larivey. *Les Esprits, comédie, adaptation en trois actes par Albert Camus*, dans *Théâtre, Récits, Nouvelles* d'Albert Camus, Paris, Gallimard, La Pléiade, 1963, p. 443-519.
A consulter. — Raymond Lebègue, *le Théâtre comique en France de « Pathelin » à « Mélite »*, Paris, Hatier, 1972; Madeleine Lazard, *la Comédie humaniste au XVIe siècle et ses personnages*, Paris, P.U.F., 1978; M. J. Freeman, « Une source inconnue des *Esprits* de Larivey », *Bibliothèque d'Humanisme et Renaissance*, 1979, t. XLI, p. 137-145; Louis Morin, *les Trois Pierre de Larivey. Biographie et bibliographie*, Troyes, 1937.

F. LESTRINGANT

LAROCHE-CHANDIEU Antoine de. V. CHANDIEU Antoine de.

LA ROCHEFOUCAULD François VI, duc de (1613-1680). Partagée successivement entre des occupations aussi éloignées l'une de l'autre que l'engagement partisan, politique et militaire, d'une part, et la création littéraire en milieu mondain, d'autre part, la vie de La Rochefoucauld porte témoignage du destin d'une certaine noblesse risquant dans l'aventure de la Fronde ses dernières chances féodales, puis, vaincue par l'habileté de Mazarin et l'affirmation précoce de l'autorité de Louis XIV, contribuant à façonner, dans la vie oisive des salons et de la Cour, la grande image littéraire du règne. Les *Maximes* ont eu une grande part dans la réussite de cette percée aristocratique dans la production littéraire du XVIIe siècle, apportant, par surcroît, une préoccupation universaliste et moraliste que l'on aurait attendue davantage, à l'époque, de l'initiative d'un autre milieu social.

Littérature et mondanité

François VI de La Rochefoucauld est né à Paris. Marié vers l'âge de quinze ans à Andrée de Vivonne, dont il aura plusieurs enfants, et après quelques incursions sur les champs de bataille où l'appellent sa condition et un nom illustre, il commencera, dans l'entourage comploteur de la reine et de la duchesse de Chevreuse, une carrière de conspirateur et de rebelle qu'il poursuivra jusqu'à l'échec définitif de la Fronde. Des promesses d'Anne d'Autriche, une liaison avec la duchesse de Longueville, sœur du duc d'Enghien, quelques maladresses de Mazarin contribueront à maintenir celui qui n'est encore que le prince de Marcillac, premier-né du duc de La Rochefoucauld, dans une fidélité aux princes rebelles parfois peu convaincue, mais qui lui fit payer de sa personne au cours des affrontements avec les troupes royales.

Il « fait sa paix » avec le roi en 1653, travaille quelques années au rétablissement de sa maison et à la rédaction de ses *Mémoires,* dont une édition clandestine (et partiellement désavouée) paraît à Amsterdam en 1662. Sa participation aux activités mondaines et littéraires des salons de l'époque se traduit par sa contribution au *Recueil des portraits et éloges en vers et en prose,* publié en 1659 par les soins de Mlle de Montpensier, et par les liens très forts d'amitié qu'il noue avec Mme de La Fayette — on dit qu'il mit la main à la rédaction de *la Princesse de Clèves* — et surtout avec Mme de Sablé, laquelle présidera, on le sait, à l'entreprise de l'écriture-jeu des maximes, dont La Rochefoucauld sera le maître d'œuvre et le champion incontesté. La dernière partie de la vie de l'auteur sera consacrée à la mise au point et à la publication de son recueil des *Maximes et sentences morales,* dont la première édition paraît en 1664. Le succès autorisera cinq éditions successives, parfois très remaniées et/ou augmentées. La Rochefoucauld écrivit également des *Réflexions diverses,* qui ne furent pas publiées de son vivant. Il meurt, âgé de soixante-sept ans, des suites d'un violent accès de goutte.

Le livre des *Maximes* connaît, depuis plus de trois siècles, un succès le plus souvent indifférent à la figure historique de son auteur et aux circonstances bien particulières de sa production : ce n'est pas faute d'être bien informé; mais il n'est pas facile d'engager un dialogue sur la vanité des vertus et les motivations troubles du comportement humain, avec un personnage au profil biographique aussi intimidant que celui de François VI, duc de La Rochefoucauld, illustre frondeur par dépit contre Mazarin et pour l'amour de la duchesse de Longueville, la sœur du Grand Condé; de reconnaître cette valeur de vérité générale, qu'ambitionne tout écrit moraliste, à une œuvre née dans le milieu le plus socialement circonscrit qui sans doute ait jamais été, œuvre inspirée, contrôlée et, parfois, littéralement dictée par lui.

Pourtant, en sollicitant les données de l'histoire littéraire, on pourrait découvrir, dans la vie et la personnalité de La Rochefoucauld, des aspects mieux assortis à l'idée que la sensibilité critique moderne se fait de l'écrivain : et d'abord, cette coupure si nette entre la période de la jeunesse intrigante et de l'aventure guerrière et celle de la retraite avec la création littéraire; itinéraire banal et rassurant, conduisant de l'action à la méditation, de l'agitation mondaine à l'isolement dans l'écriture. Mais, on le sait, cette « retraite » fut le lot commun et forcé de bien des grands seigneurs, assagis par la volonté politique du jeune roi, et les *Maximes* ne furent rien moins qu'une création isolée. La carrière de La Rochefoucauld n'est pas sans analogie avec celle de sa complice dans la rédaction des *Maximes,* Mme de Sablé, précieuse convertie aux charmes d'un jansénisme mondain, « retirée » à Port-Royal, et renouvelant dans la querelle religieuse un goût un peu émoussé des cabales politiques et des intrigues romanesques.

L'aveu de son caractère mélancolique que nous fait l'auteur dans le célèbre autoportrait serait-il plus intéressant? Il permettrait de postuler chez lui une prédisposition psychique à l'éveil et au parcours de la connaissance moraliste : de la séparation du monde à l'observation puis à la jubilation compensatoire dans la réussite formelle de la maxime. Mais, là encore, rien de plus conventionnel, de plus complaisamment affiché à l'époque, que cette humeur mélancolique... Voyez Alceste.

D'autre part, les autres écrits de La Rochefoucauld, les *Réflexions diverses* et les *Mémoires* n'ont pas connu, on le sait, le succès des *Maximes.* Les premières s'offrent, au mieux, comme une étape incertaine sur le chemin de l'écriture des *Maximes,* dans les domaines qu'elles explorent en commun, et, pour ce qui les distingue, comme un ensemble de règles de bonne conduite, nécessaires à la vie en société; préoccupation bien étrangère aux *Maximes,* et même opposée, serait-on tenté de dire, tellement celles-ci nous imposent une vision de l'homme entêté dans son égoïsme et sa vanité et peu disposé à ces prudences et à ces concessions mondaines prônées par les *Réflexions.* Quant aux *Mémoires,* désavantagés par l'inévitable comparaison qu'ils appellent avec ceux du cardinal de Retz, rival du duc dans l'aventure politique et la littérature mémorialiste, ils n'ont connu, lors de leur publication, clandestine et altérée, du vivant de l'auteur, qu'un succès de circonstance et, sous leur forme actuelle et achevée, sont une « invention » philologique récente. L'image de l'énonciateur anonyme des *Maximes* ne sort guère éclairée ni enrichie de sa confrontation avec celle de l'honnête homme soucieux de définir de nouvelles règles de civilité que nous découvrent les *Réflexions diverses,* ou avec celle de l'aristocrate, rancunier et chevaleresque, des *Mémoires.*

Mais vouloir, à toute force, actualiser la personnalité de l'écrivain de La Rochefoucauld, et tirer les *Maximes* vers l'image familière que l'on a aujourd'hui d'une œuvre littéraire, ce n'est pas seulement pécher par anachronisme, c'est, surtout, manquer l'intérêt propre de l'ouvrage, qui lui vient moins de l'originalité d'une vision du monde toute personnelle de l'auteur — vision dont la recherche et la cohérence supposée égarent bien des critiques — que de son étroite dépendance de l'environnement et des circonstances mondaines de sa conception.

Les *Maximes,* en effet, sont une œuvre d'inspiration et même d'exécution collective, répondant à une intention avouée de divertissement littéraire : on joue à la maxime comme on se divertit des comédies de proverbes ou des ballets. La correspondance entre les trois principaux collaborateurs : La Rochefoucauld, Mme de Sablé et Jacques Esprit, est pleine de détails significatifs et savoureux, au sens propre du terme, sur la mise en scène ludique de l'entreprise; en ce sens, la discontinuité du texte, le blanc de l'espace typographique, caractéristique du genre, est d'abord le signe que la maxime a commencé par avoir une existence autonome, « privée », qu'elle a circulé dans la correspondance échangée par l'auteur et ses amis, glissée parfois entre l'annonce d'un envoi de truffes et la demande d'une recette de potage (il y a, chez La Rochefoucauld, chez la marquise de Sablé aussi, une attente gourmande de la « prochaine livraison »). De la même façon, une fois l'ouvrage publié, l'intervalle entre deux maximes indiquera le temps laissé à la surprise du lecteur, savourant une vérité nouvelle, née du savant assemblage des mots. Et si la postérité a légitimement retenu et isolé des autres productions du même genre le recueil de La Rochefoucauld, recueil, d'ailleurs, dans une certaine mesure — si faible soit-elle —, collectif c'est parce que, de ce trio complice d'amateurs de formules sentencieuses, La Rochefoucauld a été, de l'avis de tous, et d'abord de ses contemporains, le meilleur faiseur, celui qui a le mieux compris et exploité les règles du jeu, qui en a également le mieux assumé les audaces idéologiques implicites.

De quoi s'agissait-il, en effet? En s'inspirant d'un thème augustinien à la mode, « mettre sur le ton des sentences » les remarques et les jugements que l'observation des hommes suggère, pour se convaincre de la fausseté de leurs « vertus ».

L'« inspiration » janséniste

Il peut paraître surprenant d'évoquer à propos de cet aimable passe-temps d'aristocrates l'austère doctrine des jansénistes. Sans doute les beaux esprits en sont-ils imprégnés et les « solitaires » de Port-Royal eux-mêmes ne sont pas dépourvus d'une certaine aura mondaine; cependant, la profonde influence janséniste qui s'exerce sur la littérature profane de l'époque — et les *Pensées* de Pascal en font largement partie — n'est pas tant affaire d'adhésion individuelle à une croyance ou d'affinité idéologique d'un groupe que d'incitation méthodologique au renouvellement d'une pratique discursive. On a déjà fait remarquer qu'en posant l'irréductibilité l'un à l'autre des deux mondes augustiniens, les théologiens jansénistes ont opéré dans le domaine de la morale comme Descartes dans celui de la connaissance du monde physique. La dualité cartésienne avait sinon ouvert, du moins légitimé l'accès d'un monde physique autonome et définissable selon ses lois propres; de même, le retrait de la grâce divine hors de portée du désir humain livre à l'investigation moraliste un univers moral libéré de la tutelle du Créateur et soumis aux lois de la nature humaine et de l'échange social. Une psychologie profane naît ainsi sur fond de désespoir métaphysique. Encouragés par la légitimité que leur assurent les thèses jansénistes — les déclarations d'intention de La Rochefoucauld et de ses amis sont, à cet égard, tout à fait explicites... dans les préfaces et les commentaires des *Maximes* —, les écrivains classiques vont s'employer à occuper le terrain qu'a laissé libre le reflux du discours dogmatique, invalidé par ses prétentions à l'efficacité morale. Ce discours classait les individus et hiérarchisait les conduites suivant les lignes sûres de la perspective divine; désormais, il ne s'agira plus de s'inspirer du regard de l'observateur divin pour tenir le discours de la *doxa* moraliste, mais d'inventer des formes discursives nouvelles pour dire l'homme déserté par la Grâce, c'est-à-dire par le sens, de cesser d'être un prédicateur pour devenir l'explorateur de sens nouveaux, à déchiffrer dans le champ du visible, donc de la socialité.

Montaigne avait donné l'exemple d'une telle rupture avec le dogmatisme et montré une image déjà laïcisée de l'homme; son œuvre était une tentative pour saisir l'homme et le monde dans le reflet d'une conscience et d'une expérience personnelles; mais elle n'avait échappé aux pièges du solipsisme et de l'imaginaire que par ce qu'on appellerait aujourd'hui la productivité du texte : plurivocité des références, usage original de la citation, renouvellement incessant de l'écriture. Tandis que le discours moraliste des écrivains classiques se propose d'observer et de décrire l'homme pris dans le mécanisme, toujours décentré et aliénant de l'échange social et intersubjectif. Plus de présence souveraine, ni celle de Dieu ni celle d'un sujet cherchant à se connaître dans l'illusion d'une présence à soi (« sot projet », dira Pascal), mais un espace sans perspective où se produit le jeu d'affrontement des désirs et des amours-propres. C'est pourquoi la clôture de la scène sociale va de pair avec l'invention d'un nouveau langage. Le discours moraliste, en effet, est un discours « d'intérieur », tributaire de l'uniformité sociologique du milieu décrit; sa nécessaire circularité fixe aussi ses limites : on connaît la célèbre mise en scène précautionneuse de La Bruyère pour introduire, dans ses *Caractères,* la figure du paysan.

Or, si la politique de Louis XIV assure à la scène sociale cette limite (la Cour, le « monde », les salons, les Académies), et la clarté nécessaire pour qu'on s'y retrouve et se reconnaisse entre égaux, il en va bien différemment de l'ambition de créer une esthétique discursive nouvelle.

C'est Pascal qui a le mieux formulé les difficultés de l'entreprise : « Le langage est pareil de tous côtés; il faut un point fixe pour en juger. Le port juge ceux qui sont dans le vaisseau, mais où prendrons-nous un port dans la morale? ». Et encore : « La perspective l'assigne [le point fixe] dans l'art de la peinture; mais dans la vérité et dans la morale, qui l'assignera? ». Il appartiendra à la littérature, qui s'affirme alors comme telle, de lever les apories du discours théorique. L'insistance de l'interrogation pascalienne, illustrée au plus près de l'exactitude théorique par les deux remarquables images du port et de la perspective, trouvera une réponse indirecte — et inattendue, sans doute — dans cette esthétique du discontinu et du fragment qui caractérise les grandes œuvres de l'époque. La grande originalité, en effet, du discours moraliste des classiques est d'avoir investi et exploité des genres littéraires souvent négligés par la tradition humaniste. La maxime de La Rochefoucauld, la fable de La Fontaine, le fragment de Pascal, le portrait de La Bruyère : ce qui frappe d'abord, dans cette énumération, c'est moins un souci de diversifier les genres que la volonté, chez chacun de ces écrivains, de répéter inlassablement une forme. Dire le vrai sur l'homme ne consiste plus à s'autoriser d'un point fixe théologal, pour garantir la rassurante continuité d'un discours, mais à attendre de la disponibilité structurale des formes inventoriées le surgissement de sens nouveaux. L'extrême clôture de la scène sociale, la nature des genres investis, la laïcisation de la littérature et l'adoption des thèses jansénistes par le milieu mondain expliquent que cet art prenne les apparences d'un jeu. C'est le cas de la maxime, et l'on comprend que la postérité ait engagé le dialogue non pas avec un écrivain et un penseur, mais avec le modèle achevé d'un genre.

L'invalidation du lexique des vertus

Comment s'opère la rencontre de la thèse augustinienne avec la forme de la maxime? Nous avons dit que, mieux que d'autres, La Rochefoucauld avait su tirer parti des conséquences extrêmes de l'augustinisme, de la figure théologique extraordinairement simplifiée qu'il suggère : le monde des hommes étant nécessairement corrompu, ce que nous prenons pour des vertus ou, plutôt, ce que nous nommons vertus (formule ritualisée par l'auteur) ne peut être qu'apparences ou mensonges. Le moraliste se propose de lever le masque, et la maxime sera le lieu et la mise en scène langagière de ce dévoilement; elle sera le plus court chemin argumentatif qui mène d'une vertu à sa négation; non pas à son contraire supposé, le vice — car le contraire des vertus, ce n'est pas le vice mais leur absence, le néant des valeurs. A quoi bon, en effet, dénoncer la fausseté des vertus pour affirmer une « vérité » du vice? L'impasse logique, sinon théologique, est la même. Un énoncé comme « Nos vertus ne sont le plus souvent que des vices déguisés » n'est pas véritablement une maxime; c'en est, tout au plus, le programme « alléchant ». Il nous laisse sur l'éternel face à face, mystificateur (dans un autre langage, on dirait « immuable » et « tragique »), du vice et de la vertu. Or, le propre de la maxime sera précisément de renouveler le débat moral en lui faisant quitter le monde des essences figées, ou réversibles au gré des humeurs et des pessimismes particuliers, pour le placer sur le terrain concret des rapports humains, c'est-à-dire d'une *praxis* jamais figée mais marquée, au contraire, par le flux conquérant de l'échange. Il ne s'agit plus seulement de démasquer les (fausses) vertus, mais d'invalider le discours traditionnel des vertus.

Toute critique d'un discours dogmatique passe d'abord par l'invalidation d'un lexique. Ces vertus s'offrent au moraliste rangées et répertoriées dans la rigueur normative d'un lexique, mais il suffit de les confronter, dans l'espace de la maxime, à la réalité d'une pratique dont on prétend réduire la complexité et la variété des mobiles à la simple évidence d'un mot pour manifester leur imposture... et leur nécessité, car « les hommes ne vivraient pas longtemps en société s'ils n'étaient les dupes les uns des autres ». « Monnaie de cuir et de carton », elles n'ont cours, ces vertus, que par la vanité des hommes, et surtout par besoin d'un consensus symbolique qui masque la réalité des relations humaines. Ce sera la tâche de la maxime que de mettre à nu le mécanisme, simple jusqu'à la caricature, du jeu social, avec une extrême économie de moyens linguistiques : un petit nombre d'éléments lexicaux (liste des mots-valeurs et des comportements valorisés par la *doxa* : l'amour de la justice, le mépris des richesses, le refus des louanges, etc.), qu'un nombre encore plus limité de combinaisons syntaxiques permettra de ramener à leur contraire ou à leur négation pragmatique : la rareté du lexique et des figures utilisées fait de chaque maxime réussie — toutes ne le sont pas — un petit drame logique dont l'antithèse, « spectacle même du sens » (Roland Barthes), est le ressort principal. Ainsi l'opposition force/faiblesse dans la maxime 122 : « Si nous résistons à nos passions, c'est plus par leur faiblesse que par notre force », ou justice/injustice (max. 78) : « L'amour de la justice n'est en la plupart des hommes que la crainte de souffrir l'injustice », ou encore le renversement actif/passif, comme dans la maxime 146 : « On ne loue d'ordinaire que pour être loué », et sujet/objet : « Quand les vices nous quittent, nous nous flattons de la créance que c'est nous qui les quittons » (max. 192), sans oublier les multiples variations sur le thème central du recueil, l'échange autour du couple donner/recevoir, dont La Rochefoucauld se plaît à subvertir la rassurante polarité. Quelques traits souligneront la force illocutoire de l'énoncé : c'est le cas de la formule déceptive ne... que, dont on connaît la vogue dans les *Maximes,* sorte d'invitation à la surprise de la désillusion, et de ces adverbes, rajoutés par l'auteur à partir de la deuxième édition (quelquefois, souvent, d'ordinaire), qui témoignent, non pas, comme on l'a trop souvent écrit, de la volonté d'atténuer quelque peu le « pessimisme » de l'analyse morale, mais plutôt du souci opposé de substituer à la gratuité de l'affirmation générale la crédibilité empirique de l'observation plusieurs fois répétée; non pas repentir, mais insistance.

Le gain de sens de la maxime

Simple jeu de la langue, serait-on tenté de dire, dans ses articulations les plus profondes, si la maxime n'était orientée, dans la recherche de sa force assertive et de sa fermeture, vers un gain de sens, destiné à illustrer l'image conquérante de l'amour-propre.

L'amour-propre, lui, n'est pas un de ces mots-valeurs dont le contenu ne résiste pas à la performance de la maxime; sa nature n'est pas facile à définir. Le célèbre développement qui ouvrait le recueil en a été retiré dès la deuxième édition, condamné pour sa longueur et ses audaces stylistiques, par un réflexe de bon goût classique. Aujourd'hui, rendus sensibles à la difficulté de décrire les phénomènes psychiques inconscients, nous verrions plutôt un remarquable exemple d'*adequatio rei* dans les paradoxes et le gongorisme de ce passage. Il suffit, pour s'en convaincre, de citer ce passage où l'auteur, évoquant les « différentes inclinations » de l'amour-propre, remarque qu'« il se partage en plusieurs ou se ramasse en une, comme il lui plaît », image prophétique quand on connaît le succès, dans la littérature psychanalytique — et même au-delà —, des concepts de condensation et de déplacement introduits par Freud.

L'intervention de l'amour-propre, seul véritable acteur sur la scène des *Maximes,* ne se limite pas aux énoncés, déjà fort nombreux, où il est explicitement mentionné. Sa présence est universelle, parce que c'est elle qui soutient et oriente le dynamisme de la sentence, faisant en sorte qu'elle ne soit pas simple renversement arbitraire de signes. On a cru, parfois, que son rôle était en concurrence, dans le système général des *Maximes,* voire en contradiction, avec celui des humeurs — signe d'un certain naturalisme de l'époque — ou avec la Fortune, invoquée quelquefois par La Rochefoucauld, pour expliquer les mécomptes imprévus ou les succès immérités de conduites en apparence soumises à la volonté et à la liberté de l'individu. En réalité, il agit sur un autre plan : ni « accident » ni même, malgré son nom, propriété du sujet (ne lui survit-il pas après la mort? Comment expliquer sans cela le courage et la noble indifférence devant la mort?), l'amour-propre est ce principe actif, « principe de vie » (l'expression est de La Rochefoucauld), qui anime les relations humaines. Son domaine est celui de l'intersubjectivité. A usage interne, si l'on peut dire, il lui arrive d'égarer ou même d'aveugler le sujet, mais il ne fait alors que reproduire les leurres de l'échange symbolique; la psychologie de La Rochefoucauld ne s'attarde pas longtemps sur les « puissances trompeuses », et l'imagination est loin d'y jouer le même rôle que chez Montaigne ou Pascal. L'individu peut bien s'abuser lui-même sur les véritables motivations de ses actes ou de ses désirs, l'important est que l'amour-propre ne se trompe jamais dans ses buts et dans ses intérêts. « Il est aussi facile, affirme la maxime 115, de se tromper soi-même sans s'en apercevoir qu'il est difficile de tromper les autres sans qu'ils s'en aperçoivent », mais on voit bien dans lequel de ces deux types de tromperie l'amour-propre se trouve impliqué; implication qui, du même coup, donne sens à la maxime.

Le système des *Maximes* est fort simple, et chacune d'elles est la répétition, à quelques nuances près, du même scénario : dans le processus de l'échange, investi par les différentes valeurs symboliques, l'amour-propre est ce qui fait que le sujet n'acceptera jamais d'être perdant, sous peine de ne plus exister; il est cette tension du moi qui le pousse à occuper en vainqueur l'espace symbolique où ont cours ces vertus qui serviront à la fois d'alibi et de récompense à ses efforts et à ses ruses. Le langage, en effet, est la scène et l'enjeu de cet échange; le gain des habiletés stratégiques de l'amour-propre, révélé par la maxime, est de nature symbolique;

l'amour-propre se paie en mots, se « paie de mots », mais c'est là son but : réussir à faire nommer amitié, générosité, altruisme ce qui relève du calcul le plus égoïste et de l'intérêt personnel. Le moraliste ne juge pas des comportements ou des actes — d'ailleurs inévitables —, il déconstruit un discours; l'hypocrite n'est pas dangereux quand il agit mais quand il parle.

La vision du moi qui se dégage des *Maximes* rejoint ici celle des théoriciens comme Pascal ou Nicole : le moi est ce qui s'appréhende toujours dans l'excès; il n'y a pas et il ne peut y avoir de normalité — dans le langage de l'époque, on dirait d'« innocence » — du moi. La faiblesse, le « manque de principe de vie », est le seul véritable « vice » de la morale de La Rochefoucauld. De même, il ne peut y avoir d'échange égalitaire, mais seulement — et c'est la vérité formelle de la maxime, la vérité de sa forme — un échange à intérêt, l'amour-propre se « proposant toujours quelque chose à gagner ». La maxime, dans sa concision algébrique même, est la recherche et la mise au jour de cet « excédent ». La métaphore du commerce ou, mieux, du « trafic » (le mot est riche pour nous de résonances nouvelles) est exemplaire dans le recueil; ainsi, dans la maxime 228 : « L'orgueil ne veut pas devoir et l'amour-propre ne veut pas payer », où le gain de sens est produit par le décrochage final qu'elle entraîne.

« L'homme qui dansait les trébuchets »

On comprend que l'énigme du comportement de certains individus devant la mort soit une préoccupation de La Rochefoucauld, un obstacle à l'horizon de son système : la mort, en effet, annule les gains. « C'est mal connaître, nous dit l'auteur, les effets de l'amour-propre que de penser qu'il puisse nous aider à compter pour rien ce qui le doit nécessairement détruire ». Le mépris de la mort ou du bourreau sera donc une dernière tentative, mais dérisoire, de l'amour-propre pour s'assurer le gain d'une gloire posthume, ou, comme dans cette anecdote qui avait beaucoup marqué La Rochefoucauld, d'un laquais qui avait dansé les trébuchets sur l'échafaud où il allait être roué, un aveuglement volontaire dicté par la peur, le bandeau aux yeux du condamné (max. 21). Explication décevante, et insuffisante, sans doute, même pour l'auteur, comme le prouve l'insistance de La Rochefoucauld à revenir sur cette histoire dans sa correspondance et dans son œuvre... mais toute autre ruinerait le système, qui interdit l'exploitation tragique ou chrétienne de la mort. L'héroïsme absurde et provocateur de « ces suppliciés que l'on brûle et qui font des signes sur leurs bûchers », pour reprendre la belle et forte image d'Artaud, ne pouvait que paraître incompréhensible ou suspect au moraliste mondain du XVIIe siècle. L'homme de La Rochefoucauld reste jusque dans la mort prisonnier et comptable des pauvres gains et ruses de son amour-propre.

Nietzsche reprochait à l'auteur des *Maximes* cette absence de prolongement héroïque à la contestation des valeurs chrétiennes; de la même façon, l'image, parfois bien étroite et mesquine, de l'amour-propre devait gêner André Gide dans ses premières lectures de l'ouvrage. C'est le destin de cette œuvre que d'ouvrir la pureté de son économie formelle à la diversité des commentaires.

On a vu que l'augustinisme a moins inspiré le recueil qu'il ne l'a, en quelque sorte, « autorisé », et l'auteur lui-même a veillé à la neutralité idéologique de son livre en en retranchant, dès la deuxième édition, les références à un point de vue religieux, qui pouvait « originer » son discours, rendant, du même coup, possible une lecture « progressiste » de l'ouvrage. Ainsi, les utilitaristes du XVIIIe siècle ont pu voir dans cet obsédant besoin d'affirmation de l'amour-propre la justification anticipée d'« un intérêt bien compris » et positif. Aujourd'hui encore, au sein de la critique, la volonté de retrouver le témoignage janséniste de l'époque voisine avec des interprétations plus audacieuses, ouvertes par exemple à l'influence du discours psychanalytique.

Si les *Maximes,* par-delà l'exotisme social et historique du milieu qu'elles évoquent, possèdent encore le pouvoir de nous interroger et de nous séduire, elles le doivent, sans doute, d'abord à la remarquable efficacité persuasive de leur structure; il appartient, en effet, à certaines formes de véhiculer avec elles les conditions de leur acceptabilité. La beauté, disait Valéry, est l'autorité d'une forme. Mais une autre dimension de l'œuvre, et que les analyses qui précèdent ont voulu suggérer, explique et justifie, à nos yeux, l'actualité des *Maximes*; avec les autres écrivains de son temps, mais plus délibérément encore, car il en a fait son unique projet, La Rochefoucauld a ouvert à l'espace du savoir et de la littérature le domaine de l'intersubjectivité et du langage qui le parcourt; il a montré que toute interrogation sur l'homme ne peut être portée que dans et par le langage, allant jusqu'à écrire : « Il y a des hommes qui n'auraient jamais été amoureux s'ils n'avaient pas entendu parler de l'amour ». La vérité des *Maximes,* c'est que le destin de l'individu se joue, est déjà joué, dans le symbolique; niera-t-on que cette vérité soit encore la nôtre, aujourd'hui?

BIBLIOGRAPHIE

Les principales éditions disponibles, outre les éditions en livre de poche, sont : *Œuvres complètes,* éd. Martin-Chauffier et Jean Marchand, Gallimard, La Pléiade (nouvelle éd. 1964); *Mémoires,* éd. G. de La Rochefoucauld, Paris, 1925 (le manuscrit original a été reproduit par J. Marchand, Paris, 1931); *Maximes,* éd. J. Truchet, Paris, Garnier, 1967; *Maximes,* éd. D. Secretan, Genève-Paris, Droz, 1967. Pour les éditions anciennes et leur histoire, on consultera : J. Marchand, *Bibliographie générale raisonnée de La Rochefoucauld,* Paris, 1948.

A consulter. — A. Bertière, « À propos du portrait du Cardinal de Retz par La Rochefoucauld », *R.H.L.F.,* n° 3, 1959; H. Grubbs, « the Originality of La Rochefoucauld's *Maxims* », *R.H.L.F.,* n° 1, 1929; et « la Genèse des *Maximes* de La Rochefoucauld », *R.H.L.F.,* n° 4, 1932 et n° 1, 1933; L. Hippeau, *Essai sur la morale de La Rochefoucauld,* Paris, Nizet, 1967; N.Ivanoff, *la Marquise de Sablé et son salon,* Paris 1927; L. Lafuma, « le Véritable Auteur des *Questions d'amour* des portefeuilles Vallant », *R.H.L.F.,* n° 3, 1962; J.-D. Lafond, « la Correspondance de La Rochefoucauld, l'édition hollandaise et le manuscrit Liancourt », *R.H.L.F.,* n° 2, 1966; E. Magne, *le Vrai Visage de La Rochefoucauld,* Paris, Ollendorff, 1923; J. Plantié, « La Rochefoucauld et Climène », *R.H.L.F.,* n° 2, 1966; J. Strarobinski, présentation des *Maximes* et *Mémoires* dans la coll. 10/18, 1964; R. Barthes, présentation des *Réflexions ou Sentences et Maximes* dans le Club français du Livre, 1961; repris dans *Nouveaux Essais critiques,* Le Seuil, « Coll. Points », 1972, pp. 69-88.

F. SUZZONI

LA ROCHE-GUILHEM Anne de (1644-1707). Issue de la petite noblesse protestante du Vivarais et née à Rouen, elle est l'auteur d'une œuvre qui ne comprend pas moins de vingt-cinq titres. Abordant le métier littéraire par des traductions de l'espagnol (*Histoire des guerres civiles de Grenade* de Perez de Hita), elle vole bientôt de ses propres ailes avec des ouvrages aux intrigues aussi exotiques que conventionnelles : *Almanzaïde* et *Arioviste, histoire romaine* (1674), *Astérie ou Tamerlan* (1675). Réfugiée à Londres à partir de 1677, elle y fait jouer une comédie-ballet, *Rare en tout,* et y accumule, dans les années qui suivent, une prose romanesque abondante, dont elle inonde les libraires de La Haye ou d'Amsterdam (*Zamire,* 1687; *le Grand Scanderberg,* 1688; *Zingis, le duc de Guise,* 1693; *les Amours de Néron; Attila, roi des Huns;* etc.). Précieuse attardée, a-t-on prétendu : elle acquiert néanmoins assez de réputation pour que des ouvrages soient faussement publiés sous son nom. Inversement, plusieurs de ses romans sont attribués de son vivant à Mme de Villedieu. Tout récemment encore, *Isabelle ou le Journal amoureux d'Espagne* de 1675 a eu l'honneur d'être « présumé » de la plume de Mme de La Fayette. Le roman, dont l'action se situe sous le règne de Philippe II d'Espagne, conte les deux mariages successifs de l'héroïne avec dom Alphonse et dom Ramir, celui-ci ayant discrètement fait assassiner le précédent. L'atmosphère onirique qui baigne certaines scènes — notamment celle de l'aveu, où, commettant au détour d'une promenade forestière un étourdissant lapsus, dom Ramir révèle à Isabelle son crime — permet à l'intrigue d'échapper parfois aux conventions du genre, et fait oublier les abondantes maximes du style : « Il y a des rivales de beauté comme d'amour... ».

BIBLIOGRAPHIE

Anne de La Roche-Guilhem, *Isabelle ou le Journal amoureux d'Espagne*, roman présumé de Mme de La Fayette, Paris, Jean-Jacques Pauvert, 1961. Édition incomplète de la seconde moitié, présentée par Marc Chadourne, auteur de cette prétendue « résurrection ».

A consulter. — Alexandre Calame, *Anne de La Roche-Guilhem, romancière huguenote (1644-1707)*, Genève, Droz, 1972; S. Pitou, « A Forgotten Play, La Roche-Guilhem's *Rare en tout* », Modern Language Notes, LXXII, 1957.

F. LESTRINGANT

LA ROCQUE Gilbert. V. QUÉBEC (littérature du).

LAROUSSE Pierre (1817-1875). Pierre Larousse est né à Toucy, en Bourgogne. Son enfance rurale d'écolier de l'enseignement laïque, son adolescence de boursier de l'école normale primaire à Versailles (1834-1837), puis son expérience d'instituteur dans son bourg natal (1837-1840), définissent le programme de sa vie : une pédagogie vivante, ancrée dans une expérience heureuse et laborieuse de la vie, colorée par un tempérament généreux et profondément optimiste.

A Paris, où il s'établit en 1840, il fréquente assidûment la bibliothèque Sainte-Geneviève, suit des cours publics et, pour subsister, corrige des montagnes de copies et donne des leçons dans un internat privé. Il devient très modestement répétiteur et surveillant en 1848 et le demeurera jusqu'en 1851; c'est alors qu'il rencontre celle qui sera la compagne de sa vie, Suzanne Caubet, qu'il n'épousera qu'en 1872. En 1852, avec un autre Bourguignon instituteur, Augustin Boyer, il fonde une très petite maison d'éditions pédagogiques. Il avait alors déjà publié plusieurs ouvrages, dont une *Lexicologie des écoles primaires* (1849, devenue *Grammaire lexicologique* en 1850) et un *Traité élémentaire d'analyse grammaticale* (1851). Sa nouvelle entreprise lui permet de composer et de diffuser de nombreux manuels et de publier deux périodiques, *l'École normale* (1858-1865) et *l'Émulation* (1862-1864). Bien qu'il porte un intérêt passionné à tous les aspects de l'enseignement (voir, par exemple, son *Éducation morale et intellectuelle : méthode socratique*, 1859), c'est l'apprentissage de la langue maternelle et notamment du lexique, qui le retient surtout.

Le « démon de la lexicologie » (*l'École normale*, t. II, p. 8) et de l'étymologie (*Jardin des racines grecques*, 1858, *latines*, 1860) conduit Larousse le pédagogue à l'encyclopédie et au dictionnaire. C'est pour fournir à ses chers élèves un instrument de travail compréhensible qu'il compose et édite en 1856 un *Nouveau Dictionnaire de la langue française*, ancêtre du futur *Petit Larousse*, qui juxtapose vocabulaire, encyclopédie et locutions latines, ces notes encyclopédiques et les citations latines sont imprimées sur des pages roses : innovation dont on connaît la fortune... En 1860, Larousse y ajoute les noms propres. Le modèle est au point; devenu *Dictionnaire complet*... en 1869, l'ouvrage sera par la suite illustré et deviendra, après la mort de son initiateur, le *Petit Larousse* (Claude Augé, 1902).

Cet ouvrage, ainsi que deux grammaires françaises, assure la prospérité à l'éditeur et lui permet d'envisager la réalisation du *Grand Dictionnaire universel du XIXe siècle*, qui commence de paraître en 1864, un an après les premiers fascicules du *Littré*. Travaillant à son grand œuvre comme un forcené — probablement depuis 1860 ou 1861 —, Pierre Larousse, malade, épuisé, sera frappé de congestion cérébrale à trois reprises : en 1868, en 1869, enfin en 1871, après le drame de la guerre et de la Commune et l'épreuve personnelle que fut la mort de sa mère. A cinquante-deux ans, Larousse est un cadavre intellectuel : il survivra cependant encore trois ans.

Carrière brève et intense, qui correspond à un double destin : celui de l'instituteur démocrate, qui s'incarne surtout dans un projet encyclopédique; celui de l'entrepreneur d'éditions — encore que le succès capitaliste s'amplifiera immensément après sa mort. Larousse deviendra pour la postérité le nom d'une firme.

Le rôle considérable de Pierre Larousse dans l'histoire de la lexicographie est évident et n'a pas à être souligné ici. En revanche, sa place dans le « corpus » littéraire en français n'est pas aussi perceptible que celle d'un Littré [voir LITTRÉ].

Cependant, par l'importance idéologique de son travail autant que par la nature de son « discours » pédagogique et lexicographique, l'œuvre de Larousse plonge dans le discours littéraire — qu'il utilise — et propose une vision culturelle très « jules-ferryenne » qui concerne au premier chef la littérature. Pour cet éternel étudiant, les œuvres littéraires sont l'une des sources où l'expérience humaine et sociale la plus noble se reflète et peut se transmettre. Les goûts de Larousse, inséparables de ses engagements républicains, libéraux, humanistes et de sa visée essentielle, qui est la formation de l'esprit et du cœur des jeunes Français, le portent vers la générosité et la verve (Marot, Rabelais, Molière...) plus que vers le lyrisme; vers la « bonhomie » de La Fontaine plus que vers le lyrisme de Racine. Cependant, le *Grand Dictionnaire universel* est remarquablement ouvert à toutes les tendances littéraires de son époque — aux antipodes du recul concerté que constituent les choix classiques d'Émile Littré. Mais, comme le souligne la structure même du *Dictionnaire*, c'est le contenu des messages littéraires, bien plus que leur forme, qui importe au lexicographe; ou, si l'on préfère, leur pouvoir pragmatique : effet social libérateur, effet culturel enrichissant...

Quant à l'écriture de Pierre Larousse, elle est à l'image de son projet : simple, claire, naïve et bonhomme, souvent passionnée, et d'une gaieté, d'une santé rafraîchissantes, enracinées dans un terroir aimé. Ces qualités ne suppriment pas le caractère un peu figé d'une énonciation didactique empreinte de scientisme et de bonnes intentions; mais la plume de Larousse reste alerte, surtout dans les articles du *Grand Dictionnaire* que l'on peut lui attribuer avec une quasi-certitude. C'est même le paradoxe de Larousse d'avoir réussi un témoignage aussi vivant sur la France rurale et urbaine du milieu du XIXe siècle dans un projet en principe hostile à tout discours individuel : ultime originalité de ce texte morcelé, de cette chronique alphabétisée, probablement unique en son genre.

BIBLIOGRAPHIE

La maison d'édition qui porte le nom de Pierre Larousse a fait l'objet de beaucoup plus d'études que son fondateur. Sur l'homme, on retiendra : Maurice Rat, « Pierre Larousse », *Vie et langage*, sept. 1961; Jean Riverain, « Un génie en liberté », *Nouvelles littéraires*, 22 décembre 1966; Bernard Pivot, « Larousse le Grand », *le Figaro littéraire*, 16 oct. 1967; et surtout : André Rétif, *Pierre Larousse et son œuvre*, Paris, Larousse, 1975. Enfin, le *Grand Dictionnaire universel* et, dans une moindre mesure, les autres ouvrages de Larousse sont évoqués ou étudiés dans les principales études consacrées à la lexicographie française [voir DICTIONNAIRE], et son œuvre pédagogique n'est pas oubliée dans les textes consacrés à cette discipline.

A. REY

LA SALE Antoine de (1385-1460?). Fils d'un chef de bande provençal, Antoine de La Sale a vécu essentiellement dans l'entourage des princes : page en Anjou, secrétaire de Louis III, qu'il accompagne en voyage, il prend du service en 1434 chez le roi René et devient précepteur de Jean de Calabre. C'est vers cette époque que se situe son voyage en Italie, dont nous retrouvons les échos dans la *Salade*. Louis de Luxembourg l'aura auprès de lui à partir de 1448.

Le pédagogue et le compilateur

C'est dans le cadre d'un projet didactique, et peut-être d'un travail de pré-humaniste, qu'il faut replacer ces recueils composites d'exemples, de souvenirs des Anciens ou d'histoires vécues que sont la *Salade* (1441) et la *Sale* (1451). Le premier texte, écrit « pour eschever oysiveté », comporte un récit troublant, fondé sur une légende rattachée au Monte della Sibilla, du lac de Pilate et du chevalier égaré chez une Vénus souterraine. L'intérêt de ce mélange de tradition classique et de folklore est de construire un mythe expressif d'une mentalité : le chevalier allemand entre dans le royaume de l'âge d'or, mais ce monde souterrain enchanté est aux mains du diable, les fées s'y transforment en vipères et en crapauds; à son retour, pris de remords, le chevalier demande l'absolution au pape qui la lui refuse; il revient alors à la grotte pour y disparaître. Ici, le lien entre les fantasmes de la liberté sexuelle et les croyances occultes est net. Le reste de l'œuvre se compose d'anecdotes de voyage (excursion aux îles Lipari), de réflexions sur la généalogie et la chronique des royaumes de Sicile et d'Aragon, sur des questions de protocole ou d'organisation de la guerre. Le *Réconfort de Mme de Fresne* (1457-1458), consolation à une mère qui a perdu son fils, après la croisade de Ceuta, tente de renouveler un genre figé par l'insertion de véritables nouvelles (histoire de la dame qui doit choisir entre le salut de son fils otage chez l'ennemi et l'honneur guerrier du mari). *Des anciens tournois et faicts d'armes* (1459) donne à La Sale l'occasion de déployer ses connaissances dans le domaine de l'héraldique et de la cérémonie aristocratique.

Le Petit Jehan de Saintré (1456), « premier roman moderne »?

C'est ainsi que J. Kristeva qualifie l'œuvre par laquelle La Sale s'est rendu célèbre. C'est l'histoire d'un page de treize ans, « debonnaire et gracieux », qui suscite l'intérêt d'une jeune veuve, la dame des Belles-Cousines, laquelle, dans une relation ambiguë, tente de faire son éducation courtoise. Elle se prend au jeu — parfois sadique — de l'humiliation et de la provocation, à travers des dialogues savamment ironiques, où elle s'offre tandis que le jeune homme ne comprend pas que la dame dont elle parle est son initiatrice. Elle lui enseigne ainsi l'art d'aimer et de servir, et celui de paraître. Avec l'argent qu'elle lui distribue largement, Jehan monte rapidement à la cour du roi, devient valet tranchant, puis possède lui-même valets et chevaux. La faveur du roi lui est acquise. Pendant seize ans se poursuit une idylle secrète, dans laquelle chacun donne le change aux autres et peut-être à l'autre. Quand il en a l'âge, Jehan se lance dans les joutes et les fastes de la chevalerie, que l'auteur évoque avec complaisance et compétence. Mais un jour, Jehan reprend sa liberté et quitte la dame, qui en tombe malade et s'éloigne de la Cour. A la campagne, elle rencontre Damp Abbé, fils de bourgeois, âgé de trente-cinq ans, qui multiplie pour elle dîners, parties de chasse, séances de confession et messes. Le roman bascule : l'effet de la bonne chère, le désespoir font naître un « nouvel feu d'amours » pour cet « homme dissolut ». Jehan sera vaincu à la lutte par ce bellâtre qui sait faire jouer ses muscles, mais il se vengera sur son propre terrain, infligeant une cuisante défaite à l'abbé à qui il a fait revêtir une armure. Mais l'abbé, ses blessures guéries, continuera à voir la dame.

Un roman courtois ou anticourtois?

La leçon d'amour est, dès le début, équivoque, et le dévolu jeté par la dame sur cet adolescent fragile qu'elle veut initier ou déniaiser relève autant d'un appel du désir que de la tradition de l'éducation courtoise qui fait de la dame la dépositaire de l'échelle des valeurs éthiques et sociales. Cette veuve qui donne des conseils de maîtrise de soi et de maintien ne résistera pas aux promesses charnelles d'un abbé plongé dans la matière, gras et papelard. Secret, fidélité, obéissance inconditionnelle, tous ces ingrédients de la situation romanesque classique sont là, mais inversés, car c'est la femme qui prend l'initiative, et, qui plus est, par l'argent et les cadeaux. Jehan serait-il retenu autant par les écus que par les baisers? Il y a là un écart entre la façade et le déchaînement souterrain d'une sensualité — liberté de la femme qui met mal à l'aise —, entre le code et la réalité, que nous retrouvons au niveau du style même, d'abord de façon imperceptible, puis de plus en plus nettement dans le mélange de vocabulaire courtois et grivois de la dernière partie : « Les yeulx, archiers de cuer, peu a peu, commencerent l'ung des cueurs à l'aultre traire (tirer) », mais « les pieds commencerent de peu a peu l'ung l'aultre toucher », ajoute l'auteur...

Un roman aristocratique?

La prouesse, la description des prestiges d'une chevalerie en déclin tiennent une grande place dans ce roman d'éducation. Mais le noble est vaincu honteusement par le plébéien, dont la sensualité peu sublimée triomphe aisément de la dame. Et pourtant, La Sale a traité avec prédilection la vengeance sur le grossier personnage, qui se retrouve avec la langue et la joue percées, et sur la dame, qui perd sa ceinture bleue.

La mise en roman

Plusieurs traditions d'écriture se recoupent ici. L'histoire de *Jehan* n'est pas sans rappeler les biographies héroïques et les chroniques. Mais le roman s'en est emparé, introduisant la galanterie. La chronique se fait roman par l'amour, prend un tour humoristique par l'absence de merveilleux et la présence d'une réalité que nous sommes invités à lire autant entre les lignes que dans l'accumulation concrète des descriptions. L'ironie est partout et dessine une constante figure de feinte. Après avoir ramené l'histoire au roman, La Sale ramène le roman à la nouvelle, à ce registre du conte dans lequel domine la femme sensuelle et rusée. Le jeu de l'écriture nous empêche de prendre le texte au sérieux, d'y voir, par exemple, une satire de l'aristocratie et de ses artifices. Mais cette œuvre reste typique d'un imaginaire de la chevalerie finissante, dans lequel se mêlent la prouesse, la cérémonie, l'amour, la violence et la sensualité.

BIBLIOGRAPHIE

Éd. Mirashi-Knudson, Genève, 1965.

A consulter. — A. Coville, *le Petit Jehan de Saintré*, Paris, Droz, 1937; F. Desonay, *Antoine de La Sale, aventureux et pédagogue*, Liège, 1960; J. Kristeva, *le Texte du roman*, La Haye-Paris, Mouton, 1974.

A. STRUBEL

LAS CASES Emmanuel Auguste Dieudonné (1766-1842). Artisan principal de la légende napoléonienne, Las Cases est l'auteur du *Mémorial de Sainte-Hélène.* Rien ne semblait le prédisposer à devenir l'historiographe de « l'Usurpateur ». Il est né au château familial de Las Cases, près de Castres, dans une vieille famille de l'aristocratie. Il entre dans la marine avant d'émigrer à Coblence en 1791. A la suite de tribulations diverses, on le retrouve à Londres, où il compose un *Atlas historique, chronologique et géographique* (1802-1804), qui paraît sous le pseudonyme de LESAGE : le livre connaîtra d'innombrables éditions et fera la fortune de Las Cases. Depuis 1802, celui-ci est revenu en France et n'a pas à se plaindre du régime : nommé baron, il retourne dans l'armée comme volontaire (1809), et son attitude courageuse à Anvers lui vaut un titre de chambellan de l'Empereur. Bientôt, le voici maître des requêtes au Conseil d'État, comte d'Empire. Après Waterloo, Las Cases reste fidèle à Napoléon : il l'accompagne à Sainte-Hélène, devient son intime et commence à rassembler les matériaux de son *Mémorial.* Mal vu par les autres familiers de l'Empereur, c'est lui pourtant qui va laisser le meilleur témoignage sur la traversée, sur l'ambiance à Briars et à Longwood : Las Cases écrit souvent sous la dictée de Napoléon, il s'efforce de ne rien perdre de sa conversation et de ses confidences. Ce journal secret inquiète les Anglais, qui le confisquent et qui ne le restitueront à Las Cases qu'après la mort de Napoléon. Pour l'instant, Las Cases est expulsé (1816-1817) avec son fils : il donne des *Mémoires* (1818-1819), écrit aux souverains alliés et à Marie-Louise à propos de l'Empereur; mais ce n'est qu'en 1821 qu'il pourra regagner la France, rédiger et publier le *Mémorial* (plusieurs éditions en 1823, 1824, 1830-1832, 1835 et 1840, qui dessinent d'ailleurs une évolution intéressante). Par la suite, Las Cases sera élu deux fois député sous la monarchie de Juillet (1831 et 1839) et siégera à l'extrême gauche.

Le *Mémorial* se présente d'abord comme un témoignage spontané et véridique : « Tout ce que je donne ici est bien en désordre, bien confus, et demeure à peu près dans l'état où je l'écrivis sur les lieux mêmes ». Cette absence (relative) d'élaboration est un des charmes de l'ouvrage, et le lecteur a l'impression d'y voir un Napoléon authentique, avec toutes ses facettes. Il y a, bien sûr, le stratège et l'homme d'État désireux de laisser de lui une certaine image : celle d'un homme de paix, d'un héritier de la Révolution, d'un champion des nationalités. Nous le suivons dans ses analyses, dans ses plans, jugeant les hommes et les faits, refaisant l'histoire à l'occasion ou regrettant certaines erreurs. Devant ce témoin privilégié, il aborde tous les sujets : la haute politique, les institutions, le choix des alliances, le passé (qu'il récupère) et l'avenir (qui lui donnera raison). Mais le Napoléon de Las Cases n'est pas pour autant une statue ou une abstraction : cet homme, « le plus extraordinaire que présentent les siècles », est à présent humilié par les médiocres et les méchants, victime de la maladie, fixé à son rocher comme un nouveau Prométhée. On découvre même un Napoléon intime, inattendu et tout à fait émouvant. Ce que n'auraient pu faire des « Mémoires » solennels ou un panégyrique trop bien composé, c'est justement de provoquer cette émotion : tantôt donc, c'est le grand homme qui parle, remodelant l'Europe et le monde, tantôt c'est le prisonnier réduit à de mesquines promenades, mais ils ne font qu'un. Napoléon n'est plus un dictateur déchu, c'est un homme à la fois glorieux et brisé, une victime, un martyr.

Le personnage et son destin avaient tout pour séduire les imaginations, et d'abord celle de Julien Sorel, auquel un vieux chirurgien-major a légué le *Mémorial* (*le Rouge et le Noir,* I, IV). Dès cette époque, l'ouvrage est en effet devenu un « évangile », qu'on lit et qu'on relit. Le *Mémorial,* déjà romantique par lui-même, correspond à l'attente d'une génération sevrée d'aventure et de gloire (cf. Musset, *la Confession d'un enfant du siècle*); il influe sur sa sensibilité et renverse le fort courant antinapoléonien qui régnait jusqu'alors dans l'opinion. Tous les témoignages concordent sur cette propagande réussie : très vite, et grâce au *Mémorial,* la légende napoléonienne prend corps, et les écrivains la diffusent, comme le fait, à sa manière, le vieux fantassin du *Médecin de campagne* de Balzac. Selon Louis A. Rozelaar, « c'est probablement grâce à cette lecture que Hugo en est venu à mettre au point la célèbre théorie du grotesque »; c'est elle encore qui a inspiré à Hugo la scène du monologue de Don Carlos ainsi que « ses grands symboles de l'Empereur-Messie, Charlemagne, Charles-Quint, Barberousse ». Frappés par cette épopée grandiose, bien des romantiques se sentent proches de Napoléon, à défaut d'être bonapartistes : en lui s'incarnent les espoirs d'une France lassée par les Bourbons, qui applaudira au retour des cendres, et qui, plus tard encore, plébiscitera Louis Napoléon. Bien sûr, le livre de Las Cases n'a pas tout fait : simplement, il est venu au bon moment pour exalter les opinions et les sentiments. On ne peut nier son impact littéraire et politique. En fait, le *Mémorial* est plus qu'un témoignage : il propose au public une tragédie, une épopée et ce que Napoléon appelait lui-même le « roman » de sa vie.

BIBLIOGRAPHIE
Éditions. — *Mémorial de Sainte-Hélène,* éd. établie par G. Walter, avant-propos d'A. Maurois, introd. de J. Prévost, Paris, Gallimard, La Pléiade, 1956-1963; *Mémorial de Sainte-Hélène,* texte établi avec introd., bibliographie et notes par A. Fugier, 2 t., Paris, « Classiques Garnier », 1961; *Mémorial de Sainte-Hélène,* préface de J. Tulard, prés. et notes de J. Schmidt, Paris, Le Seuil, « l'Intégrale », 1968.
A consulter. — Louis A. Rozelaar : « le *Mémorial de Sainte-Hélène* et Victor Hugo 1) en 1827 et 2) après 1827 », dans *the French Quarterly,* mars 1927 et sept. 1928; « le *Mémorial de Sainte-Hélène* et le romantisme », dans la *Revue des études napoléoniennes,* oct. 1929; Cte E. de Las Cases, *Las Cases, le mémorialiste de Napoléon,* Paris, Fayard, 1959.

A. PREISS

LA SERRE Jean Puget de. V. PUGET DE LA SERRE Jean.

LASNIER Rina (née en 1915). Rina Lasnier est née à Saint-Grégoire d'Iberville au Québec. Après des études universitaires, elle travaille aux périodiques *le Canada français* et *le Richelieu* où elle entreprend une carrière de journaliste, tout en publiant ses premiers poèmes. Membre fondateur de l'Académie canadienne-française, membre de la Société royale du Canada, elle est docteur *honoris causa* de l'université de Montréal. En 1974, elle a reçu le prix France-Canada.

Dès 1939, elle publie *Féerie indienne,* une pièce en l'honneur de Kateri Tekakwita, héroïne indienne et chrétienne. Suivent, en 1941, *le Jeu de la voyagère* et, en 1944, *Madones canadiennes,* première appropriation poétique d'œuvres d'art du patrimoine québécois. Dans *le Chant de la montée,* en 1947, les vicissitudes de l'amour sont incarnées par Rachel et Lia, chacune capable d'une fécondité différente. Texte capital dans la formation d'un poète, temps des options tranchantes, des sacrifices, mais aussi de la lucidité.

Avec *Escales,* en 1950, s'amorce une série de cinq grandes œuvres, comme cinq grandes odes qui seraient le cœur d'une œuvre. *Escales* reflète le drame du consentement aux amours humaines. Faut-il descendre sur terre ou monter au ciel? Les figures d'Ève et de Psyché dominent, chacune brûlée par la soif du dieu, « pour ouvrir à la chair un espace respirable ». S'amorcent conjointement les grandes thématiques de l'arbre, de la mer et du vent, et s'instaure la puissance de l'évocation poétique, dans la densité d'un langage qui évoque Saint-John Perse, même si la quête fait davantage penser à un Claudel. En 1956, *Présence de l'absence* arrive à un sommet de dépouillement.

L'étape suivante est atteinte avec *Mémoire sans jour,* en 1960, recueil qui cite en épigraphe le célèbre poème de « la Malemer », lequel énonce un art poétique et érotique d'une vertigineuse puissance. La descente qui hantait *Escales* s'accomplit ici pleinement : « Je descendrai jusqu'à la malemer, où la nuit jouxte la nuit ». Règnent, dans cette imagerie, des eaux circulaires, des voies rondes. L'amour est comme le poème, « obscur au limon de la mémoire, fermentation de la parole en bulles vives ». L'esprit et l'eau, source du poème de fécondité, conjoignent la nuit et la parole pour définir *les* ou *la* MARIA, « nom pluriel des eaux — usage dense du sein et nativité du feu ». Suivant cette descente dans les eaux immémoriales, nous assistons, avec *les Gisants,* en 1963, à une remontée dans le temps immémorial. Une suite de neuf poèmes célèbrent le vase étrusque, l'Égypte du Nil Blanc (« l'or pâle des os »), du Nil Bleu (« couleur de veine aristocratique »), du Nil Vert (« facile fécondité du lait »), Tout Ankh Amon, « l'or couché dans le rouge du sang », la vallée des Rois, « l'amulette vide de la mort », etc., jusqu'au gisant Jésus, « la spirale et le malstrom de la Pâque ». Cette remontée dans la réalité du temps est comme reprise dans *l'Arbre blanc,* en 1966, où le centre du recueil est constitué d'une méditation sur les sept paroles du Christ en croix. L'amour ici rencontre la mort, et la série « Fils du feu », « feu-sang », « feu-soleil », aboutissant à l'obscurité, postule la résurrection et, pour ainsi dire, fonde la foi. Chacun des cinq recueils se déploie autour d'un centre, que des centaines d'autres poèmes, parfois très courts, se chargent de faire rayonner, de diffracter, et de relier à mille autres réalités qui seraient, sans ce centre, sans signification ou sans étincellement.

Ajoutons que *l'Échelle des anges* (1975) est un essai baigné de méditation et d'observation. Rina Lasnier ici récrit la Genèse et l'Apocalypse; elle fait une synthèse de toute la Bible, source-mère de cette œuvre. Avant le Pantocrator, qui fulgure dans sa Parousie, elle désigne iconiquement le Christ, « échelle des anges », et Marie, « joie des anges ». Le recueil suivant, *les Signes* (1976), marque une descente sur terre. On retrouve partout l'arbre, image et figure centrale de l'œuvre. Les signes sont une réflexion polymorphe sur l'écriture. Quant à *Paliers de paroles* (1978), il relit et mérite l'héritage chrétien : « Dieu, je bascule dans ta joie élogieuse, avec mon cri envoûtant le vide ». *Matin d'oiseaux* (1978) revient aux éléments et aux objets, aux choses et aux saisons; le terrien semble l'emporter, mais jamais dans le désespoir.

Une poésie de la célébration et de la louange, un verbe d'une richesse d'images somptueuse, d'une densité sévère. Cette œuvre d'allure altière ne supporte, au Québec, aucune comparaison.

BIBLIOGRAPHIE

« Rina Lasnier », *Liberté,* n° 108, nov.-déc. 1976; Eva Kushner, *Rina Lasnier,* Paris, Seghers, « Poètes d'aujourd'hui », 1969.

J. BONENFANT

LASSAILLY Charles (1806-1843). Être poète crève-la-faim et rêver de duchesses, collaborer à mille entreprises journalistiques pour finir ignoré de tous, laisser, pour seule « bouteille à la mer », un récit aussi fascinant qu'illisible, tel fut l'étrange destin de Charles Lassailly, l'auteur des *Roueries de Trialph.* Cet écrivain fut à la fois la caricature des prétentions dérisoires d'une génération et le symbole attachant de la troupe des petits et des sans-grade du romantisme de 1830.

Grandeur et servitude d'un petit bousingot

Charles Lassailly est né dans une famille de la petite bourgeoisie orléanaise. Malgré un tempérament instable et plusieurs drames familiaux, il fait d'assez bonnes études qui ne doivent qu'à son rêve d'être poète de n'avoir pas été menées plus loin. Le voilà en effet à vingt ans sur le pavé parisien, courant les salons, les cénacles et les salles de rédaction, affublé d'un nez disgracieux qui fait vite sa célébrité chez les bousingots qu'il côtoie lors des batailles pour *Hernani* ou *Marion Delorme.* Les premiers vers, bucoliques ou élégiaques, qu'il donne à *la Psyché,* puis à *l'Almanach des Muses,* ne sont ni meilleurs ni pires que ceux de nombre de ses contemporains. Ces « Tristesses de mon âme » ou « Hommage à Lamartine » offrent cependant trop de prosaïsme, de négligences et trop peu d'émotion vraie pour qu'on s'y arrête. Lassailly est plus rigoureux et se livre avec plus de sincérité dans ses poèmes politico-satiriques (*Poésie sur la mort du fils de Bonaparte,* 1832; *le Cadavre,* 1834, inspiré par le massacre de la rue Transnonain) qui révèlent la générosité humaniste, nourrie de Saint-Simon et d'Enfantin, d'un jeune homme qui ne craint pas d'associer mysticisme et communisme. 1833 voit la parution du seul grand texte que Lassailly parvint jamais à faire éditer, *les Roueries de Trialph, notre contemporain, avant son suicide.* Ce « roman », chef-d'œuvre de la littérature jeune-France, aurait dû faire scandale; il ne fit rien du tout et ne se vendit pas. Nous reviendrons sur cet échec cruel qui devait rejeter l'écrivain dans l'insignifiance.

Lassailly, qui rêve toujours de succès, va désormais consacrer le plus clair de son temps au journalisme mondain. Collaborateur de plusieurs gazettes féminines et keepsakes à la mode, il se fait surtout remarquer en fondant en mars 1836 son propre « journal du monde élégant », *l'Ariel,* et en obtenant les signatures de Gautier, Musset, Dumas et Vigny. Mais la revue s'effondre après dix-neuf numéros, et, une fois de plus, Lassailly en est réduit à faire des piges. Ses critiques de *l'Indépendant* et du *Siècle,* très dures, le brouillent avec Scribe comme avec Hugo, qu'il juge « un homme fini » en 1837! Seuls Lamartine et Vigny trouvent grâce à ses yeux... et sauront s'en souvenir.

Quelques poèmes bien fades, deux ou trois nouvelles (« la Coquette sans le savoir », « le Suicide d'Hamlyre ») dont le principal mérite est de nous renseigner sur sa détresse morale et financière, telles sont les productions de Lassailly avant qu'il ne rencontre — pour quelques mois d'aisance en 1839 — Balzac, qui fait de lui son secrétaire et, à l'occasion, son « nègre ». Las! Toutes ses économies fondront dans un désastreux projet de keepsake de luxe que lui avait suggéré le romancier. Un passage au secrétariat de la Société des gens de lettres, un dernier conte (« le Masque de Werther », 1840) et un dernier rêve journalistique (*la Revue critique*), l'un et l'autre marqués déjà par des effusions et des violences qui doivent plus à la folie qu'au génie créateur ou critique, furent les dernières manifestations de celui qui servit de modèle au Chatterton de Vigny.

C'est Vigny, d'ailleurs, qui usa de son influence pour le faire admettre dans la fameuse clinique du docteur Blanche, puis chez le docteur Brière de Boismont, où il devait s'éteindre à l'âge de trente-sept ans, bercé par les flonflons lointains du 14-Juillet et en rêvant aux duchesses qu'il n'avait pas eues. Seul le *Journal des débats,* sous la plume de Jules Janin, l'honorera dans un hommage collectif aux victimes de la bohème : « Ils écrivent, ils écrivent, ils rêvent, ils songent, ils se perdent dans toutes sortes de fantaisies impossibles, et puis qu'arrive-t-il? Ils restent au beau milieu du chemin et de leurs rêves commencés... » [voir BOHÈME, BOUSINGOT, CÉNACLES, KEEPSAKE et ROMANTISME].

📖 *Les Roueries de Trialph,* ou l'autobiographie d'une génération

On ne résume pas *les Roueries,* ce déconcertant roman rocambolesque et divertissant, de la veine des *Frénésies* de P. Lacroix ou du *Champavert* de Pétrus Borel. Mais il est injuste que pas même un scandale n'ait salué l'apparition du récit des aventures drolatiques, des amours lubriques et finalement meurtrières de ce Trialph, « poète et fou », dont l'un des profils est celui de Lassailly lui-même et l'autre celui d'un Jeune-France anonyme de 1830. Trialph, avec sa gouaille et son lyrisme, sa désinvolture et ses anathèmes, Trialph qui affirme : « Ce sont mes Mémoires que j'écris. J'ai nom Trialph [...]. Cette expression, dans la langue danoise, signifie gâchis ». C'est, bien sûr, le double romanesque de son auteur, revivant pour lui, sur le mode de l'hyperbole ou de la dérision, ses amours mortes, ses fantasmes avortés et ses espérances déçues.

Mais *les Roueries* sont aussi l'autobiographie d'une génération « gâchée » et, comme Trialph, condamnée à la double violence du crime et du suicide. « Je suis mon siècle, s'écrie le héros; je veux parodier par ma mort, au milieu de leur bal, les plaisirs de cette société qui n'était point faite pour moi ». Ses cris et ses anathèmes se font ainsi l'écho des voix de la bohème tout entière, révoltée contre toute forme d'institution et de pouvoir, pleine de haine contre « les anges conservateurs de bonnes doctrines, les rois fainéants de la science et de l'art, les restaurateurs d'autels, les timoniers de l'État ».

Nul doute qu'il y avait du Lautréamont en germe chez ce Lassailly-là, chez ce « Trialph-Satanas ». Mais l'ironie féroce de ses maldororiennes imprécations ne fut pas entendue, et la critique se tut, plus indifférente qu'effarée, devant les tapages de celui qui ne croyait pas si bien conclure lorsqu'il écrivait : « Je m'amuse à faire un livre dont le suicide sera le dénouement... ».

BIBLIOGRAPHIE

Slatkine propose la réimpression de l'édition des *Roueries de Trialph* parue à Paris en 1933 (Genève, 1873).

Par ailleurs il n'existe sur l'ensemble de la production littéraire et journalistique de Lassailly qu'un seul ouvrage d'intérêt, celui d'Eldon Kaye, *Charles Lassailly,* paru en 1962 à Genève chez Droz-Minard.

D. RINCÉ

LA SUZE, Henriette de Coligny, comtesse de (1618-1673). Fille de Gaspard de Coligny, maréchal de France, petite-fille de l'amiral de Coligny, la future Mme de La Suze appartient, par sa naissance, à un milieu de huguenots militants. Elle y rencontre et épouse, en 1643, Thomas Hamilton, comte de Haddington, qu'elle suit en Angleterre. Presque immédiatement veuve, elle revient en France. Sa famille lui fait alors épouser Gaspard de Champagne, comte de La Suze. Elle échappe bientôt à la vie recluse que celui-ci lui fait mener dans ses châteaux de la Suze, près du Mans, ou de Lumigny, près de Meaux, et vient s'installer à Paris. Elle s'y convertit en 1653 à un catholicisme mondain, plus tolérant pour les plaisirs de la vie. Cette nouvelle catholique, dont la conversion est une victoire sur le nom qu'elle porte, est menée à l'autel par la reine elle-même. Les protestants ne le lui pardonneront pas.

Mme de La Suze se trouve alors le centre d'une société où l'esprit est voué à la poésie et à la galanterie, société plus éclectique et plus libre que celle de l'Hôtel de Rambouillet. Ninon de Lenclos, Christine de Suède, Madeleine de Scudéry sont ses amies. Tallemant des Réaux, Cotin, Segrais fréquentent son salon. Imprévoyante cigale, elle se ruine en procès. Elle obtient difficilement, en 1661, l'annulation de son mariage; il lui en coûte vingt-cinq mille livres à rembourser au comte de La Suze. Elle perdra l'héritage Coligny dans un procès contre sa belle-sœur, Mme de Châtillon.

Mais ces déboires la touchent peu, car sa vie est vouée à la passion et à la littérature, passion de la littérature et littérature de la passion. On lui prête maintes liaisons, avec le comte de Lude, avec Henri de Guise, avec le poète Hercule de Lacger. Ses premiers vers paraissent en 1653. Ils enrichiront de nombreux recueils collectifs de poésie galante. Il s'agit, pour la plupart, d'odes, de chansons, de madrigaux, de rondeaux, de stances. Mais Mme de La Suze est remarquable surtout par ses élégies, qui lui confèrent une place unique dans la poésie du XVIIe siècle. « Si belles, si pleines de passion », dit d'elles Madeleine de Scudéry dans la *Clélie.* Et Mlle Petit renchérit, dans un portrait de Mme de La Suze : « Elle a fait des élégies où se trouve tout ce que la passion peut inspirer dans les cœurs et faire dire aux amants les plus tendres, avec des expressions qui étaient inconnues avant qu'elle se mêlât d'écrire en vers ».

On est étonné de la sévérité de la postérité à son égard. Les notices parlent de style faible, fade, sans couleur. Son propre biographe, Émile Magne, qui joint à la plus parfaite érudition une rare malveillance à l'égard de ses mœurs et de son œuvre, dit même que « son mince bagage littéraire paraît indigne d'émerger de la foule anonyme qui encombre d'inutiles travaux les bibliothèques publiques ». Le critique oraculaire qu'est Boileau avait pourtant tranché en 1700, disant que ses élégies étaient « d'un agrément infini ».

Ces dissonances viennent peut-être de ce que Mme de La Suze est une des rares voix féminines qui, comme Sapho ou Louise Labé, osèrent chanter la passion avec un lyrisme sans mièvrerie. Elle dépeint le trouble de la présence, le tourment de l'absence, la morsure de la jalousie, avec un réalisme psychologique déjà racinien. Elle y ajoute une véhémence singulière dans ses protestations contre la raison, contre les lois humaines opposées aux lois de la nature, une revendication de la liberté de la passion qui préfigure celle de George Sand.

Un de ses familiers, le père Le Moyne, spécialiste jésuite de la dévotion mondaine, lui a consacré une très belle devise latine : *Non urar tacita.* On ne saurait mieux dire quelle fut son inconvenance.

BIBLIOGRAPHIE

Les poésies de Mme de La Suze n'ont jamais été réunies. On les trouve dans les différents recueils dits *La Suze-Pellisson,* avec des pièces de Gilles Boileau, Perrault, La Fontaine, Mlle de Scudéry, parus en 1664, 1666, 1684, 1695, 1698, 1725. On trouve encore certaines pièces dans *le Parnasse des dames* (1773), *les Annales poétiques* (1782).

A consulter. — Émile Magne : *Madame de La Suze et la Société précieuse* (documents inédits, bibliographie), Paris, 1908.

O. BIYIDI

LA TAILHÈDE Raymond Pierre Joseph Gagnabé de (1867-1938). Très jeune, Raymond de La Tailhède se fit apprécier du monde littéraire parisien : l'on y admire les premiers vers de ce collaborateur des *Chroniques* (1887) et de *la Plume* (1889-1899). En 1890, le voici qui publie *les Reliques* de son ami Jules Tellier, y adjoignant quelques-uns de ses poèmes en guise de *Tombeau*; c'est l'époque où il se lie avec Maurice du Plessys, Charles Maurras et Ernest Raynaud pour fonder l'école romane, sous la direction de Jean Moréas. Mais son premier recueil, *la Métamorphose des fontaines,* ne paraît qu'en 1895 et restera son unique ouvrage édité jusqu'en 1917, date de publication des poèmes patriotiques de l'*Hymne pour la France.* En 1926, ses poésies encore dispersées sont regroupées en un seul volume; et, bien qu'un *Débat sur le romantisme* (1928) l'ait opposé à Maurras, c'est un poète peu connu du grand public qui meurt septuagénaire à Montpellier, où il s'était retiré.

Le souvenir de La Tailhède est lié à celui de l'école romane : par son culte de l'hellénisme et son souci de la forme plastique, le poète a fait siennes la revendication du « principe gréco-latin » et la restauration des valeurs classiques, que prônait Moréas. Poésie savante où les odes, hymnes et sonnets évoquent Ronsard — et, à travers celui-ci, Pindare —, dans une prosodie traditionnelle, voire archaïque, et avec de constantes références à la mythologie grecque.

Les meilleurs poèmes échappent à ces conventions rhétoriques — tels les *Triomphes* de sa jeunesse — ou les dépassent — telle *la Métamorphose des fontaines,* qui cherche à concilier les leçons de Mallarmé et celles de Moréas en un nouveau lyrisme pastoral. Plus éclectique que celle de ses amis de l'École romane, la poésie de La Tailhède tendra, non sans anachronisme, à se situer aux frontières du Parnasse.

BIBLIOGRAPHIE

Eurydice, Cahiers de poésie et d'humanisme, nov. 1937-févr. 1938.

M.-O. GERMAIN

LA TAILLE Jean de (v. 1535-1611?). Originaire de Bondaroy, village du Maine dont sa famille avait la seigneurie, il étudie d'abord à Paris, au collège de Boncourt, fréquenté à la même époque par Muret et La Péruse, et où est jouée en 1553 la *Cléopâtre* de Jodelle. A Orléans, il suit les cours de droit d'Anne du Bourg, mais se laisse bien vite séduire par les Muses, « mieux peignées, dira-t-il plus tard, et de meilleure grâce que les loix ». Il rejoint à Paris son frère cadet Jacques, élève de Jean Dorat, et déjà l'auteur de nombreux vers et de tragédies. Jacques meurt en 1562, âgé d'à peine vingt ans : certaines de ses œuvres seront publiées par les soins de Jean en 1573 : deux tragédies, *Alexandre* et *Daire* (Darius), plusieurs poèmes latins et français et un traité sur la *Manière de faire des vers.* Sans avoir la remarquable précocité de Jacques, Jean de La Taille a cependant composé dès cette époque le *Negromant,* adapté de l'Arioste, son aimable comédie des *Corrivaus* (ou rivaux en amour) et surtout son œuvre principale, la tragédie de *Saül le Furieux.* Durant les guerres de Religion, il s'est engagé dans le camp des protestants. Blessé au combat d'Arnay-le-Duc en 1570, il consacre le reste de sa vie à sa famille et à la littérature. En 1572 et 1573 paraissent les œuvres croisées de Jean et de Jacques, précédées de l'important traité *De l'art de la tragédie* (1572). Jean de La Taille y formule avec netteté la règle des trois unités et invoque, au nom de la vraisemblance, le respect des bienséances. Rompant avec les expositions en forme de monologue (protatique) chères à Sénèque, il veut que l'on plonge le spectateur *in medias res* dès la première scène. L'action doit produire des contrastes de situation « à l'exemple des choses humaines », de manière à « émouvoir et poindre merveilleusement les affections de chacun ». La référence implicite à la théorie aristotélicienne de la purgation des passions a pour corollaire le caractère moyen du héros : ni Thyeste ni Socrate mais également partagé entre le vice et la vertu et promis à tous les revirements du sort comme à toutes les catastrophes. *Saül le Furieux,* « tragédie prise de la Bible », mais faite « à la mode des vieux autheurs », a par avance respecté les grandes lignes de ce programme. D'entrée de jeu, le roi Saül, en proie à la malédiction de l'Éternel et poursuivi par d'horribles visions, se précipite sur ses fils dans un accès de folie meurtrière. Revenu à lui, il déplore son malheur, mais s'égare à nouveau dans la volonté funeste et blasphématoire de connaître par art magique l'avenir. L'apparition du défunt prophète Samuel, suscité par les « sorcelages » d'une pythonisse devant un Saül atterré et tremblant, constitue, à l'acte III, le nœud du drame. Conformément au présage qui est alors rendu, les armées d'Israël sont vaincues, et le roi, qui va pleurer la mort au combat de ses trois fils, doit se résoudre au suicide. L'action, sans cesse nourrie de péripéties en constante progression, a pour principal mérite de montrer le drame intérieur d'un homme poussé vers l'issue tragique par une pressante conduite d'échec : désireux passionnément de savoir et, à l'instant même, retenu par l'anxiété. Cette incertitude psychologique d'un personnage fasciné par son propre destin, qu'il s'efforce tour à tour de retarder ou d'anticiper, représente dans le théâtre français de la Renaissance une création exceptionnelle. Il suffit pour s'en persuader de comparer avec l'œuvre d'un Des Masures qui, dans sa contemporaine *Trilogie* de David (1566), schématise à l'extrême un Saül perpétuellement réprouvé et conspirant de fureur en fureur la perte de son rival.

Revenu à la tragédie au lendemain de la Saint-Barthélemy, La Taille compose alors *la Famine ou les Gabéonites* (1573), pièce qui fait suite à *Saül* et qui conte les malheurs advenus à la descendance du roi maudit. Celle-ci est châtiée sur la croix pour le manquement à la foi jurée commis à l'encontre des Gabéonites, prisonniers et innocents, et néanmoins impitoyablement massacrés par les Israélites vainqueurs. Allusion transparente à l'actualité, la famine est pour l'auteur l'image de la guerre civile « qui forcène en nos entrailles ». La pièce, qui combine à des emprunts à Sénèque des larcins à l'*Hécube* d'Euripide, vaut surtout par l'immédiateté du drame qu'elle reflète et qui ensanglante la scène finale du supplice. Un décor de croix plantées à la Breughel y mêle à la familiarité de détails infimes — enfants juchés sur un mur pour mieux voir — l'ampleur d'un paysage rempli par l'écho du marteau sur les clous et la vision du sang dont ruisselle le bois. Tout s'achève par ces traits pathétiques directement passés de la tragédie grecque à celle de l'âge moderne : « Bouches qui béent à la mort », « yeux qui nagent à leur fin ».

BIBLIOGRAPHIE

Jean de La Taille, *Saül le Furieux, la Famine ou les Gabéonites, tragédies,* éd. critique avec introduction et notes par Elliott Forsyth, S.T.F.M., Paris, Didier, 1968; *les Corrivaus, comédie,* éd. critique par Denis L. Drysdall, S.T.F.M., Didier, 1974.

A consulter. — G. Baguenault De Puchesse, *Jean et Jacques de La Taille, étude biographique et littéraire sur deux poètes du* XVI*e* *siècle,* Orléans, Herluison, 1889, réimprimé par Slatkine, Genève, 1970; Raymond Lebègue, *la Tragédie religieuse en France : les débuts,* Paris, Champion, 1929, ch. XXI (contient un jugement un peu sévère sur *la Famine* et des remarques très complètes sur l'ensemble de l'œuvre).

F. LESTRINGANT

LATIN (la littérature latine au Moyen Âge). La civilisation du Moyen Âge européen — issue de traditions romaines désagrégées et d'influences germaniques, amalgamées dans une idéologie d'origine judéo-chrétienne — présente, du Ve au XVe siècle, une dualité culturelle en apparence irréductible : double polarisation, en provenance, d'une part d'une sphère de pensée et d'expression maintenue par l'école et par la pratique scientifique, d'autre part d'une sphère plus diffuse, souvent subordonnée à la première, dont elle représente en quelques parties un état dégradé, et que désigne parfois, à tort ou à raison, le qualificatif de « populaire ».

Cette opposition trouve sa sanction sur le plan des langues. Le latin, véhicule de l'héritage romain tardif, se pose en effet au-dessus, puis à côté des langues vulgaires, puis en concurrence avec elles, en vertu d'une différence non seulement stylistique, mais embrassant la totalité des modes du dire et, souvent, du penser.

Transmise par l'enseignement, dont les techniques se ramènent à la lecture et à l'explication de textes, la culture latine médiévale repose entièrement sur l'écriture et le livre. De l'une et de l'autre, elle détint longtemps le monopole : lorsque l'on entreprit de noter la langue vulgaire, le modèle latin ne cessa de prévaloir, au point que la graphie ne réussit jamais à s'en affranchir complètement. Jusqu'assez tard dans le XVe siècle, le latin demeura le domaine privilégié, le plus naturel, d'application des techniques requises par l'écriture. Le texte de langue vulgaire resta fondamentalement, pour les hommes de cette époque, et jusqu'au seuil de l'ère moderne, objet auditif, donc fluide et mouvant. Oralité et écriture s'opposent ainsi, dans la quotidienneté de la littérature médiévale, comme le continu au discontinu. A la fin du XVe siècle, encore 75 p. 100 des livres imprimés le seront en latin. Les manuscrits de textes français ne sont relativement nombreux qu'à partir du XIIIe siècle : sans doute est-ce le vieillissement de la langue et des modes poétiques qui poussa alors à mettre par écrit beaucoup d'ouvrages composés à une époque plus ancienne. De petites bibliothèques commencèrent à se constituer : la langue vulgaire n'y apparaît qu'accessoirement; le fonds reste latin. Les recueils de textes français ont souvent le caractère d'anthologies, constituées à la demande particulière d'un client : à ce niveau, l'écriture demeure seconde.

Une contrebande finira toutefois par s'organiser, du latin aux langues vulgaires, assez tardivement (XIIe-XIIIe siècle), sous la forme de traductions : elle restera, sauf exception, à sens unique. Le monde du « clerc », de celui qui participe à la tradition latine, possède une dimension propre, que l'on dit *classique,* au sens où ce terme, à la fin de l'Antiquité, avait désigné une classe d'écrivains considérés, pour des raisons assez confuses, comme dignes de servir de modèles et de guides en tout ce qui concerne l'usage de la langue et l'acquisition de la connaissance. C'est sur cette base relativement étroite que se constitua, entre le Ve et le VIIIe siècle, un canon des *auctores* (les « garants »), possédant *auctoritas,* déterminant les normes et les doctrines, objets de l'enseignement. Ces « auteurs », bien commun et comme dépersonnalisé, sont inlassablement cités, imités, refaits, découpés en *sententiae,* glosés, au point qu'une partie considérable des textes latins écrits jusqu'au XIIe siècle et même plus tard apparaît comme une littérature engendrée par la littérature et y retournant.

Les transformations de cette culture « classique » suivirent celles des institutions où on la transmettait. Elle eut ainsi son existence propre, ses chutes, ses renaissances, et chacun de ces mouvements se répercuta sur l'ensemble de la culture médiévale. Un lien, difficile à définir, mais indéniable, rattache à la « Renaissance carolingienne » du IXe siècle les premiers textes de langue vulgaire : la prise de conscience de l'originalité de cette langue est elle-même en rapport avec l'effet carolingien. La décadence du Xe siècle n'est pas sans rapports avec la préhistoire de la poésie romane. La « Renaissance du XIIe siècle » coïncide avec l'apparition de formes poétiques françaises nouvelles qui, en peu de temps, vont refouler les modèles plus anciens, jusqu'alors de tradition purement orale. Dès lors se produit une sorte d'imprégnation de la culture commune par la culture classique, tandis que se forme l'idée d'un progrès, d'un mouvement de l'histoire, idée toute nouvelle et qui valorise en fait, par rapport au latin, les formes propres à la langue vulgaire, facilitant l'assimilation par celle-ci des valeurs classiques, ainsi que son accession au statut de langue scriptible de plein droit, mais par là même préparant l'élimination du latin, par défonctionnalisation, du champ de la littérature. Aux XIIIe et XIVe siècles, quand triomphera un type de société monarchique à forte coloration bourgeoise, on assistera à un déferlement d'influences classiques dans tous les secteurs de la littérature : la conséquence en sera de disperser la tradition latine et de la fondre dans le modèle commun.

Le latin, langue littéraire et savante

Durant les premiers siècles du Moyen Âge (du VIe au VIIIe siècle), les clercs semblent, dans le royaume des Francs — sans doute par suite des carences de l'enseignement — impuissants à écrire un latin qui soit correct selon les normes traditionnelles antiques : leur vocabulaire, leur syntaxe présentent des traits attestant la décadence du système linguistique romain. Sans doute cette langue écrite diffère-t-elle bien peu de l'usage parlé, qui est alors en train de se corrompre au point d'engendrer des langues nouvelles. Puis, dès la fin du VIIIe siècle, auprès des rois carolingiens, et à l'incitation de ceux-ci (ils y voient un instrument de domination politique), réapparaît chez les lettrés un latin savant, fait de réminiscences propres aux doctes et fort éloigné du latin parlé. Vers 800 apparaissent les premiers documents où perce un certain sentiment de ces différences. En 842, le texte des *Serments de Strasbourg* atteste une prise de conscience de l'autonomie de la langue vulgaire. Dès lors l'idée dut se propager, chez les plus clairvoyants des clercs, que l'on disposait d'un double registre linguistique, selon que l'on adoptait l'usage archaïsant (« latin ») ou l'usage courant et familier (« français »). Quoique le latin ne soit pas encore un langage purement conventionnel, une exigence interne, et comme élitaire, le porte au difficile, au rare. Le latin carolingien vit d'artifices formels; les écrivains le mettent à l'épreuve, l'exploitent en tous sens : la langue littéraire est terrain d'expérimentation. Ultérieurement, c'est de ces artifices que naîtra, après de nombreux choix, un véritable style d'art.

De plus en plus, en effet, le latin fera figure de mode d'expression actuel, à la morphologie certes figée, mais à la syntaxe mouvante, au lexique d'une remarquable souplesse. L'école le désigne par le terme de *grammatica* (terme grec souvent calqué en latin sous la forme *litteratura*). On entend par là, en l'opposant à l'idiome maternel, définir le latin comme une langue institutionnalisée, rationalisée, internationale, conforme aux exigences profondes d'un intellect supposé universel. L'état d'élaboration du latin n'apparaît pas comme l'aboutissement d'un long processus historique, mais comme un donné naturel.

C'est ainsi que se constitue le « latin médiéval », parfois dit « moyen latin », langue bien vivante où se marquent deux tendances, selon que dominent dans sa tradition (au gré du tempérament de la formation de chacun) les éléments du latin patristique ou ceux du latin païen. Il implique moins imitation servile qu'absorption incessante de notions, d'images et de mots nouveaux, très diversifiés selon les nations ou les centres littéraires, dans une forme linguistique qui, pour l'essentiel, reste stable.

A l'exception des livres techniques, destinés à la population des écoles, les ouvrages littéraires latins écrits entre le XIe et le XVe siècle l'ont été soit pour un riche protecteur, soit pour le divertissement d'une cour (le plus souvent ecclésiastique). Néanmoins, le statut des écrivains est très divers. Dès la fin du Xe siècle, l'œuvre littéraire jouit, en milieu lettré, d'assez de prestige pour assurer à son auteur une certaine indépendance sociale. L'activité littéraire latine est, le plus souvent, liée à l'exercice de hautes fonctions ecclésiastiques, administratives ou scolaires. Pourtant, une classe de clercs nomades, çà et là en voie de marginalisation, se constitue au cours du XIe siècle : beaux esprits, chansonniers, dialecticiens ambulants (Abélard fut tout cela au début de sa carrière), parcourant villes et campagnes, faisant halte auprès de professeurs célèbres ou de certains mécènes. Beaucoup écrivent, en un style fondé sur les techniques apprises à l'école, mais en en suivant la tendance la plus « moderne ». L'œuvre de ces « vagants » ou « goliards », qui dut être abondante dès avant 1050, constitue, dans sa majeure partie, la poésie la plus originale des XIe, XIIe et XIIIe siècles : l'anthologie des *Carmina burana,* constituée au XIIIe siècle en Allemagne, nous en a conservé d'admirables échantillons. Au reste, dans le cours du XIIIe siècle, on voit les « vagants » se séculariser peu à peu, composer parfois leurs chansons en un style bilingue, puis de plus en plus en langue vulgaire (Villon un jour s'inscrira dans cette tradition), tandis qu'ils baissent dans l'estime générale et, socialement, se distinguent de moins en moins des « jongleurs ».

Les centres où se constitue ainsi, dans ses divers aspects, la littérature latine, sont urbains et scolaires : Chartres, Reims, Laon, Orléans, Paris; dès le milieu du XIe siècle, la Normandie et les provinces de l'Ouest, de Rennes à Blois. Une partie importante de l'abondante littérature engendrée par la querelle des Investitures provient des villes de la basse Loire; de celles du sud de l'Angleterre semble être issu le renouveau historiographique qui se dessine vers 1125. Les guerres de succession qui déchirent l'Empire angevin à la fin du XIIe siècle marquent la fin de ce premier essor littéraire.

Le progressif avènement, après 1150, de ce qui sera, au XIIIe siècle, la philosophie scolastique entraîne chez la plupart des écrivains lettrés une forte tendance au didactisme, que magnifie la notion nouvelle de *theologus poeta* : l'exercice poétique introduit à une sagesse et instruit positivement sur la nature des choses et de l'homme. La volonté de le rendre tel engendre une sorte de gravité doctorale, un goût des sentences et des analyses logiciennes. En cela, du reste, perce un maniérisme, sinon parfois un ésotérisme, provenant de l'abus de ces tendances. On vise à l'expression adéquate en même temps qu'à la plénitude du style, conçu de façon quasi artisanale : application parfaite de règles professionnelles plus que conquête personnelle; illustration plutôt que re-création; d'où un primat de la technicité sur la recherche, l'attention primordiale portée à l'opération linguistique. Cependant, l'utilisation des *auctores,* dont l'importance scolaire décroît au profit de spéculations désormais principalement théologiques, procède d'un esprit plus libre. Simultanément, il semble que l'on devienne plus sensible que naguère à l'agrément des ensembles, à la plasticité descriptive. On s'empare des grands thèmes poétiques grecs ou romains, Alexandre, la guerre de Troie, Orphée, que l'on transpose selon un système très élaboré de variations romanesques [voir ALEXANDRE, ANTIQUES (romans), ÉNEAS, ÉRACLE, THÈBES et TROIE (roman de)]. L'imitation d'Ovide, surtout des récits des *Métamorphoses,* constitue presque un genre en soi. On goûte surtout dans cette œuvre une poésie sensuelle, un art raffiné de la fiction, l'union d'un rythme fluide et de représentations concentrant l'intérêt sur l'homme même. Une série d'épopées latines ainsi inspirées voient le jour durant le XIIe siècle, et sont probablement à l'origine de l'invention en français du genre romanesque. A la même époque se multiplient les recueils de fables, généralement empruntées à la tradition ésopique [voir ISOPETS]. L'épître, genre favori depuis le haut Moyen Âge, atteint un degré de raffinement rhétorique dont témoignent par ailleurs les traités d'art épistolaire (*artes dictandi*) que l'on compose en France et en Allemagne à l'intention des étudiants. Vers 1150 se développe, dans les villes de la Loire, un genre nouveau, que l'on a qualifié de « comédie latine » mais dont la fonction reste mal connue : courts morceaux dialogués, traitant une intrigue comique, parfois presque obscène, empruntée à Plaute, à Térence ou à quelque conte. On a présumé qu'il exista des relations entre ces poèmes et les premiers fabliaux de langue française.

La poésie hymnologique touche, par son abondance et sa qualité, à son apogée : elle subit l'influence des nouvelles préoccupations théologiques et du culte marial qui se répand alors en Occident. Les auteurs se groupent en écoles, définies par leur thématique ou par la nature de leurs procédés formels, autour de maîtres illustres, tel Adam de Saint-Victor, à Paris. Les jeux liturgiques (interpolations poétiques chantées et dialoguées, enrichissant la liturgie des grandes fêtes ecclésiastiques, et où l'on a pu voir l'origine du théâtre religieux médiéval), dont la création première remontait au Xe siècle, deviennent de plus en plus nombreux, à travers la France entière, à Beauvais, Saint-Benoît-sur-Loire, Tours, Soissons, Lille, Limoges, Angers...

S'épanouit alors une tradition complexe et très souple, pour une brève période parfaitement adaptée aux exigences d'un monde en expansion et travaillant à maîtriser sa propre exubérance : âge mûr de la littérature latine que ce XIIe siècle, avec des écrivains prélats ou professeurs comme le Breton Abélard, l'Angevin Marbode, Baudri de Bourgueil, Hildebert de Lavardin, Alain de Lille, Geoffroy de Vendôme, des goliards comme Gautier de Châtillon...

Du latin médiéval au latin classicisant

Dès les premières décennies du XIIIe siècle, la pénétration de l'aristotélisme dans les écoles, non moins que le souci provoqué par divers mouvements contestataires ou hérétiques, confère à la littérature latine un aspect de plus en plus dogmatique et apologétique. On tend, vu l'importance prise par les arts du raisonnement, dialectique et logique, à réduire l'enseignement de la grammaire et de la rhétorique. Plus organisatrice qu'inventrice, plus pratique que fantaisiste, la littérature latine du XIIIe siècle s'élabore comme une œuvre de recherche concrète et « désintéressée ». En fait, ce qui, dès le début du siècle, se prépare et, vers sa fin, se consomme, c'est le divorce définitif entre littérature d'une part, science et philosophie de l'autre.

La génération qui s'est éteinte vers 1200-1210, contemporaine du triomphe des littératures écrites de langue vulgaire, aura été la dernière à produire de grands poètes d'expression latine : le terrain appartient désormais aux philosophes. La liturgie est le dernier refuge d'une poésie latine chantée : en dépit d'une condamnation portée en 1227 par le concile de Trèves, elle ne s'éteindra pas avant le milieu du siècle suivant. Entre 1250 et 1300 se répandent plusieurs « séquences », dont deux au moins — d'origine franciscaine — d'une particulière beauté, sont restées jusqu'à nos jours en usage dans l'Église catholique : le *Stabat mater* et le *Dies irae.* En France, spécialement dans l'école de Notre-Dame de Paris, triomphe alors la poésie polyphonique du motet et du « conduit », poésie d'inspiration religieuse ou profane, et où souvent le latin alterne avec la langue vulgaire, en attendant que celle-ci l'en expulse lorsque, vers 1280, le motet se laïcise tout à fait. En revanche, une censure ecclésiastique de plus en plus explicite pèse sur les jeux liturgiques, qui vont progressivement passer en français et prendre dans cette forme une envergure considérable. Signe de ces temps de déclin : vers 1250, un clerc anonyme compose en latin deux romans de la Table ronde!

Face à un latin scolaire devenu un pur (et remarquable) instrument pédagogique et technique, une littérature latine ne resurgira qu'à la faveur d'une redécouverte de l'art et des styles antiques — d'abord en Italie — avec Pétrarque. C'en sera bientôt fini du « latin médiéval » : commencera l'ère du néo-latin classicisant. Le mouvement ne gagnera la France qu'au XVe siècle et y prendra d'abord un rythme original. La pratique des poètes néo-latins, comme Charles d'Orléans dans son *Canticum amoris* et plus encore des Bourguignons Pierre de Bur, Remacle d'Ardenne, du Français Germain Brice, ami d'Érasme, vers 1500, y sera plus proche de l'art des rhétoriqueurs que de celui des humanistes à l'antique. [Voir aussi LATIN (la littérature latine dans le domaine français)].

BIBLIOGRAPHIE
Répertoires. — M. Manitius et P. Lehmann, *Geschichte der lateinischen Literatur des Mittelalters*, Munich, 1911-1931, 3 vol.; F. Raby, *A History of Secular Latin Poetry in the Middle Ages*, Oxford, 1934, 2 vol., et *A History of Christian Latin Poetry from the Beginnings to the Close of Middle Ages*, Oxford, 1953; K. Young, *the Drama of the Medieval Church*, Oxford, 1933, 2 vol.
Études d'ensemble. — J. de Ghellinck, *l'Essor de la littérature latine au XIIe siècle*, Bruxelles, 1955; E. de Bruyne, *Études d'esthétique médiévale*, Bruges, De Tempel, 1946, 3 vol.; E.R. Curtius, *Littérature européenne et Moyen Âge latin*, Paris, P.U.F., 1956; P. Zumthor, *Histoire littéraire de la France médiévale*, Genève, Slatkine Reprints, 1973.
Études spéciales. — J. Koch, *Artes liberales*, Leyde, E.J. Brill, 1959; P. Lehmann, *die Parodie im Mittelalter*, Stuttgart, A. Hiersemann, 1963.
Anthologie. — G. Vecchi, *Poesia latina medievale*, Parme, 1952.

P. ZUMTHOR

LATIN (la littérature latine dans le domaine français)

[XVIe-XVIIe siècle]. Dans l'ère historique que circonscrivent les termes de Renaissance, d'humanisme et de classicisme, il serait simpliste d'opposer le néo-latin, langue savante, au français, langue vernaculaire, et une littérature d'imitation à une littérature d'inspiration moderne. De l'une à l'autre, en effet, les passages sont si aisés, la symbiose si étroite que l'ensemble néo-latin, bien qu'encore incomplètement connu, peut à juste titre être appelé « une branche de la littérature française » (R. Zuber).

Indépendamment toutefois des poussées, décalages ou retards propres à chaque pays (précocité de la floraison néo-latine italienne, impulsion donnée à la langue vulgaire, en terres réformées, par la diffusion de la Bible, vigoureuse fierté de la Pléiade en France), un regard restreint aux seules frontières nationales méconnaîtrait la dimension européenne de cette *respublica litteraria* que cimente, autour d'un réseau serré de correspondances et d'échanges, l'usage commun du latin.

Le latin, langue morte ou langue vivante?

L'adjectif néo-latin, qui sert encore parfois à qualifier les diverses langues modernes dérivées du latin, s'applique aujourd'hui plus spécifiquement — par imitation, peut-être, de ce qui était l'usage anglais depuis plus d'un siècle — à la langue et à la littérature issues de l'humanisme renaissant, et le préfixe connote moins une modernisation qu'un retour aux sources, par-delà l'évolution qui avait conduit au moyen français et également par-delà le latin médiéval, plus composite, plus ouvert aux contaminations et aux néologismes.

Le néo-latin est donc à la fois une langue parlée — ce n'est qu'en 1539 qu'une ordonnance impose aux tribunaux l'usage du français — et une langue de communication internationale jusqu'à ce que le français le supplante dans cette vocation au XVIIIe siècle. C'est un idiome artificiellement préservé des évolutions phonétiques, grammaticales, syntaxiques ou lexicales propres à toute langue vivante, un outil élu par des écrivains qui cherchent à restaurer la latinité romaine telle qu'elle s'est fixée au cours des deux premiers siècles avant Jésus-Christ et qui lui confèrent, par souci du bien dire et de l'élégance de style, vocation esthétique. *Graece intelligere, latine scribere, gallice loqui* (« comprendre le grec, écrire le latin, parler le français »), cette idéale répartition des fonctions que propose un certain J. Collardeau en 1619 dit bien encore le privilège du latin comme instrument d'expression.

Pourtant l'enthousiasme et l'élan des créateurs qui investissent ce latin de hautes fonctions médiatrices et qui y voient pour les œuvres le seul gage de pérennité — encore en 1677, le P. Lucas le compare au marbre — ne vont pas sans malaise ou scrupule. D'une part, ces auteurs ont parfois le sentiment de trahir les impératifs nationaux, dès lors surtout que tend à se dissocier, vers le milieu du XVIe siècle, la solidarité culturelle qui avait uni poètes français et humanistes pour « illustrer » la France. D'autre part, le regret douloureux d'un Scaliger de demeurer à jamais étranger aux finesses d'une langue d'emprunt devient conscience d'un combat perdu pour l'expression juste (« Pour bien écrire en latin, je voudrais prendre l'esprit de ceux qui le parlaient naturellement et ne dire que le moins qu'il se pourrait de ces choses qu'ils n'ont pas connues. Mais, en parlant sa langue naturelle, il faut être plus entreprenant et s'expliquer à quelque prix que ce soit » [Méré]) ou argument railleur de satirique (Boileau, *Dialogue des poètes*, 1676).

Mais ces doutes, dont les fulgurances traversent parfois la vaste entreprise néo-latine, proviennent aussi de consciences profondément marquées par l'augustinisme et ne doivent point masquer toute la mobilisation intellectuelle dont cette entreprise fut le ferment.

L'invention d'une littérature

Jalonnée de débats qui manifestent soit des expansions, soit des crises ou des replis frileux proches de l'ésotérisme (Scévole de Sainte-Marthe, en 1579, invoque en faveur du latin l'*Odi profanum vulgus* d'Horace), l'histoire du néo-latin a, étudiée sur une courte durée, un visage heurté, mais sur une longue durée, elle révèle, malgré l'effilochement final de ses pouvoirs, l'unité et la permanence du rôle joué par cette latinité moderne.

Il n'est guère de genres où le néo-latin n'ait laissé sa marque : poésie lyrique (Dorat, Muret, Macrin) ou poésie de circonstance, qui rajeunit la pastorale et l'épigramme antiques (Bourbon, Passerat); théâtre, stimulé par les collèges jésuites (1610-1620, en particulier); roman satirique, dont la vogue ouvre le XVIIe siècle (J. Barclay); discours épistolaire, qui doit à Érasme et à Juste Lipse la conscience de ses exigences propres; innombrables traités de rhétorique, de poétique ou d'esthétique (Caussin, Vavasseur, Nicole). Mais l'inventaire des genres et le rythme propre à l'histoire de chacun importent moins que le double mouvement complémentaire d'anamnèse contemplative, remontant vers les formes et les thèmes antiques, et d'adaptation passionnée aux réalités contemporaines.

Tourné vers le passé, le moule néo-latin, dès les exercices scolaires de l'explication, de la paraphrase ou de l'amplification, a fait vivre les esprits dans la familiarité des grands auteurs, Cicéron, Horace, Virgile, qui, pendant deux siècles, pèsent à la fois sur la manière de poser les questions esthétiques et sur les sensibilités. Ainsi, de Montaigne à Guez de Balzac ou à La Rochefoucauld, l'histoire de la prose d'art s'ente sur l'antagonisme durable entre les partisans de la période nombreuse et rythmée, de modèle cicéronien, et ceux des effets plus heurtés de la sentence brève et drue, inspirée de Sénèque. Les concepts mêmes dont se réclame toute œuvre littéraire ne prennent sens que confrontés à leurs antécédents latins, refaçonnés en de parfois subtils glissements par la pratique néo-latine : abondance (*copia*, *ubertas*), bienséance (*aptum*), caractère et style (*genera dicendi*), clarté (*perspicuitas*), génie (*ingenium*), goût (*judicium*).

Mais cette latinité nouvelle est aussi devenue « le mode d'expression du présent » (F. Bardon). L'imitation des Anciens n'interdit pas à la poésie néo-latine de se mettre au service du cérémonial social, en célébrant la naissance (poème généthliaque), le mariage (épithalame) ou la mort (épicedion), d'exprimer les rêves ou les déceptions de la vie de cour et de participer à « ce nationalisme culturel si caractéristique de la France de la Renaissance » (McFarlane). Les paraphrases latines des poètes de la Pléiade ne sont pas fruits d'un désœuvrement studieux ou purs exercices de lettrés, mais expriment la volonté de ces poètes de s'assurer une audience européenne et de se voir conférer l'immortalité par « une sorte d'achèvement, voire de perfectionnement esthétique » (C. Faisant). Un siècle plus tard, en revanche, après La Fontaine, la fable néo-latine, toute nourrie de souvenirs classiques, ne sera plus que le produit artificiel d'une culture savante.

Le moment pourtant où décline la vigueur créatrice du néo-latin ne doit point occulter les stimulations qu'il imprime à la modernité littéraire. En filtrant l'héritage antique tant par la pratique de l'imitation que par les florilèges, il a constitué un réservoir de formes d'expression et de sensibilité; en méditant les leçons antiques, il a éveillé la littérature nationale à la conscience stylistique et lui a révélé les pouvoirs du verbe. Dans ce creuset, grâce à l'effet de distanciation du latin devenu « langue du détachement, du rêve et de la spiritualité » (R. Zuber) et instrument idéal de l'encomiastique, grâce aussi au recours à tout l'arsenal de la rhétorique ancienne, la littérature apprenait, dans les ressources multiples de la médiation textuelle, à transmuer l'éphémère de l'histoire en œuvre belle et durable. Leçon de classicisme qui ne sera point perdue.

Plutôt que de deux cultures parallèles il convient donc de parler d'une culture double, au moins jusqu'à ce que recule l'édition latine, vers le milieu du XVIIe siècle. Encore la bibliothèque d'un Jean Chapelain compte-t-elle plus de titres latins ou grecs que de titres français, et celle de l'honnête homme fait-elle au néo-latin une place honorable. Un noble comme Bussy-Rabutin, dans l'exil bourguignon où le confine sa disgrâce après 1665, ne dédaigne pas non plus de traduire en latin, pour sa cousine Mme de Sévigné, une fable « milésienne » de Théophile de Viau; et, dans un périodique mondain comme *le Mercure galant* (1672-1714), que lisent aristocrates, bourgeois et quelques petits artisans, la latinité occupe toujours une place de choix. Il faut ici rappeler que le latin demeure, jusqu'au XVIIIe siècle, la langue habituelle de publication et de communication du monde savant. Malgré le *Discours de la méthode* (1637), qui fait date dans l'histoire de la langue nationale mais sera très tôt traduit, Descartes publiera en latin ses *Méditations* (1641) et ses *Principes* (1644).

Telle est, à grands traits brossée, cette « patrie latine » (Scaliger) où est venue s'abreuver toute la vie littéraire, ferment de l'*humanitas* et de la culture, facteur de rajeunissement, de cohésion et de confiance. Même si humanistes et mondains, robins et gentilhommes cherchent parfois, dans l'opposition des langages et dans les portraits-charges du pédant, envers du bel esprit, (J.-L. Guez de Balzac, *le Barbon*, 1648), un moyen commode d'expression de leurs antagonismes esthétiques et moraux, même si en 1637 un certain Jean Belot dénonce dans le triomphe du français sur le latin une triple menace de subversion politique, d'athéisme et d'orgueil scientifique, le fait dominant et original demeure, dans la constitution de la littérature humaniste et classique, la convergence des desseins et des démarches. Accomplie sa tâche de fécondation, lorsque prend forme, contre l'esthétique de la variation qui réunissait la *memoria* et l'*inventio* rhétoriques, un mythe de la création individuelle, le latin recule; un Claude Fleury peut alors (1686) dénoncer son usage stérilisant : désormais s'accuse le divorce entre une Europe savante, toujours latiniste, et une Europe mondaine et moderne, qui s'exprime dans les langues nationales.

QUELQUES REPÈRES CHRONOLOGIQUES

1528 S. Macrin, *Carmina*.
1530-1550 *Sodalitium lugdunense* (école lyonnaise).
1549 Du Bellay, *Défense et illustration* : les néo-latins qualifiés de « reblanchisseurs de murailles ».
1558 Du Bellay, *Poemata*.
1572 Ronsard, *la Franciade* : « C'est un crime de lèse-majesté d'abandonner le langage de son pays, vivant et florissant, pour vouloir déterrer je ne sais quelle cendre des Anciens ».
1575-1600 Réaction humaniste.
1577 Baïf, *Carmina*.
1579 H. Estienne, *De la précellence du langage français*.
1610-1611 Polémique autour de l'usage des citations latines dans le discours (A.P. Filère, A. de Rambaut).
1637 Fondation de l'Académie française; son secrétaire, V. Conrart, ignore le latin.
Débat sur la nécessité d'écrire les sciences en français.
1650 J.-L. Guez de Balzac, *Carmina et epistolae selectae*.
1658 F. Vavasseur, *De ludicra dictione liber*.
1659 P. Nicole, *Dissertatio de vera pulchritudine*.
1667 L. Le Laboureur, *les Avantages de la langue française sur la latine*.
1669 F. Vavasseur, *De epigrammate liber*.
1675 Desmarets, *Défense de la poésie et de la langue françaises*.
1676 Querelle sur le style des inscriptions; défaite de la Pléiade parisienne néo-latine (Bourzéis, La Rue, Périer, Santeuil).
F. Charpentier, *Défense de la langue française*.
1677 Marolles, *Considérations en faveur de la langue française*.
1683 F. Charpentier, *De l'excellence de la langue française*.
1683 B. Lamy, *Entretiens sur les sciences* : « On perd beaucoup de temps dans nos collèges à faire des vers latins ».
1694 J.-B. Santeuil, *Opera poetica*.

BIBLIOGRAPHIE

Les ouvrages classiques de J.S. Vissac (*De la poésie latine en France au siècle de Louis XIV*, 1862) et de Ph. van Tieghem (*la Littérature latine de la Renaissance*, 1944) sont à compléter par les recherches réunies dans les actes des récents congrès d'études néo-latines (*Acta conventus neo-latini Lovaniensis*, 1973; ... *Amstelodamensis*, 1979; ... *Turonensis*, 1980) et par les éclairantes mises au point de D. Briesemeister (« Zur Stellung der neulateinischen Dichtung in der französischen Klassik », *die neueren Sprachen*, 10, 1968, p. 490-505) ou de R. Zuber (« la Singularité néo-latine du XVIIe siècle français », *Bulletin de l'Association G. Budé*, mars 1975, p. 147-153). Signalons en outre le guide de J. Ijsewijn (*Companion to Neo-Latin Studies*, 1977) et deux périodiques spécialisés, les *Humanistica Lovaniensia* (devenus journal d'études néo-latines depuis le volume XVII de 1968) et les *Neo-Latin News* (insérées dans *Seventeenth Century News*, Pennsylvania State University, depuis 1954). Enfin, sous le titre de *Musae reduces*, P. Laurens a publié une excellente anthologie de la poésie latine européenne de la Renaissance (Leiden, E.J. Brill, 1975, 2 vol.).

B. BEUGNOT

LATIN (influence de la littérature latine sur la littérature française). V. GRÉCO-LATINE (influence de la littérature gréco-latine sur la littérature française).

LATOUCHE, Hyacinthe Joseph Alexandre Thabaud de Latouche, dit **Henri de** (1785-1851). Admirateur de Chateaubriand, de Mme de Staël et de Benjamin Constant, Latouche s'essaye dans tous les genres. *Le Tour de faveur* (1818), comédie raillant l'univers de la presse, lui vaut un franc succès. Il peut ainsi se consoler d'avoir causé la suppression du *Constitutionnel* (1817) en y insérant un reportage judiciaire (*l'Affaire Fualdès*) et le compte rendu d'un salon de peinture, l'un et l'autre peu prisés par la censure. Ce romantique libéral, fidèle à la mémoire de Napoléon, montre un certain génie à se trouver toujours à contre-courant de son époque, se brouillant, du fait d'une intransigeance foncière, avec la plupart de ses amis : « L'art, dit-il, doit être traité aussi sérieusement qu'une foi politique ou religieuse ».

Son goût pour le pamphlet ajoute à ses tracas, manquant de le faire emprisonner quand il signe avec Paul Bert une *Biographie pittoresque des députés* (1820). *Fragoletta* (1829), roman républicain et anticlérical, souvent scabreux, plein de couleur locale, de passions débordantes, de fièvre dans les cœurs et dans l'expression, a beau enchanter, voire inspirer Balzac, Stendhal, Gautier ou Dumas, on se plaît déjà à y pourchasser faiblesses ou obscurités.

Directeur du *Figaro* (1826-1832) et fondateur du *Mercure du XIXe siècle,* Latouche s'engage courageusement en 1830, au point de rompre avec ses amis romantiques, trop dociles à ses yeux vis-à-vis des pouvoirs :

Jocelyn, Antony, Ruy Blas sont courtisans.
Goriot, sans portée et sans magistrature,
Du feuilleton soldé subit la dictature,
Amuse, à tant la ligne, un bercail d'abonnés.

Aussi, l'écrivain se trouve-t-il bien seul pour sauver de la cabale le drame qu'il présente au Français, *la Reine d'Espagne* (1831), aussitôt retiré de l'affiche, et donnant prétexte à une haineuse diatribe de Gustave Planche, dont il se vengera dans son roman *Adrienne* (1841).

Plein d'aigreur, Latouche ne songe plus alors qu'à se retirer à Aulnay-sous-Bois, misanthrope ruminant ses échecs avec une amère lucidité. Il réunit et publie en 1833, sous le titre *la Vallée aux loups,* des pièces poétiques composées pour la plupart dix années plus tôt; elles arrivent trop tard pour être bien accueillies : « Je passais autrefois pour un sorcier, et, maintenant qu'on s'est revêtu de ma défroque, le magicien n'a plus l'air que d'un larron ». Initiateur hier, Latouche passe désormais pour plagiaire; ses derniers recueils de vers — *Adieux* (1843), *Encore adieu* (1852), *les Agrestes* (1844) — ou ses romans — *Grangeneuve* (1835), *Adrienne* (1845) — ont valeur de testament.

Latouche reste plus grand par tout ce qu'il sait découvrir, diffuser, inspirer que par son expression personnelle, dans laquelle s'entredéchirent le poète, l'historien et le pamphlétaire. La publication — en 1819 — des poèmes d'André Chénier, alors inconnu, est « le grand titre de Latouche », notera Sainte-Beuve, qui sans doute aurait pu ajouter à la gloire du bouillant conseiller et amant de Marceline Desbordes-Valmore ses traductions de Shakespeare, de Goethe, de Schiller, lesquelles n'ont pas peu contribué à faire connaître en France les littératures et mythologies étrangères.

Latouche, à qui revient le mérite d'avoir découvert et guidé George Sand, inspire peut-être Vigny quand il lui fit lire un poème intitulé « Chatterton » :

Ce qu'il faut au pouvoir? Déshonorer la lyre,
Vendre le peuple esclave à l'orgueil en délire,
Contre la liberté s'unir à leurs clameurs...
Dieu, seul juge entre nous, tu les entends? Je meurs.

Toutefois, il lui sera reproché d'avoir « parlé des vers en poète... et composé des poèmes en critique » (F. Ségu); de s'être égaré dans des genres pour lesquels il manquait de souffle. Et quand on le découvre plein de faconde au détour d'une chronique, alignant les aphorismes (« les hommes et les chevaux ne valent plus grand-chose dès qu'ils sont couronnés »), inventant des mots (« insulteur », « principicule »), on peut lui faire grief de n'avoir pas su découvrir son propre talent : celui d'un polémiste plein de verve, quoique grave, et mieux taillé pour le libelle que pour l'épopée.

BIBLIOGRAPHIE

Frédéric Ségu, *Un maître de Balzac méconnu, Henri de Latouche,* Paris, 1928; *Un journaliste dilettante, Henri de Latouche,* Paris, 1931; *Un précurseur de la littérature régionaliste, Latouche et le Berry,* Paris, 1932; *Un romantique républicain, Henri de Latouche (1785-1851),* Paris, 1931.

D. COUTY

LA TOUR D'ALBENAS François Bérenger de (vers 1515?-après 1559). Originaire du Vivarais, François Bérenger semble pouvoir être confondu avec un riche avocat d'Aubenas mort vers 1599. Les seuls éléments sûrs de sa biographie concernent les études littéraires et juridiques qu'il fit à Toulouse et à Bordeaux, ses contacts avec Marot, ses relations d'amitié avec Antoine Du Moulin, Charles Fontaine et le médecin Laurent Joubert; de façon plus générale, avec les milieux intellectuels toulousains, nîmois et surtout lyonnais. C'est à Toulouse et à Lyon que sont publiés ses vers, entre 1547 et 1558. En 1568 est encore publié, à Paris, un *Cantique au nom du roy.*

Si le *Siècle d'or* de 1551 est un recueil assez archaïsant d'énigmes et chants royaux dans la manière du début du siècle, il en est tout autrement de la *Choréïde, autrement Louange du bal,* du *Chant d'amour,* du petit *Dialogue traduit de Lucien* en octosyllabes, du joli *Blason du Miroir* ou du vaste poème des nez, *la Naséïde,* dédié avec beaucoup de verve à Alcofribas Nasier à un moment où Rabelais n'était peut-être pas mort. Toutes ces œuvres, avec des « épigrammes » dédiées à des amis, figurent dans une belle édition de Jean de Tournes datée de 1556, mais sont certainement assez antérieures. D'une imagination fertile et vagabonde, apte à amplifier le grotesque comme à jouir des plus délicats mouvements (ainsi de la danse, qui anime le corps des hommes, le ballet des astres, l'onde, le vent et les feuilles, le sang dans les artères), sa poésie a profité de la souplesse introduite par Ronsard, de la mobilité nouvelle de la langue. Qualités que confirment ses deux derniers recueils : *l'Amie des amies,* une traduction de l'Arioste, suivie de poèmes amoureux à sa « Toute » et d'une *Moschéïde* — combat de mouches et de fourmis — et une pastorale dans le style de Sannazar, *l'Amie rustique* (1558). La discrétion relative qui a entouré son œuvre n'était-elle pas déjà en filigrane dans sa signature : « SOUPIRS D'ESPOIR »?

BIBLIOGRAPHIE

L'œuvre de Bérenger de la Tour d'Albenas n'a pas été rééditée après le XVIe siècle. Les études s'intéressent presque toutes à son identification, excepté : Marcel Raymond, *l'Influence de Ronsard,* Paris, 1927, t. I., p. 54-56; A. Cioranescu, *L'Arioste en France,* Paris, 1938, t. I., p. 127 *sqq.*; A.-M. Schmidt a publié le *Blason du Miroir* et la *Conférence de deux damoyselles* dans *Poètes du XVIe siècle,* Gallimard, La Pléiade, 1953.

M.-M. FONTAINE

LA TOUR DU PIN Patrice de (1911-1975). Né à Paris, bientôt orphelin de père, il est élevé par sa mère dans le château familial du Bignon-Mirabeau, en Gâtinais. Il est encore étudiant lorsqu'il publie en 1933 un recueil de poèmes aussitôt remarqué par Supervielle, *la Quête de joie*: un parcours initiatique où l'écriture ordonne et concilie en une même aventure spirituelle les quatre aspirations du moi : l'absolu, la terre, le chant, l'intelligence. « Tous les pays qui n'ont plus de légende / Seront condamnés à mourir de froid » : cette poésie aux rythmes et à la métrique traditionnels puise ses images dans l'héritage romantique, mais aussi dans la rude nature qu'arpentent les chasseurs et les gentilhommes campagnards, marais, étangs, nuages lourds, vols de sauvagines, « ravins gonflés par les averses ». Après la guerre, il se retire au Bignon, élaborant minutieusement une *Somme de Poésie* composée des « trois plus grands jeux du monde » : le jeu de l'homme devant lui-même, de l'homme devant le monde, de l'homme devant Dieu. La première partie paraît en 1946, le *Second Jeu* en 1959. A partir de 1964, La Tour du Pin participe à la commission chargée de traduire en français les textes de la liturgie catholique, tout en poursuivant son œuvre personnelle. Avec le troisième volet de son triptyque, dont paraissent successivement *Petit Théâtre crépusculaire* (1963), *Une lutte pour la vie* (1970), *Concert eucharistique* (1972), il tente d'élaborer une « théopoésie », théologie poétique où le message divin s'inscrirait enfin dans l'âge même, dans une sorte de sympathie lyrique aux antipodes de la rhétorique démonstrative d'une autre *Somme* célèbre : celle de Thomas d'Aquin, modèle à la fois obsédant et contesté.

BIBLIOGRAPHIE

A. de Biéville-Noyant, *Patrice de la Tour du Pin,* Paris, Nouvelle Revue critique, 1948; E. Kushner, *Patrice de la Tour du Pin,* Paris, Seghers, 1961.

J.-P. de BEAUMARCHAIS

LA TOUR LANDRY Geoffroi de. V. GEOFFROI DE LA TOUR LANDRY.

LAUDE Jean (né en 1922). Né à Dunkerque, Jean Laude suit d'abord des études classiques et obtient une licence de lettres; puis il se consacre à l'ethnologie, devient collaborateur du musée de l'Homme et entreprend de nombreux voyages. Il commence à écrire après la Seconde Guerre mondiale et s'oriente ves la poésie (*Entre deux morts,* 1947; *les Saisons et la mer,* 1959); il publie également, dans *Critique,* la *Revue d'esthétique* ou *les Cahiers du Sud,* un grand nombre d'études sur les poètes et les peintres modernes. Devenu professeur, il poursuit aujourd'hui, par ses recueils ou ses essais, ses recherches sur la création poétique.

Jean Laude conçoit la poésie comme un acte qui doit « mener à ce qui est » (*le Mur bleu,* 1965). Nourri de l'œuvre des présocratiques Empédocle et Héraclite, lecteur assidu de Novalis et de Hölderlin, il veut élaborer une écriture qui identifie l'Être et la parole. Fuyant tout pittoresque, réduisant l'univers sensible aux éléments essentiels (l'arbre, l'oiseau, le sable, la mer...), ses textes, constitués le plus souvent de versets irréguliers et fragmentés, expriment une quête de l'évidence première : harmoniser la parole et les éléments, ce serait assurer à l'homme l'éternité de la matière.

Pourtant, malgré l'ambition de son propos, la poésie de Laude s'approprie rarement l'assurance du verbe empédocléen : « Je porte la parole, pour tout pouvoir, un orage mort » (*le Grand Passage,* 1965). Au monde lumineux du présocratisme correspond un espace envahi de sable gris, de désert, de nuit : « Telle est la mort, une étendue désaffectée » (*les Plages de Thulé,* 1964). Au lieu d'accumuler les certitudes, Laude constate l'ambiguïté fondamentale de la vie : la bivalence des choses contamine le langage; la mer, mot et « sujet » central des textes de l'écrivain, désigne aussi bien l'éternité que la force destructrice. L'écriture est, au propre, un voyage qui mène vers un lieu toujours en reflux : l'espace investi renvoie l'homme non à la connaissance du monde, mais au doute introspectif : « Flux et reflux sur les sables, nous sommes envahis du dedans » (*le Grand Passage*). L'idéal serait de forger une langue non explicite, non « signifiante », car écrire, c'est désigner — c'est oublier que la parole poétique ne devrait pas faire allusion, mais sceller l'Être. L'apparente monotonie des sujets abordés par Laude dissimule, en fait, un mythe : la poésie doit être un retour aux origines du langage; au poète revient la tâche de retrouver une atlantide littéraire, qui recèlerait les mots d'avant le Signe.

BIBLIOGRAPHIE

Serge Brindeau, « Jean Laude », dans *la Poésie contemporaine de langue française depuis 1945,* Paris, éd. de Saint-Germain-des-Prés, 1973; M. Collot, « Jean Laude ou la traversée de l'obscur », *Critique,* t. XXXVIII, 1982; J.F. Higbee, « la Chambre et son reflet », *Revue d'esthétique,* t. XXVI, 1973.

J.-P. DAMOUR

LAUDONNIÈRE René de Goulaine de (vers 1520-après 1573). Capitaine protestant d'origine poitevine, il dirigea en 1564-1565 la seconde expédition entreprise en Floride à l'instigation de l'amiral de Coligny. Il s'agissait de fonder en terre d'Amérique un refuge où les réformés eussent été à l'abri des persécutions. La brève histoire de la colonie, ponctuée de mutineries et de guerres tribales entre Indiens où les Français furent souvent partie prenante, devait s'achever, en septembre 1565, par l'attaque surprise des Espagnols, décidés à éteindre ce nouveau foyer d'hérésie. Ayant échappé de justesse au massacre, Laudonnière, de retour en France, fit son rapport au roi Charles IX et rédigea l'*Histoire notable de la Floride* (1566). Après quoi, il se retira en Bretagne, sur ses terres de Vieillevigne, pour y mourir oublié. Longtemps étouffée par le cosmographe André Thevet, qui en fit son profit, l'*Histoire notable* ne fut publiée qu'en 1586, par les soins du géographe anglais Richard Hakluyt. C'était là un modèle de description ethnographique avant la lettre. A un tableau paradisiaque de la Floride donnant lieu à l'inventaire exhaustif de sa flore et de sa faune succédait la chronique au jour le jour d'une coexistence de plus en plus problématique entre des Indiens chasseurs de scalps et idolâtres, et des Européens maniant avec une égale dextérité l'Évangile et l'arquebuse. Laudonnière, témoin d'une absolue neutralité, analysait tel rituel chamaniste ou telle danse de conjuration avec la même lucidité que le comportement de ses propres hommes. Sans préjuger jamais de la bonté ou de la condamnation originelle de l'Autre — ce qui confère à son texte, entre toutes les relations américaines de la Renaissance, une remarquable et fascinante ambiguïté —, il se bornait à rapporter les choses vues, dans un style d'une « nue naïveté ».

BIBLIOGRAPHIE

L'Histoire notable de la Floride, dans *les Français en Amérique pendant la deuxième moitié du* XVIe *siècle : les Français en Floride,* textes de Jean Ribault, René de Laudonnière, Nicolas Le Challeux et Dominique de Gourgues choisis et annotés par Suzanne Lussagnet. Paris, P.U.F., 1958; Frank Lestrigant, « les Séquelles littéraires de la Floride française : Laudonnière, Hakluyt, Thevet, Chauveton », *Bibliothèque d'Humanisme et Renaissance,* 1982, t. XLIV.

F. LESTRINGANT

LAUDUN D'AIGALIERS Pierre de (1575-1629). Témoin de la situation de la théorie littéraire entre Ronsard et la réforme de Malherbe, le Languedocien Laudun d'Aigaliers, né dans une « région aussi barbare que la Moscovie » (Maynard), d'avocat à Toulouse, après des études faites à Paris, au collège de Narbonne, laisse un mince *Art poëtique françois* (1593), où se juxtaposent à une mosaïque de stéréotypes quelques idées neuves.

Laudun amplifie — et s'efforce de justifier — le mouvement critique à l'égard de Ronsard; prudemment, il tente une réhabilitation des formes fixes comme le rondeau, le lai ou le chant royal, illustrées naguère par les Grands Rhétoriqueurs. Comme la Cour, il déclare la guerre au pédantisme des images et des mots : pour le « contentement des peu advancez », il faut « eviter de trop s'esloigner du commun parler ». Homme de la Contre-Réforme (il empruntera au Martyrologe le sujet de l'une de ses tragédies), il déclare la guerre au paganisme. Si ses idées sur la tragédie (il est, par exemple, hostile à l'unité de temps) trahissent encore la perplexité de son époque, la plupart de ses préceptes appellent la rédaction d'œuvres qui verront le jour au cours du demi-siècle suivant. Hostile aux néologismes, ainsi qu'aux dialectes, qui « pourraient en un coup corrompre la langue », ou encore à la versification licencieuse, il est habité par une préoccupation grammairienne que l'on retrouvera dans le commentaire de Malherbe sur Desportes.

Sa *Franciade* (1603), dédiée à Henri IV (qui, au dire de Colletet, « railla l'auteur »), n'eut pas plus de succès que celle de Ronsard.

BIBLIOGRAPHIE

L'*Art poëtique françois*, édité et préfacé au début du siècle par Joseph Dedieu, a été reproduit par Slatkine Reprints, Genève, 1969.

M. SIMONIN

LAURENS Henri-Joseph. V. Du LAURENS.

LAURENT Jacques (né en 1919). Né à Paris, Jacques Laurent, après des études de philosophie, est mobilisé en 1939. A la Libération il commence à publier, sous le pseudonyme de CÉCIL SAINT-LAURENT, des romans « historiques » (*Caroline chérie*, 1947, etc.) et, sous le nom de Jacques Laurent, la somme romanesque des *Corps tranquilles* (1948) ainsi que de nombreux essais. Il reviendra au roman « littéraire » à plusieurs reprises — notamment en 1971 avec *les Bêtises*, ouvrage pour lequel le prix Goncourt lui est décerné, et avec *les Sous-Ensembles flous* (1981).

L'œuvre de Jacques Laurent est multiforme. Essayiste, il s'est intéressé aussi bien à la biographie littéraire — et polémique (*Mauriac sous de Gaulle*, 1964) —, à l'enquête historique (*Quand la France occupait l'Europe*, 1948, publié sous le pseudonyme d'ALBÉRIC VARENNE) qu'à l'actualité politique (*Lettre ouverte aux étudiants*, 1969), au pamphlet (*Paul et Jean-Paul*, 1951), à l'étude sociologique (*le Nu vêtu et dévêtu*, 1979) et à la critique littéraire. Dans *Roman du roman* (1977), outre une étude subjective et originale de l'évolution du genre, il propose sa propre conception du roman, fondée sur le refus des règles contraignantes au profit de la richesse et de l'infinie variété des situations inexplicables qui caractérisent, selon lui, le dynamisme de la vie. Cette définition libertaire, sinon anarchiste, du roman comme genre protéiforme par excellence lui est chère : « Si j'ai des opinions politiques à exprimer, j'écris un article ou un essai. D'ailleurs, il n'y a pas de roman politique. La politique suppose un parti pris hors du roman, un tout donné au départ. Un roman politique n'est pas un roman, c'est une fable ». *Un roman est une aventure imprévue*, répond-il à un journaliste qui lui avait demandé, à propos de l'engagement d'un de ses héros, s'il avait voulu « faire un roman politique ».

C'est bien le foisonnement du réel, en effet, que Jacques Laurent essaie de traquer. D'où son refus des systèmes réductionnistes issus de l'esprit positiviste du XIXe siècle. L'analyse psychologique repose, chez lui, sur le sentiment d'absolue liberté des personnages et — au niveau stylistique — sur l'indépendance par rapport aux formes modernes et aux modes culturelles de l'écriture romanesque. Aussi la technique comme la vision de Jacques Laurent semblent-elles parfois plus proches de l'ironie de Stendhal, qu'il admire (*Stendhal comme Stendhal ou le Mensonge ambigu*, 1984), prolonge (*la Fin de Lamiel*, 1962) et adapte à l'écran (*Lamiel*, réalisation Jean Aurel, 1967), que du dogmatisme « scientifique » de ses contemporains. Son goût pour la mystification, le canular, l'héroïsme immotivé s'accompagnent d'un certain pessimisme moral : en témoignent la désinvolture et le cynisme d'une narration elliptique et d'une composition qui, dans la plupart de ses romans, fait de brusques sauts dans la chronologie ou, comme dans *les Bêtises*, juxtapose plusieurs genres (roman inachevé, commentaire, journal intime), à travers lesquels la réalité se trouve diffractée.

La guerre, pour Jacques Laurent, est un cadre historique de prédilection : l'exode, l'Occupation, l'épuration, avec les chassés-croisés qu'ils impliquent, permettent à toute une génération de s'abandonner à la recherche de l'acte gratuit et du geste surréaliste; ses héros (cf. *le Petit canard*, 1954) sont des enfants de Thomas l'Imposteur et opposent à la logique absurde des adultes leur propre jeu désespéré, fait, malgré leur jeunesse, de lucidité et de cruauté morale. L'ironie du style se confond alors avec celle du sort, et le scepticisme de J. Laurent apparaît ainsi comme inséparable d'un besoin d'idéal et de romantisme.

BIBLIOGRAPHIE

P. de Boisdeffre, *Une histoire vivante de la littérature d'aujourd'hui*, Librairie académique Perrin, 1969; Philippe Sénart, « Un bon tour de Jacques Laurent », *Combat*, 23 novembre 1971; Alain-Gérard Slama, « les Bêtises de Jacques Laurent », *Contrepoint*, hiver 1971.

B. VALETTE

LAUTRÉAMONT

LAUTRÉAMONT, le comte de, pseudonyme d'**Isidore Ducasse** (1846-1870).

> Vieil océan, tes eaux sont amères. C'est exactement le même goût que le fiel que distille la critique sur les beaux-arts, sur les sciences, sur tout. Si quelqu'un a du génie, on le fait passer pour un idiot.
>
> (*Chants de Maldoror*, I, IX)

Lire Lautréamont n'est pas chose facile. Pourtant, à consulter les bibliographies, il semble que tout le monde l'ait lu. Depuis plus d'un siècle, pas un écrivain, pas un critique, pas un de ceux qui ont, de près ou de loin, commerce avec la littérature ne s'est abstenu de commettre un livre ou un article, de fournir un commentaire sur le mystérieux poète disparu à l'âge de vingt-quatre ans. « Je sais que mon anéantissement sera complet », écrivait-il, et il ne laisse, en effet, que fort peu de traces, hormis les *Chants de Maldoror*, les *Poésies* et quelques lettres.

L'œuvre parle d'elle-même, et il suffit de la lire... mais elle est si « désécurisante » pour une conscience non préparée, elle est dotée d'un tel pouvoir transmutatoire que nombreux sont ceux qui, tout en croyant la pénétrer, sont restés à la périphérie et qui, au lieu de l'épouser — c'est à un banquet de noces qu'Isidore nous convie —, ont trouvé tous les prétextes pour décliner l'invitation. Les premières pages du chant I, qui relèvent d'une classique mise en garde au lecteur, ont ici, pour une fois, une raison d'être d'autant plus évidente que nombreux sont ceux qui n'ont pas franchi le seuil de l'œuvre. D'un côté, il y a ceux qui recherchent, avec plus ou moins de succès, à éclairer les mystères d'une biographie fantôme : sur la base de quelques traces — souvent douteuses — retrouvées entre Montevideo, Tarbes, Pau et Paris, on brode un véritable roman. On cherche, avec l'ardeur d'un archéologue... ou l'humble patience d'un fossoyeur, tout ce qui — finalement — peut permettre d'échapper à la lumière insoutenable d'une œuvre dont la capacité réfringente éblouit nos yeux. D'autres ont tenté de recenser les sources : travail d'érudition nécessaire mais qui, s'agissant de Lautréamont, équivaut presque à entreprendre un recensement de notre univers : « Si on les écrivait en détail, je ne pense pas que le monde même pût contenir les livres qu'on écrirait » (I, *Jean,* 21, 25)...

D'autres encore pénètrent l'œuvre, mais de façon partielle : sur la base d'un thème comme celui du narcissisme (Zweig), celui du bestiaire (Bachelard) ou celui de l'Apocalypse (Linder). Enfin, l'œuvre est curieusement associée à d'autres comme si elle ne se suffisait pas à elle-même : dans son édition de la Pléiade, P.-O. Walzer l'associe à celle de Germain Nouveau, et Maurice Blanchot lui-même, dans sa remarquable étude, l'associe à celle du marquis de Sade. Léon Pierre-Quint est le seul à avoir osé l'association : « Lautréamont et Dieu... ».

Les surréalistes ont rendu à Lautréamont un hommage lyrique sans jamais l'expliquer ni l'interpréter (c'eût été le profaner!). Il a fallu attendre ces dernières années pour assister à ce que l'on peut appeler un véritable viol : depuis l'ouvrage de Julia Kristeva sur Lautréamont et Mallarmé (voir bibliographie), tout un réseau de critiques issus du mouvement Tel Quel ont tenté de faire de Lautréamont une véritable chasse gardée : réduisant le texte à un phénomène d'écriture — et le châtrant littéralement de tout son sens —, on a tenté de présenter Lautréamont comme un pionnier des recherches contemporaines sur le langage, comme l'illustre ancêtre d'une nouvelle sophistique.

Dans le même temps, Robert Faurisson affirmait que l'œuvre était un canular et que Lautréamont était l'auteur d'une des plus grandes mystifications de l'histoire de la littérature.

Il serait temps de rappeler « quelle source d'erreurs n'est pas toute vérité partiale » et que « toute l'eau de la mer ne suffirait pas à laver une tache de sang intellectuelle... ».

En l'absence de tous manuscrits et de tous documents, nous avons choisi d'étudier le texte lui-même, seule trace que Lautréamont ait délibérément voulu laisser de son existence éphémère, plutôt que de faire état des multiples hypothèses, contradictions, voire manipulations, dont sa vie ou son œuvre ont fait l'objet.

	VIE	ŒUVRE
1809	12 mars : naissance de François Ducasse, père d'Isidore, à Bazet, près de Tarbes (Hautes-Pyrénées).	
1815	**Seconde abdication de Napoléon. Première Restauration.**	
1821	19 mai : naissance de Célestine Jacquette Davezac (la mère d'Isidore) à Sarniguet (canton de Tarbes).	
1829	François Ducasse est nommé instituteur à Oroix, hameau perdu des Hautes-Pyrénées.	
1833-1839	François Ducasse est nommé instituteur à Sarniguet.	
1837	Eugène Sue publie *Lauréaumont* chez Gosselin, 2 vol. in-8°.	
1838-1842	10 000 Français basques et bigourdans vont s'installer à Montevideo. L'émigration vers l'Amérique du Sud fut particulièrement forte dans le sud-ouest de la France.	
1839	François Ducasse s'expatrie en Uruguay, à Montevideo.	
1841	Départ de Jacquette Davezac pour Montevideo.	
1846	21 févr. : mariage religieux, à Montevideo, de François Ducasse, âgé de trente-six ans, et de Célestine Jacquette Davezac, âgée de vingt-quatre ans. La jeune femme est enceinte de sept mois. 4 avr., à 9 h du matin : naissance d'Isidore-Lucien Ducasse à Montevideo.	
1847	Wagner publie *Lohengrin,* dont la traduction française paraîtra en 1860 à Paris, à la Librairie nouvelle. 16 nov. : Isidore a dix-neuf mois lorsqu'il est baptisé à la cathédrale de Montevideo. 9 déc. : mort de la mère d'Isidore, dans des circonstances assez imprécises.	
1848	**Garibaldi rentre en Italie. En France, peu avant son abdication, le roi Louis-Philippe avait chargé le baron Gros de négocier avec Oribe la quasi-reddition de Montevideo. Les émigrés français apprennent avec soulagement la nouvelle de la Révolution.**	
1851	8 oct. : **libération de Montevideo. La paix est signée.** (Isidore a cinq ans.) 2 déc. : **en France, coup d'État de Louis-Napoléon Bonaparte.**	
1854	Naissance de Rimbaud.	
1855	Mort de Nerval.	
1855-1856	**Une insurrection** (novembre 1855), **des émeutes** (février 1856) **ensanglantent Montevideo.**	

	VIE		ŒUVRE
1857	Épidémie de fièvre jaune à Montevideo. La ville est décimée (près de 1 000 morts, en majorité européens). François Ducasse est un des premiers à être frappé par la maladie : il ne reprendra son poste qu'après deux mois d'absence. Procès des *Fleurs du mal* et de *Madame Bovary.*		
1859	**Napoléon III et Eugénie inaugurent la voie ferrée Paris-Tarbes.** Juill. : Isidore part pour Tarbes. La traversée en mer durera deux mois. Oct. : Il entre au lycée impérial de Tarbes, comme interne.		
1859-1860	Isidore entre en classe de sixième, dans la division de grammaire. Accessits de grammaire et de version latine; prix en calcul et en dessin.		
1860-1861	Classe de cinquième. 2e accessit d'excellence; prix en grammaire, en version latine et en dessin.		
1861-1862	Classe de quatrième. Isidore obtient les meilleurs résultats de toute sa scolarité : accessit d'excellence; accessits en grammaire, thème latin et version latine; prix en dessin, arithmétique et géométrie.		
1862-1863	De juill. 1862 à oct. 1863, nous perdons la trace d'Isidore. Dans les *Poésies,* il évoque les classes de troisième et de seconde, dont on ne sait s'il les a suivies. Serait-il allé dans une institution privée pour rattraper son retard? Certains émettent l'hypothèse d'un retour à Montevideo. Son nom, en tout cas, ne figure pas au palmarès du lycée de Tarbes...		
1863-1864	Le nom d'Isidore Ducasse est mentionné au palmarès de la classe de rhétorique au lycée impérial de Pau. On ignore les raisons de ce déplacement. On ne sait où il a « rattrapé » en un an les classes de troisième et de seconde. Cette accélération dans le rythme de ses études lui vaut des résultats médiocres (1er accessit de récitation; 2e prix d'anglais). Il a pour professeur M. Hinstin, un des dédicataires des *Poésies.* Parmi ses condisciples, cette année-là et la suivante, deux autres dédicataires des *Poésies* : Georges Minvielle et Paul Lespès.		
1864	14 mai : une énorme météorite éclate près de Montauban et arrose de plus de mille pierres brûlantes une aire elliptique de 5 à 15 km (cf. *Chants* II, IX).		
1864-1865	Isidore entre en classe de philosophie à Pau. Il n'obtiendra en fin d'année qu'un 2e accessit de physique. Août 1865-mai 1867 : nous perdons la trace d'Isidore. Ce sont précisément les années qui précèdent la composition des *Chants de Maldoror.* On sait, par le passeport établi en 1867 à la préfecture de Tarbes, en date du 21 mai, qu'Isidore était domicilié dans cette ville. Le visa de son passeport, obtenu à Bordeaux le 25 mai, stipule : « Ducasse, Isidore-Lucien, âgé de vingt et un ans, sans profession ».		
1867	Été : retour d'Isidore à Montevideo. Mort de Baudelaire.		
1867	**Exposition universelle à Paris.**		
1868	Août : Isidore a pu se lier d'amitié avec le journaliste Alfred Sircos et avec Frédéric Damé, dont les noms figurent dans la dédicace des *Poésies.* 9 nov. : très courte lettre à un critique inconnu.	**1868**	Ernest Naville publie *le Problème du mal* à la librairie Cherbuliez. Août : le chant I paraît anonymement (Balitow, Questroy et Cie).
1869	Isidore habite 32, rue du Faubourg-Montmartre. Une lettre datée du 23 oct. en témoigne. Il y restera jusqu'au 21 fév. 1870, ainsi que l'atteste la lettre qui porte cette date. 22 mai : lettre au banquier Dorasse. 20 sept. : début de l'affaire Troppmann, assassin célèbre, qui sera exécuté le 19 janv. 1870 (cf. *Poésies,* I). 23 oct. : lettre adressée à Verboeckhoven. 27 oct. : deuxième lettre à Verboeckhoven.	**1869**	Janv. : le chant I paraît anonymement pour la seconde fois dans *Parfums de l'âme.* Été : première édition intégrale des *Chants* chez Lacroix. Elle ne sera jamais mise en vente. Isidore sort de l'anonymat en choisissant un pseudonyme : « LE COMTE DE LAUTRÉAMONT ».

« Joconde » conte de J. de La Fontaine, gravure coloriée de J. Heinrich Ramberg, en 1799. *Musée Jean de La Fontaine, Château-Thierry. Ph. Jeanbor © Arch. Photeb*

Libertins

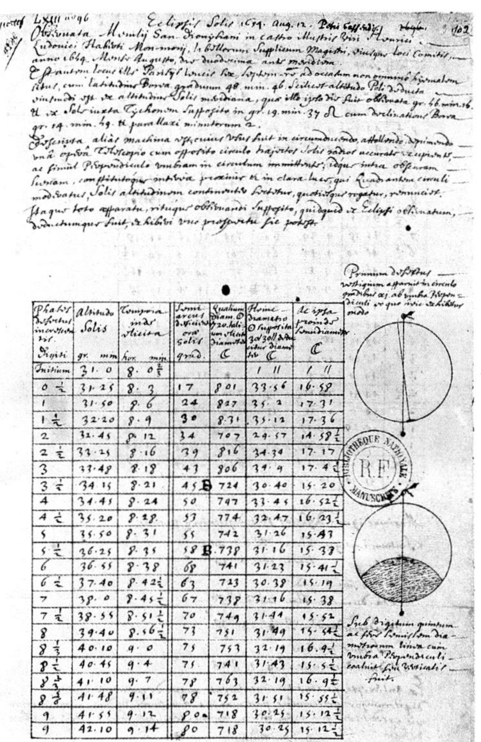

Phases defectus [illegible] Digiti	Altitudo Solis gr. min	Tempora [illegible] hor. min	Semi-arcus [illegible] Solis grad.	Qualium diam. ☉ 720 [illegible] ☾	Hinc diametro ☉ supposita [illegible] ☾	Ac ipsa proinde semidiametri ☾
Initium	31. 0	8. 0 2/3			′ ″	′ ″
0 1/2	31. 25	8. 3	17	801	33. 56	16. 58
1	31. 50	8. 6	24	827	35. 2	17. 31
1 1/2	32. 20	8. 9	30	831	35. 12	17. 36
2	32. 45	8. 12	34	707	29. 57	14. 58 1/2
2 1/2	33. 25	8. 16	39	816	34. 34	17. 17
3	33. 48	8. 18	43	806	34. 9	17. 4 1/2
3 1/2	34. 15	8. 21	45 B	724	30. 40	15. 20
4	34. 45	8. 24	50	797	33. 45	16. 52 1/2
4 1/2	35. 20	8. 28	53	774	32. 47	16. 23 1/2
5	35. 50	8. 31	55	742	31. 26	15. 43
5 1/2	36. 25	8. 35	58 B	738	31. 16	15. 38
6	36. 55	8. 38	68	741	31. 23	15. 41 1/2
6 1/2	37. 40	8. 42 1/2	63	723	30. 38	15. 19
7	38. 0	8. 45 1/2	67	738	31. 16	15. 38
7 1/2	38. 55	8. 51 1/2	70	749	31. 44	15. 52
8	39. 40	8. 56 1/2	73	751	31. 49	15. 54 1/2
8 1/3	40. 10	9. 0	75	753	32. 19	16. 9 1/2
8 1/2	40. 45	9. 4	75	741	31. 43	15. 5 1/2
8 2/3	41. 10	9. 7	78	763	32. 19	16. 9 1/2
8 5/6	41. 48	9. 11	78	752	31. 51	15. 55 1/2
9	41. 55	9. 12	80	718	30. 25	15. 12 1/2
9	42. 10	9. 14	80	718	30. 25	15. 12 1/2

« Observations sur l'éclipse solaire du 12 août 1654 », page manuscrite de Gassendi. *Bibl. nat. Paris. Ph. Jeanbor © Arch. Photeb*

Non sans ambiguïté, le terme de *libertins* désigne tous ceux qui, au XVIIe et au XVIIIe siècle, revendiquent – en proportion variable, sous des formes et dans des perspectives parfois fort différentes – la liberté de pensée et la liberté de mœurs. Mais il n'y a guère d'unité entre l'épicurisme érudit de Gassendi, la fantaisie politiquement subversive de Cyrano et l'érotisme des *Contes* de La Fontaine ou celui de tous ces auteurs qui, à partir de 1720 surtout, mettent en scène un monde livré au plaisir des sens : soit qu'ils le pratiquent eux-mêmes (Casanova), soit qu'ils le déplorent (Crébillon fils peut-être, Laclos plus sûrement), soit qu'ils y trouvent le fondement de contre-valeurs (Sade). Pourtant il existe entre toutes ces attitudes, assumées ou simplement décrites, un

Gravure anonyme pour illustrer *Mes mémoires* de J. Casanova de Seingalt, écrits par lui-même. *Bibl. nat. Paris. Ph. © coll. Snark-Edimedia*

Gravure anonyme, 1699, pour *Histoire comique des Etats et Empires du Soleil*, de S. de Cyrano de Bergerac. *Bibl. nat. Paris. Ph. Jeanbor © Arch. Photeb*

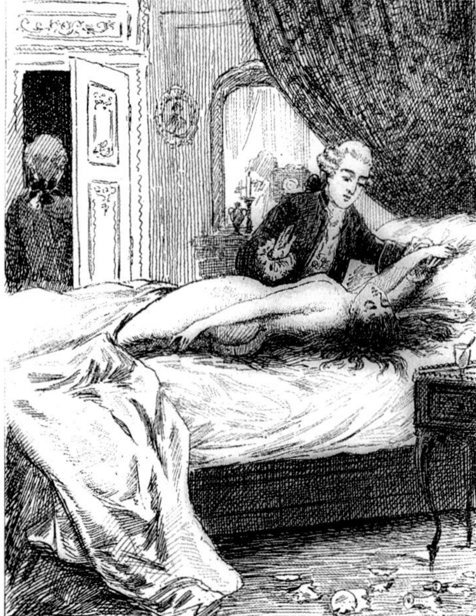

Les Liaisons dangereuses, de P. Choderlos de Laclos, gravure de Ch. Louis Lingée d'après Ch. Monnet - Publié à Londres en 1796. *Ph. © Bibl. nat. Paris - Arch. Photeb*

point commun : le refus du conformisme (en latin, *libertinus* signifie « affranchi ») et d'un ordre théocratique intriquant étroitement philosophie, morale, voire politique ; quelle que soit la forme de leur dissidence, les libertins de l'époque classique trouveront toujours sur leur route un même adversaire : l'Église.

La Nuit et le moment, de Crébillon fils, gravure anonyme d'époque. *Bibl. nat. Paris - Ph. Jeanbor © Arch. Photeb*

	VIE		ŒUVRE
1870	10 janv. : le prince Pierre Bonaparte tue d'un coup de revolver Victor Noir, journaliste rédacteur de *la Marseillaise*. Il sera acquitté le 25 mars (cf. *Poésies*, I). 21 fév. : troisième lettre à Verboeckhoven. 12 mars : la dernière lettre qui nous reste indique qu'il habite 15, rue Vivienne. 19 juill. : **la France déclare la guerre à la Prusse.** Sept. : **Sedan capitule. La République est proclamée.** 19 sept. : Paris, assiégé par l'armée prussienne, est au bord de la famine. 24 nov., à 8 h du matin : Isidore meurt, « âgé de vingt-quatre ans [...] en son domicile rue du Faubourg-Montmartre n° 7, célibataire » (sans autres renseignements). Laconique, l'acte de décès laisse entier le mystère de la mort d'Isidore. L'acte est dressé en présence de l'hôtelier et d'un garçon d'hôtel. 25 nov. : Isidore est inhumé au cimetière du Nord, dans une concession temporaire de la 35e division.	**1870**	Mai : le *Bulletin du bibliophile et du bibliothécaire* contient une note anonyme sur les *Chants de Maldoror*. Avr. (entre le 16 et le 25) : le premier fascicule de *Poésies*, d'Isidore Ducasse, est déposé au ministère de l'Intérieur. Juin (entre le 18 et le 25) : le deuxième fascicule de *Poésies* est déposé au ministère de l'Intérieur. Juill. et août : deux numéros successifs de la *Revue populaire de Paris* annoncent la parution de *Poésies* (deuxième fascicule), par Isidore Ducasse, « auteur de *Maldoror* », 7, faubourg Montmartre. Après avoir abandonné l'anonymat, Isidore abandonne son pseudonyme et signe de son vrai nom.
1871	20 janv. : son corps est transféré dans la 40e division, ligne 27, fosse 6. « Cette division a été désaffectée en 1879, et le terrain vendu par la ville à des fins immobilières » (Caradec, *op. cit.*, p. 355). Les dépouilles furent versées à l'ossuaire de Pantin.		
1873	Voyage de François Ducasse en France. Si Isidore avait laissé quelques vestiges, tous ont disparu...		
		1874	La première édition intégrale des *Chants* paraît dans le commerce.
1889	18 nov. : mort de François Ducasse, à Montevideo.		
		1891	Révélation des *Poésies* grâce à un article de Rémy de Gourmont, alors bibliothécaire à la Bibliothèque nationale, laquelle possède l'unique exemplaire connu de cette édition originale.
		1914	Un commentaire dans *la Phalange*.
		1919	Quelques extraits dans *l'Armoire du citronnier*. C'est André Breton qui reproduit pour la première fois le texte intégral des *Poésies* dans *Littérature* n° 2 (avril 1919) et *Littérature* n° 3 (mai 1919).
		1920	Les *Poésies* paraissent en volume (Au Sans-Pareil).

Chants de Maldoror

Il faut un point fixe pour juger (*Poésies*, I)

Dans l'édition originale de 1869, il y a six chants, divisés en soixante strophes séparées par un espace et un trait.

Les cinq premiers chants constituent une unité. Ils se composent de cinquante strophes ainsi réparties : chant I : quatorze strophes; chant II : seize strophes; chant III : cinq strophes; chant IV : huit strophes; chant V : sept strophes.

Le troisième chant, composé de cinq strophes, est le plus court; c'est autour de lui que les autres chants semblent s'articuler, en chiasme : les sept strophes du chant V font écho aux quatorze strophes du chant I (2 × 7), et les huit strophes du chant IV font écho aux seize strophes du chant II (2 × 8).

Cette structure correspond au mouvement même qui anime l'œuvre entière et qui est explicité par les nombreuses références au thème du tourbillon ou de l'ellipse. Ainsi, le vol des grues du chant I (I, I) est-il repris au chant V (V, I) dans la description du vol d'une bande d'étourneaux, où Lautréamont explique symboliquement « la manière bizarre dont [il] chante chacune de ces strophes » :

« C'est à la voix de l'instinct que les étourneaux obéissent, et leur instinct les porte à se rapprocher toujours du centre du peloton, tandis que la rapidité de leur vol les emporte sans cesse au-delà; en sorte que cette multitude d'oiseaux, ainsi *réunis par une tendance commune vers le même point aimanté*, allant et venant sans cesse, circulant et se croisant en tous sens, forme une espèce de tourbillon fort agité, dont *la masse entière, sans suivre de direction bien certaine, paraît avoir un mouvement général d'évolution sur elle-même, résultant des mouvements particuliers de circulation propres à chacune de ses parties*, et dans lequel *le centre*, tendant perpétuellement à se développer, mais sans cesse pressé, repoussé par l'effort contraire des lignes environnantes qui pèsent sur lui, est *constamment plus serré qu'aucune de ces lignes, lesquelles le sont elles-mêmes d'autant plus qu'elles sont plus voisines du centre* ».

Le plus étonnant, c'est que Lautréamont parle ici par la voix de Buffon, qu'il recopie intégralement. Sa seule intervention personnelle est le rajout de l'adjectif « aimanté » pour caractériser le centre...

Si le thème, amorcé au chant I, est repris au chant V, il est récurrent tout au long des *Chants*.

Il définit le rapport de l'homme au Créateur, puisque Maldoror déclare : « C'est lui [le créateur] qui me force à le faire tourner ainsi qu'une toupie avec le fouet aux cordes d'acier » (II, III), tandis qu'au chant III, le Créateur est comparé à un derviche (III, IV).

C'est lui également qui définit le rapport de Maldoror à la créature : au chant II, lors de la rencontre avec la petite fille dont il se plaît à imaginer qu'elle n'est peut-être qu'une prostituée, il s'écrie : « Je pourrais, soulevant ton corps vierge avec un bras de fer, te saisir les jambes, te faire rouler autour de moi comme une fronde, concentrer mes forces en décrivant la dernière circonférence et te lancer contre la muraille » (II, V). Au chant IV, la strophe qui décrit le scalp de Falmer fait écho à celle-ci : « Je le saisis par les cheveux avec un bras de fer, et je le fis tournoyer dans l'air avec une telle vitesse que la chevelure me resta dans la main et que son corps, lancé par la force centrifuge, alla cogner contre le tronc d'un chêne » (IV, VIII).

Enfin, au chant VI, c'est par la même méthode que Maldoror envoie Mervyn rejoindre le Panthéon (VI, VIII). Le lecteur attentif n'est donc pas surpris de voir l'avancée de Maldoror comparée à celle d'un « cyclone giratoire » (V, VI), tandis qu'à la strophe suivante on nous parle du « cyclone de la mort » (V, VII). C'est qu'en effet la force centrifuge est associée à celle du Serpent de la Genèse, qui réapparaît à la fin du chant V pour mettre une dernière fois Maldoror à l'épreuve : il est alors qualifié d'« excentrique python » (V, IV). Si le mouvement centrifuge est lié à la mort et, de ce fait, à la « chute », le mouvement centripète se propose, lui, comme le deuxième terme d'une dialectique : face à l'involution, l'évolution...

Ainsi, celui qui connaît et apprécie l'arithmétique, l'algèbre et la géométrie, « Trinité grandiose! Triangle lumineux! [...] ne désire plus que de s'élever, d'un vol léger, en construisant une *hélice* ascendante vers la voûte sphérique des cieux » (II, X). Ainsi, Maldoror et Mario volent côte à côte, comme deux condors des Andes, et « planent » en cercles concentriques parmi les couches d'atmosphère qui « avoisinent le soleil » et ne se nourrissent, « dans ces parages », que « des plus pures essences de la lumière » (III, I).

La clef de voûte de ces deux mouvements antithétiques qui ne se définissent que par rapport au centre nous est donnée, au chant V, par l'image du scarabée roulant sa boule, dont tous les éléments, « par la loi mécanique du frottement rotatoire », viennent se fondre dans *l'unité de la coagulation* et présenter l'apparence « *d'un seul tout homogène* qui ne ressemble que trop, par la confusion de ses divers éléments broyés, à la masse d'une *sphère*! » (V, II) [c'est nous qui soulignons]. Maldoror est en train de découvrir que, contrairement à ce qu'il croyait, ce ne sont pas « des matières excrémentielles »...

Voyage au centre?

On ne peut véritablement proposer aucun fil conducteur privilégié dans la lecture des *Chants*. Mais, pour celui qui accepte de jouer le jeu de la lecture, chaque fil conduit inéluctablement au centre et les *Chants* se proposent comme la voie royale qui mène au Centre, le centre de nous-même, qui est aussi celui de tout l'univers, ce Centre qu'atteint Mervyn et d'où il rejoint les sphères supérieures en atteignant le dôme du Panthéon, qui symbolise ici la voûte céleste.

Le ciel est invoqué, à l'orée même des *Chants*, pour que le lecteur, enhardi, « trouve, sans se désorienter, son *chemin* abrupt et sauvage, à travers les marécages désolés de ces pages sombres et pleines de poison ». Dans le même temps, l'auteur invite les « âmes timides » à reculer et, à l'instar des grues frileuses, lorsque l'orage menace, à se détourner pour prendre « *un autre chemin philosophique et plus sûr...* » (c'est nous qui soulignons). Le lecteur est ainsi averti dès la première page : les *Chants* sont la voie qui mène droit en ce « point déterminé de l'horizon » d'où part un « vent étrange et fort, précurseur de la tempête » : pénétrer dans l'univers des *Chants*, c'est donc se préparer à affronter le cyclone giratoire dont nous parlions précédemment et qui, avant de nous faire subir le sort réservé à Mervyn, à l'issue du périple nous mène progressivement à regarder de face le « minotaure de nos instincts pervers » (VI, II). Il y a ceux qui ont peur et qui préfèrent suivre un chemin « plus philosophique »; il y a ceux qui se cantonnent dans un prudent conformisme, tel le jeune Édouard du chant I (I, XI); il y a ceux, enfin, qui dorment « paisiblement dans un lit de plumes arrachées à la poitrine de l'eider sans remarquer qu'il[s] se trahissent [eux-mêmes] » (V, III).

Si Maldoror fait un pacte avec la prostitution, c'est afin de semer le désordre dans les familles; et s'il refuse le sommeil tant que le but de la quête n'est pas atteint, c'est que « la paix des agréables cieux », promise au lecteur dès la deuxième strophe du premier chant, ne peut être que le fruit d'une attitude d'éveil total : « Impénétrable comme les géants, moi, j'ai vécu sans cesse avec l'envergure des yeux béante » (V, III). Cet éveil, c'est celui de notre conscience, elle qui « juge sévèrement nos pensées et nos actes les plus secrets, et ne se trompe pas » (II, XV); et ce que Lautréamont requiert de son lecteur, c'est ce qu'il a exigé de lui-même, en instaurant dans les *Chants*, par les vertus de l'écriture, une dialectique où les extrêmes, progressivement épurés jusqu'à l'absolu, viennent s'affronter pour s'anéantir en générant cette unité mystérieuse figurée par le centre immobile, père de tout mouvement...

Tandis que Maldoror, celui qui est « en mal », « en travail » de l'aurore, voyage jusqu'au bout de la nuit dans le labyrinthe ténébreux de toutes ces énergies qui nous déterminent d'autant plus qu'elles n'ont pas encore reçu la lumière de notre conscience, « l'Autre est amont » : un autre, en chacun de nous, attend au sommet de la montagne le lever du soleil : « Quand tu étais enfant (ton intelligence était alors dans sa plus belle phase), le premier tu grimpais sur la colline, avec la vitesse de l'izard, pour saluer, par un geste de ta petite main, les multicolores rayons de l'aurore naissante » (V, IV). Entre Maldoror, celui qui descend affronter le Minotaure, et Lautréamont, celui qui vole de concert avec les anges, il y a, quelque part, une corde raide, et il n'est point d'autre chemin pour celui qui veut rencontrer Isidore Ducasse. C'est sur le fil de cette épée, dont le tranchant est double, à l'instar de celle que les chérubins font tournoyer devant l'Arbre de Vie pour en assurer la protection, que nous sommes invités à accomplir un certain pèlerinage aux sources... « Il n'est pas bon que tout le monde lise les pages qui vont suivre, quelques-uns seuls savoureront ce fruit amer sans danger... » (I, I). Isidore n'est pas tendre pour les « âmes timides » : « Si tu as un penchant marqué pour le caramel (admirable farce de la nature), personne ne le concevra comme un crime, mais ceux dont l'intelligence, plus énergique et capable de plus grandes choses, préfère le poivre et l'arsenic ont de bonnes raisons pour agir de la sorte, sans avoir l'intention d'imposer leur pacifique domination à ceux qui tremblent de peur devant une musaraigne ou l'expression parlante des surfaces d'un cube » (V, I). Isidore ne s'adresse qu'aux amateurs du V.I.T.R.I.O.L. (*Visita Interiora Terrae, Rectificando, Invenies Occultem Lapidem*) alchimique, à ceux qui sont prêts, avec lui, à visiter l'intérieur de la terre et, en rectifiant, à trouver la pierre cachée... Tant pis pour les amateurs de caramel.

L'avant-dernière strophe du chant II relate, en un raccourci saisissant, l'odyssée de Maldoror : « On m'a vu descendre dans la vallée, pendant que la peau de ma poitrine était immobile et calme, comme le couvercle d'une tombe. Une tête à la main, dont je rongeais le crâne, j'ai nagé dans les gouffres les plus dangereux, longé les écueils mortels et *plongé plus bas que les courants,* pour assister, comme un étranger, aux combats des monstres marins; je me suis écarté du rivage, jusqu'à le perdre de ma vue perçante; et les crampes hideuses, avec leur magnétisme paralysant, rôdaient autour de mes membres qui fendaient les vagues avec des mouvements robustes, sans oser approcher ». La descente dans les abîmes est suivie d'un retour, puis d'une ascension dans les hauteurs : « On m'a vu revenir, sain et sauf, dans la plage, pendant que la peau de ma poitrine était immobile et calme, comme le couvercle d'une tombe. Une tête à la main, dont je rongeais le crâne, *j'ai franchi les marches ascendantes d'une tour élevée.* Je suis parvenu, les jambes lasses, sur la plate-forme vertigineuse. J'ai regardé la campagne, la mer; j'ai regardé le soleil, le firmament; repoussant du pied le granit, qui ne recula pas, j'ai défié la mort et la vengeance divine par une huée suprême, et je me suis précipité, comme un pavé, dans la bouche de l'espace ». En guise d'épilogue : « Les hommes entendirent le choc douloureux et retentissant qui résulta de la rencontre du sol avec la tête de la conscience que j'avais abandonnée dans ma chute ». Décapité ensuite à trois reprises, Maldoror reste vivant : le peuple « m'a vu ouvrir avec mes coudes ses flots ondulatoires et me remuer, *plein de vie,* avançant devant moi, *la tête droite,* pendant que la peau de ma poitrine était immobile et calme comme le couvercle d'une tombe » (II, XV) [c'est nous qui soulignons].

Ainsi que nous l'enseigne, au chant V, la strophe qui raconte l'enterrement d'un enfant de dix ans : « Tel qu'il croit vivre sur cette terre se berce d'une illusion dont il importerait d'accélérer l'évaporation [...]. L'indubitable vivant n'est pas celui qu'on croit, et certains peuvent apercevoir la figure de l'enfant que la fosse vient de recevoir dans son sein [...] s'élevant doucement, au-dessus du cercueil découvert, comme un nénuphar qui perce la surface des eaux » (V, VI).

« Or, moi, je suis un vivant » (*Chants,* V, V).

« Si j'existe, je ne suis pas un autre » *(Chants,* V, III)

Tandis que Nerval écrit, en dessous de son propre portrait pris par Gervais en 1854 : « Je suis l'Autre », et, dans *Aurélia* : « l'Autre m'est hostile » (1855), Rimbaud, dans la lettre dite du Voyant, va écrire : « Je est un autre » (1871). Cette dialectique, que les deux poètes ont affrontée au péril de ce que l'on a coutume de nommer leur « raison » et leur « vie », Lautréamont l'a mise en œuvre jusqu'à son ultime point d'accomplissement : c'est *trois* fois vainqueur qu'il a traversé l'Achéron et que, dès lors, il peut affirmer : « Si j'existe, je ne suis pas un autre ». Il s'agissait pourtant de réaliser la « noce » peu commune entre celui « qui se rappelle avoir vécu un demi-siècle sous la forme de requin dans les courants sous-marins qui longent les côtes de l'Afrique » (IV, V) et ce « monarque dépossédé », descendu d'une de ces « sphères plus spacieuses que la nôtre [...], dont les esprits ont une intelligence que nous ne pouvons même pas concevoir » (I, XIII).

Telle est la double polarité, animale et divine, qui constitue la trame dialectique qui sous-tend les *Chants* et qui mène progressivement Maldoror, à travers une série de métamorphoses, du déchirement à la réunification, de la lutte des frères ennemis à la réconciliation des contraires. Chacune des rencontres, chaque compagnon de route marque une étape et participe d'une véritable maïeutique à l'issue de laquelle le héros accouche afin de lui-même et se réconcilie avec Dieu et avec les hommes.

La descente aux enfers s'amorce sur l'ascendance assumée du plus cruel des mammifères marins, puisque c'est à une courageuse femelle de requin que revient l'honneur d'être « le premier amour » de Maldoror.

L'investigation méthodique du champ de la cruauté, annoncée comme l'une des finalités de l'œuvre — « Je fais servir mon génie à peindre les délices de la cruauté » (I, IV) — trouve son accomplissement dans la strophe où Maldoror rêve qu'il est métamorphosé en pourceau et qu'il ne lui reste plus « la moindre parcelle de divinité » (IV, VI) : « Quand je voulais tuer, je tuais; cela même m'arrivait souvent, et personne ne m'en empêchait ». Cette strophe marque le point ultime de la descente dans les profondeurs, car le pourceau, au moment où il tente de porter sur d'autres rives ses « coutumes de meurtre et de carnage », se retrouve les pieds paralysés. Maldoror se réveille alors et constate : « La Providence me faisait ainsi comprendre d'une manière qui n'est pas inexplicable qu'elle ne voulait pas que, même en rêve, mes projets sublimes s'accomplissent ».

Face à l'ascendance animale du requin et du pourceau, la lignée des personnages d'une « essence plus divine que celle de (leurs) semblables » avait été ouverte à la fin du chant I par la rencontre avec l'« infortuné crapaud » descendu « par un ordre supérieur » sur « cette terre où sont les maudits » (I, XIII). Dans cette strophe où le crapaud aux ailes blanches apparaissait à Maldoror « couvert d'une gloire qui n'appartient qu'à Dieu seul », le pôle divin était proposé à notre héros, qui « après avoir été bon pendant ses premières années [...] s'était lancé dans la carrière du mal parce qu'il s'était aperçu qu'il était né méchant ». Le fossoyeur (I, XII) voyait déjà en Maldoror « un habitant de quelque pays lointain », ou « quelque monarque dépossédé », mais le crapaud, lui, déclare péremptoirement à Maldoror qu'il « est venu afin de [le] retirer de l'abîme », et il lui jette un défi : « Nous savons que, dans les espaces, il existe des sphères plus spacieuses que la nôtre... eh bien, va-t'en..., retire-toi de ce sol mobile..., montre enfin ton essence divine, que tu as cachée jusqu'ici, et, le plus tôt possible, dirige ton vol ascendant vers ta sphère » (I, XIII).

Ce défi, c'est l'ensemble des *Chants* qui le relève jusqu'à la fin du chant V, où Reginald et Elsseneur s'élèvent dans les cieux, les bras entrelacés et jusqu'à la fin du chant VI, où, parallèlement, Mervyn rejoint le Panthéon.

Entre-temps, toute une série d'« êtres imaginaires à la nature d'ange » — Léman, Lombano, Holzer, Lohengrin — sont venus jouer tour à tour le rôle d'indispensable médiateur. Le combat avec l'Ange sorti de la lampe au bec d'argent (III, XI) trouve un écho au chant VI, dans la lutte de Maldoror avec un archange descendu sur la terre sous la forme d'un crabe tourteau (VI, VI). Le chant V et le chant VI s'achèvent sur l'ultime rencontre avec le Tout-Puissant, qui a été « forcé de descendre lui-même » (VI, VI) sous la forme d'une araignée de la grande espèce (V, VII) et d'un rhinocéros qui demeure invincible sous les balles de Maldoror (VI, VIII).

Métamorphoses

L'apothéose finale du chant V, réitérée au chant VI, est le résultat d'un long processus d'évolution au cours duquel Maldoror est, pour sa part, contraint à la métamorphose. Le fil d'Ariane sur lequel il se déplace en affrontant sa double polarité voit sa tension s'accroître à mesure de sa progression; et, pour suivre le héros dans ses pérégrinations entre les deux pôles de cette dialectique dont il est le centre en perpétuelle mutation, il convient de faire preuve d'un talent qui s'apparente à celui de l'équilibriste.

Ce n'est pas sans cause si la strophe du pourceau précède immédiatement celle où Maldoror rencontre un amphibie qui se révèle être un homme transformé en cygne. L'histoire qu'il lui raconte, c'est celle de Maldoror, mais c'est aussi la nôtre... « Deux jumeaux, mon frère et moi, parurent à la lumière. Raison de plus pour s'aimer. Il n'en fut pas ainsi que je parle » (IV, VII). Persécuté par son frère et par sa famille, « dégoûté des habitants du continent », il s'enfuit vers les grottes de cristal, où l'océan lui offre un asile : « La Providence, comme tu le vois, m'a donné en partie l'organisation du cygne », déclare-t-il à Maldoror avant de reprendre une natation déjà qualifiée de « royale » (IV, VII).

C'est au chant V qu'à travers la confrontation d'un scarabée et d'un pélican s'amorce l'apparition d'une « métamorphose durable » qui annonce le couronnement des efforts de notre héros : « Mais qu'était-ce donc que la substance corporelle vers laquelle je m'avançais? » (V, II). Maldoror assiste à la discussion des deux animaux qui se plaignent amèrement d'une femme mystérieuse — elle n'est jamais nommée — et qu'ils rendent responsable de leur conformation : « Cette femme nous a trahis l'un après l'autre », déclare le scarabée; « cette femme, par son pouvoir magique, m'a donné une tête de palmipède, et a changé mon frère en scarabée », déclare le pélican. Maldoror s'exclame alors : « Elle vous a trompés ensemble. Mais vous n'êtes pas les seuls ». La strophe s'achève sur un avertissement destiné « aux navigateurs humains » pour « préserver leur sort de l'amour des magiciennes sombres... » (V, II).

Cygne ou pourceau, pélican ou scarabée, l'homme a été « dépouillé de sa forme humaine » par une magicienne qui s'est fait « un jeu cruel de (ses) plus saintes douleurs ». L'« excentrique » python revient alors une dernière fois pour tenter Maldoror, qui passe victorieusement cette ultime épreuve (V, IV). Le Créateur lui ouvre sa porte (V, V), et... Maldoror accepte. Il s'endort enfin, lui qui tout au long du poème a refusé orgueilleusement le sommeil, et le Créateur lui rend visite sous la forme d'une « araignée de la grande espèce » qui vient lui sucer le sang avec son ventre (V, VII). Passif, notre héros ne cherche plus et ne demande plus rien.

Or, l'araignée, grimpée auprès de son oreille, vient lui confier tous les secrets de son origine : les deux jumeaux ennemis du début des *Chants* sont réunis sous la forme de deux adolescents qui s'échappent du ventre de l'animal, « chacun un glaive flamboyant à la main »; ce sont eux qui gardent désormais le « sanctuaire du sommeil », qui représente, de ce fait, l'accès à l'Arbre de Vie. Ils déclarent à notre héros : « Un archange, descendu du ciel et messager du Seigneur, nous ordonna de nous changer en une araignée unique et de venir chaque nuit te sucer la gorge, jusqu'à ce qu'un commandement venu d'en haut arrêtât le cours du châtiment. Pendant près de dix ans, nous avons hanté ta couche. Dès aujourd'hui tu es délivré de notre persécution ». Ils s'appellent Réginald et Elsseneur, et ils symbolisent le roi et la reine de l'Alchimie, unis en Maldoror dans une métamorphose désormais achevée, c'est-à-dire immuable.

Notre héros peut enfin se réveiller : « Réveille-toi, Maldoror. Le charme magnétique qui a pesé sur ton système cérébro-spinal pendant les nuits de deux lustres s'évapore » (V, VII). Il ouvre la fenêtre et attend le lever du soleil.

Creuser la tombe

La rencontre avec le fossoyeur, à l'issue du premier *Chant,* était riche d'enseignements. Le vieil homme est d'humeur morose; en creusant la terre, il s'interroge sur l'immortalité de l'âme, et il doute. Maldoror, ému, prend sa place et console le vieillard en larmes, qui s'inquiète : « Qui es-tu donc, toi, qui te penches là pour creuser une tombe tandis que, comme un paresseux qui mange le pain des autres, je ne fais rien? » (I, XII). La métaphore est lourde de densité allusive, et Lautréamont exprime ici sous une forme à peine voilée tout le phénomène de l'écriture et de sa relation, tant à lui-même qu'au lecteur. Dans le sens où Montaigne affirmait que « le but de notre carrière, c'est la mort », chacun d'entre nous est un homme qui creuse sa tombe. Nous sommes tous des fossoyeurs, mais nous ne le savons pas tous. Écrire les *Chants,* c'est, pour Lautréamont, creuser une fosse afin qu'Isidore, par l'intermédiaire de Maldoror, aille « visiter l'intérieur de la terre »... C'est aussi « rectifier » avec l'arme de la conscience : « Toutes ces tombes, qui sont éparses dans un cimetière, comme les fleurs dans une prairie, comparaison qui manque de vérité, sont dignes d'être mesurées avec le *compas serein du philosophe* » (I, XII). Écrire les *Chants* et les éditer dans la perspective d'une lecture éventuelle, c'est aussi, dans un sens, creuser la fosse à notre place : nous sommes ce vieil homme désorienté, fatigué, « faible comme le roseau », qui accepte de bon gré que Maldoror vienne lui apporter aide dans sa tâche ardue (« creuser une fosse dépasse bien souvent les forces de la nature »). Le fossoyeur l'a bien compris lorsque, ému, il déclare : « C'est souffrir deux fois que de communiquer son cœur en cet état anormal ». Isidore attend de nous la réaction qu'il prête au vieillard : lire passivement les *Chants,* c'est « manger le pain des autres »; il convient de prendre la bêche et « d'aller y voir nous-mêmes »...

Le fossoyeur a besoin de Maldoror, car il est trop faible pour creuser sa tombe tout en s'interrogeant sur les mystères de notre destinée en haillons. Mais Maldoror a besoin du fossoyeur qui lui offre son gîte, car « les renards ont des tanières, et les oiseaux du ciel ont des nids, mais le Fils de l'homme n'a pas où reposer sa tête » (Matthieu VIII, 20).

Tandis que Maldoror, dans la strophe précédente, faisait miroiter aux yeux du jeune Édouard, plus terrorisé qu'ébloui, les charmes de son palais magnifique « avec des murailles d'argent, des colonnes d'or et des portes de diamant » (I, XI), le fossoyeur propose, lui, à Maldoror son humble hospitalité : « Ce n'est qu'une pauvre chaumière mal bâtie; mais cette chaumière célèbre a un passé historique, que le présent renouvelle et continue sans cesse » (I, XII). Nous ne comprenons le sens exact de ce langage métaphorique qu'au moment où le fossoyeur précise : « Ici, c'est comme chez les vivants; chacun paie un impôt proportionnel à la richesse de la demeure qu'il s'est choisie; et si quelque avare refusait de délivrer sa quote-part, j'ai ordre, en parlant à sa personne de faire comme les huissiers; il ne manque pas de chacals et de vautours qui désireraient faire un bon repas » (I, XII).

Maldoror accepte : « Non, certes, je ne refuse pas ta couche, qui est digne de moi, jusqu'à ce que l'aurore vienne, qui ne tardera point » (I, XII). Nous comprenons alors que cette modeste demeure acceptée jusqu'au lever du soleil, qui symbolise ici l'accession au « Royaume », c'est, dans une perspective tout à fait platonicienne, le tombeau de notre corps : « Interroge ta conscience, elle te dira, avec sûreté, que le Dieu qui a créé l'homme avec une parcelle de sa propre intelligence, possède une bonté sans limites et recevra, après la *mort terrestre,* ce *chef-d'œuvre* dans son sein ».

Par-delà la métaphore, nous voyons se profiler toute la richesse de la métonymie dans la relation qui unit Maldoror au fossoyeur. Ce dernier s'affirme dans sa fonction de réceptacle, tandis que Maldoror s'assimile à la semence divine : la chaumière célèbre de notre corps reçoit l'aide de la conscience et de son compas serein; la fosse est une matrice puisque, la plupart des nuits, le fossoyeur voit « chaque tombeau s'ouvrir, et leurs habitants soulever doucement les couvercles de plomb pour aller respirer l'air frais »; mais la fosse, c'est aussi la conscience du lecteur, fécondée par le texte lui-même. Les *Chants* ne deviennent alors rien d'autre que ce célèbre grain de blé qui doit tomber dans le terreau approprié et y mourir pour porter beaucoup de fruit : « Essaie donc parallèlement de transporter dans ton imagination les diverses modifications de ma raison cadavérique. Mais sois prudent » (V, I). Lautréamont est loin d'ignorer la possible valeur transmutatoire de son texte : « L'oxygène est reconnaissable à la propriété qu'il possède, *sans orgueil,* de rallumer une allumette présentant *quelques points en ignition* » (IV, III).

L'autre versant

Lautréamont a conscience de toutes les embûches dont est constituée la route sur laquelle il nous entraîne. Et s'il est vrai que le lecteur, invoqué, bousculé, provoqué, est durement malmené dans les *Chants,* c'est parce qu'il figure lui aussi, symboliquement, cette part de lui-même qu'Isidore Ducasse reconnaît sans l'aimer parce qu'il ne l'a pas encore intégrée : « Ne crois pas à l'intention qu'il fait reluire au soleil de te corriger, car tu l'intéresses médiocrement, pour ne pas dire moins » (II, I). Cependant, à l'image de Buenos Aires, la reine du Sud, et de Montevideo, la coquette, qui, malgré la guerre éternelle, « se tendent une main amie, à travers les eaux argentines du grand estuaire », un lien se tisse de lui à lui, de lui à nous, de nous à nous... « ...remets sans peur entre ses mains le soin de ton existence, il la reconduira d'une manière qu'il connaît » (II, I). De qui parle-t-on ici? de Maldoror, de Lautréamont, de notre conscience ou du Tout-Puissant lui-même?

Une récompense attend le lecteur qui a prêté à son guide « moins le nuisible obstacle d'une crédulité stupide que le suprême service d'une confiance profonde » (IV, VII). Isidore l'affirme : l'habitude est nécessaire en tout, « et puisque la répulsion instinctive qui s'était déclarée dès les premières pages a notablement diminué de profondeur en raison inverse de l'application à la lecture, comme un furoncle qu'on incise, il faut espérer, quoique ta tête soit encore malade, que ta guérison ne tardera certainement pas à rentrer dans sa dernière période » (V, I). Comme les alchimistes, qui promettent l'élixir de longue vie, comme Rimbaud, qui parle de « la santé essentielle », Lautréamont témoigne de la possibilité de notre guérison : « Pour moi, il est indubitable que tu vogues déjà en pleine convalescence ». Sur l'autre versant, Isidore Ducasse nous attend, de toute éternité, pour nous offrir en partage la « clé de l'amour », de cet amour qui fait tourner le soleil et les autres étoiles : « Courage; il y a en toi un esprit peu commun, je t'aime, et je ne désespère pas de ta complète délivrance » (*Chants,* V, I).

Structure et progression des *Chants*

Chant I

Le premier chant repose sur un constat : « Il est une puissance plus forte que la volonté » : de même que la pierre ne peut se soustraire aux lois de la pesanteur, de même l'homme ne peut se soustraire au Mal. Le Mal en l'homme est plus fort que le Bien, et la force de la pesanteur l'emporte en lui face à la soif d'infini (I, VIII), qui est annihilée par l'éducation sclérosante (I, XI) et la fausse religion (I, VII).

Strophe I : « Plût au ciel que le lecteur... » (Métaphore des grues).
Strophe II : « Lecteur, c'est peut-être la haine que tu veux que j'invoque... » (Promesse de la « paix des agréables cieux »).
Strophe III : « J'établirai dans quelques lignes comment Maldoror fut bon... » (La *loi de la pesanteur*).
Strophe IV : « Il y en a qui écrivent pour rechercher les applaudissements... » (La cruauté).
Strophe V : « J'ai vu pendant toute ma vie... » (Le rire).
Strophe VI : « On doit laisser pousser ses ongles pendant quinze jours... » (L'enfant vampirisé).
Strophe VII : « J'ai fait un pacte avec la prostitution... » (Strophe de la prostitution et du ver luisant).
Strophe VIII : « Au clair de lune, près de la mer, dans les endroits isolés... » (Strophe des chiens : la *soif d'infini*).
Strophe IX : « Je me propose, sans être ému... » (L'Océan).
Strophe X : « On ne me verra pas à mon heure dernière... » (« L'ennemi commun, moi »).
Strophe XI : « Une famille entoure une lampe... » (Édouard, la scène de famille).
Strophe XII : « Celui qui ne sait pas pleurer... » (Strophe du fossoyeur).
Strophe XIII : « Le frère de la sangsue... » (Strophe du crapaud).
Strophe XIV : « S'il est quelquefois logique de s'en rapporter à l'apparence des phénomènes... » (« Suivre la loi de la nature »).

Chant II

Tandis que le chant I est consacré à la « force vers le bas » (pesanteur), le chant II, centré sur le problème de la conscience, instinct divin, est consacré à la « force vers le haut » (aimantation). Le Mal est prédominant en l'homme, mais, face à ce constat, Lautréamont affirme que l'Absolu existe (II, X : strophe des mathématiques) et qu'il lui a été révélé (II, VIII : strophe de la surdité).

Strophe I : « Où est-il passé, le premier chant...? » (La *conscience*).
Strophe II : « Je saisis la plume qui va construire le deuxième chant... » (La foudre : l'ordalie).
Strophe III : « Qu'il n'arrive pas le jour où, Lohengrin et moi... » (Strophe de Lohengrin).
Strophe IV : « Il est minuit; on ne voit plus un seul omnibus... » (Strophe de Lombano et de l'enfant abandonné).
Strophe V : « Faisant ma promenade quotidienne... » (La jeune fille/prostituée).
Strophe VI : « Cet enfant qui est assis sur un banc des Tuileries... » (L'enfant des Tuileries. Passions en germe).
Strophe VII : « Là, dans un bosquet entouré de fleurs, dort l'hermaphrodite... » (Strophe de l'hermaphrodite).
Strophe VIII : « Quand une femme, à la voix de soprano... » (Strophe de la surdité : la révélation).
Strophe IX : « Il existe un insecte que les hommes... » (Strophe des poux).
Strophe X : « O mathématiques sévères...! » (Strophe des mathématiques, reflet de la vérité suprême).
Strophe XI : « O lampe au bec d'argent...! » (Strophe de la lampe. *Combat avec l'ange*).
Strophe XII : « Écoutez les pensées de mon enfance... » (« Prière à Dieu »).
Strophe XIII : « Je cherchais une âme qui me ressemblât... » (Strophe de la tempête et de la femelle du requin, premier amour de Maldoror).
Strophe XIV : « La Seine entraîne un corps humain... » (Strophe d'Holzer le suicidé).
Strophe XV : « Il y a des heures dans la vie où l'homme... » (La *conscience* et l'odyssée de Maldoror).
Strophe XVI : « Il est temps de serrer les freins à mon inspiration... »

Chant III

Le troisième chant est le cœur même de l'ensemble de l'œuvre. Il est consacré à Dieu, à l'homme et à la création. L'homme est comparé à un cheveu perdu par le Créateur lors d'une nuit d'orgie dans un étrange couvent-lupanar, et qui demande à être replacé dans sa position originelle.

Strophe I : « Rappelons les noms de ces êtres imaginaires... » (Mario et Maldoror).
Strophe II : « Voici la folle qui passe en dansant... » (Strophe de la folle et du viol).
Strophe III : « Tremdall a touché la main pour la dernière fois... » (Tremdall et Maldoror, combat de l'aigle et du dragon. L'espérance est vaincue).
Strophe IV : « C'était une journée de printemps... » (L'ivresse du Créateur).
Strophe V : « Une lanterne rouge, drapeau du vice... » (Le cheveu perdu par le Créateur au couvent-lupanar).

Chant IV

Le quatrième chant est consacré aux métamorphoses à travers une suite de processus de scissiparité. Face au rêve du pourceau (IV, VI), qui révèle l'existence d'une limite au Mal, la strophe de l'homme-cygne propose la dialectique des chants, tandis que, progressivement, le secret est découvert (IV, V) : le Mal n'a pas de corps (IV, v); l'Absolu est la seule réalité; l'Autre n'est qu'un reflet...

Strophe I : « C'est un homme ou une pierre ou un arbre... » (La lutte des contraires et la métamorphose).
Strophe II : « Deux piliers, qu'il n'était pas difficile... » (Le raisonnement par analogie. « Je ne repasse plus dans la vallée où s'élèvent les deux unités du multiplicande »).
Strophe III : « Une potence s'élevait sur le sol... » (Le pendu et les deux femmes ivres).
Strophe IV : « Je suis sale. Les poux me rongent... » (La métamorphose).
Strophe V : « Sur le mur de ma chambre, quelle ombre... » (« Le secret est découvert »).
Strophe VI : « Je m'étais endormi sur la falaise... » (Rêve du pourceau. La descente aux enfers a ses limites).
Strophe VII : « Il n'est pas impossible d'être témoin... (Rencontre avec l'amphibie, homme-cygne).
Strophe VIII : « Chaque nuit, plongeant l'envergure de mes ailes... » (Le scalp de Falmer).

Chant V

Le cinquième chant sanctionne le triomphe de l'aimantation et la réintégration de Maldoror. Après avoir passé victorieusement l'épreuve du python (V, IV), Maldoror affronte le dernier ennemi qu'est la mort (V, VI). En acceptant le sommeil, il accepte la divinité elle-même, sous la forme de l'araignée de la grande espèce. Le chant s'achève sur une véritable assomption puisque les deux adolescents, Elsseneur et Réginald, qui figurent la partie volatile fixée de Maldoror, s'élèvent dans les cieux au moment où il s'éveille.

Strophe I : « Que le lecteur ne se fâche pas... » (Métaphore des étourneaux. La complète délivrance est promise au lecteur).
Strophe II : « Je voyais, devant moi, un objet... » (Le scarabée, le pélican et la capitaine de Saint-Malo; des changements s'opèrent en Maldoror, qui s'interroge sur « la substance corporelle vers laquelle il avance », la « chair cristallisée » qu'il observe. Unité de la coagulation).
Strophe III : « L'anéantissement intermittent des facultés humaines... » (« Si j'existe, je ne suis pas un autre » Strophe de l'unité et de l'identité).
Strophe IV : « Mais qui donc... » (Épreuve du serpent).
Strophe V : « O pédérastes incompréhensibles...! » (Strophe des pédérastes. Le Créateur ouvre sa porte).
Strophe VI : « Silence. Il passe un cortège funéraire à côté de vous... » (Strophe de l'enterrement de l'enfant de dix ans et du milan royal. L'indubitable vivant).
Strophe VII : « Chaque nuit, à l'heure où le sommeil... » (Acceptation du sommeil. Métaphore de l'araignée; Réginald et Elsseneur, les deux chérubins à l'épée flamboyante, délivrent Maldoror du charme qui a pesé sur lui puis s'élèvent dans les cieux lors d'une véritable assomption. Maldoror a désormais accès à l'arbre de vie).

Chant VI

Le sixième chant reprend, sous la forme d'« un petit roman de trente pages », les mêmes thèmes que les cinq premiers chants. Il correspond à cette phase finale du Grand Œuvre que les alchimistes nomment la « multiplication » et qui consiste à recommencer tout le processus avec la pierre obtenue à l'issue des premiers travaux comme s'il s'agissait de la pierre de départ... Mervyn est le héros de cette aventure : il représente l'obtention du germe pur qui, avant de rejoindre le Panthéon, transmute Maldoror, son bourreau : le « forçat évadé » devient alors un « corsaire aux cheveux d'or »...

Première strophe du texte liminaire : « Vous, dont le calme enviable... » (Les cinq premiers chants sont le fondement de la construction).
Seconde strophe du texte liminaire : « Avant d'entrer en matière... » (Maldoror-Rocambole. Lautréamont assume totalement le passé et l'avenir de l'espèce humaine).
Strophe I : « Les magasins de la rue Vivienne... » (Rencontre de Maldoror et de Mervyn).
Strophe II : « Il tire le bouton de cuivre... » (Scène de famille. Mervyn se trouve mal; les frères vont vers le lac des Cygnes).
Strophe III : « Mervyn est dans sa chambre... » (Lettre de Mervyn à Maldoror).
Strophe IV : « Je me suis aperçu que je n'avais qu'un œil au milieu du front... » (A propos de « la dualité qui nous compose », la série des « beaux comme »).
Strophe V : « Sur un des bancs du Palais-Royal... » (Aghone, le fou couronné : récit du charpentier qui a tué le canari et causé la mort des trois Marguerite ainsi que la folie de son fils).
Strophe VI : « Le Tout-Puissant avait envoyé sur la terre... » (Combat avec l'archange — le crabe-tourteau —; « Le Tout-Puissant sera forcé de descendre lui-même »).
Strophe VII : « Le corsaire aux cheveux d'or... » (Attentat contre Mervyn, qui est jeté dans un sac et battu).
Strophe VIII : « Pour construire mécaniquement la cervelle d'un conte somnifère... » (Maldoror, sur le haut de la colonne Vendôme, envoie Mervyn sur le dôme du Panthéon. Réintégration de l'un, transmutation de l'autre...).

Poésies

Les *Poésies* témoignent de l'authenticité de l'expérience vécue et décrite tout au long des *Chants*; elles représentent la révolution consécutive au changement total qui s'est opéré dans l'être entier : face à Maldoror, l'ami et l'adversaire tout à la fois, Lautréamont a accouché de lui-même : Isidore Ducasse parle. Bien qu'il affirme : « Vous savez, j'ai renié mon passé. Je ne chante plus que l'espoir » (lettre du 21 février 1870), il ne s'agit en aucun cas d'une palinodie, encore moins d'un exercice de rhétorique. A l'issue des *Chants* qui représentent un travail sur soi que peu d'êtres humains ont été capables de mener à terme, Isidore s'adresse à nous avec la naïveté de l'enfant qui vient de naître. Au départ des *Chants* il croyait à la prééminence du Mal; or, il vient de découvrir que le Mal n'a pas de corps et qu'il n'est que l'ombre du Bien. Il nous le dit, en toute simplicité : « L'homme est parfait », « le bien est irréductible », « le progrès existe », ou encore : « lutter contre le mal est lui faire trop d'honneur » (*P.*, II). Lui qui, à l'instar de Thomas, a touché le corps de Dieu du bout de son doigt, il n'a plus aucun doute, et il nous crie, de bonne foi : « Oui, bonnes gens, c'est moi qui vous ordonne de brûler, sur une pelle, rougie au feu, avec un peu de sucre jaune, le canard du doute » (*P.*, I).

Il vient de découvrir la vérité des grands principes; rien n'est plus simple, en apparence, que de nous apporter la force de son témoignage : « Ne reniez pas l'immortalité de l'âme, la sagesse de Dieu, la grandeur de la vie, l'ordre qui se manifeste dans l'univers, la beauté corporelle, l'amour de la famille, le mariage, les institutions sociales » (*P.*, I).

Lui qui ne se connaissait que des droits violemment revendiqués, il se découvre des devoirs : « En son nom personnel, malgré elle, il le faut, je viens renier avec une volonté indomptable, et une ténacité de fer, le passé hideux de l'humanité pleurarde » (*P.*, I), ou encore : « Un poète doit être plus utile qu'aucun citoyen de sa tribu » (*P.*, II).

Lui dont l'orgueil était l'unique et ultime passion, il découvre l'humilité : « La meilleure manière de plaire [à Élohim] est indirecte, plus conforme à notre force. Elle consiste à rendre notre race heureuse » (*P.*, II).

Il découvre la vérité des lieux communs et la vanité de toute la littérature : « Une vérité banale renferme plus de génie que les ouvrages de Dickens, de Gustave Aymard, de Victor Hugo, de Landelle. Avec les derniers, un enfant survivant à l'univers ne pourrait pas reconstruire l'âme humaine. Avec la première, il le pourrait » (*P.*, II).

Il entrevoit ce que pourrait être la littérature, et il découvre que « les chefs-d'œuvre de la langue française sont les discours de distribution pour les lycées et les discours académiques ». Il va plus loin : « Un pion pourrait se faire un bagage littéraire, en disant le contraire de tout ce qu'ont dit les poètes de ce siècle » (*P.*, II). Il est facile à Isidore, qui maîtrise désormais parfaitement tous les arcanes de la dialectique, de corriger toute la littérature. Lorsqu'il prend le contre-pied de Vauvenargues ou de Pascal, il convient de se rappeler ce que Lautréamont écrivait dans les *Chants* : « Il n'est pas utile pour toi que tu t'encroûtes dans la cartilagineuse carapace d'un axiome que tu crois inébranlable. Il y a d'autres axiomes aussi qui sont inébranlables et qui marchent parallèlement avec le tien » (*V.*, I). Ainsi, Vauvenargues écrit : « Les grandes pensées viennent du cœur » (*Réflexions et maximes,* XXVII). Cela n'est pas faux, mais, pour rétablir l'équilibre de la vérité, Isidore rétorque : « Les grandes pensées viennent de la raison » (*P.*, II). Pascal écrit : « L'homme n'est qu'un roseau, le plus faible de la nature » (*Pensées,* VI, V). Ce n'est pas faux, mais il paraît nécessaire à Isidore d'affirmer parallèlement : « L'homme est un chêne. La nature n'en compte pas de plus robuste » (*P.*, II).

Ainsi, Isidore ne ment pas, et il plaisante encore moins lorsqu'il écrit, en épigraphe aux *Poésies,* dédiées « A tous les amis passés, présents et futurs » : « Je remplace la mélancolie par le courage, le doute par la certitude, le désespoir par l'espoir, la méchanceté par le bien, les plaintes par le devoir, le scepticisme par la foi, les sophismes par la froideur du calme et l'orgueil par la modestie ».

Il n'a jamais été plus sincère, et tout le monde pense qu'il ment. Il n'a jamais été plus sérieux, et tout le monde pense qu'il plaisante. Les « écailles » lui sont tombées des yeux, et tout le monde pense qu'il a perdu la lucidité qui faisait son charme. Pourtant, l'expérience vécue est intransmissible. Isidore le sait, mais il oublie que tous ses lecteurs n'ont pas fait le même chemin que lui. C'est parce que les *Poésies* témoignent de l'authenticité d'une *metanoïa* qu'elles ont été si mal reçues et si mal comprises. La vérité toute nue offerte sans voiles se protège d'elle-même : elle devient opaque, ou, pire, elle nous rend aveugle.

> Dans la nouvelle science, chaque chose vient à son tour, telle est son excellence.
>
> (*Poésies,* II)

BIBLIOGRAPHIE GÉNÉRALE

On trouvera une bibliographie très complète dans : Frans de Haes, *Images de Lautréamont,* Gembloux, Duculot, 1970 (il s'agit de l'« Histoire d'une renommée et de l'état de la question »); Marcel Philip, *Lectures de Lautréamont,* Paris, A. Colin, 1971; Lautréamont et Germain Nouveau, *Œuvres complètes* (prés. par Pierre Olivier Walzer), Paris, Gallimard, « Pléiade », 1970.

Éditions

Nous avons signalé (cf. chronologie de l'œuvre) les premières éditions, ainsi que les principales rééditions historiques : celle de Genonceaux en 1890, celle de Remy de Gourmont en 1920. Il faudrait citer également celle de Philippe Soupault en 1927 qui est la première édition des *Œuvres complètes* (Au Sans-Pareil).

Presque toutes les éditions se réclament de l'originale mais comportent cependant de nombreuses coquilles ainsi qu'une division fautive des strophes. La première édition correcte à tous points de vue est celle de G.L.M. en 1938. La seule totalement fiable actuellement est celle qu'a établie Hubert Juin pour les éditions de la Table ronde (1970), et qui reproduit en fac-similé les éditions originales des œuvres complètes.

Outre les six lettres connues d'Isidore Ducasse, on peut signaler les annotations de Ducasse découvertes dans quelques ouvrages :

Ernest Naville, *le Problème du mal,* librairie Cherbuliez, 1868. C'est Paul Éluard qui a découvert par hasard cet exemplaire annoté, après l'avoir acheté sur catalogue à un libraire suisse parce qu'il était cité par Isidore.

Obras de Homero : la Iliade, Traducida por D. José Gomez Hermosilla, Tomo secundo, Paris, Libreria de Rosa y Bouret, 1862. C'est Marcel Guinle qui a retrouvé cette édition d'Homère en espagnol dans la maison Mettre, à Bazet, dans le grenier. Il l'a confiée à Jacques Lefrère. Elle porte l'annotation manuscrite suivante : « Proprietad del señor Isidoro Ducasse nacido en Montevideo (Uruguay). Tengo también 'arte de hablar' del mismo autor. 14 avril 1863. » (« Propriété d'Isidore Ducasse né à Montevideo [Uruguay]. Je possède aussi « l'art de dire » du même auteur. 14 avril 1863 »).

Dans la bibliothèque du botaniste Gibert, on a trouvé deux exemplaires des *Fleurs du mal* dédicacées par Isidore (Guillot-Muñoz, *op. cit.*).

En 1970, les éditions de la Table ronde on fait paraître un fac-similé des éditions originales : l'édition Questroy-Balitout du chant I (1868); le texte de ce même chant publié dans *Parfums de l'âme* (1869); l'édition intégrale des *Chants* de Lacroix-Verboeckhoven (1869); les deux fascicules titrés *Poésies,* I, II (1870); les six lettres d'Isidore Ducasse.

En l'absence de tout manuscrit, c'est la seule édition intégrale et fiable.

Critiques

Gaston Bachelard, *Lautréamont,* Corti, 1939, nouv. éd. augmentée 1956, réimpression, 1965; Maurice Blanchot, *Lautréamont et Sade,* Éd. de Minuit, 1949, rééd. 1963, rééd. Union Générale d'Éditions, 1967, p. 81-303, « 10/18 »; Claude Bouché, *Lautréamont, du lieu commun à la parodie,* Paris, Larousse, « Thèmes et Textes », 1974; François Caradec, *Isidore Ducasse, Comte de Lautréamont,* Paris, la Table ronde, « Les Vies perpendiculaires », 1970; id., *Isidore Ducasse, Comte de Lautréamont,* avec la coll. de Albano Rodriguez, éd. revue et augmentée, Paris, Gallimard, « Idées », 1975; Jean Decottignies, *Prélude à Maldoror, vers une poétique de la rupture en France, 1820-1870,* Paris, A. Colin, « Études romantiques », 1973, bibliographie p. 220-230; Robert Faurisson, *A-t-on lu Lautréamont?,* Paris, Gallimard, « les Essais », 1972; Philippe Fédy, Alain Paris, Jean-Marc Poiron, Lucienne Rochon, *Quatre Lectures de Lautréamont,* Paris, Nizet, 1972; Alvaro et Gervasio Guillot-Munoz, *Lautréamont et Laforgue,* Montevideo, Agencia gen. de libreria y publicationes, 1925; id., « Lautréamont à Montevideo » (témoignages inédits rassemblés), complété par F. Caradec, avec une iconographie par Albano Rodriguez, Paris, *la Quinzaine littéraire,* 1972; Marcel Jean et Arpad Mezei, *Maldoror,* Essai sur Lautréamont et son œuvre, suivi de notes et de pièces justificatives, Éd. du Pavoix, 1947, rééd. Nizet, 1959; id., *Genèse de la pensée moderne,* Corrêa, 1950, p. 53-126; Raymond Jean, *Lectures du Désir — Nerval — Lautréamont — Apollinaire — Éluard,* Le Seuil, « Points », 1977, p. 69-104; Julia Kristeva, *la Révolution du langage poétique. L'avant-garde à la fin du XIXe siècle, Lautréamont et Mallarmé,* Paris, Le Seuil, « Tel Quel », 1974, bibliographie p. 621-634; Valery Larbaud, *Isidore Ducasse, Comte de Lautréamont,* Liège, Dynamo, « Brimborions » n° 43, 1957, (reproduit l'article de 1914 paru dans *la Phalange*); Jacques Lefrère, *le Visage de Lautréamont, Isidore Ducasse à Tarbes et à Pau,* préface de Jean-Pierre Soulier, Paris, Pierre Horay, 1977; Hans Rudolf Linder, *Lautréamont, sein Werk und sein Weltbild,* Affoltern-am-Albis, J. Weiss, 1947; Robert Montal, *Lautréamont,* Paris, Éd. universitaires, 1973; Peter W. Nesselroth, *Lautréamont's Imagery. A stylistic Approach,* Genève-Paris, Droz, 1969; Édouard Peyrouzet, *Vie de Lautréamont,* Paris, Grasset, 1970; Jean Peytard, *Lautréamont et la cohérence de l'écriture : études structurales des variantes du Chant premier des « Chants de Maldoror »,* Paris, Didier, 1977; Léon Pierre-Quint, *le Comte de Lautréamont et Dieu,* Marseille, Cahiers du Sud, 1928, rééd. Fasquelle, 1967, préface de J. Cassou; Louis Plante, *Isidore Ducasse, Comte de Lautréamont, d'après un dossier tarbais,* Tarbes, Éd. Pyrénéennes, 1966; Marcelin Pleynet, *Lautréamont par lui-même,* Le Seuil, « Écrivains de toujours », 1967; Jean Ristat, *Du coup d'état en littérature, suivi d'exemples tirés de la Bible et des auteurs anciens,* Paris, Gallimard, 1970; Lucienne Rochon, *Lautréamont et le style homérique,* Paris, Lettres modernes, Minard, 1971; Jean-Pierre Soulier, *Lautréamont, génie ou maladie mentale,* Genève, Droz, 1964, 2e Éd., Paris, Minard, 1978; Philippe Soupault, *Lautréamont,* Éd. des Cahiers libres, 1927; id., *Lautréamont,* Seghers, « Poètes d'aujourd'hui », 1946; id., *Lautréamont,* une étude avec un choix de textes, nouv. éd., Paris, Seghers, « Poètes d'aujourd'hui », 1973; Ph. Soupault, *Lautréamont et le problème du mal d'Ernest Naville,* Paris, 1961; Pierre Vinel, *Essai psychopathologique sur le génie et l'œuvre d'Isidore Ducasse,* Toulouse, Fac. de Médecine, 1946, (thèse de doctorat en médecine); Pierre-Olivier Walzer, *la Révolution des sept : Lautréamont, Mallarmé, Rimbaud, Corbière, Cros, Nouveau, Laforgue,* avec sept portraits, Neuchâtel, la Bâconnière, 1970; Paul Zweig, *Lautréamont ou les Violences du Narcisse,* Minard, « Archives des Lettres modernes », 1967.

Thèses universitaires

Marcel Belanger, *le Thème du regard dans « les Chants de Maldoror » de Lautréamont,* thèse 3e cycle, université Aix-Marseille I, 1972; Michelle Bloch, *Écriture et quotidien dans « les Chants de Maldoror »,* thèse 3e cycle, Paris X-Nanterre,

1971; Sonja Buetler, *Untersuchungen über den französischen Prosarythmus an Texten von Lautréamont,* thèse Zürich, 1956; Pierre Capretz, *Quelques Sources de Lautréamont,* thèse Sorbonne, 1950; Jérôme Elie, *Récits et discours dans « les Chants de Maldoror »,* thèse 3e cycle, université de Paris IV, 1973; Henri Guillaume, *le Symbolisme de Lautréamont,* thèse, Liège, 1949; J.A. Hodkinson, *l'Œuvre de Lautréamont et son influence sur le mouvement surréaliste en France,* thèse, Edimbourg, 1959-1960; Miroslav Karaulac, *le Problème du mal dans l'œuvre de Lautréamont,* thèse, Strasbourg, 1960; J. Penent, *les Éléments de la poésie de Lautréamont,* thèse, Toulouse, 1947; Michel Pierssens, *Vers une lecture des poésies d'Isidore Ducasse,* thèse 3e cycle, Université Aix-Marseille I, 1972; Angelika Zawischa, *« Grotesque » und « Fantastique » als Mittel der Verfremdung in den « Chants de Maldoror »,* thèse, université de Vienne, 1975; Paul Zweig, *Versions de Narcisse, une étude de l'univers imaginaire de Whitman et Lautréamont,* thèse, Sorbonne, 1964.

Numéros spéciaux de revues

Le *Minotaure* nos 12, 13, mai 1939, Genève, Skira, rééd. Flammarion; « le Cas Lautréamont », *le Disque vert,* Paris, Bruxelles, 1925; « Lautréamont n'a pas cent ans », *Cahiers du Sud,* no 275, août 1946; « Lautréamont », *l'Arc,* no 33, 1967; « Lautréamont », *Entretiens,* no 30, 1971; « Lautréamont », *Revue d'histoire littéraire de la France,* 74e année, no 3, mai-juin 1974; « Lautréamont », *l'Esprit créateur,* vol. 18, no 4, 1978, Valencia.

L. DURAND-DESSERT

LA VARENDE, Jean-Balthazar Marie Mallard, comte de (1887-1959). Romancier d'origine normande, issu d'une vieille famille aristocratique, Jean de La Varende est né en plein pays d'Ouche. Infiniment attaché à ses traditions familiales et à son terroir natal, il est resté toute sa vie fidèle à ses « racines » et n'a guère quitté son château de Bonneville-Chamblac; il y a séjourné en permanence à partir de 1919 et y a aménagé un musée consacré à l'histoire de la marine. Il a reçu, en 1938, le grand prix du Roman de l'Académie française pour *le Centaure de Dieu.* Bien qu'il se soit montré un écrivain fort productif, et qu'il n'ait pas hésité à aborder différents genres littéraires, son œuvre présente une grande cohérence.

La Varende a écrit, en effet, de nombreux romans qui, presque tous, se situent dans un cadre historique précis — les trente premières années du XIXe siècle — et mettent en scène des héros, gentilshommes bien sûr, plus ou moins ancêtres de l'écrivain lui-même. Il a exploité également le genre historique en rédigeant surtout des biographies de personnages dont il se sentait proche par les goûts (des marins, notamment, comme Surcouf ou Tourville) ou par le symbole qu'ils lui paraissaient incarner : l'énergie individuelle et l'âme normande pour *Guillaume le Bâtard, conquérant* (1946), le catholicisme en action pour saint Vincent de Paul. Il s'est également attaché à la description de sites — comme les côtes normandes ou *le Mont-Saint-Michel* (1941) — et de traditions — celles de la représentation du cheval dans l'art (*le Cheval et l'image,* 1947) ou celles de la broderie en pays bigouden — qui ont, là encore, valeur de symbole.

La pensée de Jean de La Varende s'organise autour d'un pôle essentiel, celui de la fidélité intransigeante aux traditions de la droite monarchiste française. Tous ses écrits affirment la nécessité de la prééminence sociale de la classe aristocratique; la conception de la noblesse qu'il développe prétend remonter aux racines médiévales de l'aristocratie : « Pour moi, la gentilhommerie, c'est se dévouer et comprendre ». Ces notions de sacrifice, de désintéressement sont essentielles chez lui, comme en témoignent la plupart de ses œuvres romanesques; une nouvelle du recueil *Pays d'Ouche* (1936) montre au lecteur à quelle grandeur dans la fidélité peut atteindre une servante qui se jette dans les flammes pour sauver sa maîtresse!... On doit être fidèle à ses « racines » — mot si caractéristique d'une génération dont un des maîtres à penser fut Maurice Barrès —, aux traditions de la famille, au sang ancestral, à la pureté de la race (les bâtards sont proscrits), à la terre natale (La Varende se montrera farouchement nationaliste), à la foi catholique — malgré la condamnation par le pape, en 1926, de l'Action française, condamnation dont Jean de La Varende fut profondément choqué, comme on le voit dans certains récits des *Manants du roi* (1938) : « Pour être lui-même, le vrai rural doit dépendre de Dieu et se rattacher à Dieu. Le vrai cultivateur doit être un homme de culte ». On perçoit donc très bien où réside le problème essentiel chez La Varende : en face d'un présent où le moi ne peut se situer — il faut songer au désarroi moral qui frappa beaucoup d'intellectuels d'avant-guerre —, la tentation était forte de chercher un idéal dans un passé mythiquement vécu comme glorieux. Ainsi voit-on apparaître les thèmes obsessionnels de la tradition royaliste : la décadence du monde contemporain, causée par une bourgeoisie républicaine qui ne songe qu'à l'argent et à la jouissance égoïste : « Ce pays a remplacé l'abbaye par la manufacture. Il se peut qu'il en crève! Le cycle est : le moine, le gentilhomme, l'ouvrier. — Et après? — Plus rien... les Barbares » (*Nez-de-Cuir,* 1937). La pensée de La Varende n'a ici rien d'original; aussi ira-t-il chercher un idéal du côté du hobereau chasseur, grand séducteur, figé dans son modèle féodal, avec pour compagnons ses chiens, ses chevaux et ses femmes.

On comprend que pour un écrivain comme La Varende, qui souffre de « la difficulté d'être » dans le monde de son temps, et qui, par ailleurs, voit dans l'énergie individuelle le moteur de l'histoire, le problème littéraire majeur soit celui du héros. Comme celui de Drieu La Rochelle, et même comme celui de Malraux, le héros de La Varende se cherche et se trouve dans le service d'une cause, sans aucune compromission, en refusant d'observer les valeurs de la morale et de la société bourgeoises. On peut y voir une justification du caractère extrêmement sensuel de ses héros, le donjuanisme ne se concevant jamais hors du cadre de l'aristocratie. Nostalgiques du romantisme, refusant l'argent, la rentabilité immédiate, la médiocrité, ils aiment à vivre dans l'excès et la violence.

L'écriture de La Varende est alors à la mesure du sens qu'il donne à son œuvre : excessive, tout entière significative, multipliant en particulier termes de patois et archaïsmes. Pour le romancier, écrire c'est donc, d'une certaine manière, ressusciter le passé; mais cette tentative ne peut être que vouée à l'échec, parce qu'elle revêt un aspect mythique; les personnages de La Varende, presque tous insatisfaits, en sont le reflet amer.

Telle qu'elle est, cette œuvre paraît ainsi exemplaire et parfaitement représentative de la pensée d'un monde et d'une époque.

BIBLIOGRAPHIE

Ph. Brunetière, *La Varende le visionnaire,* Paris, Flammarion, 1959; Bernard Le Besnerais, *Présence de La Varende,* Paris, José-Millas Martin, 1979.

J.-P. DAMOUR

LAVEDAN Henri Ernest (1859-1940). Fils d'un journaliste réputé, directeur du *Correspondant,* Henri Lavedan fréquente tôt le grand monde parisien et devient vite un chroniqueur à la mode, auteur de romans dialogués à la manière d'Henri Monnier : *le Nouveau Jeu* (1892), suivi du *Vieux Marcheur* (1895, adapté ensuite au théâtre), de comédies de mœurs : *le Prince d'Aurec* (1894), *le Marquis de Priola* (1902), *le Duel,* puis, après la guerre, d'une trilogie romanesque : *le Chemin du salut* (1920-1925).

Dramaturge fin de siècle, abordant au théâtre les problèmes de son monde (*le Duel* — titre d'une pièce de 1905 — entre l'esprit et la chair, entre deux frères amoureux de la même comtesse de Chailles, l'un prêtre, l'autre médecin), représentant d'une certaine « Belle Époque », Lavedan est moins connu pour ses romans ou ses contes, qui n'évitent certes pas la convention, mais qui dénoncent l'égoïsme d'un père attaché à l'« argent » et à la « particule » (*Lydie,* 1887), d'un couple de petits-bourgeois sacrifiant le bonheur de leur servante (*Mam'zelle Vertu,* 1885), ou encore le voyeurisme des amateurs d'exécutions capitales (*Il est l'heure,* 1887).

A. PIERROT

LA VIGNE André ou **Andrieu de** (vers 1457-av. 1527). V. RHÉTORIQUEURS (Grands).

LA VILLEMARQUÉ. V. HERSART DE LA VILLEMARQUÉ.

LAVISSE Ernest (1842-1922). Né à Nouvion-en-Thiérache (Aisne), boursier à Laon puis élève du lycée Charlemagne à Paris, Ernest Lavisse entra en 1862 à l'École normale supérieure. Successivement attaché au cabinet de Victor Duruy et précepteur du prince impérial, il occupa divers postes d'enseignement avant d'être appelé à la chaire d'histoire moderne de la Sorbonne (1888). Il revint à l'E.N.S., d'abord comme maître de conférences, puis de 1904 à 1919 comme directeur.

La défaite de 1870 fut le choc initial qui provoqua et orienta son œuvre d'historien. Dans la victoire prussienne, Lavisse a vu l'efficacité d'un sentiment national communiqué par l'historisme, incarné en de grands maîtres — Mommsen, Ranke. Les grandes lignes de l'ouvrage à accomplir se dessinent alors nettement dans son esprit : pour restaurer la France, il faut la doter de l'outil culturel et moral faute duquel elle a pu, sous l'œil même des Prussiens campant devant Paris, se déchirer en quatre camps au moins. Il lui faut un grand ouvrage d'histoire universelle, au cœur duquel s'impose l'histoire nationale ainsi conçue qu'elle puisse devenir celle de tous les Français, assimilée au même degré que doit l'être l'usage commun de la langue française.

La production à laquelle Lavisse se consacre alors, dans une coopération méticuleuse avec l'éditeur Armand Colin — qui n'est pas sans rappeler celle de Jules Verne avec Hetzel —, forme un système à quatre pôles au centre duquel, bien cadrée, s'inscrit l'admirable *Première Année d'histoire de France.* Le pôle de l'histoire de Prusse, avec l'étude du grand Frédéric : *la Jeunesse du grand Frédéric,* 1891; *le Grand Frédéric avant l'avènement,* 1892 (le défi); celui de l'*Histoire générale du IVe siècle à nos jours* dirigée avec André Rambaud, 1893-1900 (le contexte); celui de *l'Histoire de France illustrée depuis les origines jusqu'à la Révolution,* 1900-1912 (les causes), au cœur de laquelle s'impose le fameux « Louis XIV », pierre angulaire posée par Lavisse en personne; enfin, l'*Histoire de France contemporaine,* 1920-1922 (les conséquences), de pair avec l'éducation civique, à laquelle, sous le pseudonyme de LALOI, il consacre un manuel célèbre : *la Première Année d'instruction civique,* 1880.

Cette architecture d'ensemble constitue l'Histoire en signe visible du compromis républicain : accepter la Révolution comme mère, s'interdire de l'avoir pour fille, de telle manière que le nationalisme français jouisse du double prestige d'avoir une source unique au monde et une valeur universelle indépassable : « Les révolutions, qui étaient nécessaires autrefois, ne le sont plus aujourd'hui [...]. En défendant la France, nous travaillons pour tous les hommes de tous les pays, car la France, depuis la Révolution, a répandu sur le monde des idées de justice et d'humanité ».

La France cesse désormais d'être prise dans l'Histoire : son histoire l'a rendue telle que toute histoire supplémentaire serait superfétatoire, voire nuisible.

Quant à la République, elle est célébrée comme aboutissement de l'évolution parce que, en permettant d'intégrer la Révolution parmi les nécessités de son histoire, elle restitue à la France une cohérence et la dote d'une force d'expansion universelle.

Nous devons ainsi à Lavisse les images dans lesquelles s'est cristallisée l'intelligence de l'histoire nationale pour près d'un siècle. Choisies pour conduire l'esprit aux conclusions civiques que Lavisse a faites siennes, leur enchaînement correspond aussi au refus de toute analyse historique. Pas question de suivre dans la marche du temps la moindre problématique, d'y admettre quelque débat que ce soit. La méthode des tableaux, centrés sur des figures et cadrés par une réalité géopolitique sublimée, interdit la prise en compte de quelque dynamique historique que ce soit, économique, sociale, culturelle... Le cours d'histoire est moins un manuel de réflexion historique qu'un épitomé des raisons irrécusables de trouver bon l'ordre présent des choses. Sa logique d'exposition correspond beaucoup plus à celle du *Tour de France par deux enfants,* de G. Bruno, qu'elle ne doit aux débats historiques qui l'ont précédée ou accompagnée.

C'est pourtant à ce retrait où elle se tient de la polémique historienne pour se consacrer à communiquer aux enfants des idées simples et solides — celle, notamment, de la légitimité républicaine — que l'œuvre de Lavisse doit sa signification historique. Juste au lendemain du demi-siècle d'éloquence consacré à débattre de la République, du Lafayette de 1830 à Gambetta et juste avant que ne se déchaîne le demi-siècle de véhémence journalistique et littéraire sur le même sujet, de Maurras à Brasillach, Lavisse a fixé avec bonheur, par le seul magistère d'un langage apaisé, bannissant en père de famille sentencieux toute séquelle de polémique, l'identité historique, civique et culturelle du régime dans lequel la France s'est reconnue le plus longtemps.

BIBLIOGRAPHIE

Ch. V. Langlois, « Ernest Lavisse », *Revue de France,* 1922; H. Lemonnier, « Lavisse professeur », *Revue internationale de l'enseignement,* 1923; E. Picard, *Bulletin de l'association des anciens élèves de l'E.N.S.,* 1923; Ch. Seignobos, « Ernest Lavisse », *Revue universitaire,* 1922.

Ph. RATTE

LAYA Jean-Louis (1761-1833). L'œuvre de Jean-Louis Laya est si profondément liée à la Révolution qu'il est impossible de l'évoquer en dehors de son rapport à l'événement historique. Laya est né à Paris. Après des études au collège de Lisieux, il écrit, en collaboration avec Legouvé, *le Nouveau Narcisse* (1785). En 1789, sa tragédie *Jean Calas* le situe dans le courant des Lumières. C'est une dénonciation du fanatisme populaire, suscité puis exploité par les autorités municipales et judiciaires, accompagnée d'un plaidoyer pour la tolérance. Laya y exalte le rôle émancipateur de la grande bourgeoisie éclairée, représentée dans la pièce par le personnage de La Salle, qui intéresse Voltaire au sort de la malheureuse famille Calas (il y a eu à la même période quatre pièces consacrées à cette affaire). Dans son drame *les Dangers de l'opinion* (1790), Laya procède à une critique des préjugés et du pouvoir de l'opinion publique; mais les traits de l'auteur ne visent ici personne parce qu'ils visent tout le monde, en dehors de toute caractérisation sociale. Ce flou idéologique témoigne d'une hésitation et d'un recul devant les développements révolutionnaires.

En 1793, les choix sont faits : dans *l'Ami des lois,* Laya s'attaque directement aux Jacobins. Il fait représenter cette comédie le 2 janvier 1793, au théâtre de la Nation. Aucune pièce ne devait provoquer d'aussi graves incidents pendant la période révolutionnaire : le procès du roi, les dissensions entre les Indulgents, les Girondins et les Jacobins agitent l'opinion; le théâtre de la Nation devient la tribune et le point de ralliement de tous les modérés. La Commune tente d'interdire la pièce, mais le public hue ses représentants et les gardes nationaux, exige que la représentation ait lieu et finit par obtenir satisfaction.

Laya, fin stratège, s'adresse directement à la Convention : celle-ci fait droit à sa réclamation et dénie à la Commune le droit de censurer un ouvrage dramatique. Mais les incidents ont été si violents que les comédiens prennent peur, et comme, par ailleurs, le procès du roi mobilise l'attention de l'opinion publique, les représentations de *l'Ami des Lois* sont suspendues. Curieusement, ces incidents ont tellement déterminé la réputation de la pièce que Laya ne pourra pas la faire reprendre sous la Restauration : il aura beau la remanier pour la transformer en pièce royaliste, les censeurs n'oublieront jamais qu'elle fut « séditieuse ». Elle était surtout habile. Laya retourne contre les Jacobins l'accusation de démembrer la nation. Il les présente comme des ennemis de la légalité nationale (Robespierre y apparaît sous le nom de Nomophage). Le héros, Forlis, en vrai et sincère républicain, fait appel à la justice populaire pour triompher de ses ennemis et finit par faire partager son idéal républicain au ci-devant baron de Versac. Tous ces thèmes sont, on le voit, d'inspiration girondine.

Par leur forme, les comédies et tragédies de Laya méritent plutôt le nom de drames : les enjeux y sont importants (la vie et la mort) sans que jamais le déroulement de l'action soit soumis à la fatalité. Leur esthétique n'attira guère l'attention des contemporains (sévère critique de Chamfort dans le *Mercure*) et c'est, hélas! justice.

Après l'affaire de *l'Ami des lois,* Laya dut disparaître jusqu'à Thermidor. Par la suite il donna encore quelques tragédies : *les Deux Stuarts,* en 1797, et *Falkland,* en 1799, à qui le jeu de l'acteur Talma valut un succès d'estime. En réalité, jusqu'à la fin de sa vie, Laya consacra le plus clair de ses efforts au journalisme, comme critique littéraire au *Moniteur*; il deviendra en 1813 professeur à la Sorbonne et en 1817 entrera à l'Académie française.

BIBLIOGRAPHIE

Laya, *l'Ami des lois,* dans *Théâtre du XVIIIe siècle,* éd. présentée, établie et annotée par J. Truchet, Paris, Gallimard, La Pléiade, 1974.

On trouvera des détails sur Laya dans les ouvrages consacrés au théâtre sous la Révolution; par exemple Marvin Carlson, *le Théâtre de la Révolution française,* Paris, Gallimard, 1971.

P. FRANTZ

LAYE Camara (1928-1980). Écrivain guinéen d'expression française. Né à Kouroussa (Guinée), Camara Laye effectue ses études au collège technique de Conakry, puis en France, au centre-école automobile d'Argenteuil. *L'Enfant noir* (1953), qui obtient le prix Charles-Veillon, et *le Regard du roi* (1954) le rendent célèbre. De retour en Guinée, il est appelé à un poste de direction au ministère de l'Information, puis est nommé ambassadeur au Ghāna. En 1965, il rompt avec le régime de Sékou Touré et se fixe à Dakar, où il travaille comme chercheur à l'IFAN. La mort le frappe à cinquante-deux ans, après une longue maladie.

Roman de forme autobiographique, *l'Enfant noir* n'est pas ce texte serein que l'on s'est plu à exalter ou à dénoncer. Il témoigne, en fait, d'une inquiétude profonde qui tient à la façon dont Laye souligne que le monde heureux qu'il évoque est, au moment où il écrit, un monde pour lui à jamais révolu. *Le Regard du roi* retrace, dans un contexte merveilleux et fantastique, l'itinéraire d'un Blanc, Clarence, qui tente d'accéder à la réalité profonde de l'Afrique, représentée ici par ce roi mystérieux dont il lui faut rencontrer le regard. La dimension initiatique de ce roman et la façon dont s'y opère le rapport au réel font penser à Kafka ou à Julien Green. Avec *Dramouss* (1966), Laye entreprend d'écrire la suite de *l'Enfant noir.* Après six années passées en France, le narrateur revient au pays et découvre ce qu'est devenue la Guinée, dans le cadre du régime mis en place depuis 1958.

Le dernier ouvrage publié par Laye, *le Maître de la parole* (1978), n'est pas, à proprement parler, un roman. Fruit d'une longue enquête menée en Afrique de l'Ouest auprès des griots détenteurs de la tradition malinké, *le Maître de la parole* est la traduction en français d'une des versions de l'épopée de Soundjata, l'empereur du Mali (mort en 1255). Ce texte, qui nous permet d'appréhender un des monuments littéraires de l'humanité, éclaire rétrospectivement les œuvres précédentes de Laye en révélant en particulier la place prépondérante que n'a cessé d'occuper dans l'univers du romancier la vision du monde des Malinkés.

BIBLIOGRAPHIE

B. Mouralis, *Individu et collectivité dans le roman négro-africain d'expression française,* Abidjan, Annales de l'université d'Abidjan, 1969; Léo Brodeur, « Une critique de la perception occidentale de l'Afrique noire selon le mode layen de Clarence dans *le Regard du roi* », dans *l'Afrique littéraire,* nº 58, 1981.

B. MOURALIS

LAZARE Bernard (1865-1903). Né à Nîmes et « monté à Paris » poursuivre ses études, Bernard Lazare se préoccupa d'abord de littérature : jeune symboliste, dont la première œuvre fut une légende dramatique, qu'il écrivit avec Éphraïm Mikhaël, *la Fiancée de Corinthe* (1888), il publia des nouvelles, *le Miroir des légendes* (1891), un pamphlet, *les Quatre Faces* (1892), et, dans *le Figaro,* une série d'évocations littéraires, *Figures contemporaines,* réunies en volume en 1895.

Mais, dès 1894, il répondait aux attaques de Drumont contre les Juifs par son analyse de *l'Antisémitisme, son histoire et ses causes.* Puis il fut l'un des premiers à mettre en question le procès de Dreyfus et à lutter avec obstination pour la révision; il y contribua par deux brochures : *Une erreur judiciaire : la vérité sur l'affaire Dreyfus* (1896) et *Comment on condamne un innocent* (1897), tout en poursuivant la composition d'œuvres de fiction : *la Porte d'ivoire* (1897), *les Porteurs de torches* (1897). Disparu trop tôt pour connaître l'issue de l'Affaire, il laissa les fragments de deux livres : l'un romanesque, *la Grenade*; l'autre, *le Fumier de Job,* qui devait approfondir sa réflexion sur l'identité juive.

« Prophète de l'affaire Dreyfus », selon l'hommage que lui rendit Péguy, Bernard Lazare incarna pour la jeunesse libérale de son temps une certaine exigence de justice et d'indépendance, la foi en un socialisme messianique et internationaliste. Soucieux d'assumer ses origines juives face aux critiques et violences antisémites, il ne s'était pas pour autant départi d'un sens rigoureux de l'érudition et de l'objectivité, quand il se faisait l'historien des causes de l'antisémitisme. Son approche du problème devint ensuite plus intuitive, dépassant le seul plan historique pour tenter de cerner, de façon subtile et nuancée, la spécificité de la conscience juive et la signification de son destin. [Voir AFFAIRE DREYFUS.]

BIBLIOGRAPHIE
C. Péguy, dans « Notre jeunesse », *Cahiers de la Quinzaine*, XI, 12, 1910; A. Fontaines, « Bernard Lazare », préface de *l'Antisémitisme*, 1934.

M.-O. GERMAIN

LÉAUTAUD Paul (1872-1956). Il est difficile de séparer les écrits de Léautaud de la personnalité de leur auteur, personnage anticonformiste et critique virulent. Celui-ci est à peu près devenu un mythe. On a en effet transformé Paul Léautaud en une espèce d'éminence grise de l'édition, lui imposant une image qu'il ne lui déplaisait d'ailleurs pas tout à fait d'entretenir : celle d'un petit vieillard sec, cynique et misanthrope, qui rabrouait ses interlocuteurs, vilipendait les « valeurs sûres » de la littérature et préférait ses chats et sa solitude à toute société. Les aphorismes sarcastiques, voire injurieux, que contiennent par moments ses pages autobiographiques ont par ailleurs confirmé les impressions que l'homme laissait à ses contemporains : contempteur de l'humanité, Léautaud n'épargne rien ni personne, pas même lui, dont il se plaît à souligner l'insigne médiocrité : « Je ne me rappelle pas m'être levé un seul jour de bonne humeur, content de la vie, des autres et de moi-même » (*Passe-Temps,* 1929).

Mais, sous ce masque, d'autres figures apparaissent : celles d'un stendhalien convaincu, d'un théoricien du style, d'un moraliste qui, à l'exemple de Chamfort ou de La Rochefoucauld, aime à formuler des sentences lapidaires au gré de son plaisir; un tel écrivain paraît, en plein XXe siècle, un auteur des plus inactuels.

De la bohème à la solitude

Né à Paris, Paul Léautaud va connaître une enfance très indépendante; ses parents, qui vivent dans le milieu du théâtre, ne sont pas mariés et n'habitent pas ensemble : il sera élevé simplement par son père, qui l'« initiera » au théâtre en l'emmenant plusieurs fois par semaine à la Comédie-Française. Léautaud mène ensuite une jeunesse insouciante, vouée aux plaisirs et à la bohème littéraire parisienne.

En 1892, après une année passée sous les drapeaux, il est réformé; il gardera de la vie des casernes ainsi que des exercices guerriers une image aussi peu militariste que possible : « Nous avons le service militaire, qui est la honte des sociétés actuelles ». Après cette courte expérience, il fréquente les cafés-théâtres et, en 1894, finit par entrer chez un notaire, en qualité de clerc. Parallèlement, il commence à publier des poèmes dans des revues et, peu à peu, devient un familier des éditions du Mercure de France; c'est ainsi qu'il met au point, avec Adolphe Van Bever, une anthologie des *Poètes d'aujourd'hui* (1880-1900).

En 1902, il quitte son étude pour travailler chez un liquidateur judiciaire; c'est vers cette date qu'il compose *le Petit Ami* (1903), son premier ouvrage, inaugurant le genre de la confidence autobiographique qu'il ne cessera d'emprunter pour s'exprimer; le livre retrace les expériences de ses premières années, tout comme *Amours* (1906). La carrière littéraire de Léautaud apparaît alors toute tracée : après avoir tenu régulièrement une chronique dramatique au *Mercure de France,* il entre, en 1908, comme employé dans la maison d'édition du même nom. L'affirmation de ses haines, le cynisme de certaines de ses pages ne vont pas sans provoquer les récriminations des lecteurs du *Mercure,* qui, en 1920, lui retirera sa critique dramatique. Léautaud poursuivra ses chroniques à *la Nouvelle Revue française,* puis aux *Nouvelles littéraires.* Ces chroniques seront publiées sous le titre *le Théâtre de Maurice Boissard* (3 vol., 1926-1958).

Sa vie se poursuit ainsi, sans autre préoccupation majeure que la littérature (chaque jour, il rédige quelques pages de son *Journal littéraire*), sans autre souci que les chats et les chiens qu'il recueille dans son pavillon de Fontenay-aux-Roses où, depuis 1912, il s'est installé. Renvoyé des éditions du Mercure de France en 1941, Léautaud vivra alors, sans grands besoins, d'une petite pension que lui alloue le ministère de l'Instruction publique; en 1950, des *Entretiens radiophoniques* avec Robert Mallet le révèlent au grand public (éd. 1951). Deux ans avant sa mort, il commence la publication, achevée en 1966, de l'énorme somme autobiographique que constitue le *Journal littéraire* : œuvre qui, à l'image de ses autres livres, retrace l'itinéraire de l'individualiste acharné que Paul Léautaud n'a cessé d'être.

Un égotisme du XXe siècle

« L'ironie, la peur d'être dupe, la raillerie, pour éloigner la familiarité, un certain orgueil à se sentir différent, une franchise poussée jusqu'au cynisme, une clairvoyance extrême, et le don de rire soi-même, sous son masque, de ses plus chères émotions, quitte à se défiler quelquefois sous des personnages imaginaires [...] » : ces lignes de *Passe-Temps* révèlent ce que Léautaud attend de l'écrivain; il importe que celui-ci consacre son temps au seul plaisir d'écrire et qu'il vive en marge du conformisme social, en marge des bien-pensants de tous bords.

Car, pour Léautaud, les fausses valeurs et les préjugés à pourfendre ne manquent pas. C'est au patriotisme et au militarisme qu'il s'en prend avant tout : en eux, il ne voit que sordides machines à tuer, à étouffer la liberté individuelle. De même, tout appareil politique lui semble suspect et aller, par essence, à l'encontre de l'intérêt des personnes. Il rejette pareillement l'insoutenable totalitarisme des régimes « forts » et la démocratie moderne, que les règles du jeu constitutionnel s'empressent d'avilir : « J'ai horreur du mot peuple, si fréquent actuellement dans les débats politiques » (*Journal littéraire,* 22 juin 1944). D'ailleurs, l'humanité entière ressasse, dans sa médiocrité, les faussetés qu'on lui inculque, et la société ne peut être libre : trop de cadres formels, trop de structures de pouvoir pèsent sur elle : « Nous avons [...] l'instruction obligatoire, qui crée tant d'ânes prétentieux. On nous a parlé récemment du vote obligatoire. Nous pouvons voir ce qu'est appelée à devenir la liberté dans un temps plus ou moins rapproché » (*Passe-Temps*).

C'est donc en soi-même qu'il faut cultiver la liberté : en réalisant ses désirs personnels, en se laissant guider par le principe de plaisir, que Léautaud désigne par le terme dix-huitiémiste de « sensibilité ». Par ailleurs, refus des valeurs bourgeoises, soif de vie sincère, sentiment de l'originalité du moi-tout, chez Léautaud, évoquent Stendhal, son modèle, son maître à penser et à écrire, présent au détour de chaque page du *Journal littéraire.* Comme l'auteur des *Souvenirs d'égotisme,* Léautaud voit en l'écriture non un métier (il méprise toute position sociale établie), mais un style de vie, une attitude existentielle; l'homme et l'auteur, pour lui, ne se distinguent pas, comme l'expriment ses aphorismes, empreints d'un tardif classicisme : « Il faut écrire ce qu'on a vu, ce qu'on a entendu, ce qu'on a ressenti, ce qu'on a vécu » (*Passe-Temps*).

Écriture et littérature

Ainsi, être un bon écrivain, ce n'est pas écrire « bien ». Léautaud plaide pour l'amateurisme et le « style négligé », qu'il juge plus près des choses, et répudie la pure technique littéraire : Stendhal contre Flaubert. Il préfère la fantaisie du premier au « manœuvre du style » que lui paraît être le second. En fait, en des termes très classiques, voire un peu désuets (« Écrire bien, ce n'est autre chose qu'être clair, net et compréhensible »), Léautaud pose un problème spécifiquement contemporain : comment éviter de transformer en « littérature » l'expérience individuelle de l'écriture? Comment l'écrivain peut-il échapper au statut sclérosant de l'« auteur », ce « gestionnaire attitré du bien-écrire », comme le dépeint Barthes? Léautaud cherche une écriture qui ne sépare pas le signe verbal de son référent, qui fasse du mot l'immédiate présence du réel; matériau brut, volontairement informel, subtilement grossier et négligent, la phrase doit porter la marque du moi, non du « travail » littéraire; plus cette empreinte semble spontanée, plus la vérité est sensible.

On comprend alors l'attrait de Léautaud pour le fragment autobiographique : chaque morceau de texte est un reflet du moi, que l'artificiel souci d'unité ne vient pas altérer. Les contradictions internes sont une preuve supplémentaire de vérité : tous les états d'âme du moi, tous ses moments, tous ses masques différents mais complémentaires se trouvent ainsi exposés. Le fragment permet de suspendre le sens définitif; chaque texte est complété, modifié, déformé par le suivant : après les sarcasmes, les louanges. Tout se mêle sans laisser d'impression définitive au lecteur.

De cette conception de l'écriture dérive le scepticisme critique de Léautaud, et ainsi s'explique sa préférence pour « la forme heureusement la plus abandonnée » d'un Apollinaire. Pour lui, nulle poésie « sans une certaine part d'imprécision, d'indéfini, d'incertain ». L'ennemi, c'est l'alexandrin, avec « l'odieux ronronnement de ses syllabes ». La fixité formelle de ceux qu'il appelle « les phraseurs à la mode » (comprenons : Mallarmé et Valéry) exaspère Léautaud, qui voit en elle un présage de mort littéraire.

Le plaisir et le néant

Car la mort effraie Léautaud; non pas la mort en elle-même — le trépas —, mais son signe. La plupart des ouvrages de l'écrivain raillent la signification qu'elle revêt dans la société : « Le chagrin pour les morts est une niaiserie [...]. C'est sur nous-mêmes que nous pleurons, sur le vide ou la privation qu'ils nous laissent. Eux, ils sont morts, c'est-à-dire : ils ne sont plus rien. Pleurer sur eux ne rime à rien » (*Passe-Temps*). Donner un sens à chaque événement de l'existence, voilà la vraie mort : or, c'est à quoi s'emploie cette « littérature » que l'égotisme de Léautaud rejette; d'où les sarcasmes de l'écrivain, qui n'épargnent pas les grands auteurs eux-mêmes, dont l'œuvre et la mort, au regard de l'univers, n'ont aucune importance; ainsi, après les obsèques de Moréas, Léautaud note-t-il dans son *Journal* : « Ce mort manquait à ma collection ».

La vérité, c'est le néant, auquel nul n'échappe : « Ces millions d'êtres, en tous lieux, depuis toujours, qui se suicident, se remplaçant, apparaissant, disparaissant. Bouffonnerie, ridicule, néant » (*Journal littéraire*). Léautaud repousse donc un humanisme littéraire qui parerait la vie humaine de valeurs métaphysiques. Seul le plaisir invite à la création — une création qui sombrera, de toute façon, tôt ou tard dans le « Rien ».

Car l'exercice littéraire lui-même s'abolit dans le non-sens. Les aphorismes moraux que Léautaud développe dans son œuvre renvoient les assertions à elles-mêmes : « Il n'est pas de sentences, de maximes, d'aphorismes, dont on ne puisse écrire la contrepartie » (*Propos d'un jour*, 1917). Le texte vise à transcrire une vérité personnelle mais, en dernière instance, il n'y a pas de Vérité; l'écriture n'est pas transcendance, dans la mesure où elle s'achemine elle-même vers sa propre destruction.

Le nihilisme littéraire de Léautaud cache, en fait, derrière ses défis et ses sarcasmes, la pleine conscience qu'a l'écrivain de ses propres limites. Ruinant, au fil de ses autobiographies, le mythe romantique de l'Auteur, Paul Léautaud n'a vu en l'écriture qu'un plaisir du corps. Empêcher ce corps de devenir un objet de culture, d'être pris en charge par de fausses valeurs, est peut-être la seule « morale » à laquelle ce lointain descendant des XVIIe et XVIIIe siècles français ait accepté d'obéir. A l'instar de l'érotisme, que Léautaud exprime en maintes pages de ses romans et de son *Journal*, l'écriture est un acte de libération; mais elle libère en cela seulement qu'elle reflète le plaisir de l'instant.

BIBLIOGRAPHIE

Deux ouvrages critiques tentent de cerner, le premier, l'homme, le second l'écrivain : Marie Dormoy, *Léautaud*, Paris, Gallimard, 1958; Raymond Mahieu, *Paul Léautaud, la Recherche de l'identité*, Paris, Minard, « Bibliothèque des lettres modernes », 1974.

J.-P. DAMOUR

LEBLANC Maurice (1864-1941). Né à Rouen, fils d'un industriel en constructions navales, il était le frère de la comédienne et cantatrice Georgette Leblanc, qui devint l'amie et l'interprète de Maeterlinck. Après des études de droit, il travailla dans l'entreprise familiale puis se fit connaître à Paris avec des romans d'analyse qui lui valurent la protection de Maupassant : *Une femme* (1893), *l'Œuvre de mort* (1897). En 1907, J. Claretie vanta, regretta peut-être « ces petits romans de deux cents lignes » en préfaçant le nouvel ouvrage de Maurice Leblanc, d'un genre bien différent : *Arsène Lupin gentleman-cambrioleur*, paru après une publication triomphale en feuilleton dans le mensuel *Je sais tout*. Dès lors Leblanc se consacra presque exclusivement aux aventures de son héros, qui réapparut dans une pièce de théâtre, *Arsène Lupin* (1908), écrite en collaboration avec Francis de Croisset, et surtout dans d'innombrables romans ou recueils d'histoires courtes. Citons parmi les plus célèbres *Arsène Lupin contre Herlock Sholmès* (1908), *l'Aiguille creuse* (1909) qui dévoile le « secret » de l'aiguille d'Étretat, *813* (1910), où Lupin obtient de Guillaume II qu'il laisse le Maroc à la France en échange de lettres compromettantes, *le Bouchon de cristal* (1912), satire de l'affairisme parlementaire, *le Triangle d'or* (1918), *l'Île aux trente cercueils* (1920), roman du genre macabre, et qui se termine sur un éloge inattendu de la radioactivité, *les Dents du tigre* (1920), *la Comtesse de Cagliostro* (1924), où apparaît la fille présumée du célèbre Balsamo, *l'Agence Barnett et Cie* (1928), *la Barre-y-va* (1931), *la Cagliostro se venge* (1935). Ce « gentleman-cambrioleur » qui évolue dans tous les milieux avec la même aisance, sous ses masques-anagrammes de Grand d'Espagne (don Luis Perenna), de prince russe (Paul Sernine), voire de chef de la Sûreté, pourrait paraître inquiétant, et même subversif : Arsène Lupin, mon prochain... Mais cet aventurier est pétri de bons principes : il ne tue pas, protège la veuve et l'orphelin, manifeste un patriotisme sourcilleux, et purge la société de monstres odieux, l'abominable Vernocq des *Dents du tigre*, la séduisante et sanguinaire Dolorès Kesselbach de *813*, le sinistre député Daubrecq du *Bouchon de cristal*, face auxquels il incarne sinon le droit, du moins la norme. Sans doute Leblanc utilise-t-il sans retenue les ficelles du roman d'aventures : trésors cachés, passages secrets, messages à déchiffrer. Mais il renouvelle habilement le genre en insérant ses intrigues dans l'actualité (la guerre de 1914-1918, les rivalités coloniales, les scandales politico-financiers, voire l'affrontement avec « Herlock Sholmès » où l'entente cordiale succède à la bataille), et surtout en créant ce personnage fortement typé de « Cyrano de la pègre » (Sartre), séduisant, gouailleur et sentimental. [Voir aussi ROMAN POLICIER].

BIBLIOGRAPHIE

Europe, n° 604-605, août 1979, numéro spécial Arsène Lupin, comprenant une bibliographie exhaustive des « études lupiniennes » à cette date, ainsi qu'une filmographie; Francine

Marill-Albérès, *le Dernier des dandys : Arsène Lupin*, Paris, Nizet, 1979.

J.-P. DE BEAUMARCHAIS

LE BLANC DE GUILLET, pseudonyme d'**Antoine Blanc** (1730-1799). Antoine Blanc naît à Marseille dans une famille de la petite bourgeoisie. Il entre en 1746 dans la congrégation de l'Oratoire, où il enseignera plus tard la rhétorique. Il vient à Paris en 1756 et, sous le nom de LE BLANC DE GUILLET commence une carrière de journaliste au *Conservateur,* et de littérateur avec la publication en 1761 d'un roman : *les Mémoires du comte de Guines* (Amsterdam, 1761). Il écrit pour le théâtre quelques pièces que leur idéologie situe dans le courant philosophique de la seconde moitié du siècle : *Manco Capac* (Paris, 1782), tragédie représentée en 1763; *les Druides* (Paris, 1783), tragédie représentée en 1772; *l'Heureux Événement* (Paris, 1763), une comédie; *Adeline ou Albert Ier,* comédie héroïque (Paris, 1775). Il écrit, après le début de la Révolution, sept ou huit tragédies et, avec *Tarquin ou la Royauté abolie,* tragédie (Paris, 1794), connaît un dernier succès. On doit enfin à Le Blanc de Guillet une traduction en vers du *De natura rerum* de Lucrèce. Il vécut modestement, refusant, non sans dignité, une pension royale de 600 livres; il accepta cependant un secours de la Convention en 1795, puis un poste de professeur à l'École centrale, et entra à l'Institut en 1798.

Dès la représentation de *Manco Capac,* les philosophes (Voltaire, Grimm...), même s'ils ont ri de certaines hardiesses mélodiques (« Crois-tu de ce forfait Manco Capac capable? »), ont soutenu Le Blanc de Guillet pour sa ferme dénonciation des abus du despotisme. Leur soutien ne lui fit pas défaut non plus lors du scandale des *Druides,* que l'archevêque de Paris fit interdire parce que la pièce dénonçait le fanatisme religieux. Condorcet écrit à Turgot et à Voltaire, mobilise le parti philosophique. En vain : la pièce ne sera reprise qu'en 1784. Grimm résume d'un mot toute l'affaire : « Les prêtres ont fait à sa pièce une réputation qu'elle n'aurait jamais eue sans eux » (*Correspondance littéraire,* avril 1772). Aussi est-ce moins la qualité littéraire de ces pièces qui peut encore nous attacher que leur enjeu : celui du combat des philosophes contre la censure théâtrale.

BIBLIOGRAPHIE

Un article très bien documenté sur les réactions des philosophes aux tragédies de Le Blanc de Guillet : C. Perroud, « Notice biographique sur Le Blanc de Guillet », *Annales de la Société du Puy,* Le Puy, t. XXV, 1862.

P. FRANTZ

LE BRETON Auguste, pseudonyme d'**Auguste Montfort** (né en 1913). *La Loi des rues* (1963), *les Hauts Murs* (1974), ou, plus tard, *Monsieur Rififi* (1976) et *Fortifs* (1982) permettent de reconstituer les étapes de son existence : sa naissance à Lesneven (Finistère), son enfance d'orphelin, sa vie de clochard, de voyou, d'homme en marge. Son expérience du milieu s'exprimera dans des ouvrages comme *Malfrats and Co* (1971) ou encore *les Pégriots* (1973). *Du rififi chez les hommes,* publié par Marcel Duhamel dans la Série noire, en 1953 (film de J. Dassin, en 1954), le fit connaître du public à une époque où le roman policier français évoluait sous l'influence du *thriller* américain. Auteur prolixe, Le Breton a inspiré de nombreux films policiers français des années 50 et 60 : *Razzia sur la chnouf* (H. Decoin, 1954); *le Clan des Siciliens* (H. Verneuil, 1969), etc.

C'est avec ses trois romans de la Série noire (*Du rififi chez les hommes; Razzia sur la chnouf* et *Le rouge est mis,* 1954) qu'il s'est affirmé comme un auteur d'importance. Habile à esquisser des personnages avec une grande sobriété de moyens, il tisse autour de règlements de comptes entre truands le réseau d'une action dramatique implacable, proche de la tragédie. L'argot, dont il use avec science (il signera en 1960 un dictionnaire : *Langue verte et noirs desseins,* repris et augmenté en 1975 sous le titre *l'Argot chez les vrais de vrais*), donne à ces ouvrages leur écriture drue et poétique. Plusieurs autres romans, notamment la série des *Rififi,* qui regroupe des œuvres précédemment parues sous d'autres titres (*Pour vingt milliards de diamants,* 1967, etc.), exploitent une veine similaire — mais sans retrouver la verve ni la densité des débuts. Semblable remarque peut s'appliquer à la série des *Antigangs,* collection de romans policiers sans éclat, de consommation courante.

M.P. SCHMITT

LE BRUN Pierre (1661-1729). Pierre Le Brun entra à l'Oratoire le 11 mars 1678. Il enseigna la philosophie à Toulon, la théologie au séminaire de Grenoble, où il fut remarqué par le cardinal Le Camus, puis à Paris, au séminaire Saint-Magloire. Ses ouvrages sont fort savants : il recourait, pour les composer, à des archives de France et de Flandre, à des Mémoires qu'on lui envoyait de Rome et du Levant. En 1694, il prit part à la querelle sur le théâtre qu'avait déchaînée le P. Caffaro, et il publia un *Discours de la comédie [...] avec l'histoire du théâtre, et les sentimens des Docteurs de l'Église,* discours dans lequel il démontrait que le théâtre ne pouvait se concilier avec le christianisme.

Le Brun fut un disciple de Malebranche. Sans doute est-ce le rationalisme de la *Recherche de la vérité* qui lui inspira, en 1693, les *Lettres pour prouver l'illusion des philosophes sur la baguette divinatoire*; il y affirmait la vanité de la radiesthésie. Plus tard, l'abbé Bignon le fit écrire sur la liturgie : ce fut la volumineuse *Explication littérale historique et dogmatique des prières et des cérémonies de la messe* (1716-1726). Ce livre suscita diverses polémiques : sur le rôle des fidèles pendant la messe, sur la liturgie des arminiens...

Toutes ces œuvres témoignent du même effort pour défendre la religion en la purgeant à la fois de tout laxisme et de toute superstition : « Vous évitez, lui écrivit le cardinal Fleury, l'excès de certains auteurs, qui veulent donner des explications mystiques et arbitraires aux choses les plus simples et les plus naturelles; mais vous vengez en même temps la témérité de quelques modernes, lesquels n'ont cherché, ce semble, qu'à affaiblir ce qu'il y a de plus élevé dans notre sainte religion, en ne donnant qu'un sens sec, bas et littéral » (approbation de l'*Explication littérale...*).

BIBLIOGRAPHIE

Lambert, *Histoire littéraire du règne de Louis XIV,* Paris, 1751, t. I; Achard, *Dictionnaire de la Provence,* Marseille, 1785, t. III; Jean-Louis Vissière, « le P. Le Brun, Malebranche et la radiesthésie », *Marseille,* octobre-décembre 1973.

A. NIDERST

LEBRUN Pierre Antoine (1785-1873). Le succès ne tarde pas à sourire à ce jeune poète, dont l'*Ode à la Grande Armée* (1805) attire les bonnes grâces de l'Empire et que le public applaudit dès qu'il porte à la scène des drames d'une facture poétique inspirée et nouvelle : *Pallas* (1806), *Ulysse* (1814), *Marie Stuart* (1820), *le Cid d'Andalousie* (1825). Chantre officiel du régime napoléonien, une certaine rigueur morale lui vaudra assez d'estime en son siècle pour traverser à son avantage tous les bouleversements politiques, et moissonner les honneurs : sénateur, il ne connaît pourtant pas trop de vicissitudes après 1815; Chateaubriand usera même de sa qualité de ministre pour faire jouer *le Cid d'Andalousie,* un moment suspecté par la censure. Académicien, il participe activement à l'élection de Victor Hugo. Directeur de l'Imprimerie royale, il démissionne en 1848, alors que les ouvriers réclamaient son maintien au gouvernement provisoire. Sans doute son intégrité refuse-t-elle de renier son passé qui l'a vu tour à tour maître des requêtes (1827), conseiller d'État (1838) et pair de France (1839).

Tous les mérites de Pierre Lebrun ne résident pas cependant dans cette belle honnêteté. Initiateur prudent des innovations romantiques, il peut s'enorgueillir de faire plébisciter par le public, en *Marie Stuart*, une œuvre qui doit au moins autant à Schiller qu'à Racine. Certes, Lebrun n'a pas lésiné sur l'utilisation de ce pathos un peu facile que Casimir Delavigne sait alors si bien moduler. Hégésippe Moreau le confirme en tournant ce curieux « compliment » :

On voudrait applaudir; mais le bruit des bravos
Est sans cesse étouffé par celui des sanglots.

Sainte-Beuve remarque pourtant : « En redescendant du cothurne de l'empire, on goûtait fort chez lui quelque chose de senti, de naturel et de vrai dans la diction, d'assez voisin de la prose, avec du feu poétique pourtant et des veines de chaleur ».

Le poète, à l'évidence, ne manque pas de jugement, admirant dans le *Manfred* de Byron « la profondeur de pensées et de sentiments qu'on y trouve et une verve d'imagination, vagabonde il est vrai, qui va souvent jusqu'à la folie, mais qui s'arrête quelquefois au sublime ». Lui-même se montrera capable de lâcher la bride à un lyrisme impétueux, aux accords mélodieux et neufs :

Impatient de moi-même et du monde,
Laissez, que seul au sein des bois déserts,
Je suive encore cette voix vagabonde,
Autour de moi murmurant dans les airs,
Et loin des yeux du jaloux univers,
Que succombant au bonheur qui l'inonde,
Mon cœur trop plein se répande en mes vers.
(la Soirée d'hier)

Lyrisme parfois gâté, hélas! par une propension fâcheuse à abuser d'inversions ou de périphrases :

Quel silence descend des tranquilles étoiles!
Lui-même le malheur n'oserait pas gémir.
Mouvantes lentement, sur les muettes voiles
Je les vois se bercer : le ciel semble dormir.
(le Voyage en Grèce)

Ainsi s'exprime-t-il dans son œuvre majeure, *le Voyage en Grèce* (1828), comprise par Sainte-Beuve dans la tradition d'un « poète qui a su émouvoir le public et l'a toujours respecté », chez qui « la façon du vers, libre dans sa forme et souvent hardi sans système, ne rompait pas absolument avec l'ancien genre, mais jurait encore moins avec le goût nouveau, avec le rythme émancipé de 1828 ». Il serait injuste de rayer de notre mémoire ce Lebrun en qui certains de ses plus illustres contemporains virent à juste titre « un pionnier patient et résolu », voulant « non seulement la restauration complète de la poésie lyrique, mais encore celle de la poésie et même de la composition dramatique » (A. Dumas fils). On n'enlèverait rien à la gloire des Hugo, Lamartine et autres colosses en mesurant mieux l'influence et le talent de celui derrière lequel ils ne rougirent pas d'abriter leurs hardiesses, en leur temps. [Voir aussi CONSERVATEUR LITTÉRAIRE].

BIBLIOGRAPHIE

Sainte-Beuve consacre à Lebrun la réflexion la plus complète et la plus pertinente dans *Portraits contemporains*, 15 janvier 1841, t. II. Sa *Marie Stuart* a été rééditée par R. Dumont, Rouen, P.U.R., 1973.

D. COUTY

LEBRUN-PINDARE, surnom de **Ponce Denis Écouchard-Lebrun** (1729-1807). Le surnom de « Pindare » que ses contemporains décernèrent à Ponce Denis Écouchard-Lebrun, en signe d'enthousiaste admiration, marque son nom d'un irrémédiable ridicule : il souligne le contraste entre la sublimité des ambitions et la médiocrité du caractère ou la froideur des réalisations d'un poète qui reste un maître de la lyrique néoclassique et un redoutable épigrammatiste.

Grandeur et misères du « Pindare français »

Fils d'un valet de chambre du prince de Conti, Lebrun, après de brillantes études, est remarqué par Louis Racine, dont il devient l'élève : cette stricte filiation classique se reflète dans la netteté sèche et concise de son style. Le tremblement de terre de Lisbonne, en 1755, lui inspire deux odes qui le font remarquer; il projette une épopée sur la nature, mais acquiert la célébrité grâce à ses odes à Buffon et à Voltaire (1760) : en des vers émouvants, il présente au patriarche de Ferney la nièce de Corneille réduite à la misère et provoque ainsi une glorieuse adoption. Tout entier à sa vocation lyrique, épris de grandeur et de perfection, irascible et hautain, il méprise les coteries, mais s'attache, pour vivre, à des protecteurs : Conti, le comte de Vaudreuil, Calonne... Il polémique rudement avec Fréron (*la Wasprie, l'Âne littéraire* en 1761, pour répondre à *l'Année littéraire)*, puis avec sa femme, en un mémorable procès : « Qu'un enfant des neuf sœurs est facile à tromper! » avoue-t-il avec naïveté. Pensionné par Louis XVI, il embrasse furieusement la cause révolutionnaire. Robespierriste acharné, il appelle la mort du roi :

Vainement la pitié murmure :
Le Ciel veut plus que des remords.

Il flétrit la reine Marie-Antoinette, prisonnière et promise à l'échafaud, prodigue des poèmes républicains (dont l'ode fameuse sur le vaisseau *le Vengeur*, 1794). Ce violent engagement ne l'empêche pas de se rallier à Bonaparte, qui lui accorde une forte pension. Il meurt en 1807, et ses œuvres, qu'il avait négligé de réunir, sont éditées en 1811 par son ami Ginguené.

La voix lyrique

Les traverses et les palinodies de la vie, les faiblesses de la conduite publique et privée font ressortir la seule et inflexible constance de cet homme sans convictions, sans idées, sans principes : la poésie, où se concentrent grandeur, imagination, fermeté si cruellement absentes par ailleurs. Ses odes se caractérisent par un souffle fiévreux, la noblesse soutenue du vocabulaire, une hauteur aride, sans grâce ni concession au pittoresque, des ruptures vives et abruptes : à ce « grand style » s'opposent l'abondance plus facile de Jean-Baptiste Rousseau et l'harmonie imitative plus diffuse du poème didactique et descriptif. Lebrun protégea les débuts littéraires d'André Chénier, amant passionné de l'antique : mais sa manière raide, sans abondance, qui privilégie les lois formelles et métriques, l'égalité de tessiture, aux dépens de la puissance évocatoire de mots, est aux antipodes de la nonchalance charmeuse des *Élégies*. Il lui faut la compagnie des grands hommes, le choc des événements glorieux, la solennité des fêtes publiques; ainsi célèbre-t-il, en des vers au timbre sonore, le Buffon des *Époques de la nature* :

Au sein de l'Infini ton âme s'est lancée;
Tu peuplas ses déserts de ta vaste pensée.
La Nature, avec toi, fit sept pas éclatants;
Et, de son règne immense embrassant tout l'espace,
Ton immuable audace
A posé sept flambeaux sur la route des Temps.

La véhémence satirique

A l'admiration et à l'élévation tendues qui signalent les odes correspond l'âpreté concise et violente des vers satiriques semés contre les ennemis, les amis, les parents ou les maîtres : versant complémentaire du talent de Lebrun, non plus compensateur, comme le lyrisme, mais serviteur des vivacités ou des bassesses du caractère. Une strophe d'une prophétique énergie réclame, en 1793, la violation des sépulcres royaux :

Purgeons le sol des patriotes,
Par les rois encore infecté :
La terre de la liberté
Rejette les os des despotes.
De ces monstres divinisés
Que tous les cercueils soient brisés!
Que leur mémoire soit flétrie!
Et qu'avec leurs crânes errants
Sortent du sein de la patrie
Les cadavres de ces tyrans.

Le Tyrtée qui précède et attise les passions populaires ou les haines politiques est aussi un Archiloque dont les flèches épigrammatiques fusent en traits serrés et mordants. La Harpe, « qui venait de parler du grand Corneille avec irrévérence », s'attire un dizain vengeur :

Ce petit homme, à son petit compas,
Veut sans pudeur asservir le génie;
Au bas du Pinde, il trotte à petits pas,
Et croit franchir les sommets d'Aonie.
Au grand Corneille, il a fait avanie;
Mais, à vrai dire, on riait aux éclats
De voir ce nain mesurer un Atlas;
Et redoublant ses efforts de Pygmée,
Burlesquement roidir ses petits bras
Pour étoffer si haute renommée.

Ainsi, au cœur même des passions littéraires et des querelles d'écrivain, une amère sévérité s'éclaire et se relève du respect grave dû au génie. Cela distingue le vrai poète et traverse toute l'œuvre de Lebrun : une telle conscience de la grandeur anime d'une fière aspiration les strophes trop correctes des odes et les acerbes diatribes de la satire.

BIBLIOGRAPHIE

Sainte-Beuve, *Œuvres*, Paris, Gallimard, La Pléiade, 1956-1960, p. 786-798, *Portraits littéraires*, article de 1829 et *Causeries du Lundi*, Paris, Garnier, 1857-1870, p. 145-157, article de 1851; G. de Piaggi, « les *Épigrammes* d'Écouchard-Lebrun », *Annales de la fac. des lettres d'Aix*, 1966; F. Scarfe, « Lebrun-Pindare », *XVIIIth Century French Studies*, Newcastle, Oriel Press, 1969.

D. MADELÉNAT

LE CARON Loys. V. CHARONDAS.

LECLERC Gilles (né en 1928). V. QUÉBEC (littérature du).

LE CLERC Jean (1657-1736). Né à Genève, Jean Le Clerc mena la vie nomade de bien des huguenots de son temps; précepteur à Grenoble, on le retrouve à Saumur, à Lyon, en Angleterre, avant qu'il ne se fixe en 1683 à Amsterdam, où il enseigne la philosophie et l'hébreu, puis l'histoire ecclésiastique, et compose une œuvre considérable, les *Entretiens sur diverses matières de théologie* (1685), les *Sentiments de quelques théologiens de Hollande sur l'Histoire critique du Vieux Testament, composée par le P. Richard Simon* (1685); il se fait journaliste et rédige la *Bibliothèque universelle et historique* (1686-1693), la *Bibliothèque choisie* (1703-1708), la *Bibliothèque ancienne et moderne* (1714-1726). Cependant, il travaille à une grande édition de la Bible, publie les *Quaestiones hieronymianae* en 1700, les *Opera philosophica* en 1698, le célèbre *Traité de l'incrédulité* en 1696.

Lié à Locke, à Fontenelle, à Burnet, à Bernard et à François Lamy, à Turrettini, à Ostervald, à Vico, bref à toute l'Europe savante, il jouit d'un prestige énorme et devient l'un des princes de la république des lettres.

Le Refuge protestant connaissait alors d'âpres dissensions. Le fidéisme de Bayle paraissait du pyrrhonisme à Jurieu, mais Jurieu et Bayle se retrouvèrent pour combattre Le Clerc. Ils virent en lui un socinien ou, plutôt, un arminien. Et de fait, Le Clerc n'hésitait pas à douter de l'authenticité de certains passages de la Bible; il ne voulait retenir de la religion que la doctrine du Christ, telle qu'elle est exposée dans le Nouveau Testament; la foi la plus pure lui paraissait coïncider avec la raison, et se ramener, au fond, à l'adoration de Dieu et surtout à la morale. Cette religion sans mystère ni intolérance avait de quoi épouvanter les chrétiens de tous les bords; Le Clerc et ses amis, Jacques Bernard, Isaac Jaquelot comptent ainsi parmi les fondateurs du déisme moderne, cette religion des Lumières purgée de tout fanatisme et de toute superstition.

BIBLIOGRAPHIE

Gustave Lanson, « Le Clerc et le mouvement protestant », *Revue des Cours et Conférences*, 1908-1909; Annie Barnes, *Jean Le Clerc (1657-1736) et la république des lettres*, Paris, Droz, 1938; René Voeltzel, « Le Clerc et la critique biblique », dans *Religion, érudition et critique à la fin du XVIIe siècle et au début du XVIIIe siècle*, Paris, P.U.F., 1968.

A. NIDERST

LECLERCQ Michel Théodore (1777-1855). Né à Paris dans une famille de cette bourgeoisie aisée qui, tout au long du XVIIIe siècle, avait fait siennes les habitudes de l'ancienne noblesse et se délectait de la vie de salon, Leclercq illustre parfaitement par son existence sans souci matériel — il ne travailla guère plus de quatre ans, occupant une charge de receveur principal des droits — comme par ses *Proverbes dramatiques* (publiés de 1823 à 1836, regroupés dans une édition posthume en 1860) la société « restaurée » par l'Empire et la royauté.

« Scènes de babil déliées et légères » (Sainte-Beuve), les *Proverbes* se jouent sans décor, avec un nombre limité de personnages, respectent les unités classiques et réduisent l'intrigue au strict minimum : « Pourvu que le mot du proverbe soit applicable, le reste dépend des détails ». D'où une structure linéaire, simpliste bien souvent (une seule scène, à la manière des dialogues médiévaux, pour *le Désintéressement*), mais qui peut s'organiser en une véritable petite comédie autour d'un coup de théâtre central (*l'Intrigant malencontreux*). Sans grande originalité littéraire ni philosophique — Leclercq se contentant généralement de reprendre les morales de La Fontaine ou de puiser dans la sagesse des nations —, les *Proverbes* construisent un microcosme de la société française des années 1820-1840. S'ils se haussent rarement à la satire politique (*l'Adjudication, le Retour du baron*) ou religieuse (*les Sermons de société, les Entrepreneurs de morale*), ils brossent, en revanche, une sorte de petite comédie humaine, contant ici les commérages d'une petite ville (*la Folle*), là les déboires d'un jeune marié (*le Plus Beau Jour de la vie*), ailleurs les intrigues d'une mère en quête d'un riche héritier (*les Dots*), etc.

« Archer et frondeur armé à la légère », selon le mot de Sainte-Beuve, Leclercq n'a rien du pamphlétaire virulent ni du dogmatique pédant; « moraliste indulgent et critique enjoué » (Mérimée), il a, dans ses tableaux de genre, traduit le goût d'une société repliée sur elle-même et qui usait de la littérature de salon pour se protéger des réalités extérieures [voir PROVERBE DRAMATIQUE].

BIBLIOGRAPHIE

L'essentiel des renseignements disponibles sur Leclercq se trouve dans la thèse (dactylographiée) de Laetitia Chevalier-Janbon, *Théodore Leclercq et ses « Proverbes dramatiques »*, Montpellier, 1967. On pourra aussi se reporter à : Pierre Martino, *l'Époque romantique en France* (p. 79-85), Paris, Hatier, « Connaissance des lettres », 1944; Jules Guex, *le Théâtre et la société française de 1815 à 1848* (p. 148-159), Vevey, 1900, rééd., Slatkine Reprints, Genève, 1973.

D. COUTY

LE CLÉZIO Jean-Marie Gustave (né en 1940). Parmi les jeunes écrivains français, J.-M.G. Le Clézio, né à Nice, s'est acquis de bonne heure un prestige unanime. Il avait vingt-trois ans lorsque le prix Théophraste-Renaudot, attribué à son premier roman, *le Procès-verbal* (1943), attirait l'attention sur ce grand jeune homme blond, taciturne et paraissant se situer d'emblée dans un « ailleurs » qui n'était pas celui des cocktails littéraires. Aujourd'hui, alors que son œuvre compte une bonne douzaine d'ouvrages, Le Clézio n'en demeure pas moins un écrivain secret et perpétuellement « en fuite ».

On serait tenté de lui attribuer la psychologie d'Adam Pollo, le héros du *Procès-verbal,* qui habite une maison déserte au bord de la mer, qui ne travaille pas, mais qui déambule parfois dans les villes — objets de fascination et de terreurs mêlées —, ou bien qui se met à suivre les errances d'un chien en exerçant son regard aux plus infimes particules du monde. Son deuxième livre, *la Fièvre* (1965), est une exploration du corps et des malaises qui s'y expriment, à l'occasion de troubles aussi anodins qu'une rage de dents, une fièvre ou une insomnie...

De fait, les personnages de Le Clézio se ressemblent tous : Francis Besson dans *le Déluge* (1966), Jeune Homme Hogan dans *le Livre des fuites* (1969) ont en commun un goût de vivre au ras des sensations; leurs périples à demi hallucinatoires illustrent avant tout l'« aventure d'être vivant ». Ce qui étonne, c'est ce regard du héros, doué du pouvoir d'accommoder à toutes les échelles : il passe sans transition du caillou sur la plage aux amas de galaxies et ne craint pas non plus les « sauts » chronologiques — dans *Terra amata* (1967), Chancelade décrit sa propre mort et les sentiments qu'il éprouve en tant que cadavre —, cela, au nom d'une vérité poétique qui l'emporte sur la vraisemblance romanesque.

On conçoit qu'une telle démarche soit contemporaine des tentatives qui, dans les années 60, ont désencombré les voies du roman traditionnel. Toutefois, Le Clézio ne se soucie pas d'être d'avant-garde. Son écriture procède souvent par accumulation, par inventaire minutieux et fasciné du réel. Il aime les pierres, les araignées, les robinets d'eau froide, les chevelures de femmes, les feux clignotants des voitures. Il introduit souvent dans ses textes des slogans publicitaires ou des dessins naïfs. Sa phrase est rapide, obsédante (on la devine tracée presque sans ratures), avec une sorte d'attendrissement fétichiste pour « ces petits signes tarabiscotés qui avancent tout seuls, presque tout seuls, qui couvrent le papier blanc, qui gravent les surfaces planes, qui dessinent l'avance de la pensée. Ils rognent. Ils ajustent. Ils caricaturent. Je les aime bien, ces armées de boucles et de pointillés ».

A considérer le développement de cette œuvre, on voit se dégager deux mouvements contraires. Dans un premier temps, cette pulsion multiforme se laisse progressivement envahir, contaminer par les rythmes propres de la ville. Lumières, sirènes, beautés sauvages des agressions urbaines s'accélèrent jusqu'à la panique, pour culminer dans *la Guerre* (1970), qui demeure, à cet égard, la plus grande réussite de Le Clézio.

« La guerre a commencé. Personne ne sait plus où, ni comment, mais c'est ainsi. Elle est derrière la tête, aujourd'hui, elle a ouvert sa bouche derrière la tête, et elle souffle ». Au centre de la guerre, une jeune fille nommée Béa B. scrute et détecte les mille symptômes, elle s'affole dans ces palais des mirages que sont les grands magasins modernes (que l'on retrouvera, monstrueux, dans *les Géants,* 1973), elle cherche une issue. Ce qu'elle voudrait, peut-être, c'est disparaître, ou se consumer dans le filament d'une ampoule électrique, pour retrouver enfin le calme sous la bulle de verre...

Mais déjà, à cette époque, Le Clézio est de plus en plus souvent ailleurs. Le port de Nice, la Méditerranée ont alimenté des rêves qui ne sont pas seulement ceux de l'enfance. Il effectue des séjours prolongés chez les Indiens du Panamá et du Guatemala : les derniers hommes heureux, affirme-t-il, ceux pour qui « il n'y avait pas d'art, mais seulement de la médecine ».

La rupture devient manifeste avec *Voyages de l'autre côté* (1975), dont le titre seul fait penser à Michaux. Comme pour Michaux, le voyage est avant tout pour Le Clézio une plongée mentale, et, quelques années plus tôt, il terminait *l'Extase matérielle* (1967) sur ces mots :

« Sans le savoir, sans lutter, puisque je le veux, j'ai commencé le long voyage de retour vers le gel et le silence, vers la matière multiple, calme et terrible; sans le comprendre, mais en étant sûr que je le fais, j'ai commencé le long voyage religieux qui ne se terminera sans doute jamais ».

Sa notoriété connaît alors une certaine éclipse, durant ces années 70 où les certitudes s'effondrent. Il est vrai qu'il ne se mêle d'aucun des débats qui agitent la conscience intellectuelle. Il continue pourtant de publier à un rythme soutenu : *les Prophéties du Chilam Balam* (1976), traduction d'un livre sacré du peuple maya; *l'Inconnu sur la terre* (1978), qui n'est pas à proprement parler un essai, mais quelque chose comme un « traité des émotions appliquées ». Et, dans le domaine de la fiction, il y a surtout *Mondo et autres histoires* (1978), recueil de contes légèrement naïfs, histoires rondes et lisses comme des cailloux.

La faveur du public lui reviendra vraiment en 1980 avec son roman *Désert* : dix ans après *la Guerre,* c'est un autre sommet. *Désert* raconte l'histoire d'une fillette nommé Lalla, qui a pour ancêtres les « hommes bleus » du Rio de Oro, et qui découvre l'amour avec le Hartani, un jeune berger muet. Elle devra s'exiler, comme tant d'autres, à Marseille, connaîtra la misère des villes, posera pour un photographe de mode, mais rien ne saurait éteindre sa soif du désert où elle retournera un jour.

Le cheminement de Le Clézio paraît irréversible : après l'effroi panique de ses premiers livres, sa langue s'est apaisée, pour acquérir une sorte de consistance minérale, immobile, aux singuliers pouvoirs d'envoûtement.

Il n'est pas d'autre exemple, dans la littérature récente, d'un écrivain qui ait été non seulement lu, mais aimé et admiré comme une sorte de mythe vivant. On a très vite compris que l'espace littéraire lui était trop étroit, qu'il cherchait davantage : une certaine posture devant le monde.

BIBLIOGRAPHIE

Jennifer R. Waelti-Walters, *J.-M. Le Clézio,* Boston, Twayne, 1977.

B. VISAGE

LECOMTE Marcel (1900-1966). Écrivain belge d'expression française. Né à Saint-Gilles (Bruxelles). Fils du peintre Émile Lecomte, il mena des études — inachevées — de philosophie et de lettres à l'université libre de Bruxelles. Il y enseigna pendant onze ans, puis devint le chroniqueur littéraire de la revue *Synthèses* et vécut, mal, de collaborations diverses. Il mourut à Bruxelles dans sa soixante-septième année.

« Paul Valéry écrivant », aquarelle du poète. *Coll. Madame Agathe Rouart - Valéry. Ph. L. Joubert © Photeb © by SPADEM 1984/T*

Frontispice de *La Treille Muscate* de Colette, eau forte d'André Dunoyer de Segonzac, 1932. *Ph. © Bibl. nat. Paris - Arch. Photeb © by SPADEM 1984*

Lieu de création

D'où, de quel lieu vient le texte ? Les réponses multiples à cette question tournent autour d'un rapport, celui de l'écrivain au monde qui l'entoure et le fait être. Au moment du travail créateur – *poïesis* – une conscience est à la fois libre et captive. Sa captivité l'isole et la protège.

Les lieux de la création reflètent les couleurs de la fresque sociale. Pour être douillette et consentie, la cellule de Valéry s'ouvre sur le plus beau, le plus abstrait des horizons – la mer en la fenêtre. Et l'écrivain se voit distrait de son papier par un dehors. Ce dehors, aussi élégamment meublé qu'un boudoir, cette nature apprivoisée, charmante, Segonzac d'un coup d'œil les restitue pour l'écriture

« Le cabinet de travail de Gustave Flaubert à Croisset », aquarelle de Georges Rochegrosse, 1874. *Pavillon Flaubert, Croisset - Ph. Ellebé © Photeb © by SPADEM 1984*

de Colette. A chacun sa prison. Imposée, durement réelle pour le poète Charles d'Orléans, qui cisèle ses mélancoliques bijoux sous haute surveillance, ou pour Voltaire qui, de son « style », perce les murs. Mais qui surveille Flaubert, derrière ces meubles pesants et cette muraille de livres ? Qui pourrait clore le cocasse cachot-théâtre du conteur Maurice Leblanc ? Plus s'exerce la contrainte d'un intérieur, plus l'écrivain élabore l'œuvre libre.

Couvrant les murs de la maison d'Eluard, Max Ernst montre le jeu piégé du dedans et du dehors, entre lesquels la vie s'échappe et serpente la main humaine.

« Au premier mot limpide » peinture murale de Max Ernst en 1923, transposée sur toile. Max Ernst résida plus d'un an chez Paul et Gala Eluard à Eaubonne où il entreprit de couvrir de peintures les murs de la maison. *Kunstsammlung Nordrhein Westfalen, Düsseldorf - Ph. © du musée © by SPADEM 1984*

Dans la « Tour Blanche » de Londres, Charles d'Orléans écrit en présence de gardes - Miniature extraite d'un *recueil de poèmes de Charles d'Orléans.* *British Museum, Londres Ph. © du musée - Arch. Photeb*

Maurice Leblanc à sa table de travail dans une cabine aménagée sur une terrasse du château de Tancarville, résidence d'été des Leblanc de 1910 à 1914. *Coll. Claude Leblanc. Ph. © Bibl. nat. Paris - Photeb*

F.-M. Arouet dit Voltaire, emprisonné à la Bastille de 1717 à 1718, rédige *la ligue* (publiée en 1923 sous le nom de *La Henriade*). *Musée Carnavalet, Paris - Ph. L. de Selva © Arch. Photeb*

« Paysage de Provence » de Raoul Dufy en 1905. Jean Giono, Henri Bosco et bien d'autres auteurs furent inspirés par cette région. *Donation Mme Gallibert, Musée d'Art moderne de la Ville de Paris - Ph. L. de Selva © Arch. Photeb © by SPADEM 1984*

« Le romantique » lithographie de Mantoux et Cheyere en 1825. *Bibl. nat. Paris - Ph. Jeanbor © Arch. Photeb*

Chaque époque voit l'univers à sa manière, et cette vision informe toute œuvre. La création romantique se vit et se voit en plein vent, échevelée, nocturne, tempêtueuse, dans un décor où se lisent l'éternité de la nature et l'usure des choses humaines. L'instant précieux y est musique, déclamation, méditation, lecture. Tout autrement, le conteur — Giono — et le peintre — Dufy — échangent leurs pouvoirs en une image tourmentée et sereine : le chevalet et le narrateur, points de vue sur le réel, créent un lieu nouveau où peut se déployer l'imaginaire. Sortis des entourages protecteurs, les chemins de la création déploient les autres mondes nécessaires.

Marcel Lecomte publie à quinze ans ses premiers poèmes. En 1918, il découvre la revue *Résurrection* dont il rencontre l'animateur, Clément Pansaers : c'est pour lui une révélation. Pansaers l'initie au dadaïsme en même temps qu'aux philosophies extrême-orientales. Lecomte lui devra son goût pour le jeu de tarots, son intérêt pour les mouvements occultistes (il publiera des études sur les Illuminés, le catharisme) et sa sympathie active à l'égard du surréalisme.

En 1924, Lecomte fonde, avec Paul Nougé et Camille Goemans, *Correspondance,* revue sous forme de tracts qui cherche à « montrer aux auteurs eux-mêmes [...] ce qu'ils avaient manqué dans leurs romans, dans leurs poèmes, dans leurs récits ». Exclu du groupe en 1925, Lecomte ne cessera pas, néanmoins, de côtoyer les diverses sphères du surréalisme belge, collaborant aux revues *Marie, Distances, Documents 34, 35* et *36,* s'associant à l'expulsion d'André Souris, signant avec les surréalistes bruxellois et du Hainaut divers tracts, dont *le Couteau dans la plaie.* Mais il gardera toujours par rapport au mouvement surréaliste une position marginale, qu'il définit dans ces termes : « Nous fûmes ainsi quelques-uns à vouloir sortir de la littérature, mais je crois que, pendant tout un temps, je fus seul à penser que l'on ne pouvait guère en sortir que par elle-même ». C'est qu'il est fasciné à la fois par le jeu des équivalences cher à Magritte et par le refus de la rhétorique cher à Paulhan.

Après un premier recueil inspiré de Verhaeren (*Démonstrations,* 1922) et un autre, illustré par Magritte (*Applications,* 1925), Lecomte abandonne la poésie au profit de proses assez courtes qui s'attachent aux thèmes des « rencontres » (*l'Homme au complet gris clair,* 1931), des coïncidences de la vie quotidienne (*les Minutes insolites,* 1936; *l'Accent du secret,* 1944), des données insignifiantes ouvrant à l'invisible (*le Carnet et les Instants,* 1964). Des fantasmes érotiques hantent nombre de ces proses brèves où revient sans cesse l'image de la cavalière aux bottes de cuir souple, écho de l'aventure amoureuse que Lecomte eut au cours de la Première Guerre mondiale avec une jeune gouvernante allemande.

Familier de l'occulte, Lecomte est attentif à « faire, à partir des données les plus fugaces, les découvertes les plus singulières ». On comprend dès lors sa fascination pour les toiles métaphysiques de Giorgio De Chirico ou pour certains textes de Hugo von Hofmannsthal. La phrase même de Lecomte, enveloppée, sinueuse, pleine de replis et de détours, cherche à restituer dans toute leur complexité les « minutes insolites », les instants privilégiés où le réel a chance d'affleurer.

BIBLIOGRAPHIE

Marie-Thérèse Bodart, *Marcel Lecomte,* Paris, Seghers, 1970.

A. SPINETTE

LECOMTE Roger. V. GILBERT-LECOMTE Roger.

LECONTE DE LISLE, Charles Marie René Leconte, dit (1818-1894). Redonner vie aux « dieux brumeux des vieilles races », aux civilisations perdues, évoquer l'histoire de l'humanité dans une langue d'une pureté formelle absolue, n'était-ce pas là une gageure, et Leconte de Lisle pouvait-il ne pas sombrer dans une entreprise titanesque, philosophique autant que poétique? Il semble ne rester de cette œuvre que quelques vers dans les manuels, ceux du « Cœur de Hialmar », ou ceux du sonnet célèbre des « Montreurs » :

> Ah, misérable siècle, en ma tombe sans gloire
> Dussé-je m'engloutir pour l'éternité noire
> Je ne te vendrai pas mon ivresse ou mon mal...

Leconte de Lisle porte ce masque froid et hautain d'un chef d'école, d'un maître du Parnasse, et l'œuvre, pas plus que l'homme, ne suscite guère aujourd'hui d'engouement. L'une comme l'autre sont peut-être victimes de ce halo de froideur et d'impassibilité qu'on leur a parfois faussement attribué.

La poésie comme un recours

Leconte de Lisle est resté avant tout l'auteur des *Poèmes antiques,* son premier grand recueil, publié en 1852 et couronné par l'Académie. Ses tentatives précédentes s'étaient soldées par des échecs, et en 1852, il a perdu bien des illusions. Il a quitté à quatre ans son paradis enfantin, l'île Bourbon, aujourd'hui île de la Réunion, où il est retourné passer son adolescence (1828-1837) et qu'il retrouvera pour un dernier séjour en 1843-1845. Il n'oubliera jamais l'île lointaine, douce, luxuriante qui se profile parfois dans l'œuvre et lui inspire un accent nostalgique, un fléchissement de voix soudain plus tendre. Après avoir abandonné, à Rennes, ses études de droit pour la poésie et fondé deux revues éphémères, *la Variété* (1840) et *le Scorpion* (1842), il a connu une misère qui lui a fait accepter un poste d'éditorialiste dans un journal et une revue fouriéristes (*la Démocratie pacifique* et *la Phalange*), ce qui lui a permis de côtoyer un petit milieu éclairé et vivant. Mais ses espoirs en une action militante sont vite déçus, et, lorsque, en 1848, il se lance en Bretagne dans l'effervescence de la campagne électorale, mal lui en prend : il échappe de justesse à la lapidation. On n'a pas su l'entendre. Et, l'échec de la Révolution se confondant avec son propre échec politique, il se détourne de l'action sociale, se dégoûte des vaincus comme des vainqueurs pour s'adonner enfin, corps et âme, à la poésie, qu'il veut et qu'il va renouveler. Il se verra peu à peu reconnu par les jeunes poètes, à qui il ouvre une voie et avec lesquels il publie dans les recueils du *Parnasse contemporain.* Les institutions officielles seront, elles, séduites par ses travaux d'érudit sur l'Antiquité (des traductions de Théocrite, en 1861, et d'Homère, en 1877). Inscrit en 1864 sur la cassette impériale, il deviendra bibliothécaire au Sénat et, consécration finale, entrera à l'Académie française en 1886.

Dans la Préface des *Poèmes antiques* s'ébauche tout son projet. Là se dessine une nouvelle esthétique qui va à l'encontre du romantisme languide et « efféminé » de Musset ou de Lamartine, à l'encontre de la nouvelle école du « bon sens » incarnée par Ponsard et soutenue par le régime, à l'encontre même du lyrisme de Victor Hugo. Car l'admiration pour le maître, auquel il emprunte, d'ailleurs, une certaine grandeur cosmique, se mêle de bien des réticences. Leconte de Lisle apparaît donc comme le théoricien d'une nouvelle poésie, à la fois philosophique et épique, qui prend sa source dans les temps bienheureux où le poète, loin d'être un paria, faisait parler à la fois la Cité et ses dieux, un temps où Homère écrivait *l'Iliade* et Valmiki le *Râmâyana.* La vraie poésie ne doit donc pas se séparer du monde mais, au contraire, se lier étroitement au contexte social, politique et religieux. Aux temps bénis de l'aventure humaine — ces temps antiques qui sont aussi des temps épiques —, l'art se conciliait avec la foi et avec l'histoire. Mais « depuis Homère, Eschyle et Sophocle, qui représentent la Poésie dans sa vitalité, dans sa plénitude et dans son unité harmonique, la décadence et la barbarie ont envahi l'esprit humain ». On comprend bien, devant cette vision de l'humanité, pourquoi on a pu parler du pessimisme de Leconte de Lisle. La tonalité tragique de bon nombre des poèmes a fait le reste. En outre, le sentiment de la décadence est maintes fois affirmé, comme dans la « Préface » des *Poèmes et poésies* en 1855 : « Il faut bien reconnaître que les plus larges sources de la poésie se sont affaiblies graduellement ou taries ». Cela signifierait-il qu'il faille se résigner à l'imperfection? Deux éléments incitent, selon Leconte de Lisle, à plus d'optimisme : d'abord, il est probable que, dans un avenir indéterminé (peut-être un siècle seulement), l'humanité entrera à nouveau dans une période glorieuse propice à l'éclosion d'un grand art; ensuite, la poésie demeure toujours possible : il lui suffit de retrouver l'inspiration et « les formes plus nettes et plus précises » de la poésie antique, de s'en imprégner par l'imitation, l'étude, la traduction, mille « exercices expiatoires », et d'opérer à partir d'eux une re-création.

Le recueil de 1852, qui a tant marqué les parnassiens — au point qu'Adolphe Racot, un historien du Parnasse, le place comme phare à côté des *Orientales,* d'*Émaux et Camées* et des *Fleurs du mal* —, s'inspire donc très fortement de poètes comme Théocrite ou Anacréon. A côté des poèmes d'inspiration grecque, les poèmes hindous ont étonné : l'orientalisme, avec les travaux de Burnouf, commence seulement à pénétrer les milieux cultivés. Comme l'hellénisme plus précoce (apparu dès les premiers romantiques), il fournit à des générations déçues par une réalité figée — 1848 et le coup d'État de 1852 sont la preuve que les structures sociales ne changeront pas —, humiliées par le matérialisme triomphant qui réduit les artistes à la mendicité, un rêve merveilleux. Car l'antique, c'est la perfection, l'utopie mêlées à l'exotisme. D'où la prédilection de Leconte de Lisle pour un Çiva ou un Brahma parfaits, d'où l'avalanche des lotus qui déchaîne la verve acide d'un Barbey d'Aurevilly : « Il a le nez englouti dans le lotus bleu, et il s'asphyxie. Dévote à la mythologie du Gange, sa muse vit, une queue de vache à la main ».

Pourtant, plus que des sarcasmes, le poète a suscité bien des enthousiasmes. Pour les jeunes poètes qu'il accueillera bientôt en chef de file, il apparaît comme un prophète rassurant, un prêtre (nombre de ses contemporains ont noté son allure sacerdotale). Qu'il ait, de plus, forgé ou entretenu une certaine mystique de la poésie, rien d'étonnant puisque la poésie, c'est le souffle de l'humanité qui, à travers le poète, se souvient de ses dieux et de la période heureuse de son enfance, de son âge d'or décrit dans les *Poèmes antiques.*

Bientôt, la barbarie triomphe de l'hellénisme, de l'hindouisme ou du bouddhisme sereins; le chaos, la fureur, le fracas des massacres, le déferlement des hordes saxonnes donnent aux *Poèmes barbares* de 1862 et aux *Poèmes tragiques* de 1884 un éclat d'incendie; et l'on voit des amours éperdues, sauvages et sanguinaires, des tresses blondes, de beaux corps sanglants. Ces nouveaux poèmes, par l'évocation épique et minutieuse des carnages, peuvent rappeler *Salammbô* : on y trouve la même ivresse glacée du désastre. Mais la fascination pour la mort violente et mutilante (les corps décapités s'amoncellent) semble bien spécifique. Nous voilà loin d'une poésie pure à la Gautier ou de l'impassibilité prétendue; ce ne sont que crimes, ruses, massacres — au nom de Dieu, parfois. Et le Moyen Âge espagnol prend chez Leconte de Lisle un éclat sauvage et primitif inégalé chez Corneille ou Hugo.

Une poésie de l'ambivalence

La récurrence presque obsessionnelle de la violence ne doit pas remplacer l'image d'un poète impassible par celle d'un romantique torturé. Pourtant, le contraste entre l'impassibilité et le tourment est frappant, cela au sein même de l'œuvre, et non pas seulement, comme l'a dit Edgar Pich, entre l'œuvre théorique, plus confiante, et l'œuvre poétique, plus tragique. C'est qu'il y règne une figure dominante : l'ambivalence.

La mort, par exemple, a double visage : tantôt elle est désirée comme un havre de paix (« Moi, je t'envie, au fond du tombeau calme et noir... »), tantôt elle est source d'angoisse, car les morts (et l'on retrouve ici le mythe primitif du mort persécuteur) parlent dans leur tombeau. Il ne faut pas voir là uniquement un artifice esthétique mais l'émergence de l'angoisse dans l'univers de l'apaisement.

La nature aussi est double, avec son indifférence de décor grandiose face à l'homme qui se déchire, ou, au contraire, sa richesse opulente et caressante.

L'évocation du Christ, qui apparaît le dernier dans la fresque sacrée, n'est pas plus univoque : Jésus a provoqué la destruction de religions plus sages que la sienne (le monothéisme est d'ailleurs symbole d'intolérance et s'oppose à la douceur du polythéisme grec ou indien); les moines hideux et déments assassinent la vierge tranquille, fidèle aux dieux antiques (« Hypatie », « Hypatie et Cyrille »); mais, étrangement, Jésus ressemble à ces dieux détruits, en plus doux, en plus roux; non plus martyr mais éphèbe endormi :

> Il était jeune et beau, sa tête aux cheveux roux
> Dormait paisiblement sur l'épaule inclinée.

« Ce cadavre si beau, si muet et si pâle », c'est le dernier dieu trahi par le fanatisme de l'Église (fréquemment mise en accusation).

Alternance donc, contradictions, antagonismes de forces opposées donnent leur tension à l'œuvre, et font de chaque poème, par leur énergie divergente, un lieu où le désir (de mort, de vie) se joue. L'ordre même des poèmes en est parfois une indication : des pièces aux accents très violents, évoquant des champs de bataille, des carnages, vont alterner avec des poèmes d'amour raffinés; la versification devient plus savante et subtile dans des pantoums ou des villanelles. Car le poète épique qui ressuscite un Moyen Âge atroce (« les Siècles maudits »), qui, à travers les holocaustes, les massacres, montre la mort des civilisations s'éteignant tragiquement avec leurs cultes, trouve parfois une veine apaisée, voire intimiste. Les poèmes qui allient le mieux la grâce assoupie et la cruauté sanguinaire sont les poèmes animaliers. La cruauté n'est-elle pas, comme les théories darwiniennes le corroborent (elles sont accueillies favorablement par le poète), une loi de sa nature?

> La faim sacrée est un long meurtre légitime
> Des profondeurs de l'ombre aux cieux resplendissants,
> Et l'homme et le requin, égorgeur ou victime,
> Devant ta face, ô Mort, sont tous deux innocents.
> (« Sacra fames »)

Cette barbarie naturelle n'est pas dénuée d'une beauté fascinante. Ainsi le python (« l'Aboma »), qui peut dévorer l'homme, apparaît, rêveur, splendide et dédaigneux, « comme une idole antique ». La description se charge de splendeur et de danger. On pourrait montrer que le plus souvent elle aboutit à l'action, ou la suggère. Les poèmes sont fréquemment construits sur un contraste qui oppose la dernière strophe, ou le dernier vers, au corps du poème. L'action, généralement meurtrière et féroce, fait alors irruption dans la paix sournoise et feutrée de la description. Il résulte de ce mélange de beauté parfaite, comme indifférente (celle de la sultane ou de la panthère), et de mort parfois monstrueuse (la femme et le fauve tuent), un effet de choc sourd, tonifiant et voluptueux. Un poème tel que « la Panthère noire », entre autres poèmes animaliers, compte parmi les pièces à la fois les plus plastiques, les plus parnassiennes et les plus sensuelles :

> Elle ondule, épiant l'ombre des rameaux lourds,
> Quelques taches de sang, éparses, toutes fraîches,
> Mouillent sa robe de velours [...]
> Et sur la mousse en fleur, une effroyable trace
> Rouge, et chaude encore, la suit.

Même s'il répugnait au lyrisme, Leconte de Lisle n'est donc pas un poète glacé; il n'est pas non plus un poète uniquement descriptif, même si sa poésie est avant tout visuelle. Son propos dépassait de loin l'objectivité : il a voulu concilier l'art (dont l'expression suprême était pour lui la poésie), la religion, l'histoire et la science. Par là il est apparu comme une figure de proue pour une génération ébranlée par les crises et à qui il fit bientôt partager ses propres aspirations. Son œuvre théorique, souvent hautaine et d'une sévérité peu nuancée envers les écrivains de son temps, reste capitale pour le nouveau statut qu'elle confère à la poésie. Et son œuvre poétique, d'une langue épurée par la réflexion sur les textes anciens, mais enrichie de mots rares, semble un reflet, serein, ensanglanté, épique et lumineux, du rêve gigantesque qui la soutient [voir PARNASSE].

BIBLIOGRAPHIE

L'édition définitive des *Œuvres poétiques,* 4 vol., Lemerre, 1927-1928, a été republiée en Slatkine Reprints, Genève, 1974. On dispose depuis peu d'une édition critique des *Œuvres de Leconte de Lisle* procurée par E. Pich dans les « Textes français » (Paris, Les Belles Lettres) : I. *Poèmes antiques* (1977), II. *Poèmes barbares* (1976), III. *Poèmes tragiques et derniers poèmes* (1981). Un quatrième volume d'*Œuvres diverses* est en préparation.

Pour la critique on se reportera au petit livre déjà ancien de Pierre Flottes, *Leconte de Lisle, l'homme et l'œuvre,* Hatier, 1954, que l'on complétera par deux remarquables ouvrages anglo-saxons : A. Fairlie, *Leconte de Lisle's Poems on the Barbarian Races,* Cambridge University Press, 1947 et I. Putter, *the Pessimism of Leconte de Lisle,* Berkeley et Los Angeles, University of California Publications in Modern Philology, vol. 42, nos 1 et 2, 1961, et par la thèse d'E. Pich, *Leconte de Lisle et sa création poétique,* Chirat, Saint-Just-La-Pendue, 1975.

F. COURT-PEREZ

LECTURE. L'évolution du terme « lecture », les sens de plus en plus nombreux qu'il acquiert au cours des siècles attestent qu'il a subi à la fois l'influence de l'histoire des idées philosophiques et celle des développements techniques et technologiques. « Lire », dérivé du latin *legere,* inclut les sens de « cueillir », « ramasser », « choisir », et « lecture » vient du latin médiéval *lectura.* Les études entreprises par François Richaudeau, à la suite d'Émile Javal (1905), sur la physiologie de la lecture confirment la cueillette sélective opérée par les mouvements discontinus de l'œil dont le faisceau perceptif balaie la page écrite. Car la lecture suppose l'écriture. Au premier sens, elle est l'action de lire, de décoder les signes écrits dont l'opération révèle la signification. La transformation des signes écrits en sons et la traduction des sons en pensée qu'implique l'action de lire ne peuvent avoir lieu que s'il y a préexistence, chez l'auteur de l'écrit et chez son lecteur, de la participation à un ensemble de codes communs qui sont les signes, la langue, le langage — pris au sens de style, de langage mathématique ou philosophique — et la culture.

Un livre en langue étrangère inconnue — mais dont on connaît l'écriture — permet la transformation de signes écrits en sons, extériorisés ou non, mais il ne permet ni compréhension, ni participation, ni communication entre l'auteur et le lecteur. Le déchiffrage, ou lecture, d'un morceau de musique ne fait intervenir l'ouïe en plus de la vue que si le nom de la note lue sur la portée correspond à un son imaginé, ou joué sur un instrument. La lecture des signes écrits exige donc un apprentissage de ces nombreux codes, et le terme « lecture » signifie l'acquisition progressive des codes et la pédagogie de cette acquisition. La lecture s'enseigne par différentes méthodes, que l'on peut réduire à deux principales : la méthode globale et la méthode alphabétique, dont les différents dosages ont fourni une foule de variantes et de commentaires. Les fonctions psychosensorimotrices sont impliquées dans toute lecture, et elles sont mobilisées plus fortement encore au cours de l'apprentissage. L'enfant dont la maturité insuffisante, engendrée par des perturbations affectives, ne permet pas l'organisation du temps et de l'espace, est exposé à souffrir de troubles dyslexiques ou d'alexie qui retarderont ou empêcheront son accès à la lecture et donc au cursus social. Reprenant l'idée de Jean-Jacques Rousseau, le pédagogue américain John Dewey demandait que l'apprentissage de la lecture et de l'écriture fût repoussé à l'âge de dix ou douze ans. A l'heure actuelle, des pédagogues de l'Institut pédagogique national militent pour que l'apprentissage de la lecture devienne complètement indépendant de celui de l'écriture.

De l'exercice pédagogique naîtra la lecture au sens de « leçon ». Ce sens, qui prévaut au Moyen Âge, que l'on trouve dans la langue française du XVIe siècle et jusqu'au XIXe siècle, où il prend le sens de « cours public », est maintenant vieilli. Le lecteur était l'enseignant, le régent. Les lecteurs royaux étaient les professeurs du Collège de France. Ce sens persiste dans la fonction du lecteur de langue étrangère, qui exerce, à voix haute et dans sa langue maternelle, ses talents pédagogiques et linguistiques au lycée ou à l'université, et dans *lecturer,* équivalent anglo-saxon du maître de conférences de nos universités.

Tout au long des siècles, lire, c'est lire à haute voix pour des auditeurs. La lecture réelle du document écrit se fait grâce à un relais oral. Dans le vocabulaire de la liturgie, les lectures sont des textes lus ou chantés par une seule personne, à l'exclusion des oraisons. A ce stade, il y a à la fois audition et spectacle. C'est l'« avis à la population » lu par le garde champêtre du village; c'est le conteur des places publiques qui raconte une histoire à partir d'un texte imprimé qu'il exhibe. Ce type de lecture fut longtemps le mode d'instruction et de divertissement des analphabètes. A la veillée, celui qui connaissait l'écriture lisait à haute voix pour ses compagnons. C'est ainsi que se transmettait le contenu des livres de colportage, comme l'attestent les premières lignes des livrets de la Bibliothèque bleue de Troyes. Lire à haute voix implique l'art de lire. Dans l'*Encyclopédie,* Diderot dissocie la lecture des yeux, qui « requiert seulement la connaissance des lettres et leur assemblage », de la lecture à haute voix, qui « demande, pour flatter l'oreille des auditeurs, beaucoup plus que de savoir pour soi-même » puisqu'elle exige « une parfaite intelligence des choses qu'on leur dit, un ton harmonieux, une prononciation difficile ». Dans la société aisée, chaque grande dame avait sa lectrice, et Racine, historiographe du roi, lisait — nous dit la légende — d'une voix d'or. Dans le *Dictionnaire de la conversation et de la lecture* (1856), l'article « lecture », rédigé par Édouard Mennechet, lecteur de Louis XVIII et Charles X, fait l'apologie de la lecture à haute voix : « L'intelligence et l'organe sont deux qualités indispensables à tout bon lecteur, et l'art consiste à mettre d'accord et à faire valoir mutuellement cet organe et cette intelligence ». Dans la lecture à haute voix, Mennechet inclut aussi le geste. Le XIXe siècle redécouvre tout le parti que l'on peut tirer des lectures à haute voix, pour l'éducation populaire comme pour la propagation de la morale et de la foi. Le 8 juin 1848, un arrêté d'Hippolyte Carnot institue à Paris les lectures publiques du soir; les départements suivent bientôt l'exemple. A la suite d'une conférence donnée en 1877 par Ernest Legouvé, professeur à l'École normale supérieure, la République se préoccupe de diriger la lecture à voix haute et d'en répandre le goût. En dehors de tout prosélytisme social ou religieux, il est certain que la lecture à voix haute imprime au document un relief nouveau, et la compréhension en est toute différente. C'est à voix haute que l'on apprécie le rythme et la modulation d'un poème; la lecture devient musique.

La lecture des yeux retient cependant l'attention de Diderot : « L'œil est un censeur plus sévère et un scrutateur bien plus exact que l'oreille ». De nos jours, elle est la plus pratiquée. Écouter lire un texte devient de plus en plus insupportable à beaucoup de gens.

C'est cette lecture des yeux que pratiquent ce que nous appelons le ou les lecteurs. Les travaux des initiateurs à « la lecture rapide » (François Richaudeau et son équipe, 1969) ont montré que seul celui qui déchiffre un texte des yeux au rythme de plus de 450 mots à la minute peut devenir un lecteur de livres.

Au XIVe siècle, lecture a le sens de « récit », d'où a peut-être dérivé beaucoup plus tard celui de matériel de lecture puis, à l'heure actuelle, celui d'objet de lecture. Car l'usage de la lecture se confond avec l'imprimé. La lecture, c'est aussi l'objet lu ou à lire; « rapporter une moisson de lectures » exprime une potentialité dans laquelle la chose à lire et la chose lue se confondent dans un même rapprochement temporel. Et l'usage du livre que peut procurer le savoir-lire ouvre l'accès à la culture que dispensent les civilisations écrites. Longtemps, la lecture de documents écrits a été le mode presque exclusif de l'acquisition de la culture, comme en témoignait l'expression « avoir de la lecture » pour « avoir de la culture ». L'aspect suranné de l'expression montre que la lecture n'est plus toute la culture : le développement des moyens de communication de masse engendré par le progrès technique a placé la diffusion de la lecture et des produits imprimés dans un contexte culturel d'interdépendance des *media.* Si l'histoire de la lecture s'est longtemps confondue avec l'histoire du livre et de sa diffusion (dont la lecture est tributaire), elle doit maintenant tenir compte de l'évolution des *media,* dont elle tire profit après avoir craint leur concurrence au moment de leur premier essor.

Depuis deux décennies, on appelle aussi lecture une forme de critique littéraire : on propose des lectures psychanalytique, marxiste ou ouvrière d'une œuvre. Avec le progrès technologique, le sens du terme lecture s'est étendu au décryptage des signes, signaux et sons par les machines qui élaborent ou restituent les données. On parle de la lecture opérée par l'ordinateur ou de la lecture de la bande magnétique.

L'évolution historique du terme lecture, la description de ses avatars montrent qu'il s'inscrit dans une perspective accrue de communication, selon des modes différents, incluant divers relais humains ou techniques. Mais cette description ne saurait rendre compte des fins et des motivations de l'acte de lecture, ni du rôle que joue la lecture dans la création littéraire, dans la production et la diffusion éditoriales. Si, dans les pays développés, l'apprentissage de la lecture concerne toute la population, beaucoup d'individus, dès la sortie de l'école, s'excluent ou sont exclus des principales formes de pratiques de lecture.

Le livre et la lecture

La lecture représente l'ultime étape de la communication écrite. L'auteur écrit pour être lu, et le livre n'existe en tant que contenu de pensée qu'à partir du moment où il est lu. S'il nous semble naturel, à l'heure actuelle, de considérer que dans tout processus de communication est impliquée la réponse, il n'en a pas toujours été ainsi : pendant longtemps, la communication écrite fut représentée par un schéma linéaire qui allait de la création à la consommation, médiatisées par l'appareil éditorial. On peut mettre en parallèle l'histoire des publics de lecture et leurs pratiques, et les différents concepts ou discours relatifs à la communication écrite.

Créateurs et publics

Pendant des siècles, la création, plus précisément la création littéraire, a été glorifiée, mythifiée. D'essence presque divine, l'inspiration personnifiée par la Muse conférait à l'écrivain la mission d'exprimer ce qu'il portait en lui. Fruit d'une longue patience, l'écriture se confondait avec la littérature. Dans l'Antiquité, comme sous l'Ancien Régime, le mécène — auquel se substitue progressivement l'État, dans les périodes de pouvoir centralisé — favorise et entretient la création en distribuant bourses et pensions aux auteurs qui s'appliquent à lui plaire. L'histoire de la création littéraire se double d'une histoire sociale de demandes de subsides, distribuées aux auteurs au gré des caprices du prince ou de son entourage. L'œuvre appartient alors au mécène, et la notion de droit d'auteur, au moins de droit moral, ne prendra consistance qu'avec le déclin de l'Ancien Régime. A cette époque, l'écrivain connaît ses lecteurs, écrit pour une société aisée — dont il est le plus souvent issu, ainsi que le montrent les travaux sur les origines sociales des écrivains. Les études sur les origines géographiques mettent en lumière des foyers culturels, pépinières d'écrivains. Soutenus par une élite culturelle dont l'étendue et les modalités changent avec leur époque, Ronsard, Voltaire ou Vigny écrivaient pour elle. La critique et l'esthétique marxistes, en particulier les études de sociologie de la littérature menées par Georg Lukács ou Lucien Goldmann, ont montré comment la littérature était un épiphénomène de la réalité sociale. Dans *le Dieu caché* (1955), Lucien Goldmann s'attache à démontrer que toute l'œuvre de Racine reflète Port-Royal.

L'essor démographique, la montée de la bourgeoisie, par étapes successives, à partir du XVe siècle, l'urbanisation croissante, le progrès technique vont entraîner un public instruit, désireux d'exercer un pouvoir politique, donc de plus en plus concerné par la lecture. Dans le sillage du siècle des Lumières, puis des idées généreuses de la Révolution, les écrivains romantiques, avec Lamartine puis Hugo, prennent conscience de leur rôle social et s'adressent à un public dont ils ignorent les contours. C'est alors qu'apparaissent les métaphores de la bouteille à la mer, de l'écho, du mage, lesquelles rendent compte de la solitude de l'écrivain, élément initial de la communication. L'auteur lance un appel; il ignore quels seront les récepteurs du message et combien répondront. Robert Escarpit écrivait en 1963 : « La communication en littérature est avant tout diffusion, et diffusion à sens unique; à partir du moment où son message est lancé, c'est-à-dire à partir du moment où son œuvre est publiée, l'auteur ne peut ni en modifier ni en rectifier la teneur, ni en contrôler le parcours, ni en définir les destinataires, ni en vérifier la réception, ni en diriger la lecture et l'interprétation ». Un changement d'échelle de grandeur, que montrent les chiffres des tirages d'imprimerie, va totalement modifier les données du processus de la communication littéraire. Alors qu'un incunable écrit en latin, langue européenne de culture, était imprimé à 500 exemplaires, on peut évaluer à environ 1 500 exemplaires le tirage moyen d'une édition de la seconde moitié du XVIIIe siècle. Les tirages initiaux actuels en édition de grande diffusion (livres au format de poche) sont de l'ordre de 30 000 exemplaires. Les tirages successifs d'un ouvrage à succès peuvent dépasser les 600 000 exemplaires en France. [Voir aussi LIVRES (édition des) et POCHE (livre en format de)].

La médiation par l'appareil de production

La création de l'auteur achevée puis portée à l'éditeur qui la fabrique et la commercialise reste un mythe tenace. En réalité, à l'heure actuelle, 90 p. 100 des publications en première édition sont suscitées par l'éditeur. La programmation de l'édition permet d'en diminuer, d'en calculer ou d'en répartir les risques. La production littéraire est fort peu programmable; mais la lecture ne consiste pas seulement à lire de la littérature, et la production littéraire représente moins de 20 p. 100 de la production éditoriale. L'œuvre ne parvient au lecteur qu'à travers une chaîne dont les maillons sont autant d'obstacles à franchir. Cette chaîne n'a pas cessé de s'allonger au cours des siècles, les fonctions ayant tendance à se séparer. Au Moyen Âge, c'est dans les monastères et autour des universités soumises à la tutelle ecclésiastique que se trouvent les ateliers de copistes, qui à la fois conservent l'intégrité du patrimoine transmis par l'Antiquité gréco-latine par le système de la *pecia* et diffusent les connaissances écrites à un public qui gravite autour des lieux de production. Après la découverte de l'imprimerie, la presse en bois de Gutenberg ne connaît aucune évolution durant quatre siècles. Le libraire juré, soumis au pouvoir politique, imprime et diffuse ses produits. L'institution du dépôt légal par François Ier (1537) permet de constituer la bibliothèque royale, de surveiller le contenu des écrits et de créer la mémoire de la nation. L'écrit contribue à fixer et forger la langue, et, un siècle plus tard, l'Académie royale est chargée d'établir un dictionnaire. Le progrès technique ne modifiera le rythme de la fabrication du livre qu'au début du XIXe siècle. La machine à fabriquer le papier, inventée en 1798 par Louis Robert, puis la presse typographique construite par Charles Stanhope vers 1810, où la fonte remplace le bois pour les pièces essentielles, vont permettre un changement d'échelle de production et un abaissement des coûts du livre. Parallèlement, un public nouveau s'accroît dans les villes, l'alphabétisation s'accentue. La loi Guizot de 1833 oblige les communes à se regrouper pour entretenir une école. Des tentatives, dont la plus célèbre est celle du libraire Gervais Charpentier en 1838, ont lieu pour produire un ouvrage bon marché.

Mais c'est seulement dans la seconde moitié du XIXe siècle, avec le capitalisme et la naissance de la grande banque, que les effets des progrès techniques deviennent sensibles. La séparation des fonctions d'éditeur, d'imprimeur et de libraire permet la mise en place d'un appareil éditorial à peu près identique à celui que nous connaissons aujourd'hui. La fonction de distribution hors des grandes villes (centres de production éditoriale), assurée au cours des siècles par des libraires ambulants et par des colporteurs, change de physionomie avec l'essor des chemins de fer. Suivant l'exemple anglais, Louis Hachette, à partir de 1853, installe un réseau de bibliothèques de gare, qu'il alimente en éditant une littérature spécifique, à la portée financière et culturelle des voyageurs. Dans les grandes villes, un autre type de distribution de l'imprimé est assuré par les cabinets de lecture, très nombreux à Paris sous la Restauration, où, pour une somme modique, les gens de toute condition peuvent louer livres et journaux. Dans le même temps s'organisent les premières bibliothèques ouvertes au peuple, ainsi que les bibliothèques d'étude constituées à partir des biens nationaux de la Révolution. L'invention du télégraphe Chappe, l'introduction de la rotative provoquent — et permettent d'assouvir — le besoin d'information. En accueillant en 1836 le roman-feuilleton, en introduisant la publicité dans ses colonnes, la presse, longtemps restée, par son coût et ses préoccupations, une lecture urbaine de privilégiés, devient une lecture quotidienne populaire. Elle contribue à la disparition du canard, du livre de colportage et de l'imagerie d'Épinal, dont elle relaie progressivement les fonctions. En 1881-1882 sont promulguées les lois sur la gratuité et l'obligation de l'enseignement primaire. La popularisation de la presse conduit à la mise en place d'un réseau de distribution distinct du réseau de librairie. Et, lorsque les procédés modernes de fabrication du livre se mettent en place, le réseau de distribution de la presse sert de point d'appui au lancement des diverses formules du livre au format de poche, en France à partir de 1953. Le circuit lettré et le circuit populaire de distribution d'imprimés correspondent à des offres, à des niveaux de lectures divers et à des publics différents, ainsi que l'ont mis en lumière les travaux de Robert Escarpit et de son équipe de l'université de Bordeaux dans les années 60.

L'extension de la communication écrite n'est pas seulement un effet de l'accroissement de la production livresque et de la densité du réseau de distribution du livre et de l'imprimé, dus à l'explosion démographique et à l'alphabétisation. L'aspect matériel du livre est lui-même porteur d'informations sur son contenu. Sa présentation peut susciter la lecture ou la rebuter. L'histoire des origines du livre n'est pas seulement la recherche d'un matériau support d'écriture, de plus en plus facile à produire au moindre coût et à transporter, allant des tablettes d'argile à l'introduction du papier en Europe au XIVe siècle. Elle témoigne aussi de la recherche de formes, du *volumen* au *codex*, et de formats de plus en plus adaptés à l'usage que le lecteur fait du livre et donc du contenu. Du petit format de la bibliothèque portative d'un Alde Manuce au livre au format de poche du *G.I.*, que de chemin parcouru! La recherche de formes toujours nouvelles pour le livre conduit à la fabrication du livre-objet. Le rôle de communication intellectuelle du livre est alors dévié vers la communication artistique qu'établit la présentation. L'écrin, la reliure ou le graphisme comptent plus que le contenu. Certains livres de bibliophilie — les présentations des Éditions du Soleil noir, par exemple — sont une négation délibérée du livre en tant que *medium* de la communication écrite et expriment un message différent. Format et présentations sont étudiés par l'éditeur et son équipe de maquettistes et d'illustrateurs en fonction du contenu, de l'usage et du public auquel le livre est destiné. De même que les enfants savent parfaitement choisir, au vu de sa présentation, un ouvrage créé ou édité à leur intention, selon leur âge, de même les divers publics du livre reconnaissent l'ouvrage susceptible de leur plaire ou de les intéresser. La typographie, la couverture, la collection, le prix de vente et, beaucoup plus confusément, le nom de l'éditeur — autant d'indices qui influencent le choix ou le rejet d'un livre sur les rayons par son lecteur potentiel. La même œuvre éditée chez deux éditeurs différents ne paraît pas toujours participer de la même culture. Le renom d'un éditeur peut légitimer ou populariser une œuvre qui sera alors communiquée à des publics différents. Cependant, les principaux médiateurs du choix d'un livre sont le nom de l'auteur et le titre de l'ouvrage. C'est par le nom de l'auteur que le public à instruction secondaire ou supérieure choisit ses lectures — en particulier pour la littérature, dont le roman forme la plus grande part. Le choix par le titre, prépondérant pour les ouvrages documentaires, est surtout le fait du consommateur populaire.

La communication imprimée est toujours médiate. Pour l'annonce et la divulgation de l'information, le livre ou la presse ne peuvent pas rivaliser avec la radio ou la télévision. La transformation du manuscrit en livre est le fruit de longues opérations techniques. Le temps nécessaire aux différentes opérations de commercialisation d'un ouvrage dans les librairies ou les bureaux de tabac, de catalogue et d'équipement du livre dans les bibliothèques peuvent modifier la pertinence d'un ouvrage traitant de l'actualité si l'attention du public auquel il est destiné est captée par un autre événement. Le temps peut aussi jouer un rôle favorable et permettre à d'autres publics de découvrir un message qui avait été occulté du vivant de son auteur : on imprime aujourd'hui des manuscrits de mémoires ou journaux intimes du siècle dernier. Bien des ouvrages classiques de littérature pour la jeunesse sont des œuvres écrites initialement pour les adultes : Walter Scott ou Jules Verne n'écrivaient pas pour les enfants. Le temps modifie le contenu du message; rares sont les œuvres, mêmes classiques, qui délivrent le même message lorsqu'elles survivent à leur siècle. Un contemporain de Montesquieu goûtait fort l'exotisme des *Lettres persanes*, en plus de leur verve satirique; nous y lisons aujourd'hui une tout autre peinture. La plus grande partie des œuvres produites à une époque donnée meurent avec leurs contemporains parce que le message qu'elles renferment ne suscite plus d'écho dans le psychisme des lecteurs d'aucun public. A toutes les époques, depuis cinq cents ans, en France, des centaines d'auteurs et des milliers de titres ont été édités; après le tri opéré par les générations successives, la littérature française répertoriée dans les histoires littéraires, les anthologies et les dictionnaires de littérature représente plus d'un millier d'auteurs. Et beaucoup de leurs œuvres, connues de quelques érudits, ne sont plus lisibles. Il existe cependant mille procédés pour tuer une œuvre ou la réactiver avant que ses courbes de vente ne déclinent. Les plaintes et remontrances qu'adresse Baudelaire à son éditeur Poulet-Malassis dans une lettre de 1866 montrent à la fois la volonté de diffusion de l'auteur et le rôle prépondérant du médiateur : « Mon nom qui se laisse oublier! Et ces *Fleurs du mal*, qui, dans une main habile, auraient pu depuis neuf ans avoir deux éditions par an!... Il faudra que nous pensions à des affiches, à des annonces, à des réclames. Si vous me trouvez exigeant, j'y mettrai de mon argent ». L'élargissement du public que souhaite Baudelaire, l'accueil de son livre par d'autres groupes sociaux ne se produiront qu'à l'ère du livre de masse.

Les silences de la critique littéraire écrite ou son accueil contribuent à la fortune d'une œuvre, mais la critique ne concerne qu'un petit nombre d'œuvres et qu'un cercle étroit de lecteurs initiés. Le relais de la critique écrite par les *media* audiovisuels, l'adaptation d'une œuvre au cinéma, sa transformation par une réécriture ou par la bande dessinée — autant de facteurs qui conduisent l'œuvre vers de nouveaux publics. Le passage d'une œuvre en livre au format de poche représente pour un auteur une promotion pour laquelle il accepte même une baisse de pourcentage de ses droits d'auteur.

La réflexion contemporaine sur la lecture : la lecture crée l'œuvre

Aucun procédé commercial ne peut provoquer le succès d'une œuvre si le message qu'elle contient ne correspond pas à l'attente plus ou moins virtuelle d'un public. Toute la difficulté de la communication imprimée vient de ce que le contenu de la communication change avec le récepteur. La lecture, qu'elle soit littéraire, d'évasion, d'information ou de culture, ne peut avoir lieu en tant que processus d'échange que si le lecteur est concerné par son contenu. En s'appropriant la pensée de l'auteur, telle qu'il croit la traduire, le lecteur projette son expérience personnelle et les inspirations qui lui sont propres sur celles de l'œuvre. Pour Nicolas Roubakine, bibliologue russe du début du XXe siècle, « le livre, pas plus que le mot ne transmet rien : c'est [...] en son genre, une étincelle qui allume dans l'âme du lecteur les foyers les plus divers d'expériences psychiques provenant du passé de l'individu » (*Introduction à la psychologie bibliologique*, 1922). Ce passé du lecteur se compose de son appartenance de classe et de son environnement social, dont sa culture est aussi le produit. A ce passé se superposent les dispositions psychologiques du moment. Il y a des temps de lecture, et ces temps prédisposent à des processus différents de lecture du même texte : il peut y avoir une lecture informative ou une lecture littéraire du même roman. Le jeune conscrit ou la vieille dame, lecteurs de photoromans les plus invraisemblables, croient lire le récit d'épisodes vécus... Le texte, en ce sens, n'est qu'un prétexte à l'assouvissement symbolique des rêves, des frustrations et des désirs d'acquisitions pour former un savoir, une culture ou tout simplement procurer ce plaisir qu'a si bien analysé Roland Barthes. Selon le lecteur, tout texte est soit porteur, soit catalyseur de ces processus, même si la polysémie du texte littéraire le prédispose à des usages potentiels plus nombreux. Tout acte de lecture est unique, puisque le même individu lecteur est toujours autre : une relecture est toujours différente, donc originale, puisqu'elle s'inscrit, telle une citation, dans un nouveau contexte psychologique, social et temporel. Partant du principe que l'œuvre littéraire, comme toute œuvre d'art, n'existe que sous le regard d'autrui, Jean-Paul Sartre a promu le lecteur à la dignité de créateur de l'œuvre au même titre que l'auteur, puisque le lecteur donne existence et consistance à l'œuvre tout en lui conférant un sens neuf : « L'objet littéraire est une étrange toupie qui n'existe qu'en mouvement. Pour la faire surgir, il faut un acte concret qui s'appelle la lecture, et elle ne dure qu'autant que cette lecture peut durer. Hors de là, il n'y a que des tracés noirs sur du papier [...]. C'est l'effort conjugué de l'auteur et du lecteur qui fera surgir cet objet concret et imaginaire qu'est l'ouvrage de l'esprit » (*Qu'est-ce que la littérature?* 1948).

L'acte de lecture, comme la création, exige un effort; la lecture demande un isolement — réel ou virtuel. Le lecteur, comme l'auteur, est tout entier impliqué dans la construction de l'œuvre. Les conceptions de Sartre sur la littérature ont trouvé des points d'application et de développement dans la sociologie de la littérature telle que l'a conçue Robert Escarpit dans un manifeste en forme de programme, en 1958. L'étude du fait littéraire, prenant en compte les appareils de production et de diffusion et surtout les publics, n'a pas seulement modifié la réflexion sur les œuvres littéraires, elle a embrassé toutes les autres formes d'écriture et cherché leurs résonances dans leurs divers publics. Le même temps a vu l'essor de la sociologie et l'avènement de la psychologie sociale, le déclin de l'histoire événementielle au profit de l'histoire sociale. Tandis que la recherche sur l'écrit bénéficiait des apports de la théorie de l'information et par ailleurs s'orientait vers les études empiriques, se sont développés à Constance, sous l'impulsion de Hans Robert Jauss, des travaux théoriques sur l'esthétique de la réception des œuvres littéraires. Pour l'école de Constance, l'œuvre littéraire n'existe et ne dure qu'avec la complicité active de ses publics successifs, et elle contribue à former la société. Si les recherches empiriques sur la réception des œuvres littéraires sont rares, il n'existe pratiquement aucun travail sur la réception d'ouvrages non littéraires.

La lecture et les lecteurs

Créateurs et médiateurs de la communication écrite ne peuvent vivre et continuer à produire que si leur offre de lecture trouve une réponse — au moins commerciale — dans la population de lecteurs : répondre à une demande informulée, découvrir une nouvelle clientèle du livre demeurent le problème majeur de l'édition; pénétrer dans des milieux réfractaires à la lecture, conduire au livre de qualité de nouveaux adeptes est le principal souci des bibliothécaires. Dans cet espoir, les uns et les autres disposent de techniques dont l'emploi s'est développé au cours des trois dernières décennies.

Les instruments de la recherche empirique sur la lecture

La recherche la moins onéreuse consiste en une interrogation *a posteriori* de documents élaborés le plus souvent à cet effet. Cette étude des traces ressemble à celle de l'historien. Actuellement, les statistiques de la production éditoriale par nombre de titres, par branche d'édition et par nombre d'exemplaires sont établies au niveau national par le Cercle de la librairie d'après les renseignements que les éditeurs sont tenus de lui fournir, par le dépôt légal et, au niveau international, par l'Unesco. Dans une économie libérale, les chiffres de tirages par titre restent le secret jalousement gardé des éditeurs et sont rarement communiqués, sauf à des fins publicitaires, pour les prix littéraires par exemple. Les divers ministères établissent des rapports sur les industries culturelles; la Direction des bibliothèques de France publie les statistiques de prêt de livres et les budgets des bibliothèques publiques. Une analyse statistique des prêts de livres peut être réalisée au niveau qualitatif comme au niveau quantitatif à partir des systèmes informatisés qu'utilisent la plupart des grandes bibliothèques publiques.

Mais depuis une trentaine d'années, l'instrument privilégié de connaissance des usagers du livre et de la lecture demeure l'enquête par interviews et questionnaires. Le raffinement des techniques de sociologie descriptive, l'introduction de l'informatique, la pratique de l'analyse de données ont permis d'élaborer, à partir des résultats bruts de l'enquête, une connaissance presque parfaite des catégories d'usagers de l'imprimé, de leurs motivations et attitudes envers la lecture. Ces enquêtes, menées de façon anarchique, dans des buts différents, avec des méthodologies diverses, aussi bien par des organismes professionnels que par des institutions gouvernementales ou des universitaires, fournissent des résultats de qualité inégale, difficiles à comparer entre eux. L'ensemble des travaux forme une mosaïque à partir de laquelle se forge l'image de la situation de la lecture.

Qui sont les lecteurs?

Quelles que soient l'importance et la représentativité des échantillons, quelles que soient les méthodes employées, toutes les enquêtes réalisées en France et dans les pays développés donnent des résultats identiques dans leur diversité. L'utilisation du livre suit la hiérarchie socioculturelle. D'après l'enquête réalisée en 1959 pour le Syndicat national des éditeurs, 72 p. 100 des cadres supérieurs et des professions libérales, 53,5 p. 100 des employés, 33 p. 100 des ouvriers et 15,5 p. 100 des agriculteurs lisent des livres. Le livre, terme ambigu, suit les niveaux d'études et de revenus. Il est utilisé par 28 p. 100 des personnes ayant fait des études primaires, 60 p. 100 des personnes ayant fait des études secondaires, 80 p. 100 de celles ayant fait des études supérieures. L'enquête publiée en 1974 par le secrétariat d'État à la Culture confirme les chiffres précédents. L'enquête publiée par *l'Express* en 1978 montre que la légère progression des lecteurs s'est faite par accroissement du nombre de lecteurs moyens et faibles, c'est-à-dire qu'elle suit, de loin, l'accroissement des niveaux de vie et de la scolarisation. Dans l'enquête réalisée en 1982 pour le ministère de la Culture, 26 p. 100 des Français n'ont lu aucun livre depuis douze mois. Les enquêtes montrent aussi que les lecteurs se recrutent dans les grandes villes. Elles soulignent l'influence de l'âge qui correspond à une plus forte scolarisation chez les jeunes et à des périodes de lecture. Le départ de l'école, l'enracinement dans la vie vers 23 ou 25 ans s'accompagnent d'une baisse de la lecture.

D'après ces enquêtes, on peut établir le profil du lecteur français : c'est plutôt une femme de moins de 25 ans ayant fait des études secondaires ou supérieures. Appartenant à une couche sociale favorisée sur les plans matériel et culturel, ce lecteur habite une ville, fréquente peu les bibliothèques. Ses préférences vont vers le roman, il est en même temps un fort usager de la presse, de la télévision, du cinéma, de la musique. Les bibliothèques françaises sont fréquentées par 12 p. 100 de la population. Les abonnés des bibliothèques municipales sont surtout des femmes de 15 à 24 ans, poursuivant des études. Issus de familles de cadres supérieurs et moyens et d'employés, ils habitent les grandes villes. Tandis que les non-inscrits en bibliothèques préfèrent lire des journaux (enquête de 1979 pour le ministère de la Culture), les inscrits préfèrent le livre et lisent plus de revues et de magazines que les non-inscrits. Les motivations conscientes de la lecture suivent aussi les classes sociales et particulièrement les catégories socioprofessionnelles. Si tous les adeptes de la lecture lisent pour se distraire, la documentation, l'instruction sont les motivations premières des scolaires, des enseignants, des ingénieurs et techniciens. Employés, ouvriers, agriculteurs demandent d'abord à la lecture une distraction. La lecture, spontanément citée au nombre des loisirs par la plupart des personnes interrogées, n'est que très rarement le loisir préféré. La remarquable stabilité des comportements culturels, la forte corrélation entre les diverses pratiques de loisirs culturels impliquent que, malgré les efforts de démocratisation de la culture, la situation de la lecture évolue très lentement. [Voir aussi LIBRAIRIE et LIVRE.]

Les obstacles à la lecture

L'identification des obstacles à la lecture, l'analyse des motivations conscientes ou latentes de la non-lecture montrent que la lecture, au niveau individuel comme au niveau collectif, est étroitement associée à tous les processus de la vie sociale. Les obstacles les plus souvent évoqués sont d'ordre institutionnel, culturel et psychologique : le réseau des bibliothèques françaises présente un fort retard par rapport à celui des bibliothèques anglo-saxonnes; les crédits alloués, malgré un effort récent, restent totalement insuffisants par rapport aux besoins; l'information sur les bibliothèques n'est pas diffusée; beaucoup de petites villes ne possèdent ni librairie ni bibliothèque dignes de ce nom, les campagnes restent un désert culturel. En effet, dans les villes où la municipalité a consenti un important effort (Grenoble, par exemple), le pourcentage de fréquentation des bibliothèques publiques est de 26 p. 100. Cependant, des enquêtes récentes (1979 et 1981) montrent qu'il ne suffit pas d'accroître les équipements culturels : une forte majorité de jeunes travailleurs vivent la bibliothèque comme une contrainte inacceptable. En face des contraintes du travail, ils revendiquent un temps de loisirs inorganisé, sans projet et procédant de l'envie du moment. La difficulté de choisir ses lectures est une entrave à la pratique de la lecture pour de nombreux lecteurs issus de milieux défavorisés. Ne possédant pas les armatures culturelles suffisantes pour avoir un projet de lecture, sauf quand un désir très précis comme l'information ou la documentation préside à leur lecture, beaucoup de lecteurs potentiels, ne sachant quoi lire, ne trouvent rien à lire. De plus, les bibliothèques comme les librairies utilisent une classification des ouvrages conçue pour les catégories les plus lettrées de la population : cette difficulté de choisir explique le succès des ventes par correspondance ou courtage, et la plus forte propension à acheter des livres en supermarché parce qu'un tri a déjà été opéré en vue d'un consommateur populaire. Elle explique aussi pourquoi beaucoup se contentent des livres ou imprimés qui circulent dans le milieu familial et dont l'échange procède de la reconnaissance sociale.

Les champs d'intérêt extrêmement précis de nombreux lecteurs des classes populaires compliquent encore les choix. Bien des ouvrages dont les sujets intéresseraient des lecteurs potentiels sont écrits dans un langage qui ne leur est pas familier, de sorte que la lecture leur est impossible. Orientés vers des professions manuelles ou vers les tâches exécutives du secteur tertiaire parce qu'ils ne se conformaient pas aux valeurs scolaires fondées sur la lecture, les lecteurs et non-lecteurs des classes défavorisées ne peuvent compter sur la lecture pour faciliter une promotion sociale. Au contraire des classes favorisées, ils considèrent souvent la lecture comme une activité gratuite et inutile. Chez bien des non-lecteurs, lecture et livre sont synonymes d'école. Un apprentissage pénible de la lecture, une scolarité marquée d'échecs et de contraintes fabriquent de mauvais souvenirs qui éloignent de la lecture, souvent définitivement. Dans les milieux culturellement défavorisés, aucun lien affectif n'a pu être greffé sur une pratique familiale de lecture puisqu'elle n'existait pas. Or c'est pendant l'enfance, parallèlement à l'apprentissage de la lecture, que s'acquièrent la conscience des valeurs et non-valeurs du milieu familial affectif.

L'histoire de la lecture comme l'étude des lecteurs contemporains montrent que la lecture est tributaire des niveaux de vie. Jusqu'à présent, les problèmes de la lecture n'ont été posés qu'en termes de marché et de politique scolaire; or la lecture dépend d'une politique culturelle qui n'est qu'un élément dans une politique tout court. Recherches théoriques et recherches empiriques se sont, jusqu'à maintenant, penchées sur le lecteur, mais on ne s'intéresse que depuis peu au non-lecteur. Étudier la non-lecture permettra dans la prochaine décennie d'éclairer le fonctionnement de la lecture qui reste, en fait, largement inconnu. [Voir aussi LIVRE].

BIBLIOGRAPHIE

Sur la lecture en tant que processus, on pourra lire : François Richaudeau, *la Lisibilité,* Denoël-Gonthier, 1969. Bien qu'elle soit enseignée, aucune histoire de la lecture n'a été publiée. Une approche par périodes peut être réalisée à partir de : Lucien Febvre et Henri-Jean Martin, *l'Apparition du livre,* Albin Michel, « l'Évolution de l'humanité », 1958, rééd. 1971; Henri-Jean Martin, *Livre, pouvoir et société à Paris au XVIIe siècle (1598-1701),* Genève, Droz, 1969; *Livre et société dans la France du XVIIIe siècle,* sous la direction de François Furet, Mouton, 2 vol. « Civilisation et sociétés », 1965 et 1970; Noë Richter, *les Bibliothèques populaires,* Cercle de la librairie 1978; Jean-Jacques Darmon, *le Colportage de librairie en France sous le second Empire,* Plon, « Civilisations et mentalités », 1972.

Sur la lecture de la littérature : Jean-Paul Sartre, *Qu'est-ce que la littérature?,* Gallimard, « Idées », 1948, rééd. 1967; *le Littéraire et le social,* sous la direction de Robert Escarpit, Flammarion, « Champs », 1970, réimp. 1976; Jacques Dubois, *l'Institution de la littérature,* Bruxelles, F. Nathan et Éd. Labor, « Dossiers media », 1978; Roland Barthes, *le Plaisir du texte,* Le Seuil, 1973; Hans Robert Jauss, *Pour une esthétique de la réception,* Gallimard, « Idées » 1978; *Problèmes actuels de la lecture,* Centre culturel international de Cerisy-la-Salle, éd. Clancier-Guénaud, 1982.

Une des rares recherches empiriques sur la réception littéraire : Jacques Leenhardt et Pierre Józsa, *Lire la lecture,* le Sycomore, « Arguments critiques », 1982.

Quant à l'influence de la théorie de la communication concernant la recherche sur la lecture : Robert Escarpit, *l'Écrit et la communication,* P.U.F., « Que sais-je? » 1973, et *Théorie générale de l'information et de la communication,* Hachette, « Langue linguistique communication », 1976.

Sur la situation actuelle de la lecture, outre les résultats d'enquêtes publiés par le Cercle de la librairie et par la grande presse, on trouve au ministère de la Culture de nombreux rapports de recherche empiriques non diffusés par les circuits habituels. Lire aussi, *les Bibliothèques en France,* rapport sous la présidence de Pierre Vandevoorde, Dalloz, 1982; la revue *Économie et humanisme,* n° 245, 1979. Sur les lectures populaires, Richard Hoggart, *la Culture du pauvre,* (*the Uses of Literary,* Londres, 1957), trad. française Éd. de Minuit, « le Sens commun », 1970, et le rapport sur *les Jeunes Travailleurs et la lecteure,* la Documentation française, 1984.

N. ROBINE

LEDUC Violette (1907-1972). Violette Leduc est née à Arras. Abandonnée par son père (« Mon père, qui n'a été pour moi qu'un jet de sperme », écrira-t-elle dans *Trésors à prendre,* 1960), elle sera élevée par sa mère — pour qui elle est un fardeau — dans la haine des hommes. Elle ne trouve guère de réconfort qu'auprès de sa grand-mère. Celle-ci mourra bientôt. Le remariage de sa mère, la naissance tardive d'un demi-frère, la froideur de son beau-père ne font qu'accentuer son isolement. Connaissant la pauvreté, la maladie, le poids de la solitude, Violette Leduc échoue dans ses études, obtient un modeste emploi dans une maison d'édition, mais doit interrompre son travail à cause de sa santé fragile. Après avoir vécu avec une amie (Hermine, dans *la Bâtarde,* 1964), elle épouse Gabriel. Elle ne gardera de ce mariage que le souvenir d'une vie orageuse (cf. *Ravages,* au titre explicite, 1955), de liens névrotiques, d'un avortement, d'une tentative de suicide, enfin d'une nouvelle séparation. L'écrivain Maurice Sachs, un ami homosexuel mais aussi un amant de cœur, rencontré en 1932, l'oriente définitivement vers la littérature. Elle écrit sans grand succès divers articles pour des journaux « féminins ». Les romans qu'elle publie (*l'Asphyxie,* 1946; *l'Affamée,* 1948; *Ravages*), s'ils sont admirés par l'élite intellectuelle, ne rencontrent guère d'écho auprès du grand public — jusqu'à *la Bâtarde,* préfacée par Simone de Beauvoir; l'érotisme de certains passages nécessite alors un tirage à part; il en ira de même pour *Thérèse et Isabelle* (1966). Après une dépression nerveuse et un séjour en maison de santé, Violette Leduc connut de dernières et brèves amours qu'elle racontera dans *la Chasse à l'amour* (1973, posthume).

S'ils ne sont pas tous autobiographiques — *la Vieille Fille et le Mort* (1958), *la Femme au petit renard* (1965), par exemple, sont des fictions imaginaires —, ses romans ont cependant tous le même thème : la marginalisation douloureuse d'une femme hypersensible, d'un être isolé qui se sent coupable et se croit rejeté par les autres. C'est l'expérience vécue qui est à la base de la série *la Bâtarde, la Folie en tête* (1970), *la Chasse à l'amour. La Bâtarde* s'ouvre par un cri de révolte désespéré qui donne le ton de l'ensemble de l'œuvre : « Mon cas n'est pas unique : j'ai peur de mourir, et je suis navrée d'être au monde ». On songe à Vallès. La violence de l'écriture exprime non seulement l'agressivité et l'angoisse avec lesquelles Violette Leduc fait face à la vie, mais aussi une volonté de jouir des « trésors » que le monde met à la disposition de ceux qui en ont besoin : l'attachement à la mère, avec sa part de haine, de rivalité, et en même temps de complicité, d'identité; les amours d'enfance dans la solitude du pensionnat, l'obsession de la satisfaction (homo)sexuelle, symbole de l'appropriation inquiète de l'autre et de la plénitude éphémère de l'être; l'objet dérisoire qu'enfant, l'on caresse et auquel on se raccroche du fond de la misère : un col de fourrure pour la mendiante dans *la Femme au petit renard.*

Solitude et souffrance sont exprimées chez Violette Leduc avec un flamboiement baroque, un luxe de métaphores qui évoquent le lyrisme de cet autre paria que fut Jean Genet. A ceux qui ne possèdent rien, Violette Leduc, dans ce long monologue à haute voix que sont ses livres-confessions, apprend que la misère sentimentale est elle-même poésie, que l'identité de l'être porte en soi toute la richesse du monde : « J'ai obtenu pour vingt kilomètres sous la pluie, la vision d'un facteur tassé sur son vélo, dans son capuchon. J'ai dit deux fois "Violette" à haute voix, j'ai fait ainsi l'inventaire de ma présence » (*Trésors à prendre*).

B. VALETTE

LE FÈVRE DE LA BODERIE Guy (1511-1598). Mésestimé, voire ignoré jusqu'au début du XXe siècle, ce poète orientaliste normand se voit reconnaître une place à côté des représentants les plus célèbres de la Pléiade. Mais son hermétisme érudit et complexe déroutera beaucoup de lecteurs et suscitera même, à l'occasion, la défiance de l'institution religieuse. Faisant pièce aux accusations de didactisme et d'obscurité portées à l'encontre de La Boderie, l'éclairage projeté sur le milieu et les sources du poète a permis de redécouvrir les vertus esthétiques et l'originalité d'une œuvre qui, avant celle de Du Bartas, inaugure le grand courant lyrique chrétien.

Des recherches érudites à l'œuvre poétique

Les débuts de Guy Le Fèvre de La Boderie demeurent mal connus : après Falaise, d'où il est originaire, il séjourne à Caen, foyer humaniste alors réputé, puis à Paris, à Lyon et à Mâcon (où il rencontra peut-être Pontus de Tyard). Plus significatives que cet itinéraire sont les étapes intellectuelles de sa formation : fréquentation assidue des poètes, dans l'enfance; étude des mathématiques, dans l'adolescence; de la philosophie et des langues, orientales et modernes, à l'âge adulte. Une inquiétude religieuse précoce l'amène à refuser définitivement, à l'âge d'à peine quinze ans, scepticisme, épicurisme et athéisme. C'est au cours de ces années d'adolescence que s'élabore son *Encyclie des secrets de l'éternité,* dont sept « cercles » sur huit sont achevés dès 1561. Probablement vers la fin de 1562, la rencontre de Guillaume Postel, rentré définitivement à Paris, sera déterminante pour sa formation d'orientaliste, en hébreu, syriaque et arabe, ainsi que pour la thématique de toute l'œuvre poétique à venir. Très vite devenu son disciple élu, La Boderie ne cessera plus d'être, selon son génie propre, l'interprète du maître désormais réduit, pour l'essentiel, au silence. C'est sur sa recommandation qu'il séjournera trois années à Anvers avec son frère Nicolas, orientaliste également, pour collaborer à l'édition monumentale de la *Bible polyglotte d'Anvers* patronnée par Philippe II d'Espagne, qui doit enfin réaliser la concorde universelle. Considérable, sa contribution contient déjà la substance de l'œuvre littéraire ultérieure et en révèle la dynamique créatrice. La recherche érudite et linguistique y est au service d'une herméneutique spirituelle; elles se conditionnent l'une l'autre.

Haute science et hiéro-histoire : de l'*Encyclie* à *la Galliade*

Les huit « cercles » de l'*Encyclie* (1571), couronnés d'un « tabernacle », que prolonge une seconde partie rassemblant diverses pièces, dépassent le propos apologétique apparent exprimé sous la forme d'un dialogue platonicien dans la tradition de Pontus de Tyard. L'œuvre, influencée dans sa structure par Dante, mais aussi par la vision d'Ézéchiel, dérive progressivement du didactisme trop rationnel de la démonstration théologique à un mode de compréhension fondé sur la symbolique biblique et cabalistique. Traversant les différents degrés de réalité visibles et invisibles jusqu'au tabernacle de l'insondable divinité, la raison, préparée par l'émerveillement devant l'ordonnance et la beauté du monde, cède la place au saisissement contemplatif. L'encyclopédisme érudit se transmue en un hymne cosmique, qui doit certes à Ronsard mais plus encore aux Psaumes, dépassant le plan des analogies profanes pour atteindre la « haute science » par la voie du symbolisme anagogique chère aux cabalistes chrétiens. Réincarnation de David, de Virgile et d'Orphée, dans la perspective des cabalistes, La Boderie célèbre, comme son ami Baïf, les noces de la musique et de la poésie, conçue comme sagesse inspirée. Nouvel Orphée, il affirme, contre le poète profane égaré dans le monde mythologique, l'exigence d'une « fureur » : le vrai poète est prophète ou n'est pas. Il le deviendra en chantant les secrets des Hébreux. Face à Ronsard, La Boderie revendique là une juste primauté.

Second volet d'un diptyque, *la Galliade ou De la révolution des arts et sciences* (1578 et 1582), fondée elle aussi sur l'image du cercle, met l'accent non plus sur le parcours de l'âme individuelle retournant à l'Un, mais sur la « restitution » collective d'une humanité qui a retrouvé ses origines. Le poème, qui célèbre en cinq cercles l'accomplissement en Gaule, après un long périple, de l'encyclopédie hébraïque préservée par les druides après le déluge, n'est que superficiellement une épopée nationaliste, plus proche de *la Légende des siècles* que de *la Franciade.* Cette hiéro-histoire revendique une objectivité supérieure à la réalité, garantie par le recours systématique aux étymologies hébraïques dans l'esprit du *Cratyle* de Platon et de la cabale. L'« émithologie » postélienne, en restaurant, contre « la Grèce menteresse », *emeth,* la vérité sémantique originaire, assure l'assomption d'une Gaule étendue à l'univers. Source créatrice féconde en belles similitudes, l'hébraïsme n'épuise pas le génie du poète, qui ne rompt pas vraiment avec la tradition gréco-latine. *Les Hymnes ecclésiastiques* (1578 et 1582) et les *Diverses Meslanges poétiques* (1579 et 1582) illustrent l'universalité d'une esthétique où se résument les ambitions de la Pléiade et de la poésie protestante antérieure, mais au bénéfice d'un renouveau (dans l'esprit du concile de Trente) du lyrisme catholique.

Les prolongements du message poétique : traductions et paraphrases

Aux très nombreuses paraphrases, notamment bibliques et orphiques, qui émaillent son œuvre poétique, il convient d'ajouter les belles traductions en prose que donne La Boderie entre 1578 et 1580 de Marsile Ficin, de Pic de la Mirandole, de Cicéron, de Georges de Venise (celle de *l'Harmonie du monde* est admirable). Toutes visent à hâter, par une diffusion du néoplatonisme, le renouveau religieux du pays et à favoriser sa cohésion par une éthique et une rhétorique destinées à la noblesse ainsi convertie au service du prince. Le disciple de La Boderie, Vigenère, poursuivra l'entreprise, traducteur non moins soucieux que son maître d'allier création poétique et précision rigoureuse.

Témoin essentiel de la vie culturelle sous les derniers Valois, La Boderie appartient au cercle de Marguerite et de son frère Alençon. Affilié sans doute à l'hétérodoxe « Famille de la Charité », ses idées rejoignent celles des « politiques » et l'irénisme des premières académies qui naissent de façon informelle dans les milieux de la Cour. Honoré d'Urfé, plus tard Nerval, lui emprunteront des thèmes. A notre époque, Claudel retrouvera certains accents de son lyrisme.

BIBLIOGRAPHIE

Aucune œuvre de La Boderie n'a été rééditée depuis le XVIe siècle. Seule sa traduction de *l'Harmonie du monde* de François Georges de Venise a été reproduite en fac-similé (Paris, 1979). De larges extraits d'autres œuvres figurent dans Dudley Wilson, *French Renaissance Scientific Poetry* (London, 1974). Pour la critique récente, voir F. Secret, *l'Ésotérisme de Guy Le Fèvre de La Boderie,* Genève, 1969; F. Giacone, *Dizionario critico della letteratura francese II,* Torino, 1972; Maureen Cromie, « Symbolic Imagery in the Poetry of a Christian Kabbalist G. Le Fèvre de La Boderie », dans *Australian Journal of French Studies,* IX, 3, 1972; D.P. Walker, *the Ancient Theology,* London, Duckworth, 1972; G. Bräkling-Gersuny, *Orpheus, der Logos-träger,* München, W. Fink, 1975; Dudley Wilson, « the Quadrivium in the Scientific Poetry of Guy Le Fèvre de La Boderie », dans *French Renaissance Studies 1540-1570. Humanism and the Encyclopedia,* Edinburgh, 1976, et « la Seconde Édition de *la Galliade* de G. Le Fèvre de la Boderie, sa composition et ses sources », dans *Mélanges à la mémoire de Franco Simone,* I, Genève, 1980; P. Quignard, « la Passion de G. Le Fèvre de la Boderie », dans *Poésie,* nº 3, 1977. Non publié : G.A. Sivan, *G. Le Fèvre de La Boderie and his Epic « History » of Gaul : the Biblical, Rabbinic and Kabbalistic Foundations of a French Renaissance Legend* (thèse dactyl., Jérusalem, 1974).

J.-F. MAILLARD

LE FÈVRE DE RESSONS Jean (XIVe siècle). Ce procureur au parlement de Paris, traducteur des *Distiques de Caton* et du *Theodolus,* dut sa célébrité à la traduction qu'il fit en 1370 des *Lamentations de Matheolus,* poème latin rédigé en 1270 par Mahieu « le Bigame » (clerc marié), œuvre qui est, avec les *Quinze Joyes de mariage*, le monument de l'antiféminisme médiéval. Dans cette charge énorme, parodiant allégrement les genres « nobles », nous retrouvons tous les motifs de la satire cléricale et de ce courant anti-courtois qui traverse le Moyen Âge, et, formant contrepoint à l'idéalisation de la Dame, nous offre de celle-ci l'image d'un être perdu de vices, foncièrement méchant, envoyé par Dieu (ou Satan) pour le plus grand mal de la gent masculine. Attiré par les doux yeux de Perrette, Mahieu a renoncé à ses privilèges ecclésiastiques et à sa tranquillité pour épouser cette jolie veuve, malgré les interdictions canoniques. Mais la beauté se fane, la femme devient acariâtre, le mariage devient un enfer : « Nous sommes comme chien et leu/Qui s'entrerechignent es bois ». Mais Dieu prend pitié du martyr et l'accueille en paradis : « Chier fils, or saches fermement/Qe je t'ai cest siege apresté/ Pour ce que souffrant as esté ». La morale de cette histoire nous renvoie à la loi de la jungle : « Plus asseür seroit li homs/Avecques serpens et lions/Qu'avecques femme rioteuse ». Dans cette satire féroce se reconnaît l'influence de l'image de la femme, fille d'Ève, tentatrice, instrument par excellence du péché, image que l'Église a répandue par la bouche des prédicateurs, ainsi que l'habitude de considérer l'individu (ici l'épouse) comme incarnation d'une « espèce » (la Femme).

BIBLIOGRAPHIE
Éd. A.G. Van Hamel, Bilbiothèque de l'E.P.H.E., 1892-1905.

A. STRUBEL

LEFÈVRE D'ÉTAPLES Jacques (1460?-1536). Natif d'Étaples, en Picardie, il devient maître ès arts de l'université de Paris et accomplit plusieurs séjours en Italie. A Pavie et à Padoue, il s'initie à la philosophie péripatéticienne, et ses premiers travaux seront consacrés à l'édition des œuvres d'Aristote, de la *Physique* à la *Politique* en passant par la *Logique*. Débarrassant le texte du Stagirite des gloses « punaises » qui se sont accumulées durant le Moyen Âge, il l'arrache par là même à l'emprise de l'exégèse thomiste et le destine à un usage pédagogique immédiat. Il rencontre Marsile Ficin, Pic de La Mirandole, Ange Politien, et découvre, par l'intermédiaire de l'école néoplatonicienne, la tradition dionysienne et les *Livres hermétiques,* qu'il édite en 1494. Protégé par Guillaume Briçonnet, évêque de Lodève et abbé de Saint-Germain-des-Prés, à qui il dédie son édition du commentaire du *Pimandre* de Ficin, il se fixe à Paris à partir de 1505. De l'été 1508 au printemps 1521, il accomplit une fructueuse retraite dans l'abbaye de Saint-Germain-des-Prés, que l'abbé a entrepris de réformer dans le sens d'un retour à la simplicité évangélique. C'est là que s'opère un tournant dans l'œuvre de commentateur de Lefèvre. Alors que jusqu'ici il s'était surtout intéressé à la publication d'œuvres profanes — il édite encore la *Métaphysique* d'Aristote en 1515 —, il se consacre de plus en plus à l'exégèse biblique. Son *Quincuplex Psalterium* (ou Psautier quintuple), qui date de 1509, réunit, en plus des trois traductions latines des *Psaumes* attribuées à saint Jérôme, le *Vieux Psautier,* conforme aux citations qu'en fait saint Augustin, et le *Psalterium conciliatum* (Psautier « concilié »), où le texte de la tradition se voit, ici et là, retouché au nom de l'exactitude philologique. Mais il ne s'agit aucunement d'une rupture totale avec le passé. Se situant à mi-chemin entre le respect et l'audace, entre la fidélité au dogme et le souci humaniste de supprimer les erreurs les plus grossières, Lefèvre ne vise d'autre but que d'introduire à une lecture plus facile et à une compréhension plus immédiate du texte sacré.

Cependant, vouloir réconcilier la lecture théologique, conforme aux Pères de l'Église, et la nouvelle lecture humaniste aboutit d'emblée à une ambiguïté. Lefèvre abandonne en fait le système des quatre sens de l'Écriture (littéral, anagogique, moral et allégorique) pour affirmer l'unicité de sens des textes sacrés : le sens littéral de l'Ancien Testament est le sens spirituel — et il se lit directement, pourvu que l'on se place dans la perspective christologique ouverte par l'Évangile. Dans son édition commentée des *Épîtres* de saint Paul (1512), il déclare que l'Écriture est la source unique du dogme et que la foi est plus importante que les œuvres, double affirmation que la Réforme développera par la suite.

En 1521, Lefèvre rejoint Briçonnet, qui vient d'être installé comme évêque de Meaux. L'essai de réformation que celui-ci dirige dans son diocèse a pour corollaire la traduction en français des Évangiles par le savant humaniste (1525). Inquiété par la Sorbonne, Lefèvre s'enfuit à Strasbourg, puis accepte l'hospitalité de Marguerite de Navarre à Nérac (1529). C'est là qu'il achève son grand œuvre, *la Sainte Bible en françois, translatee selon la pure et entiere traduction de saint Hierosme,* qui paraît à Anvers en 1530. Ce révolutionnaire malgré lui, qui, jusqu'au bout, a tenté l'impossible conciliation entre la tradition des Pères et l'humanisme, s'éteint à Nérac l'année même de la mort d'Érasme.

BIBLIOGRAPHIE
Epistres et Evangiles pour les cinquante et deux sepmaines de l'An, fac-similé de la première édition Simon du Bois, avec introduction, note bibliographique et appendices par M.-A. Screech, Genève, Droz, 1964; *Quincuplex Psalterium,* réimpr. de l'éd. orig., Genève, Droz, 1979; *les Hécatonomies (Hecatonomiarum libri),* texte latin de Lefèvre d'Étaples, en parallèle avec la traduction latine de Platon par Marsile Ficin, éd. établie par Jean Boisset, revue et réalisée par Robert Combes, Paris, J. Vrin, 1979.
A consulter. — G. Bedouelle, *Lefèvre d'Étaples et l'intelligence des Écritures,* Genève, Droz, 1976; *le Quincuplex Psalterium de Lefèvre d'Étaples. Un guide de lecture,* Genève, Droz, 1979.

F. LESTRINGANT

LEFÈVRE-DEUMIER, Jules Lefèvre, dit **Jules** (1797-1857). Jules Lefèvre — qui adjoignit à son patronyme celui d'une tante qui lui avait légué une fortune considérable — entre vers 1822 dans la carrière littéraire : ami d'Alexandre Soumet, il collabore à *la Muse française* et aux *Tablettes romantiques,* compose des tragédies qu'il ne parvient pas à faire jouer (*l'Exilé vengeur, les Mexicains, Richard III*). Poète byronien dans *le Parricide* (1823) et *le Clocher de Saint-Marc* (1825), érudit polyglotte fort averti des littératures anglaise et allemande, critique qui convertit *le Mercure de France au* XIX*e siècle* à la cause romantique, il s'enthousiasme pour la liberté polonaise, combat aux côtés des patriotes en 1831, rentre blessé et, en 1833, publie un recueil élégiaque, *Confidences.* Une histoire d'amour malheureuse lui en a fourni la trame, et une multitude de poètes étrangers (cités en un étonnant bariolage d'épigraphes), les thèmes et les tons : intimisme plaintif, « agonies » douloureuses et violentes de la passion, tableaux exotiques, surcharge de métaphores étranges et disparates. Sainte-Beuve souligne la vigueur et la rareté de certains accents, mais réprouve la préciosité, le mauvais goût, l'absence de style, d'harmonie et de correction : « Les mots de *poison,* de *venimeux, vénéneux, envenimé* reviennent à tout propos avec une âcreté qu'on déplore [...]. Je trouve encore l'"escarre du chagrin", l'"anévrisme des larmes", un culte qu'on "galvaude", "égruger le reste de mes jours", "la ration de fiel dont vous gorgez mes jours", "un nom perdu, trahi, trimballé dans la boue" ».

Le roman *Sir Lionel d'Arquenay* (1834), qui reflète la même passion déçue, charrie les mêmes bizarreries, avec une manière ironique et humoristique empruntée à Sterne ou à Jean-Paul. *Les Martyrs d'Arezzo* (1839) montrent l'artiste aux prises avec la tentation satanique.

S'il donne encore des poèmes (*Œuvres d'un désœuvré,* 1842; *Dernières Poésies,* 1857), Lefèvre-Deumier se tourne de plus en plus vers les études biographiques et historiques, et il révèle à ses contemporains des aspects ignorés de la littérature allemande (*Œhlenschlager, le poète allemand du Danemark,* 1854). Devenu secrétaire particulier du prince-président, puis bibliothécaire de l'Élysée et des Tuileries, il meurt en 1857, laissant le souvenir d'un talent indécis, trop sensible à des influences hétéroclites, trop soucieux de recherche verbale, « génie poétique, cœur ingénu, ayant du bel esprit dans la région du sublime », comme l'a bien vu son ami Émile Deschamps.

BIBLIOGRAPHIE

Les Vespres de l'Abbaye du Val, avec une introduction sur la vie et l'œuvre de Jules Lefèvre-Deumier, Paris, Les Presses françaises, « Bibliothèque romantique », 1924; *Sir Lionel d'Arquenay* (réimpression de l'édition de Paris, 1882), Genève, Slatkine, 1973.

D. MADELÉNAT

LE FRANC Martin (1410-1461). Clerc normand, il étudie à Paris, devient protonotaire apostolique et secrétaire de Félix V et de Nicolas V, puis chanoine et prévôt à Lausanne. Son œuvre principale est *le Champion des Dames* (1440-1442), où, pour répondre à Jean de Meung et à Jean Le Fèvre de Ressons, il expose les faits et les vertus de figures féminines célèbres de l'histoire et de la mythologie. Sous la fiction conventionnelle du songe (« depuis ce que Songe me montra les horribles assaulz et la crueux guerre de Malebouche contre Amours et les dames »), nous retrouvons un schéma proche du *Roman de la Rose,* avec le Château d'Amour assiégé par Malebouche « en grosse bataille ». L'allégorie se poursuit sur 24 000 vers, avec des digressions satiriques sur les nobles, le gouvernement et la Cour; ce texte est aussi un document sur la vie poétique du temps, sur les cours d'amour et les puys. Il avait encore du succès au XVIe siècle. *L'Estrif* (« le combat ») *de Fortune et de Vertu,* « prosimètre » de 1447-1448, est un débat qui oppose les deux personnifications qui prétendent au gouvernement du monde. Sous un thème banal et un cadre allégorique rudimentaire, on peut découvrir une interrogation sur la rationalité de l'univers, sur la possibilité pour l'homme de choisir une voie (la vertu), qui serait une garantie contre l'absurdité et le chaos du cours des événements (représenté par Fortune) : « [...] pensant comment le monde se varie/Dessoubz le ciel [...]/J'ai affirmé que tout vient de Fortune/Et que cy bas comme dieu ou déesse/A son vouloir nous forvoye et adresse [...]/Mais d'aultre part je voy que sans vertu/Les humains faitz ne valent un festu ».

BIBLIOGRAPHIE

Éd. A. Piaget, *le Champion des Dames,* Lausanne, Payot, 1968.

A consulter. — A. Piaget, Martin Le Franc, prévôt de Lausanne, Lausanne, 1888; O. Roth, *Studien zum Estrif* « ... », Lang, Berne, 1970.

A. STRUBEL

LE FRANC DE POMPIGNAN V. POMPIGNAN.

LEGOUVÉ Ernest (1807-1903). Auteur dramatique et essayiste, né à Paris. Fils du poète Gabriel Legouvé, il s'adonne d'abord à la poésie — *les Morts bizarres* (1832) —, puis au roman — *Max* (1833), *Édith de Falsen* (1840) —, avant de connaître le succès au théâtre avec *Louise de Lignerolles* (1838), *Guerrero* (1845) et surtout *Adrienne Lecouvreur* (1849), drame écrit en collaboration avec Scribe et joué par Rachel. Cette pièce, triomphalement accueillie, sera suivie de plusieurs comédies : *les Contes de la reine de Navarre* (1850), *Bataille de dames* (1851), et d'une tragédie, *Médée,* refusée par Rachel et qui sera publiée en 1855.

Mais Legouvé est aussi un conférencier de talent dont les leçons au Collège de France rassemblées sous le titre *l'Histoire morale des femmes* (1848) et les cours sur *l'Art de la lecture* (1878) furent très appréciés du public. Académicien en 1855, il continua longtemps encore à produire poèmes, romans et pièces de théâtre.

Dramaturge de second plan, aux drames romantiques bien conventionnels et aux comédies spirituelles mais sans profondeur, Legouvé dut surtout sa célébrité à cet art de la conférence qui tenait plus chez lui de la causerie que du discours. Son approche de *l'Histoire morale des femmes* révèle un féministe qui s'insurge, sans audace excessive mais fermement, contre la subordination dans laquelle les mœurs et les lois maintiennent les femmes : fervent partisan de l'enseignement secondaire féminin, il sera choisi par Jules Ferry pour diriger les études des premières sévriennes. Et cet ancien ami de Berlioz et d'Eugène Sue a laissé d'aimables Mémoires : *Nos fils et nos filles* (1878), *Soixante Ans de souvenirs* (1885-1887).

M.-O. GERMAIN

LEIRIS Michel (né en 1901). « Laisser les mots s'animer, écrit Michel Leiris en 1939, se dénuder et nous montrer par chance, le temps d'un éclair osseux de dés, quelques-unes de nos raisons de vivre et de mourir, telle est la convention du jeu ». Le jeu et les mots : tout Leiris est là. Pour cette raison, son œuvre est une des plus modernes du XXe siècle, parce qu'elle en délimite à elle seule tout l'horizon : une aventure passionnée dans ce *wonderland* qu'est le langage, étrange royaume dont on revient, comme Alice, revêtu d'ombre.

C'est par la poésie que commence Leiris. En 1925, avec ce « puzzle de mots » qu'est *Simulacre,* il donne son premier recueil placé sous le signe de Max Jacob et surtout du surréalisme, que son ami André Masson lui a fait découvrir. Deux ans plus tard, il passe au récit, et c'est *le Point cardinal* : une longue dérive onirique où les formes diurnes des apparences sont aspirées par celles du songe, tandis que se télescopent lapsus et hallucinations, calembours et calligrammes. Même climat dans *Aurora,* écrit en 1927-1928 mais publié en 1946, un second récit qui reflète le goût de Leiris pour l'exploration automatique de l'inconscient et pour la logique du coup de dés : tour à tour *eau-rô-râh, or aux rats* ou *horrora,* la nervalienne et homophonique Aurora y subit toutes sortes de métamorphoses entre les doigts de fée du prestidigitateur Damoclès *Siriel,* qui n'est autre que l'anagramme de Leiris lui-même... Ainsi, par-delà les grimoires de ce livre, le futur auteur de *la Règle du jeu* inaugure ce qui fera l'essentiel de sa quête littéraire : l'autobiographie.

L'année 1929 marque une rupture assez radicale dans l'itinéraire de Leiris. Il rompt en effet avec Breton et avec ce surréalisme débordant auquel le rattachaient ses premiers livres. Il se tourne de plus en plus vers une exploration philosophique de l'écriture, interroge ses rapports avec le sacré et la transgression, et se trouve ainsi très proche des travaux de Georges Bataille, qui anime alors *Documents,* une revue à laquelle Leiris donnera de nombreux textes — lesquels seront repris dans *Brisées.* A la même époque, il entreprend une psychanalyse, puis s'intéresse aux mythes et à l'ethnologie : il entre au musée de l'Homme après avoir participé, de 1931 à 1933, à la mission Dakar-Djibouti, que dirige Marcel Griaule, mission dont il rapportera *l'Afrique fantôme* (1934), le journal souvent désabusé de sa vie sous les tropiques. Cette veine ethnologique se retrouve dans *Tauromachies* (1937) et dans *Miroir de la tauromachie*, deux textes somptueux. Si Leiris se consacre à l'art du torero, c'est qu'il y trouve l'illustration vertigineuse d'un cérémonial qui se rapproche étrangement de l'érotisme et du sacré, mais surtout de l'écriture : la mort s'y effleure du bout des doigts. Pour le torero, comme pour le poète et l'amant, écrit-il, « toute l'action se fonde sur l'infime mais tragique fêlure par laquelle se trahit ce qu'il y a d'inachevé (littéralement : d'infini) dans notre condition ».

Ce sens de l'exorcisme se retrouve également dans *Haut-Mal* (1943), qui rassemble les poèmes que Leiris écrit durant ces années de rupture : l'écriture s'y définit comme une transe sacrée, elle explore musculairement, et presque viscéralement, le cachot intérieur dont le poète-gourou doit se libérer s'il veut devenir un voyant, au sens rimbaldien du terme. Pour Leiris, il est alors temps de se lancer dans sa grande entreprise d'exploration de lui-même. Préfigurant la tétralogie de *la Règle du jeu*, il publie en 1939 un de ses livres autobiographiques les plus importants, *l'Âge d'homme*, où l'on voit se déployer la chorégraphie tragique d'une tauromachie intime menacée par « la corne acérée » de la mort.

Poursuivant sur le papier sa propre psychanalyse et la disposant en une sorte de photomontage, Leiris livre dans *l'Âge d'homme* ses souvenirs d'enfance, ses terreurs inavouées, ses fabulations enfouies, ses rêves, son imagerie personnelle. Profitant du choc émotif qu'il reçut un jour devant la *Lucrèce* et la *Judith* de Cranach, il met à nu ses obsessions sentimentales ou sexuelles, montre le dessous des cartes sans crainte de se compromettre. Variation sur l'amour et sur la mort, *l'Âge d'homme* est une levée des censures qui dispose le fantasme comme de la « limaille autour des branches d'un aimant ». Cet aimant qui transmue en poésie — par une sorte d'opération alchimique — ce qui, ailleurs, n'aurait guère dépassé l'indiscrétion ou l'indécence. Là est bien le génie de ce livre : la banalité y devient mythique, fabuleuse.

On est donc loin d'une littérature de confidence ou de confession : *l'Âge d'homme* est au contraire une effraction du sujet. Pris dans la logique dévorante d'un langage qu'il met en branle mais qu'il finit par ne plus pouvoir contrôler, Leiris y est littéralement décapité. Dès lors, si son autobiographie peut se comprendre comme l'aveu d'un enfant du siècle, elle est tout autant un suicide dans le langage, ce langage dont la force boulimique échappe à la maîtrise du scripteur : un être se met en scène, et, à mesure qu'il réinvente sa propre légende, il se met à mort, victime et bourreau à la fois. Jamais autant qu'ici l'écriture n'aura fait entendre la rumeur anonyme du *thanatos*. Comme si la langue, une fois amorcée, prenait l'écrivain à revers pour devenir une messagère d'outre-tombe. Ce qui se dégage ici, c'est donc le brouillage paradoxal du « je parle » par le « ça parle ». Commentant *l'Âge d'homme*, Maurice Blanchot a parfaitement compris l'enjeu mortifère et posthume de l'autobiographie, qui en vient finalement à défaire le sujet au lieu de le construire : l'exact contre-pied du narcissisme. Ce livre, écrit Blanchot, « est ce regard lucide par lequel le je, pénétrant son obscurité intérieure, découvre que ce qui en lui regarde, ce n'est plus le je structuré du monde, mais déjà la statue monumentale, sans regard, sans figure et sans nom : le il de la mort souveraine ». Ainsi *l'Âge d'homme* est-il une façon de « changer la vie » contre la mort, de la focaliser sous le rituel essentiellement verbal d'une dépense expiatoire. « Je me conduis toujours, écrit Leiris, comme un maudit qui poursuit éternellement sa punition, qui en souffre, mais qui ne souhaite rien tant que pousser à son comble cette malédiction ». Cette logique du pire explique sans doute le caractère inachevé — et inachevable — de l'autobiographie de Leiris. Elle occupera désormais l'essentiel de son œuvre : utilisant cette fois des unités beaucoup plus larges que *l'Âge d'homme*, l'entreprise monumentale de *la Règle du jeu* va s'étendre sur près de trente ans.

Quatre titres composent cette longue prolifération qu'on a pu comparer aux *Essais* de Montaigne. Rédigé en majeure partie pendant l'Occupation, *Biffures* (1948) remonte à l'enfance et s'attache essentiellement aux premiers souvenirs concernant le langage. Comme dans les volumes ultérieurs, Leiris y utilise une méthode qui lui vient de l'ethnologie : il travaille à partir de fiches dont le désordre même est créateur, car le brassage aléatoire permet de créer de nouvelles affinités et de lever certaines censures que la mémoire seule n'est pas capable de vaincre. Publié en 1955, *Fourbis* poursuit l'inventaire des souvenirs et interroge la figure de plus en plus familière de la mort, tout en se situant sur le théâtre concret de l'histoire : Paris, le sud de la France, l'Afrique, les Antilles, voilà les lieux où se retrouve celui qui tente de découvrir les grilles de déchiffrement de lui-même. Même décor politique dans *Fibrilles*, en 1966 : la révolution chinoise et la révolution cubaine permettent à Leiris de donner une nouvelle dimension à sa quête — à cette époque, il voyage beaucoup et collabore aux *Temps modernes*. Enfin, avec *Frêle Bruit* (1976), Leiris tente de donner un « terme » à *la Règle du jeu*. Par son caractère lacunaire, éventré, fragmentaire, ce quatrième volume fait entendre une voix blanche qui poussse l'œuvre à la déroute et transforme l'espace littéraire en espace de désœuvrement : la littérature redevient un droit à la mort, comme dit Blanchot. Elle est la réponse symbolique à cette question du suicide qui revient si fréquemment chez Leiris. Écrire est alors le dernier sursis, celui qui « impose par la plume une ordonnance à ce qui est sans nom ».

Mais l'essentiel de ce grand œuvre qu'est *la Règle du jeu* se situe sans doute dans la passion de Leiris pour le langage. En ce sens, des quatre versants, *Biffures* est celui qui fascine le plus la modernité. Pour l'enfant que Leiris est resté, les mots sont des êtres charnels, capables de provoquer toutes sortes d'expériences émotives. Car ce qui constitue le fil conducteur de *Biffures*, c'est l'abandon de l'écrivain aux accidents et aux aléas du lexique : il faut « laisser le langage penser pour nous », écrit Leiris qui a beaucoup retenu de Raymond Roussel. Aussi l'autobiographie fait-elle place ici à la poésie, parce qu'elle donne l'initiative aux mots : intérêt pour les hiéroglyphes et pour les idéogrammes de l'enfance, pour les mots chargés d'une signification cabalistique, pour la combinaison magique de termes hétéroclites, pour les étymologies rêvées, pour la matérialité phonique ou graphique des syllabes — et pour l'alphabet, surtout, dont chaque lettre se révèle être un petit instrument divinatoire, un espace pulpeux de rêverie intime.

Cette passion pour le langage et pour ses pouvoirs oraculaires ne se rencontre pas seulement dans *la Règle du jeu*. Elle donne la tonalité de l'œuvre entière. C'est le cas, par exemple, du très curieux *Glossaire j'y serre mes gloses* (1939), écrit entre 1925 et 1939. Leiris y pratique une dissection linguistique qui lui permet de découvrir quantité de ramifications oniriques. La règle est la suivante : on choisit un mot, et l'on en donne une nouvelle « définition » poétique ou drolatique en recombinant ses éléments — sens, forme, sons. Ainsi, « assiette » devient : « la disette y fait place à la satiété ». Situation typiquement cratylienne : le nomenclateur Leiris recolle les mots et les choses, il redécouvre le paradis linguistique perdu. Ce ludisme n'est pas innocent : c'est une folie construite qui élimine les valeurs établies du signifié. Désormais, la pensée se fait dans la bouche, comme le souhaitait Tzara. Du *Glossaire* à *la Règle du jeu* en passant par les fatrasies des *Bagatelles végétales* (1956), on voit donc mûrir une véritable cosmogonie verbale : sortant de sa fonction sémantique, la langue française retrouve son pouvoir fertilisant. La clé des alphabets privés de Leiris déclenche ainsi en lui toutes sortes d'expériences qui remontent à la surface comme autant de talismans. Et si son œuvre évoque la recherche proustienne, elle doit aussi beaucoup à celle de Freud.

Au bout du compte, l'autobiographie leirisienne est une autobiologie : la vie n'explique pas l'œuvre, c'est l'œuvre qui, après coup, constitue le tissu du vécu. Le je se livre dans le jeu des mots, et il se met ainsi en jeu de façon rétrospective. Et, dans cette quête du moi comme objet ethnographique, la méthode est toujours restée la même : déglinguer nos vieux dictionnaires en y introduisant des ferments aléatoires capables de recomposer, sur l'Autre Scène, des syntaxes inouïes. Polyphonique, exubérante, utilisant les méandres de longues phrases afin de mieux prospecter les sédiments enfouis de la mémoire, *la Règle du jeu* apparaît comme un des plus beaux voyages qu'on ait pu faire dans les arcanes du langage, et c'est aussi le grand creuset de notre temps : surréalisme, existentialisme, anthropologie, linguistique, tous les savoirs de ce siècle s'y retrouvent, expérimentés et déplacés.

Véritable apothéose que ce livre, dont l'unité et la cohérence ont été maintenues d'une main tandis que, de l'autre, Leiris poussait les portes d'un monde flamboyant. Cependant tous ses ouvrages portent en eux une continuité secrète; ils traversent un demi-siècle « en reliant entre elles les pages d'un texte apparemment dispersé », comme l'a dit Michel Butor. Quant à l'existence de Leiris, elle semble s'être peu à peu mise entre parenthèses, comme si elle s'était brodée dans les marges étroites de son interminable manuscrit. L'auteur de *la Règle du jeu* est de ceux qui ont porté la littérature à son point de plus haute exigence : que vivre ne soit qu'écrire, dans l'effroyable solitude de la page à remplir, à cent lieues du commerce trop bruyant des humains.

BIBLIOGRAPHIE

Robert Bréchon, *l'Âge d'homme de Michel Leiris,* Hachette Poche-Critique, 1973; Michel Beaujour, *Miroirs d'encre,* Le Seuil, 1980; Maurice Blanchot, *la Part du feu,* Gallimard, 1949; Michel Butor, *Répertoire I,* Éd. de Minuit, 1960; Gérard Genette, *Mimologiques,* Le Seuil, 1976; Pierre Chappuis, *Leiris,* Seghers, « Poètes d'aujourd'hui », 1973; Philippe Lejeune, *Lire Leiris,* Klincksieck, et *le Pacte autobiographique,* Le Seuil, 1975; J.-B. Pontalis, *Après Freud,* Gallimard, 1965.

A. CLAVEL

LEJEUNE Claire (née en 1926). V. BELGIQUE. Littérature d'expression française.

LEMAIRE DE BELGES Jean (1473?-apr. 1515). En une dizaine d'années (1503-1515), à un moment où les goûts du Moyen Âge finissant se déforment et explosent dans les premières créations de la Renaissance, le poète Jean Lemaire construit un édifice littéraire qui apparaît prodigieux par sa masse et par les perspectives qu'il offrait aux écrivains à venir. Les Grands Rhétoriqueurs l'ont considéré comme leur fils, et il leur rendit cette affection; il fut également le seul poète de cette période que Marot puis Ronsard — et leurs contemporains respectifs — lurent avec bonheur, tant ils lui surent gré d'avoir été, selon le mot de Du Bellay, « ce diligent rechercheur de l'Antiquité »; ils aimaient aussi en lui les grâces françaises par lesquelles il continuait le *Roman de la Rose* en renouvelant la prosodie et en créant cette prose poétique dont le XVIe siècle fut amateur avec tant de lucidité.

L'art des tombeaux

Né à Bavai, qu'il croyait pouvoir appeler du nom latin de *Belgique* et qu'il considérait comme le centre de l'ancienne Gaule belgique, Jean Lemaire signe « de Belges » par fidélité à ces origines : elles le plaçaient dans une province d'obédience bourguignonne, le Hainaut, mais de langue française, et la vie de Lemaire ne résoudra pas cette ambiguïté, même si son œuvre en tire sa richesse. Après la mort de ses parents, il est élevé par son oncle, le grand rhétoriqueur Jean Molinet, qui réside à Valenciennes, ville abondante en poètes; près de lui, Lemaire apprend les manières d'une écriture au service du savoir et du pouvoir. Tonsuré, étudiant à Lille, puis, sans doute, à Paris, il est alors choisi comme précepteur des deux fils du seigneur de Saint-Julien, près de Mâcon : l'un d'eux, Claude, lui restera assez fidèle pour préfacer en 1544 l'énorme *Couronne margaritique,* composée vers 1505 et oubliée depuis derrière d'« enrouillées serrures ».

A partir de 1498, il entre successivement au service de princes voués à une mort prochaine, et pour lesquels il va cultiver le genre des « tombeaux », éloges funèbres complexes et savants, mais finalement somptueux et gais comme les fêtes dont raffolent les Cours du temps. À la mémoire de Pierre de Bourbon, d'abord — personnage considérable, puisqu'il est l'époux d'Anne de Beaujeu, fille de Louis XI et ancienne régente du royaume —, qui l'emploie comme « clerc de finances » et meurt en 1503, il écrit son premier chef-d'œuvre, *le Temple d'Honneur et de Vertu.* A peine devient-il secrétaire d'un cousin d'Anne de Beaujeu, Louis de Luxembourg, que celui-ci meurt à son tour — et il le célèbre par *la Plainte du Désiré* (1504). Il est alors choisi par la fille de l'empereur Maximilien, Marguerite d'Autriche, digne maîtresse d'un tel serviteur : élevée à la cour de France parce que promise à Charles VIII (qui lui préférera Anne de Bretagne), retirée près de son père en Flandre, puis mariée à l'infant d'Espagne, fils de Ferdinand d'Aragon (1495), mais veuve deux ans après, cette malheureuse princesse croit trouver le repos près du beau Philibert de Savoie — frère de Louise de Savoie —, qu'elle épouse en 1501. C'est à ce moment que Lemaire entre à leur service, les suit à Turin, puis à Pont-d'Ain; mais le jeune duc meurt à la suite d'une chasse : Lemaire entreprend un nouvel éloge funèbre, qu'il voue tout entier à sa maîtresse, louant ses vertus dans les dix pierres précieuses de sa *Couronne margaritique* (1504-1505). Pour la divertir — et se distraire lui-même de tâches considérables —, il compose la gracieuse *Première Épistre de l'amant vert* (1505), dans laquelle le perroquet de la duchesse (l'« amant vert ») se donne la mort de chagrin, la voyant éloignée alors en Allemagne. Nouveau deuil pour Marguerite en 1506 (et nouveau tombeau pour Lemaire) : la mort de son frère Philippe, père du futur Charles Quint, dont Marguerite devient tutrice; s'ensuivent *les Regrets de la dame infortunée sur le trépas de son très cher frère...* Marguerite se retire alors dans sa Cour de Malines, où Lemaire la rejoint en 1507; il devient chanoine à Valenciennes, comme son oncle Molinet, qu'il voit mourir, et auquel il reprend la charge d'« indiciaire » et d'historiographe de Marguerite. Il lui incombe alors de célébrer et décrire *la Pompe funeralle des obsèques de [...] Philippe de Castille* (1507) et, peu après, de glorifier dans les *Chansons de Namur* la résistance de paysans flamands à des troupes françaises.

Citoyen de la langue française et voyageur

En même temps qu'il servait ses maîtres, Lemaire ne cessait de tisser des relations avec les amis de son oncle — Guillaume Crétin le recommande dès 1498 — et avec les milieux humanistes et artistiques, alors en pleine mutation, et sensibles aux influences italiennes. Il a, dès les premières années, été attiré par Lyon et se fixe momentanément tout près de celle-ci dans la joyeuse ville universitaire de Dôle (1509) : toute une partie, vivante et drôle, de sa correspondance le montre lié d'amitié avec le médecin platonisant Symphorien Champier, avec le peintre Jean Perréal, dit Jean de Paris, employé lui aussi par la duchesse Marguerite. Bien d'autres garderont son souvenir, y compris, sans doute, les imprimeurs lyonnais auxquels il donne ses premières œuvres, revendiquant ainsi, et peut-être pour la première fois dans les lettres françaises, l'indépendance de l'artiste et son droit à publier.

Mais, depuis 1504, Marguerite songeait pour Philibert de Savoie à un autre tombeau, bien réel celui-là : celui des cloîtres, église et monuments de Brou — vaste programme, par lequel elle s'immortalise plus encore que par les vers des poètes qu'elle emploie. Jean Lemaire, qui invente pour elle la devise « Fortune Infortune Fort Une », répétée partout sur la pierre, est aussi chargé de superviser les travaux, à la manière italienne et humaniste. Pour cette raison sans doute, il est envoyé en Italie en 1506 : Venise, Rome, Florence. Il y fait provision d'images, de livres, d'idées, d'expériences dans les techniques les plus variées. Il séjourne de nouveau en Italie en 1508. On le voit à Tours, où il passe commande au sculpteur Michel Colombes; en Bourgogne, où il surveille l'extraction de l'albâtre pour les gisants de Brou; à Brou, où il ne cesse de se quereller avec les moines qui occupent les lieux, etc. Son impatience curieuse le mène dans l'atelier des peintres, des maîtres verriers; il patauge dans la boue pour trouver les veines de l'albâtre le plus pur, relance les ouvriers, les contrôle, assure leur paye. Maître d'œuvre pour les cloîtres, il n'eut pas l'honneur de l'être pour l'église. Ses choix sont discutés. Peu à peu, il prend conscience qu'il lui faut trouver d'autres maîtres.

Il se tourne alors vers Louis XII, et surtout vers Anne de Bretagne, sans quitter tout à fait Marguerite. Période de gloire et de difficultés, où il a bien besoin des recommandations de ses amis. En 1511, Lemaire est totalement au service d'Anne de Bretagne; non seulement il lui dédie, ainsi qu'à sa fille Claude, les deux derniers livres des *Illustrations de Gaule et singularitez de Troye* (1512 et 1513), commencées pour Marguerite à partir de 1505, mais il soutient la politique de Louis XII contre les Vénitiens dans *la Légende des Vénitiens* (1509) et sa politique gallicane contre le pape dans *De la différence des schismes et des conciles de l'Église* (1511), texte loué plus tard par les réformés et réprouvé par les catholiques. Lemaire, quant à lui, avait toujours cherché à rassembler; il croyait fermement à l'union de toutes les Gaules de langue française — les pays dominés par Marguerite et les pays de France et de Bretagne — : il célébra avec enthousiasme le traité de Cambrai dans *la Concorde du genre humain* (1509); il crut possible de satisfaire tous les princes dans les *Illustrations,* afin de les réunir dans une grande croisade contre les Turcs — ce dont rêvaient les humanistes depuis longtemps. Il crut surtout pouvoir rassembler les humanistes et poètes des deux royaumes de la Renaissance des arts et des lettres, l'Italie et la France, et c'est à quoi il destina l'un de ses plus beaux textes, *la Concorde des deux langages* (1511).

L'importance de ses dernières œuvres — un poème pour célébrer la convalescence, éphémère, d'Anne de Bretagne; un *Traitté des Pompes funèbres* pour elle encore; de nombreux poèmes étranges (dont l'attribution n'est pas toujours certaine); puis les trois contes maniéristes de *Cupido et Atropos,* publiés après sa mort — ne peut faire oublier la longue liste qu'il donne lui-même de ses projets, de ses ouvrages réalisés mais aujourd'hui perdus. La pureté géométrique du cloître de Brou — dont il a pu surveiller l'élaboration —, qui unit à l'esprit de Brunelleschi une fraîcheur presque naïve, donne à l'effervescence de l'œuvre littéraire son contrepoint harmonieux : une structure équilibrée, mais qui dans les textes a tendance à disparaître sous l'abondance vivante des motifs.

Un écrivain fondateur : mythe et histoire

Comme ses maîtres les rhétoriqueurs, Lemaire est un savant qui s'inspire des chroniqueurs, mythographes et encyclopédistes médiévaux ou contemporains, en en donnant, comme dans les *Illustrations,* des listes impressionnantes, ou en les faisant figurer comme narrateurs et garants de ses textes : ainsi, dans *la Couronne margaritique,* interviennent successivement ses préférés, morts ou vivants, Boccace, Chastelain, Gaguin, Albert le Grand, Ficin... Ses goûts le portent vers l'Italie, vers Dante, Boccace et Pétrarque, vers Annius de Viterbe, qui lui fournit beaucoup de ses légendes troyennes, vers Lorenzo Valla, traducteur de *l'Iliade,* vers Ficin et sa conception platonicienne de la poésie. Il leur demande à tous de l'accompagner dans la recherche des origines et du sens caché des fables, car l'histoire doit fonder le mythe, et le mythe justifier la grandeur du temps présent. Aussi lit-il en curieux et critique les textes les plus archaïques — ou ceux qu'il croit tels —, s'intéressant aux traits de civilisation, aux jeux, aux vêtements, aux rêves, discutant âprement de la justesse de tel détail, de tel commentaire; et l'on aurait tort de minimiser ces soucis d'historien sous prétexte que son texte revient, sans le savoir, à une description des mœurs des Cours de son temps : son dessein avoué était de corriger les erreurs faites par les peintres et tapissiers contemporains sur la chute de Troie ou le jugement de Pâris; l'enjeu en valait la peine, puisque les princes amateurs de généalogies, bourguignons ou français, voulaient se donner, au-delà de l'Italie latine, des origines indo-européennes plus lointaines, grecques en particulier.

Deux textes — les plus anciens — fondent pour lui tout enseignement : Homère et la Bible; des deux catastrophes — la chute de Troie et le Déluge — émergent les héros d'où découlent toutes les dynasties du monde européen; l'histoire des empires prend sens dans le mythe des cycles, que le Moyen Âge connaît bien, mais que Lemaire livre à la Renaissance, renouvelé du sang clair de ses héros humains.

La mythologie, « toute riche de grans mystères et intelligences poétiques et philosophales, contenant fructueuse substance sous l'escorce des fables » (c'est la pensée de Boccace), infuse tout, le temps de l'histoire des hommes, mais aussi la moindre parcelle de paysage, animée en permanence de mille petites divinités des bois, ondes et montagnes, qui commentent le monde; car il y a chez Lemaire une véritable obsession du « fruict allégorique et moral sous couleurs poétiques », qui inspirera la Pléiade et que Rabelais moque (loue) dans ses prologues tout pénétrés de l'esprit « mercurial » de Lemaire, puisque tel est le dieu préféré du poète : Mercure, le plus ambigu de toute cette fin de Moyen Âge. De ce « maître de vertu imaginative, fantastique et cogitante » il fait l'initiateur de ses propres prologues, le « ministre présidential » du jugement de Pâris entre les trois déesses, mais aussi le guide de la main de l'artiste-artisan — le peintre Perréal ou le poète Lemaire.

Architecte, peintre et musicien

Dans une lettre extraordinaire que Lemaire adresse le 20 novembre 1510 à Marguerite d'Autriche pour justifier son travail dans la construction de Brou, il se décrit d'abord comme l'architecte de sa poésie, disposant des outils que sont ses « dix sens naturels externes et internes » (ceux de son corps et ceux de son imagination), des pierres que sont les livres épars autour de lui, et qu'il va exploiter. Et très naturellement, parce que ses premières œuvres de commande durent s'organiser en tombeaux, subdivisés en cellules, remplis de personnages aux larmes éloquentes disposés avec symétrie et s'acquittant de charges précises, fixées d'avance, Lemaire construit éperdument chaque œuvre comme un bâtiment flamboyant où l'abondance des détails vient s'organiser avec rigueur : *la Couronne margaritique,* avec ses dix auteurs-garants, ses dix pierres précieuses, ses dix vertus répondant aux dix lettres du nom de Marguerite, en est le plus frappant exemple, avec sa répartition équilibrée de prose et de vers. Mais tous les ouvrages de Lemaire répondent aux mêmes besoins, et les *Illustrations de Gaule,* si elles n'alternent pas prose et vers, suivent un ordre précis, que, justement, les corrections et additions successives ne pourront détruire : Pâris, Œnone et le bonheur; Pâris, Hélène et la guerre; la réunion des deux lignées orientale et occidentale.

Mais Lemaire rivalise aussi avec le peintre et le musicien. Il sait comme ses contemporains que « rhétorique et musique sont une même chose », il travaille le vers et le renouvelle, introduisant la tierce rime italienne pour l'opposer à l'alexandrin (qu'il est le premier à reprendre, avant son grand développement au XVIe siècle); c'est lui aussi qui fixe la règle de l'*e* muet à la césure; c'est lui, surtout, qui forge la prose poétique, la différenciant, d'ailleurs, selon ses besoins : une déesse latinise noblement, selon les règles de l'art oratoire, mais la description d'un paysage ou d'un vêtement miroite simplement dans le vocabulaire de la sensualité et de la technique du peintre. Le goût du vert, du bleu, des couleurs tendres, des jeux du ciel et de l'eau, du mouvement menu s'installe dans la fête des mots. Chez lui, les yeux sont « verts et étincellans » comme du soleil dans une fontaine, et la surface de l'eau se déforme comme la vibration d'un vitrail. Souvent l'artisan entre tout entier dans le tableau, et le texte est à la fois la représentation de l'artiste et une réflexion sur tous les arts.

Modeste dans ses desseins avoués, puisqu'il avait pris pour devise « De peu assez » et affirmé ne glaner que les épis laissés derrière le moissonneur, Lemaire se trouve avoir bâti un monument gigantesque, dans l'esprit de ces temps nouveaux où la sensibilité s'alliait à la raison pour conquérir le monde. Une de ses lettres dit bravement cette évidence paradoxale : « Là où je sens, mon cœur s'adonne du tout, et la raison le veut bien ».

On n'en finirait pas de citer les poètes et écrivains du XVIe siècle qui ont lu ou pillé cette œuvre — Marot, Rabelais, Saint-Gelais, Macrin, Bouchet, Peletier, du Bellay, Ronsard, Jamyn, les Lyonnais... Oublié par suite de la défaveur du mythe qu'il a le plus illustré, celui de Troie, il retrouve grâce aux yeux des abbés érudits du XVIIIe siècle (Sallier, Goujet, Massieu...). Enfin le XXe siècle est revenu avec enthousiasme vers cet écrivain savant, féerique et sensuel.

Illustrations de Gaule et singularitez de Troye

Livre I (351 p.), publié pour la première fois à Lyon, chez Baland, en mai 1511. Prologue de Mercure, recommandant le livre à Marguerite d'Autriche pour l'éducation du futur Charles Quint, dont elle est tutrice. Livre placé sous le signe de Pallas. Mise en place du système des généalogies de France et de Bourgogne. Dans la descendance de Noé : Osiris et Hercule de Libye, lui-même à l'origine du premier roi troyen, Dardanus, et des premiers rois de Gaule (chap. I-XIX). Enfance et jeux de Pâris Alexandre chez les pasteurs. Amours et mariage avec la nymphe Pegasis Œnone (chap. XX-XXVII). Noces de Thétis et Pélée. Jugement de Pâris entre les trois déesses, Junon, Pallas et Vénus (chap. XXVIII-XXXV). Histoire d'Achille. Jeux troyens; Pâris se fait reconnaître par sa famille; Œnone et Pâris à la cours de Priam (chap. XXXVI-XLIV). Liste des auteurs cités. Excuses de l'auteur.

Livre II (245 p.), publié pour la première fois à Paris, chez de Marnef, en août 1512. Dédié à Claude de France, fille de Louis XII et d'Anne de Bretagne. Prologue de Mercure, placé sous le signe de Vénus. Liste des auteurs cités. Départ de l'ambassade troyenne, dirigée par Pâris, vers Lacédémone. Adieux de Pâris et d'Œnone. Généalogie d'Hélène; son enfance et son mariage avec Ménélas (chap. I-V). Rencontre d'Hélène et de Pâris, enlèvement d'Hélène. Leur retour à Troie; prophétie de Cassandre; séparation d'Œnone et Pâris (chap. VI-XIII). Décisions des Grecs. Guerre de Troie; mort d'Hector; mort d'Achille (chap. XIV-XX). Mort de Pâris; prise de Troie; mort de Priam. Servitude des femmes troyennes. Mort d'Hélène (chap. XXI-XXV).

Livre III (235 p.), publié pour la première fois en juillet 1513.

Mercure dédie le livre à Anne de Bretagne, souhaitant que la France orientale (l'Allemagne) et la France occidentale (France et Bretagne) s'unissent contre les Turcs, dont il ne fera pas, malgré ses promesses, la généalogie. Liste des auteurs cités. Lettre à Guillaume Crétin.

Le livre III est divisé en trois « traités » : 1. Comment « l'ancienne noblesse des Troyens » est à l'origine de plusieurs royautés et empires d'Europe. Francus, fils d'Hector, arrive en Gaule; son fils Sicambre s'installe en Hongrie; Bavo, cousin de Priam, fonde la Gaule Belgique. Des Goths et des Cimbres sont issus les rois de Bourgogne. Brutus fonde la Bretagne. A l'origine de tous : Hercule de Libye. 2. Généalogie de Charlemagne à partir de Tuyscon, géant, fils de Noé, en passant par Clovis et Clotilde, qui unissent déjà la France et la Bourgogne, et jusqu'à Clotaire et Chilpéric. 3. Généalogie de Charlemagne du côté de Charles Martel et Pépin le Bref. Le sang romain et autrichien est mêlé à celui des dynasties française et bourguignonne. L'ascendance féminine, comme l'ascendance masculine, doit rapprocher France et Bourgogne contre les Turcs. Les mutations auxquelles sont soumises les dynasties sont le fait de la providence divine, mais aussi des prêtres. Lemaire croit à la réunion des deux Frances.

BIBLIOGRAPHIE

Textes. — La seule édition (presque) complète des œuvres de Lemaire a été faite par J. Stecher, 4 vol., Bruxelles, 1882-1891; Slatkine Reprints, Genève, 1969, reproduit l'édition posthume de 1549. Des lettres de Lemaire ont été publiées successivement par Leglay (1838, 1852), E. Charavay (1876), C. Cochin et M. Bruchet (1914).

Éditions critiques : *la Plainte du Désiré,* par D. Yabsley, Paris, 1932; *la Concorde des deux langages,* par J. Frappier, Droz, 1947; *Deux Epistres de l'amant vert,* par J. Frappier, Droz, 1948; *le Temple d'Honneur et de Vertu,* par H. Hornik, Droz, 1957; *la Concorde du genre humain,* par P. Jodogne, Bruxelles, 1964.

Études. — Outre la notice de J. Stecher, t. IV de l'édition des œuvres, 1891, on consultera : Ph. A. Becker, *Jean Lemaire, der erste humanistische Dichter Frankreichs,* Strasbourg, 1893. Éléments repris par H. Guy, *Histoire de la poésie française à la Renaissance,* t. I, *l'École des Rhétoriqueurs,* Paris, 1910; A. Lefranc, « la Civilisation intellectuelle en France à l'époque de la Renaissance », *Revue des cours et conférences,* XIX, XX, 1910-1911; H. Chamard, *les Origines de la poésie française de la Renaissance,* Paris, 1920; P. Spaak, *Jean Lemaire, sa vie, son œuvre...,* Bruxelles, 1926, Slatkine Reprints, 1975 (introduction très vivante et précise de l'œuvre; quelques morceaux choisis); G. Doutrepont, *Jean Lemaire et la Renaissance,* Bruxelles, 1934, Slatkine Reprints, 1974 (sur les sources et lectures de Jean Lemaire); K. Munn, *A Contribution to the Study of Jean Lemaire,* New York, 1936 (sur la réception de l'œuvre, les problèmes d'édition, etc.); J. Abelard, *les Illustrations de Gaule et Singularitez de Troye de Jean Lemaire de Belges,* Droz, 1976 (sur la composition et les éditions du texte); P. Jodogne, *Jean Lemaire, écrivain franco-bourguignon,* Bruxelles, Palais des Académies, 1972 (dernier état des connaissances sur l'auteur).

On trouve beaucoup de renseignements sur les œuvres de Jean Lemaire dans J. Seznec, *la Survivance des dieux antiques,* Londres, 1940, Paris, Flammarion, 1980; F. Joukovsky, *la Gloire chez les poètes... de la Renaissance,* Droz, 1969; P. Zumthor, *le Masque et la lumière,* Paris, Le Seuil, 1978 (Jean Lemaire et les Rhétoriqueurs). Le même auteur a donné des morceaux choisis de Jean Lemaire dans *Anthologie des grands rhétoriqueurs,* Paris, « 10/18 », 1978.

De nombreux articles ont paru sur Jean Lemaire, notamment de J. Frappier, P. Jodogne, J. McClelland, etc.

M.-M.FONTAINE

LEMELIN Roger (né en 1919). V. QUÉBEC (littérature du).

LEMERCIER Louis Jean Népomucène (1771-1840). Critique, poète et dramaturge, sa notoriété semble attachée à la bizarrerie plus qu'au talent. Il passa le plus clair de son temps à brandir l'anathème contre Chateaubriand, Hugo et Lamartine. Pourtant, la bataille d'*Hernani* ne sera qu'une mince échauffourée comparée au déchaînement qui accompagna en 1809 le *Christophe Colomb* de Lemercier : à la deuxième représentation, on déplorait déjà un mort; la troupe dut veiller dans la salle jusqu'à ce que la pièce fût retirée de l'affiche. La nouveauté d'un théâtre faisant fi des unités, donnant essor à une versification hardie par le mélange des registres, choqua les esprits férus de tradition classique autant que les accents libertaires de l'œuvre hérissèrent la censure impériale. Lemercier n'en était pas à son coup d'essai. Dès 1797, *Agamemnon,* tragédie à l'antique dans la manière de Crébillon et de Voltaire, flétrissait bien frondeusement le régicide. Ayant intensément vécu l'exaltation de 1789, Lemercier embouche tout naturellement la trompette du drame historique. Mais plus encore qu'un brûlot contre les conventions littéraires, *Pinto* (1800) demeure l'expression d'un écrivain soucieux de manifester son indépendance à l'égard du pouvoir; Brumaire est à peine passé que le héros, chef de conjurés, déclame contre les tyrans « dangereux pour la république ». L'Empire s'acharnera tout particulièrement sur Lemercier, qui « eut en dix ans cinq grands drames tués sous lui » (Hugo). *Richelieu ou la Journée des Dupes,* pièce écrite en 1804, ne sera jouée qu'en 1835; *la Démence de Charles VI* (1820) n'agréera pas davantage aux autorités de la Restauration.

Lemercier aurait donc quelques raisons d'apparaître comme un fourrier du romantisme. N'offre-t-il pas d'ailleurs à la muse épique *l'Atlantiade* (1812), *la Mérovéide* (1818) ou la *Panhypocrisiade* (1819), poèmes pleins de bruit et de fureur et dans lesquels palpite l'influence de Dante ou de Milton?

Force est de constater qu'il reste connu, au contraire, comme un des plus farouches opposants à l'école romantique, nonobstant ses vociférations de dramaturge et de poète. Depuis 1811, il professe à l'Athénée une totale soumission à Aristote. « La comédie a vingt-deux conditions à remplir, le poème épique vingt-trois, et la tragédie vingt-six », affirme-t-il dans son *Cours analytique de littérature générale* (1820). Il foudroie tour à tour ses deux grands ennemis : Chateaubriand, d'abord, dont il condamne (devant l'Académie, qui l'a élu en 1810) le *Génie du christianisme,* prêchant que « ce n'est point le caractère de la grande imagination que de chercher ses ressources dans les transports du délire » et concluant que l'ouvrage « mérite notre blâme, parce qu'il n'est point fondé sur le bon sens »; il contribue ainsi à mettre en place les principes que soutiendront jusqu'au bout les adversaires du romantisme. Hugo, ensuite, qu'il n'hésite pas à clouer au pilori dans une parodie mélodramatique, *Caïn, ou le premier meurtre* (1827) : « Avec impunité les Hugo font des vers! »

Nul n'est dupe, cependant, et, quand le *Globe* rend compte d'une brochure de Lemercier, *Remarques sur les bonnes et les mauvaises innovations* (1825), un journaliste résume ironiquement : « Les bonnes innovations sont celles que j'ai faites et les mauvaises celles que les autres voudraient faire ». L'écrivain a beau refuser toute parenté avec les romantiques, la tradition lui rétorque : « La nouvelle langue qui s'est introduite au théâtre procède directement du style dans lequel Lemercier écrit son *Richelieu,* et cette poésie brisée, dure, incorrecte et sans rythme, contre laquelle notre auteur se révoltait lui-même, n'est que l'exagération de la forme qu'il avait adoptée dans un grand nombre de ses ouvrages ». Son parti le rejette, ses ennemis ne le reconnaissent pas davantage. En 1841, Victor Hugo, élu au fauteuil de Lemercier, lequel lui avait longtemps interdit l'accès de la Coupole, adressa à son prédécesseur cet hommage posthume et empoisonné : « Ombrageux et sans cesse prêt à se cabrer, plein d'une haine secrète et souvent vaillante contre tout ce qui tend à dominer, il paraissait avoir mis autant d'amour-propre à se tenir toujours de plusieurs années en arrière des événements que d'autres en mettent à se précipiter en avant ».

Lemercier reste l'auteur de quelques vers d'une belle facture néo-racinienne : « Du crime ainsi toujours le crime ouvre la route » (*Agamemnon*). Mais quand il lâche la bride à son imagination pour écrire *Frédégonde et Brunehaut* (1821), c'est aussitôt pour abriter frileusement cette pièce sous l'appellation de « tragédie ». Il ne consent que timidement à parler de « drame historique » pour *Richard III et Jeanne Shore* (1824). Sans doute a-t-il manqué à Lemercier l'aptitude à raisonner ses délires. Non pour y couper court, mais pour y suivre au plus profond les voies d'une déraison dans laquelle la littérature s'apprêtait à faire de nouvelles découvertes. [Voir aussi CONSERVATEUR LITTÉRAIRE].

BIBLIOGRAPHIE

Éd. critique de *Pinto ou la Journée d'une conspiration,* par N. Perry, Univ. of Exeter, 1976.

A consulter. — L.G. Rousseau, *le « Pinto » de Lemercier et la censure,* Mayenne, Floch, 1958.

D. GIOVACCHINI

LEMIERRE Antoine Marin (1723-1793). Antoine Marin Lemierre fut justement estimé par ses contemporains, autant comme poète que comme auteur tragique. Né à Paris dans un milieu fort modeste, il fit des études solides et devint professeur. Puis il entra comme secrétaire chez le riche fermier général Dupin. Il débuta dans la poésie (1753-1757) avant de composer des tragédies. *Hypermnestre* (1758) remporta un succès honorable. Il donna alors *Térée* (1761), *Idoménée* (1764), *Artaxerxe* (1766), *Guillaume Tell* (1766) et *la Veuve du Malabar* (1770). Ces deux dernières pièces, reçues froidement à leur création, furent accueillies avec enthousiasme à leur reprise. C'est que Lemierre y avait entre-temps ajouté ce que l'on appellerait aujourd'hui des effets de mise en scène. Le public, dont le goût évoluait sous l'influence de l'opéra et du théâtre forain, boudait le Théâtre-Français, qui, à cette occasion, sut s'adapter à ces nouvelles exigences. A la reprise, en 1780, de la *Veuve du Malabar,* on offrit en effet au public le spectacle d'un bûcher en flammes; les acteurs évoluaient dans des costumes exotiques somptueux. Le succès, en 1786, de *Guillaume Tell* fut encore plus grand. Lemierre avait substitué au traditionnel récit tragique la représentation sur la scène de l'événement pathétique : dans cette nouvelle version, on voit Guillaume Tell tirer une flèche dans la pomme placée sur la tête de son fils. L'introduction de la couleur locale dans la tragédie et cette évolution de Lemierre vers le spectaculaire sont tout à fait caractéristiques des transformations de la scène française au XVIIIe siècle.

Les thèmes traités et les sujets des tragédies de Lemierre témoignent de même de l'évolution du genre sérieux après le milieu du siècle. La dénonciation du fanatisme dans *la Veuve du Malabar,* l'idéologie anticléricale de la pièce (dont le sujet est tiré de *l'Essai sur les mœurs*) montrent l'influence déterminante de Voltaire.

Le patriotisme républicain apparaît dès les premières tragédies de Lemierre. « Barnevelt, c'est la liberté attaquée; Guillaume Tell, c'est la liberté conquise », écrit-il dans sa Préface à *Barnevelt* (1790). Dans tout ce théâtre, la liberté des citoyens est étroitement liée à celle de la patrie; ce qui n'empêche pas Lemierre de voir dans la colonisation une œuvre libératrice et civilisatrice. Pourtant, la Révolution, qu'il salua à son début en 1790, le remplit rapidement d'effroi, et on le décrit comme un homme hébété au moment de sa mort.

L'œuvre poétique de Lemierre offre un bon exemple de ce que fut la poésie académique dans ce siècle si peu « poétique ». Au début de sa carrière, il concourt pour les prix de l'Académie, qui le couronne quatre fois. Il donne des poèmes didactiques comme *le Commerce,* célèbre pour ce vers :

> Le trident de Neptune est le sceptre du monde.

Lemierre a le talent de la formule, à défaut d'inspiration dans le sujet ou de sens de la composition; il sait égayer ses recueils, que l'on a souvent dit « rocailleux », de petits vers badins à la manière de Gentil-Bernard. De *la Peinture* (1769) et des *Fastes* (1779) on peut retenir plusieurs passages qui se suffisent à eux-mêmes pour leur grâce et leur charme élégiaque. L'académisme des comparaisons mythologiques et des allégories est alors pénétré par les sentiments et les méditations d'un sage devant les beautés de la nature :

> Reine des nuits, l'amant devant toi vient rêver,
> Le sage réfléchir, le savant observer.
>
> (*les Fastes*)

Lemierre est là dans un courant poétique aujourd'hui méconnu, mais où l'on rencontrerait le La Fontaine d'*Adonis,* le Chénier des *Bucoliques* ou le Lamartine de certaines *Méditations.*

BIBLIOGRAPHIE

Seule *la Veuve du Malabar* est aujourd'hui facilement accessible dans *Théâtre du* XVIII*e siècle,* édition établie et annotée par J. Truchet, t. II, Paris, Gallimard, 1974; *Œuvres,* précédées d'une notice par René Perrin, Paris, Maugeret, 3 vol., 1810.

A consulter. — H.C. Lancaster, *French Tragedy in the Time of Louis XV and Voltaire,* Baltimore, J. Hopkins Press, 1950, et *French Tragedy in the Time of Louis XVI and the Early Years of the French Revolution,* Baltimore, J. Hopkins Press, 1953; Hans Wienhold, *Lemierres Tragödien,* Leipzig, 1905; E. Faguet, « Lemierre », t. IX de l'*Histoire de la poésie française,* Paris, 1935.

P. FRANTZ

LEMONNIER Camille (1844-1913). V. BELGIQUE. Littérature d'expression française.

LE MOYNE Pierre (1602-1671). Pierre Le Moyne était issu d'une famille de noblesse d'office provinciale : son père était administrateur du grenier à sel de Chaumont et avait en outre une charge de valet de chambre du roi; un de ses oncles, chanoine, fut son parrain et veilla sur ses études. Il entra dans la Compagnie de Jésus en 1619, devint professeur de grammaire, puis de théologie, dans divers collèges. Il était aussi prédicateur. En 1639, il fut nommé au collège de Clermont, à Paris, et il se fit connaître dans le monde littéraire à partir de ce moment. Son œuvre, abondante, comprend aussi bien des lettres en vers dédiées à des dames que des *Peintures morales* (1640) ou un traité de *la Dévotion aisée* (1652), que Pascal éreinta dans les *Provinciales* (Le Moyne fut, lui, un pamphlétaire actif contre les jansénistes, notamment dans son *Étrille du Pégase janséniste*). En 1653, il donna un *Saint-Louis,* épopée chrétienne : ce genre était alors en vogue, sans qu'aucun des poèmes qui en relèvent apparaisse comme une grande réussite.

Pierre Le Moyne affectionne les expressions recherchées et emphatiques, les tournures de pensée paradoxales. Son œuvre illustre les tendances esthétiques baroques de la Contre-Réforme. Elle affirme une vision du monde optimiste, confiante dans la bonté divine et la nature humaine, et faisant place au plaisir et au goût de vivre. Elle légitime, notamment, les « affections honnêtes et naturelles », pourvu qu'elles soient « justes et modérées » et perçues comme un don de Dieu (*Peintures morales*).

BIBLIOGRAPHIE

H. Chérot, *Études sur la vie et les œuvres de P. Le Moyne,* Paris, Picard, 1887 (thèse).

A. VIALA

LEMSINE Aïcha. V. MAGHREB. Littérature d'expression française.

LE NOBLE Eustache (1643-1711). A la fin du XVIIe siècle, maints poètes (et maintes poétesses) menèrent des vies d'aventuriers. Eustache Le Noble, « baron de Saint-Georges » (il signe parfois LE NOBLE TENELIÈRE), naquit à Troyes. Il fut d'abord procureur général au parlement de Metz. Son goût des plaisirs le ruina, et il dut vendre sa charge pour payer ses dettes. Accusé de faux, il fut incarcéré; il s'évada avec une détenue, Gabrielle Perrau, parvint pendant plusieurs années à se cacher, fut enfin repris et à nouveau emprisonné.

Durant ses années de captivité, puis plus tard, quand il eut été libéré, il produisit une œuvre énorme, obéissant à toutes les commandes des librairies. Il gagna ainsi beaucoup d'argent, mais il le dépensa allégrement et mourut dans la misère.

Ce n'est pas seulement aux libraires qu'il vendit son talent. Il l'employa souvent au service du roi. Il fut l'un de ces plumitifs infatigables que la France opposa, au temps de la ligue d'Augsbourg, aux plumitifs d'Amsterdam et de Londres. Entre autres ouvrages de commande composés alors par Le Noble, on peut citer : l'*Histoire de l'établissement de la République de Hollande* (1689), où l'auteur démontre que les Provinces-Unies, qui doivent tant à Henri IV et à la France, ont payé ces bienfaits d'ingratitude; la *Relation de l'État de Gennes* (1685), qui explique que cette ville devrait faire partie du royaume de Louis XIV; *le Cibisme* (1688), dialogue satirique contre les ultramontains et le pape Innocent XI; *la Pierre de touche politique* (1690), où est longuement défendue l'action de la France en 1690; les *Travaux d'Hercule* (1692-1694), consacrés à glorifier Louis XIV et ses armées; le poème de *l'Hérésie détruite* (1686), qui célèbre la révocation de l'édit de Nantes.

Mais Le Noble s'intéressait à bien d'autres sujets; il traduisit les psaumes de David, les satires d'Horace et celles de Perse; il écrivit des fables et des contes dans le goût de La Fontaine, des nouvelles historiques, qui rappellent celles de Mme de Villedieu et Mme de Lafayette; dans ses *Promenades,* il peint, avec un réalisme et une finesse qui évoquent à la fois Donneau de Visé et le Marivaux des romans, la vie de province (les juges de Quimper, les médecins d'Auxerre) et ses imbroglios sentimentaux. Enfin, il composa un long ouvrage didactique, *Uranie ou les Tableaux des philosophes* (1694-1697) : il y explique la philosophie antique et la philosophie moderne (Gassendi et Descartes); il y expose enfin sa foi dans l'astrologie, dont il développe longuement les principes et la valeur.

Cette œuvre immense n'est à aucun moment négligée. Si la pensée est souvent gauche, la prose est ferme et, quel que soit le sujet traité, claire et vigoureuse. Le Noble mérite l'éloge de Bayle, qui lui reconnut « infiniment d'esprit et beaucoup de lecture; il sait traiter une matière galamment, cavalièrement; il connaît l'ancienne et la nouvelle philosophie... ».

BIBLIOGRAPHIE

Stéphane Mangeot, « Eustache Le Noble, procureur général au Parlement de Metz (1672-1682), aventurier et homme de lettres », *Mémoires de l'Académie de Metz*, t. CXV, 1934; Jeanne Anne Louvegnies Foreman, « Le Noble témoin de son temps », *Dissertation Abstracts*, 1970-1971, thèse, univ. du Colorado; Andrée Mansau, « le Noble Témoin de son temps », *Marseille*, n° 101, 1975.

A. NIDERST

LENORMAND Henri-René (1882-1951). Après des études de lettres à la Sorbonne, Lenormand donne au Grand-Guignol un drame : *la Folie blanche* (1905). Dès lors, il se consacre surtout au théâtre, mais il n'atteint à la véritable notoriété qu'en 1919 avec *Le temps est un songe*, pièce interprétée par la compagnie Pitoëff, qui, par la suite, montera presque toute son œuvre. Il a d'ailleurs consacré à cette troupe un ouvrage très attachant : *les Pitoëff* (Paris, 1943). Citons, parmi les pièces les plus intéressantes de Lenormand : *les Ratés* (1919), *le Simoun* (1920), *le Mangeur de rêves* (1923), *le Lâche* (1925), *Mixture* (1927), *la Maison des remparts* et *Terre de Satan* (1942).

« J'ai voulu, a écrit Lenormand, en finir avec l'homme des périodes classiques [...]. Je l'ai livré, ce héros cartésien totalement analysable, aux puissances dissolvantes de son inconscient ». L'entreprise était originale, et elle venait à son heure puisque les théories de Freud commençaient à se répandre en France. De fait, Lenormand s'attache à étudier des personnages morbides, en plein désarroi intérieur, des « cas » pathologiques. « Il me semble qu'il y a un charnier dans ma pensée », dit Laurency, le père incestueux du *Simoun*, « un tas d'immondices d'où monte la même puanteur ». Une espèce de fatalité organique, qui précipite inexorablement les héros vers leur destin, confère à ces pièces un climat de tragédie antique (ainsi dans *le Lâche*).

Pour rendre plus lourde l'atmosphère de ses drames, l'auteur les situe dans des décors soigneusement choisis : brumes de Hollande, cimes neigeuses de la Suisse, climat débilitant du désert africain... Enfin, il révolutionne la technique dramatique traditionnelle en découpant ses pièces en tableaux, qui révèlent la progression de la déchéance chez ses personnages.

Lenormand, célèbre pendant l'entre-deux-guerres, est aujourd'hui oublié. La « hardiesse » de ses sujets semble maintenant très sage, et l'auteur d'avant-garde apparaît plutôt aujourd'hui comme un héritier du Théâtre-Libre. On relira cependant avec un vif intérêt ses *Confessions d'un auteur dramatique* (1949-1953), précieux témoignage sur la vie théâtrale en France au cours de la première moitié de ce siècle.

BIBLIOGRAPHIE

Daniel-Rops, « Sur le théâtre de H.-R. Lenormand », Paris, *Cahiers libres*, 1926; Paul Blanchart, *le Théâtre de H.-R. Lenormand, apocalypse d'une Société*, Paris, Masques, 1947; Serge Radine, *Anouilh, Lenormand, Salacrou, trois dramaturges à la recherche de la vérité*, Éd. des Trois Collines, 1951; Jacqueline Jomaron, « Lenormand mis en scène par Pitoëff », dans *les Voies de la création théâtrale*, vol. VII, Paris, C.N.R.S., 1979.

F. MOUREAU

LÉONARD Nicolas Germain (1744-1793). Né à la Guadeloupe, Léonard vint très jeune en France, mais il garda, plus que Parny, la nostalgie des tropiques. Ses *Idylles morales* (1766) trahissent l'influence des *Idylles* de Gessner traduites en 1762 par Huber; mais l'imitation gracieuse des anciens (Sapho, Bion, Moschus, Tibulle, Properce...) y voisine avec celle des Anglais (*le Village détruit* de Goldsmith), pour relever la fadeur ordinaire de la veine idyllique, et composer des tableaux charmants. Secrétaire de légation et chargé d'affaires à Liège (1773-1783), Léonard repart ensuite pour la Guadeloupe, où il exercera diverses fonctions officielles (1784-1792) : au fil des ans, il sème de légers ouvrages; dans *la Nouvelle Clémentine* (1774), roman autobiographique, il raconte ses amours malheureuses avec une jeune fille que lui arrache une mère intéressée : l'aimée perd la raison et meurt, laissant l'amant inconsolable. Les *Lettres de deux amants de Lyon* (1783) développent cette veine plaintive, et demeurent un des romans sentimentaux les plus représentatifs du goût Louis XVI. *Les Saisons* (1787) entrelacent confidence et description à la Thomson, avec plus de délicatesse que de force; esquisses et impressions se closent sur l'évocation du poète solitaire :

> Errant sur les tombeaux de ceux que j'ai perdus,
> Délaissé maintenant, et plein de leur image,
> Je traverse le monde où je ne les vois plus,
> Et je confie aux bois mes regrets superflus,
> Comme le tourtereau qui gémit sous l'ombrage.

Cette mélancolie élégiaque baigne toute une œuvre où de nombreuses pièces, réalistes ou allégoriques, atteignent à une pure et limpide élégance, à une simplicité raffinée (le lecteur en oublie les conventions de l'écriture néoclassique, le recours à la mythologie et à la périphrase); la nostalgie de la patrie lointaine et la blessure d'amour confèrent au chant de Léonard une vibration douloureuse, et ajoutent à la perfection formelle une résonance de tendresse émue et frémissante unique en cette fin du XVIIIe siècle.

BIBLIOGRAPHIE

Édition. — *Idylles et Poèmes champêtres choisis et précédés d'une introduction*, par Émile Henriot, Paris, Nansot, 1910.

A consulter. — W.M. Kerby, *the Life, Diplomatic Career and Literary Activities of N.G. Léonard*, Paris, Champion, 1925; Sainte-Beuve, *Œuvres*, Paris, Gallimard, La Pléiade, t. II, 1956-1960, « Léonard » (1834); H.A. Stavan, « l'Amour dans la poésie personnelle de quelques auteurs de la fin du XVIIIe siècle », *Studi francesi*, XVI, 1972, et « le Lyrisme dans la poésie française, 1760-1820 », *Revue des sciences humaines*, XXXVIII, 1973.

D. MADELÉNAT

LE PAYS René (1634-1690). Né à Fougères, éduqué par les jésuites au collège de La Flèche, René Le Pays fut, dès sa jeunesse, attaché à Mazarin, qu'il suivit à Saint-Jean-de-Luz lors des négociations franco-espagnoles de 1659; il voyagea ensuite en Angleterre et en Hollande, puis se fixa à Grenoble, où il obtint la charge d'« attaché aux deniers des gabelles de Provence et du Dauphiné ».

Il avait publié en 1658 *le Violon marquis*, mais ses œuvres les plus importantes datent de son séjour à Grenoble : *Amitiez, amours et amourettes* (1664), *Portrait de M. Le Pays*, adressé à la duchesse de Nemours, qui le lui avait demandé (1665), *Zélotyde, histoire galante* (1666), *Nouvelles Œuvres* (1672). La fin de sa vie fut attristée par un procès : condamné pour malversation en 1686, il obtint sa réhabilitation en 1689.

Comme la plupart des officiers du roi, Le Pays avait des commis qui travaillaient sous lui, et il occupait ses loisirs à des mondanités. Protégé par la duchesse de Nemours et par le duc de Savoie, il avait de nombreux amis à Grenoble, à Paris et ailleurs — et ce sont les lettres qu'il leur adresse qui composent l'essentiel de ses publications. Ces lettres traitent parfois de sujets importants, en tout cas intéressants — la paix des Pyrénées, la « relation d'un voyage de Hollande », la « relation d'un voyage d'Angleterre », une description de Grenoble... Le plus souvent, ce sont des bagatelles — envois de vers galants, récits de conversations, grivoiseries. Le financier du roi ne s'occupe, semble-t-il, que d'amours, ou plutôt d'amourettes. Trissotin n'est pas loin, car ces « riens » sont entortillés d'un perpétuel humour, d'un « bel esprit », qui devient vite irritant. Il y a finalement peu à dire de ces mondanités de province sous Louis XIV, où se lisent un constant effort pour plaisanter et sourire, et une morale épicurienne un peu facile : « Pendant que vous estes jeune, usez des privileges de la jeunesse et ne vous embarrassez point par avance d'une vertu qu'à la fin vous trouverez incommode... ».

BIBLIOGRAPHIE

Paul Morillot, *Un bel esprit de province au XVIIe siècle, René Le Pays, directeur des gabelles en Dauphiné,* Grenoble, 1890; Joh. Igel, *Le Pays, sein Leben und sein Werk,* Erlangen, 1919; Gabriel Rémy, *Un précieux de province au XVIIe siècle, René Le Pays,* Paris, 1925; Maurice Cagnon, « *Zélotyde,* un roman négligé du XVIIe siècle », *XVIIe Siècle,* 1968; articles de Jean-Pierre Collinet, dans *Recherches et travaux de l'université de Grenoble,* mars 1971, *Marseille,* n° 101, 1975, et le *Bulletin mensuel de l'Académie delphinoise,* mai 1975.

A. NIDERST

LE PETIT Claude (1638-1662). Claude Le Petit fut supplicié en place de Grève, à l'âge de vingt-trois ans : il eut la main droite coupée et brûla sur le bûcher. Comme Théophile de Viau quarante ans plus tôt, il fut condamné pour avoir écrit des vers hostiles au pouvoir et surtout à la religion. Cette condamnation était sans doute destinée à faire un exemple, pour effrayer les écrivains « impies » et punir leur « licence effrénée » — selon les propres termes du lieutenant civil. C'est qu'à cette date circulaient nombre de libelles hostiles à Louis XIV et au nouveau ministère. Les œuvres de Le Petit, jeune avocat d'origine normande, témoignent d'audaces certaines. Le *Bordel des Muses* contient des stances obscènes. *L'Heure du berger, roman demi-comique* (1662) est un récit licencieux. Le *Paris ridicule* (1668, posth.) donne un tableau de la ville, des monuments et des scènes de rue dans la lignée des descriptions plaisantes de la capitale qui abondaient alors; les allusions critiques contre le pouvoir y sont nombreuses, et les jésuites y sont directement attaqués. Le Petit était libertin et athée; mais ses écrits ne sont pas d'une impiété militante. Il fut poursuivi (à l'instigation du clergé) et condamné alors même que la police ne parvenait pas à découvrir les auteurs de libelles politiques autrement virulents. Sa poésie relève du burlesque comme forme satirique; ses thèmes sont traditionnels, mais il a de la verve et le sens de l'image : ainsi, décrivant un « poète crotté » — sujet des plus éculés —, il le montre

Envisager chacun d'un œil hagard et louche
Et, mâchant dans les dents quelque terme farouche,
Se ronger jusqu'au sang la corne de ses doigts.

Ses poèmes, ainsi que les circonstances exactes de sa condamnation, mériteraient un nouvel examen.

BIBLIOGRAPHIE

L'étude de F. Lachèvre, *Claude Le Petit et la Muse de la Cour,* Paris, 1922, n'a pas encore été remplacée. A consulter aussi, du même : *le Libertinage au XVIIe siècle,* Paris, Champion, 1918, t. V.

A. VIALA

LE POITTEVIN Alfred (1816-1848). Oncle posthume de Guy de Maupassant (sa sœur, Laure Le Poittevin, épousa Gustave de Maupassant), Alfred Le Poittevin fut un ami d'enfance très proche de Flaubert : ce juriste malgré lui, poète, philosophe, lecteur fervent de Spinoza, mais aussi de Kant, de Hegel et des philosophes antiques, exerça une influence certaine sur la formation du futur auteur de *la Tentation de saint Antoine.*

Mais les écrits de Le Poittevin, restés longtemps inédits, valent par eux seuls qu'on s'y arrête : à côté de poésies diverses, empreintes d'une vision désabusée du monde, Le Poittevin a laissé un conte philosophique, *Une promenade de Bélial,* commencé en 1845, interrompu, puis repris en 1848, sans être, semble-t-il, complètement achevé. Dans le genre du *Diable boiteux* et du *Diable amoureux,* sans complaisance pour le merveilleux, ce dialogue à trois personnages (Bélial, le duc et la duchesse de Préval) est un prétexte à discussions métaphysiques sur le devenir des êtres. La visite guidée, l'espace d'une nuit, par Bélial, est alors l'occasion de développer une interprétation évolutionniste de la nature, liée à la réincarnation des âmes : « L'heure approche où l'animal, laissant à la terre sa dépouille, va s'élever à la pensée humaine et à la parole qui la communique ».

BIBLIOGRAPHIE

Une promenade de Bélial et œuvres inédites, précédées d'une introduction sur la vie et le caractère d'Alfred Le Poittevin par René Descharmes, Paris, les Presses françaises, « Bibliothèque romantique », 1924.

A. PIERROT

LEPRINCE DE BEAUMONT Jeanne-Marie (1711-1780). Née à Rouen, sœur du peintre Jean-Baptiste Leprince, elle fit un mariage malheureux (1743) puis partit pour l'Angleterre en 1745, où elle demeura dix-sept ans, travailla comme gouvernante et se remaria. Elle se rendit en Suisse en 1764, et y demeura jusqu'à sa mort, laissant des dizaines d'ouvrages pour enfants, dont de nombreux recueils de contes : *le Nouveau Magasin français* (1750) et *le Magasin des enfants* « ou dialogue d'une sage gouvernante avec ses élèves » (1758), tous deux publiés à Londres et en France; des *Instructions pour les jeunes dames qui entrent dans le monde* (1764); des romans, *la Nouvelle Clarice* (1767) et *la Double Alliance* (1772); enfin des recueils de *Contes moraux* (1774, 1776). Moraliste avant toute chose, elle institua le modèle du conte pédagogique où l'intrigue féerique n'est que prétexte à un discours sentencieux dans lequel se mêlent les préceptes de la religion et les quelques « clartés » élémentaires que doit recevoir un enfant bien né. Souvent la féerie disparaît tout à fait, et le « conte » n'est plus qu'une histoire sans action dont l'éducatrice organise les menus événements selon le modèle de l'échange pédagogique illustré par l'*Émile* de Rousseau. « L'imagination et la sensibilité ne sont plus considérées comme une fin en soi, mais comme le moyen qu'une sage gouvernante emploie pour mieux faire avaler le savoir » (Paul Hazard).

Pourtant, si « la Belle et la Bête », qui reste son conte le plus connu, n'est en fait que le résumé d'un texte original dû à Mme Barbot de Villeneuve, d'autres contes (« Gracieux », « le Prince chéri », « le Prince Falal » et « Fortuné »), constamment réédités, témoignent d'une réelle fraîcheur d'imagination et d'écriture. Mais ce sont ses derniers contes, d'un caractère plus poétique et élégiaque, écrits en exil, qui méritent surtout dans l'histoire littéraire du XVIIIe siècle de retenir l'attention. Ils annoncent le genre du conte romantique, que Nodier portera à sa perfection. Rousseau féminin sans génie, Marie Leprince de Beaumont connut une immense popularité. La majeure partie de son œuvre, didactique, moralisante ou à prétention scientifique, a constitué pendant un siècle le vade-mecum de la parfaite éducatrice.

BIBLIOGRAPHIE

Contes de fées par Perrault, Mme d'Aulnoy, Mme Leprince de Beaumont, Paris, Seghers, 1978.

A consulter. — P. Hazard, *les Livres, les enfants et les hommes,* Paris, Boivin, 1949; M.A. Reynaud, *Mme Leprince de Beaumont,* Lyon, l'auteur, 1971.

A. LE PICHON

LE QUINTREC Charles (né en 1926). Né à Plescop (Morbihan), fils d'agriculteur, Charles Le Quintrec connaît une enfance très pauvre. Il poursuit ses études à l'école communale de Plescop, puis au lycée Jules-Simon de Vannes; il découvre alors la poésie moderne. Bachelier, il travaille comme employé de banque, avant de se rendre à Paris, en 1948 : là, il entreprend une carrière de journaliste, collaborant à de nombreux quotidiens et magazines : *la Bretagne,* de 1955 à 1957; *Ouest-France,* en 1958; puis *le Figaro littéraire, Combat, la Revue des deux mondes.* Simultanément, il inaugure sa production poétique en 1953 avec *les Temps obscurs,* que suivent *les Noces de la terre* (1955), *la Lampe du corps* (1962). En 1959, il publie son premier roman, *les Chemins de Kergrist*; depuis lors, recueils poétiques et romans de ce Breton toujours fixé à Paris se sont succédé régulièrement; plusieurs ont été consacrés par des prix littéraires (prix Max-Jacob, en 1958; prix international de la Poésie, en 1970).

Le sentiment de l'exil, la haine systématique de la « Ville » (*le Mur d'en face,* 1965, *la Ville en loques,* 1972), la quête d'une Bretagne pauvre, idéale et mystique (*les Chemins de Kergrist, Pain perdu,* 1974) sont les grands thèmes que Le Quintrec traite, parfois de façon un peu dogmatique, dans ses romans. Ses héros, souvent des adolescents errants et déchirés entre deux mondes (la Ville, le pays natal), partent en quête de leur pureté passée et de leur identité, avant d'accepter l'insertion dans la société. La vie, que Le Quintrec se plaît à représenter par le symbole bien connu de la route et du voyage, est un long itinéraire d'introspection : « La route [...] m'obligeait au regard du dedans, me vouait à moi-même » (*le Chemin noir,* 1968).

Moins soucieuse que les romans de signifier à tout prix, plus originale que les essais, la poésie de Le Quintrec révèle sa fascination pour le verbe; « Je suis le paysan des mots en leur palais... ». « Un mot suffit, et c'est une alouette » (*Stances du verbe amour,* 1966); dans cet univers qui, d'année en année, fait la part moins belle à la phrase, le mot n'exprime pas seulement le Sens de la Vie, il « est » la Vie. Et, pour le chrétien qu'est Le Quintrec, c'est Dieu que l'on nomme en désignant toute chose : « La messe est dedans les mots de la mer ». Ainsi, lointain successeur d'Empédocle, Le Quintrec découvre dans le langage poétique la présence de l'Être : derrière la saveur du verbe se cache la Vérité du monde.

BIBLIOGRAPHIE

Robert Lohro, *Le Quintrec, choix de poèmes,* Paris, Seghers, 1971, résume les différentes tendances de l'écriture de Le Quintrec.

J.-P. DAMOUR

LERMINA Jules Hippolyte (1839-1915). V. ROMAN POLICIER.

LE ROUGE Gustave (1867-1938). Gustave Le Rouge est né à Valognes (Manche). Il mena une tumultueuse carrière de polygraphe qui lui permit de fréquenter les milieux de la bohème littéraire; il compta de nombreux amis parmi les poètes symbolistes (cf. son recueil de souvenirs *Verlainiens et décadents,* 1928).

Gustave Le Rouge est entré dans la légende, moins pour son œuvre littéraire, au style inégal, que pour ce que sa vie d'écrivain timide et marginal, surexploité par ses éditeurs, pouvait symboliser : entre l'engouement des surréalistes pour l'infra-littérature et le snobisme d'intellectuels en quête de valeurs non officielles, Le Rouge eut tôt fait d'incarner une sorte de « génie méconnu » tout en étant énormément lu, tant en France qu'à l'étranger. Se désistant systématiquement de ses droits d'auteur, Le Rouge est en effet perçu comme un martyr des systèmes modernes de l'édition capitaliste.

Outre une importante œuvre de « nègre », Gustave Le Rouge a surtout laissé de « dramatiques romans d'amour », ancêtres du photoroman, empreints d'un romantisme désuet (*le Mystère de Blocqueval,* 1929, *Un drame sous-marin,* 1931, *les Écumeurs de la pampa,* 1933), et les fameux feuilletons de la série du « Mystérieux Docteur Cornélius » (1918-1929). Fidèle aux lois du genre, il y multiplie péripéties rocambolesques, bric-à-brac moderniste (assassinats par électrocution...), invraisemblances psychologiques : les nécessités de l'intrigue priment la qualité de l'écriture.

B. VALETTE

LEROUX Gaston (1868-1927). Si grand que soit le renom de Rouletabille, il n'a cependant jamais éclipsé celui de son « père spirituel » : Gaston Leroux. Cet énorme (dans tous les sens du mot) auteur, faux Méridional de naissance parisienne et de souche normande — comme Marcel Allain et Maurice Leblanc —, commence sa carrière par de faciles études de droit et par trois années de barreau avant de se lancer dans le journalisme, d'abord à *l'Écho de Paris,* puis au *Matin,* où ses chroniques sont très suivies. Reporter aventureux, il sillonne le monde, de 1894 à 1906, avec une inlassable curiosité, et rapporte de ces pérégrinations de passionnants articles, notamment sur la Révolution russe de 1905. Brouillé avec le puissant Bunau-Varilla, magnat de la presse et directeur du *Matin,* il se « reconvertit », comme nous dirions aujourd'hui, dans la littérature et, à partir de 1907, devient le fécond producteur d'une quantité de romans, qui tiennent tantôt du roman policier, tantôt du roman d'aventures. *Le Mystère de la chambre jaune* paraît dans le supplément de *l'Illustration* du 7 septembre 1907 et marque (si l'on excepte un premier roman paru en 1903, *la Double Vie de Théophraste Longuet*) le début d'une longue série de succès, qui ne se termine qu'à la mort prématurée de Gaston Leroux, à Nice.

Un truculent personnage

Gaston Leroux, c'est la passion de vivre dans l'instant, de goûter à tout moment, dans une extase gourmande, la plénitude de l'existence, en faisant preuve d'un appétit gargantuesque et d'un équilibre hugolien. Une obésité sans complexe et le charme d'un éternel gamin s'allient étroitement en lui et font de cet écrivain quelque peu dédaigné par les « grands » un créateur étonnamment puissant et libre par rapport aux modes de son temps. Grand flambeur de casino, père généreux et adoré de ses enfants, époux à la fois amoureux et volage, d'un esprit rigoureux et d'une imagination débridée, il est lui-même un surprenant personnage de roman, ou mieux, de pièce héroï-comique. Sceptique et d'un « apolitisme » plein d'ironie, il est passionné de justice et, à la manière de Voltaire, s'étonne devant une justice qui pratique le « deux poids, deux mesures ». Gourmet épris des bonnes tables de Paris et de Nice, éclatant d'une santé au moins apparente, il est obsédé et horrifié par la mort, qu'il conjure de toutes ses forces d'écriture. Amuseur et farceur de haute volée, il ne prend rien au sérieux, si ce n'est peut-être la tendresse. Poète, lettré — voire puriste de la langue —, il se passionne pour la technique, le progrès scientifique et tous les mystères du corps et de l'âme, en bon contemporain du docteur Alexis Carrel, qu'il cite fréquemment.

Aussi peut-on le considérer comme un événement à lui seul : il occupe le devant de la scène, et on ne peut l'effacer pour ne songer qu'à ses textes; il est là, plus que jamais là.

Une œuvre fraîche et polymorphe

L'année 1977 a été celle d'un retour en force de Gaston Leroux. Pour le cinquantenaire de sa mort, on a vu de petits éditeurs reprendre ses titres les plus oubliés (*Un homme dans la nuit, le Roi Mystère, les Mohicans de Babel*); Edgar Faure, auteur, sous le nom d'Edgar Sanday, de romans policiers, préfacer le recueil des *Histoires épouvantables;* Radio-France, organiser une grande exposition Gaston Leroux.

Cette flambée commémorative a un sens : celui d'un retour aux sources fraîches de la raison et de la peur. Usés, les vieux ressorts de la littérature populaire? Que non pas! Chaque génération prend plaisir à les faire jouer de nouveau, à remonter la belle mécanique. Cette machinerie prodigieuse qu'on voit fonctionner dans les deux premiers Rouletabille : *le Mystère de la chambre jaune* et *le Parfum de la dame en noir* (1907), et qui se transforme peu à peu, dans les volumes suivants, de moins en moins « policiers », en un tourbillon d'aventures folles et en même temps très proches des réalités politiques du temps (*Rouletabille chez le tsar,* 1913; *Rouletabille chez Krupp,* 1920).

Le cycle de *Chéri-Bibi* (5 volumes, parus de 1913 à 1925) n'est plus l'épopée de la raison raisonnante face aux mystères « impossibles », mais plutôt le délirant feuilleton de l'Innocence aux mains de boucher, persécutée par l'Erreur judiciaire aux mains d'étrangleuse; le conflit des pulsions de vie et de mort, les refoulements qui se libèrent dans une horreur joyeuse, à l'énormité rabelaisienne. Gaston Leroux, démiurge rigolard, se promène sur le fil d'un rasoir qui ne coupe plus, entre une belle rhétorique de l'épouvante (figures au complet) et l'amène vérité, qui ressemble souvent à une farce de carabin...

Même mélange d'amour et d'horreur, de tendresse et de sarcasme crématoire, dans des œuvres comme *la Poupée sanglante* (s.d.) et sa suite « logique » *la Machine à assassiner* (1923), dans les *Aventures effroyables de Herbert de Renich* (1917), dans *Tue-la-Mort* (1920) et tant d'autres chefs-d'œuvre tirés du placard de nos fantasmes éternels par ce magicien roublard, qui installe l'épouvante dans les lieux les plus sacrés, l'Opéra (*le Fantôme de l'Opéra,* 1910) ou l'Académie française (*le Fauteuil hanté*), qui s'amuse constamment à nous (à se) faire peur pour pouvoir, sitôt après, nous rassurer. N'est-ce pas la formule même du roman policier, selon ces grands spécialistes que sont Boileau-Narcejac? « Le roman policier est un récit où le raisonnement crée l'effroi qu'il est chargé d'apaiser » (Encyclopédie de la Pléiade, *Histoire des littératures,* t. III, p. 1659). D'après ce critère, Gaston Leroux est, à n'en pas douter, un auteur de romans policiers. Mais il est bien plus que cela : on est ici obligé de parler littérature — et style...

Les jugements portés sur le style de Leroux sont fort variables. En tout cas, on peut se demander pour quelle mystérieuse raison l'essentiel a échappé aux commentateurs, à savoir que Leroux est en pleine possession d'une écriture vigoureusement personnelle : si son vocabulaire est relativement conformiste, sa syntaxe, ses combinaisons narratives, son habileté à emmener le lecteur à sa suite, l'intelligence extraordinaire de ses « montages fictionnels » font de lui un auteur littéraire, dans la plénitude du terme. Il lui est simplement arrivé ce qui arrive à tous ceux qui ne se prennent pas au sérieux : on l'a pris au burlesque. Il mérite — et il obtient aujourd'hui — une relecture enthousiaste. [Voir aussi Roman policier].

Le Mystère de la chambre jaune. — Dans la propriété du Glandier, au sud de Paris, Mathilde Stangerson, collaboratrice de son père, physicien très connu, est victime d'une tentative (manquée) d'assassinat, vers minuit trente, le 25 octobre 1892, alors qu'elle repose dans la chambre jaune, pièce contiguë au laboratoire où travaille son père. Cette chambre est hermétiquement close de l'intérieur et nul n'a pu y pénétrer. Des comparses sont soupçonnés, arrêtés, puis relâchés, et l'enquête, menée par le grand policier Frédéric Larsan, piétine... C'est Rouletabille, jeune reporter, qui la fait avancer. Grâce au « bon bout de sa raison », il semble comprendre beaucoup plus de choses que les autres, ce qui lui permet de tendre un piège à l'assassin, qui doit revenir, et d'arriver de justesse à le mettre en fuite, non sans qu'une seconde tentative d'assassinat ait eu lieu. De lourds soupçons pèsent sur Robert Darzac, fiancé de Mathilde et qui partage la vie studieuse des Stangerson. Il est arrêté. Son procès commence. Rouletabille, qui était parti brusquement en voyage, réapparaît : il était allé chercher en Amérique les preuves de la culpabilité... de Frédéric Larsan. Celui-ci n'est autre que Ballmeyer, gangster dont s'était jadis éprise Mathilde et qu'elle avait épousé, puis quitté. Il cherchait en vain à la reconquérir et la persécutait de ses assiduités, allant jusqu'au crime passionnel. Quant au mystère de la chambre jaune, il s'explique, grâce à Rouletabille, naturellement : la tentative d'assassinat a eu lieu vers six heures du soir, sans que d'autres que l'assassin et sa victime s'en aperçoivent. Mathilde Stangerson, héroïquement, a dissimulé les traces de l'acte, mais, une fois endormie, en a rêvé, et c'est le bruit de son cauchemar, des meubles renversés, etc., qui a fait croire au professeur et à tout le monde que l'horrible chose s'est déroulée au milieu de la nuit. La preuve que Rouletabille a vu juste et tout expliqué : c'est la fuite de Larsan-Ballmeyer, qui a disparu sans attendre la fin du procès.

BIBLIOGRAPHIE

Antoinette Peské et Pierre Marty, *les Terribles,* Paris, Frédéric Chambriand, 1951; « Hommage à Gaston Leroux », *Bizarre,* n° 1, Paris, 1953; Jean-Claude Lamy, *le Vrai Rouletabille,* Biographie de Gaston Leroux, en préambule aux *Histoires épouvantables,* Paris, Nouvelles Éditions Baudinière, 1977; « Rouletabille », numéro spécial d'*Europe,* juin-juill. 1981.

J.-P. COLIN

LEROUX Pierre (1797-1871). A la fois comme philosophe et comme écrivain, Pierre Leroux commence seulement à susciter l'intérêt qu'il mérite. Celui qui fut tour à tour, et parfois simultanément, maçon, typographe, journaliste, publiciste, ce théoricien socialiste, cet inspirateur de George Sand a réalisé dans sa vie l'alliance des intellectuels et du peuple.

A son nom sont associés le journal *le Globe,* qu'il vend à Enfantin en 1830, *la Revue encyclopédique* (1831-1835), *la Revue indépendante,* fondée avec Sand en 1841; des articles littéraires (dont le célèbre « Du style symbolique », où il montre dans le style romantique un nouveau langage poétique qui doit « faire entendre au lieu de dire »); une traduction avec préface de *Werther* en 1839, les ouvrages *De l'égalité* (1838), *De l'humanité* (1840); la collaboration à *Consuelo* et à beaucoup d'autres productions sandiennes; la députation aux assemblées de la IIe République, où il défend les thèses socialistes; l'exil en 1851 et la fréquentation de Victor Hugo à Jersey, d'où sortira son chef-d'œuvre : *la Grève de Samarez* (1857).

Pierre Leroux ne peut être séparé de la constellation intellectuelle qui se forme autour du saint-simonisme, dont il est un dissident, de la foi dans le progrès de l'humanité (« Je ne suis pas un auteur, je suis un croyant ») et du socialisme français. Hugo le fait parler par le truchement d'Enjolras dans *les Misérables.* Ce gourou de George Sand prône une doctrine fondée sur « la nature humaine en nous », appuyée sur la solidarité autogestionnaire qui réalise la perfection d'une triade famille/propriété/patrie — les « trois modes nécessaires de la communion de l'homme avec ses semblables et avec la nature » —, la « liberté de tous et de chacun » conditionnant la « perfectibilité de la société ».

Cet apostolat d'un socialisme utopique, pour lequel l'évolution est la véritable révolution, à condition de prendre son destin en main, ne peut qu'interpeller notre époque. Ce n'est pas un hasard si les rééditions de Pierre Leroux se multiplient.

BIBLIOGRAPHIE
Œuvres. — *Œuvres,* 2 vol., fac-similé de l'édition de 1851, Genève, Slatkine Reprints, 1978; *Réfutation de l'éclectisme,* 1839, Genève, Slatkine Reprints, 1979; *Sept Discours sur la situation actuelle de la société et de l'esprit humain,* 1841, Slatkine Reprints, 1979.
A consulter. — Jean-Pierre Lacassagne, *Pierre Leroux/George Sand... Histoire d'une amitié d'après une correspondance inédite (1836-1866),* Klincksieck, 1973; Jean-Jacques Goblot, *Aux origines du socialisme français, Pierre Leroux et ses premiers écrits (1824-1830)* Lyon, Presses universitaires, 1978; Sarane Alexandrian, *le Socialisme romantique,* Le Seuil, 1979; Paul Bénichou, « la Dissidence saint-simonienne : Pierre Leroux », dans *le Temps des prophètes,* Gallimard, 1977; Jacques Viard, « Leroux ouvrier typographe, carbonaro et fondateur du *Globe* », dans *Romantisme,* n° 28/29, 1980; *le Monde des livres,* une double page à propos de la réédition de *la Grève de Samarez,* (Klincksieck, 1980), 11 juillet 1980.

G. GENGEMBRE

LE ROY Eugène (1836-1907). Né à Hautefort (Dordogne), Eugène Le Roy, après des études sommaires et un stage dans une maison de commerce à Paris, fait les campagnes d'Algérie et d'Italie, puis, rendu à la vie civile, entre dans l'Administration des contributions directes. Il finira, après quelques vicissitudes de carrière, percepteur à Montignac-sur-Vézère, où il mourra. Passionné de politique, farouche républicain, anticlérical, défenseur de la Révolution de 1789, il s'affirme tout autant amoureux de sa province périgourdine, qu'il entendra célébrer à ses heures de loisir, la quarantaine venue. Ainsi écrit-il deux romans, sensiblement différents, qui feront sa renommée : le premier, *le Moulin du Frau* (1891); le second, étendard de révolte des paysans opprimés du Périgord, *Jacquou le Croquant* (1899). Ses ouvrages postérieurs, *Nicette et Milou* (1901), *les Gens d'Auberoque* (1906), *Mademoiselle de la Ralphie* (1906), sont d'un moindre intérêt et n'ont pas fait l'objet de réédition. On a réimprimé en 1981 *l'Ennemi de la mort* (posth., 1912), histoire du docteur Charbonnière, bienfaiteur de la Double, dont l'action rappelle celle du *Médecin de campagne* de Balzac.

Le Roy est venu au roman rustique parce qu'il a eu la conviction d'avoir sous les yeux, à l'échelon local, l'abrégé de l'histoire sociale d'un peuple essentiellement rural. Il y a donc constamment chez lui juxtaposition du rythme saisonnier de la vie des champs et d'interférences sociologiques et politiques suscitées par les événements parisiens. A la satisfaction d'une existence selon la nature qu'il adore se mêle le contrepoint des protestations, directes ou allusives, contre un pouvoir réactionnaire qu'il dénonce ou contre une religion que son scientisme méprise. *Le Moulin du Frau* est avant tout l'histoire d'un meunier républicain en butte aux tracasseries de la bourgeoisie, de la préfecture et du clergé. Le grand drame du roman ne réside pas dans une contestation de terrain ou dans des amours contrariées, mais dans l'arrestation de l'oncle après le coup d'État de 1851. Néanmoins, si l'on fait la part des éléments historiques et polémiques qui majorent l'importance de la chronologie romanesque, le récit de Le Roy, héritier de Rousseau, demeure un hymne à la vie campagnarde opposée aux servitudes de l'existence urbaine. Le retour du jeune Hélie au Frau est pour lui le signal d'un renouveau : celui d'une vie « toute simple et toute réglée par le soleil et les saisons, les époques des travaux de la campagne, le cours naturel des choses ». Les occupations des Nogaret, gens sages et probes, en dépit des aléas de la politique, permettent de goûter un calme bonheur. C'est une existence large et libre parce que tout paysan « en sabots et en bonnet de laine [...] est roi sur sa terre ». Aussi bien, aux yeux d'un Daudet, *le Moulin du Frau* demeure « un livre de raison comme toute province devrait en avoir un ». Coutumes et fêtes défilent au gré des mois, du « gui l'an neuf » aux feux de la Saint-Jean, des veillées aux foires, des repas pantagruéliques aux récits de braconnage, sans pour autant diminuer le relief de la fresque sociale ou des portraits individuels qui s'animent à chaque occasion.

Jacquou le Croquant, en revanche, radicalise l'esthétique romanesque de Le Roy. L'histoire d'une vie devient exemplaire en même temps que dramatique et épique. Le père de Jacquou le Croquant, Martissou, est mort aux galères pour avoir tué le garde du comte de Nansac qui avait abattu son chien. Après la disparition de sa mère, l'infortuné orphelin est recueilli par le curé Bonal, mais il n'oublie pas le serment de vengeance qu'il a fait dans la forêt Barade. Après la destitution de Bonal, ancien curé jureur, et sa mort, Jacquou mènera une vie difficile, hantée par l'imposture des hobereaux qui ont fait son malheur. Exaspéré par les exactions des maîtres du sol, il soulève les paysans et s'empare du château de Nansac. La révolution de 1830, qui vient d'éclater, le sauve des foudres de la cour d'assises et confère à son geste le sens d'un acte d'émancipation.

Le roman n'affiche pas l'optimisme du *Moulin du Frau.* C'est le cri de révolte des jacqueries à travers les âges et l'expression d'une farouche volonté de rétablir la justice, bafouée par la classe dirigeante. Le roman, bien structuré, montre le paysan dépourvu de moyens, soutenu par la seule charité de ses proches et d'un prêtre dissident. Les étapes du récit sont comme les marches d'un calvaire ou les degrés d'affirmation d'une reconquête de la dignité, à l'image d'une nation qui, ainsi que l'avait déjà montré Michelet, prend conscience d'elle-même et entend contrôler sa destinée. L'adaptation du roman par Stellio Lorenzi (1970) à la télévision a donné à l'œuvre une nouvelle carrière et sorti Le Roy d'une pénombre où il avait été depuis longtemps injustement maintenu.

BIBLIOGRAPHIE
Deux ouvrages généraux : G. Roger, *Maîtres du roman de terroir,* Paris, A. Silvaire, 1959; P. Vernois, *le Roman rustique de G. Sand à Ramuz,* Paris, Nizet, 1961. Études spécialisées : M. Ballot, *Eugène Le Roy, écrivain rustique,* Paris, P.U.F., 1949; G. Guillaumie, *E. Le Roy, romancier périgourdin,* Bordeaux, Féret et Fils, 1929. Il est à noter que les meilleurs travaux sur Le Roy sont deux thèses encore inédites : Jean Palix, *E. Le Roy, Jacquou le Croquant,* thèse 3e cycle, Aix, 1974, et Francis Lacoste, *le Monde romanesque d'É. Le Roy,* thèse de doctorat d'État, univ. Bordeaux III, 1981.

P. VERNOIS

LE ROYER Jean, sieur de Prade (1624-?). Le nom de Jean Le Royer reste principalement attaché à une tragédie, *Arsace,* jouée par la troupe de Molière en 1662, sans succès notoire. Pourtant Le Royer a fréquenté quelques beaux esprits du temps, a été proche de Cyrano de Bergerac, de Scudéry, de Rotrou, de Beys, de La Mothe Le Vayer. Mais il n'a eu avec le théâtre que des rapports épisodiques, et il semble toujours s'excuser d'avoir écrit. En 1649, il publie un *Trophée d'armes héraldiques,* des *Œuvres poétiques* (notamment des paraphrases de psaumes, des élégies et des stances, quelques œuvres de circonstance sans grande originalité) et deux pièces de théâtre (*la Victime d'Estat ou la Mort de Plautius Silvanus, préteur romain,* tragédie d'après Tacite, et *Annibal,* 1649, tragi-comédie d'après Pline).

Rotrou loue en termes excessifs la beauté des œuvres théâtrales de Le Royer, pourtant peu originales :

Ce fameux Annibal qu'un roman équitable
A fait victorieux de cent peuples divers,
Avecque tant de gloire éclate dans tes vers
Qu'aux portes des Romains il fut moins redoutable.

Arsace, roy des Parthes est une tragédie publiée en 1666 mais qui aurait été composée dès 1650. Annoncée sur les affiches du théâtre du Marais puis de l'Hôtel de Bourgogne, la pièce aurait été retirée par Le Royer, qui déclara n'écrire que pour son plaisir. Il la fit pourtant lire autour de lui en 1653 — et il le fit savoir avec insistance, comme pour lever le soupçon d'avoir plagié des œuvres de Quinault et Thomas Corneille parues ultérieurement. Étrange auteur, qui s'efforça de rester dans l'ombre mais quêta cependant les louanges des beaux esprits du temps.

BIBLIOGRAPHIE

Aucune édition récente.

A consulter. — H.C. Lancaster, *A History of French Dramatic Literature in the Seventeenth Century,* Baltimore, J. Hopkins Press, 1920-1942, II, 2 et III, 2; id., « A Poem of Jean Rotrou addressed to Le Royer de Prade », *Modern Language Notes,* XXXVIII, 1923.

J.-P. RYNGAERT

LÉRY Jean de (1534-1613). Né à La Margelle, en Bourgogne, il est tôt gagné à la Réforme. Son premier voyage le conduit, à dix-huit ans, à Genève, où il suit la prédication de Calvin. En 1556, Villegagnon, ami de Calvin et « roi » du Brésil, ayant demandé le renfort de colons instruits dans la nouvelle religion, Léry embarque avec quelques autres volontaires pour ce qu'on nommait alors la « France Antarctique ». Après une entrevue avec l'amiral de Coligny, qui, depuis le début, parraine l'entreprise du Brésil français, Léry et ses compagnons gagnent leur second « refuge », la terre d'asile de Guanabara — l'actuelle Rio de Janeiro.

Bien vite, cependant, les dissensions éclatent entre les nouveaux venus et le chef de la colonie, lequel, malgré les apparences, est resté catholique. Le différend porte sur la Cène : aux yeux de Léry et des Genevois, Villegagnon, qui croit en la présence réelle et corporelle du Christ dans l'Eucharistie, fait figure de théophage et d'authentique cannibale. C'est pour fuir une pareille anthropophagie symbolique qu'au bout de huit mois d'une cohabitation difficile sur l'étroite « île aux Français », les calvinistes se rendent en terre ferme, où ils sont accueillis à bras ouverts par les Tupinambas, mangeurs d'hommes! De l'expérience que, « conversant » avec les Brésiliens et observant leurs rites, il acquiert alors de la vie sauvage, Léry tirera la matière de son *Histoire d'un voyage fait en la terre du Brésil,* d'abord publiée en 1578 et cinq fois rééditée du vivant de l'auteur.

La conclusion de l'aventure brésilienne est mouvementée : en janvier 1558, trois des Genevois qui s'en étaient retournés vers Villegagnon sont exécutés. Jean de Léry fera le récit de leur martyrologe pour l'*Histoire des martyrs* de Jean Crespin (Genève, 1564). Le retour par mer multiplie les souffrances : tempêtes incessantes; famine, dont Léry subit pour la première fois l'épreuve. Le navire accoste en Bretagne au moment où l'un des matelots allait être immolé à l'appétit de ses camarades!

La carrière militante et le siège de Sancerre

Rentré à Genève, Léry achève ses études de théologie, se marie et est reçu bourgeois de sa ville d'adoption (1560). Commence alors son ministère pastoral, à l'époque des premières guerres de Religion : pasteur à Belleville-sur-Saône (1562), puis à Nevers (1564) et à La Charité-sur-Loire (1569), Léry, tout en déployant un zèle infatigable au service de la Réforme, joue un rôle modérateur au travers des troubles successifs. Il s'oppose à la destruction des images et au pillage des églises, s'efforce de limiter l'étendue des représailles sanglantes exercées contre les catholiques. Au lendemain de la Saint-Barthélemy (24 août 1572), il se réfugie à Sancerre, seule place forte encore aux mains des huguenots « au nord des provinces où la Réforme est prépondérante » (G. Nakam). Géographiquement isolée, la ville, où les réfugiés ont afflué par centaines, est bientôt assiégée par les troupes de Claude de La Châtre. De janvier à août 1573, les combats puis la famine viennent à bout de la résistance opiniâtre des protestants, qui luttent à un contre dix. Au cours des négociations qui précèdent la reddition de la cité (25 août), Léry apparaît comme le plénipotentiaire désigné par le consistoire de Sancerre pour traiter seul à seul avec La Châtre.

Dès l'année suivante paraît l'*Histoire mémorable du Siège de Sancerre,* premier ouvrage que Jean de Léry publie sous son nom. Rédigé dans une langue claire et sèche, le récit culmine avec l'épisode de la famine, rejeté, par une entorse faite à la chronologie des événements, au chapitre x, avant la conclusion de l'*Histoire.* Ce chapitre lui-même obéit à une composition très concertée. La disette qui s'aggrave amène les assiégés à recourir à des nourritures toujours plus éloignées des pratiques alimentaires normales. Après la chair des chevaux et des ânes, celle des chats et des rats remplace la viande de bœuf manquante. Puis l'on s'attaque aux cuirs et aux parchemins « où les caracteres imprimez et escripts en main apparoissoyent encores, et pouvoit-on lire dans les morceaux qui estoyent au plat tous prests à manger ». Enfin, quand il ne reste plus que les herbes et les excréments que l'on ramasse dans les rues, se produit le crime redouté, dont la présence obsédante était jusqu'alors inscrite en filigrane dans le récit de Léry : l'anthropophagie. Une petite fille, âgée de trois ans et morte de faim, est dévorée par sa mère et sa grand-mère. C'est ici, après le séjour chez les cannibales de Guanabara et la famine en mer, la troisième occurrence du fait — réel ou fantasmé — dans la vie de Jean de Léry. L'anthropophagie, qui constitue dès lors un leitmotiv dans l'œuvre — et Léry est le premier à souligner cette répétition —, représente ce point de transgression où l'harmonie universelle se rompt, où l'alliance entre Dieu et le peuple élu se défait par la faute des hommes pécheurs. Une telle perspective théologique est encore accentuée par le modèle littéraire que Léry a suivi de point en point dans sa relation. *La Guerre des Juifs,* où Flavius Josèphe narre le siège de Jérusalem par Titus en l'an 70 ap. J.-C., culminait déjà dans la scène cannibale, comprise, là aussi, comme transgression extrême de la loi divine.

L'*Histoire mémorable* dépasse donc de très loin la simple chronique d'un siège, pour s'affirmer en tant que leçon morale et religieuse adressée à la postérité aussi bien qu'aux contemporains.

Après Sancerre, Léry va continuer sa carrière pastorale en Bourgogne, au bourg de Couches, puis, à partir de 1589, au pays de Vaud, dans la république de Berne. De 1595 à sa mort, survenue lors de la peste de 1613, il sera pasteur de l'Isle, près de Montricher, dans le pays de Vaud.

Le « bréviaire de l'ethnologue »

En fait, à partir de 1578, la vie de Jean de Léry semble surtout consacrée à la publication des six éditions successives de l'*Histoire d'un voyage,* sans cesse augmentée et remaniée jusqu'à la mort de son auteur. Conçue comme une riposte aux mensonges du cosmographe André Thevet décrivant un Brésil où il n'avait résidé que dix semaines, la relation de Jean de Léry se veut, en même temps qu'un pamphlet dirigé contre la science officielle incarnée par son adversaire, la narration fidèle de son séjour à Guanabara.

Après la mort de Thevet, en 1592, Léry élargira la portée polémique de son œuvre en y intégrant des fragments empruntés à l'*Histoire ecclésiastique* de Théodore de Bèze (Genève, 1580) ou bien aux *Tyrannies et Cruautez des Espagnols* de Bartholomé de Las Casas (édition française de 1582), ouvrages qui stigmatisent les atrocités commises par les catholiques, français ou étrangers, en terre d'Europe ou d'Amérique. Ainsi, dans l'édition de 1600, le chapitre traitant du rituel anthropophage chez les Tupinambas devient-il prétexte à dresser le catalogue universel des supplices infligés par intolérance religieuse. Désormais, l'*Histoire d'un voyage* apparaît moins comme le récit autobiographique qu'il se voulait à l'origine que comme une somme historique et théologique, où Léry propose des désordres de l'univers une interprétation pessimiste inspirée par sa foi calvinienne. La faute de l'homme, depuis la Chute, aussi bien chez les Tupinambas, dont l'apparence édénique ne saurait faire illusion, que dans les sociétés d'Europe, est la cause véritable, en même temps que le signe, de la rupture de l'alliance de la créature au Créateur. Par là, le pasteur de Montricher se pose comme le porte-parole de la Réforme elle-même. La leçon du *Voyage* prolongeait ainsi celle du *Siège de Sancerre,* en l'étendant à l'universalité du monde connu. Le cannibalisme, illustré cette fois par les faits de l'ethnographie américaine, y remplissait la même fonction critique.

Cependant, en dépit de ce pessimisme fondamental, l'impression produite à la lecture est toute différente. Et si ce livre a pu être qualifié par Claude Lévi-Strauss de « bréviaire de l'ethnologue », ce n'est évidemment pas à ce substrat théologique qu'il le doit. Mis à part les chapitres VI et XXI, où la polémique religieuse occupe la première place, l'ensemble du texte, dans la version initiale, est dominé par le tableau des sauvages de la Briqueterie, que Léry a côtoyés pendant les deux derniers mois de son séjour au Brésil et pour qui il éprouve une sympathie grandissante : « Je regrette souvent que je ne suis parmi les sauvages », soupire-t-il bien des années après, à l'époque des guerres civiles en France.

Le Brésilien, d'emblée, est présenté en corps, « ny monstrueux ny prodigieux à nostre égard » et bien moins sujet à maladies et à malformations que l'Européen de la Renaissance. Malgré certaines réticences touchant à sa nudité, qui n'est, selon le christianisme puritain de l'époque, nullement conforme au commandement de Dieu, Léry ne peut s'empêcher d'admirer la santé édénique de ces « Sauvages » qui parviennent sans encombre « jusques à l'aage de cent ou six vingt ans ». L'air tempéré de Guanabara est pour ses habitants primitifs une vraie « fontaine de Jovence ». Léry analyse ensuite minutieusement, selon une méthode qui préfigure celle de l'ethnologue moderne, l'alimentation, l'outillage, les croyances religieuses, le régime matrimonial et l'organisation politique des « sauvages ameriquains ». Ce tableau détaillé est sans cesse émaillé d'anecdotes personnelles, qui en rompent la monotonie, ou de réflexions empreintes d'un humour bienveillant. Ainsi, la description des peintures corporelles que les Tupinambas arborent lors de leurs cérémonies religieuses donne-t-elle lieu à une comparaison quelque peu irrévérencieuse avec le vêtement — à vrai dire plus fourni — du pontife romain (chapitre VIII). Ou encore les *maracas,* qu'agite le sorcier brésilien lors des danses sacrées, sont assimilées à la marote du « fol » médiéval (*ibid.*). A la faveur d'un tel jeu de rapprochements qu'introduisent l'humour et, de temps à autre, une volonté moralisatrice, l'Europe contemporaine se dessine peu à peu en filigrane du Nouveau Monde. Par exemple, l'impudeur visible de la femme sauvage (« cest animal se délecte si fort en ceste nudité », écrit assez brutalement Léry) ne fait que dénoncer, *a contrario,* la fausse pudeur des Françaises, qui se couvrent de vêtements et d'« attifets » à seule fin de fournir « un appast ordinaire à convoitise ». De même, le cannibalisme rituel des Tupinambas paraît à Léry infiniment moins répréhensible que cette anthropophagie à peine déguisée des usuriers d'Europe qui sucent « le sang et la moelle, et par consequent mangent tous en vie, tant de [...] pauvres personnes » (chapitre XV). Par ces parallèles conduits entre deux types de sociétés antagonistes, où il oppose la vertu primitive des habitants du Nouveau Monde à la présomption des Européens prétendument civilisés, Léry fait écho à cette réflexion que Montaigne formule vers la même époque dans son essai *Des cannibales* (*Essais,* I, XXXI) : « Chacun appelle barbarie ce qui n'est pas de son usage ». Quant à celui qu'on a parfois surnommé le « Montaigne des voyageurs », il jugeait ainsi les acteurs des guerres de Religion : « Ils sont loin en vérité de l'humanité de ces gens-là, lesquels nous appelons Barbares ». Une pareille dénonciation de l'ethnocentrisme a permis de voir en Léry le précurseur de l'anthropologie moderne.

Manifeste calviniste et témoignage en faveur du « sauvage », l'*Histoire d'un voyage* est aussi l'œuvre d'un écrivain qui fait alterner la grande prose oratoire, destinée à dénoncer les vices de ses contemporains, et la bonhomie de l'observateur évoquant cette « marmaille toute nue » qui « grouille comme petits canars » dans l'eau d'une rivière ou « trepille et gratte la terre comme connils de garenne ». Enfin, certains passages atteignent à une sorte de fantastique poétique, quand l'auteur rapporte, en des scènes très concises, qui évoquent l'éclair de visions oniriques, les comportements les moins compréhensibles de l'homme sauvage. Ainsi, cette apparition nocturne des esclaves indiennes arrachant les haillons qu'on les force à revêtir, afin de « se pourmener toutes nues » à travers le camp des Français, ou cette autre veillée où le narrateur, qui sommeille dans son hamac au cours d'un festin cannibale, se voit brusquement offrir un pied « cuict et boucané », que lui tend un sauvage hilare.

BIBLIOGRAPHIE

L'*Histoire mémorable du Siège de Sancerre* (1573) a été rééditée en 1980 (Marseille, Laffitte). L'*Histoire d'un voyage fait en la terre du Brésil* (6 éditions entre 1578 et 1611) a fait l'objet de nombreuses rééditions modernes. Citons Olivier Reverdin, *Quatorze Calvinistes chez les Tupinambas : Histoire d'une mission genevoise au Brésil, Genève,* Droz, 1957; M. Contat, *J. de Léry. Voyage au Brésil,* Bibliothèque romande, 1972; M. A. Chartier, *Indiens de la Renaissance : histoire d'un voyage fait en la terre du Brésil — 1557,* Paris, Épi, 1972. A ces ouvrages, toujours constitués d'un montage de fragments empruntés à l'une ou l'autre des éditions initiales, il convient d'ajouter le fac-similé intégral de l'édition de 1580, publié en 1975 à la Librairie Droz par Jean-Claude Morisot, et l'édition intégrale modernisée, avec une introduction de Sophie Delpech, Paris, Éd. Plasma, 1980.

Parmi les essais les plus récents relatifs à l'œuvre de Léry, citons, de Michel de Certeau : *l'Écriture de l'histoire,* Gallimard, 1975, dont le chap. V est consacré à « la Leçon d'écriture, chez Jean de Léry ». On consultera également les ouvrages classiques de G. Atkinson, *les Nouveaux Horizons de la Renaissance française,* Paris, Droz, 1935, *passim,* et, de G. Chinard, *l'Exotisme américain dans la littérature française au XVIe siècle,* Paris, Hachette, 1911, chap. VI : « Un moraliste voyageur, Léry »; Pour ce qui regarde le rôle de Léry dans l'histoire de la pensée anthropologique, on lira surtout Claude Lévi-Strauss, *Tristes Tropiques,* « 10/18 », 1962, p. 64, et Alfred Métraux, *Religions et magies indiennes d'Amérique du Sud,* Paris, Gallimard, 1967, chap. III : « l'Anthropophagie rituelle des Tupinambas ».

Frank Lestringant, « l'Excursion brésilienne : note sur les trois premières éditions de l'*Histoire d'un voyage* de Jean de Léry (1578-1585) », *Mélanges à la mémoire de V.L. Saulnier,* Genève, Droz, 1984.

F. LESTRINGANT

LESAGE Alain René (1668-1747). Alain-René Lesage entre dans la vie littéraire parisienne sans autre ressource que son talent. Né à Sarzeau (Morbihan), dans une famille de petits officiers royaux (son père fut notaire royal, puis greffier), il se trouve orphelin à quatorze ans. Ses oncles et tuteurs s'emparent bien vite de son maigre héritage et placent l'adolescent au collège des jésuites de Vannes. Vers 1690, Alain-René Lesage quitte sa Bretagne pour n'y jamais revenir. A Paris où il s'est rendu, il semble avoir étudié le droit (il indique sur son acte de mariage en 1694, la profession d'avocat), mais la fortune ne dut point lui sourire dans la chicane et la procédure, car, après 1694, aucun document n'en fait plus mention. En 1695, il publie *les Lettres galantes d'Aristénète,* libre adaptation d'un recueil grec tardif, et, dès lors, la biographie de Lesage s'estompe derrière l'histoire de son œuvre.

Il poursuit, jusqu'en 1730, une double carrière de romancier (de producteur littéraire, dirait-on plus justement) et d'homme de théâtre. Il publie *les Nouvelles Aventures de l'admirable Don Quichotte de la Manche,* roman partiellement traduit de la suite anonyme du chef-d'œuvre de Cervantes, avec des modifications et des ajouts (1704), *le Diable boiteux* (1707), roman tiré d'une nouvelle de Vélez de Guevara : *El Diablo cojuelo,* et qui sera l'un des plus grands succès de librairie au XVIIIe siècle, *les Mille et Un Jours* (1710-1712), un recueil de contes d'après une traduction du turc par Pétis de la Croix. En 1715 paraît le premier tome de l'*Histoire de Gil Blas de Santillane.* A deux reprises Lesage relancera le succès de son héros par la publication d'un deuxième tome en 1724, puis d'un troisième en 1735. Il lui faut, nécessité oblige, écrire vite et beaucoup; il donne alors une série d'ouvrages, aujourd'hui oubliés : *l'Histoire de Guzman d'Alfarache* (1732), adaptation affadie du livre de Mateo Alemán, *les Aventures de Robert Chevalier dit de Beauchêne* (1732) et, de 1736 à 1738, *le Bachelier de Salamanque, Estevanille Gonzalez, la Valise trouvée.*

Son itinéraire d'homme de théâtre commence en 1700 par l'adaptation de pièces espagnoles qui, probablement, lui avaient été proposées par son protecteur l'abbé de Lyonne; il fait représenter en 1702 *le Point d'honneur.* Premier succès au Théâtre-Français avec *Crispin rival de son maître* en 1707, l'année même du *Diable boiteux.* Puis, en 1709, il donne *Turcaret,* qui cause un énorme scandale. Les milieux d'affaires parviennent à en faire interrompre la représentation, et le Théâtre-Français ne consentira à sa reprise que sur un ordre exprès du duc d'Orléans. Malgré son succès, la pièce est bientôt retirée de l'affiche. Désormais brouillé avec les Comédiens-Français, Lesage va produire de nombreuses pièces pour le théâtre de la Foire, de 1712 à 1730. Il meurt à Boulogne-sur-Mer, chez l'un de ses fils. Ses contemporains le décrivent comme un homme d'une grande indépendance d'esprit, mais que l'âge avait rendu conformiste et, à la fin, sénile.

L'écriture est un métier

Notre premier écrivain professionnel doit à son métier sa grandeur et sa misère. En ce qui le concerne, impossible de s'en remettre au mythe de l'inspiration : il est clair que sa création est une re-création; c'est la mise en forme, la ré-écriture d'un matériau littéraire préexistant, textes espagnols, Mémoires, anecdotes et historiettes, pièces de théâtre, traductions. Il ne s'agit pas non plus, chez lui, de l'imitation des écrivains de l'Antiquité que recommandaient les partisans des Anciens (toutes les sources de Lesage le signalent comme un partisan des Modernes). Plutôt d'une mise à nu de ce qu'est un texte. Aussi rien n'est-il plus vain que de lui faire, comme Voltaire, le reproche de plagiat. On y perdrait son temps. Lesage n'est un « auteur » qu'au sens où Perrault, Lautréamont sont des auteurs. L'une des meilleures œuvres de Lesage, *les Mille et Un Jours,* est parue sous le nom d'un autre, le traducteur Pétis de la Croix. Dès *les Nouvelles Aventures de Don Quichotte,* Lesage s'empare du roman picaresque espagnol, qui lui fournira entre autres les sujets du *Diable Boiteux* et de *Gil Blas.* Mais l'idéologie qu'il met à l'œuvre dans son travail n'a pas grand rapport avec celle du picaresque espagnol ou de la Contre-Réforme. Il suit les modes à l'honneur chez ses contemporains de la Régence. L'écriture devient alors un jeu consenti sur le signifiant. Lesage se moque des auteurs qui se prennent au sérieux. Gil Blas rencontre son ami le poète Nunez :

« — Depuis que je t'ai quitté, j'ai toujours fait le métier d'auteur; j'ai composé des romans, des comédies, toutes sortes d'ouvrages d'esprit. J'ai fait mon chemin : je suis à l'hôpital. — Je ne pus m'empêcher de rire de ces paroles, et encore plus de l'air sérieux dont il les avait accompagnées. — 'Eh quoi! m'écriai-je, ta muse t'a conduit dans ce lieu!' » (*Histoire de Gil Blas,* XI, 7).

Gil Blas se passe de muse; il sait vendre au duc de Lerme une plume alerte et naturelle, puis au comte d'Olivares une rhétorique ampoulée. Le talent de Lesage réside dans un usage conscient et souvent parodique de la littérature. Nombre d'anecdotes, d'épisodes de *Gil Blas* peuvent être lus comme des pastiches du style romanesque naissant : enlèvements, emprisonnements, grandes passions, brigands, cavernes, tours et cachots. Ce sont là les épices nécessaires du roman, souvent aussi les accessoires de l'humour. Dans *le Diable boiteux,* comme dans *Gil Blas,* on assiste à un perpétuel jeu sur les mots, sur les situations, à l'emboîtement d'anecdotes gigognes. Ce jeu ne correspond évidemment pas à la composition canonique du roman telle que la fixera le XIXe siècle, et il serait anachronique de le reprocher à Lesage, qui a su tirer parti avec habileté des échos thématiques entre les différents épisodes, ou qui est parvenu à donner aux trois tomes de *Gil Blas* la cohérence d'un triptyque : jeunesse et premières expériences du narrateur, équilibre de la maturité, sagesse de l'âge. La succession des épisodes semble obéir à la pure loi du hasard — avec, pour le héros, des hauts et des bas —, comme au jeu de l'oie les dés font et défont la fortune du joueur; quand le héros dépasse la dernière case, il revient en arrière — à Madrid, par exemple —, pour un nouveau tome et de nouvelles aventures. Mais le romancier, comme don Abel, le maître du jeune Scipion *(Gil Blas),* est toujours un peu tricheur et sait guider la chance. On pourrait aujourd'hui suivre la partie comme on lit *la Vie, mode d'emploi* de Georges Pérec, ou, mieux encore, *Jacques le Fataliste, Tristram Shandy* ou *Robinson Crusoé.* Les personnages en sont les pions. Asmodée et don Cléophas dans *le Diable boiteux,* Gil Blas n'ont aucune véritable épaisseur psychologique. Les deux premiers sont de simples masques, placés aux deux pôles de la fiction : le diable montre, et Cléophas regarde. Gil Blas narrateur porte sur Gil Blas personnage un regard qui ne varie guère au cours du roman : amusé, indulgent et satisfait. Comme Asmodée, il est un montreur.

Le métier d'écrivain est aussi, par malheur, une redoutable servitude. Lesage doit démesurément rallonger ses œuvres et sans cesse réutiliser son matériau. Vers la fin de sa carrière, il écrit trop et trop vite : à ce jeu, il endommage ses propres œuvres. Si l'écriture du *Diable boiteux* de 1726 est plus précise et plus légère, on peut déplorer ensuite l'étirement du roman, l'alourdissement de sa structure. Les corrections de 1747 de *Gil Blas* sont presque toutes malheureuses (cf. les études d'Étiemble et de Roger Laufer).

Les premières comédies de Lesage révèlent autant de savoir-faire que ses grands romans. *Crispin* et *Turcaret* sont dans le droit fil de la tradition de Molière. Lesage, tout comme Dancourt ou Regnard, rencontre un genre déjà constitué et des règles inviolables, des comédiens conservateurs, un goût académique.

Ce n'est donc pas dans leur structure formelle de comédies d'intrigue et de mœurs que réside la nouveauté de ces pièces. C'est plutôt dans leur cynisme joyeux, leur irrévérence critique et leur organisation idéologique. La brouille de Lesage avec les Comédiens-Français fit qu'il composa à partir de 1712 pour le théâtre de la Foire, dont il fut, avec Fuzelier et d'Orneval, l'auteur le plus important. On lui doit une centaine de pièces écrites seul ou en collaboration pour ce vrai « marché » théâtral qui seul lui était ouvert. Avec d'Orneval il commence la publication du *Théâtre de la Foire ou l'Opéra-Comique* (1721-1737). Libéré des contraintes de la comédie traditionnelle, il invente et s'amuse. Il est difficile de juger ces pièces, dont nous n'avons que le texte. Il faut faire l'effort d'imaginer ces spectacles comportant des écriteaux, des pantomimes, des décors, des machines, de la musique et des chansons (que les spectateurs reprenaient souvent en chœur). On est là aux sources mêmes de la théâtralité moderne : le théâtre de la Foire préfigure le théâtre des Boulevards. De lui naîtront le mélodrame et l'opéra-comique. Nul doute que le spectateur des années 80 lira avec amusement et intérêt quelques-unes de ces pièces, qui ont fait l'objet d'éditions récentes. Seul *Turcaret* est encore représenté régulièrement en raison de son insolence vis-à-vis des pouvoirs de l'argent, alors qu'au fond c'est par le théâtre de la Foire que Lesage est réellement proche du public populaire.

Le réalisme

Depuis le XIXe siècle, c'est un lieu commun de dire que Lesage est le véritable fondateur du roman réaliste. C'est juste, mais quelques précisions sont indispensables. Dès *Turcaret* et *le Diable boiteux*, c'est par la satire que Lesage évoque le réel. Sous les portraits qu'il a placés dans sa galerie, les lecteurs du XVIIIe siècle pouvaient sans hésiter mettre des noms. Certes, les traits qu'il décoche atteignent leur cible moins profondément que ne font les *Lettres persanes*, mais ils ont l'insolence des pamphlets et des libelles de cette fin du règne de Louis XIV et de la Régence. L'originalité réaliste de Lesage est moins dans la satire des mœurs, où il suit de près les traces de La Bruyère, que dans la satire littéraire et religieuse qui caractérise bien l'atmosphère idéologique de l'époque et, à sa façon, prépare le combat des Lumières. Son réalisme ne se limite pas, comme on l'a trop souvent cru (« L'impression est celle d'un tour qu'on fait dans la rue » [Émile Faguet, *Études littéraires*, Paris 1890]), à de petits tableaux de la vie courante qui annonceraient Balzac. Lesage n'est ni Mercier ni Restif. On lui demandera plutôt un témoignage sur la mutation idéologique des années 1705 à 1735. Elle est lisible par exemple dans la question clé des relations entre maîtres et valets. Crispin tente de prendre la place de son maître et d'épouser Angélique à sa place. Il échoue, mais il a fait illusion (*Crispin, rival de son maître*). Dans *Turcaret*, Frontin parvient à son but : il dupe le chevalier et le financier; la pièce se termine par un renversement simple : « Voilà le règne de Monsieur Turcaret fini, le mien va commencer », déclare-t-il (acte V, scène XIV). A la différence de Scapin, Frontin et ses pareils n'entrent point dans les intérêts de leurs jeunes maîtres. Ce sont des fripons achevés. Mais dans le cynisme de ces premières pièces, dans celui du *Gil Blas* de la première livraison de 1715, on aurait tort d'entendre quelque voix révolutionnaire. S'attaquer aux gros financiers, aux « partisans » comme Turcaret, désignés comme les responsables de la faillite publique, c'est en faire des boucs émissaires et, finalement, faire le jeu du pouvoir. Frontin et Gil Blas n'apparaissent jamais, comme Figaro, porte-parole vertueux et indignés du peuple. Ce sont, comme Jacob, le paysan parvenu, des héros de la perméabilité sociale.

Rien de plus caractéristique sur ce point que l'évolution de *Gil Blas*. Étrange valet qui devient vite son propre maître et détermine librement ses voyages dans une Espagne de fantaisie. Voilà qu'à son tour il engage un valet (dans le tome paru en 1724) et devient serviteur servi. La différence des conditions s'estompe tellement que Gil Blas peut dire : « Après le zèle que Scipion avait fait paraître, je ne pouvais plus voir en lui qu'un autre moi-même. Ainsi plus de subordination entre Gil Blas et son secrétaire. Plus de façons entre eux. Ils n'eurent qu'un lit et qu'une table (IX, 7). A la fin du roman, en 1735, deux mariages fixent la structure de l'histoire et révèlent son sens dans l'œuvre de Lesage : Gil Blas, devenu riche, s'unit avec une jeune fille noble dont le frère épouse la fille du valet de Gil Blas. Le héros de Lesage est d'abord un fripon, ensuite un parvenu : contrairement à ses modèles du roman picaresque, qui restent toujours des marginaux, il parvient à s'intégrer socialement et même moralement. Seul le personnage de Rolando le brigand se refuse à tout pacte avec la société — tel le picaro espagnol ou, à la génération suivante, certains scélérats sadiens. Lesage est encore un homme du compromis idéologique.

A la charnière entre deux époques, Lesage n'a pas eu la chance d'être porté par un mouvement comparable à celui du classicisme ou de pouvoir se nourrir dans une tradition vivante : la comédie classique se sclérose; le roman ne fait que naître. Mais il est, comme Gil Blas, un magnifique entremetteur, le Mercure qui va et vient entre les éléments littéraires nationaux, le roman espagnol, les contes orientaux, les unit, les met en forme et les constitue en origine de la littérature moderne.

BIBLIOGRAPHIE

Seules les œuvres majeures de Lesage sont aujourd'hui facilement accessibles. Il est dommage que *les Mille et Un Jours* soient tombés dans l'oubli depuis le milieu du XIXe siècle. Le renouvellement de l'intérêt pour les littératures de voyages a permis une réédition des *Aventures du chevalier de Beauchêne, canadien français élevé chez les Iroquois et qui devint capitaine de flibustiers*, Paris, Verdier, 1980.

Pour *Gil Blas*, les éditions les plus récentes sont les meilleures : *Histoire de Gil Blas de Santillane*, avec préface et notes de R. Étiemble, Paris, Gallimard, « Folio », 1973 (2 vol.), et La Pléiade, dans *Romanciers du XVIIIe siècle*, t. I, 1960. Le lecteur trouvera aussi une remarquable édition critique par Roger Laufer : *Histoire de Gil Blas*, Paris, Garnier-Flammarion, 1977. Étiemble et Roger Laufer rejettent (totalement pour le second) les corrections que Lesage, probablement sénile, a pratiquées en 1747.

Le Diable boiteux est accessible chez Gallimard, Bibl. de la Pléiade, éd. R. Étiemble, cf. ci-dessus, et dans une édition critique par R. Laufer : *le Diable boiteux*, Paris, La Haye, Mouton, 1970.

Théâtre : *Turcaret* a fait l'objet de nombreuses rééditions dans diverses collections d'auteurs classiques (Bordas, Larousse). Deux choix de pièces : *Théâtre choisi de Lesage*, éd. Bardon, 1948, comprenant *Crispin*, *Turcaret* et *la Tontine*, Paris, Garnier, 1948; *Théâtre du XVIIIe siècle*, textes choisis, établis et annotés par Jacques Truchet, Paris, Gallimard, Bibl. de la Pléiade, 1972. J. Truchet a retenu, outre *Crispin* et *Turcaret*, trois pièces du *Théâtre de la Foire*.

A consulter. — On trouvera quelques bonnes présentations de Lesage par R. Étiemble et J. Truchet dans la Bibliothèque de la Pléiade (cf. ci-dessus) et par H. Coulet, *le Roman jusqu'à la Révolution*, Paris, Colin, « U », 1967. Sur le théâtre, M. Spaziani, *Lesage e il teatro comico al principio dell'700*, Rome, 1959. Sur Lesage et la création romanesque, il y a un seul ouvrage, intéressant, moderne et érudit : Roger Laufer, *Lesage ou le Métier de romancier*, Paris, Gallimard, 1971.

P. FRANTZ

LESCARBOT Marc (vers 1570-1640). Originaire de Vervins en Picardie, il reçoit une formation juridique à Laon, puis à Paris, où il est reçu avocat au parlement en

1599. En 1606 a lieu le grand événement de sa vie : pour fuir un monde corrompu et le souvenir d'un procès perdu, il s'embarque, en compagnie de Champlain, pour l'Acadie, alors partie de la Nouvelle-France. Il y séjourne un an et trois mois, multipliant les excursions auprès des Indiens Souriquois et de leur chef Membertou. C'est là qu'il compose et fait représenter son *Théâtre de Neptune en la Nouvelle-France,* sorte de naumachie en vers qui transporte sur le sol du Nouveau Monde l'arsenal mythologique de l'Ancien. Le mérite principal de ce poème allégorique est d'avoir été le premier composé en terre d'Amérique. A son retour, Lescarbot s'essaie encore au même type de divertissement avec la *Défaite des sauvages armouchiquois,* sorte d'*Iliade* baroque qui met en scène les guerres indiennes auxquelles il lui avait été donné d'assister. Son grand œuvre, d'abord publié en 1609, mais constamment enrichi ensuite durant huit années, est l'*Histoire de la Nouvelle-France,* somme de toutes les tentatives coloniales conduites par la France en Amérique, et plaidoyer en faveur de la colonisation de l'Acadie et des territoires situés plus à l'ouest. Devenu, par le succès de l'ouvrage, le publiciste officieux de la Nouvelle-France, il écrit encore un *Tableau de la Suisse,* dont l'exotisme discret ne le séduit pas moins que celui, plus réel, des paysages américains, et, en 1629, au moment de la prise de La Rochelle, un poème apologétique adressé au roi Louis XIII.

L'originalité profonde de l'*Histoire de la Nouvelle-France* est qu'elle conjoint l'invention littéraire à l'histoire, ou, plus exactement, la fiction politique à la chronique minutieuse des expéditions coloniales depuis Giovanni da Verrazano et Jacques Cartier. A l'aube du XVIIe siècle, la Nouvelle-France n'est encore à peu près qu'un nom — un concept vide, auquel il faut faire correspondre un contenu. En en décrivant l'histoire, Lescarbot lui confère déjà quelque réalité. Une continuité et une tradition se découvrent là où il n'y avait qu'une série d'échecs successifs. Compte tenu d'un tel héritage, il s'agit désormais d'inventer un pays avec sa société, ses rites, sa mythologie et, naturellement, sa littérature. Il faudra sans doute conduire des laboureurs et des artisans dans le Nouveau Monde, mais aussi des violoneux, afin d'y faire danser les délicats de « pardeçà ». L'ordre de Bon Temps, que Champlain institue lors du rigoureux hiver de 1606-1607 et dont Lescarbot rapporte en détail le rituel, peut se comprendre, de même, comme le désir d'instaurer de toutes pièces dans les terres « jamais vues » une culture originale à base de « pantagruélisme » et de bonne entente. Les maladroites — car trop radicales — transpositions du *Théâtre de Neptune* et de la *Défaite* indiquaient, sur le plan esthétique, un effort dans le même sens.

Historien inspiré, Lescarbot use d'une souveraine liberté pour recomposer — sans, au demeurant, en trahir le détail — la trame des événements passés, entremêlant les récits d'expéditions différentes, faisant la critique de l'un par l'autre. S'il est parfois amené à citer des pages entières de ses devanciers, il joue de la distance que lui permet alors ce rôle de « monteur » pour intervenir dans le texte et amener l'histoire à être cette fiction à la fois rétrospective et anticipante qu'il a rêvée.

BIBLIOGRAPHIE

L'Histoire de la Nouvelle-France a été réimprimée par E. Tross en 1866 (Paris, 3 vol. in-8) qui reproduit le texte de 1612, et, plus récemment, par W.L. Grant et H.P. Biggar de 1907 à 1914 (3 vol. in-4) sous le titre *the History of New France by Marc Lescarbot,* with an English translation, notes and appendices (...), Toronto, The Champlain Society. Cette édition reproduit le texte de 1618, le plus complet que Lescarbot ait publié.

A consulter. — Monique Baillet, *Marc Lescarbot, historien de la Nouvelle-France,* Northwestern University, Evanston, Illinois, 1939; René Baudry, *Marc Lescarbot,* textes choisis et présentés par R.B., Montréal, Éd. Fides, « Classiques canadiens », 1968.

F. LESTRINGANT

LESPINASSE Julie Jeanne Éléonore de (1732-1776). Il y a peu d'années encore, Mlle de Lespinasse n'était connue que pour avoir été l'âme d'un salon progressiste où l'on rencontrait, dans les années 1770, la frange que l'on pourrait dire « de gauche » de l'*Encyclopédie.* Seuls les amateurs de chroniques scandaleuses connaissaient d'autres aspects de sa courte existence : la « Muse de l'*Encyclopédie* » s'était consumée d'amour pour deux hommes à la fois... Le renouveau des études dix-huitiémistes et l'attention nouvelle portée désormais au genre épistolaire en tant que forme littéraire à part entière permettent de mieux mesurer aujourd'hui l'importance de cette « figurante » de l'histoire promue au rang d'écrivain.

Julie de Lespinasse naquit à Lyon : les parents que lui prête son acte de baptême n'ont jamais existé. On sait avec certitude que sa mère était la comtesse d'Albon, l'enfant étant citée dans le testament de cette grande dame, qui la garda auprès d'elle jusqu'en 1748, date de sa mort, et qui lui légua, outre une pension misérable, la phtisie dont elle souffrait. Le père, par contre, malgré les démonstrations de biographes zélés, n'est peut-être pas ce Gaspard de Vichy qui épousa Diane, fille aînée et reconnue de la comtesse d'Albon; il n'est pas exclu que ce soit le comte d'Albon lui-même, mari de la comtesse, mais qui avait avec son épouse des relations difficiles et épisodiques qui devaient mener le couple, après 1734, à une séparation. On se sait presque rien de ce que fut la vie de la petite Lespinasse : on la trouve à vingt ans auprès de sa sœur Diane, devenue comtesse de Vichy, dans la région de Roanne : c'est là qu'elle rencontrera la sœur aînée du comte de Vichy, un certaine marquise du Deffand...

C'était en 1752 : après deux années d'obscures négociations, Julie vint à Paris servir de lectrice à Mme du Deffand, qui sentait sa vue décliner. Elle y connut tout le grand monde parisien de l'époque, ainsi que ceux des intellectuels qui trouvaient grâce auprès de la maîtresse de maison : parmi eux, d'Alembert, qui se prit pour Julie d'une passion platonique, et qui, une fois que sa jeune amie eut quitté la vieille marquise, vint partager son logement de Bellechasse.

Car, après dix années passées dans l'ombre de Mme du Deffand, Julie s'était retrouvée à la rue : plutôt que d'une rupture, d'ailleurs, il semble qu'il se soit agi d'une mise à la porte. Les grands seigneurs amis de Mme du Deffand, en tout cas, n'abandonnèrent pas Julie de Lespinasse, aidant à son installation et complétant généreusement la modique pension que lui versaient ses parents d'Albon. Puis, grâce à d'Alembert, secrétaire de l'Académie des sciences puis de l'Académie française, les visiteurs affluèrent chez Julie : grands seigneurs du royaume, visiteurs étrangers de marque (Hume, par exemple) et, surtout, tout ce que Paris comptait d'écrivains désireux de parvenir, par l'intermédiaire de d'Alembert, à la notoriété encyclopédiste ou aux honneurs académiques. Parmi eux, bien des gens de lettres oubliés aujourd'hui ou pas encore redécouverts : Chastellux, Thomas (spécialiste des éloges académiques), La Harpe, Suard, Guibert. Mais aussi d'autres, plus célèbres : Diderot, Turgot, Condorcet, Necker et sa femme. Beaucoup de relations, certes, beaucoup d'habitués, mais aussi de vrais amis : les plus chers, sûrement, furent Mme Geoffrin, Turgot, Condorcet, Suard, et aussi, dans la famille d'Albon, son neveu Abel, marquis de Vichy-Chamrond. Et l'on sait qu'elle aima d'amour, aux alentours de la quarantaine, le gendre d'un Premier ministre espagnol, le marquis de Mora, puis Guibert. Elle devait mourir à quarante-quatre ans, rongée par la phtisie, et dans l'accablement où l'avait plongée l'annonce du mariage de Guibert.

Ses contemporains ignorèrent, pour la plupart, que Julie de Lespinasse fût un écrivain. Pourtant le recueil des *Lettres* qu'elle adressa au comte Jacques de Guibert, l'amant de ses dernières années, est bien plus qu'un document scandaleux sur les amours d'une quadragénaire hystérique : ce sont les *Lettres portugaises* — et combien plus denses, combien plus vraies! — d'une romancière éperdue, consciente jusqu'à la déchirure de la nullité de l'homme qu'elle aime et pourtant contrainte de vivre cette passion par l'écriture, jusqu'au bout, persuadée qu'elle est de l'imminence de sa mort : sans doute le seul vrai roman d'amour d'un siècle qui pourtant sut accommoder le sentiment de mille manières. On lira, à côté de cette correspondance, ses lettres d'amitié comme des brouillons où elle s'essaie au langage du cœur, plus que comme des documents sur tel ou tel grand homme.

BIBLIOGRAPHIE

Le travail d'édition moderne des *Lettres* de Mlle de Lespinasse est à peine entrepris, les manuscrits des *Lettres à Guibert* et des *Lettres à Turgot* restant cachés au fond d'on ne sait quelle collection privée. En attendant mieux, on pourra lire : *Correspondance entre Mlle de Lespinasse et le comte de Guibert,* Paris, Calmann-Lévy, 1906, et *Lettres de Mlle de Lespinasse,* prés. J.-N. Pascal, Plan de la Tour, Éd. d'Aujourd'hui, 1979.

Il existe une biographie, contestable mais complète, datant du début de ce siècle : Ségur, *Julie de Lespinasse,* Paris, Calmann-Lévy, 1905, ainsi qu'un recueil des *Lettres à Condorcet,* Paris, Dentu, 1877.

Les travaux modernes sont représentés par un très beau livre de Sue Carrell : *le Soliloque de la passion féminine,* Paris, Éd. Places, 1981, qui situe le roman de Julie dans l'évolution du roman épistolaire féminin jusqu'au XVIIIe siècle. Voir aussi J.-N. Pascal, « Une exemplaire mort d'amour : Julie de Lespinasse », dans *Aimer en France,* Actes du colloque de Clermont-Ferrand 1977, publ. de la faculté des lettres de l'université de Clermont II, 1980.

J.-N. PASCAL

L'ESTOILE Claude de (1597-1652). Né à Paris, fils de Pierre de L'Estoile, commença à se faire connaître dans la vie littéraire au début des années 1620, fréquenta Colletet, qui animait le groupe des « Illustres Bergers », et devint un poète en vogue. Ses talents lui valurent l'attention des mécènes : on lui commanda des vers pour les ballets de cour. Il composa notamment *le Ballet du naufrage heureux* et collabora au *Grand Bal de la douairière de Billebahaut* (1626). Le principal mécène du temps, Richelieu, l'intégra à l'équipe des « Cinq Auteurs », où il collabora à *l'Aveugle de Smyrne* et à la *Comédie des Tuileries* (1638). Le Cardinal le fit également siéger à l'Académie française, dès la fondation de celle-ci. Outre des pièces de vers éparses, L'Estoile se lança ensuite dans la rédaction d'œuvres théâtrales personnelles : *la Belle Esclave,* tragi-comédie (1643), et *l'Intrigue des filous,* comédie (1644). Il fut, durant cette décennie 1635-1645, très en vue dans le monde littéraire, fréquentant, outre Colletet, Conrart et Gombauld. Dans les années suivantes, ayant dilapidé son héritage et épousé une femme pauvre, il vécut retiré.

Son œuvre illustre l'évolution de l'esthétique littéraire de sa génération. Encore riche d'éléments baroques, elle adhère au purisme malherbien, et s'oriente vers les normes du goût classique.

A. VIALA

L'ESTOILE Pierre de (1546-1611). Rédigés de 1574 à 1611, les *Mémoires journaux* de Pierre de L'Estoile rassemblent une masse impressionnante d'informations sur cette époque : actualité politique, chronique mondaine, faits divers, météorologie, rien de ce qui est parisien et, dans une moindre mesure, français n'est étranger à leur auteur. Né en l'hôtel Saint-Clair, rue de Tournon, inhumé en l'église Saint-André-des-Arts, cet homme discret, qui exerça de 1569 à 1601 la charge d'audiencier en la chancellerie de France, a mené une existence prudente dans une capitale longtemps en proie à la folie. Les guerres civiles ont apporté un aliment et une justification à sa curiosité naturelle; attentif à tout ce qui se dit et s'écrit, il rassemble tous les documents sur lesquels il peut mettre la main et rédige un journal qui est le complément et le commentaire de cette moisson. Ses « registres » constituent une sorte de marqueterie hétéroclite : s'y succèdent des observations personnelles et des morceaux empruntés, des avis officiels et des rumeurs de badaud; prose et vers, en latin et en français, textes et gravures. Mais sous le fouillis des détails et des faits apparaît un livre de bonne foi, dont la cohérence est d'abord celle d'un style; il révèle un homme, gaulois et gallican, qui porte sur ses contemporains un regard sans illusion mais sans mépris.

Par ses origines familiales, L'Estoile appartient à la grande bourgeoisie de robe; sa mère, Marguerite de Montholon, est fille d'un garde des sceaux et sœur de François de Montholon, chancelier de France en 1588. Par elle, il est apparenté aux grandes dynasties parlementaires des Séguier, des Molé, des De Thou. Il reçoit la double formation humaniste et juridique à laquelle ce milieu est attaché : étude des langues anciennes, sous la direction de Mathieu Béroalde (père de François Béroalde de Verville, l'auteur du *Moyen de parvenir*), alors professeur d'hébreu à Orléans; leçons de droit d'Alexandre Arbuthnot à Bourges. Il est reçu audiencier à la chancellerie de Paris en 1566. Les loisirs de sa charge et un relatif désintérêt pour les affaires de son ménage (malgré une vingtaine d'enfants, dont beaucoup meurent en bas âge) lui permettent de se consacrer à ses recherches. Pendant la sédition de la Ligue, qui éprouve durement les Parisiens, il connaît l'insécurité et la famine. Malgré sa prudence, avec d'autres bourgeois favorables au parti des « politiques », il est emprisonné pour quelques jours en août 1589. La paix revenue, la vie politique se stabilise, et les faits divers et les échos mondains prennent la première place dans le Journal. A partir de l'année 1606, les *Mémoires journaux* sont essentiellement consacrés aux nouvelles de la république des Lettres et aux controverses religieuses. Ils ne prennent fin qu'avec la mort du narrateur, de plus en plus désabusé, qui trace ces mots au bas de la dernière page : *Isti Francesi, tutti matti et coiioni. I.C. salva mia vita.*

Un journaliste à l'école de Montaigne

Placé sous le patronage du moraliste, le Journal est devenu consubstantiel à son auteur : « Je sçay que la pluspart de ces Discours sont plains d'inanité et de fadèze, mais de m'en desfaire je ne puis (non plus que Montagne des siens), sans me desfaire moi-mesmes ». Il s'ordonne en cercles concentriques autour d'un moi qui lui confère son unité et sa sincérité. Miroir de soi et miroir du monde, le genre du journal, dérivé des livres de raison, est le plus apte, par son élasticité, à recueillir la matière foisonnante de l'actualité. Le principe de sélection des informations découle de la situation géosociale de l'auteur; placé au cœur de la France intellectuelle, administrative et judiciaire, il a privilégié les faits parisiens, moins curieux et moins bien informé qu'il était de la province et du monde rural.

L'ordre chronologique qui forme la trame naturelle du discours n'est que le plus apparent. Dans la masse brute des faits représentés, il est possible de repérer le retour de certains motifs, des lignes de force qui révèlent la cohérence du dessein de l'auteur. Si L'Estoile s'interdit de juger, il organise les faits de telle sorte que ceux-ci parlent d'eux-mêmes. La condamnation sans appel de la Ligue (pour son hypocrisie, son fanatisme, son absolutisme) ne procède pas d'une analyse politique; elle est comme distillée par mille notations éparses mais convergentes qui la dénoncent. L'ironie, fréquente, n'est qu'une des formes de l'indignation et prévient la tentation d'y céder; l'éloquence est autant que possible évitée. L'impassibilité apparaît comme une manière d'engagement.

Le refus du modernisme

Il n'y a pas, à proprement parler, de philosophie de l'histoire dans les *Mémoires journaux*. Un Dieu souverain manifeste sa volonté par des signes, mais les voies de la Providence sont impénétrables. L'idéologie de L'Estoile confirme son appartenance — en dépit d'une situation personnelle plus modeste — à ce milieu de magistrats érudits, disciples d'Érasme et de Budé, qui comprend des hommes comme Étienne Pasquier, les de Thou, les Dupuy et tant d'autres. Comme eux, il est attaché d'un même lien au roi légitime et à l'Église gallicane, dont il défend les libertés. Méfiant devant le renouveau spirituel qui succède au concile de Trente, sceptique vis-à-vis des formes modernes de la dévotion (développement des processions, culte de la Vierge et des saints, place accordée au purgatoire), il observe avec inquiétude les progrès de l'esprit ultramontain et des jésuites. Il préfère l'approfondissement intérieur de la foi aux manifestations ostentatoires de la piété. Découragé par l'esprit de frivolité et de légèreté qui se répand sous le règne de Henri IV, il s'émeut de la dégradation de la culture et de la maigre place laissée aux hommes de science. Ce précurseur des libertins entre avec appréhension et parfois avec amertume dans la France moderne.

BIBLIOGRAPHIE

La grande édition des *Mémoires journaux* est celle de la Librairie des Bibliophiles établie par Brunet, Champollion, etc. (1875-1896, 2 vol. avec la table); elle est aujourd'hui proposée en reproduction par la Librairie Tallandier. La dernière édition complète est celle de Gallimard, établie par L.-R. Lefèvre et A. Martin (1943-1960, 4 vol.); elle est accompagnée de notes et les textes latins rassemblés par L'Estoile ont été traduits. La critique universitaire a largement ignoré cette œuvre, peut-être à cause de son appartenance indécise à la littérature ou à l'histoire. Parmi les contributions récentes, on retiendra : I. Armitage, *Fragments des recueils de Pierre de L'Estoile,* Lawrence, Kansas, 1976 (édition critique d'un manuscrit des collections de L'Estoile); M. Chopard, « En marge de la grande érudition, un amateur éclairé, Pierre de L'Estoile », dans *Histoire et Littérature. Les écrivains et la politique,* Paris, P.U.F., 1977 (les relations de L'Estoile avec le milieu érudit); Cl.-G. Dubois, *la Conception de l'Histoire en France au XVIe siècle (1560-1610),* Paris, 1977 (l'art et la méthode dans les *Mémoires journaux*).

M. CHOPARD

LE SYLVAIN, pseudonyme d'**Alexandre Van den Bussche** (1535?-1585). Flamand francophone, Alexandre Van den Bussche fut poète, mais l'on retiendra surtout sa contribution originale au genre de l'« histoire tragique ».

Né à Audenarde, il accomplit un voyage en Italie auprès du duc de Ferrare, avant de séjourner à la cour de France, où il connaît tout à tour la disgrâce de Charles IX et la faveur de Henri III. Ses *Procès tragiques* (1575) sont la seule de ses œuvres qui ait connu rééditions, traductions et imitations. A partir de vieilles légendes flamandes ou d'emprunts à Valère Maxime, Le Sylvain, partisan d'une esthétique de la concision, élabore un recueil qui prétend à la fois divertir et instruire jeunes robins et demoiselles oisives. Imbu d'anti-hispanisme (trait qui s'accorde bien avec son catholicisme bougon), il accommode le trésor sapientiel des histoires anciennes à l'usage d'un public pressé, familier des recueils d'arrêts. Son « docte et precieux livre », selon l'expression de Colletet, prépare la vogue des « causes célèbres » dont le XVIIIe siècle raffolera. Entre-temps, Tristan l'Hermite l'aura rajeuni (*Plaidoyers historiques ou Discours de controverse,* 1643).

Comme nombre de ses contemporains, Le Sylvain moralise en orateur. Mais là où Belleforest s'était déclaré en faveur de la rhétorique fleurie, il s'efforce, sous l'influence de l'emblème (que trahissent ses *Cinquante Ænigmes françoises,* 1581), de faire court, attitude qu'adoptera, de manière moins tranchée, Rosset dans ses *Histoires tragiques* (1619).

BIBLIOGRAPHIE

Seule l'édition vieillie et fragmentaire d'Henri Helbig, *Œuvres choisies d'Alexandre Sylvain de Flandre* (Liège, F. Renard, 1861), peut donner un aperçu des productions de notre auteur qui n'a, par ailleurs, suscité aucune étude contemporaine.

M. SIMONIN

LE TOURNEUR Pierre Prime Félicien (1736-1788). Littérateur, surtout traducteur, Le Tourneur fut surtout un adaptateur et un imitateur. Originaire de Valognes, il fit des études brillantes à Coutances. Il vint à Paris assez jeune, se lia avec les intellectuels de son époque et fut nommé censeur royal, secrétaire de la librairie et secrétaire ordinaire du comte d'Artois, frère du roi (le futur Louis XVIII).

Ses premiers essais dans la république des Lettres — quelques éloges et discours moraux sans grande importance — lui valurent deux prix académiques. Son premier ouvrage d'importance fut une « imitation » en prose des *Nuits* d'Edward Young (1769), dont il est difficile aujourd'hui de saisir la portée et l'influence. Plus d'une génération fut nourrie de la sombre et fiévreuse mélancolie des *Nuits* de Young, dont le succès foudroyant se prolongea à travers la première période romantique du XIXe siècle.

Sans doute encouragé par le succès des *Nuits,* Le Tourneur publia ensuite non seulement les *Méditations* de Hervey (1770; édition augmentée en 1771) mais des *Œuvres diverses* de Young en quatre volumes (1770). Ces *Œuvres diverses* renferment les tragédies très sombres du pasteur anglais, y compris un traité important sur le genre noir. Tout cela fit de Le Tourneur l'interprète attitré de la « Graveyard School » de la poésie anglaise. Car les *Méditations* de Hervey comprennent non seulement les poésies de Hervey (elle aussi en prose française), mais aussi la célèbre « Élégie sur un cimetière de campagne » de Gray, les « Funérailles d'Arabert, religieux de la Trappe » de Jerningham et divers ouvrages du même genre. En 1771, Le Tourneur donna des *Choix de contes et poésies erses* et, six ans plus tard, son imitation des poèmes gaéliques d'Ossian (1777; l'original est dû à Macpherson).

On ne lit plus aujourd'hui ces imitations de Le Tourneur. Et le critique moderne est étonné quand il s'aperçoit du succès et de l'énorme influence qu'obtinrent ses traductions : elles connurent un grand nombre d'éditions à travers le XVIIIe siècle et dans la première moitié du XIXe siècle. Signalons un phénomène important, qui fait gloire à la réputation de Le Tourneur et reflète la prééminence de la langue française au XVIIIe siècle : la vogue de Young, de Gray, de Macpherson, de Hervey fut universelle, non à cause de la beauté des originaux anglais, mais grâce aux adaptations de Le Tourneur, qui furent retraduites dans toutes les langues, en prose et en vers. En français, nous avons aussi des imitations en vers, surtout des *Nuits,* dues à Colardeau et à Doigni Duponceau. N'oublions pas que Le Tourneur, qui fut à l'origine de la propagation du « younguisme », était un littérateur d'une grande probité : les pages liminaires qu'il composa pour accompagner ses traductions lui assurent une place honorable dans l'histoire de la traduction.

Malgré le succès presque sans précédent de ses premières traductions, Le Tourneur est plus connu aujourd'hui pour sa traduction du théâtre de Shakespeare, en vingt volumes (1776-1782), à laquelle collaborèrent un peu le comte de Cathuélan et Fontaine-Malherbe. La passion pour la littérature et la culture anglaises s'était muée depuis longtemps d'admiration en manie quand, en 1776, parurent les deux premiers tomes in-quarto des *Œuvres de Shakespeare.* La liste des souscripteurs publiée au début du tome I est impressionnante : des têtes couronnées de la plupart des pays d'Europe, des littérateurs en France, en Angleterre, en Allemagne et ailleurs, en s'abonnant à l'entreprise (car il faut bien employer ce terme), assurèrent aux travaux de Le Tourneur un succès international. Qu'importe les fulminations d'un Voltaire, vieux, conservateur et plus classique que ne l'était l'auteur des *Lettres anglaises* : la France accueille avec enthousiasme une traduction fidèle du barde anglais (à quelques écarts « préromantiques » près). Au début du XIXe siècle, Guizot (avec la collaboration d'Amédée Pichot) retouche la traduction de Le Tourneur, sans toutefois y apporter de grandes modifications.

On a de Le Tourneur bien d'autres traductions de l'anglais, parmi lesquelles la seule version française complète et fidèle de *Clarisse Harlowe* de Richardson, peut-être le plus célèbre roman du XVIIIe siècle. Il laissa d'intéressants *Jardins anglais,* qui parurent juste après sa mort (1788), et la description d'un pèlerinage romantique, le *Voyage à Ermenonville,* qui fut d'abord publié en annexe aux œuvres de Rousseau (1788) et qui fit l'objet de plusieurs réimpressions.

BIBLIOGRAPHIE

Quoique Le Tourneur soit un des hommes de lettres les plus importants pour l'histoire de la diffusion de la littérature anglaise en Europe au XVIIIe siècle et, avec Baculard d'Arnaud, un des plus importants promoteurs de la littérature « noire », il n'existe pas d'ouvrage d'ensemble sur l'homme et sur son influence. L'ouvrage de Mary G. Cushing, *Pierre Le Tourneur* (New York, 1908), n'a d'autre mérite que celui d'exister. Outre les études sur les rapports entre la France et l'Angleterre au XVIIIe siècle et les études consacrées à la fortune de Shakespeare en France, il faut consulter Michèle Mercati-Brisset, « Pour un portrait de Le Tourneur », dans *les Lettres romanes,* 1976, XXX, p. 195-260 (étude surtout biographique, ce texte est ce dont nous disposons de mieux sur Le Tourneur).

R. DAWSON

LETTRES PORTUGAISES. V. GUILLERAGUES Gabriel-Joseph de la Vergne, comte de.

LETTRISME. Le lettrisme est un mouvement d'avant-garde artistique et plus généralement culturel qui s'est développé, dans le cadre de l'école de Paris, après la Seconde Guerre mondiale, plus précisément entre 1946, date de ses premiers manifestes et, pour prendre une année référence, 1958, caractérisée par ses derniers éclatements. Son fondateur est Isidore Isou [voir ISOU].

La création artistique a été le champ principal mais non unique d'intervention du lettrisme. Elle repose principalement sur l'utilisation de signes graphiques, lettres (d'où « lettrisme »), idéogrammes, etc. En ce sens, ce mouvement ouvre la voie artistique à l'école « communicationnelle » dont les expériences se poursuivent aujourd'hui sur le plan scientifique.

Le lettrisme repose sur un système cohérent de création. Le principe essentiel relève de l'éthique : l'affirmation de la mégalomanie égocentrique du créateur. Isou s'est prétendu, selon la tradition juive, le Messie, Dieu; Lemaître s'est déclaré prophète; Estivals a vécu le solipsisme; hors du groupe, dans l'art informel, Mathieu affirmait être le plus grand peintre depuis Picasso. Cette hypertrophie du moi relève de la conception libérale et individualiste. On la trouve déjà chez les romantiques. Hugo s'en explique dans la préface de *Cromwell.* Elle traverse toute le XIXe siècle bourgeois, chez Baudelaire, Rimbaud, Nietzsche...

L'application de cette éthique concerne, généralement, la méthode de création : si l'homme est grand, il doit en fournir la preuve. Il lui faut donc une méthode. Isou introduit la « créatique ». Celle-ci n'est autre qu'une philosophie de l'histoire de l'art, utilisant la dialectique. Tout art possède un langage qui lui est spécifique. Il en est ainsi de la poésie, de la peinture, etc. Le développement historique d'un art permet de dégager deux phases principales : l'« amplique », ou période de construction du langage de l'art considéré; le « ciselant », ou période de destruction de ce même langage. L'application de ces concepts permet de connaître l'état actuel du développement d'un art et de fixer l'orientation qu'il doit suivre pour achever son évolution. Les formes d'art ainsi dégagées permettront de renouveler la création artistique et de prouver le caractère divin de l'artiste puisque, par définition, Dieu est créateur.

La créatique fut appliquée par Isou à la plupart des domaines artistiques et culturels. Il commença par la poésie et la musique. Dans son *Introduction à une nouvelle poésie et à une nouvelle musique* (1947), Isou interprète l'évolution de la poésie française. L'« amplique » se déroule depuis la Pléiade jusqu'au XVIIIe siècle. On construit successivement, après Ronsard, le vocabulaire (Malherbe), la grammaire (Vaugelas), les règles de la poétique (Boileau), etc.

Le « ciselant », à partir des romantiques, visera à détruire ce même langage : Hugo affranchit la poésie des règles du vers classique (enjambement...); avec Baudelaire, Rimbaud, Mallarmé, les symbolistes réduisent la poésie à la prose et libèrent le discours de sa logique; avec les dadaïstes et les surréalistes, la poésie débouche sur un langage alogique où sont conservés le concept et le mot qui l'exprime. A partir de cette situation, Isou déduit une phase ultime de décomposition : la destruction du mot au profit de la lettre. Celle-ci permettra de renouveler la poésie et la musique. Le lettrisme est inventé. Le créateur et ses disciples l'appliqueront : Gabriel Pomerand, François Dufrêne, Gil. J. Wolmann, Maurice Lemaître illustrent ces théories. Une politique de publicité — les scandales de la Salle de Géographie —, donnera le renom nécessaire au mouvement dès 1947-1948. Parallèlement, d'autres artistes, tel Altagor avec sa « métapoésie », créent selon un système poétique voisin. Tandis que l'existentialisme se produit sur le plan philosophique et littéraire, le lettrisme marque de sa présence, sur le plan artistique, les premières années de l'après-guerre.

La créatique est appliquée par la suite à bien d'autres domaines. Une nouvelle peinture, une nouvelle sculpture, un nouveau roman sont créés en utilisant l'idéographie et la pictographie sous les termes de « métagraphie » et d'« hypergraphie ». A Pomerand, à Lemaître s'ajoute Estivals.

Dans le domaine du théâtre, du film, de la photo est introduite la théorie du « discrepant ». Chaque partie d'un spectacle, au lieu de concourir synthétiquement à l'expression d'un thème, est isolée des autres et devient porteuse d'un discours propre, créant ainsi une cacophonie spectaculaire. A Isou s'ajoutent, ici, Guy-Ernest Debord, Serge Berna, Marco.

La créatique est encore appliquée dans les domaines de l'économie et de la politique avec le *Traité d'économie nucléaire,* l'« externisme » et le « juventisme ». Une publication périodique, *le Soulèvement de la jeunesse,* vient tenter d'organiser un mouvement politique fondé sur la théorie de la jeunesse, comme matière de l'évolution extérieure à la lutte de classes des adultes.

L'évolution du lettrisme confirme, s'il en était besoin, la théorie sociohistorique des mouvements et des générations littéraires et artistiques. Le lettrisme et l'« informel » (Wols, Bryen, Mathieu, Tinguely, Klein), qui exploitent le signe, l'un conventionnel, l'autre naturel, ne constituent que la première demi-génération du mouvement et de la génération du signe. Dès les années 1954-1958, plusieurs créateurs commencent à mettre en question le système isouien, dont les possibilités de renouvellement commencent à s'épuiser du fait de la limite du nombre des matières culturelles disponibles (*Grâmmes 2*).

L'idée se répand, vers les années 1958-1960, que l'« art moderne » s'achève. On parle de la mort de l'art. Ben se charge d'en établir les principes. Il suffit dès lors d'un crachat pour faire de son créateur un Dieu!

La théorie de la deuxième génération est bien connue. Elle rend compte, par exemple, des œuvres de Van Gogh, de Cézanne, de Gauguin par rapport au mouvement impressionniste. Elle repose sur le principe dialectique de contradiction. C'est encore celui-ci qui sert par rapport au lettrisme. La mise en question porte sur tous ces principes : la mégalomanie égocentrique est remplacée par le sociocentrisme marxiste; la théorie historico-dialectique de l'évolution artistique est abandonnée au profit de l'expérimentation (*Art socioexpérimental* de Suzanne Bernard et de Claude Laloum, vers 1960). Ces prémices conduisent à la rupture. Deux tendances apparaissent successivement : d'une part, l'Internationale lettriste (1952) [S. Berna; J.-L. Brau; Debord; Wolman], qui devient, après 1958, l'Internationale situationniste; d'autre part, l'« ultralettrisme », (F. Dufrêne, R. Estivals, Villeglé), qui évolue vers le « schématisme », en passant par le « signisme », de 1958 à 1960-1962. La rupture est consommée par les réponses d'Isou dans la revue *Poésie nouvelle,* réduisant l'Internationale situationniste et l'ultralettrisme à du sous-lettrisme (1959).

Les deux tendances ont encore des contacts jusqu'en 1964. Après quoi elles se séparent. La critique du lettrisme renvoie à deux systèmes de création différents. Le « situationnisme » se fonde sur une étude expérimentale de la réalité sociale — donc socioarchitecturale — de la ville, notamment. La méthode de la dérive permet aux groupes situationnistes (Debord, Asger Jorn, Michèle Bernstein...) de sillonner les villes pour en dégager les « situations ». De 1958 à 1964, les situationnistes tentent de créer des situations architecturales. Ils sont liés notamment avec des membres de l'ancien groupe Cobra (Copenhague, Bruxelles, Amsterdam) et avec les « provos ».

Le manque de moyens suffisants les conduit à une radicalisation critique et politique. Le monde est un spectacle dont l'analyse à la fois marxiste et anarchiste donne la clé (Guy-Ernest Debord; Raoul Vaneigem). La dénonciation des sociétés capitalistes et bolcheviques permet à l'I.S. de jouer une rôle important dans la préparation et le développement du mouvement de mai 1968. L'Internationale situationniste disparaît ensuite. Des publications « posthumes » sont alors imprimées (vers 1970).

La seconde tendance repose initialement sur le marxisme-léninisme. Refusant l'ésotérisme de la création antérieure, elle se pose la question de la reconstruction d'un langage communicable au service des grands thèmes de la pensée progressiste. En se fondant sur une analyse psycho-linguistique, elle découvre le rôle essentiel du schème mental et du schème verbal et graphique (de là provient son titre de « schématisme »). Dans une première phase, qui dure de 1960 à 1968, elle crée un art et une peinture schématiques (revues *Grâmmes, Schéma, Cahiers du schématisme*). J. Caux, R. Estivals, J.-C. Gaudy, G. Vergez participent avec L. Lattanzi (la peinture sémantique) à cette entreprise. La création artistique renvoie bientôt à une analyse scientifique de la communication particulièrement scripturale. Dès 1964 se constitue un nouveau groupe, à dominante universitaire, auquel participent pour un temps J. Bertin, L. Goldmann, G. Matoré, A. Moles. Ses travaux sont publiés dans la revue *Schéma et schématisation* depuis 1968. En 1976 est créée la *Société de bibliologie et de schématisation.*

Parallèlement à ces deux tendances, le lettrisme poursuit l'exploitation de ses théories créatives grâce à une nouvelle génération d'artistes, parmi lesquels Spacagna (salon Écritures).

Il n'est donc pas douteux que, par sa richesse créative comme par son développement — et bien qu'il soit encore insuffisamment connu, comme tout mouvement d'avant-garde —, le lettrisme a marqué l'histoire artistique contemporaine depuis la Seconde Guerre mondiale.

BIBLIOGRAPHIE

Nous ne donnerons ici que quelques-unes des œuvres principales d'une production considérable.

Lettrisme. — I. Isou, *Introduction à une nouvelle poésie et à une nouvelle musique,* Paris, Gallimard, 1947; id., *l'Agrégation d'un nom et d'un Messie,* Paris, Gallimard, 1947; id., *les Journaux des dieux,* aux Escaliers de Lausanne, 1950; id., *Traité d'économie nucléaire. Le Soulèvement de la jeunesse,* aux Escaliers de Lausanne, 1958; id., *Œuvres de spectacle,* Paris, Gallimard, 1964; G. Pomerand, *Saint Ghetto des prêts, grimoire,* O.L.B., 1951; M. Lemaître, *Qu'est-ce que le lettrisme?* Paris, Fischbacher, 1954; id., *Carnets d'un fanatique,* Paris, Grassin, 1959; F. Dufrêne, « le Tombeau de Pierre Larousse », *Grâmmes,* nº 2, 1958; G.E. Debord, « Hurlements en faveur de Sade », *Ion,* 1952; R. Estivals, « l'Élément plastique complément », *Grâmmes,* nº 1, 1957; id., *l'Ypergraphie idéographique synthétique,* Paris, Guy le Prat, 1964. Voir aussi les revues : *Dictature lettriste, le Soulèvement de la jeunesse, le Front de la jeunesse, la Lettre, Poésie nouvelle, Grâmmes,* etc. et l'anthologie de Jean-Paul Curtay, *la Poésie lettriste,* Paris, Seghers, 1974.

Internationale situationniste. — Guy Debord, *Internationale lettriste,* 1952; id., *Mémoires,* 1959; id., *la Société du spectacle,* Paris, Buchet-Chastel, 1967; Asger Jorn, *Pour la forme,* Int. Situat., 1958; Raoul Vaneigem, *Traité du savoir-vivre à l'usage des jeunes générations,* Paris, Gallimard, 1967. Voir aussi la *Revue internationale situationniste.*

Schématisme. — Robert Estivals, *la Défense,* Paris, le Soleil noir, 1954; *l'Avant-garde culturelle parisienne depuis 1945,* Paris, Guy Le Prat, 1962; « De la lettre au schéma », *Schéma et schématisation,* nº 6; *Un sociocrate,* Paris, 1974; R. Estivals, J.-C. Gaudy, G. Vergez, *l'Avant-garde...* B.N., Paris, 1968. Voir aussi les revues *Grâmmes, Schéma, Cahiers du schématisme, Schéma et schématisation.*

R. ESTIVALS

LÉVI Eliphas, pseudonyme d'**Alphonse Louis Constant** (1810-1875). Théosophe, grand occultiste, visionnaire, écrivain, poète, l'ex-abbé Constant est un personnage fascinant. Tenté jusqu'à son mariage par le sacerdoce, il a quitté le séminaire à la suite d'une aventure sentimentale, prêché à Évreux comme diacre, envisagé de se faire moine à Solesmes : il restera de cette expérience quelques opuscules mystiques sur la Vierge.

Sa première activité sociale importante sera la fréquentation des milieux républicains sous la monarchie de Juillet et l'amitié de la socialiste Flora Tristan, dont il rédigera les Mémoires posthumes. Condamné en 1841 pour une *Bible de la liberté,* de tendance menaisienne [voir LAMENNAIS], il fonde en 1848 le club de la Montagne avec Esquiros. De nombreuses poésies témoignent du messianisme quarante-huitard qui l'habite :

> Il faut mourir! martyr humanitaire,
> Peuple fait homme, égaré par les rois,
> Déshérité du trône et de la terre,
> Tu n'as plus rien que le glaive ou la croix.
>
> (publié dans *la Voix des femmes* le 29 avril 1848)

ou bien encore cette chanson, *la Liberté du peuple* :

> Peuple! Ton règne enfin commence!

ce qui implique cette revendication dans le refrain :

> Place aux enfants du prolétaire,
> Place aux conquérants de nos droits!

Constant n'en restera pas là : sa rencontre avec Hoëné Wronski, le savant mystique polonais, l'amène à l'occultisme. Sa conversion aux sciences parallèles s'inscrit dans l'hébraïsation de son nom en Éliphas Lévi Zahed et engendre une abondante production : *Dogme et rituel de haute magie, Histoire de la magie* (1859), *la Science des esprits* (1865), *la Clef des grands mystères* (1869) et, posthumes, *le Livre des splendeurs* (1894), *le Grand Arcane* (1898) et *le Livre des sages* (1912). Le regain actuel de curiosité pour l'occulte, le mystique et le « spirituel » a motivé récemment une réédition de ces ouvrages, dont l'intérêt littéraire n'est guère plus évident que celui des vers ci-dessus : à la magie du verbe, Éliphas préférait la magie tout court, mais sans doute celui qui avait collaboré, en 1851 au *Dictionnaire de littérature chrétienne* de l'abbé Migne pensait-il que les bons sentiments, lorsqu'ils communiquent avec le surnaturel, suffisent à faire de la bonne littérature.

BIBLIOGRAPHIE

Œuvres. — *Dogme et rituel de haute magie,* 1967; *Clés majeures et clavicules de Salomon,* 1971 (les deux chez Bussière); *Histoire de la magie,* 1974; *le Livre des splendeurs,* 1975; *Cours de philosophie occulte,* 1977; *le Grand Arcane ou l'Occultisme dévoilé,* 1975; *la Science des esprits,* 1976; *les Mystères de la Kabbale,* 1978; *Fables et symboles,* 1978 (tous chez Maisnie); *la Clef des grands mystères,* 1976, la Diffusion scientifique.

A consulter. — Paul Chacornac, *Éliphas Lévi,* 1925; A. Viatte, *Victor Hugo et les illuminés de son temps,* 1943; F.P. Bowman, *Éliphas Lévi visionnaire romantique,* préface et choix de textes, P.U.F., 1969. Sur l'abbé Constant : Paul Bénichou, *le Temps des prophètes,* Gallimard, 1977, p. 435-446.

G. GENGEMBRE

LEVINAS Emmanuel (né en 1905). Né en Lituanie, Emmanuel Levinas, après des études entreprises à l'université de Strasbourg à partir de 1923, a enseigné la philosophie en divers lieux, entre autres à l'université de Nanterre et à l'université de Paris-Sorbonne.

Ses premiers travaux seront inscrits dans le cadre de la phénoménologie husserlienne, que sa formation de germaniste lui a permis d'approcher de manière plus intime que la plupart de ses contemporains français, et qu'il fut l'un des premiers à introduire en France : en témoignent des ouvrages comme *la Théorie de l'intuition dans la phénoménologie de Husserl* (1930), *le Temps et l'Autre* (1948), *En découvrant l'existence avec Husserl et Heidegger* (1949).

Mais Levinas n'est pas seulement un existentialiste préoccupé par le problème de l'intersubjectivité, par la relation à autrui, par les rapports du langage et du temps ou par l'analyse de la conscience. Il est aussi un intellectuel juif engagé dans les drames de son temps. La naissance de l'État d'Israël doit, selon lui, s'accompagner d'une renaissance spirituelle du judaïsme, conçu non seulement sous l'aspect strictement religieux, mais, d'une façon plus large, comme une philosophie susceptible de s'adresser à tout homme moderne soucieux de vérité, quelles que soient ses convictions religieuses.

Selon Levinas, en effet, les textes bibliques ou talmudiques (ceux-ci constituant, pour l'essentiel, une exégèse de ceux-là) contiennent une signification universelle que seule peut mettre en évidence une étude attentive, nourrie au moins autant par la spéculation grecque que par la tradition rabbinique. Juif et grec à la fois : tel se veut, en somme, Levinas, dans des ouvrages tels que *Difficile Liberté : essais sur le judaïsme* (1963), *Quatre Lectures talmudiques* (1968), ou *Du sacré au saint : cinq nouvelles lectures talmudiques* (1977).

Certes, ces « lectures » ont pour fonction de jeter les bases d'une morale adaptée à notre temps, épris de liberté, ainsi qu'aux exigences de l'éthique traditionnelle, et d'abord à celle de responsabilité. Mais, en scrutant les textes en compagnie des grands talmudistes d'autrefois, Levinas a également été conduit à élaborer une philosophie du signe ou de la signification. Sa réflexion sur l'Écriture sainte l'a amené à s'interroger sur l'écriture en général. La tradition juive, si attentive à la littéralité du texte, prend, dans les essais de Levinas, une résonance étrangement moderne; on ne s'étonnera donc pas qu'elle ait semblé rejoindre, par certains côtés, les travaux des sémioticiens contemporains, ni qu'elle ait exercé quelque influence sur la pensée d'un Jacques Derrida. Le petit livre de Levinas consacré à *Maurice Blanchot* (1975) — autre lecteur attentif aux pièges de l'écriture — ou ses *Noms propres* (1975) constituent donc le dernier volet, le plus audacieux peut-être, de cette œuvre exigeante qui est demeurée longtemps méconnue du public.

Ch. DELACAMPAGNE

LÉVIS MANO Guy (1904-1980). Éditeur, typographe, poète, Guy Lévis Mano a consacré son existence à la poésie. A peine âgé de vingt ans, il écrit et fonde plusieurs revues (*la Revue sans titre, Des poèmes, Ceux qui viennent*) où s'affirme l'exigence d'aller « à l'art par tous les moyens ». Attiré par tout le travail d'élaboration d'un livre, il fonde en 1933 les éditions G.L.M. qui séduisent le groupe surréaliste. Ses textes d'alors (*C'est un tango pâmé,* 1925, et *Jean et Jean,* 1932) présentent deux facettes de sa personnalité : l'esthète raffiné et le boxeur, ami des milieux populaires, où violence et sexe brouillent le rêve et la réalité. Dans les années qui précèdent la guerre, ses nombreuses publications : *Trois Poèmes de la tristesse et de la mort,* 1924; *Fait divers,* 1932; *Il est fou,* 1933; *Ils sont trois hommes,* 1933; *Trois typographes en avaient marre,* 1935; *Longueur des nuits où rien n'arrive,* 1935; *Crâne sans lois,* 1937, ainsi que sa revue, *les Cahiers G.L.M.,* renouvellent l'art de l'édition (ainsi en 1935, *Facile,* d'Eluard, montrait des photographies de Man Ray). Ses expositions font connaître Hans Bellmer et Valentine Hugo, alors que ses presses publient de nombreux auteurs (42 titres en 1936, 52 en 1937). Mais l'intermède d'une captivité « de Stalag en Kommando, en Allemagne, durant les années sans grâce, de 1941 à 1945 » transforme cet éditeur à la mode. Le contact d'hommes démunis, simples et grands, le plonge dans la mouvance poétique du quotidien :

> La terre a ses veines ouvertes
> pour les blés comme pour les morts.

Les mots de ses recueils d'alors *(Captif de ton jour, captif de ta nuit; Homme exclu de la vie et de la mort)* déploient une justesse de ton et ce lyrisme des chansons où la voix et le regard recueillent l'image :

> Les poèmes d'Apollinaire
> dans les boîtes cadenassées des bouquinistes
> allèrent faire un dîner de poussière chez Villon.

Celui qui signe à cette époque JEAN GARAMOND exprime l'inquiétude du double et de la clôture (*Images de l'homme immobile,* 1943; *Captivité de la chair,* 1947; *On fait nos cœurs barbelés,* 1947).

Après la guerre, Lévis Mano publie encore des poèmes : *Mal à l'homme* (1948); *l'Extrême Adversaire* (1954); *Il n'y a pas plus solitaire que la nuit* (1957); *le Dedans et le Dehors* (1961); *Loger la source* ([1971] regroupe les trois ouvrages précédents).

Il accorde une place importante à des auteurs étrangers, dont il assure souvent la traduction de l'espagnol,

Gravure de Bernard Picart (1673-1733) pour : *Entretiens sur la pluralité des mondes* de Bernard Le Bovier de Fontenelle. Ed. de 1727.
Ph. © Bibl. nat., Paris - Photeb.

Gravure anonyme pour le frontispice de : *Vernünfftige Gedanken von Gott, der Welt und der Seele des Menschen, auch allen Dingen überhaupt... de Christian Wolff.* Ed. Frankfürt und Leipzig, 1729.
Bibl. nat., Paris - Ph. Jeanbor © Arch. Photeb.

Les Lumières

De la lumière aux Lumières.
Empruntant au rituel religieux l'image de l'esprit divin dissipant les ténèbres du mal, de l'erreur, de l'ignorance, des philosophes du XVIIIe siècle la laïcisent pour en faire le slogan de leur propre combat : celui *des* Lumières.
Le pluriel est significatif. D'abord, de la multiplicité des enjeux — politiques, religieux, moraux, sociaux, scientifiques — mis au jour par la pratique du libre examen, par

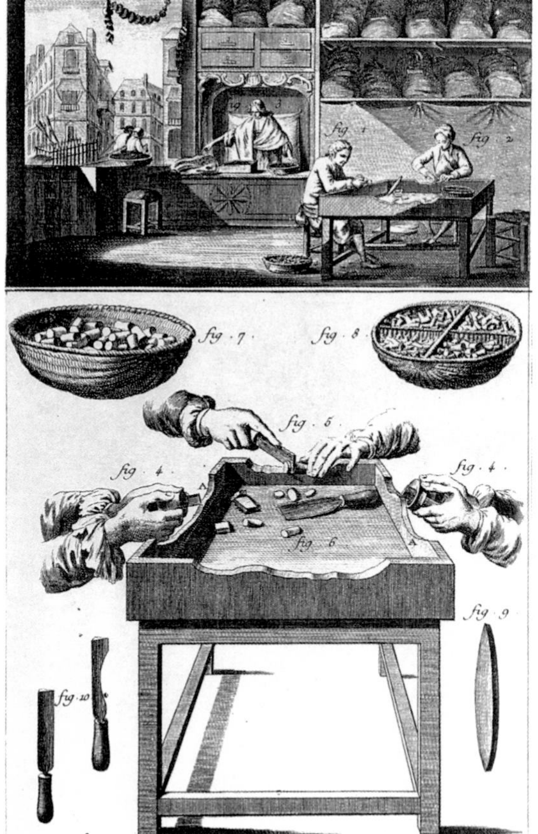

Gravure de Robert Benard (XVIIIe s.), pour l'article « Bouchonnier », vol. XXIII de : *Encyclopédie ou Dictionnaire raisonné des sciences, des arts et des métiers par une société de gens de lettres*, mis en ordre par M. Diderot et quant à la partie mathématique par M. d'Alembert. Paris, Briasson, 35 volumes, 1751-1780.
Ph. © Bibl. nat., Paris - Arch. Photeb.

Gravure anonyme, 1752. Caricature contre Diderot, parue en fronstispice de : *Réflexions d'un franciscain avec une lettre préliminaire adressée à Monsieur XXX.*
Bibl. nat., Paris - Ph. L. de Selva © Arch. Photeb.

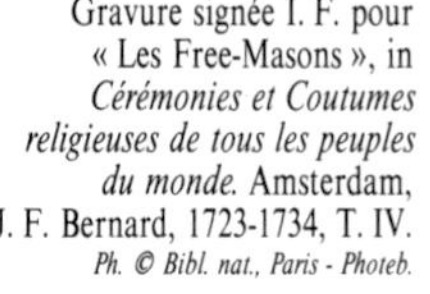

Gravure signée I. F. pour « Les Free-Masons », in *Cérémonies et Coutumes religieuses de tous les peuples du monde.* Amsterdam, J. F. Bernard, 1723-1734, T. IV.
Ph. © Bibl. nat., Paris - Photeb.

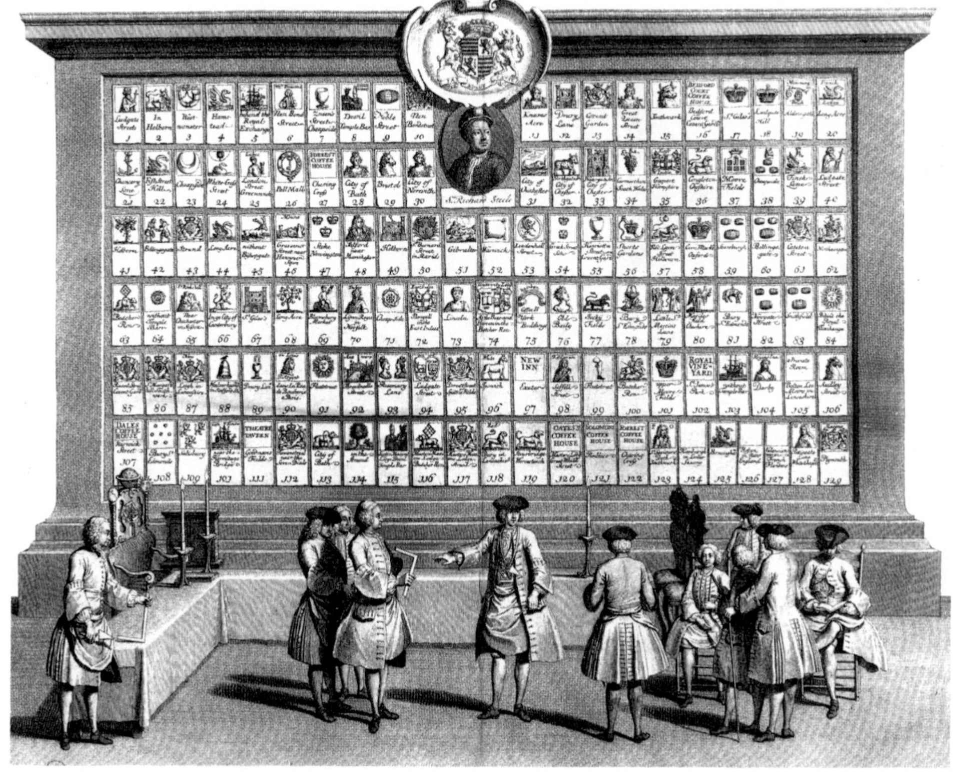

« Voltaire recevant la visite de Frédéric II », gravure d'époque de Bocquoy.
Ph. © Bibl. nat., Paris - Arch. Photeb.

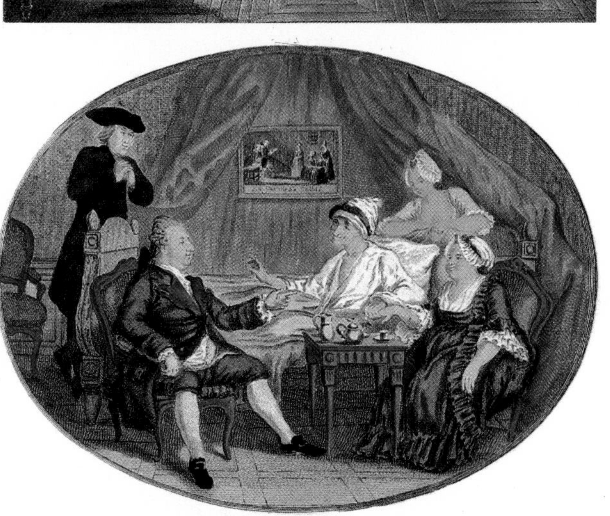

« Le Déjeuné de Ferney » : le père Adam, La Borde et Mme Denis sont au chevet de Voltaire (Dans l'alcôve, la gravure de la famille Calas). Gravure coloriée de Philippe Canot en 1775, d'après D. Vivant Denon. *Institut et Musée Voltaire, Genève. Ph. F. Martin © Arch. Photeb.*

« M. de Buffon », aquarelle de Louis Carmontelle en 1769.
Musée Condé, Chantilly - Ph. H. Josse © Arch. Photeb.

l'application à toutes choses de la raison promue « lumière naturelle ». Ensuite, de la dimension individuelle d'une quête de la vérité qui devient l'affaire de chacun, en son domaine, en son pays : Lumières en France, *Aufklärung* en Allemagne, *Enlightenment* en Angleterre. C'est dire la diversité d'un mouvement

« Le Cabinet de physique de M. Bonier de La Mosson » par Jacques de Lajoue (début XVIIIe s.).
Coll. Sir Alfred Beit - Ph. © Arch. Thames and Hudson Ltd.

où se retrouvent matérialistes et déistes, républicains et apôtres du despotisme *éclairé*...
Tous unis cependant, tels les rédacteurs de l'*Encyclopédie*, par la même volonté de savoir, de lutter contre tous les « fanatismes » et d'ouvrir à l'homme les voies du bonheur terrestre.

« Le Vrai Bonheur », gravure de J.-Baptiste Simonet d'après J.-Michel Moreau le Jeune pour : *Monument du costume physique et moral de la fin du XVIIIe siècle* de N. Rétif de La Bretonne. Ed. à Neuwied en 1789. *Ph. © Bibl. nat., Paris - Photeb.*

du catalan et de l'anglais : Carlos Rodriguez-Pintos, *Suicide* (1937); Federico Garcia Lorca, *Cinq Romances gitanes* (1939), *les Nègres* (1946), *Romancero gitan* (1946); S.T. Coleridge, *la Ballade du vieux marin* (1946); Saint Jean de la Croix, *Cantique spirituel* (1947); Pablo Neruda, *Coplas espagnoles* (1949); Luis de Gongora, *Trente Sonnets* (1959); William Shakespeare, *le Phénix et la Tourterelle* (1959); Ramon Llull, *l'Ami et l'Aimé* (1972).

Il publie aussi des auteurs français de la Renaissance, comme Maurice Scève et Louise Labé, et accueille René Char, Edmond Jabès, Jacques Prévert, mais aussi des poètes plus confidentiels. Ouvrier calme et artiste, Guy Lévis Mano sut lire et interpréter le livre comme un monde, jouant de ses superbes caractères typographiques pour la grande gloire de la lettre.

BIBLIOGRAPHIE

Pierre Seghers, « Guy Lévis Mano », dans *Poésie 42*, février-mars 1942; — « Approche d'un poète : Guy Lévis Mano », *les Lettres françaises*, 25 août 1971; Andrée Chédid, « Guy Lévis Mano, poète et artisan », *le Journal des poètes*, nº 5, mai 1955.

Une exposition Guy Lévis Mano fut organisée à la Bibliothèque nationale du 28 octobre au 28 novembre 1981; Antoine Coron, à cette occasion, publia une bibliographie détaillées des œuvres.

Y. MÉZIÈRES

LÉVI-STRAUSS Claude (né en 1908). Philosophe de formation, Claude Lévi-Strauss abandonne assez vite cette discipline pour s'initier à l'ethnologie. Dans les années qui précèdent immédiatement la Seconde Guerre mondiale, il part pour le Brésil. Il y effectue diverses missions chez les Indiens Bororos, Caduveos, Nambikwaras. Après la guerre, il séjourne quelque temps aux États-Unis, puis rentre en France pour se consacrer définitivement à l'enseignement et à la recherche. De 1959 à 1982, il occupe la chaire d'anthropologie sociale au Collège de France. L'Académie française l'a accueilli en 1973.

C'est en 1949 que Claude Lévi-Strauss a publié le livre qui devait lui valoir une renommée mondiale et qui, malgré les nombreuses discussions qu'il a soulevées, demeure l'un des grands textes de l'anthropologie moderne : *les Structures élémentaires de la parenté*. D'une part, en effet, cet ouvrage met en évidence le rôle central que jouent, dans les sociétés dites primitives, les rapports de parenté; de l'autre, il montre comment ceux-ci s'ordonnent selon des règles symboliques dont la signification varie selon les sociétés, mais dont la combinatoire n'est ni infinie ni arbitraire. Ainsi, dans la lignée de Durkheim (qui avait recommandé de traiter les faits sociaux « comme des choses ») et de son continuateur Marcel Mauss (qui avait invité les sociologues à se pencher avec attention sur la réalité des faits ethnographiques), Claude Lévi-Strauss assigne à l'anthropologie sociale — terme qu'il préfère à celui d'ethnologie — un objet : l'ensemble des faits humains de nature symbolique, en même temps qu'une méthode : l'analyse structurale, qui consiste à repérer des formes invariantes et intelligibles au sein de contenus variables et, parfois, incohérents.

Issu de la redécouverte par Lévi-Strauss du *Cours de linguistique générale* de Ferdinand de Saussure et de la rencontre à New York avec Roman Jakobson, grand linguiste, créateur de la phonologie avec Troubetskoy, poéticien, sémioticien au vaste savoir anthropologique, le « structuralisme » mis en pratique dans ce travail sur la parenté devait être développé ultérieurement, en particulier dans les deux volumes d'articles rassemblés sous le titre *Anthropologie structurale* (tome I, 1958; tome II, 1973) ainsi que dans les quatre volumes des *Mythologiques* (*le Cru et le Cuit*, 1964; *Du miel aux cendres*, 1967; *l'Origine des manières de table*, 1968; *l'Homme nu*, 1971), avant d'être exporté dans des domaines voisins de l'anthropologie par d'innombrables chercheurs influencés par Lévi-Strauss. Dans la série des *Mythologiques* est établie pour la première fois l'unité formelle de l'ensemble des mythes partagés par les Indiens des deux Amériques. Deux ouvrages, *le Totémisme aujourd'hui* (1962) et *la Pensée sauvage* (1962), renouvellent complètement, à la lumière d'une logique qui sait reconstituer l'unité structurale des systèmes symboliques derrière la déroutante diversité des faits empiriques, l'étude de deux problèmes — classiques depuis Frazer et Lévy-Bruhl — posés par l'étude des sociétés dites primitives. En ce sens, Lévi-Strauss est bien le principal représentant, en France, du mouvement structuraliste et celui qui en a accepté jusqu'au bout toutes les conséquences même si, contrairement à certaines interprétations hâtives de sa pensée, encouragées par la mode, il n'a jamais nié l'importance de la dimension historique commune à toutes les sociétés humaines, qu'elles soient ou non « primitives ». *Le Regard éloigné* (1983) développe une réflexion épistémologique sur l'ethnologie dont la condition première est exprimée par le titre même.

Une place à part doit être faite à *Tristes Tropiques* (1955), le seul ouvrage autobiographique de Claude Lévi-Strauss, dans lequel celui-ci révèle quelques-uns des événements qui ont contribué à former sa sensibilité : il y manifeste de remarquables talents d'écrivain. Homme de culture classique, formé aux humanités traditionnelles, peu ouvert à l'art moderne — sur lequel il a exprimé des vues très critiques —, plus sensible à la musique et à la littérature qu'aux arts plastiques, malgré l'ouvrage qu'il a consacré à *la Voie des masques* (1975), Claude Lévi-Strauss s'est toujours méfié du « structuralisme littéraire » (un texte particulièrement significatif à cet égard est sa réponse, datée de 1965 et reprise dans *Anthropologie structurale II*, à une enquête sur ce sujet). Il a d'ailleurs fréquemment insisté sur le caractère fragile et éphémère des productions littéraires ou artistiques, et sur la supériorité — y compris du point de vue esthétique — des phénomènes de la nature, surtout de la nature minérale et végétale.

BIBLIOGRAPHIE

On lira avec intérêt, de Georges Charbonnier, *les Entretiens avec Claude Lévi-Strauss*, Plon-Julliard, 1961. De nombreuses études ont été consacrées à la pensée anthropologique de Lévi-Strauss, mais sa personnalité littéraire reste peu étudiée.

Ch. DELACAMPAGNE

LEYS D'AMORS. La croisade contre les Albigeois n'a pas détruit la culture occitane : les troubadours se sont réfugiés en Catalogne, en Aragon ou en Italie; même sur place, la littérature survit. Elle connaît même un renouveau quand, en 1323, sept poètes bourgeois de Toulouse fondent la Sobregaia Companhia del Gai Saber (« Consistoire du Gai Savoir »), pour donner un nouvel élan au « trobar » et, surtout, trouver (et c'est là que l'on ressent la conséquence de la conquête) un accord entre poésie, morale et religion. Les *Leys d'amors* en sont le manifeste. Ce code poétique, qui met en forme la « science de trouver » et de « faire une nouvelle composition en roman pur et bien mesuré », existe en plusieurs versions : les plus connues sont les *Flors del Gay Saber*, en vers, et le *Compendi*, en prose. On y trouve l'historique de la fondation, un traité d'éthique sur Dieu et les vertus, une grammaire, qui définit le bon usage, une poétique, exposant les techniques de versification, une rhétorique, qui classe les figures du discours. Rédigées par maître Guilhem Molinier entre 1324 et 1341, les *Leys d'amors* perpétuent l'assimilation entre aimer et chanter qui est à la base de la poésie courtoise : les lois de la composition sont aussi celles de la vie. La production poétique inspirée par ce mouvement conserve les formes anciennes, mais elle est assez différente par son orientation : le souci religieux la domine (poèmes à la Vierge); mais cette récupération dévote peut servir de couverture et de métaphore. Cette volonté de mise en forme de la poésie est presque contemporaine d'une tendance à la codification, pour la littérature d'oïl, tendance qui se traduira par les traités de seconde rhétorique.

BIBLIOGRAPHIE
Éd. J. Anglade, *las Leys d'amors,* 1919-1920 (éd. du *Compendi* en prose).

A. STRUBEL

LHÉRISSON Justin (1873-1907). V. CARAÏBES ET GUYANE. Littérature d'expression française.

L'HERMITE Tristan. V. TRISTAN L'HERMITE.

L'HOSPITAL Michel de (vers 1503-1573). D'origine auvergnate, il fit des études de droit à Toulouse, et accompagna en exil son père, condamné pour avoir suivi la révolte du connétable de Bourbon contre François Ier. Il suit les cours de l'université de Padoue — où règne l'école rationaliste de Pomponazzi — avant d'y occuper une chaire de droit civil. Durant ce séjour prolongé en Italie — à Rome, il est auditeur de la Rote —, il acquiert une solide réputation d'humaniste. Ses *Épîtres* satiriques à la manière d'Horace feront de lui l'un des plus célèbres poètes néo-latins de son siècle. A son retour en France, il est délégué aux Grands Jours de justice de Moulins (1540), de Riom (1542) et de Tours (1546). Parallèlement à ses activités de magistrat, il plaide auprès de Henri II la cause de la jeune Pléiade, dont il devient le mentor adulé. Sa véritable carrière politique commence en mai 1560, lorsque Catherine de Médicis le nomme chancelier pour mener une politique de conciliation entre catholiques et protestants. Une tentative d'harmoniser les points de vue en présence, tel est l'objet du colloque de Poissy, qu'ouvre le 9 septembre 1561 une harangue du chancelier, et qui échoue totalement. Retiré en 1568 dans son domaine du Vignay, L'Hospital meurt cinq ans plus tard, quelques mois après la Saint-Barthélemy, qui a consacré la ruine définitive de sa politique de tolérance. Dans son traité *le But de la guerre et de la paix* (1570), qui reprenait les arguments de ses *Harangues* antérieures, il s'opposait, en termes pressants, à une solution violente du problème protestant. Préférant la « rude vérité » à l'éloquence captieuse, la bonhomie apparente du style de L'Hospital, riche en dictons, contraste avec le somptueux cicéronianisme mis plus tard à la mode par Du Vair. Ce style fait retomber ses discours vers la confidence personnelle, et leur donne le ton de la conversation privée, mais c'est pour évoquer en demi-teinte les plus sanglantes tragédies de son temps.

BIBLIOGRAPHIE
Œuvres complètes de Michel de L'Hospital, publiées par P.J.S. Dufey, 3 vol., Paris, A. Boulland, 1824-1825; *Poésies complètes de Michel de L'Hospital,* trad. annotée par Louis Bandy de Nalèche, Paris, Hachette, 1857.
A consulter. — J.F. Marie, *Essai sur la vie et les ouvrages du chancelier Michel de L'Hospital,* Rennes, 1868; J. Héritier, *Michel de L'Hospital,* Paris, Flammarion, 1943; Albert Buisson, *Michel de L'Hospital,* Paris, Hachette, 1950.

F. LESTRINGANT

LIBAN. Littérature libanaise d'expression française. Grand comme deux départements français, le Liban connut une destinée unique, qui prit son essor avec les Phéniciens, inventeurs de l'alphabet, habiles navigateurs qui se lancèrent à l'assaut du monde, porteurs d'une foule d'inventions.

Véritable carrefour entre trois continents, le Pays des cèdres a été, tout au long de son histoire, le théâtre d'intenses activités humaines, de rencontres et de mélanges de cultures tour à tour assimilées, puis dépassées. Dans ce pays charnière ouvert à toutes les cultures et à toutes les civilisations, et dont le bilinguisme, voire la polyglossie, a toujours constitué l'une des caractéristiques, la langue et la culture françaises devaient trouver à leur tour une place naturelle.

L'histoire de la présence française au Liban remonte aux temps des croisades. Les chevaliers — et particulièrement les Francs — trouvèrent dans la montagne libanaise un accueil chaleureux dans un environnement hostile. Toutefois, l'introduction effective du français dans le Pays des cèdres ne date que de la période ottomane : la signature par François Ier, en 1535, des premières capitulations avec les Ottomans allait jeter les bases de la présence française au Levant en permettant l'installation des négociants et des missionnaires, principaux artisans de la diffusion de la langue et de la culture françaises dans ce pays. Ainsi, à partir du XVIe siècle, des missionnaires français commencèrent à affluer en nombre de plus en plus grand, fondant des écoles et des collèges, qui ne devaient pas tarder à devenir illustres. En 1860, un corps expéditionnaire français — envoyé pour arrêter les massacres de chrétiens — débarque dans un pays où la langue française s'affirmait de plus en plus.

L'apogée de la présence française coïncide avec l'instauration d'un mandat confié à la France sur le Liban (1920). Depuis la fin de ce mandat (1943), on a assisté à une consolidation de cette présence, de nos jours devenue essentiellement culturelle. Un essai publié en 1975 estime à 60 p. 100 le nombre de Libanais lettrés parlant français. Les écrivains libanais d'expression française, dans tous les domaines du savoir, sont devenus légion, et il convient de rappeler les innombrables traductions d'ouvrages arabes en français et l'existence d'une presse de langue française à grande diffusion.

Quant à la littérature libanaise d'expression française, son point de départ se situe vers la fin du XIXe siècle — plus précisément en 1874, date de la publication par Michel Misk, du premier recueil poétique libanais de langue française. Cette littérature, qui s'étend sur un peu plus d'un siècle, est fortement liée à l'histoire du Liban et se caractérise par un engagement très poussé vis-à-vis des problèmes de la patrie libanaise. En une si courte période, elle a connu quatre étapes d'importance inégale. A une littérature de combat contre les Ottomans, qui s'étend de la fin du XIXe siècle à 1920, succède, entre 1920 et 1943, période du mandat français, une littérature nationale qui cherche à définir les bases de son entité. Puis, à partir de 1945, nous assistons à l'épanouissement d'une littérature qui, dépassant le cadre national et néoclassique de la deuxième étape, s'ouvre davantage aux courants littéraires français contemporains tels que le symbolisme et le surréalisme. Toutefois, la guerre qui embrase cette région du monde depuis 1975 a ramené cette littérature sur la voie d'un engagement plus prononcé vis-à-vis du problème national.

La littérature de combat

A l'aube du XXe siècle, Paris devient la terre d'élection des écrivains libanais militant pour l'indépendance de leur pays. Leur lutte prend la forme de comités, de sociétés secrètes, de pétitions, de conférences et de mémoires. Le français, dans lequel le sentiment national libanais trouve alors son expression la plus profonde, devient langue de combat. C'est par lui aussi que ces écrivains vont contribuer à l'essor du nationalisme arabe. Ainsi, en 1905, Najib Azouri, un ancien fonctionnaire de l'administration ottomane, publie en français le premier essai sur l'arabisme et lance la devise : « Les pays arabes aux Arabes ». Une revue, *la Correspondance d'Orient,* fondée en 1908 par des Orientaux à Paris, va défendre les thèses nationales. Un autre écrivain libanais, Khaïrallah T. Khaïrallah, s'installe lui aussi à Paris, en 1911, devient rédacteur à la *Revue islamique* et au *Temps* et publie deux ouvrages importants : *la Syrie* (1912) et *le Problème du Levant* (1912).

L'activité purement littéraire de cette génération demeure réduite, du fait de l'acuité du problème politique et de la nécessité de la lutte pour la libération nationale. Dans leurs œuvres littéraires, les auteurs libanais cherchent surtout à faire connaître l'Orient, qu'ils n'ont jamais cessé de regarder comme la source naturelle de leurs inspirations. Ainsi, un drame, *le Serment d'un Arabe,* écrit par Michel Sursock, est présenté en 1906 au théâtre de l'Ambigu, à Paris. L'action se passe en Arabie, en l'an 600 de l'hégire, et se déroule autour d'une histoire d'amour. Khaïrallah T. Khaïrallah (1882-1930) publie un conte illustré : *Caïs* (1921), sujet puisé dans la chronique arabe *Madjnoun Laïla* (« le Fou de Laïla »). L'auteur raconte, en un style biblique, l'amour de Caïs et de Laïla, les Roméo et Juliette de la littérature arabe. Caïs, qui aime Laïla, ne peut l'épouser car son père l'a destinée à un autre. Khaïrallah transpose dans son roman des expressions libanaises telles que « lumière de mes yeux, âme de mon âme, mon œil n'a point goûté le sommeil », qui annoncent, avec trente ans d'avance, le lyrisme d'un Farjallah Haïk, poète de la troisième génération.

Khalil Ganem (1857-1903), qui a échappé de justesse à la potence ottomane, se réfugie à Paris et devient rédacteur au *Figaro* et au *Journal des débats.* En 1889, il fonde la revue *la France internationale,* dans laquelle il se propose, selon ses propres termes, « de défendre les traditions et les gloires de la France ». Il est, par ailleurs, l'auteur d'un recueil poétique, *le Christ* (1889), où il s'est efforcé sans grand succès de raconter en vers la vie de Jésus de Nazareth selon les Évangiles. Cependant, Khalil Ganem demeure un grand prosateur. Son ouvrage le plus important reste *les Sultans ottomans* (1901-1902), dont les premiers chapitres avaient déjà été publiés dans *la France internationale* et dans le *Journal des débats* entre 1879 et 1883. Dans cette œuvre, il envisage l'histoire de la Turquie vue sous l'angle de ses sultans; on y décèle une grande éloquence qui atteint parfois au lyrisme.

Par l'ampleur et la qualité de son œuvre, Chékri Ganem (1861-1929), frère de Khalil, domine cette génération : éditorialiste de talent, à la plume infatigable, il est de surcroît poète et dramaturge. Né à Beyrouth, il quitte le Liban à l'âge de dix-huit ans, après avoir accompli ses études au collège des lazaristes Aïntoura, où il écrivait déjà des poèmes en français. Il se fixe à Paris vers 1882, à une époque où tout espoir immédiat semblait interdit aux patriotes libanais. Plein d'ardeur et de courage, il se jette dans l'arène. Mais ce fin politique est doublé d'un écrivain de talent et c'est à juste titre qu'on peut le considérer comme le père de la littérature libanaise d'expression française. Dans son premier recueil poétique, *Ronces et fleurs,* qui date de 1890, il nous livre sa conception de l'existence : la vie est plus riche de ronces que de fleurs. En 1904, Chékri Ganem affronte le théâtre avec une pièce en un acte, *Ouarda, fleur d'amour,* jouée à l'Odéon, et qui sera suivie d'une autre pièce, *Un quart d'heure des mille et une nuits.* En 1908, il aborde le roman avec *Daad,* dont l'action se passe dans le vieux Beyrouth d'antan. L'auteur, qui s'est affranchi des entraves de la rime, peint les mœurs de l'époque dans un langage imagé et fleuri. *La Giaour* (« l'Infidèle »), drame lyrique joué pour la première fois en 1928, évoque les persécutions religieuses perpétrées par les Ottomans en Orient. Cependant, c'est *Antar* qui fera la célébrité de Chékri Ganem.

Antar constitue la première grande manifestation de la littérature libanaise d'expression française. Jouée pour la première fois à l'Odéon en 1910, reprise à l'Opéra en 1921, cette pièce met en scène Antara al-'Absī, le « Cyrano de Bergerac des Arabes », à la fois guerrier illustre et poète de talent, qui vécut au VIe siècle de l'ère chrétienne. Son courage et sa virtuosité lui valurent une si grande renommée qu'une légende, *Sīrat 'Antar* (le *Roman d'Antar*), s'est tissée autour de son nom à travers les siècles. La pièce connut un succès foudroyant. Elle fut reprise à Nantes, à Angers, à Nancy, entre autres villes françaises. La critique de l'époque, unanime, applaudit le succès d'*Antar.* Félix Duquesnel, dans *l'Illustration théâtrale,* Adolphe Aderer, dans la revue illustrée *le Théâtre,* Henri de Régnier, dans *le Journal des débats,* Ernest Charles, dans *l'Opinion,* saluèrent cette pièce chargée de toute la chaleur de l'Orient et qui mettait en scène un héros exceptionnel. Le succès obtenu par *Antar,* en dépit du caractère discret et de la poésie candide de cette pièce, s'explique en grande partie par l'engouement du public français de l'époque pour les pièces héroïques à la manière de *Cyrano de Bergerac.* Pour nous, *Antar* conserve un intérêt historique certain, car elle annonce la révolte arabe qui couvait et qui allait mettre fin à quatre siècles de domination ottomane.

Mis à part les frères Ganem, on ne trouve que deux poètes dans cette génération : Jacques Tabet (1885-1956) et Jean Béchara Dagher (1874-?). Le premier est l'auteur de deux recueils poétiques empreints de lyrisme : *Rires et sanglots,* écrit à l'âge de quinze ans et livré tel quel aux lecteurs (publié en 1907), et *Poèmes divers* (1924), qui rassemble des extraits de son œuvre poétique d'homme mûr; d'un roman d'amour, *l'Émancipée* (1911), et surtout d'un roman historique, *Hélissa* (1922). Ce dernier fait revivre une époque de l'histoire phénicienne à travers l'épisode de la fondation de Qart Hadasht (Carthage) par la princesse Hélissa (la Didon de *l'Énéide*). Jacques Tabet annonce de la sorte la génération suivante qui, elle, va largement exploiter la veine phénicienne. Quant à Jean Béchara Dagher, il est l'auteur de plusieurs recueils poétiques : notamment *Souvenirs d'Orient* (1903), *Idéal et réalisme* (1903) et *le Parfum des fleurs fanées* (1932). Orphelin à l'âge de onze ans, il trouve dans la poésie un moyen de crier sa douleur. Cette œuvre, d'inspiration romantique et en même temps pétrie de sagesse orientale, nous dévoile une âme résignée avançant implacablement vers la mort.

Un cachet de mélancolie et de tristesse caractérise la littérature de cette génération; il est dû surtout à l'éloignement du sol natal. Quant à l'Orient, il agit comme un stimulant de l'imagination de ces poètes, qui, dans leur lutte, cherchaient à le faire connaître dans leur patrie d'exil.

La littérature nationale

Le point de départ de la deuxième génération coïncide avec la fin de l'occupation turque et la proclamation du Grand-Liban (1er septembre 1920). Le mandat français est instauré, une constitution moderne adoptée. On commence à doter le pays d'une infrastructure moderne, et le français devient, avec l'arabe, langue officielle. Il restait à fixer les véritables assises historiques du Liban. Les écrivains libanais de cette période, et en premier lieu les poètes, dont les sources d'inspiration s'enrichissent et surtout se diversifient, vont se consacrer à cette tâche. C'est alors qu'éclate la querelle du libanisme phénicien, qui voit s'affronter les tenants de deux thèses : d'un côté, ceux qui, engagés dans la voie d'un Liban libre, entendent incarner le Liban historique en s'identifiant à la civilisation phénicienne; de l'autre, ceux qui reprochent aux premiers ce retour vers un passé trop lointain et contestent le nouveau statut du Liban, issu du mandat.

Les partisans du libanisme phénicien vont se réunir autour de Charles Corm (1894-1963). Ce dernier, véritable chef de file, donne le ton : il signe ses articles sous divers pseudonymes : CÉDAR, PHÉNICIUS, ARIEL, CALIBAN, et se propose de faire découvrir aux Libanais leur passé, semant ainsi le grain qui allait germer. Plein de fougue, Charles Corm va incarner le libanisme et drainer ainsi toute une jeune élite nationaliste. Ses partisans se regroupent autour de *la Revue phénicienne* qu'il fonde en 1920. Elle rassemblera les noms de ceux que l'on consacrera plus tard comme les meilleurs poètes libanais d'expression française de la première moitié du XXe siècle, à savoir Hector Klat (1888-1977), Élie Tyane (1887-1957) et, pendant un certain temps, Michel Chiha (1891-1954). Les Éditions de la *Revue phénicienne* vont se charger de les publier et de les faire connaître. Ces poètes proclament leur origine phénicienne et font revivre le riche passé historique de leur pays. Ils considèrent que l'entité libanaise existe et qu'elle s'est formée au cours des siècles passés. C'est dans ce sens qu'il faut comprendre le cri du poète Hector Klat : « Liban, Liban tout court, sans épithète ». Un grand mouvement littéraire d'inspiration nationale est déclenché, dont les retombées atteindront la littérature arabe elle-même.

La Montagne inspirée (1934) de Charles Corm ouvre la voie. Dans une vaste fresque, cet ouvrage fait revivre un passé millénaire et résume dans quelques pages toute l'histoire et l'âme de l'antique Phénicie. Ce « bréviaire du parfait Phénicien » évoque et exalte les sentiments religieux, nationaux et familiaux du Liban. Par son souffle et sa vigueur, *la Montagne inspirée* va contribuer à faire évoluer sensiblement la poésie libanaise d'expression française, même si, du point de vue formel, elle souffre de certains défauts. Sa publication reçut un accueil chaleureux et prit l'allure d'un manifeste. En effet, elle renouvelle les sources d'inspiration des poètes libanais, dont beaucoup chercheront à exalter le sentiment national. C'est dans ce sens qu'il faut aborder des œuvres telles que le *Cadmus* du grand poète Saïd Akl (né en 1912). Évoquant Charles Corm, Jean Durtal le définit comme un homme qui à la fois donna l'élan et permit à d'autres de poursuivre le chemin.

Une fois définies l'histoire, la destinée et la vocation du Liban, les poètes libanais d'expression française de la deuxième génération ont chanté avec magnificence l'amour du sol natal. Hector Klat porte dans son cœur ce Liban « entre tous adoré ». Dans son recueil *Ma seule joie* (1966), le poète exalte dans un style ample et fortement imagé la beauté et le charme de cette patrie libanaise qu'inlassablement il parcourt.

Mais si les poètes ont exalté la splendeur du paysage natal, il ne s'agit pas là d'un simple « sentiment de la nature ». En effet, à travers ces tableaux et ces images, ils rejoignent la thématique libanaise. Ainsi, la montagne, où la mythologie et l'histoire ont laissé leur empreinte, apparaît à la fois comme un refuge et un réceptacle où se rencontrent Orient et Occident. Quant à la mer, sa vue suggère au poète Élie Tyane le riche passé de son pays qui a vu naître la première embarcation et la première rame. Dans son unique recueil poétique, *le Château merveilleux* (1934), Tyane consacre également une grande place à la nature. A travers ces descriptions champêtres, il dévoile une partie de l'âme libanaise.

Dans la littérature de cette époque, la foi aussi trouve sa place — une foi qui s'efforce de se faire compréhensive et tolérante. Dans *le Mystère de l'amour* (1948), Charles Corm développe en 168 sonnets le thème de la faute et du pardon à travers la Madeleine des Évangiles. *Le Mystère de l'amour* traduit la dualité profonde qui s'établit entre la faiblesse de la chair et le souci de pureté et d'élévation, et qui se résout dans la foi. A la suite de Charles Corm, ce thème de la faute sera repris et développé amplement par la littérature arabe.

Le problème de la destinée humaine a lui aussi hanté les poètes de cette génération. Dans la *Symphonie de la lumière* (posth., 1973), poème cosmique de Charles Corm, l'homme apparaît livré à lui-même devant l'énigme de l'existence et cherchant à la briser par la foi. En contemplant l'immense univers, le poète se pose avec angoisse les éternelles questions qui préoccupent tout être humain : qu'est-ce que l'homme? d'où vient-il et quelle est sa destinée? Dans *la Maison des champs* (1934), Michel Chiha, pour qui la poésie est un souffle divin consolateur, se pose les mêmes questions. Mû par une sensibilité extrême, il nous offre une poésie des désillusions de la vie, marquée par une mélancolie incurable. Moraliste par vocation, Michel Chiha délaissera la poésie pour se consacrer à l'essai et au journalisme, qui correspondaient mieux à son tempérament. Cet essayiste de talent, dont les écrits ont été réunis dans sept volumes, va jouer un rôle de premier plan dans l'histoire de son pays. En effet, c'est lui qui définira certains principes économiques et sociaux dont s'inspirera pendant longtemps la République libanaise naissante.

A côté des poètes du groupe de *la Revue phénicienne,* on trouve des auteurs de recueils plus ou moins réussis mais qui témoignent de la grande activité poétique de l'époque. L'œuvre la plus importante est celle de Fouad Abi-Zeid (1915-1958), rassemblée en deux plaquettes, *les Poèmes de l'été* (1936) et *Nouveaux Poèmes* (1942). Ce fervent admirateur de Paul Valéry tente le renouvellement du langage poétique et traite, à sa manière — non historique mais lyrique —, le thème phénicien, en opérant la fusion du passé et du présent. Enfin, dans le domaine du roman, Évelyne Bustros (1878-1972), première femme écrivain libanaise d'expression française, est l'auteur de deux ouvrages : *la Main d'Allah* (1926), roman historique dont l'action se déroule au temps des Omeyyades, et *Sous la baguette de coudrier* (1958), publié tardivement, dont l'action se trame dans un village de la montagne libanaise.

Littérature contemporaine : la « Nouvelle Vague »

La littérature de la troisième génération marque un tournant, car nous assistons à un changement complet de thématique. Ainsi la poésie ne traduit plus un idéalisme ni une idéologie, mais une façon d'être au monde où l'auteur puise son inspiration, celle-ci n'étant plus considérée comme un don accordé par une « Muse » transcendante et mythique. Nous assistons à un renouvellement du langage poétique avec des auteurs tels que Georges Schéhadé (né en 1907), Fouad Gabriel Naffah (1925-1983), Salah Stétié (né en 1925). Parmi les nombreux autres poètes de cette génération figurent en première ligne : Nadia Tueni (1935-1983), Nohad Salameh (né en 1947), Vénus Khoury Ghata (née en 1937) et Claire Gebeyli (née en 1935). Le même renouvellement se produit dans les autres genres littéraires avec Andrée Chédid (née en 1921), Vahé Katcha (né en 1928) et Farjallah Haik (né en 1906) dans le roman, Gabriel Boustani (né en 1936) dans le théâtre. Cette troisième génération verra à son tour la consécration de plusieurs écrivains dont les œuvres font désormais date dans la littérature française elle-même.

Georges Schéhadé, le « maître », va marquer cette génération de son empreinte poétique. Chronologiquement, Schéhadé appartient à la même génération que Charles Corm, Hector Klat ou Élie Tyane. En effet, la plupart de ses recueils poétiques ont été publiés avant

1950: *Poésie I* (1938), *Poésie II* (1948), *Poésie III* (1949) et *l'Écolier du sultan* (1952). Mais, par la qualité de ses vers, il dépasse sa génération. Ouvrant de nouvelles dimensions, l'œuvre poétique de Schéhadé se déploie et gagne en profondeur et en pureté dans un style qui lui est spécifique. Au premier abord, l'univers poétique schéhadien se présente comme un jardin d'enfance plein de fruits, semblable à un paradis éternel, mais, derrière cette apparence de bonheur, se manifeste un désir brûlant de découverte de l'au-delà. Quant à l'œuvre dramatique de Georges Schéhadé, elle compte six pièces, qui tranchent sensiblement avec ce que l'on connaît du théâtre : *Monsieur Bob'le,* créée en 1951 au théâtre de la Huchette; *la Soirée des proverbes,* créée en 1954 par la Compagnie Renaud-Barrault pour inaugurer le théâtre Marigny; *Histoire de Vasco* (1956); *les Violettes* (1960), comédie bouffe avec chansonnettes, d'abord créée hors de France; *le Voyage* (1961); *l'Émigré de Brisbane* créée en 1967 par la Comédie-Française. Théâtre et poésie puisent à la même source chez Schéhadé. Les thèmes qui reviennent le plus souvent dans ses pièces sont l'innocence, le voyage, l'absence (c'est-à-dire aussi l'attente de l'autre), la fuite du temps et la destruction. Mais ce théâtre, malgré son humanité et sa tendresse, ne vise nullement à exposer une morale; il proposerait plutôt une éducation du regard : regarder un objet, c'est oublier le mirage des apparences pour pénétrer jusqu'à son essence; c'est derrière le miroitement des choses qu'il faut chercher à comprendre le monde. [Voir SCHÉHADÉ Georges].

Avec Schéhadé, Fouad Gabriel Naffah apparaît comme l'un des poètes libanais les plus inspirés, mais il demeure peu connu, malgré la publication de ses poèmes dans le *Mercure de France.* Le recueil de ses poèmes, édité en 1950, était devenu quasi introuvable. Une réédition a paru à Beyrouth en 1957, sous le titre significatif de *la Description de l'homme, du cadre et de la lyre,* la « lyre » du poète devant servir à libérer l'« homme » des liens qui l'attachent au « cadre » des évidences quotidiennes. Dans ce recueil, l'auteur choisit la forme de l'alexandrin, symbole à ses yeux de solidité et de pérennité. Comme chez Schéhadé, nous sommes en présence d'une poésie des métamorphoses tendue vers la recherche de l'absolu ainsi qu'en témoigne encore le second recueil de Naffah, *l'Esprit-Dieu et les Biens de l'azote* (1966), titre dont l'explication doit être cherchée dans l'alchimie, où l'azote symbolise le commencement et la fin du monde.

Au cœur de cette littérature, Salah Stétié occupe une place privilégiée. Poète, critique, essayiste et de surcroît diplomate, il vit à Paris, où il collabore à plusieurs grandes revues littéraires comme *le Mercure de France, les Lettres nouvelles, Europe...* Homme de méditation, Salah Stétié unit dans son œuvre, dense et abondante, les ressources du langage venues à la fois d'Orient et d'Occident, si différentes mais si riches. L'eau se mêle alors au feu, la synthèse devient obligation, et tout se résout dans la poésie. Dans *les Porteurs de feu* (prix de l'Amitié franco-arabe 1973), Salah Stétié analyse le déchirement de l'écrivain libanais, pris entre l'appel d'une poésie moderne et la fidélité au passé. Les figures propres à sa poésie ne résultent pas d'une accumulation de métaphores ou de notations, mais d'une réduction des mots et des images au strict nécessaire, c'est-à-dire à ce qui brûle le plus, d'où un nombre réduit de thèmes tels que l'eau vivifiante, le feu, la terre, le cristal, l'insecte... Dans le recueil *l'Être poupée* (1983), la matière est blé, eau, orage, arbre et enfance. Les mots, d'une exactitude absolue, vont, dans leur nudité, à l'essentiel.

Née en Égypte, mais d'origine libanaise et naturalisée française, Andrée Chédid est l'auteur de plusieurs recueils de poèmes, de romans, de pièces de théâtre et d'essais. Son œuvre abondante a été couronnée par divers prix (l'Aigle d'or de la poésie en 1972, pour l'ensemble de son œuvre, le prix de l'académie Mallarmé en 1976 pour *Fraternité de la parole...*). Comme Schéhadé, elle refuse toute classification, tout rattachement à une école ou à une mode. Pour elle, la poésie nous enracine dans la réalité et constitue en même temps une fenêtre d'accès à l'univers. Avec des mots simples et un langage direct, respectueux de la syntaxe et du vocabulaire traditionnels, Andrée Chédid traite les thèmes éternels de l'amour, du bonheur, du temps, de la vie et de la mort; la mort surtout, omniprésente dans son œuvre, à laquelle elle confère une lucidité sereine. Le Liban, l'Égypte et, en général, les paysages d'Orient imprègnent son œuvre et lui donnent une chaleur et une sensibilité particulières. Dans *le Liban* (1969), elle décrit un pays de rêve. Dans son roman *les Marches du sable* (1981), qu'elle situe en Égypte au IVe siècle avant J.-C., elle nous projette au cœur d'une Égypte perdue entre un christianisme naissant et un paganisme fort de réminiscences pharaoniques. Toutefois, loin de provoquer des points de rupture, ces différentes influences vont permettre à Andrée Chédid de découvrir un monde où le lieu de convergence serait le cœur de l'homme, la littérature devenant le moyen de communication par excellence et la patrie commune (cf. *l'Épreuve du vivant,* 1983). [Voir CHÉDID Andrée].

Nadia Tueni définit la poésie comme une lumière qui existe en toutes choses, à la manière du Dieu des panthéistes. Moyen de connaissance et d'accès à l'au-delà, ce mode d'expression échappe à la raison et trouve dans l'imagination son meilleur appui. Dans l'univers poétique de Nadia Tueni les mots, libérés de leur sens usuel, deviennent des signes qui servent à évoquer plutôt qu'à nommer : d'où des vers affranchis des règles de la versification, des images fluides, des visions apocalyptiques et un langage régénéré qui échappe à toute convention. La mer, l'au-delà, les oiseaux, la terre libanaise, l'enfance, la lumière, le soleil et les couleurs habitent la poésie de Nadia Tueni. Si ses *Textes blonds* (1963) constituent une première approche du monde de la poésie, *l'Âge d'écume* (1966) réalise un équilibre entre l'inspiration poétique et les contraintes de la prosodie. Dans *Juin et les Mécréantes* (1968), elle relate, à sa manière, l'histoire de quatre femmes : Tidmir la chrétienne, Sabla la musulmane, Dahoun la juive et Sioun la druze. Enfin, dans *Liban, 20 poèmes pour un amour* (1979), elle invoque vingt hauts lieux de son pays.

Poète, romancière et critique littéraire, Nohad Salameh a publié un roman et plusieurs recueils poétiques (dont *l'Écho des souffles,* 1968). La femme, l'amour, la mort, le bonheur — et le Liban — forment la toile de fond de son œuvre. Dans son roman, au titre évocateur, *la Frustrée* (1973), elle défend la cause de la femme orientale et son droit à la liberté et à l'égalité avec l'homme dans tous les domaines. D'une sensibilité frémissante, son recueil *Folie couleur de mer* (1982) est un hymne à l'amour sans bornes, même si la mort en constitue l'envers dramatique; cet amour débouche sur une communion finale, car l'amour appelle l'amour. Nohad Salameh, qui est aussi responsable du secteur littéraire du journal de langue française *le Réveil,* a ouvert les pages de ce quotidien à la fois aux talents confirmés et aux débutants, entraînant ainsi un intéressant mouvement de création littéraire.

Aussi importante est l'œuvre de Vénus Khoury Ghata (prix de la Société des gens de lettres en 1968, pour son recueil *Terres stagnantes*). Rompant avec le vers classique, s'aidant d'images insolites, de comparaisons parfois déconcertantes, elle traite des thèmes de l'amour — utilisant pour le décrire des termes religieux —, de la vie quotidienne et du pays natal. Vénus Khoury Ghata est également l'auteur d'une intéressante œuvre romanesque, où, à travers des critiques acerbes, sur un fond de religiosité de plus en plus révoltée, elle traite des problèmes qui agitent la société (*Dialogue à propos d'un Christ ou d'un acrobate*, 1975).

L'œuvre du romancier Farjallah Haïk groupe une vingtaine d'ouvrages, remarquables par leur thématique typiquement libanaise et par les innovations que l'auteur apporte sur le plan de la forme. L'une d'elles consiste à traduire fidèlement de l'arabe des dictons et des expressions libanaises. Dans ce registre singulier, qui abonde dans l'œuvre de Farjallah Haïk, nous relevons des expressions comme : « avoir le sang léger » (= avoir de l'esprit), « ouvrir les yeux dix dix » (= faire très attention), « être craché par la bouche de son père » (= lui ressembler fortement), « avoir une nouvelle dans le visage » (= être porteur d'une nouvelle). Originaire du village de Beit-Chébab, Haïk est fier de cette appartenance, qui imprègne fortement son œuvre, surtout ses romans. Ces derniers tournent autour d'une idée principale : la mystique du sol. Ainsi, son roman *Abou-Nassif* (prix Rivarol 1948) est le premier d'une trilogie qui porte un titre significatif : *les Enfants de la terre*. Cependant, conscient de l'évolution des mœurs libanaises, ce romancier, qui croit à l'influence tellurique, suivra en ville ses concitoyens qui ont délaissé en grand nombre leur montagne. Désormais, le combat entre les idéologies remplacera celui des éléments. Mais ces héros, nostalgiques de la terre, gardent toujours, comme dans *De chair et d'esprit* (1968), un désir ardent de retour à la nature. Longtemps rejeté par certains critiques libanais, qui lui reprochaient de ne pas donner une image fidèle de la société et, au surplus, d'utiliser des termes crus et violents, Farjallah Haïk, dont l'œuvre et les personnages gênent l'ordre établi de la société, a été dès le départ chaleureusement accueilli par la critique européenne. Aujourd'hui, son œuvre a droit de cité dans son pays.

Au-delà des déchirures

La guerre qui ravage depuis 1975 la terre natale a provoqué une nouvelle manière de s'exprimer et un engagement plus perceptible. Née d'une confrontation avec une réalité tragique, cette littérature dit le dégoût d'une guerre morbide, l'étouffement en présence d'un temps qui tue — et qui s'éternise dans une attente interminable —, l'incrédulité devant un peuple qui aime sa terre mais qui la brûle.

Dans *les Enfants d'avril* (1980), dont le titre rappelle une date éphémère, Nohah Salameh nous projette dans l'univers d'une guerre qui a vu éclore et se développer les bombes nées dans les jardins de nos cœurs. La même amertume se retrouve dans *Cérémonial de la violence* (1976) d'Andrée Chédid qui, naguère encore, chantait avec amour toutes les séductions du Liban. Cette douleur est attisée par une rage que provoque l'impuissance de l'écriture à rendre compte de ce cauchemar où tout est désolation et destruction. *Terre qui brûle* (1975), du poète Élie Maakaroon (né en 1946), s'enracine dans la tragédie libanaise, dans le sang, le feu, les larmes, mais aussi dans la rédemption espérée. Il s'agit ici d'une passion qui s'achemine, dans la déréliction, vers la lumière, la terre qui brûle se manifestant comme un foyer d'incandescence. Dans *la Mise à jour* (1980), Claire Gebeyli nous entraîne dans ce milieu de mort qu'elle voudrait tuer. Avec des mots immédiats et concrets, des images tranchantes, elle dresse le bilan de cette désolation et dit cette guerre « au goût de gazoline » qui brûle tout sur son chemin. Dans *Papiers de guerre lasse* (1981), Marcelle Haddad Achkar (née en 1947), qui a été atteinte au vif par le drame, nous retrace sa tragédie dans chaque page de son recueil. Des images désabusées nous projettent alors en plein désarroi devant la souffrance d'un pays qui meurt tous les jours, et qui tous les jours ressuscite au prix du sang innocent de ses citoyens. Dans *Vacarme pour une lune morte* (1983), Vénus Khoury Ghata se venge de cette guerre sordide en la tournant en dérision. L'auteur relate avec force détails l'histoire d'un conflit qui déchire un pays imaginaire, la Nabilie, mais l'allusion est sans équivoque : il s'agit bien du Liban. Cette tentative de démystification d'une réalité tragique vise à adresser un message clair : arrêtez cette folie meurtrière, dont les artisans sont les premières victimes.

Ainsi, cette littérature de feu et de sang s'est muée en témoin de la volonté de survie d'un pays qu'on cherche à assassiner.

Le français au Liban : quel avenir?

Malgré les contraintes historiques, l'usage du français au Liban est le résultat d'un amour et d'une fidélité tenaces. Tous les écrivains libanais de langue française ont utilisé allégrement la langue de Racine et de Corneille pour exprimer leurs joies, leurs peines et leurs révoltes refoulées. Aux poètes de la première génération repliés sur Paris succèdent ceux d'une deuxième génération qui ne tarissent pas d'éloges sur l'amitié franco-libanaise. Ainsi, à la proclamation du Grand-Liban par le général Gouraud, en 1920, répondent des chants enflammés. Cette France, chargée d'une mission sacrée — le relèvement du Liban —, était à la fois « une mère immatérielle », « la dame des opprimés », « une sœur du Liban », « une sorte de superpuissance que le vocable académique de francophile est incapable de traduire ». Cette adoption du français est confirmée par la nouvelle génération. Ainsi Salah Stétié trouve au français une vocation « œcuménique »; c'est pourquoi, dit-il, il est irremplaçable. Nohad Salameh, qui assume sa francophonie, parle de Paris comme d'« un baromètre culturel du monde ».

Mais il faut rappeler que si la structure du discours est bien française, l'inspiration est spécifiquement libanaise. En effet, les écrivains libanais ont apporté au français une nouvelle sensibilité, une imagination et un certain débordement lyrique, le tout pétri d'une senteur orientale. Face au danger anglophone, quel sera l'avenir du français, aujourd'hui encore si présent dans l'inconscient libanais? La réponse réside en partie dans la capacité des écrivains libanais d'expression française à se hausser au niveau de la littérature universelle. D'autre part, dans un monde mercantile, le sort de cette communauté de culture dépend de la possibilité, pour la France, de conserver son rayonnement de par le monde. Car la langue est le pivot des peuples, et ces derniers meurent de la mort de leur langue.

QUELQUES ÉTAPES IMPORTANTES

1845 Nicolas Mourad (1796-1864) publie une notice historique, première œuvre francophone libanaise connue.
1874 Premier recueil poétique de Michel Misk.
1890 *Ronces et fleurs* (poésie) de Chékri Ganem (1861-1929).
1899 *Le Christ*, ouvrage poétique de Khalil Ganem (1857-1903).
1901 Premier ouvrage historique : *les Sultans ottomans* de Khalil Ganem.
1904 Présentation de *Ouarda* à l'Odéon.
1906 *Le Serment d'un Arabe* de Michel Sursock au théâtre de l'Ambigu à Paris.
1908 Charles Khoury fonde *le Réveil* (quotidien de langue française).
1910 Triomphe de *Antar* de Chékri Ganem à l'Odéon de Paris.
1911 Premier essai : *la Syrie* de Khaïrallah-Khaïrallah (1882-1930).
Fleurs de rêves, de May Ziadé (1895-1941).
La Syrie de demain de Nadra Moutran.
1920 Charles Corm fonde *la Revue phénicienne*.
1921 Premier conte : *Caïs* de Khaïrallah.
Adaptation d'*Antar* à l'Opéra.

1923 *Hélissa* (roman) de Jacques Tabet.
1924 Georges Naccache (1904-1972) et Gabriel Khabbaz fondent *l'Orient* (quotidien de langue française).
1926 *La Main d'Allah,* roman d'Évelyne Bustros (1878-1972).
1928 Les frères Makhlouf fondent *la Revue du Liban* à Paris puis à Beyrouth.
1934 *La Montagne inspirée* de Charles Corm (1894-1963). Prix Edgar Poe pour la poésie, 1934.
Le Château merveilleux d'Élie Tyane (1887-1957).
1935 *Le Cèdre et le Lys* d'Hector Klat (1888-1977).
1936 *Les Poèmes de l'été* de Fouad Abi-Zeid (1915-1958).
1937 *Poèmes* de Paul Jamati.
1938 *L'Émir et la Croix,* roman de Jeanne Arcache.
1946 Michel Asmar fonde le Cénacle libanais.
1947 Camille Aboussouan fonde *les Cahiers de l'Est.*
Dikran Tosbath fonde *le Soir* (quotidien de langue française).
1948 Farjallah Haïk obtient le prix Rivarol pour son roman *Abou Nassif.*
1951 *Monsieur Bob'le* au théâtre de la Huchette.
1952 *Les Poésies* de Georges Schéhadé.
1956 *Histoire de Vasco* au théâtre de la Huchette.
1957 *La Description de l'homme : du cadre et de la lyre* de Fouad G. Naffah.
1961 *Casanova ou la Dissipation* de Robert Abirached (prix Sainte-Beuve).
1963 Fondation de *Magazine* (hebdomadaire de langue française).
1964 René Habachi obtient le prix Jean Amrouche.
Fouad G. Naffah obtient le prix Laporte.
1965 Laudia Oueiss fonde la revue *les Cahiers de l'Oronte.*
1966 Andrée Chédid obtient le prix Louise-Labé.
1967 Présentation de *l'Émigré de Brisbane* de Georges Schéhadé, à la Comédie-Française.
Fouad El-Etr fonde *la Délirante* à Paris.
1968 *Terres stagnantes* de Vénus Khoury-Ghata, prix de la Société des gens de lettres.
1971 *Le Montreur* d'Andrée Chédid à la Comédie-Française.
1972 *Les Porteurs de feu* de Salah Stétié.
Andrée Chédid reçoit l'Aigle d'or de la poésie pour l'ensemble de son œuvre.
1976 Prix de l'académie Mallarmé à *Fraternité de la parole* d'André Chédid.
1977 Présentation de la pièce *le Visage d'Achtar* de Mounir Abou-Debs à l'Odéon.
1980 Claire Gebeyli obtient le prix de l'Agence de coopération culturelle et technique.
Nohad Salameh publie *les Enfants d'avril.*
1981 *Les Marches de sable* d'Andrée Chédid aux Éditions Flammarion.

BIBLIOGRAPHIE

Sélim Abou, *le Bilinguisme arabe français au Liban,* Paris, P.U.F., 1962; Ghalib Ghanem, *la Poésie libanaise de langue française* (en arabe), Beyrouth, Publications de l'Université libanaise, 1981; Saher Khalaf, *Littérature libanaise de langue française,* Éd. Naaman, Sherbrooke, 1973; Georges Labaki, *la Poésie libanaise d'expression française dans la première moitié du XXe siècle,* thèse, Paris (dactylographiée), 1981, et *Bibliographie de la littérature libanaise d'expression française,* Paris, Foyer franco-libanais, 1983; Rachid Lahoud, *la Littérature libanaise de langue française,* Imprimerie catholique, Beyrouth, 1940; Ibrahim Maouad, *Bibliographie des auteurs libanais de langue française,* Beyrouth, 1948; Abdallah Naaman, *le Français au Liban, essai sociolinguistique,* Maison Naaman pour la culture, Beyrouth, 1979; René Ristelhueber, *les Traditions françaises au Liban,* Alcan, Paris, 1925; Salah Stétié, *les Porteurs de feu et autres essais,* Paris, Gallimard, 1972.

G. LABAKI

LIBBRECHT Léo (né en 1891). V. BELGIQUE. Littérature d'expression française.

LIBERTINS (XVIIe et XVIIIe siècles). « Libertin » (du latin *libertinus,* « esclave affranchi ») présente dès le XVIe siècle deux sens distincts : d'une part, il désigne, sans nuance péjorative, ceux qui refusent les contraintes sans pour autant heurter la morale; cet emploi est encore fréquent au XVIIe siècle; d'autre part, il qualifie péjorativement des attitudes de rébellion contre les règles établies. En particulier, il est employé par les apologistes pour dénoncer toutes les déviances de dogmes ou les dissidents des Églises (secte du Libre-Esprit, par exemple). Au début du XVIIe siècle, il sert à dénoncer plus spécialement les « impies », « athées », « esprits forts » que sont les adeptes d'une pensée libre en matière religieuse, et en particulier les disciples du matérialisme enseigné à Padoue par Pomponazzi au début du XVIe siècle.

Par extension, « libertin » et « libertinage » (celui-ci apparaît au début du XVIIe siècle et suit la même trajectoire) s'appliquent à toute pensée ou mœurs s'écartant des doctrines et morales établies. Au XVIIIe siècle, la licence des mœurs devient la référence principale, mais toujours associée à l'impiété. Dans l'usage moderne, ce sens est devenu dominant, mais le terme n'est plus d'emploi courant.

Définitions larges, réalités complexes : le « fait » libertin est difficile à cerner. Reste que l'attitude libertine, revendication de la liberté de pensée en un temps où elle était proscrite, a profondément influencé le mouvement des idées et la création littéraire au XVIIe siècle, pour devenir, au XVIIIe siècle, un thème de roman typé.

Le libertinage au XVIIe siècle

Le libertinage qui se développe en France au XVIIe siècle n'est pas un système de pensée, mais un phénomène diffus, qui prend, selon les individus et les milieux, des formes diverses : c'est en fait une attitude, dont l'unité réside dans la mise en doute des dogmes religieux. Pour cerner cette attitude, R. Pintard a indiqué trois perspectives d'approche : philosophique, sociale et psychologique.

L'attitude libertine : une problématique du savoir

Dans son aspect philosophique, le libertinage correspond à une série d'interrogations sur le savoir et la religion. S'ils sont en partie les héritiers de ces humanistes qui avaient pu espérer conquérir un savoir complet, les libertins ont conscience des limites de la raison humaine et de la relativité de ses acquis. En cela, ils sont des héritiers de Montaigne. Au lendemain des guerres de Religion, qui ont montré les dangers des dogmatismes exacerbés, ils adoptent une démarche intellectuelle fondée sur le scepticisme.

Cette démarche, pragmatique avant tout, trouve ses sources et son aliment dans le progrès des connaissances. Au moment même où l'Église et l'Université, crispées dans l'aristotélisme officiel, condamnent les théories scientifiques nouvelles, les libertins s'intéressent aux travaux de Copernic et de Galilée. Nombre d'entre eux, d'autre part, sont des philologues érudits. Enfin, la pensée d'Épicure, diffusée notamment par les philosophes italiens, retient leur attention; Gassendi s'en fait le défenseur dans son *Apologie d'Épicure.*

L'attitude libertine se caractérise donc par l'exercice de l'esprit critique, par le refus des systèmes dogmatiques et de la métaphysique, mais aussi de toutes les formes de superstition. Les textes sacrés n'échappent pas à cet examen. Cette critique évite le plus souvent le débat sur le fond, mais dénonce les faiblesses de méthode du raisonnement dogmatique. Ainsi La Mothe Le Vayer et Gassendi récusent, en matière de savoir, le principe universel : ils insistent sur la nécessaire diversité des croyances et opinions. De même, ils nient le principe d'évidence et s'opposent en cela au cartésianisme.

Mais ils ne construisent pas système contre système. Leurs pensées sont diverses. Leur épicurisme est limité, et (au moins dans leurs propos publics) la plupart des libertins se déclarent attachés au principe de la foi, et nombreux sont ceux qui « meurent chrétiennement ». En fait, si certains vont jusqu'à l'athéisme, il en est peu qui ne soient pas déistes. Mais en dissociant radicalement — comme le faisait Charron — foi et raison, sans insister sur les valeurs de la foi et en privilégiant la réflexion, ils sont en rupture avec la doctrine catholique et les institutions ecclésiastiques. Dans leur grande majorité, ils critiquent durement le clergé.

Pratiques du libertinage

Au refus d'une pensée systématique correspond la diversité des pratiques. Comme, de plus, celles-ci ne pouvaient être que dissimulées en raison des risques de répression, l'aspect sociologique du phénomène est délicat à saisir.

Un trait fondamental se dégage pourtant : peu nombreux, en ce « siècle des saints » que domine la « Reconquête catholique », les libertins appartiennent aux milieux favorisés; ils sont des privilégiés de la richesse et du savoir. Tous éprouvent un même dédain pour le « vulgaire », le grand nombre et les opinions qu'il exprime. Cet élitisme se renforce par la pratique de réunions en petits cercles ouverts aux seuls initiés. Ce repli en un monde clos était dicté en outre par un réel danger de répression. Les autorités religieuses et civiles punissaient sévèrement toute rébellion contre les dogmes et les institutions. Tandis qu'à l'étranger Giordano Bruno était condamné puis brûlé comme hérétique et Galilée contraint de se rétracter, en France ce furent les condamnations à mort de Vanini (1619) et de Le Petit (1662) [voir LE PETIT Claude] et celle (non exécutée) de Théophile, poursuivi pour le recueil du *Parnasse satyrique* (1623).

On distingue couramment des libertins « de mœurs » et des libertins « de pensée ». Il faut nuancer cette opposition. Il a existé au XVIIe siècle un libertinage de mœurs chez des nobles ou chez de riches bourgeois. Ils s'adonnaient, souvent protégés par des Grands, à des débauches plus ou moins tapageuses : dans une fraction de la Cour au début du siècle, puis dans l'entourage de Gaston d'Orléans et dans celui de Condé. Ce courant est encore très apparent durant la Fronde; il se prolonge ensuite de façon plus dissimulée. C'est dans ce milieu que certains poètes libertins (Théophile, Blot...) trouvent leur principal auditoire. Mais si parmi ces débauchés, certains ne se soucient guère de philosophie, d'autres, comme Luillier ou des Barreaux, sont des hommes de culture et de réflexion et font le lien avec les libertins érudits. Car, au XVIIe siècle, le trait le plus marquant du courant libertin est l'existence de ceux qui se nommaient eux-mêmes « philosophes ». Érudits, ils appartenaient surtout à la bourgeoisie intellectuelle : avocats (La Mothe Le Vayer), enseignants (Gassendi), bibliothécaires (Naudé, les frères Dupuy). Leurs mœurs sont discrètes, parfois même austères. Ils entretiennent des correspondances avec toute l'Europe savante, voyagent volontiers vers les universités italiennes ou la Hollande. Mais le libertinage reste un fait surtout français.

Ils se réunissent volontiers en cercles savants, tel celui des Dupuy, où se côtoient des catholiques, des protestants, des athées : liberté d'opinion suppose tolérance. La liberté de propos y est grande. Mais les publications sont souvent limitées à des critiques savantes ou, comme les *Dialogues* de La Mothe Le Vayer, multiplient les précautions. Les plus hardis (comme le *Théophrastus redivivus*, au milieu du siècle) circulent anonymement.

L'académie des frères Dupuy. — Pierre (1582-1651) et Jacques (1586-1654) Dupuy, historiens, étaient parents du président du parlement Jacques de Thou. Celui-ci leur confia la garde de sa bibliothèque, une des plus riches du temps. Ils y réunissaient chaque jour des lettrés ouverts à la liberté de pensée et à la curiosité scientifique; cette « académie » fut le principal foyer du libertinage érudit, lors de sa pleine expansion (1625-1650 en dates rondes).

En politique, ces libertins sont souvent machiavélistes. Ils sont sans illusion sur les pouvoirs; les *Considérations sur les coups d'État* de Naudé décèlent l'origine de ces pouvoirs : la force. Mais ils estiment que des structures politiques fortes sont nécessaires pour assurer l'unité et la paix sociales, le « vulgaire » n'étant pas, à leurs yeux, capable de se conduire par lui-même. D'où leur adhésion à la politique de Mazarin.

Libertinage et littérature : un état d'esprit et un goût

Si le libertinage relève d'abord de l'histoire des idées, il a fortement influencé les écrivains : Théophile, d'Assoucy, des Barreaux, Chapelle, Cyrano de Bergerac, Saint-Évremond, mais aussi Sorel, Molière, La Fontaine, plus tard Bayle et Fontenelle, entre autres, en ont été marqués.

Cette influence est multiforme. Elle se fait sentir dans une thématique traditionnelle, à laquelle elle donne une vigueur nouvelle : thèmes bachiques et licencieux de chansons et poésies légères, satires des crédulités populaires; dérision du clergé animent les recueils satiriques et se prolongent dans des ouvrages manuscrits virulents. Mais surtout, le libertinage fonde quelques traits essentiels d'un même état d'esprit : individualisme; esprit critique; mépris des opinions vulgaires; refus des pouvoirs établis quand ils sont tyranniques. Les *États et Empires de la Lune et du Soleil* de Cyrano de Bergerac sont nourris de libre pensée.

Par ailleurs, le libertin devient un personnage dans des œuvres qui le prennent pour sujet (*Dom Juan*) ou dans des apologies pour le christianisme (dont les *Pensées*). Si, au début du siècle, les apologistes le présentent sous des dehors de débauché ivrogne et bestial, cette image devient par la suite plus nuancée, le libertin s'enrichit des dehors de l'« honnête homme » et gagne en séduction.

Mais l'influence des libertins se fait sentir aussi, d'une autre façon, sur le goût littéraire. Par leur connaissance des Anciens, dont ils sont les lecteurs attentifs et les savants critiques, les libertins érudits ont largement contribué à établir les modèles antiques du classicisme : Guez de Balzac, Chapelain, ou Perrot d'Ablancourt ont puisé auprès de ces modèles une part de leurs enseignements. D'autre part, la pensée libertine a suscité une réflexion sur le style : ne pouvant s'exprimer de façon directe, elle a exploré les ressources de l'ironie, du langage à double entente, voire de la fiction philosophique. Par là, elle est à l'origine — l'œuvre de Cyrano de Bergerac en offrant un cas exemplaire — d'une forme d'écriture dont l'expansion devait être considérable.

Prolongements et mutations du libertinage au XVIIIe siècle

Au XVIIIe siècle, le courant libertin se prolonge, mais il subit des mutations et se dissocie en deux faits distincts.

Des libertins aux philosophes

Ceux qui au XVIIe siècle se désignaient eux-mêmes comme « philosophes » subissaient l'appellation accusatrice de « libertins »; au XVIIIe siècle, leurs héritiers conquièrent droit de cité et de parole : dès lors le terme positif de « philosophe » l'emporte. Des libertins aux philosophes il existe bien une filiation, dont on peut observer maints indices. Ainsi Diderot soulignait luimême [voir ENCYCLOPÉDIE] que les philosophes avaient eu des « contemporains » au siècle précédent. Meslier, qui apparaît comme un des liens entre les deux temps, cite Naudé. Le matérialisme athée du XVIIIe siècle relit Giordano Bruno et ses disciples libertins. Esprit critique, goût des sciences, déisme sont bien des prolongements de l'attitude libertine. Un autre aspect — peu étudié encore — de cette relation est le développement de l'« écriture ironique » comme outil et arme de la libre pensée, tant dans la fiction que dans le discours. De même, les philosophes reprennent souvent la tactique qui consiste à ne critiquer, en apparence, que des points de méthode pour, en fait, mettre en cause les doctrines mêmes. L'essor de genres tels que la lettre et le dialogue d'idées, qui figuraient parmi les modalités d'expression favorites des libertins, s'inscrit dans la même perspective.

Thématiques libertines

Mais au XVIIIe siècle le mot libertin se spécialise; il renvoie surtout à des mœurs dissolues. Cette forme du libertinage, fait social observable surtout dans l'aristocratie, apparaît comme un thème privilégié pour tout un courant romanesque. Son promoteur principal est Crébillon fils, dont les récits connaissent un grand succès vers 1730-1750 et qui aura de nombreux épigones. Dans les romans et contes de cette veine, le libertin apparaît plus comme un type littéraire que comme un type social. Son plaisir réside plus dans la transgression des règles morales que dans la jouissance amoureuse. Face à ce don Juan, un type féminin obligé est celui de la femme vertueuse, qu'il s'emploie à séduire en suscitant *les Égarements du cœur et de l'esprit* (Crébillon fils, 1736). Autour d'eux gravitent des jeunes gens dissolus, des ingénues vite corrompues. Ces récits gais progressent librement, au fil des manœuvres et fantaisies dont l'auteur anime son personnage, et vont même plus tard, chez Nerciat, jusqu'à se diluer en une série de scènes érotiques.

Cette thématique est reprise à la fin du siècle, sur le mode de la dénonciation, par des romanciers comme Restif ou Laclos, qui s'emploient à montrer les dangers du libertinage, de la dissolution morale, de la mécréance. Mais de son côté, Sade la pousse jusqu'à un paroxysme. Chez lui, le libertin devient le scélérat, héros du mal, qui ne se contente plus de transgresser la morale mais en inverse radicalement les valeurs. Vertige extrême du libertinage littéraire, qui marque aussi son déclin : on n'en rencontre ensuite que des imitations ou des échos affaiblis. Si au XXe siècle l'essor de la libre pensée laïque a remis en honneur l'étude des libertins érudits, si le goût pour la littérature érotique a ravivé la lecture des romans libertins, les thématiques libertines ne suscitent plus guère de fortes créations, mais des évocations affaiblies (P. Louÿs) ou de brillants exercices (Colette, *l'Ingénue libertine*).

BIBLIOGRAPHIE

Pour les origines et le libertinage au XVIIe siècle : les actes du colloque sur *les Aspects du libertinisme au XVIe siècle*, Paris, Vrin, 1974; la série des volumes de F. Lachèvre, *le Libertinage au XVIIe siècle*, Paris, 1909-1924; A. Adam, *Théophile de Viau et la libre pensée française*, Paris, Droz, 1935; R. Pintard, *le Libertinage érudit*, Paris, Boivin, 1943; un état présent : revue *XVIIe Siècle*, n° 127, avril-juin 1980; H. Busson, *la Religion des classiques*, Paris, P.U.F., 1943; P. Bénichou, *Morales du grand siècle*, Paris, Gallimard, 1948.

Textes. — Une anthologie commode : A. Adam, *les Libertins au XVIIe siècle*, Paris, Buchet-Chastel, 1964.

Pour le XVIIIe siècle : J.S. Spink, *la Libre pensée française de Gassendi à Voltaire*, Paris, Éd. Sociales, 1966; E. Sturm, *Crébillon fils et le libertinage au XVIIIe siècle*, Paris, Nizet, 1970 [voir aussi PHILOSOPHES].

A. VIALA

LIBRAIRIE. Le mot libraire vient du latin *librarius* « vendeur de livres ». C'est bien ce sens qu'il conserve aujourd'hui, au terme d'une longue évolution qui, en spécialisant sa fonction, dissimule le rôle essentiel du « libraire ».

La fonction sociale de la librairie

Dans la communication interpersonnelle, le message peut être unique, manuscrit, dactylographié. Avec la communication de masse, une fonction nouvelle apparaît : il faut multiplier et distribuer le message écrit. Plusieurs concepts sont alors introduits : l'exemplaire, supposant la série; le tirage, correspondant à l'action de multiplication. Mais il faut aussi distribuer ce message écrit multiple : c'est initialement le rôle du libraire. Il a nécessairement deux faces. La première, essentielle, est d'ordre économique. Elle concerne principalement la matérialité du document. Elle fait du libraire un agent qui se situe parmi les autres producteurs et distributeurs de biens culturels. La seconde, qui intéresse particulièrement le contenu, les signes, voire l'aspect esthétique du document, fera du libraire un agent culturel. A l'origine et pendant longtemps, la fonction du libraire suppose qu'il serve de plaque tournante entre des auteurs et des textes d'une part, une population lisante d'acheteurs d'autre part. Cette situation confère au libraire une fonction politique, sociale et culturelle. Par lui l'idéologie se démultiplie et se prépare à pénétrer l'esprit du public alphabétisé. On comprend pourquoi, plus peut-être que pour les autres catégories de producteurs et de distributeurs de biens économiques, le pouvoir politique dominant s'oblige à surveiller la librairie, l'aidant par la promotion ou la censurant, selon le contenu des messages qu'elle transmet.

Le cycle de la librairie

Dans l'histoire de la librairie depuis l'apparition progressive du système jusqu'à son épanouissement, puis sa régression et sa spécialisation actuelle, on peut discerner deux phases d'inégale durée : l'une de croissance, jusqu'à la Renaissance; l'autre de réduction progressive depuis.

Les sociétés primitives et préclassiques ne connaissent pas ou peu la librairie. Pendant longtemps, dans la société antique et dans la seconde partie du Moyen Âge, la librairie s'identifie à ses fonctions initiales de reproduction et de distribution, assumées par le libraire-copiste puis par le libraire-imprimeur. Le XVIe siècle et la Renaissance accroissent ses fonctions aux deux extrémités de la chaîne de l'écrit. En amont, des imprimeurs libraires deviennent auteurs. C'est le cas de certains humanistes. En aval, la librairie s'identifie au concept de bibliothèque. C'est ainsi que Montaigne, l'auteur des *Essais*, nous parle de sa librairie. C'est encore ce sens qui l'emporte aujourd'hui chez les Anglo-Saxons dans le mot *library*.

Après cette belle période, dès les XVIIe et XVIIIe siècles et bien plus encore aux XIXe et XXe siècles avec l'essor de la société industrielle, la librairie voit se réduire son champ d'action. Tout au long de la période moderne, les fonctions de production et de distribution se sont peu à peu dissociées. Mais c'est surtout dans la première moitié du XIXe siècle que l'édition apparaît, qui parachève le processus d'éclatement et de division du travail : l'éditeur s'empare de la fonction de promotion du livre; l'imprimerie s'enferme progressivement dans son activité technique; le libraire dans la vente.

Les phases du cycle

Dans les sociétés sans librairie, il n'existe pas de public de lecteurs-acheteurs. C'est souvent le cas des sociétés préindustrielles, préclassiques et médiévales. Pour les civilisations orales, la constatation est évidente. Le cas des sociétés égyptienne, sumérienne, précolombienne est plus intéressant. Tout se passe en effet comme si ces sociétés théocratiques ne connaissaient que peu, voire ignoraient l'existence de la fonction économique de reproduction-distribution qui est celle de la librairie. Les besoins qui donnent naissance à la communication écrite existent; l'écriture analytique est constituée; le *volumen* a été inventé; le scribe a une fonction administrative; la littérature politique, religieuse, historique nous a été conservée; la multiplication des documents écrits est assurée par les scribes; plusieurs exemplaires d'un même ouvrage sont parfois produits et destinés à des lecteurs différents. Cependant, le circuit commercial n'existe qu'à l'état embryonnaire, limité, le plus souvent, à la reproduction de l'image religieuse.

Pour que la librairie puisse se développer, il ne constitue pas une condition suffisante, il faut que la culture écrite soit devenue publique, laïque, urbaine, il faut qu'il existe un public instruit, donc des écoles.

Cette situation apparaît avec les sociétés capitalistes commerciales, dans l'Antiquité gréco-romaine, et, plus tard, avec la renaissance des villes, dans la seconde partie du Moyen Âge occidental du XIe au XIVe siècle. Les belles-lettres, les arts, les sciences, les techniques se sont constitués hors du domaine religieux. Philosophes et écrivains vivent souvent de l'enseignement qu'ils dispensent. Des écoles existent, voire des universités. La riche bourgeoisie et la noblesse payent l'instruction de leurs enfants. Le besoin de multiplier l'*exemplar* apparaît. Le nombre des exemplaires nécessaires est limité : il varie généralement autour de la dizaine, bien que, dans certains cas, on atteigne des centaines de reproductions. Un libraire-copiste suffit. Les deux fonctions de reproduction et de distribution sont intégrées. Dans l'Antiquité, réunis dans une salle, des esclaves cultivés, formés spécialement, reproduisent les textes ou bien écrivent sous la dictée. A peine terminé, l'ouvrage passe dans une salle attenante, où, reposant dans des casiers, il attend le client. Le copiste-libraire, marchand parmi les autres marchands, se distingue néanmoins de ceux-ci par la nature du produit qu'il vend. Il s'installe sur la place publique : l'*agora* grecque, le *forum* romain. Là, il se procure les feuilles de papyrus venues à grand frais d'Égypte; là, il fabrique les encres et les calames dont il a besoin; là, il reçoit les amateurs soucieux de se constituer une bibliothèque privée.

Cette fonction, en Occident, renaît de ses cendres dès les XI et XIIe siècles en même temps que se développent les villes et les circuits commerciaux. Elle prend vite de l'ampleur. Une corporation se constitue autour des libraires-copistes, les *stationnarii*. Du pouvoir religieux qui surveille la circulation des textes ils reçoivent l'*exemplar* à reproduire. Encore cette renaissance suppose-t-elle que la transmission du savoir-faire s'est produite. Ce sont les moines des monastères qui s'en chargent, par le truchement du clergé séculier, dès que les villes commencent à prendre de l'importance. La structure de la librairie n'est pas alors foncièrement différente de celle de l'Antiquité.

Ce système ne peut durer qu'autant que les besoins restent limités. Or, l'essor économique se poursuit aux XIVe et XVe siècles. La bourgeoisie et l'aristocratie s'enrichissent. Les universités succèdent aux écoles. Les besoins scolaires et littéraires croissent. Le nombre d'exemplaires nécessaires augmente et passe lentement de la dizaine aux centaines. Dès ce moment, le libraire-copiste constitue une entité économique qui n'est plus adaptée. Il faut trouver autre chose que la main de l'homme pour produire les exemplaires. Il faut inventer un moyen mécanique. Ce sera d'abord la xylographie, le texte gravé une fois pour toutes sur une plaque de bois, puis l'imprimerie avec ses caractères mobiles réutilisables; ce sera l'œuvre principalement de Gutenberg. Une nouvelle espèce de reproducteurs-vendeurs se constitue pendant la période des incunables (jusqu'à 1500) : les libraires-imprimeurs. Ils éliminent lentement les libraires-copistes. Comme ces derniers, ils doivent connaître l'écriture et son graphisme. Mais ils doivent apprendre aussi les activités des orfèvres, des fondeurs, des alchimistes; ils doivent se faire mécaniciens. Ils savent comment créer un poinçon, un moule; ils s'intéressent aux alliages; ils savent réparer une presse, etc.

Si la technique change, les deux fonctions intégrées de producteur et de vendeur demeurent. Tout se passe donc comme si, dans la zone quantitative d'un besoin d'exemplaires variant entre dix et quelques centaines, seul était touché le mode de reproduction, non la fonction globale. La salle d'impression et la salle de vente sont toujours côte à côte, comme dans l'Antiquité et au Moyen Âge. Mais la salle d'impression n'est plus le *scriptorium* médiéval, la technique (impression, brochure, reliure) en a modifié l'aspect. Par contre, le volume, le *codex* terminé est toujours vendu dans une salle voisine. Le système de la librairie se modifie quelque peu. La réglementation, la censure passent lentement des théologiens, représentant le pouvoir religieux, au chancelier, au garde des Sceaux, représentant le pouvoir royal à partir du XVIe siècle. Un droit d'imprimer, le privilège, devient la condition indispensable de toute réalisation.

La Renaissance et le XVIe siècle voient se développer l'âge d'or de la librairie, qui tend à s'annexer toute la chaîne primaire de production de l'écrit. La Renaissance est marquée par des faits saillants bien connus : le mouvement de croissance économique 1510-1640; la redécouverte de l'Antiquité et de ses manuscrits après la chute de Byzance en 1453; le bouillonnement intellectuel critique, artistique, qui débouche sur la Réforme et les guerres de Religion. L'intellectuel, l'humaniste, se doit donc, comme militant, d'assumer toutes les fonctions artistiques, techniques, commerciales. Dans sa librairie — entendons par là sa bibliothèque —, il recueille et conserve les textes anciens ou leurs impressions récentes; il traduit, il pense, il écrit. Dans son imprimerie-librairie, il choisit les sortes de caractères les plus appropriés aux textes rédigés. Il en créera d'autres. Il vendra ensuite ses textes, qui servent son militantisme intellectuel et religieux. Ceux-ci viendront alors reposer dans les casiers de la librairie (bibliothèque) d'un admirateur ou d'un critique.

Dès la première moitié du XVIIe siècle, le grand mouvement de réduction de la fonction de libraire est perceptible. Sous le terme de librairie, pendant les deux siècles de la monarchie absolue, on entend l'ensemble du système de production et de distribution. C'est en effet en ce sens que parlent de la librairie des écrivains comme Diderot et des grands commis de l'État comme le directeur de la librairie Lamoignon de Malesherbes. Dans le même temps, les auteurs, pour la plupart, cessent d'assurer la fonction de reproduction des textes. Par ailleurs, dans la seconde moitié du XVIIe siècle, les bibliothèques des rois et des princes se développent indépendamment. Enfin à l'intérieur du système de multiplication des exemplaires, on voit se détacher lentement la fonction commerciale, qui débouche alors sur une fonction informative et théorique. Le nombre des libraires qui se contentent de vendre augmente. Imprimeurs-libraires et libraires deviennent aussi des bibliographes. Pour vendre ou échanger à distance avec leurs collègues de l'Europe entière, ils inventorient leurs fonds et leurs nouvelles productions. Ils créent des bibliographies qui se prétendent universelles sous une terminologie encore imprécise, tels les *Annales typographiques*, la *Bibliothèque annuelle et universelle*, le *Catalogue hebdomadaire...*

Ce mouvement se poursuit au début du XIXe siècle. Les libraires, au demeurant gens cultivés, s'intéressent à l'art et à la science du livre. Jacques Charles Brunet élabore une classification bibliographique qui servira longtemps. Étienne Peignot se penche sur la bibliophilie et sur la bibliologie. C'est encore à un libraire, Adrien Beuchot, que Napoléon confie en 1811 la création de la *Bibliographie de la France*.

Enfin, tandis que le système corporatif se transforme, le pouvoir politique monarchique organise la vie de la librairie. Aux privilèges s'ajoutent les permissions tacites puis, au XVIIIe siècle, les permissions clandestines. On crée une Direction et une Inspection de la librairie. Les édits royaux fixent le nombre des libraires et définissent les conditions requises pour exercer le métier. L'opposition intellectuelle des « philosophes » se manifestant par des ouvrages publiés à l'étranger, le pouvoir cherchera à les arrêter (voir CENSURE DES LIVRES).

La réduction de la fonction de la librairie tient, semble-t-il, à plusieurs raisons : l'augmentation de la production; l'accroissement du nombre des ouvrages conservés; une orientation plus conformiste et classique de la littérature. En France, le nombre des livres publiés annuellement passe de 150-200 à 350-400 vers les années 1780. Les tirages varient entre 300 et 1 000.

Par ailleurs, depuis l'invention de l'imprimerie, il s'est produit une accumulation de volumes dans les bibliothèques, qui deviennent plus nombreuses et plus riches [voir BIBLIOTHÈQUE].

La réduction et la spécialisation de l'activité de libraire recouvrent les XIXe et XXe siècles. Cette orientation, d'abord européenne, devient mondiale au XXe siècle. Dès la Révolution et l'Empire, les deux fonctions reproductive et distributive se séparent progressivement. L'imprimerie a tendance à se localiser ailleurs que dans le centre de la ville. La librairie demeure, par contre, près des universités, là où elle s'est concentrée depuis le Moyen Âge.

Dans les villes de province, c'est généralement autour des écoles que l'on trouve la librairie. Au XIXe siècle, le libraire est encore souvent un promoteur du livre. Ce qui se poursuit encore aujourd'hui dans de rares cas (José Corti, l'éditeur des surréalistes, est en même temps libraire).

Bientôt la fonction de libraire promoteur et commerçant éclate à son tour. Les termes « éditeur » et « édition » sont de plus en plus fréquemment employés. Éditer prend le sens de publier, de donner (un texte) au public. On parle de « libraire qui édite », de libraire-éditeur. L'éditeur, pour bien marquer son indépendance, s'installe souvent, dans la seconde moitié du XIXe siècle, dans des appartements séparés, voire dictincts, de la librairie, bien que situés souvent dans les mêmes quartiers. Il y reçoit les auteurs, les lecteurs des manuscrits; il y décide, avec l'aide d'un comité de lecture, des textes qu'il publiera; bientôt, il s'adjoint un service de préparation des textes, un service commercial, etc. Il est en contact avec l'imprimerie — parfois lointaine — qui compose, met en pages et confectionne le livre; il est en relation avec les libraires, le plus souvent par l'intermédiaire d'un démarcheur.

La librairie va voir son rôle se restreindre encore à l'intérieur de la fonction commerciale. Sous la monarchie, la vente de livres ne s'effectuait que par la librairie, parfois par les colporteurs, ces derniers diffusant surtout la littérature « populaire ». Or, dès la seconde moitié du XIXe siècle, d'autres structures de vente apparaissent : Hachette, en France, crée les bibliothèques de gare; les kiosques, où l'on vend journaux et petits livres, voient à leur tour le jour; dans les grands magasins, des rayons spécialisés présentent les livres parmi d'autres produits. La relation entre l'éditeur et le libraire pourra devenir conflictuelle, le promoteur du livre cherchant à contrôler la diffusion. Des messageries alimentent des chaînes de points de vente, telles les Nouvelles Messageries de la Presse parisienne (N.M.P.P.). Le libraire n'est plus qu'un des éléments, parmi d'autres, de la distribution commerciale.

Dans la même période, l'organisation collective de la défense des intérêts des gens du livre débouche sur la création, en 1847, du Cercle de la librairie; plus tard, en 1892, se constitue la Chambre syndicale des libraires de France, ancêtre de l'actuelle Fédération française des syndicats de librairies.

De son côté, le pouvoir politique évolue. Peu à peu, la censure s'affaiblit, et la liberté d'organisation de la librairie, de la production et de la distribution des livres fait son chemin sous la IIIe République.

Ces transformations sont liées à l'essor de la société industrielle qui marque la fin du XVIIIe siècle et tout le XIXe siècle en Europe occidentale. Une série de faits est bien connue : croissance de l'industrie et des techniques; croissance de la population; généralisation progressive de l'alphabétisation puis de l'enseignement primaire. A la fin du XIXe siècle, une large part de la population européenne occidentale sait lire et écrire et les besoins de lecture sont devenus énormes. En France, 20 p. 100 de la population environ est alphabétisée à la fin du XVIIIe siècle, soit près de 4 millions d'habitants. Vers 1900, c'est 95 p. 100 des Français, soit 35 à 38 millions, qui peuvent déchiffrer le contenu des textes. Les tirages, dans ces conditions, doivent croître rapidement. Dans les pays les plus avancés, en Allemagne, en Grande-Bretagne, en France, etc., le nombre des exemplaires d'une édition passe de 1 000 environ au début de la Révolution à 10 000, puis à 50 000 et, dans certains cas, à plus de 100 000 exemplaires. Un tel bouleversement économique trouve sa solution naturelle dans la division du travail. Vers la fin du XVIIe siècle, la spécialisation s'est imposée. L'imprimerie n'a pu répondre à la croissance de la demande qu'en accélérant son évolution technique, l'approfondissement des compétences, la concentration du capital. L'édition exige un investissement commercial et bancaire, littéraire et artistique qui ira croissant. La réduction du rôle de la librairie va confiner celle-ci dans une fonction de vente.

R. ESTIVALS

La librairie moderne, en France

Les statistiques fournies par le Syndicat national de l'édition en France font état, pour l'année 1982, d'une production en titres édités de 26 348 (elle était, en 1831, de 6 180). Quant à la production globale annuelle d'exemplaires, elle est, toujours pour 1982, de 361 721 000 exemplaires. Une telle croissance du marché du livre entraîne une transformation radicale des conditions de production et de commercialisation par rapport à celles que l'on pouvait observer jusqu'à la fin de la première moitié du XIXe siècle. Les principales caractéristiques de ce nouvel appareil sont une très grande division du travail et une multiplication des différents canaux et points de vente.

On a vu l'implantation du livre dans les bibliothèques de gare, avec Louis Hachette, et le développement des rayons spécialisés en librairie dans les grands magasins. Dès 1928, en Suisse et en Allemagne, en France après la Seconde Guerre mondiale, les clubs de livres proposent des livres reliés au prix de l'édition courante — voire à un prix inférieur [voir CLUB DE LIVRES].

La vente par correspondance (V.P.C.) se développe de plus en plus, avec des produits choisis ou conçus spécialement pour intéresser le lecteur qui n'a pas l'occasion (ou l'envie) de fouiner chez le libraire.

D'un autre côté, assurant la fonction des anciens colporteurs, des courtiers indépendants ou regroupés au sein de sociétés de courtage proposent des ouvrages (ou des collections) — le plus souvent des ouvrages coûteux — aux particuliers et à domicile. Le client a ainsi la possibilité de consulter un livre, de s'en faire expliquer les avantages et de le commander sans avoir à se déplacer. Le contact humain joue un rôle fondamental dans ce mode de vente.

Cependant, la librairie classique, lieu de réunion et d'exposition des livres, parfois — dans le meilleur des cas — lieu de rencontre et de conseil pour les candidats à la lecture, est loin de disparaître. Si, au XIXe siècle, le libraire, simple revendeur, ne bénéficiait guère que du mince avantage des 13 exemplaires à la douzaine, le libraire moderne perçoit 20 à 42 p. 100 du prix de vente de chaque exemplaire. Mais, dans le même temps, la multiplication des titres et donc des stocks, la complexité comptable et administrative, l'accablent. Enfin la mobilité de la clientèle, qui n'hésite plus à se déplacer pour obtenir le livre qu'elle recherche, défavorise les points de vente modestes, situés dans les agglomérations petites et moyennes; alors que les « grandes surfaces » diffusent les ouvrages les moins chers et les plus demandés (comme les livres au format de poche et des ouvrages de référence courants), seules les grandes librairies peuvent pratiquer une action d'information efficace, action qui justifie, parfois, la spécificité de la profession.

La répartition du marché du livre entre les différents canaux de vente s'établit, pour l'année 1982, de la façon suivante : vente en clubs et par correspondance : de 22 à 25 p. 100; vente par courtage : de 8 à 10 p. 100; grands magasins, magasins populaires et grandes surfaces : de 15 à 18 p. 100; librairie (commerce indépendant) : de 50 à 55 p. 100.

Le circuit de commercialisation du livre en librairie est lui-même relativement complexe. Tout d'abord, il existe plusieurs types de points de vente du livre, qui peuvent être classés selon deux grandes catégories : ceux dont la vente du livre représente la seule activité, librairies générales ou librairies spécialisées; ceux où la vente de livres n'exclut pas celle d'autres marchandises, tels que les bibliothèques de gare, les librairies-papeteries, les « Maisons de la Presse » ou les « bazars », qui associent le livre, la papeterie, les disques, les jeux, etc. La première catégorie se retrouve principalement dans les villes de grande ou de moyenne importance et dispose d'un personnel spécialisé et de surfaces de vente spécialement aménagées pour la mise en valeur du livre. La seconde catégorie regroupe essentiellement de petites entreprises (de 1 à 5 personnes et moins de 120 m^2) qui se répartissent tout au long du territoire national. Sur environ 20 000 points de vente, on compte de 3 000 à 5 000 librairies (dont 500 grandes librairies).

Dans la chaîne de distribution du livre, on trouve maintenant, entre le libraire et l'éditeur deux types d'intervenants : le diffuseur, qui assure la promotion et l'information, et le distributeur, qui entrepose les ouvrages, gère le stock, facture les commandes et soit expédie, soit met à la disposition du libraire les ouvrages que celui-ci a commandés. Pour se procurer le livre qu'il a décidé d'acquérir, le libraire a plusieurs possibilités. Il peut, s'il est parisien, s'approvisionner directement chez l'éditeur, lorsque celui-ci dispose d'une structure d'accueil adéquate, ou bien chez un grossiste, qui réunit la production de plusieurs éditeurs, ou encore chez un distributeur, ou enfin auprès du représentant de l'éditeur ou de son diffuseur, représentant ou diffuseur qui le visite régulièrement. En province, le libraire a le plus souvent à sa disposition des grossistes ou des relais des grandes sociétés de distribution (Centre régional du livre/Hachette), mais il peut également commander par lettre ou auprès du représentant. Dans ce cas, les livres lui sont expédiés par poste ou par transporteur — à ses frais.

De plus en plus, la facturation, autrefois postérieure à la livraison (postfacturation pratiquée jusqu'à 1960 environ), s'effectue simultanément — préfacturation —, le libraire recevant en même temps son colis et la facture afférente. Pour assurer un service rapide et fiable, le distributeur doit avoir recours à l'informatique. Les délais de paiement, par contre, ont tendance à s'allonger : des échéances à 60 ou à 90 jours fin de mois deviennent courantes. Quant aux remises, elles varient suivant plusieurs paramètres. Jusqu'au 1er juillet 1979, la remise était calculée sur le « prix conseillé », en fonction du nombre d'exemplaires commandés et de l'étendue de la gamme de produits. Entre 1979 et 1981, le prix de référence du livre ayant été supprimé, l'éditeur établissait un « prix de cession de base », sur lequel il pouvait encore accorder une surremise qualitative ou quantitative. Le libraire fixait alors librement son prix de vente et sa marge. Depuis le 31 décembre 1981, afin de protéger les petits libraires, le gouvernement a imposé le « prix unique », fixé par l'éditeur. Les remises et surremises, calculées sur ce prix, varient entre 20 et 42 p. 100. La loi interdit également de baisser le prix public de plus de 5 p. 100, ce qui permet au libraire, qui ne pouvait offrir à ses clients des conditions aussi avantageuses que celles que pratiquent les grandes surfaces — rabais de 10 à 40 p. 100 —, de valoriser le service qu'il rend : conseil, commande individuelle, contact, etc. Il est certain qu'avec une remise moyenne de 33 p. 100, le « petit » libraire ne pouvait offrir une remise importante à son client sans mettre en danger son entreprise, d'autant plus que la vitesse de rotation du fonds de sa librairie est d'autant moins rapide que le fonds est plus complet et spécialisé. En revanche, les ventes à prix réduit — par le *discount* —, notamment dans les entreprises spécialisées et les grandes surfaces, ont fortement reculé, au détriment de certains éditeurs.

Il existe, enfin, plusieurs formes de ventes. Le libraire peut recevoir les ouvrages en « office », les prendre en « dépôt » ou les acheter à compte ferme. Il peut également retourner certains de ces livres s'il ne les a pas vendus dans un délai limité. L'« office » fait l'objet d'un contrat entre le libraire et l'éditeur, contrat qui fixe la quantité et la fréquence des nouveautés ou des réimpressions qui seront adressées automatiquement au libraire dès leur sortie. L'office est le plus souvent assorti d'une faculté de retour des ouvrages invendus. Il permet une information et une mise en place rapides, mais constitue pour le libraire une charge de gestion.

La lourdeur des charges qui pèsent sur le petit libraire ainsi que le prix élevé de l'argent l'amènent de plus en plus à limiter le montant de ses commandes et à préférer les livres à rotation rapide, bénéficiant de la publicité commerciale ou non commerciale des médias, notamment la presse écrite, la radio et la télévision (qui n'accepte pas la publicité payante pour le livre). Cependant, certains libraires ont cherché à compenser ces difficultés par l'animation de coins de lecture, les signatures de livres, la diffusion de leur catalogue ou l'aménagement de vitrines thématiques.

Sachant que la presse quotidienne française a un tirage de plus de 10 millions d'exemplaires par jour pour l'ensemble des quotidiens (en 1827, *le Constitutionnel* avait le plus fort tirage avec 20 000 exemplaires), qu'un grand nombre de publications hebdomadaires, mensuelles, etc., occupent une partie importante du marché, que la radio, la télévision, le disque, le film, depuis la Seconde Guerre mondiale, accroissent chaque année leur production dans des proportions notables, on pourrait supposer que le livre se trouve dans une situation critique. Sans doute parle-t-on périodiquement de crise de l'édition et de la librairie, mais l'existence en 1982 de 398 maisons, dont 298 à Paris, et l'évaluation — qui varie, selon les estimations, entre 16 000 et 27 000 — du nombre des points de vente du livre prouvent le dynamisme de cette activité aussi bien sur le plan commercial (le chiffre d'affaires global pour l'année 1982 fut de 7,67 milliards de francs) que sur le plan culturel.

Le succès remporté aujourd'hui par un livre qui a été cité lors d'une émission de télévision surprend encore ceux qui prédisaient la mise à mort de la lecture par le triomphe de l'audiovisuel.

P. BOUSSEL

BIBLIOGRAPHIE
P. Angoulvent, *l'Édition française au pied du mur,* Paris, P.U.F., 1960; G. Bollème, *la Bibliothèque bleue,* Paris, Julliard, 1971; P. Brochon, *le Livre de colportage en France depuis le XVIe siècle,* Paris, Gründ, 1954; J.-Ch. Brunet, *Manuel du libraire et de l'amateur de livre,* Paris, Firmin-Didot, 1860-1865; *id., la Clientèle du livre,* Paris, Cercle de la librairie, 1969; M. Cohen, *la Grande Invention de l'écriture et son évolution,* Paris, Imp. nationale, 1958; S. Dahl, *Histoire du livre de l'antiquité à nos jours,* Paris, Poinot, 1967; Y. Devaux, *Dix Siècles de reliure,* Paris, Pygmalion, 1977; D. Diderot, *Lettre adressée à un magistrat sur le commerce de la librairie,* Paris, Hachette, 1961; R. Escarpit et N. Robine, *l'Atlas de la lecture à Bordeaux,* I.L.T.A.M., 1971; R. Estivals, *la Statistique bibliographique de la France sous la Monarchie au XVIIIe siècle,* Paris, Mouton, 1965; *id.,* « la Fonction sociale du libraire », dans *Colloque sur la situation de la littérature, du livre et des écrivains,* Paris, Éd. Sociales, Centre d'études et de recherches marxistes, 1976; *id., le Livre dans le monde,* Paris, Éd. Retz, 1983; L. Febvre et H.-J. Martin, *l'Apparition du livre,* Paris, Albin Michel, 1971; R. Fédou, M.-L. Holmes, J. Thirion, E. Grangette, A. Sauvy et J. Roubert, *Cinq Études lyonnaises,* Genève, Droz, 1966; A. Flocon, *l'Univers des livres,* Paris, Hermann, 1961; *id., le Livre français, hier, aujourd'hui, demain,* Paris, Imp. nationale, 1972; A. Labarre, *Histoire du livre,* Paris, P.U.F., 1979; *le Livre,* Paris, Bibl. nat., 1972; M. McLuhan, *la Galaxie Gutenberg,* Paris, Mame, 1967; C.G. de Malesherbes, *Mémoires sur la librairie et sur la liberté de la presse,* Paris, H. Agasse, 1809; C. Malingue, *la Librairie,* Paris, F.F.S.L., Cercle de la librairie, Paris, 1978; R. Mandrou, *Introduction à la France moderne 1500-1640,* Paris, Albin Michel, 1961; H.-J. Martin, *Livre, pouvoirs et société à Paris au XVIIe siècle,* Genève, Droz, 1969, (2 vol.); *le Métier de libraire,* Paris, Promodis, 1978; I. Mousseau, *les Communications de masse,* Paris, Centre d'étude et de promotion de la lecture, 1971; *Naissance de l'écriture,* Paris, ministère de la Culture, 1982; A. Parent, *les Métiers du livre à Paris au XVIe siècle,* Genève, Droz, 1974; F. Parent-Lardeur, *les Cabinets de lecture,* Paris, Payot, 1982; F. Peignot, *Dictionnaire raisonné de bibliologie,* Paris, Villier, An X 1802-A XI 1802.

LICHTENBERGER André (1870-1940). V. ENFANCE ET JEUNESSE (littérature d'- et de-).

LIGNE Charles, Joseph, prince de (1735-1814). Le prince de Ligne, c'est le XVIIIe siècle aristocratique à lui seul... Aristocrate, il le fut, et jusqu'au bout : rejeton d'une illustre famille, il naquit à Bruxelles et vécut dans toutes les cours d'Europe, partout « chez lui », avant de mourir à Vienne, où l'avaient conduit les guerres napoléoniennes. Élevé en Belgique, dans ce château de Belœil dont il écrira une description restée fameuse, entouré de précepteurs qu'il trouvait stupides, engagé dans l'armée impériale autrichienne à l'âge de dix-sept ans, marié peu après, auteur à vingt ans de *Contes* licencieux qui dénotent une remarquable maîtrise, il fut ensuite diplomate et grand voyageur. Sa patrie fut cette « Europe des Lumières » qu'il parcourut de long en large, avec ce regard déjà sociologique des cosmopolites de l'époque, qui s'intéressaient aux hommes avant d'aller admirer les curiosités touristiques. Plus tard, quand la Révolution l'aura limité dans son inguérissable bougeotte, il réunira en trente-quatre volumes (1795-1811) tous les écrits échappés de sa plume prolifique, et qui touchent aux sujets les plus divers, sous le titre évocateur de *Mélanges militaires, littéraires et sentimentaires.* Il y a de tout dans cet amas d'œuvrettes : des pièces de théâtre (*Colette et Lucas,* 1776) et des écrits théoriques sur le genre dramatique (*Lettres à Eugénie,* 1774), des livrets d'opéra, des contes qui à la fois rappellent le *Zadig* de Voltaire et annoncent le *Vathek* de Beckford, des romans, des traités de tactique, des notes de voyage et même une passionnante méditation autobiographique : *Nos écarts ou ma tête en liberté.* Parallèlement à ces écrits, sa correspondance constitue un monde encore à découvrir.

BIBLIOGRAPHIE
Peu d'œuvres du prince de Ligne sont aujourd'hui aisément accessibles. On trouve assez facilement ses *Contes immoraux* (Paris, Lattès, 1979) et *Mes écarts* (Lausanne, Guilde du Livre, 1966) dans une de ces anthologies de « pensées » auxquelles se prête si bien une œuvre principalement constituée d'écrits courts. On pourra rechercher les éditions, présentées par E. de Ganay, du *Coup d'œil sur Belœil* (Paris, Bossard, 1922), des *Contes immoraux* (Paris, Plon, 1953), des *Poésies dites et inédites* (Bruxelles, Naert, 1925), et le livre de M. Oulié qui présente ce grand voyageur, encore que de façon un peu vieillie (*le prince de Ligne,* Paris, 1929).

J.-N. PASCAL

LIGNIÈRES ou **LINIÈRE François Payot de** (1626-1704). Lignières se rendit célèbre au milieu du XVIIe siècle par ses critiques acerbes contre les « régents des lettres » du moment, Conrart et Chapelain, mais aussi contre tous ceux qui prétendaient exercer une influence sur le monde littéraire. Né dans « une famille noble de la robe » (Marolles, *Dénombrement des auteurs*), marqué par le libertinage, il fréquentait les salons et les cercles lettrés. En particulier, il était assidu aux réunions d'écrivains qu'organisait l'abbé de Marolles; il fut aussi l'ami de Mme Deshoulières. Quand Chapelain entreprit de publier son épopée de *la Pucelle,* attendue depuis longtemps, Lignières la critiqua durement dans des épigrammes et dans une *Lettre d'Éraste.* Il écrivait par exemple :

Depuis vingt ans on parle d'elle;
Dans six mois on n'en dira rien.

En dénonçant le caractère ampoulé et laborieux de cette poésie, il énonçait tout haut ce que pensaient nombre de jeunes auteurs, en particulier ses amis Furetière et Gilles Boileau (ce dernier, protégé de Chapelain, ne pouvait donc exprimer ouvertement ses critiques). Lignières s'en prit aussi à Boisrobert, à Ménage et à Pellisson. On lui a attribué — sans que le fait ait pu être prouvé — un rôle dans la rédaction du *Chapelain décoëffé,* pamphlet hostile à Chapelain, à Colbert et à leur système de gratifications des écrivains. Il était réputé pour sa facilité; pourtant, après 1660, il ne fit plus guère parler de lui, sauf en raillant *le Passage du Rhin* de Boileau (en 1672). En 1674, Condé le recueillit dans sa cour de Chantilly, où il finit ses jours.

BIBLIOGRAPHIE
Émile Magne, *la Plaisante Histoire du chevalier de Lignières,* Paris, 1920.

A. VIALA

LILAR Suzanne (née en 1901). C'est le dernier grand écrivain belge d'expression française, né en Flandre, à Gand, qui tienne cette double appartenance, fortement éprouvée dès l'enfance, pour un enrichissement. Qui accède au niveau international de diffusion par la traduction en plusieurs langues (dont le japonais) de son livre *le Couple* (1963) et par l'attribution, en 1980, du prix Europalia décerné par un jury représentant tous les pays de la Communauté européenne. Ses recherches sur la nature totalisante de la poésie dans le *Journal de l'analogiste* (1954, prix Sainte-Beuve) rencontrent l'intérêt et l'adhésion d'André Breton et de Julien Gracq. *La Confession anonyme* (1960) — rééditée aujourd'hui sous son nom — qui magnifie « une érotique » contre l'érotisme, inspire un film à André Delvaux : *Benvenuta* (1983). Dans la diversité de leurs modes d'expression (théâtre, roman, essai), la sourcilleuse observation du multiple en vue de son rassemblement dans l'unique, l'exploration de l'anodin qui mène à la notion de l'essentiel, la volonté de rencontrer les contraires non pour les faire fusionner mais « coïncider » assurent à ses dix livres une cohérence évidente, comme si, tous ensemble, ils en formaient un seul, continu.

Parmi tant d'autres, trois phrases aident à discerner les ferments de cette unité. La première ressortit à la mystique, si celle-ci tend à une fusion de l'être individuel avec un tout : « Qu'ai-je cherché d'autre qu'à retourner d'où je venais, qu'à me distraire d'un exil toujours ressenti, qu'à préparer mon rapatriement? » La deuxième, cette finalité reconnue, indique au vivant l'enjeu de sa vie; à l'écart de tout romantisme, ce sont la lucidité, et la volonté qui en découle, qui peuvent le porter au plus haut de lui-même : « Tout ce qui vit possède l'obscure intelligence de ce qui est nécessaire à sa progression ». La troisième éclaire le choix personnel opéré face à cette perspective (on dirait « la méthode » s'il ne s'agissait pas plutôt de l'impulsion la plus profonde de l'être) : « Je n'ai pas cessé de bâtir sur le jeu et le risque : la liberté est à ce prix ».

La liberté est à l'œuvre en elle dès l'enfance par la perception aiguë de la dualité (dualité des langues, qualité du réel et du trompe-l'œil, dualité du masque et du jeu) qu'elle approfondit superbement dans *Une enfance gantoise* (1976). Elle se manifeste ouvertement par son inscription, qui fait scandale, à la faculté de droit (1919), dont elle est la première étudiante avant de devenir — à l'issue d'un premier mariage — une jeune avocate qui gère son propre cabinet et publie dans les journaux des comptes rendus judiciaires. Si son mariage avec Albert Lilar, expert anversois en droit international et maritime, fait d'elle une mère de famille, son journal intime révèle qu'elle vit alternativement des périodes à dominante féminine (soumission, acquiescement) et masculine (affirmation, indépendance) : c'est, en germe, la découverte de l'androgyne, une des clés de son œuvre. A noter dès lors la part essentielle, dans cette pensée, de l'expérience, du vécu, le refus de la théorie, de l'induction, ainsi que sa farouche volonté de préserver les différences, qui, seules, fondent l'être particulier capable de « se mettre en jeu » et, ainsi de pratiquer « un perpétuel arrachement à l'erreur ».

Écrite en 1943, jouée avec grand succès à Paris en 1946, sa première pièce, *le Burlador* — premier *Don Juan* conçu par une femme — sent le soufre : les victimes du séducteur ne vont-elles pas jusqu'à s'inscrire dans le jeu qu'il était jusqu'alors seul à mener? Bernanos, Crommelynck ne s'y trompent pas, qui y décèlent la nature androgyne de Don Juan, « si dangereusement semblable à ses proies ». Toutefois, c'est dans *Tous les chemins mènent au ciel* (1948) qu'elle invente, selon l'expression de Julien Gracq, son propre Don Juan, « une de ces figures exemplaires qui tentent de forcer les limites de la condition humaine ». La jeune religieuse Ludgarde est une prospectrice d'abîmes qui cherche la rédemption dans l'amour fou, voire dans l'abjection, et qui pratique la maxime d'Héraclite : « Le chemin vers le haut et vers le bas est le même ». L'auteur, à qui la lecture des mystiques est familière, ne la suit pas dans cette voie et, dans son audacieuse préface à la pièce, *Note sur l'extase lucide,* s'explique sur ces termes contradictoires : capable de l'appréhender, certes, mais refusant « qu'on s'y complaise au lieu qu'on s'y efforce ». *Le Roi lépreux* (1950) — tant la pièce que son avant-propos, *Dans le monde des doubles,* qui en est inséparable — approfondit, par la concomitance de l'illusion et de la réalité au théâtre, cette rencontre du « même » et de l'« autre » qu'elle ne cessera plus de rechercher.

Cette faille entre l'être et le paraître où s'inscrit l'instant de vérité, de poésie (« le réel absolu », selon Novalis), c'est dans le *Journal de l'analogiste* qu'elle va superbement l'élucider en faisant accueil à ces « incidents anodins, entrés comme par hasard dans le champ de notre vie et qui finissent par la bouleverser ». Prenant appui sur le principe de l'analogie, si proche de celui de la métamorphose, elle s'en sert pour arracher les différences, les contradictions, les oppositions à « la tromperie du particulier » pour les établir dans « la liberté du multiple ».

En 1960, épouse du ministre de la Justice et vice-Premier ministre, elle publie, sans nom d'auteur, *la Confession anonyme* : livre provocant, explosif, récit d'une aventure amoureuse portée aux limites de l'érotique et du divin, voué à retrouver, par-delà les interdits millénaires de la civilisation chrétienne, la leçon de l'éros platonicien et à s'aviser que l'amour physique est « une catégorie méconnue et comme interdite du sacré ».

Le Couple (1963) revendique le droit et le retour à l'amour-passion dans la durée entre l'homme et la femme par le recours à l'« érotique », qui est à la fois jeu, cérémonial, liturgie. Tenant de l'essai historique, de la réflexion morale, du portrait et du poème, ce grand livre restaure l'amour en instrument de connaissance, de communication, de complémentarité entre le Masculin et le Féminin.

Deux essais viendront prolonger, en l'éclairant encore, ce vibrant plaidoyer. *A propos de Sartre et de l'amour* (1967) se veut une critique fondamentale et non polémique de l'horreur existentialiste du corporel, de la « conduite sartrienne de dégoût » à l'égard du possible miracle amoureux. En défendant avec éclat « la recherche du mixte » et « la pratique de l'existence à plusieurs niveaux », Suzanne Lilar poursuit, en fait, cette recherche de la coïncidence entre des contraires qui ne sont qu'apparemment contradictoires : « Oui, l'érotique postule quelque chose, et c'est que notre soif d'absolu a un sens ». Publié deux ans plus tard, *le Malentendu du « Deuxième Sexe »* met en question Simone de Beauvoir soutenant qu'il n'y pas de nature féminine : « Ce que la femme a de commun avec l'homme, demande Suzanne Lilar, ne peut-il être préservé et épanoui en même temps que ce qui lui est propre? Le même continuera-t-il d'être exclusif de l'autre? »

Une enfance gantoise vient couronner, en 1975, cette quête incessante d'un chemin de vie à la fois lucide, exigeant et passionné. Décanté de ses surcharges ou de ses facilités, regroupé autour du sens profond, le souvenir du passé enfantin y est enrichi de tous les éclairements accumulés au long d'une vie et projetés à leur tour sur elle. Dernier en date des livres de Suzanne Lilar, c'est sans doute par lui qu'il faut entamer la lecture d'une œuvre dont l'écriture est aussi frémissante que précise : il épelle l'alphabet de sa pensée fondamentale, il dévoile la grille de son déchiffrement d'elle-même et du monde, il révèle le caractère initiatique de sa quête, sa cohérence et sa continuité.

J. TORDEUR

LIMBOUR Georges (1900-1970). Georges Limbour est né avec le XXe siècle : cela est significatif, car il a fait siennes les idées du siècle sur la libération totale de l'art. Très tôt il commence à écrire (vers 1915), puis il rencontre André Breton et les premiers surréalistes. Dans le *Manifeste du surréalisme* de 1924, Breton présente, dans son château idéal, ses nouveaux amis, c'est-à-dire les tenants d'une nouvelle littérature.

« Voici Aragon..., Philippe Soupault..., et Paul Éluard... Voici Robert Desnos et Roger Vitrac [...], et Georges Limbour (il y a toute une haie de Georges Limbour)... ». Cette reconnaissance immédiate n'empêchera pas Georges Limbour, qui avait entre-temps voyagé et séjourné à l'étranger, de signer en 1930 le violent pamphlet de Bataille contre André Breton, *Un cadavre*. Ces deux « situations » de Limbour montrent qu'il participe activement à la vie littéraire de ce début de siècle.

C'est une œuvre brève que Limbour nous lègue. A cela deux raisons : Georges Limbour s'est toujours refusé à mener une « carrière littéraire », et son œuvre reste fragmentée de 1919 à 1968. Nous avons le très bref *Soleils bas* (1924) [six poèmes], les textes versifiés écrits entre 1919 et 1949 (quatre poèmes) et de plus nombreux textes de prose (près de 140 pages dans l'édition au format de poche Poésie/Gallimard). La liste en est rapide : *l'Illustre Cheval blanc* (trois contes, 1930), *les Vanilliers* (1938), *l'Enfant polaire* (1948). A cela il faut ajouter les *Contes et récits,* nouvelles publiées en 1973 par Gallimard (*le Calligraphe* avait paru en 1959, *la Chasse au mérou* en 1963). On peut y ajouter une pièce de théâtre (*Élocoquente,* 1967, et un opéra-bouffe, *les Espagnols à Venise,* 1966), enfin, une contribution importante à la critique d'art (*André Masson,* 1951, *l'Art brut de Jean Dubuffet,* 1953). L'œuvre est donc mince, et une part importante ne nous est pas parvenue parce qu'elle a été impitoyablement détruite par Limbour, critique sévère de sa production poétique.

Georges Limbour, qui participe avec les surréalistes à l'opération de grande envergure portant sur le langage (selon la propre définition de Breton), reste épris de beau langage. Ce qui ne veut pas dire que sa poésie soit sans ambiguïté, ou seulement ornementale. Limbour ne confond jamais poésie et dérèglement du langage ou poésie et facilité. Mais il ne confond pas non plus poésie et gravité, celui qui fait dire à l'un de ses personnages : « Qui ne mêle un peu de jonglerie au sérieux de son art? »

Le maître mot du surréalisme, c'est sans doute celui de « liberté » : liberté dans la poésie et de la poésie, mais aussi liberté de l'individu. En ce sens, Limbour est avant tout un homme épris de liberté, annonçant les poètes vagabonds de la *beat generation* américaine. Ses personnages privilégiés sont des vagabonds, des êtres sans attaches, des marginaux; sa thématique essentielle est celle de la dérive.

L'esprit surréaliste réside aussi dans l'humour et l'ironie qui sous-tendent la plupart des textes de Limbour et dans l'apparente absence de contrôle de son écriture. Encore faut-il être prudent ici; Limbour ne pratique pas l'écriture automatique. C'est dans la mission de la poésie selon Limbour que nous lisons l'intention surréaliste : charlatanerie suprême, la poésie doit avoir pour but l'émergence de beautés cachées par la disposition des mots sur la feuille. Ce que Breton nomme la « fulgurance du dire ». A l'inverse des surréalistes qui acceptent de produire beaucoup pour que surgissent quelques « diamants poétiques », Limbour donnera un tour achevé à chacun de ses textes. Chaque poème, chaque récit doit être un soleil radieux : c'est ce qui fait de Limbour un poète important. Selon l'esprit surréaliste, il s'agit le plus souvent de « soleils noirs », c'est ce qu'il nous est donné à voir dans le titre significatif *Soleils bas,* ou dans la dérive de *l'Enfant polaire,* ou dans l'errance du meurtrier d'*Histoire de famille.*

C. GAMBOTTI

LINGENDES Jean de (1580-1616). Malgré la brièveté de sa carrière, Jean de Lingendes accède en son temps à la notoriété. Venu jeune à la Cour, il fit partie du cercle d'écrivains dont s'était entourée la reine Marguerite de Valois. Il s'y lia avec Honoré d'Urfé, Motin, Berthelot. Ses *Changements de la bergère Philis* (1605) le rendirent célèbre. Il publia ensuite dans des recueils collectifs de poésie, où il voisina parfois avec Malherbe (dont, par ailleurs, il jugeait les vues tyranniques). En 1615, le cardinal Du Perron l'invita à collaborer, avec Desportes, à une traduction des *Héroïdes* d'Ovide. Sa réputation, durant toute une génération, fut celle d'un poète à l'esprit parfaitement « poli » (Tallemant).

Son œuvre s'inscrit dans cette lignée pastorale dont *l'Astrée* offrira le modèle le plus achevé. Sa thématique de jeux d'amour dans un univers de bergeries n'est pas originale, mais certains motifs prennent chez lui un relief particulier : fascination du regard narcissique; infidélité amoureuse acceptée, à condition qu'elle soit secrète; inquiétude de vivre, que l'extase amoureuse doit abolir. D'où, dans une écriture qui dose subtilement mélancolie et sensualité, une élégance qui réactive des images conventionnelles. Ainsi cette vision d'amants :

Doucement enlacés
Suçant par des baisers
Leurs âmes sur les roses
De leurs lèvres décloses.

BIBLIOGRAPHIE

Œuvres poétiques de Jean de Lingendes, éd. E.T. Griffiths, Paris, S.T.F.M., 1916.

A. VIALA

LINGUISTIQUE. Selon la définition qu'on donne au terme « linguistique », les rapports que cette discipline entretient avec la littérature sont de nature très différente.

La linguistique théorique — linguistique « pure » — étudie quasi exclusivement la structure et le devenir des langues ou, plus abstraitement encore (linguistique générale), ceux du langage, en tentant de dégager les éléments universels, communs à tout idiome naturel. L'une des « sciences sociales » les plus évoluées, la linguistique ne prétend pourtant pas rendre compte de la diversité des produits langagiers sociaux, appelés « la parole » par Saussure et, plus souvent depuis, « le discours ».

Or, la littérature, dans son éventuelle intersection avec l'étude du langage et des langues, est constituée de discours, dont la spécificité fait d'ailleurs problème (voir LITTÉRATURE ET LITTÉRARITÉ). C'est une branche non centrale de la linguistique, celle qui est consacrée à l'étude générale des discours — et en particulier de ceux que l'on nomme « textes » —, qui peut traiter du phénomène littéraire (voir TEXTE). Mais la linguistique théorique s'est enrichie récemment de nombreuses disciplines abordant le fonctionnement social du langage (sociolinguistique), l'énonciation et les « actes de parole » — incluant l'acte productif d'écriture, qui requiert d'autres méthodes et même une autre épistémologie, comme en témoigne le discours critique de la « grammatologie » (Derrida) —, enfin l'étude de toutes les actualisations, y compris la réception et la compréhension du discours.

Ces considérations concernent deux types de disciplines voisines, qui interfèrent trop souvent, notamment par leurs terminologies, avec la linguistique, dans les analyses des critiques : ce sont, d'une part, la sémantique (avec sa dimension pragmatique, qui l'élargit en sémiotique) et, d'autre part, la théorie de la communication et de l'information, à laquelle on doit ces « codes », ces « messages », ces « canaux », cet usage particulier du mot « information », ces notions de « bruit », de « redondance », etc., qui envahissent — trop souvent sans contrôle et d'une manière métaphorique — les considérations de la critique littéraire contemporaine. Ce n'est pas à dire — tout au contraire — que le critique puisse se passer de ces nouvelles conceptualisations, puisqu'elles règlent, avec beaucoup d'autres objets, l'objet littéraire sous ses aspects les plus fondamentaux, et donc les moins aperçus — mais aussi, il faut s'en souvenir, les moins spécifiques.

Pour aborder l'aspect spécifique des discours littéraires, de l'énonciation littéraire, de la communication littéraire [voir COMMUNICATION], etc., il est nécessaire d'adapter les méthodes à l'objet (ce qui relève de la quadrature du cercle, puisque l'objet, précisément, n'est pas connu « scientifiquement ») et, d'abord, de respecter les notions et les termes qui les véhiculent. Ainsi, « code » n'est synonyme ni de « langue » ni de « structure »; « message » n'est pas identique à « discours », et tout discours n'est pas un « texte ». Ainsi, la « compétence », notion empruntée à Noam Chomsky, le créateur de la grammaire générative-transformationnelle, n'est pas un ouvre-boîte perfectionné améliorant un modèle archaïque (la « langue » saussurienne, par exemple) aux fins de révéler le contenu de la fameuse « boîte noire » (autre métaphore, empruntée, celle-là, aux sciences physiques) d'où sortent les produits langagiers et notamment le « corpus » (ce terme vient de l'analyse documentaire, et avant elle, du droit) littéraire.

Pourtant, la critique moderne, la rhétorique redécouverte [voir RHÉTORIQUE], la poétique et la stylistique actuelles sont inconcevables sans l'apport théorique et méthodologique de la linguistique.

Par ailleurs, s'agissant de l'activité littéraire dans une langue précise — ici, le français —, l'exposé le plus succinct du matériel langagier dont dispose, à chaque époque et en chaque lieu, l'écrivain suppose une connaissance minimale de la linguistique de cette langue [voir LANGUE FRANÇAISE ET LITTÉRATURE].

En outre, dans l'arsenal conceptuel des quasi-sciences (pseudo-sciences?) liées à la linguistique, de très nombreux éléments concernent directement ce « savoir de la littérature » (*Literaturwissenschaft*) qui n'a pas droit en français — et c'est peut-être sage — à une dénomination lexicale. On donnera en exemple, par association d'idées, la lexicologie, qui peut être conçue comme une science-carrefour entre linguistique et anthropologie, ou bien la sémantique discursive.

La linguistique n'est pas une; mieux vaudrait parler des linguistiques, tant selon les domaines privilégiés que selon les écoles. Parmi celles-ci, la variété des positions épistémologiques suffit à définir des relations très différentes à la littérature en tant qu'objet : absentes ou plutôt virtuelles en ce qui concerne le distributionnalisme et la linguistique générative — qui se préoccupent avant tout de phonologie et de morphosyntaxe, c'est-à-dire de structures abstraites —, ces relations deviennent implicites avec le fonctionnalisme (école de Martinet, en France), ou avec la glossématique danoise (école de Hjelmslev, le plus remarquable des continuateurs de Saussure), et avec la pensée même de Saussure, qui, à la fin de sa vie, révolutionna la perception des rapports entre formes et sens, au sein même de textes littéraires — et précisément poétiques : les « mots sous les mots ». Quant aux domaines, c'est la linguistique du discours, la textologie, la sémantique, la linguistique sociale, enfin la théorie des relations entre l'oral et l'écrit, ainsi que la théorie de l'écriture [voir LIVRE] qui trouvent le plus d'applications à l'objet littéraire. Enfin, si la rhétorique et la stylistique [voir STYLISTIQUE] dépendent de la linguistique des discours, elles n'en font pas partie, mais relèvent cependant de ce que l'on nomme plus largement « sciences du langage ». Ici, la théorie littéraire est directement concernée, comme elle l'est par la prosodie.

En conclusion, si la linguistique la plus théorique se situe, dans son propos, très loin des préoccupations du spécialiste de la littérature, elle propose néanmoins des concepts méthodologiques et descriptifs indispensables; en outre, dans la mesure où elle fournit concepts et méthodes à des disciplines dérivées ou voisines, elle agit plus directement, par ces disciplines, sur la connaissance des aspects fondamentaux du fait littéraire.

BIBLIOGRAPHIE

La linguistique théorique ne s'intéresse pas au phénomène littéraire. Mais la rhétorique, la stylistique, la « textologie », qui restent proches de certains aspects et procédures linguistiques — linguistique du discours, de l'énonciation, de la communication — fournissent quelques références pertinentes. Pour le français, on conseillera par exemple : C. Bally, *Traité de stylistique française,* Paris - Genève, Droz, rééd. 1952; id., *Linguistique générale et linguistique française;* Berne, Francke, rééd. 1960; J. Cohen, *Structure du langage poétique,* Paris, Flammarion, 1966; Jacques Dubois et al., *Rhétorique générale,* Paris, Larousse, 1970; G. Ducrot et T. Todorov, *Dictionnaire encyclopédique des sciences du langage,* Paris, Le Seuil, 1972; P. Guiraud, P. Kuentz, *la Stylistique : lectures,* Paris, Klincksieck, 1970; P. Guiraud, *Essais de stylistique,* Paris, Klincksieck, 1970; R. Jakobson, *Essais de linguistique générale,* Paris, Éd. de Minuit, 1963; A. Jolles, *Formes simples,* Paris, Le Seuil, 1972; A. Kibedi Varga, *Rhétorique et littérature,* Paris, Didier, 1970; M. Riffaterre, *Essais de stylistique structurale,* Paris, Flammarion, 1971; L. Spitzer, *Études de style,* Paris, Gallimard, 1970; T. Todorov, *Littérature et signification,* Paris, Larousse, 1957.

A. REY

LINVAL Paule de (1890-1970). V. CARAÏBES ET GUYANE. Littérature d'expression française.

LINZE Jacques Gérard (né en 1925). On a quelquefois souligné combien peu la problématique du « nouveau roman » avait retenu l'attention des écrivains belges (on verra cependant bien des avant-gardes alignées, quelques années plus tard, sur les recherches des groupes « Tel Quel » ou « TXT »).

Jacques Gérard Linze constitue, à cet égard, une notable exception. Après avoir tâté, dans son premier récit, *Par le sable et par le feu* (1962), du romanesque pur, on le sentira très soucieux de retenir les leçons de l'ascèse imposée à la narration par Robbe-Grillet et Claude Simon. *La Conquête de Prague* (1965) décrit la visite et l'exploration d'une ville presque mythique, à l'ombre de Kafka : la vieille ville, ses édifices baroques, le cimetière juif, le château. Mais surtout nous découvrons un monde opaque, redoutablement exotique et totalitaire. Michel Daubert parcourt les galeries d'un labyrinthe qui, à chaque pas qu'il fait, le piège un peu plus. Même l'amour, qu'il croit rencontrer, ne serait-il pas suspect, un ambigu trompe-l'œil? Dans *l'Étang-Cœur* (1967), l'auteur joue plus encore des incertitudes auxquelles nous condamne ce que nous appelons dérisoirement « la réalité ». Un fait divers, relaté par trois narrateurs différents, se répète de façon lancinante, hallucinée, en un jeu de miroirs où le lecteur se heurte et s'égare, fasciné par les équivoques que le texte multiplie à l'envi.

C'est encore sur une trame quasi policière que se fonde *la Fabulation* (1968) et sur une enquête qui se complique et s'enlise. A chacun sa vérité. Une vérité n'est pas avancée, proférée qu'aussitôt la voilà infirmée, récusée, annulée.

Seul « triomphe » un romancier voyeur, installé dans une neutralité trompeuse, faussement objective. Comme nous, n'est-il pas voué à la fabulation, en effet, et à une pathétique, infirme appréhension d'un réel que tout met en doute et rend sujet à caution?

Outre les œuvres mentionnées ci-dessus, on citera un roman, *le Fruit de cendres* (1966), des poèmes, *Confidentiels* (1960), *Trois Tombeaux* (1963), *Passé-Midi* (1974), *Cinq Poèmes pour la mort* (1974), et des essais, *Mieux connaître Constant Burniaux* (1972), *Humanisme et judaïsme chez David Scheinert* (1976).

P. MERTENS

LITTÉRATURE. La notion moderne de « littérature » provient d'une longue évolution, où ont joué de nombreux facteurs, culturels, idéologiques, produits par les situations historiques. Cette évolution se reflète, comme toujours, dans l'histoire des mots.

Le mot littérature, on le sait, est en français un calque du latin *litteratura*. Ce dernier, selon Quintilien, est lui-même une équivalence morphologique du grec *grammatikê,* le grec *gramma* et le latin *littera* étant, au sens de

« lettre », parallèles. Or, les valeurs du latin *litteratura* restent très proches de la « lettre », justement, et, la plupart du temps, assez concrètes. Chez Cicéron, le mot signifie « écriture »; chez Quintilien ou Sénèque, « grammaire, art du langage »; chez Tacite, « ensemble des lettres, alphabet ». Une extension se fait pourtant vers l'idée de « connaissance réglée, érudition » (par exemple chez Tertullien). En latin médiéval, *litteratura* définit la langue savante par rapport au « vulgaire », le français [voir LATIN (la littérature latine au Moyen Âge)].

Ces diverses valeurs sont passées en français, où « littérature », mot savant pris à la forme latine, succède à un mot de la langue courante, fruit de l'évolution phonétique normale. C'est *letreüre,* de *letre* (« lettre »), qui correspond, du XIIIe au XVe siècle, à des formes apparentées dans les langues romanes. Cette famille de mots disparaît avant le XVIe siècle, remplacée par celle du latinisme que nous employons encore.

Si les sens du latin ne vivent qu'au XVIe siècle (« littérature », chez Montaigne, signifie « connaissances humanistes »), l'évolution est, en France comme dans les autres langues d'Europe occidentale, lente et progressive. De même, si « littérateur » est attesté au XVe siècle, c'est évidemment au sens du latin *litterator,* « grammairien ». L'adjectif « littéraire » (1527), précédé par « littéral » (XIIIe siècle), concerne les connaissances humanistes, tout comme « lettré » (dès le XIIe siècle, d'abord « savant », du latin *litteratus*) est tout simplement, à l'origine, une « personne qui sait lire ».

On voit l'évolution, qui va des connaissances de celui qui sait lire — surtout le clerc, au Moyen Âge — à celles de l'humaniste (au XVIe siècle) et de celles-ci à une culture que nous dirions de « lettré », enrichie progressivement par la connaissance de l'Antiquité et des arts, notamment des arts du langage, mais précisée par exclusion de ce qui va devenir les « sciences ». Lorsque Descartes, dans le *Discours de la méthode,* écrit qu'il a été « nourri aux lettres dès [son] enfance » et que La Bruyère décrit les gens « d'un bel esprit et d'une agréable littérature », nous parlerions vaguement de « connaissances » et de « culture »; il s'agit en fait de « lectures », surtout de nature didactique.

La valeur de « littérature » et de « littéraire » va changer au cours du XVIIIe siècle, parallèlement à l'apparition d'un nouveau sens (attesté en français dans le dictionnaire de Richelet, en 1680, et donc antérieur), « littérature » désignant alors la communauté des « littérateurs », ce dernier terme réapparaissant dans ce contexte au début du XVIIIe siècle. Dans ces emplois, le champ d'application se précise, les savants et même les érudits ne font pas partie de ce que l'on appelle volontiers la « basse littérature » (on trouve le syntagme chez d'Alembert, chez Voltaire), car la corporation est plus souvent attaquée que célébrée. Cette valeur existe aussi en anglais (*literature*), et vise non plus les lecteurs cultivés mais les écrivants, sinon toujours ce que nous nommons écrivains (le mot « écrivain » au sens « noble », apparaît au XVIe siècle; auparavant, il n'est question que d'écrivains publics).

Quant au statut ou au métier d'écrivain (ce que l'anglais désigne plus clairement par *authorship*), il se fait aussi appeler « littérature », l'accent étant mis sur la « carrière » et donc l'institution (« la littérature ne nourrit pas son homme ») ou sur une appartenance prétentieusement élitaire (« entrer en littérature »). Mais ces emplois du mot restent secondaires.

Vers le milieu du XVIIIe siècle, comme d'innombrables exemples l'attestent, « littérature » se met à désigner non plus un savoir, non plus des personnes, mais bien des textes et se précise en se limitant aux « ouvrages de l'esprit » (la remarque est de Sainte-Beuve) et en excluant les textes scientifiques et techniques (Voltaire l'atteste très explicitement dans le *Dictionnaire philosophique*). Mais nous sommes, malgré les apparences, encore loin de la valeur moderne du terme. En effet, la « littérature » est alors définie en extension, par énumération, et négativement, par exclusion. En outre, apparaît un autre sens du mot, emprunté à l'allemand, où *Literatur* désigne aussi toute liste de textes d'une nature donnée, une bibliographie (quand on parle aujourd'hui de « faire la littérature d'un domaine, d'une question », c'est de cet usage, apparu en 1758 en français, qu'il s'agit). Mais cette valeur reste marginale, et la véritable ambiguïté du mot, dans la seconde moitié du XVIIIe siècle, réside dans l'imprécision de son extension, le classement par domaine, l'exclusion des connaissances scientifiques ou pratiques et techniques recouvrant obscurément un classement par types de discours, par modalités d'écritures, qui ne sera dévoilé que plus tard.

La grande mutation — qui n'affecte pas explicitement l'extension du domaine — est celle qui fait passer le signifié majeur du mot « littérature » et de ses analogues de « ensemble de textes » à « activité créatrice », cette mutation retournant le concept et le faisant passer du point de vue du consommateur à celui du producteur, et en même temps de la dominante « information, contenu assimilable et facteur de culture chez le lecteur » à la dominante « esthétique ». Ici, il faut se référer au pivotement des valeurs dominantes du mot « art », qui sous l'influence indirecte de la conceptualisation hégélienne, passe entre 1830 et 1850 du concept de « technique » à celui de « création et créé esthétiques ».

Au XVIIIe siècle, la notion créatrice et dynamique de « littérature » englobe la production culturelle dans son ensemble, c'est-à-dire les « belles lettres », expression, qui, comme « beaux arts », prend encore les substantifs (« lettres », « arts ») dans leur extension maximale, l'adjectif « beau » étant chargé de sélectionner les valeurs pertinentes, esthétiques. C'est encore vrai chez Mme de Staël (*De la littérature,* discours préliminaire), mais il faut noter que celle-ci pense peu ou prou en allemand, par l'entremise de Schlegel, et que cette langue favorise un emploi très large de *Literatur.* Pourtant, le titre même de l'ouvrage clé de Mme de Staël correspond au sens dynamique, « poïétique », de littérature, « art de la production d'objets langagiers écrits », par opposition à d'autres productions esthétiques. Ses œuvres attestent le pouvoir accru du mot pour désigner un ensemble de textes, non plus seulement en général (« la littérature »), mais un ensemble précisé historiquement, géographiquement, culturellement. Pouvoir dire et écrire : « littérature allemande », « littérature du Nord » (ou même, comme Goethe en 1825, *Weltliteratur,* « littérature mondiale »), c'est reconnaître à la notion une pertinence accrue, puisqu'une analyse s'appuie sur elle.

Cette pertinence n'exclut pas l'ambiguïté, puisque, au XIXe et au XXe siècle, « littérature » est souvent employé pour désigner les œuvres et leur production, l'ensemble des producteurs (écrivains) et leurs activités. Il n'est pas aisé de débrouiller l'écheveau, dans une phrase de Chateaubriand, par ailleurs significative dans la délimitation du domaine, puisqu'elle oppose, sous l'Empire, la « servilité » de la « science » à la « littérature nouvelle », qui « fut libre » (*Mémoires d'outre-tombe*).

Plus récemment, le mot « littérature » et les notions qu'il véhicule fait l'objet d'une réflexion critique et — le mouvement est le même — il est pourvu d'une valeur métalinguistique (réflexion sur les textes littéraires). Par économie, et pour remplir une structure sémantique banale, où le même mot désigne un objet de science et la science (« géographie », « histoire », « chimie », etc., sont dans cette situation), on passe donc de « enseigner l'histoire de la littérature, les connaissances, les études, la critique, la théorie littéraire » à « enseigner la littérature » (l'allemand, plus analytique, distingue *Literatur* et *Literaturgeschichte, Literaturwissenchaft*). Cette extension est plus ancienne qu'on n'imagine; le titre des *Éléments de littérature* de Marmontel l'atteste dès 1787, mais elle ne se répand qu'avec l'institution universitaire, puis scolaire, au cours du XIXe siècle. Ainsi, Villemain considère la littérature comme « une science expérimentale ». Les syntagmes spécialisés comme « littérature comparée », « littérature générale » relèvent de cet emploi, qui tend peut-être à reculer de nos jours, concurrencé qu'il est par « théorie littéraire », « critique » ou « poétique » et « rhétorique », récemment revalorisés. Ainsi, en francais, « faire de la littérature » peut vouloir dire, selon les contextes, écrire, par exemple des romans, ou être critique, enseigner...

Mais cette extension, qui ajoute à l'ambiguïté du mot, ne modifie pas la notion centrale. En revanche, une importante déviation extensive (sans doute dans les années 1930) fait passer outre l'étymologie pour inclure dans le concept tous les usages esthétiques du langage, fussent-ils étrangers à la « lettre ». C'est ainsi que l'on peut, sans être accusé d'incohérence, parler de « littérature orale », syntagme qui suppose une définition englobante du concept, incluant écriture et oralité, et qui place donc sa spécificité ailleurs, visiblement dans les caractères poétiques (au sens large), esthétiques et sociaux des discours visés.

Si l'usage des mots révèle les extensions et les glissements du concept central le plus large (« textes, discours » et « créativité qui les produit »; « créateurs de ces discours » et « système social et idéologique qui les fait fonctionner », j'en oublie...), il révèle aussi une résistance, par exclusion. C'est ainsi qu'autour des littératures (ensembles de textes) non qualifiées, un nuage de satellites, littératures marginales, populaires, paralittératures, infralittératures, etc., se met à graviter. Le phénomène lexical est récent — vers 1940-1950 — et significatif d'une réaction de défense de la *doxa* quant aux systèmes de valeur. Ce qui montre, s'il en était encore besoin, que les spécifications objectives, les taxinomies génériques, culturelles, etc., sont parasitées par des hiérarchies dont les critères (jugements de valeur) sont souvent niés, et le plus souvent implicites. Il faudra tenir compte de cela dans toute analyse du concept de « littérarité », mot récent qui manifeste le besoin d'une définition théorique, débarrassée des caractères imposés par la variété des réalisations concrètes.

Restent à mentionner les usages affectifs, connotatifs du mot « littérature », qui, depuis le milieu du XIXe siècle, affecte, en général péjorativement, l'ensemble des emplois de « littérature », de « littéraire », et plus encore de « littérateur », de « gens de lettres » (comme gendarmes, disait Balzac), etc. Ces connotations sont de deux ordres : la littérature est opposée à la vie, au réel, et accusée d'artifice narratif et de manquement au principe de réalité freudien (« c'est de la littérature » devient quasi synonyme de « c'est du roman », « c'est du cinéma »); elle est accusée d'insincérité et de mensonge : « ... et tout le reste est littérature », écrit Verlaine après avoir évoqué sa conception du poétique et c'est probablement à dire « pure technique et défaut d'émotion ».

Littérature et « littérarité »

L'histoire des mots éclaire celle des notions, mais ne rend compte que des processus explicites de nomination, et encore partiellement. Il faudrait y joindre, même sur le plan strictement terminologique, l'analyse sémantique de très nombreux textes, l'examen de la totalité du champ sémantique — non seulement littérature et littéraire, mais aussi poésie, poétique et livre, écrivain, écrire, lire, et aussi art, science, histoire, etc. —, la comparaison des concepts et des mots d'autres cultures (l'*adab* des civilisations islamiques, le *wen-xue* chinois), qui convergent avec le concept occidental, mais ont été pensés autrement. Ainsi, le *wen-xue* est l'art, l'apprentissage, la connaissance des caractères (*wen*). Or, entre « caractère » et « lettre », il y a un monde. L'*adab* est une connaissance profane qui se définit par rapport à l'islam.

Cependant, on voit déjà combien la notion occidentale et moderne de littérature est ambiguë, rien qu'à étudier le mot qui la dénote, principalement en français. D'abord qualité ou situation intellectuelle (on « a » de la littérature, au XVIIe siècle), liée à des critères sociaux, la littérature devient un sous-ensemble des textes de la culture et de la langue, une activité à la fois esthétique, langagière et socio-économique (l'imprimerie produit des livres qui se fabriquent et se vendent avant d'être lus). « Littérature » s'applique, on l'a vu, aux créateurs, aux œuvres, à la fonction, la distinction étant parfois brumeuse. Plus fuligineuse encore est l'implicite des jugements de valeur, qui restent positifs, depuis le savoir du clerc sachant écrire et lire à celui de l'humaniste philologue, de ce dernier aux belles-lettres, des « belles-lettres », encore définies selon l'axe des jugements intellectuels (les « ouvrages de l'esprit »), à la « littérature » donc, où cet axe se croise avec celui de l'esthétique créatrice et de la poétique. C'est d'ailleurs la spécialisation de « poésie », « poète », « poétique » qui dégage le terrain de l'esthétique du langage pour « littérature ». Ainsi, « poésie dramatique » devient au XIXe « théâtre » et « le théâtre » entre dans le concept de « littérature ». Celui-ci absorbe toute la poésie et ses valeurs, en attendant que la « poétique » ne prenne sa revanche en investissant les définitions internes de la littérarité. En même temps, les techniques narratives, avec l'évolution des genres littéraires (roman, mais aussi théâtre, mémoires...), fournissent un autre axe de jugements : à côté des valeurs intellectuelles et des valeurs esthétiques, les valeurs narratives prennent une importance que le XXe siècle, en leur permettant de transcender la littérarité, va augmenter encore. La narrativité envahit le concept de littérature et, de nos jours, l'articule aux techniques de communication (cinéma, télé, bande dessinée...) au point que l'écrivain va être senti communément plutôt comme un conteur d'histoire que comme un forgeur de phrases. Le « poète » est-il encore, dans le jugement social, un « écrivain »? On peut en douter. Conflit de valeurs redoublé par la prise de conscience — dès le début du XIXe siècle et avant, chez des isolés — du caractère social, puis socio-économique, du phénomène littéraire. « Livre », « publication », « impression »... impliquent industrie, commerce, économie; impliquent aussi sociologie par le biais de notions comme « lecture », « diffusion », « tirage », « consommation du livre ». Or, les valeurs socio-économiques sont sensibles à des critères — par exemple, d'ordre quantitatif — que rejetaient les jugements intellectuels, esthétiques et même de qualité narrative ou expressive (ou de plaisir de lecture, leur complément). D'où une guerre terminologique défensive, par laquelle la littérature, ayant perdu une partie des valeurs intellectuelles initiales, aujourd'hui liées aux notions de science, de technique, de philosophie, de droit, d'érudition..., tente d'englober le plus possible de textualité sociale. Mais elle n'accepte pas pour autant de réviser ses systèmes de valeur esthétique. D'où ces questions, peu compréhensibles pour le sociologue amateur et que ne se posent guère la majorité des lecteurs : le roman d'aventures, le polar, la science-fiction, les séries sentimentales, les romans d'espionnage, les livres pour enfants... sont-ils ou non « de la littérature »?

La réponse implicite de la *doxa* littéraire est : oui, s'ils sont « bien écrits » (Simenon — ailleurs Doyle, Hammet, Chandler, à la rigueur; Jules Verne certes, la comtesse de Ségur, hum...), mais dans une marginalité protectrice. La pleine appartenance littéraire exclut certaines classifications. Tout le monde est d'accord, auteur, éditeurs, critiques : *les Gommes,* de Robbe-Grillet, ne sont pas un roman policier; pas plus que *l'Emploi du temps* de Butor. *Brave New World* de Huxley n'était pas un texte de science-fiction. De la même manière, la dominance des valeurs esthétiques récupère des bribes aux domaines récemment conquis sur la littérature : les histoires littéraires ont abandonné les grands scripteurs de textes scientifiques, qu'elles revendiquaient dans le passé. Et ce passé n'est pas très ancien. Ainsi, le dernier volume de la vaste *Histoire de la langue et de la littérature française* de Petit de Juleville, publié en 1899, inclut l'histoire, la philosophie, la religion, le discours politique même oral (Favre, Picard, Émile Olivier), la presse et la « littérature scientifique ». Cette définition peut nous sembler anormalement large, mais la spécificité du point de vue reste affirmée; nous apprenons que « Cuvier est très inférieur comme écrivain à Buffon » (c'est donc un écrivain, tout comme l'était Buffon), que « la littérature transformiste a produit de nos jours quelques belles œuvres : œuvres sereines, pleines de couleur et de poésie », que le physicien « Biot n'écrit que pour les délicats », que le chimiste Dumas use « d'un langage majestueux et de grande allure, d'où l'emphase n'est pas toujours absente ». Le style de Pasteur fait l'objet de deux grandes pages, et ce chapitre significatif, dû à Bernard Brunhes, se conclut sur l'impact de ces discours scientifiques sur la manière d'écrire, c'est-à-dire sur un degré zéro sociologique de l'écriture. Cet effort pour assurer la pertinence littéraire d'un très large éventail de discours sociaux valorisés a pour effet d'établir des hiérarchies d'importance qui nous surprennent. Indépendamment des jugements de valeur, le fait quantitatif que Pasteur ou Jules Favre, Ravaisson ou Challemel-Lacour ont droit, dans une « histoire de la littérature », à plus de lignes que Banville, Mallarmé ou Huysmans déplace singulièrement nos habitudes. De même pour les jugements d'importance à l'intérieur de notre modèle : Eugène Marmel est presque aussi bien traité que Baudelaire et mieux que Mallarmé. Rimbaud — sauf distraction de ma part — n'est pas mentionné.

Cependant, le recul du domaine littéraire n'est pas sans contrepartie. Malraux, après Suarès, ramène dans la mouvance de la littérature la réflexion sur l'art; Lévi-Strauss, avec *Tristes Tropiques,* et bien des philosophes français font délibérément acte de littérature.

Qu'est-ce à dire?

Que la typologie des discours, ici finalisée par un concept présupposé de « discours littéraire » spécifique, reste à préciser, malgré diverses intentions et analyses. Les lois formelles, linguistiques, qui régiraient la formation des divers types de discours, les stratégies de production de ces discours, les rhétoriques qui les organisent, permettent bien de dégager des oppositions, mais les méthodes sont ou bien rigoureuses et assez inopérantes de ce point de vue pragmatique (l'« analyse de discours » des linguistes), ou bien intuitives et vagues.

Certes, des caractéristiques propres au discours poétique — plutôt que littéraire — semblent bien irréfutables dans l'économie des fonctions du langage. Mais les remarques de Valéry dans les *Cahiers* et les efforts de la sémiotique et de la poétique contemporaines, à la suite de Jakobson et des « formalistes » russes, permettent de noter que la fonction du signe poétique — dont participerait quelque peu tout signe « littéraire » — comporte, outre ses habituels aspects dénotatifs, un type de connotation particulier, où le « signe » (texte entier, poème, phrase ou simple élément lexical) renvoie à lui-même. Au centre de la littérarité, donc, agit une machinerie de « connotations autonymiques » (J. Rey-Debove) qui renvoient les signes à eux-mêmes, non seulement en tant que produits du discours — et c'est à peu près la « fonction poétique » du modèle jakobsonien — mais aussi en tant qu'unités de la langue porteuses d'une ambiguïté inépuisable — fonction métalinguistique. En termes sémiotiques, cela veut dire que la signification littéraire est liée à l'« expression » (opposée au « contenu ») dont elle dépend; en termes de théorie de l'information, que le « message » de la littérature tend à se constituer en « code ». Autrement dit, chaque œuvre est la projection (unique) d'une structure (unique) formée pour elle et en elle (ce qui, par parenthèse, revient à refuser à toute traduction un statut littéraire, sauf si elle relève de la même analyse, constituant une œuvre autonome). Un poéticien comme T. Todorov a insisté sur ce trait, qui rend les taxinomies et les théories du genre très difficiles. Que ces traits s'affaiblissent, que les signes soient soumis aux autres fonctions, communication du savoir, organisation des images du monde, et le discours cesse de relever de la « littérarité »; il s'agira alors de scientificité, de didactisme, de prescription... Et même l'expressivité psychique, envahissant le discours, produit tout autre chose que du littéraire; les « purs sanglots » ne sont jamais de la littérature.

Pourtant, l'intuition donne au texte littéraire un pouvoir intense dans l'établissement de l'image du monde et dans la transmission de l'expérience humaine globale; elle lui confère une valeur humaine irremplaçable en terme de « contenu », tout autant que d'« expression ».

Mais aucune définition interne, qu'elle soit formelle (rhétorique, rythmique, métrique, lexico-syntactique) ou sémiotique (visant les relations entre contenu et expression au moyen de substances mises en rapport par une forme — les concepts sont ceux de L. Hjelmslev) ne rend compte des frontières. Aucune méthode exacte ne permet d'affirmer : tel texte scientifique, historique, didactique, telle lettre amoureuse ou confidence mystique, par son contenu sémantique, relève cependant de la « littérature » parce qu'ils établissent par l'écriture, par le « style », leur existence en un rapport contenu-expression absolument singulier et pertinent. De fait, Buffon, Michelet, Montesquieu, la religieuse portugaise sont bien considérés comme les auteurs de textes pleinement littéraires, mais la plupart des cas analogues sont douteux : la rencontre entre les lois sémantiques des discours scientifique, didactique, polémique, personnel..., et celles du discours « littéraire » sont toujours contestables.

De même, à l'intérieur du modèle social de la « littérature », auquel il faut bien venir, les jugements classificateurs (« genres » littéraires, des plus précis aux plus vagues, qui ne sont plus aujourd'hui que de vastes catégories) sont imprégnés de valeurs. Ici encore, les limites sont floues, elles s'établissent en fonction de jugements sociaux multiples et contradictoires. Des concepts tels que « para- » ou « infra-littérature », « littérature marginale », dont on abuse, manifestent, on l'a dit, une résistance des jugements de valeur conventionnels devant des phénomènes sociaux inévitables, et gênants pour le maintien de ces jugements.

A considérer la spécificité littéraire à l'intérieur de son cadre sociologique — et non plus par sa structure interne —, on fait intervenir tous les éléments qui définissent pragmatiquement, empiriquement le littéraire. Depuis Sartre, ce qu'« est » la littérature est presque toujours abordé « en situation », en tenant compte des modèles qui prétendent, à chaque stade du savoir et des hypothèses, rendre compte de la production, de la circulation, de la consommation des textes, littéraires et autres. La terminologie même trahit la prégnance du modèle économique, dans cette façon d'aborder la question; modèle compromis et déplacé par celui de la communication qui parle d'encodage, de circulation des messages et de décodage. Ces modèles — et d'autres — noient l'objet littéraire dans un objet beaucoup plus vaste; ils ont des points faibles (le décodage, la consommation, en un mot la lecture sont plus mal explorés). Ici, l'étude anthropologique des cultures a son mot impérieux à dire et la « littérature » est immédiatement clivée, éclatée, par la pression de critères sociologiques : la critique marxiste sémioticienne de S. Žolkovski distingue fortement littérature « ludique » et littérature « engagée », insistant utilement sur deux dimensions majeures de l'effet sociolittéraire. Mais il en est d'autres.

L'essentiel est d'admettre et d'intégrer la profonde relativité de toute définition fonctionnelle du fait littéraire, tant par rapport à ses modalités de communication que par rapport à ses finalités. La littérarité ne saurait être la même dans une société de tradition orale, dans une société où l'écrit, péniblement recopié, puis massivement imprimé, envahit une grande partie de la communication sociale, enfin dans les cultures qui connaissent les techniques audiovisuelles de masse. Elle ne peut être la même dans une société préindustrielle et dans une société informatisée, dans les pays à haut revenu où l'alphabétisation est générale et dans les pays du Tiers-Monde.

Or, les usages littéraires du français — objet de cet article — suffisent à illustrer maintes oppositions. C'est d'abord l'opposition oral-écrit, sans laquelle on ne peut pas même penser la « littérarité » médiévale, où les valeurs orales de la chanson, le geste et la musique, font lentement place à une écriture qui s'affirme d'autant plus comme trace qu'elle occupe la place de la voix [voir MOYEN ÂGE. Langue et littérature au Moyen Âge].

Mais l'oralité subsiste en littérature beaucoup plus tard, archaïquement et profondément dans tout texte. Elle reste vive dans le théâtre, et fondamentale dans le maniement littéraire du français par les représentants des cultures orales actives — encore que menacées — notamment par les Africains. Cependant, l'essentiel des littératures en français, aujourd'hui, est véhiculé matériellement par de l'écrit imprimé. L'audiovisuel va-t-il changer tout cela? En tout cas, une définition acceptable du littéraire, même si elle tient compte primairement de son véhicule actuel, le livre, la chose imprimée, et de son fonctionnement, la lecture, doit englober les valeurs orales : production et reproduction de la voix, de la musique et du geste, écoute et vision : à l'évidence, l'oublier serait déjà évacuer de la littérature tout le discours théâtral — avec son englobement dans le spectacle. Il n'en est pas question.

La mise en œuvre esthétique des structures du discours, dont rendent compte de divers points de vue la rhétorique, la stylistique, la sémiotique, la textologie, est diverse. Cette diversité n'est classable, et le discours littéraire définissable, que si l'on tient compte et de la productivité discursive, et de l'organisation interne du texte (mais « interne » inclut ici le caractère sémiotique, c'est-à-dire syntactique, sémantique et pragmatique, de tout texte) et enfin de sa circulation. La circulation des discours littéraires, des textes, est un modèle de communication [voir COMMUNICATION] parmi beaucoup d'autres, à l'intérieur d'une société. Cette circulation peut être massive ou faible et son aspect quantitatif, apparemment très objectif, est plus révélateur des hiérarchies culturelles que de la littérarité. En outre, comme l'a souligné Barthes, toute lecture étant plurielle, il n'y a pas de « droit de réponse » du lecteur et la critique ne suffit pas à fonder un modèle de communication complet.

La littérarité n'est pas à chercher dans la mise en œuvre de moyens langagiers en vue d'un effet à produire sur des récepteurs — processus qu'étudie spécifiquement la rhétorique, et qui s'applique à tout discours social, du juridique au publicitaire, du littéraire au politique ou au didactique.

Elle doit pouvoir se révéler dans la structuration même des discours et des textes (concepts très distincts, voir TEXTE), à condition d'inclure dans cette recherche les conditions productives et communicatives de ces discours et de ces textes. C'est dire que la dimension socio-économique, reflétée et transformée dans les idéologies, est primordiale; ce qui rend compte très banalement de la relativité évoquée. A s'en tenir à l'analyse des textes les plus évidemment littéraires que produit notre société (poèmes, romans dits d'« avant-garde », par exemple), on n'aborde qu'un micro-phénomène social, quantitativement très faible, lequel peut d'ailleurs correspondre à l'amorce d'importants mouvements dans les valeurs de l'idéologie. A s'en tenir à la consommation sociale massive, par le livre et par une narrativité d'origine littéraire (au cinéma, à la télé...), on obtient un corpus où le littéraire et ce que la *doxa* ne se résout pas à y intégrer voisinent sans difficulté : tel lecteur français, telle lectrice française de cette fin du XXe siècle lit du Zola en poche, des traductions comme *Love Story,* du Guy des Cars ou du Pierre Nord ainsi que des best-sellers évidemment non littéraires (historiques, politiques, idéologiques, etc.).

Des corpus de lecture ont été étudiés et regroupés en une typologie sociale (en France, les travaux issus de l'université de Bordeaux et de R. Escarpit sont bien connus). Mais l'interprétation de ces données est difficile, et leur impact sur la définition du « littéraire » ne fait que compliquer les données du problème. Pour rester dans les structures narratives-imaginaires qui caractérisent un secteur important de la littérature (dans notre idéologie culturelle), le fait que des récepteurs puissent acquérir et lire, du même mouvement et apparemment pour répondre aux mêmes besoins psychosociaux, *la Peste* et un volume d'Harlequin (collection de romans sentimentaux), un « Simenon », un « Balzac » et un roman d'espionnage ne fait — par la façon même de nommer — que souligner la présence permanente de jugements de valeur, même s'ils sont niés par l'utilisateur social. En effet, en conformité je crois avec l'usage dominant, je viens d'écrire : *la Peste,* nom d'un texte unique, « un » Simenon et « un » Balzac, noms de collections textuelles ramenées à la cohérence d'un discours d'auteur (en fait à un sous-ensemble bien perçu : « un Balzac » veut dire « l'un des principaux romans de la *Comédie humaine,* souvent adapté par le cinéma et la télé »), j'ai enfin renvoyé à des genres (un « roman d'espionnage », etc.) définis beaucoup plus par une intention communicative et par suite conforme à un modèle unique. On l'a souvent dit (trop simplement, je crois), un bon polar, un bon roman sentimental ne doit pas être original; de même, un bon San Antonio ne doit pas être original — par rapport à la somme des San Antonio —, alors que l'œuvre éminemment « littéraire » doit construire son propre code et ne ressembler à rien d'autre. Ce ne sont que des tendances, certes, car, comme l'a scientifiquement noté Valéry, ce qui ne ressemble à rien n'existe pas; conversement, deux textes ne se ressemblent pas entièrement, à l'exception des romans retirés après quelque adaptation visuelle, et qui trompent leur monde. Borgès, dans la *Bibliothèque de Babel,* a superbement imaginé la combinatoire indéfinie des différences primaires : une virgule absente, une coquille différente suffisent à y garantir l'existence de deux « textes », de deux livres.

C'est dire que la « littérarité » ne saurait être envisagée comme une essence présente ou absente, mais plutôt comme une charge plus ou moins grande qui, de l'intérieur, hisse le texte du statut de discours à celui de modèle de discursivité, du statut de message (phénomène unique et transitoire, impermanence absolue) à celui de « code », à condition de voir en ce concept un pouvoir instable, une créativité virtuelle momentanément figée en une séquence de mots et sans cesse réactivée en un flux mouvant par la lecture. C'est bien la présence du matériel langagier (la connotation autonymique, les fonctions métalinguistique et poétique) qui peut signaler, notamment dans la poésie, la présence d'un pouvoir propre. Mais ce pouvoir est contradictoire : en bloquant la circulation du sens dans les structures de la langue — en tant que forme —, il conduit à l'illisibilité, à l'intraduisible; en conférant la valeur d'un « modèle » (il faut jouer sur le mot) à un texte, il lui assure lectures et traductions. Si un « roman de gare » est beaucoup lu, il l'est dans un modèle vaste, on l'a vu; et il est détruit par la lecture. Un « chef-d'œuvre » peut être lu ainsi, mais il reste disponible, en tant que tel (et qu'en lui-même, enfin...) jusqu'à ce simulacre social d'éternité qu'est la bibliothèque imaginaire.

C'est pourquoi le terme de « littérarité » est si gênant, à moins d'y voir une image idéologique forgée par la *doxa,* comparable aux termes en *-ité* (« francité », etc.) que Barthes affectionne à bon escient dans ses *Mythologies.* Du russe *literaturnost',* d'où le concept dénoté par « littérarité » provient, on ne saurait dire la même chose : avant que d'emprunter le mot *literatura* à l'allemand vers 1800, la langue russe parlait de *slovesnost'* (*slovo* = mot), de *pis'menost'* (*pis'mo* = lettre). La morphologie russe — comme l'allemande — garde une souplesse que la française n'a pas, et les innombrables substantifs dérivés que le didactisme du XXe siècle a produit (dont « littérarité ») risquent d'induire un essentialisme, un durcissement conceptuel très contraire aux tendances actuelles de la science littéraire — et des sciences sociales en général. L'adjectif (« qualité ou caractère littéraire ») ou sa substantivation (« le littéraire ») est plus souple, et plus prudent.

Définir la littérature?

Peut-on risquer enfin une définition unique de « la littérature »? Il faudrait qu'elle associe profondément les critères internes et sémantiques avec ceux du fonctionnement social, et la tendance autonymique (monnaie plus ou moins menue du poétique) aux systèmes techno-idéologiques qui règlent la circulation des discours à visée esthétique. Ces systèmes sont ancrés dans la spécificité des sociétés : la commande, la production, le produit, sa circulation, sa consommation sont à peine comparables lorsqu'il s'agit de l'Égypte antique ou de l'Afrique noire d'antan et de nos cultures industrielles, livresques, technologiques. Derrière les valeurs esthétiques et humanistes, volontiers brandies, les économies et les mécanismes, qu'ils soient libidinaux ou idéologiques, névrotiques ou financiers, interindividuels ou collectifs, ne fournissent guère — au moins dans la connaissance grossière et impure que nous en avons — de critères assez fins. A moins que la circularité, comme pour le tableau ou l'objet dont on fait à coup sûr une œuvre d'art par sa situation au musée, ne s'établisse dans un jugement de réception social. Sont alors « littérature » ces discours considérés comme littéraires par un consensus, une opinion commune.

Ici, la volonté d'être littéraire en écrivant, celle de classer le texte que l'on publie et qui n'est ni scientifique, ni didactique, ni administratif, ni publicitaire, etc., texte où importe surtout la forme prise par l'expression, l'emporte sur tout caractère objectivable.

Pratiquement, la littérature est cet ensemble de textes que sélectionnent ses lecteurs autrement que par une finalité socialement fonctionnelle. Elle se meut dans le même champ — tout aussi indéfini — que le ludique. Ce qui lui confère la même ambiguïté. Le texte littéraire utilise la gratuité, le jeu, l'imaginaire, la fiction pour assumer de très sérieuses fonctions, au niveau des idéologies sociales, et parfois une brutale fonction économique — certes mineure et dérisoire au sein des circuits globaux. Et puisqu'on peut parler, et qu'on parle, de « mauvaise littérature », les jugements de valeur de nature esthétique n'y ont pas rôle critérial.

BIBLIOGRAPHIE

Assez générale pour entraîner des références quasi philosophiques, épuisant malgré cette généralité l'objet précis de cet ouvrage, la notion de littérature peut recevoir pour bibliographie tous les ouvrages critiques mentionnés au cours de ces trois volumes. On rappellera cependant — tout en renvoyant aux différents concepts qui dépendent de celui-ci, à commencer par critique ou rhétorique — quelques ouvrages, sans s'attarder sur les « classiques » de la critique et de la théorie littéraires, comme en français : Mme de Staël, Sainte-Beuve, Taine ou Lanson — sans parler des auteurs qui ont englobé dans leur œuvre — autobiographique, critique ou narrative — une vision propre de la littérature, de Montaigne à Baudelaire, à Valéry, à Blanchot ou à Butor. On se reportera donc à ces noms, et à bien d'autres, avant de compléter éventuellement ces références par les suivantes, où l'on a inclus certains recueils (readers) anglo-saxons, cette formule commode étant malheureusement rare dans l'édition française.

E. Auerbach, *Mimesis,* 1946, trad. de l'allemand par C. Heim, Paris, Gallimard, 1969; G. W. Allen et H. H. Clark (éd.), *Literary Criticism : Pope to Croce,* 1941, rééd. 1962; R. Barthes, *Critique et vérité,* Paris, Le Seuil, « Tel Quel », 1966; E. B. Burgom (éd.), *the New Criticism : an Anthology of Modern Aesthetics and Literary Criticism,* 1930; Kenneth Burke, *the Philosophy of Literary Form,* 2e éd., 1967; *Critique sociologique et critique psychanalytique,* Actes du IIe colloque international de Sociologie de la littérature, Bruxelles, 1970; R. Escarpit, *Sociologie de la littérature,* Paris, Flammarion, 1958; id., *la Révolution du livre,* Paris, 1965; R. Fayolle, *la Critique littéraire en France,* Paris, A. Colin, 1964; N. Frye, *Anatomie de la critique* (*Anatomy of Criticism,* 1957), trad. G. Durand, Paris, Gallimard, 1964; G. Genette, *Figures,* Paris, Le Seuil, 1966; *Figures II,* Paris, Le Seuil, 1969; *Figure III,* Paris, Le Seuil, 1972; id., *Nouveau Discours du récit,* Paris, Le Seuil, 1983; Allan H. Gilbert (éd.), *Literary Criticism,* Plato, Dryden, 1940; L. Goldmann, *Sciences humaines et philosophie,* Paris, Gallimard, 1952; id., *le Dieu caché,* Paris, Gallimard, 1956; id., *Pour une sociologie du roman,* Paris, Gallimard, 1964; id., *Structures mentales et création culturelle,* Paris, Anthropos, 1970; A. Gramsci, *Œuvres choisies,* trad. G. Moget et A. Monjo, Paris, Éd. Sociales, 1959; A. Hauser, *Sozialgeschichte der Kunst und Literatur,* Munich, C.H. Becksche Verlagsbuchband, 1953; *le Littéraire et le social,* Paris, Institut de littérature et de techniques artistiques de masse, 1970; R. Jakobson, *Questions de poétique,* Paris, Le Seuil, 1973; A. Jolles, *Formes simples,* Paris, trad. Le Seuil, 1972; J. Kristeva, *le Texte du roman,* La Haye, Paris, Mouton, 1970; id., *la Révolution du langage poétique,* Paris, Le Seuil, 1974; *Littérature et société,* Actes du 1er colloque international de Sociologie de la littérature, Bruxelles, 1967; *Literature, Popular Culture and Society,* Englewood Cliffs, 1961; G. Lukacs, *la Théorie du roman* (*die Theorie des Romans. Ein Geschichsphilosophischer Versuch über die Formen der grossen Epik,* 1920), trad. J. Clairevoye, Paris, Maspéro, 1963; id., *Balzac et le réalisme français* (*Balzac und der französische Realismus,* 1952), trad. P. Laveau, Paris, Maspero, 1967; id., le Roman historique (*der historische Roman,* 1955), trad. R. Sailley, Paris, Payot, 1965; K. Marx et F. Engels, *Sur la littérature et l'art,* Paris, Éd., Sociales 1954; J. Paulhan, *les Fleurs de Tarbes,* Paris, Gallimard, 1941; id., *Clef de la poésie,* Paris, Gallimard, 1944; id., « Petite Préface à toute critique », *Œuvres,* 5 vol., Paris, Gallimard, 1967-1970; R. Picard, *Nouvelle Critique ou nouvelle imposture?,* Paris, J.-J. Pauvert, 1965; G. Poulet dir., *les Chemins actuels de la critique,* Paris, « 10/18 », 1968; J. Rey-Debove (éd.), *Recherches sur les systèmes signifiants,* La Haye-Paris, Mouton, 1973; I. A. Richards, *Practical Criticism : a Study of Literary Judgment,* 1929, rééd. 1968; id., *Principles of Literary Criticism,* 1924, rééd. 1961; J. Rousset, *Forme et signification,* Paris, Corti, 1962; L. Spitzer, *Linguistics and Literary History. Essays on Stylistics,* Princeton University Press, rééd. 1957; id., *Théorie de la littérature,* éd. T. Todorov (textes des « formalistes » russes), Paris, Le Seuil, 1966; id., *Étude de style,* trad., Paris, Gallimard, 1970; T. Todorov, « la Poétique » dans *Qu'est-ce que le structuralisme?* Paris, Le Seuil, 1968; id., *Littérature et signification,* Paris, Larousse, 1957; id., *Poétique de la prose,* Paris, Le Seuil, 1971; id., *les Genres du discours,* Paris, Le Seuil, 1978; L. Trotski, *Littérature et révolution* (*Literatura i revoljutsija,* 1924), trad. P. Frank et C. Ligny, Paris, Lettres nouvelles, 1964; « Vie ou survie de la littérature », *la Nouvelle*

Revue française, n° spécial, oct. 1970; J.-P. Weber, *Néo-Critique ou paléo-critique ou Contre Picard*, Paris, J.-J. Pauvert, 1966; R. Wellek, *A History of Modern Criticism 1750-1950*, 4 vol. parus, Londres, rééd. 1966; R. Wellek et A. Warren, *la Théorie littéraire*, trad. Paris, Le Seuil, 1971.

A. REY

LITTÉRATURE CATHARE (d'expression occitane et latine). La production littéraire cathare a dû consister surtout, en France et en Italie, de la fin du XIIe siècle au début du XIVe, en de nombreux écrits de propagande ou libelles : il ne nous en est resté que cinq ouvrages vraiment importants : une traduction en langue d'oc du Nouveau Testament, deux traités théologico-philosophiques et deux rituels.

La *Traduction du Nouveau Testament*, appelée parfois « Bible de Lyon » parce que le manuscrit (XIIIe siècle) en est conservé à Lyon, au palais des Arts, a été publiée en 1887 par L. Clédat en reproduction photolithographique. Elle est très importante pour la connaissance en profondeur de la pensée cathare. Bien qu'elle suive à peu près littéralement le texte latin traditionnel, elle accuse, surtout dans l'Évangile de Jean, des nuances sémantiques qui en exagèrent le caractère dualiste. C'est ainsi que le verset I, 3 : *Omnia per ipsum facta sunt et sine ipso factum est nihil* (« Tout fut par Lui et sans Lui rien ne fut »), est devenu en langue d'oc : « Totas causas son faitas per Lui e senes Lui es fait *neient* », c'est-à-dire : « Toutes choses ont été faites par Lui, et sans Lui a été fait le "néant" » (« neient »). On sait que les cathares faisaient du mot latin *nihil* (occitan « neient ») un substantif et qu'ils entendaient sous ce terme non pas le néant absolu, mais l'ensemble des existants négatifs (la mort, les ténèbres), qui n'ont pas été créés par Dieu, mais par le mauvais principe (lui-même néantisé). De même au verset I, 4 : *Quod factum est in ipso/ vita erat*, ils sous-entendaient une césure sémantique après *ipso* et comprenaient donc : « Seulement ce qui a été fait en Lui (le Verbe)/était la vie », alors que les catholiques lisaient : « Co qu'es fait/era vida en Lui » (« [Tout] ce qui a été fait/était *vie en Lui* »). En disant : « (Seulement) ce qui a été fait en Jésus-Christ était la vie », les cathares exprimaient leur croyance que, si toutes les choses qui ont été faites en Lui étaient la vie, il en existait d'autres qui, n'ayant pas été faites en Lui, appartenaient au diable et n'étaient qu'illusion. Ces nuances avaient pour eux beaucoup d'importance : elles faisaient de l'Évangile de Jean un texte dualiste. On trouvera dans René Nelli, *Philosophie du catharisme* (Paris, Payot, 1973), une « lecture » cathare de l'Évangile de Jean qui explique le mécanisme de ces interprétations, traditionnelles mais souvent insoutenables.

Le *Livre des deux principes* est l'un des deux traités cathares qui nous ont été conservés. Le manuscrit (en latin) date de la fin du XIIIe siècle. Il a été publié en 1939 par le père Dondaine, qui l'avait découvert à la Bibliothèque nationale de Florence. Nous en avons donné dès 1939 une traduction française (rééditée sous le titre : *Écritures cathares*, Paris, Planète, 1968), et, en 1979, Mlle Thouzellier en a procuré une édition critique avec une traduction nouvelle et des notes (Christine Thouzellier, *Livre des deux principes*, Paris, Éd. du Cerf).

Le *Livre des deux principes* (*Liber de duobus principiis*) se compose de sept pièces ou fragments : « Du libre arbitre »; « De la création »; « Des signes universels »; « Abrégé pour servir à l'instruction des ignorants »; « Contre les *garatenses* »; « Du libre arbitre » (2e fragment); « Des persécutions ». Il offre cependant une certaine unité dogmatique. L'auteur y reste fidèle — pour l'essentiel — aux théories des *Albanenses*, dualistes absolus disciples de l'évêque lombard Albanus (vers 1235), concernant l'éternité des deux principes, la création à partir d'un fonds préexistant, la négation du libre arbitre.

Ce traité présente quelques ressemblances avec un ouvrage plus important, aujourd'hui perdu, que Raynier Sacconi, ancien hérétique devenu inquisiteur, attribue, dans sa *Somme des doctrines cathares*, à Jean de Lugio. Ce Jean de Lugio, de Bergame, s'était séparé de l'évêque Belesmanza, dont il était « le fils majeur » (ou vicaire), pour fonder à Bergame une secte indépendante. On ne peut voir dans notre traité celui — beaucoup plus vaste (semble-t-il) — de Jean de Lugio, mais son auteur s'inspire cependant, dans les matières qu'il traite, de conceptions assez voisines. Il se montre aussi dualiste que lui, mais plus rationaliste, et il réfute de façon fort habile les doctrines des *garatenses* (dualistes relatifs de Concorezo), disciples de l'évêque Garathus. La pièce maîtresse de son ouvrage est sûrement la réfutation du libre arbitre. En refusant à l'ange et à l'homme (ange dégradé) la liberté, l'auteur anonyme diminue l'importance métaphysique de l'homme au profit des deux principes qui se combattent en lui. L'argumentation, surtout aristotélicienne, ne manque pas de rigueur.

Le traité cathare : ce second traité — en latin également — se trouve inclus dans le *liber contra manicheos* (« Livre contre les manichéens ») de Durand de Huesca (1220 ou 1230), Vaudois converti au catholicisme, qui le cite (en partie) pour le réfuter. Il se présente comme une suite de citations scripturaires interprétées selon l'esprit du dualisme radical, et les commentaires personnels y sont réduits au minimum. Cependant les chapitres XII (consacré au terme universel *omnia*, « toutes les choses »), XIII, où il est question du *nihil* (ou néant relatif), et XVII, où est ébauchée une curieuse théorie de la création « bonne », qui vieillit, périt, est transmuée, présentent un certain intérêt philosophique; surtout le chapitre XIII, qui reprend l'interprétation dualiste du verset I, 3 de Jean, où le *nihil* (le néant) est censé correspondre à la manifestation maligne, corruptible et illusoire, s'opposant à l'Être incorruptible des essences invisibles créées par le vrai Dieu. Il semble que le docteur cathare se soit inspiré ici des théories augustiniennes qui définissaient la *substantia mala* comme une substance dégradée ayant perdu, par le péché, une partie de son intensité ontique. Ces idées étaient dans l'air vers 1220 et s'étaient exprimées dans les *Soliloques apocryphes* (attribués à saint Augustin et différents de ses célèbres *Soliloques*). La théorie des degrés de l'Être et de la déficience ontique (d'être) consécutive au péché (ou, pour les dualistes absolus, inhérente au principe du mal) y est formulée à peu près dans les mêmes termes. L'auteur du traité cathare serait, d'après Mlle Thouzellier, Bartolomé de Carcassonne, hérétique notoire, qui, selon quelques sources, aurait été le représentant officiel en Languedoc d'un antipape cathare résidant en Croatie (*Un traité cathare inédit..., d'après le « Liber contra manicheos »* de Durand de Huesca, par Christine Thouzellier... Public. Unio. de Louvain, 1961).

Les rituels : Le premier (en occitan) fait suite, dans le manuscrit de Lyon, à la *Traduction du Nouveau Testament* et a été publié par L. Clédat (*le Nouveau Testament*, p. VI-XXVI). On y trouve de précieux renseignements sur le culte cathare, lequel consistait essentiellement en deux cérémonies : la transmission de l'oraison dominicale et le baptême spirituel (ou *consolamentum*). Par la première, le simple auditeur devenait « croyant » et recevait le droit — et se voyait imposer le devoir — de dire le *Pater* (à peu près identique au *Pater* catholique). Par la seconde, il devenait *parfait* (au sens paulinien de « chrétien accompli ») et était ainsi « ordonné ». Le « *consolamentum* des mourants » n'était donné qu'aux croyants en danger de mourir : ils y gagnaient seulement l'espérance que leurs péchés leur seraient remis.

Le second rituel (incomplet), dit *Rituel latin de Florence,* figure dans le même manuscrit que le *Livre des deux principes.* Il a été édité par le père Dondaine à la suite de ce traité, puis à nouveau, avec traduction et notes, par Mlle Thouzellier en 1977 (*Rituel cathare,* Paris, Éd. du Cerf). Il ne diffère pas beaucoup, en ce qui concerne les points essentiels (tradition de l'oraison et réception du *consolamentum*), du rituel occitan. Leurs divergences n'intéressent que le spécialiste.

Outre un ou deux commentaires du *Pater,* de la collection vaudoise de Dublin, il convient de mettre au compte de la littérature cathare quelques prières — souvent fort belles — et diverses légendes cosmogoniques ou eschatologiques recueillies par les tribunaux d'inquisition. La plupart se trouvent dans le *Registre d'inquisition de l'évêque Fournier,* publié par J. Duvernoy (Toulouse, Privat, 1965, 3 volumes). Les *exempla* cathares méritent une attention particulière. L'un met en scène *le Pélican,* symbole de Jésus-Christ, qui ressuscite ses petits (les bons chrétiens) que le diable avait occis; un autre — *la Tête d'âne* —, le thème de l'« âme séparable »; un troisième enfin — *le Fer de cheval perdu* — illustre la croyance aux réincarnations (R. Nelli, *la Philosophie du catharisme,* Paris, Payot, 1975).

BIBLIOGRAPHIE

Quelques troubadours du XIIIe siècle — Guilhèm Figueira, Peire Cardenal, Montanhagol...; deux ou trois « romans », dont celui de *Barlaam et Josaphat,* se ressentent d'une influence cathare. On trouvera les textes les plus significatifs, et bien d'autres, qui présentent une certaine tonalité dualiste, dans : R. Nelli et R. Lavaud, *les Troubadours,* Paris, Desclée de Brouwer, 1960-1966, et dans : R. Nelli, *Écrivains anticonformistes du Moyen Âge occitan, hérétiques et politiques,* Paris, Phébus, 1977.

Enfin parmi les « apocryphes » que les cathares ont eus entre les mains, il faut au moins citer *la Cène secrète* (apocryphe bogomile) et *l'Ascension d'Isaïe* (de tradition judéo-chrétienne). Traductions : R. Nelli, *Écritures cathares,* et *le Phénomène cathare,* Toulouse, Privat, 1964.

R. NELLI

LITTÉRATURE COMPARÉE. La locution « littérature comparée » entre dans la langue, avec un sens encore flottant, au début du XIXe siècle. De 1816 à 1825, François Noël publie un *Cours de littérature comparée,* qui se borne à juxtaposer des extraits empruntés aux littératures française, latine, anglaise et italienne; mais, dès 1829, Villemain parle d'« étude comparée des littératures »; en 1830, Jean-Jacques Ampère emploie l'expression d'« histoire comparative », et, en 1833, *la Revue des deux mondes* rend compte de son cours sous la rubrique « littérature comparée », désignation qui triomphe finalement de ses rivales : « histoire littéraire comparée » (Sainte-Beuve, en 1840), « histoire comparée des littératures » ou (avec un pluriel plus explicite) « littératures comparées ». On peut regretter qu'une expression énigmatique l'ait emporté, alors que l'allemand emploie *vergleichende Literaturwissenschaft* (« science comparante de la littérature »); cela est sans doute dû à l'analogie avec l'*Anatomie comparée* (1800-1805) de Cuvier et s'inscrit, en tout cas, dans une série de formations parallèles et concomitantes (grammaire comparée, mythologie comparée, histoire comparée, géographie comparée...).

Il n'est guère facile de doter un mot sibyllin d'un contenu précis. En 1845, Amédée Duquesnel, dans une *Histoire des lettres* sous-titrée « Cours de littératures comparées », définit ainsi l'objet d'une discipline alors nouvelle : « Les rapports de toutes les civilisations entre elles, ce qu'elles se doivent les unes aux autres ». La comparaison — qui situe l'originalité et la singularité de chaque terme — débouche donc sur la découverte et de liens effectifs et d'échanges. Cette démarche logique reproduit partiellement l'évolution chronologique de la littérature comparée : les pionniers brossent de vastes synthèses comparatives, sans grand souci pour le détail des faits ni pour les procédures de contact entre les civilisations (ainsi Villemain [1790-1870], dans son *Tableau de la littérature française au XVIIIe siècle,* 1828-1829; Jean-Jacques Ampère [1800-1864], dans de nombreux articles, et dans son *Histoire littéraire de la France avant le XIIe siècle,* 1839; Philarète Chasles [1798-1873], dans ses cours du Collège de France mais aussi dans les études qu'il donne à la *Revue des deux mondes*). A mesure que la discipline s'installe dans les chaires universitaires — dès la monarchie de Juillet — et que le positivisme progresse, des entreprises limitées et méthodiques établissent la part des influences étrangères chez un écrivain minutieusement exploré, ou dans un champ temporel circonscrit : c'est la période classique du comparatisme, marquée par le prestige de grands professeurs. Entre les deux guerres, cependant, se dessine un retour à des conceptions plus larges du fait littéraire et à une interdisciplinarité qui implique philosophie, esthétique, histoire. Aujourd'hui, aux prises avec les modes successives de la psychanalyse et du structuralisme, la littérature comparée tente de se « recentrer » sur les phénomènes proprement littéraires, tout en conservant sa fonction de liaison et de synthèse entre des domaines de connaissance parallèles.

Les relations littéraires entre les nations

Que la littérature comparée naisse avec le romantisme n'est pas dû au hasard : jusque-là, grâce au latin, puis à la prépondérance de la langue française, lettrés et honnêtes gens d'Europe avaient le sentiment d'une communauté littéraire et spirituelle qui transcendait les différences linguistiques ou les rivalités politiques; ils vivaient dans une sorte de *Weltliteratur,* si naturelle qu'ils n'en prenaient pas conscience. La tourmente révolutionnaire, l'éveil des nationalismes, le renouveau des langues jusque-là sujettes, et presque réduites au rang de dialectes, aiguisent la perception des différences entre civilisations. Mme de Staël oppose au Midi, classique, le Nord, chrétien et fils du Moyen Âge (*De la littérature,* 1800); elle découvre une Allemagne studieuse, sentimentale, idéaliste, enthousiaste, qu'elle décrit comme une accusation de la futilité française (*De l'Allemagne,* 1810). A la suite de la *Comparaison entre la Phèdre de Racine et celle d'Euripide* (1807) de Guillaume Schlegel, fort sévère pour l'écrivain français, une vive polémique s'instaure sur les avantages respectifs des divers systèmes dramatiques : elle durera plus de vingt ans. Mais la « babélisation » de l'Europe appelle aussi une nouvelle fonction : cerner davantage l'originalité de chaque littérature en établissant ce qu'elle apporte aux autres et ce qu'elle leur doit; renseigner chaque nation sur les évolutions littéraires parallèles, convergentes ou divergentes, de ses voisines. De la même façon, après 1870, la discipline gallocentrique qu'est l'histoire littéraire de la France se voit corrigée par l'essor universitaire du comparatisme, qui maintient cosmopolitisme et relativisme du goût. Ainsi, selon J.-M. Carré, la littérature comparée est, vers 1900, « une branche de l'histoire littéraire : elle est l'étude des relations spirituelles internationales, des *rapports de fait* qui ont existé [...] entre les œuvres, les inspirations, voire les vies d'écrivains appartenant à plusieurs littératures ». Cette définition souligne la continuité d'une activité intellectuelle : on a toujours étudié le classicisme français dans ses rapports avec les Anciens ou avec les Italiens, et la philosophie des Lumières avec ses sources anglaises (Bacon ou Locke, par exemple); mais elle indique aussi la rupture positiviste : les parallèles, exercices de rhétorique, les comparaisons arbitraires, qui n'attestent que l'ingéniosité et la finesse du critique, sont abandonnés au profit d'une étude scientifique des influences ou des relations effectives, susceptibles de preuve et de démonstration.

Le comparatiste s'intéresse donc tout particulièrement aux procédures de médiation entre les diverses littératures : la connaissance des langues étrangères, voie privilégiée, qui permet un accès direct aux textes; les techniques de communication, qui pallient les déficiences de ce « circuit court » : les traductions, dont le nombre indique la perméabilité d'une nation aux influences; les ouvrages d'initiation, d'appréciation ou de synthèse, voire les morceaux choisis ou les anthologies scolaires; les revues ou les journaux, qui assurent une circulation constante de l'information : dès le XVIIIe siècle apparaissent des collections spécialisées comme le *Journal étranger* (1754-1758 et 1760-1762); elles se multiplient au XIXe siècle, se diversifient pour se consacrer à l'érudition ou à la vulgarisation, tandis que la grande presse d'information s'ouvre aux chroniques d'actualité littéraire étrangère. On doit envisager aussi les hommes qui servent d'intermédiaires entre les civilisations : les voyageurs et leurs « reportages », les milieux cosmopolites (Suisse ou Hollande, par exemple, au XVIIIe siècle), les salons, où se retrouvent des écrivains de diverses nationalités. L'investigation de ces multiples canaux permet d'asseoir solidement l'étude de la fortune d'un « émetteur » (œuvre, auteur, genre, voire mouvement, période, style...) dans un pays qui lui est étranger : son succès (mesurable au nombre de ses éditions et des mentions critiques où il apparaît) ou son influence active sur les créateurs. Ainsi Walter Scott connaît-il une immense vogue en France sous la Restauration, et sa technique romanesque se reflète dans *les Chouans* (1829) de Balzac ou dans *Notre-Dame de Paris* (1831) de Hugo. Une démarche inverse et complémentaire part des « récepteurs » et explore les sources d'une œuvre, les orientations étrangères d'un écrivain, ou les images et les mirages produits par une nation voisine, représentations affectives et subjectives : l'Allemagne est, successivement, la patrie de l'érudition et du sentiment, puis une terre de barbares et de brutes; prototype de l'homme libre, l'Anglais devient, après l'Empire, l'ennemi héréditaire...

Histoire générale des littératures et des idées

La multiplication, à partir de 1930, des études consacrées à ces « images », généralement arbitraires et fantasmatiques, témoigne de la crise des concepts d'influence et de source, problématiques quand ils se limitent à des rapports bipolaires entre émetteur et récepteur. On se lasse de la pure accumulation positiviste de faits donnés comme décisifs; à la même époque, l'émergence de l'histoire des mentalités incite la littérature comparée à mieux considérer la spécificité du psychologique, les pesanteurs historiques, bref, convie à une nouvelle généralité interdisciplinaire. C'est le retour de la synthèse après l'âge d'or des analyses minutieuses, des recensions exhaustives où les interactions étaient trop souvent présentées selon des modèles mécaniques.

L'histoire générale des littératures est une issue naturelle aux comparaisons ponctuelles : ressemblances et différences entre un récepteur et un émetteur, dans la synchronie et la diachronie, invitent à déborder le cadre initialement choisi pour saisir un « tiers commun » plus explicatif. Ainsi le stock de lieux communs ou d'exemples, transmis par l'éducation et les lectures de base, empruntés au fonds chrétien biblique, à l'Antiquité gréco-latine, et utilisés par les écrivains de nations et d'époques très diverses au gré de leurs besoins, comme les pièces d'un jeu de construction (« prêt-à-écrire » pour les exordes, les conclusions, l'appel à l'intérêt ou à l'émotion du lecteur...). Les genres littéraires, fixés par les théoriciens de l'Antiquité, sont des instruments qu'on emploiera jusqu'au XXe siècle, avec des ajouts (le roman), des dérivations assez libres (l'épopée médiévale) : ils offrent à l'écrivain une garantie d'efficacité en échange d'un strict système de normes et de conventions qui privilégie la variation aux dépens de la créativité; ils imposent à la fois un type de contenu, un ton et une forme. On parvient à concevoir l'évolution des littératures apparentées comme celle de plantes issues d'une même souche génétique et croissant sur un même sol, dans une atmosphère qui tolère de multiples microclimats : elles développent leur patrimoine commun, l'accroissent en produisant des chefs-d'œuvre universellement reconnus (ce que Goethe appelle *Weltliteratur*); elles manifestent aussi leur originalité propre, dans leurs esthétiques et dans la succession de leurs époques. Le classicisme, par exemple, s'enracine beaucoup moins en Angleterre et en Allemagne qu'en France; le baroque espagnol est un phénomène ample, durable, profond, à l'opposé du baroque français; l'éclosion des romantismes est tardive dans les pays latins. L'histoire générale des littératures, faite de synthèses partielles sur un mouvement ou une époque dans un groupe de nations, pose ainsi des problèmes théoriques : comment expliquer les discordances par des conditions politiques, économiques, sociales ou culturelles? Comment construire l'esthétique d'une période — ou les esthétiques rivales — en y incluant les arts? Elle touche donc à une sorte de philosophie de la littérature.

L'histoire des idées est une autre tentative pour constituer un champ de recherches spécifique de la littérature comparée : concepts, visions du monde, modalités du sentiment ou de la sensibilité, voire idées proprement littéraires comme la *mimesis* (imitation de la nature) ou comme le statut de l'écrivain... Ce sont des objets beaucoup plus échangeables, entre domaines linguistiques séparés, que les beautés ou les finesses d'expression; ils permettent de saisir une logique ou, au moins une rythmique propres à la vie intellectuelle, et de situer d'emblée le comparatiste dans une interdisciplinarité que la littérature générale ne postulait qu'au terme de ses recherches. Ainsi ont paru des monographies consacrées à des notions philosophiques (idée de nature, idée de raison, idée de bonheur...), religieuses, politiques; à la mutation de la sensibilité au cours du XVIIIe siècle européen; à l'amour romantique; aux catégories de l'histoire littéraire à l'époque classique; au pétrarquisme; au rousseauisme; au schopenhauérisme, qui assombrit, à la fin du XIXe siècle, le progressisme hégélien jusque-là dominant. De telles études se distinguent de l'histoire des mentalités par la place centrale qu'elles accordent aux œuvres littéraires conçues comme témoignages sur une époque, et comme initiations à des manières nouvelles de penser, de voir, de sentir.

Interrogations et recherches d'aujourd'hui

En se « généralisant », la littérature comparée optait pour l'investigation de thèmes, de formes ou d'idées « transindividuels », tout en s'arrêtant, sur le chemin de l'abstraction, à des réalités culturelles particulières à un ensemble de civilisations, en abandonnant l'analyse précise des textes et en conservant, floue et atténuée, la notion positiviste de causalité. Or, de plus en plus, elle était confrontée à des idéologies — marxisme, freudisme, structuralisme — qui prétendaient remonter à des structures fondamentales, antérieures à l'expérience consciente, lire sous l'évidence d'un sens habituel un texte palimpseste plus révélateur (dynamisme de la psyché et situation œdipienne, chez Freud; archétypes de l'inconscient collectif, chez Jung), réduire la part de la causalité diachronique au profit de facteurs permanents. D'où une crise épistémologique qui débouche sur de nouvelles directions de recherche. La littérature comparée, en répondant à ces défis de la modernité, essaie de rester fidèle à sa vocation propre; elle semble subir un mouvement pendulaire : repli sur des objectifs limités, après l'époque des fresques chronologiques ou thématiques; elle obéit, plus profondément, à une exigence de synthèse : par la découverte de modules qui s'agencent logiquement en structures, fonder sur l'analyse minutieuse des œuvres une science plus générale, dotée de concepts fondamentaux, pour expliquer ou interpréter les phénomènes littéraires transnationaux.

Dès les lendemains de la Première Guerre mondiale, les formalistes russes tentent d'abstraire les structures de la littérarité; Propp, dans sa *Morphologie du conte,* donne des fonctions, des types de relations de situations et des séries événementielles qui fourniraient l'armature logique de tous les contes merveilleux populaires; André Jolles, dans *Formes simples* (paru en allemand en 1930), dégage des « gestes verbaux » élémentaires témoignant d'une activité de l'esprit qui tranche dans la multiplicité des choses (la légende, la geste, le mythe, la devinette...); le structuralisme linguistique ou la poétique structurale se sont assigné comme objet l'inventaire des propriétés du discours littéraire, pour parvenir à la construction de modèles généraux dont dériveraient les textes particuliers. Parallèlement, la « mondialisation » du panorama littéraire révèle les illogismes et les insuffisances du système occidental des genres, définis par des critères flous (formels, thématiques...), ou de la nomenclature rhétorique traditionnelle. D'où un effort de la littérature comparée pour échapper à la pure descriptivité du cosmopolitisme et atteindre des structures universelles qui découlent d'une logique immanente de la communication, et qui transcendent à la fois les œuvres réalisées et les domaines linguistiques séparés : formes de la narrativité, dynamismes des fonctions et des situations romanesques ou dramatiques; constante des procédés poétiques. Une telle orientation, qui postule une polygenèse généralisée (des causes structurales ont partout des effets analogues), se heurte à l'hostilité d'une érudition encore attachée à une conception plus linéaire de la causalité. Nul, en tout cas, ne conteste l'intérêt nouveau porté aux problèmes de la traduction, ce passage dangereux d'un code linguistique à un autre.

L'essor des psychanalyses semble à l'origine d'une seconde orientation : la recherche, dans les textes comparés, des structures fondamentales de la psyché. Les études de motifs (attitudes ou situations : orgueil, révolte, haine parricide, amour fraternel...), de thèmes (expression concrète des motifs, mythes [Prométhée] ou œuvres littéraires *[Don Juan]*), de personnages, quelque peu dévaluées par un foisonnement désordonné entre les deux guerres, en ont reçu une impulsion nouvelle et une méthodologie plus stricte. Ainsi les formes de l'imaginaire (dans les mythes et leurs transformations, les contes, les récits fantastiques) ou les modalités stéréotypées de la représentation du réel (types, emplois, personnages, nœuds d'intrigue...) sont inventoriées, classées, ramenées à des complexes primordiaux, à des schèmes inconscients ou à des archétypes. La littérature comparée retrouve ici une articulation optimale entre ses curiosités cosmopolites, nécessaires à l'exploration des diverses destinées des symboles, et son aspiration à reconstituer l'unité d'un langage premier, expression d'une relation essentielle au monde; aventureuse, parfois, elle joue un rôle d'éclaireur, voire de provocateur; elle se plaît à abattre les frontières épistémologiques ou conceptuelles ordinaires; elle intègre à sa recherche les acquis de la sociologie, de la mythologie structurale, de la phénoménologie de l'imaginaire, tout en gardant un souci du paradigmatique et de l'universel qui l'apparente à l'ancien humanisme.

BIBLIOGRAPHIE

Marius-François Guyard, *la Littérature comparée,* Paris, P.U.F., « Que sais-je? », 1961, (nombreuses rééd.); Claude Pichois et André-Michel Rousseau, *la Littérature comparée,* Paris, Armand Colin, « U 2 » 1967 (avec une bibliographie complète); Paul Van Tieghem, *la Littérature comparée,* Armand Colin, 1931 (réédition en 1951); René Wellek et Austin Warren, *Théorie de la littérature,* Paris, Le Seuil, 1971 (1re éd., en anglais, New York, 1949); René Wellek, *A History of Modern Criticism, 1750-1950,* New Haven & London, Yale U.P., 1955.

Parmi les revues consacrées à la littérature comparée, on consultera aisément : *Revue de littérature comparée,* Paris (depuis 1921); *Comparative Literature,* Oregon (depuis 1949); *Arcadia,* Berlin (depuis 1966).

Instruments bibliographiques : F. Baldensperger et W.P. Friederich, *Bibliography of Comparative Literature,* New York, Russell and Russell, 1960; *Yearbook of General and Comparative Literature,* Chapel Hill de 1952 à 1960, Indiana depuis (mise à jour annuelle de la bibliographie de Baldensperger et Friederich).

D. MADELÉNAT

LITTÉRATURE D'ENFANCE ET DE JEUNESSE. V. ENFANCE ET JEUNESSE (littérature d'- et de-).

LITTÉRATURE GRÉCO-LATINE. V. GRÉCO-LATINE (littérature).

LITTÉRATURE JÉSUITE. V. JÉSUITE (littérature).

LITTÉRATURE LATINE. V. LATIN.

LITTÉRATURE DE LA RÉSISTANCE, 1940-1944. V. RÉSISTANCE 1940-1944 (Littérature de la).

LITTÉRATURES ÉTRANGÈRES D'EXPRESSION FRANÇAISE. V. BELGIQUE. Littérature d'expression française.

CARAÏBES ET GUYANE. Littérature d'expression française.

ÉGYPTE. Littérature d'expression française.

LIBAN. Littérature libanaise d'expression française.

MAGHREB. Littérature d'expression française.

NÉGRO-AFRICAINE (littérature d'expression française).

QUÉBEC (littérature du).

SUISSE. Littérature d'expression française.

VAL D'AOSTE. Littérature d'expression française.

LITTRÉ Émile (1801-1881). L'auteur du plus célèbre dictionnaire français fut surtout un utilisateur de discours littéraire. Producteur de textes, il investit les domaines didactique et polémique, mais se montra toujours incapable de créativité esthétique. C'est donc d'un critique, au sens le plus restrictif du terme, qu'il s'agirait, s'il n'avait construit, au-delà de la philologie, un objet fantasmatique et quasi poétique, rapidement devenu symbole : « le » Littré.

Sagesse, travail, ennui

La vie de Littré est angoissante par sa régularité. Né d'un père républicain, admirateur de Robespierre (Émile se nomme aussi Maximilien), il est un élève appliqué, d'abord irrégulier et médiocre (contrairement à sa légende de fort en thème), puis, par un effort soutenu, solide et presque brillant : volonté, application, désir de bien faire qui le définissent pour toujours. Un instant secrétaire du comte Daru, il commence des études de médecine, tout en s'exerçant aux langues anciennes, écrivant pour se délasser de pâles poèmes didactiques. Il travaille après 1828 — son père vient de mourir — au *Journal hebdomadaire de médecine*, puis, en 1830, après les Trois Glorieuses, entre au *National* comme traducteur. Seul le travail, un travail écrasant, l'apaise et l'équilibre. C'est à sa demande que sa mère, en 1835, le marie à une pieuse jeune fille : anecdote qui révèle son angoisse, son sentiment d'infériorité, son besoin d'autorité parentale.

Au *National*, Alexis Carrel le remarque et son sort s'améliore. Littré prépare une gigantesque édition d'Hippocrate (parue à partir de 1838), traduit la *Vie de Jésus* de l'allemand F.J. Strauss (1839), est élu à l'Académie des inscriptions.

Après 1840, il est subjugué par le positivisme comtien, qu'il va diffuser. Il se lance après 1848 dans le projet de sa vie, le *Dictionnaire*, tout en publiant des recueils d'articles politiques (*Conservation, Révolution et Positivisme*), en écrivant un ouvrage sur Comte, en collaborant avec le médecin Charles Robin — le principal contributeur — à un important *Dictionnaire de médecine* dont les définitions « positives » vont dresser contre lui l'opinion chrétienne et conservatrice.

La rupture avec Comte (1852), qui lui reproche sa pusillanimité et surtout son amitié avec l'épouse haïe, Caroline Comte, marque la fin des illusions; elle coïncide avec le début de la réaction impériale. *Le National*, le libéralisme, le positivisme, la tolérance intellectuelle sont hors la loi. Littré se replie prudemment sur ses activités apolitiques : critique littéraire, historique, scientifique, médicale. Stimulé par son ami Louis Hachette, il s'adonne surtout au dictionnaire. L'hiver à Paris, rue d'Assas, l'été au Mesnil-le-Roi, aidé par quelques collaborateurs, par sa femme et sa jeune fille, il récolte, classe, rédige sans autre relâche que quelques articles d'érudition. Celle-ci se concentre alors sur l'objet linguistique (*Histoire de la langue française*, au titre trop prétentieux, 1862). On commence à parler du grand œuvre, dont les premiers fascicules paraissent, et de son auteur. Candidat à l'Académie française, il est attaqué comme athée — ce qu'il n'est pas — et comme positiviste. Mgr Dupanloup, actif et véhément, fait campagne contre lui : Littré échoue. Déçu, il se protège psychologiquement en redoublant son effort. Les fascicules du dictionnaire s'accumulent. Il publie cependant des travaux historiques de valeur (*Études sur les Barbares et le Moyen Âge*, 1867), fonde en 1867 aussi, profitant de la libéralisation du régime, une *Revue de philosophie positive* qu'il alimentera de nombreux textes.

C'est après la guerre de 1870, la défaite et la Commune que Littré entre à l'Académie (1871) et dans la légende. Sa modération — allant jusqu'à la condamnation affolée des Communards —, son âge, sa réputation de vieux savant inoffensif y sont pour quelque chose. En 1872, le *Dictionnaire* est enfin terminé (il aura en 1877 un *Supplément*). Littré se remet à l'histoire de la médecine, et surtout à la politique. Élu député, puis sénateur, il milite par la plume pour la république menacée. Malade, épuisé, il écrit inlassablement, réunit en recueils des masses d'articles. Surtout, éternel étudiant, il apprend, ce qui le console de vieillir. Apprit-il enfin Dieu à l'instant de sa mort? C'est la thèse de sa fille Sophie et des récupérateurs professionnels du catholicisme, avides d'adopter le « saint laïque » (Pasteur). Controverse sans intérêt pour la connaissance de l'homme, mais qui souligne sa valeur symbolique d'enjeu.

Le contraire d'un écrivain

Littré n'a pas laissé d'œuvre, mais une masse impressionnante de textes érudits. Ses essais proprement littéraires sont dérisoires : des poésies didactiques éléphantesques, de curieux pastiches d'ancien français traduisant Homère ou Dante. Son style, dans l'érudition, est froid, correct, clair, souvent pesant. Il touche à beaucoup de domaines : histoire de la médecine, des sciences, des idées, des mythes, des institutions, de l'économie, de la langue; et à la politique. Érudition, philologie, didactisme. Au-delà, il radote : sa pensée philosophique est à la mesure du siècle de Victor Cousin; il banalise et méconnaît son maître à penser : Comte.

Mais il y a le dictionnaire, et l'utilisation fondatrice que Littré y fait du discours littéraire en français [voir DICTIONNAIRE]. Il y a aussi la symbolique. Épistémologue notable, contribuant modestement, mais obstinément à la construction scientiste de son temps, à la naissance d'une science de l'homme, la « philologie » (au sens de Renan), il arrive à passer pour le fournisseur idéologique des créateurs. Zola l'oppose curieusement à Hugo : « Pendant que celui-ci escaladait les cimes du surnaturel, [Littré] cherchait avec passion une méthode ». Dans son projet philologique, le lexicographe rejoint innocemment Mallarmé dans la recherche d'un « sens plus pur » fondé en histoire. Ce lien entre la recherche obstinée des « traces de l'esprit humain » (Renan, encore) et le fondateur de la révolution poétique (Mallarmé), c'est la vraie place de Littré.

A défaut de talent (« on peut bien dire que cet honnête homme de Littré n'en a pas eu du tout », déclarait Brunetière), Littré a mis en place les conditions d'une réflexion nécessaire sur la production de tout discours, où le littéraire occupe la place majeure : origine assumée et finalité implicite. Que sa pratique ait affirmé ou infirmé cette hypothèse n'a pas tant d'importance.

BIBLIOGRAPHIE

Non rééditée, la majeure partie des textes de Littré est difficilement trouvable. En outre, de nombreux articles de journaux ou de revues n'ont pas été réunis et sont pratiquement perdus (notamment ceux du *National*). Seul le *Dictionnaire*, réédité par Gallimard-Hachette (l'initiative revenait à J.-J. Pauvert), se trouve et se consulte; mais l'édition originale est préférable (les autres éditions, tronquées, et les abrégés, trafiqués ou mutilés, sont à déconseiller). On trouvera la bibliographie de Littré chez J.-F. Six et A. Rey (ci-dessous).

Sur Littré, au XIXe siècle, une seule lecture s'impose : celle de la *Notice* de Sainte-Beuve (*Nouveaux Lundis*); on peut y ajouter le discours de Renan en réponse à celui de Pasteur (lui-même mythologique), à l'Académie.

De nos jours, outre une thèse en anglais, solide mais partielle (S. Aquarone, *the Life and Works of Émile Littré*, Leyden, 1958), une étude particulière, mesurée et informée (J.-F. Six, *Littré devant Dieu*, Le Seuil, 1962), on dispose d'un travail de synthèse (A. Rey, *Littré, l'humaniste et les mots*, Gallimard, « Essais », 1969).

A. REY

LIVRE. Pour le bon sens, le livre paraît simple à définir : n'est-ce pas un objet composé de feuilles de papier assemblées, brochées, sur lesquelles sont reproduits des signes d'écriture? En généralisant, il suffirait que les deux critères d'écriture et de support soient réunis pour qu'il y ait livre.

L'étymologie

Le mot « livre » vient du latin *liber* (« écorce »). Mais le grec possédait déjà le terme *biblion*, qui s'est imposé sur les plans religieux et philosophique : toute la théorisation sur le livre repose sur le radical *biblio*.

Si le livre suppose réunis les deux critères d'écriture et de support, c'est, comme pour le latin *liber*, la référence à la réalité matérielle de l'objet qui l'emporte dans son acception courante.

Le système du livre

L'analyse des définitions du livre données depuis plusieurs siècles montre que le sens du mot s'est élargi en cercles concentriques avec, au centre, l'objet lui-même et, à la périphérie, la société.

L'objet-livre

Le livre suppose donc l'existence d'une matière servant de support. Celui-ci peut se présenter en feuilles enroulées ou pliées; dans ce dernier cas, elles constituent des cahiers composés de feuillets assemblés, cousus, brochés. Avec une couverture, ils sont reliés pour former un ensemble ou « volume ». Sur ce support sont inscrits des signes, un titre, des textes, des illustrations, qui correspondent à une œuvre de l'esprit, à un contenu intellectuel, à des connaissances. A ces critères se sont ajoutés ceux qui concernent la reproduction. Les signes d'écriture comme les illustrations ont été, selon les époques, recopiés à la main ou multipliés en un certain nombre d'exemplaires par l'impression. La périodicité de publication est intervenue pour séparer les publications périodiques des publications non périodiques, le livre relevant de ces dernières et s'opposant dès lors à la presse, aux journaux, etc. Enfin l'Unesco, en faisant intervenir le critère d'étendue, a encore limité le sens du mot : le « livre » possède plus de 49 pages; la « brochure » de 5 à 48 pages; le « bilboquet », ouvrage ne rentrant pas dans la catégorie des « labeurs », de 1 à 4 pages.

Ainsi le livre, parmi d'autres conditions, serait un ouvrage écrit, surtout imprimé, non périodique, de plus de 48 pages.

Le livre, objet de communication

Le livre a un ou plusieurs auteurs; il peut être le produit de personnes morales (publications officielles, politiques, professionnelles, de sociétés savantes, etc.), et il est lu par des lecteurs. C'est un instrument qui passe de main en main, franchit l'espace et les siècles; il déclenche des sons, permet d'évoquer des images et des idées, de susciter des sentiments, d'apporter des éléments d'information (Robert Escarpit). Il sert à réfléchir, à enseigner, à diffuser la pensée et la culture.

Livre et société

Plus largement, le livre pose la question des relations auteur-lecteur, d'une part, société d'autre part. Le livre suppose l'existence d'une civilisation, d'une société policée, cultivant les sciences, les arts et les lettres; il transmet le savoir humain; il est une sorte de mémoire collective, inscrite, conservée dans les bibliothèques, communiquée par l'apprentissage scolaire de la lecture et de l'écriture.

Cette relation ne peut s'établir qu'autant que la société organise un circuit de reproduction de l'écrit, créateur et distributeur d'exemplaires.

Livre et politique

Essayant de préciser le rôle essentiel du facteur politique dans la vie du livre, on a discerné deux circuits, dominant/dominé, conformiste/d'avant-garde. Le premier, organisé par la société dominante, par les lois qu'elle édicte sur tous les plans de l'enseignement, des conditions de vie des auteurs, des modes de reproduction et de diffusion, des bibliothèques, de la promotion et de la censure, vise à maintenir son idéologie. Le second cherche, par une organisation voisine, à modifier et à transformer l'état d'esprit des masses, de façon à créer les conditions culturelles d'un renversement.

Dès ce moment, le livre a pris un autre sens : il constitue l'un des véhicules (avec l'oral traditionnel et l'audiovisuel moderne) des conflits idéologiques qui caractérisent toute société humaine. Le livre est considéré dans une perspective non plus humaniste, mais sociopolitique, dans laquelle il est l'une des armes de la panoplie des conflits sociaux.

Le système et le schéma bibliologiques

Regroupant les différents niveaux des définitions en une perspective cohérente, on a vu apparaître le système du livre et élaboré un tableau à double entrée. En abscisse on a regroupé les éléments spécifiques de l'écrit : auteur, manuscrit, éditeur, imprimeur, livre imprimé, distributeur, libraire, bibliothèque. En ordonnée on a placé les perspectives sous lesquelles ces éléments spécifiques pouvaient être étudiés : texte, graphisme, signe, mentalités, enseignement, économie, démographie, sociologie, politicologie, géographie, histoire. Les champs d'études limités et fragmentaires qui font l'objet d'une des sciences bibliologiques sont ainsi définis, aux intersections de ces deux axes.

C'est en partant de ce système qu'il convient d'aborder l'étude du livre.

L'objet-livre

L'écriture

La condition fondamentale de l'existence du livre, c'est la matérialité d'une écriture. C'est le cas, par exemple, de la première étape du palimpseste : quand, parce que le support était devenu coûteux ou parce qu'il fallait censurer un auteur païen, les copistes du Moyen Âge grattaient le parchemin, ils détruisaient le texte initial.

L'écriture est un code de signes fixés visuels. Comme tout code, elle constitue un système cohérent de phénomènes produits par l'homme dans le dessein d'objectiver des faits subjectifs et de les communiquer par ce moyen. Ces phénomènes ont la double qualité d'être perceptibles et porteurs de sens. L'écriture est formée de signes, de traces composées d'un signifiant et d'un signifié. Ces signes visuels sont produits pour être vus et pour circuler par le « canal » optique. Ils sont fixés, ce qui leur donne une durée possible d'existence aussi longue que le permettent le support et le produit servant à l'inscription. Enfin ces signes, comme ceux de tout code, ont une valeur conventionnelle, déterminée *a priori,* donc à la fois connue et apprise.

L'écriture est un fait social, qui suppose l'existence d'une structure démographique, politique, économique et culturelle. Elle réclame, pour subsister et se développer, une politique de didactisme permettant l'alphabétisation de la population. Cette politique, l'histoire le montre, dépend de l'idéologie dominante des pouvoirs politiques. Plus celle-ci est démocratique et populaire, plus l'alphabétisation est rapide, plus l'écriture est répandue et plus le livre se développe.

Les techniques d'écriture ont évolué. On assiste à une réduction progressive du nombre de signes, qui passent ainsi du très grand nombre de signes idéographiques — analogue au nombre des mots d'une langue — à la trentaine de lettres d'un alphabet. Cette réduction quantitative est le résultat d'une application intuitive plutôt que rationnelle : l'analytisme. Ainsi on est passé du code écrit de la transcription des idées à celle des sons qui expriment ces idées dans une langue donnée. De l'idéographie, l'écriture en est venue progressivement au phonétisme (d'abord syllabique) par le procédé (analogue au rébus) de substitution de sens pour un même signe sonore.

La méthode de l'analytisme a encore joué à l'intérieur des deux sytèmes idéographique et phonétique. Dans le premier cas, l'écriture a pu évoluer de l'idéographie synthétique (un signe correspond à un énoncé) à l'idéographie analytique des sociétés préclassiques égyptienne, mésopotamienne, chinoise, etc. (un signe correspond à un concept, à un mot; on peut avoir environ 40 000 signes). Dans le second cas, plusieurs techniques successives ont permis à l'écriture phonétique de passer du polysyllabisme (un signe correspond à plusieurs syllabes; environ 500 signes) au monosyllabisme (un signe correspond à une consonne) et à l'alphabétisme (un signe correspond à un phonème, voyelle ou consonne). Ce dernier apparaît chez les Phéniciens avant le Ier millénaire.

Ainsi l'évolution technique de l'écriture s'explique par plusieurs critères intervenant simultanément : la schématisation réductrice des signes; la nature du procédé employé; le niveau de civilisation de la société qui crée l'écriture.

On peut étudier d'abord la relation de l'écriture et de la langue. La question posée est alors celle de la fixation du discours oral, que les Anciens appelaient « logographie ». Cela permet la constitution d'une discipline particulière, la « philologie », science de la langue écrite, dont on sait qu'elle diffère sensiblement de la langue orale. Là encore la schématisation analytique a joué. Dans l'Antiquité, on écrivait souvent les textes à la suite, sans séparation entre les lettres. La lecture à haute voix permettait de retrouver le sens. Puis on a séparé les phrases et les mots par des espaces blancs, un peu plus tard par des signes de ponctuation. On a parfois introduit des accents toniques pour marquer certaines inflexions de la prononciation. Enfin dans la période moderne, on a cherché à simplifier la transcription pour écrire plus rapidement, on a inventé la tachygraphie puis la sténographie.

L'écriture fixe et transforme le discours — par exemple le discours littéraire — en le faisant passer de l'oral au texte. Elle conduit la littérature écrite — issue des traditions esthétiques orales — à inventer ses lois propres, celles de la rhétorique d'abord, des genres littéraires ensuite, de la bibliographie enfin.

Le contenu littéraire s'établit en relation directe avec la pensée écrite, le savoir des hommes, la théorie de la connaissance (épistémologie), la culture et l'idéologie.

L'énoncé scriptural peut se schématiser ainsi : une personne désire s'adresser à une autre à distance et de manière à ce que son message se conserve; si cette personne sait lire et écrire, une série d'opérations se produit : à l'idée qu'elle forme s'ajoute un mot, une phrase qu'elle émet en son for intérieur; par une action musculaire du bras et de la main, le schème mental de l'idée et du son s'ajoute à celui, automatique, de la lettre apprise, se transforme, sur le papier, en signe visuel lisible, compréhensible par tous ceux qui maîtrisent le même code, formé d'une langue et d'une écriture. La technique de l'écriture existait avant la graphie du signe. Cette dernière n'est qu'un phénomène sensible, visuel, qui objective le signe d'écriture appris. L'acte de transcription crée une forme. Celle-ci variera pour une même personne et d'un moment à l'autre; d'une personne à une autre; d'une société, d'une époque à une autre.

Comment étudier les variations des formes des signes? La première opération effectuée a visé la création d'une typologie, c'est-à-dire la création de catégories en fonction de critères graphiques fondamentaux : fût, empattement, graisse de la lettre, etc. Cette recherche a fait l'objet des études des historiens de l'écriture se penchant sur les écritures manuscrites depuis la fin du XVIIIe siècle; plus récemment, des classifications ont été élaborées pour les écritures typographiques (classification de l'école de Lure : Thibeaudeau, Vox...). D'autres travaux ont été effectués pour la création des écritures « digitales ». Mais la graphie de la lettre n'est pas seule en cause. Dès lors que le signe est écrit intervient la notion de surface, d'espace graphique. A la question de la position du signe répond la théorie de la mise en page. Chaque genre littéraire a, plus ou moins, ses schémas de mise en page propre : la mise en page de la Bible diffère de celle des commentaires religieux; celle-ci de celle des traductions; de celle de la prose romanesque; de celle de la poésie classique, etc.

En même temps que l'évolution de la technique d'écriture, un passage progressif de la figuration à la géométrisation se produit. Le cas de l'écriture égyptienne est bien connu : l'écriture hiéroglyphique est composée d'idéogrammes de nature figurative; l'écriture hiératique voit disparaître progressivement la figuration; l'écriture démotique est géométrique. On pourrait citer encore l'exemple de l'écriture cunéiforme, etc. L'écriture alphabétique est entièrement géométrique. Il existe des échelles de schématisation qui permettent de classer la forme des signes graphiques en fonction de leur plus ou moins grande géométrisation.

Ces typologies scripturales ont amené à poser la question de leur valeur signifiante. On a observé que la forme de la lettre comme les schémas de mise en page ne sont pas neutres. Les uns et les autres ajoutent une valeur, un signifié de « l'expression » au signifié du « contenu » du signe. Celui-ci est généralement analogue et symbolique; mais il peut aussi être décoratif. Il existe ainsi un langage idéographique de la mise en page.

Pour examiner les formes graphiques, manuscrites, on peut considérer la transmission psychologique du signe, du schéma mental, par la main. Les graphologues ont ainsi considéré les variations des formes des lettres comme l'expression directe et inconsciente du psychisme. Ils ont ainsi dégagé les orientations de la mentalité individuelle en classant l'idéographie symbolique des formes alphabétiques.

Une seconde perspective a été celle des historiens de l'écriture et des sémiologues de la typographie. Les premiers ont cherché à expliquer les formes des lettres par le moyen d'inscription et par le support. L'écriture lapidaire romaine est composée de majuscules et de lignes brisées quand l'écriture sur papyrus et sur parchemin est arrondie et cursive. La gravure sur la pierre dans un cas, le glissement du calame sur le papier dans l'autre expliqueraient en partie la forme de la lettre. De même pour la typographie, le poinçon, le moule, la fonderie des caractères permettent et limitent les variations des formes des signes alphabétiques.

La psychophysiologie de la lecture a posé le problème de la lisibilité, de l'étude des formes en relation non plus avec l'auteur ou avec le support mais avec le lecteur. A mesure que la recherche sur la forme des lettres se développait, elle était prise en compte par les littérateurs eux-mêmes. Après les réalisations des humanistes typographes du XVIe siècle, Mallarmé, dès 1897, dans *Un coup de dés jamais n'abolira le hasard* employait le schéma typographique avec une valeur symbolique. Apollinaire, en 1918, dans les *Calligrammes,* ajoutait un sens redondant et descriptif à ses poèmes par les schémas figuratifs, iconiques de leur mise en page [voir CALLIGRAMME]. On a aussi pu parler de complément du mot. L'école lettriste a beaucoup œuvré en ce sens [voir LETTRISME], généralisant l'utilisation de l'idéographie alphabétique en poésie, dans le roman, dans la peinture, etc.

L'image

De nombreux livres ajoutent au texte écrit des images : photographies, gravures, dessins, etc.

Parmi les sciences de l'information et de la communication, le livre relève, par l'écrit, de la bibliologie; par l'image, de l'iconologie. Pour définir l'image fixe reproduite dans les livres par rapport aux diverses formes d'image et sa situation dans l'iconologie, on peut faire intervenir plusieurs critères : procédé d'inscription, nombre, durée, mouvement de l'image. Les deux premiers critères permettent d'établir la différence notamment entre la peinture et les arts plastiques, d'une part, et l'image fixe imprimée, de l'autre. L'image du livre est imprimée et reproduite en un certain nombre d'exemplaires (« répliques »). Le critère de durée permet de faire la différence entre l'image imprimée et l'image projetée ou l'image cathodique. Ainsi l'image qui intervient dans un livre constitue une catégorie, l'iconologique : l'image fixe reproduite et durable.

L'image fixe n'est pas unique. De la photographie qui illustre un ouvrage documentaire aux schémas faisant intervenir des signes mathématiques, il existe une grande diversité d'iconicité. Abraham Moles a élaboré, pour classer les images, une échelle d'iconicité, en fonction du plus ou moins grand réalisme et, inversement, du plus ou moins grand degré d'abstraction : dans la relation au réel, l'échelle va de l'objet lui-même à une reproduction tridimensionnelle, à une photographie, à un dessin, à un schéma jusqu'à l'abstraction des formules chimiques et mathématiques qui conservent pourtant un caractère iconique. A partir de ce modèle, des échelles de schématisation ont été réalisées concernant des champs d'application différents : arbres généalogiques, sigles, logotypes, etc. Cette relation est évolutive. Des travaux récents ont montré l'existence de cycles plus ou moins longs de l'image, laquelle tantôt s'oriente vers la figuration et la photographie, tantôt vers l'abstraction et la géométrie. Ainsi, les plans de Paris évoluent vers la figuration à travers le XVIe et le début du XVIIe siècle; ils s'orientent vers la géométrisation dans la seconde moitié du XVIIe et au XVIIIe siècle.

Que dire de la présence souvent simultanée de l'écrit et de l'image dans le livre? Il faut d'abord revenir au « canal » de la communication. Aux organes des sens, vue et ouïe, répondent les organes d'émission créateurs des langages gestuel et iconique d'une part, linguistique et scriptural d'autre part. A l'origine, l'expression écrite faisait intervenir l'image et l'idée. Quand l'écriture passe à la notation des phonèmes, l'image peut s'ajouter au texte dans une complémentarité illustrative. C'est le cas dès les écritures préclassiques des Égyptiens, etc. Si l'écriture vise à faire comprendre, l'image sert à montrer. Les deux types de signes, après s'être séparés, deviennent complémentaires dans la relation abstrait-concret, théorie-exemple.

Une série d'illustrations peuvent permettre à un auteur de tirer des conclusions théoriques écrites. La relation est alors inductive. Inversement, une série de principes théoriques seront illustrés par des images, en vue d'une relation déductive. La relation abstrait-concret joue simultanément dans les deux sens : d'une part, dans les relations texte écrit-image; d'autre part, à l'intérieur de l'image.

Cette relation se manifeste ensuite en fonction des différents genres d'écrits littéraires et non littéraires. Certaines catégories d'écrits sont si abstraits qu'ils ne sont que rarement illustrés. La plupart des ouvrages scientifiques font intervenir des schémas. Les récits de voyages, les livres documentaires utilisent des dessins, des photographies, etc. Si les textes purement littéraires (narratifs : romans; poétiques) se passent en général d'images, ils peuvent tous être illustrés, et le rapport du texte à l'illustration est sémiologiquement étudiable. Enfin, renversant la relation quantitative, certains genres introduisent une dominante de l'image : l'album photographique, l'album d'art, la bande dessinée [voir BANDE DESSINÉE].

Cette relation n'est pas seulement structurelle, elle est aussi diachronique. Les études comparées historiques de l'image et du texte ont montré leur évolution inverse. Quand la tendance est au renforcement du texte, l'image perd de son importance, et *vice versa*. Cette évolution du rapport texte écrit-image n'est pas seulement une affaire de mode. Elle est aussi liée à des données techniques et sociologiques. Le passage de la gravure sur bois à la gravure sur cuivre et à l'eau-forte, à la lithographie puis à la photogravure a permis d'obtenir des images de plus en plus figuratives et exactes.

Par ailleurs, à mesure que les moyens audiovisuels se répandent, ils conduisent l'image à prendre plus d'importance. Les livres d'histoire de la fin du XIXe siècle ne comportaient presque jamais d'illustrations; puis la gravure est apparue; plus tard, dans l'entre-deux-guerres, la photographie en noir et blanc se substituera à la gravure; l'image en couleur est aujourd'hui omniprésente.

Le support

L'étymologie l'a montré : le terme « livre » a tendance à privilégier sa réalité matérielle. Si l'écriture et, accessoirement, l'image sont utiles — voire indispensables —, elles supposent dans tous les cas l'existence préalable d'un support sur lequel elles viendront s'inscrire.

Celui-ci a évolué. On peut reconnaître une tendance intermillénaire, allant des supports naturels à la production artificielle et spécialisée de ces supports. Les pétroglyphes protohistoriques étaient inscrits sur les parois des cavernes; les pictogrammes des Indiens d'Amérique du Nord étaient peints sur les peaux de bison. On peut même dire que tout ce qui participe à la vie quotidienne sert alors de support : les tentes, les vêtements, les parures, la peau même.

Les supports de l'écriture et du livre : de la pierre au papier. — Les galets peints du Mas-d'Azil, près de Pamiers, dans l'Ariège, permettent de supposer qu'à l'époque magdalénienne, vers 9000 av. J.-C., des signes, des marques, permettent de transmettre un message. Dans ce dessein, hier encore des pictogrammes sur peau de bison étaient exécutés par certaines tribus indiennes d'Amérique, et les aborigènes d'Australie usent de bâtons à encoches. Quant aux écritures conservées, elles apparaissent au Moyen-Orient vers la fin du IIIe millénaire. Ainsi, tel poids en pierre, de forme ovoïde, dédié par Shu-Sin porte une inscription en sumérien. A la pierre, à la terre cuite succédèrent les matériaux souples : tel manuscrit sur cuir, trouvé dans la première grotte de Qumrān et remontant au Ier siècle av. J.-C., transmet un texte biblique; tel texte canonique bouddhique fut écrit sur bois de bouleau vers le Ier ou le IIe siècle de notre ère.

En Mésopotamie se développa ce qu'on nomma une civilisation de l'argile. Les murs étaient faits de briques d'argile, les récipients usuels de terre cuite; les supports de l'écriture furent le plus souvent des cylindres ou des tablettes de même matière. Pour écrire sur les tablettes d'argile encore tendre, les Mésopotamiens imprimaient des signes en forme de « coins », de « clous » — d'où le mot « cunéiforme ». La civilisation égyptienne se développant à son tour fournit un nouveau support, la feuille de papyrus, sur laquelle les signes étaient tracés à l'encre. L'aisance de la technique devait assurer la diffusion et l'exportation du papyrus dans tout l'Occident, alors que l'écriture hiéroglyphique franchissait à peine les frontières de l'empire égyptien. Selon Pline l'Ancien, vers 70 de notre ère, « la civilisation, ou du moins l'histoire de l'humanité, repose sur le papyrus ».

Le papier sur lequel court le stylo de l'homme moderne ressemble au papyrus sur lequel le roseau taillé du scribe égyptien traçait des signes; pourtant seul l'esprit créateur chinois permit le passage de l'un à l'autre. Certes, la recherche d'un support avait conduit d'autres civilisations à divers végétaux : écorce de bouleau, feuille de palmier aux Indes; liber d'agalloche en Indonésie; agave en Amérique centrale... En Chine seulement furent imaginés les premiers rouleaux de soie destinés à recevoir l'écriture et d'où naquirent les premières feuilles de papier, matière composée de fibres végétales entremêlées. Au IIIe siècle av. J.-C., sans doute, furent fabriquées les premières feuilles avec des écorces de mûrier, puis avec divers végétaux. Au IIe siècle de notre ère, un officier de l'empereur eut l'idée de se servir de chiffons de chanvre et de lin; il fabriqua du papier en utilisant de vieux bonnets que leurs propriétaires —

fonctionnaires ou lettrés — avaient jetés au rebut. Dès cette époque, la Chine produisit du papier, selon les régions, avec du chanvre, des tiges tendres de bambou, de jeunes pousses de jonc, de la paille de blé et de riz, des cocons de vers à soie, des écorces, etc.

En 751, les forces chinoises furent défaites sur les rives du Talas, dans le haut bassin du Syr-Daria, dans une bataille qui les opposait aux Qarlouq et aux Arabes, bataille qui allait changer le sort d'une importante partie de la haute Asie mais surtout révélerait aux Arabes — par l'intermédiaire des nombreux ouvriers chinois faits prisonniers — les secrets de la fabrication du papier. Environnée de cultures de lin et de chanvre, fournie en eau en abondance par des canaux d'irrigation, la ville de Samarkand, déjà centre commercial important et protégé, allait bientôt devenir un grand centre papetier grâce aux artisans chinois. En 795 fut installée à Bagdad la première manufacture de papier. Aux IXe et Xe siècles, la diffusion de la technique s'amplifia en Islam, et le papier supplanta peu à peu papyrus et peaux.

La Grèce classique avait utilisé, conjointement au papyrus importé d'Alexandrie, des peaux de mouton et de chèvre comme support de l'écriture. Le papyrus devenu rare à la suite d'une guerre entre l'Égypte et le royaume de Pergame, on avait mis au point un nouveau procédé de préparation des peaux, qui avait reçu le nom — dérivé de *Pergamen* — de parchemin : la peau était lavée, baignée un jour et une nuit dans l'eau pure, mise à tremper de huit à quinze jours dans un liquide de consistance pâteuse contenant un tiers de chaux fraîchement éteinte, elle était ensuite débarrassée de ses poils, puis traitée de nouveau à la chaux, enfin raclée, poncée et séchée. Le parchemin ne concurrença le papyrus qu'à l'époque romaine, lorsque le *codex* ou livre succéda au long *volumen* ou rouleau de papyrus, encore que le *codex* fût d'abord constitué de feuilles de papyrus.

Dès la fin du Xe siècle, les Arabes avaient installé des moulins à papier en Espagne, près de Valence, mais l'Occident chrétien continua d'ignorer durant plus de deux siècles ce nouveau support de l'écriture, et cela malgré les croisades, la renaissance des échanges commerciaux avec l'Asie Mineure, la disparition du papyrus et les difficultés rencontrées pour acquérir du parchemin. Il faut attendre la fin du XIIIe siècle pour rencontrer, en Italie, les premières fabriques : à Fabriano, vers 1268-1276; à Bologne et à Cividale, en 1293; puis à Padoue et à Gênes. En France, les premiers essais remontent au milieu du XIVe siècle, près de Troyes, puis dans le comtat Venaissin. La transformation d'un moulin à blé ou à drap, d'un atelier de préparation du cuivre permet à de riches marchands ou à des banquiers à la recherche d'un placement de créer un moulin à papier; les fabricants sont de modestes artisans, sans doute assez soucieux des secrets de leur métier puisque aucun contrat d'apprentissage ne se rencontre avant 1480.

Dès le XVIe siècle, liée à l'essor de l'imprimerie, l'industrie papetière prit une grande importance en Europe, le papier demeurant un produit coûteux, auquel était reproché sa fragilité, sa rugosité, sa porosité à l'encre et sa légèreté; les parcheminiers parvenaient à fabriquer un produit d'une finesse et d'une souplesse supérieures à celles du papier de l'époque, mais également plus onéreux. A la fin du XVIIIe siècle encore, le prix d'achat d'un papier de bonne qualité dépassait largement celui de l'impression proprement dite.

Dans la papeterie Didot d'Essonnes, où se fabriquait en 1794 le papier nécessaire aux assignats, le comptable Nicolas-Louis Robert imagina, construisit et mit au point avec l'aide de son patron une machine à « papier sans fin ». Les débuts furent difficiles, mais la production de papier s'accrut, ce qui rendit plus difficile l'approvisionnement en vieux chiffons. Il fallait trouver une matière première nouvelle. La fabrication du papier à partir de végétaux variés fit alors l'objet de multiples brevets. La crise papetière ne se trouva néanmoins résolue qu'au milieu du XIXe siècle, grâce à un heureux hasard. Un tisserand saxon nommé Keller observa qu'un manche d'outil qui s'était trouvé accidentellement en contact avec une meule projetait des gouttes d'eau chargées de fins débris ligneux; une fois séchées, les gouttes donnaient naissance à une pellicule fibreuse. Keller pensa utiliser partiellement les débris ligneux pour la fabrication du papier et parvint à introduire dans la pâte jusqu'à 60 p. 100 de bois broyé. La *pâte mécanique* allait rapidement devenir d'utilisation courante, tant en Europe qu'en Amérique, d'autant que l'ingénieur Aristide Bergès, papetier, mécanicien et hydraulicien, imagina bientôt de construire une « râperie » de bois mue par une force nouvelle, la houille blanche. Depuis lors, la technique papetière n'a cessé de se perfectionner et la production de s'accroître, malgré l'apparition et le développement de nouveaux et révolutionnaires supports de l'écriture : film, microfiche, microfilm, écran cathodique et tout ce que l'électronique apporte et qui transforme les bases matérielles de tout le travail intellectuel.

Quel chemin parcouru pour aboutir à cette image qui apparaît sur l'écran et qu'une autre remplace aussi rapidement que l'opérateur le souhaite! Et pourtant, paradoxalement, elle fait penser à de très anciens supports de l'écriture, l'ardoise de l'écolier ou ces planchettes de bois ou d'ivoire sur lesquelles avait été coulée une mince couche de cire, naturelle ou teintée. Jusqu'au XIXe siècle, on fit usage de telles tablettes pour effectuer des opérations, prendre de rapides notes à l'aide d'un stylet métallique ou d'ivoire. La différence — essentielle, à la vérité — avec l'ordinateur réside dans le support magnétique de ce dernier : il conserve l'information, est susceptible de la rendre ou de la transmettre à la demande de l'opérateur et se montre capable d'effectuer tous les travaux de recherche ou de classement voulus sur la partie enregistrée.

L'inscription

Le livre est le résultat d'une action de l'homme, connaissant et employant la technique d'écriture, voire l'image, et traçant cette écriture ou cette image sur un support. Pour cela, plusieurs éléments doivent intervenir : un produit qui puisse être inscrit; un moyen d'inscription; enfin, l'action même de l'inscription.

Le produit doit ressortir visuellement sur le fond du support : il sera donc noir ou coloré, les couleurs, selon les sociétés, ayant des fonctions symboliques. Le produit doit aussi durer : il faut qu'il s'imprègne ou qu'il adhère. Au commencement, on utilisa des produits naturels : les terres, les pourpres, le noir de fumée, le calcaire. On obtint des encres en ajoutant à ces produits de l'eau, de l'huile, de la colle. Les encres firent l'objet de recherches de la part des premiers imprimeurs, et elles s'affinèrent avec le développement de la chimie industrielle.

Le moyen d'inscription changea et l'on put distinguer plusieurs périodes : celle des manuscrits, durant laquelle le livre est réalisé par l'action de la main et d'un moyen d'inscription : calame, pinceau, plume d'oie, etc. On aboutissait ainsi à la production d'un seul exemplaire. Pour obtenir plusieurs exemplaires simultanés, il fallut faire intervenir plusieurs copistes écrivant sous la dictée.

En Chine, dès le début du IXe siècle, on chercha un moyen de reproduction mécanique. Au XIVe siècle, en Europe, on employa la xylographie, procédé de gravure des textes sur une planche de bois. Les caractères n'étaient pas mobiles; l'impression coûtait cher, mais le tirage était déjà plus important : plusieurs centaines d'exemplaires. De nombreuses recherches eurent lieu au XVe siècle, qui aboutirent à l'invention de l'imprimerie par Gutenberg vers 1450. On créa dès lors des caractères mobiles susceptibles de servir de nombreuses fois. Avec un poinçon de la lettre on créait un moule dans lequel on faisait couler un alliage de plomb, d'étain et d'antimoine. Le caractère obtenu était en négatif, et l'inscription, après encrage, donnait le texte en positif. La souplesse du procédé — qui permettait la « composition » — s'alliant avec son efficacité quant à l'impression (ou tirage), on put ainsi tirer des ouvrages à plusieurs centaines, voire à plusieurs milliers d'exemplaires. Les procédés de composition et de reproduction devaient être améliorés aux XIXe et XXe siècles. Des inventions techniques permirent des améliorations considérables pour la composition (monotypie et linotypie, puis photocomposition aujourd'hui largement informatisée) comme pour la reproduction et l'impression (tirages nombreux et rapides grâce à l'invention du papier sans fin [Louis Robert]); des rouleux encreurs, des tambours et de l'offset; des rotatives, etc. (voir tableau chronologique).

Assemblage, reliure, volume

Les textes écrits couvrent en général plusieurs feuilles. Ces feuilles sont assemblées soit les unes au bout des autres : c'est le *volumen* formé de feuilles de papyrus enroulées, soit les unes sur les autres : c'est le *codex*, ancêtre du livre actuel.

Bientôt, étant donné la fragilité du matériau support, s'imposera la nécessité de le protéger. Un étui servira pour les tablettes d'argile; la reliure apparaîtra bientôt pour protéger le *codex*. Elle fera l'objet d'une technique et d'un art qui évolueront à travers les siècles en utilisant des matériaux de plus en plus légers : métal, bois, peau, papier cartonné. Le résultat de cette action d'assemblage et de reliure aboutit à la constitution d'un volume. L'importance de celui-ci a permis de faire la distinction entre le bilboquet (ouvrage de ville), la brochure et le livre.

La communication scripturale

L'objet-livre est un médium, un moyen qui renvoie à la communication. Le schéma de la communication interpersonnelle, avec un émetteur (l'auteur), un récepteur (le lecteur) et un message (le livre), intervient alors. Le premier à avoir étudié la psychologie bibliologique est le Russe Roubakine à la fin du XIXe siècle et au début du XXe siècle. Les travaux plus récents de la psychophysiologie de la lecture (Javal, Richaudeau) et de sa psychosociologie (Hassenforder, Escarpit) ont élargi la connaissance du processus de communication par l'écrit.

Le livre, moyen de communication

La société des hommes repose pour une large part sur la communication. Notre mentalité, nos connaissances, nos émotions dépendent pour beaucoup de l'échange que nous effectuons avec les autres qui permettent de répondre. Si les interlocuteurs sont proches, ils communiquent dans l'instant par le geste, la voix. S'ils sont séparés par l'espace et le temps, ils ont recours à l'écrit, parfois au livre. On a cherché, à la fin du XIXe siècle et dans le courant du XXe siècle, à raccourcir le circuit de communication spatio-temporel, en inventant les moyens audio-visuels (téléphone, radio, disque, cassette, film, télévision, vidéophone, etc.). Ainsi le livre et l'écrit se sont vu disputer le monopole de la communication intellectuelle qu'ils détenaient depuis plusieurs millénaires.

L'écrit et l'inscrit, le livre et le document

Cette évolution des moyens de communication a rendu nécessaire l'étude comparative de l'écrit par rapport aux disques, aux cassettes, au film, etc. Il a fallu séparer les moyens fugitifs de communication (la voix, le geste, la communication téléphonique, la radio) des moyens durables. Il a fallu distinguer les messages écrits, faisant appel au code d'écriture, des messages inscrits par un procédé physico-chimique, mécanique pour le disque, chimique pour le film, électronique pour la cassette, etc. Le livre n'est plus, aujourd'hui, que l'une des catégories de documents fixés. L'étude du livre, la bibliologie, est devenue une partie de la documentologie, science des documents.

L'auteur

Qui est l'émetteur de l'écrit? Pourquoi et comment écrit-il? Dans quelles conditions? Une seule obligation s'impose pour que l'homme devienne scripteur, écrivant ou écrivain : la connaissance de l'écriture. Ceci posé, les catégories dépendent de l'histoire des sociétés et des fonctions sociales. Le sorcier préhistorique, le scribe égyptien, le philosophe de l'Antiquité, les Pères de l'Église au Moyen Âge, les humanistes de la Renaissance, les écrivains modernes sont des auteurs : ils prennent l'initiative de se servir de l'écrit pour communiquer avec d'autres personnes.

Le statut économique et social des auteurs a changé dans le temps. Le scribe égyptien est un fonctionnaire payé par l'État; le philosophe antique vit des sommes qui lui sont allouées par ses riches élèves; au Moyen Âge, les écrivains, lorsqu'ils sont prêtres ou moines, trouvent leur subsistance dans le cadre religieux auquel ils appartiennent; à partir de la Renaissance, les auteurs vivent parfois de la vente des livres, mais surtout du mécénat et des pensions des Grands. Il a fallu attendre la convention de Berne (1886) pour que, les tirages, la vente et les profits augmentant, les droits des auteurs soient reconnus. Dans les sociétés d'économie libérale, les auteurs sont le plus souvent payés à l'exemplaire vendu (entre 7 et 12 p. 100). Dans les sociétés socialistes, les écrivains, considérés comme des travailleurs intellectuels, sont payés à la production.

Le lecteur

Pour le lecteur — comme pour l'auteur — la connaissance du code d'écriture (se superposant à celle du code de la langue) est requise. Dans l'Antiquité, dans la période moderne chez les peuples du tiers monde, une large part de la population ne sait pas lire ou, si elle n'a pas été entretenue dans l'acte de lecture, ne sait plus lire.

L'écriture se communique normalement par le canal visuel; pour les aveugles, il a fallu adapter l'écriture à un autre canal sensoriel : c'est le cas de l'alphabet Braille, qui utilise une écriture en relief perceptible au toucher.

L'acte de lecture est un déchiffrement. Par celui-ci, le lecteur reçoit des informations, des connaissances communiquées. On a observé qu'à travers la société occidentale — avec des écritures alphabétiques — on est passé lentement d'une lecture à haute voix à une lecture silencieuse. La qualité du déchiffrement de l'écriture imprimée varie avec la mise en page et la typographie : rôle du blanc, corps des lettres, graisse, etc. La psychophysiologie de la lecture définit les conditions nécessaires à une lecture optimale, et cherche à accélérer la lecture par la « lecture rapide » (Richaudeau).

Les lecteurs peuvent faire l'objet d'une typologie socioculturelle. Les besoins d'information des enfants ne sont pas identiques à ceux des adultes. La psychosociologie de la lecture a mis en évidence les besoins exprimés et les catégories d'ouvrages consultés par les diverses catégories sociales et professionnelles. On a pu reconnaître, en fonction de ces besoins, des finalités différentes : culturelles, pratiques, esthétiques, didactiques, professionnelles, de loisir. Des circuits de lecture ont été mis en évidence (R. Escarpit et N. Robine), variant en fonction du milieu social et des connaissances scolaires.

La relation auteur-lecteur

La relation entre les deux extrémités du circuit de la communication scripturale pose la question des rapports existant, à travers le texte et le livre, entre l'émetteur et le récepteur. Ce fut l'objet principal de l'étude de Roubakine. A partir de divers travaux, ce dernier détermina une série de lois qui régissent cette relation : capacités intellectuelles, mémorielles, réflexives, orientation psychologique et esthétique, niveaux culturels, modes d'expression voisins, etc., sont des conditions parmi d'autres de la communication. A partir de ces constatations, Roubakine proposa l'élaboration et la classification des livres en fonction des catégories de lecteurs. Il détermina des règles de composition littéraire qui, tournant le dos à la création esthétique, créaient la base de l'écrit fonctionnel. Roubakine appliqua lui-même ces principes dans des ouvrages de vulgarisation. Ses propositions sont à l'origine de techniques de propagande et de publicité par écrit et, plus près de nous, de ce qu'il est convenu d'appeler, en anglais, le *rewriting*. Le principe de composition ou de recomposition des textes en fonction des lecteurs est à l'origine aujourd'hui, dans les grands pays industrialisés, de plus de 75 p. 100 de la production des livres.

La sociologie du livre

Les limites de la communication scripturale sont celles mêmes de la psychologie. Par la nature même de l'échange, par ses formes, par ses conditions, le livre est un fait social, et dépend essentiellement de deux facteurs : l'école, qui apprend à lire et à écrire; la structure éditoriale et commerciale, productive et distributive, qui permet la multiplication et la répartition des exemplaires. Le développement de ces deux conditions est, le plus souvent, parallèle.

L'école, lire et écrire

C'est l'instituteur qui apprend à lire et à écrire à l'enfant (à partir de sa cinquième ou de sa sixième année). Cet apprentissage est relativement rapide avec les écritures occidentales fondées sur l'alphabet. Il dure très longtemps — pendant une dizaine d'années au moins — pour les écritures à la fois idéographiques et phonétiques (chinois, japonais...). L'apprentissage de la lecture et de l'écriture est un fait économique : il faut payer l'instituteur; régler les frais occasionnés par la construction et l'entretien des classes; entretenir l'enfant hors de la vie productive. Dans les anciennes sociétés on considérait que l'enseignement (et donc sa base scripturale) devait être à la charge de l'usager. Avec la société industrielle moderne, on considère que l'enseignement est une nécessité sociale fondamentale et doit être pris en charge par la collectivité. Le tournant décisif, en France, a été marqué par les lois de Jules Ferry proclamant la gratuité (16 juin 1881) et l'obligation (28 mars 1882) de l'enseignement primaire. La première conception, qui fait payer l'usager, suppose que la famille dispose d'un revenu élevé et établit une hiérarchisation sociale. Elle a permis à l'aristocratie, puis à la bourgeoisie, de conserver un avantage fondamental sur le reste de la population ouvrière et paysanne, qui n'avait pas les moyens d'envoyer ses enfants à l'école — à l'exception d'élèves doués qui étaient pris en charge par l'Église, pour le recrutement de son personnel.

Ce sont les régimes démocratiques qui, au XXe siècle, ont imposé le second principe. La conséquence de la généralisation de la lecture et de l'écriture fut une augmentation massive des besoins d'information et de lecture, d'abord accentuée par la pression démographique.

L'édition

A l'évolution des besoins répond l'organisation de la production. Selon les besoins quantitatifs et les moyens techniques, on eut recours à plusieurs procédés de reproduction, de la copie à la xylographie puis à l'imprimerie [voir LIBRAIRIE].

La production intellectuelle

L'essor conjugué de l'économie, de la scolarisation, du secteur productif, technique et distributif de l'édition, de l'imprimerie et de la librairie a évidemment des répercussions sur la production imprimée. Peignot, au début du XIXe siècle, citait en 1822 les chiffres suivants en partant de la naissance de l'imprimerie :

1436-1536	42 000 titres
1536-1635	575 000 titres
1636-1735	1 225 000 titres
1736-1822	1 839 000 titres.

Röthlesberger, Otlet, Iwinski, à la fin du XIXe siècle, évaluaient la production mondiale annuelle à 150 000 titres environ par an. L'Unesco en décompte aujourd'hui plus de 500 000. Les chiffres des tirages mondiaux sont mal connus. Mais on peut tenir pour assuré que la croissance est plus que proportionnelle.

Les bibliothèques

Les bibliothèques ont deux fonctions essentielles : elles sont l'aboutissement de la chaîne primaire de la production et de distribution des livres; à ce titre, elles sont le conservatoire de la mémoire humaine; elles sont aussi le lieu de la résurrection perpétuelle de ce savoir par la lecture, ouvrant la voie d'une chaîne secondaire de documentation et d'information, entraînant la création de nouveaux livres.

L'évolution des bibliothèques [voir BIBLIOTHÈQUE] est directement liée aux critères précédents de la production et de la scolarisation. Les grands empires préclassiques les voient apparaître et se développer : tels le dépôt d'archives et la bibliothèque d'Assurbanipal. Il en va de même dans l'Antiquité gréco-romaine. La bibliothèque d'Alexandrie a compté plus de 600 000 volumes; celle de Pergame de 2 à 300 000.

Livre et politique

L'analyse sociologique du livre s'ouvre sur sa condition fondamentale : la politique du livre. Le développement de la scolarisation, celui de l'édition et des bibliothèques ne sont que des aspects de la politique générale et culturelle des États et, avec l'État, de la classe dominante. Celle-ci ne peut se désintéresser du livre. Véhiculant des idées, il est dangereux et doit donc être surveillé. Cette classe dominante cherche à éterniser son pouvoir. Par l'enseignement, avec l'alphabétisation, elle forme la population à son idéologie. C'est elle qui crée la mentalité du public, notamment par la production des écrits. Il lui faut promouvoir une politique pour les écrivains, les éditeurs, les libraires, la lecture, les bibliothèques. Aux honneurs (prix, académies, etc.) s'ajoutent les avantages matériels (bourses, subventions, etc.). Il lui faut par ailleurs tenter, par la censure [voir CENSURE DES LIVRES], d'interrompre la communication des idées subversives.

Histoire sociologique du livre

Dans les sociétés dites « primitives » telles que les préhistoriens les décrivent (à partir de – 40 000 environ), les formes du langage participaient aux activités mythiques de la vie quotidienne. Pour satisfaire les besoins de subsistance, de reproduction, de défense, etc., les humains, chasseurs et pêcheurs, procédaient, antérieurement et postérieurement à l'action, à des cérémonies qui faisaient intervenir simultanément ou successivement les codes sonores, gestuels, fixés et, parmi ceux-ci, les signes magiques inscrits; gravés sur la pierre (pétroglyphes); peints sur des peaux d'animaux (pictographie), etc. Ces signes pouvaient être des objets symboliques, des nœuds, des signes figuratifs ou géométriques. Les supports étaient des objets naturels. Le sorcier cumulait les fonctions religieuses et scripturales; les signes avaient un pouvoir propre et magique, et communiquaient avec l'être qu'ils représentaient : l'image d'un bison blessé était, pour les primitifs, équivalente à un bison réellement blessé par le chasseur.

Dans les sociétés préclassiques anciennes (chinoise, sumérienne, égyptienne) comme dans les sociétés préclassiques modernes (précolombienne, aztèque, inca, maya) apparaît la communication à distance et à travers le temps. L'élevage, l'agriculture, le renforcement de la propriété, l'organisation des concentrations urbaines, l'administration des empires, les religions des États exigent la conservation du savoir. L'obligation de précision oriente le langage fixé vers l'analytisme. Le support est

Dessin attribué à Rimbaud pour « le Bâteau ivre », extrait de ses *Poésies*, édition de 1920.
Ph. © Bibl. nat., Paris - Photeb/T.

« Spleen et Idéal », peinture de Carlos Schwabe (1866-1926).
Coll. privée.
Ph. © Bulloz - D.R.

Lyrisme

« Toute la lyre ». Venus du grec par le latin, les mots *lyrique* et *lyrisme* expriment d'emblée l'origine orphique, musicale, de toute poésie. Puis, ils en viennent à désigner l'une des fonctions majeures du poème : fonction expressive, affective, personnelle — et non pas narrative, collective, épique ou tragique.
Pour nous, le lyrisme est peut-être ce qui ne se laisse pas raconter, même si les mots du poète déroulent une « histoire ». Le graphisme du « Bâteau ivre », qu'il soit ou non de la main de Rimbaud, traduit bien ceci : que l'essentiel est éblouissement — non pas itinéraire —, comme Baudelaire, c'est la symbolique océane écumante,

« Réunion à la campagne », peinture de Marie Laurencin en 1909. *MNAM, Centre Georges-Pompidou, Paris. Ph. © du Musée © by ADAGP 1984.*

« Les Compagnons dans le jardin » de R. Char, illustré par Zao Wou-Ki (né en 1921). Éd. Louis Broder, Paris, 1957. *Coll. part. Ph. Jeanbor © Photeb © by ADAGP 1984.*

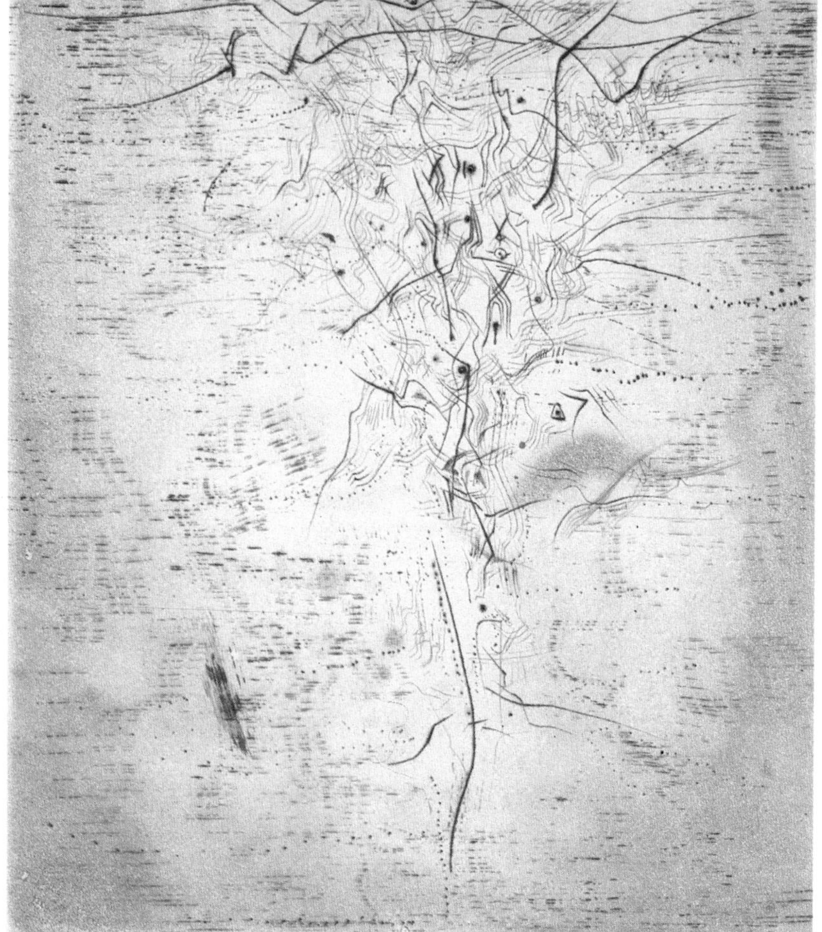

« Neige », poème d'A. Artaud dans *Tric Trac du ciel*, illustré par une gravure sur bois d'Élie Lascaux (1888-1969). Galerie Simon, Paris, 1923. *Ph. © Bibl. nat., Paris - Photeb © by ADAGP 1984.*

« L'Ordre des Oiseaux » de Saint-John Perse, eau-forte en couleurs de Georges Braque (1882-1963). Éd. Au vent d'Arles, Paris, 1962. *Ph. © Bibl. nat., Paris © by ADAGP 1984.*

Pastel d'Henri Michaux en 1972. *Coll. part. Ph. © Galerie « le Point Cardinal » - D.R.*

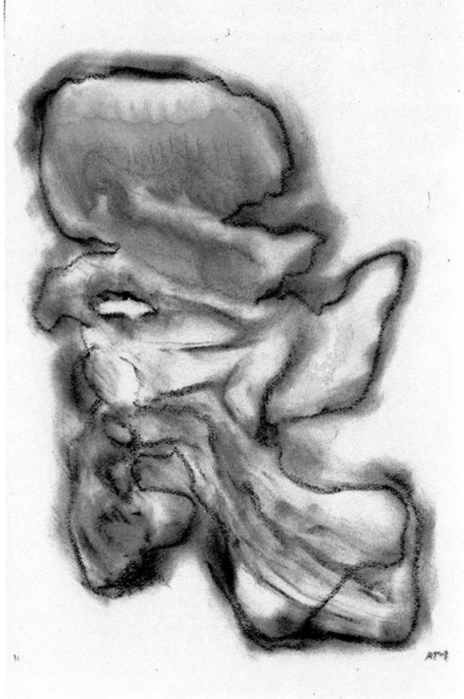

Langue de P.-J. Jouve, illustré par Joseph Sima (1891-1971). Éd. de l'Arche, 1952. *Ph. © Bibl. nat., Paris - Arch. Photeb - D.R.*

échevelée, sensuelle. Le lyrique se tient hors de l'action, alors même qu'il agit – Apollinaire, Saint-John Perse, Jouve, Char, Michaux.

Lui conviennent le dépouillement des formes, l'abstraction (souvent dite « lyrique ») ; jamais la précision analytique. Il est poète au sens le plus

L. F. Destouches dit Céline. Dessin original de Pierre Laffillé, in *le Nouveau Planète*, avril 1969, article « Et Céline s'expliqua... ».
Coll. part. © by P. Laffillé 1969 - D.R. Ph. Jeanbor © Photeb.

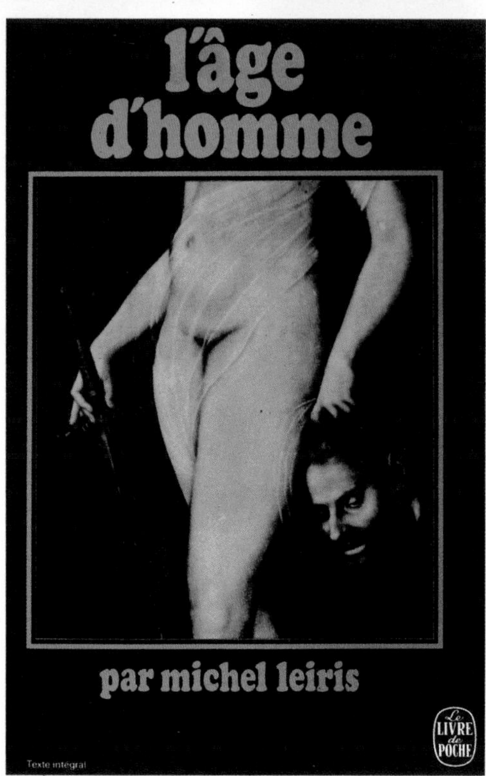

Couverture de *l'Âge d'homme* de M. Leiris.
Coll. Le Livre de Poche, 1966. Ph. Jeanbor © Photeb.

Un balcon en forêt de J. Gracq, illustré par une lithographie de Gustave Singier (né en 1909). Éd. Bibliophiles de Provence, Marseille, 1973.
Coll. Bibliophiles de Provence, Marseille - Ph. Jeanbor © Photeb © by ADAGP 1984.

large, c'est-à-dire tout aussi bien prosateur (Artaud, Leiris ou Gracq en témoignent), car les rythmes et les images, qui l'apparentent étroitement au musicien, au peintre, exaltent toute forme littéraire et l'arrachent aux tentations du descriptif, de la raison raisonnante. Aussi, quel narcissisme, dans l'apparente dérision célinienne ! « Un peu con », comme Orphée, comme la lune, ce « soleil des hommes qui ne dorment pas » (Heine).

préparé en fonction de sa finalité : papyrus léger pour traverser l'espace; stèles de pierre taillée pour recevoir des signes durables. Le nombre de documents augmentant, les bibliothèques deviendront nécessaires.

Les sociétés capitalistes commerciales de l'Antiquité phénicienne et gréco-romaine ont d'autres besoins. Les marchands phéniciens et grecs qui cabotent le long des côtes méditerranéennes ne peuvent se satisfaire de techniques d'écriture complexe. Il leur faut aller jusqu'au bout de l'analytisme. Du syllabisme on passe à l'alphabétisme (ve-xie siècle). Dans la société grecque, la pensée religieuse est mise en question par la pensée « laïque » des philosophes. Les belles-lettres apparaissent. L'enseignement oral est logographié par les élèves. Un marché du livre se développe qui conduit à la création de la corporation des libraires-copistes, lesquels produisent et vendent les manuscrits sur l'*agora*. Les patriciens, comme Celsius à Éphèse ou bien l'État, comme à Pergame et à Alexandrie, collectionnent les *volumen*.

Les grandes invasions germaniques, normandes, arabes qui submergent par vagues successives l'Empire romain et l'Europe occidentale, du ive au ixe siècle, détruisent la cité antique et avec elle les besoins de communication écrite et les formes que celle-ci avait prises. Ces dernières poursuivent cependant leur épanouissement d'abord à Byzance, puis dans la société arabe jusqu'au xiie siècle. Le papier, inventé en Chine, pénètre en Occident par Samarkand au viiie siècle et se répand dans tout l'Islam. Il pénétrera en Europe du xie au xive siècle. En Occident, ce qui reste de culture intellectuelle se réfugie dans les monastères. L'extension du christianisme a conduit à une sélection des textes antiques. Le palimpseste achève de restreindre la connaissance de la littérature gréco-romaine. Les textes religieux deviennent dominants : Bible, Évangiles, textes des Pères de l'Église. Le moine, dans le *scriptorium*, produit de rares textes pour des milieux religieux. Il n'y a pas de but commercial et le caractère esthétique s'affirme par les enluminures. Un premier effort de renaissance est accompli au ixe siècle, sous Charlemagne, par l'école d'Aix-la-Chapelle, que dirige Alcuin. On retourne à l'écriture cursive par la caroline. Néanmoins les bibliothèques, dans ces conditions, restent peu nombreuses et peu fournies.

Dès les xie et xiie siècles, la paix revient progressivement. Les circuits commerciaux se rétablissent. Les croisades ouvrent la voie maritime du Levant. Les villes renaissent. Les réseaux d'échanges se développent entre les villes italiennes, flamandes et hanséatiques, en passant par les villes rhénanes et la Champagne. La bourgeoisie commerciale achète plus ou moins son indépendance par le grand mouvement des Chartes. Un besoin de connaissance réapparaît — les écoles puis les universités sont fondées. L'écrit redevient laïquement nécessaire. Les théologiens s'arrogeront le droit de censure. La confrérie — devenue la corporation — des libraires-copistes se développe. L'*exemplar*, ouvrage vérifié par les censeurs religieux, est confié aux libraires *stationarii*, qui le recopient ou qui en louent les cahiers. Les bibliothèques urbaines commencent à se développer.

Cet essor de l'Occident ne va plus cesser. La route des Indes est ouverte par les Portugais, qui font le tour de l'Afrique; les Espagnols et Christophe Colomb leur succèdent en partant vers l'Ouest et l'Amérique. La colonisation commerciale suscite une ruée sur les terres inconnues. La richesse de l'Europe s'étend. Les villes et les États se développent. L'enseignement se répand. Le public de lecture augmente. Le nombre des copies réalisées par les libraires — qui a pu devenir important — est insuffisant et le prix des livres trop élevé. La nécessité de trouver un moyen technique permettant la multiplication des exemplaires s'impose aux esprits. La xylographie sera employée au xive siècle. Mais le caractère gravé reste coûteux. Les recherches de Gutenberg déboucheront, vers 1445-1455, sur la découverte de l'imprimerie.

Le xvie siècle sera le siècle d'or de la typographie. Débarrassée de la concurrence du manuscrit, la typographie va créer son propre art avec les Alde Manuce en Italie, les Elzevier en Hollande, les Estienne en France... Ces humanistes cumulent alors toutes les fonctions : chercheurs de textes anciens, traducteurs d'ouvrages grecs et latins, typographes, correcteurs, libraires. Dès le début de la Réforme, l'imprimerie sert à propager les textes religieux d'opposition et de contestation de Calvin, de Luther... Comme la multiplication des exemplaires risque de contaminer les esprits et de modifier l'ordre public, rois et princes de l'Europe se substituent aux pouvoirs religieux dans le soin de surveiller les écrits et d'organiser la censure. En France, le pouvoir royal, depuis François Ier notamment, mène cette politique. Il délivre les privilèges d'impression. Il crée les censeurs royaux. Il fixe le nombre des imprimeurs des villes du royaume. Il institue une chambre syndicale des imprimeurs et libraires. Il appuie les maîtres contre les compagnons. Il impose le dépôt légal, qui permet, par la remise obligatoire de plusieurs exemplaires à la Bibliothèque royale, de surveiller les écrits et d'enrichir les collections nationales. Le pouvoir royal enfin intervient par le mécénat et les pensions pour aider au développement du circuit monarcho-clérical dominant. A la fin du xviie siècle, les collections seront riches de plusieurs centaines de milliers de documents. On établit des catalogues. La Bibliothèque royale est ouverte aux savants.

Avec le xviiie siècle commence le modèle bibliologique qui accompagne l'essor économique du capitalisme industriel. Dès la première moitié du siècle des Lumières, la démographie, l'hygiène, l'économie se développent, tout d'abord en Grande-Bretagne. L'idéologie libérale du « laisser faire, laisser passer » s'oppose au système corporatif de la monarchie. La systématisation de cette orientation est assurée par les « philosophes » : Montesquieu, Diderot, Voltaire, Rousseau... La censure monarchique oblige les auteurs à imprimer souvent en Hollande ou en Suisse. Le gouvernement renforce la surveillance des livres par la création de la Direction et de l'Inspection de la librairie. Le mécontentement croît chez les imprimeurs-libraires. Le gouvernement assouplit alors progressivement sa politique. Il crée les permissions tacites, puis les permissions clandestines. Ce système vermoulu s'écroule avec la Révolution, qui introduit la liberté d'expression et d'impression. Un immense mouvement économique, démographique, scolaire va alors traverser le xixe siècle, faire croître les besoins de lecture, généraliser la presse, faire passer la production annuelle en France d'environ 450 titres vers les années 1780 à 14 000 vers 1900. Si la première moitié du xxe siècle est marquée par l'affaiblissement de la production européenne dû aux grandes guerres mondiales, en revanche le mouvement de croissance se poursuit dans d'autres pays libéraux qui prennent le relais : les États-Unis, le Japon.

Dans le même temps, après la Révolution russe de 1917, l'établissement d'un régime socialiste bouleverse la communication écrite en U.R.S.S., dans les démocraties populaires, en Chine. L'essor considérable de l'enseignement s'accompagne, avec la nationalisation de la production et la création de plans thématiques, d'une augmentation énorme de la production intellectuelle. Cette production s'accroît d'ailleurs partout dans le monde.

Conclusion

Il n'est plus possible, aujourd'hui, de décrire et d'expliquer le livre en le considérant sous son seul aspect d'objet matériel comportant des signes d'écriture et des images. Ce serait réduire singulièrement sa portée. En le situant au cœur de la communication sociale, on constate que, jusqu'à une période récente, il constitue la mémoire intellectuelle de l'humanité, s'enrichissant de génération en génération, révélant le mouvement constant de l'idéologie et manifestant sous tous leurs angles les conflits d'intérêts qui agitent l'humanité.

CHRONOLOGIE

– 3500 Écriture cunéiforme.
– 3000 Invention (mythique) de l'écriture chinoise par l'empereur Fou-Hi.
– 3000-IVe siècle Utilisation du papyrus.
– 2900 Écriture hiéroglyphique égyptienne.
– 1500-1100 Écriture alphabétique phénicienne.
– 1000 Alphabet grec.
– 668-624 Bibliothèque de Ninive (Sargon II et Assurbanipal).
– 300-391 Bibliothèque d'Alexandrie fondée par les Ptolémées et détruite par les chrétiens.
Fin Ier siècle Invention du papier en Chine.
IIe siècle Apparition du *codex.*
IVe siècle Généralisation du parchemin.
Ve-XIIe siècle Développement des *scriptoria* dans les monastères.
751 Introduction du papier à Samarkand.
VIIIe siècle Alphabet glagolitique de Cyrille.
868 Premier livre imprimé en Chine.
XIe-XIVe siècle Extension du papier en Europe.
XIIe-XIIIe siècle Corporations des libraires-copistes.
XIVe siècle Utilisation de la xylographie.
1445-1455 Invention de l'imprimerie par Gutenberg.
1537 Édit royal de François Ier créant le dépôt légal.
1784 Premier livre en braille produit en France par Valentin Haüy.
1798 Invention de la lithographie par Aloysius Senefelder.
1799 Invention du papier continu en bobine par Louis Robert.
1800 Première presse métallique de Charles Stanhope.
1811 Machine à imprimer de Koenig.
1812 Machine à cylindre de Koenig.
1822 Machine à composer de W. Church.
1865 Rotative de W. Bullock.
1872 Invention de la photogravure au trait par Charles Gillot.
1878 Découverte de l'héliogravure par Klietsch.
1885 Linotype de Morgenthaler.
1887 Monotype de T. Lanston.
1904 Presse offset litho de W. Rubel.
1949 Photocomposeuse Lumitype/photon.

BIBLIOGRAPHIE

P. Angoulvent, *l'Édition française au pied du mur,* Paris, P.U.F., 1960; S. Beaune et R. Ponot, *Qui a ramassé la plume d'oie?,* Paris, Dessain et Tolra, 1979; G. Blanchard, *Pour une sémiologie de la typographie,* Andenne (Belgique), Remy Magermans, 1977; J. Breton, *la Littérature et le reste. Éléments de bibliologie contemporaine. 1 - la Littérature. 2 - le Reste,* Paris, E.N.S.B., 1978; J. Cain, R. Escarpit, H.J. Martin, *le Livre français, hier, aujourd'hui, demain,* Paris, Imp. nationale, 1972; M. Cohen, *l'Écriture,* Paris, Éd. Sociales, 1953; S. Dahl, *Histoire des livres de l'Antiquité à nos jours,* Paris, Lamarre; Fr. de Dainville, « D'aujourd'hui à hier - la géographie du livre de France de 1764 à 1945 », dans *le Courrier graphique,* 1951; D. Diderot, *Lettre adressée à un magistrat sur le commerce de la librairie,* Paris, Grasset, 1937; J. Dumazedier et J. Hassenforder, *Éléments pour une sociologie comparée de la production, de la diffusion et de l'utilisation du livre,* Paris, Bibliographie de la France, 1962; R. Escarpit, *Sociologie de la littérature,* Paris, P.U.F., 1958; id., *l'Écrit et la Communication,* Paris, P.U.F., 1973; id., *Révolution du livre,* Paris, Unesco et P.U.F., 1965; R. Escarpit et N. Robine, *Atlas de la lecture à Bordeaux,* Bordeaux, Faculté des lettres et sciences humaines, 1963; R. Estivals, *la Statistique bibliographique de la France sous la monarchie du XVIIIe siècle,* Paris, Mouton, 1965; id., *le Dépôt légal sous l'Ancien Régime de 1537 à 1791,* Paris, Rivière, 1961; id., *l'Avant-Garde...,* Paris, Bibliothèque nationale, 1968; id., *la Bibliologie,* Paris, Société de bibliologie et de schématisation, 1978; L. Fèbore et H.J. Martin, *l'Apparition du livre,* Paris, Albin Michel, 1968; J.G. Fevrier, *Histoire de l'écriture,* Paris, Payot, 1971; A. Flocon, *l'Univers des livres. Étude historique des origines à la fin du XVIIIe siècle,* Paris, Herman, 1961; L. Goldmann, *Pour une sociologie du roman,* Paris, Gallimard, 1964; E. de Grollier; *Histoire du livre,* Paris, P.U.F.; J. Hassenforder, *Développement comparé des bibliothèques publiques en France, en Grande-Bretagne et aux États-Unis,* Paris, Cercle de la librairie, 1967; Ch. Higounet, *l'Écriture,* Paris, P.U.F., 1969; A. Hobbon, *Grandes Bibliothèques,* Paris, Stock; G. de la Moignon de, Malesherbes, *Mémoires sur la librairie et sur la liberté de la presse,* Paris, H. Agasse, 1809; P. Mellotée, *Histoire économique de l'imprimerie,* Paris, Hachette, 1905; D. Mornet, « les Enseignements des bibliothèques privées 1751-1780 », dans *Revue d'histoire littéraire de la France,* 1910; P. Otlet, *Traité de documentation, le livre sur le livre - Théorie et pratique,* Bruxelles, Palais mondial, 1934; R. Ponot, *Techniques graphiques,* Paris, Féd. nat. des maîtres artisans et petites entreprises des métiers graphiques; Pottinger, *the French Book Trade in the Ancien Regime 1500-1791,* Cambridge, Mass., Harvard University Press, 1958; F. Richaudeau, R. Ponot, *la Chose imprimée,* Paris, Éd. Retz, 1977; N.A. Roubakine, *Introduction à la psychologie de la création des livres, de leur distribution et de leur circulation,* Paris, Flammarion, 1974; J.-P. Sartre, *Qu'est-ce que la littérature?* Paris, Gallimard, 1948.

R. ESTIVALS

LIVRE DE POCHE. V. POCHE.

LIVRES (édition des). Le livre imprimé fait son apparition à Mayence, puis dans diverses villes d'Europe, vers 1455 [voir LIVRE]. Par son aspect, ce nouvel objet n'a probablement pas frappé les lecteurs d'alors, familiers des manuscrits. Les standards de présentation des livres imprimés avant 1500 (incunables) étaient en effet identiques à ceux des copies calligraphiées que produisaient alors des ateliers spécialisés (*scriptoria*). Pourtant, en moins de cinquante ans, la nouvelle invention fait fortune. Vers 1500, on dénombre plus de 250 villes où l'on compte au moins un atelier d'imprimerie. Quelle est la raison de ce succès? Quels sont les changements décisifs qu'apporte avec elle la technique de Gutenberg?

D'abord, elle supprime l'aléa de reproduction. L'impression mécanique assure la conformité de l'exemplaire au modèle. Elle lui confère une fiabilité et une crédibilité nouvelles.

En outre, elle permet la multiplication quasi illimitée de ces exemplaires fiables. Production et diffusion peuvent désormais répondre à une demande accrue.

Enfin, la multiplication de ces exemplaires de valeur identique crée une possibilité d'échange, et donc de négoce ou de profit.

Le livre imprimé crée un nouveau système d'échange. La production et la diffusion du livre s'ajustent en un circuit économique où s'illustrent divers intervenants. Le manuscrit d'autrefois était une pièce unique. Il procédait d'une logique de l'échange et du don. Le livre imprimé, lui, indéfiniment répété, n'est pas séparable d'une socio-économie du signe. Nombre de définitions du livre se réfèrent uniquement à la matérialité de l'objet ou ne retiennent que les aspects techniques de sa production. Pourtant, seuls le prix, la valeur d'échange, l'inclusion dans le circuit économique instituent socialement cet objet comme un « livre ». Un ouvrage qui échappe au circuit marchand (thèse reprographiée, ouvrage à compte d'auteur) déchoit statutairement et n'est pas paré de la légitimité sociale qui fait de lui un véritable « livre ».

Le troisième homme

Valeur quantifiable, le livre génère un microsystème économique qui lui est propre, ou plus simplement un marché : circuit où, entre l'auteur et le lecteur, doivent nécessairement prendre place un ou plusieurs médiateurs. L'histoire du livre marque l'émergence progressive d'un intervenant unique, appelé à cumuler pour un temps les trois fonctions fondamentales de la médiation :

— la fonction technique et artistique qu'impliquent la conception graphique et la fabrication proprement dite de l'objet, le choix des caractères et des illustrations, etc.;

— la fonction commerciale de diffusion et de vente;
— la fonction intellectuelle de prospection des talents, de choix, voire de commande des textes, de mise au point et de normalisation des œuvres — en d'autres termes, de réelle maîtrise d'ouvrage.

Ces trois fonctions ne sont pas, à l'origine, assumées par la même personne. Les deux premières président aux débuts de l'industrie du livre. Elles recouvrent la notion anglo-saxonne de *publisher*. La troisième, qui correspond à l'*editor* anglais, se dégage plus tardivement, dans le cours du XVIIIe siècle. Il faut attendre la deuxième mutation du livre, dans le premier quart du XIXe siècle, pour voir apparaître une génération d'éditeurs qui cumulent l'ensemble des fonctions médiatrices. Celles-ci éclatent à nouveau aujourd'hui : fonction technique et fonction intellectuelle apparaissent souvent comme des spécialités à l'intérieur d'une même maison. La diffusion et la distribution s'érigent en activité autonome et prennent une importance décisive dans le circuit du livre imprimé. L'histoire du livre est donc aussi l'histoire d'une ou de plusieurs professions. Elle reproduit, dans ses variations, ses équilibres ou ses déséquilibres, l'évolution d'un jeu et de ses règles : règles du jeu que jouent, dans l'espace socioculturel, l'auteur, l'éditeur, le lecteur et les pouvoirs.

Le libraire-imprimeur

D'origine germanique, les premiers imprimeurs parisiens s'installent, à la demande des docteurs de la Sorbonne, dans l'Université elle-même, ou, peu après, dans divers locaux de la rue Saint-Jacques. Leur mission : procurer aisément aux docteurs et à leurs étudiants des textes corrects. Dans l'industrie naissante du livre, l'imprimeur joue donc le premier rôle. S'il apporte sa propre maîtrise de l'impression typographique, il bénéficie également de la maîtrise technique acquise depuis peu par les maîtres papetiers, qui ont su importer d'Orient, au début du XIVe siècle, l'art de tirer du chiffon la pâte à papier. Les premiers imprimeurs profitent aussi opportunément d'une demande sans cesse croissante de textes, liée au développement de certaines catégories sociales lettrées et au pouvoir des universités. Très tôt, ces éditions s'ouvrent largement à l'illustration. Jean Dupré puis Antoine Verard — enlumineur reconverti dans l'imprimerie — doivent leur célébrité au soin qu'ils apportent à l'illustration des ouvrages qu'ils produisent.

Les imprimeurs font souvent aussi profession de libraire et vendent leur propre production. En ce cas, ils s'installent au plus près de la clientèle qu'ils recherchent. Près de la Sorbonne, rue Saint-Jacques, on trouve primitivement les libraires de théologie et d'ouvrages religieux; à proximité du Palais de Justice ou même dans la « galerie du Palais » (titre, en 1632, d'une comédie de Corneille), les libraires de droit et bientôt de littérature. Certains imprimeurs confient leurs livres en feuilles à des « libraires relieurs », qui proposent au client de relier l'ouvrage qu'il a choisi. C'est au XVIIe et au XVIIIe siècle que la profession de libraire, de « négociant » en livres se développe et prend le pas sur celle d'imprimeur. L'imprimeur-libraire se transforme en libraire-imprimeur ou en libraire tout court — qui loue, pour la production de ses ouvrages, les services d'un maître imprimeur. On voit s'installer, en outre, sur le quai des Grands-Augustins et sur le Pont-Neuf, des « libraires-étalants », qui débitent des ouvrages d'actualité ou des œuvres à la mode. Équivalent parisien du colporteur des campagnes dont la hotte s'emplit d'almanachs, de livres de piété, d'images, ou de romans de chevalerie...

L'importance du libraire-imprimeur d'Ancien Régime est proportionnelle à l'importance que prend très vite le livre imprimé dans le système social et culturel. Instrument de savoir et de pouvoir, le livre grandit, à l'origine, à l'ombre des puissances temporelles et spirituelles. Dans ce jeu des pouvoirs, le libraire-imprimeur joue un double rôle indispensable : celui de l'investisseur financier, et celui d'inventeur, de découvreur d'une forme qui se cherche — celle du nouveau livre imprimé. Aussi, dans ces premiers temps du livre, évoque-t-on moins souvent les auteurs — auteurs latins ou grecs parfois oubliés aujourd'hui, ou doctes tâcherons du livre de piété — que les éditeurs des ouvrages : Kerver, Dupré, Le Rouge, Verard, puis, au XVIe siècle, Tory, Bade ou les Estienne. Le rôle de technicien se double, dès cette époque, d'une autre dimension, proprement intellectuelle : Robert Estienne réunit chez lui les savants et les hommes de culture de son temps.

Cette puissance que s'acquiert le livre dans le système des communications inquiète bientôt le pouvoir royal. Le livre devient le véhicule des idées de la Réforme : support de la Parole divine et absolue, le texte imprimé se change en objet de discussion et de controverse. La censure allait naître (voir CENSURE). L'Église, la première, devait la mettre en pratique : la papauté dresse régulièrement, depuis 1565, un *Index* des ouvrages condamnables (il en sera ainsi jusqu'en 1966). Cette pression religieuse s'exerce sur le pouvoir politique. Celui-ci allait habilement mettre en place la censure politique en la couplant avec le système du « privilège ». Le privilège est un monopole accordé au libraire, pendant une durée déterminée, pour publier et exploiter un ouvrage encore inédit : par l'effet de ce privilège, tout contrefacteur de l'ouvrage peut être poursuivi par la justice royale. Aussi les libraires, soucieux de rentabilité dans la légalité, allaient-ils solliciter, pour tout ouvrage nouveau, un privilège du roi. Le privilège devait bientôt devenir une véritable permission d'imprimer. La création de cette censure préalable dissimulée en protection royale est consacrée par l'édit de Moulins en 1566 et confirmée en 1629 par une ordonnance de Richelieu. Toute publication nouvelle doit désormais être soumise au chancelier, qui délivre le permis d'imprimer et octroie le privilège, dont il fixe lui-même la durée.

Le pouvoir royal dispose ainsi d'un instrument à double effet sur la diffusion du livre : effet de prévention ou de répression par le contrôle que cet instrument permet d'exercer; effet d'incitation ou de manipulation de la profession puisqu'il devient possible de favoriser tel libraire aux dépens de tel autre.

Dans la seconde moitié du XVIIe siècle, à un moment où, après la flambée humaniste, et sous le coup de l'envahissement des productions étrangères, la récession s'installe dans la librairie française, Colbert ne se prive pas d'utiliser cette arme : il limite le nombre des ateliers typographiques, il accorde systématiquement les privilèges aux libraires respectueux du pouvoir et prolonge pour une telle durée ces privilèges que les libraires moins dociles, devant un domaine public amenuisé, sont conduits à la faillite.

La librairie réagit comme toute profession menacée : la corporation se ferme. Alliances familiales ou alliances financières favorisent la concentration. Les spécialités s'affirment : Courbé, Sercy publient les précieux, Quinet les burlesques, Barbin les classiques (La Fontaine, Perrault, Racine...). Le libraire-imprimeur traite avec les auteurs, qu'il rémunère la plupart du temps au forfait. Il recherche l'illustrateur qui fera « agréer » l'ouvrage, et surveille son travail. Lorsque l'ampleur de la publication ou l'abondance de l'illustration justifie un investissement financier important, l'association est pratique courante.

Toutefois, les restrictions apportées au commerce du livre devaient mener à une situation paradoxale. En effet, les ouvrages refusés par la censure royale étaient imprimés à l'étranger, entraient en fraude dans le pays et parfois s'y vendaient à des milliers d'exemplaires, comme le *Dictionnaire* de Bayle (1696). En outre, les imprimeurs étrangers ne se privaient pas, en l'absence d'une législation internationale, de contrefaire les éditions françaises protégées par un privilège. Aussi, alors même que se développait un corps de censeurs royaux — ils seront plus de cent soixante-dix à la fin du XVIIIe siècle —, le pouvoir royal, pour compenser le manque à gagner de la librairie française, imagina dès 1715 le système paradoxal des « permissions tacites » : dès lors, le directeur de la librairie pouvait autoriser « tacitement » la publication d'une œuvre qu'il aurait dû interdire, à condition que l'imprimeur apposât sur la page de titre non sa véritable marque et son adresse, mais une marque fausse et une adresse étrangère, voire totalement imaginaire. Ainsi vit-on imprimer à Paris des ouvrages portant l'adresse d'Amsterdam, de la Lune ou du Monomotapa.

Tantôt sévère, tantôt accommodante — sous l'influence de Malesherbes directeur de la Librairie de 1750 à 1763 —, cette censure royale et les tracasseries policières qui en résultent inciteront néanmoins les philosophes à se tourner souvent vers des éditeurs étrangers. Rousseau imprime à Amsterdam, chez Marc-Michel Rey, et Voltaire à Genève, chez les Cramer. La Société typographique de Neuchâtel, en Suisse, inonde le marché français d'œuvres interdites qui entrent en contrebande. L'éditeur devient une sorte d'aventurier de l'esprit : il parie sur les modes ou sur les talents; il les fait naître parfois ou les assoit. Au service des « Lumières », Panckoucke domine, par sa figure originale, l'ensemble des libraires-imprimeurs de l'époque.

Une autre figure, dans le même temps, se dessine : celle du maître d'œuvre intellectuel. Il assure le choix des collaborateurs, distribue les tâches, surveille l'agencement des textes, les corrige et définit les grandes orientations : c'est le rôle de Diderot dans l'aventure de l'*Encyclopédie,* de Buffon dans celle de l'*Histoire naturelle.* C'est aussi celui de l'intermédiaire ingénieux qui conçoit l'idée d'un ouvrage et trouve des financements pour la réaliser, tel ce marquis de Montenault qui forme le projet de faire publier, chez Desaint et Saillant, une édition des *Fables* de La Fontaine illustrée des cartons de tapisserie que Jean-Baptiste Oudry avait réalisés peu de temps auparavant pour la manufacture de Beauvais.

Diderot, Buffon, Montenault préfigurent à des titres divers le directeur littéraire ou le directeur d'édition d'aujourd'hui. En revanche, ils évacuent les fonctions techniques ou commerciales du *publisher.*

Ainsi la profession du livre évolue-t-elle progressivement de l'imprimeur-libraire au libraire-imprimeur puis à l'éditeur. Ces évolutions ne se signalent toutefois ni dans la nature de la production imprimée ni dans les techniques de fabrication. Celles-ci n'ont guère varié du XVe au XVIIIe siècle, et la presse à bras à deux coups reste reine. Le réseau des libraires se développe mais reste concentré dans les grandes métropoles (Paris, Lyon). Le colportage demeure le seul relais dans les campagnes. Pour cette raison, la production reste relativement stable. Le tirage moyen s'établit à 1 000 exemplaires au cours de cette période. La production française compte 1 000 titres par an, puis croît, pour atteindre 3 000 titres environ à la veille de la Révolution — production où domine, largement au départ, plus faiblement ensuite, l'édition religieuse.

L'homme-orchestre

A l'aube du XIXe siècle, les conditions de la production se modifient : la presse mécanique fait son apparition; on commence à fabriquer en continu une pâte à papier tirée de la cellulose. Mais, au-delà de ces progrès techniques, c'est toute la socio-économie du livre qui a changé. Le pouvoir de l'argent est passé en d'autres mains. Une bourgeoisie nouvelle apparaît qui aspire à se constituer une bibliothèque — signe social de l'appartenance aux classes supérieures. Cette demande nouvelle est bientôt renforcée, dans la seconde moitié du XIXe siècle, par le développement de l'enseignement et sa progressive généralisation.

En outre, la société issue de l'Empire et de la monarchie restaurée est une société de négoce et de profit. Aussi s'efforce-t-elle de faire disparaître les entraves à la liberté économique et obtient-elle quelques concessions en matière de liberté politique.

Ces changements se traduisent par une augmentation décisive des tirages et du nombre annuel de titres publiés : à partir de 1820, celui-ci avoisine 8 000 titres par an et, après une pointe à plus de 14 000 titres au début du XXe siècle, restera relativement stable jusqu'aux lendemains de la Seconde Guerre mondiale. Si le tirage moyen passe à 3 000 exemplaires environ, ce chiffre ne doit pas faire oublier quelques réussites exceptionnelles : l'alphabet Hachette, publié en 1833, atteint plus de 500 000 exemplaires.

En outre, la pondération des disciplines dans la production totale de livres se trouve considérablement modifiée au profit de la culture profane. L'édition religieuse s'amenuise. La mode est aux « œuvres complètes », aux dictionnaires et aux encyclopédies, aux ouvrages scientifiques et techniques, aux livres de jeunesse, aux éditions scolaires. Tandis que le roman s'installe comme un genre autonome et bientôt populaire, on voit se développer une importante production à bon marché : Gervais Charpentier, puis Michel Lévy et Arthème Jean François Fayard lancent des collections de format réduit, sur papier ordinaire, d'un faible prix de vente — ancêtres de nos modernes « livres de poche ». L'image, gravée sur bois de bout, s'empare, avec une insistance parfois excessive, du livre romantique : elle sort des cadres, s'insinue entre les lignes, éveille et fixe l'attention du lecteur. Les illustrateurs romantiques, de Tony Johannot à Gustave Doré, vivront en étroites relations avec les milieux littéraires. Enfin, les formats se stabilisent dans les dimensions maniables de l'*in-octavo.*

Orchestrant ces changements, un personnage nouveau apparaît, au moment même où se dessine par ailleurs la figure du directeur de presse : c'est l'éditeur, au sens contemporain du terme, qui réunit dans son activité les trois fonctions essentielles : la fonction intellectuelle, la fonction technico-artistique et la fonction commerciale de diffusion. Louis-Christophe Hachette, jeune normalien tenté par l'édition (à l'origine, pour que soit publiée la traduction par son ami Burnouf des *Catilinaires* de Cicéron), crée de toutes pièces une maison qui allait bientôt grandir et faire fortune, en particulier grâce au livre scolaire. C'est au XIXe siècle que naissent les grandes maisons d'édition dont certaines subsistent encore aujourd'hui — Larousse, Fayard, Colin, Flammarion, Nathan... Mais tous les éditeurs ne sont pas des bâtisseurs d'empire. Plus modestes, certains, tel Curmer, prêtent toute leur attention à l'illustration et à la fabrication de l'objet; d'autres, comme Poulet-Malassis, l'éditeur des *Fleurs du mal* de Baudelaire, donnent leur chance aux « marginaux ».

A ce développement de la production répond la multiplication des librairies. Le réseau d'offre se diversifie, et le commerce du livre se spécialise : à la fin du siècle, Honoré Champion créera quai Malaquais une librairie consacrée à l'histoire de France. Face à cette spécialisation, et pour remplacer peu à peu le colportage, s'installent des librairies légères d'assortiment général, se crée le réseau original des « bibliothèques de gare » (dont Louis Hachette obtient la concession exclusive). La soif de lire, attisée par la production de feuilles et de journaux, et le progrès technique apporté par l'invention de la monotype puis de la linotype donnent, au début du XXᵉ siècle, un élan décisif à la production. Les tirages s'emballent. Une menace de surproduction se dessine sur l'industrie du livre. On consent parfois des rabais de masse sur toute une production. On pratique le *dumping*.

La Première Guerre mondiale porte un coup d'arrêt à cet élan de la production. Dès lors, en réaction, on s'attache davantage à la qualité littéraire des œuvres et à la qualité esthétique des livres. L'éditeur est à la fois — comme René Hilsum à la tête du *Sans Pareil* — un découvreur de talents — les poètes dadaïstes et surréalistes — et l'artisan d'un renouveau du livre où la mise en page et l'illustration originale font l'objet de tous les soins. L'édition littéraire connaît alors un prestigieux essor. L'écrivain et l'éditeur traitent de pair à compagnon : Gaston Gallimard fait partie, à l'origine, aux côtés d'André Gide, du petit groupe de *la Nouvelle Revue française,* où il affirmera peu à peu sa fonction d'éditeur. Bernard Grasset sait reconnaître les talents et « lancer » commercialement un auteur — Raymond Radiguet, Jean Giraudoux. Il est l'un des premiers à utiliser les ressources de la publicité littéraire.

Mais déjà un personnage intermédiaire apparaît, dont la figure domine parfois la maison d'édition : c'est le directeur littéraire ou le directeur de collection. Rôle tenu par André Gide, puis par Jean Paulhan, auprès de Gallimard; par Daniel Halévy auprès de Bernard Grasset. Ce début d'éclatement des fonctions de l'éditeur est le signe avant-coureur de transformations plus profondes, qui bouleversent l'univers du livre à partir de 1950.

Le manager

Au lendemain de la Seconde Guerre mondiale, les cartes ont changé de mains. L'apparition d'une classe moyenne crée une nouvelle demande sociale. L'économie entre dans une phase d'expansion. Des techniques originales de reproduction — comme l'offset et, plus tard, la photocomposition — sont mises en place dans les ateliers. Le fonctionnement du système du livre s'en trouve modifié : évolution dans la production imprimée, dans les professions du livre, dans la nature même de l'objet produit.

De 1960 à 1979, la quasi-totalité des paramètres qui définissent l'édition française se trouve multipliée par 2,5 en moyenne : chiffre d'affaires global (× 2,6 en francs constants); nombre de titres publiés annuellement (× 2,3); nombre annuel de nouveautés publiées (× 2); nombre d'exemplaires produits (× 2,3). Le tirage moyen se stabilise autour de 14 500 exemplaires. Il ne dépassait pas 8 000 avant la guerre.

La ventilation générale de la production subit, elle aussi, de profonds changements. L'apparition du livre au format de poche dans les années 50 crée un nouvel équilibre. On publie principalement dans les collections de poche les auteurs tombés dans le domaine public ou les ouvrages qui ont déjà fait leurs preuves en édition traditionnelle. La publication d'inédits en livres au format de poche, un temps pratiquée par la collection « 10/18 », demeure financièrement hasardeuse. Le secteur « poche » ne s'en développe pas moins considérablement, comme dans le même temps le livre pratique, les dictionnaires et encyclopédies, le livre de jeunesse et — plus récemment — la bande dessinée. En revanche, depuis 1970 on observe un déclin certain de la littérature générale dans la production totale (23,7 p. 100 en 1981 contre 31,1 p. 100 en 1971), une stagnation du secteur scolaire et du livre scientifique et technique.

Une nouvelle économie politique de l'objet apparaît. Jusque-là, le travail éditorial reposait sur deux principes : la rotation lente du capital investi et la dévaluation moyennement rapide des stocks. L'éditeur exige désormais une rotation beaucoup plus rapide du capital investi, qui génère une dévaluation très rapide des stocks. La durée de vie moyenne d'un livre tombe à trois mois, voire, dans certains cas, pour la littérature générale, à six semaines. L'éditeur procède à des mises en place d'office suivies de retours parfois importants. La recherche du « coup d'édition », du *best-seller* qui permettra de financer une production plus modeste, devient de plus en plus systématique. Surtout, le livre à succès n'est plus le livre qui dure, mais celui qui a une aptitude à se transformer : celui qui passe rapidement en livre au format de poche, en livre de club, qui est traduit en plusieurs langues, qui se trouve adapté à l'écran, à la télévision, qui donne naissance à une bande vidéo. Au début des années 80, des accords entre maisons d'édition et maisons de production cinématographique (Gallimard et Gaumont, par exemple) favorisent cette nouvelle forme d'exploitation des œuvres. Un roman comme celui de Claire Etcherelli, *Élise ou la Vraie Vie,* a connu, depuis sa parution en 1967, 175 000 exemplaires en édition traditionnelle, 157 000 en édition de club, et 718 000 en « poche » — succès accentué par l'adaptation cinématographique de l'ouvrage (film réalisé par Michel Drach, 1969).

A cette nouvelle économie politique du livre correspond un nouveau profil d'éditeur. Ce dernier devra, pour faire œuvre véritable, disposer d'une bonne diffusion, constituer une trésorerie qui permette l'investissement, s'appuyer sur le relais des clubs de livres et des *mass media,* affermir son pouvoir de négociation avec ses partenaires étrangers. Le travail éditorial évolue. Dès 1960, les méthodes modernes de gestion s'introduisent dans les maisons d'édition. Des directions commerciales y sont créées. Vers 1970, le langage du marketing, qui, jusqu'ici, dans l'univers de l'édition, avait laissé la place à une mythologie du « don » et du « flair », fait son apparition, se trouve toléré, puis couramment pratiqué. Les directions commerciales grandissent. Une nouvelle génération d'éditeurs est en train de naître, constituée de *managers* formés dans les écoles de commerce ou les *business schools.*

La diffusion (système d'information sur le produit) et la distribution (système d'acheminement du produit au lieu de vente et gestion de la transaction commerciale) prennent une place déterminante dans le circuit du livre. L'éditeur, qui, jusqu'alors, assurait seul la diffusion et la distribution de ses produits, est contraint, par la complexité croissante du système, de créer sous forme de filiale un secteur de diffusion et de distribution ou de s'en remettre aux soins d'un diffuseur professionnel. Les diffuseurs développent des réseaux de représentation auprès des libraires, de vente par courtage ou par correspondance auprès des particuliers. Ils aménagent des aires de stockage et s'équipent de systèmes informatiques de gestion aptes à contrôler les sorties, les mises en place, les réassortiments, ainsi que les retours d'invendus. Le poids de la diffusion et de la distribution — qui représente, remise au libraire incluse, 55 p. 100 environ du prix de vente public du livre — conduit au renforcement des grands groupes d'édition et favorise la concentration : les principaux éditeurs soit se diffusent eux-mêmes (Bordas, Larousse, Nathan, Le Seuil), soit développent, sous leur autorité, une filiale de diffusion et parfois de distribution : Hachette et le Centre de diffusion du livre, les Presses de la Cité et les Nouvelles Messageries du livre, Flammarion et Union-diffusion, Gallimard et C.D.E./Sodis, Laffont et Interforum...

Pour soutenir cet important effort de diffusion, l'éditeur prête une attention particulière au travail de ses attachés de presse — dont la fonction s'est développée au cours des vingt dernières années. Il adresse à la presse spécimens et communiqués, il utilise les ressources publicitaires des journaux, il veille à la « couverture » critique de ses ouvrages.

L'édition se réorganise en effet sous les lois des *media* de masse. Les journalistes figurent en nombre dans la cohorte des écrivains. Une forme d'écriture nouvelle, proche de celle de la presse, s'installe dans les pages du livre (textes dictés au magnétophone, etc.). Surtout, les lieux de pouvoir de l'édition se trouvent progressivement investis par des hommes et des femmes venus des *mass media*.

La place prise par la diffusion et la distribution, la surdétermination du livre par les *media* de masse ont des conséquences diverses. On assiste à la constitution de groupes puissants, avec le soutien financier de banques ou de grandes sociétés souvent nationalisées (Hachette-groupe Matra, Bordas-Banque de Paris et des Pays-Bas, Laffont-Institut de développement industriel, Nathan-C.E.P.-Havas). La concentration peut s'effectuer verticalement, par adjonction à l'édition proprement dite de toutes les activités qui y concourent (impression, brochure, diffusion, distribution, réseau de librairies), ou horizontalement, par des prises de participation d'une maison mère dans d'autres maisons. En 1978, trente-huit maisons d'édition réalisaient les deux tiers du chiffre d'affaires global de la branche. Vingt et une regroupaient 63 p. 100 des effectifs. Mais, dans le même temps, on assiste à une floraison sans précédent de petits éditeurs, parfois établis en province, qui, en limitant les frais généraux, parviennent à exploiter avec succès quelques « créneaux » éditoriaux. La recherche de ces créneaux s'effectue, pour les maisons plus importantes, dans les directions de collections. Lancer une ou plusieurs collections est désormais la première règle du travail éditorial. Aux collections fondées sur les réalités culturelles, les faits ou les hommes de culture — dont on trouverait le modèle dans la célèbre collection des « Grands Écrivains de la France » —, puis aux collections qui reposent sur les caractéristiques techniques ou économiques de la série — « le Livre de poche », « Série noire », « Guides bleus », « 10/18 » —, succèdent des collections qui définissent un point de vue sur une réalité culturelle — « Champs », « Points » — ou qui affirment leur propre subjectivité et celle de leur directeur — collection « P.O.L. », dirigée par Paul Otchakovsky-Laurens chez Flammarion. Autour de ces collections se développe tout un système de signalisation et de reconnaissance formelle destiné à favoriser la motivation d'achat.

Une telle signalisation prend une importance décisive dans une structure d'offre où la vente du livre par les grandes surfaces et par le réseau des F.N.A.C. prend une place grandissante dans l'ensemble du marché. Le réseau des librairies, qui n'a cessé de croître depuis la Seconde Guerre mondiale, s'est senti menacé par ce nouveau type de vente, qui admet et pratique le *discount*. Éditeurs et libraires ont obtenu en 1981 des pouvoirs publics la fixation d'un « prix unique du livre » — mesure propre à favoriser le maintien ou le développement des petites et moyennes librairies.

Jeu d'équilibres

L'intervention prépondérante de l'éditeur dans le circuit de la production imprimée met en cause la conception simpliste et linéaire d'une chaîne de relations naturelles conduisant d'un auteur — originel et original — à un lecteur utopique, après un passage discret et obligé entre les mains d'un éditeur, puis d'un libraire :

AUTEUR → MANUSCRIT → ÉDITEUR → DIFFUSEUR → DISTRIBUTEUR → LECTEUR

Les théories de la communication ont tenté de construire un circuit plus complexe, fermé par une procédure de *feed-back*, et incluant un aléa de transmission (« bruits ») :

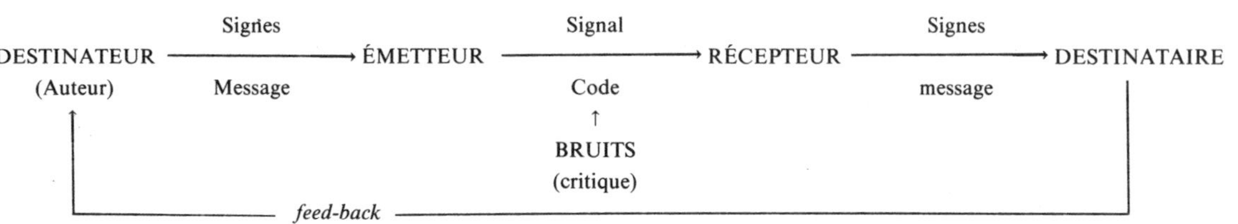

Un tel modèle, toutefois, reste trop étroitement calqué sur celui de la communication interpersonnelle. La notion de *feed-back* s'applique mal au circuit du livre imprimé. Ce schéma ne rend pas compte de la complexité des relations — des rapports de force — qui s'établissent entre les divers intervenants de la communication écrite.

Le système du livre apparaît, en fait, comme un système de relations variables entre plusieurs pôles : le pôle « auteur », le pôle « éditeur » (avec son service littéraire et son service commercial), la distribution, la critique, l'acheteur/lecteur.

Aujourd'hui, le circuit de la littérature générale — roman traditionnel et livre « mass-médiatique » — privilégie la fonction « intellectuelle » de l'éditeur (services littéraires) : celui-ci examine, « retravaille », normalise les textes que lui confient les auteurs attachés à la maison. Ce travail d'élaboration vise plus le lecteur que l'acheteur. Il l'atteint par la médiation de la critique, qui prend, dans ce système, sa véritable dimension. La diffusion et la mise en place sont adaptées à chaque cas. « Personnalisées », elles sont définies en fonction des besoins évalués.

Dans le système du livre à haut tirage (supérieur à 15 000 ex.), c'est, au contraire, la distribution qui définit les besoins et qui, dans l'équilibre fonctionnel du circuit, prend une place prépondérante. L'auteur travaille, le plus souvent, à la commande. L'éditeur se donne à tâche la production d'un produit normalisé. La critique se trouve, pratiquement, hors circuit. La cible visée est en effet l'acheteur, plus que le lecteur : la publicité, dès lors, est plus efficace que la critique. Secteur rentable, le livre à haut tirage représente 60 p. 100 environ du chiffre d'affaires de l'édition française contemporaine.

Qu'il s'agisse du service littéraire ou du service commercial, dans les deux cas l'éditeur joue un rôle important. En revanche, dans les circuits du livre scientifique, le travail de l'auteur est moins contrôlé par l'éditeur que par la communauté scientifique dont, éventuellement, les représentants conseillent la direction littéraire de la maison d'édition. A ce produit particulier correspondent un tirage étroitement ajusté, une diffusion ciblée et une distribution spécifique. La fonction du livre scientifique est moins une fonction de communication qu'une fonction de consécration.

BIBLIOGRAPHIE
Robert Brun, *le Livre français*, Paris, P.U.F., 1969; Julien Cain, Robert Escarpit et Henri-Jean Martin (sous la direction de), *le Livre français, hier, aujourd'hui, demain*, Paris, Imprimerie nationale, 1972; Svend Dahl, *Histoire du livre, de l'Antiquité à nos jours*, Paris, Poinat, 1967; Régis Debray, *le Pouvoir intellectuel en France*, Paris, Ramsay, 1979; Robert Escarpit, *l'Écrit et la communication*, Paris, P.U.F., 1973; id., *la Révolution du livre*, Paris, Unesco, 1965; id., *Théorie générale de l'information et de la communication*, Paris, Hachette, 1976; Robert Estivals, *le Livre dans le monde, 1971-1981, Introduction à la bibliologie politique internationale*, Paris, Retz, 1983; Lucien Febvre et Henri-Jean Martin, *l'Apparition du livre*, Paris, Albin-Michel, 1958; François Furet (sous la direction de), *Livre et société dans la France du XVIIIe siècle*, 2 vol., Paris, La Haye, Mouton, 1965-1970; Albert Labarre, *Histoire du livre*, Paris, P.U.F., 1970; Marshall Mc Luhan, *la Galaxie Gutenberg*, Paris, Gallimard, 1967; Henri-Jean Martin, *Livre, pouvoir et société à Paris au XVIIe siècle*, Paris et Genève, Droz, 1969; Henri-Jean Martin et Roger Chartier (sous la direction de), *Histoire de l'édition française*, t. I, *le Livre conquérant (1455-1660)*, Paris, Promodis, 1983; Abraham Moles, *Sociodynamique de la culture*, Paris et La Haye, Mouton, 1967; Antoine Spire et Jean-Pierre Viala, *la Bataille du livre*, Paris, Éd. sociales, 1976; Syndicat national de l'édition, *l'Éditeur, pourquoi?* Paris, Cercle de la librairie, 1977.

A.-M. BASSY

LOAISEL DE TRÉOGATE Joseph-Marie (1752-1812). Tombé dans l'oubli dès le XIXe siècle, Loaisel a été exhumé au début du XXe par les sourciers de l'histoire littéraire, décidés à trouver des précurseurs au romantisme. Il aurait pu fournir à Chateaubriand le modèle d'un héros fuyant en Amérique, vingt-cinq ans avant René, les fatigues de la vie, à Lamartine quelques variations sur la solitude, à Nerval le nom d'un personnage... C'était le condamner aux comparaisons écrasantes. Son œuvre, dispersé dans les bibliothèques et en partie perdu, vaut pourtant d'être relu pour lui-même. Certains titres mériteraient une réédition.

L'épée et la plume

Issu d'une ancienne famille de l'aristocratie bretonne, il naît au château de Beauval. Après des années de service chez les gendarmes du roi, il entreprend dans les lettres une carrière qui semble lui échapper ailleurs. Il collabore à différents journaux et participe à la grande entreprise de librairie qu'est l'*Histoire des hommes ou Histoire nouvelle de tous les peuples de la terre* (1781) lancée par Delisle de Sales. Il publie plusieurs romans, puis, durant la Révolution et l'Empire, abandonne sa particule et travaille pour le théâtre. Malgré sa fécondité et certains succès, sa situation économique reste précaire. En 1795, il fait partie des écrivains secourus par la Convention. Il mourra à Paris dans l'obscurité.

La décadence d'une noblesse provinciale désargentée, en décalage croissant avec la Cour et avec la marche du temps, aussi bien que les aléas de la condition d'auteur — condition qui se précise lentement à la fin du XVIIIe siècle — marquent Loaisel, surdéterminent son style et ses thèmes. Ses personnages, orphelins ou sevrés de protection, traînent sur terre un exil douloureux, fascinés par leur propre souffrance et par la mort qui les attend. Chaque moment de bonheur, bientôt balayé par la fatalité et « les mains dévorantes du temps », leur apparaît illusoire. Ils refusent de lutter et préfèrent la solitude.

Le roman des paroxysmes

C'est donc sous le signe de la mélancolie que s'inscrit cette création, non plus la mélancolie de l'ancienne médecine, mais un nouveau rapport au monde qui fait de chaque sentiment une souffrance. La littérature devient un appel à une complicité attendrie avec les *happy few* sensibles. Deux nouvelles, *Valmore* et *Florello*, publiées en 1776, pourraient appartenir aux *Épreuves du sentiment* de Baculard d'Arnaud. Les héros, l'un dans le Nouveau Monde, l'autre dans l'Ancien, n'ont pas besoin de vieillir pour comprendre que leur passion est vouée à l'échec. Les *Soirées de la mélancolie* (1777) rassemblent onze anecdotes « sombres ». Que le décor soit oriental ou européen, antique ou moderne, les mêmes ruines, les mêmes tombes nous installent dans un monde trop vieux et désaccordé. L'élégie *Aux âmes sensibles* (1780) traduit en alexandrins ce malaise existentiel. Mais ce sont les romans, *la Comtesse d'Alibre* (1779), *Dolbreuse ou l'Homme du siècle ramené à la vérité par le sentiment et par la raison* (1783) et *Ainsi finissent les grandes passions* (1788) qui orchestrent ces thèmes avec le plus de puissance. Le premier en donne une version frénétique, et le sang coule; le troisième une version dépressive : le héros, cyclothymique, s'enfonce dans une indifférence désespérée. *Dolbreuse* réussit à mêler aux élans sentimentaux les piments libertins. Dans le mariage, dans les liaisons dangereuses, dans la douleur elle-même du veuvage, le personnage est en quête d'orages et d'orgasmes.

Sa retraite religieuse autoriserait une lecture chrétienne de l'œuvre si la religion ne s'édulcorait en une charité et une morale proches de celles que prônent les philosophes. Une vision tragique de l'homme sans Dieu qui a transité par les romans de Prévost se croise avec la confiance dans les bontés de la nature; le recours à la foi ancestrale n'entame pas l'adhésion aux Lumières. La figure de Rousseau, sur la tombe duquel Dolbreuse se recueille, domine ces contradictions et les subsume. Le « préromantisme » de Loaisel est la mise en forme littéraire d'une crise sociale et idéologique : le sentimentalisme bourgeois préside à la constitution d'une aristocratie de la douleur et justifie la dénonciation du monde de l'argent; le dolorisme chrétien couvre les tentations matérialistes et sadiques.

L'invention du mélodrame

La tension tragique semble se dénouer avec le passage à la scène. La première pièce de Loaisel, qui date de 1788, s'intitule *L'amour arrange tout*. En fait, l'« hystérie » romanesque s'y convertit en délire de décors et de coups de théâtre. Des fortunes qui tombent du ciel, des morts qui ressuscitent assurent des dénouements heureux, mais ce sont les mêmes héros, désargentés et amoureux, qui s'opposent à des méchants, maîtres d'une société de profit. La vertu ne parvient pas à contrôler *la Bizarrerie de la fortune* : tel est le thème — et le titre — d'une des comédies de Loaisel. Les histoires d'amours contrariées sont prétexte à dépaysement géographique et chronologique. Si *le Combat des Thermopyles* s'apparente aux thèmes civiques de l'an III de la République, *le Château du diable* nous entraîne au XIVe siècle, *Adélaïde de Bavière* et *Roland de Monglave* dans l'Allemagne du XVe, *la Fontaine merveilleuse* et *le Grand Chasseur* au bord de la mer Caspienne. Partout des cavernes et des châteaux gothiques cachent des brigands, des chevaliers enchantés ou des génies orientaux. Les décors se succèdent; combats, danses et musiques sont mis à contribution pour ces pièces que l'auteur déclare « à grand spectacle » et sous-titre parfois « mélodrame ». *Le Grand chasseur* est composé en collaboration avec celui qui va devenir un maître du genre, Pixérécourt.

BIBLIOGRAPHIE
Des extraits de Loaisel peuvent être lus dans l'anthologie de Jacques Bousquet, *le XVIIIe Siècle romantique*, Pauvert, 1972, p. 411-431. Les acquis classiques de l'érudition sont rassemblés par Loaisel de Saulnays, *Un méconnu, Loaisel de Tréogate*,

Alger, 1930. Une information plus récente est fournie par Townsend W. Bowling « the Life Works on a Literary Career of Loaisel de Tréogate », Oxford, *Studies on Voltaire*, CXLVI, 1981.

M. DELON

LOAKIRA Mohammed. V. MAGHREB. Littérature d'expression française.

LOBA Aké (né en 1927). V. NÉGRO-AFRICAINE (littérature d'expression française).

LONDRES Albert (1884-1932). Journaliste au *Matin*, puis au *Petit Journal* (où il fut correspondant de guerre), à *Excelsior* (1919-1922), au *Petit Parisien* (1923-1939) et au *Journal* (1932), pionnier du grand reportage en France, Albert Londres a donné une réalité au modèle généreux que Jules Verne, dans ses romans, avait tracé du journalisme : il est l'archétype du « reporter » sans peur et sans reproche, dévoué corps et âme à la seule cause d'une information universelle et impartiale, concourant à la grande aventure de la découverte du monde de l'Occident et à la dénonciation des injustices (*Pêcheurs de perles*, 1931). Il participe ainsi au projet d'un savoir objectif qui rend compte, en la vulgarisant, de l'Histoire en train de se faire. Il est entré dans la légende par une fin dramatique, en mer, dans l'incendie du paquebot *Georges-Philippar* (16 mai 1932), sinistre qu'on a dit provoqué par des services secrets inquiets des documents qu'Albert Londres détenait et des révélations qu'il pouvait faire.

Au-delà de cette objectivité et de cet enthousiasme pour la relation du fait journalistique, il y a, chez Albert Londres, une sensibilité profonde, attentive aux dimensions humaines et sociales de l'événement, et un souci de rendre compte des souffrances et des injustices, qui font de son œuvre un témoignage parfois pathétique, toujours émouvant. Cela apparaît particulièrement dans plusieurs textes dénonçant le régime pénitentiaire du bagne de Guyane (*Au bagne*, 1923, *Dante n'avait rien vu* 1926); l'exploitation coloniale (*Terre d'ébène*, 1929), l'enfer psychiatrique (*Chez les fous*, 1925) ou la traite des blanches (*le Chemin de Buenos Aires*, 1927).

On peut ne pas goûter l'emphase et le pathos très datés de ses relations; elles n'en constituent pas moins un document irremplaçable, un témoignage précieux de l'aventure journalistique du XXe siècle et il est juste qu'un grand prix du journalisme, qui porte son nom, aide à perpétuer sa mémoire.

A. LE PICHON

LOPÈS Henri (né en 1937). Après avoir fait ses études secondaires à Brazzaville, à Bangui et à Nantes en France, le Congolais Henri Lopès a passé à Paris une licence et un diplôme d'études supérieures d'histoire. Pendant deux ans il enseigne cette discipline en France. En 1965, il rentre au Congo, où il va occuper d'importantes fonctions : directeur de l'enseignement, ministre de l'Éducation, enfin, de 1973 à 1975, Premier ministre. Après avoir publié des poèmes en 1966, il s'est adonné à la création romanesque.

Il s'élève, dans ses œuvres, contre les défauts de la nouvelle société africaine dans ce qu'ils ont de plus apparent; course à l'enrichissement, occidentalisation effrénée des élites économiques, misère des masses. Construites à des fins trop évidemment moralisatrices, ses fictions sont dessinées d'un trait qui manque parfois de mordant et de profondeur. Elles valent surtout par l'enregistrement de situations types de la réalité contemporaine africaine et par la nature des détails qui accrochent le regard de l'auteur. C'est à travers ces détails que l'on prend la mesure du clinquant qui fascine les milieux dirigeants africains jusque dans les condamnations morales qu'ils prononcent. *Tribaliques* (1971) est un recueil de nouvelles où s'esquissent les situations qui seront développées dans les romans ultérieurs; situation de la femme prostituée ou domestique; situation des cadres africains, accédant à la fois au pouvoir et à la corruption.

Dans *la Nouvelle Romance* (1976), la condition des femmes est l'objet d'un exposé aux situations trop tranchées pour être parfaitement convaincantes. Quelle femme, même après avoir lu Simone de Beauvoir, a jamais annoncé qu'elle divorçait parce que la vie qu'elle menait était « anachronique au regard du monde qui se fait et encore plus de celui vers où va l'humanité »?

Dans *Sans tam-tam* (1977) et *le Pleurer-Rire* (1980), le ton prédicant demeure, mais atténué et discret, attestant avec plus de simplicité la valeur morale de l'œuvre.

O. BIYIDI

LORANGER Jean-Aubert (1896-1942). V. QUÉBEC (littérature du).

LOREAU Max (né en 1928). Écrivain belge d'expression française. Né à Bruxelles, Max Loreau présente comme première singularité d'avoir orienté sa vie par son écriture : philologue classique, puis philosophe, il démissionne de l'Université pour libérer son discours de toute contrainte sociale ou idéologique. Sa seconde singularité tient dans l'invention, alternée et simultanée, d'une double écriture, philosophique et poétique. Le point de fuite de sa perspective est l'origine, ou plutôt son surgissement qu'on peut appeler « origination » et qu'il trace par ses propres inventions (*Cri, éclat et phases*, 1973; *Chants de perpétuelles venues*, 1977) ou retrace, jusqu'à la fascination, à travers celles des autres : peintres (*Jean Dubuffet, Stratégie de la création*, 1973; *Dotremont, Logogrammes*, 1975), philosophes, écrivains (*Michel Deguy, la Poursuite de la poésie tout entière*, 1980). Ainsi de Jean Dubuffet : parti à la découverte de l'engendrement de son œuvre pictural, Loreau révèle que s'y défont ensemble deux systèmes communicants : l'histoire de la peinture et l'histoire de la métaphysique. Le corps du peintre, dans son expérience du geste et de la couleur, ébranle les conventions de la vision qui délimitent notre usage du monde et du langage (cf. *la Peinture à l'œuvre et l'énigme du corps*, 1980). Comment le phénomène surgit-il pour une pensée qui cherche à échapper aux dualismes de la forme et de la matière, de l'apparence et de l'essence? Les fictions de Loreau écrivent inlassablement cette naissance, depuis le cri, ce rien d'où éclate l'apparaître, comme le clignement de l'œil qui rend la vue possible, formation et déchirure en même temps...

BIBLIOGRAPHIE

Dossier Max Loreau, revue *TXT*, Paris, 1980.

E. CLEMENS

LORRAIN Jean, pseudonyme de **Paul Duval** (1855-1906). Fils d'un armateur de Fécamp, enfant sensible et rêveur, très attaché à sa mère, le jeune Paul Duval ébauche des études de droit à Paris, mais préfère bientôt se consacrer à la vie littéraire, comme l'y pousse la passion adolescente qu'il éprouve, le temps d'un été, pour Judith Gautier. Devenu JEAN LORRAIN, il s'essaie à la poésie : *le Sang des dieux* (1882) le situe dans la lignée du Parnasse; *la Forêt bleue* (1883), *Modernités* (1885), *les Griseries* (1887), comme plus tard *l'Ombre ardente* (1897), hésitent entre Leconte de Lisle et Verlaine, tout en cultivant des thèmes décadents à la mode. Il tâte aussi du théâtre : *Viviane* (1885), et écrit ses premiers romans : *les Lépillier* (1885), qui font scandale à Fécamp, et *Très Russe* (1886).

Mais c'est le journalisme qui lui confère la célébrité : en quelques années, il devient le brillant chroniqueur de la grande presse bourgeoise, passant du *Courrier français* (1884) à *l'Événement* (1887-1890), puis à *l'Écho de Paris* (1890-1895), enfin au *Journal* (1895-1905). Cette énorme masse d'articles va former de nombreux recueils d'essais, de nouvelles, et engendrer la quasi-totalité de son œuvre romanesque : *Buveurs d'âmes* (1893), *la Petite Classe* (1895), préfacée par Barrès, *Poussières de Paris* (1896), *Monsieur de Bougrelon* (1897), *Madame Baringhel* (1899), *Histoires de masques* (1900). Son théâtre, en revanche, a peu de succès, exception faite de *Prométhée* (1900), écrit en collaboration avec André Ferdinand Hérold, et accompagné par une musique de Gabriel Fauré.

Le labeur continuel et surtout les excès de sa vie parisienne (entre autres l'abus de la drogue) l'ont prématurément usé; il voyage dans le Midi (*Heures d'Afrique*, 1899, et *Heures de Corse*, 1905) et, retiré à Nice, ne cesse d'écrire jusqu'à son dernier jour : *Monsieur de Phocas* est publié en 1901, suivi par plusieurs autres romans : *le Vice errant* (1902), *la Maison Philibert* (1904), *le Tréteau* (1906), et des recueils de nouvelles : *Princesses d'ivoire et d'ivresse* (1902), *le Crime des riches* (1905)...

Jean Lorrain fut un des personnages marquants du Paris de 1900, avec son goût de la provocation et son impatience à se perdre, son cabotinage et sa naïveté. Éthéromane, homosexuel, familier des milieux interlopes, il cultiva sa légende d'amoralisme et d'esthétisme décadent... Un personnage — mais surtout un montreur d'ombres.

Car sous sa plume redoutable de chroniqueur défilent les faits divers, mondains et artistiques du siècle finissant; derrière la complaisance avec laquelle il évoque ces *Poussières de Paris*, l'ironie, l'exagération, l'attrait du scandale même trahissent un pessimiste — et presque un moraliste. Étonnant inventaire de l'actualité et de la mentalité de l'époque, mais aussi de tous les aspects d'une modernité littéraire : entre les pointes cruelles et les dialogues satiriques de ses fameux *Pall-Mall*, Lorrain fait souvent office de critique, ridiculisant les uns (romanciers mondains, ou snobs de *la Petite Classe* et des *Pelléastres*), admirant les autres et les soutenant auprès du grand public, qu'il s'agisse de maîtres reconnus, comme Barbey, Huysmans, ou de débutants, comme Henri de Régnier ou Francis Jammes...

Lorrain aura été fait — et peut-être aussi défait — par ce journalisme. Toute son œuvre narrative en porte la marque : hâtive, tumultueuse, elle va du roman de mœurs au roman mondain, en passant par le feuilleton populaire et le conte fantastique. La composition romanesque procède par séquences plus ou moins bien juxtaposées, la psychologie est souvent schématique et le pittoresque outré ou facile. Mais un style tout à la fois violent et maniéré mêle réalités et fantasmes : aristocrates décadents, aventuriers, prostituées et apaches des « fortifs » s'entrecroisent dans un univers où règnent la perversion, la vénalité et la fascination de toutes les déchéances.

Trois figures romanesques dominent cette création, et résument l'esprit de la décadence, tel que l'a ressenti Lorrain. Entre Bougrelon, vieux dandy épique et mythomane, d'une dépravation toute cérébrale (et qui transpose Barbey d'Aurevilly, tant admiré de Lorrain), et le prince russe Noronsoff, héros barbare du *Vice errant*, consumé par les vices et l'ennui, Phocas incarne une perversion froide et triste : obsédé par un regard d'émeraude où jouent les reflets de la luxure et de la mort, il le recherche à travers toutes les rencontres et toutes les expériences; *Monsieur de Phocas* est le journal de cette quête, écrite dans le souvenir du Huysmans de *A rebours*, de Wilde et de Gustave Moreau. Un livre lyrique et dominé, où s'épanouissent des thèmes obsédants ailleurs ébauchés : le chef-d'œuvre de Lorrain sans doute.

BIBLIOGRAPHIE

Textes. — *M. de Phocas*, Lattès « Class. interdits », 1979; *le Vice errant*, Lattès « Class. interdits », 1980.

A consulter. — P.L. Gauthier, *Jean Lorrain, la vie, l'œuvre et l'art d'un pessimiste à la fin du* XIX*e* *siècle*, Paris, Lesot, 1935; Pierre Kyria, *Jean Lorrain*, Seghers, 1933; Philippe Jullian, *Jean Lorrain ou le Satiricon 1900*, Fayard, 1974.

M.-O. GERMAIN

LORRAINS ou **LOHERAINS (cycle des)** [début du XIIe siècle-?]. On a coutume de distinguer, dans le « cycle des rebelles », un cycle des *Loherains* formé de quatre « branches » : *Garin le Loherain, Gerbert de Mez, Hervis de Mez, Anséis de Mez*, chacun de ces héros étant le père du suivant. L'œuvre la plus ancienne est *Garin le Loherain*, tandis qu'*Anséis de Mez* présente bien des caractères de l'épopée tardive. L'ensemble totalise un peu plus de 58 500 vers.

Ce cycle ne raconte pas les démêlés d'un vassal et de son roi; il s'attache à relater la lutte sans merci et sans fin des Bordelais et des Lorrains. La royauté, tantôt forte (Charles Martel, dans les premiers épisodes de *Garin*), tantôt faible et même méprisable (Pépin, après la mort de Charles Martel), oscille entre les deux partis, avec une préférence assez marquée pour les Lorrains. L'atmosphère est généralement sombre; les espoirs de paix sont toujours déçus, et aucun autre principe que la haine et la solidarité du lignage dans la vengeance ne semble diriger l'ensemble. Les conversions religieuses des héros n'étouffent pas les vieux sentiments : Fromondin, Bordelais devenu ermite, fomente un complot contre Gerbert lorsque celui-ci arrive par hasard à son ermitage (*Gerbert de Mez*). La croisade elle-même, qui tient une place importante, joue très imparfaitement son rôle de ciment : Fromont (Bordelais et traître parfait) n'hésite pas à rejoindre l'émir, à abjurer la foi chrétienne et à conduire l'armée païenne contre les Français, alors que Lorrains et Bordelais s'étaient provisoirement réconciliés pour repousser l'infidèle. Comparant *Garin le Loherain, Raoul de Cambrai* et *Renaut de Montauban*, Reto R. Bezzola écrit : « Dans aucune de ces trois chansons on ne peut déceler le moindre principe directeur, la moindre aspiration à la sérénité. Elles nous plongent dans un monde chaotique où les instincts les plus sauvages sont déchaînés et où, au premier abord, on ne sent que les forces élémentaires délivrées de toute entrave ». Cela est sans doute vrai de la tonalité du cycle des Lorrains et de la structure des œuvres les plus tardives du cycle. Mais le noyau originel, *Garin le Loherain*, est beaucoup mieux construit qu'une lecture rapide ne le laisse sentir. J. Grisward a mis cette structure en évidence. Dès le prologue (jusqu'au vers 2 309, sur un ensemble de 16 617 vers dans l'édition Vallerie), le thème de la croisade, trois fois répété, met en relief les traits distinctifs des héros, caractérise la félonie des Bordelais, et nous plonge dans cet univers de sauvagerie qui est le propre de la chanson entière. Peu à peu se dégage du texte une idée maîtresse : le règne de l'individualisme pur est terminé, et l'époque s'ouvre de la solidarité lignagère, seul remède devant l'anarchie grandissante, devant l'évanouissement du pouvoir royal. Cette situation est caractéristique du tournant du XIe siècle : première moitié pour le prologue, seconde moitié du siècle pour le reste de la chanson. J. Griswatd est ainsi amené à dater *Garin le Loherain* du premier tiers du XIIe siècle, et non — comme on le faisait jusqu'alors, sur la foi d'arguments (fragiles) de Ferdinand Lot — des années 1190.

Hervis de Mez est moins une épopée qu'un roman d'aventures : on y voit Hervis, fils d'un riche vilain, dilapider sa fortune dans les grandes foires, jusqu'au moment où il rachète une esclave qui n'est autre que la fille du roi de Tyr et la sœur du roi de Hongrie. La composition d'*Hervis* est évidemment tardive. *Gerbert de Mez,* qui suit sans interruption *Garin* dans les manuscrits, décrit les péripéties de la lutte qui oppose Lorrains et Bordelais après la mort de Garin. Ce poème allie l'humour au pathétique, mais ignore presque complètement le merveilleux qui envahit *Anséis de Mez :* présages sinistres, miracles, armure magique.

La geste des Lorrains a été conservée dans un nombre considérable de manuscrits : une cinquantaine, en comptant les versions assonancées et les versions en prose. Le fait est exceptionnel pour la littérature épique.

BIBLIOGRAPHIE
Éditions. — *Garin le Loherain,* éd. J.E. Vallerie, New York, Edwards Bros, 1947; *Gerbert de Mez,* éd. P. Taylor, Namur, 1952; *Hervis de Mez,* éd. E. Stengel, Dresden, 1903; *Anseis de Mez,* éd. H.J. Green, Paris, 1939.
Études. — J. Grisward, « *Garin le Loherain,* structure et sens du prologue », *Romania,* 1967; A. Adler, *Rückzug in epischer Parade,* Klosterman, 1963 (une soixantaine de pages y sont consacrées à *Garin),* et le compte rendu qu'en a donné J. Grisward dans *Cahiers de civilisation médiévale,* 1964, p. 497-504; Reto R. Bezzola, « De Roland à Raoul de Cambrai », *Mélanges Hoepffner,* Paris, 1949.

D. BOUTET

LORRIS Guillaume de. V. GUILLAUME DE LORRIS.

LOTI Pierre, pseudonyme de **Julien Viaud** (1850-1923). Les livres de Loti payent leur succès d'autrefois. On est moins sensible aujourd'hui à leurs voyages tristes, à leur mélancolie du temps qui passe. L'auteur même semble dater un peu, avec son goût pour la mort et le souvenir qui fait de lui une sorte de Proust élémentaire et caricatural. Pourtant, Loti mérite mieux que ces clichés : à le lire, on découvre en effet le trouble d'une identité qui se cherche et ne peut se définir. Quel que soit le pays dont il parle, Loti chante toujours son mal, c'est-à-dire sa différence incurable, sa nostalgie d'une pureté qui le fascine dès lors qu'elle disparaît ou se corrompt. Plus qu'un certain exotisme fin de siècle, l'écriture de Loti révèle donc un vertige douloureux, dont il faut essayer de comprendre l'origine et les charmes.

Julien Viaud, dit Loti

L'origine, c'est peut-être cette enfance que Loti passera sa vie à regretter, et qui se déroule à Rochefort entre les femmes de sa famille, ses tantes, ses aïeules, sa sœur, sa mère, au milieu des souvenirs et de toute une tradition protestante qui s'achève avec lui. Mais Rochefort, c'est aussi les voyages et la mer, avec Oléron, la première île enchantée où il aborde. C'est enfin l'aventure, qui a déjà séduit son frère Gustave, mort en revenant d'Indochine. Comme lui, Julien sera marin : il prépare Navale à Paris et y entre en 1867. Les vingt ans de Julien Viaud ne sont pourtant pas une période heureuse de sa vie; non seulement parce qu'il est séparé de ses « chères vieilles » et de sa mère, à qui l'attachent des liens très forts, mais aussi parce que la mort de son père va laisser la famille dans la gêne. Le jeune officier pauvre qui sort aspirant du « Borda » entame alors ses premiers voyages et tient le journal d'où sortiront ses livres. C'est à partir de ce moment qu'il devient nécessaire d'établir une double chronologie « lotienne » : celle du marin d'abord, avec une carrière sans éclat, mais qui le conduit sur toutes les mers et lui fait découvrir l'Asie Mineure, la Baltique, l'Océanie, le Sénégal, la Turquie, le Tonkin (à propos duquel Loti se met à dos le ministère Ferry en décrivant certaines atrocités coloniales), puis le Japon, le Pays basque (où il commande un petit navire sur la Bidassoa), la Chine en guerre et l'Égypte. Il finira capitaine de vaisseau en 1906 avant d'être rappelé, à sa demande, durant la guerre.

L'essentiel pourtant n'est pas là, et encore moins dans ce mariage de 1886 probablement contraire à ses mœurs. Loti, c'est d'abord le pseudonyme d'un écrivain qui, entre l'homme privé et l'auteur, jette un voile — en l'occurrence, le nom en maori d'une fleur dont on le baptisa à Tahiti. L'itinéraire proprement littéraire de Loti a donc sa logique propre, même quand ses livres disent « je » ou ne sont, surtout vers la fin, que la transcription de notes de voyage. Cette logique est peut-être justement celle du voile, du fard (qui empêche de paraître vieux) et de ces déguisements dont Loti usera pour se transformer en Turc. Tout commence en effet par *Aziyadé,* inspiré par un séjour en Turquie et publié anonymement en 1879. Le succès de Loti grandit bientôt avec *le Mariage de Loti* (1880) et *le Roman d'un spahi* (1881), où il évoque l'Océanie et l'Afrique. Désormais, il sera connu, riche d'argent et d'amitiés célèbres — Daudet, Sarah Bernhardt, la reine de Roumanie... Pourquoi un tel accueil? D'abord parce que Loti offre un utile contrepoids aux naturalistes, ainsi qu'en témoigne son discours de réception à l'Académie française en 1892; aussi parce que sa version sentimentale et poétique du roman d'aventures peut plaire à tous, au grand public comme aux esthètes. Par la suite, Loti entraînera ses lecteurs en Bretagne avec *Mon frère Yves* (1883), dans les mers froides avec *Pêcheur d'Islande* (1886), au Japon avec *Madame Chrysanthème* (1887) et les *Japoneries d'automne* (1889), au Pays basque avec *Ramuntcho* (1897). Chaque année ou presque voit paraître un nouveau livre de Loti, qui est comme le récit direct de ses pérégrinations : *Au Maroc,* en 1890; *la Galilée,* en 1896; *l'Inde sans les Anglais,* en 1903; *Vers Ispahan,* en 1904. Il donne à voir l'Égypte, avec *la Mort de Philae* (1909), et l'Extrême-Orient, avec *les Derniers Jours de Pékin* (1902) ou *Un pèlerin d'Angkor* (1912). Il bâtit ainsi une œuvre d'une quarantaine de titres qui s'achève sur les livres publiés pendant la guerre et où Loti dénonce surtout ce qu'il appelle *l'Horreur allemande* (1918). Ces années de guerre, qui marquent la fin d'un monde, sont aussi celles de la vieillesse de Loti, qui meurt paralysé à Hendaye. Le gouvernement lui fera des obsèques nationales.

Tristes tropiques

Loti l'exotique. Cette image d'un écrivain touriste est trop rassurante : elle réduit en effet chacun de ses livres à n'être que le guide poétisé d'une partie du monde, un *digest* pour amateurs de pittoresque. Or il faut voir, au contraire, que toutes les explorations de Loti ne découvrent jamais qu'un seul pays, que tous ses personnages ont un air de famille, que toutes les contrées où il débarque se ressemblent en profondeur. Inéluctablement, les mêmes ambiances reviennent, plaçant les paysages et les êtres sous un même signe : celui de la tristesse. Le voyage comme tristesse : ici encore, le poncif semble inévitable jusqu'au moment où l'on s'aperçoit que la nostalgie n'est pas celle du pays natal, que la seule souffrance est justement de quitter l'ailleurs, Aziyadé ou Rarahu, ces deux femmes emblèmes de leur pays. Dans ces conditions, c'est bien le retour qui apparaît comme un exil, faisant, au fond, de Julien Viaud la seule personne véritablement étrangère à Loti. Avec les autres, en revanche, Turcs ou Tahitiens, l'illusion d'une rencontre est possible, le temps d'une escale et d'un amour;

mais sans jamais arriver à la communication complète : pour Loti, en effet, il y a en toute chose une part indicible que la littérature ne peut atteindre et qu'elle cherche pourtant à évoquer : « Qui peut dire où réside le charme d'un pays? [...] Qui trouvera ce quelque chose d'intime et d'insaisissable que rien n'exprime dans les langues humaines? » Qui donc, sinon l'écrivain qui suggère ce charme par les moyens tout linguistiques d'un nom propre ou d'un vocabulaire troublant dans ses définitions mêmes : « *Ata,* nuage; tige de fleur; messager; crépuscule. *Ari,* profondeur; vide; vague de la mer [...] *Reva,* firmament; abîme; profondeur; mystère... » Voyager ou écrire, c'est donc partir en quête de ce mystère que Loti veut, paradoxalement, comprendre et préserver à la fois. Cherché dans une civilisation ou un être aimé, c'est en effet ce vertige de la différence qui constitue la seule identité de Loti en même temps que l'origine de son écriture. D'où son amour pour la différence radicale, pour les vrais sauvages; d'où aussi sa colère quand il retrouve au Japon ou en Océanie les usines, les vêtements, les façons de penser de l'Occident : « On éprouve un sentiment de tristesse profonde en contemplant ces débris d'une nation puissante qui succombe, comme autrefois les Natchez et tant d'autres, sous la main de notre civilisation envahissante et impitoyable ».

La pureté est donc d'autant plus précieuse qu'elle est menacée, qu'il faut en jouir, comme de la jeunesse, avant qu'elle disparaisse. On comprend mieux alors cette passion de Loti pour les états transitoires, éphémères, qui sont aussi des moments de grâce et d'émotion : le crépuscule, où la lumière dore tous les objets avant de s'évanouir; l'automne, où l'année meurt en beauté; ces brèves époques enfin où les civilisations brillent de leur dernier éclat. Rien de plus beau ainsi que la fleur dont on pressent qu'elle va se faner, ces chrysanthèmes japonais à leur apogée et que déjà Loti regrette — avec cette nostalgie anticipée, ce deuil qui s'insinuent dans ses meilleurs plaisirs et en constituent la valeur. Il y a en effet chez lui une présence de la mort qui fait de ses livres la célébration funèbre d'un passé défunt où va bientôt s'enfouir l'instant présent. Et cela se conjugue, pour Loti, avec une esthétique de la ruine et de la cendre, avec l'étude aussi de la décomposition qui délabre les architectures et les êtres : « Qu'Allah conserve au peuple arabe ses songes mystiques, son immuabilité dédaigneuse et ses haillons gris! Qu'il conserve [...] aux vieilles mosquées l'inviolable mystère; et le suaire des chaux blanches aux ruines ». Le spectacle du monde devient ainsi celui d'une agonie qu'on peut suivre dans les titres mêmes de Loti : *les Derniers Jours de Pékin, la Turquie agonisante, la Mort de Philae,* et ces *Japoneries d'automne* où le narrateur erre dans Nikko, la ville des morts. Ce qui l'attire, ce sont « les débris d'un grand passé mort », les bouddhas « perdus de vétusté et de poussière », les « fonds de puits, l'envahissement des capillaires et de certaines mousses, voisines des algues [...] ». Pourtant, à certains moments, l'enthousiasme est possible, une sorte d'harmonie qui unit les âmes dans l'amour ou le chant d'un équipage; mais pour un bref instant seulement, entre deux angoisses, comme ce chœur japonais dont chaque couplet « se prolonge en agonie, se traîne comme un souffle mourant qui tremble ».

En fait, rien de plus logique que cette ambiance morbide si l'on comprend que les voyages de Loti sont autant de descentes au pays des morts, que la mort elle-même est le voyage ultime, le mystère absolu. Loti aime en effet ces peuplades rêveuses qui s'engourdissent dans le silence et le sommeil, cet Orient pourri et ces parfums étranges où l'on discerne une odeur de corruption; il goûte enfin la phrase alanguie et épuisée qui s'achève sur des points de suspension, comme pour une invitation à la rêverie. La tristesse de Loti est donc autre chose qu'une pose. Elle est, au contraire, inscrite dans le monde tel qu'il le voit, et il ne peut lui trouver d'autre remède que le renoncement et la contemplation : aucune place dans ce monde pour l'action ou l'espoir; la seule réalité qu'on puisse y connaître est celle du rêve et du souvenir.

Le temps immobile

La vraie vie, pour Loti, est celle de la mémoire, avec ce lien profond qui permet d'éterniser les impressions éphémères, de leur donner un sens. C'est ainsi que l'objet devient relique et, un peu comme la sensation proustienne, abolit le temps. C'est ce qui se produit pour le Jean de *Matelot* (1893) lorsqu'il tient entre ses mains la canne de son grand-père, ou pour le narrateur des *Japoneries* se faisant montrer par les prêtres la robe d'une impératrice, respirant l'odeur de vétiver qui s'en dégage et remontant d'un coup dix-sept siècles en arrière. Loti lui-même revient dans les lieux qu'il avait autrefois connus et qui prennent un côté magique : *Fantôme d'Orient,* en 1892, vient doubler *Aziyadé* comme le Loti du *Mariage de Loti* répète l'aventure de son frère. Faut-il croire que tous les voyages de Loti ne sont que les variantes d'un même mythe? Cela expliquerait cette impression de « déjà vu » qui poursuit Loti dans ses périples, cet emprisonnement ou ce charme dont il est victime : Pékin évoque le Pays basque, et Mahé ressemble à un village du Midi. Partout, la différence s'estompe, et l'on retrouve les mêmes pénombres, les mêmes cimetières, depuis ceux de Stamboul jusqu'à ceux du Pacifique, où l'arbre de fer tient lieu de cyprès. L'autre face de la mort selon Loti, c'est donc la fascination d'une sorte d'éternel retour : car si les êtres vieillissent et meurent, leur trace demeure dans le souvenir ou dans les objets qui nous restent d'eux. Un instant, nous croyons à l'immortalité avant de reconnaître notre illusion, de comprendre que nous ne pleurons que l'« antérieur évanoui » de notre propre durée.

Cette patrie que cherche Loti aux quatre coins du monde, c'est donc lui-même : les dépaysements ne sont destinés, au fond, qu'à lui rendre le sentiment de sa propre existence, à lui donner la preuve qu'il n'est pas encore mort : « Je me dis à moi-même: "Je suis à Chiraz", et il y a un charme à répéter cela, un charme et aussi une petite angoisse..., effroi du dépaysement suprême qui devait être familier aux voyageurs de jadis ». Le monde comble donc ici un manque : lorsque Loti va vers les primitifs, lorsqu'il se déguise, on a le sentiment qu'un malaise le pousse à se chercher hors de lui-même, dans ces paysages qu'il déguise à leur tour, les revêtant d'une sorte de voile obscur — buées japonaises, poussière de Pékin ou brouillard de Jérusalem... Le monde ne se donne souvent à lui que drapé, embrumé, comme si ce qu'il voulait étreindre ne pouvait que lui échapper. A la manière de cet empereur « qu'il ne fallait pas voir », le divin se dérobe dès que Loti l'invoque ou le prie. De la fantasmagorie des voyages il ne reste, en fait, que la solitude, le désert, l'appel que personne ne peut entendre. Personne? Peut-être pas si l'on se souvient de la reine Pomaré du *Mariage* et des personnages de mères, dans *Aziyadé* ou *Matelot* (1893), avec lesquelles a lieu cette communion impossible avec les amis ou les amantes. Cette image maternelle, on la retrouve présente dans la tradition en qui se confie Loti pour finir, la tradition qui rattache les vivants aux morts pour « ne former, avec eux et leur descendance encore à venir, qu'un de ces ensembles résistants et de durée presque indéfinie qu'on appelle une *race* ».

Sous ses apparences cosmopolites, Loti cache donc la volonté d'un enracinement. Et là se trouve sans doute une des clefs de l'œuvre : car pour dire la tradition, pour y être seulement sensible, il faut accepter d'en être exclu, d'être l'artiste, le paria qui malgré ses déguisements ne se fondra jamais dans le(s) peuple(s). La douleur d'être différent, tel est probablement le mal que chante Loti. Elle le rend, certes, plus sensible que les autres à la beauté d'une couleur, d'un visage, d'une ville ou d'une chanson, mais cette supériorité est aussi un exil, une malédiction : cet Ulysse n'a pas d'Ithaque où rentrer, ou, plus exactement, il en a trop, dotées chacune d'une Pénélope fantomatique. Car, dernière fatalité, tout cet itinéraire ne débouche que sur un monde second et irréel de correspondances esthétiques qui ne remplacent pas la vraie vie, innocente et naïve... L'image qui demeure peut-être de cette œuvre, c'est celle du narrateur d'*Aziyadé*, rôdant parmi les tombes, cherchant celle de son amour et serrant enfin dans ses bras une borne de marbre plantée dans le sol : « Une tristesse immense et recueillie planait sur cette terre sacrée de l'Islam [...] J'y voyais comme à travers un voile funèbre, et toute une vie passée tourbillonnait dans ma tête avec le vague désordre des rêves; tous les coins du monde où j'ai vécu et aimé [...] et puis, hélas! le foyer bien-aimé que j'ai déserté pour jamais, l'ombre de nos tilleuls, et ma vieille mère... »

BIBLIOGRAPHIE

Les œuvres de Loti ont été publiées aux éditions Calmann-Lévy, qui ont continué à en faire paraître un certain nombre. On trouvera également les titres les plus célèbres dans la collection du Livre de poche.

A consulter. — P. Flottes, « Le Drame intérieur de Pierre Loti », *le Courrier littéraire*, 1937; R. de Traz, *Pierre Loti*, Hachette, 1948; K.G. Millward, *l'Œuvre de Pierre Loti et l'esprit « Fin de siècle »*, Nizet, 1955 et 1971; R. Barthes, « le Nom d'Aziyadé », *Critique*, n° 297, févr. 1972; Le Targat, *A la recherche de Pierre Loti*, Seghers, 1974; sans oublier les *Cahiers Pierre Loti*, bulletin semestriel.

A. PREISS

LOUVET Jean (né en 1934). De sa naissance à Moustier-sur-Sambre dans un milieu de mineurs, Jean Louvet a retiré l'ancrage constant de sa problématique dramatique dans la petite bourgeoisie et le prolétariat wallons. Quant à ses humanités à l'Athénée de Namur et à ses études de lettres à l'université libre de Bruxelles, elles l'ont amené à une distanciation quotidienne par rapport à l'immédiateté ouvrière. Elles expliquent non seulement les personnages d'intellectuels qui surgissent dans son théâtre, mais également le souci de prélever dans le langage ordinaire du monde ouvrier des fragments qui rendent compte de la prégnance banale et insidieuse de l'idéologie dominante au cœur même de la parole qui est censée la combattre.

L'itinéraire intellectuel de Jean Louvet commence par la découverte de Sartre. Cela est sensible dans les thèmes touchant à l'absurde et à la liberté que développent ses premiers écrits romanesques. *Soif de la terre*, que publient les éditions Paul Verlaine, déroule son récit syncopé au beau milieu d'une fosse inexplorée, lieu de danger pour les spéléologues, et qui n'est pas sans rappeler l'univers de la mine. Le rapport aux sources personnelles de l'œuvre est donc encore indirect, cet écart étant facilité par l'universalisme des questions métaphysiques et correspondant aux pratiques du monde culturel belge francophone aux derniers jours de l'État unitaire. L'importance pulsionnelle et l'ambiguïté conflictuelle des amitiés viriles, la découverte de la femme au cœur d'une telle relation, la culpabilité, vis-à-vis de sa mère, d'un fils hanté par la sublimation (déplacement de la culpabilité de l'intellectuel face à son milieu d'origine), le rôle du chef, la présence de l'amour, sans illusion excessive, en tant que réplique minimale à l'aberration quotidienne, et, en finale, le départ vers un lointain où tout recommencera, ces éléments thématiques sont donnés dès le premier livre et constitueront la trame désirante de l'œuvre dramatique à venir. Ils trouvent une formulation forte et resserrée dans la nouvelle « le Duel », que publie le numéro 25 de la revue *Audace*. L'action se situe au bord de la mer, entre aviateurs, et consiste en un conflit moral et libidinal. Elle n'atteint pas encore ce point de pertinence sociale qui justifierait aux yeux de l'écrivain sa pratique littéraire et l'aiderait à dépasser son angoisse devant la reprise quotidienne de son rang « entre un estaminet alarmant et une friture dégoûtante ».

En conséquence, Louvet, qui n'en voit plus la nécessité, cesse d'écrire mais se rapproche des milieux culturels wallons situés dans le prolongement du surréalisme (*le Daily-Bull*, à La Louvière). Le déclic surgit cependant avec les grandes grèves de l'hiver 1960-1961, qui font suite à la brèche créée dans le fonctionnement unitaire belge par la décolonisation. Pour Louvet la question nationale est désormais posée; en même temps, la nécessité de son intervention artistique lui apparaît à l'évidence. Tout en militant au sein de la tendance radicale du parti socialiste belge avec Yerna et Mandel, il a découvert Brecht et il a rencontré de jeunes ouvriers, qui lui ont demandé d'écrire une pièce sur les événements récents; ce sera *le Train du Bon Dieu*, monté en 1962 par le Théâtre prolétarien (une troupe d'amateurs organisée par l'auteur et quelques amis, ouvriers ou intellectuels). La pièce ne transcrit ni le récit historique de la grève ni l'exaltation de « héros positifs ». Elle décrit le mode sur lequel est vécue la lutte, qui est celui de la fête et de l'eschatologie. L'action se passe dans un décor de gare, symbole de la mort qui hantait les premières proses de Jean Louvet (la pièce sera publiée en 1976). Dans la foulée, l'auteur écrit en 1963 *l'An I*, qui est monté en 1964 par le Théâtre national de Belgique. A l'inverse de la pièce précédente, la distribution se resserre sur trois personnages tandis que l'action tourne autour d'un ouvrier récemment pensionné, pour qui la vie commence enfin. Monté à Berlin-Est et joué ensuite en Flandre par le Toneel Vandaag, *l'An I* se fait agonir par la critique francophone. Si Louvet affirme son écriture, en présentant des situations quotidiennes qui basculent brusquement dans l'imaginaire en reproduisant de façon critique la platitude enlisante d'une « langue de bois », la mise en scène de son théâtre n'est plus envisagée (phénomène que connaît comme par hasard Kalisky à la même époque...). Le National ne montera plus ses pièces, et les nouvelles unités dramatiques de Wallonie, pour la transformation de laquelle Louvet écrit, ne seront pas plus favorables.

C'est au Jeune Théâtre, localisé à Bruxelles et porté vers un travail théâtral expérimental, que Louvet doit d'avoir continué à exister professionnellement, sans trouver le large impact populaire qu'il escomptait de son écriture.

Rejeté par la critique dramatique, Louvet fait également partie en 1964 du fourgon d'exclus que le parti socialiste congédie en raison de leurs options fédéralistes et de leur soutien à l'hebdomadaire trotskiste *la Gauche*. Il devient alors membre du comité central de l'éphémère parti wallon des Travailleurs et se présente aux élections législatives. Sur le plan de l'écriture, il abandonne les pièces à contenu explicitement engagé pour évoquer les paralysies que le fonctionnement politique (en l'espèce social-démocrate) induit au cœur même du désir. *A bientôt Monsieur Lang*, publié en 1970, voit les individus d'une microsociété évoluer sous le coup de la venue d'un bel étranger, puis s'arrêter. Les rêves n'aboutissent pas plus dans *les Clients*, pièce qui laisse cependant ses héros, Anne et Sébastien, faire un pas ambigu dans la reviviscence d'un amour. Le prolétariat n'est pas idéalisé : ses illusions petites-bourgeoises sont mises à nu dans *le Bouffon,* publié avec *les Clients* en 1974. Enfin *l'Aménagement* expose l'impasse sociale du désir englué dans les images surimposées.

Louvet, qui écrit moins pour le théâtre, se pose des questions sur ce mode d'expression et fonde l'Ensemble théâtral mobile avec Marc Liebens (qui avait monté *Lang* en 1972). C'est Liebens qui crée en 1977 une version simplifiée de *Conversation en Wallonie,* spectacle qui confronte l'intellectuel issu du peuple avec ses figures parentales (publié en 1978). Enfin, grâce à une commande, Louvet aborde dans *l'Homme qui avait le soleil dans sa poche* la question du gommage constant de l'histoire dans les mémoires wallonnes, concernât-elle l'assassinat d'un député communiste... Des dialogues de film lui ont par ailleurs été demandés pour *l'Ombre rouge* et *la Maison du peuple.*

M. QUAGHEBEUR

LOUVET DE COUVRAY Jean-Baptiste (1760-1797). Lorsque survint la Révolution, Louvet, qui jouera un rôle notable dans la Gironde, achevait *Faublas.* Cet « ouvrage frivole » devait, si l'on en croit ses Mémoires, assurer son indépendance et lui « fournir les moyens d'aller dans quelque coin de terre cacher [ses] heureuses amours » avec celle qu'il appelait Lodoïska, du nom de la seule héroïne vertueuse de son roman. La gloire du conventionnel proscrit qui abandonna toute carrière littéraire pour s'engager dans les événements de son temps a été éclipsée par la renommée de l'insaisissable créature qu'il avait lancée sur le pavé de Paris, ce Faublas de seize ans, doué d'ubiquité, le plus souvent travesti, qui, dans une course folle, s'adonne aux jeux de l'amour et hantera les mémoires, figure symbolique de ces fêtes galantes qu'offre l'Ancien Régime avant de succomber.

« Républicain jusqu'au dernier soupir »

Celui qui signa DE COUVRAY ou DE COUPEVRAY pour se distinguer d'un homonyme, et qui exhorta « des millions de citoyens-soldats » à se précipiter « sur les nombreux domaines de la féodalité », était fils d'un papetier de la rue Saint-Denis. « Petit, fluet », « la vue basse, l'habit négligé », selon Mme Roland, il ne paraissait rien au « vulgaire », qui ne remarquait pas « la noblesse de son front et le feu qui animait ses yeux et son visage à l'expression d'une grande vérité, d'un beau sentiment, d'une saillie ingénieuse ou d'une fine plaisanterie ». Né à Paris, il fut dans sa jeunesse secrétaire du minéralogiste Philippe Frédéric de Dietrich, puis commis chez le libraire Prault; il entreprit pour gagner sa vie cette *Année de la vie du chevalier de Faublas,* imprimée à ses frais en 1787, qui lui rapporta une « petite fortune », suivie des *Six Semaines de la vie du chevalier de Faublas* en 1788, composées dans une « campagne » où il vivait heureux auprès de celle qu'il aimait depuis l'adolescence, Marguerite Denuelle, à laquelle il sera fidèle toute sa vie. Mariée contre son gré, celle-ci divorcera en 1792, et Louvet l'épousera « à la Jean-Jacques Rousseau ». A Nemours, où il achevait son roman — *la Fin des amours de Faublas* paraît en 1790 —, il apprit la prise de la Bastille.

La Révolution venait « sinon détruire [ses] espérances, du moins en différer l'accomplissement », mais, encouragé par son amante, qui, de ses propres mains, lui remit une cocarde tricolore, il se passionna pour une cause qu'il jugea « juste et belle ». Dès lors, sa vie se confond avec son activité politique, ses ouvrages ayant des visées militantes. Il publie une apologie des journées des 5 et 6 octobre 1789 sous le titre *Paris justifié* (janvier 1790), entreprend un roman par lettres, *Émilie de Varmont ou le Divorce nécessaire et les amours du curé Sevin* (1791), plaidoyer en faveur du divorce et du mariage des prêtres, écrit des pièces politiques, *l'Anobli conspirateur ou le Bourgeois gentilhomme du XVIIIe siècle,* jugé « incendiaire » par le théâtre de la Nation, *l'Élection et l'Audience du grand lama Sixpi,* pamphlet contre les « mômeries de la cour de Rome », enfin la *Grande Revue des armées noires et blanches,* qui ridiculise l'armée de Coblenz. Lorsque l'Assemblée législative eut remplacé la Constituante, Louvet, qui était entré aux Jacobins, publie, sous les auspices de la Gironde, le journal *la Sentinelle,* qu'on affichait sur les murs de Paris. Le 25 décembre 1791, il présente au nom de la « section des Lombards » une pétition mettant en accusation les frères du roi. Devenu un des plus éloquents orateurs du parti girondin, il dénonce les « triumvirs de la démagogie », Robespierre, Danton, Marat qu'il accuse d'être stipendiés par l'émigration. Le 29 octobre 1792, il prononce une terrible philippique contre celui en qui il voyait un tyran dévoré d'orgueil et d'ambition, se targuant de sa réputation d'« incorruptible » pour marcher au pouvoir suprême. Il l'accuse d'avoir « avili, insulté ou persécuté la représentation nationale » et de se rendre l'objet d'un culte idolâtre, demandant qu'un comité soit chargé d'examiner sa conduite et réclamant « sur l'heure » un décret d'accusation contre Marat, cet « homme de sang dont les crimes sont prouvés ». Louvet est exclu des Jacobins. Il multiplie les pamphlets contre la Montagne, qui demande sa tête, et, le 2 juin 1793, fait partie des vingt-deux députés décrétés d'arrestation. Commence alors une vie de proscrit, qu'il a évoquée dans le *Récit de mes périls* (1795). Il se cache en Normandie, se réfugie ensuite non loin de Quimper, s'embarque clandestinement pour Bordeaux, revient à Paris, part pour la Suisse. Rappelé à la Convention le 8 mars 1795, il en devient le président et se voit en butte à l'hostilité du parti royaliste. Il fait partie du Conseil des Cinq-Cents jusqu'à sa mort, qui survient dix jours avant le 18-Fructidor. La fin de la vie de ce républicain fougueux que le peuple avait déçu fut amère. Sa veuve, après avoir tenté de se suicider, défendit sa mémoire et poursuivit les contrefaçons de *Faublas.*

Faublas ou la destinée d'un « manœuvre d'amour »

Les Amours du chevalier de Faublas, qui réunissent les trois romans ayant pour héros un adolescent fripon, même si leur auteur souligna les intentions morales du dénouement, relatent avec gaieté les fredaines de cet irrésistible séducteur. Après Thermidor, Louvet prétendit avoir mêlé des « principes de philosophie et de républicanisme » à ces « légèretés ». S'agissait-il pour le vertueux disciple de Jean-Jacques, le révolutionnaire obsédé par le mal, de dénoncer une société corrompue? La question reste ouverte. Du moins son imagination est-elle gouvernée par le fantasme de l'inépuisable virilité et par la hantise du travesti, qui donnent l'impulsion première à la création d'un protagoniste masculin omnipotent, omniprésent et néanmoins inconsistant.

Placé au centre d'une constellation de femmes qui toutes « exercent l'activité de [son] cœur et l'inconstance de [ses] sens », le moins intellectuel, le moins dogmatique des libertins ignore rouerie, perfidie, préméditation, profitant seulement du « moment ». Ses exploits ne sont que charmants corps à corps avec des belles consentantes. Tout au plus abuse-t-il de sa « santé ». « Toujours séduit par l'objet présent », il vit sans problème apparent une permanente dislocation de son moi. A peine arrivé à Paris, bien né, riche, jeune et infiniment séduisant, Faublas naît à l'amour dans un parloir de couvent et au plaisir dans l'alcôve de la marquise de B... : double initiation qui écartèle *Une année de la vie de Faublas* entre les pôles de la volupté et du sentiment. Disponible pour toute aventure et cependant possédé d'une passion exclusive pour l'unique aimée, il est ce que veulent les circonstances. « La marquise régnait sur mes sens étonnés, mon cœur adorait Sophie » : tout juste entrevue, la « jolie cousine » sera l'Épouse, certitude que ne remettent pas en cause de nombreuses infidélités, parfois suivies de larmes, mais toujours répétées; tout juste goûtées, les facilités de la galanterie ne le sollicitent jamais en vain. Ainsi coexistent deux mondes parallèles, que le chevalier parcourt en multipliant les allées et venues de l'un à l'autre en un perpétuel recommencement, condamné à courir sans cesse comme si la rapidité de ses déplacements devait compenser son incapacité à se fixer. Un être d'élection aimante les élans de son cœur, mais toutes les femmes l'attirent. A la vie recluse dans un lieu confiné, défendu par de hautes grilles, s'oppose l'existence enfiévrée dans le labyrinthe d'un Paris galant avec escaliers dérobés, plaques de cheminée tournantes, échelles de corde, « sanctuaires de l'amour », boudoirs où pénètre par effraction l'effronté ou maisons de rendez-vous avec estampes, glaces, sophas accueillants et « draps de satin noir » qui mettent en valeur la blancheur d'une carnation. Cédant aux entraînements passagers, cet écervelé est comme aspiré par un vertige d'intrigues, de fuites et de poursuites, tout en gardant la nostalgie de la pureté. Comme Louvet s'intéresse moins à l'analyse qu'aux rebondissements de l'action, un net déséquilibre s'accuse entre les deux registres : celui du temps immobile, dont les possibilités romanesques sont vite épuisées, et celui où elles sont indéfiniment renouvelables. Les valeurs du sentiment ne sont pas remises en cause, mais les séductions et surprises de la douceur de vivre sans frein ni loi s'imposent.

Louvet fait évoluer son héros parmi des femmes galantes, des maris bernés, des soubrettes délurées et ne dédaigne point les ressources de la grivoiserie. Évitant la monotonie de la « liste » donjuanesque, il organise cette succession de folles journées et de non moins folles nuits sur les ambiguïtés du travesti. Pour déjouer les obstacles ou brouiller les pistes, les vêtements s'échangent. La fraude culmine dans des situations inversées : la marquise déguisée en vicomte de Florville donne rendez-vous à Faublas vêtu de l'amazone de Mlle du Portail. Portant avec grâce leurs falbalas, cet éphèbe s'immisce auprès des femmes, qui ne sont pas dupes de son apparence féminine, mais trompe les maris, dont il éveille les désirs. Louvet exploite donc le registre de l'équivoque, que ponctuent de piquantes séquences d'habillage et de déshabillage, des quiproquos sur des identités usurpées, des scènes de voyeurisme quand le visiteur du soir, tapi sous le sopha ou dans la remise aux carrosses, est réduit au rôle de spectateur. La présence de témoins indiscrets des ébats amoureux, l'indécision voulue de ces feintes, l'indétermination sexuelle de ces métamorphoses multiplient des scènes libertines dont le pouvoir érotique est menacé par le comique. Ce Fantomas de la jouissance, auquel ont été adressées, lors de l'épisode polonais de ses aventures, d'austères leçons — l'amour vertueux récompense des prouesses, civisme et sens du devoir commandent la vie —, bafoue ces valeurs en enlevant Sophie dont il a abusé, profitant de son évanouissement. La fille de la sublime Lodoïska et de l'héroïque Lovzinski, descendante du couple exemplaire qui incarnait les vertus romaines et républicaines, s'est laissé séduire; Faublas a transgressé l'ordre. On lui permet d'épouser celle qu'il n'a pas respectée, mais, dès que s'achève la cérémonie du mariage, il en est séparé.

La quête de la femme aimée fournit un nouveau départ romanesque aux *Six Semaines de la vie de Faublas*, puis à *la Fin des amours de Faublas*. Fidèle à ses talents de vaudevilliste, Louvet reprend le scénario de la cascade d'événements. Cédant à sa fascination de l'action pour l'action, il cultive les situations inextricables. Le choix impossible entre l'amour et la volupté s'est encore compliqué. Les *Six Semaines* proposent une autre version de l'éducation amoureuse que Faublas dispense à la très ignorante mais très douée comtesse de Lignolles, que son mari n'a point « épousée ». Cherchant Sophie, il va de la marquise à la comtesse, non sans rendre hommage aux charmes de Mme de Fonrose, de Justine, de Coralie, d'une nonne préposée à sa garde, d'une dévote ou de Mlle de Mésanges. Alors que de nouveaux engagements l'éloignent de son épouse. L'enjeu de leur séparation lui est signifié. Son beau-père Lovzinski se veut l'instrument de son rachat, punissant l'insouciante créature qui se jouait des interdits et lui indiquant l'impossible chemin de la régénération. Mais lorsque ces exigences sont formulées, Faublas est prisonnier non seulement des rêts que tisse sans trêve l'artificieuse marquise, mais aussi des promesses qu'il a faites à la possessive et passionnée comtesse de Lignolles. Paralysé par des serments contradictoires, incapable de répondre de ses actes, le « jeune homme aux cinquante noms » vit sous tutelle féminine, hypnotisé par les tendresses qu'il a fait naître, se plaignant que le ciel lui ait fait rencontrer « à la fois » plusieurs femmes qu'il a « toutes ensemble » adorées. Le destin choisit pour lui, dénouant la situation par la mort violente de ses deux maîtresses : l'une se suicide dans une scène de roman noir, l'autre reçoit le coup d'épée destiné à son amant. Lorsque Sophie lui est rendue, Faublas sombre dans la folie, conséquence d'un libertinage qui avait été « frénétique évacuation du moi ». S'il guérit grâce aux soins d'un aliéniste et à l'amour de Sophie, il vit à la cour de Varsovie, dépendant de son beau-père, privé de charges et d'emploi, réduit à n'être que père et époux, et il passe le reste de ses jours à ressasser des « souvenirs funestes ». Le dévergondage aimable s'inscrit sur fond de désespoir, de folie, de mort, révélant l'absurdité d'une vie consacrée aux travaux forcés du plaisir.

Relégué parmi les livres du second rayon, *les Amours du chevalier de Faublas* ont pourtant nourri les rêveries de Musset, de Pouchkine, de Verlaine, tandis que les critiques bien-pensants condamnaient cette « Astrée de la volupté libertine » ou cette « histoire obscène du vice sans voiles ». Des clichés, des longueurs déparent un ouvrage qui annonce le feuilleton et use des recettes du mélodrame, mais ce « journal de bonnes fortunes », que pimentent les folies du déguisement, évoque avec brio la griserie de la futilité quand la vie ressemble à un bal masqué.

BIBLIOGRAPHIE

Textes. — *Les Amours du chevalier de Faublas*, préf. P. Morand, Tchou, 1966; *Romanciers du XVIIIe siècle*, t. II, éd. Étiemble, Gallimard, La Pléiade, 1965; *les Amours du chevalier de Faublas*, éd. M. Crouzet, « 10/18 », 1966 (cette édition qui est précédée d'une excellente introduction de M. Crouzet : « le Dernier des libertins » ne reproduit que la première partie du roman : *Une Année de la vie de Faublas*). Il n'existe pas d'édition des Œuvres complètes de Louvet de Couvray. *Émilie de Varmont ou le Divorce nécessaire et les amours du curé Sévin* n'a pas été réédité depuis 1791. Ses Mémoires, *Quelques Notices pour l'histoire et le récit de mes périls depuis le 31 mai 1793* (Paris, an III) ont été repris au XIXe siècle dans la collection des Mémoires relatifs à la Révolution française (Paris, 1823).

A consulter. — Péter Nagy, *Libertinage et révolution*, Gallimard, « Idées », 1966; Henri Coulet, *le Roman jusqu'à la Révolution*, t. I, Paris, A. Colin, 1967; Dietmar Rieger, « Les Amours du chevalier de Faublas von Louvet de Couvray, ein Roman und seine Kritiker », *Romanische Forschungen*, 4, 1970, p. 536-577; Pierre Fauchery, *la Destinée féminine dans le roman européen du dix-huitième siècle 1713-1807 : essai de gynécomythie romanesque*, Paris, A. Colin, 1972; N.S. Truci-Tojussen, « l'Elemente teatrale ne *les Amours du chevalier de Faublas* di Louvet de Couvray », *Paragone*, n° 276, février 1973, p. 23-52; Frederick Victor Benson, *Libertinage, sensibilité dans l'œuvre littéraire de Louvet de Couvray*, thèse de 3e cycle, Montpellier, 1974 (cet ouvrage comporte aussi une biographie de Louvet); S.F. Davies, « Louvet as

Social Critic », Oxford, *Studies on Voltaire,* CLXXXIII, p. 223-237, 1980.

Ch. MERVAUD

LOUŸS Pierre, pseudonyme de **Pierre Félix Louis** (1870-1925). A demi secrète, livrée du bout des doigts — et, de préférence, dans des collections luxueuses —, l'œuvre de Pierre Louÿs ne fut jamais destinée à un large public, comme si elle était vouée à une pénombre dont elle ne serait jamais sortie; est-ce parce qu'elle célèbre avec trop d'élégance et de raffinement un érotisme parfois leste, voire libertin, parfois violent et dramatique, le plus souvent languide?

Érudit, créateur et mystificateur

Descendant d'une famille qui compte quelques célébrités — il est l'arrière-petit-fils du docteur Sabatier, médecin de Napoléon, et le petit-neveu du général Junot, duc d'Abrantès —, Pierre Louis, bientôt Louÿs, fut un élève brillant, batailleur, et se lança très tôt dans l'aventure littéraire : à dix-neuf ans, il est présenté à Leconte de Lisle; à vingt ans, il dirige une petite revue, *la Conque,* qui publie des poèmes inédits de Heredia, Mallarmé, Verlaine, Moréas, et ceux d'un ami fidèle, Valéry, à côté de ses propres vers. Le voilà donc mêlé aux milieux parnassiens et symbolistes; mais s'il donne des poèmes à *la Revue blanche,* à *la Plume,* au *Mercure de France* et au *Centaure,* il ne se voue pas exclusivement à la poésie, et en 1893, il publie, parallèlement à une plaquette en vers, *Astarté,* une traduction de Méléagre qui révèle son étonnante érudition et son goût pour l'hellénisme. Cette oscillation entre création et érudition, qui est le propre de sa vie littéraire, trouve un épanouissement dans *les Chansons de Bilitis* (1894), le chef-d'œuvre de Pierre Louÿs, qui est aussi un exemple de mystification puisque l'ouvrage fut donné pour une traduction et que bien des spécialistes s'y laissèrent prendre. Le succès couronne bientôt un roman « de mœurs antiques », *Aphrodite* (1896), révélé par un article de Coppée, et, après un récit contemporain, *la Femme et le Pantin* (1898), paraissent un roman leste, *le Roi Pausole* (1900), et un conte cruel, *l'Homme de pourpre* (1901). Pierre Louÿs voyage en Angleterre, en Andalousie, en Algérie, avant de s'enfoncer dans une semi-stérilité. Il s'isole, collabore à *la Revue des livres anciens,* appréciée des érudits, et continue, en bibliophile passionné, à se procurer des exemplaires rares et précieux. Au hameau de Boulainvilliers, où sa santé décline rapidement, il reprend, au milieu de travaux de recherche et d'exégèse, une ébauche de ce qui sera son grand poème, le *« Pervigilium mortis ».* L'année de sa mort, en 1925, paraîtra un recueil de contes, *le Crépuscule des nymphes,* avec des textes publiés précédemment comme *Léda, Ariane* ou *Byblis,* dans lesquels la mythologie sert de fond à des amours douces et parfois tragiques. Dans cette existence commencée avec un brio et un dandysme où s'alliaient élégance et provocation, et qui s'acheva dans la solitude, deux figures essentielles dominent : les femmes et les livres — en réalité, double objet d'un même désir, car ce que le bibliophile ou le créateur cherche dans le livre, c'est le corps de la femme. Pierre Louÿs nous montre ainsi le visage d'un moderne : celui qui, dans le texte, poursuit un Éros imaginaire.

La chair et le marbre

Dans les deux œuvres majeures de Pierre Louÿs, *les Chansons de Bilitis* et *Aphrodite,* l'érudition est inséparable de l'érotisme : comme si l'évocation du passé permettait de dire plus directement le désir et devenait elle-même objet de désir : l'Antiquité est ici toujours voluptueuse. Le passé, comme la mort, opère une fixation de la beauté, et l'analogie entre le cadavre et le marbre se trouve soulignée à la fin d'*Aphrodite,* lorsque le sculpteur Démétrios prend pour modèle le corps sans vie de la courtisane dont le visage possède « une apparence de marbre froid ». Le corps de Chrysis est devenu plus semblable encore à une statue grecque. Marbre et sculpture : *Aphrodite* est bien un roman parnassien. Mais le marbre, symbole d'une beauté indestructible, n'est que la glaciation de la chair dont la présence dans l'œuvre n'est jamais édulcorée : il ne s'agit pas pour Démétrios de trouver dans l'art une sublimation.

Seulement le marbre, la beauté s'accordent mal avec les pratiques libertines évoquées. Sous la grâce du corps féminin surgit une libido vivace, et l'Éros n'a pas de limites; ou, plutôt, il les recule sans cesse : il se plaît à la métamorphose (les diverses amours de Bilitis), oublie l'âge ou la différence sociale et se joue si bien des tabous que, dans l'œuvre poétique, par exemple, les nymphes, les naïades, des déesses « aux seins étoilés » se plaisent avec les satyres, les cygnes, les paons, etc., dans des jeux très ambigus. Mièvrerie hellénisante et bestialité : à croire que Pierre Louÿs, devançant Georges Bataille, pour qui la beauté, « négatrice de l'animalité », est désirable dans la mesure où elle y renvoie, élaborait un érotisme de l'écart. Mais ici les tabous sont levés avec la légèreté et la désinvolture d'un libertinage souriant. Reste à savoir si, précisément, le sourire n'autorise pas l'inceste, la bestialité, la profanation et, en fin de compte, la mort, et si le plaisir qui englobe narrateur et lecteur ne provient pas de cette levée des résistances si délicatement opérée.

L'unicité de l'objet tuerait l'érotisme : double mortel d'Aphrodite, Chrysis a contrarié l'idéal de sagesse amoureuse en voulant donner à la volupté le sel de la passion, sans savoir qu'il ne peut que se transformer en sang; elle en meurt. Le délice (d'un plaisir facile qui se perpétue en se portant toujours sur de nouveaux objets) ou la mort : on voit donc se dessiner une forme de morale ou de contre-morale. Pierre Louÿs se fait le chantre d'un libéralisme sexuel. Dans *le Roi Pausole,* il préconise de la même façon la tolérance sociale et libidinale; il plaide avec le même humour malicieux pour l'individualisme et pour le nu. Le libertinage est promu au rang de sage philosophie.

En contrepoint à cet érotisme apparemment délicat, souvent plus suggestif que descriptif, toute une partie de l'œuvre — qui a longtemps circulé sous le manteau — offre des textes d'une rare crudité. Là, on ne trouve plus la nymphe alanguie et gracieuse, ni cette sensualité précieuse, cet esthétisme presque déliquescent qui marquait bien la fin de siècle. Érudition, mythologie s'effacent, et le corps de la femme devient une machine à désir, à plaisir : le saphisme, élément récurrent de toute l'œuvre, va dans ce sens. On n'en finira pas de dénombrer, chez Pierre Louÿs, les diverses facettes d'Éros, non plus que ses écartèlements.

BIBLIOGRAPHIE

Nombreuses études biographiques : R. Cardinne-Petit, *Pierre Louÿs intime,* Jean Renard, 1942 et *Pierre Louÿs inconnu,* Éd. de l'Élan, 1948; Robert Fleury, *Pierre Louÿs et Gilbert de Voisins, une curieuse amitié,* Tête de feuilles, 1973, G. Millan, *Pierre Louÿs ou le Culte de l'amitié,* Aix-en-Provence, Pandora, 1979. Plus littéraire, M. di Maio, *Pierre Louÿs e i miti decadenti,* Rome, Bulzoni, 1979.

Au titre des « lectures » de *la Femme et le pantin,* il faut signaler les nombreuses adaptations cinématographiques du roman : notamment par J. de Baroncelli (1929), J. von Sternberg (1935), J. Duvivier (1958), L. Buñuel (1977, sous le titre *Cet obscur objet du désir*).

F. COURT PEREZ

LOZEAU Albert (1878-1924). V. QUÉBEC (littérature du).

LUMIÈRES. L'histoire littéraire a l'habitude de présenter notre passé culturel par tranches séculaires et de nommer le XVIIIe siècle l'âge des Lumières. Ce terme désigne, en fait, un mouvement philosophique et littéraire qui ne se confond pas avec la période allant de la mort de Louis XIV à la Révolution.

Unité des Lumières

La philosophie des Lumières prend conscience d'elle-même à travers l'entreprise encyclopédique, qui rassemble un grand nombre d'hommes de lettres, dont leurs doyens Montesquieu et Voltaire, autour de D'Alembert et de Diderot. Le prospectus (par Diderot) en 1750, et le Discours préliminaire (par d'Alembert) qui ouvre le premier tome en 1751 présentent cette entreprise comme une histoire de l'esprit humain et un acte de foi dans ses progrès futurs, auxquels l'*Encyclopédie* entend concourir. Les Lumières, c'est à la fois la raison humaine dans son indépendance et dans sa rigueur, et la masse des connaissances qu'elle accumule et que l'*Encyclopédie* recense. Le projet se réclame de l'exemple de Bacon, du rationalisme cartésien et de l'empirisme anglais.

Plus largement, on peut placer aux origines des Lumières deux ensembles intellectuels qui s'opposent au système religieux dominant : l'héritage antique, d'une part, et, de l'autre, la pensée scientifique moderne dans ses paradigmes rationaliste et mathématique ou empirique et physique. On inscrira donc les Lumières dans un large phénomène de découverte de l'Antiquité qui commence avec la Renaissance ou bien dans un âge classique marqué par la coupure cartésienne et par les découvertes de Copernic, Galilée, Newton...

Dans un cas comme dans l'autre, les Lumières se caractérisent par une laïcisation généralisée : laïcisation du monde, qui n'est plus pensé comme un ensemble clos et hiérarchisé mais comme un univers infini; laïcisation de la philosophie, qui cesse d'être considérée comme la servante de la théologie, pour devenir un moyen de connaître et de transformer le réel et qui passe de la contemplation à l'action militante; laïcisation de la morale, qui substitue à l'idée de salut celle de bonheur terrestre; laïcisation de la société, enfin, dont les anciennes structures sont mises en cause par la notion d'individu. Le sensualisme de Locke adapté en France par Condillac édifie l'être humain à partir de la seule expérience sensorielle et la société à partir d'une réciprocité des besoins.

Une telle laïcisation devient anticléricalisme quand l'Église apparaît comme force de résistance au progrès. La seconde moitié du XVIIIe siècle français voit s'opposer avec violence tenants des Lumières et défenseurs de l'orthodoxie. Les enjeux de la lutte sont le contrôle de l'appareil culturel du pays, du système éducatif, de l'administration royale. La période d'euphorie qui s'étend de 1750 à 1770 environ correspond à un moment d'expansion économique. La volonté de réformer le pays dans le sens d'une rationalisation et d'une libéralisation, le souci d'un savoir tourné vers ses applications pratiques marquent les liens de cette pensée et des besoins et aspirations de divers groupes de la bourgeoisie se heurtant aux entraves féodales. Les décennies 1770 et 1780, particulièrement critiques, se caractérisent par l'accession de partisans des Lumières à des postes de responsabilité dans l'État et par l'éclatement des contradictions inhérentes à cette philosophie. La Révolution, en réalisant une partie du programme des Lumières, suscite une crise et une mutation de leurs valeurs.

Une image slogan

L'opposition de l'ombre et de la lumière appartient aux premières expériences de l'humanité, et leur polarisation affective remonte aussi haut que la mémoire de l'espèce. Les religions ont traditionnellement valorisé la clarté comme signe du divin et associé la nuit au mal. Avec la définition de la raison comme lumière naturelle, l'image s'écarte de sa spécialisation religieuse, mais cette lumière individuelle peut rester reflet de l'esprit divin. L'originalité des Lumières est de passer d'une perspective verticale transcendante à une horizontalité purement terrestre et, parallèlement, du singulier au pluriel. A la lumière, émanation de Dieu, se substituent des centres de lumières que le travail humain s'efforce de multiplier.

L'image est développée par une série de métaphores. Le progrès des Lumières est assimilé au lever du jour et à l'ascension du soleil, mais la métaphore reste ainsi prisonnière d'une conception cyclique de l'histoire alors que, précisément, la philosophie veut ouvrir celle-ci au progrès linéaire. Un tel progrès suppose une raison qui ne se sépare pas du sentiment, un savoir qui se veut socialement utile et moralement bienfaisant. Mais les adversaires des Lumières font éclater cette unité. Ils les réduisent à une clarté glacée, à une ironie corrosive, ou, inversement, les associent à l'image du feu qui embrase la société.

L'image qui présente la vérité comme évidence et le savoir comme vision risque de fonctionner comme obstacle épistémologique. Elle occulte les contradictions qui travaillent les rapports de la sensation à la pensée, de l'activité humaine à la nature, de l'individu à la communauté. Elle a partie liée avec deux choix idéologiques : un positivisme qui fait du savoir une accumulation de connaissances; un réformisme qui remplace toute action politique par un effort pédagogique.

Diversité et contradictions

Les Lumières ainsi évoquées dans leur logique historique ou métaphorique n'ont rien d'un mouvement monolithique. Le siècle est jalonné de ruptures : celle de Rousseau et des encyclopédistes, celle, plus larvée, de Voltaire et des matérialistes. La laïcisation du monde peut s'inscrire dans le cadre d'un déisme qui maintient un Dieu garant de l'ordre moral ou, au contraire, déboucher sur le matérialisme. Cette opposition est aussi celle qui distingue les Lumières françaises de l'*Aufklärung* allemande ou l'*Enlightenment* anglais.

L'espérance historique des Lumières ne va pas non plus sans ambiguïtés. Du libertinage érudit du XVIIe siècle et de « la crise de la conscience européenne » à ce que Jean Fabre a nommé « le midi des Lumières », on passe d'un pessimisme qui réserve la vérité à une élite, à un optimisme qui postule une diffusion du savoir et une perfectibilité de l'homme. Mais le choix politique du despotisme éclairé marque les limites d'un tel optimisme. Si 1789 a été salué par les derniers représentants des Lumières, aucun d'entre eux n'a approuvé l'entrée effective des couches populaires sur la scène politique. Du libertinage érudit de Bayle au libertinage moral de Sade, les Lumières restent habitées par la tentation élitiste.

L'association des Lumières et de la pensée bourgeoise ne doit pas être schématique. Les revendications de rationalisation et de libéralisation correspondent aux intérêts du dynamisme économique, mais les Lumières mêlent à cette idéologie des éléments à la fois pré- et postbourgeois. Les vieux modèles de communauté paysanne ou artisanale traversent les œuvres de Meslier, de Morelly, de Rousseau. Dom Deschamps stigmatise ce qu'il nomme des demi-Lumières, incapables d'échapper à l'idéalisme et à l'individualisme et de fonder un matérialisme radical. Sade enfin, fidèle à sa morgue aristocratique, refuse tout lien entre progrès intellectuel et progrès moral. Ces diverses démarches utopiques définissent autant de marges des Lumières, marges qui assurent leur irréductible polysémie.

Après la crise révolutionnaire, les Lumières laissent place à l'Idéologie (Destutt de Tracy, Volney, Daunou...), qui se replie sur les recherches physiologiques et médicales, et aux deux systèmes de pensée antagonistes qui accompagnent le développement du capitalisme : le libéralisme et le socialisme. Chacun de ces mouvements constitue sa propre image des Lumières, dont l'interprétation est devenue un champ de luttes idéologiques. Les débats contemporains sur les totalitarismes et les droits de l'homme font régulièrement référence à des Lumières qui n'en peuvent mais.

BIBLIOGRAPHIE

Dans le foisonnement des titres, on retiendra les travaux suivants, dont les dates de publication et les perspectives sont diverses et reflètent la complexité de ce champ de recherche : Paul Hazard, *la Crise de la conscience européenne (1680-1715)*, Boivin, 1935; — *la Pensée européenne au XVIIIe siècle de Montesquieu à Lessing*, Boivin, 1946; Robert Mauzi, *l'Idée de bonheur dans la littérature et la pensée françaises au XVIIIe siècle*, Colin, 1960; Jean Ehrard, *l'Idée de nature en France dans la première moitié du XVIIIe siècle*, S.E.V.P.E.M., 1964; Jean Starobinski, *l'Invention de la liberté, 1700-1789*, Genève, Skira, 1964; Ernst Cassirer, *la Philosophie des Lumières* (texte allemand de 1932), Fayard, 1966; Roland Mortier, *Clartés et ombres du siècle des Lumières*, Genève, Droz, 1969; Georges Benrekassa, *le Concentrique et l'excentrique : marges des Lumières*, Payot, 1980.

Un état actuel de la recherche sur les Lumières peut être établi grâce aux volumes annuels de la revue *Dix-Huitième Siècle* (Garnier depuis 1969) et à ceux des *Studies on Voltaire and the Eighteenth Century* (depuis 1955, à Genève, puis à Oxford).

M. DELON

LUMUMBA Patrice (1925-1961). La figure héroïque de Lumumba, Premier ministre du Congo (aujourd'hui Zaïre) en 1960, assassiné en 1961, est un des mythes de l'Afrique d'aujourd'hui. La littérature s'est emparée de lui lorsque Césaire l'a illustré dans *Une saison au Congo* (1966). Certes son destin, brillant et cruel, a de quoi tenter un poète, mais, homme de verbe et homme de foi, Lumumba a surtout laissé des textes destinés à devenir le levain d'une pensée africaine libre, au-delà des circonstances qui les ont suscités. Lumumba est d'ailleurs tout autre chose qu'un écrivain de circonstance. Il a écrit des poèmes dont la facture est loin d'être médiocre, animés de la flamme dont brûlait son cœur et son esprit.

La conjonction en lui de la parole et de l'action a fait de Lumumba plus particulièrement un orateur politique qui ressuscite les grands moments de l'histoire où se sont rencontrées une situation et la parole d'un homme. En face de la coalition des intérêts, il a pesé, en effet, du seul poids de ses mots : « Le Congo n'est plus un empire de silence ». Relire ses *Discours*, c'est refaire le chemin d'une tentative désespérée d'opposer l'éloquence à la force. Tribun redouté, il fut emprisonné pour avoir soulevé les populations contre le pouvoir colonial belge. Le fameux discours du 30 juin 1960 le montre, le jour même de l'Indépendance, dénonçant l'hypocrite « paix des fusils » qu'elle constituait du fait des conditions léonines dont elle était assortie. C'est encore par un discours qu'il triomphe du coup de force par lequel on cherche à l'évincer. Il succombera lorsque les troupes de l'O.N.U. lui auront interdit l'accès à la radio nationale. Du fond de sa prison, il trouve encore les irremplaçables mots qui disent simplement la cruelle réalité : « Notre pauvre peuple dont on a transformé l'indépendance en une cage de fer d'où l'on nous regarde du dehors, tantôt avec cette compassion bénévole, tantôt avec joie et plaisir ».

BIBLIOGRAPHIE

Le Congo, terre d'avenir, Bruxelles, Office de publicité, 1961; *la Pensée politique de Lumumba*, textes recueillis et présentés par Jean Van Lierde, préf. de J.-P. Sartre, Paris, Présence africaine, 1963.

O. BIYIDI

LUSSAN Marguerite de (1686?-1758). Elle était probablement la fille d'une diseuse de bonne aventure et du prince Thomas de Savoie, qui veilla sur son éducation et la fit accueillir dans la société parisienne. Elle écrivit des contes de fées à décor antique, *les Veillées de Thessalie* (1731), et de nombreux romans historiques dont *les Anecdotes de la cour de Philippe-Auguste* (1733) — qui popularisèrent l'horrible légende de Gabrielle de Vergy et du sire de Coucy, reprise plus tard par Belloy et Baculard d'Arnaud —, *les Anecdotes de la cour de Childéric* (1736), *les Anecdotes de la cour de François Ier* (1748), *les Annales galantes de la cour de Henri II* (1749). Chez Marguerite de Lussan, le passé devient le lieu mythique où une nature séduisante et sauvage laisse s'exprimer, de l'adultère à l'inceste (*Henri II*), les passions les plus interdites, et dans lequel paradoxalement règne un sens du péché bien oublié par les roués du siècle de Louis XV. D'où une nostalgie ambiguë qui s'exprime par une narration haletante coupée de maximes pessimistes, et une contradiction résolue par un recours systématique au concept ambigu de sensibilité : « Je sens que ma passion ne fut jamais plus forte. Vous l'avez payée d'une sensibilité qui, sans rien coûter à votre austère devoir, a fait le bonheur et le malheur de ma vie » (*Philippe-Auguste*). Appréciée jusqu'au début du XIXe siècle, Mlle de Lussan apparaît comme une des initiatrices du « genre troubadour ».

BIBLIOGRAPHIE

Doris Cuff, « Introduction à une étude sur Marguerite de Lussan et le roman historique au début du XVIIIe siècle », *Revue d'histoire littéraire de la France*, XLIII, 1936; J. Rustin, « Amour, magie et vertu, *les Veillées de Thessalie* », *Bull. Fac. Lettres Strasbourg*, 41, 1962; A. Nikliborc, « Une Romancière oubliée, Mlle de Lussan », *Romanica Wratislaviensia*, Wroclaw, VII, 1972.

J.-P. DE BEAUMARCHAIS

LYRISME MÉDIÉVAL. Dès la seconde moitié du XIe siècle s'amorce, dans la civilisation occidentale, un renouveau qui n'est pas encore un âge d'abondance, mais qui s'explique principalement par l'essor de l'agriculture, lié aux grands défrichements et aux progrès techniques, par la poussée démographique, par le développement de l'artisanat et du commerce. Les premiers bénéficiaires en sont naturellement les puissantes familles princières, qui voient du même coup s'accroître leur prospérité et leur pouvoir. Le pouvoir féodal est fondé, on le sait, sur le rapport personnel qu'établit le suzerain avec chacun de ses vassaux, et, au-delà, le vassal avec chacun de ses hommes. Ce réseau d'alliances, sacralisé par le rite de l'hommage, constitue un monde dont la hiérarchie est très organisée, et où chacun trouve son compte : le suzerain, dispensateur de nourriture, d'armes, de biens et de justice, s'assure ainsi la fidélité de ses hommes; le chevalier, dont la situation morale et matérielle est médiocre, n'aspire qu'à plaire à son seigneur, à respecter ses engagements et à s'intégrer à la collectivité de la cour. L'adjectif « courtois » traduit donc à la fois la relation morale et affective qui lie l'individu à un plus puissant que lui et la relation sociale qui l'inclut dans la communauté. On comprend mieux ainsi que l'engagement courtois concerne bien moins une parole amoureuse que l'adhésion à une idéologie tendant à promouvoir l'image d'un ordre universel.

La chanson courtoise du trouvère

C'est dans le monde clos de la Cour qu'est né et que s'est développé l'amour courtois, la « fin'amor », dont la chanson d'amour, appelée parfois le grand chant courtois, est l'expression privilégiée. Le lecteur moderne qui aborde ces textes est dérouté par l'utilisation systématique de motifs plus ou moins stéréotypés et par la dépersonnalisation outrancière du ton : le trouvère élimine délibérément toutes les marques du vécu, tout désir charnel, tout aveu. La dame qu'il chante n'est pas la femme qu'il désire ou qu'il aime. Elle est un être dénué des attraits de son sexe, de sa sensualité, privé d'une parole spécifique; un être mythique, récompense promise à toutes les aspirations, instrument de la révélation de la beauté et de la connaissance, maîtresse absolue d'un univers mental incarné par Amour. Le matériel grammatical de la chanson d'amour est profondément ancré dans le vocabulaire de la féodalité : le poète transpose la relation amoureuse dans le registre vassalique. Il abdique tout désir et toute volonté au profit de l'hommage et de la fidélité à la Dame-Amour, quête de soi obsessionnelle qui exige le refus des sens et de la réalité quotidienne. Les limites de cette quête sont les limites mêmes du poème. La chanson courtoise n'est pas une chanson d'amour; elle est un espace sacré, le lieu de la contemplation et de la célébration de l'idéal d'une aristocratie; le temple d'un groupe d'élus par la naissance, qui s'entoure de murailles de plus en plus solides, qui se coupe du monde des « vilains » et des « bourgeois » et développe une esthétique et une éthique de classe, nettement distinctes du renouveau spirituel lancé par Cluny, puis par Cîteaux, comme si l'homme sans Dieu mais avec l'amour était une fin suffisante en soi. [Voir aussi COURTOISIE].

Lyrique d'oïl et lyrique d'oc

Chez les trouvères, la laïcité de la quête s'accompagne de plus d'exigence, de plus de sobriété et de clarté que chez les troubadours. Cela tient au fait que la plupart d'entre eux étant d'origine noble — Conon de Béthune, le châtelain de Coucy, Thibaut de Champagne, roi de Navarre —, la distance qui séparait à l'origine le chevalier de la dame de la Cour n'existe plus; a disparu aussi le point de départ de l'exaltation qu'était la situation d'adultère. Mais, dans l'ensemble, la poésie du Nord reste redevable de la production lyrique du Sud, tant dans sa thématique que dans ses structures formelles. On a longtemps méprisé l'application avec laquelle les trouvères imitaient les troubadours, parce qu'on comprenait mal l'originalité de cette lyrique; elle est à déceler dans la variation que le poète apporte à l'organisation et à l'articulation des motifs stéréotypés. Le « je » du poète n'a qu'une existence grammaticale; il lie le chant du trouvère au discours commun, et il est si objectif qu'il devait fonctionner, à l'audition, comme le « je » de toute une collectivité. On ne peut donc chercher le lyrisme du côté de la création et de la fabrication d'une telle poésie, mais plutôt du côté de sa réception.

Il est certain que la chanson d'amour en langue d'oïl — comme le *Minnesang* allemand, d'ailleurs — a été empruntée à la lyrique d'oc; et l'influence, thématique et technique, se manifeste en général une cinquantaine d'années après. On sait aussi que quelques troubadours et trouvères étaient en contact les uns avec les autres. On connaît enfin le rôle qu'aurait joué Aliénor d'Aquitaine — petite-fille du premier troubadour Guillaume IX — qui épousa successivement Louis VII, roi de France, et Henri II Plantagenêt, roi d'Angleterre. On ne doit pas oublier cependant que la diffusion et la transmission de la production lyrique d'oc et d'oïl ne sont pas encore bien expliquées, et qu'on ne peut donc avancer qu'avec précaution dans le domaine des influences. Le mode de transmission était plus oral qu'écrit, donc instable; il était assuré, au moins dans le Sud, par des jongleurs, qui pouvaient à leur gré modifier les textes; quant à la tradition manuscrite, elle révèle, d'une part que le texte qui nous parvient n'est jamais de première main et, d'autre part, que si la production lyrique du Nord a été fixée dès le XIIIe siècle, celle du Sud l'a été de façon relativement tardive — XIIIe siècle et surtout XIVe, voire XVe siècle, et le plus souvent par une main étrangère : italienne, catalane ou française. La distribution des mélodies fait elle aussi difficulté : elles nous ont été conservées dans la proportion de 1/10 pour les chansons des troubadours et de 9/10 pour celles des trouvères. Faut-il en déduire que le texte était plus important que la mélodie chez les uns et inversement chez les autres? Rien n'est moins sûr, car la musique troubadouresque est plus recherchée et plus savante. Pourtant, dans la chanson d'amour, texte et mélodie sont étroitement imbriqués, et l'on ne devrait donc pas les dissocier dans l'étude. Il faut reconnaître enfin que nous ne savons pas encore lire avec certitude les notations musicales dont nous disposons.

Ces réalités, mises au jour par des travaux récents, écartent l'idée trop répandue qu'il y aurait eu en pays d'oc une lyrique originale et en pays d'oïl une lyrique d'imitation. Dans les deux cas, il s'agit d'une poésie chantée, produite dans un seul et même milieu, celui de la Cour, et destinée à un public d'élite, probablement très averti.

La tradition folklorique

A côté de la chanson courtoise, qui rayonne sur cette première partie du Moyen Âge et qui influencera encore en profondeur la poésie des XIVe et XVe siècles, s'épanouissent, plus dans le Nord que dans le Sud, une série de genres apparemment secondaires mais dont la masse et la diversité ne sont pas négligeables. Mis à part le « jeu-parti » et la « chanson de croisade », qui utilisent ou déploient les mêmes motifs que ceux de la chanson, la « chanson d'ami », la « chanson de malmariée », l'« aube », et la « chanson de toile » (ou « d'histoire ») développent les motifs d'une tradition probablement orale et d'origine folklorique. Il ne s'agit point d'amour courtois mais de manifestations naturelles et contradictoires du sentiment d'amour. Évidemment cette production subit l'influence de la chanson courtoise, et elle a pu être mise parfois en relation antithétique avec elle, comme c'est le cas de la « pastourelle ». Dans l'ensemble, pourtant, elle reproduit une parole spécifiquement féminine, directe et spontanée (attente de l'ami, douleur de l'absence ou de l'infidélité, séparation des amants à l'aube, tyrannie aveugle du mari, etc.); elle constitue pour nous un document assez exceptionnel sur la vie quotidienne et la condition de la femme à cette époque.

La lyrique du Nord enfin a su capter et assimiler la diversité du monde socioculturel qui lui était propre; naturellement, elle n'a pu éviter de marquer les genres d'origine populaire de son influence savante. Elle témoigne en tout cas, par les « rondets de carole », les « ballettes » et les « rotrouenges », par les « chansons à la Vierge » et les « motets », par les « resveries » et les « fatrasies », que la population des bourgs, comme celle de la Cour, savait chanter et danser, prier et pleurer, rire et se moquer.

De la lyrique collective au lyrisme individuel

Dès la fin du XIIe siècle, la poésie lyrique est moins dominée par la noblesse de la chanson courtoise des milieux aristocratiques. Elle reflète une mentalité nouvelle qui s'ouvre à l'expérience et cherche à comprendre l'aventure de l'homme autant dans la réalité quotidienne de la bonne vie, du plaisir, de la maladie et de la mort que dans les grandes interrogations sur l'amour, l'univers et la foi que soulèvent la découverte de la pensée aristotélicienne par le biais des commentateurs arabes et le développement des universités où naît, dans la réflexion et la recherche, l'esprit d'indépendance qui les mettra aux prises avec le pouvoir politique et religieux. C'est aussi l'époque où les jongleurs se multiplient et accélèrent la diffusion et le brassage des œuvres littéraires à l'intérieur du pays mais aussi entre les couches sociales. Ce sont des artistes de l'invention, de la fantaisie, du jeu, du plaisir et des mots et, bien entendu, de la quémandise, puisque leur activité dépend de la rémunération qu'ils obtiennent des aristocrates et des bourgeois. Ils savent même conjuguer leurs efforts et se regroupent en confréries et corporations. Il y a parmi eux des auteurs et des compositeurs qui font partie, au même titre que les bourgeois, d'associations littéraires, les « puys », dont le plus célèbre était celui d'Arras. Le monde des jongleurs offre une image assez juste de la vitalité d'une poésie désormais engagée dans une relation assez particulière. La protection du bourgeois se manifeste par une rémunération; il n'y a donc plus de fidélité à la parole donnée, et l'artiste a la possibilité — en principe, du moins — de rompre son contrat.

Le poète devient une sorte d'acteur, une voix, un écho du foyer, de la rue, de la ville, de l'Université. Inspiration variée, disparate même, qu'illustre le plus fécond créateur du XIIIe siècle, Rutebeuf. L'œuvre poétique, qui n'exprime pas encore le « moi » de l'écrivain, est marquée par un ton personnel, un ton qui unifie la parole multiple d'une société entière et non plus d'un groupe.

Quand on considère, par exemple, l'expression du thème des difficultés conjugales, le ton de Colin Muset est celui d'une sorte de badinage épicurien, familier et gracieux; la plainte de Rutebeuf, apparemment plus dramatique, est plus liée à la quémandise et à la liberté de création poétique, laquelle ne peut s'épanouir sans un minimum de confort moral et matériel; quant à la protestation douloureuse d'Adam de la Halle, elle relève d'une angoisse personnelle et prend la forme d'une révolte assez violente. Mais l'aliénation et la ruine de l'homme par le mariage sont une sorte de lieu commun qui traduit la méfiance bourgeoise à l'égard de la femme et que charrie le courant anti-courtois et anti-féministe, en partie gonflé par la littérature des goliards.

La poésie pieuse de Gautier de Coincy, les admirables *Congés* de Jean Bodel et de Baude Fastoul, que la lèpre voue à l'exil et à la mort, ou celui qu'Adam de La Halle adresse à sa ville natale, qu'il hait, les poèmes de l'Infortune, ou les dits et les complaintes où Rutebeuf attaque violemment l'hypocrisie et la répression de l'Église, nous laissent imaginer à quel point la parole poétique a pu être vivante et active au XIIIe siècle. Le poète a compris qu'il était un miroir renvoyant à la société l'image de ses drames et de ses certitudes, qu'il ne devait pas constituer lui-même un filtre trop réducteur ou un écran, qu'il était d'abord un artisan et, parfois, un artiste fidèle aux techniques que sa confrérie lui donnait en héritage, à l'alchimie de la versification, de la rime et du jeu de mots.

La recherche d'un nouvel ordre

L'idéal chevaleresque, fondé sur l'abnégation et la fidélité à la parole donnée, avait depuis longtemps évolué, en littérature, vers l'illusion d'une chevalerie romanesque et courtoise. Les difficultés économiques, les troubles sociaux, la montée d'une bourgeoisie qui n'a pas encore pleinement conscience de son ambition, les dissensions et les contradictions de l'Église, les hésitations de la politique confuse de Philippe VI plongent la cour de France et les cours provinciales dans un état de crise. La société française réagit en cherchant à consolider les bases de son idéologie, en tentant une reconstruction qui devrait aboutir à un nouvel ordre. Plus que jamais elle reste attachée aux valeurs sûres de l'idéal chevaleresque, si bien que la vocation première du poète est de célébrer les prouesses du nouveau seigneur, le prince. Cette poésie de la célébration n'est plus une poésie de l'exaltation; elle s'écarte de l'illusion de l'héroïsme, refuse les pièges de l'intrigue et de la passion politique, cherche, par la voie d'une sagesse nouvelle et d'une analyse de plus en plus lucide, à conformer le réalisme politique à l'idéal chevaleresque; un poète comme Guillaume de Machaut, après avoir mis sa plume au service de Charles de Navarre, n'hésitera pas à changer de camp pour rester fidèle à lui-même.

Brutalement, la recherche du nouvel ordre est remise en cause par une série de fléaux; la population, minée par la disette (1315-1317) et la famine (1340-1350), est décimée par la peste (1347-1357), puis par la guerre de Cent Ans. Le poète s'interroge alors sur les causes de ces calamités; les premières descriptions des villes sinistrées apparaissent, paysage urbain que l'écriture ne se contente pas de présenter mais qu'elle cherche à expliquer. On recourt à la théologie, bien sûr, mais aussi à l'astrologie, à la nouvelle pensée scientifique, qui repousse les limites du savoir. Ainsi la poésie essaie-t-elle, inlassablement, de rendre compte de tout, même de l'irrationnel, de comprendre la cohérence du monde. Consciente que la recherche scientifique ne met au jour les ruptures et les discontinuités que pour mieux les réintégrer dans l'ordre du monde, que l'alchimie — par exemple — perce les secrets de la nature universelle et trouve entre les éléments des correspondances, que la philosophie de l'amour courtois est confirmée par la sagesse stoïcienne, elle élabore une parole ferme et concise, fondée sur le nombre et le rythme, fixée dans les formes strictes du « rondeau », du « virelai », de la « ballade » et du « chant royal ».

L'allégorie et l'autonomie de la parole

La poésie développe surtout ce qui n'a jamais été, à l'époque, un banal procédé d'écriture mais un moyen de quête et d'interprétation, l'« allégorie ». Depuis le fameux *Roman de la Rose* de Guillaume de Lorris et de Jean de Meung, elle tentait de déceler les rapports secrets entre l'être et la création — illumination neuve et enthousiasmante qui parvenait enfin, par le biais de l'association et de l'abstraction, à unifier les différents niveaux de la perfection universelle. Son caractère indiscutablement rationnel et fondamentalement optimiste va permettre à toute une génération de poètes de faire évoluer le lyrisme médiéval. Dès lors qu'elle peut traduire l'harmonie de l'univers et y participer elle-même, l'écriture n'a plus besoin d'être en relation avec la mélodie. C'est l'œuvre de Guillaume de Machaut qui illustre le mieux cette transformation. Certes, le compositeur de la *Messe de Nostre Dame* a laissé quantité de poèmes à forme fixe dont le texte est d'une importance secondaire en regard de la construction polyphonique. Mais sa recherche l'a conduit à différencier, dans l'*Art de dictier,* la musique « artificielle », c'est-à-dire instrumentale, de la musique « naturelle », c'est-à-dire de la poésie; son *Voir dit* ouvre la voie au nouveau lyrisme, ce qui laisse au « moi » du poète la possibilité de devenir le sujet même du poème.

L'innovation, un peu isolée, ne doit pas faire oublier que la poésie reste très attachée aux formes de la lyrique traditionnelle, d'autant que le développement des cours princières, dans la seconde moitié du XIVe siècle, s'accompagne d'une réaction favorable aux valeurs de la féodalité et de la courtoisie. On pourrait croire que le recours à l'ordre courtois, dans sa philosophie et dans ses formes, ne favorise guère le renouvellement de l'inspiration, et que l'académisme des « cours d'amour », qui se multiplient, réduit l'activité poétique à un divertissement mondain. La prolifération des œuvres tributaires de la chanson d'amour prouve bien que l'activité poétique s'est en partie substituée aux activités guerrières et politiques et qu'elle trouve dans l'inspiration traditionnelle l'unité dont la société a besoin. A y regarder de près, on constate que beaucoup de ces textes présentent un équilibre miraculeux entre la convention d'une poésie formelle et la réalité d'une existence souvent difficile ou cruelle : l'œuvre d'Eustache Deschamps exprime l'actualité d'une certaine décadence; celle d'Alain Chartier, la conscience politique et l'éveil d'un sentiment national. La poésie courtoise a trouvé en elle la ressource étonnante d'assimiler sans rupture les thèmes les moins courtois qui soient, qu'il s'agisse de célébrer les fêtes populaires de mai, d'évoquer la misère des pauvres, premières victimes de la guerre, ou de dénoncer la corruption. Elle révèle ainsi son unité profonde, qui est l'inspiration morale, et son rêve, qui est, en fin de compte, le rétablissement de l'ordre et de la paix.

L'inspiration personnelle

Les premières années du XVe siècle sont terribles. Jean sans Peur fait assassiner Louis d'Orléans en 1407, favorise l'invasion anglaise et son extension, avant d'être assassiné à son tour en 1419. Le sentiment de l'unité nationale, ébranlé par la folie de Charles VI, résiste mal à la guerre civile et à l'anarchie qu'entraînent les conflits violents entre princes; la guerre ravage les rangs de la noblesse, notamment à Azincourt; l'Église même, avec ses deux papes, offre l'image de la division. Cette déstabilisation entraîne un désarroi profond.

Déjà en 1393, Christine de Pisan avait déclenché, par son *Épître au dieu d'Amour,* une vive querelle autour du *Roman de la Rose,* qui mettait face à face la poésie courtoise et la satire antiféministe; elle durera jusqu'à la fin du XVe siècle. Puis, en 1424, la *Belle Dame sans mercy* d'Alain Chartier provoque le scandale; le moraliste déplore les caprices de la Fortune, attaque de front le libertinage et dénonce l'hypocrisie amoureuse. Dans ces disputes et oppositions, l'analyse cède le pas au parti pris, comme si l'expression de la sincérité et de l'engagement devenait passionnelle et d'importance vitale.

La plupart du temps, cependant, ce désordre pousse le poète à se replier sur soi et à exprimer la tristesse; l'écriture tempère la douleur, l'approfondit et l'intériorise. Christine de Pisan, éprouvée par la mort de son mari, confie à sa poésie l'angoisse de sa solitude et le désespoir naturel d'une veuve aimante. Ses ballades reprennent les motifs des vieilles « chansons de toile », et, cette fois, nous pouvons parler de lyrisme dans le sens actuel du mot. Charles d'Orléans, prisonnier de 1415 à 1441 en Angleterre, puise dans sa réclusion une sagesse et un art assez proches de ceux de Christine de Pisan. Il compose une longue suite de poèmes allégoriques dans lesquels il serait vain de faire la part entre la réalité et la fiction. Jeux de miroirs d'un exilé qui essaie d'organiser son existence dans l'activité poétique; expression naturelle d'une musique intérieure composée de subtils harmoniques; exploration de la nature humaine à travers les manifestations de tristesse et d'ennui, de douleur et de colère, de solitude et de méditation, de rêves et d'hallucinations — et d'humour, ornement de la sagesse.

Le lyrisme est devenu l'expression — organisée et mesurée par le rythme, la rime et la strophe — de l'aventure intérieure, qui intègre les réalités et les contradictions de l'existence et les profile dans la métaphore de l'écriture. Et pour la première fois peut-être, le masque de la beauté va se fissurer et laisser entrevoir la perspective du désespoir et de la mort. Eustache Deschamps, Alain Chartier, Christine de Pisan et Charles d'Orléans n'avaient pas tout dit encore. L'image de la danse Macabre et la vision du gibet habité de cadavres allaient renouveler l'expression de la condition humaine. Il y avait autrefois la Dame, au regard de laquelle on rêvait la quête de soi; à son côté, il y a désormais la Mort, compagne inévitable, dont les yeux « plus becquetez d'oiseaulx que dez a couldre » forcent François Villon à fixer son regard sur la vie. La réalité n'est que fiction : fiction de l'espace, réduit à Paris; du jour, agonisant au fond d'un cachot; du cimetière des Innocents, dont on a fait le temple du commerce et le trottoir de la prostitution; du cri, figé dans la grimace d'un pendu; des sens, viciés par les abus; de la beauté, aliénée par la maladie, la vieillesse et la décomposition; de l'esprit, que le pouvoir rend fou et meurtrier; de la courtoisie, bafouée par le cynisme et l'ordure. Usant du masque et du miroir, Villon invente un lyrisme moderne, écriture formelle comblée d'images, rythmée par la phrase, ni longue ni calme, respiration d'un poète qui aurait à jamais perdu le sommeil.

La remise en cause d'un langage

Discrètement, puis de façon décisive, l'écrivain a pris possession de l'espace du poème. L'intervention du « moi », vécu et non pas rêvé, ne cherche pas encore à s'isoler, avec une certaine complaisance ou un certain sens du tragique, du reste de l'humanité et de l'univers dont le poète reste le témoin, l'« auteur ». L'idéal de la chevalerie et de la courtoisie s'est effondré; il a sécrété en littérature, et en particulier en poésie, l'allégorie et le symbolisme qui ont donné à l'écrivain le pouvoir de pénétrer la réalité intérieure de l'homme et des choses.

Il faut bien avouer que cette démarche, tout au long du Moyen Âge, n'a été que le fait d'une élite, et qu'elle ne s'adressait — ne pouvant être comprise d'autres couches sociales — qu'à une petite partie de la noblesse, de la bourgeoisie et du clergé. Il fallait être familiarisé avec les formes de cette poésie pour être sensible à ses variations et à ses subtilités, pour percevoir l'innovation dans des structures qui n'avaient pour ainsi dire pas évolué.

La figure pathétique de Villon émeut encore profondément de nos jours; pourtant la lecture de son œuvre, difficile, n'est vraiment féconde que si on lui conserve l'éclairage de la mentalité et de l'histoire de la France et de Paris à cette époque. S'impose aussi la comparaison avec les œuvres de toute la génération des Grands Rhétoriqueurs, qui reflètent l'inquiétude fondamentale de la fin du siècle. Ces poètes de cour utilisent le langage de la « fin'amor », car la cohésion du discours traditionnel et sa fonction universalisante convenaient à l'étiquette aristocratique de ces milieux. Or ces Rhétoriqueurs, en manipulant le langage de l'intérieur, semblent avoir remis en question les liens qui les asservissaient. Le jeu poétique, désarticulé par l'ironie et par la parodie, tourne à l'obscène et au grotesque; on utilise toutes les ressources du lexique : calembours, polyvalence sémantique, homophonie, homonymies; on recherche sytématiquement les images rares pour faire triompher l'équivoque. [Voir RHÉTORIQUEURS (grands)].

En apparence donc, la poétique de la fin du Moyen Âge reste fidèle à l'héritage du lieu commun; en réalité, la protestation individuelle et collective contre un ordre du monde auquel personne ne croit plus se manifeste par une véritable déconstruction dû langage. En ce sens, François Villon est notre premier poète moderne. [Voir aussi AUBE, BALLADE, ENVOI, PUY, RONDEAU, TROUBADOURS].

BIBLIOGRAPHIE

Sur la poétique médiévale : P. Zumthor, *Essai de poétique médiévale,* Paris, Le Seuil, 1972; E. Vinaver, *A la recherche d'une poétique médiévale,* Paris, Nizet, 1970; H.R. Jauss, « Littérature médiévale et théorie des genres », *Poétique* 1, Paris, Le Seuil, p. 79-101.

Sur la poésie lyrique des XIIe-XIIIe siècles : R. Guiette, *D'une poésie formelle en France au Moyen Âge,* Paris, Nizet, 1972; P. Bec, *la Lyrique française au Moyen Âge,* Paris, Picard, 1977; R. Dragonetti, *la Technique poétique des trouvères dans la chanson courtoise, contribution à l'étude de la rhétorique médiévale,* Bruges, De Tempels, 1960.

Sur la poésie des XIVe et XVe siècles : D. Poirion, *le Poète et le Prince. L'évolution du lyrisme courtois de Guillaume de Machaut à Charles d'Orléans,* Paris, P.U.F., 1965; P. Zumthor, *le Masque et la Lumière. La poétique des Grands Rhétoriqueurs,* Paris, Le Seuil, 1978.

M. FAURE

MAAKAROON Élie (né en 1946). V. LIBAN. Littérature libanaise d'expression française.

MABILLON Jean (1632-1707). Fils de paysans, il est profès bénédictin à Saint-Rémy de Reims (1654); l'excès de travail menace déjà de ruiner sa santé mais il réchappe à la maladie et est ordonné (1660); il passe alors dans plusieurs abbayes pour être finalement appelé à Saint-Germain-des-Prés auprès du savant bibliothécaire dom Luc d'Achéry; celui-ci est à la tête des mauristes, groupe de moines érudits parmi lesquels dom Edmond Martène (spécialiste de l'histoire des liturgies), dom Bernard de Montfaucon (éditeur des Pères), dom Anselme Banduri (numismate); Bossuet, le duc de Chevreuse, le cardinal de Bouillon viendront visiter ces « saints de l'érudition ».

Mabillon, initié à la science paléographique et à l'art de présenter un texte avec notes et préface, devient vite le centre de cette société et commence une impressionnante série d'ouvrages d'érudition historique. Il produit la meilleure édition des *Œuvres complètes de saint Benoît* (en latin, 1667), groupées par matières, avec des lettres et des inédits, des notes et une très importante préface historique. Il se fait l'hagiographe de son ordre avec les *Acta sanctorum ordinis sancti Benedicti* (1668-1702), présentés chronologiquement et non plus selon la suite du calendrier. Outre une correspondance avec les érudits européens, ses travaux nécessitent des voyages d'étude pour consultation et copie de documents. En 1681, il publie son chef-d'œuvre, le *De re diplomatica,* synthèse de sa science des textes qui fonde la diplomatique, en réponse au jésuite Paperbroch, qui doutait de l'authenticité des actes mérovingiens. Célèbre et honoré, toutes les bibliothèques lui sont ouvertes; de séjour à Rome, il est commandité par Louis XIV pour acquérir quelque 2 000 textes. Dans son *Traité des études monastiques* (1691), il défend contre Rancé le droit des religieux à l'étude, celle-ci pouvant être accomplie dans un esprit de pénitence. En 1701, il est nommé membre honoraire de l'Académie des inscriptions. Outre la publication des *Vetera analecta* (1675-1685), recueil de documents rares, les *Annales ordinis sancti Benedicti* (1703-1707) consacrent sa science d'historien.

De l'érudit, son travail a toute la rigueur : les *Actes des saints* écartent les légendes, les textes apocryphes; éclaircissent les particularités historiques et religieuses de la vie des moines du haut Moyen Âge; la présentation est chronologique (par siècle à partir du VIe); le texte est toujours préfacé et annoté. Le *De re diplomatica* développe les principes de sa science des « diplômes »; examen externe du texte (nature du support [papyrus, parchemin, etc.]), forme de l'écriture (*uncialis,* ou *minuta,* ou *minuta forensis,* pour la romaine); analyse interne du contenu (lecture culturelle et historique). Son *Traité des études* ne se limite pas à la réfutation de Rancé mais propose un véritable programme d'études, impressionnant parcours des cultures antique, biblique et contemporaine, notamment les chapitres IX à XI du livre II, consacrés à la philosophie et aux lettres.

Véritable « athlète » des études, inaugurant une nouvelle méthodologie historique fondée sur l'examen de documents rares, Mabillon, encyclopédiste religieux, est un pionnier et un guide pour tous les chartistes.

BIBLIOGRAPHIE

Outre les œuvres citées dont les éditions originales furent imprimées à Paris, il faut mentionner un recueil de textes choisis, en français, par Dom R.J. Hesbert, *Science et sainteté. L'Étude dans la vie monastique,* Paris-Colmar, 1958.

A consulter. — G. Lanson, « L'Érudition monastique aux XVIIe et XVIIIe siècles », dans *Hommes et Livres,* Paris, 1895; H. Pourrat, *la Spiritualité chrétienne,* Paris, 1942 (t. IV); Dom H. Leclercq, *Dom Mabillon,* Paris, 1953, 2 vol.

G. DECLERCQ

MABLY Gabriel Bonnot de (1709-1785). Issu d'une vieille famille de magistrats du Dauphiné (il était le frère utérin du philosophe Condillac), il entra au séminaire, mais n'alla pas au-delà du sous-diaconat. Il resta cependant, pour son siècle, « l'abbé de Mably ». A Paris, il fréquenta le salon de Mme de Tencin, sa parente, et travailla auprès du cardinal de Tencin, secrétaire d'État aux Affaires étrangères. C'est ainsi qu'il eut à préparer les négociations du traité de Breda et qu'il acquit une connaissance approfondie des problèmes politiques et diplomatiques, dont témoigne son grand ouvrage *le Droit public de l'Europe, fondé sur les traités, depuis la paix de Westphalie jusqu'à nos jours* (1748). S'étant brouillé avec le cardinal de Tencin, il se retira des affaires et mena une vie simple et discrète, à l'écart des honneurs et des agitations d'un siècle qu'il méprisait. Respecté de tous pour son indépendance, il était aussi célèbre à l'étranger qu'en France et entretenait des relations suivies avec Hume, Walpole, Benjamin Franklin, John Adams, entre autres.

De cette célébrité, il reste aujourd'hui peu de chose. Sait-on encore que Mably fut, avec Rousseau et l'abbé Raynal (autre oublié), un des grands inspirateurs des révolutionnaires français, qu'il s'agisse des constituants de 1789 ou de Babeuf qui se réclamait de lui pour défendre ses idées communistes devant la haute cour de Vendôme?

L'opposition de Mably à son siècle a une origine essentiellement morale. Il admire les Anciens, surtout les Spartiates et les Romains, et rêve d'une république vertueuse et égalitaire (*Parallèle des Grecs et des Romains,* 1740; *Parallèle des Romains et des Français,* 1740; *Observations sur les Grecs,* 1749; *Observations sur les Romains,* 1751). Avec *Des droits et des devoirs du citoyen* (1758), texte non publié, la critique se radicalise, et les *Entretiens de Phocion sur le rapport de la morale avec la politique* (1763) dénoncent dans la propriété l'origine de toutes les injustices sociales. Les *Doutes proposés aux philosophes économistes sur l'ordre naturel et essentiel des sociétés politiques* (1768) s'en prennent aux physiocrates et à leur porte-parole, Mercier de La Rivière : il est faux de prétendre que les États ne reposent que sur l'économie, le commerce et l'argent, et que le droit se réduit au droit de propriété. On doit lutter contre les accapareurs et réduire les différences entre les classes en supprimant la transmission héréditaire des patrimoines. Ces idées, défendues encore dans *De la législation ou Principe des lois* (1776), vaudront à Mably d'être traité de « communiste » et d'« utopiste ».

Les *Observations sur l'histoire de France* (1765), qui susciteront de nombreuses discussions et seront rééditées dix fois, ne relèvent cependant pas de l'utopie. Elles tendent, au contraire, à donner un fondement historique à un vaste projet de réformes politiques qui allaient bientôt être à l'ordre du jour. La « monarchie républicaine » dont rêve Mably, et dont il prétend trouver le modèle dans le règne de Charlemagne, reposera sur les états généraux, définis comme « assemblée de la nation », qui détiendront les principaux pouvoirs dans le cadre d'une Constitution écrite. Par un singulier paradoxe, Mably, ennemi de la propriété, propose d'instituer un suffrage censitaire, et, contrairement à Rousseau, dont on le rapproche souvent, il admet l'existence de partis politiques. Ces projets seront au centre de toutes les discussions à partir de 1788 et de la convocation des états généraux, et l'on retrouve leur influence dans les travaux de la Constituante.

Celui que l'on appelait le « prophète de malheur » était attentif aussi aux affaires des autres pays. Il avait suivi avec sympathie la naissance des États-Unis, mais ses *Observations sur le gouvernement et les lois des États d'Amérique* (1784) sont sévères : le jeune État risque d'être bientôt en proie aux divisions à cause de son caractère trop exclusivement commerçant. Aux préoccupations sociales et politiques (que l'on retrouve dans des textes posthumes : *Du cours et de la marche des passions dans la société, De l'étude de la politique, Du développement, des progrès et des bornes de la raison*...), il faut ajouter enfin, chez Mably, un intérêt particulier pour la théorie et la méthodologie de l'histoire, intérêt qui se révèle dans *De l'étude de l'histoire* (1777), et *De la manière d'écrire l'histoire* (1783), où Voltaire, Hume et Gibbon sont vivement critiqués.

BIBLIOGRAPHIE

Collection complète des œuvres de l'abbé Mably, 15 vol., Paris, 1794-1795, reprint Aalen, Scientia, 1977 (prés. par P. Friedmann); *Des droits et des devoirs des citoyens,* éd. J.-L. Lecercle, Paris, Didier, 1972; *Sur la théorie du pouvoir politique,* textes choisis et présentés par P. Friedmann, Paris, Éd., sociales 1975.
A consulter. — A. Houssaye, *Mably,* 1864; W. Guerrier, *l'Abbé de Mably, moraliste et politique,* Paris, 1886; P. Teyssendier de la Serve, *Mably et les Physiocrates,* Poitiers, 1911; E.A. Whitfield, *Gabriel Bonnot de Mably,* London, 1930; G. Müller, *Die Gesellschaft und Staatslehren des Abbé de Mably und ihr Einfluss auf das Werk der Konstituante,* Berlin, 1932; A. Maffey, *Il pensiero politico del Mably,* Torino, Giappichelli, 1969; L. Lehmann, *Mably und Rousseau,* Bonn, Frankfurt, P. Lang, 1975; G. Stiffoni, *Utopia e ragione in Mably,* Lecce, Milella, 1975; B. Coste, *Mably : pour une utopie du bon sens,* Paris, Klincksieck, 1976.

A. PONS

MACÉ DE LA CHARITÉ (fin du XIIIe siècle). On ne sait de lui que ce qu'il nous en dit lui-même dans sa traduction de la Bible : « Et por ce que maintes gens sont/Qui en lour cuers tant de sens n'ont/Qu'il puissent entendre a devise/Tout ce que li latins devise.../Pour ceste cause, en charité/Veaust Macez de la Charité/Sur Loire, de Cenquoinz curez/Les beaux faits des bénehurez/En françoys et en rime mettre. » Sa *Bible,* de la fin du XIIIe, est la plus longue, la dernière et la plus complète des Bibles versifiées en français. Traduction, voire adaptation, parfois résumée (vers 5088 *sqq.*), parfois dramatisée (vers 3799 *sqq.*), de l'*Aurora* de Pierre Riga, destinée à des clercs peu lettrés ou à des laïcs; la « letre grosse » n'est là que pour faire connaître le « sens moreus » et la « force » (vers 2064), les « glouses » sont incorporées au texte. Le style est simple, proche de la prédication, évitant les termes difficiles, la versification laborieuse, la langue torturée pour accroître le nombre de synonymes (surtout pour les expressions désignant le sens allégorique). Macé déploie une activité exégétique intense, mais ses interprétations sont souvent déroutantes : la mer porte son nom « quar li boyvre en sont trop amer », les enfants mâles naissent en criant A, les filles È, à cause d'Adam et d'Ève. La densité du commentaire varie selon les livres : le Cantique des cantiques, qui cristallise une longue tradition d'exégèse, est glosé ligne par ligne; le livre d'Esther ne l'est pas du tout. Une entreprise comme celle de Macé peut sembler étonnante quand on sait que, dès le début du XIIIe siècle, la prose a surclassé le vers pour la traduction : serait-ce le témoignage d'un retard provincial?

BIBLIOGRAPHIE

Édition. — J.R. Smeets, Université de Leiden, 1964.
Études. — P.E. Beichner, « The Old French Verse Bible of Macé, a Translation of the *Aurora* », *Speculum,* 22, 1947; J. Bonnard, *les Traductions de la Bible en vers au Moyen Âge,* Paris, 1884; G. Paris, *Histoire littéraire de la France,* tome XXVIII, 1881.

A. STRUBEL

MACHAULT Guillaume de. V. GUILLAUME DE MACHAULT.

MAC-KEAT Augustus. V. MAQUET Auguste.

MAC ORLAN Pierre, pseudonyme de **Pierre Dumarchey** (1882-1970). Mac Orlan est né à Péronne (Somme). Arrivé à Paris en 1900, il mène une jeunesse pauvre et, jusqu'en 1914, connaît des fortunes diverses. Il se lance sur les routes, sillonne l'Europe, tout en écrivant des contes humoristiques, notamment pour *le Journal.* A la suite de la guerre, il écrit *le Chant de l'équipage* (1918), qui est son premier succès. L'essentiel de ses romans paraîtront dans l'entre-deux-guerres. Plusieurs d'entre eux inspireront des films, dont certains compteront parmi les chefs-d'œuvre du cinéma parlant : *le Quai des brumes* (1927), *la Bandera* (1931). Membre de l'académie Goncourt, Mac Orlan a aussi écrit de nombreux essais, réunis dans *Masques sur mesure* (1937) et *Villes* (1966), des poèmes en prose et des chansons qu'ont interprétées Catherine Sauvage, Germaine Montero, Monique Morelli, Juliette Gréco... On lui doit aussi divers recueils de souvenirs (*la Lanterne sourde,* 1953; *le Mémorial du petit jour,* 1955, etc.). Depuis 1925, il s'était retiré à Saint-Cyr-sur-Morin, où il mourut à quatre-vingt-huit ans.

En tant que romancier, Mac Orlan est assez représentatif de l'imaginaire des « années folles ». A mi-chemin entre l'expressionnisme hérité de Barbey d'Aurevilly, le populisme et le surréalisme naissants, Mac Orlan crée des personnages symboliques au destin extraordinaire (et pathétique). Aussi ne recule-t-il pas devant les images grandioses, riches en connotations fantasmatiques multiples, comme la scène des pendus sur laquelle s'ouvre l'histoire de *la Cavalière Elsa* (1921). Le terme de « fantastique social » convient bien pour caractériser une œuvre où les mythes du monde moderne (la dactylographie, notamment) jouent un rôle prépondérant. Néanmoins, Mac Orlan n'atteint jamais une dimension épique. La narration progresse de façon très linéaire, à partir d'une histoire ou d'un épisode généralement sentimentaux, voire mélodramatiques *(le Quai des brumes),* où la mort du « héros », auquel le lecteur s'est attaché, est de rigueur. Le style lui-même, qui a le ton du témoignage « objectif » au sens classique du terme, n'est pas exempt de naïvetés (« Il s'endormit d'un seul coup, comme une ampoule électrique que l'on éteint », *La Bandera*).

Mais la véritable originalité de Mac Orlan réside ailleurs. Il excelle à peindre la solitude, la misère de personnages en marge, de vagabonds à la sensibilité parfois exacerbée. L'inquiétude qui pousse d'humbles marins, des légionnaires, voire des truands, à toujours fuir en avant, en quête d'un bien idéal, d'une illusoire liberté, n'est pas exempte de poésie. C'est donc l'aventure intérieure, le goût de l'inconnu, l'aspiration au dépassement que décrit Mac Orlan sous le couvert d'une intrigue romanesque mouvementée sinon violente et parfois à la limite du pathos. Ainsi le browning que le héros de *la Bandera,* un demi-solde famélique et sans grande moralité, serre constamment contre lui est-il à la fois l'image du plus profond dénuement et de l'unique espoir qui soit donné à l'homme : « Gilieth savait aussi qu'il tenait en réserve dans son portefeuille une balle qu'il appelait : la belle... la liberté des bagnards. Car il savait également, à cause de cette présence, qu'il ne se laisserait pas prendre vivant ». Mac Orlan a su donner à l'héroïsme des plus humbles une chance de s'exprimer.

BIBLIOGRAPHIE
« Hommage à P. Mac Orlan », *Revue des Belles-Lettres,* n° 1, 1965; B. Baritaud, *Mac Orlan,* Paris, Gallimard, 1971.

B. VALETTE

MADIOU Thomas (1814-1884). V. Caraïbes et Guyane. Littérature d'expression française.

MAETERLINCK Maurice (1862-1949). Écrivain belge d'expression française. A l'époque où naît Maeterlinck, Gand, sa ville natale, semble engourdie dans la splendeur médiévale qui l'a chargée d'histoire. Aisée et comblée, l'enfance du jeune Maurice se déroule donc entre une ville un peu fantomatique où il fréquente des institutions socialement sélectives, et la propriété campagnarde d'Oostakker, d'où il peut apercevoir les paquebots qui remontent le canal Gand-Terneuzen. A ce cadre propice aux songes, à la suspension du temps et à la contemplation des merveilles de la nature, les jésuites du collège Sainte-Barbe ajouteront le sérieux d'humanités un peu morbides, imprégnées de morale victorienne. Dès cette époque, Maeterlinck se lie d'amitié avec le futur poète de *la Chanson d'Ève,* Charles Van Lerberghe. A partir de 1881, le jeune homme poursuit ses études de droit à Gand, tout en publiant ses premiers vers dans *la Jeune Belgique.* L'année 1885 le voit obtenir son diplôme de docteur en droit et s'inscrire comme stagiaire chez l'avocat Edmond Picard, plaque tournante du monde culturel belge progressiste. En même temps, le jeune auteur rencontre Rodenbach et découvre les textes du mystique flamand Ruysbroeck l'Admirable, qu'il traduira six ans plus tard. En 1889, c'est la parution, à tirage limité, du recueil *Serres chaudes,* ainsi que d'une pièce, *la Princesse Maleine,* à laquelle Octave Mirbeau consacre l'année suivante, dans *le Figaro,* un article dithyrambique.

Subitement, Maeterlinck, qui publie deux autres pièces en 1890 *(l'Intruse* et *les Aveugles),* se trouve projeté sur la scène internationale. Ses textes, perçus comme l'expression de la sensibilité d'une époque, sont systématiquement traduits dans les principales langues européennes. Tout en traduisant Ruysbroeck et Novalis, il donne coup sur coup *les Sept Princesses* (1891), *Pelléas et Mélisande* (1892), *Alladine et Palomides, Intérieur* et *la Mort de Tintagiles* (1894). En cinq ans, ces huit pièces et le recueil *Serres chaudes* donnent au symbolisme de langue française forme et renom : ils en deviennent la quintessence. A l'instar de la phrase du poète, tout s'est passé comme en un souffle.

C'est l'heure (1895) où la destinée fait rencontrer à Maeterlinck l'actrice française Georgette Leblanc, qui sera durant quelque vingt ans sa compagne, son égérie et l'impétueuse propagatrice de ses textes. C'est aussi l'heure où l'œuvre entame un mouvement vers des formulations plus positives. Que Georgette Leblanc y ait joué un rôle est indiscutable... On doit toutefois mettre le phénomène en rapport avec des démarches analogues chez, par exemple, Claudel et Verhaeren; considérer également le fait comme un symptôme d'époque et le relier à la disparition successive des Verlaine, Rodenbach et Mallarmé. En France, l'affaire Dreyfus est proche. En Belgique, Maeterlinck collabore au *Coq rouge!...*

Dès 1896, paraissent, dans les trois genres que cultive l'auteur de *Pelléas,* trois textes-charnières. Les *Douze Chansons* (qui deviendront *Quinze Chansons* en 1900) délaissent une partie de l'appareil imaginaire du symbolisme et sa langueur rythmique pour retrouver le mètre des berceuses populaires, utiliser une langue presque blanche et se concentrer, dans un étrange mélange d'angoisse et de sérénité, sur l'énigme de l'absence et de la mort. Dans l'ordre du théâtre, *Aglavaine et Sélysette* marque également une transformation puisque les personnages cherchent concrètement une issue à l'impasse dans laquelle ils sont enfermés et qui finit par triompher d'eux. Enfin *le Trésor des humbles,* qui connaîtra d'emblée un grand succès, entraîne, par le biais de l'essai, le processus d'élaboration discursive d'une sagesse concrète assimilable par un large public. Directement issues de l'interrogation tragique que les fictions avaient creusée de façon lancinante, ces proses limpides visent à permettre à l'homme moderne, sevré du secours boiteux des religions, de se situer dans le monde, devant lui-même et devant la mort. Elles le font en cherchant à dégager un avenir pour l'homme à partir de ce qui, en lui, échappe aux fanfaronnades aveugles de la maîtrise rationnelle ou de l'immédiateté sensuelle. C'est pourquoi les différents textes qui composent le volume insistent tous sur la vertu du silence, capable de faire apparaître entre les êtres et les choses ce qui dépasse leur concret immédiat : Maeterlinck nomme « âme » cette insaisissable béance. Pour créer chez le lecteur le sentiment de vide presque mystique, l'auteur recourt à une langue simple et à une phrase fluide, sans accrocs, et sans véritable fin. Tant il est vrai qu'il s'agit pour lui de laisser affleurer ce monde inconnu à travers « les doubles et pauvres vitres de corne des mots et des pensées » conçus pour un autre usage.

Le temps délétère, dont le songe de la ville natale avait forgé l'image, s'estompe peu à peu. Georgette Leblanc, de son côté, n'a de cesse d'éloigner de Gand Maeterlinck. L'ère s'ouvre alors des domaines qui l'en écarteront de plus en plus et seront de plus en plus vastes et retirés. De 1898 à 1906, c'est l'ancien presbytère de Gruchet-Saint-Siméon; puis, de 1907 à 1919, l'ancienne abbaye normande de Saint-Wandrille, avec, entre-temps, la découverte à Grasse, puis à Nice, des féeries méditerranéennes. L'œuvre continue d'abondance; le succès la suit; les musiciens (Fauré, Debussy... — ils seront seize —) s'en emparent. Dès 1898, *la Sagesse et la Destinée* donne une synthèse de la vision du monde de l'auteur, tandis que *la Vie des abeilles* (1901) et *l'Intelligence des fleurs* (1907) explorent, en se servant des connaissances du temps renforcées par des observations personnelles, diverses faces du monde naturel susceptibles d'illustrer notre insertion cosmique, de conduire le lecteur à porter un regard moins barbare sur la nature et à jouir des raffinements heureux d'un parfum végétal qui, tout en étant « stable », « vaste », « permanent » et « généreux », resterait ouvert au mystère.

Les pièces connaissent une semblable évolution vers cette quête d'un bonheur fluide mais inaliénable. *Ariane et Barbe-Bleue* (1901) voit ainsi diverses femmes, issues de la fatalité maeterlinckienne, triompher du monstre (qui, d'ailleurs, a cette fois un visage) par la grâce de l'une d'entre elles, qui ne porte le nom d'aucune héroïne des précédentes pièces. Mais ce triomphe, auquel les paysans du coin ont prêté main-forte, est une victoire sans possession puisque Ariane non seulement libère

Barbe-Bleue vaincu, mais propose en outre à ses sœurs (qui ne l'accompagneront pas) de la suivre « là-bas, où l'on (l') attend encore »... Lieu d'azur, toujours plus lointain, dont on ne revient pas, et qui est l'horizon de l'âme... Cette esthétique débouche très naturellement sur la féerie de *l'Oiseau bleu,* que l'auteur compose entre 1905 et 1908 et qui est immédiatement créée à Moscou. Fait d'innombrables tableaux, comme *le Soulier de satin,* et comme lui quête initiatique, cet ultime chef-d'œuvre marque le triomphe du souriant don d'enfance sur les traquenards des jours emplis de mort et de fausses raisons. Si le douzième tableau retrouve le décor du premier, l'atmosphère y est toutefois plus lumineuse. Car, pour n'être pas absolument de ce monde, la vision n'en est pas moins ce qui le signifie, au point d'en transformer le cours des jours. Ceux-ci n'ont finalement d'autre but que cette ascèse heureuse en forme de cycle permanent.

Parallèlement, les tragédies de Maeterlinck connaissent une évolution qui les rapproche du drame historique classique mais leur ôte l'inéluctable pouvoir d'écoulement mystérieux que sa langue avait porté à la perfection. Tandis que le dialogue perd son obsédant pouvoir de complainte, l'action se structure en intrigue, et les personnages acquièrent une consistance psychologique : *Monna Vanna* (1902) est l'archétype de cet autre versant de l'activité dramatique de Maeterlinck. L'énigme des comportements, les jeux ambigus du pouvoir et du désir, les divers registres de paroles, l'obsédante jalousie et la mystique possession s'incarnent ici dans des personnages typés qui laissent moins directement percevoir les « sphères où les aventures se décident », les « forces inconnues » qui modifient d'un coup l'ordre normal des réactions. Cette évolution, que l'on retrouve chez Gide, Claudel ou Verhaeren, convenait cependant peu à l'art de l'homme de la féerie — morbide puis lumineuse — dans l'œuvre duquel l'Occident de la fin du XIXe siècle — surpuissant mais déjà miné — avait découvert sa double faille par rapport au cosmos et par rapport au destin. C'est cette œuvre que les jurés du prix Nobel couronnent le 9 novembre 1911.

Déjà grande, la gloire de l'écrivain devient immense; elle lui assure à tout jamais l'aisance. Pourtant plus que jamais, sa vie, où tout advient comme par surcroît, est ailleurs, dans la quête d'un équilibre personnel et métaphysique. Non que cette recherche le laisse indifférent aux problèmes sociaux... Maeterlinck aidera Vandervelde et sera profondément traumatisé par la déclaration de guerre. On le voit d'ailleurs chercher à s'engager — tentative que Georgette Leblanc parvient à déjouer —; puis mener, avec Destrée et d'autres, une activité internationale de propagande en faveur de la Belgique; enfin écrire quelques drames comme *le Bourgmestre de Stilmonde* et *le Sel de la vie* (1917), qui seront interdits par la censure française. En dépit du canevas « réaliste » qui détruit le génie du poète et de la cause qu'il s'agit de défendre, Maeterlinck n'a pu s'empêcher en effet, comme il l'avait déjà fait dans *Monna Vanna,* de plaider discrètement pour l'universalisme, menacé par la folie nationaliste. Cette césure du sujet, capable de se situer correctement dans la symbolique de son temps (Maeterlinck défend la Belgique occupée) et de poursuivre en même temps un autre rêve, va toutefois s'atténuer progressivement. La guerre n'a-t-elle pas mis fin au monde qui l'avait produite et qu'il avait contesté sur un plan métaphysique? Maeterlinck, qui aborde la soixantaine, rompt en décembre 1918 avec Georgette Leblanc et, en 1919, épouse Renée Dahon, comédienne plus proche de lui et d'un type féminin paré des grâces de l'enfance. Après avoir voyagé aux États-Unis, puis dans le Bassin méditerranéen, il découvre un nouvel asile, le château de Médan, qu'il occupe de 1924 à 1930. Outre des pièces, il publie *la Vie des termites* (1926), *la Vie de l'espace* (1928) et *la Vie des fourmis* (1930), qui connaissent d'importants tirages et perpétuent l'aura du poète sans correspondre pour autant aux nouveaux enjeux de l'époque. C'est le moment où Maeterlinck découvre et achète près de Nice un casino fantastique et inachevé qui surplombe la mer. Le site imaginaire que les pièces ont si souvent décrit, le voilà. Maeterlinck en fait significativement le palais d'Orlamonde. Défendu par des colonnades et des parfums de fleurs, l'auteur poursuit devant la mer, parmi les murs fastueux mais inachevés, sa perpétuelle interrogation du destin — interrogation qu'il continue de consigner par écrit (*l'Araignée de verre* en 1932; *la Grande Porte* en 1939...). La guerre interrompt une nouvelle fois cet impossible et inlassable face à face; elle contraint l'auteur à un exil aux États-Unis. En 1947, il regagne Orlamonde, où il meurt, deux ans plus tard, après avoir pu donner dans *Bulles bleues* la quintessence heureuse de ses souvenirs d'enfance. La boucle est close : la grande purification personnelle a eu lieu. Les cendres de celui qui nous considérait avant tout comme des « êtres aériens » sont ramenées et déposées à Orlamonde. Dans une simple cassette de bois.

Accomplissement tangible des songes d'une enfance marquée par la ville de « l'Agneau mystique », cette œuvre a laissé surgir sans arrêt des textes qui ne forment point architecture, mais plutôt ressemblent à des repères déposés au long des chemins qui conduisent vers une transparence accrue entre le sujet qui écrit et l'inaccessible objet de sa quête. La fluidité de la phrase des proses, les blancs enchaînements des répons de son théâtre ou les longs versets mous de *Serres chaudes* formalisent — sans la raccorder jamais à une transcendance concrète — cette démarche qui vise l'inconnu des mystiques et qui s'origine dans la perception de l'épreuve majeure de notre condition : le drame du « désir, l'inaccessible que l'on touche, la fatalité transparente, l'impossible sans obstacle visible!... » C'est de cette même problématique obstinée que découlent la notion d'âme; l'obsession du silence, plus éloquent que la parole et qu'il s'agit de rendre au sein même de celle-ci; la volonté de faire ressortir le tragique du quotidien comme celle de récuser à l'être humain son caractère miraculeux pour le réinscrire, au contraire, humblement, au sein des processus naturels — n'était cependant son « rêve spécifique de justice et de piété »...

On ne saurait comprendre le parcours global de ces milliers de pages en dehors de leur projet central, proche, à bien des égards, des réflexions les plus contemporaines sur l'espace littéraire. Reste qu'il dut se formuler à une époque charnière, en des termes encore largement marqués par l'humanisme. Est-ce pour cela que ces essais de laisser retentir l'insaisissable se sont parfois dilués dans un ressassement anémié auquel manque la relance de la césure? Demeure toutefois le fait que, dès la fin du XIXe siècle, Maeterlinck rejette l'écriture ornementale et s'écarte de l'humanisme — qui fera bientôt les beaux jours de *la Nouvelle Revue française* — pour désigner les zones de l'inconscient, du subconscient et du cosmique; pour cheminer du côté des eaux où l'écriture n'affirme pas l'identité mais un avers, certes lié, certes essentiel à l'existence. D'être né aux abords du monde industriel, en un univers privilégié et en un site hanté par le passé, contribua probablement à sa capacité de saisie du malaise occidental comme à sa transmutation rapide en un univers imaginaire qui s'accordait aux goûts d'une époque cherchant à compenser sa course à l'abîme par un retour aux formes architecturales du Moyen Âge. Une telle aisance, si elle suscita très vite l'accord avec une époque, limita en même temps la capacité de l'œuvre à continuer à se dépasser esthétiquement au point d'atteindre en prose à un langage nouveau. Ce sera le travail d'Artaud, de Bataille, de Beckett et de Blanchot.

Au théâtre, par contre, comme en poésie, l'époque qui va de *Serres chaudes* aux *Quinze Chansons* laisse un continuum de textes incontournables qui constituent le symbolisme comme une réponse à la vie (et non comme un décor), et sont une trace essentielle de la modernité littéraire. Rarement avec autant d'apesanteur notre langue aura-t-elle éliminé la métaphore pour plonger dans l'analogie souple et rendre les mouvements qui sont en deçà du langage. Aussi ce monde autre que l'auteur vise à désigner, nous le rend-il physiquement par les associations libres — mais savamment pesées! — des grands versets de *Serres chaudes* comme par les reprises infinitésimales des dialogues de ses drames ou de ses pièces pour marionnettes. Dans un flot lent mais continu où tout fait image se dessine ainsi un monde hanté jusqu'à l'angoisse par la paranoïa douce de ce qui le mine : elle prend le plus souvent le visage de la mort. Les mots seront donc sans apprêt; leur musicalité sans trémolo; leur débit ralenti. La tristesse se mêlera sans cesse au bonheur.

Si les poètes ont depuis longtemps reconnu leur dette à l'égard du précurseur qui sut ne point bavarder dans leur forme, les gens de théâtre, toujours hantés par les bruits et les frasques de la représentation, n'ont que très rarement su se situer devant ses premières pièces. Ne les contraignent-elles pas, sans jamais s'abriter sous l'armure du discours théorique, à renoncer au jeu exhibitionniste de l'acteur? Et n'exigent-elles pas du metteur en scène un sens presque oriental de la rigueur où la conjonction de la musicalité et de la mathématisation serait apte à laisser entendre ce qu'il faut bien appeler l'indicible? Nul doute ainsi que la mièvrerie symbolarde ou l'évocation de type historique où l'on s'est complu à réduire Maeterlinck constituent la pire contre-indication scénique pour cette première partie de l'œuvre, heureusement inaltérée dans sa langue! Souriante et impassible, la « Monna Lisa » du théâtre de langue française continue d'attendre. Son regard ne sort-il pas du labyrinthe intérieur d'un enfant venu d'un monde où l'histoire, apparemment arrêtée, laissait pourtant percevoir la mort qui pousse les sociétés à la vie, les traverse et les mine sans cesse?

BIBLIOGRAPHIE

Parmi les éditions, à signaler : *Œuvres,* Bruxelles, Jacques Antoine, 1980 (comprend *Serres chaudes, Quinze Chansons, les Aveugles, l'Intruse*); *Théâtre complet,* Genève, Slatkine, 1979 (comprend tout le théâtre symboliste de 1889 à 1901 sauf les *Sept princesses*); *l'Oiseau bleu,* Paris, Fasquelle, 1976; *l'Intelligence des fleurs,* Paris, Éd. d'Aujourd'hui, 1977.

A consulter. — J.-M. Andrieu, *Maeterlinck,* Paris, Éd. Universitaires, 1962; R. Bodart, *Maurice Maeterlinck,* Paris, Seghers, 1962; R. Brucher, *Maurice Maeterlinck, l'œuvre et son audience, essai de bibliographie 1883-1960,* Bruxelles, Palais des Académies, 1972; G. Doneux, *Maurice Maeterlinck, une poésie, une sagesse, un homme,* Bruxelles, Palais des Académies, 1961; P. Gorceix, *les Affinités allemandes dans l'œuvre de Maeterlinck,* Paris, P.U.F., 1975; W.D. Halls, *Maurice Maeterlinck, a Study of his Life and Thought,* Oxford, Clarendon, 1960; M. Hanak, *Maeterlinck's Symbolic Drama,* Louvain, Peeters, 1974; M. Lecat, *le Maeterlinckisme,* Bruxelles, Anc. lib. Castaigne, 1937-1941; M. Postic, *Maeterlinck et le Symbolisme,* Paris, Nizet, 1970; R. Renard, *Maeterlinck et l'Italie,* Bruxelles et Paris, Didier, 1959; *Maurice Maeterlinck, 1862-1962,* ouvrage collectif dir. p. Joseph Hanse, Bruxelles, Renaissance du livre, 1962.

M. QUAGHEBEUR

MAGHREB. Littérature d'expression française. La littérature maghrébine d'expression française est évidemment liée, historiquement, à ce que fut la présence de la France au Maghreb et n'a d'autre origine que cet avatar des relations interculturelles dans le cadre particulièrement contraignant de l'impérialisme moderne. Bien que l'occupation française ait été inégalement longue dans les trois pays du Maghreb, on constate partout que cette littérature maghrébine en langue française apparaît tardivement, c'est-à-dire dans la phase finale de l'occupation, comme si elle avait partie liée avec le mouvement nationaliste, objectivement et en dehors même de tout « engagement » explicite. Ce qui ne l'empêche pas de survivre à la réalisation des États nationaux et de perdurer avec éclat, quels que soient les pronostics qu'on puisse formuler sur son « inévitable » extinction.

Une naissance sous le signe du conflit

Ce surgissement d'une littérature véritablement maghrébine, bien qu'elle utilise la langue de l'Autre, apparaît d'une manière ponctuelle, à un moment que l'on s'accorde à dater en toute précision, même si l'écriture précède parfois la publication. C'est en effet après la Seconde Guerre mondiale (qui a vu, comme la Première, une forte participation de contingents maghrébins dans l'armée française), dans les années 50, que paraissent les premiers romans des Algériens Mouloud Feraoun (1913-1962), Mohammed Dib (né en 1920), et du Tunisien Albert Memmi (né en 1920). Même si aucun critère formel ne permet en apparence de les distinguer radicalement d'ouvrages écrits avant ou pendant la guerre par des Français résidant au Maghreb ou même par d'autres Maghrébins, il semble que, d'emblée, ni la critique ni le public ne s'y soient trompés. C'était une manière nouvelle de se voir soi-même et de parler de soi, sans complaisance ni résignation, sans brutalité non plus, mais avec le sentiment ferme et irrévocable qu'un certain discours officiel (discours littéraire aussi bien) était désormais irrecevable. On peut prendre comme exemple de ce nouvel état d'esprit ce passage de *la Grande Maison* (1952) de Mohammed Dib où l'on voit (dès le début du livre) un instituteur arabe interrompre sa leçon de morale sur le thème traditionnel de la patrie pour dire tout bas et en arabe à ses élèves ébahis : « Ce n'est pas vrai que la France est votre patrie. »

On pourrait reconnaître en de nombreux faits analogues, sans aucun doute authentiques, le point de départ d'une prise de conscience fondatrice de la littérature maghrébine d'expression française. Pour employer des termes un peu plus récents, on peut donc dire que cette dernière est née du sentiment douloureux d'une identité méconnue, occultée ou bafouée, même si ces premiers ouvrages restent très discrets sur la nature des revendications que les personnages — quoi qu'il en soit des auteurs — ne sont pas en état d'exprimer. Mais il faut souligner que cette discrétion rend d'autant plus pathétique — et de nos jours presque insoutenable — l'expression d'une misère matérielle et morale parfaitement décrite dans ses causes comme dans ses effets. Seuls des tenants attardés d'un nationalisme mal compris ont pu voir dans ces textes des traces « d'assimilationnisme » ou de « folklorisme » là où il s'agissait de tragédies et de déchirement. Le rattachement de cette littérature à l'effervescence nationaliste dans l'immédiat après-guerre est encore attesté par un détail qu'indique Kateb Yacine (né en 1929) dans *Nedjma* (1956) : son héros Lakhdar, l'une des figures de lui-même, est l'auteur d'une *Vie d'Abdel-Kader* qu'il emporte comme son bien le plus précieux lorsqu'il fuit, après les émeutes de mai 1945, dans l'Est algérien. Et Kateb Yacine, comme son héros, a écrit lui aussi, dès l'âge de seize ans, une vie du prestigieux émir qui exalte en lui le symbole inoubliable de la nation algérienne en devenir.

Mais si la littérature maghrébine d'expression française prend naissance à un moment historique donné, encore fallait-il certaines conditions permettant ce soudain surgissement. Pour les résumer en deux points, on peut dire que ce développement rapide fut possible, d'une part, parce qu'il y avait au Maghreb une quantité suffisante de gens biens formés à la langue française et, d'autre part, parce que la culture littéraire, loin d'y être un fait nouveau, perdurait sous diverses formes, en langue arabe ou berbère, écrite ou parlée.

L'enseignement de la langue française s'était heurté, il est vrai, aux premiers temps de la colonisation, à des résistances dues au fait qu'on le ressentait légitimement comme une prise de possession des esprits en même temps que comme un moyen de contrôle et, éventuellement, de chantage. Mais tous les témoignages concordent pour permettre d'affirmer que dès la fin du XIXe siècle les choses changent, et de plusieurs façons. D'abord, les Français eux-mêmes se montrent de moins en moins généreux en la matière et, du moins pour les populations rurales, ne dispensent plus qu'avec parcimonie les rudiments d'une culture dont tout le monde a désormais compris qu'elle peut être le moyen d'une émancipation, voire d'une conquête de l'égalité des droits avec les colons. Fadhma Aït Mansour, dans le récit de sa vie qu'elle fait pour sa fille Marguerite Taos Amrouche (née en 1913), raconte sa terrible déception lorsque vers la fin du siècle dernier, en Kabylie, elle assiste impuissante, avec ses compagnes, à un raidissement de cette sorte : l'administration coloniale rappelle en France la « bonne » institutrice qui n'hésitait pas à parler aux fillettes de La Fontaine et de Racine, et la remplace par une sorte de maîtresse d'atelier qui réduit à peu près son rôle à l'apprentissage de métiers manuels.

Mais, dans le même temps, les familles maghrébines ont compris qu'elles ne pouvaient pas hésiter sur la seule issue possible pour l'avenir de leurs enfants. Malgré le risque d'acculturation dont on est très conscient, il est clair que le seul moyen d'échapper désormais à la sous-prolétarisation du colonisé analphabète est de fréquenter l'école française. Tel est, en substance, le discours paternel que Kateb Yacine rapporte à la fin du *Polygone étoilé* (1966) : « La langue française domine. Il te faudra la dominer »... Pour échapper à la pauvreté du milieu familial et aux diverses sortes d'infériorité qu'il sent peser sur lui, le Tunisien Albert Memmi explique dans *la Statue de sel* (1953) qu'il ne voit pas d'autre solution que d'assimiler avec zèle l'enseignement du lycée français et de se constituer en « premier de la classe » intellectuellement incontesté. Il apparaît en tout cas que, vers le milieu du XXe siècle, nombre de jeunes Maghrébins parfaitement francisés, formés au même enseignement secondaire — parfois supérieur — que leurs camarades français, peuvent se sentir aptes à exprimer dans cette langue, et en référence aux modèles culturels qu'elle illustre, leurs préoccupations propres.

Pour apprécier les autres formes d'héritage culturel dont ils disposent, il faudrait distinguer selon les pays du Maghreb, l'Algérie étant celui où l'enseignement en arabe a été le plus déstructuré. Le Marocain Abdelkébir Khatibi (né en 1938) comme le Tunisien Abdelwahab Meddeb ont, en revanche, une double culture, qui, une fois surmontés les troubles initiaux, sera une source d'enrichissement. Khatibi, dans *la Mémoire tatouée* (1971), a beau jeu de plaisanter : « A l'école un enseignement laïc, imposé à ma religion; je devins triglotte, lisant le français sans le parler, jouant avec quelques bribes de l'arabe écrit et parlant le dialecte comme quotidien. Où, dans ce chassé-croisé, la cohérence et la continuité? » Il n'en est pas moins clair que toute son œuvre, ou presque, découle de cette double insertion et de ce dédoublement.

On voit encore, à partir de cet exemple, qu'on pourrait encore dédoubler, ou même détripler, l'apport maghrébin lui-même, partagé entre culture populaire et culture savante, ou encore entre culture écrite et culture orale — cette dernière pouvant être d'origine berbère ou arabe, sans qu'il soit toujours nécessaire de distinguer entre les deux. Dans la littérature marocaine, l'exemple de *Harrouda* (1973) de Tahar Ben Jelloun (né en 1944) montre comment une œuvre pourtant très autobiographique et très intime n'était véritablement dicible que par le recours à la légende et au mythe, si parfaitement intégré à la culture française que soit par ailleurs l'écrivain. Les particularités de leur histoire collective et individuelle et la diversité des héritages culturels où ils puisent expliquent ainsi les complexités, presque contradictoires, de l'écriture et du style chez ceux qui constituent ce qu'on pourrait appeler la deuxième génération des écrivains maghrébins. Populaires et populistes, obscènes voire triviaux, ils sont aussi sophistiqués, voire alambiqués, hantés par le style et obsédés par le désir d'intégrer des références culturelles. La culture française se trouve à la fois exhibée et mise à distance, non sans conséquence pour la forme littéraire de ces textes, identifiables par des marques communes assez fortes, malgré le culte qu'ils rendent à l'irréductible individualité.

Ce rapport des écrivains maghrébins à la langue française, cruellement ressenti dans une phase de nationalisme exacerbé, peut désormais passer pour un thème rebattu, épuisé à force de ressassement. A la formule célèbre de Malek Haddad (1927-1979) « Le colonialisme m'a donné un défaut de langue » est venue se substituer la conception plus souple et plus séduisante de Khatibi, définissant la langue française « comme une belle et maléfique étrangère ». Pourtant ces rapports ambigus, où le sentiment d'exil se mêle à la séduction, expliquent et rendent plus attachants quelques traits caractéristiques de la littérature francophone des Maghrébins, notamment dans la période qui suit les Indépendances. On pourrait reprendre à Rachid Boudjedra un terme qu'il affectionne, celui de « saccage », pour évoquer cette tentation sadique de violenter les genres littéraires ou le langage lui-même au moment même où on les admire et où l'on s'emploie à les assimiler. Chez Boudjedra (né en 1942) ou Mohammed Khaïr-Eddine (né en 1941), ce saccage reste d'ailleurs très contrôlé, et se traduit surtout par la diversité ou le mélange des champs lexicaux, ainsi que par le mélange des genres dont *Agadir* (1967) de Khaïr-Eddine pourrait fournir un bon exemple. D'ailleurs, même à l'égard du genre romanesque, dont il faut rappeler que l'introduction au Maghreb est justement le fait de la littérature de langue française, l'attitude est ambiguë. Si des écrivains comme Kateb Yacine et Assia Djebar (née en 1934) travaillent subtilement à assimiler ce genre sous ses aspects les plus modernes, intégrant notamment l'apport de romanciers américains comme Faulkner et Dos Passos, on a parfois l'impression que la grande dialectique de l'individuel et du collectif qui a assuré le développement de ce genre dans l'Occident moderne correspond mal aux besoins d'expression et aux réalités dans des sociétés trop démembrées, pour des individus eux-mêmes trop déstructurés. Ce n'est pas un hasard si ni *les Boucs* (1955) de Driss Chraïbi (né en 1926) ni *la Réclusion solitaire* (1976) de Tahar Ben Jelloun ne sont vraiment des romans, dans leur tentative pour exprimer de l'intérieur la perception du monde chez un Marocain de l'émigration. La forme d'expression la mieux adaptée serait alors, si l'on en juge par l'admirable réussite du *Pain nu* (1980) de Mohammed Choukri, un « récit-vérité » renouvelant le sens et l'enjeu de la littérature comme ont pu le faire, en leur temps, les premiers textes de Jean Genet.

S'agissant des sociétés maghrébines, la littérature peut jouer plus encore qu'en d'autres lieux ce rôle d'expression ou d'émergence du « refoulé ». Elle est partie de cette exigence à la fin de la période coloniale, mais il est clair que les Indépendances ne pouvaient miraculeusement et d'un seul coup permettre d'exhiber tout l'occulte et le non-dit ancestraux. La fascination exercée par la célèbre *Nedjma* de Kateb Yacine mérite réflexion. On sent bien qu'elle est liée à ce qui émerge, dans ce livre, et du passé tribal et du monde clos de la femme, également hors d'atteinte quoique infiniment et partout présents dans l'implicite. Tout l'enjeu de cette littérature est de transformer l'implicite en dicible, sinon en dit.

Les principaux romanciers

Mouloud Feraoun, considéré comme le romancier initial de la littérature algérienne, publie en 1950 *le Fils du pauvre,* roman en partie autobiographique et qui décrit la vie quotidienne en Kabylie que connaît l'enfant, puis l'adolescent pauvre Fouroulou, avant la Seconde Guerre mondiale. Il fait paraître ensuite deux autres romans, *la Terre et le Sang* (1952) et *les Chemins qui montent* (1957). Feraoun présente en toile de fond le milieu kabyle prenant conscience de lui-même. Déjà les problèmes de l'acculturation sont posés : ceux de la cellule familiale, de l'immigration, de l'attachement à la tradition et d'une révolte nécessaire contre celle-ci. Ainsi nous est présenté un miroir de la société villageoise, réflexion minutieuse et détaillée des us et coutumes inscrits dans la conscience collective, comme le sens du *nif,* ou de l'honneur, et celui du *sof,* ou du clan.

Un autre Algérien, d'origine kabyle également, Mouloud Mammeri (né en 1917), publie *la Colline oubliée* (1952), *le Sommeil du juste* (1955), puis, en 1965, *l'Opium et le Bâton;* cette trilogie est une fresque historique et sociale qui se déroule depuis la Seconde Guerre mondiale jusqu'à la guerre de libération. Dans le premier roman, un jeune intellectuel se révolte contre la tradition, le milieu des ancêtres et celui de la société coloniale, montrant, à travers son itinéraire, les contradictions de la vie acculturée. Deux pôles d'attraction déchirent et se disputent le sujet; d'une part, l'attrait et l'attachement aux coutumes du cercle ancestral; d'autre part, la séduction de la liberté et de l'iconoclasme enseignés par le monde occidental. Dans le deuxième roman, *le Sommeil du juste,* Arezki, qui a endossé l'humanisme de ses maîtres occidentaux, se rend compte, à travers sa vie et ses déboires, de la fausseté des valeurs de la civilisation occidentale. Dans un geste symbolique, le héros, après avoir vu de ses propres yeux que l'égalité n'était qu'un mythe : « à grade égal, le gradé indigène doit obéissance au gradé européen », brûle tous les livres qu'il a adorés, profanant ainsi l'idéal qu'il s'était donné. Enfin, le docteur Bachir Lazrak, au plus fort de la guerre d'Algérie, rejoint le maquis et se débarrasse de son amie française, Claude, attiré qu'il est par la force irrésistible de Itto, la Berbère marocaine analphabète. Il se délivre ainsi de l'univers carcéral du colonialisme, surmonte les traditions et opte pour une guerre d'indépendance qui prépare la véritable liberté de l'avenir.

Si les écrivains de la génération des années 50 ont des traits en commun sur le plan de l'engagement social et littéraire, il n'en reste pas moins que chacun présente, selon son style et ses talents, le monde bouillonnant du Maghreb bouleversé par le colonialisme et la guerre de libération. Mohammed Dib, un des auteurs les plus prolifiques, jette un regard intérieur sur le paysage tlemcénien et sur le paysage de l'homme, au sens propre et symbolique. Ce regard intérieur ne traduit ni un narcissisme individuel, ni un exil, ni, comme l'ont dit certains critiques, une « incomplétude », mais plutôt une plénitude dans le processus esthétique et culturel de l'écrivain. Ses romans — *la Grande Maison* (1952), *l'Incendie* (1954), *le Métier à tisser* (1957), *Un été africain* (1959), *Qui se souvient de la mer* (1962), *la Danse du roi* (1968), *Dieu en Barbarie* (1970), *Habel* (1977) — présentent toujours une grande lucidité à l'égard des problématiques de la culture maghrébine. Si parfois l'œuvre reflète une vision apocalyptique ou une fantasmagorie hallucinante, les champs du rêve et ceux de la réalité sont nettement délimités. De même, le récit du passage des structures archaïsantes aux nouvelles structures, de la famille d'antan à celle d'aujourd'hui, éclaire merveilleusement le présent par le passé. Dib pense d'autre part que la liberté de l'homme doit passer par la femme. L'élément féminin, symbole de la sagesse et de l'enfantement, est souligné par la thématique de la mer, prolongeant pour ainsi dire son dynamisme et son lyrisme pour se confondre avec la mère patrie, qui revalorise le modèle féminin et le désir d'écriture. Dib est aussi poète : *Ombre gardienne* (1960), *Formulaire* (1970), *Omneros* (1975), *Feu beau feu* (1979) attestent de sa pratique authentique d'expressivité, riche sur le plan de la syntaxe, et de sa thématique de l'amour autour de laquelle cristallise un ensemble d'images fantastiques.

Dans sa pièce *Mille hourras pour une gueuse* (1980), Dib reprend et synthétise ses thèmes récurrents de l'histoire et de l'action, de la réalité et de la fabulation, du présent et du passé. Mais ce qui compte, chez lui, c'est surtout la parole, qui se met en scène en vue d'élaborer un sens toujours hypothétique et ambigu. Cette polyvalence qui engendre la textualité rappelle le dynamisme des êtres et leur mouvance. Comme le remarque un de ses personnages : « On ne peut plus être tranquille nulle part ». Cet ébranlement du verbe et des hommes se retrouve chez des écrivains comme Driss Chraïbi, Albert Memmi, Malek Haddad, Assia Djebar, Kateb Yacine.

Le Marocain Driss Chraïbi se révolte contre toutes les autorités, d'où qu'elles viennent. La révolte consiste pour lui en une mise en question systématique des institutions et de leurs procédures de vérité. Dès *le Passé simple* (1954), en passant par *les Boucs* (1955), *l'Âne* (1956), *la Foule* (1961), *Succession ouverte* (1962), *Un ami viendra vous voir* (1967), *la Civilisation, ma mère!* (1972), jusqu'à *Mort au Canada* (1975), nous assistons, dans son univers, à une subversion des valeurs traditionnelles maghrébines et des valeurs occidentales. La critique virulente de Chraïbi vise les vicissitudes de l'histoire et les crises psychologiques qu'elle déclenche, qui peuvent mener jusqu'à la folie. Parfois l'humour et l'ironie occultent ces crises et projettent une nouvelle vision de révolution tranquille *(la Civilisation, ma mère!).* Les stratégies de Chraïbi tendent à démolir l'ordre établi, mais aussi à libérer l'être par l'érotisme, l'humour ou la satire.

Le Tunisien Albert Memmi s'inscrit dans le même cadre référentiel, dans les mêmes difficultés de concilier la tradition et la modernité, les aspirations des différentes ethnies et la subjugation coloniale. S'attachant à esquisser le portrait de l'opprimé, l'œuvre de Memmi est fortement marquée par un mysticisme juif avec ses codes éthico-juridiques luttant au sein même des rapports de pouvoir. Comme dans les œuvres des autres Maghrébins, le passé correspond chez lui à la pétrification de l'être (*la Statue de sel,* 1953). La juxtaposition du monde oriental et du monde occidental et leur champ de contradiction (*Agar,* 1955), la quête de l'identité avec ses discours intérieurs et ses liens divergents (*le Scorpion,* 1969) constituent chez lui des thématiques essentielles. Pour Memmi, l'art de la biographie est fondé sur des jeux de miroir qui se veulent jeux de vérité.

Les mêmes interactions culturelles se retrouvent chez le romancier Malek Haddad, avec *Je t'offrirai une gazelle* (1959), *l'Élève et la Leçon* (1960), *Le Quai aux Fleurs ne répond plus* (1961), ou chez le poète Henri Kréa (né en 1933) avec *Longue Durée* (1955), *La révolution et la poésie sont une seule et même chose* (1957), *Poèmes en forme de vertige* (1967) ou *Tombeau de Jugurtha* (1968). Chez eux, l'hétérogénéité du dire et du vécu permet la définition d'une identité inscrite à la fois dans les refoulements qui drainent l'énergie du moi et dans l'expérience des rapports de force qui occultent la tradition des ancêtres. Mourad Bourboune (né en 1938) publie *le Mont des Genêts* (1961), suivi du *Muezzin* (1967). Dans ce dernier roman, le personnage principal, « porteur de la Parole », jette les premières bases d'une société après les déboires de la guerre. Cet « homme-bilan » tente de faire apprendre à ses coreligionnaires la liberté, qui, saccadée comme sa voix, se dévide selon les rythmes des sourates. Il exorcise l'échec et fonde un « anti-Coran » pour parer le mal à venir. La voix prophétique et poétique s'éclipse à la fin de cette farce que dénonce le muezzin iconoclaste.

Kateb Yacine publie en 1956, *Nedjma,* roman qui bouscule les formes romanesques et poétiques. Kateb élabore une écriture en rupture qui laissera des traces sur les écrivains qui suivent. Ce livre sera suivi de *Polygone étoilé* (1966) et d'une œuvre théâtrale abondante, depuis *le Cercle des représailles* (1959) jusqu'à *l'Homme aux sandales de caoutchouc* (1970). *Nedjma* a suscité d'innombrables thèses. Cette œuvre souvent rééditée continue à être lue aujourd'hui, non seulement pour l'originalité de sa structure, mais aussi pour la polyphonie de ses sens, qui font de ce texte un foyer référentiel pour toute littérature maghrébine. Nedjma, héroïne du roman, symbole du pays, étoile lumineuse et mystérieuse, est poursuivie par quatre mâles qui tentent vainement de l'atteindre. Son histoire, dont les racines plongent dans les légendes et les mythes ancestraux des Keblout, est liée à l'histoire du pays. Nedjma reste mystérieuse et insaisissable, tant dans le déroulement de son itinéraire que dans les voix narratives qui tentent de l'appréhender. Le roman non seulement dramatise les rêves et les folies, les obsessions et les phobies transcrits dans le vécu, mais aussi incorpore une dimension poétique. Les brisures de la linéarité narrative et de l'intrigue font de ce texte polymorphe un harmonieux amalgame du concret et du symbolique, lui donnant une force littéraire, renouée à la rhétorique de la digression, que récupéreront les générations suivantes. Kateb Yacine introduit dans le roman maghrébin une vision fragmentée et onirique, des éléments subversifs substantiels et formels, les techniques faulknériennes de l'hallucination et du subconscient.

Rachid Boudjedra (né en 1941), avec *la Répudiation* (1969), *l'Insolation* (1972), *Topographie idéale pour une agression caractérisée* (1975), *l'Escargot entêté* (1977), *les Mille et une années de la nostalgie* (1979), dénonce la complicité du pouvoir et des bourgeois et conteste les carcans rétrogrades, aussi bien celui des structures sociales que celui de la narration linéaire. La déconstruction thématique et formelle, chez Boudjedra, n'empêche pas celui-ci d'inscrire, au sein de l'éclatement, les perspectives à instaurer. Si la mère et la mère patrie sont répudiées par un pouvoir tyrannique, il n'en reste pas moins que la mère — et la femme, en général — articule et inculque des leçons de sagesse aux fils, comme dans *l'Escargot entêté.* De même, elle suscite et appuie les bouleversements sociaux qui doivent permettre l'élaboration des nouvelles valeurs (voir *les Mille et une années de la nostalgie*). Le patriarcat féodal aussi bien que le pouvoir de la bureaucratie sont critiqués, ce qui donne à ces romans le ton de la satire caustique, qui est en même temps critique constructive. La pensée s'allie à l'émotion dans les méandres d'un ciselage minutieux du détail, de la polymorphie des arabesques et de l'art de la digression. Les narrateurs et les personnages évoluent aussi entre le délire et la lucidité, l'hallucination et la folie, tout en laissant s'exprimer des envolées lyriques d'un humour souvent corrosif.

Il en va de même dans les romans du Marocain Mohammed Khaïr-Eddine : *Agadir* (1967), *Corps négatif* (1968), *Moi, l'aigre* (1970), *le Déterreur* (1973), *Une odeur de mantèque* (1976), *Une vie, un rêve, un peuple toujours errants* (1978). Cette œuvre, blasphématoire à l'égard de Dieu et du roi et, par extension, de toute autorité individuelle ou sociale, présente une des plus originales transgressions des formes. Khaïr-Eddine amalgame à merveille la prose romanesque, le poème lyrique, le théâtre, donnant naissance à une œuvre éclatée qui détruit les normes de toutes les conventions sociales et esthétiques. Les ruptures dans la narration, où toute chronologie est abolie, évoquent ce que l'auteur a lui-même appelé « une guérilla linguistique ». A la discontinuité du discours, il faut ajouter l'enchevêtrement thématique. Dans *Agadir,* ce séisme du sujet et de la matière romanesque s'élabore comme le séisme qui, en 1960, détruisit la cité du Sud marocain. Mais la destruction donne lieu à des variations hétérogènes de « villes rêves » : ville-étoile, ville-cage, ville-jardin, ville-symbole, ville-pays à construire. De même, dans *Moi, l'aigre* et dans *Corps négatif,* le poète révolté « détruit en se détruisant », d'où le dévoilement des injustices, des corruptions, de la bêtise.

Dans les récits d'Abdelkébir Khatibi : *la Mémoire tatouée* (1971), *le Livre du sang* (1979), les cicatrices laissées par le colonialisme et les avatars de la relation mâle-femelle s'inscrivent, pour ainsi dire, sur le corps de la mémoire comme le feraient des tatouages, symboles d'une souffrance, mais aussi d'un dessin harmonieux. Simultanément, ses narrateurs prennent conscience des subterfuges qui fondent le dynamisme culturel où se jouent les diverses versions de l'histoire.

Dans l'œuvre de Tahar Ben Jelloun : *Harrouda, la Réclusion solitaire* (1976), *Moha le fou, Moha le sage* (1978), l'auteur manifeste le même refus du linéaire, d'où des irruptions de fragments fantasmatiques et polymorphes. Le roman-poème *Harrouda* trace le portrait d'une prostituée déchue qui continue de hanter la conscience du peuple, et particulièrement celui des villes de Fès et de Tanger. Les mêmes sémiologies de tatouages, de cicatrices, de traces, de circoncisions, de signes sexuels doivent être décodées selon une « lecture déviée », comme dit l'auteur : les blessures du corps, qui font écho aux déformations corporelles qu'on trouve dans l'œuvre de Boudjedra, soulignent non seulement les complications ontologiques, mais aussi les implications sociales et politiques du moi.

L'Algérien Nabile Farès (né en 1941) traite de la même thématique de l'exil et de l'enracinement aussi bien que des difficultés de l'acculturation française. Ses romans : *Yahia, pas de chance* (1970), *Un passage de l'Occident* (1971), *Champ des oliviers* (1972), *la Mémoire de l'absent* (1974), *l'Exil et le Désarroi* (1976), *la Mort de Salah Baye ou la Vie obscure d'un Maghrébin* (1980), montrent par leurs titres le va-et-vient culturel entre la France et le Maghreb, où le drame de l'exil individuel et social prend sa source au « cœur de l'arbre ouvert ». Heureusement, la parole du poète permet de lier les quatre éléments essentiels à la vie — eau, feu, terre, air — par le fait même qu'il raconte l'histoire de sa société : « Ne tremble plus, je te raconterai son histoire dans l'agonie et le silence de Dieu — pour que tes jambes ne tremblent plus ». La métaphore du « langage de l'outre » sert à signifier en même temps l'abondance substantielle de l'eau aussi bien que l'écoulement et les épreuves de la vie. Pour ses quêtes dans le passé, Farès utilise souvent, comme d'autres écrivains maghrébins, un langage incantatoire qui tente de découvrir et d'activer les traces que le présent porte encore.

Chez tous ces romanciers, il s'agit de décrypter, non seulement « les blessures du nom propre » — selon l'expression de Khatibi —, mais aussi les blessures du corps personnel et collectif, les lieux d'exclusion, les fissures de la prétendue identité, fissures qui signalent la différence où irradient les diverses couches de signification. La perturbation et l'évasion dues au délire, au kif, à l'alcool, entre autres, ne sont là que pour esquisser une radicalisation dialectique à venir. La transgression des tabous, des actes religieux ou sexuels sert d'élément subversif et en même temps dévoile le mécanisme d'une critique des structures archaïsantes des sociétés maghrébines. Ainsi les sacrifices rituels, l'exorcisme du mal, les désastres de la guerre, les massacres et la torture, bref, le sang qui coule et qui fait peur, indiquent la souffrance et le sacrifice, mais aussi la force vitale propre à faire surgir le nouveau Sujet chanté par le poète. L'iconoclasme et la dénonciation constituent, à l'intérieur de ces œuvres, une *praxis* linguistique qui tente de promouvoir une vie sociale rénovée, où circulent plus librement les objets et les êtres, sans illusion ni dissimulation.

La situation des écrivains de cette génération se trouve en quelque sorte en porte-à-faux. Leur style, la forme romanesque qu'ils utilisent, les thèmes qu'ils traitent sont souvent contestataires et, à la limite, révolutionnaires. Il existe un certain décalage entre leur intention d'atteindre, de toucher, de transformer le peuple, et une production qui reste souvent hermétique, rebutant parfois le lecteur moyen. Ces auteurs écrivent pour la classe la plus éduquée et la plus bourgeoise. Leurs interviews révèlent la situation paradoxale où ils se trouvent, qui est de vouloir réformer toute la société et de ne pouvoir toucher qu'une infime partie de celle-ci.

Vers la fin des années 70, de jeunes écrivains publient des romans qui poursuivent les recherches formelles et esthétiques de la génération de 1960 : A. Meddeb, *Talismano* (1978); Yamina Méchakra, *la Grotte éclatée* (1979); Mustapha Tlili, *la Rage aux tripes* (1975), *Le bruit dort* (1978); Mina Boumedine, *l'Oiseau dans la main* (1973); Zoulika Boukortt, *le Corps en pièces* (1977). Leur technique narrative devient de plus en plus complexe, rejoignant parfois les factures poétiques de Khaïr-Eddine et de Boudjedra, multipliant les signes propres à rassurer le lecteur arabisant (voir le roman de Meddeb). Les registres de narration se chevauchent et font appel à une réalité exacerbée, se référant non seulement au monde détraqué de la guerre d'Algérie (Méchakra), mais aussi aux lieux imaginaires qui font passer sans transition du rêve à la réalité. Les techniques de téléscopage de l'imaginaire et du rêve, de la logique et du délire, des pays mythiques et des pays présents, étendent les espaces de significations où s'évacuent les cauchemars et s'élabore l'avenir.

Parallèlement à cette littérature masculine, des femmes participent à l'éveil de la conscience maghrébine. Cette écriture littéraire francophone est localisée presque uniquement jusqu'à ce jour en Algérie. Une dizaine de ces femmes, dont Djamila Débèche (*Leila, jeune fille d'Algérie,* 1957), Zoubida Bittari (*Ô mes sœurs musulmanes, pleurez,* 1964), puis, plus récemment, Aïcha Lemsine et Yamina Méchakra ne dépassent pas, dans un premier récit à caractère souvent autobiographique, le témoignage à valeur sociologique. Celui-ci, toutefois, après que des siècles de tradition ont étouffé la parole féminine, nous est précieux.

Deux auteurs ont affirmé leur personnalité d'écrivain. D'abord Marguerite Taos Amrouche, doublement exilée dans son enfance — à la fois de la terre kabyle, et comme chrétienne dans un pays presque exclusivement musulman —, a approfondi déchirement et solitude dans *Jacinthe noire* (1957) et *l'Amant imaginaire*. Devenue interprète des chants berbères que lui avait transmis sa mère, elle meurt à Paris en 1976. Assia Djebar a commencé très jeune une œuvre de romancière. Dans *la Soif* (1957), puis dans *les Impatients* (1958), romans de facture classique qu'elle a voulus pures fictions, le rapport aux traditions familiales arabes est déjà posé. *Les Enfants du Nouveau Monde* (1961) et surtout *les Alouettes naïves* (1967), fresque maghrébine dont l'action se situe entre 1956 et 1962, font vivre, à travers une architecture romanesque élaborée, des personnages masculins et féminins d'évolution différente; sont posés les problèmes que va connaître la nouvelle Algérie de l'indépendance. Ces romans décrivent surtout le conflit exacerbant du couple, les découvertes de l'amour et du corps démasquant les maquillages qui brouillent la vérité... Cependant le bonheur de l'amour, l'innocence d'une sensualité vécue pleinement sont dépeints par la romancière avec une audace tranquille; ce thème de l'épanouissement apparaît isolé dans cette littérature maghrébine. Avec *Femmes d'Alger dans leur appartement* (1980), Assia Djebar aborde une nouvelle étape de son œuvre, avec une volonté de contestation qui met au jour les formes de l'hégémonie masculine actuelle.

Autour de la poésie

La tradition de la poésie d'expression française remonte au début du siècle, précédant le genre romanesque. Déjà, en 1934, l'Algérien Jean Amrouche (1906-1962) publie *Cendres* que suivront *Étoile secrète* (1937) et *Chants berbères de Kabylie* (1939). Il est un des premiers écrivains à exprimer le drame de l'acculturation, de l'oscillation entre deux cultures. Sa poésie tourne autour d'une perpétuelle recherche et défense du « moi » : Qui suis-je? Que suis-je? Le drame personnel verse dans le collectif lorsque la tentative du poète de réinventer l'homme prend la forme d'un retour historique au génie africain symbolisé par le destin de Jugurtha (*l'Éternel Jugurtha,* essai, 1943). Cette figure réelle et mythique traduit simultanément la fatalité infligée par le destin et le triomphe que l'être veut remporter sur lui-même. La maîtrise de soi passe par les alternances, les ambivalences et les inconsistances, ce qui permet à l'auteur de forger un « humanisme intégral » lorsque les contradictions sont surmontées.

Anna Gréki (1931-1966), dans *Algérie, capitale Alger* (1963) et *Temps forts* (1966), met la magie du verbe au service de la lutte pour l'indépendance algérienne. De même, la poésie de Jean Senac (1926-1973) : *Citoyen de beauté* (1967), *Avant-corps* (1968), *la Jeune Poésie algérienne* (1969), comme celles de Malek Haddad, Henri Kréa et bien d'autres, va poser avec acuité une certaine prise de conscience nationale qui débouchera sur l'action libératrice. La poésie de Senac traduit et analyse les thèmes d'espérance et de liberté, de fraternité et d'amitié. Le but du poème est de faire triompher la vérité, ce qui devient un leitmotiv que reprendront les générations suivantes : voir son *Anthologie de la nouvelle poésie algérienne* (1971).

Bachir Hadj Ali, dans *Que la joie demeure* (1970), et Noureddine Aba (né en 1921) dans *la Toussaint des énigmes, Montjoie Palestine* (1972) et dans *le Chant perdu au pays retrouvé* (1978), traduisent la reconquête de soi, de l'authenticité et du bonheur dans une existence où il fait « mal de vivre ». L'œuvre d'Hedi Bouraoui (né en 1932), depuis *Tremblé* (1969) jusqu'à *Haïtuvois* (1980), exprime une volonté de révolution linguistique qui vise à une exploration spatiale et temporelle de l'homme et de sa sensibilité dans un monde en crise perpétuelle. Malek Alloula (né en 1938) a entrepris une œuvre poétique qui représente un temps fort de la poésie maghrébine. *Villes et autres lieux* (1979), suivi de *Rêveurs et sépultures* (1981) et de *Erriah* (1983), dresse, dans une forme hautaine qui se situe dans le sillage d'un René Char et d'un Saint-John Perse, les « stèles ravaudées du souvenir ». On signalera aussi l'œuvre poétique, souvent importante, d'auteurs tels que Boudjedra (*Pour ne plus rêver,* 1965), Khatibi (*le Lutteur de classe à la manière taoïste,* 1967), Farès (*le Chant d'Akli,* 1971; *Peuple Sahrawi,* 1978).

Nulle part au Maghreb il n'y eut un mouvement poétique aussi marquant que celui de la revue *Souffles* (1966-1969). Déjà en 1964, Nissaboury (né en 1943) et Khaïr-Eddine lancent un manifeste, « Poésie toute ». Abdellatif Laâbi (né en 1942) les rejoint en 1966, crée la revue *Souffles* et en devient le directeur. Cette revue opte pour le mépris « de l'écrit rétréci dans l'écrit » qui n'est réservé qu'à une élite. La politique du « refus » est, en un sens, un appel à la révolution de la forme aussi bien qu'à celle du contenu poétique. Ces révoltés en rupture veulent une pratique de subversion du langage sans pour autant falsifier l'authenticité du cri. Ainsi ils refusent de se franciser, même s'ils continuent d'écrire en français. Leur but est d'explorer la profondeur de leur être dans une synthèse créatrice qui prend pour point d'ancrage la réalité intime du pays. Une telle poésie refuse les images officielles d'une culture itérative pour devenir un vecteur propre à « proclamer sa dignité ». La tentative de *Souffles* est de s'affranchir du pouvoir et de la littérature, d'où l'élan euphorique qui caractérise sa revendication. Plusieurs poètes ont gravité autour de ce groupe, dont le bouillonnement volcanique perpétue jusqu'à ce jour une littérature terroriste brisant la logique à tous les niveaux. Après vingt-deux numéros, le directeur est arrêté et emprisonné. La révolution poétique se métamorphose en tactique politique. Le groupe se désintègre, mais les poètes ne se taisent pas. Laâbi continue à écrire en prison : *l'Œil et la Nuit* (1969), *L'arbre de fer refleurit* (1974); Mustapha Nissaboury publie *la Mille et deuxième Nuit* (1975); Zaghloul Morsy, *D'un soleil réticent* (1969).

Poète prolifique, connu en France surtout comme chroniqueur au *Monde*, Tahar Ben Jelloun publie *Cicatrices du soleil* (1972), *le Discours du chameau* (1974), *Les amandiers sont morts de leurs blessures* (1976), *A l'insu du souvenir* (1980). Inégale dans son ensemble, l'œuvre de Ben Jelloun illustre le thème de la mémoire mise au jour par le verbe poétique et affirme le rôle primordial du mythe prométhéen. Le *kalam* (la parole) explore la caverne ancestrale, repense l'histoire et réfléchit sur le « moi » pour métamorphoser l'individu sans le couper des siens. L'exemple de Mohammed Loakira (*Marrakech*, 1975, *Chants superposés*, 1978, *l'Œil ébréché*, 1979); de Salah Garmadi (*Avec ou sans*, 1970, *Nos ancêtres, les Bédouins*, 1975), publiant leurs recueils à l'intérieur de leur pays, incite les jeunes poètes à publier : A. Bensmaïn, K. Toumi, Jebbari, Salah Khélifa... Notons que de nombreux poètes, bilingues, ressentent le besoin de s'exprimer en français et en arabe.

La poésie maghrébine d'expression française entretient sans doute des rapports de violence par rapport à la graphie française. Cette violence, par ses provocations et ses ruptures, évoque un surréalisme qui incorporerait pourtant sa propre couleur locale : reptiles, hyènes, plantes vénéneuses pris dans la faune et la flore d'Afrique du Nord. Une liberté d'expression farouchement revendiquée fait littéralement exploser le texte en tous sens.

Ouverture sur le monde et sur l'avenir

A ceux qui prévoyaient un tarissement rapide de la littérature maghrébine d'expression française comme effet inéluctable de l'arabisation, il semble qu'on puisse opposer en ces dernières décennies du XXe siècle un démenti fondé. D'abord parce que la littérature, comme la culture en général, s'internationalise, et n'est plus liée aux avatars particuliers d'une histoire nationale. Et ce, paradoxalement, au moment où elle est le lieu où s'exprime une revendication d'identité, comme noyau de toute parole et de tout art. Mais cette identité, justement, est si fortement ressentie — parfois par contraste avec le milieu ambiant — qu'elle s'accommode parfaitement d'une mise en œuvre par des moyens et des médias mondialement utilisés. Le cas est bien connu pour la musique, qui exploite des thèmes traditionnels, éventuellement archaïques, d'origine très localisée, à travers une exécution et des moyens techniques ultra-modernes, sans spécificité. Un exemple en est la chanson moderne kabyle, qui connaît un succès considérable, aussi bien à Alger qu'à Paris. Il faut signaler à ce sujet l'importance, désormais avérée, des Maghrébins émigrés dits de la deuxième génération, qui constituent à la fois un public populaire mais parfaitement alphabétisé, un sujet à exploiter pour les auteurs — comme l'a prouvé avec succès la romancière sociologue Léïla Sebbar — et une pépinière d'écrivains qui ont, certes, beaucoup à dire sur eux-mêmes, mais pas seulement sur eux. Le Maghreb, désormais, n'est pas seulement au Maghreb, il est aussi en d'autres lieux, ce dont on ne peut que se féliciter pour la diversité de son expression littéraire.

Il semble aussi que, de ce fait, s'atténue progressivement la tragique problématique de l'exil, au profit de situations plus souples, permettant une meilleure intégration des héritages culturels : l'écrivain maghrébin de langue française n'a plus nécessairement à choisir dans le déchirement entre vivre en France et vivre au Maghreb; il peut être alternativement ici et là. Il peut être encore ailleurs : à New York, à Rome, à Berlin...

Cet écrivain peut aussi, de mieux en mieux, s'établir dans un bilinguisme volontairement assumé, dont il se donnera pour tâche d'explorer les riches possibilités, pour lui-même et pour son public. Une meilleure préservation de la culture arabe en Tunisie et au Maroc fait que ce bilinguisme y correspond déjà à un état et à une pratique connus, comme le prouve l'exemple de Meddeb, de Khatibi, de Ben Jelloun... Mais en Algérie même, pays plus gravement acculturé par cent trente ans de colonisation, on assiste à des choix ou à des reconversions qui prouvent que le bilinguisme peut être envisagé comme une solution pour l'avenir : c'est le cas de Kateb Yacine, qui, malgré ses brillants succès en langue française, décide d'écrire des pièces de théâtre en arabe dialectal; ou encore celui de Boudjedra, qui, après avoir exploré les possibilités du genre romanesque en français, se met à l'arabe et écrit un roman dans cette langue, quitte à le traduire ensuite pour ses lecteurs francophones.

Tandis que le problème de la langue et le problème de l'exil semblent pouvoir se résoudre par de nouvelles pratiques, d'autres difficultés prennent une importance accrue. Ces difficultés, la littérature les frôle ou les contourne, instaurant des rapports complexes avec le politique et l'idéologique, sans doute consciente que, si son rôle est d'évoquer l'urgence de quelques problèmes, les solutions sont ailleurs, et hors de son champ propre. Cette conscience évite aux auteurs maghrébins — quel que soit le régime politique, puisqu'il est divers dans les trois pays — les erreurs d'un jdanovisme qui a désormais fait long feu, sauf chez quelques critiques ou universitaires attardés. La grande nouveauté, dans les ouvrages récemment parus (autour de l'année 1980), est non pas la mise à distance du politique, mais sa mise en situation par des formes d'approche très variées et sans exclusive. Dix ans après les Indépendances, c'était encore un certain nombre de déceptions et de désillusions qu'il importait de dire, avec une cruelle lucidité. Vingt ans après ce début d'une ère qu'on croyait nouvelle, on peut désormais situer toute histoire dans le long terme, et échapper à une obsession monopolisante pour réintroduire la diversité du réel. Concrètement, cela peut vouloir dire l'exploration géographique de pays très divers, comme on voit dans *Talismano* de Meddeb; mais aussi une exploration culturelle dans des domaines à peine soupçonnés au temps des grandes mobilisations idéologiques. Il faut se rendre compte que la culture arabe du Proche- et du Moyen-Orient était souvent considérée comme lointaine, voire étrangère, par les Maghrébins, pour apprécier ce souci nouveau d'y faire désormais des reconnaissances.

Ces curiosités, dont le champ peut s'étendre aussi bien à la littérature turque qu'à celle d'Amérique latine, entraînent évidemment un regard sur soi un peu différent, toujours intéressant dans les voies d'une autobiographie repensée et rénovée, remarquablement prudent dans l'approche de certaines zones problématiques et sensibles. Bien peu de livres encore sur le problème des diversités culturelles et ethniques au sein du Maghreb — et encore ne sont-ils pas tout à fait récents, si l'on pense par exemple aux efforts de Nabile Farès ou de Mouloud Mammeri pour poser le problème berbère. Bien peu aussi, et cela peut paraître plus étonnant à notre époque, sur la situation de la femme maghrébine actuelle, une femme qui serait enfin vue dans ses rapports de couple avec l'homme, et pas seulement comme l'éternelle mère-de-son-fils-l'écrivain. Sur ce point, la tentative la plus remarquable est celle de l'Algérienne Assia Djebar, entreprise dès avant l'Indépendance. Les problèmes de censure ne sont certes pas à ignorer, mais c'est l'autocensure de ces écrivains qui semble plus intéressante à analyser. On peut suggérer, comme une explication vraisemblable, l'impossibilité où ils se trouvent de rompre avec la classe politique au pouvoir, dans la mesure où celle-ci est aussi, actuellement, la seule classe éclairée et susceptible de les lire, et contre la pression de laquelle ils ne peuvent recourir à l'adhésion d'aucun autre public maghrébin. On ne peut imaginer des écrivains en rupture complète avec une partie notable de leur public, et la plus concernée. Hormis les cas de désaveux brutaux bientôt suivis de palinodies, on doit plutôt parler de décalages et de retraits provisoires, qui n'excluent pas, pour l'écrivain maghrébin, la possibilité de rester en contact avec les siens.

L'approfondissement des problèmes les plus délicats abordés par cette littérature passe donc non point par des prises de position politiques fracassantes de la part des écrivains, mais par la création d'un public maghrébin plus varié et plus large, qui se sente vraiment concerné par cette littérature et impliqué dans les débats qu'elle pourrait entraîner. Il ne faut pas négliger certains efforts gouvernementaux, au moins pour créer des institutions qui aillent dans ce sens. Sans reposer le problème de la langue, on doit constater que les efforts d'arabisation n'entraînent pas nécessairement un déclin du français, puisque c'est le volume global de la population alphabétisée qui augmente. Les possibilités d'être édité sur place existent également; c'est plutôt la diffusion qui reste restreinte et mal assurée. Tout se passe comme si les pays maghrébins n'étaient pas aussi convaincus qu'ils l'affirment parfois des remarquables atouts culturels dont ils disposent pour figurer sur la scène mondiale. Il est pourtant clair qu'un immense public aimerait connaître les avatars actuels de ces précieux amalgames culturels, puisant aux fonds arabe, berbère, musulman, bédouin, méditerranéen, et propres à donner une synthèse originale.

BIBLIOGRAPHIE

Ch. Bonn, *la Littérature algérienne de langue française et ses lectures,* Sherbrooke, Naaman, 1974; J. Déjeux, *Littérature maghrébine de langue française,* Sherbrooke, Naaman, 1973, rééd. 1978, et *Bibliographie méthodique et Critique de la littérature algérienne de langue française 1945-1977,* Alger, S.N.E.D., 1981; A. Khatibi, *le Roman maghrébin,* Paris, Maspero, 1968; A. Memmi (dir.), *Anthologie des écrivains maghrébins de langue française,* Paris, Présence africaine, 1964; Gh. Mérad, *la Littérature algérienne d'expression française,* Paris, Oswald, 1976; A.-M. Nisbet, *le Personnage féminin dans le roman maghrébin de langue française,* Sherbrooke, Naaman, 1982; G. Toso-Rodinis, *le Rose del deserto : saggi e testimonianze di poesia maghrebina contemporanea d'espressione francese,* Bologne, Patrón, 1978; I. Yétiv, *le Thème de l'aliénation dans le roman maghrébin d'expression française de 1952 à 1958,* Univ. Sherbrooke, 1972.

Numéros spéciaux de revues : *Esprit créateur,* Louisiana Univ., hiver 1972 (« Francophone Literature of North Africa »); *Europe,* 1976 (littérature algérienne) et 1979 (littérature marocaine); *Œuvres et critiques,* 1979 (« la Littérature maghrébine de langue française devant la critique »); *Revue de l'Occident musulman,* Univ. de Provence, 1976; *Temps Modernes,* 1977 (« Du Maghreb »).

H. BOURAOUI et D. BRAHIMI

MAGNON Jean (1620-1662). Né à Tournus, avocat, poète et dramaturge, il était fort estimé de Molière, qui fit jouer toutes ses œuvres. On lui doit une dizaine de pièces, de facture régulière et classique, moralisant les sources antiques : *Artaxerce* (1645), tragédie perse inspirée de Plutarque; *Sejanus* (1646), tragédie (Livia, héroïne très cornélienne par son patriotisme et sa vertu, y triomphe de Séjan); *Josaphat* (1646), tragi-comédie, drame de la conversion influencé par *Polyeucte* (1642); *le Mariage d'Oroendate et de Statira ou la Conclusion de Cassandre* (1648), tragi-comédie d'après le livre X du roman *Cassandre* de La Calprenède. Après *Jeanne, reine de Naples* (1656) et *Zénobie, reine de Palmyre* (1660), Magnon porte le premier à la scène les amours de Bérénice dans *Tite,* tragi-comédie (1660).

Mais, entre-temps, Magnon a décidé d'abandonner le théâtre et de « consacrer [sa] plume à la gloire de Celui qui nous fait agir »; d'où *les Heures du chrétien* (1654), ouvrage de piété (où il prend le titre d'historiographe du roi), et surtout *la Science universelle,* appelée à remplacer toute bibliothèque (200 000 vers sont prévus)! Projet d'une ambition et d'une naïveté vertigineuses : « Dis-moi, ne suis-je pas un des verbes du Verbe? » (Adresse au lecteur, livre I). Mais l'assassinat de Magnon sur le Pont-Neuf interrompt cet élan « digne du Tasse » (Loret); il nous reste environ 10 000 de ces « vers héroïques ».

Dès la fin du XVIIe, Magnon est oublié; dans ses pièces, les récits trop nombreux, les longues discussions et les intrigues très complexes ont découragé le public. L'Adresse de *Josaphat* présentait pourtant un audacieux projet : mettre l'histoire française sur scène (en la personne du dédicataire, le duc d'Épernon), en lieu et place des sujets grecs et latins « qui ont si longtemps occupé notre scène »! *Tite* semble avoir inspiré Corneille; exceptons cependant le dénouement : le Tite de Magnon épouse Bérénice. Liberté typique de celles que pouvait prendre la tragi-comédie à l'égard de l'histoire.

BIBLIOGRAPHIE

Tite, éd. critique par Hermann Bell, Baltimore, 1936.

A consulter. — Gabriel Jeanton, *Notes sur la vie et l'assassinat de J. Magnon, de Tournus, poète et historiographe du roi,* Mâcon, Annales de l'Académie, 1971; Étienne Gros, « Avant Corneille et Racine, le *Tite* de Magnon », dans la *Revue d'histoire littéraire de la France,* XXVIII, 1921.

G. DECLERCQ

MAGNY Olivier de (vers 1527?-1561). Poète quercynois, comme Marot et Salel, c'est sous la protection de ce dernier qu'Olivier de Magny se lance en littérature; il devient rapidement un ami de Jodelle, alors au faîte de sa gloire, et des poètes de la Pléiade naissante. Affectueux, reconnaissant, bien entouré, il partage aisément les idéaux de ses compagnons, gai de leurs « folastries », savant de leurs recherches, triste des larmes de Du Bellay, dont il accompagne l'« exil » romain de ses *Soupirs.*

Le culte de l'amitié

Né à Cahors, d'un père ni riche ni pauvre, dont il vantera la modestie et la « santé de corps et d'esprit », et d'une mère charmante qui lui jette des cerises en lui faisant répéter ses leçons et qui défend qu'on le rudoie pour lui donner l'« esprit plus ardent à l'étude », Magny suit les cours de l'université de sa ville. Il devient secrétaire de Hugues Salel en 1547 (Salel vit alors à Chartres, tout préoccupé de sa traduction de *l'Iliade).* Il obtient tout naturellement l'appui des protecteurs de son maître : outre le roi, de grands serviteurs de l'État, tels Jean d'Avanson, Du Thier ou Bertrandi, qui, après la mort de Salel (1553), relaieront celui-ci dans le soutien qu'il apportait au poète. Après un court passage chez Jean de Bourbon, il entre au service de d'Avanson en 1553 et suit le diplomate à Rome en mars 1555, pour en revenir en novembre 1556 : exil moins long que celui de Du Bellay, et d'ailleurs interrompu au printemps 1556 par un séjour en France. Sur le chemin de Rome, il a rencontré à Lyon Louise Labé, et entre eux l'attirance est réciproque; il en reste, trace fragile, un poème écrit en commun, mais aussi un texte vengeur de Magny sur les complaisances du mari de Louise...

Par son maître d'Avanson, Magny appartient au clan de Diane de Poitiers; ce n'est pas celui de Ronsard ou de Du Bellay, mais tous trois restent, au-dessus des clans politiques, en rapport d'amitié, se dédiant entre eux bien des poèmes. Malgré des charges importantes (contrôleur extraordinaire des guerres en Périgord et Quercy, sur la demande de d'Avanson en 1557, puis secrétaire du roi de 1559 à sa mort), Magny écrit beaucoup, avec, apparemment, une grande facilité. L'œuvre est, pour une grande part, d'inspiration amoureuse et libertine, mais elle dit aussi très profondément le culte du poète pour l'amitié : d'un côté la revendication d'« aymer en plusieurs lieux », de l'autre la fidélité — et la complicité — dans les idéaux communs. Et toujours un ton d'élégance et d'humour, propre à celui qui ne souhaite pas plus peser sur les autres que dépendre d'eux.

Mais de n'en aymer qu'une, et pour elle ma vie
Veoir à mille tourmentz pour jamais asservie,
Je ne le sçaurois faire, aymant mieux dire adieu
Pour aller chercher mieux en quelque autre bon lieu.
La Nature m'a faict, et la Nature est belle
Pour la diversité que nous voyons en elle :
Je suis donc naturel, et ma félicité
En matière d'amour c'est la diversité...

On ne dira pas mieux sous Louis XIII.

Une aisance mal entendue

En moins de dix ans, Magny publie quatre recueils importants : *les Amours* de 1553, correspondant aux recueils d'odes et de sonnets amoureux de la Pléiade; *les Gayetez* de 1554, que l'on a comparées aux *Folastries* de Ronsard; *les Souspirs* de 1557, écrits comme en écho des *Regrets* de Du Bellay, et publiés un an après eux; enfin les *Odes* (en cinq livres) de 1559, les plus diverses et les plus libres. On peut penser que, comme du Bellay, il a regroupé, dans ces recueils, des pièces composées à des périodes différentes, et qu'il a réunies suivant un plan concerté. Il avait commencé en publiant un poème de circonstance sur la naissance de Marguerite de Valois, fille de Henri II; et l'on éditera au XIXe siècle un manuscrit contenant des sonnets adressés à Catherine de Médicis et Charles IX, sur les devoirs des rois, à la manière des textes politiques de Ronsard, mais de forme plus légère. Restent aussi quelques odes et sonnets épars. Malgré tout cela, l'œuvre est très homogène, sous les intentions qui s'avouent proches de celles de ses amis.

On a souligné, dans l'œuvre de Magny, l'abus de l'imitation (jusqu'au plagiat), l'abus des références mythologiques, ou des diminutifs à la mode de Ronsard, le ressassement des thèmes pétrarquistes, l'absence de sincérité de la poésie amoureuse, le caractère lâche et prolixe du style. En fait, pour Magny et ses amis, comme ils l'ont souvent dit, la poésie est dans le plaisir des lectures et dans le plaisir d'écrire, inséparables; Magny a souvent évoqué la liberté de ces échanges entre poètes : dans l'enthousiasme d'une lecture italienne, ou grecque, ou latine, on se communique des trouvailles, on apprend par cœur des vers, puis l'on crée sa propre variation musicale. Que cela vienne de Pétrarque, de Sannazar, de Bembo ou de l'Arioste, qu'importe : tous, en même temps, travaillent sur un poème, et l'essentiel est d'imiter la dynamique complètement nouvelle de la syntaxe de Ronsard, lui qui a su, grâce aux appuis logiques forts, à la manière italienne, et par le travail de l'enjambement, modifier définitivement la structure rythmique du sonnet. Or, dès 1553, et malgré l'influence persistante des structures immobiles de Scève, Magny est passé maître en mouvement dans ses sonnets décasyllabiques et ses odes, et cela comme sans effort.

Quant à la surcharge mythologique, il semble que l'accusation soit injuste; Magny le dit expressément, et le prouve : la mythologie ne l'intéresse pas, et sa poésie est strictement métaphorique. Rares même les interventions de Vénus ou d'Amour. En cela, son humeur le rapproche de son cher Rémy Belleau, plus que de Ronsard, de Baïf, voire de Du Bellay. Il ne s'est par ailleurs amusé aux diminutifs que dans certaines chansons des *Gayetez,* où l'amour n'est pas chose trop sérieuse.

Construisant avec la Pléiade les genres poétiques nouveaux (le sonnet, qui passe du décasyllabe à l'alexandrin, qu'il mêle encore l'un à l'autre dans ses *Souspirs;* l'ode, si voisine de la chanson encore dans *les Gayetez,* mais qui varie souvent de mètres et s'amplifie sans cesse dans les *Odes* de 1559), il a néanmoins des goûts très personnels en matière de musique du vers : on sent comme une nostalgie de la ballade et du rondeau dans ce plaisir à écrire des refrains, à reprendre des hémistiches entiers comme éléments rythmiques, jusque dans ses sonnets. Assurément, sa poésie était faite pour être lue et chantée entre amis — et devant d'Avanson. C'est de telles cadences, servies par un vocabulaire sobre et fluide, qu'elle est faite.

Quant aux sujets, il y a plus à trouver qu'on n'y cherche. Outre un art de vivre libertin, un goût affiché pour le vin inspirateur, pour un érotisme qu'on se plaît à partager, pour les joies de se retrouver dans les promenades nocturnes le long de la Seine, etc., il y a chez lui une manière franche de parler de l'éducation des grands, des devoirs des rois, et surtout du travail commun aux poètes et des constants échanges amicaux, qui fait de Magny tout autre chose qu'un plagiaire. Le recueil des *Souspirs,* écrit en solidarité complète avec *les Regrets* et Du Bellay, et qui parle des mêmes faits aux mêmes personnages, prouve assez bien qu'il s'agit de tempéraments très différents, et qu'il existe, de fait, un « ton » propre à Magny.

Comme ces créateurs qui expriment trop uniment les visées et les goûts d'un groupe, Magny n'a pas vraiment été récompensé par les compliments de la postérité.

BIBLIOGRAPHIE

L'œuvre d'Olivier de Magny dispose de bonnes éditions du XIXe siècle, et d'éditions récentes : éd. E. Courbet, *les Œuvres complètes,* Paris, Lemerre, 1871-1880, 6 vol., dont *les Dernières Poésies,* comprenant *l'Hymne sur la naissance de Madame Marguerite de France* et la notice de Guillaume Colletet sur Magny, ainsi que les *Epistres* en vers et prose adressés par Magny à ses amis (Genève, Slatkine Reprints 1969). *Les Cent Deux Sonnets des Amours de 1553,* éd. M.S. Whitney, Genève, Droz, 1970 (ne contient pas les 18 odes des *Amours* de 1553). *Les Gayetez,* éd. A.R. MacKay, Droz, 1968. *Les Soupirs (1557),* éd. D. Wilkin, Droz, 1978. *Les Odes amoureuses,* éd. M.S. Whitney, Droz, 1964 (ne comprend que les Livres IV et V des *Odes* de 1559).
Études. — E. Turquety, « Olivier de Magny », *Bulletin du bibliophile,* 1860; J. Favre, *Olivier de Magny (1529?-1561), étude biographique et littéraire,* Paris, 1885, Slatkine Reprints 1969; P. Cambon, *Olivier de Magny, poète de Cahors (1527-1561),*

Cahors, 1925; L.A. Bergounioux, « Quelques rectifications et documents inédits sur Olivier de Magny (1520-1561) et sa famille », *Bulletin de la Société des études du Lot*, LVII, 1936 et LVIII, 1937; G. Dickinson, *Du Bellay in Rome*, Leiden, Brill 1960; L. Kastner, « The Sources of Olivier de Magny's Sonnets », *Modern Philology*, VII, 1909; M.S. Whitney, « Ronsard and Olivier de Magny's *Amourous Odes* of 1559 », *Romanic Review*, LIX, 1968; D. Wilkin, « Holà Charon! », *B.H.R.*, XLII.

M.-M. FONTAINE

MAHELOT (XVIIe siècle). Nous n'avons pas d'indications sur le personnage de Mahelot, qui fut le premier décorateur de l'Hôtel de Bourgogne et qui donna son nom à un document essentiel pour tous ceux qui s'intéressent à l'histoire de la mise en scène et de la décoration théâtrales : le *Mémoire de Mahelot, Laurent et autres décorateurs de l'Hôtel de Bourgogne*. Ce document rassemble les dessins de décors et les notices correspondantes des pièces qui furent jouées sur la scène de ce théâtre entre les années 1630 et les années 1680. Cette sorte de registre servit d'aide-mémoire à des professionnels, qui y consignèrent tout ce qui pouvait être utile en cas de reprise d'une pièce. Outre la liste des pièces représentées, on trouve donc dans le *Mémoire* le détail des compartiments utilisés, l'énumération des accessoires qui n'appartiennent pas à la routine scénique et auxquels le décorateur accordait une attention particulière.

La datation exacte du *Mémoire* et le moment d'intervention de chacun des décorateurs ont été l'objet de discussions entre spécialistes. Le *Mémoire* fut commencé par Mahelot dans les années 1630 et continué par Michel Laurent probablement à partir de 1673. Un autre décorateur, resté anonyme, y ajouta également des indications. La partie rédigée par Mahelot est la plus riche en renseignements. Elle comprend 47 dessins de décors et autant de notices.

Un travail attentif sur les dessins et les notices permet de se faire une idée assez précise de l'esthétique de la représentation dans le premier tiers du XVIIe siècle. Ainsi, pour *Pyrame et Thisbé*, de Théophile de Viau, Mahelot indique : « Il faut, au milieu du theatre, un mur de marbre et pierre fermé; des ballustres; il faut aussy de chasque costé deux ou trois marches pour monter. A un des costez du theatre, un murier, un tombeau entouré de pyramides. Des fleurs, une éponge, du sang, un poignard, un voile. Un antre d'où sort un lion du costé de la fontaine, et un autre antre à l'autre bout du theatre où il rentre. »

Le décorateur-régisseur tient généralement compte des indications scéniques de l'œuvre, des disponibilités dans le « fonds décoratif » de l'Hôtel de Bourgogne, et il y ajoute aussi, sans doute, ce que lui dicte sa propre inspiration. Il arrive qu'un compartiment du décor soit construit exceptionnellement en vue d'un effet particulier. Mahelot énumère les objets, et parfois même indique les bruitages qu'il faut prévoir. L'effet d'accumulation de ces listes est parfois cocasse : « Trois casques garnis de leurs visieres en porc, six queues de sereines, six miroirs, des ailes pour Eolle, une verge d'argent, une verge d'or, un pot de confiture, une serviette (...), vents, tonnerres, flames et bruits, un caillou pour Sisiphe, un artifice dans l'antenne du vaisseau d'Ulisse » (liste consacrée aux *Travaux d'Ulysse* de Durval).

Divers chercheurs travaillant sur le *Mémoire* ont essayé de tirer un parti de cette mine de renseignements et de faire revivre l'esprit qui présidait à la mise en scène dans la première moitié du XVIIe siècle.

BIBLIOGRAPHIE

Le Mémoire de Mahelot, Laurent et autres décorateurs de l'Hôtel de Bourgogne, éd. par H.C. Lancaster, Paris, Champion, 1920.

T.E. Lawrenson, D. Roy et R. Southern : « le *Mémoire* de Mahelot et l'*Agarite* de Durval, vers une reconstitution pratique », dans *le Lieu théâtral à la Renaissance*, Paris, C.N.R.S., 1964; J.-P. Ryngaert : « l'Antre et le palais dans le décor simultané selon Mahelot. Étude du fonctionnement de deux espaces antagoniques », dans *les Voies de la création théâtrale*, vol. 8, Paris, C.N.R.S., 1980.

J.-P. RYNGAERT

MAILLET Antonine (née en 1929). Antonine Maillet, qui se proclame à la fois acadienne, québécoise et canadienne, est née à Bouctouche (Nouveau-Brunswick). Elle a fait ses études universitaires à Montréal et à Québec : sa thèse sur *Rabelais et les traditions populaires en Acadie* (publiée en 1971) témoigne de l'intérêt que, très tôt, elle a marqué pour les phénomènes interculturels induits par la littérature. Son œuvre d'écrivain, que ce soit par le roman (*Mariaagélas*, 1973; *les Cordes-de-bois*, 1977; *Pélagie-la-Charette*, prix Goncourt 1979) ou par le théâtre (*les Crasseux*, 1968; *la Sagouine*, 1971; *la Veuve enragée*, 1977; *le Bourgeois gentleman*, 1978), affirme une volonté constante de recréer d'une manière nouvelle et personnelle la terre et l'histoire acadiennes. La voix étonnante de la « Sagouine » s'est entourée d'échos : voix de femmes criant dans le vent venu de la mer; voix des « crasseux » revendiquant avec autant de véhémence leur baril de mélasse et l'honneur de vivre. De la cuisine de la Sagouine, l'univers de l'œuvre s'est élargi à la côte, à la mer, à la terre néo-brunswickoise. L'Acadie s'est transformée en terre promise brillant au bout du regard, au terme de la longue marche du retour conduite par Pélagie-la-Charrette. On comprendrait mal Antonine Maillet si on ne tenait pas compte de cette distillation littéraire de son Acadie quotidienne : « Le travail de l'écrivain, c'est uniquement de raconter ce qu'il voit, mais de le raconter en le digérant, en le passant par l'alambic intérieur qui est le sien, qui passe par l'estomac, aussi bien que par les reins, par les tripes, le cerveau et le cœur ».

De tous les éléments d'un usage acadien remontant au XVIIe siècle, l'auteur se compose une langue où l'accumulation de tournures archaïques encore utilisées, le retour d'expressions typiques, de rythmes vifs et spontanés, de sonorités favorites, créent un univers langagier fortement personnel. L'ensemble des romans d'Antonine Maillet, qui tous pourtant ne sont pas convaincants, possède un charme qui entraîne l'adhésion du public plus encore que ne le fait son théâtre.

Car Antonine Maillet est essentiellement une conteuse. On en trouve la preuve non seulement dans la présence insistante du narrateur, dans cet élan du langage qui parfois se développe pour le seul plaisir qu'il engendre, mais aussi dans la stature des personnages, qui sont des types, engagés dans des aventures aux lignes simples, et non des caractères complexes et fouillés. Des figures se détachent, agrandies par leur rôle et la portée de leur voix. Les personnages d'Antonine Maillet parlent beaucoup; leurs principales actions sont les mots mêmes qu'ils prononcent, accompagnés de gestes dont la description amplifie l'aspect grandiose, énorme ou pittoresque.

Personnages, actions, écriture sont, dans cette œuvre, plus grands que nature, plus ornés peut-être qu'il ne faudrait. La romancière aime se dire proche de Rabelais, dont elle partage l'état d'esprit, la générosité, la verve. Scrutant avec ferveur le passé acadien pour y trouver une matière qui lui permette de créer un univers fabuleux, tumultueux, déchiré mais heureux, Antonine Maillet atteint parfois à une grandeur épique.

BIBLIOGRAPHIE

« Dossier Antonine Maillet », *Revue de l'université de Moncton*, VII, mai 1974; B. Drolet, *Entre dune et aboiteaux, un peuple : étude critique des œuvres d'Antonine Maillet*, Montréal, Éd. Pleins bords, 1975.

Y. BOLDUC

MAILLET Benoît de (1656-1738). Diplomate, voyageur, il fut consul de France en Égypte, puis à Livourne, et termina sa carrière comme inspecteur des Établissements français de la Méditerranée. Ses œuvres, pour lesquelles il accumula, sa vie durant, des matériaux, ne furent publiées — à l'exception de la *Description de l'Égypte* (1735) — qu'après sa mort : *Idée du gouvernement ancien et moderne de l'Égypte* (1743) et, surtout, *Telliamed ou Entretiens d'un philosophe indien avec un missionnaire français sur la diminution de la mer, la formation de la terre, l'origine de l'homme, etc.* (1748 et 1755, cette dernière édition contenant une *Vie* de Maillet par Le Mascrier).

Telliamed (anagramme de De Maillet) expose une théorie de l'apparition de la vie et des espèces animales sur la terre où l'on reconnaît l'influence du matérialisme d'Épicure et de Lucrèce, et qui, par l'imagination et le goût du bizarre qu'elle révèle, ne le cède en rien à Cyrano de Bergerac, à qui l'ouvrage est d'ailleurs dédié. La matière est éternelle, et des semences flottant dans les espaces interplanétaires ont donné naissance à la vie sur la terre alors recouverte par les eaux. Les eaux se retirant, des espèces animales marines sont issues les espèces aériennes et terrestres. Chaque animal terrestre, y compris l'homme (il y a d'ailleurs plusieurs espèces humaines distinctes), a son semblable dans la mer. Tous les jours encore, des hommes marins se transforment en hommes terrestres; le phénomène peut s'observer près des pôles, dans le brouillard et l'humidité. Le système de Maillet était, selon le *Journal de Trévoux,* « plus ridicule encore et plus incompréhensible que dangereux ». Critiqué par Voltaire, il fut admiré par Buffon et Cuvier. On a pu y voir un pressentiment du transformisme et aussi de l'idée selon laquelle toute vie est issue de la mer.

BIBLIOGRAPHIE

M.-L. Dufrenoy, *l'Idée de progrès et la Recherche de la matière d'Orient,* Paris, C.D.U. 1960; J. Mayer, *Diderot homme de science,* Rennes, 1959; J. Roger, *les Sciences de la vie dans la pensée française du XVIIIe siècle,* Paris, Colin, 1963-1971; P. Rossi, *I segni del tempo, Storia della terra e storia delle nazioni da Hooke a Vico,* Milano, 1979.

A. PONS

MAIMBOURG Louis (1610-1686). Né à Nancy, issu d'une excellente famille, il entre à seize ans dans la Compagnie de Jésus et fait ses études à Rome. A son retour, il occupe pendant six ans la chaire d'humanités au collège de Rouen. Il s'adonne ensuite à la prédication, attaquant successivement les jansénistes et les protestants. Dans deux sermons et deux lettres de 1667, il critique violemment la traduction janséniste du Nouveau Testament imprimée à Mons; d'esprit vif et de langage agréable, mais peu scrupuleux, il n'hésite pas à utiliser la raillerie pour ridiculiser ses adversaires. En 1668, sous le pseudonyme de FRANÇOIS ROMAIN, il publie *la Réponse d'un théologien...,* où il s'en prend aux quatre évêques ayant refusé de signer le formulaire condamnant Jansénius. Il écrit ensuite trois *Traités de controverse* (1670 et 1671), où il envisage « la méthode pacifique [...] pour ramener les enfans égarés à leur mère »; soucieux d'éviter les conflits, il insiste sur la nécessaire autorité de l'Église, dont il faut suivre les décisions. Il a soixante-trois ans lorsqu'il entreprend son premier écrit historique, l'*Histoire de l'arianisme,* qui témoigne de son intérêt pour l'histoire des schismes religieux. Prolixe, mais peu sérieux parce que mal préparé, il est sévèrement critiqué pour son manque d'érudition et sa partialité; en 1682, *l'Histoire du calvinisme* fait l'objet de nombreuses critiques, dont celles, érudites et bien fondées, de Bayle *(Critique générale de l'Histoire du calvinisme)* et de Jurieu *(Histoire du calvinisme et du papisme).* Discrédité comme historien, il poursuit néanmoins son œuvre comme apologiste de la politique religieuse de Louis XIV. Car ce curieux jésuite défend des positions gallicanes (en particulier dans l'affaire de la Régale), au point que le pape Innocent XI réclame son expulsion de la Compagnie; bien que soutenu par le roi, il démissionne de son propre chef en 1682. Fortement pensionné, Louis Maimbourg, historiographe du roi, poursuit son œuvre à l'abbaye de Saint-Victor, où il meurt d'apoplexie, laissant inachevée son *Histoire des anglicans.*

Maimbourg n'a rien d'un érudit, il s'en vante lui-même : « Je fais une histoire, et non une critique ni une dissertation. » Pourtant son œuvre a plu au roi parce qu'elle soutenait sa politique, et au public pour la valeur littéraire des récits.

Maimbourg fait œuvre de propagandiste; il a popularisé la controverse religieuse, et, en peignant perfidement jansénistes et protestants, il a servi la politique royale de réunification religieuse du royaume; il loue « les doux moyens » dont use Louis XIV et présente le protestantisme comme « le plus furieux et le plus terrible de tous les ennemis [que la France ait jamais eus] ». Son inféodation au roi s'exprime parfois de façon spectaculaire : « N'étant plus maintenant jésuite, je ferai de la grâce de Sa Majesté tout ce qu'il lui plaira, pour la servir avec plus d'ardeur et de zèle et de liberté que jamais. » La dominante de sa doctrine est son gallicanisme et sa critique de la papauté au moyen d'exemples historiques; dans son *Traité historique de l'établissement des prérogatives de l'Église de Rome et de ses Évêques* (1685) — mis à l'index —, il réfute l'infaillibilité papale en dehors du concile. Le pape est chef et non maître de l'Église (lequel est Jésus-Christ), alors que le roi est de droit divin maître de ses États. Le gallicanisme est ainsi présenté comme le juste milieu entre le schisme protestant et l'abus d'autorité temporelle du pape, cause de ce schisme. « Le pape [et] même l'Église n'ont reçu aucun pouvoir de Jésus-Christ, que sur les choses purement spirituelles. Les rois et les souverains, selon l'ordre de Dieu, ne sont soumis, pour les choses temporelles, ni directement ni indirectement à aucune puissance ecclésiastique. »

Historien très partial, Maimbourg a pourtant été fort apprécié pour la qualité littéraire de son œuvre — qualité que reconnaissaient l'abbé Lambert et même Bayle. Il affiche d'ailleurs ses ambitions littéraires et entend honorer le roi aussi bien que le feraient un orateur ou un poète : fidèle en cela à la tradition des humanistes, il tient l'histoire plus pour un genre littéraire que pour une discipline scientifique; histoire et éloquence vont de pair, celle-ci permettant de mettre en scène l'impressionnante tragédie de celle-là. Car c'est au genre tragique que s'apparente un récit souvent « sanglant » et « horrible », toujours « funeste » et « fatal », qui sollicite tous les ressorts rhétoriques de la *captatio benevolentiae :* dramatisation des épisodes, adjectifs à coloration tragique, hyperboles, pompe du langage témoignent d'un souci littéraire marqué d'un goût baroque pour l'évocation funèbre : « Ce nouvel Attila, plus terrible et plus barbare que celui qui se fit appeler le fléau de Dieu, fit encore plus de mal que lui [...], abolissant la messe, renversant les Églises, pillant tous les vases sacrés [...], brûlant, tuant, égorgeant... », écrit-il à propos d'un massacre de catholiques perpétré par le baron des Adrets.

Ainsi, au moment où les travaux érudits d'un Mabillon et les premiers grands dictionnaires historiques donnent à l'histoire son statut scientifique, l'œuvre de Maimbourg, très marquée par une esthétique baroque et tragique, témoigne d'une conception littéraire et oratoire de l'histoire encore considérée comme partie intégrante des belles-lettres.

BIBLIOGRAPHIE
Abbé Lambert, *Histoire littéraire du siècle de Louis XIV*, 1751, t. I; Sommervogel, *Bibliothèque de la Compagnie de Jésus*, Paris, 1894, (Ire partie, t. V); *Dictionnaire de théologie catholique*, t. 9 (2), 1927 (article de M. Carreyre); *New Catholic Encyclopedia*, Mc Graw Hill, 1967.

G. DECLERCQ

MAINARD ou **MAYNARD François** (1582-1646). Malgré une carrière discrète, Mainard fut tenu parmi les poètes de son temps pour le meilleur disciple, voire l'égal, de Malherbe.

Il naquit à Toulouse, dans une famille parlementaire de rang moyen, où un savoir solide était de tradition, et qui avait, durant les guerres de Religion, montré une loyauté indéfectible au pouvoir royal. Il pouvait espérer une belle carrière et, après des études de droit (il fut reçu avocat en 1603), tenta sa chance à Paris et à la Cour.

Il devint secrétaire et lecteur de la reine Marguerite (1615), et, dans le cercle d'écrivains dont elle s'entourait, apparut comme un de ses poètes en titre. Chez elle, il se lia avec Bertaut, Desportes, Régnier. Mainard versifiait dans le goût pastoral alors en vogue. C'est ainsi qu'il composa un poème dans la manière du *Sireine* de D'Urfé : *Silvandre* (écrit en 1606, édité seulement en 1619). Mais en 1607, il se brouilla avec sa protectrice.

Il tente alors vainement de trouver un emploi à la Cour, où il comptait des appuis (notamment Cramail). Il fréquenta aussi les réunions que tenait Malherbe, dont la gloire commençait à s'imposer, et ses premiers vers publiés figurèrent dans le recueil du *Parnasse* de 1607 auprès de ceux du nouveau « prince des poètes ». En adhérant aux vues de Malherbe, il changea de manière d'écrire; il changea aussi ses amitiés et, comme son modèle, se brouilla avec Desportes, Bertaut et Régnier. Il composa des pièces d'éloges pour Henri IV, mais la mort de celui-ci ruina ses espoirs de réussite.

Il acheta donc la charge de premier président au présidial d'Aurillac (1612), et sa vie allait désormais être, pour l'essentiel, celle d'un bourgeois de province. Non qu'il ait renoncé à ses ambitions poétiques : il continuait à publier dans les recueils parisiens et à suivre les mouvements de la mode. Il avait des contacts avec les libertins et participa anonymement au recueil du *Parnasse satyrique* (1622) de Théophile de Viau. Il s'efforça, mais en vain, d'obtenir la protection de Richelieu, abandonna son poste à Aurillac et, après une tentative malheureuse de secrétariat d'ambassade à Rome (1635-1636), dut se résigner à vivre dans une sorte d'exil provincial, comme son ami Guez de Balzac. Sa réputation était pourtant de mieux en mieux établie : il fut de l'Académie dès la fondation, et les jeux Floraux lui décernèrent un prix spécial (1639). La publication de ses poèmes en recueils personnels — d'abord ses *Œuvres nouvelles* (trente-quatre épigrammes, 1638), puis ses *Œuvres complètes* (1644) — lui valut le succès. Dans le même temps, grâce à une intervention de Priezac, Séguier le fit conseiller d'État (1644; cette charge conférait la noblesse), et il revint à Paris et à la Cour, pour ses dernières années.

Sa production est, au total, assez peu abondante. Ses *Œuvres complètes* se composent de trois parties qui rassemblent : la première cinquante-huit sonnets, la seconde cent soixante-sept épigrammes, la troisième diverses odes et chansons et onze sonnets. De façon significative, il pratique aussi bien des formes brèves, qui plaisaient au public noble et aux bourgeois aisés, et des poèmes plus amples, en particulier des odes, visant à obtenir l'assentiment des « doctes » tout en flattant les puissants. Ses poèmes brefs furent les plus goûtés. Il acquit ainsi la réputation d'être le meilleur épigrammatiste de France. Les épigrammes qu'il a composées, le plus souvent en dix ou en quatorze vers ne visent pas tant à la critique personnelle qu'à la réalisation d'exercices de virtuosité ironique. De même, ses sonnets ont pour thèmes préférés des peintures de « caractères » : le poltron, le théologien, le nouvelliste... Sa verve satirique est donc peu agressive et, avant tout, tend au jeu d'esprit, même quand elle se teinte d'amertume comme dans cette critique des parvenus :

> [...] ces âmes de boue,
> Que la Fortune élève sur sa roue,
> Lorsqu'elle est en humeur de se moquer de nous.

Le plus souvent, elle manifeste l'épicurisme d'un poète qui composait volontiers des chansons bacchiques et gauloises. Ce trait persiste jusque dans l'évocation de la mort :

> La mort nous guette; et quand ses lois
> Nous ont enfermés une fois
> Au sein d'une fosse profonde,
> Adieu bons vins et bons repas :
> Je t'apprends qu'on ne trouve pas
> De cabarets dans l'autre monde.

Mainard avait lu et relu Juvénal et Horace, et il les imite constamment. Mais, formé par les conseils de Malherbe, il retravaille souvent ses textes et s'éloigne ainsi de ses modèles vers des trouvailles plus personnelles.

Son style ne manque pas d'un certain maniérisme et de tours « précieux », surtout dans ses poésies amoureuses, où il s'inspire volontiers des recherches de l'Italien Testi — par exemple dans son élégie de « la Belle Veuve ». Cependant l'influence de Malherbe est sensible dans son écriture, où il évite les figures outrées, les termes impropres ou équivoques. Ce purisme va de pair avec un effort tout particulier pour faire coïncider l'unité syntaxique de la phrase ou de la proposition et l'unité prosodique de l'alexandrin. A cet égard, il apparaît comme un équivalent en poésie du modèle qu'est en prose Guez de Balzac pour l'écriture classique.

Mainard, tant par conformité aux tendances malherbiennes que par tempérament personnel, n'est pas un poète imaginatif. Mais lorsque son travail de versification s'associe à un mouvement d'affectivité personnelle, il obtient un ton qui lui est propre, mêlé de tristesse et d'humour, d'une mélancolie qui représente son expression la plus originale :

> Mon âme il faut partir. Ma vigueur est passée.
> Mon dernier jour est dessus l'horizon.
> Tu crains ta liberté. Quoi? N'es-tu pas lassée
> D'avoir souffert soixante ans de prison?

Œuvres de goût classique, mais riches de nuances, les poèmes de Mainard justifient le regain d'intérêt qui semble se dessiner aujourd'hui à leur sujet.

BIBLIOGRAPHIE
Sonnets et Épigrammes, éd. G.A. Bertozzi, Lib. de l'univ. de Pescara, 1977.
Études. — Ch. Drouhet, *le Poète F. Mainard*, Paris, Champion, 1909, donne des indications utiles; le *Bulletin de l'association des amis de Mainard* a précisé dans ses livraisons nombre de points, et les actes du colloque *Mainard et son temps* (Publ. de l'univ. de Toulouse Le Mirail, 1976) analysent les rapports de Mainard avec les principaux poètes de son époque (Tristan, Saint-Amant, Godolin...), sa thématique et son écriture.

A. VIALA

MAINDRON Maurice (1857-1911). Romancier, conteur, mais aussi naturaliste, archéologue, historien et voyageur, Maurice Maindron, fils du sculpteur Hippolyte Maindron, est né à Paris. Ses intérêts très divers le conduisent d'abord vers l'entomologie. Il travaille ainsi au Muséum national d'histoire naturelle, sous la direction de Kunckel d'Herculais, avant d'entreprendre plusieurs missions en Afrique et en Asie. Une première expédition le mène d'abord à Singapour, à Java, aux îles Célèbes, puis en Nouvelle-Guinée. Ce sera ensuite le Sénégal, les Indes (*Dans l'Inde du Sud*, en 2 volumes, 1907-1909), Sumatra, Java, l'Abyssinie. Parmi ses travaux, on note des études variées sur le puceron, la marmotte ou le chien de prairie; un ouvrage aussi sur les papillons (1888). Parallèlement, l'érudition de Maindron est aussi historique puisqu'il se passionne pour le Moyen Âge (*les Récits du temps passé*, 1899), pour les armes et le costume. Ces compétences si étendues, il va les utiliser dans ses contes et ses romans, où il montre d'emblée sa maîtrise : d'abord *le Tournoi de Vauplassans* (1898), puis *Saint-Cendre* (1898), *Blancador l'Avantageux* (1901), *Monsieur de Clérambon* (1904), *Dariolette* (1912), qui tous se déroulent entre la fin du XVIe siècle et le règne de Louis XIII, période de prédilection de Maindron. On notera enfin une pièce, *le Meilleur Parti* (1905), un roman indien, *la Gardienne de l'idole noire* (1910), et surtout, publié en 1906, *l'Arbre de science*, savoureuse satire des mœurs universitaires.

L'œuvre de Maindron mérite aujourd'hui d'être relue. Bien sûr, il n'y faut pas chercher un grand auteur, mais un écrivain de métier qui produit des livres bien écrits, où le rythme ne faiblit jamais. Dans ses romans historiques, Maindron sait en effet placer des scènes d'agapes, de massacres ou de batailles, avec souvent une violence et une audace étonnantes : ainsi l'héroïne du *Tournoi de Vauplassans* terminera-t-elle le roman la tête au bout d'une pique. De même, on constate que les personnages, sans être vraiment attachants, peuvent soutenir la comparaison avec ceux de Dumas : brutaux et passionnés, ils balayent tout sur leur passage, et nous les admirons à défaut de pouvoir les aimer. Surtout, Maindron nous les montre dans leur milieu, dans leur époque; il sait comment on s'habille, comment l'on boit et l'on mange, comment on parle en 1569. Maindron essaie de retrouver un temps disparu et de le recréer, un peu à la manière de Heredia (à qui il dédiera *Saint-Cendre*).

Ce qu'ont en commun l'entomologiste du Muséum et le romancier, c'est le goût du détail et le souci de restituer un monde par sa description vivante et exacte.

BIBLIOGRAPHIE

R. Doumic, *Maurice Maindron*, Abbeville, 1911; L. Maury, « Maurice Maindron », *Revue bleue*, 21 mai 1910.

A. PREISS

MAINE DE BIRAN, Marie François Pierre Gonthier de Biran, dit (1766-1824). Philosophe et homme politique, Maine de Biran combine plusieurs évolutions dans sa vie. Sur le plan politique, on peut ironiser à bon droit, comme Jacques Vier : « Député, sous-préfet, garde du corps, conseiller d'État, questeur de la Chambre, que de titres et de galons, entassés sous trois régimes, pour un métaphysicien! » Ce trajet, cependant, épouse dans un premier temps celui des Idéologues, qu'il fréquente sous le Directoire comme député de sa Dordogne natale. Intime de Cabanis et de Destutt de Tracy, il réexamine le sensualisme hérité de Condillac dans deux ouvrages : *Influence de l'habitude sur la faculté de penser* (1802) et *le Mémoire sur la décomposition de la pensée* (1805). Il y distingue deux types d'impressions : les passives, comme le chaud et le froid, qui sont sensations, et les actives, nécessitant la conscience d'un effort, qui sont perceptions; l'habitude émousse les premières et développe les secondes.

Mais sa réflexion sur la pensée l'amène à dépasser le moi variable des Idéologues et à éprouver le moi profond, permanent et générateur d'états de conscience que l'introspection doit analyser. Maine de Biran se dégage peu à peu d'une philosophie du XVIIIe siècle pour évoluer vers une psychologie de la subjectivité, sorte de réhabilitation de l'âme ou de reconquête du moi qui se donne à lire dans son *Mémoire sur les perceptions obscures* (1807) et ses *Considérations sur le sommeil, les songes et le somnambulisme* (1809). Cela va de pair avec des prises de position contre l'Empire et en faveur de la Restauration.

Celle-ci ne fait qu'accentuer une tendance au mysticisme que Victor Cousin confisquera au profit de son propre « éclectisme » dans son édition des œuvres posthumes de Maine de Biran. Cousin fera ainsi de Maine un des maîtres à penser de l'Université et du spiritualisme officiel.

Or, Maine de Biran ne saurait être réduit à cet appauvrissement cousinien : il n'a cessé de prétendre à l'étude positive (ou prépositiviste) de la réalité humaine et à la fondation d'une science de l'homme moral et social. Ce vaste projet parcourt ses derniers ouvrages : *Sur les rapports du physique et du moral de l'homme* (1811), *Essai sur les fondements de la psychologie* (posth. 1859), *Nouveaux Essais d'anthropologie* (inachevés) : il s'agit de « considérer l'homme tout entier » et de fonder un art de vivre scientifiquement établi, analogue moderne de l'idéal antique, harmonisant une critique des idées innées — car il n'est de connaissance que des phénomènes —, une science agnostique et une expérience psychologique de la religion.

Cet art de vivre, Maine de Biran semble le définir dans son *Journal*, examen attentif, minutieux, douloureux des variations de son moi, expression sans cesse recommencée de l'étonnement d'être et de l'instinct qui le porte « à se regarder au-dedans ». Il y traite constamment du problème de la nature de sa conscience, convoquant l'observation intérieure, la physiologie, voire la pathologie, pour écrire ce qu'on a pu appeler un poème de la « fluidité intérieure ». [Voir JOURNAL INTIME].

L'influence de Maine de Biran, très réelle au temps de la petite société philosophique qu'il réunissait chez lui (Royer-Collard, Cousin, Ampère, Cuvier, Guizot...), fut éclipsée par le cousinisme, qui falsifia sa pensée, mais elle réapparut avec *l'Énergie spirituelle* de Bergson, et elle se retrouve dans tous les courants qui prônent une morale de l'effort volontaire, comme chez Charles Du Bos ou chez Saint-Exupéry.

BIBLIOGRAPHIE

Œuvres, éd. P. Tisserand, Paris, P.U.F., 1920-1949; *Journal*, prés. H. Gouhier, 3 vol., Neuchâtel, la Baconnière, 1950-1957; *l'Effort*, textes choisis, P.U.F., 1966; *De l'existence*, éd. H. Gouhier, Vrin, 1966.

A consulter. — Henri Gouhier, *Maine de Biran par lui-même*, Le Seuil, 1970; R. Lacroze, *Maine de Biran*, P.U.F. 1970; G. Le Roy, *l'Expérience de l'effort et de la grâce chez Maine de Biran*, Paris, Boivin, 1937; G. Romeyer-Derbey, *Maine de Biran ou le Penseur de l'immanence radicale*, Seghers, 1974.

G. GENGEMBRE

MAINFRAY (1580?-1630?). Ce dramaturge contemporain d'Alexandre Hardy est probablement originaire de Rouen, et il fait partie d'un groupe d'auteurs normands particulièrement actifs dans les premières années du XVIIe siècle.

Mainfray a écrit trois tragédies : *les Amours du grand Hercule* (publ. 1616), *Cyrus triomphant* (publ. 1618), et *la Rhodienne* (1621), ainsi qu'une pastorale, *la Chasse royale* (1625). H.C. Lancaster lui attribue également une tragi-comédie (*l'Éphésienne*, 1614), ainsi qu'une tragédie biblique (*la Belle Hester*, 1614), sous le pseudonyme de IAPIEN MARFRIÈRE. Défaut fréquent à cette époque, ses œuvres sont bavardes, très marquées par le goût de la rhétorique et les longs monologues. Sa langue, assez rocailleuse, et sa versification, peu sourcilleuse, le rendent plus proche d'Alexandre Hardy que de Malherbe. On ne sait pas où ses pièces ont été jouées — ni même si elles l'ont été, car un sixain ambigu qui précède *la Rhodienne* a pu faire croire (sans rien prouver) que cette œuvre n'était pas destinée à la représentation :

> Sur l'eschaffaut superbe en une Tragedie
> On voit le brave Acteur d'une façon hardie,
> Faire tonner les vers de son grave subject :
> Mais Mainfray, sans acteurs, sans eschaffaut, sans armes,
> Nous fait voir des Amours, des combats, des alarmes,
> Bref, ses vers semblent estre Histrions en effet.

On remarque surtout dans son œuvre *la Chasse royale,* pastorale en l'honneur de Louis XIII, « Comedie où l'on voit le contentement et l'exercice de la Chasse des Cerfs, des Sangliers et des Ours. Ensemble la subtilité dont usa une Chasseresse vers un Satyre qui la poursuivoit d'Amours. » Cette pièce, qui se réfère à la magie noire, est à la fois allégorique, mythologique et réaliste; elle offre le seul exemple du genre dans une œuvre totalement oubliée.

BIBLIOGRAPHIE

Voir H.C. Lancaster, *A History of French Dramatic Literature in the Seventeenth Century,* J. Hopkins Press, 1929-1942, vol. 5.

J.-P. RYNGAERT

MAINTENON, Françoise d'Aubigné, marquise de (1635-1719). La perfection stoïcienne qu'offre la figure de Mme de Maintenon est exemplaire. Née dans une prison, elle vécut dans la prison de la nécessité et de la vertu et mourut dans ce qu'elle désigna elle-même comme la plus contraignante des prisons : la faveur royale. Elle se comparait en effet aux tristes poissons des magnifiques bassins de Versailles. Au travers des plus extraordinaires contrastes du destin le plus rare, elle resta impassible, glaçant de sa dignité les joyeux convives de son époux Scarron, les gens du peuple que ses visites charitables l'amenèrent à rencontrer, les courtisans qui ne l'aimèrent jamais et la respectèrent toujours.

Elle fut dans ses écrits comme elle était dans sa personne : l'incarnation de la raison sacrifiante. Ses *Lettres* d'où l'anecdote est bannie sont d'une parfaite élégance. Le sérieux y a assez de force pour ne pas distiller l'ennui; la réflexion y est continue. Ses abondants écrits sur l'éducation des filles — la grande œuvre de sa vie — eurent une très grande vogue au XIXe siècle. En tête de ses *Maximes pour les pauvres filles de Rueil,* on lit : « Dieu a voulu vous réduire à servir. Rendez-vous-en capables et accommodez-vous à votre fortune ». Mme de Maintenon leur offrait le modèle de ce que peut la servitude assumée, sinon volontaire, du sage. Le prix à payer en inhibition affective et intellectuelle était considérable. Dans ses directives de réforme éducative elle écrit : « Nous avons voulu de l'esprit, et nous avons fait des rhétoriciennes; de la dévotion, et nous avons fait des quiétistes; de la modestie, et nous avons fait des précieuses; des sentiments élevés, et l'orgueil est à son comble ». On ne saurait pousser plus loin la haine de soi.

BIBLIOGRAPHIE

Les *Lettres* de Mme de Maintenon furent publiées par La Beaumelle en 1752-1753. Il y eut, au XIXe siècle, un grand nombre d'éditions de morceaux choisis des *Lettres et Mémoires* de Mme de Maintenon. L'édition la plus récente des *Lettres* est celle de E. Préclin, 5 vol., Paris, 1939. Sur Mme de Maintenon, cf. F. Chandernagor, *l'Allée du roi,* Paris, Julliard, 1981; sur sa gloire à l'époque de Lanson et Brunetière, cf. Antoine Compagnon, « Comment on devient un grand écrivain français », *le Temps de la réflexion, III,* Paris, Gallimard, 1982.

O. BIYIDI

MAIRET Jean (1604-1686). Jean Mairet eut une carrière de dramaturge aussi brillante que brève. En l'espace d'une dizaine d'années (1625-1635), il s'essaya à tous les genres. Il donna un des chefs-d'œuvre de la pastorale avec *la Sylvie* (publ. en 1628) et, avec *la Silvanire* (publ. en 1631) et sa préface, annonça l'apparition des règles de la dramaturgie classique en France. *Les Galanteries du duc d'Ossone* (publ. en 1636) furent l'une des comédies les plus curieuses et les plus osées d'une époque pourtant encore peu préoccupée par les lois de la bienséance. Avec la *Sophonisbe* (publ. en 1635), Mairet ouvrit le chemin à un genre tragique fort et direct, libéré des abstractions et des excès rhétoriques. Il lui restait plus d'un demi-siècle à vivre, qu'il n'occupa guère à écrire, en tout cas jamais avec autant de bonheur.

Un auteur précoce

Jean Mairet est né à Besançon d'une mère bourgeoise, originaire de Troyes, et d'un père issu d'une famille de catholiques allemands émigrés au temps de la Réforme. Il fut orphelin très jeune, ce qui ne l'empêcha pas de recevoir, dans sa ville natale puis à Paris, une bonne éducation.

Mairet a la réputation d'avoir été un écrivain précoce, et, à la suite d'une confusion de dates, on a fait parfois de lui le portrait peu vraisemblable d'un dramaturge débutant à seize ans. Ce qui est sûr, c'est qu'il eut la chance de gagner très tôt la faveur du duc de Montmorency, chez qui il rencontra des écrivains importants (il devint l'ami de Théophile de Viau). On pense que c'est par l'intermédiaire de la duchesse de Montmorency, d'origine italienne et souvent en contact avec les milieux littéraires italiens, qu'il s'intéressa aux règles de l'écriture dramatique, déjà bien connues chez nos voisins. En 1625, le duc de Montmorency le prend comme secrétaire et lui attribue une pension importante; il peut en toute liberté écrire pour le théâtre, jusqu'en 1632, date de l'exécution de son protecteur, accusé de rébellion. Il trouve un autre mécène, le comte de Belin, qui protège déjà plusieurs auteurs (dont Jean Rotrou), et il travaille alors pour le théâtre du Marais, relativement ouvert aux innovations dramatiques.

En 1634, peu d'écrivains peuvent rivaliser avec Mairet. Quelques années plus tard, il cesse pourtant d'écrire. *Sidonie,* jouée en 1640, publiée en 1643, est sa dernière pièce. Est-ce parce que le comte de Belin est mort depuis 1637? Est-ce parce que Mairet supporte mal la nouvelle gloire de Corneille, auquel il s'est violemment opposé au moment de la querelle du *Cid,* au point que Boisrobert vint lui ordonner de se taire, au nom de Richelieu?

Pendant le reste de sa vie, Mairet ne semble plus s'intéresser au théâtre. La protection du roi d'Espagne lui vaut d'être nommé résident (c'est-à-dire représentant diplomatique) de la Franche-Comté auprès de la cour de France. De 1647 à 1651, il dirige les négociations de neutralité — rendues nécessaires par le traité de Westphalie — entre la France et la Franche-Comté. En 1653, Mazarin le fait expulser de France, mais il peut revenir à Paris à l'occasion de la paix des Pyrénées. Il meurt à Besançon en 1686, sans que rien de notable soit à signaler dans les trente dernières années de sa vie.

Le goût de l'expérimentation

Il n'y a pas de continuité dans l'œuvre de Mairet, ni de réelle persistance de thèmes dominants. Sur les douze œuvres dramatiques qu'il a écrites, on dénombre six tragi-comédies, trois tragédies, deux pastorales et une comédie. Un tel éclectisme correspond partiellement au goût du temps. Mais il révèle aussi un véritable souci d'expérimentation chez un dramaturge qui passe alternativement d'œuvres à l'inspiration libre ou baroquisante à des œuvres répondant au goût classique en voie de constitution. Comme beaucoup de jeunes auteurs, Mairet s'essaye aux genres à la mode, mais il est un des rares à connaître une réussite aussi immédiate.

On chercherait vainement une logique dans la chronologie de l'œuvre. Ses dernières pièces marquent un retour à la tragi-comédie, peut-être à cause du demi-échec des tragédies qui suivirent *la Sophonisbe (Marc-Antoine ou la Cléopâtre,* écrite en 1635, publiée en 1637; *le Grand et Dernier Solyman ou la Mort de Mustapha,* écrite en 1637-1638, publiée en 1639). Peut-être s'agit-il aussi d'une réaction à la gloire montante de Corneille, qui impose avec autorité sa conception de la tragédie. En tout cas, Mairet n'avait jamais vraiment renoncé à son goût pour les péripéties et les retournements de situation, qui abondent dans ses premières œuvres. Ainsi, malgré le succès de *la Sophonisbe,* il préfère *Virginie,* la tragi-comédie qui précède, puisqu'il écrit dans l'*Avis au lecteur* de l'édition de 1635 : « *Sophonisbe* a des passions plus étendues, mais *Virginie* la surpasse de beaucoup en la diversité de sa peinture et de ses incidents ».

Cette étrange carrière rend difficile un classement de Mairet du côté des « classiques » ou du côté des « baroques ». Le classicisme naissant semble avoir été pour lui une voie à suivre comme il en a suivi d'autres, et l'on aurait tort de voir dans ses prises de position théoriques le reflet d'un engagement définitif. Ce qui l'intéresse au premier chef, même s'il se laisse tenter par des recherches de formes, c'est un « théâtre de la vie » qui saisit les richesses et les contradictions du monde, un monde où règne un hasard qui n'est cependant jamais contraignant.

Un maître de la pastorale

Mairet demeure connu surtout à cause de deux pastorales, *la Sylvie* et *la Silvanire.* Après un bref essai, *Chryséide et Arimant* (1625, publ. 1630), tragi-comédie à caractère pastoral, Mairet, encouragé par l'accueil reçu, donne une pastorale, *Sylvie,* qui vise à plaire et qui y réussit totalement. Le succès de la pièce dura bien plus longtemps que la vogue du genre. Elle fut imprimée quatorze fois de 1628 à 1635, eut deux éditions en 1654 et sept autres entre 1667 et 1716. Rien de bien original pourtant dans le sujet. La jeune bergère Sylvie est aimée à la fois de Florestan, prince de Candie, qui brûle pour elle depuis le jour où il a vu son portrait, et de Thélame, prince de Sicile, qui doit vaincre l'opposition du roi, son père, pour l'épouser. Elle repousse d'autre part les avances de Philène, riche berger qui a l'agrément des parents de la jeune fille. Ni la très provisoire jalousie de la bergère, provoquée par un stratagème de Philène, ni l'opposition des parents ne sont des menaces sérieuses pour l'amour de Thélame et de Sylvie. C'est l'intervention royale qui met vraiment les amants en péril, à cause d'un « sortilège » (la nécessaire présence du merveilleux), dont Florestan viendra les délivrer. Un triple mariage au dénouement, selon la tradition du genre, satisfera tous les protagonistes.

Mairet réussit à maintenir habilement un équilibre entre les différentes composantes de l'œuvre : le dépaysement (la Candie et, surtout, une Sicile exotique et faussement réaliste), le lyrisme tendre, les jeux de l'amour et de la galanterie, la menace du pouvoir royal, le plaisir du spectaculaire au dernier acte qui a pour décor un « palais enchanté ».

Sylvie, qui se lit toujours avec plaisir, fut l'épanouissement suprême du genre pastoral en France peu avant sa disparition définitive. Par la suite, *la Silvanire* afficha dans sa préface une volonté de régularité qui ne fut que partiellement suivie. Se posant comme modèle d'ouvrage régulier au début de l'influence italienne, l'œuvre est en partie victime de ses contradictions.

Mairet et le jeu des formes

L'intérêt de Mairet pour l'écriture dramatique s'est manifesté dans sa recherche en direction des unités, recherche qu'il a parfois poussée jusqu'aux limites de l'artifice. Ainsi, dans *Virginie,* les épisodes s'entassent et se succèdent à un rythme accéléré et malgré tout entrent dans le strict cadre des unités. Mais la force de Mairet réside aussi dans son souci du bon déroulement scénique des œuvres, ainsi que dans la recherche d'une écriture concrète et colorée.

On trouve chez Mairet des didascalies précises qui révèlent une grande attention portée à la réalisation théâtrale. Ainsi dans *la Sylvie,* l'espace magique du sortilège où sont enfermés les amants s'inscrit nettement dans le texte. Florestan accède à ce lieu par des degrés montés marche par marche, et son monologue est comme rythmé par son déplacement. Dans la scène des *Galanteries du duc d'Ossone* où le duc utilise une échelle de soie pour accéder à la chambre des femmes, Mairet définit avec précision un espace intérieur et un espace extérieur.

Enfin, dans l'écriture, Mairet n'hésite pas à employer un langage varié, un vocabulaire précis et coloré. Il joue fréquemment des effets de réalisme (ou de faux réalisme) et mêle aux traditions lyriques et rhétoriques des tableaux précis et des situations clairement désignées. On trouve dans *la Sylvie* les habituelles références à la nature :

> Ce bocage prochain nous invite à propos
> A la commodité du frais et du repos.
> Couchons-nous sur ces fleurs, l'herbe et la feuille verte
> S'offrent à nous servir de lict et de couverte.
>
> (Vers 435-438)

Mais dans le *Duc d'Ossone,* ce monologue de Flavie offre un bon échantillon d'un langage vert et direct :

> Tu vas le recevoir jusque dedans ta couche,
> Ce duc dont les attraits toucheraient une souche.
> Ô mes sens! si déjà ce penser seulement
> Me cause tant de trouble et de contentement,
> Au milieu de l'effet et de la chose même,
> Jugez si mon transport ne sera pas extrême.
>
> (Acte III, sc. I)

Exemplaire de la dramaturgie baroque — diverse, en quête de formes nouvelles, mais toujours sensible au spectaculaire et aux problèmes de la mise en espace —, l'œuvre de Mairet mériterait aujourd'hui d'être lue et surtout représentée.

BIBLIOGRAPHIE

La Sophonisbe de Mairet, éd. crit. de Ch. Dédéyan, Genève, Droz, 1945, et Paris, Nizet, 1969; *les Galanteries du duc d'Ossone,* éd. crit. de Giovanni Dotoli, Paris, Nizet, 1972; *la Sylvie, les Galanteries du duc d'Ossone, la Sophonisbe, la Silvanire,* introd. et notes de J. Scherer, dans *Théâtre du XVIIe siècle,* I, Paris, Gallimard, La Pléiade, 1975.

Études. — Gaston Bizos, *Étude sur la vie et les œuvres de Jean Mairet,* Paris, 1877; Giovanni Dotoli, *Bibliographie critique de J. Mairet,* Paris, Nizet, 1973, et *Matière et dramaturgie dans le théâtre de J. Mairet,* Paris, Nizet, 1976; Robert Horville, *le Théâtre de Mairet : une dramaturgie de l'existence,* thèse Lettres, univ. Paris III, 1978 (dactyl.); J.-P. Ryngaert, « Réflexion sur la transposition du récit dramatique dans d'autres systèmes narratifs, à propos de la *Silvanire* de Mairet », *Revue d'histoire du Théâtre,* 1975-2.

J.-P. RYNGAERT

MAISTRE Joseph Marie, comte de (1753-1821). Joseph de Maistre a vécu aux marges de la France; sa position littéraire en est restée marginale et presque suspecte. Théoricien contre-révolutionnaire, il attaque le rationalisme des Lumières avec l'arme même qu'employaient les « philosophes » pour saper l'ancienne société : une vive dialectique, qui inspire des pages graves ou condense la logique d'une pensée catégorique en aphorismes, formules ou pointes d'une ironie meurtrière.

Né à Chambéry, au cœur d'une Savoie alors possession des rois de Piémont et de Sardaigne, dans une famille de petite noblesse de robe, Joseph de Maistre — frère aîné de Xavier de Maistre — entre dans la magistrature. Franc-maçon, libéral, attiré par l'illuminisme du philosophe lyonnais Saint-Martin, il se désabuse devant les premiers excès de la Révolution et, surtout, quand les armées de la Convention envahissent la Savoie; il s'exile et joint la réflexion théorique à la polémique (*Lettres d'un royaliste savoisien à ses compatriotes,* 1793; *Étude sur la souveraineté,* 1794-1796, inédit jusqu'en 1870; *Considérations sur la France,* anonyme, 1797). Ambassadeur en Russie, il poursuit ses recherches, qui aboutissent, en 1814, à l'*Essai sur le principe générateur des constitutions politiques.* Ministre d'État à Turin après 1815, il devient un des maîtres à penser de l'ultraroyalisme et donne à l'ultramontanisme ses manifestes (*Du pape,* 1819; *De l'Église gallicane,* 1821). Le livre qui résume en traits frappants sa doctrine, *les Soirées de Saint-Pétersbourg* (1821), paraît peu après sa mort, comme une protestation d'outre-tombe contre les compromissions et les timidités des restaurations.

Homme vertueux, aimable, indulgent aux faibles ou aux égarés, Joseph de Maistre garde la nostalgie des douces et immémoriales traditions; il s'écrie, dès 1793 : « Heureux les peuples dont on ne parle pas! Le bonheur politique, comme le bonheur domestique, n'est pas dans le bruit; il est le fils de la paix, de la tranquillité des mœurs, du respect pour les anciennes maximes du gouvernement et de ces coutumes vénérables qui tournent les lois en habitudes et l'obéissance en instinct. » Pour restaurer cette tendre paix, trente années de lutte contre l'esprit des Lumières, ses racines lointaines, ses incarnations cachées : Voltaire; Rousseau; mais aussi Francis Bacon, père de la méthode expérimentale (*Examen de Bacon,* posth., 1836); le jansénisme et Port-Royal, qui bravent, au nom de la raison, l'autorité papale (*De l'Église gallicane,* 1821)... Au service de ces combats, un style limpide, alerte, sarcastique, voltairien, avec des éclairs de poésie et de sublimité; le ton de la conversation, avec ce charme de l'entretien amical qui s'épanouit dans les *Soirées,* avec sa démarche faussement nonchalante, prompte soudain à accabler l'adversaire jusqu'à l'injure, à pousser à outrance le paradoxe, comme l'apologie de l'inquisition ou l'éloge du bourreau.

Ce censeur intraitable, qui porte le fer contre déviations et hérésies, est animé par une volonté : celle de combattre toute prétention à connaître rationnellement une nature humaine qui serait le fondement d'un droit naturel et d'une politique idéale. A la recherche abstraite des principes et aux reconstructions utopiques qui caractérisaient « philosophes » et révolutionnaires, Joseph de Maistre substitue l'observation des faits dans leur foisonnante diversité, dans leur apparente irrégularité, voire leur absurdité : il remplace un modèle mécaniste et rationaliste, qui commandait une démarche réductionniste, simplificatrice, par un modèle organique qui respecte l'imprévisible émergence des formes de la vie. Par ce renversement, il indique la voie d'une science sociale qui génère sa propre épistémologie et qui respecte l'autonomie des systèmes complexes : Comte, Proudhon, Tocqueville pourront se réclamer de lui.

Mais, en dernier ressort, la politique renvoie à la métaphysique. Maistre ne s'en tient pas à l'apologie de la différence. Visionnaire et prophète, à la suite de Bossuet il lit sous les stabilités, les accidents ou les séismes de l'histoire l'intervention constante de Dieu, le « gouvernement temporel de la providence ». L'infinie variété de circonstances ne se comprend et ne se justifie qu'à la lumière de la Révélation : au début du drame, le péché originel, qui entraîne l'humanité dans la déchéance; à la fin, la rédemption, nécessaire et sanglante expiation de la première faute. D'où la suite des temps vue comme une cérémonie sacrificielle où les princes, les prêtres et les bourreaux officient; d'où la Révolution comprise comme une funèbre leçon. Mais les guerres et les supplices sont les douleurs d'un enfantement; la geste de l'histoire est gestation, en même temps que théodicée providentielle : par les obéissances (monarchiques et catholiques) comme par les désobéissances (républicaines et rationalistes) se prépare une cité de Dieu, une théocratie hiérarchisée (du pape au peuple, en passant par les rois et la noblesse). Ce surnaturalisme qui révèle une « intelligence platonique, vivant au pur soleil des idées » (selon l'expression de Sainte-Beuve) sépare Maistre de Bonald, théoricien rigoureusement déductif; il le rapproche, paradoxalement, de Hegel et de Marx, pour lesquels l'homme se révèle et s'accomplit douloureusement dans l'histoire jusqu'à la conquête d'une heureuse unité. Mais la pensée maistrienne, bien que totaliste, reste tragique; elle maintient, jusqu'à l'eschatologie, la tension entre une vertigineuse transcendance divine et l'immanence de la providence; entre l'appel ou la vocation d'une « christocratie » et les sortilèges du mal; entre les illuminations originelles des traditions et les obscurcissements où s'enfonce le siècle du progrès.

BIBLIOGRAPHIE

Éditions. — *Œuvres complètes,* Lyon, 1884-1887, 14 vol., réimpression Georg Olms, Hildesheim, 1979, et Slatkine, Genève, 1979-1980; *Considérations sur la France,* Genève, Slatkine Reprints, 1980, et Paris, Garnier, 1980; *Des Constitutions politiques,* éd. par R. Triomphe, Paris, Belles-Lettres, 1960; *Du Pape,* Genève, Droz, 1966; *les Soirées de Saint-Pétersbourg,* Paris, Guy Trédaniel-La Maisnie, 1980 et Genève, Slatkine, 1983.

A consulter. — R. Triomphe, *Joseph de Maistre,* Genève, Droz, 1968; *Études maistriennes* (1975-1976), puis *Revue des études maistriennes,* Paris, Belles-Lettres, à partir de 1977.

D. MADELÉNAT

MAISTRE Xavier, comte de (1763-1852). On ne saurait imaginer contraste plus vif entre deux frères — et entre deux œuvres : le sévère et sarcastique Joseph de Maistre, tout entier voué à la lutte contre-révolutionnaire; le cadet, Xavier, aimable et nonchalant, grand seigneur dilettante, qui arrache à sa paresse cinq courts récits et, grâce à quelques pages où s'harmonisent l'élégante pureté de l'âge classique et les frémissements sentimentaux du premier romantisme, s'est fait un prénom et un renom.

Le sabre et la plume

Né à Chambéry dix ans après son frère Joseph, Xavier de Maistre, après des études médiocres, entre, en 1781, comme officier dans l'armée sarde, connaît les garnisons solitaires, la bonne société de Turin et, surtout, complète par des lectures variées une instruction anarchique. En 1792, refusant de servir l'occupant français, il suit la retraite des troupes sardes dans le val d'Aoste, puis se réfugie à Lausanne, où il publie en 1795 le *Voyage autour de ma chambre,* œuvre qui respire la nostalgie du pays natal et du bonheur perdu. Privé d'emploi et d'espoir par l'effrondrement du Piémont, il s'engage au service du maréchal russe Souvarov, qu'il accompagne dans sa disgrâce et assiste dans ses derniers instants (1800). Il exerce alors à Moscou le métier de peintre portraitiste, obtient en 1805 la direction de la bibliothèque et du musée de l'Amirauté à Saint-Pétersbourg; puis, reprenant les armes, il se distingue dans le Caucase et dans les grandes campagnes européennes de 1813-1815, à l'issue desquelles il obtient le grade de général. En 1811, il a publié *le Lépreux de la cité d'Aoste.* En 1813, il a épousé Sophie Zagriatzky, demoiselle d'honneur de l'impératrice, et semble fixé dans sa nouvelle patrie, mais, après avoir donné, en 1825, trois récits *(les Prisonniers du Caucase, la Jeune Sibérienne, Expédition nocturne autour de ma chambre),* il part pour un long séjour en Italie et en France; il ne regagne la Russie qu'en 1839. Il meurt à Saint-Pétersbourg en 1852, attristé par les deuils et les révolutions, mais fidèle à ce caractère d'insouciance amusée qui lui avait valu, à dix ans, les surnoms de *pococurante* et de *baban* (« flâneur malicieux », en patois savoyard).

Les armes du conteur

Le *Voyage autour de ma chambre* apparaît d'abord comme un badinage dans le goût du *Voyage sentimental* de Sterne : aux arrêts dans sa chambre pendant plus de quarante jours, l'auteur se livre, à propos de chaque meuble et de chaque bibelot, à d'humoristiques et vagabondes rêveries. Rien, ici, des impudeurs, du cynisme ou des charges caricaturales qui ont fait le succès du romancier anglais; comme l'a écrit Anatole France, c'est « du Sterne un peu trop innocent. L'on n'est point abeille si l'on n'a point d'aiguillon »; mais ce pastel délicat, aux couleurs fondues, où l'on glisse de l'euphorie à la mélancolie, traduit, en pleine tourmente révolutionnaire, la tentation de l'évasion imaginaire et la douce utopie de la retraite. L'*Expédition nocturne autour de ma chambre* reprend la même liberté de composition, tout en se dramatisant et en se chargeant de plus d'événements : Stendhal en préférait l'esprit plus vif. En comparant au *Voyage autour de ma chambre* le malicieux mais diffus *Voyage autour de mon jardin* (1845) qu'il a inspiré à Alphonse Karr, on voit ce que la manière de De Maistre a d'impondérable : il n'est pas possible de l'imiter sans en diluer et en affadir le charme.

Le Lépreux de la cité d'Aoste est un dialogue entre un militaire (l'auteur lui-même) et un lépreux reclus près d'Aoste, dans la tour de la Frayeur; le malheureux, avec naïveté, dit ses souffrances, ses révoltes, mais aussi son apaisement, sa foi en l'éternité. Sur les thèmes tragiques de l'enfermement et de l'exclusion par la déchéance physique, Xavier de Maistre a composé un chef-d'œuvre de suggestion, d'émotion contenue, qui tranche sur les violences et les outrances mélodramatiques dont le romantisme enrobera de tels sujets. Avec la même économie de moyens, *la Jeune Sibérienne* évoque l'héroïsme de Prascovia, qui obtient de l'empereur la grâce de son père injustement condamné et se consume au service de Dieu; *les Prisonniers du Caucase,* au fil d'une évasion pathétique et fertile en péripéties cruelles, respirent la vie fruste des espaces indomptés : aux antipodes du byronien *Prisonnier du Caucase* (1824) de Pouchkine, ils annoncent les nouvelles que son séjour dans la même région inspirera à Tolstoï.

Le charme attique

« Heureux homme, s'écrie Sainte-Beuve, et à envier, dont l'arbuste attique a fleuri, sans avoir besoin en aucun temps de l'engrais des boues de Lutèce! » Cette légère et subtile puissance de séduction qu'admiraient Stendhal et Mérimée se prête mal à l'exégèse : « On relit *le Lépreux,* on ne l'analyse pas, on verse une larme, on ne raisonne pas dessus. » Il faut prendre garde, toutefois, que le style de Xavier de Maistre évolue, depuis le maniérisme parfois appuyé, l'anglomanie trop appliquée du *Voyage autour de ma chambre,* jusqu'au réalisme psychologique tout à fait dépouillé des récits russes; et la simplicité du classicisme maistrien intègre et harmonise mainte complexité d'une époque de transition : la sombre sentimentalité du second XVIIIe siècle (de la *Julie* de Rousseau au *Jacopo Ortis* de Foscolo en passant par *Werther),* le goût du pittoresque et de l'exotisme, la quête d'un romanesque moins conventionnel et plus vraisemblable (on pense à *Caliste* de Mme de Charrière, aux nouvelles de Mme de Souza, à *Adolphe* de Benjamin Constant...). Le thème unique des contes est déjà romantique : évasion, délivrance et salut, par les pouvoirs magiques de l'imagination dans le *Voyage* et l'*Expédition,* par l'énergie véhémente de grandes âmes, dans *les Prisonniers,* par le dévouement, l'abnégation et la foi, dans *le Lépreux* et *la Jeune Sibérienne;* ces lieux clos et oppressants prendront bientôt les figures de la prison, de l'enfer, des grottes ou des abîmes souterrains : ils restent ici simplement suggérés. Mais « le naïf, le sensible et le charmant », « la délicatesse du trait », « un certain ton humain et pieux », qui caractérisent, selon Sainte-Beuve, le talent de l'auteur savoyard, s'en approfondissent d'harmoniques plus inquiétants. Les paroles d'espérance qui ont triomphé du désespoir n'en gardent pas moins une secrète angoisse, une palpitation qui animent les mots les plus limpides, les récits les plus calmes.

BIBLIOGRAPHIE

Alfred Berthier, *Xavier de Maistre. Étude biographique et littéraire,* Lyon et Paris, Librairie catholique Emmanuel Vitte, 1918; Sainte-Beuve, *Portraits littéraires,* Paris, Calmann-Lévy, 1876, t. III, « Le comte Xavier de Maistre » (1839).

D. MADELÉNAT

MAL DU SIÈCLE. Le concept de « mal du siècle » apparaît après 1830 pour désigner une forme spécifique de mal, donnée comme le propre d'une époque (allemand : *Zeitgeist),* discordance douloureuse entre les aspirations du moi et l'ordre du monde (allemand : *Weltschmerz,* « douleur relative au monde »). Musset écrit dans sa *Confession d'un enfant du siècle* (1836) : « Toute la maladie du siècle présent vient de deux causes : le peuple, qui a passé par 93 et par 1814, porte au cœur deux blessures. Tout ce qui était n'est plus; tout ce qui sera n'est pas encore. Ne cherchez pas ailleurs le secret de nos maux. » Il faut néanmoins trouver des origines plus lointaines : à partir de 1760 environ, les anciennes certitudes, qui permettaient une vision commune de l'univers, vacillent; le dogme chrétien est attaqué par les « philosophes »; le rationalisme, qui postulait l'intelligibilité de l'homme et du cosmos, et promettait un progrès indéfini de la connaissance, est contesté par le sensualisme, qui soumet l'intellect à l'obscure loi des choses, par la revalorisation du sentiment ou de l'émotion, désormais constitutifs de la singularité individuelle, sources de la moralité et même du savoir. L'homme ne dispose donc plus des instruments éprouvés — logique, morale et métaphysique — qui lui accordaient, au centre de la création, une place, un rang et une tâche.

Cette crise culturelle se traduit d'abord par la conscience d'une unicité solitaire, d'une disjonction entre le moi et le non-moi : « J'étais seul, seul sur la terre! » s'écrie le René de Chateaubriand, modulant en mineur l'orgueilleuse proclamation que Rousseau avait jetée en tête de ses *Confessions.* L'individu sent bouillonner en lui un désir d'action, d'amour, d'idéal, que les structures sociales et mentales ne lui permettent ni d'exprimer ou de réaliser ni même de comprendre tout à fait. De là une dénomination floue — rapporter le phénomène à l'époque (ou à un type littéraire, comme dans l'expression jumelle « le mal de René ») est une façon de le singulariser en renonçant à l'expliquer ou à le situer dans une tradition — et de multiples définitions, comme le « vague des passions » (Chateaubriand), ce contraste entre l'essor de l'imagination et la pauvreté de l'existence concrète, qui débouche sur une lassitude prématurée, ou « l'incomplet de la destinée » de Mme de Staël.

Le mal du siècle est donc la souffrance issue du désaccord entre une âme infiniment avide et les obstacles que lui oppose la réalité finie : inhérent à la condition humaine, il s'exaspère et s'hypertrophie jusqu'à constituer l'atmosphère intellectuelle et affective caractéristique de l'expérience romantique. Il connaît, cependant, des modulations diverses : chez Senancour, un morne et mortel abattement glace le cœur du héros : « Tout existe en vain devant lui, il vit seul, il est absent dans le monde vivant »; chez Vigny, devant l'hostilité du monde, l'homme se raidit dans une retraite silencieuse et orgueilleuse; pour Musset, un intime désespoir taraude les sourires de la poésie :

L'âme, rayon du ciel, prisonnière invisible,
Souffre dans son cachot de sanglantes douleurs.

Les personnages hugoliens éclatent en invectives, et l'impassibilité d'artiste qu'affecte Leconte de Lisle cache une hantise de la mort, ce remède suprême — et absurde — au non-sens de l'Être.

L'affrontement entre le moi et le monde peut se résoudre par l'effacement du moi : le suicide werthérien, la fusion avec la nature, le refuge dans les sphères de l'art ou dans la tour d'ivoire de la pensée, la fuite dans la rêverie nostalgique sur le passé ou l'ailleurs, le repli dans le cercle protégé de la famille ou de l'amitié. L'individu peut, au contraire, se dresser contre le siècle qui l'accable, revendiquer sa propre valeur, et même embrasser ce qui le fascine, transformer sa douleur en fureur de vivre, faire de son rêve de fraternité une réalité : attitude active, qui est celle des héros stendhaliens ou balzaciens. Mélancolie prompte à l'auto-analyse, égotisme, « culte du moi », valorisation de la singularité, passion des solidarités communautaires : tous ces traits du mal du siècle se retrouvent chez Gide, Camus ou Sartre et, loin de constituer des épiphénomènes éphémères et anecdotiques, composent un aspect essentiel de la mentalité contemporaine.

BIBLIOGRAPHIE
René Canat, *Une forme du mal du siècle. Du sentiment de la solitude morale chez les romantiques et les parnassiens* (Paris, 1904), Genève, Slatkine Reprints, 1967; Pierre Moreau, *le Romantisme*, Paris, Del Duca, 1957; Henri Peyre, *Qu'est-ce que le romantisme?*, Paris, P.U.F., 1971.

D. MADELÉNAT

MALEBRANCHE Nicolas de (1638-1715). Philosophe, né à Paris. Fils d'un secrétaire du roi, Nicolas de Malebranche reçut au collège de la Marche et à la Sorbonne un enseignement de type scolastique. En 1660, il entra à l'Oratoire, qui, dans la tradition de Bérulle, associait apostolat et liberté d'esprit. Passant auprès de ses maîtres pour « médiocre, boutif (qui agit par boutades) et pieux », Malebranche fut ordonné prêtre en 1664, année où il découvrit chez un libraire le traité de *l'Homme* de Descartes : ce fut pour lui une illumination. Le « mécanisme », en effet, lui fournit un langage capable de véhiculer jusqu'au « bel esprit » le message chrétien. Son premier ouvrage, *De la recherche de la vérité* (1674), pénétré de cartésianisme, remporta un vif succès, faisant naître des polémiques, auxquelles répondirent des *Éclaircissements* qui furent intégrés aux éditions ultérieures. Désormais, écrivain prolifique, l'oratorien se jeta dans la mêlée scientifique (il travaillera aux applications du calcul infinitésimal), philosophique et religieuse, se heurtant à Antoine Arnauld, à Fénelon, puis à Bossuet, avec son *Traité de la nature et de la grâce* (1680), consacré notamment à la critique des miracles; enfin aux jésuites, à la suite de son *Entretien d'un philosophe chrétien et d'un philosophe chinois sur l'existence de Dieu* (1708).

A l'inverse de Descartes, Malebranche affirme que « la religion est la vraie philosophie », celle-ci demeurant la « servante » de celle-là (*Traité de morale*, 1684). D'où un discours rationnel articulé sur de constantes références aux Écritures et aux Pères. Partant du *cogito* cartésien, Malebranche fait sienne la doctrine de la séparation des substances, mais il nie la possibilité de toute communication entre elles. S'appuyant sur l'autorité de saint Augustin, il estime que nos idées sont en Dieu, où nous les voyons (théorie de la « vision en Dieu »). Ainsi des corps matériels nous saisissons l'essence dans l'« étendue intelligible » qui représente, en Lui, leur archétype. Et Il nous instruit de leurs qualités par des « modifications » de l'âme, sentiments fort utiles à la conservation de notre corps. Conséquence : le monde matériel, insaisissable par observation directe, est « invisible en lui-même » (*Entretiens sur la métaphysique et la religion*, 1688). D'où la question de son statut ontologique, qu'aucune preuve rationnelle, estime l'oratorien, ne saurait régler. Il se tourne alors vers la Révélation, seule garante de l'existence d'un monde dont la Genèse rapporte la création.

Hétérogénéité des substances, donc impuissance de la substance spirituelle et de la substance corporelle à agir l'une sur l'autre : l'âme ne peut pas plus remuer le corps que le corps émouvoir l'âme. Élargissant un débat familier à ses contemporains (Cordemoy), Malebranche met en question la causalité dans son ensemble et formule la doctrine de l'« occasionnalisme » : Dieu est la seule cause de tous les mouvements, l'antécédent n'étant jamais que l'« occasion » d'une action divine produisant le conséquent. Mais cette réduction, qui annonce, du côté de la science, la prédominance moderne des lois relationnelles, a, du côté moral, pour les contemporains de Malebranche, des prolongements inattendus : unique efficace, Dieu « fait tomber les ruines d'une maison sur le juste qui va secourir un misérable aussi bien que sur le scélérat qui va égorger un homme de bien... » Mais Malebranche appartient à la génération de Spinoza et de Bossuet, qui prétendent déchiffrer les raisons de la conduite divine dans la totalité du monde ou de l'histoire. Il tient ainsi pour « évident » que Dieu « ne peut agir que pour Lui-même »; « infiniment parfait, Il s'aime infiniment » et ne cherche que Sa gloire. Gloire ternie, semblerait-il, par un égoïsme qui laisse subsister monstres, injustices, souffrances. Mais, en cette fin de siècle, on s'émerveille tant qu'une formule unique (Newton a généralisé les lois de Galilée en 1687) puisse engendrer un monde divers et ordonné qu'aux yeux de Malebranche la constance, la fécondité et la « simplicité des voies » choisies par Dieu pour régler l'univers suffisent à proclamer Sa gloire. Peu importent quelques effets fâcheux pour l'homme de lois aussi dignes de la sagesse divine.

La Création néanmoins resterait un chef-d'œuvre profane si Dieu ne le sanctifiait pas. Malheur pour l'homme, la Chute, à y bien réfléchir, fait l'affaire de Dieu. Avec l'Incarnation, séquelle du péché, Il trouve le « secret » d'unir « une Personne divine aux deux substances », faisant ainsi briller Son ouvrage d'un « éclat infini ». L'Incarnation serait même le dessein majeur de Dieu, la clef de Sa conduite. En revanche, l'homme se trouve écartelé entre un monde divinisé et le modèle chrétien du Fils, c'est-à-dire du corps crucifié. Longue exhortation à mortifier le corps, le *Traité de morale* enseigne que Dieu « a voulu nous donner comme à Son fils une victime que nous puissions Lui offrir », la principale fonction de la sensibilité étant de conserver en vie le malheureux souffre-douleur.

La première partie du XVIIe siècle proposait à travers l'amour un idéal de noblesse et de générosité. Plus tard, les moralistes, tel La Rochefoucauld, insisteront sur le côté possessif et égoïste de ce sentiment : ce que Paul Bénichou appelle la « démolition du héros ». Involontairement, Malebranche a travaillé à la démolition de Dieu : le Tout-Puissant symbolise cette forme dégradée et intéressée de l'amour, aimant pour être aimé, usant de stratagèmes pour se procurer des victimes dont le mérite est proportionné aux souffrances endurées. Sade n'est pas loin. En se plaçant du point de vue de Dieu, l'oratorien n'a-t-il pas compromis Celui auquel il voulait ramener le « bel esprit »? N'a-t-il pas divinisé une aveugle nature? Cela expliquerait la faveur dont il jouit au siècle des Lumières quand le cartésianisme est décrié de toutes parts.

BIBLIOGRAPHIE

Œuvres complètes, éd. G. Rodis-Lewis et A. Robinet, Paris, C.N.R.S., 1963-1978; *Œuvres,* éd. G. Rodis-Lewis, Gallimard, Pléaide, t. 1, 1979.

A consulter. — H. Gouhier, *la Vocation de Malebranche,* Paris, Vrin, 1926; id., *la Philosophie de Malebranche et son expérience religieuse,* Paris, Vrin, 1926; M. Gueroult, *Malebranche,* Paris, Aubier, 1955-1959 (3 vol.); J. Deprun, « Thèmes malebranchistes dans l'œuvre de Prévost », dans *l'Abbé Prévost,* actes du colloque d'Aix (1963), Aix, Ophrys, 1965; M. Merleau-Ponty, *l'Union de l'âme et du corps chez Malebranche, Biran et Bergson* (notes de cours recueillies par J. Deprun), Paris, Vrin, 1968; F. Alquié, *le Cartésianisme de Malebranche,* Paris, Vrin, 1974.

M.-A. DE BEAUMARCHAIS

MALESHERBES Chrétien Guillaume de Lamoignon de (1721-1794). Fils du chancelier Guillaume de Lamoignon, Malesherbes fit ses études au collège Louis-le-Grand. Il remplit durant vingt-cinq ans (de 1750 à 1775) les fonctions de premier président de la Cour des aides, cour qui devait statuer sur le contentieux fiscal. Simultanément, il fut nommé directeur de la librairie jusqu'en 1763. Plus tard, il siégea par deux fois au gouvernement de Louis XVI, d'abord comme ministre de la Maison du roi (1775-1776), puis comme ministre sans portefeuille (1787-1788). Entre-temps, il voyagea beaucoup, devint un botaniste chevronné et réfléchit sur la façon dont le pouvoir devait s'exercer. Ce magistrat mourra guillotiné avec sa fille, son gendre et ses petits-enfants pour avoir été l'avocat du roi devant le tribunal de la Convention. Il fut membre des trois Académies.

L'œuvre de Malesherbes — dont la majeure partie est encore inconnue du public — a pour objets principaux la dénonciation des injustices commises par le pouvoir politique et son administration ainsi que la définition des droits de l'homme. Juriste avant tout, Malesherbes voulait instaurer un nouvel état de droit en France; il sut trouver des accents poignants pour parler de l'oppression de ses concitoyens. Son œuvre, plus politique et philosophique que littéraire, s'organise autour de cinq thèmes, qui correspondent aux différentes étapes de sa vie.

Directeur de la librairie, Malesherbes, confronté aux problèmes posés par la censure, rédige cinq *Mémoires sur la librairie* (1758). Constatant à la fois l'inefficacité des condamnations du parlement et la complexité inouïe de la législation, il prône la plus grande tolérance pour la publication des écrits (à l'exception des libelles diffamatoires) et affirme que « le seul moyen de faire exécuter des défenses, c'est d'en faire fort peu ». Trente ans plus tard, Malesherbes réaffirmera avec force son libéralisme en la matière dans son *Mémoire sur la liberté de la presse* (1788). Protecteur de l'*Encyclopédie,* dont il partageait grand nombre d'idées, il sut rester l'ami des philosophes, qu'il avait pourtant mission de censurer.

Président de la Cour des aides, Malesherbes inspire ou rédige personnellement une vingtaine de *Remontrances* adressées au roi. Critiques, souvent corrosifs, toujours courageux, ces textes sont parmi les premiers émanant d'un magistrat à faire le procès des lettres de cachet, de l'arbitraire royal et du despotisme de l'administration. Parmi les premiers aussi à parler des droits de la nation et des devoirs du souverain. Malesherbes n'hésita pas à demander, dès 1759, la convocation des états généraux. Il eut le courage de nier l'origine divine du pouvoir royal. Les remontrances les plus importantes sont celles de 1771 sur la dissolution du parlement et celles de 1775 sur le système des impôts. Bien qu'interdites de publication, ces remontrances furent largement répandues et soulevèrent l'enthousiasme de l'opinion publique éclairée.

Retiré des affaires, Malesherbes rédige, à la demande de son cousin Lamoignon, un *Mémoire sur l'éducation* (1783) dans lequel il fait l'éloge de Locke et de Rousseau. Il se consacre ensuite à la botanique, à l'arboriculture et à l'agriculture. Il consigne le fruit de ses expériences dans *les Idées d'un agriculteur patriote* (1786) et un *Mémoire sur les moyens d'accélérer les progrès de l'économie rurale en France* (1790), sorte de testament de l'agronome qu'il était.

A la demande de Louis XVI, Malesherbes travaille à la rédaction de deux *Mémoires sur le mariage et l'état civil des protestants* (1785-1786), dans lesquels il démontre avec habileté l'urgence d'une nouvelle législation pour pallier l'inefficacité et l'injustice des lois existantes. Ce travail pondéré et convaincant pèsera dans la décision du roi de rendre un édit de tolérance en faveur des protestants (29 nov. 1787).

De nouveau aux affaires, Malesherbes rédigea deux mémoires sur le malaise politique français. Le *Mémoire sur la nécessité de diminuer les dépenses* (1787) est une tragique et prophétique mise en garde, faite au roi. Malesherbes prévient celui-ci que « le conflit qui l'oppose à la nation peut précipiter le royaume dans des troubles dont nul ne peut prévoir la fin ». Le *Mémoire sur la situation présente des affaires* (1788) est un texte capital, qui livre totalement la pensée politique de Malesherbes au seuil de la Révolution. Il y déclare nécessaires une Assemblée nationale élue et permanente, une Constitution écrite, une loi qui garantisse la liberté des citoyens et une répartition générale et proportionnelle de l'impôt.

Malesherbes ne fut pas entendu. Mais cet authentique libéral, partisan d'une monarchie à l'anglaise, peut être compté au nombre des grands défenseurs des droits de l'homme et prendre place dans le panthéon des penseurs politiques du XVIIIe siècle.

BIBLIOGRAPHIE

Les quelques œuvres de Malesherbes qui furent publiées (*Remontrances de la Cour des aides, Mémoires sur la librairie, Mémoire sur la liberté de la presse,* travaux de botanique, *Mémoire pour Louis XVI*) n'ont pas été rééditées depuis le XIXe siècle, excepté les remontrances de 1771 et 1775. Voir *les Remontrances de Malesherbes,* introduction d'Élisabeth Badinter, Paris, 10/18, 1978.

A consulter. — Boissy d'Anglas, *Essai sur la vie et les écrits de M. de Malesherbes,* 3 vol., 1819-1821; l'admirable thèse de Pierre Grosclaude, *Malesherbes et son temps,* 2 vol., Fischbacher, 1961, ainsi que son *Jean-Jacques Rousseau et Malesherbes,* Fischbacher, 1960; Jean Egret, « Malesherbes, Premier Président de la Cour des aides (1750-1775) », dans *Revue d'histoire moderne et contemporaine,* 1956.

É. BADINTER

MALET Léo (né en 1909). V. ROMAN POLICIER.

MALFILÂTRE Jacques Charles Louis de Clinchamp de (1733-1767). Né à Caen, il entre au séminaire après de brillantes études chez les jésuites, mais renonce à la prêtrise. Passionné par les poètes latins, il s'occupe à traduire Virgile (des fragments des *Bucoliques,* des *Géorgiques* et de l'*Énéide,* traduits en vers français par Malfilâtre, seront regroupés dans une édition posthume, en 1810, sous le titre *le Génie de Virgile*). Il concourt pour les prix de poésie des Palinods de Rouen et de Caen et se voit couronné pendant cinq années consécutives pour ses odes *le Bonheur* (1754), *le Prophète Élie enlevé aux cieux* (1755), *la Prise du fort Saint-Philippe* (1756), *Louis le Bien-Aimé sauvé de la mort* (1757). L'ode *le Soleil fixe au milieu des planètes,* qui avait reçu le prix aux deux Palinods en 1758, est publiée dans le *Mercure de France* en 1759. Confiant dans ses rêves de gloire et de fortune, Malfilâtre décide de s'installer à Paris. Il fréquente les philosophes mais se refuse à servir leur cause par des écrits. Le poète, qui connaît de grandes difficultés d'argent, se voit contraint de travailler pour le libraire Lacombe. En 1761, une tragédie, *Clytemnestre,* à laquelle il semble bien que Malfilâtre ait participé, est imprimée sans nom d'auteur; mais le plan en est absurde, et des vers élégants y contrastent avec un style détestable. L'intention de Malfilâtre de versifier le *Télémaque* n'aboutit qu'à une adaptation du début de l'ouvrage de Fénelon, les passages philosophiques lui ayant sans doute montré la vanité de son entreprise. Dans ses *Considérations sur le poème épique* (insérées dans *le Génie de Virgile*), il estime nécessaire de renouveler l'épopée en y faisant figurer des héros modernes tels que Christophe Colomb. En 1767, se trouvant alors dans le plus grand dénuement, Malfilâtre compose son chef-d'œuvre, *Narcisse ou l'île de Vénus* (publ. posth. 1769), poème en quatre chants qui allie une volupté délicate à l'harmonie des tons les plus divers. Il mourra peu de temps après, des suites d'une chute de cheval.

C. LAVIGNE

MALHERBE François de (vers 1555-1628). Malherbe est méconnu : « Quand j'ai eu l'idée de proposer une monographie sur lui, [...] on a commencé par m'objecter qu'il n'était pas assez célèbre » (Ponge). Malherbe est méprisé : « Ce n'est pas un poète, mais un versificateur... Il n'est pas question de l'admirer » (Brunetière). L'éloge de Boileau lui a beaucoup nui; les romantiques ont critiqué et raillé sa poésie. Malherbe est loin de nous. Pourtant, en imposant au travail poétique une discipline fondée sur la clarté et la logique, il transmet à la langue française ce qui, dans l'héritage humaniste, va permettre l'épanouissement de l'époque classique. Malherbe est plus soucieux sans doute de fixer les formes poétiques que d'innover par ses trouvailles : mais, prêtant sa voix à une nation française préoccupée de paix et d'unité, dans la rigueur même de sa poésie oratoire, il atteint au grand lyrisme.

Un commandeur ès lettres

Caen, Aix et Paris sont les villes étapes de la carrière assez tardive de ce petit noble, peu fortuné, mais qui s'imposa comme premier poète à la Cour par sa fierté et sa force de caractère.

Fils aîné d'un conseiller au présidial de Caen, de la même génération que Bertaut et Du Perron, il reçoit une solide instruction (complétée dans les universités de Bâle et de Heidelberg) et participe aux exercices poétiques des professeurs et magistrats (tels Charles de Bourgueville, Vauquelin de La Fresnaye, Jean Rouxel) qui animent la vie intellectuelle de Caen, foyer humaniste de vieille tradition. *Les Larmes sur la mort de Geneviève Rouxel,* élégie à rimes plates qu'il composa en 1575 mais ne publia jamais, rendent hommage à la fille de l'universitaire normand. En 1577, rejetant la carrière et le protestantisme de son père, il va à Aix se mettre au service du gouverneur de la Provence, Henri d'Angoulême, qui s'entoure de gentilhommes poètes (La Ceppède, César de Nostredame, S.G. de La Roque) et de magistrats humanistes — Madeleine de Coriolis, jeune veuve que Malherbe épousera en 1581, est la fille d'un de ces derniers. De cette époque datent *Aux ombres de Daumon* (première des *Consolations*), *la Victoire de la constance* et, dédiées à Henri III, *les Larmes de saint Pierre :* l'esprit de la Contre-Réforme imprègne ces soixante-dix stances, imitées de Tansillo, qui charrient images et hyperboles dans une profusion baroque que reniera bientôt leur auteur. Les menées de la Ligue en Provence, le double assassinat de son protecteur et d'Henri III ramènent Malherbe à Caen (1586-1595), où il est élu échevin. Il écrit alors la *Consolation à Cléophon,* première version de la *Consolation à M. du Périer* (1598-1599) : la logique du poème, la densité du style témoignent déjà d'une maîtrise que confirment les corrections qu'il apporte à la *Sophonisbe* de Montchrestien; dès 1600, sa doctrine semble fixée. Revenu à Aix (1595-1605), il compose ses premières grandes odes, célébrant la prise de Marseille par Guise (*Au roy Henry le Grand...,* 1596); il devient l'ami du président du parlement de Provence, Guillaume du Vair, et du juriste érudit Peiresc. Il prend place peu à peu dans les recueils collectifs (Rouen, 1597; Paris, 1598). La notoriété vient avec l'*Ode de bienvenue* à la reine Marie de Médicis (1600); Du Perron fait son éloge au roi et, en 1605, Malherbe se rend à Paris; pris en charge par le garde des Sceaux (*Ode à Bellegarde,* 1608), il va assumer jusqu'à sa mort les tâches d'un poète de cour. Il fait l'éloge des grands : Henri IV (*Au feu roy, sur l'heureux succez du voyage de Sedan,* 1606); Marie de Médicis (*A la reine, sur les heureux succez de sa régence,* 1610); Louis XIII (*Pour le roy allant chastier la rébellion des Rochelois,* 1627). Il prête sa plume aux amours du roi (« O beauté non pareille,/Ma chère merveille », 1610), collabore aux carrousels et ballets. Profitant du retrait de Bertaut et de Du Perron et ridiculisant le vieux Desportes par un commentaire impitoyable, il s'assure rapidement le premier rang à la Cour et dans les recueils collectifs. Le recueil de 1627 indique que « ces pièces sont sorties de M. de Malherbe et de ceux qu'il avoue pour ses écoliers » : autorité en matière de grammaire et de style, il instruit chez lui ses disciples, tels Racan et Mainard. *L'Académie de l'art poétique* (1610) de Deimier reflète sa doctrine et atteste son succès. Mais la rigueur croissante de cette doctrine restreint sa production et le pousse vers la prose (*Lettre de consolation à la princesse de Conti,* 1614) et vers la traduction (livre XXXIII de l'*Histoire de Rome* de Tite-Live, 1616). La régence marque son apogée : admis dans les Hôtels de Guise, de Condé, il est le favori de la reine; néanmoins sa fortune n'est jamais assurée, et il sollicitera toujours des pensions. La fin de sa vie est assombrie par la mort de son fils Marc-Antoine (ce dernier, condamné pour meurtre dans un premier duel en 1624, périt dans un second en 1627). Malherbe crie vengeance, supplie vainement le roi; son amertume transparaît dans la *Paraphrase du Psaume CXLV* (« N'espérons plus mon âme... »). Il mourra d'épuisement l'année suivante, à soixante-treize ans.

Fier, tenace, énergique jusqu'à la brutalité, Malherbe a les qualités et les défauts d'un chef d'école. Ami fidèle, père et époux soucieux de ses devoirs (la mort de sa fille Jourdaine, en 1599, le frappe durement), il est pragmatique, et sa vision de l'amour est teintée d'épicurisme *(Dessein de quitter une dame qui ne le contentait que de promesses);* mais le stoïcisme domine dans les *Consolations.* Conformiste en religion, flatteur envers les puissants, Malherbe n'en est pas moins un patriote fervent, très attaché à la paix. Ses goûts, sa curiosité intellectuelle sont plus étroits que ceux de Ronsard, mais il met toute son énergie à formuler une doctrine poétique et à l'illustrer par son œuvre.

« Un docteur en langue vulgaire » (Balzac)

Avant Richelieu et l'Académie française, Malherbe est le législateur des lettres; il inaugure le « siècle des règles ». Mais en vain cherchons-nous dans son œuvre une grammaire ou un art poétique : à l'exemple de Montaigne, il forge sa doctrine en marge des textes qu'il lit ou écrit (Racine fera de même). Trois pièces donc au dossier : un récit de Racan *(Mémoires pour la vie de M. de Malherbe),* propos relevés sous forme de boutades; sur un exemplaire de Desportes, des annotations critiques dont la rigueur et la cohérence ont été mises en valeur par Ferdinand Brunot; enfin la sélection (toujours plus sévère) des pièces jugées dignes de figurer dans des recueils.

La doctrine ne concerne pas la seule poésie, mais tout le domaine de l'éloquence. C'est pourquoi la doctrine — essentiellement éthique — de Du Vair, réformateur érudit de la prose du Palais, trouve sa correspondance esthétique chez Malherbe : sur les conseils du magistrat, le poète traduit Sénèque et Tite-Live avec le souci d'adapter le texte français aux bienséances et au goût du temps et, en conférant au langage vigueur, dignité et beauté, de contribuer au progrès de la prose française. Malherbe est un classique au sens que donnera à ce terme Paul Valéry : « Classique est l'écrivain qui porte un critique en lui-même et qui l'associe intimement à ses travaux [...] tout classicisme suppose un romantisme antérieur [...] l'essence du classicisme est de venir après » (*Variété II,* « Situation de Baudelaire »). La doctrine malherbienne s'édifie sur le constat de l'échec de la Pléiade. L'État monarchique, l'Église de la Contre-Réforme ont affermi leur pouvoir sur les personnes et sur les esprits : le poète n'est pas plus roi que prophète : contre la doctrine de l'inspiration enthousiaste est prôné un esprit d'artisanat méthodique. Ronsard raillait l'« ignorant versificateur », attaché, selon Régnier, à « proser de la rime et rimer de la prose ». Or Malherbe s'est voulu tel : « On dira que nous avons été deux excellents arrangeurs de syllabes [...] un bon poète n'est pas plus utile à l'État qu'un bon joueur de quilles » (récit de Racan). Malherbe « désaffuble la poésie » (Ponge), dont la grandeur n'est plus mystique mais historique : elle seule peut assurer les grands de la postérité (« ce que Malherbe écrit dure éternellement »). En cela, il participe au mouvement de cohésion nationale qui se forme autour d'Henri IV et s'affermit sous Richelieu.

Malherbe est aussi un Moderne, soucieux de libérer langue et poésie de toute tutelle antique ou étrangère : rejet nuancé, car il recourt, en érudit subtil, aux légendes et figures mythologiques. Mais il est guidé par un souci de correction et de pureté linguistiques qu'il partage, en accord avec l'évolution littéraire et philosophique du temps, avec les deux élites du royaume : les magistrats érudits (L'Hôpital, Pibrac, de Thou, Harlay), la noblesse formée par les jésuites. L'époque était propice : la société, dégoûtée de l'esprit d'aventure — y compris dans le domaine littéraire — était « prête en un mot à l'esclavage pourvu qu'on lui rendît le repos avec des distractions élégantes » (F. Brunot).

La révolution qu'il propose est d'ordre rhétorique : l'invention cède le pas à la disposition et à l'élocution. L'inspiration ne livre qu'un matériau (« les belles feuilles toujours vertes »); « en faire des couronnes » *(Ode à la reine)* nécessite une technique : développement ordonné, élégance et justesse des termes. La doctrine de Malherbe est un stoïcisme littéraire qui, par un effort ascétique contre la « poltennerie », entend discipliner la création. Le premier effort porte sur la langue : Malherbe rejette l'aristocratisme de la Pléiade, fait de l'usage — celui de la Cour, mais aussi celui de la Ville — la règle; une poésie nationale doit être comprise des « crocheteurs » : non pas vulgaire mais simple. D'où la suppression des archaïsmes, néologismes, provincialismes (*mais* remplace *ains, consommé* devient *consumé*); le refus des omissions de l'article, du pronom sujet; la précision des termes; l'adoption d'un ordre « naturel » des mots, évitant l'anacoluthe et les ambiguïtés. L'effort porte aussi sur le style : images brèves et motivées (évitant la « bourre »); sur la distinction du propre et du figuré, négligée par Desportes; sur le refus de l'hermétisme mythologique et le respect des bienséances. Un dernier effort porte enfin sur la versification, où la difficulté devient principe heuristique : « Il s'étudiait fort à chercher des rimes rares et stériles, sur la créance qu'il avait qu'elles lui faisaient produire quelques nouvelles pensées » (Racan). En prosodie aussi, la rigueur est à l'ordre du jour : refus du hiatus visuel et phonique (il y a), d'où le rejet des cacophonies, comme le « parablamafla » reproché à Vauquelin des Yveteaux (« comparable à ma flamme »). Pour le rythme, Malherbe préconise la stricte réglementation des pauses (au troisième vers pour le sizain), le refus des enjambements, l'exigence d'une césure nette (refus des rimes intérieures et des vers léonins). A la rime enfin, refus des rimes plates et refus de l'identité lexicale ou grammaticale des termes (les noms propres, le simple, le composé, les mots de même suffixe, tels *pire* et *empire*). Le primat accordé à la logique apparente la poésie à un art du discours : à une expression précise correspond une syntaxe rigoureuse, dont la strophe est le cadre général et le vers l'unité sémantique de base (reproche fait par Malherbe à Desportes : « le premier vers achève son sens à la moitié du second »). Les particules logiques doivent exhiber les articulations d'une pensée dont les mouvements (objections, réfutations, interrogations) sont nettement soulignés.

Toutes ces règles, dans leur ensemble, s'imposent rapidement et, dès 1630, sont admises même des poètes peu favorables à Malherbe.

« Un monument qui résonne »

L'édifice est harmonieux, poli par le travail d'une vie, mais ne peut abolir tout vestige du passé — l'esthétique baroque des premières œuvres par exemple, telle qu'elle s'exprime dans l'image morbide d'une belle au tombeau : « Ce tout pudique sein, cette main blanchissante/Flétrissent maintenant au sépulchre, serrez » *(les Larmes sur la mort de Geneviève Rouxel);* en 1610, la maladie d'amour sera évoquée par un squelette et par une peau semblable pour la couleur à une violette desséchée *(Sur le même sujet, Stances).* Quant aux adjectifs composés, ils fleurent bon la Pléiade : « La cruelle ennemie, au long crin couleuvreux,/Sur la rive du Styx, d'un flambeau noir fumeux » *(les Larmes...).* En 1627, l'éloge de Richelieu sous les traits de Tiphys, le nautonier des Argonautes, est un trait érudit digne d'un Ronsard. Ailleurs, le ton âpre et douloureux, les thèmes galants, la généralité de l'expression sont autant d'emprunts respectifs à Bertaut, à Desportes et à Du Perron. Pourtant l'œuvre tend vers son unité; peu à peu l'effort porte ses fruits, l'harmonie s'instaure et règne au travers des trois genres dans lesquels Malherbe s'est illustré : la poésie officielle, la poésie amoureuse, la poésie religieuse.

Quel qu'en soit le registre, cette poésie a une ambition : la grandeur. Le ton, le style et les thèmes convergent pour produire une commune impression de dignité, réalisée en premier lieu par un mouvement de généralisation et d'abstraction qui confère à l'événement (exploit guerrier ou mort d'un être) sa valeur intemporelle; ainsi de la victoire du roi sur le duc de Bouillon en révolte : « O Dieu, dont les bontez, de nos larmes touchées,/Ont aux vaines fureurs les armes arrachées » (*Prière pour le roy,* 1605). L'événement, ainsi réduit à son essence (« vaines fureurs »), révèle une vertu royale, l'invincibilité du monarque « où que [ses] bannières aillent »...

L'usage métaphorique, proche du symbole, de la mythologie, confère noblesse antique et dignité culturelle : Sedan est une nouvelle Troie *(Au feu roy...)*. L'intervention de personnages mythologiques donne à l'action une grandeur épique; ainsi Neptune et ses Tritons aident-ils le roi contre les Rochelais *(Pour le roy...)*. La parole malherbienne a la solennité du lyrisme collectif, prêtant voix à la Nation qui apostrophe son roi ou s'adresse à Dieu :

Nos paroles sont ouyes
Tout est réconcilié,
Nos peurs sont évanoyes
Sedan s'est humilié.

(Au feu roy)

Exaltant l'idéal de paix et de prospérité, la poésie de Malherbe coïncide avec les aspirations nationales et la politique royale; d'où l'annonce répétée d'un âge d'or à venir : « Que vivre au siècle de Marie/Sans mensonge et sans flatterie,/Sera vivre au siècle doré » (*A la reine*, 1610), tandis que des arguments stoïciens donnent leur solennité aux paroles de résignation et d'effort : « Croy moy, ton deuil a trop duré » *(Consolation au premier président)*, car le magistrat est rappelé à ses devoirs : « Aime ton prince [...]/Il faut que ton labeur accompagne le sien ». L'effort réclamé vise à rétablir une vie normale dans laquelle un deuil trop prolongé apporterait un désordre. Cette angoisse du trouble marque également les odes et les poésies amoureuses; en tout lieu, la paix est désirée : « Au repos où je suis, tout ce qui me travaille,/C'est le doute que j'ay qu'un malheur ne m'assaille » *(Victoire de la constance)*.

La menace de troubles appelle la lutte, la paix est une conquête; et la poésie de Malherbe est animée par une dynamique vigoureuse, et soutenue par une poétique de la tension. Cette poésie oratoire possède les fermes articulations du discours; elle en emprunte la forme (cf. le discours des paladins dans *Pour les pairs de France*), l'aspect didactique :

Les dieux, longs à se résoudre
Ont fait un coup de leur foudre
Qui *montre* aux ambitieux
Que les fureurs de la terre
Ne sont que paille et que verre
A la colère des cieux.

(Psaume CXXVIII)

Elle en prend aussi les figures. Pour la clarté et la vigueur, l'antithèse est ici la figure clé. Témoin cette confrontation du dieu infernal aux Olympiens : « Pluton est dénué d'oreilles et d'yeux ». Quant à l'hyperbole, forte par sa densité même, toute tendue vers l'éloge, elle exprime l'essence suprême des êtres : « O toute parfaite princesse/L'étonnement de l'univers » (*A la reine*, 1600).

La vigueur rythmique vient appuyer la rigueur démonstrative : l'élan initial (« Donq un nouveau labeur à tes armes s'appreste ») est suivi d'élans de reprise : « Marche, va les détruire; esteins-en la semence » *(Pour le roy...)*. A cette scansion vient s'ajouter, pour certains poèmes, la contrainte musicale (adaptations de Boësset et Guédron) : doivent alors coïncider le rythme de la strophe et du vers, et celui de la mélodie; d'où de nouvelles exigences de régularité et de symétrie.

Houlete de Louys, Houlete de Marie,
Dont le fatal appuy met nostre bergerie
Hors du pouvoir des loups.

(Récit d'un berger)

On constate ici le double jeu des termes répétés et du retour de l'hexasyllabe, la présence d'un refrain prosodique et lexical. Mais l'inspiration pastorale s'exprime aussi, parfois, en des vers impairs de cinq ou neuf syllabes : « Sus debout la merveille des belles » *(Chanson)*. Malherbe joue en expert des rythmes et des vers mêlés; et ces chansons laissent parfois place à une fraîcheur florale, à une tonalité mineure inattendue :

Et, couchez sur les fleurs comme estoilles semées,
Rendre en si doux ébat les heures consommées,
Que les soleils nous seroient cours.

(Aux ombres de Daumon)

Une certaine idée de la poésie

La doctrine l'emporte-t-elle sur l'œuvre? Dans son souci d'illustrer sa doctrine, Malherbe a-t-il sacrifié sa poésie? Quatre mille vers tissés de lieux communs : « un beau bouillon d'eau claire », affirment Mlle de Gournay et, à sa suite, Régnier, Berthelot, Motin... Mais c'est précisément l'idée de poésie qui oppose Malherbe à Ronsard, au sens où Valéry oppose le classique au romantique. Face à certaines logorrhées poétiques (à vingt ans, le poète La Ceppède avait déjà produit 30 000 vers), Malherbe prône ordre et patience. Au-delà du classicisme historique, il incarne une tentation permanente de la poésie française : la séduction de la perfection formelle; d'où l'hommage de Chénier, de Baudelaire, de Valéry, de Ponge enfin. Il serait profondément injuste d'écrire qu'il ne fait que tendre vers cette perfection; il l'atteint, moins peut-être à l'échelle d'une pièce entière qu'à celle d'une strophe ou d'un groupe de vers. Ce fou de la raison a sa grandeur : on ne peut « faire bon marché de son éclat et de sa violence, de sa haute tenue, de sa plénitude formelle et de sa parfaite architecture » (Arland).

BIBLIOGRAPHIE

Éditions. — *Œuvres poétiques*, par R. Fromilhague et R. Lebègue, 1968, coll. des universités de France, 2 vol.; *Œuvres complètes*, Gallimard, La Pléiade, éd. A. Adam, 1971; *Œuvres poétiques*, Garnier-Flammarion, 1972, éd. M. Simon.

A consulter. — Racan, *Mémoires pour la vie de M. de Malherbe*, dans *Œuvres complètes* de Racan, Paris, 1857; Ménage, *Observations*, dans l'éd. des *Poésies de Malherbe*, 1666; Chénier, *le Commentaire de Malherbe*, Paris, éd. Latour, 1842; F. Brunot, *la Doctrine de Malherbe d'après son commentaire sur Desportes*, Masson, 1891, rééd. A. Colin, 1969; R. Lebègue, « Nouvelles Études malherbiennes », *Bibliothèque d'Humanisme et Renaissance*, vol. 5, 1944, et *la Poésie française de 1530 à 1630*, Paris, S.E.D.E.S., 1951; R. Fromilhague, *la Vie de Malherbe. Apprentissage et luttes (1555-1610)*, Paris, A. Colin, 1954, et *Malherbe, technique et création poétiques*, Paris, A. Colin, 1954; F. Ponge, *Pour un Malherbe*, Paris, Gallimard, 1965.

G. DECLERCQ

MALLARMÉ

MALLARMÉ Étienne, dit **Stéphane** (1842-1898). L'œuvre de Mallarmé représente l'apogée d'une certaine évolution des principes et des formes littéraires du XIXe siècle : celle qui, commençant en plein romantisme avec le Hugo des années 1830, continue avec la tendance surnaturaliste et l'imagination chez Baudelaire, pour aboutir à la rupture mallarméenne entre l'existence littéraire et le social, entre l'écriture poétique et le monde référentiel. Cette rupture est vécue existentiellement d'abord, métaphysiquement par la suite, résolue enfin dans l'élaboration lente d'une esthétique selon laquelle l'œuvre poétique constitue la forme suprême du sens du monde. En cette fin du siècle, Mallarmé est le seul à avoir formulé en clair une telle sacralisation de la littérature et à en avoir tiré les conséquences pour la poésie, quitte à risquer la mort de celle-ci, tant par le caractère hermétique de ses propres poèmes que par la postulation radicale impliquée dans les idées esthétiques sous-jacentes. Sa visée poétique pouvait avoir, aux yeux des contemporains, quelque chose d'obscur et d'abstrait (lui-même était d'une « aristocratique réserve », notait Charles Morice). Mais l'idée que « tout, au monde, existe pour aboutir à un beau livre » nous rappelle simplement que le sens du monde passe par l'interprétation artistique : « Quel génie pour être un poète! quel foudre d'instinct renfermer, simplement la vie, vierge, en sa synthèse et loin illuminant tout! » D'avoir vu ce principe clairement, c'est là le secret de Mallarmé.

L'existence littéraire

« L'existence littéraire [...] a-t-elle lieu, avec le monde; que comme inconvénient », se demande Mallarmé parvenu au sommet de la gloire... littéraire. La question révèle l'hésitation du poète devant les faits sociaux, son « manquement social ». On peut, dans le cas de Mallarmé, parler d'une véritable existence littéraire, celle-ci étant la seule digne d'être retenue. « Pour moi, précise-t-il, le cas d'un poète, en cette société qui ne lui permet pas de vivre, c'est le cas d'un homme qui s'isole pour sculpter son propre tombeau ». Dès lors, la création poétique devient un acte exclusif, et « qui l'accomplit, intégralement, se retranche ». Dans son existence, Mallarmé, professeur d'anglais dans les lycées, a des raisons concrètes pour exempter sa vocation littéraire de devoirs sociaux accablants; il peut prétendre vivre « antérieurement selon un pacte avec la Beauté ». Or, cette attitude, comme il sera démontré par la suite, provoque une rupture plus radicale encore entre le monde et la littérature, littérature dont Mallarmé peut dire qu'elle existe seule, « à l'exception de tout ».

Cela dit, il faut retenir de la vie de Mallarmé certains faits non négligeables pour son travail d'écrivain. A son « gagne-pain », aux cours d'anglais, il ne réserve que deux lignes dans son « Autobiographie » envoyée à Verlaine en 1885; « le misérable collège » qui dévore son temps de 1863 à 1893 ne lui cause que des ennuis, d'autant plus qu'il n'est pas bon pédagogue, qu'il arrive à ses inspecteurs de se demander « si l'on n'est pas en présence d'un malade », et que ce gagne-pain ne lui assure qu'un niveau de vie fort médiocre.

Mallarmé, ayant perdu sa mère dès l'âge de cinq ans, en 1847, a encore la douleur de voir mourir sa sœur en 1857. Son père, simple fonctionnaire de l'État, meurt en 1863, et Mallarmé se marie quatre mois après, l'année même où il passe le certificat d'aptitude à l'enseignement de l'anglais et obtient un poste à Tournon. Ensuite, c'est le lycée de Besançon, celui d'Avignon, et enfin Paris, après la Commune, en 1871. Si la vie de province, d'après la correspondance de Mallarmé, semble être une longue épreuve, elle lui donne pourtant l'occasion de lier amitié avec des poètes tels que Théodore Aubanel et Frédéric Mistral et d'échanger une longue série de lettres avec d'anciens amis tels que Cazalis et Lefébure, lettres confidentielles et très révélatrices en ce qui concerne l'évolution du poète, qui traverse justement, à Tournon et à Besançon, une longue crise d'abord métaphysique, ensuite poétique. C'est au cours des années 1860 que Mallarmé commence à publier ses poèmes, dans le *Parnasse contemporain,* où paraissent « les Fenêtres », « Soupir », « l'Azur » et d'autres, qui lui assurent une première notoriété de poète. D'autres sont commencés, tels qu'*Hérodiade* et *le Faune,* alors que le fragment en prose d'*Igitur* nous révèle le drame métaphysique du hasard et de l'absolu qui devait jouer un rôle déterminant pour l'œuvre à venir.

Les années 1870 sont marquées par la publication de quelques ouvrages qui semblent annoncer un Mallarmé moins épris d'absolu poétique. *La Dernière Mode,* huit livraisons d'une revue mondaine qu'il rédige pratiquement seul (1874), est une première — et dernière — tentative pour entrer en contact avec le public, au demeurant fort restreint, puisqu'il s'agissait de la classe privilégiée de l'aristocratie ou de la haute bourgeoisie. *Les Mots anglais* (1877), « petite philologie à l'usage des Classes et du Monde », sont composés dans un dessein utilitaire, mais témoignent de l'intérêt du professeur d'anglais pour le rapport poétique entre la forme et le sens des mots. Beaucoup d'écrivains ont réfléchi sur ce rapport, tous s'efforçant de le fonder sur l'idée d'une correspondance nécessaire entre la forme et le fond. De cette série de réflexions, Mallarmé tirera profit, sans doute, pour ses traductions des *Poèmes d'Edgar Poe,* dont quelques-uns paraissent en 1872 et 1877 avant d'être réunis en volume en 1888. En tout cas, le travail du traducteur et du philologue (Mallarmé projette, en 1869, d'écrire une thèse sur la langue) annonce celui du théoricien d'esthétique qui domine les années 1880 et 1890, où — tant par écrit qu'oralement, à ses fameux « mardis » qui rassembleront nombre des poètes contemporains dans le petit appartement des Mallarmé, 89, rue de Rome — le poète, devenu le « maître » des symbolistes, communiquera à ceux-ci sa conception de la poésie. L'exclusivité qui imprègne *la Dernière Mode, les Poèmes d'Edgar Poe* ainsi que *l'Après-midi d'un faune* (1876), tiré à très peu d'exemplaires, et que Manet a illustré, témoigne d'un effort pour distinguer l'œuvre esthétique de « l'emploi élémentaire du discours », lequel cherche simplement à assurer les échanges de pensée. Rehaussant ainsi l'existence littéraire proprement dite, seule capable de « produire sur beaucoup un mouvement qui te donne en retour l'émoi que tu en fus le principe », Mallarmé répudie le journalisme « avec l'immunité du résultat nul ». Pourtant, point n'est besoin de le juger avec la véhémence d'un Sartre (dans « l'Engagement de Mallarmé », essai non terminé publié par la revue *Obliques*), qui accuse les poètes de se faire « une fois de plus les agents de la contre-révolution précieuse » et d'établir « un ordre de l'incommunicable ». Il est vrai que Mallarmé a proféré, dans un essai de jeunesse, *l'Art pour tous,* que la poésie est l'apanage des poètes seuls; mais son projet principal, le « Livre », s'il avait été mené à son terme, aurait donné du monde une interprétation systématique, dont la lecture n'aurait pas été réservée aux seuls initiés, mais à tous, afin d'éviter l'éparpillement du sens du monde moderne (cf. Julia Kristeva).

L'existence de Mallarmé, littéraire, donc, du fait d'être dominée par ces réflexions et travaux, fut brisée subitement en 1898, quand il fut terrassé par une laryngite dans sa maison de Valvins. Cette maison était d'ailleurs comme la réalisation du rêve de ce grand amoureux de la nature, bucolique lui-même comme le faune, l'aimant autant qu'il aime sa femme et sa fille, cette Méry Laurent qui est à l'arrière-plan de bien des poèmes de Mallarmé sur la femme. Ce Sisyphe, il ne faut pas l'imaginer malheureux.

Principes d'une écriture nouvelle

« La littérature existe seule », déclare Mallarmé. Cet idéalisme, il le professe au nom de ses contemporains symbolistes tout en exprimant, dans l'essai *Crise de vers,* son implication esthétique fondamentale : « Un Idéalisme qui (pareillement aux fugues, aux sonates) refuse les matériaux naturels et, comme brutale, une pensée exacte les ordonnant; pour ne garder de rien que la suggestion. Instituer une relation entre les images exacte, et que s'en détache un tiers aspect fusible et clair présenté à la divination. » C'est par le sens multiple des mots, en particulier des mots-images suggérant l'idée des choses absentes, que le poète opère cette TRANSPOSITION si importante pour la pratique poétique de Mallarmé.

Or, cette opération n'est pas seulement d'ordre esthétique — elle est aussi un devoir existentiel de l'homme : « La divine transposition, pour l'accomplissement de quoi existe l'homme, va du fait à l'idéal. »

On conçoit que Mallarmé devait s'éloigner du naturalisme, pourtant contemporain de cette théorie symboliste où l'emporte l'image suggestive au dépens de la description. Il avait pour Zola « une grande admiration », mais voyait plutôt dans les romans naturalistes, en même temps qu'un mouvement pour se rapprocher de l'histoire, un éloignement de la littérature qui, elle, « a quelque chose de plus intellectuel que cela ». Ne conserver des choses que l'Idée était pour Mallarmé une nécessité évidente : « Les choses existent, nous n'avons pas à les créer »; bien plus, « la Nature a lieu, on n'y ajoutera pas [...] ». Alors pourquoi la poésie? Il reste à rendre l'impression (au sens des impressionnistes : Manet et Berthe Morisot étaient parmi les amis proches de Mallarmé) et à saisir les rapports entre les choses. Mallarmé avait trouvé ces principes dès 1864-1865 en travaillant à *Hérodiade* (voir plus loin); il voulait en effet « peindre non la chose, mais l'effet qu'elle produit » et faire de son héroïne « un être purement rêvé et absolument indépendant de l'histoire ».

En séparant ainsi radicalement le sens obtenu par le langage poétique et la réalité référentielle, le poète peut concentrer son travail sur la STRUCTURE immanente au texte poétique. La cohérence interne de l'« œuvre pure » permet au poète de disparaître et de céder l'initiative aux mots, qui, désormais, « s'allument de reflets réciproques ». A un niveau plus élevé on obtient par là un résultat esthétiquement et existentiellement important : « Une ordonnance du livre de vers poind innée ou partout, élimine le hasard. » Cet instant consacre la FICTION, dont la BEAUTÉ est un trait constitutif, le royaume absolu de la poésie qui subsume celui de la réalité. Exclusivité? Sans doute, mais Mallarmé incluait dans ses principes poétiques tout un projet de communication qui, par ailleurs, ne concernait pas seulement la poésie, mais aussi le drame et le ballet. Comme le livre, le ballet est un drame visible et lisible et, face à la scène du théâtre ou à un orchestre, comme face aux pages d'un livre, l'individu interpellé par quelque chose d'extérieur à lui, comme on peut l'être par une « scène » de nature, est maintenu en haleine dans un effort pour comprendre. « Loin de tout, la Nature, en automne, prépare son théâtre », mais le texte, de son côté, peut apparaître également comme un théâtre : « Quelle représentation! le monde y tient; un livre, dans notre main, s'il énonce quelque idée auguste, supplée à tous les théâtres, non par l'oubli qu'il en cause mais les rappelant impérieusement, au contraire ». Bien plus que l'existence immédiate, déterminée par le hasard, c'est le Livre qui ouvre vers le monde, comme, inversement, le poète a le « devoir de tout recréer, avec des réminiscences, pour avérer qu'on est bien là où l'on doit être ». L'esthétique mallarméenne répond, finalement, à un besoin existentiel et social, ce que Mallarmé a exprimé lui-même dans une interview célèbre : « De cette organisation sociale inachevée, qui explique en même temps l'inquiétude des esprits, naît l'inexpliqué besoin d'individualité dont les manifestations littéraires présentes sont le reflet direct. »

Mallarmé nous invite ainsi à lire ses poésies à la lumière de sa théorie esthétique. La « poésie pure et subjective » qui refléterait « la sérénité et le calme de lignes nécessaires à la Beauté », il la rêva du début à la fin de sa carrière — notamment à propos du « mystère » d'*Hérodiade,* qui concentre presque toutes les images exploitées dans les autres poèmes. Aller du fait à l'idéal, du concret à la notion pure, c'est accepter, au niveau de l'écriture, l'isolement du poète, de ce « solitaire ébloui de sa foi » (sonnet « Quand l'ombre menaça... »).

Condition de la poésie

« La poésie consistant à *créer,* il faut prendre dans l'âme humaine des états, des lueurs d'une pureté si absolue que, bien chantés et bien mis en lumière, cela constitue en effet les joyaux de l'homme : là, il y a symbole, il y a création, et le mot poésie a ici son sens : c'est, en somme, la seule création humaine possible. » Nul doute que le poète était conscient d'écrire à contre-courant, et la structure sociale de son temps, encore moins cohérente que ne l'est la nôtre, s'opposait en fait à son idée de contribuer à une nouvelle religion, à « l'amplification à mille joies de l'instinct de ciel en chacun ». Exclu de la communauté en tant que poète et considéré, en tant que poète symboliste, comme décadent par rapport aux grands courants « réalistes » de la littérature, Mallarmé parle de son époque comme d'un « temps où le devoir qui lie l'action multiple des hommes existe mais à ton exclusion ». On a donc pu parler d'un échec à propos de Mallarmé. Si échec il y avait, c'était celui de la société; l'époque était « trop en désuétude et en effervescence préparatoire pour que [le poète] ait autre chose à faire qu'à travailler avec mystère en vue de plus tard [...] ». Ce travail devait être le « Livre », longuement rêvé, finalement abandonné, fragmentaire comme le monde même auquel il aurait dû s'adresser. Il nous reste donc une œuvre éparpillée, des poésies rassemblées en volumes ne présentant aucune structure d'ensemble et des morceaux de prose dont le titre, « Divagations », révèle la futilité aux yeux de celui qui se voulait un Orphée moderne.

VIE	ŒUVRE
1842 18 mars : naissance de Mallarmé, à Paris.	
1847 2 août : mort de la mère de Mallarmé. L'enfant sera élevé par sa grand-mère.	
1852 Mallarmé en pension à Auteuil.	
1857 Mort de Maria, sœur cadette de Mallarmé.	
1858 Mallarmé habite à Sens, chez son père, et fréquente le lycée.	
	1859 Cette année et l'année suivante, Mallarmé compose un recueil de soixante-quatre poèmes : « Entre quatre murs ».
1861 Il se lie d'amitié avec Emmanuel des Essarts et Henri Cazalis (poète, qui publie sous le pseudonyme JEAN LAHOR). Lecture de Baudelaire.	

	VIE		ŒUVRE
1862	Mallarmé rencontre Eugène Lefébure, qui sera le grand ami des années 1860. Nov.-janv. 1863, fugue à Londres avec Marie Gerhard, jeune Allemande rencontrée à Sens.	**1862**	10 janv. : première publication, étude des *Poésies parisiennes* d'E. des Essarts dans *le Papillon,* à Sens. 15 sept. : « Hérésies artistiques. L'Art pour tous », essai, dans *l'Artiste.*
1863	Avr. : mort du père de Mallarmé. 10 août : mariage de Mallarmé et de Marie Gerhard, au cours d'un nouveau voyage à Londres. Déc. : Mallarmé est nommé suppléant au collège de Tournon (cours d'anglais).		
1864	Mallarmé rencontre, à Avignon, Théodore Aubanel et Frédéric Mistral; et, à Paris, Catulle Mendès et Villiers de L'Isle-Adam. 19 nov. : naissance de Geneviève Mallarmé.	**1864**	Mallarmé commence *Hérodiade.* Une longue correspondance importante avec Cazalis, Lefébure, Aubanel... commence. Il écrit les poèmes « l'Azur » et « les Fleurs ».
		1865	1er févr. : *l'Artiste* publie la « Symphonie littéraire » de Mallarmé, sur Gautier, Baudelaire et Banville. Mallarmé travaille sur le « Monologue d'un faune ».
1866	Mallarmé est nommé au lycée de Besançon.	**1866**	Publication de onze poèmes dans le *Parnasse contemporain.*
1867	Mallarmé est nommé au lycée d'Avignon.	**1867-1868**	Publication des premiers poèmes en prose dans la *Revue des lettres et des arts.* Premières versions (non publiées) de « Tout orgueil », « Surgi de la croupe », « Une dentelle s'abolit », « Quand l'ombre menaça », « le Vierge, le vivace... »
		1869	Composition d'*Igitur.*
1871	16 juill. : naissance d'Anatole Mallarmé. Mallarmé est nommé chargé de cours au lycée Fontanes, à Paris.	**1871**	La « Scène » d'*Hérodiade* paraît dans le *Parnasse contemporain.*
		1872	Traductions d'Edgar Poe dans la *Renaissance artistique et littéraire.*
1873	Début de l'amitié avec Manet.	**1873**	« Toast funèbre » paraît dans *le Tombeau de Théophile Gautier.*
1874	Premier séjour à Valvins. Première lettre à Zola.	**1874**	« Le Démon de l'analogie », poème en prose, « Le Jury de peinture pour 1874 et M. Manet », essai. *La Dernière Mode,* 6 septembre-20 décembre.
		1875	Publication en volume du *Corbeau,* poème d'Edgar Poe, traduction de Mallarmé, illustrations de Manet. « Les Gossips », essais sur l'art et la littérature, dans l'*Athenaeum* anglais.
1876	Portrait de Mallarmé, par Manet.	**1876**	*L'Après-midi d'un faune,* illustrations de Manet. Essai sur « The Impressionists and Edouard Manet » dans *The Art Monthly Review,* Londres.
1877	Les « mardis » commencent, rassemblant, au 89, rue de Rome, les jeunes poètes.	**1877**	« Le Tombeau d'Edgar Poe » paraît dans *The Poe Memorial,* Baltimore.
		1878	*Les Mots anglais.*
1879	Mort d'Anatole Mallarmé.	**1879**	Notes pour un « tombeau » d'Anatole.
		1880	Traduction de G.W. Cox : *les Dieux antiques.*
		1881	Traduction de W.C. Elphinstone Hope : *l'Étoile des fées.*
1882	Début des relations avec Méry Laurent, que le poète a rencontrée chez Manet. Début de l'amitié avec Huysmans.		
1883	Mort de Manet. Années suivantes : correspondance et rencontres aux « mardis » avec Rodenbach, Charles Morice, Verhaeren, Maeterlinck, Whistler, Odilon Redon...		
		1885	« Prose pour des Esseintes ». « Richard Wagner, rêverie d'un poète français », dans la *Revue wagnérienne.*

VIE		ŒUVRE	
			Favourite Tales for Very Young Children (recueil de lectures anglaises à l'usage des classes...).
		1886	« Hommage à Wagner », poème. Lettre (autobiographique) à Verlaine. Début de la publication des « Notes sur le théâtre », devenues *Crayonné au théâtre.*
		1887	La trilogie « Tout orgueil », etc. (voir 1867) paraît dans *la Revue indépendante.* *Album de vers et de prose.* *Les Poésies de Stéphane Mallarmé.*
		1888	Publication en volume des *Poèmes d'Edgar Poe.*
1889	Mort de Villiers de L'Isle-Adam. Revirements dans les relations entre Méry Laurent et Mallarmé.		
1890	Voyage de conférences en Belgique.	**1890**	Publication de la conférence sur Villiers, dans *l'Art moderne,* Bruxelles.
1891	Oscar Wilde et Paul Valéry viennent aux « mardis » de Mallarmé. Mallarmé répond à une enquête de Jules Huret sur l'évolution littéraire.	**1891**	*Pages,* avec des textes de prose.
		1892-1893	Plusieurs essais, qui seront repris dans *Divagations,* paraissent dans *The National Observer.*
1893	Mallarmé obtient sa mise à la retraite.	**1893**	Traduction des *Contes indiens,* de Mary Summer (publiés en 1927). *Vers et prose.*
1894	Voyage de conférences en Angleterre.	**1894**	« La Musique et les Lettres » paraît dans *la Revue blanche.*
1895	Mort de Berthe Morisot, amie du poète. Mallarmé devient tuteur de sa fille, Julie Manet.	**1895**	« Le Tombeau de Charles Baudelaire », sonnet, dans *la Plume.* Publication de « Variations sur un sujet », dans *la Revue blanche.*
1896	Mallarmé est élu « prince des poètes », après Leconte de Lisle et Verlaine.	**1896**	« Hamlet et Fortinbras », essai, dans *la Revue blanche.* L'essai « le Mystère dans les Lettres », dans *la Revue blanche.*
		1897	Janv. : *Divagations.* Mai : « Un coup de dés », dans la revue internationale *Cosmopolis.*
1898	9 sept. : mort de Mallarmé, à Valvins.		
		1913	Stéphane Mallarmé, *Poésies,* éd. de la N.R.F.
		1925	*Igitur ou la Folie d'Elbehnon,* éd. de la N.R.F.
		1926	« Ouverture ancienne d'Hérodiade », *la Nouvelle Revue française,* 1er novembre.
		1945	*Œuvres complètes,* Bibliothèque de La Pléiade.

Les *Poésies*

Quand, en 1887, paraissent les *Poésies de Stéphane Mallarmé,* le tirage en est de 40 exemplaires seulement. La même année, un *Album de vers et de prose* voit le jour; en 1893, c'est encore un volume de *Vers et prose* et, avant de mourir, l'auteur rédige un recueil d'ensemble, qui sera édité en 1899 sous le titre : *Poésies de Stéphane Mallarmé* (édition que l'on complétera de quelques poèmes en 1913). En tout, une soixantaine de poèmes, auxquels il convient d'ajouter plus de quatre cents vers de circonstance, la plupart d'une strophe de quatre vers, qui démontrent une facilité d'écrire qu'on a la fâcheuse habitude de refuser à Mallarmé. En fait, bien de ses « vrais » poèmes étaient des « vers de circonstance », tels les sonnets pour Méry Laurent, les « tombeaux » écrits à la mémoire de Gautier, de Poe, de Baudelaire et de Verlaine, ou encore les « hommages », « toasts », « éventails » et « feuillets d'album » (« poèmes, ou études en vue de mieux, comme on essaie les becs de sa plume avant de se mettre à l'œuvre », dit l'auteur).

Après les poèmes publiés dans le *Parnasse contemporain* de 1866 et écrits sous l'influence de Baudelaire, les grands symboles mallarméens se dégagent dès les années 1860 — avant tout, celui de l'oiseau qui, sous diverses formes (cygne, aile, éventail, envol, chevelure dénouée), se retrouvera dans un grand nombre de poèmes. La femme-cygne d'*Hérodiade,* ce Narcisse féminin, revient ainsi dans le petit poème de « Sainte Cécile jouant sur l'aile d'un chérubin » comme une « Musicienne du silence », sainte figure sur un vitrail d'église, évoquant par une imagerie vague d'instruments de musique tous les fastes du passé, dont elle reste comme la seule survivance. Poème évocateur donc, ayant ceci de particulier qu'il précise les connotations liées à une impression visuelle et qu'il suggère les objets absents. Toute la poétique de Mallarmé est là, et nous la retrouvons dans le dernier poème du recueil des *Poésies,* le sonnet « Mes bouquins refermés », qui démontre cette création dans l'absence. Pensant à l'île antique de Paphos, le poète construit, « avec le seul génie », un paysage plus vrai parce que mental, une nourriture « de chair » d'autant plus riche que son image mentale est plus proche que l'« antique amazone » de Paphos. Évoquer ainsi, par « le mystère d'un nom » (« Toast funèbre »), une « région où vivre » (sonnet du Cygne : « Le vierge, le vivace et le bel aujourd'hui »), tel est le projet général du poète, tel est l'enjeu de la poésie mallarméenne.

Tempérées par les formes fixes, que préfère Mallarmé (sonnet à douze ou huit syllabes, jamais de vers libres), les images de l'oiseau et de l'envol donnent lieu à une thématique du désespoir ou de la jubilation d'une extrême richesse, depuis le sonnet du Cygne (« Le transparent glacier des vols qui n'ont pas fui ») jusqu'à l'avant-dernier poème, « A la nue accablante tu ». Dans un poème sur Vasco de Gama, « Au seul souci de voyager », un oiseau, d'une forme analogue à l'une des vergues du navire, accompagne l'explorateur dans un vol qui ne s'arrête à aucune « Nuit », à aucun « désespoir », à aucune fixation sur quelque beauté trompeuse qui s'opposerait aux « ébats » perpétuels du navire et de la mer. Comme un « messager du temps », le poème, d'une sérénité remarquable chez Mallarmé, salue le voyageur éternel qui dépasse le temps.

Autre thème important : le temps vaincu, le hasard momentanément éliminé. Le sonnet « Quand l'ombre menaça » est une illustration du drame au terme duquel le poète voit avec confiance comment « la Terre/Jette d'un grand éclat l'insolite mystère » en dépit d'un monde noyé dans les ténèbres. Deux voies s'ouvrent pour qui veut sortir vainqueur de ce drame. D'abord l'amitié et l'amour, comme dans le sonnet « Remémoration d'amis belges », qui fête « l'amitié neuve », « l'aube » multipliée dans les reflets de lumière des canaux de Bruges, et le « vol » d'ailes des cygnes ou de l'esprit. Mais c'est dans la luisante chevelure blonde de la femme (Méry Laurent) que Mallarmé trouve le bonheur le plus sûr : cette « joyeuse et tutélaire torche » continue la lumière du soleil, de même que la beauté de la femme défie le temps : « ... voici/Toujours que ton sourire éblouissant prolonge/La même rose avec son bel été... » (le sonnet « O si chère de loin et proche »). L'autre voie, c'est la modulation de ce thème dans les « tombeaux ». Dans le « Toast funèbre » sur Gautier, les paroles poétiques survivent à la mort du poète, lequel resurgit, « magnifique, total et solitaire », de « l'avare silence » de la mort. Chez Mallarmé lui-même, poète vivant, c'est « l'hymne des cœurs spirituels » qui demeure, résultat de la transposition du fait à l'idéal (« Prose pour des Esseintes »), et qui assigne au vers une fonction d'idéal, constamment cherché comme un bonheur.

BIBLIOGRAPHIE

Un grand nombre d'articles et d'exégèses traitent de poèmes isolés. Pour avoir une vue d'ensemble, on consultera l'ouvrage fondamental de Jean-Pierre Richard, *l'Univers imaginaire de Mallarmé,* Le Seuil, 1961. Deux livres de Gardner Davies sont utiles par leurs commentaires sur la syntaxe et le sens : *les « Tombeaux » de Mallarmé,* Corti, 1950, et *Mallarmé et le drame solaire,* Corti, 1959. Une contribution sémiotique importante est donnée par François Rastier : « Systématique des isotopies » (analyse de « Salut »), dans *Essais de sémiotique poétique,* par A.J. Greimas, Larousse, 1972.

L'Après-midi d'un faune

Le sujet du *Faune* s'était d'abord présenté à Mallarmé, en 1865-1866, comme le contraire d'*Hérodiade,* comme une œuvre de lumière et de mouvement, de sensualité, naturellement destinée à la scène. Mais cet « acte en vers » — forme inspirée par certaines œuvres de Banville — échoua. Cependant, cette première version, nommée « Monologue d'un faune » (cent six vers), était déjà presque parfaite, puisque tous les éléments étaient en place qui allaient constituer, une dizaine d'années plus tard, le fameux *Après-midi d'un faune :* le décor « antique » qui en fait une églogue, le monologue tournant autour de la question : illusion ou réalité des nymphes, mais sans le rythme essentiellement léger qui caractérise le texte définitif (1876) et qui a pu inspirer les compositeurs. Voici le début du « Monologue » :

J'avais des nymphes!
Est-ce un songe?
Non : le clair
Rubis des seins levés embrase encore l'air...

et voici celui de *l'Après-midi* :

Ces nymphes, je les veux perpétuer.
Si clair,
Leur incarnat léger, qu'il voltige dans l'air...

Changement de rythme, mais glissement de thème aussi : perpétuer les nymphes, ou les maintenir en esprit, devient le sujet essentiel. Devant un paysage vague et trompeur, une rencontre — réelle ou rêvée? — d'un faune avec deux nymphes appelle des réflexions sur la force fantasmagorique des désirs et la force suggestive de l'art, plus précisément de l'art musical. Du coup, le poème devient un poème sur l'art, un résumé de l'art poétique de Mallarmé.

Le texte, qui insiste donc sur la force créatrice de l'imagination, a pour thème principal la projection des désirs dans le paysage. En l'absence des nymphes réelles, le faune-musicien veut les recréer en esprit ou en retenir le souvenir; l'art — ou la flûte — se présente comme le maître de la réalité, d'un paysage devenu fondamentalement significatif (« L'illusion s'échappe des yeux bleus/Et froids, comme une source en pleurs, de la plus chaste » [des nymphes]); l'esprit s'approprie cette signification par l'art, où elle devient essentielle : « Moi, de ma rumeur fier, je vais parler longtemps/Des déesses; et par d'idolâtres peintures,/A leur ombre enlever encore des ceintures. »

Rien d'étonnant à ce que, comme le rapporte un poète symboliste danois en visite à Paris vers 1890, les poètes élèves de Mallarmé aient récité partout cette églogue. Elle est au centre de l'esthétique mallarméenne, montrant le surgissement d'un symbole — les nymphes — qui est l'absorption d'une réalité extérieure devenue absente, et la forme poétique que revêt le symbole avec toutes les suggestions auxquelles il invite le poète comme le lecteur. Les symbolistes vident le réel de sa substance, « ils en font la projection de leur esprit » (R. Pouilliart). Rien de plus vrai quand il s'agit du *Faune* de Mallarmé.

BIBLIOGRAPHIE

Pour le rapport entre *l'Après-midi d'un faune* et l'œuvre poétique de Mallarmé, voir Anne-Marie Amiot, « la Poétique de l'érotisme mallarméen », *Europe,* avril-mai 1979. Se rapporter aussi à l'article de Lloyd James Austin, « "l'Après-midi d'un faune" : essai d'explication », *Synthèses* n°s 258-259, 1967-1968.

Hérodiade

L'idée d'un long poème sur Salomé occupa Mallarmé de 1864 à 1867 et de nouveau de 1887 environ à sa mort. Il l'intitula « les Noces d'Hérodiade — mystère » pour distinguer son héroïne de la figure biblique, projetant une œuvre rêvée, absolue et absolument belle, qui refléterait la hantise de l'immatérialité et de l'idéal dans une figure féminine insensible, jalouse de sa pureté et narcissique dans son reniement de la sensualité. Le poème, dont il publie, en 1871, une « Scène » de cent trente-quatre vers, tout en rejetant une longue « Ouverture », correspond aux premières idées de l'Œuvre, dont *Hérodiade* aurait formé une première partie si l'auteur n'avait pas très vite vécu cette poésie pure comme une expérience de la mort.

En effet, l'héroïne de la « Scène » et de l'« Ouverture » prononce devant sa nourrice que la beauté est une espèce de mort, et que, dans la « monotone patrie » où elle s'isole comme une fleur d'améthyste, elle garde pour elle-même « la splendeur ignorée » de son être. Ces images correspondent non seulement au drame existentiel de Mallarmé que celui-ci tente de surmonter à la même époque dans *Igitur,* autre « ombre » se reflétant dans un miroir, mais aussi à une certaine conception de la poésie, réservée à un univers spirituel et non personnel. Avec *Hérodiade,* Mallarmé avait voulu créer une œuvre « d'une pureté que l'homme n'a pas atteinte et n'atteindra peut-être jamais », et il avoue, en 1868, qu'il a « commis le péché de voir le Rêve dans sa nudité idéale », vision mortelle pour tout être humain, alors qu'il aurait dû « amonceler entre lui et moi un mystère de musique et d'oubli ».

Vingt ans plus tard, il reprend l'œuvre et ajoute un « Cantique » de saint Jean ainsi qu'un Prélude — non achevé — et des fragments pour un Finale. Les explications minutieuses de Gardner Davies ont permis non seulement de bien comprendre ces fragments, mais aussi de mesurer combien l'art mallarméen évolue de la « Scène » aux derniers fragments. Dans les premières parties, c'est la « cristallisation des images » et « le réseau de métaphores » (Guy Michaud) qui dominent, alors que, dans les fragments tardifs, l'équivoque syntaxique contribue à écarter toute action concrète et à ne laisser subsister que l'hypothétique d'une évolution intérieure chez le protagoniste. Cette suite de l'œuvre suggère l'écroulement du rempart de symboles défendant le monde d'Hérodiade, en particulier au moment de la mort de saint Jean, ordonnée par elle. Une synthèse s'esquisse au niveau thématique du génie (poétique), qui dans la mort accède à l'idéal, et de la femme « féconde de la splendeur par la mort précoce » de Jean. Dans des mouvements inversés, les deux personnages convergent l'un vers l'autre. Par l'introduction de la mort réelle, de la mort de sang, un autre sang, « déshonorant le lys » de la vierge, signifie une renaissance de la personnalité figée dans le néant. Le dépassement du conflit entre la mort et la vie, la stérilité et la fertilité, l'ombre et la lumière, est décisif pour la création mallarméenne, qui y trouve son mobile fondamental.

BIBLIOGRAPHIE

Tous les textes ont été publiés d'après les manuscrits par Gardner Davies dans *les Noces d'Hérodiade,* Gallimard, 1959. Il faut y ajouter les lectures du même auteur, *Mallarmé et le rêve d'Hérodiade,* Corti, 1978. Voir aussi Nicola di Girolamo, *Cultura e conscienza critica nell' « Hérodiade » di Mallarmé,* Bologna, Casa Editrice Patron, 1969, et E.S. Epstein, « *Hérodiade :* la dialectique de l'identité humaine et de la création poétique », *Revue des sciences humaines,* 140, 1970.

Divagations, œuvres en prose

Les textes en prose de Mallarmé — il n'est pas question d'œuvre à proprement parler — sont publiés dans des revues, dans les recueils *Album de vers et de prose* (1887-1888) et *Pages* (1891), finalement dans *Divagations* (1897), accompagnés par ce regret exprimé par l'auteur : « Un livre comme je ne les aime pas, ceux épars et privés d'architecture ». Les textes principaux sont présents ici, les premiers poèmes en prose inclus, tels que « Plainte d'automne » et « le Démon de l'analogie ». Si la thématique de ces poèmes est bien celle du jeune Mallarmé, la forme et le style adoptés sont inspirés par les *Petits Poèmes en prose* de Baudelaire, qu'il avait pu lire dès 1861 dans la *Revue fantaisiste.* Mais dans l'édition des *Divagations,* Mallarmé ne réserve que quelques lignes au maître du symbolisme, avec ce titre significatif « Autrefois, en marge d'un Baudelaire » et une brève description d'un paysage baudelairien, hanté par « le crime, le remords et la mort ».

Cette réserve à l'égard de Baudelaire est logique, puisque les *Divagations* montrent une ouverture chez Mallarmé vers la communication au sens le plus large : théâtre, imprimé, images de « confrontations » plus directes comme dans les poèmes en prose « la Déclaration foraine » et « Conflit ». Cette tendance se manifeste dans les traductions des poèmes d'Edgar A. Poe (1872, 1876-1877), dans *les Mots anglais,* « petite philologie à l'usage des Classes et du Monde » (1877), mais avant tout dans les huit livraisons de *la Dernière Mode* (1874), revue mondaine que Mallarmé rédige pour un public privilégié, comme une mise en pratique de la création artistique, simplement dans un autre domaine. C'est ainsi que, décrivant une robe, avec la chevelure et les bijoux qui y correspondent, l'auteur glisse cette phrase révélatrice : « Quelle vision miraculeuse, tableau à y songer plus encore qu'à le peindre : car sa beauté suggère certaines impressions analogues à celles du poète, profondes et fugitives ». L'effet d'une robe est donc à l'égal de celui de tout vers qui attire « les mille éléments de beauté pressés d'accourir et de s'ordonner dans leur valeur essentielle ».

Dans les textes de *Crayonné au théâtre* sur le ballet et l'art dramatique, genres essentiellement symboliques, nous pouvons observer la même idée d'une concentration de sens et d'impressions. Sur la scène, tout se passe « figurativement », le ballet est une « incorporation visuelle de l'idée », rien n'a véritablement lieu, sauf que le spectacle, comme le tableau de la robe ou l'ordonnance du vers, évoque des sentiments intimes chez ceux qui regardent.

Voici donc l'essentiel des essais de Mallarmé, en particulier de la section « Variations sur un sujet » : libérer, par les effets de la production artistique, ce « quelque chose d'abscons, signifiant fermé et caché, qui habite le commun »; et faire de cette libération une fête, où chacun puisse se reconnaître le héros du drame auquel il assiste en spectateur. Qu'il se manifeste dans la mode, dans le texte littéraire, dans le ballet ou dans un drame (Mallarmé se réfère toujours à *Hamlet*), l'art, c'est « l'ordonnateur de fêtes en chacun ».

BIBLIOGRAPHIE

Les différents aspects des œuvres en prose sont analysés notamment par Anne-Marie Kleinert, « *la Dernière Mode :* une tentative de Mallarmé dans la presse féminine », *Lendemains,* 17-18, 1980; Jean-Luc Steinmetz, « le Paradoxe mallarméen : les poèmes en prose », *Europe,* avril-mai 1979; Dieter Steland, *Dialektische Gedanken in Stéphane Mallarmés « Divagations »,* München W. Fink Verlag, 1965; H.P. Lund, « Dialectique et conflit chez Mallarmé », *Revue romane,* IX, 1974.

Le « Livre » — d'*Igitur* à *Un coup de dés...*

Le « Livre », cet « Œuvre » que Mallarmé n'a pas écrit, il le rêvait « architectural et prémédité », comme « l'explication orphique de la Terre ». Considéré de cette façon, le « Livre » n'est que l'idée d'une somme idéale, chimère de tout grand écrivain, et « tenté à son insu par quiconque a écrit, même les Génies ». Mais Mallarmé, lui, essayait effectivement de réaliser l'idée, et il nous reste, de sa main, tant des réflexions sur la poétique du « Livre » (ce sont les essais « Quant au Livre ») que des notes éparses (publiées par Jacques Scherer), à quoi on peut ajouter le fragment d'*Igitur* (1869) et *Un coup de dés jamais n'abolira le hasard* (publié en 1897).

L'idée d'une œuvre impersonnelle remonte aux années 1860, où, à la suite de son travail sur *Hérodiade*, l'auteur a la vision d'« une œuvre magnifique », d'« une cassette spirituelle ». Mais cette découverte le jette dans une crise métaphysique dont témoigne *Igitur*, sorte de conte relatant l'expérience du néant et l'abolition du hasard inclus dans toute vie indéfinie. Le texte décrit quasiment l'étape préliminaire à l'Œuvre, en particulier le processus d'abstraction par lequel celui-ci aurait dû être distingué du temps et de l'espace, processus symbolisé par le coup de dés jeté par le protagoniste, acte créateur qui fixe l'infini et établit l'absolu. Sans s'apercevoir que l'impersonnalité ainsi obtenue équivaut à une mort spirituelle, Mallarmé — à en juger d'après sa correspondance — persiste dans ses réflexions pendant de longues années.

Vers 1886, il devait être stimulé par sa passion du théâtre, dont témoigne sa vénération pour Wagner. En tant qu'illusion et représentation imaginaire, l'art de la scène correspond à un autre théâtre, « inhérent à l'esprit, quiconque d'un œil certain regarda la nature, le porte avec soi ». Libérer ce théâtre intime et assurer par là la communication entre l'artiste et la foule, cela pouvait être le but du « Livre » qui, « s'il énonce quelque idée auguste, supplée à tous les théâtres, non par l'oubli qu'il en cause mais les rappelant impérieusement ». Mallarmé entendait profiter des effets de la représentation scénique en créant un volume aux pages interchangeables destinées à être lues devant un auditoire peu nombreux; mais les fragments du « Livre » ne nous permettent aucune conjecture en ce qui concerne le message : l'auteur a été pris par des questions de technique. On peut seulement affirmer de cette tentative qu'elle aurait eu une fonction pareille à celle des offices religieux, donc vraisemblablement difficile à faire admettre : « Notre seule magnificence, la scène, à qui le concours d'arts divers scellés par la poésie attribue selon moi quelque caractère religieux ou officiel [...], je constate que le siècle finissant n'en a cure, ainsi comprise. » Mallarmé avouait qu'il n'avait que « quelques idées encore incomplètes ou troubles, oui, malgré toute une vie! » sur cet Œuvre, et les fragments publiés de nos jours ne témoignent pas d'autre chose.

D'après le témoignage de Claudel et de Gide, *Un coup de dés*... aurait constitué la première partie du « Livre ». Quoi qu'il en soit, Mallarmé réussit, avec ce texte, à créer une forme littéraire absolument nouvelle, éloignée à la fois du vers libre et du vers traditionnel, mais composée, dans une orchestration inspirée de la musique (cf. la Préface), des « subdivisions prismatiques de l'Idée ». Une idée capitale (UN COUP DE DÉS JAMAIS N'ABOLIRA LE HASARD) est exposée sur un espace de dix pages doubles, les mots qui l'expriment sont scandés par des images séparées; le vers ne dicte plus rien, le tout est ordonné selon les étapes d'une pensée. Les images essentielles de ces étapes figurent la Pensée et la Matière (un capitaine et la mer), la Conscience se voulant absolue et le Hasard de la condition de l'homme (ou « l'antagonisme du rêve chez l'homme avec les fatalités à son existence départies par le malheur », comme Mallarmé disait de *Hamlet*). Conflit fondamental chez l'auteur, en même temps que témoignage sur le « Livre » lui-même qui devait vaincre le hasard « mot par mot ». La fin du texte énonce que « Toute pensée émet un coup de dés », en même temps que, parallèlement à la même page, se forme une « constellation », symbole cosmique de cette pensée. On peut en conclure que ce *Coup de dés* n'est pas encore le « Livre », mais qu'il marque, comme *Igitur*, une réflexion avant sa réalisation définitive, une constellation attestant le magistère de la pensée et parfaitement en accord avec ce que Mallarmé se proposait dans l'essai « Solennité » : « Quelque chose de spécial et complexe résulte : aux convergences des autres arts située, issue d'eux et les gouvernant : la Fiction ou Poésie. »

BIBLIOGRAPHIE

Texte du « Livre » et commentaires sur Mallarmé et le théâtre : Jacques Scherer, *le « Livre » de Mallarmé*, Gallimard, 1957. Apportent des réflexions suggestives : Philippe Sollers, « Littérature et totalité », dans *Logiques*, Le Seuil, 1969, et Jacques Derrida, « la Double Séance », *Tel Quel*, 41-42, 1970. Sur *Igitur* et *Un coup de dés*... : Pierre Rottenberg, « Une lecture d'*Igitur* », *Tel Quel*, 37, 1969; Michel Makarius, « le Moment Mallarmé », *Revue d'esthétique*, 1974, I; Anna Balakian, « Mallarmé et la liberté », *Europe*, avril-mai 1979.

BIBLIOGRAPHIE GÉNÉRALE

Éditions

Aux *Œuvres complètes* dans la Bibliothèque de la Pléiade (éd. Henri Mondor et G. Jean-Aubry, 1945), qui contiennent une bibliographie des textes et une chronologie des publications, on ajoutera les textes, variantes et fragments, parus dans les éditions suivantes : Henri Mondor, *Mallarmé lycéen*, avec quarante poèmes de jeunesse inédits, Paris, Gallimard, 1954; Jacques Scherer, *le « Livre » de Mallarmé*, Paris, Gallimard, 1957; Stéphane Mallarmé, *les Noces d'Hérodiade, Mystère*, publié avec une introduction par Gardner Davies, Paris, Gallimard, 1959; Stéphane Mallarmé, *Pour un Tombeau d'Anatole*, introduction de Jean-Pierre Richard, Paris, Seuil, 1961; « les *Gossips* de Mallarmé », *Athenaeum* 1875-1876, publ. par Henri Mondor et Lloyd James Austin, Paris, Gallimard, 1962.

La publication de la correspondance se poursuit chez Gallimard par les soins de Lloyd James Austin (10 vol. prévus).

Les *Documents Stéphane Mallarmé* (6 vol. parus), édités par C.P. Barbier chez Nizet, rassemblent des inédits, des lettres, ainsi que des textes sur Mallarmé par ses contemporains.

Une nouvelle édition des *Œuvres complètes*, en trois volumes, est en cours de parution chez Flammarion : vol. I, *Poésies*, prés. par Carl Paul Barbier et Charles Gordon Millan, 1983.

Critiques

Plus de mille ouvrages et articles ont été enregistrés par D. Hampton-Morris dans la bibliographie critique, *Stéphane Mallarmé, Twentieth-Century Criticism (1901-1971)*, University of Mississippi, Romance Monographs Inc., 1977. Deux excellents livres serviront d'introduction à Mallarmé : Guy Michaud, *Mallarmé*, Paris, Hatier, 1971; Claude Abastado, *Expérience et théorie de la création poétique chez Mallarmé*, Archives des lettres modernes, Paris, Minard, 1970. Henri Mondor a publié, en 1941, une biographie, enrichie de multiples citations de lettres et d'autres documents : *Vie de Mallarmé*, Paris, Gallimard. La psychocritique est représentée par Charles Mauron, *Introduction à la psychanalyse de Mallarmé*, Neuchâtel, La Baconnière, 1950. La critique thématique a contribué d'une façon très stimulante à l'étude de Mallarmé, d'abord avec Léon Cellier, *Mallarmé et la Morte qui parle*, Paris, P.U.F., 1959, ensuite avec Jean-Pierre Richard, *l'Univers imaginaire de Mallarmé*, Paris, Le Seuil, 1961, ouvrage d'une richesse inestimable. Jacques Scherer, avec *Grammaire de Mallarmé*, Paris, Nizet, 1977, et Norman Paxton, avec *The Development of Mallarmé's Prose Style*, Genève, Droz, 1968, ont donné d'utiles analyses et explications du langage poétique de Mallarmé. On ajoutera l'article d'Edouard Gaède sur « le Problème du langage chez Mallarmé », *Revue d'histoire littéraire de la France*, 1968. A l'instar de l'ouvrage de Jean-Pierre Richard, d'une grande importance pour les études mallarméennes de l'époque, celui de Julia Kristeva, *la Révolution du langage poétique*, Paris, Le Seuil, 1974, représente, par son envergure magistrale (Lautréamont et Mallarmé, analyse sémiotique et psychanalytique, contexte social et idéologique), une source d'inspiration pour les études ultérieures.

H.P. LUND

MALLET Paul Henri (XVIIIe siècle). V. SUISSE. Littérature d'expression française.

MALLET DU PAN Jacques (1749-1800). V. SUISSE. Littérature d'expression française.

MALLET-JORIS Françoise (née en 1930). D'origine belge, née à Anvers, Françoise Mallet-Joris est la fille de Suzanne Lilar. Elle publie à dix-sept ans une plaquette de vers, *Poèmes du dimanche,* lit beaucoup Tolstoï, Balzac, Nerval, Rilke. L'influence de Proust est sensible dans son premier roman, *le Rempart des béguines* (1951), récit rétrospectif d'un apprentissage à la fois de l'âge adulte et de l'homosexualité féminine, dont les descriptions, ponctuées d'adjectifs en trio, reflètent les états de conscience de l'héroïne ou l'ironie de la narratrice face à l'innocente qu'elle fut, engoncée dans son manteau « brun, raide et rugueux... comme une écorce d'arbre ». Sacrée par Émile Henriot « la meilleure des jeunes romancières de ce temps », Françoise Mallet-Joris donne une suite à son roman, *la Chambre rouge* (1955), des nouvelles, *Cornélia* (1956), restant fidèle à une même technique romanesque aussi bien dans les *Mensonges* (1956), tableau de la société anversoise, que dans *le Jeu du souterrain* (1973), assemblage de saynètes et de portraits où « un couple médiéval », « l'écrivain modèle », etc., sont tour à tour « herborisés » et analysés pour y repérer le décalage entre personne et personnage. Écart que l'on retrouve entre la vie d'un musicien médiocre et l'image embellie qu'en présente son journal intime (*l'Empire céleste,* prix Femina, 1958) ou dans la marge d'illusion qui entoure la carrière d'une vedette de la chanson (*Dickie roi,* 1980). De même dans *les Personnages* (1961), roman historique, l'intrigue de cour dont est victime Louise de Lafayette se nourrit de calculs dissimulés autour d'elle sous la noblesse des belles manières. Dans ses biographies, *Marie Mancini* (1964), *Madame Guyon* (1978), l'auteur réhabilite des figures féminines passablement malmenées par les historiens, prisonnières d'un « personnage » de femme qui brise leur essor, lorsqu'il n'attire pas sur elles de grandes fureurs (cf. *Trois Ages de la nuit,* 1968). Enfin, dans ses essais, s'acharnant plus que jamais à débusquer « la parcelle de vérité que chacun porte en soi » (*Lettre à moi-même,* 1963), Françoise Mallet-Joris se livre à une exigeante introspection, s'examinant de divers points de vue, cherchant à atteindre l'« empire céleste » d'une parfaite coïncidence avec soi-même qui abolirait — sous le regard de Dieu — l'ordre établi au profit de l'ordre de la grâce. Mais ce renversement engendre une méfiance à l'égard de l'écriture, ainsi que la crainte de compromettre l'état d'innocence sous le travestissement des mots, des « sujets », des « personnages », voire du personnage même de l'écrivain. D'où la constante mobilité, sous l'unicité du message, d'une œuvre qui deviendrait culpabilisante si elle était trop voulue, et le souci de varier les genres, de céder la parole à l'autre — comme les enfants ou la bonne espagnole de *la Maison de papier* (1973) —, en définitive d'atomiser sa propre image. Telle Mme Guyon, dont les cantiques naïfs laissent filtrer le « pur amour » à l'abri de toute littérature, l'académicienne Goncourt (depuis 1970) compose alors pour Marie-Paule Belle des chansons où se consomme le sacrifice de l'écriture : « Être ensemble/C'est facile/Tout peut arriver,/Être ensemble/C'est fragile/Tout peut se briser »... Boutsrimés sur lesquels Françoise Mallet-Joris fredonne le « petit air » insolite qui accompagne toute son œuvre.

BIBLIOGRAPHIE

M. Géoris, *Françoise Mallet-Joris, essai,* Bruxelles, P. De Meyère, 1964; M. Detry, *Françoise Mallet-Joris. Dossier critique et inédit,* Paris, Grasset, 1976.

M.-A. DE BEAUMARCHAIS

MALLEVILLE Claude de (1597?-1647). Fils d'un officier de la maison de Retz, Claude de Malleville naquit à Paris. Suivant une carrière du même type que celle de son père, il entra au service du maréchal de Bassompierre, qu'il accompagna, en qualité de secrétaire, dans ses nombreux voyages et campagnes à travers l'Europe et la France. Quand Bassompierre fut disgracié, puis embastillé (1631), il lui resta fidèle et, n'ayant plus de perspectives de carrière, se consacra surtout à la vie littéraire et mondaine.

Il se fit connaître à partir de 1620 par ses *Héroïdes,* imitées d'Ovide, qui circulèrent en manuscrit d'abord et eurent ainsi du succès avant même leur publication (en 1624). Ce genre était en vogue (l'abbé de Crosilles publia ses *Héroïdes* en 1619), et Malleville fut dès lors tenu pour un maître de la poésie et de l'écriture épistolaire amoureuses. En 1623 et 1624, il collabora à des ballets de cour. En 1625, il se joignit au groupe des « Illustres Bergers », poètes mondains rassemblés autour de Colletet. Il fut ensuite du groupe des premiers académiciens. Assidu dans les salons, en particulier à l'hôtel de Rambouillet, il composa de nombreux poèmes de circonstance, dont une partie fut recueillie après sa mort dans le volume de ses *Poésies* (1649). Il traduisit des romans italiens (*Stratonice* 1641; *Almehinde,* 1646). Son style, abondant en images et en pointes, fut très admiré des précieux. En fait, il représente un effort original pour tenter de concilier le purisme de l'école de Malherbe (pour qui les « Illustres Bergers » affichaient leur admiration) et les subtilités du marinisme : cas exemplaire d'association de ces deux courants omniprésents et concurrents dans la poésie du XVIIe siècle.

A. VIALA

MALOT Hector Henri (1830-1907). Né à La Bouille (Seine-Maritime), Hector Malot quitta Rouen pour Paris, où il poursuivit des études de droit, avant de collaborer à divers journaux. Critique littéraire à *l'Opinion nationale,* il travailla à la *Biographie générale* de Firmin Didot. En 1859, il publia son premier roman, *les Amants,* dont le vif succès fit voir dans le jeune auteur un nouveau Balzac. Deux œuvres : *les Époux* (1865) et *les Enfants* (1866), constituèrent, à la suite de la première, la trilogie des *Victimes d'amour,* qui sut conquérir un large public après avoir retenu l'attention de critiques aussi différents que Taine et Vallès.

Dès lors, la verve du romancier ne tarit plus. De 1859 à 1896, Hector Malot écrit en effet soixante-dix romans, dont quelques-uns en plusieurs volumes. Parmi eux, citons : *Romain Kalbris* (1869); *Madame Obernin* (1870); *Un mariage sous le second Empire* (1873); *l'Auberge du monde* (4 vol., 1876); *les Batailles de mariage* (3 vol., 1877); *Sans famille* (1878), couronné par l'Académie française; *le Docteur Claude* (2 vol., 1879); *la Bohème tapageuse* (3 vol., 1880); *Zyte* (1886); *En famille* (2 vol., 1893); *Amours de jeunes, amours de vieux* (1894). En 1896, il fit paraître le *Roman de mes romans,* sorte d'autobiographie de sa vie littéraire.

Hector Malot s'éteignit à Fontenay-sous-Bois, laissant derrière lui une œuvre abondante à caractère naturaliste, volontiers didactique, discrètement moralisatrice, qui utilise toutes les recettes du mélodrame : invraisemblance des situations; convention des personnages; manichéisme primaire; ton mi-héroïque, mi-larmoyant. *Romain Kalbris, l'Auberge du monde, Sans famille, En famille* présentent ainsi un schéma thématique et structurel identique : drame familial, récit de type picaresque, réinsertion finale du héros-victime dans la société.

L'œuvre de Malot s'inscrit donc dans le cadre plus général du roman de mœurs édifiant, dit « roman de la victime », qui connut son apogée sous le second Empire. Le caractère naïf de certains romans les destinait plus particulièrement à la lecture enfantine : *En famille* et *Sans famille* ont gardé aujourd'hui encore cette vocation.

A. PREISS

MALRAUX

MALRAUX André (1901-1976). Mêlant fiction, histoire, esthétique et autobiographie, renvoyant l'écho des convulsions du siècle (la guerre d'Espagne, les deux guerres mondiales, la Résistance, etc.), l'œuvre de Malraux est animée par une imagination fabulatrice d'une grande puissance lyrique. Libérés de tout code formel, ses ouvrages restent en revanche fidèles à une même structure métaphysique. En arrière-plan, le vide angoissant du monde postnietzschéen. Au-devant de la scène, des héros lucides poursuivant, dans les espaces souvent confondus de la fiction et de l'histoire, la reconquête d'une noblesse dont les titres ne peuvent dorénavant ne leur venir que d'eux-mêmes.

De l'aventure à l'admiration

Détestant parler de son enfance, Malraux n'a évoqué les figures de son père et de son grand-père que dans l'imaginaire (*les Noyers de l'Altenburg,* 1948). Après le divorce de ses parents, sa mère et sa grand-mère l'élèvent dans le logement surplombant l'épicerie familiale de Bondy. Il fréquente le collège, puis, à dix-sept ans, décide de prendre en main sa propre éducation. Passionné d'art, élève au musée Guimet et à l'école du Louvre, ce lecteur insatiable apprend le sanskrit. Il gagne sa vie dans le commerce des livres d'occasion, et cette activité l'introduit auprès d'intellectuels chevronnés (Gide, Max Jacob, Reverdy) qui l'encouragent à écrire : la revue *la Connaissance* publie son premier texte critique (« Des origines de la poésie cubiste », 1920), et l'éditeur Kahnweiler, un récit fantastique que Malraux qualifie de « farfelu » : *Lunes en papier* (1921), illustré par Léger. Vlaminck, Derain et surtout Picasso deviennent ses amis, le convertissant au principe d'une liberté formelle de l'imaginaire (cf. « Des lapins pneumatiques dans un jardin français », 1922).

Accordant son credo artistique (« Nous ne sentons que par comparaison », préface du catalogue de l'exposition Galanis, 1922) à son goût de l'aventure, avec Clara Goldschmidt, sa jeune épouse, il s'embarque pour l'Indochine chargé d'une mission archéologique et lance, sous l'œil réprobateur de l'École française d'Extrême-Orient, une expédition à travers la jungle en pays khmer. A Banteaï-Srey, Malraux prélève quelques fragments d'un temple, mais, revenu à Phnom Penh, il est inculpé de vol. Une action en justice s'engage (elle se terminera par un non-lieu en 1930), retenant l'écrivain trois ans en Extrême-Orient. Scandalisé par l'asservissement du peuple khmer, il se jette dans l'action politique, organisant avec Nguyên-Pho le mouvement Jeune Annam et publiant avec le libéral Paul Monin le journal *Indochine,* qui deviendra *l'Indochine enchaînée.* Ses éditoriaux prônent une évolution non-violente vers une société préservant l'égalité des chances. En 1926, après maintes pérégrinations qui le mettent en contact avec des révolutionnaires chinois, il regagne Paris.

La clôture du cycle « farfelu » (*l'Expédition d'Ispahan,* 1925; *Royaume farfelu,* 1928) marque une bifurcation dans la vie de Malraux : d'un côté, vers un engagement politique qui le rapproche, avec Gide, Nizan, Ilya Ehrenbourg, de la IIIe Internationale, le point d'ancrage se trouvant dans l'Association des écrivains et artistes révolutionnaires (1932) animée par Paul Vaillant-Couturier; de l'autre, vers la création d'une œuvre romanesque inspirée de son expérience asiatique (*les Conquérants,* 1928; *la Voie royale,* 1930; *la Condition humaine,* prix Goncourt 1933). Mais bientôt la figure de l'auteur rejoint celle de ses personnages « en qui s'unissent l'aptitude à l'action, la culture et la lucidité » (postface des *Conquérants,* La Pléiade, 1957). Initié aux cultures mondiales par ses voyages, ses expéditions (survol du désert de Dhana à la recherche de la capitale de la reine de Saba, 1933), ses rencontres avec l'élite intellectuelle internationale (Claudel, Heidegger, Eisenstein, Gorki, Trotski, etc.), il dénonce lucidement le péril fasciste (*le Temps du mépris,* 1935), puis, s'engageant aux côtés des républicains espagnols, organise et commande l'escadrille España, qui combattra jusqu'à l'arrivée de l'aviation soviétique (cf. *l'Espoir,* 1937, porté à l'écran par l'auteur, 1938; prix Louis-Delluc, 1945).

Avec la guerre, l'aventure continue : engagé en 1939, prisonnier en 1940 (cf. *les Noyers de l'Altenburg*), évadé, Malraux dirige un réseau de résistance en zone Sud. Blessé en 1944, capturé, soumis à un simulacre d'exécution, libéré par les F.F.I., il commande jusqu'à la fin des hostilités la brigade Alsace-Lorraine. Mais, tandis que son nom de guerre, « colonel Berger », devient illustre, sa famille est décimée : ses deux demi-frères sont Morts pour la France (1944-1945); Josette Clotis, qui lui a donné deux fils, périt de mort violente. Ces deux fils, eux-mêmes, se tueront en voiture (1961).

Auréolé des prestiges de l'action et de la culture, Malraux rencontre le général de Gaulle (1945), en qui il reconnaît aussitôt son « héros »; ministre de l'Information (1945), militant R.P.F. pendant la « traversée du désert », enfin ministre d'État chargé des Affaires culturelles (1959-1969), le Malraux qui a « épousé la France » (cf. *Antimémoires,* 1967) partage les fortunes du gaullisme. Chantre des gloires nationales à la « prédication haletante » (cf. *Oraisons funèbres,* 1971), s'entretenant avec les dirigeants mondiaux, créant les Maisons de la culture, s'intéressant à la communication audiovisuelle, rénovant les monuments de Paris dont il décide de « changer la couleur », Malraux sera un des seuls visiteurs admis à Colombey-les-Deux-Églises après la retraite du Général (cf. *les Chênes qu'on abat...,* 1971).

Mais, parallèlement à cette activité politique, Malraux compose d'importants textes sur l'art, s'interrompant seulement pendant la période ministérielle : *le Musée imaginaire* (1947), *les Voix du silence* (1951), *la Métamorphose des dieux* (tome I, 1957) introduisant dans l'esthétique le concept novateur de « métamorphose », tandis que, annoncée par *les Noyers de l'Altenburg,* la réflexion malrucienne s'oriente vers une mutation formelle de l'autobiographie qui donnera naissance aux *Antimémoires* (1967).

Retiré à Verrières-le-Buisson, auprès de Louise de Vilmorin († 1969), Malraux retourne cependant en Inde, au Bangladesh, au Japon, aux États-Unis, ajoutant encore deux tomes à *la Métamorphose des dieux* (1974 et 1976). Puis, profitant des répits que lui laisse son dernier combat avec la mort (cf. *Lazare,* 1974), il complète son œuvre par de lyriques et nostalgiques hommages en forme d'entretiens avec de Gaulle (*les Chênes qu'on abat...*) et avec Picasso (*la Tête d'obsidienne,* 1974), pratiquant ainsi la vertu d'admiration, qu'il place parmi

« les plus hautes qualités de l'homme » (cf. *Antimémoires*).

L'homme est ce qu'il fait

Malraux affectionne la phrase binaire : une première proposition négative préludant à l'affirmation contenue dans la seconde. C'est le mouvement même d'une pensée qui s'éclaire par l'opposition : l'Indochine révèle au jeune auteur l'Extrême-Orient — un monde installé dans l'éternel, une humanité accordée au cosmos —; à l'inverse, le monde occidental (cf. *la Tentation de l'Occident*, 1926) se débat dans les pièges du temps et d'un individualisme qui a mis en déroute les valeurs traditionnelles : « La réalité absolue a été pour vous Dieu, puis l'homme », écrit à son correspondant français un jeune Chinois séjournant en Europe, « et vous cherchez avec angoisse celui à qui vous pourriez confier son étrange héritage » *(ibid.)*. D'où une violence latente, la promesse d'un « sanglant avenir » et, sur le plan philosophique, une remise en question tragique des rapports de l'homme avec un Destin précaire, limité par une mort sans perspective eschatologique. Reprenant ces thèmes, chacune des œuvres de Malraux dépeint à sa manière la révolte de l'homme occidental contre une Création qui lui est devenue étrangère, et elle tente de répondre — bien avant l'existentialisme sartrien — à l'interrogation laissée en suspens par la mort de Dieu : si « l'humanité a été créée pour le néant par quelque puissance aveugle » *(ibid.)*, quelle chance une conscience contingente, et par surcroît engagée dans une Histoire catastrophique, garde-t-elle d'arracher sa vie à l'insignifiance?

Au Destin, Malraux oppose d'abord une littérature de la dérision. Considérés à tort comme une évasion dans le fantastique, ses contes farfelus, influencés par le goût à la fois surréaliste et symboliste des années 20, transposent dans le registre parodique la problématique formalisée dans *la Tentation*. *Lunes en papier*, notamment, fait de « l'empire de la mort » — c'est-à-dire de notre monde — le « domaine farfelu » par excellence, espace angoissant de l'absurde où des péchés mués en ballons, dans un environnement imité des toiles cubistes (le tronc de leur chef est une mandoline...), s'attaquent à la Mort, sorte de Fantômas, qui succombe à leurs ruses. Destin vaincu dans l'imaginaire... Mais, sous l'allégorie, le message affleure : il ne suffit pas de tuer la Mort. Encore faut-il donner un sens à la vie. Victorieux, les péchés-ballons échangent des regards mornes : « Pourquoi avaient-ils tué la Mort? Ils avaient tous oublié... »

Ce sens, les héros des deux premiers romans malruciens croient l'apercevoir dans une exaltation de l'action individuelle (« sa vie unique. Ne pas la perdre. Voilà »). A la subversion ou à l'aventure ils demandent le sentiment de vivre intensément : « jouer sa vie sur un échiquier plus grand que soi » — la Révolution, par exemple, voulue pour elle-même par un personnage comme Garine (*les Conquérants*). Antithèse de Borodine, bolchevik discipliné et prosaïque (« La Révolution, c'est payer l'armée »), Garine ne s'attarde guère au « fatras doctrinal » d'une idéologie : le besoin d'imposer sa pensée en révolte contre toutes les atteintes à la dignité humaine surgit d'une « volonté d'être » anxieuse de s'objectiver avant de retourner au néant. De même, l'expédition que lance Perken dans la jungle (*la Voie royale*), sa frénésie de « laisser une cicatrice sur cette carte » répondent à la hantise du vieillissement, figure rampante de la Mort.

Auprès de ces héros solitaires (« exister séparé des autres... ») dont la pensée se traduit aussitôt en actions impérieusement imposées par des ordres brefs lancés en style télégraphique, Malraux place des « témoins » : par le dialogue, le regard, le narrateur des *Conquérants*, ou Vannec, le compagnon de Perken, métamorphose les aventuriers en figures symboliques, les profilant contre la toile de fond d'un Orient dont l'exotisme découpé en flashes cinématographiques sonorisés (« claquement assourdi de socques solitaires »; « crépitement de dominos »; « coups de gong et, de temps en temps, le miaulement du violon monocorde ») compose un décor étranger à la vie intérieure du héros, avec des plages de silence qui accusent l'irrémédiable solitude de celui-ci au sein d'un cosmos muet. Décor insolite aussi que cette jungle « farfelue », avec ses formes bizarres, où erre Perken « hors du monde dans lequel l'homme compte ».

« Héros sans cause », dira de Perken le Malraux des *Antimémoires :* à l'instar de Garine, ce personnage représente, dans l'œuvre achevée de l'écrivain, un type de héros prêt à tout risquer « pour une sorte de saisie fulgurante de son destin » (*Antimémoires*). Malgré leur échec final, la présence du « témoin » transfigure par le discours l'action de ces êtres asociaux, leur apportant une amitié virile annonciatrice d'une plus vaste solidarité : car les romans de Malraux progressent par avancées successives, intégrant l'acquis du roman antérieur orchestré de nouvelles harmoniques. Ainsi *la Condition humaine* et *l'Espoir*, romans du salut par le « faire », comme les précédents, exaltent désormais une action devenue fraternelle et collective, chacune de ces œuvres enrichissant ce thème majeur d'adjonctions originales.

Couronnant le cycle d'Extrême-Orient, *la Condition humaine* accomplit les promesses des *Conquérants* : mêmes « héros en qui s'unissent l'aptitude à l'action, la culture et la lucidité », même violence, même exotisme (« petits marchands semblables à des balances avec leurs deux plateaux au vent et leurs fléaux affolés ») s'effaçant soudain pour nier, dans la sérénité éternelle de quelque paysage nocturne, « toutes les inquiétudes, toutes les douleurs des hommes ». Mais *la Condition humaine* introduit sa révélation propre : en affrontant une mort de leur choix, les personnages trouvent un moyen de vaincre le Destin sur le terrain de sa plus accablante puissance. En même temps, l'exemplarité de leur trépas, par un mouvement de reflux, confère enfin à leur vie ce « sens » contesté par le silence de Dieu. Aussi les protagonistes porteurs du message malrucien (Occidentaux ou, comme Kyo, de sang-mêlé) vont-ils périr d'une mort volontaire et signifiante (« Mourir est passivité, mais se tuer est un acte ») tandis que l'écrivain laisse le bouffon Clappique patauger dans l'indécision (symbolisée par les « hésitations » de la boule entre les alvéoles rouges et noirs de la table de jeu), puis le sauve, pour mieux l'abandonner au monde farfelu de l'absurde. Dans une tension ascendante, la mort la plus chargée de symboles, celle de Katow acceptant lucidement la torture pour l'épargner à son prochain, clôt une série héroïque, incarnant à la fois une surhumanité cornélienne et la compassion johannique.

L'Espoir obéit à une même structure : amplification de l'acquis (l'action, la solidarité, la signification de la mort); dichotomie de l'environnement (décor familier des « cheminées qui fument », loin des combats, et, soudain, ciel pascalien où tourne un avion « comme une minuscule planète perdue dans l'indifférente gravitation des mondes »); adjonction d'un thème original : par son titre, par son dénouement qui épargne les héros principaux (Magnin, Manuel, Garcia), *l'Espoir* annonce un salut autre qu'une sublimation de la mort. Comme dans *les Noyers de l'Altenburg*, le thème de la germination, introduit par la métaphore répétitive de l'arbre fruitier (« vergers aux inépuisables renaissances », « vagues de vignes », noyers, pommiers entourés de leurs fruits morts mais « pleins de germes »), donne à penser que la solidarité pourrait dépasser les limites d'une génération pour féconder la suivante. Parallèlement, les dialogues sur l'art, déjà présents dans les romans antérieurs, ne se déroulent plus en marge de l'action. Une fusion s'opère

— en des personnages comme Manuel, le milicien-ingénieur du son, et Scali, l'aviateur, spécialiste de Piero Della Francesca — entre l'action et la réflexion esthétique, l'écrivain-combattant lui-même quittant parfois le masque de la fiction pour interpeller le lecteur, en tête d'un paragraphe : « Y a-t-il un style des révolutions? »... La méditation sur le Destin aborde le seuil d'une révélation formulée dans *les Noyers de l'Altenburg,* en même temps qu'avec ce dernier texte s'achève le cycle romanesque malrucien. Riche de tous les thèmes antérieurs modulés dans un ample lyrisme comparable à l'éloquence des dernières pages de *l'Espoir* (en particulier le thème de la solidarité, dans le célèbre épisode de la première attaque allemande par les gaz à Bolgako sur la Vistule, en 1916, passage reproduit textuellement dans *Lazare*), ce roman inachevé mêle à des dialogues philosophiques la saga d'une famille alsacienne, les Berger. Mais il relate aussi l'expérience subjective du phénomène de « métamorphose », qui, conceptualisé, focalise la doctrine malrucienne de l'art. Sous le coup du « fléau » millénaire qui prend en 1940 la figure de la débâcle, des prisonniers aux visages moyenâgeux d'hommes mal rasés sont entassés sous la nef de la cathédrale de Chartres, évoquant soudain, aux yeux du narrateur, les foules chrétiennes qui naguère y cherchaient déjà refuge. La foi d'antan, âme de la cathédrale, est à jamais disparue, mais le vaisseau, d'abri devenu prison, subsiste dans sa splendeur gothique. Le même sentiment de dérive saisit Vincent Berger émergeant de la fosse où s'est abîmé son char, traversant des villages vidés par l'exode mais jonchés de modestes outils fabriqués de main d'homme, seuls vestiges d'une présence humaine volatilisée avec l'avance de l'ennemi. Dans ces formes abandonnées, dans la cathédrale, comme dans telle statue gothique circule une vie sous-jacente, « métamorphosée » en ces œuvres projetées dans un monde sur lequel le temps, semble-t-il, a perdu prise.

Cette expérience prélude à la lutte que Malraux, pendant les vingt années suivantes, poursuivra contre les contraintes du Destin, mais en se plaçant dorénavant sur le terrain de l'art.

Le mythe rédempteur

De même que *le Musée imaginaire* n'est en aucune façon une anthologie de la peinture et de la sculpture mondiales, de même la grande épopée des formes développée dans *les Voix du silence* et *la Métamorphose des dieux* ne constitue nullement une histoire de l'art : dans ces textes, Malraux scrute l'aventure humaine commencée avec les images de Lascaux, cherchant par le jeu de la « métamorphose » à reconquérir cette « part d'éternité » que l'homme a perdue depuis la mort de Dieu. Dite en un vocabulaire « parareligieux », c'est toute l'eschatologie d'un mythe rédempteur que dévoilent progressivement ces écrits. Comme l'eschatologie chrétienne, cette doctrine des fins dernières s'appuie sur l'opposition entre deux mondes. Contestant l'esthétique pascalienne, Élie Faure enseignait déjà qu'une œuvre d'art ne se borne pas à l'imitation du réel : radicalisant cette idée, Malraux met un véritable acharnement à prouver que l'artiste cherche seulement « dans ce qu'il élit de l'apparence » un mode d'expression de ce qu'elle ne contient pas : le sacré, le divin, la beauté... D'où l'antagonisme qui sépare le monde des sens et le monde des « images » : peinture, sculpture, etc. Antagonisme que Malraux dit aussi dans une relation au temps : le monde des sens, soumis au Destin et à la mort, baigne dans la temporalité; le « monde de l'art », en revanche, dont notre époque est la première à prendre conscience en tant que tel, présente un éventail de formes isolées de leur contexte culturel, mais ressuscitées par le regard contemporain qui les « métamorphose » en « objets d'art » : « Notre monde de l'art, c'est le monde dans lequel un crucifix roman et la statue égyptienne d'un mort pouvaient devenir des œuvres présentes » (*la Métamorphose*) Surgies de leur temps et en leur temps, ces formes appartiennent aussi au nôtre; autant dire que, mettant le temps « hors de ses gonds », elles échappent à la tyrannie de Chronos.

Mais une « référence commune » restitue sa cohérence au monde où voisinent la cathédrale et le Sphinx : Malraux perçoit cette cohérence dans le millénaire « geste créateur » de l'artiste « arrachant les formes au monde que l'homme subit pour les faire entrer dans celui qu'il gouverne » (*les Voix*). Hier inconsciemment, aujourd'hui dans la lucidité (cf. les portraits respectifs de Goya dans *Saturne, essai sur Goya* et de Picasso dans *la Tête d'obsidienne*), le peintre, le sculpteur élaborent un monde qu'ils dressent contre le cosmos où les relègue le Destin : « Derrière chaque chef-d'œuvre rôde ou gronde un destin dompté » (*les Voix*); de même, tout grand art du passé élève contre l'angoisse de la mort les formes de ses temples, de ses fresques, de ses fétiches comme autant de défenses contre l'irrémédiable. D'où l'unité de la procession des œuvres d'art, fondée sur un pouvoir dont toutes apportent le témoignage, la victoire de « chaque artiste sur sa servitude » rejoignant « celle de l'Art sur le Destin de l'Humanité ». D'où aussi la fameuse formule de Malraux : « l'art est un anti-destin » (*ibid.*).

De prime abord, le mythe malrucien semble inverser l'eschatologie chrétienne : si le « monde de l'art » est le lieu du salut dans l'intemporel, seule paraît y accéder la matérialité d'objets (le crucifix, la statue égyptienne) isolés de la totalité qui leur insufflait une âme. Mais ces objets proviennent tous du « geste créateur », et, à travers eux, c'est le principe spirituel guidant la main de l'artiste que glorifie leur résurrection : « Semblable à lui-même depuis Sumer jusqu'à l'école de Paris, l'acte créateur maintient au long des siècles une reconquête aussi vieille que l'homme » (*les Voix*). En définitive, ne seraient exclus du paradis malrucien, c'est-à-dire de la résurrection par la « métamorphose », que les artistes dont la maigre créativité se limite à « copier des spectacles » *(ibid.),* ou ces hommes qui, dans la vie, préfèrent l'ordre établi à la rupture avec les valeurs du monde. Les plagiaires et les lâches, antithèses des héros malruciens.

Car ce mythe parareligieux structure aussi l'œuvre de Malraux dans son ensemble. Au sein de l'espace littéraire qui est celui de sa propre créativité se presse une Église militante rassemblant ces hommes qui ont, contre le Destin, donné lucidement un sens à leur vie, « saints, sages, héros » (*les Voix*), tels Katow, Gisors, Manuel, Magnin, récupérés dans la fiction sous forme de personnages exemplaires. Rassemblant aussi les grands hommes de l'Histoire qui symbolisent chacun, dans leur être formalisé en héros légendaire, une figure possible, puisque vécue de la résistance au Destin. Les *Oraisons funèbres, les Chênes qu'on abat, la Tête d'obsidienne* font avancer la cohorte plutarquienne des héros du non, le « non » de De Gaulle « qui dès le premier jour avait pris la résonance des grands 'non' historiques », répondant à celui de Victor Hugo « pendant vingt ans à l'Empire » et à celui de Goya... Dans l'œuvre malrucienne prend encore place une Église souffrante, celle du purgatoire chrétien, dont les tourments n'excluent pas l'espérance : coolies misérables, paysans espagnols, et surtout les femmes, que Malraux réunit habituellement en cortège : « cortège des femmes de l'Inde » (*Antimémoires*), prisonnières hurlant *la Marseillaise* au départ pour le camp d'extermination *(ibid.);* « femmes noires de la Corrèze » veillant sur le cimetière où l'on vient d'ensevelir des maquisards (*Oraisons funèbres*) : pleureuses antiques, ou suppliciées, Malraux entend monter d'elles l'écho de l'héroïsme masculin.

Mais plus l'œuvre qui totalise cette surhumanité progresse, plus son auteur l'assujettit à l'esthétique impliquée par les écrits sur l'Art, le procédé de la « déformation cohérente » (cf. *l'Homme précaire et la Littérature*) — que l'on a confondu avec la mythomanie supposée de Malraux —, faisant dériver les textes en apparence les plus « illusionnistes » vers un univers propre à l'auteur et qui diffère des apparences « pour rivaliser avec elles ». Déjà une querelle avait opposé Trotski lisant *les Conquérants* comme un document, à Malraux lui répliquant que son livre, soumis « aux conditions d'une création artistique », n'était pas « une chronique romancée ». L'« illusionnisme » des romans n'est que de façade : agissant en artiste, Malraux sélectionne dans l'apparence les éléments permettant d'y insérer l'interrogation métaphysique. Ce qui explique le penchant de l'auteur pour ces situations révolutionnaires condamnant les héros à un inévitable affrontement avec le Destin, ces dialogues indécis, ces méditations « en entonnoir », ces paysages dont la finalité est plus métaphysique que descriptive, ces morts spectaculaires « entièrement inventées » mais symbolisant le tragique de la condition humaine. Avec l'entrée des personnages historiques et des figures d'artistes qui peuplent les écrits esthétiques, le discours malrucien écarte aussi résolument le portrait qu'il a banni le reportage. La vérité selon les apparences, le mot à mot d'un dialogue, la sincérité ponctuelle sont concurrencés par une autre vérité, où le personnage « devient un mythe suscité par ses œuvres » (*Antimémoires*). D'où cette chanson de geste dans laquelle Malraux exerce par le questionnement et le regard cette maïeutique qui délivre les héros de leur légende, l'envol de l'imaginaire ne perdant jamais ce point d'ancrage dans la réalité quotidienne (cf. l'épisode du déjeuner avec Mme de Gaulle dans *les Chênes qu'on abat...*) sans lequel l'épopée se diluerait dans la fable. Ainsi dans l'espace littéraire où Malraux inscrit leur histoire, les héros historiques se dressent comme les statues d'une cathédrale : Mao, « raide comme s'il ne pliait pas les jambes [...] a l'équilibre mal assuré de la statue du Commandeur » (*Antimémoires*); de Gaulle, « dressé comme un menhir » (*les Chênes...*) — l'exactitude de l'observation dissimulant à peine le message légendaire que capte la métaphore. Désormais, soustraits hiératiquement à la temporalité, distanciés de l'apparence dans une œuvre qui émane d'une force de création puissante et délibérée, les héros sont « métamorphosés » en objets d'art : l'œuvre de Malraux est un musée imaginaire.

Elle renvoie de son auteur un reflet ombré par la même esthétique : il n'y livre de lui-même qu'une image sélective, voire immatérielle — comme ce « fantôme de chat » rival de celui d'Alice « qui ne se matérialisait jamais et dont on ne voyait jamais qu'un ravissant sourire de chat » (*la Condition humaine*). Largement écrite à la première personne, nourrie des aventures d'une existence hors du commun, l'œuvre malrucienne se détourne délibérément du « monstre incomparable, préférable à tout, que tout être est pour soi » *(ibid.),* ne laissant filtrer que de rares aveux; allusion cursive aux tragédies qui ont ravagé la vie de l'auteur (« presque tous ceux que j'aime ont été tués dans des accidents », *Lazare*); aucune à ses amours; peu d'allusions à l'amour en général; peu de couples — à l'exception de celui de Kyo et de May, dont Malraux retient surtout la relation exemplaire de partenaires égaux, trouvant sa vérité dans la « fraternité de la mort ». Un acharnement même, dans la nuit solitaire de la Salpêtrière (*Lazare*), à chasser le « je-sans-moi », le « bilan de la vie », le « vertigineux passé de la noyade ». Le malade se répète : « Qu'importe ce qui n'importe qu'à moi? », le « Qui suis-je? » s'effaçant résolument derrière le « Qu'est-ce qu'une vie? » Seule confession que Malraux s'autorise : la description du sentiment éprouvé à plusieurs reprises de « revenir sur la terre » (« Ce matin, je ne suis que naissance... » *les Noyers*) dont *Lazare* est l'ultime et bouleversante version. Mais la fascination que ces épiphanies exercent sur l'auteur surgit de l'« envoûtante conscience des siècles », cette intuition de l'infinité du temps que l'homme frôle aux deux frontières de sa vie : la naissance, la mort... Entre ces deux termes dramatisés par l'individualisme occidental qu'assume pleinement Malraux, sans doute son message le plus personnel se trouve-t-il dans ses paraphrases de la parole johannique : « Que Dieu fasse à chacun d'entre nous la grâce de consoler son compagnon » (*Antimémoires*). La fraternité demeure pour lui, avec le courage qu'elle implique, la seule parade aux désastres de notre civilisation, à défaut de cette sérénité dans la communion avec le cosmos dont l'Inde lui apporte la nostalgie (cf. *ibid.*). Fraternité qui enjambe les siècles et fait de Malraux l'interlocuteur de tous ceux qui ont dominé l'irrémédiable souffrance humaine par leurs actes et par leurs œuvres.

	VIE		ŒUVRE
1901	3 nov. : naissance, à Montmartre, de Georges André Malraux. Suicide, resté inexpliqué, de son grand-père.		
1914	**Première Guerre mondiale.**		
1919	Suit des cours au musée Guimet et à l'école du Louvre. Fait la connaissance de Mauriac.		
1920	Fait la connaissance de Max Jacob, Vlaminck, James Ensor, Derain, Léger. « Le Cimetière marin », de Valéry.	**1920**	Publication de son premier article : « Des origines de la poésie cubiste » dans la revue *la Connaissance*.
1921	Voyage en Italie. Mariage avec Clara Goldschmidt.	**1921**	*Lunes en papier* (Éditions des Galeries Simon). « Les Hérissons apprivoisés », dans la revue *Signaux de France et de Belgique*. « Journal d'un pompier du jeu de massacre », dans la revue *Action*. *Écrit pour une idole à trompe* (ronéotypé).
1922	Fait la connaissance de Picasso.	**1922**	« Des lapins pneumatiques dans un jardin français », dans la revue *Dés*. Collabore à *la Nouvelle Revue française*. Préface du catalogue de l'exposition Galanis.

	VIE		ŒUVRE
1923	Départ pour l'Indochine. Expédition à Banteaï-Srey (Cambodge). Arrestation à Phnom Penh. Procès.	**1923**	Préface de *Mademoiselle Monk*, de Maurras (Stock).
1924	Sursis. Retour en France. **Hitler rédige *Mein Kampf*.**	**1924**	« Écrit pour une idole à trompe », dans la revue *Accords*.
1925	Retour en Indochine. Participe au mouvement Jeune Annam. Fonde avec Paul Monin le journal *Indochine*.	**1925**	« L'Expédition d'Ispahan », dans *Indochine*.
		1926	*La Tentation de l'Occident* (Grasset).
1927	Retour en France.	**1927**	« Écrit pour un ours en peluche ». « Le Voyage aux îles Fortunées », dans la revue *Commerce*. « D'une jeunesse européenne », dans *Écrits* (Grasset).
1928	Voyage en Perse.	**1928**	*Les Conquérants* (Grasset), d'abord publié dans la *N.R.F.* *Royaume farfelu* (Gallimard), publié en 1925 dans *Indochine* sous le pseudonyme MAURICE SAINTE-ROSE, et dans *Commerce*, 1927.
1930	Voyage en Afghanistan; aux Indes. Fait la connaissance de Paul Valéry. Suicide de son père.	**1930**	*La Voie royale* (Grasset).
1931	Voyage aux États-Unis; au Japon...	**1931**	Préface de *Méditerranée* de Charles Clément.
1932	Fait la connaissance de Paul Claudel; de Heidegger.	**1932**	Préface de *l'Amant de Lady Chatterley* de D.H. Lawrence (Gallimard).
1933	Naissance de sa fille Florence. Survol du désert de Dhana (Yémen), en compagnie de Corniglion-Molinier. **30 janv. : Hitler devient chancelier.** **Incendie du Reichstag.**	**1933**	Préface de *Sanctuaire* de Faulkner (Gallimard). *La Condition humaine*. Prix Goncourt (d'abord publiée en extraits dans la *N.R.F.* et *Marianne*). « Récit du survol du désert de Dhana », dans *l'Intransigeant*.
1934	Se rend à Moscou au Congrès international des écrivains; il s'élève contre l'expulsion de France de Trotski. Président du Comité mondial de libération de Dimitrov. Président du Comité mondial de libération de Thaelmann. Se rend à Berlin pour présenter à Gœbbels une pétition en faveur de Thaelmann. Membre du présidium de la L.I.C.A. **Hitler nommé Führer.**	**1934**	Récit de sa rencontre avec Trotski, dans l'hebdomadaire *Marianne*. « L'Art est une conquête », discours prononcé au Congrès des écrivains soviétiques (*Commune*, XIII-XIV). « L'Attitude de l'artiste » (*Commune*, XV).
		1935	*Le Temps du mépris* (Gallimard). Extraits dans la *N.R.F.* Préface de *Indochine S.O.S.* d'Andrée Viollis (Gallimard).
1936	**Gouvernement du Front populaire.** **Début de la guerre d'Espagne.** Création et commandement de l'escadrille « España », auprès des forces républicaines espagnoles. Combat à Medellin, Madrid, Tolède, Teruel. Fait la connaissance, en Espagne, de J. Nehru. Rencontre, à Paris, Léon Blum. *Retour d'U.R.S.S.* de Gide.	**1936**	« Sur l'héritage culturel » (*Commune*, XXXVII).
1937	Voyage aux États-Unis pour défendre la cause des républicains espagnols. Fait la connaissance d'Hemingway à Princeton; d'Einstein; d'Oppenheimer; de Bernanos.	**1937**	*L'Espoir* (Gallimard). Extraits dans la *N.R.F.* et *Ce soir*. « Psychologie de l'art », dans la revue *Verve*.
1938	**L'Anschluss.** Tournage du film *l'Espoir (Sierra de Teruel)*.		
1939	**Fin de la guerre civile en Espagne.** **Seconde Guerre mondiale.** S'engage dans les chars.	**1939**	« Laclos », in *Tableau de la littérature française (XVIIe-XVIIIe siècles)*, préfacé par André Gide (Gallimard). Ce texte sera également publié en préface aux *Liaisons dangereuses* (Lausanne, éd. Rencontre, 1953).
1940	Fait prisonnier. Évasion grâce à son demi-frère Roland. Gagne la zone libre.		

	VIE		ŒUVRE
1941	Revoit Gide; Drieu La Rochelle. Rencontre Sartre, Lacan.	**1941**	« La Fosse à tanks », dans *les Lettres françaises,* à Buenos Aires.
1942	La Gestapo détruit par le feu le manuscrit de *la Lutte avec l'ange,* dont ne subsistera que la Ire partie : *les Noyers de l'Altenburg.*	**1942**	*La Lutte avec l'ange.* Ire partie : *les Noyers de l'Altenburg* (Lausanne, 1943). Extraits précédemment publiés dans *les Lettres françaises* (Buenos-Aires, 1941) et dans *Fontaine* (1943).
1943	Premiers contacts avec la Résistance en Corrèze et en Dordogne.	**1943**	*Les Noyers de l'Altenburg* (Lausanne).
1944	Sous le nom de « colonel Berger », commande les F.F.I. du Lot. Capturé, blessé à Gramat. Prisonnier à Saint-Michel (Toulouse). Mort de ses deux demi-frères. Mort accidentelle de Josette Clotis, mère de ses deux fils. Crée la brigade Alsace-Lorraine. Se bat dans l'est de la France jusqu'à Strasbourg. Rencontre le général Leclerc.		
1945	Légion d'honneur, remise par le général de Lattre. Fait la connaissance de Koestler. Revoit Picasso. Rencontre le général de Gaulle. Le film *l'Espoir* reçoit le prix Louis-Delluc. **Capitulation allemande.** **Bombes atomiques sur Hiroshima et Nagasaki.** **Gouvernement de Gaulle.** Ministre de l'Information.	**1945**	Préface du catalogue *Peintures et sculptures de Fautrier.* *Œuvres Complètes* (Genève, Skira).
1946	**Départ de De Gaulle.**	**1946**	*N'était-ce donc que cela?* (Éditions du Pavois). *Scènes choisies* (Gallimard). *Esquisse d'une psychologie du cinéma* (Gallimard).
1947	Membre du R.P.F. Nombreux discours.	**1947**	Préface de *Dessins de Goya au musée du Prado.* *Le Musée imaginaire* (Skira). Entrée de Malraux dans la Bibliothèque de la Pléiade (Gallimard) : *Romans,* rassemblant *les Conquérants, la Condition humaine, l'Espoir.*
1948	Épouse Madeleine Lioux, la veuve de son demi-frère Roland.	**1948**	*La Création artistique* (Skira). *Les Noyers de l'Altenburg* (Gallimard).
		1949	*La Monnaie de l'absolu* (Skira).
		1950	*Saturne, essai sur Goya* (Gallimard).
1951	Membre du Conseil des musées de France.	**1951**	*Les Voix du silence* (Gallimard).
		1952	Préface de *Van Gogh et les peintres d'Auvers,* de M. Florisoone. Préface de *Qu'une larme dans l'Océan* de Manès Sperber (Calmann-Lévy). *Tout l'œuvre peint de Léonard de Vinci* (Skira) sous la direction d'A. Malraux. *Tout Vermeer de Delft (id.).* « La Statuaire » (tome I du *Musée imaginaire de la sculpture mondiale*) [Gallimard]. « Occidentaux, quelles valeurs défendez-vous? » (journal *Carrefour*).
1954	Discours à New York. **Début de la guerre d'Algérie.**	**1954**	Préface de *Saint-Just ou la Force des choses* d'Albert Ollivier (Gallimard). « Des bas-reliefs aux grottes sacrées » (tome II du *Musée imaginaire de la sculpture mondiale*) [Gallimard].
1955	Fonde la collection « l'Univers des formes » (Gallimard).	**1955**	Préface de *les Manuscrits à peintures en France* (catalogue exposition B.N.). Préface de *le Sang noir* de Louis Guilloux (Club du Meilleur Livre). Préface de *Israël* de Lazar et Izis (Lausanne, La Guilde du Livre). « Le Monde chrétien » (tome III du *Musée imaginaire de la sculpture mondiale*).
		1957	*La Métamorphose des dieux,* tome I.
1958	**Mai : retour au pouvoir de De Gaulle.** Ministre-délégué auprès de la présidence du Conseil. Conférences de presse, nombreux discours en France, en Iran, aux Antilles, au Japon. Revoit Nehru. Rencontre l'empereur du Japon.	**1958**	« Commémoration de la Libération de Paris » (dans *Oraisons funèbres*).

	VIE		ŒUVRE
1959	Ministre d'État chargé des Affaires culturelles. Discours en Algérie, au Brésil, en Grèce. Rencontre Saint-John Perse.	**1959**	« Hommage à la Grèce » (dans *Oraisons funèbres*).
1960	Voyage au Mexique. Prend part à la campagne de sauvegarde des monuments de Nubie. (Discours à l'Unesco.) Fait la connaissance du docteur Schweitzer à Lambaréné. Discours à l'occasion de l'indépendance du Tchad, du Gabon, du Congo, de la République centrafricaine.	**1960**	Préface du catalogue *les Trésors de l'Inde.* Préface de *Sumer* d'André Parrot. « Pour sauver les monuments de Haute-Égypte » (dans *Oraisons funèbres*).
1961	Mort accidentelle de ses deux fils.	**1961**	Préface du catalogue *Sept Mille Ans d'art en Iran* (exposition Grand Palais, Paris).
1962	Attentat de l'O.A.S. contre Malraux. **Fin de la guerre d'Algérie.**		
1963	*La Joconde* à Washington. Funérailles de Georges Braque. (Discours). Voyage au Canada.	**1963**	« Funérailles de Georges Braque » (dans *Oraisons funèbres*).
1964	Commémoration de la mort de Jeanne d'Arc. (Discours.) Transport des cendres de Jean Moulin. (Discours, en présence du général de Gaulle.)	**1964**	« Commémoration de la mort de Jeanne d'Arc » (dans *Oraisons funèbres*). « Transfert des cendres de Jean Moulin au Panthéon » (dans *Oraisons funèbres*).
1964	Inauguration de la Maison de la culture de Bourges. (Discours.)		
1965	Voyage en Chine. Rencontre Mao Tsé-toung et Chou En-lai. Retour par l'Inde. Funérailles de Le Corbusier. (Discours.)	**1965**	« Funérailles de Le Corbusier » (dans *Oraisons funèbres*).
1966	Inauguration du Ier Festival mondial des arts nègres (Dakar).		
1967	Entretiens télévisés avec R. Stéphane.	**1967**	*Antimémoires* (Gallimard).
1968	Voyage en U.R.S.S.		
1969	**Démission du général de Gaulle.** **Georges Pompidou élu président de la République.** Malraux habite désormais Verrières-le-Buisson. Mort de Louise de Vilmorin. Dernière visite au général de Gaulle retiré à Colombey-les-Deux-Églises.		
1970	**Mort du général de Gaulle.**	**1970**	*Le Triangle noir* (Gallimard). Préface des *Poèmes* de Louise de Vilmorin.
1971	Appel en faveur des victimes des massacres du Bangladesh. Président-fondateur de l'Institut Charles de Gaulle.	**1971**	*Oraisons funèbres* (Gallimard). *Les Chênes qu'on abat...* (Gallimard). Préface de *la Querelle de la fidélité* d'Edmond Michelet.
1972	Voyage à Washington. (Séjourne à la Maison-Blanche chez le président Nixon.) Hospitalisation.	**1972**	Préface de *le Clou brûlant* de José Bergamin (Plon). Préface de *Céramiques. Sculptures de Chagall.* *Antimémoires,* nouvelle édition.
1973	Voyage en Inde. Voyage au Bangladesh. Inauguration de l'exposition André Malraux à la Fondation Maeght. Oraison funèbre au plateau des Glières.	**1973**	Préface du *Livre du souvenir* consacré à Charles de Gaulle (Club Iris). Préface du tome IV des *Cahiers* d'André Gide (Gallimard). Préface de *l'Enfant du rire* de Pierre Bockel (Grasset). Préface de *la Revue de l'art,* numéro consacré à Fontainebleau. *Roi, je t'attends à Babylone* (Skira), illustré par Dali.
1974	**Mort du président Pompidou.** **Élection de Valéry Giscard d'Estaing.** Voyage à New Delhi. Reçoit le prix Nehru de la Paix. Discours sur la biologie, adressé au professeur Hamburger lors de la remise d'épée d'académicien à celui-ci.	**1974**	*La Tête d'obsidienne* (Gallimard). *Lazare* (Gallimard). « L'Irréel » (tome II de *la Métamorphose des dieux*) [Gallimard]. Préface du *Journal d'un curé de campagne* de Bernanos (Plon).

VIE		ŒUVRE	
1975	Discours devant la cathédrale de Chartres à l'occasion du 30e anniversaire de la libération des déportés. Discours sur le général de Gaulle (5e anniversaire de sa mort). Voyage en Haïti.	**1975**	*Hôtes de passage* (Gallimard). Préface de *l'Indépendance de l'esprit*, correspondance Guéhenno-Rolland (Gallimard).
1976	23 nov. : Malraux meurt à l'hôpital Henri-Mondor (Créteil).	**1976**	Préface du catalogue de l'exposition *les Oiseaux et l'Œuvre de Saint-John Perse*. Postface de *Malraux, Être et dire*, M. de Courcel (Plon). *La Corde et les Souris* (Gallimard). *Le Miroir des limbes* (Gallimard, La Pléiade), ouvrage rassemblant : I, *Antimémoires*; II, *la Corde et les Souris*. Sous ce dernier titre, on retrouvera : *Hôtes de passage*; *les Chênes qu'on abat*; *la Tête d'obsidienne*; *Lazare*. Sont ajoutées, en appendice, *les Oraisons funèbres*. « L'Intemporel » (tome III de *la Métamorphose des dieux*) [Gallimard].
		1977	*Et sur la Terre...* (Maeght), illustré par Chagall. *L'Homme précaire et la littérature* (Gallimard). *Le Surnaturel* (réédition du Ier tome de *la Métamorphose des dieux* dans le même format que « l'Irréel » et que « l'Intemporel ») [Gallimard].
		1978	*Saturne, le Destin, l'Art et Goya* (texte de 1950, revu en 1975) [Gallimard].

La Condition humaine

Troisième volet du cycle d'Extrême-Orient, *la Condition humaine* (1933) se développe sur deux plans : le plan horizontal du récit événementiel, dit à la troisième personne, coupé de dialogues rapides (rappelant ceux des *Conquérants*), où s'échangent mots d'ordre et renseignements tactiques. L'autre plan, vertical, introduit la dimension métaphysique : élargi, le rythme des dialogues s'accorde alors à une méditation sur le Destin, le courant de la conscience, toujours rapporté à la troisième personne, se creusant soudain en spirale sous l'effet d'une vision tragique de la condition humaine. Symbolisée par l'image persistante du cercle, la situation où l'insurrection enferme les héros n'offre d'autre issue qu'une mort héroïque authentifiant pour chacun ses valeurs suprêmes. Mais, sous le poids du deuil ou du danger, le sentiment de la précarité humaine gagne les personnages de second rang (May, épouse de Kyo; Gisors, père de celui-ci) ou situés en coulisse (Clappique), les contraignant à des réajustements, les uns cherchant « de nouvelles raisons de supporter et d'agir », les autres, à sauver leurs intérêts ou leur peau.

Synopsis. — A Chang-hai, au printemps de 1927, une insurrection communiste se prépare tandis que les forces du Kouo-min-tang marchent sur la ville, encore tenue par la bourgeoisie nordiste. Les communistes apprennent qu'aussitôt Chang-hai prise, Chang Kai-chek les lâchera. Mais le parti, décidé à ménager momentanément le chef du Kouo-min-tang, interdit aux militants de s'opposer à celui-ci : ils devront rendre leurs armes, s'offrant ainsi à la répression, les rescapés des exécutions subissant le supplice d'être jetés vifs dans le foyer d'une locomotive.

Le roman est composé de deux séquences courtes — naissance et triomphe de l'insurrection (Ire et IIe parties); répression et attente des condamnés dans un préau, d'où ils seront conduits au supplice (IVe, Ve et VIe parties) — séparées par le récit de la mission du communiste Kyo à Han-k'eou, où se décide le sort des insurgés (IIIe partie). Un bref finale (VIIe partie) transporte le lecteur à Paris et au Japon, d'où les événements de Chang-hai commencent à s'estomper. Parmi les scènes les plus célèbres : le meurtre par l'anarchiste Tchen d'un marchand d'armes endormi sous une moustiquaire (Ire partie); l'attentat contre la voiture de Chang Kai-chek (IVe partie); la partie de boule du baron de Clappique (Ve partie); l'attente des condamnés dans le préau avec le suicide de Kyo et le départ de Katow vers le supplice (VIe partie).

L'habile insertion de l'imaginaire dans le contexte historique pourrait faire penser à un reportage. Mais *la Condition humaine* est surtout un texte initiatique. Écoutant, au début du récit, un message enregistré, Kyo s'étonne de ne pas reconnaître sa propre voix. Sous l'effet cathartique de la violence révolutionnaire, chacun aura le tragique privilège de « s'entendre soi-même », délivré de cette part de la condition humaine que le narrateur le charge d'incarner : irresponsabilité d'un Clappique laissant passer, dans une maison de jeu, l'heure d'un rendez-vous vital; ivresse de la « possession complète de soi-même » (Tchen); lucidité de Kyo; mais surtout fraternité d'un Katow faisant don à un jeune militant du cyanure qui lui épargnerait la torture.

La réussite du roman tient à un jeu subtil entre l'illusion réaliste et les références symboliques. Divers procédés favorisent la première : le cumul de traits contradictoires accusant la vérité d'un caractère (jalousie masculine de Kyo; dureté de l'homme d'affaires Ferral, alliée au dépit de l'amoureux, etc.); le comique de certaines anecdotes (la fuite de Clappique se glissant à bord d'un paquebot à la faveur d'un déguisement) ou le vécu subjectif d'épisodes dont la violence s'intensifie par la minutie des observations (attentat de Tchen). Mais, si la vérité des caractères et des situations s'impose fortement, le discours principal médiatise, sous ses différentes figures, l'angoisse humaine devant l'inéluctabilité de la souffrance et de la mort.

BIBLIOGRAPHIE

T. Aeba, « l'Extrême-Orient et la découverte de l'absurde », *Cahier de l'Herne* no 43, 1982; G. Bataille, « Sur *la Condition humaine* », *Œuvres complètes* I, repris dans *Cahier de l'Herne* no 43; R. Fernandez, article sur *la Condition humaine*, *Marianne*, déc. 1933; J. Kammerbeek, *le Réel dans la littérature et dans la langue*, Paris, 1967 (le titre de *la Condition humaine* dans sa perspective historique); G. Picon, « Malraux. *La Condition humaine* », *Livres de France*, fév. 1956; F. Trécourt, « *la Condition humaine*, leçon d'un manuscrit », *R.H.L.F.*, 1981; Ch. Moatti, *la Condition humaine, poétique du roman*, Minard, 1983.

L'Espoir

Ordonné par la conjoncture historique, *l'Espoir* (1937), pas plus que *la Condition humaine*, ne comporte d'intrigue. Le découpage du récit en brefs épisodes est déjà l'œuvre d'un cinéaste filmant à chaud une aventure décentrée d'où se détachent des personnages ambivalents (comme tous les héros malruciens), engagés dans l'Histoire mais la transcendant par une réflexion éthique (« transformer en conscience une expérience aussi large que possible »); décalage perceptible dans les dialogues. Lorsqu'ils font la guerre, oublieux de leurs différences idéologiques, les héros s'accordent sur la primauté de l'action, la discutant en termes d'efficacité technique. Mais, dans l'intervalle des combats, chacun retrouve ses convictions et son tempérament propre, l'imminence du danger produisant de vertigineuses prises de conscience où sont remises en question les valeurs morales, esthétiques, religieuses : que valent un tableau « à côté de grandes taches de sang », « les mots, en face d'un corps déchiqueté », l'Évangile, pour des paysans affamés? Dialogues sans conclusion, atteignant la tension des insolubles interrogations platoniciennes sous la lumière crue de la souffrance et de la mort.

Synopsis. — *L'Espoir* reflète l'évolution des premiers mois de la guerre civile entre Franco et les républicains espagnols, auprès desquels Malraux combat. « L'Illusion lyrique » (Ire partie) ressuscite l'atmosphère initiale de fête violente et fraternelle (« les poings levés et les *salud* : la nuit n'était que fraternité »), l'enthousiasme des volontaires étrangers, dont le narrateur trace les portraits fortement individualisés face à un ennemi fasciste sans figure (« les Maures »), l'horreur des premiers massacres. Mais l'expérience transforme bientôt les idéalistes de la liberté (l'ingénieur Magnin, l'ethnologue Garcia, l'historien d'art Scali...) en techniciens de la guerre moderne : une force disciplinée organise l'« apocalypse », livrant de durs combats, notamment devant Tolède. La IIe partie, « le Manzanarès » (du nom du cours d'eau reconquis par les républicains avec le soutien des internationaux), tire la leçon de ces coûteuses batailles : la fraternité n'a de sens que dans l'action concrète. Mais la « cohue affolée » du peuple espagnol continue à subir, comme du temps de Goya, les « désastres » de la guerre. Intitulée « l'Espoir », la IIIe partie se place dans la perspective de la victoire républicaine de Guadalajara. Magnin a rempli sa tâche : des avions modernes remplacent les machines rafistolées des premiers combats. Le roman se termine sur une espérance qui dépasse celle du succès des armes : les liens de camaraderie héroïque noués entre des hommes très divers laissent entrevoir une conciliation possible entre une vocation personnelle et le service d'une noble cause.

Immortalisée par une séquence du film, une des dernières scènes atteint une grandeur épique : les civières où reposent des aviateurs blessés progressent le long de la gorge de Linarès, avec les montagnards accourus à leur secours. L'image du « pommier debout au centre de ses pommes mortes » disposées « en anneau pourrissant et plein de germes » évoque l'éternel retour du tragique millénaire, mais aussi l'invincible espérance humaine.

Le tragique de ce questionnement ressort violemment contre les horizons dénudés de l'Espagne — plateau « couleur de sable », « sérénité de roche » d'où l'homme se sent exclu. Certaines scènes baignent dans un onirisme souligné par une écriture surréaliste (« petit chat mousseux » frôlant de ses moustaches un cadavre ensanglanté; « taureaux nonchalants », « sanglots clandestins », etc.) et par le procédé des vues d'avion combinées avec des métaphores déréalisantes : « Il ne voyait que des taches kaki fuyant la route sous les points blancs des turbans comme des fourmis affolées emportant leurs œufs ».

L'Espoir occupe une position charnière entre le cycle d'Extrême-Orient et *les Noyers de l'Altenburg*, lesquels marquent la conversion de Malraux à l'idée nationale. Après *la Condition humaine*, roman de l'échec, dont les héros ne peuvent dominer le Destin qu'en choisissant leur mort, dans *l'Espoir* en revanche l'auteur, enrichi par l'expérience, humanise ses personnages, amplifiant et diversifiant les thèmes de leurs débats, dénonçant, par son approche perspectiviste, la vanité des idéologies, mais laissant pressentir que l'audace étayée de maîtrise technique accorde une chance à l'homme dans sa lutte contre le Destin.

BIBLIOGRAPHIE
P. Carrard, *Malraux ou le récit hybride. Essai sur les techniques narratives dans « l'Espoir »*, Lettres modernes, Paris, Minard, 1976; P. Gaillard, « Thèmes et problèmes de *l'Espoir* », *Cahier de l'Herne*, no 43, 1982; W.G. Langlois, « Aux sources de *l'Espoir*. Malraux et le début de la guerre en Espagne », *Revue des Lettres modernes*, 1973; B. Wilhem, *Hemingway et Malraux devant la guerre d'Espagne*, thèse, Berne, 1968; v. aussi la Table ronde sur *l'Espoir* organisée par la Société d'histoire littéraire de la France (15 mars 1980), publiée dans la *R.H.L.F.* (1981).

Le Musée imaginaire

Plus de 175 reproductions en noir et en couleur. Des chefs-d'œuvre photographiés dans le monde entier. Et pourtant ce recueil (1947) n'est pas une anthologie. Texte théorique où alternent envolées lyriques et formules concises, relativement court par rapport à l'abondante iconographie, il introduit les thèmes essentiels des écrits esthétiques de Malraux, s'ordonnant autour de trois événements : l'apparition des musées au XIXe siècle; la vulgarisation de la reproduction photographique; l'avènement de l'art moderne; les deux premiers, par la transformation de la notion d'« art », préparant le surgissement du troisième.

Apparition des musées : à cette occasion s'établit une relation nouvelle entre le visiteur et les collections exposées. En arrachant « leur fonction aux œuvres qu'il réunissait » (la vierge gothique à la cathédrale, etc.), le musée les « métamorphose » en objets d'art. Exclues de l'ensemble dont elles tiraient leur signification primitive (représentation du sacré, du divin, etc.), elles sont intégrées à un univers autonome, situé hors du temps qui engloutit les cultures : le « monde de l'art ».

Mais l'essor de la photographie, en diffusant largement les reproductions (« les arts plastiques ont inventé leur imprimerie »), étend bientôt la « métamorphose » aux chefs-d'œuvre de toutes les cultures qu'absorbe, en relativisant la nôtre, un « monde de l'art » à l'échelle planétaire : grâce à d'innombrables albums, « un musée imaginaire sans précédent s'est ouvert », métamorphosant sous le regard de notre génération « l'héritage du monde ». Métamorphose où l'auteur aperçoit une des innovations majeures de notre temps : la première à prendre conscience de l'art en tant que tel, dégagé de toute autre signification, notre époque privilégie dans tout chef-d'œuvre le « geste créateur » de l'artiste élaborant, hors du monde de la nécessité, un univers de liberté.

L'art moderne naît le jour où l'artiste « indépendant » de tout académisme (Manet, avec l'*Olympia*...) revendique ce geste créateur, prenant la décision délibérée de « tout soumettre à son style ».

En définitive, du *Musée imaginaire* rayonnent plusieurs sens. L'ouvrage peut être feuilleté comme un recueil d'images éclectique. Mais son titre provocant définit aussi le schème médiateur qui fonde tout à la fois la notion d'art moderne et sa pratique (Picasso). Enfin, ni inventaire ni surtout « palmarès », il raconte une aventure humaine : sous la multiplicité des formes arrachées au temps par la « métamorphose », *le Musée imaginaire*, sans égard pour les styles ou les époques, dit une même conquête de l'homme sur le Destin.

Écrits sur l'art

« Ce qui compte essentiellement pour moi, c'est l'art. Je suis en art comme on est en religion », confie Malraux à Roger Stéphane (2 février 1945). Et, de fait, l'art se trouve au centre des préoccupations, voire des aventures de l'auteur. Pas un de ses ouvrages, essai ou roman, qui n'aborde les problèmes d'esthétique : à travers les dialogues de ses héros de fiction (Kama et Gisors dans *la Condition humaine,* Alvear, Scali et bien d'autres dans *l'Espoir,* Kassner et Anne dans *le Temps du mépris...*), s'opère progressivement une mise au point de la doctrine malrucienne. Mais c'est dans *les Noyers de l'Altenburg* que le projet du romancier coïncide le plus fidèlement avec celui de l'esthéticien : par le discours sur les cultures, leur signification et leur renaissance, mais surtout par une adhésion explicite à la liberté formelle de la composition romanesque répondant à celle de l'artiste moderne tel que le définit Malraux.

En 1937, l'auteur publie une « Psychologie de l'art » (revue *Verve*), titre sous lequel il rassemble ensuite *le Musée imaginaire* (1947), qui contient la formulation la plus concise des concepts commandant la doctrine ultérieure, *la Création artistique* (1948) et *la Monnaie de l'absolu* (1949). Plusieurs études, notamment *Saturne, essai sur Goya* (1950), un Goya précurseur de l'esthétique malrucienne, s'intercalent entre la première trilogie et *les Voix du silence* (1951), recueil des textes de la *Psychologie,* revus et augmentés des *Métamorphoses d'Apollon* (édition définitive en 1964). Malraux dirige aussi la publication d'albums chez l'éditeur Skira (*Tout l'œuvre peint de Léonard de Vinci,* 1952; *Tout Vermeer de Delft,* 1952, etc.), publiant simultanément chez Gallimard *le Musée imaginaire de la sculpture mondiale,* en trois tomes : « la Statuaire » (1952), « Des bas-reliefs aux grottes sacrées » (1954) et « le Monde chrétien » (1955), avec une iconographie classée chronologiquement par régions culturelles — le plus pédagogique des ouvrages de Malraux mais fidèle, doctrinalement, à l'introduction du *Musée imaginaire.*

Fondateur de la collection « l'Univers des formes » (Gallimard), Malraux commence chez le même éditeur la publication d'une nouvelle trilogie, *la Métamorphose des dieux* (tome I, 1957, réédité sous le titre « le Surnaturel » 1977), toujours somptueusement illustrée, complétée, après l'interruption des années de participation au gouvernement, par « l'Irréel » (tome II, 1974) et « l'Intemporel » (tome III, 1976). Dans le sillage du *Musée imaginaire, la Métamorphose des dieux* développe, à travers une histoire des styles confrontés en de fulgurantes antithèses, la théorie de l'artiste-démiurge dont l'acte créateur fait surgir, partout où il se manifeste, un monde autonome transcendant celui des apparences. Histoire discontinue aux brusques mutations telles que l'avènement de l'art moderne marqué par une prise de conscience de ce pouvoir millénaire que l'artiste assume désormais.

Ministre d'État chargé des Affaires culturelles, Malraux préface maints catalogues (*les Trésors de l'Inde,* 1960; *Sept Mille Ans d'art iranien,* 1961, etc.), prononce, dans la fidélité à ses thèmes majeurs, discours et oraisons funèbres (Braque, 1963; Le Corbusier, 1965...). Après la mort de Picasso, *la Tête d'obsidienne* (1974) rend un émouvant hommage au « dieu » de l'art moderne (« Dieu a fait ce qui n'existe pas. Moi aussi »), ressuscitant des entretiens où les personnalités des deux hommes s'entremêlent dans une même vision de l'art. Nourries d'une érudition et d'une mémoire plastique fabuleuses, les intuitions de Malraux émerveillent lorsqu'elles ne déconcertent pas le lecteur. Sculptures, fétiches, tableaux, vitraux, mosaïques se côtoient dans le déploiement de cet « immense éventail des formes inventées », subtilement observées (Piero Della Francesca : « l'inventeur de l'indifférence comme expression dominante des personnages ») et finalement ramenées à leur commune signification. Les écrits sur l'art proposent le plus lyrique des « dialogues » malruciens entre des milliers d'œuvres et cette voix de l'auteur qui les interroge inlassablement. Soutenu par l'emportement d'une éloquence qui rappelle parfois Chateaubriand, leur contenu théorique n'appartient qu'à l'ordre de la foi (« ils appellent une adhésion, persuadent parfois et ne prouvent point », *les Voix du silence*). Mais Malraux a sans doute composé le plus grand hymne à l'art mondial jamais écrit en langue française.

BIBLIOGRAPHIE

J. Duvignaud, « les Voies de l'imaginaire », *Nouvelles littéraires,* nov. 1976; B. Halda, *Berenson et André Malraux,* Paris, Minard, 1965; B. Lamblin, « Élie Faure et Malraux », *Cahiers de Marseille,* 1959; S. Morawski, *l'Absolu et la forme. L'esthétique de Malraux,* Paris, Klincksieck, 1972; G. Picon, « Malraux et la *Métamorphose des dieux* », *Mercure* CCCXXXII, 1958; P. Sabourin, *le Thème de l'art et de l'artiste dans l'œuvre de Malraux,* thèse univ., Strasbourg, 1968, et *la Réflexion sur l'art d'André Malraux,* Paris, Klincksieck, 1972; M. Tournier, « Malraux face à Picasso », *le Vol du vampire,* Paris, Mercure de France, 1981.

Antimémoires

Les *Antimémoires* (1967) marquent le retour à une osmose entre l'action et l'œuvre dont le Malraux de *l'Espoir* tira son prestige, intégrant, après la rupture avec le communisme, l'engagement dans la Résistance, l'adhésion au gaullisme et la participation au pouvoir. Mais elles assument en même temps la totalité de la vie et du discours de l'auteur par un réseau de références liant à l'actualité les premiers romans, les expériences de jeunesse, incluant même la dimension « farfelue » avec la réapparition de Clappique. Par leur structure formelle, les *Antimémoires* se plient à l'esthétique malrucienne : de même que l'art est un « anti-destin » rivalisant avec le monde de la nécessité, de même les *Antimémoires* créent un univers propre dont les interrogations rivalisent avec les affirmations de l'Histoire : « L'homme qu'on trouvera ici, c'est celui qui s'accorde aux questions que la mort pose à la signification du monde ».

« J'appelle ce livre *Antimémoires* parce qu'il répond à une question que les Mémoires ne posent pas et ne répond pas à celles qu'ils posent », déclare Malraux dans une introduction (Ire section) consacrée à une réflexion sur l'autobiographie : ni confession rousseauiste ni Mémoires gaulliens (« l'exécution d'un grand dessein »), ce texte formulera les interrogations qui ont hanté une vie visitée par la violence et la mort. La narration se développe selon deux axes : d'une part, l'axe d'un voyage en Orient (1965) dont les escales répètent celles d'un voyage antérieur (1925) — Égypte, Aden, Ceylan, Inde, Singapour, Hongkong, retour en France — ; d'autre part, l'axe de l'œuvre, qui prête ses différents titres aux sections de ce nouvel ouvrage, chacune étant, par le jeu des associations, liée soit à la filiation intellectuelle et politique du narrateur, soit au pays revisité et à la réflexion qu'il suscite. Les titres attribués aux sections suivent donc une chronologie souvent à rebours du déroulement réel de l'œuvre malrucienne. Ainsi la IIe section, intitulée *les Noyers de l'Altenburg,* reproduit intégralement un fragment de ce roman de 1943 qui évoque, à travers la figure du père, celle de Nietzsche, « aimé plus que tout autre écrivain »; de même, la IIIe section, titrée en abyme *Antimémoires,* relie Malraux à sa double filiation politique en relatant ses premières entrevues avec un de Gaulle comparé à Trotski et avec Nehru, le de Gaulle de l'Inde. La IVe section, *la Tentation de l'Occident,* correspond à l'étape indienne et au dialogue sur la réconciliation entre les valeurs de l'action et de la contemplation, confrontées dans l'essai de 1926; *la Voie royale,* Ve section, évoque Singapour et la légende de l'aventurier Mayrena; *la Condition humaine,* VIe section, consacrée à la Chine, aux dialogues avec Chen-yi, Chou En-lai et Mao, évoque, en conclusion, les thèmes de la violence paroxystique (la déportation) et de la fraternité. La composition de l'ouvrage se complique de récits d'aventures (épisode du survol de la capitale de la reine de Saba), de Résistance (épisode du simulacre d'exécution) ou de guerre (l'attaque des chars de 1940, transposée des *Noyers de l'Altenburg*) intercalés en sous-divisions, retraçant tous de miraculeux sauvetages. Enfin d'innombrables « je me souviens de », « je pense à » introduisent dans la narration principale des retours en arrière dans le temps ou des rapprochements dans l'espace entre lieux, paysages, personnes, œuvres d'art, etc. D'où cette structure en vagues au flux et au reflux calculés, traversés d'innombrables courants.

La variété des discours (méditations, récits, notes de voyage, fiction, entretiens, etc.) met en jeu tous les procédés de l'écriture : éloquence évoquant le lyrisme d'un Chateaubriand désabusé de la gloire (« l'éclatant poudroiement du triomphe de Ramsès » confronté à la « triste poussière qui retombe derrière les armées vaincues »); pittoresque, à Catayée, des fenêtres « emplies de madras »; humour des portraits (de Gaulle : « un reflet courtois de son personnage légendaire »; Mao : « aux paumes roses comme si elles avaient été ébouillantées »); formules impertinentes (les tombeaux Ming : « un Père-Lachaise confié au facteur Cheval ») ou qui conjurent l'invisible (« notre vie, comme le livret d'une musique inconnue »). Mais l'écriture est à son meilleur dans le dialogue. Sans doute parce qu'il sied à la mobilité d'une pensée qui se définit par l'interrogation (« L'homme trouve une image de lui-même dans les questions qu'il pose ») : dialogues de l'auteur avec sa propre mémoire, privilégiant les souvenirs crépusculaires des approches de la mort; dialogue avec des hommes d'État ayant pouvoir de vie et de mort sur des millions d'hommes; dialogue avec une survivante de la déportation, etc. A ses interlocuteurs comme à lui-même, le narrateur ne cesse de tendre « le Miroir des limbes ».

Et cependant, ce livre où rôde la mort est un hymne à la vie qui éclate dans une constante référence aux arbres (« la séculaire poussée du bois vivant ») célébrés dans la luxuriance des végétations tropicales ou la fragilité des « jeunes pousses » autour d'un noyer. Qui éclate aussi dans l'attirance de l'auteur pour cette Inde qui « ne croit pas à la vie » et pour laquelle « ce qui est sacré », pourtant, c'est la vie.

Mais le message ultime que ce livre d'une somptueuse richesse adresse aux Occidentaux se trouve sans doute dans le commentaire poignant dont, le jour de Noël, l'aumônier de Ravensbrück accompagne l'Évangile de la Naissance, prélude de l'inévitable Croix : la compassion reste la seule réponse à une question qui n'en comporte pas, car « le fond de tout, c'est qu'il n'y a pas de grandes personnes ».

BIBLIOGRAPHIE

J. Carduner, « les *Antimémoires* dans l'œuvre de Malraux », *Kentucky Romance Quarterly*, 1969, et *Cahier de l'Herne* n° 43, 1982; C.-M. Cluny, « Histoire et légende », *Cahier de l'Herne* n° 43, 1982; P. Daix, « les Mémoires de Malraux », *Lettres françaises*, sept. 1967; J. Delhomme, « Des Mémoires à la mémoire », *Critique*, XXIV, 1968; J.-M. Magnan, « Malraux entre le vécu et l'inventé », *Quinzaine littéraire*, mars 1973; M. Nadeau, « Les *Mémoires d'outre-tombe* de Malraux », *Quinzaine littéraire*, XXXV, 1967; P. Vandromme, « De la mémoire de Malraux aux *Antimémoires* de l'anti-Malraux », *Revue générale belge*, nov. 1967.

Oraisons funèbres

Préfaçant le volume titré *Oraisons funèbres* (1971), où sont rassemblés, en fait, tous les discours funéraires et commémoratifs (Braque, 1963; transfert des cendres de Jean Moulin au Panthéon, 1964; etc.) prononcés pendant sa vie ministérielle, Malraux définit son esthétique de l'éloquence. En premier lieu, sacrifier l'imaginaire : « Un discours imaginaire sur la Libération de Paris, une oraison funèbre imaginaire de Jean Moulin ressembleraient-elles aux textes que voici? » Soigner en revanche les inflexions de la voix : l'orateur ne s'adresse plus au « lecteur » isolé, mais à une « foule ». Il doit se faire tribun. D'où ces fameux vibratos, accentués dans les dernières années par les tics faciaux, le glissement des lunettes, le ton haletant.

Si la voix est gouvernée, la composition du discours obéit aussi à une structure à peu près constante. Une première envolée lyrique enflamme l'auditoire. Puis un historique de l'événement rappelle certes que le sujet traité échappe à l'imaginaire (cf. la « Commémoration de la Libération de Paris », 1958), mais installe dans le récit un suspense tragique qui tient le public en haleine : « Pendant les quelques jours où il pourrait encore parler ou écrire, le destin de la Résistance est suspendu au courage de cet homme » (« Jean Moulin »). Aussitôt donnés ces gages à l'événement, renaissent les thèmes chers à l'auteur. Dans le domaine de l'action, l'affinité entre héroïsme et efficacité : la Résistance est « ce monde de limbes où la légende se mêle à l'organisation » *(ibid.)*. Dans le domaine de l'art, l'accent mis sur la liberté de l'artiste : « Il inventait des formes [...] admirablement arbitraires » (« Funérailles de Le Corbusier », 1965). Mais surtout la nécessaire transformation par le mythe de toute histoire en Histoire dont la vérité propre est la légende : « Le véritable objectif de ces combats fut bien moins de reconquérir la ville que de retrouver la France. Pour retrouver une fierté mystérieuse » (« Commémoration de la Libération de Paris »). Enfin l'envolée finale, qui emprunte souvent la figure de la prosopopée : « Cortège des ombres qui survivaient » se levant « sur ses jambes flageolantes » *(ibid.)*; cohorte des « huit mille femmes françaises qui ne sont pas revenues des bagnes » marchant avec les soldats de l'an II, Carnot, Hugo, Jaurès, et Jean Moulin qui résume à lui seul « le visage de la France » (« Jean Moulin »).

Jamais l'éloquence de Malraux n'atteignit un tel éclat que dans ces décors privilégiés évoquant ses obsessions fondamentales, le passage des siècles, la mort : l'Acropole (« Hommage à la Grèce », 1959), la Cour carrée du Louvre (« Funérailles de Braque », « Funérailles de Le Corbusier »), le Panthéon enfin pour Jean Moulin.

BIBLIOGRAPHIE

A. Malraux, *Oraisons funèbres*, Paris, Gallimard, 1971 (avec une préface de l'auteur). Rééditées en 1976, en appendice du *Miroir des limbes*, tome II des *Œuvres* de Malraux dans La Pléiade.

BIBLIOGRAPHIE GÉNÉRALE

Œuvres

De nombreux titres sont constamment réédités, en particulier aux éditions Gallimard (« Folio », etc.). En 1984, la Bibliothèque de la Pléiade (Gallimard) propose deux volumes d'œuvres : I, *Romans (les Conquérants, la Condition humaine, l'Espoir)*; II, *le Miroir des limbes* (voir détail dans la *chronologie* à la date de 1976). On signalera d'autre part que divers ouvrages de Malraux ont été illustrés par des dessins ou eaux-fortes d'artistes contemporains : *Lunes en papier*, éd. des Galeries Simon, 1921, ill. par Fernand Léger; les *Œuvres complètes*, éd. Skira, 1945; les *Œuvres*, éd. Gallimard, 1970, « la Gerbe » (Alexeieff, Masson, Chagall); *Roi, je t'attends à Babylone* (le texte, revu, constituera un fragment de *Hôtes de passage*, dans *la Corde et les Souris*), éd. Skira, 1973 (Salvador Dali); *Et sur la terre* (texte sur la guerre d'Espagne), éd. Maeght, 1977 (Chagall).

A consulter

Une introduction d'ensemble : G. Picon, *André Malraux*, Paris, Le Seuil, 1953.

Études à dominante biographique : J. Lacouture, *André Malraux, une vie dans le siècle*, Paris, Le Seuil, 1976; W. Langlois, *André Malraux, l'aventure indochinoise*, Paris, Mercure de France, 1967; Clara Malraux, *le Bruit de nos pas*, Paris, Grasset, 1963-1979; J. Mossuz, *André Malraux et le Gaullisme*, Paris, A. Colin, 1970; R. Stéphane, *Portrait de l'aventurier*, Paris, Grasset, 1965.

Études sur l'œuvre et la pensée : J. Carduner, *la Création romanesque chez Malraux*, Paris, Nizet, 1968; M. de Courcel (dir.), *Malraux, Être et dire*, Paris, Plon, 1976; F. Dorenlot, *Malraux ou l'Unité de pensée*, Paris, Gallimard, 1970; P. Gaillard (dir.), *les Critiques de notre temps et l'Œuvre de Malraux*, Paris, Garnier, 1970; G.T. Harris, « Malraux, une esthétique du mensonge », *Cahier de l'Assoc. des études françaises*, mai 1981;

I. Juilland, *Dictionnaire des idées dans l'œuvre d'André Malraux*, La Haye, Mouton, 1969; Ch. Moatti, *Malraux, une vision de la personne à travers ses personnages de roman*, thèse Paris IV, 1979; M. Sperber, « Un pascalien sans religion », *Nouvelles littéraires*, nov. 1976; M. Tison-Braun, *Ce monstre incomparable... Malraux ou l'Énigme du moi*, Paris, A. Colin, 1983; A. Vandegans, *la Jeunesse littéraire d'André Malraux*, Paris, Pauvert, 1964.

A consulter également les revues suivantes : *Esprit*, oct. 1948; *l'Herne*, n° 43, 1982; *Revue des Lettres modernes* (Cahiers André Malraux) : « Du farfelu aux *Antimémoires* », Paris, Minard, 1972; *Revue de la Société américaine Malraux*, dir. W. Langlois, univ. of Wyoming (U.S.A.); *Revue d'histoire littéraire de la France*, n° 2, 1981; *C.A.I.E.F.*, n° 33, mai 1981.

M.-A. DE BEAUMARCHAIS

MALRIEU Jean (1915-1976). De même que Paul Éluard, auquel, à bien des égards, il s'apparente, Jean Malrieu, qui naquit au cœur du pays cathare, pouvait inscrire au fronton de sa maison : « l'Amour, la Poésie ». Ses premiers recueils (*Préface à l'amour*, 1953; *Hectares de soleil*) chantent la passion et la femme, qu'ils présentent comme les intercesseurs nécessaires au poète pour restituer un ordre dans le chaos apparent du monde, renouer les liens entre le sensible et l'inerte et, contre la résignation, « allumer un feu nouveau », qui est feu de joie et de liberté. La confiance ainsi manifestée en la nature, les noces célébrées des êtres et de la terre conduisent vers, tout à la fois, une noblesse et une sagesse subversive et concrète (« La poésie doit avoir pour but la vérité pratique », est la devise de la revue *Action poétique*, que Jean Malrieu crée avec Gérald Neveu avant de fonder *Sud*) qui se déploient dans une langue simple et charnelle, aux images toujours très sûres, d'inspiration souvent surréaliste. Le lyrisme de Malrieu, rigoureux, ne laisse pas cependant d'être teinté d'un certain moralisme; mais celui-ci ne semble jamais hautain et signale plutôt une défense face à une menace innommée qui imprègne déjà *Vesper* (1963) : du plein soleil méditerranéen à l'étoile du soir se jouent, en effet, l'approche difficile de nouvelles contrées et l'imminence d'une déchirure que la conscience aiguë de l'écoulement temporel vient aggraver. L'hymne à l'été cache ainsi un exorcisme, une conjuration — mais non une fuite, car Jean Malrieu ne cesse pas d'accepter l'éphémère, la fragilité. L'infléchissement qui se produit dans *la Vallée des rois* (1968) et dans *le Château cathare* (1971), qui amène le poète à se pencher sur son passé proche et lointain et à méditer sur les « parfaits », doit être compris non comme une rupture avec ses écrits antérieurs, mais comme une préparation, une nouvelle préface à la mort, cette fois. *Possible Imaginaire* (1975), débarrassé de tout vouloir-dire, émondé à l'extrême, rassemble les textes les plus purs, les plus douloureux et pourtant les plus sereins de Jean Malrieu.

BIBLIOGRAPHIE

P. Dhainaut, *Jean Malrieu*, Rodez, Subervie, 1972.

L. PINHAS

MALVA Constant, pseudonyme d'**Alphonse Bourlard** (1903-1969). Écrivain belge d'expression française, né à Quaregnon, dans le Hainaut, Alphonse Bourlard descend à la mine avant d'avoir seize ans. Ouvrier révolté, il milite au parti communiste, dont il se détache en 1928 après l'exclusion des trotskistes au congrès d'Anvers.

En 1929, sa mère, malade, lui fait le récit de sa vie, et, profondément bouleversé, il décide de l'écrire. Il signe ce premier livre — *Histoire de ma mère et de mon oncle Fernand* — d'un pseudonyme qu'il tire du nom de son arrière-grand-mère, Constance Malva. Le manuscrit, envoyé aux éditions Valois, où Henry Poulaille dirige une collection de romans prolétariens, est accepté d'enthousiasme. L'ouvrage paraît en 1932, avec une préface d'Henri Barbusse.

Dès lors, et tout au long des années 30, Malva fréquente, à Paris, le groupe Poulaille; à Bruxelles, les différentes associations créées par Charles Plisnier et Albert Ayguesparse; à La Louvière, le groupe surréaliste Rupture, animé par Achille Chavée et Fernand Dumont. En 1937, ces derniers publient un recueil de ses contes : *Borins*. Parallèlement à ces courts récits, Malva entreprend la composition de son journal d'une année de mine, *Ma nuit au jour le jour*, dont Sartre publiera des extraits dans *les Temps modernes* en 1947.

Mais, inquiet quant à sa santé, rêvant de mener une vie d'écrivain, déçu par l'action syndicale et politique des mineurs et partageant les vues pacifistes de Poulaille et de Giono, il quitte la mine en février 1940, dans l'attente d'un poste de bibliothécaire. La guerre vient ruiner ses espoirs et plonge sa famille dans la misère. Son ami, l'écrivain Pierre Hubermont, qui dirige plusieurs revues collaboratrices, lui obtient une place de concierge à l'U.T.M.I., le syndicat demaniste, et publie quelques-uns de ses contes. Des recueils, *Un de la mine* et *Mon homme de coupe*, paraissent l'un en Suisse, en 1942, l'autre à Bruxelles, en 1943.

Après la guerre, Malva subsiste d'une maigre pension de mineur péniblement obtenue. Il écrit un texte autobiographique, *Un mineur vous parle* (Lausanne, 1948), et surtout son premier et unique roman, une histoire d'amour, *le Jambot* (Bruxelles, 1951). Ensuite, privé du contact avec la mine, il écrit de moins en moins, il s'essaye à la poésie avec *Mensuaires* (1954) et au théâtre, mais sans l'originalité et la dureté qui frappaient dans ses premiers textes.

Il meurt à Bruxelles, à soixante-six ans, des suites de la silicose.

Bien qu'ayant rencontré des difficultés dans le maniement de la langue, Malva est un véritable écrivain, et son œuvre est bien plus qu'une suite de documents autobiographiques. En ce sens, les éloges mêmes de ses amis, souvent plus soucieux d'authenticité prolétarienne que de littérature, ont paradoxalement contribué à le maintenir à l'écart de notre histoire littéraire. Or, c'était un remarquable conteur, bien plus proche des traditionnels chroniqueurs de marchés borins que des romanciers naturalistes auxquels on a trop souvent tenté de le comparer. Il ne projeta jamais d'écrire le *Germinal* que lui réclamaient ses amis, curieusement incapables de comprendre son talent et les thèmes que son œuvre explorait : non seulement la mine et les mineurs, mais la figure maternelle, la sexualité, le péché, la confession, la recherche de la pureté. Les fresques, les épopées, les « grandes machines » ne lui convenaient guère. Il faut lire ses recueils de contes, dont Fernand Dumont disait qu'ils étaient écrits « avec un morceau de charbon ».

BIBLIOGRAPHIE

Jacques Cordier, *Du pic à la plume*, Bassac, éd. Plein Chant, 1980; Andréa Nève, « Approche idéologique de Constant Malva », *Mémoire de Philologie romane*, Bordas, U.L.B., 1979.

M. GHENDE

MAMMERI Mouloud (né en 1917). V. MAGHREB. Littérature d'expression française.

MANCHETTE Jean-Patrick (né en 1942). V. ROMAN POLICIER.

MANDEVILLE Jean de. V. VOYAGES DE JEAN DE MANDEVILLE.

MANDIARGUES André PIEYRE de. V. PIEYRE DE MANDIARGUES André.

MANESSIER (XIIIe siècle). V. CONTINUATIONS (du *Perceval* de Chrétien de Troyes).

MANIFESTES du XIXe siècle (les). L'abondance des manifestes littéraires, l'irrésistible propension de tant de préfaces d'œuvres à devenir des manifestes, le besoin d'adresser à un public un discours métalinguistique, c'est là un trait fondamental du XIXe siècle. Que le siècle paraisse s'ouvrir (ouverture qui dure au moins jusqu'en 1830) sur une bataille entre l'esthétique classique et l'esthétique romantique révèle un moment, plus fort que les autres, de cette fonction des manifestes, mais dissimule peut-être le trait suivant, qui appartient en vérité à tout le siècle : toute œuvre, ou presque, se pose contre une autre, ou se fait accompagner d'un discours préalable qui a essentiellement valeur polémique. On annonce; on proclame; on se différencie — parfois même de son esthétique précédente. Ce phénomène général est inséparable de l'existence d'un véritable marché des œuvres, d'une « démocratisation » (longtemps bourgeoise) de la lecture, d'un appel permanent « au lecteur » — destinataire indéfini mais innombrable. A l'heure aussi où la critique littéraire se répand presque exclusivement dans les journaux (« le feuilleton critique ») et dans les revues, les auteurs pensent qu'ils sont les mieux placés pour dire leurs intentions et pour affirmer, au surplus, la nouveauté de leur œuvre si certains risquaient de ne pas la voir. Du coup, chaque œuvre est, plus ou moins, marquée par cette présence diffuse du lecteur, auquel la préface s'adresse plus directement que l'œuvre. Au XIXe siècle, chaque écrivain est — ou souvent veut être — critique en même temps que créateur; la littérature s'intègre à elle-même une critique, parfois une mise en cause de la littérature : les préfaces deviennent manifestes, et les manifestes prolifèrent, parce que l'œuvre la plus déterminée et la plus personnalisée cherche à avoir valeur générale, concernant tous les hommes; autre aspect du poids du public. Enfin, il n'est pas de préface ni de manifeste qui soit, au fond, purement littéraire : tous concernent ou mettent en cause les rapports complexes de la littérature et de la société, deux réalités en mouvement et à mouvements différenciés. Certains manifestes, apparemment très littéraires, ont un contenu ou une incidence politique, ne serait-ce que parce qu'ils « tombent » dans une situation historique donnée : il est clair, par exemple, que, vers 1830, tout un « libéralisme » esthétique a précédé un libéralisme politique, que les préfaces de Hugo avançaient plus vite que la situation politique, plus vite même que l'idéologie de leur auteur : la « révolution » dans les mots et dans les notions devançait celle qui se produirait dans les choses.

Manifestes ou préfaces préromantiques et romantiques

Avant Hugo

On peut considérer comme le premier manifeste en faveur de la nouvelle littérature l'ouvrage que Mme de Staël dédie, en quelque sorte, à Bonaparte, homme du siècle : *De la littérature considérée dans ses rapports avec les institutions* (1800). Le livre se présente comme un plaidoyer pour le XVIIIe siècle — un certain XVIIIe siècle; celui de Montesquieu, qui a montré le rapport existant entre une littérature et une civilisation; celui de Rousseau, qui a relié littérature et sensibilité. La littérature n'est pas indépendante de la société; en dernière instance, elle n'est même pas indépendante de la politique. Idée capitale qui préfigure le point de vue de Stendhal : les mœurs politiques dérivant de la tyrannie dégradent même la littérature, et elles en appellent une autre forme, qui réagira sur les mœurs. Pour la même raison — le lien littérature-société —, un rapport relie les littératures entre elles : ainsi Mme de Staël en vient-elle à distinguer — distinction célèbre — le groupe des littératures du Midi et le groupe des littératures du Nord. Mme de Staël réhabilite le Moyen Âge : tout le romantisme la suivra sur ce point; le sens du Moyen Âge ne contredit pas son sens et sa défense du progrès. Rien n'est plus relatif que le goût; le goût ne doit pas commander une esthétique : ce serait asservir celle-ci à une dominante sociale. Le progrès littéraire n'est pas concevable en poésie, langage absolu; mais il est possible dans le roman, en philosophie, en histoire, car la liberté, l'égalité, bref les institutions, favoriseront certains genres que l'histoire elle-même a développés. L'éloge du XVIIIe siècle par Mme de Staël ne plut guère à Bonaparte, qui préférait, pour assurer son pouvoir, le XVIIe siècle et les canons de l'esthétique classique.

En 1809, Benjamin Constant écrit une préface à une adaptation du *Wallenstein* de Schiller : la tragédie française doit s'inspirer du théâtre étranger — surtout allemand — pour rapprocher le théâtre du réel; une pièce doit peindre, en mouvement, « un caractère entier », « une vie entière », et non pas une crise passionnelle; à l'exemple du théâtre étranger, il faut multiplier les personnages, négliger les unités, remplacer, si possible, les récits par des actions, créer la « couleur locale », « base de toute vérité ». Ainsi, dès 1809, le théâtre est choisi comme le genre propice à véhiculer la nouvelle esthétique « romantique » (elle ne porte pas encore ce nom); la Préface de Benjamin Constant apparaît comme un véritable manifeste préromantique.

En 1823, Stendhal lance la première partie de *Racine et Shakespeare*: même critique des unités; constat que le théâtre racinien, qui était moderne « pour nos grands-pères », ne convient plus au public du XIXe siècle; il faut une tragédie nouvelle, qui s'adapte à une génération de « jeunes gens raisonneurs »; le théâtre doit être fondé non sur des règles, mais sur un plaisir, celui qu'en attend le public actuel. Ce besoin esthétique nouveau, c'est le « romanticisme ».

Les préfaces de Hugo

Victor Hugo compte moins sur des manifestes lancés comme tels que sur des *préfaces* à ses œuvres; préfaces dont certaines ont fini par évincer les textes qu'elles présentaient.

Les *Odes,* puis les *Odes et ballades,* dans leurs éditions successives, ont des préfaces différentes; étape par étape, Hugo tire les leçons de sa pratique poétique et annonce son idée de la poésie; chaque préface est un pas en avant et une projection sur l'avenir. En 1822, Hugo pose la correspondance nécessaire entre les « émotions d'une âme » et les « révolutions d'un empire », c'est-à-dire entre l'individu profond et la société dans ses soubresauts les plus violents. La Préface de 1824 défend les droits imprescriptibles et illimités de la parole poétique; rien ne saurait être interdit à celle-ci : « Tout dire est sa loi morale. » En 1826, Hugo pose la question de la fonction du poète à travers la contradiction entre la poésie militante et la poésie pure; etc.

En 1827, la fameuse préface de *Cromwell* fait oublier la pièce historique *Cromwell* : elle la réduit à l'état de prétexte. Elle relie l'art à l'histoire : le théâtre moderne doit prendre conscience du choc entre le christianisme et les Temps modernes. La réversibilité du grotesque et du sublime caractérise l'époque présente. Il faut faire entrer toute la nature dans l'art en renouvelant les genres, surtout la tragédie et la comédie, car tout peut être tragédie et comédie : réversibilité là encore. La poésie doit se concilier avec la vérité.

La préface des *Orientales* (1829) est politique. La pièce d'*Hernani* (1830) ne disparaît pas derrière une Préface : elle est, à elle seule, un manifeste qui nargue le goût classique, le spectateur classique; qui brandit la liberté de l'art, le droit à une poésie totale du mot. Presque en même temps, Hugo publie *le Dernier Jour d'un condamné,* roman qui se présente comme le journal d'un condamné à mort fictif : le livre est sans préface; à la quatrième édition, Hugo impose une « préface en dialogue », qui raille et provoque le goût des classiques et des romantiques modérés; trois ans plus tard, Hugo change complètement de préface : plus rien de littéraire; la préface est devenue un manifeste politique contre la peine de mort.

La préface des *Feuilles d'automne* (1831) mêle art et politique : indulgent envers les systèmes politiques, Hugo y proclame sa « partialité passionnée pour les peuples », se dit hanté par les révolutions. La préface de *Marie Tudor* lance une définition fracassante et grandiose du romantisme. Les préfaces se succèdent au fil du demi-siècle : celle des *Voix intérieures,* celle des *Rayons et les Ombres,* toutes se donnent la même allure conquérante. Il n'est pas, chez Hugo, jusqu'au discours de réception à l'Académie française (1841) qui ne prenne le tour d'un manifeste aussi politique que littéraire, politique parce que littéraire.

Autres manifestes

Certaines pièces des années 1830 prirent valeur de manifeste; les jeunes gens s'emparaient de leurs titres, de certaines de leurs répliques et les jetaient à la face de la société et des « philistins » : ainsi d'*Antony* ou de *la Tour de Nesle* de Dumas. Auguste Barbier lançait *la Curée* comme apologie de « la sainte canaille » : le peuple, toujours plus ou moins dépouillé par la bourgeoisie.

On peut considérer comme une sorte de manifeste tout le début de *la Confession d'un enfant du siècle,* où, avant que ne commence le récit, Musset évoque une jeunesse frustrée, condamnée à l'égoïsme de l'argent, au refus de la politique, par le régime de la Restauration; cette « préface » est un manifeste désabusé pour le bonheur, pour une société perdue, dans un siècle marqué par la division des êtres, l'opposition des sexes. Ce n'est plus la littérature, mais bien l'ordre social dans son ensemble qui est ici en cause. La même année, la préface de *Mademoiselle de Maupin* est lancée par Théophile Gautier avant l'ouvrage (dont le récit principal a pour héroïne une androgyne) : cette préface est un réquisitoire contre la morale en art, une critique de tout art moralisant, un plaidoyer pour la liberté et la gratuité de l'art, une apologie, pleine d'images et de passion, de la beauté pure : n'est beau que ce qui ne sert à rien. Souvent, par la suite, la préface évinça l'œuvre, qui devenait ainsi son appendice.

Malgré tout, les préfaces-manifestes ou les manifestes les plus nombreux concernent le théâtre et la poésie. Le roman est encore un genre relativement mineur, trop « roturier » sans doute pour véhiculer des préfaces à haute prétention littéraire et politique. Pourtant, on vient de voir les deux exemples de Musset et de Gautier, qui délivrent deux messages différents. Ajoutons-y, pour le roman délibéré et à forte carrure, certaines préfaces de Balzac : en 1830, la préface aux *Scènes de la vie privée*; en 1842, l'avant-propos de *la Comédie humaine*; deux préfaces qui lancent bel et bien le roman à l'assaut de la société et de l'état civil.

Manifestes et préfaces après 1850

Les préfaces de roman prennent le dessus dans la seconde moitié du siècle, par la force conquérante même du genre, alors que le théâtre s'enlise dans un certain conformisme, et que le retrait même de la plupart des poètes dans leur tour d'ivoire, dans l'art pour l'art, dans leur symbolisme, ne les porte plus à délivrer des messages à un large public. Seul, Hugo est à mettre à part; encore n'a-t-il plus guère besoin de préfaces-manifestes précédant les œuvres. En 1855, *les Châtiments* sont à eux seuls un immense manifeste politique et poétique, un message prérépublicain porté par la puissance vertigineuse du verbe : donc aussi un message poétique, qui fond la poésie « impure » et la poésie « pure ». En 1863, Victor Hugo — encore lui! — donne son *William Shakespeare,* qui prend prétexte de Shakespeare pour proposer une méditation lyrique sur le génie, sur le peuple, juge ultime des œuvres et seul sensible à l'idéal (en ce sens, l'art est « utile »); un testament romantique et, beaucoup plus, un manifeste inspiré, à la fois critique et poétique.

L'après 1850 est aussi la grande époque des préfaces hautaines et dédaigneuses de Leconte de Lisle, telle celle des *Poèmes antiques* (1852) : pas de confidence, pas de « cœur », pas de plainte; il faut se réfugier dans la « vie contemplative et savante », il faut réconcilier la poésie et la science dans l'impersonnalité. Gautier se contente, dans *Émaux et Camées,* d'une seule pièce, qui joue le rôle de manifeste poétique : « Sculpte, lime, cisèle. » Après 1870, la poésie dite parnassienne se trouve codifiée. On aura encore, en 1883, l'opuscule de Verlaine, *les Poètes maudits,* qui revendique la réunion, sous une heureuse malédiction, des poètes Mallarmé, Corbière, Rimbaud; et le récit de Huysmans, *A rebours,* grand manifeste de la littérature qui se veut « décadente ». On s'isole de la société, on revendique cet isolement; comment, dès lors, délivrerait-on à son temps des messages, des préfaces ou des manifestes?

Pour le roman, au contraire, les préfaces, les manifestes, les proclamations se multiplient et se développent selon une imperturbable logique : à peu près parallèlement au courant qui pousse la poésie au retrait et à l'isolement (Hugo mis à part). Toute une littérature se répand qui, le fait est capital, se juge de moins en moins séparable de la « révolution » picturale. « La réalité » est un concept clé pour le roman et pour la peinture, quelle que soit la diversité de leurs médiations.

En 1855, Courbet lance son catalogue-manifeste dans une exposition qui est à l'enseigne du « Réalisme »; Courbet crie : « Savoir pour pouvoir! » Dès l'année suivante, la revue *le Réalisme,* de Duranty, s'en prend à Musset, à Hugo, à Gautier, à Lamartine et proclame le primat de la « vérité »; pour la première fois apparaît le mot « naturalisme »; il faut peindre l'homme par ce qui se voit en lui : « le côté social ». Aussitôt après, Champfleury publie *le Réalisme,* qui annonce une école nouvelle, « ni classique ni romantique » : mais elle « sortira du romantisme ». Ce sont là de purs manifestes. Les œuvres suivent ou accompagnent : romans de Duranty, de Champfleury. Pendant presque dix ans, jusqu'en 1870, Castagnary développe, dans des journaux et des *Salons,* sa défense du « naturalisme comme peinture totale de la vie moderne et changeante ».

Surtout, on a certaines œuvres des Goncourt, notamment *Germinie Lacerteux* (1865), qui, dans sa préface, historiquement capitale, proclame : « Vivant au XIXe siècle, dans un temps de suffrage universel, de démocratie, de libéralisme, nous nous sommes demandé si ce qu'on appelle *les basses classes* n'avait pas droit au roman. » Puis, Zola écrit *Mes haines* (1866), qui réclame (le titre parle), contre un romantisme décrépit et hypocrite, la montée d'un « naturalisme » vivace et moderne. Presque aussitôt, il écrit un grand roman, *Thérèse Raquin,* dont la préface à la seconde édition (1868) déclare : « J'ai voulu étudier des tempéraments, non des caractères [...] J'ai choisi des personnages souverainement dominés par leurs nerfs et leur sang, dépourvus de libre arbitre... » Préfaces et proclamations (même les calmes *Soirées de Médan* constituent un manifeste) se succèdent : entre autres, en 1881, *les Romanciers naturalistes* (« Le premier caractère du *roman naturaliste,* dont *Madame Bovary* est le type, est la reproduction exacte de la vie, l'absence de tout élément romanesque »); en 1887 : *le Roman expérimental,* qui appelle Claude Bernard à aider à définir le roman. Contre Zola, on voit soit des œuvres qui retournent le « réalisme » en « idéalisme », tel le roman-manifeste (il n'avait pas besoin de préface) *A rebours* (1883), soit des contre-manifestes, proclamations protestataires, comme le *Manifeste des Cinq* contre le livre *la Terre* (1887). Il y a peut-être, dès lors — et c'est révélateur —, moins de manifestes, de préfaces offensives que d'examens critiques de la littérature; très caractéristique à cet égard est, en 1889, l'opuscule de Charles Morice *la Littérature de tout à l'heure,* qui veut que l'art soit un sacerdoce, une mystique fondée sur le principe des « correspondances »; et, plus caractéristique encore, l'*Enquête sur l'évolution littéraire* de Jules Huret, qui procède par questions et réponses : les réponses tournent à l'opposition radicale (et stérile) de manifestes naturalistes et de manifestes symbolistes. Le manifeste resurgit de ses propres cendres. On peut bien encore citer la préface de Maupassant à *Pierre et Jean* (1888) : elle est déjà moins un manifeste qu'une revendication de la liberté du romancier, une réhabilitation de l'exceptionnel dans le roman — y compris dans l'ordre psychologique —, presque une défense du fantastique, dérivant de l'observation pitoyable de « la vérité ».

Le besoin, la vogue, la force des manifestes au XIXe siècle, le glissement de tant de préfaces vers le manifeste, tout révèle la fonction historique et catalysante de cette forme d'exposé. S'il y en a tant, c'est que l'époque est contradictoire, combative et combattante; c'est que la littérature au XIXe siècle vit de sa propre mise en question : elle inclut et digère sa problématique. C'est presque toujours une problématique des rapports de l'art et de la société : les manifestes les plus littéraires recèlent une dimension politique. Ainsi marche-t-elle, cette littérature, de manifestes proclamés en manifestes récusés ou niés : les œuvres ont beau arborer leurs manifestes, elles vont souvent plus vite et plus loin, suscitant d'autres manifestes, à leur tour bientôt dépassés. Cela témoigne et de la fécondité interne des œuvres et d'une présence active des lecteurs : le public aussi fait les œuvres.

CHRONOLOGIE

1800 Mme de Staël, *De la littérature considérée dans ses rapports avec les institutions.*
1809 Benjamin Constant, Préface au *Wallenstein* de Schiller (reprise dans B. Constant, *Mélanges de littérature et de politique,* 1829).
1822 V. Hugo, *Odes* et préface.
1823 Stendhal, *Racine et Shakespeare* (Ire partie).
1825 Stendhal, *Racine et Shakespeare* (suite).
1826 V. Hugo, *Odes et Ballades* et préface.
1827 V. Hugo, Préface de *Cromwell.*
1829 V. Hugo, *les Orientales* et préface.
V. Hugo, *le Dernier Jour d'un condamné,* sans préface.
1830 V. Hugo, *Hernani.*
Auguste Barbier, *la Curée.*
Balzac, Préface des *Scènes de la vie privée.*
1831 V. Hugo, *Feuilles d'automne* et préface.
A. Dumas, *Antony.*
1832 A. Dumas, *la Tour de Nesle.*
V. Hugo, *le Dernier Jour d'un condamné,* nouvelle édition avec préface.
1833 V. Hugo, Préface de *Marie Tudor.*
1834 Th. Gautier, Préface de *Mademoiselle de Maupin.*
1836 Th. Gautier, *Mademoiselle de Maupin* (1re édition).
Musset, *la Confession d'un enfant du siècle.*
1837 V. Hugo, *les Voix intérieures,* avec préface.
1840 V. Hugo, *les Rayons et les Ombres,* avec préface.
1841 V. Hugo, *Discours de réception à l'Académie française.*
1842 Balzac, Avant-propos de *la Comédie humaine.*
1852 Leconte de Lisle, Préface des *Poèmes antiques.*
1855 V. Hugo, *les Châtiments.*
Catalogue-manifeste de Courbet à l'exposition Courbet; enseigne : « le Réalisme ».
1856-1857 Revue *le Réalisme,* de Duranty et Assézat.
1857 Th. Gautier, « l'Art », dans *Émaux et Camées.*
Champfleury, *le Réalisme.*
1861-1869 *Salons*-manifestes de Castagnary.
1864 V. Hugo, *William Shakespeare.*
Goncourt, Préface de *Germinie Lacerteux.*
1866 Zola, Préface à la deuxième édition de *Thérèse Raquin.*
1871 Zola, Préface à *la Fortune des Rougon.*
1872 Th. de Banville, *Petit Traité de poésie française.*
1876 *Le Parnasse contemporain.*
1880 Zola, *les Soirées de Médan.*
1881 Zola, *les Romanciers naturalistes.*
1883 Huysmans, *A rebours,* œuvre-manifeste de la « Décadence ».
Verlaine, *les Poètes maudits,* second manifeste de la « Décadence ».
1887 Zola, *le Roman expérimental.*
Manifeste des Cinq contre *la Terre.*
1888 Maupassant, *Pierre et Jean,* avec préface.
1889 Charles Morice, *la Littérature de tout à l'heure.*
1891 Jules Huret, *Enquête sur l'évolution littéraire.*

R. BELLET

MANSEL Jean (1400-vers 1473). Né à Hesdin, il y passe sa vie au service des ducs de Bourgogne (il est receveur général des aides d'Artois). Il a fait œuvre d'historien compilateur dans ses *Histoires romaines* (1454), incorporées plus tard dans la seconde version d'une vaste fresque, la *Fleur des hystoires,* tentative d'histoire universelle chrétienne, des origines du monde à Charles VI, dont on a gardé deux rédactions : une en trois livres (1446-1451) et une en quatre (1467). Il s'agit d'une marqueterie de morceaux provenant de la Bible, des auteurs latins (Tite-Live, Salluste, Suétone, Lucain, Orose), des vies de saints et de l'épopée (le règne de Charles le Chauve est un abrégé de *Girard de Roussillon*), comportant même des traités dont le lien avec l'ensemble est fort ténu (« les Provinces du monde », « les Édifices de Rome »), voire des épisodes romanesques (« Grisélidis »). Le prologue est épique et dramatique : le Christ, entouré de sa mère, de Joachim et d'Anne, des anges et des apôtres, apparaît comme un roi s'avançant avec son armée, précédé de l'avant-garde de l'Ancien Testament et de l'arrière-garde du Nouveau. Le premier livre va de la Création à Auguste, le deuxième raconte la vie du Christ, l'histoire des anges et « l'hystoire de la grant cité de Belges »; le dernier, des vies de saints, l'histoire des Francs, des papes. Ainsi se mêlent les « mes » pour « la refection de l'ame » et les « entremes » profanes, qui vont prendre le dessus dans la seconde version. Ce genre d'histoire, qui rappelle celle de Jean d'Outremeuse, montre la séparation entre deux conceptions du temps de l'historien : celle du temps de la chronique, fixation de l'éphémère; celle du temps *sub specie aeternitatis,* héritée des théologiens, et véritable négation du temps.

BIBLIOGRAPHIE
Guy de Poerk, *Introduction à la Fleur des hystoires de Mansel,* Gand, 1936. H. Martin (*les Joyaux de l'Arsenal,* III) a édité les enluminures des *Histoires romaines* exécutées par Loyset Lyedet (55 planches reproduisant les illustrations des manuscrits 5087 et 5088 de l'Arsenal) pour Philippe le Bon en 1454.

A. STRUBEL

MANSOUR Joyce (née en 1928). D'origine égyptienne, née à Bowden (Grande-Bretagne), Joyce Mansour se définit d'emblée comme une « étrange demoiselle » (*Cris,*

1952). Elle appartient à cette lignée de surréalistes femmes, hantées, de Léonor Fini à Unica Zürn, par un érotisme funèbre, quasi morbide, en lequel on peut voir la manifestation la plus explicite d'une situation en porte-à-faux dans un mouvement, d'origine essentiellement masculine, qui idéalise la Femme. En ce sens, l'itinéraire poétique de Joyce Mansour retrace la recherche, inlassablement répétée, d'une place et d'une parole propres. En effet, si, dans un premier temps, Joyce Mansour intériorise l'univers surréaliste, c'est pour, ensuite, crier, aux antipodes apparents de « l'amour fou », la blessure (ses premiers titres, *Déchirures,* 1955; *Rapaces,* 1960, sont significatifs à cet égard) d'un rejet qui affecte tant l'homme que la femme. Celle-ci en particulier est l'objet d'une haine ambiguë, qui participe d'un processus d'autodestruction et de fantasmes de mutilation : mère, sœur ou (et) rivale — double ennemie en tous les cas —, la femme apparaît ici comme un être pervers et sournois, profondément sadomasochiste, que menacent malformations et putréfaction. Aussi a-t-on rapproché, à plusieurs reprises, *Jules César* (1956) de l'*Histoire d'O,* et André Breton lui-même a conféré aux *Gisants satisfaits* (1958) l'honneur de représenter « le Jardin des délires de ce siècle ».

L'obsession sexuelle de Joyce Mansour se traduit par une imagerie débridée, cauchemardesque et nauséeuse qui module et ressasse le suintement, la moiteur, la viscosité. Son inquiétant bestiaire, l'animisme universel d'un monde-charnier et jusqu'à son humour macabre révèlent l'avancée de la décomposition. Et pourtant cette sexualité maudite doit sans doute être comprise comme l'envers d'une pureté et d'une innocence rêvées, perdues, impossibles.

On aurait pu craindre la monotonie d'un tel univers, mais, avec *Carré blanc* (1965), *Ça* (1970) et *Faire signe au machiniste* (1977), Joyce Mansour est parvenue, dans des textes plus amples et plus denses, à éviter en partie l'écueil du procédé et de la gratuité du jeu verbal et à explorer plus fortement ses fantasmes.

[Voir aussi ÉGYPTE. Littérature égyptienne d'expression française].

L. PINHAS

MANUEL Eugène (1823-1901). Né à Paris, dans une famille israélite du Marais, Eugène Manuel suit le trajet classique des bons élèves, depuis le lycée Charlemagne jusqu'à l'École normale supérieure et l'agrégation des lettres, qu'il obtient en 1847. Il est successivement professeur à Dijon, à Grenoble, à Tours, enfin à Paris où il enseigne dans divers lycées. En 1871, Jules Simon, ministre de l'Instruction publique, le prend comme chef de cabinet. A ce poste, puis comme inspecteur général, il jouera un rôle important dans la politique scolaire de la IIIe République. Quant à l'activité littéraire de Manuel, elle commence par un recueil primé par l'Académie, *Pages intimes* (1866), dont certains textes furent publiés par la *Revue des deux mondes.* Il collabora ensuite aux derniers *Parnasse contemporain* de 1871 et 1876; donna deux pièces, *les Ouvriers* (Comédie-Française, 1870) et *l'Absent* que joua Sarah Bernhardt. En 1871 Manuel avait fait paraître deux recueils poétiques : *Pendant la guerre* et *Poèmes populaires*; en 1882, il publiera *En voyage.* Il faut citer encore ses éditions de Chénier et de J.-B. Rousseau. Son œuvre pédagogique comprend, outre des discours de distribution de prix, quatre recueils de lectures scolaires : *la France* (1855-1857), composés en collaboration avec son beau-frère Ernest Lévi-Alvarès.

Il est difficile de s'enthousiasmer pour les œuvres de Manuel, et l'on comprend mal l'engouement des contemporains pour cette poésie qui nous paraît bien ennuyeuse; adjectifs convenus, clichés perpétuels, tout ici semble faux dans le sentiment et médiocre dans l'expression : l'auteur s'apitoie ou prie; il met en vers les truismes les plus éculés, avec parfois une touche humanitaire qui se voudrait hugolienne. En réalité, il ne convient pas de lire Manuel comme on lirait un poète. Il faut plutôt chercher dans son œuvre la matière d'une histoire des mentalités en ces débuts de la IIIe République, dont ce genre de poésie renvoie un écho caricatural.

BIBLIOGRAPHIE

Vapereau, *Dictionnaire universel des contemporains* (6e éd.), Hachette, 1893; Storck, *Eugène Manuel, sa vie et son œuvre,* Lyon, A. Storck, 1907.

A. PREISS

MANUSCRIT. Le mot *manuscrit,* adjectif substantivé qui ne semble guère attesté avant le XVIIe siècle, n'est pas univoque. En Italie ou en Espagne, par exemple, *codice* désigne seulement un livre écrit à la main (normalement avant l'introduction de l'imprimerie); en France, on peut aussi bien parler du manuscrit des *Très Riches Heures* de Jean de Berry que de celui des *Pensées* de Pascal, et le même terme sert pour le texte que l'on envoie à un éditeur, fût-il entièrement tapé à la machine (le néologisme « tapuscrit » n'ayant connu qu'un succès mitigé). Certes, il faut distinguer les diverses acceptions, mais en se gardant de dresser entre elles des cloisons trop étanches car, en dépit des apparences, il ne s'agit pas de domaines différents, comme le prouve le fait que l'étude des manuscrits médiévaux et celle des manuscrits modernes relèvent d'une même méthode et de techniques analogues; et nous verrons qu'il existe des formes intermédiaires, difficiles à classer, qui sont souvent les plus intéressantes, entre les deux grandes catégories que sont le livre manuscrit et le manuscrit d'auteur.

Le livre manuscrit était un objet de fabrication artisanale, parfois aussi une œuvre d'art; à partir de la fin du XVe siècle, il a très vite cédé la place au livre imprimé.

Le manuscrit d'auteur, en revanche, s'il a pu changer d'apparence au cours des siècles, n'a jamais connu de transformation fondamentale et n'a aucune raison de disparaître.

Ils doivent l'un et l'autre être étudiés d'un triple point de vue : comme texte, comme objet et comme élément d'un ensemble. Cette division a surtout une utilité heuristique; elle n'a pas une grande valeur sur le plan théorique : on pourrait facilement objecter, en effet, que tout objet (plus précisément tout objet fabriqué, justiciable de la méthode archéologique) est par définition un élément d'un ensemble; et cela est également vrai du texte qui, même dépourvu de réalité tangible sans son support matériel, n'en est pas moins, lui aussi, le produit d'une « fabrication ». Cette objection a le mérite de rappeler que toute division d'un phénomène complexe, pour nécessaire qu'elle soit à la recherche, comporte une part d'arbitraire, et qu'il serait dangereux d'isoler par trop l'étude de chaque aspect — et plus dangereux encore, comme ce fut longtemps le cas pour les manuscrits, d'accorder un intérêt exclusif à l'un des aspects en oubliant les autres.

Le livre manuscrit

Nous ne traiterons pas ici des livres de l'Antiquité, qui ne subsistent qu'à l'état de vestiges, et nous nous limiterons aux livres médiévaux : ils ne constituent qu'une partie des manuscrits médiévaux; les problèmes posés par les manuscrits d'auteurs médiévaux seront traités plus loin, avec ceux des manuscrits modernes, dont ils sont très proches. Nous parlerons aussi brièvement de la production des livres à cette époque.

Le manuscrit comme texte

Jusqu'à une période récente, le manuscrit médiéval n'a guère été considéré que comme un texte — et, dans certains cas, comme une œuvre d'art.

L'idée essentielle à retenir est que le manuscrit médiéval, envisagé comme texte, est unique : si proches soient-ils l'un de l'autre, seraient-ils même transcrits par le même copiste d'après un même modèle, les textes de deux manuscrits présentent toujours entre eux certaines divergences : c'est sur l'observation de ces dernières que s'appuie le travail critique de l'éditeur.

A cela près, le texte de beaucoup de manuscrits médiévaux ressemble à celui des livres imprimés : il peut s'agir d'une œuvre, par exemple le *De civitate Dei* de saint Augustin, clairement désignée au début et à la fin *(colophon)* par le nom de l'auteur et le titre de l'ouvrage. Le livre est souvent précédé ou suivi d'une table des chapitres; il est parfois complété par un index alphabétique des matières. On rencontre aussi assez fréquemment un recueil d'œuvres d'un même auteur, ce qui ne heurte pas davantage nos habitudes.

Mais il est aussi des livres manuscrits — et ce sont souvent les plus intéressants pour l'histoire intellectuelle — dont le contenu est très hétérogène. Le lien entre les divers textes qui les composent ne se révèle que quand on parvient à identifier le personnage qui les a transcrits ou fait transcrire, et à connaître les circonstances dans lesquelles le travail fut entrepris : quel qu'en soit l'aspect matériel, il s'agit plutôt de dossiers de documentation que de livres au sens habituel du terme. Parfois même, nous avons affaire à de véritables carnets de notes, où se suivent sans ordre bien précis des textes pieux, des adages juridiques et des recettes d'onguents. L'hétérogénéité est portée à son comble dans le cas, assez fréquent, où plusieurs manuscrits ou fragments se sont trouvés réunis sous une même reliure (recueils factices); mais il s'agit alors d'un problème d'ordre archéologique.

Le manuscrit comme objet archéologique

C'est au cours des premiers siècles de notre ère que le *volumen,* rouleau formé de rectangles de papyrus ou — plus rarement — de parchemin collés ou cousus bout à bout, cède progressivement la place au *codex,* assemblage de cahiers, le plus souvent de parchemin, protégé par une reliure. Nous sommes là en présence d'un objet d'une extrême complexité, dont la fabrication a requis presque autant d'opérations différentes que la construction d'un bâtiment. L'étude archéologique vise notamment à identifier ces diverses opérations et à tenter d'en déterminer la séquence : ce peut être parfois un véritable travail de détective. Elle se propose également la reconnaissance des matériaux employés. Nous dirons d'abord quelques mots de ceux-ci, puis nous envisagerons les problèmes de leur mise en œuvre.

Les deux seules matières subjectiles dont il soit utile de parler sont le parchemin et le papier.

Le parchemin — qui prend le nom de vélin quand il est de très belle qualité, blanc et souple — pouvait être fourni par diverses espèces animales (que seul l'examen au microscope permet de reconnaître avec certitude). Son mode de préparation et son aspect ont beaucoup varié selon les époques et les régions. Aux périodes où ce matériau était rare et coûteux, notamment dans le haut Moyen Âge, on effaçait parfois l'écriture de manuscrits jugés sans utilité, pour écrire un nouveau texte (palimpseste); la lecture du texte inférieur est devenue possible au début de notre siècle grâce à l'utilisation des rayons ultraviolets (lampe de Wood) et à la découverte de nouveaux procédés photographiques. Au Moyen Âge tardif, on a souvent fait usage de parchemin de récupération : des artisans spécialisés devaient racheter à de grandes administrations (parlements, chambres des comptes) des stocks de vieux documents qui, après blanchiment et ponçage, étaient remis en vente; le texte inférieur se lit sans difficulté aux ultraviolets et, dans certains cas, peut fournir d'utiles éléments de datation.

Sauf dans les régions en étroit contact avec la culture arabe (Espagne, Sicile), où il apparaît plus tôt, le papier n'a commencé à concurrencer le parchemin en Europe occidentale que vers la fin du XIIIe siècle. Grâce au répertoire de Ch. Briquet, publié au début de ce siècle et récemment mis à jour, et aux travaux d'autres historiens du papier, les filigranes médiévaux peuvent généralement être identifiés, ce qui permet souvent de déterminer avec une certaine précision la date d'un manuscrit et parfois aussi son origine.

Les encres et pigments doivent eux aussi être étudiés; leurs nuances sont révélatrices pour un œil exercé. Des recherches sur leur composition sont activement menées, combinant l'analyse spectrographique ou chimique avec le dépouillement des recueils de recettes.

Il ne faut pas négliger les autres matériaux entrant dans la fabrication des manuscrits : nerfs, fil de couture, ais de bois des reliures, non plus que la nature et le mode de préparation du cuir (plus rarement du tissu) qui les recouvre. Les plats de carton, qui, au Moyen Âge tardif, commencèrent à se substituer aux ais, méritent une mention particulière : ils sont souvent constitués, en effet, de nombreuses couches de documents manuscrits qu'il est relativement facile de décoller et de remettre en état. Ces défets de reliures présentent fréquemment un intérêt historique considérable, car ils livrent surtout des catégories de documents qui, normalement, étaient vouées à la destruction et ne sont presque jamais parvenues jusqu'à nous : correspondances privées médiévales, brouillons, feuilles de nouvelles, tracts de propagande politique, rôles d'acteurs, etc. Indépendamment de leur intérêt intrinsèque, ils peuvent aussi aider à préciser l'origine ou la provenance du manuscrit dans la reliure duquel ils figuraient.

Toutes les opérations de mise en œuvre des matériaux requièrent des études approfondies, qui, depuis peu, ont pu être grandement améliorées par le recours à la méthode statistique. Il faut examiner, par exemple, le mode de pliage des peaux de parchemin et des feuilles de papier, la composition des cahiers, la technique employée pour effectuer les piqûres préparatoires à la mise en pages, le tracé du cadre (souvent mais improprement appelé « justification ») et de la réglure (dont la mesure est fort importante à divers égards), etc.

D'un point de vue pratique, il est indispensable de vérifier soigneusement les « signatures » (c'est-à-dire les numéros d'ordre) et les « réclames » des cahiers (mots annonçant, à la fin d'un cahier, les premiers mots du cahier suivant), afin de s'assurer que le manuscrit est complet et de déceler d'éventuels remaniements.

Il n'est pas possible d'aborder ici les problèmes posés par les manuscrits à peintures, qui ne représentent d'ailleurs qu'une petite proportion de la production médiévale et ne sont pas, sauf exceptions, les plus intéressants pour l'histoire intellectuelle et littéraire. Henry Martin a, le premier, signalé l'intérêt des livres contenant des peintures inachevées, voire seulement ébauchées : ils permettent de reconstituer les étapes successives du travail. Quant à la décoration — qu'il faut se garder de confondre avec l'illustration —, son étude est aussi indispensable dans les livres modestes que dans les exemplaires de grand luxe; elle fournit en effet de précieuses indications quant à l'origine des manuscrits : au XIIe siècle, l'austérité de la décoration cistercienne contraste avec l'exubérance de l'ornementation des livres clunisiens; plus tard, le seul choix des couleurs dans les lettrines décorées à la plume permet de savoir si un volume est originaire du nord ou du midi de la France.

L'écriture est évidemment un élément capital et justifierait à elle seule un long chapitre. L'écriture livresque a connu une évolution considérable dans le temps et dans l'espace. Une connaissance approfondie des styles caractéristiques des diverses époques et régions est indispensable pour situer un manuscrit ne comportant — ce qui est le cas le plus fréquent — aucune indication de date ni de lieu. La publication, entreprise d'abord en France, puis dans divers pays, sous l'impulsion de M. Charles Samaran, des catalogues de manuscrits datés, en rendant désormais très faciles des comparaisons qui auraient exigé auparavant un long travail, permet d'acquérir plus rapidement l'expérience des écritures médiévales et donc de proposer des datations et des localisations plus correctes.

Il faut se garder de confondre écriture et main. Dans les *scriptoria* monastiques du XIe ou du XIIe siècle, tous les copistes s'efforçaient d'uniformiser leur tracé, et la tâche du paléographe est de distinguer les diverses mains qui ont participé à la copie d'un manuscrit paraissant, au premier coup d'œil, homogène. Inversement, les copistes des XIVe et XVe siècles — professionnels ou amateurs habiles — usaient, selon la nature du texte qu'ils transcrivaient, la personnalité du destinataire, etc., d'une large gamme de types d'écriture, passant de l'une à l'autre aussi facilement que nous changeons aujourd'hui la boule de notre machine à écrire électrique; de plus, ils suivaient la mode qui, au XVe siècle surtout, était aussi changeante que celle de nos grands couturiers. Le problème — et il n'est pas toujours facile à résoudre — consiste alors pour les paléographes très expérimentés à identifier une même main sous les multiples « déguisements » qu'elle est susceptible de revêtir.

Cela nous conduit directement au troisième et dernier aspect du manuscrit.

Le manuscrit comme élément d'un ensemble

La reconnaissance des mains est en effet l'un des facteurs qui permettent de reconstituer des groupes de manuscrits ayant une origine et une histoire communes, groupes que nous appellerons des fonds.

C'est là un terme emprunté au vocabulaire des archivistes. De fait, plus on y réfléchit, plus on découvre d'analogies entre manuscrits et documents d'archives; il est même difficile de trouver un critère sûr permettant de les distinguer, et les cas limitrophes sont si nombreux que l'on ne sait trop où passe la frontière. La différence principale est plutôt d'ordre pratique : sauf exceptions, le document d'archives isolé n'offre normalement que peu d'intérêt et n'a pas une bien grande valeur marchande; il en va tout autrement du manuscrit, et c'est en bonne partie pour cela que les fonds de manuscrits ont généralement connu une dispersion bien plus forte que les fonds d'archives.

Un fonds de manuscrits peut se définir comme l'ensemble des documents (ce sont le plus souvent des livres) intéressant l'histoire intellectuelle de la collectivité, de la famille ou de l'individu qui les a écrits, fait copier, reçus en don ou réunis. Au sein d'un ensemble important — par exemple, la bibliothèque d'une grande abbaye ou d'un chapitre cathédral —, on parvient à isoler toute une série de sous-ensembles formés par des groupes de manuscrits donnés ou légués par un même personnage ou achetés à ses exécuteurs testamentaires.

Certains grands fonds n'ont pas subi une trop forte « érosion »; mais, dans la plupart des cas, il faut procéder à un long et délicat travail de reconstitution; celui-ci peut être rendu moins aléatoire quand subsistent d'anciens inventaires, mais ils ont souvent disparu. L'examen systématique de milliers de volumes dans les dépôts de manuscrits est pratiquement le seul moyen de retrouver les marques de possession (en majeure partie effacées et lisibles seulement à l'aide de la lampe de Wood ou d'autres procédés) ou de noter la présence de détails révélateurs (libellé de la table des matières, foliotation caractéristique, décoration de la reliure, etc.). Il serait évidemment bien préférable de faire ce travail une fois pour toutes plutôt que de multiplier les recherches sélectives.

La reconstitution intégrale d'un fonds médiéval de manuscrits est pratiquement impossible : on ne parviendra sans doute jamais à retrouver tous les livres ou fragments survivants, et une certaine proportion — très variable selon les cas — a définitivement disparu. Il suffit toutefois de pouvoir confronter un nombre assez important d'éléments d'un même ensemble ou sous-ensemble pour que des manuscrits qui, jusque-là, étaient muets se mettent soudain à « parler » : bien des détails qui paraissaient banals prennent de l'importance; en comparant des manuscrits copiés par une même main, on parvient non seulement à identifier celle-ci, mais aussi parfois à reconnaître l'auteur d'un ouvrage anonyme; replacé dans son contexte historique et culturel, le contenu s'éclaire d'un jour nouveau.

La production du livre manuscrit

La même méthode de travail permet, *mutatis mutandis,* de reconstituer d'autres ensembles — qui ne sont pas nécessairement superposables aux précédents — formés de livres copiés dans un même *scriptorium* ou atelier. Ce type de recherche a fait, depuis une vingtaine d'années, de grands progrès grâce au patient travail mené à l'Institut de recherche et d'histoire des textes de Paris et par d'autres équipes dans divers pays. L'exploitation de ces résultats par la méthode statistique a commencé à l'initiative de deux chercheurs italiens travaillant au C.N.R.S., Mlle Carla Bozzolo et M. Ezio Ornato (cf. Biblio.), et a amorcé un profond renouvellement des connaissances quant à la production du livre manuscrit. Nous devrons toutefois nous limiter ici à quelques généralités.

Si, jusque vers la fin du Xe siècle, on trouve encore en Italie des artisans indépendants *(scriptores),* dans les autres pays d'Europe occidentale, et notamment en France, la production des livres demeure jusqu'au début du XIIIe siècle un quasi-monopole des monastères, bien que l'on puisse citer, au IXe siècle, quelques cathédrales (Reims, Lyon...) auprès desquelles fonctionnaient des *scriptoria.* Dans les abbayes bénédictines, le *scriptorium,* attenant à la bibliothèque, était placé, comme celle-ci, sous la direction de l'*armarius* : chez les chartreux, les moines travaillaient chacun dans sa cellule; la Règle précise quels instruments ils devaient avoir à leur disposition.

Dans quelques grands centres, et d'abord à Paris, où affluent dès la fin du XIIe siècle maîtres et étudiants venus de l'Europe entière — qui formeront bientôt la première Université —, la production artisanale reparaît au XIIIe siècle. Les artisans du livre — parcheminiers (et plus tard fabricants et marchands de papier), copistes (« escripvains »), enlumineurs, relieurs, libraires *(stationarii)* — étaient « suppôts » de l'Université : assermentés, ils s'engageaient à respecter les règlements et étaient soumis à des contrôles assez stricts; ils bénéficiaient, en revanche, de nombreux privilèges et immunités et relevaient de la justice ecclésiastique.

Les règlements prévoyaient notamment que tout texte destiné à être diffusé dans l'Université devait être préalablement contrôlé par une commission. Le modèle approuvé *(exemplar)* se présentait sous forme de cahiers non reliés, sans doute même, plus précisément, de grandes feuilles pliées, mais non découpées, ressemblant un peu à nos placards d'imprimerie; chacune de ces feuilles (*pecia,* « pièce ») pouvait être louée séparément à ceux — copistes de métier ou étudiants — qui souhaitaient copier l'ouvrage. Ce système permettait à plusieurs copistes de travailler simultanément sur le même modèle, et donc d'accélérer la reproduction des textes.

La copie des manuscrits ne tarda pas à se faire aussi ailleurs que dans les monastères et les universités. Dès le

XIIIe siècle, divers rois et princes entreprirent de se constituer des bibliothèques, et, aux XIVe et XVe siècles, Charles V et ses frères — surtout le célèbre bibliophile Jean de Berry —, puis le duc de Bourgogne Philippe le Bon, notamment, firent travailler les meilleurs copistes et les plus habiles peintres et enlumineurs. Au cours de la même période naît et se développe une couche sociale nouvelle qui va jouer un rôle culturel considérable, hors de proportion avec son importance numérique : elle est généralement formée d'hommes de très humble origine, qui sont « clercs », c'est-à-dire d'Église, mais peuvent se marier; admis comme boursiers dans des collèges — en particulier le collège de Navarre, à Paris —, ils y acquièrent une culture qui leur permet d'accéder à de très hautes charges dans l'administration royale (notamment la chancellerie) ou, s'ils sont prêtres, dans l'Église. Ils se constituent de belles bibliothèques, faisant copier ou copiant eux-mêmes des textes jusqu'alors très peu répandus, à commencer par des œuvres d'auteurs de l'Antiquité latine. Ils copient et diffusent souvent aussi leurs propres ouvrages. Cela nous conduit à aborder la seconde catégorie : les manuscrits dits « d'auteurs ».

Le manuscrit d'auteur

Aucune frontière bien précise ne sépare le livre manuscrit du manuscrit d'auteur. A partir du milieu du XIVe siècle surtout, bien des auteurs possédaient une solide formation de copistes — particulièrement ceux qui appartenaient au personnel des chancelleries —, et il est souvent difficile, au premier coup d'œil, de distinguer un autographe d'une copie contemporaine.

La pratique de la dictée était assez répandue pendant les siècles médiévaux, et l'on en a des témoignages. Le verbe *dictare* (en français « ditier », « diter ») était souvent employé au sens de « rédiger »; un « ditié » désignait une composition, normalement en vers; un auteur se nommait *dictator* (en français « diteur », « dicteur »), *scriptor* (ou « escripvain ») s'appliquant seulement au copiste. Ce serait toutefois une grave erreur — et elle a été maintes fois commise — que d'imaginer que les auteurs médiévaux n'écrivaient que par secrétaires interposés : même ceux, tel saint Thomas d'Aquin, dont on a la certitude qu'ils recouraient fréquemment à la dictée nous ont laissé des autographes.

Les autographes les plus aisément reconnaissables sont évidemment les brouillons de premier jet; mais ils étaient d'ordinaire écrits sur des tablettes de cire, donc voués à une disparition immédiate. Certains brouillons fragmentaires, griffonnés au crayon de plomb sur des feuillets de manuscrits demeurés blancs, sont parvenus jusqu'à nous, mais ils sont pour la plupart très effacés et difficiles à lire; on ne les a guère étudiés jusqu'ici.

Les brouillons de second jet et les premières mises au net remaniées subsistent en assez grand nombre. Souvent, un auteur exécutait lui-même ou faisait faire par un copiste une transcription qu'il croyait définitive; puis, se ravisant, il apportait à son ouvrage une série de modifications. Il faut savoir distinguer ces changements faits par l'auteur des banales corrections (restitution de mots omis, rectification de mauvaises lectures, etc.) qui peuvent, elles, être faites par n'importe qui : auteur, correcteur attitré, voire simple lecteur. L'auteur intervient sur un texte primitif parfaitement correct et cohérent : il remplace un mot par un synonyme qu'il juge plus élégant ou par un terme plus précis; il ajoute des adjectifs ou des adverbes qui apportent des nuances à sa pensée, il supprime des redites, etc. Souvent, ces modifications sont d'abord notées d'une plume très fine dans les marges, puis proprement reportées, dans le texte préalablement gratté, par le copiste ou l'auteur lui-même, enfin généralement effacées, ne demeurant lisibles qu'aux ultraviolets. Il faut signaler à ce propos que la reconnaissance d'une même main écrivant parfois en cursive hâtive et spontanée, parfois en utilisant une écriture stéréotypée, n'est pas toujours facile et peut requérir de longues et minutieuses comparaisons.

Du fait que la plupart des médiévistes, jusqu'à une époque récente, ne s'intéressaient qu'au texte et négligeaient d'étudier le manuscrit en tant qu'objet, l'existence de beaucoup d'autographes et d'originaux est longtemps passée inaperçue. Dans le chapitre pourtant excellent qu'il a consacré à la critique des textes dans *l'Histoire et ses méthodes* (« Encyclopédie de la Pléiade », vol. XI), un paléographe aussi éminent que M. Robert Marichal pouvait encore, en 1961, affirmer que, pour le Moyen Âge latin, il n'existait aucun manuscrit d'auteur antérieur à 1400. Cela suffirait à montrer que nous sommes là dans un domaine de recherche qui demeure en bonne partie inexploré.

Pour le haut Moyen Âge, un exemple fort intéressant nous est fourni, peu après l'an mille, par l'unique manuscrit connu du *Carmen ad Rotbertum regem* d'Adalbéron de Laon (ms. Paris, B.N. lat. 14192). Ce texte fut édité par G.-A. Hückel vers 1900. L'éditeur ne prêta aucune attention aux nombreuses ratures ni au fait que beaucoup de mots, de vers et même de passages entiers sont grattés et remplacés par d'autres, la main qui a apporté toutes ces modifications offrant bien des caractéristiques personnelles qui permettent de la distinguer aussitôt de celle du copiste, à l'écriture régulière et stéréotypée. Il ne s'agit pas seulement, en l'occurrence, d'améliorations stylistiques, mais d'un travail de réactualisation de ce poème politique en fonction d'une situation nouvelle.

Il faudrait signaler, pour la même période, des manuscrits entièrement ou partiellement autographes de Notker († 912), Ratier de Vérone († 974), Adémar de Chabannes († 1034)...

Au siècle suivant, les exemples sont déjà moins rares. On pourrait citer, en particulier, quelques manuscrits, tout récemment identifiés et étudiés, de Godefroid de Saint-Victor († vers 1200) : l'autographe — qui devient par endroits un véritable brouillon — du *Microcosmus* (ms. Paris, B.N. lat. 14881); une copie originale de ce même ouvrage (B.N. lat. 14515) comportant de nombreuses modifications nouvelles apportées par l'auteur; enfin la copie originale du *Fons philosophiae* (Paris, Mazarine, 1002) avec, cette fois encore, beaucoup d'interventions autographes et même (au f° IV) un amusant autoportrait de Godefroid, d'une facture d'ailleurs très malhabile.

Pour le XIIIe siècle, nous avons déjà mentionné plus haut l'existence de quelques autographes de saint Thomas d'Aquin (1225-1274), dont celui du *De veritate,* écrits dans sa célèbre *littera inintelligibilis,* que ses secrétaires eux-mêmes déchiffraient à grand-peine. Intelligents et cultivés, ils remplaçaient par d'autres les mots qu'ils n'avaient pas su lire, afin d'obtenir un texte plausible. Meilleurs paléographes, les érudits de la Commission léonine, en comparant les brouillons subsistants aux copies des secrétaires, ont découvert que ces derniers avaient très souvent déformé le sens des textes qu'ils transcrivaient; or, ce sont ces copies originales déjà altérées qui ont été reproduites dans les *exemplaria* officiels des universités. A six siècles de distance, certaines œuvres posthumes d'un auteur tout différent, Karl Marx, ont connu une mésaventure analogue : les éditeurs ont substitué à des mots qu'ils avaient mal lus d'autres termes qui n'ont pas tardé à passer dans la terminologie marxiste.

C'est en bonne partie pour prévenir ce genre d'accidents que Pétrarque (1304-1374) et, à son exemple, la plupart des humanistes, d'abord en Italie, puis dans toute l'Europe, s'astreignirent à calligraphier eux-mêmes eurs œuvres, parfois avec un remarquable talent. Atta-hant une extrême importance à la lisibilité, ils éliminè-ent presque entièrement les abréviations et adoptèrent es types d'écriture d'une grande clarté : dans la seconde noitié du Trecento, c'est la préhumanistique, aux formes rrondies, mais qui conserve encore certaines caractéris-iques « gothiques », notamment la « fusion » de lettres ontiguës. Au début du Quattrocento, Gian Francesco oggio Bracciolini (1380-1459), à l'époque où il travail-ait encore comme copiste pour le vieil humaniste Coluc-io Salutati (1330-1406), chancelier de Florence, ressus-ita la belle minuscule, dite « caroline », des manuscrits u IXe siècle : c'est l'humanistique ronde, qui devait onnaître un grand succès et une fort longue carrière, uisqu'elle est toujours en usage chez nos imprimeurs ous le nom de romaine; peu après, une humanistique ursive, penchée vers la droite et comportant des ligatu-es, fit son apparition; elle aussi devait se perpétuer dans a typographie sous le nom d'italique (mais les Italiens nt conservé le terme de *corsivo*) et dans l'écriture, après ne certaine évolution, sous le nom d'anglaise.

En France, on assiste dès les années 1380 à un nouvement analogue, mais qui intéresse un milieu plus estreint et qui connaîtra un sensible ralentissement près quelques décennies, du fait de circonstances géné-ales défavorables, pour ne s'accélérer de nouveau que lans le dernier tiers du XVe siècle. Soucieux de rivaliser vec les Italiens, les humanistes français de la première énération, presque tous formés au collège de Navarre — Pierre d'Ailly (vers 1350-1420), Jean de Montreuil vers 1353-1418), Nicolas de Clamanges (vers 362-1437), Jean Gerson (1363-1429)... —, s'adonnent vec ardeur et talent à la calligraphie, et tous nous ont aissé, en plus ou moins grande quantité, de beaux utographes de certaines de leurs œuvres, voire de la uasi-totalité de leurs écrits, parfois même en plusieurs xemplaires livrant autant de versions successives d'un nême ouvrage. Signalons que deux d'entre eux au noins, Montreuil et Clamanges, ont tenté, dès 1415 nviron, d'acclimater en France une humanistique plus u moins directement imitée de celle des Italiens.

L'existence de manuscrits autographes dont chacun ransmet un état différent d'un même texte, et dont ertains présentent une foule de remaniements, l'auteur yant raturé — ou ayant ajouté dans les marges — des nots, des phrases, parfois des passages entiers, est évi-lemment d'un grand intérêt pour l'histoire intellectuelle t littéraire : on peut suivre ainsi le travail du style et 'évolution de la pensée. Elle pose en revanche à l'édi-eur critique des problèmes de toutes sortes, tant théori-ques que pratiques — problèmes qui se compliquent lavantage encore quand existe, parallèlement à la tradi-ion autographe, une tradition de type courant, car nous 'avons aucune certitude d'avoir retrouvé la totalité des utographes, et, dans certains cas, des copies banales ne ont de toute évidence que le reflet des originaux perdus. Les éditeurs des œuvres complètes de Jean de Montreuil nt longuement travaillé sur ces problèmes; la solution à aquelle ils sont finalement parvenus paraît satisfaisante, uisqu'elle réussit à concilier la facilité de lecture avec ne représentation très fidèle — grâce à un système pproprié de signes diacritiques — de toutes les étapes le l'élaboration du texte.

Il faut souhaiter que ce système soit progressivement dopté par les éditeurs de textes modernes, car les lifficultés auxquelles ils se heurtent sont exactement les mêmes qu'avait soulevées l'édition critique de Jean de Montreuil.

S'il est vrai, en effet, que le livre imprimé a progressi-vement éliminé le livre manuscrit, le manuscrit d'auteur n'a fait, quant à lui, que se désolidariser de ce dernier avec lequel, auparavant, il tendait parfois à se confon-dre.

Tout comme les auteurs des siècles antérieurs, les modernes ont tantôt assuré eux-mêmes la mise au net de leurs textes, tantôt fait appel (Diderot, Heine) à des copistes rétribués ou bénévoles. Alors que bon nombre d'auteurs médiévaux étaient de véritables calligraphes et copiaient leurs livres avec un soin de professionnels, il est en revanche très exceptionnel que des auteurs moder-nes aient été leurs propres imprimeurs; cela le deviendra peut-être bien moins à l'avenir avec l'apparition des petites machines à composer et la généralisation du procédé offset. Mais ils ont presque toujours été leurs propres correcteurs, et ces fameuses coquilles contre lesquelles Théophile Gautier bataillait furieusement n'étaient guère différentes des fautes que le petit démon Titivillus, qui tourmentait les copistes dans les *scriptoria* monastiques, faisait commettre à ses victimes. En outre — mais ce n'est plus vrai de nos jours, en raison de la tarification dissuasive des « corrections d'auteur » —, aux corrections proprement dites s'ajoutaient bien sou-vent des « repentirs », si nombreux parfois que, comme dans les célèbres épreuves de Balzac, la partie manus-crite en venait à tenir plus de place que le texte imprimé.

Les manuscrits modernes sont donc justiciables, au même titre que les manuscrits médiévaux, d'une étude de type archéologique. La principale différence — comme l'a clairement expliqué Louis Hay (cf. Biblio.), qui a jeté les bases de la méthode — est que les instruments de travail de cette nouvelle discipline restent presque entiè-rement à constituer, et que les difficultés sont souvent plus grandes. Les manuscrits modernes ne se présentent pas, sauf exceptions, comme des livres, mais sous forme de paquets ou de liasses dont le contenu est fréquem-ment en désordre, parfois même — ce qui est beaucoup plus grave — classé de façon erronée. En pareil cas, un examen minutieux, feuillet par feuillet, de tout le manus-crit (filigranes du papier, nuances de l'encre, modifica-tions éventuelles de l'écriture dénotant des remaniements postérieurs, etc.) est indispensable. Or ce travail déjà très délicat devient plus difficile encore quand — pour des raisons évidentes de protection contre la détérioration et le vol — les feuillets (souvent friables au XIXe siècle, ou rongés par une encre corrosive qui les transforme en dentelle) ont été renforcés par deux couches de papier Japon, le tout étant ensuite relié en gros volumes aux pages serrées. Le fondateur du Centre d'histoire et d'ana-lyse des manuscrits modernes en conclut avec raison qu'une collaboration — qui commence d'ailleurs à entrer dans les faits depuis quelques années — entre spécialis-tes des manuscrits, bibliothécaires et restaurateurs est particulièrement nécessaire.

L'étude archéologique s'impose, nous l'avons vu, pour tous les manuscrits, qu'ils se classent ou non dans la catégorie des livres, qu'ils soient médiévaux ou moder-nes; mais elle revêt une importance extrême lorsqu'il s'agit de manuscrits d'auteurs, puisque c'est alors bien souvent de l'examen matériel du document que dépend la pleine compréhension du texte.

BIBLIOGRAPHIE

L'ouvrage collectif intitulé *Codicologica*, publié sous la direc-tion de J.-P. Gumbert, M.-J.-M. De Haan et A. Gruys, dans le cadre de la collection *Litterae textuales* (Leiden, Brill, 1976 et suiv., in-4°), constituera une véritable encyclopédie du manuscrit, régulièrement tenue à jour. Quatre volumes ont déjà paru : I. *Théories et principes* (contient notamment : Fr. Masai, « la Paléographie gréco-latine, ses tâches, ses méthodes »; L.-M.-J. Delaisse, « Towards a History of the Medieval Book »; P.-O. Kristeller, « Tasks and Problems of Manuscript Research »; L. Hay, « Éléments pour l'étude des manuscrits modernes »); II. *Élé-ments pour une codicologie comparée* (contient notamment : J. Vezin, « la Réalisation matérielle des manuscrits latins pen-dant le haut Moyen Âge »); III. *Essais typologiques* (contient notamment : M.-C. Garand, « Manuscrits monastiques et *scripto-ria* aux XIe et XIIe siècles »; E. Pellegrin, « Fragments et *Membra Disiecta* »); IV. *Essais méthodologiques* (contient notamment :

G. Ouy, « Comment rendre les manuscrits médiévaux accessibles aux chercheurs? »).

Les problèmes d'identification des mains — particulièrement pour le haut Moyen Âge — sont traités avec de nombreuses illustrations dans l'ouvrage de Léon Gilissen, *l'Expertise des écritures médiévales : recherche d'une méthode, avec application à un manuscrit du XIe siècle ...* (*Publications de « Scriptorium »*, vol. VI), Gand, Story-Scientia, 1973, in-4°.

L'introduction dans l'étude des manuscrits de la méthode statistique apporte une dimension nouvelle et parfois même un véritable changement de perspectives, comme en témoigne l'ouvrage de Carla Bozzolo et Ezio Ornato, *Pour une histoire du livre manuscrit au Moyen Âge, trois essais de codicologie quantitative* (I. « la Production du livre manuscrit en France du Nord »; II. « la Constitution des cahiers dans les manuscrits en papier d'origine française et le problème de l'imposition »; III. « les Dimensions des feuillets dans les manuscrits français du Moyen Âge »), Paris, éd. du C.N.R.S., 1980, in-8°. On y trouvera une riche bibliographie bien à jour.

La revue *Scriptorium,* qui paraît depuis 1946, est exclusivement consacrée aux manuscrits; elle publie chaque année une bibliographie considérable, et ses index en font un instrument de travail irremplaçable.

G. OUY

MANZETTI Léon-Marius. V. VAL D'AOSTE (littérature du).

MAQUET Auguste, dit aussi **Augustus Mac-Keat** ou **Mac-Queat** (1813-1888). Né à Paris, Auguste Maquet fait très tôt partie du mouvement romantique, puisqu'il est de ceux qui soutiennent Hugo au moment de la bataille d'*Hernani.* A cette époque, il écrit des vers, tout en acceptant provisoirement de donner des répétitions, puis d'enseigner comme professeur suppléant au collège Charlemagne. Publiant des articles dans divers journaux, fréquentant Nerval, Gautier, Pétrus Borel, Maquet abandonne bientôt définitivement le professorat et entre en contact avec Alexandre Dumas, auquel il soumet son drame *Un soir de carnaval,* qui deviendra *Bathilde* (1839) et sera joué au théâtre de la Renaissance. C'est le premier succès de Maquet, pour qui la collaboration avec un auteur connu semble le gage d'une fortune et d'une carrière rapides. De leur association, dont Dumas comprend vite la valeur, sortiront *le Chevalier d'Harmental* (1842), à l'origine écrit par Maquet sous le titre du *Bonhomme Buvat, Sylvandire* (1844), puis, surtout, *les Trois Mousquetaires* (1844) et *Vingt ans après* (1845). Il y aura aussi *le Comte de Monte-Cristo* (1844-1845), *la Reine Margot* (1845), *Une fille du Régent* (1845), *la Guerre des Femmes* (1845-1846), *le Chevalier de Maison-Rouge* (1845-1846), *la Dame de Monsoreau* (1846), *le Bâtard de Mauléon* (1846-1847), *les Quarante-Cinq* (1847-1848), *les Mémoires d'un médecin. Joseph Balsamo* (1846-1848), *le Vicomte de Bragelonne* (1848-1850), *la Tulipe noire* (1850), *Ange Pitou* (1851), *Olympe de Clèves* (1851-1852) et *Ingénue* (1853-1855). Effectué en peu d'années, il y a là un travail immense dont Maquet est le principal ouvrier — ce que Dumas reconnaît lui-même en 1845 devant le comité de la Société des gens de lettres. Mais tous ces romans, auxquels il faut ajouter les drames que les deux auteurs en ont tirés, n'ont pas été « payés ». Le théâtre semble d'ailleurs le moyen pour Dumas d'éteindre sa dette morale et surtout financière : il devient le directeur du Théâtre-Historique, et un traité laisse à Maquet des espérances; la faillite de l'établissement, après plusieurs pièces signées en commun, va se charger de les anéantir. Maquet décide alors de se mettre à son propre compte : auteur déjà du *Beau d'Angennes* en 1843, il donne en 1852 *le Comte de Lavernie,* puis *la Belle Gabrielle* (1854) et *la Maison du baigneur* (1856), une série de romans qui seront tous des succès. Un procès, en 1858, ne lui reconnaîtra malheureusement pas le droit de signer l'ensemble des œuvres écrites ave Dumas, face auquel la justice le considère comme u simple créancier : c'est désormais la séparation entre le deux amis, marquée encore par deux autres procès Lorsque Dumas meurt en 1870, Maquet vit lui-mêm retiré dans son château de Sainte-Mesme, où il mourr sans avoir réalisé son projet d'un livre qui aurait racont l'histoire de leur travail commun.

Reste maintenant à savoir comment ce travail s'ac complissait et quelle y fut la part de l'un et de l'autre : l thèse de G. Simon, biographe de Maquet, fait de celui-c l'auteur véritable de la plupart des grands livres d Dumas, auxquels celui-ci n'aurait apporté que des retou ches minimes (surtout pour allonger la copie livrée au journaux et aux éditeurs!). Certes, au début, Duma semble avoir tenu un rôle plus important et achevé, pa exemple, *les Trois Mousquetaires* de concert ave Maquet, qui en avait rédigé seul les premiers volumes partir des *Mémoires* de D'Artagnan. Mais, par la suite, i y aurait eu aussi des cas où Dumas n'aurait pas mêm relu le texte qu'il signait seul, tant sa confiance e Maquet était grande.

Le canevas de l'ouvrage est souvent de Dumas, parfoi aussi choisi par Maquet ou élaboré en commun : e l'occurrence, pas de règle précise, à la différence d travail de rédaction (appuyé, bien sûr, par les nombreu ses lectures nécessaires), qui revient toujours à Maquet Enfin, le texte est livré à Dumas, qui l'agrémente d quelques mots d'auteur, de digressions parfois oiseuse ou anachroniques (des pommes de terre sous Louis XIV par exemple!) — mais qui, aussi, peut le donner a journal sans y apporter la moindre retouche. Souvent d'ailleurs, la publication en feuilleton va à un rythme te que les deux auteurs sont rejoints en cours de route e que Maquet, de « nègre » consentant, devient un forçа contraint de rédiger ses trente-cinq pages de *Balsamo* pa jour, ajoutées à trente-cinq autres de *Bragelonne,* san parler des pièces de théâtre. Ainsi fonctionnait en effe ce qu'un polémiste appela la « fabrique de romans Maison Alexandre Dumas et Compagnie » — dont l côté industriel peut heurter notre « morale » littéraire. I n'en reste pas moins que cette entreprise a produi d'immenses succès, et que ces succès remettent en caus la notion d'auteur, non seulement en termes de propriét juridique, mais aussi de création littéraire.

BIBLIOGRAPHIE

Voir l'article Alexandre DUMAS, ainsi que G. Simon, *Histoir d'une collaboration,* Paris, Crès, 1919.

A. PREIS

MARAN René (1887-1960). On décrirait volontiers l Martiniquais René Maran comme il le fait de l'un de se héros, « fin, délicat, cultivé, loyal ». On discernerait san peine, chez cet écrivain disert et discret, une tenac mélancolie intime, une crainte effarée devant la vie. Le vacances solitaires que passe dans un lycée de Bordeau l'enfant très tôt exilé ont imprimé à sa sensibilité un tristesse précoce. Passionné de lecture et de littérature, i s'applique à des exercices poétiques qu'il publiera e 1909 (*la Maison du bonheur*) et en 1912 (*la Vie inté rieure*).

Devenu en 1912 administrateur des colonies, Ren Maran part pour l'Oubangui. En lui, l'âme sensible et l solidarité d'une origine qu'il ne renie pas le font compa tir aux souffrances imposées aux populations par l colonisation. Celle-ci est le fait d'une culture à laquelle i s'identifie pourtant d'autant plus qu'elle lui a procuré l plaisir de l'esprit, qui est le meilleur de son existence René Maran est tout entier dans cette contradiction. E 1921, il publie *Batouala,* « véritable roman nègre », chronique pittoresque d'une humanité sauvage, diffé rente par ses mœurs — mais non par ses passions. L roman est précédé d'une préface dont la véhémence contraste avec le caractère et l'œuvre de Maran. Les timides ont de ces folles audaces! « Civilisation, civilisation, orgueil des Européens et leur charnier d'innocents, tu bâtis ton royaume sur des cadavres. Tu es la force qui prime le droit, tu n'es pas un flambeau mais un incendie. » Maran reçut le prix Goncourt pour le livre, mais la préface suscita une campagne haineuse qui surprit et blessa cet idéaliste, et l'incita à démissionner de ses fonctions.

Il vécut alors modestement de sa plume, produisant une œuvre abondante et variée : des recueils de poèmes (*le Visage calme,* 1922; *les Belles images,* 1935); des biographies (*Livingstone,* 1938; *les Pionniers de l'Empire,* 1943-1946; *Savorgnan de Brazza,* 1951).

Derrière ces sujets se lit d'une part le goût de la confidence intime, d'autre part le souci d'apporter une contribution capitale à la constitution de documents d'érudition sur l'histoire de l'Afrique, par exemple telle reproduction du traité d'établissement français au Gabon, où, en échange d'une cession à perpétuité de territoire, le potentat local « s'en rapporte tout à fait à la générosité du gouvernement français ».

Mais, en dehors du lyrisme et de l'érudition, tout un aspect de la création de Maran mériterait d'être réexaminé : celui de l'écrivain animalier. Après La Fontaine, à la recherche de la liberté de parole par le truchement de la fable, Maran présente une vision cruelle du monde des hommes, observé ou mimé par le monde animal. Après *Djouma, chien de brousse* (1927), prolongement de *Batouala, le Livre de la brousse* (1934), *Bêtes de la brousse* (1942), *Mbala l'éléphant* (1942), *Bacouaya le cynocéphale* (1953) viennent confirmer le pessimisme amer du regard porté sur la jungle morale qu'est la société. Youmba la mangouste (*Youmba,* 1938), qui finira tuée et mangée par l'homme qui l'avait apprivoisée, dit des humains : « S'entre-détruire est leur principale occupation. Ils y dépensent tout leur savoir, c'est-à-dire toute leur fourberie. » Dans *Un homme pareil aux autres* (1947), Maran revient, avec un récit très autobiographique et, à nouveau, une préface amère — mais plus allusive —, sur la blessure originaire de la tendresse déçue : « Pourquoi n'a-t-on pas le droit de dire à tous la vérité que l'on détient? » [voir NÉGRO-AFRICAINE (littérature d'expression française)].

BIBLIOGRAPHIE

Léon-Gontran Damas : « Pour saluer René Maran », dans *les Lettres françaises,* nº 825, mai 1960; *Hommage à René Maran,* Paris, Présence africaine, 1965.

O. BIYIDI

MARBOT (1817-1966). V. CARAÏBES ET GUYANE. Littérature d'expression française.

MARCABRUN ou **MARCABRU** (XIIe siècle). Le visage poétique de Marcabrun est suggéré par l'œuvre elle-même, marquée de l'orgueil de la signature, et où le nom de la mère, Marcabruna, prend un air d'agressivité populaire. Même si l'on renonce aux renseignements des *Vidas* qui dérivent de cette œuvre mais ne l'expliquent pas, on s'accorde aujourd'hui à faire de ce troubadour gascon un fils du peuple, sinon un enfant trouvé, qui eut de très illustres protecteurs, mais demeura un *joglar,* un interprète de métier.

C'est probablement cette situation sociale qu'on lit en arrière-plan d'un texte d'une force singulière. Marcabrun, à la différence des mondains aristocrates, a une culture cléricale précise. Ses citations des Écritures ressortissent, comme ses violences satiriques, au sermonnaire. Ses obscénités de même. Il est bien possible que, dans le deuxième tiers du XIIe siècle, l'Église ait trouvé dans ce poète d'humble origine, qu'elle a formé, le militant d'une reconquête des milieux mondains. Si l'on admet la thèse qui fait de Guilhem IX, « inventeur » de la poésie d'amour en langue vulgaire, le grand ennemi de l'ordre clérical autant par cette laïcisation du chant que par les actes de sa vie, on comprendra l'intervention de Marcabrun comme un réinvestissement de la mode poétique par ceux contre qui elle avait été lancée. Il faut, à cet égard, bien lire des poèmes comme le fameux « Estornèl, cuèlh ta volada » : Marcabrun ne s'y adonne pas aux poncifs de la poésie troubadouresque, de la *tròba N'Eblon,* comme il dit lui-même, se démarquant de l'école d'Ebles; il en fait la caricature pour les dénoncer.

Dans la majeure partie des chansons où il traite de l'amour, il s'en veut l'ennemi, se vantant de n'avoir jamais aimé ou été aimé. Exactement, en instaurant la distinction entre *amor falsa* et *fina amor,* il condamne sous la première l'hypocrisie d'une société qui a élevé l'adultère poético-sentimental à la hauteur d'une morale. Il ménage la place et le rôle dans la société de sentiments purs, qu'ils s'adressent à Dieu ou qu'ils soient sanctifiés par le mariage. Le thème sacré d'un monde en perpétuelle décadence enveloppe cette charge : un moraliste chrétien ne saurait parler autrement. Marcabrun dénonce donc l'amour courtois comme une innovation récente et contingente et, sur un autre plan, comme le péché même, en œuvre dans le temps. Son attaque contre le vice d'hypocrisie déborde d'ailleurs le domaine de l'amour : il lui arrive de la lancer contre les « faux prêtres ».

Marcabrun a vécu à la cour de Poitiers, puis en Espagne, surtout à la cour de Castille. C'est là qu'il est devenu une sorte de poète officiel de la *Reconquista.* Il a prêché la croisade hispanique dans son magnifique *Chant du lavoir.*

Il n'est pas indifférent pour la compréhension de son rôle poétique de rappeler qu'il est aussi le premier auteur connu de pastourelle : il y met en scène la fille qui, par santé populaire, refuse l'amour des aristocrates et rejoint la fraîcheur du sentiment naturel.

Le style de Marcabrun est célèbre par ses obscurités. Elles proviennent à la fois de son érudition ou sacrée ou gnomique populaire, et de son art de la fermeté, qui marque historiquement l'entrée dans le *trobar clus* (la poésie « nouée », plutôt que « fermée »). [Voir aussi TROUBADOURS].

BIBLIOGRAPHIE

J.-M.-L. Dejeanne, *Poésies complètes du troubadour Marcabru,* « Bibliothèque méridionale », Toulouse, 1909; *reprint,* New York, 1971.

A consulter. — C. Errante, *Marcabru e le fonti sacre dell'antica lirica romanza,* Firenze, Sansoni, 1948; R. Taylor, *la Littérature occitane du Moyen Âge,* univ. Toronto, 1977 (bibliographie).

D. BOUTET

MARCASSUS Pierre de (1584-1664). Originaire de Gimont, en Gascogne, Marcassus était professeur d'éloquence à Paris, où il exerça aux collèges de Boncourt et de la Marche. Son œuvre, aujourd'hui oubliée, est abondante et lui valut en son temps une certaine notoriété. Deux traits la caractérisent, qui forment un alliage paradoxal : le souci de la mode et le maintien, au cœur du XVIIe siècle, d'une poétique héritée de la Renaissance.

Le désir de suivre la mode se manifeste à travers la variété des écritures que pratique ce polygraphe prolixe. Il donne aussi bien des *Lettres* imitées des Anciens (1629 et 1639) que de vastes romans baroques (*Clorymène,* 1626; *Amadis,* 1629), une pastorale (*Éromène,* 1633), quand ce genre est en vogue, des *Réflexions morales* (1662), un grand nombre de traductions (*les Bucoliques,* 1621; *Daphnis et Chloé,* 1626; *Traité de l'âme* d'Aristote, 1641...), des poésies de circonstance et une grande *His-*

toire grecque (1647). En même temps, il fréquente des auteurs en vue, et on le trouve dans l'entourage de Colletet dans les années 1620, plus tard dans celui du libertin Des Barreaux.

Mais dans ses ouvrages, dans ses préfaces, dans son enseignement, Marcassus défend des vues imprégnées de néo-platonisme qui font de lui un continuateur des poètes du siècle précédent. Cette attitude désuète s'exprime notamment par sa théorie de l'écriture : en un temps où se forment et s'imposent les modèles de la prose classique, il continue à affirmer que la prose est le langage commun de l'homme et donc le cède en dignité à la poésie, langage des dieux, et apanage exclusif du *vates*, du poète inspiré.

BIBLIOGRAPHIE

G. Molinié, *Du roman grec au roman baroque*, éd. univ. Toulouse - Le Mirail, 1982.

A. VIALA

MARCEAU Félicien, pseudonyme de **Louis Carette** (né en 1913). Romancier, dramaturge et essayiste d'origine belge, né à Cortemberg. Fils de fonctionnaire, Félicien Marceau poursuit ses études aux collèges religieux de Bruxelles et de Louvain, puis à la faculté de droit de Louvain. Il devient ensuite, de 1936 à 1942, chroniqueur à la Radiodiffusion belge. En 1944, il s'établit en France, où il réside depuis lors. Ce sont d'abord ses romans qui le font connaître; ils seront, à différentes reprises, consacrés par les prix littéraires (prix Interallié 1953 pour *les Élans du cœur*, prix Goncourt 1969 pour *Creezy*). Son théâtre s'imposera ensuite, qui souvent reprend et approfondit les thèses développées par les récits : ainsi de *l'Œuf* (1956), illustration scénique du roman *Chair et cuir* (1951).

Naturalisé français, Félicien Marceau est membre de l'Académie française depuis 1975.

Les principaux essais de Marceau (*Balzac et son monde*, 1955; *le Roman en liberté*, 1977) ne renouvellent guère la démarche critique du XXe siècle : ces écrits s'embarrassent volontiers dans les problèmes de la narration subjective (qui est « je »? qui parle derrière le « je », etc.), de la « crédibilité » romanesque et s'acharnent à rechercher l'« authenticité » de la littérature; toutes questions qui, après Proust et avec les études précises de la linguistique et de la sémiologie, paraissent aboutir à des lieux communs — mais qui, au demeurant, trahissent dans le domaine de la critique les obsessions essentielles de Marceau.

Tout son théâtre, en effet, tous ses romans — si l'on excepte quelques récits sur l'Italie (*Capri, petite île*, 1951; *En de secrètes noces*, 1953) — expriment le besoin d'une quête fondamentale : celle de la vérité. La démarche que suivent les héros et narrateurs de Marceau — le Magis de *Chair et cuir* et de *l'Œuf*, l'antiquaire des *Élans du cœur*, le député de *Creezy*, les personnages du *Corps de mon ennemi* (1975) et d'*A nous de jouer* (1978) — est toujours identique : se livrant dès le début de l'œuvre à une introspection passant en revue les étapes de leur existence, ils découvrent qu'ils ont été les victimes des faux-semblants construits par les proches, la famille, la société — mécanique inusable que Magis appelle le « système ». Alors, il s'agit, par l'exigence de lucidité, par la « volonté », de se libérer des illusions sur soi et sur autrui. Comprendre, saisir ce que dissimule l'apparence est le véritable aboutissement de l'introspection; la découverte de l'essence prime donc l'existence, qui échappe au pouvoir du héros. Et, de fait, les personnages de Félicien Marceau ne ressemblent pas à ceux de Malraux, de Sartre ou de Camus : jamais ils ne « changent de vie », jamais ils ne se révoltent contre le « système » : ils jouent avec lui, le tournent en dérision, pour mieux le rejoindre après : Magis réintégrera son « œuf », son cocon familial; le héros de *Creezy* revient, à la fin du roman, sur la place ronde où, au début du livre, il réfléchissait : la société ne varie pas, mais son univers aberrant devient clair; il n'est plus le cercle étouffant qui opprime l'individu, mais le microcosme dont les règles, percées à jour, peuvent être exploitées. A ce jeu, un personnage « réel » est passé maître : Casanova, dont Marceau scrute passionnément la trajectoire (*Casanova ou l'Anti-Don Juan*, 1954; *Une insolente liberté*, 1983).

Il ne faut pas s'étonner que, pour mener à bien une quête si essentialiste, Félicien Marceau utilise de préférence les formes littéraires les plus usées, comme le vaudeville, car les lieux communs, les codes, les conventions de l'écriture reflètent parfaitement les rites absurdes et ordonnés de la société : « Qu'un homme puisse se trouver dans une situation absurde, je trouve cela insultant. C'est ce qui me fâche dans les vaudevilles. Il y a là toute une mécanique. On en rit. On a tort. Cette mécanique est infernale » (*les Élans du cœur*). Une telle écriture étaye donc le mensonge social par la vraisemblance des situations dramatiques ou romanesques. Or « le mensonge doit être vraisemblable, parce que, lui, il est dans l'ordre, il respecte l'ordre [...] Tout alors redevient logique, cohérent » (*Un jour j'ai rencontré la vérité*, comédie, 1966).

Aussi appartient-il à l'écrivain de rendre dérisoire cette parole codée, de pousser jusqu'au bout la logique absurde et conventionnelle du roman, du théâtre — du monde. Au terme de cette dérision, de ce jeu avec l'institution littéraire et sociale, les personnages se retrouvent libres, dans la solitude, dans le « désert » de l'écriture : « Je suis libre [...] Je vois mes mots devant moi. Ils sont libres maintenant, et brillants, et carrés comme des briques » (*Un jour j'ai rencontré la vérité*); et, ailleurs : « Tout ce qui me paraissait absurde n'est plus absurde [...] Je cherche un signe. Il n'y a jamais de signe » (*Creezy*).

La volonté de lucidité aboutit donc, dans la littérature comme dans la vie, au nihilisme : « On s'aperçoit alors que, devant soi, on n'a rien [...] La vie, la mort, tout est pareil » (*l'Étouffe-chrétien*, comédie, 1960). Et c'est là sans doute tout le paradoxe de Félicien Marceau, qui perpétue, d'œuvre en œuvre, une littérature traditionnelle pour en mieux signifier le néant. Le moraliste n'a vaincu l'absurdité du « système » social qu'en découvrant le « non-sens » irréductible de la vie et du verbe : au terme de cette quête négative, l'extase et l'amertume se mêlent étroitement : « La vérité n'est peut-être qu'une maladie, une passion qui ronge plus qu'elle ne sert. Mais je ne peux plus m'en passer » (*Un jour j'ai rencontré la vérité*).

BIBLIOGRAPHIE

A consulter. — Deux articles déjà anciens : Cl. Mauriac, « Félicien Marceau », *Preuves*, 1955; Pol Vandromme, « Félicien Marceau », dans *Littérature de notre temps*, t. III, Paris, Casterman, 1968.

J.-P. DAMOUR

MARCEL Gabriel Honoré (1889-1973). Né à Paris, il accomplit de brillantes études à la Sorbonne et, en 1910, fut reçu à l'agrégation de philosophie, mais il ne consacra que peu d'années à l'enseignement, pour s'adonner entièrement à sa vocation diversifiée de philosophe, de musicien, de critique et de dramaturge. Attiré par les expériences métapsychiques et les questions religieuses, il entra dans un milieu protestant par son mariage avec Jacqueline Boegner en 1919, mais se convertit au catholicisme et fut baptisé en 1929. Grand voyageur, élu à l'Académie des sciences morales et politiques en 1952, il reçut le grand prix National des Lettres en 1958 et le prix Érasme en 1969.

« Philosophe-dramaturge », ainsi qu'il aimait à se présenter en insistant sur le trait d'union reliant les deux domaines essentiels de sa création, Gabriel Marcel entendait, dans son théâtre, approfondir sa réflexion sur la vie intérieure et les relations humaines. Dans *le Seuil invisible,* en 1914, étaient associées deux pièces illustrant les impostures et les pouvoirs de la foi : *la Grâce* (1911) et *le Palais de sable* (1913). *Le Quatuor en fa dièse,* entrepris entre 1916 et 1919, faisait interférer les passions de la musique et de l'amour. *L'Iconoclaste* (1923), *le Regard neuf* (1931), *le Mort de demain* (1931), *la Chapelle ardente* (repr. 1925, éd. 1950), inspirés par la Grande Guerre, exprimaient les ravages exercés dans les cœurs et les imaginations des combattants et de leurs familles. Composés après la conversion de l'auteur, *le Monde cassé* (1933), *le Chemin de crête* (1936), *le Dard* (1936) et *la Soif* (1938) dénonçaient le désarroi des âmes aspirant à combler le vide et les frustrations de la vie. *Rome n'est plus dans Rome* (1951), *Mon temps n'est pas le vôtre* (1955) et *le Signe de la croix* (1960), écrits pendant ou après la Seconde Guerre mondiale, évoquaient enfin les déchirements provoqués par la persécution des juifs, la collaboration, la Résistance et l'épuration. Cette œuvre, abondante et variée, où la tenue du dialogue et la profondeur des sentiments sont parfois desservies par l'artifice de l'intrigue et l'abstraction des idées, introduit sur la scène un « tragique de pensée » qui apparente l'écriture dramatique de G. Marcel au dialogue philosophique.

Influencé d'abord par le bergsonisme et par l'idéalisme allemand, Gabriel Marcel opta ensuite pour une « philosophie concrète », ennemie de tout dogmatisme et résolument ancrée dans le réel. Fondée sur l'incarnation, sa recherche est cependant surtout métaphysique et religieuse, essentiellement orientée vers *le Mystère de l'Être* (1951). Sa démarche et son intention sont bien définies par l'énoncé d'une conférence écrite en 1933 : *Position et approches concrètes du mystère ontologique.* A la résolution des « problèmes » il opposait en effet l'approfondissement des « mystères ». Le *Journal métaphysique,* écrit à partir de 1914 et publié en 1927, fut d'abord l'instrument de cette quête appropriée à l'itinéraire spirituel de *l'Homo viator, prolégomènes à une métaphysique de l'Espérance* (1945). Mais ce métaphysicien était aussi un homme extrêmement attentif aux autres et convaincu que le moi n'a d'existence et de valeur que dans sa coexistence avec un toi, appréhendé non pas sur le mode aliénant de l'avoir, mais dans l'intersubjectivité de l'être (*Être et avoir,* 1935). Aussi fut-il le philosophe de l'amour, de la communion, de la fidélité aux vivants et aux morts (*Présence et immortalité,* 1959). Dieu lui-même est conçu comme un « Toi absolu », inaccessible au raisonnement et seulement sensible à l'amour du croyant. Souvent classé parmi les « existentialistes chrétiens », Gabriel Marcel récusait cette appellation et lui préférait l'idéal d'un « néo-socratisme », alliant le sens du mystère et l'interrogation passionnée sur la condition humaine.

BIBLIOGRAPHIE

On trouvera la bibliographie la plus complète et l'étude la plus approfondie de l'œuvre et de la pensée de Gabriel Marcel dans l'ouvrage de Roger Troisfontaines : *De l'existence à l'Être. La philosophie de Gabriel Marcel* (Louvain et Paris, Nauwelaerts, 1968, 2 vol.). L'ensemble de l'œuvre est aussi présenté par M.-M. Davy, *Un philosophe itinérant, Gabriel Marcel* (Flammarion, 1959), et Charles Moeller, *Littérature du XXe siècle et christianisme,* t. IV (Casterman, 1965). Sur l'œuvre dramatique, on consultera Joseph Chenu, *le Théâtre de Gabriel Marcel et sa signification métaphysique* (Aubier, 1948), Charles Widmer, *Gabriel Marcel et le Théâtre existentiel* (Cerf, 1971) et M. Belay, *la Mort dans le théâtre de Gabriel Marcel* (Vrin, 1980). On lira avec intérêt le texte extrêmement vivant de l'interview filmée réalisée par Pierre Boutang en 1970, diffusée par TF1 les 17 et 19 octobre 1977 et publiée dans le *Cahier n° 1* des *Archives du XXe siècle* (J.-M. Place, 1977).

M. LIOURE

MARCELIN Frédéric (1848-1917). V. CARAÏBES ET GUYANE. Littérature d'expression française.

MARÉCHAL Pierre Sylvain (1750-1803). Issu de la petite bourgeoisie parisienne (son père était marchand de vin), Sylvain Maréchal est l'auteur de la pièce de théâtre que l'on considère aujourd'hui — et c'est justice — comme le chef-d'œuvre du théâtre sans-culotte, *le Jugement dernier des rois,* et qui fut enveloppée à travers le XIXe siècle dans le discrédit jeté sur toute la littérature de la Révolution française. Après des études de droit, il devint avocat au parlement de Paris; mais ce métier ne convenait guère à un bègue, et, en 1777, il obtint un emploi à la bibliothèque Mazarine qui lui permit de subsister et lui fournit les moyens d'acquérir une immense culture. Influencé par Rousseau, il écrit une série de pastorales et d'œuvres anacréontiques dont l'aspect conventionnel ne doit pas dissimuler l'importance : Maréchal y est à la quête de son identité paradoxale d'auteur, « le berger Sylvain ». Devenu républicain et athée, il écrit *le Livre échappé au Déluge* (1784), parodie de la Bible, et perd son emploi. Il est incarcéré durant quatre mois en 1788, pour avoir préconisé, dans son *Almanach des honnêtes gens* (1788), une laïcisation du calendrier. Il salue la Révolution avec enthousiasme et, tout en se tenant à l'écart du jeu des coteries, collabore au journal jacobin *les Révolutions de Paris* et fonde *le Tonneau de Diogène* (autre périodique) en 1790. Ses œuvres sont d'inspiration jacobine avant Thermidor (*Dame Nature à la barre de l'Assemblée nationale,* 1791). Après la chute de Robespierre, il traverse une période d'incertitude politique avant d'adhérer aux thèses de Babeuf. C'est lui qui rédigea le *Manifeste des égaux,* où se trouve exposée l'idée maîtresse du babouvisme : la revendication, au-delà d'une égalité purement juridique, d'une égalité de fait, fondée sur une sorte de communisme agraire. Curieusement, il échappera au procès de 1796/1797. Il dénoncera Bonaparte, continuera de mener le combat pour la république et l'athéisme, et, en 1800, publiera son *Dictionnaire des athées anciens et modernes.*

Son opéra *la Fête de la Raison* (1793), sur une musique de Grétry, qui montre notamment l'abjuration d'un curé patriote, tente une fusion entre l'opéra et la fête révolutionnaire. Mais son ouvrage majeur, aujourd'hui accessible, est *le Jugement dernier des rois.* Dès sa création, le 17 octobre 1793, au théâtre de la République, à Paris, la pièce connut un très grand succès qui se prolongea au cours de ses représentations en province. Dans cette « prophétie », Maréchal imagine que tous les peuples d'Europe se sont débarrassés des rois et des tyrans qui les gouvernent. Conduits, avec le pape Braschi, par un sans-culotte de chaque nationalité, ces potentats déchus débarquent dans une île où vit, au milieu des sauvages, un vieillard français exilé par le despote. Abandonnés et couverts de sarcasmes par les vertueux républicains, « les scélérats couronnés » se battent comme des chiffonniers avant d'être détruits, dans une éruption volcanique, par la nature justicière. La pièce est loin d'être écrite dans le style grossier qu'on lui a reproché; elle témoigne, au contraire, du langage plutôt soutenu de la rhétorique révolutionnaire. Son intérêt réside dans sa dimension spectaculaire de cortège carnavalesque; cette pièce populaire, plus par son appel à détrôner des rois de carnaval que par sa représentation du peuple (que n'incarnent véritablement ni les sauvages muets ni les délégués sans-culottes) est aussi d'une modernité surprenante : on a pu évoquer à son propos Adamov ou Maïakovski.

BIBLIOGRAPHIE

Pierre Sylvain Maréchal, *le Jugement dernier des rois,* dans *Théâtre du XVIIIe siècle,* tome II, texte établi, annoté et présenté par Jacques Truchet, Paris, Gallimard, La Pléiade, 1974; *Cultes et lois d'une société d'hommes sans Dieu,* Paris, E.D.H.I.S, 1968.

Sur l'œuvre et la vie de Maréchal, on consultera, outre la notice de J. Truchet dans *Théâtre du XVIIIe siècle* (op. cit.), de Maurice Dommanget, *Sylvain Maréchal,* Paris, Spartacus, 1950. On lira aussi le bel article de Jacques Proust, « De Maréchal à Maïakovski, contribution à l'étude du théâtre révolutionnaire », dans *Studies in Eighteenth Century French Literature Presented to Robert Niklaus,* Exeter, 1975. Le livre de Daniel Hamiche (qui contient aussi le texte du *Jugement dernier des rois*), *le Théâtre et la Révolution,* Paris, « 10/18 », 1973, éclaire davantage certains débats autour de la révolution culturelle chinoise que le théâtre de la révolution française. On se reportera enfin à Cl. Mazauric, *Babeuf et la Conspiration pour l'égalité,* Paris, Éd. sociales, 1962.

P. FRANTZ

MARESCHAL André (début du XVIIe siècle). Probablement originaire de Lorraine, André Mareschal devint avocat à Paris et fut bibliothécaire de Gaston d'Orléans. On entend d'abord parler de lui comme poète, et il est du nombre des « écoliers » de Malherbe qui publient des pièces dans le *Recueil des plus beaux vers,* édité en 1626. Puis il attire l'attention en publiant un roman en 1627, *la Chrysolite ou le Secret des romans,* qui s'attache, comme le *Francion* de Charles Sorel, à dépeindre avec exactitude la société de son temps. Mareschal, qui théorise volontiers, précise d'ailleurs ses intentions : « Je n'ay rien mis qu'un homme ne peust faire, je me suis tenu dans les termes d'une vie privée. » Oubliée aujourd'hui, *la Chrysolite* est cependant considérée comme un témoignage d'une tendance de l'époque à serrer de près l'événement réel. Mareschal demeure mieux connu par son théâtre, et il jouissait probablement d'une certaine réputation puisqu'en 1643 il avait servi de témoin lors de la signature de contrat de l'Illustre-Théâtre de Molière. A la suite des mésaventures de la troupe, il remercie même publiquement le duc d'Épernon d'avoir recueilli les « illustres acteurs ».

Sa *Généreuse Allemande* (1630) est une tragi-comédie en deux journées, où les meurtres et les scènes violentes abondent. Ses indications scéniques minutieuses et sa liberté géographique ne la distinguent guère des autres tragi-comédies de l'époque. La préface de la pièce est cependant intéressante, car Mareschal y revendique son statut de « Moderne » et la liberté des dramaturges contre les théoriciens. Avant la préface de la *Silvanire* de Mairet et les premiers textes théoriques importants sur les « unités », il s'élève contre la contrainte des règles : « Nous autres, prenons du lieu, du temps et de l'action ce qu'il nous en faut pour le faire curieusement et pour le dénouer avecque grâce, en surprenant les esprits par des accidents qui sont hors d'attente, et non point hors d'apparence : eux [les Anciens] ne le démêlent point, ils le coupent. »

Il publie en 1634 *la Sœur valeureuse,* dédiée au duc de Vendôme, s'essaie à une pastorale tirée de *l'Astrée, l'Inconstance d'Hylas* (1635). Sa dernière pièce, *le Railleur,* est une comédie où l'on retrouve son goût de la précision et son intérêt pour les mœurs du temps.

Plus que ses œuvres, ce sont peut-être les préfaces de Mareschal qui retiendront aujourd'hui l'attention, en ce qu'elles révèlent clairement l'état d'esprit d'un Moderne, prêt à en découdre pour la défense d'une certaine liberté de l'art dramatique.

BIBLIOGRAPHIE

Le Railleur, comédie d'André Mareschal, dans Fournier, *le Théâtre français au XVIe et au XVIIe siècle,* Paris, 1871.

Giovanni Dotoli, « el Segreto dei romanzi o di una poetica del realismo », dans *el Romano al tempo di Luigi XIII,* Paris, Nizet, 1976; L. Ch. Durel, *l'Œuvre d'André Mareschal, auteur dramatique, poète et romancier de la période de Louis XIII,* (thèse), Baltimore, J. Hopkins Studies, XXIII, 1932.

J.-P. RYNGAERT

MARGUERITE DE NAVARRE

MARGUERITE DE NAVARRE, dite aussi **de Valois,** ou **d'Angoulême, duchesse d'Alençon et de Berry, reine de Navarre** (1492-1549).

Les curieux qui, attirés par le bruit de l'histoire, s'adressent à l'œuvre de Marguerite de Navarre sont bien surpris : toujours ailleurs, au-delà de ce que l'on attend d'elle, la sœur de François Ier ne répond à aucune des questions essentielles sur sa personne (qui fut l'objet des regards de ses contemporains), sur son rôle dans la politique et la pensée de son temps. Du besoin qui la fit écrire, elle nous assure qu'il fut étranger à la volonté de faire œuvre d'écrivain. Femme, et modeste, elle n'emploie le verbe « travailler » que pour les tapisseries auxquelles elle participe en compagnie de ses dames; mais elle couvre des centaines de pages de vers attentifs, épris des mystères de la pensée et de la douceur des hommes; elle dicte aussi le plus grand recueil de nouvelles de son temps, tout mêlé d'histoires exemplaires et de violence. Toujours par monts et par vaux, au milieu des guerres, des dissensions religieuses et des morts, cette figure de la sérénité et du sourire ne s'abstient de rien, et surtout pas d'écrire.

Sous le signe de la marguerite et du souci

Des « Enfances Marguerite et François », on sait assez pour écrire des romans (à quoi ressemblent bon nombre de textes d'historiens), et trop peu pour dire avec exactitude la piété et le raffinement, les jeux et les livres, l'atmosphère de surveillance un peu militaire et la liberté d'esprit ou — peut-être — d'humeur qui les marquent. Excès de détails : la silhouette de la princesse est difficile à camper et le restera. Sur une enluminure offerte à sa mère, la sage et frivole Louise de Savoie, on voit la petite Marguerite regarder son frère qui joue aux échecs; on l'imagine aussi le regardant chasser et lutter avec ses compagnons d'âge : ce seront les plus hauts personnages du futur règne, les Montmorency, les Bourbon (l'ami, avant de devenir le traître connétable) et Bonnivet, mort à Pavie avec beaucoup d'autres. Le réseau des familles est serré, le clan fermé. Marguerite passera une grande partie de sa vie — sa correspondance l'atteste — à marier ces familles entre elles, simplement un peu plus soucieuse des frontières du royaume que l'habitude ne le veut dans cette aristocratie européenne.

Il faut aussi lui trouver un époux. Certains ne veulent pas d'elle; elle en refuse d'autres, tel Henri VIII d'Angleterre : elle ne voudrait pas avoir à « passer la mer ». Alençon fait l'affaire en 1509, lui dont elle écrira plus tard qu'il n'avait « jamais leu ny appris » et « qu'on n'eust pas pour un orateur pris ». Il lui apportait un duché; un peu plus tard, il fallut régler la succession d'Armagnac, et les largesses du frère donnèrent au couple le duché de Berry. De princesse pauvre, Marguerite devenait riche. Mais l'essentiel n'est pas là.

En 1515, la mort de Louis XII, qui ne laissait aucun héritier mâle, fait du frère bien-aimé le roi de France, et d'elle ainsi que de sa mère les inspiratrices du règne, et pour longtemps. Tous trois vont former cette « Trinité » glorieuse — à l'instar de la divinité — que rien n'arrêtera vraiment avant 1524; cette dynastie de parvenus se voit consacrée par les succès militaires en Italie et par l'épanouissement rapide des arts, des sciences et des lettres dans une France encore prospère. Même quand surviendront les malheurs, ce halo de gloire et de bonheur encadrera toujours François Ier aux yeux de sa sœur, éperdue dès qu'elle le voit, qu'elle l'entend, ou qu'elle lit ses lettres.

Pourtant, il y a les deuils : la mort de la reine Claude en 1524, de Louise de Savoie, la mère toute-puissante, en 1531, et celle, déconcertante, des enfants du roi : Charlotte en 1524, dont la disparition suscite chez Marguerite le premier long poème d'inquiétude religieuse et de renoncement, écrit par une main plus habituée jusque-là aux « devises » faciles et à la correspondance; le dauphin François, Charles d'Orléans, le préféré, Louise et Madeleine, qui s'en va mourir en Écosse. Il y a aussi la mort de son propre fils Jean, à peine né (en 1530), et les grossesses sans succès. Lorsque François Ier sera mort, en 1547, il ne restera à Marguerite, qui ne se sent pas très proche du nouveau roi — son neveu, Henri II —, que son époux Henri d'Albret, roi de Navarre (qu'elle a choisi après Pavie et son veuvage), et une fille : Jeanne d'Albret, cause de bien des soucis quand François Ier était parvenu à la marier contre son gré; Marguerite ne dispose pas plus de cet esprit assurément têtu lorsque, le premier mariage étant enfin annulé en 1545, la jeune princesse préfère Antoine de Bourbon aux partis envisagés par sa mère et l'épouse (1548). Mais depuis longtemps la « Marguerite des princesses » a pris pour devise la fleur du souci, tournée vers le soleil dans son malheur, et elle s'est préparée au cri final :

Je n'ay plus ny Père, ny Mère,
Ny Seur, ny Frère,
Sinon Dieu seul auquel j'espère...

Mais la seule vraie solitude, c'est la mort de son frère; on a beau avoir essayé de la lui cacher, elle en rêve la nuit dans sa retraite du monastère de Tusson, et il faut une religieuse folle pour lui apprendre ce qu'elle savait déjà. Elle-même meurt seule, en 1549, à Odos, près de Tarbes.

Le rôle de Marguerite fut certainement considérable; auxiliaire de son frère, elle a reçu les ambassadeurs, rencontré Charles Quint, Henri VIII, le pape, les plus grands personnages qui ont traversé la France, s'entendant souvent assez bien avec eux; par ses échanges de vues ou par sa correspondance, elle a tenté — parfois avec succès — d'infléchir la politique, de diriger les responsables du royaume, voire de l'Europe. Elle a établi des relations épistolaires intenses avec des personnes qu'elle ne devait jamais rencontrer, telle la Milanaise Vittoria Colonna. Son rôle de médiateur et de protecteur pour tous ceux, de quelque bord religieux qu'ils fussent, qui risquaient l'exil et la mort, est trop connu pour qu'on rentre ici dans le détail; si elle n'a pu sauver Berquin ou Dolet, elle en a aidé beaucoup d'autres, dont Marot, son cher valet de chambre. Enfin, aucune des reines, aucune des favorites royales, n'a reçu plus qu'elle les hommages et dédicaces des écrivains qui voyaient en elle à la fois le mécène et le complice.

« L'odeur de mort est de telle vigueur »

Marguerite a fait les expériences les plus extrêmes, celles où l'esprit se découvre des pouvoirs qu'il ne concevait même pas auparavant. La première, peut-être, qu'elle considéra comme tout à fait extraordinaire, fut la guérison de son frère prisonnier, mourant à Madrid, qu'elle sauve par sa présence et ses prières. Il y eut ensuite la guérison de sa fille Jeanne, que, malgré tous ses efforts, elle ne réussit pas à rejoindre près de Tours : au cours d'une nuit de veille, à Bourg-la-Reine, on vient apprendre à Marguerite que Jeanne est sauvée. Chaque fois, elle trouve insupportables les distances et s'émerveille de leur franchissement. Elle voudrait tant resserrer le monde, comme elle y parviendra dans sa petite cour de devisants, au moment de l'*Heptaméron!* Elle a toujours espéré et craint l'arrivée des courriers à cheval, et le heurt contre la porte de celui qui va vous rendre présente la réalité éloignée : ainsi apprit-elle, au cours d'une nuit qu'elle évoquera plus tard, la défaite de Pavie et la captivité du roi. Menacée et tendue, Marguerite a toujours senti la distance que seule, à ses yeux, l'extrême douleur peut franchir en basculant dans le bonheur.

O qu'elle est longue la carrière
Où à la fin gist mon plaisir!

dit-elle en avançant à marches forcées vers Madrid.

Rien d'étonnant alors à ce qu'elle reprenne à Briçonnet ou à une mystique du Moyen Âge le terme de Loin Près, qui devient chez elle le « Gentil Loin Près » : Dieu si proche et si inaccessible, mais également — n'en doutons pas — son frère, loin et proche dans sa vie — et aussi dans la mort, qu'elle vient à désirer. De là cette attention clinique avec laquelle elle observe l'instant fatal, celui du « prompt passage » : elle guette sur une suivante son dernier soupir, la trace de l'âme à son départ. Mais quand il s'agira pour elle de mourir à son tour, elle se plaindra, comme le rapporte Brantôme, de ce « mot amer » de la mort, et de la longue attente avant la résurrection : « Nous demeurons si longtemps morts soubs terre avant d'en venir là! » Terrienne Marguerite...

La plus grande et la plus belle partie de ses poèmes et de son théâtre a été écrite — très vite — sous l'emprise de cette expérience de la mort de son frère. On ridiculise trop facilement Michelet pour avoir compris cette passion : « Cette fixité terrible, pendant cinquante ans, qui y tiendrait ? » On peut s'amuser sans doute des erreurs matérielles de Michelet, qui fit de François Ier un frère incestueux et de Marguerite la femme passionnée la plus sublime; mais il reste à souhaiter qu'un historien de sa trempe s'intéresse un jour au personnage de la reine et à sa passion si tenace : cette passion qui fut sans doute le vrai moteur de toute son écriture, et qui la retint peut-être de devenir une Catherine de Sienne ou une Thérèse d'Avila.

A l'escriture véritable
Defaudroit la force à ma main.
Le taire me seroit louable,
S'il ne m'étoit tant inhumain.

	VIE		ŒUVRE
1492	11 avril : naissance, à Angoulême, de Marguerite de Valois, fille de Charles d'Angoulême et de Louise de Savoie et petite-nièce du poète Charles d'Orléans.		
1494	Naissance de son frère François, futur François Ier.		
1496	Mort du père. Louis d'Orléans (futur Louis XII) devient tuteur de Marguerite, avec Louise de Savoie. Éducation des deux enfants à Romorantin et Amboise, sous la surveillance du maréchal de Gié. Blanche de Tournon, dame de Châtillon, est choisie pour être la gouvernante de Marguerite. Louise s'entoure d'un milieu brillant et cultivé.		
1506	Fiançailles de François et de Claude de France, fille de Louis XII et d'Anne de Bretagne.		
1508	Marguerite et François à la cour de Louis XII.		
1509	Marguerite épouse le duc Charles d'Alençon.		
1514	Mariage de François et de Claude de France.		
1515	François Ier roi; Marignan; les Alençon reçoivent le comté d'Armagnac et le duché de Berry. Louise et Marguerite à Lyon. Fêtes d'entrées royales à Marseille, Amboise, Rouen, etc. Période glorieuse à la Cour.	**1515**	Relations avec Lefèvre d'Étaples.
1519	Début du mécénat de Marguerite : Marot devient son valet de chambre.		
1520	**Camp du Drap d'or.**		
		1521-1524	Correspondance avec Guillaume Briçonnet.
1524	Mort de Claude de France; Marguerite assure l'éducation des enfants royaux. Mort de Charlotte, fille de François Ier.		
1525	24 février : **Défaite de Pavie.** François Ier prisonnier, emmené à Madrid. Louise régente, à Lyon avec Marguerite. Marguerite fait le voyage d'Espagne, pour tenter de délivrer son frère; échec des négociations, mais elle assiste François dans une très grave maladie.	**1525**	Marguerite écrit le *Dialogue en forme de vision nocturne* à la suite de la mort de Charlotte. (Publié en 1533. *Le Pater Noster,* en 1525.)
1526	Délivrance du roi; les enfants royaux en otage, jusqu'en 1529.	**1526**	Écrit le *Petit Œuvre dévot, l'Oraison de l'âme fidèle, l'Oraison à N.S. Jésus-Christ.*
1527	Marguerite, veuve depuis 1525, épouse Henri d'Albret, roi de Navarre.		
1529	**Paix des Dames** (Louise, Marguerite d'Autriche, Marguerite) à Cambrai : délivrance des enfants royaux. Marguerite défend, en vain, Berquin. Naissance de Jeanne d'Albret, future mère de Henri IV.		
1530	Naissance (et mort, cinq mois après) de son fils Jean.	**Vers 1530**	« Tétralogie biblique », *la Nativité, les Trois Rois, les Innocents, le Désert.*
1531	Mort de Louise de Savoie.	**1531**	*Miroir de l'âme pécheresse,* publié à nouveau en 1533, et condamné alors par la Sorbonne, mais intervention du roi. *Le Discord estant en l'homme par la contrariété entre l'esprit et la chair,* 1531, 1533, 1535; *le Malade* (farce).
1533	G. Roussel, sur l'invitation de Marguerite, prêche le carême à Paris, malgré la Sorbonne (Béda).		
1534	**Affaire des Placards.** Marot et Calvin à Nérac chez Marguerite. Marguerite, à Lyon, prend Des Périers à son service.		
1536	Dolet est présenté à Marguerite; elle le défendra à plusieurs reprises.		
1536	Lefèvre d'Étaples meurt à Nérac, près de Marguerite. Affaire Sagon-Marot. Mort du dauphin.	**Vers 1536**	*L'Inquisiteur* (farce).

	VIE		ŒUVRE
1537	Marguerite en Gascogne et à Paris; affaire du *Cymbalum mundi* de Des Périers. Depuis 1534, période de difficultés avec François Ier. Marguerite à Fontainebleau, Blois, Toulouse, etc.		
1538	Marguerite à Nice lors de l'entrevue du roi avec le pape et Charles Quint. Rencontre Sadolet... **Entrevue d'Aigues-Mortes entre François Ier et Charles Quint :** Marguerite y assiste. Jeanne enfermée par François Ier au Plessis-lez-Tours. Marguerite rompt avec le connétable de Montmorency. Voyages avec la Cour (1539).		
		Vers 1540	Commence à écrire *l'Heptaméron.*
1541	Sur l'ordre du roi, mariage de Jeanne d'Albret avec le duc de Clèves, malgré les refus de la petite fille et le désaccord de ses parents.	**Vers 1541**	*La Coche,* dédiée à la duchesse d'Étampes.
1542-1544	Marguerite en Navarre. Naissance du futur François II.	**1542**	*Les Quatre Femmes.*
1545	Mort de Charles d'Orléans, fils préféré de François Ier. Annulation du mariage de Jeanne.		
1546	François Ier, malade, réclame sa sœur. Dernière entrevue.	**1546?**	Prologue de *l'Heptaméron.*
1547	31 mars : mort de François Ier. Marguerite l'apprend au monastère de Tusson. Marguerite défavorable aux projets de mariage de Jeanne avec Antoine de Bourbon, duc de Vendôme, projets qu'appuie Henri II; mésentente entre la fille et la mère.	**1547**	A Lyon, chez J. de Tournes, *Marguerites de la Marguerite des princesses.* Après la mort du roi : nouvelles *Chansons spirituelles, la Navire, la Comédie sur le trépas du roi, les Prisons.*
1548	Octobre : Marguerite à Lyon; puis à Moulins, pour le mariage de sa fille.	**1548**	*La Comédie de Mont-de-Marsan; la Comédie du Parfait Amant.* Poursuite de *l'Heptaméron.*
1549	Jeanne et son mari viennent la voir à Pau, en mars. Voyages à Cauterets, puis à Mont-de-Marsan. Septembre : Marguerite à Odos, près de Tarbes. Son mari, Henri d'Albret, séjourne à Paris en décembre. 21 décembre : Marguerite meurt à Odos, seule.		
		1558	Publication, par Boaistuau, de la première édition, très incomplète et modifiée, de *l'Heptaméron,* sous le titre *Histoire des amans fortunez.*
		1559	Publication, par Claude Gruget, de *l'Heptaméron,* titre définitivement adopté pour le recueil de nouvelles de la reine.

La reine en ses Écritures

Écrire, pour elle, revient bien souvent à une méditation sur les Saintes Écritures. Mais la position religieuse de Marguerite doit-elle être définie? On l'a voulu luthérienne (Lefranc), érasmienne (Renaudet); on la rapproche souvent — et à juste titre, semble-t-il — des libertins spirituels, qu'elle accueillit à Nérac; mais elle y accueillit également Calvin, dont elle était assez éloignée. La confronter à Érasme a-t-il tant de sens? De l'aveu même de celui-ci, la reine n'a jamais répondu aux deux lettres pourtant engageantes qu'il lui envoya. Elle fut séduite par des formules diverses, tentée par tous les réformateurs. « Elle s'est prise un peu, verbalement, jour après jour, à chaque mirage », dit justement V.L. Saulnier. Sa foi s'est formée auprès de Lefèvre d'Étaples et du groupe de Meaux, et elle ne fera jamais que répéter les leçons d'évangélisme apprises de Briçonnet. Mais surtout, Marguerite est simple, et elle écrit de la poésie. Il est facile de lire dans ses vers des pensées qu'elle répète inlassablement, et le système se tient, qu'il soit d'elle ou d'un autre; mais il ne faut pas exiger d'elle la rigueur de principes d'un docteur en théologie : elle ne prend pas position sur la prédestination, les sacrements, la Vierge ou les saints (que pourtant elle invoque parfois). Elle n'entre pas de front dans les débats, mais ses longs poèmes ne sont pas pour autant inorganisés; elle a, au contraire, gardé de la Rhétorique le goût pour les vastes compositions symboliques ou allégoriques, que manifestent ses textes poétiques du début, comme les *Prisons* des dernières années.

Ainsi le *Dialogue en forme de vision nocturne,* où sa nièce Charlotte répond du haut du ciel à ses larmes et à ses questions, est-il une profession de foi touchante, inquiète, mais impeccablement progressive, qui mène, en 1 300 vers, de l'évidence de la foi à la leçon de charité. Marguerite y affirme que la joie de l'âme « tire au ciel, par plaisir », que le salut vient du Christ, fleuve d'amour, dont les saints ne sont que les ruisseaux; à la question sur le franc arbitre, la petite Charlotte répond, à la manière de saint Augustin, par les trois grâces (« preveniente, illuminante et perficiente »), mais réserve à l'homme le pouvoir de préparer la grâce et de se rendre agréable à Dieu : système complexe qui permet au pécheur de trouver la Franche Liberté et de vaincre le péché. Dans cet univers baigné d'amour divin, la charité devient une loi de nature et l'homme un membre du grand corps de l'Église, dans l'attente joyeuse de la mort. Si, à l'intérieur du dédoublement commode que lui procurait le dialogue, Marguerite toute attachée à ses passions terriennes accepte encore mal une telle abnégation, elle n'aura de cesse, pourtant, de l'affirmer. « Ce qu'on eût le moins attendu d'un esprit naturellement aiguisé et raisonneur — dit justement Michelet —, elle entreprit d'être mystique. Pour elle, c'est un travail », qu'elle continue, à la mort de sa mère, dans le *Miroir de l'âme pécheresse,* et à la mort de son frère, dans le testament poétique des *Prisons.*

L'Amant symbolique des *Prisons* (dont l'humeur sereine et douce est bien à l'image de celle de la reine) serait heureux de ses trois prisons successives, si à chaque fois l'on ne venait lui en révéler la vanité : la première est celle de l'Amant lui-même, captif volontaire, qui fonde tout en l'aimée; la deuxième, celle du monde, « chef-d'œuvre de Dieu » qu'il admire, mais qui lui apprend l'ambition et la recherche de Plaisir, Honneur et Richesse; dans la troisième, qui est le temple du Savoir, l'Amant s'enferme dans un cercle de livres dont toutes les disciplines forment les piliers et la Bible le couronnement. Si belle que soit cette dernière prison, elle doit aussi disparaître, incendiée par le feu divin. L'âme, tout à coup ravie à Dieu qui est Tout, elle qui n'est rien, reçoit la grande leçon augustinienne des *Prisons :* « Où est l'Esprit, là est la Liberté ». Mais ce n'est pas sans peine que la reine s'est détachée de la beauté des prisons, décrites avec complaisance dans leurs charmes concrets, avant l'envol final des litanies psalmodiées.

Car la reine ne conçoit pas autrement ses oraisons qu'en vers. C'est par l'écriture qu'elle cherche à abolir tous ses autres intérêts. On dirait qu'elle écrit comme certains dansent, pour s'étourdir, si elle ne faisait pas sans cesse appel à la raison pour prouver la vanité des choses humaines, dans le plus scrupuleux des récapitulatifs. Scrupuleux aussi, et souvent austères, sont ces vers tendus par la contradiction d'un esprit à la fois inquiet et fondamentalement gai, prêt à chanter (comme son temps, d'ailleurs) son malheur sur des airs connus depuis l'enfance et, sur l'air du « Pont d'Avignon », « Sur l'arbre de la Croix ». Outre qu'elles font écho aux *Psaumes* de Marot, les *Chansons spirituelles* de Marguerite, simples et profondes, annoncent de loin le lyrisme des *Cantiques spirituels* de Racine. Ce sont elles, en tout cas, qui lient le mieux ses amours humaines à la sublimation par la Foi, la Raison et la Charité.

Les comédies « profanes »

Le théâtre de Marguerite dans son ensemble, et pas seulement la « tétralogie biblique » (*la Nativité, les Trois Rois, les Innocents, le Désert*), reprend toute sa pensée intime, toute l'inspiration religieuse de la poésie qui lui est parallèle; il est également marqué, de la manière la plus profonde, par la mort du frère de la reine. Ainsi, *la Comédie sur le trépas du roy* et *la Comédie de Mont-de-Marsan* disent-elles l'insupportable éloignement, mais aussi la sublimation de l'âme « ravie » vers Dieu après s'être égarée dans les attitudes mondaines, superstitieuses et même dans la sagesse raisonnable. Mais ce théâtre est aussi d'une actualité constante, difficilement perceptible au lecteur moderne. On peut supposer que ces pièces furent toutes représentées avec la volonté, chez Marguerite, de correspondre à des cycles de la pratique religieuse et aux fêtes, de distraire et de guider une petite société de cour intime et réconfortante, mais aussi de s'adapter — avec toute la discrétion et l'humour de son esprit aristocratique — à la polémique religieuse la plus immédiate. Sans doute a-t-elle défendu ainsi Marot dans *l'Inquisiteur* et Dolet dans *Trop Prou Peu Moins,* de façon indirecte. Mais plus la pièce est d'actualité, plus elle a des chances d'être énigmatique, et plus elle s'allonge et déroute, par ses nuances mêmes.

Marguerite intitule ces pièces « farce » ou « comédie » (mot encore très humaniste, et qui contraste avec le premier), mais elles se rapprochent, par leur type de personnages, de l'allégorie et, par l'intention morale évidente, des « moralités ». Cependant, comme dans toutes ses créations, la reine veut tout dire, faire éclater tous les cadres rigides en même temps qu'elle se les impose; le charme réel de son œuvre tient à ces sautes brusques de ton et de personnages, à de constantes notations précises et amusantes : dans *le Malade,* la psychologie du malade, celle de son entourage, celle du médecin, ainsi que leurs manies, sont analysées avec gaieté; et le petit enfant qui détient la vraie sagesse, dans *l'Inquisiteur,* répond au maître sévère et stupide par « papa », « dodo » et « bon bon », pendant que ses compagnons l'entourent de « hon hon » injurieux. Enfin, ce rire de la reine, qui lui est si constitutif, anime les personnages les plus sublimes, la servante qui sauve humblement le malade, les deux jeunes filles des *Quatre Femmes* et surtout, la Ravie de *Mont-de-Marsan.*

Pour tenir compagnie : *l'Heptaméron*

Le théâtre de Marguerite resta à l'état de manuscrit jusqu'à notre époque : il n'intéressait certainement pas sa fille. *L'Heptaméron* aurait certainement connu le même sort si le XVIe siècle n'avait pas été si affamé de contes et de nouvelles, et si plusieurs ébauches du texte n'avaient pas déjà circulé, avant et après la mort de la reine. En 1558, Boaistuau interrompait cette circulation libérale en décidant de faire son profit du texte, mais il devait, dit-il, se fatiguer beaucoup à « servir d'esponge et nettoyer » : paraissent ainsi les *Histoires des amans fortunez.* Devant ce massacre, Jeanne d'Albret est contrainte de demander à l'honnête et savant Gruget de remettre de l'ordre dans l'ouvrage, ce qu'il fait en 1559, en donnant au recueil le titre d'*Heptaméron* (« sept jours », puisque la reine, qui avait envisagé dix journées, n'avait franchi le cap de la septième que de deux nouvelles). Gruget ajoute aussi le titre particulier à chaque nouvelle, et qui en constitue comme un sommaire, assez étranger au principe de composition que la reine avait peu à peu élaboré. Car des études récentes nous montrent de mieux en mieux que, si la reine avait bien, au départ, conçu d'écrire un *Décaméron* français à la manière de Boccace, qu'elle venait de faire traduire par Antoine Le Maçon (1545), c'est seulement progressivement qu'elle songea à lui donner la structure complexe que nous connaissons. La mort a saisi Marguerite en plein travail, sans que l'on sache si elle comptait publier un jour son œuvre, comme elle l'avait fait pour la seule poésie.

Tel qu'il est, *l'Heptaméron* suscite actuellement les analyses les plus diverses, et il leur résiste, par sa richesse même et son ambiguïté. Œuvre de divertissement, qui se refuse à entrer dans la littérature de métier, il possède la qualité des plus grandes créations : celle de livrer une vision du monde, et de devenir un livre de chevet, un guide de bonne compagnie. Ce dernier objectif, la reine se l'était fixé à l'usage exclusif de sa petite compagnie de devisants, sertis avec amour dans la trame des récits dont ils deviennent à la fois les narrateurs et les commentateurs partiaux et multiples. Contentons-nous de décrire le plus visible : après un Prologue dans lequel Marguerite met littéralement en place ses devisants, réunis par le hasard des orages dans une abbaye près de Cauterets, et leur fait promettre de ne dire que du vrai, qu'ils auraient vécu ou dont ils pourraient certifier l'origine, elle divise leur temps en journées, dont on ne dira jamais assez l'invraisemblance. Dur et long programme que celui qui consiste quotidiennement à se lever tôt le matin, pour prier et lire les Saintes Écritures, avant de raconter, enchaînées par un propos moral des plus apparents (mais peu efficace dans la réalité du déroulement), dix histoires dont certaines peuvent s'inscrire sur une trentaine de pages! Marguerite, elle, semble les avoir dictées à ses dames, comme en témoigne le fils de l'une d'entre elles, Brantôme, et elle s'y est attachée pendant un assez long temps pour que le caractère symbolique (et non réaliste) du système soit, de toute évidence, voulu. Elle déborde l'histoire-cadre italienne par l'institution, dans la structure de la nouvelle, du dialogue-commentaire des devisants, lequel vient tenir lieu de morale à la fable, tout en s'inspirant du grand genre italien du dialogue (souvent axé, précisément, sur le débat amoureux) pour multiplier les points de vue; effet déjà amorcé par la pluralité des narrateurs. L'idée en vint d'autant plus facilement à Marguerite que ses histoires traitent de manière privilégiée des aventures amoureuses exemplaires (dans la beauté ou l'horreur), et dressent progressivement une éthique du mariage, dans laquelle la société exerce un pouvoir de plus en plus contraignant. De ces contradictions internes si vivaces entre l'amour fou auquel elle aspire et la nécessité sociale et religieuse du mariage tel qu'elle le rêve, naissent les nouvelles les plus belles et les plus originales : la longue et fine histoire de Floride et Amadour, condamnés par le protocole de l'aristocratie à entrer dans le péché (nouvelle X), comme le récit fantastique de Bernage (nouvelle XXXII), dans lequel une femme jeune, belle, vêtue de noir et les cheveux rasés, est condamnée à venir boire en silence dans le crâne de son amant mort. Ces amoureux, ces prisonnières étranges ne sont pas issus du roman courtois; ils ne ressemblent pas davantage aux princes et aux princesses féeriques des contes de Perrault : ils sont là crûment, comme les membres réels d'une société violente et protocolaire par laquelle Marguerite se sent intimement menacée. Si elle s'éloigne, par moments, de sa propre caste, ce n'est que pour jeter le même regard lucide jusqu'à la verdeur sur tous les êtres humains.

Cependant cette vision noire du monde est perpétuellement équilibrée par l'indulgence, le sourire à l'égard de soi-même et des autres, voire le jeu le plus « gratuit » : jeux de cache-cache dans un palais, jeux d'optique dans une chambre; en fait, jeux parfaitement admis de la sexualité toujours présente, et, par-dessus tout, lié à ceux-là, le jeu d'écrire, de conter, d'atteindre l'autre, pour en rire.

Le destin de l'œuvre

L'omniprésence de ce rire — ou de ce sourire — justifie bien, quoi qu'on en dise, que l'œuvre soit demeurée par la suite sur les rayons des bibliothèques consacrés à la littérature gauloise et polissonne. C'est la vigueur même du regard de la reine, le caractère provocant et libre d'une écriture qui cherche à dire complètement, même si c'est au prix de maladresses apparentes (le lecteur superficiel prend l'effort pour de la naïveté, et la « naïveté » pour une absence de projet), qui ont longtemps « démodé » son texte, tout accaparé par les réalités contemporaines.

Présente-absente, se racontant mais obligée à biaiser avec ses passions, la reine la plus mystique et la plus raisonnable de « l'histoire de France », en tout cas la seule qui ait écrit et qui en ait fait l'activité la plus absorbante, continue à intriguer comme l'une des figures les plus énigmatiques de la littérature de son siècle. C'est à ses pairs qu'il faut faire confiance, à Marot, à Des Périers, ou à Rabelais qui l'invite à rire du *Tiers Livre,* et voit en elle un « Esprit abstraict, ravy, et ecstatic » qu'il respecte avec humour.

BIBLIOGRAPHIE

Les éditions modernes présentent des différences assez importantes selon les manuscrits auxquels elles se réfèrent. Parmi les nombreuses éditions, on préférera : *l'Heptaméron...* publ. par Le Roux de Lincy et Montaiglon, Paris, 1880, et Slatkine Reprints, 1969; *l'Heptaméron,* publ. par M. François, Paris, Garnier, 1967 (reste la meilleure édition); *l'Heptaméron,* publ. par P. Jourda, dans *Conteurs français du XVIe siècle,* Bibl. de La Pléiade, 1956; *Nouvelles...,* publ. par Y. Le Hir, Paris, P.U.F., 1967; *Heptaméron,* prés. par S. Glasson de Reyff, Paris, Garnier-Flammarion, 1982 (très bonne édition).

BIBLIOGRAPHIE GÉNÉRALE

Éditions

Les œuvres poétiques de Marguerite de Navarre (ci-après : M. de N.), si maltraitées jusqu'en 1873, date à laquelle F. Frank publia à nouveau le recueil de 1547, *les Marguerites de la Marguerite des Princesses,* font l'objet maintenant d'éditions remarquables :

Dialogue en forme de vision nocturne, publ. par Pierre Jourda, *Revue du XVIe siècle,* XIII, 1926, p. 1-49; *Pater Noster faict en translation et dyalogue...,* publ. par E. Parturier, *Rev. de la Renaissance,* V, 1904, p. 108-114, 178-190, 273-280; id., présent. par W.G. More, *la Réforme allemande et la Littérature française,* Strasbourg, 1930, p. 432-441; *le Malade, l'Inquisiteur, les Quatre Femmes, Trop Prou Peu Moins, la Comédie sur le trépas du roy, la Comédie de Mont-de-Marsan, la Comédie du Parfait Amant,* sont réunis par V.L. Saulnier dans *Théâtre profane,* Genève et Paris, Droz, 1963 (1re éd., 1946); *les Marguerites de la Marguerite des Princesses* de 1547 sont reproduites en fac-similé, avec une introduction de R. Thomas, La Haye, Mouton, 1970; id., éd. F. Frank, Genève, Slatkine Reprints, 1970; *la Coche,* publ. par R. Marichal, Droz, 1971; *les Chansons spirituelles,* publ. par G. Dottin, Droz, 1971; *les Dernières Poésies de M. de N.,* publiées pour la première fois avec une introduction et des notes par A. Lefranc, Paris, 1896 (contient les poésies du recueil de 1547, les dernières *Chansons spirituelles, la Navire,* etc.); *la Navire ou Consolation du Roi François Ier à sa sœur Marguerite,* publ. par R. Marichal, Bibliothèque de l'École des Hautes Études, Paris, Champion, 1956; *Épîtres et comédies inédites,* publ. par P. Jourda, *Revue du Seizième Siècle,* XIII, 1926, p. 177-204; *Poésies inédites,* publ. par P. Jourda, *Revue du Seizième Siècle,* XVII, 1930, p. 42-63; *Petit Œuvre devot et contemplatif,* Analecta romanica, H. 9, Francfort, 1960; *les Prisons,* prés. par S. Glasson de Reyff, Droz, 1978.

Pour la correspondance : *Lettres de M. d'Angoulême,* publ. par F. Génin, Paris 1841; *Nouvelles lettres de la Reine de Navarre adressées au roi François Ier,* publ. par F. Génin, Paris 1842; *Lettres de M. de Valois-Angoulême,* publ. par R. Ritter, Paris, 1927; *Guillaume Briçonnet et M. de N. : correspondance,* publ. par C. Martineau, C. Veissière et H. Heller, t. I, Droz, 1975; t. II, 1979.

Beaucoup de corrections aux publications de Génin et de renseignements sur l'ensemble de la correspondance sont donnés dans : P. Jourda, *Répertoire analytique et chronologique de la Correspondance de M. de N.,* Paris, 1930; Slatkine Reprints, 1973; V.L. Saulnier, « M. de N. en ses derniers temps », *Bibliothèque d'Humanisme et de Renaissance (B.H.R.),* XXXVI, 1974, p. 533-573; « M. de N. aux temps de Briçonnet », *B.H.R.,* XXXIX, 1977, p. 437-478; XL, 1978, p. 193-236 et 7-47.

Études critiques

Les travaux d'ensemble les plus importants sur M. de N. restent : Pierre Jourda, *Marguerite d'Angoulême, duchesse d'Alençon, reine de Navarre, 1492-1549; étude biographique et littéraire,* Paris, 1930 (2 vol.), 2e éd., Turin, Bottega d'Erasmo, 1968; E.V. Telle, *l'Œuvre de Marguerite d'Angoulême, reine de Navarre, et la Querelle des Femmes,* Toulouse, 1937; Slatkine Reprints, 1970.

On trouve une introduction des plus intéressantes à l'œuvre et au personnage de M. de N. dans les préfaces de V.L. Saulnier au *Théâtre profane,* Droz, 1963, et de S. Glasson aux *Prisons,* Droz, 1978, et à *l'Heptaméron,* Garnier-Flammarion, 1982.

Malgré toutes ses erreurs matérielles, Michelet dresse l'un des portraits les plus brillants de M. de N. dans *Renaissance et Réforme,* 1855, rééd. Paris, Laffont « Bouquins », 1982, p. 192 *et sq.* et p. 285 *et sq.*

Parmi les nombreux ouvrages et articles sur M. de N., signalons : Abel Lefranc, « M. de N. et le platonisme de la Renaissance », *Grands Écrivains de la Renaissance,* Paris, 1914, reprise d'un article de 1897; id., « Les idées religieuses de M. de N. d'après son œuvre poétique », *B.S.H.P.,* 1897 et 1898; Augustin Renaudet, *Humanisme et Renaissance,* Droz, 1958, ch. XIV (reprise d'un article dans *Revue du Seizième Siècle,* XVIII, 1931); Lucien Febvre, *Autour de l'Heptaméron, Amour sacré, amour profane,* Paris, 1944; rééd., Paris, Gallimard, 1971 (collection Idées); V.L. Saulnier, « Études critiques sur les comédies profanes de M. de N. », *B.H.R.,* IX, 1949, p. 36-77 (cf. plus haut ses articles sur la correspondance de M. de N.); Raymond Ritter, *les Solitudes de la reine de Navarre,* Paris, Champion, 1953; Nicole Cazauran, *l'Heptaméron de M. de N.,* Paris, S.E.D.E.S, 1976; Marcel Tetel, *M. de N.'s « Heptaméron » : Themes, Language and Structure,* Duke University Press, 1973; A.J. Krailsheimer, « The Heptameron Reconsidered », *The French Renaissance and its Heritage, Essays presented to Alan M. Boase,* Londres, 1968, p. 75-92; Philippe de Lajarte, « *l'Heptaméron* et le ficinisme », *Rev. des Sciences Humaines,* juillet-sept. 1972, p. 339-371; id., « *l'Heptaméron* et la naissance du récit moderne », *Littérature,* 17, 1975, p. 31-42; M.-M. Fontaine, « L'espace fictif dans *l'Heptaméron* », in *Motifs et Figures,* Paris, P.U.F., 1974; Christine Martineau, « le Platonisme de M. de N. ? », *Bulletin de l'Association d'Étude sur l'Humanisme, la Réforme et la Renaissance (R.H.R.),* nov. 1975, p. 12-35; id., et Christian Grouselle, « la Source première et directe du *Dialogue en forme de vision nocturne* »..., *B.H.R.,* XXXII, 1970, p. 559-577; Nicolas Wagner, « le Sentiment religieux et le refus de l'Utopie dans les *Nouvelles* de M. de N. », *R.H.R.,* 5, 1977, p. 4-8.

Enfin, on trouve sept articles concernant *l'Heptaméron* dans *la Nouvelle française à la Renaissance,* études réunies par L. Sozzi, Slatkine, 1981, p. 355-458.

Pour une bibliographie plus complète, voir S. Glasson, éd. cit. des *Prisons,* Droz, 1978.

M.-M. FONTAINE

MARGUERITTE Paul (1860-1918). Né à Laghouat (Algérie), ce fils de général fait ses études au prytanée de La Flèche; mais, peu attiré par la carrière militaire, il prend un emploi en 1881 au ministère de l'Instruction publique, qu'il quittera plus tard pour se vouer entièrement à la littérature. Il consacre son premier livre (1884) à la biographie de son père mortellement blessé lors de la charge du plateau d'Illy, à Sedan, en 1870, avant de publier plusieurs romans qui témoignent de son engagement dans le mouvement naturaliste : *Tous quatre* (1885), *la Confession posthume* (1886), *Pascal Géfosse* (1887). Mais en 1887, Paul Margueritte signe *le Manifeste des Cinq* contre *la Terre* de Zola, et son réalisme évolue dès lors vers une écriture plus artiste, influencée par les Goncourt : *Jours d'épreuve* (1889), *Amants* (1890), *la Force des choses* (1891), *l'Essor* (1896).

C'est en collaboration avec son jeune frère Victor (1866-1942), alors officier, qu'il entreprend ensuite de brosser la fresque des années de guerre 1870-1871, dans *Une époque,* cycle romanesque en quatre tomes : *le Désastre* (1898), *les Tronçons du glaive* (1901), *les Braves Gens* (1901), *la Commune* (1904). C'est aussi avec Victor qu'il fournit à la littérature enfantine deux de ses réussites : *Poum, aventures d'un petit garçon* (1897) et *Zette* (1903).

Après 1908, date à laquelle les deux frères reprennent leur indépendance, Paul Margueritte continue à écrire, sous sa seule signature, souvenirs : *les Pas sur le sable* (1906), *Les jours s'allongent* (1908); et romans : *la Faiblesse humaine* (1908), *la Maison brûlée* (1913), *l'Embusqué* (1916), *Jouir* (1918).

Victor, qui a quitté l'armée en 1896, s'orientera pour sa part dans une voie plus militante (surtout après 1918), consacrant romans et essais à l'émancipation de la femme (*la Garçonne,* 1922; *Nos égales,* 1933) et à la cause du pacifisme (*le Bétail humain,* 1928; *la Patrie humaine,* 1931).

En dépit de son adhésion au *Manifeste des Cinq,* Paul Margueritte est toujours resté fidèle à ses premiers engouements littéraires et à son admiration pour le réalisme de Zola. Également marqué par l'exemple des Goncourt, il est de ceux qui, une fois les maîtres disparus, maintiennent une présence naturaliste dans la production romanesque du début de ce siècle.

Il y élabore une œuvre vigoureuse, plus démonstrative que nuancée, prônant l'universalité du désir et une pitié toute tolstoïenne pour l'humanité.

Son attention aux réalités contemporaines, son ambition de dépasser la peinture de destinées individuelles pour accéder à une dimension collective, le poussent vers le roman social : la tétralogie historique d'*Une époque* en laisse entrevoir les limites et les enjeux. L'éclatement de l'intrigue, à travers les aventures de nombreux personnages, témoigne de la difficile insertion de la matière romanesque dans le déroulement historique; la juxtaposition tend à l'emporter sur la composition, d'autant que l'accumulation des détails censés évoquer la réalité empêche que ne se dégagent de véritables lignes de force. Chargés de confronter les idées ou de permettre l'exposition des événements, les personnages sont d'ailleurs plus choisis pour leur fonction représentative que pour leur vraisemblance psychologique.

L'ensemble, qui ne manque ni d'émotion ni de puissance, est révélateur de la crise des modèles narratifs ainsi que des recherches menées dans le sillage du naturalisme.

BIBLIOGRAPHIE

Edmond Pilon, *Paul et Victor Margueritte,* Paris, 1905.

M.-O. GERMAIN

MARGUERITTE Victor (1866-1942). V. MARGUERITTE Paul.

MARIE DE FRANCE. V. ESPURGATOIRE SAINT-PATRICE. ISOPETS. LAIS.

MARIEN Marcel (né en 1920). Disciple de Nougé, il est l'un des surréalistes belges les plus exigeants dans la poursuite d'une action libératrice au moyen des pouvoirs de l'écriture. Théoricien et historien du mouvement (*Théorie de la révolution mondiale surréaliste,* 1958; *l'Activité surréaliste en Belgique,* 1979), Marien use dans sa propre activité créatrice de l'ironie et d'une verve parfois cynique, qui empreint de dérision son sens poétique (*la Chaise de sable,* 1940; *les Corrections naturelles,* 1947; *l'Ancre jetée dans le doute,* 1972; *les Fantômes du château de cartes,* 1981). Utilisant le paradoxe jusque dans les assemblages de mots, il défait et refait la rhétorique : *Figures de poupe,* 1979.

D'une extrême sévérité pour ses prédécesseurs — il ne retenait dans les lettres belges que trois poètes dont les tombes « puissent se saluer décemment » : Maeterlinck, Max Elskamp et Odilon-Jean Perier —, Marien l'est aussi pour ses contemporains et pour lui-même. Détruits les discours convenus, la révolution surréaliste doit se garder du bavardage.

A. REY

MARIGNY, Jacques Carpentier, abbé de (mort en 1573). V. MAZARINADES.

MARIN Auguste (1911-1940). V. BELGIQUE. Littérature d'expression française.

MARIVAUX

MARIVAUX, Pierre Carlet de Chamblain de (1688-1763). Les documents réunis jusqu'à ce jour sur Marivaux sont peu nombreux et souvent très laconiques. De ce fait, une connaissance approfondie de l'homme et de sa vie n'est pas aisée à obtenir. L'auteur est resté très discret sur lui-même et il ne subsiste de sa correspondance que quelques lettres. C'est donc à partir de son œuvre et de ses personnages qu'on a pu dessiner peu à peu un portrait littéraire de l'écrivain.

Moraliste et psychologue, Marivaux fut célèbre à son époque aussi bien comme romancier et journaliste que comme auteur de théâtre. Un jugement contemporain le définit comme « le Racine du théâtre comique, habile à saisir les situations imperceptibles de l'âme, heureux de les développer [...] », concluant que « [...] personne n'a mieux connu la métaphysique du cœur, ni mieux peint l'humanité ».

Dans sa conception de l'homme et de la vie et dans ses idées philosophiques, Marivaux exprime l'attitude intellectuelle d'un disciple indépendant et original de Houdar de La Motte et de Fontenelle. Cartésien, il est aussi imprégné de Malebranche, dont les leçons avaient dû lui être enseignées dès le collège. Se rangeant du côté des Modernes, il prit vigoureusement part à la querelle qui opposa ceux-ci aux Anciens.

L'importance que Marivaux attache à l'expérience et au sentiment fait de lui un précurseur des Lumières. On ne saurait pour autant rattacher ses conceptions à la philosophie sensualiste d'un Locke; certaines seraient plutôt dues à un empirisme proche de celui de Fontenelle : un certain nombre de définitions et de classements lui permettant de cerner ce qu'étaient l'homme et son monde pour découvrir qu'il s'agissait de facultés et de fonctions universelles régissant un ensemble. Mais ce cartésianisme ne l'a pas empêché de ressentir la fragilité d'un moi livré à la sensation et à l'imagination, à l'instant toujours insaisissable : l'être se forme en assimilant ses « états successifs » et, pour Marivaux, l'existentiel sous ses nombreuses formes a priorité sur l'essentiel unique.

Un provincial à Paris

Marivaux naquit à Paris, où il vécut les dix premières années de sa vie. Son père, Nicolas Carlet, alors trésorier des vivres en Allemagne pendant la guerre de la Ligue d'Augsbourg, ne s'installa qu'au début de 1699, avec sa femme et son fils, à l'Hôtel de la Monnaie, à Riom, où il avait acquis la charge de contrôleur-contregarde. Marivaux entra au collège des Oratoriens de Riom, où il reçut, contrairement à la légende, une solide formation de latiniste. La connaissance de l'Antiquité devait être pour lui un apport culturel essentiel à l'illustration, au prolongement et à l'approfondissement de sa méditation sur les problèmes et les ressources de l'homme. A Riom, Marivaux eut certainement aussi d'autres lectures que celles des programmes scolaires de l'époque : ses premiers romans trahissent l'influence de La Calprenède, de Cervantès, de Mlle de Scudéry; sa première comédie, *le Père prudent et équitable,* rappelle la manière de Regnard dans *le Légataire universel* et celle de Molière dans *Monsieur de Pourceaugnac.*

Marivaux termina ses études au collège vers 1707, mais ne s'inscrivit à l'école de droit de Paris qu'en 1710. Où passa-t-il ces trois ans? Son oncle maternel, le célèbre architecte Pierre Bullet, dont l'influence sur le jeune Pierre Carlet fut très grande, l'a peut-être reçu chez lui pour des séjours plus ou moins longs. En 1712, il s'établit définitivement à Paris; son inscription à l'école de droit, où il se désigne comme *parisiensis,* semble en faire foi. C'est peut-être vers cette époque (1712-1713) qu'il décida de se consacrer entièrement à la littérature, car il ne semble pas s'être particulièrement adonné à des études de droit. Mais il aura à supporter les nombreuses épreuves d'années difficiles avant de réussir et de devenir l'auteur dont les comédies à succès sont jouées à la Cour, qui compte parmi ses amis d'illustres écrivains et qui est reçu dans les salons les plus brillants de l'époque, celui de Mme de Lambert, de Mme de Tencin et de Mme Geoffrin. De fait on ne trouve trace de la présence de Marivaux dans aucun salon avant 1730.

Une expérience féconde

Une expérience des plus importantes pour le jeune auteur fut sa participation, avec d'autres jeunes intellectuels, à un mouvement littéraire d'avant-garde. Il fut rapidement l'un des partisans les plus passionnés des Modernes dans la querelle qui opposa, de 1714 à 1716, les « dévots d'Homère » aux admirateurs de La Motte. Les « Avant-propos » du *Télémaque travesti* et de l'*Homère travesti* sont parmi les quelque bonnes pages qu'a produites cette querelle.

L'œuvre de Marivaux forme un ensemble vaste et cohérent. Aussi n'y a-t-il rien d'étonnant à ce que ses œuvres de jeunesse recèlent les germes de son œuvre future : c'est une théorie du roman fondée sur la sensibilité et les « réflexions » que Marivaux, débutant, expose dans l'« Avis au lecteur » des *Effets surprenants de la sympathie.* Ce « programme » sera réalisé dans *la Vie de Marianne,* mais il le sera également dans *la Nouvelle Héloïse* et dans le roman proustien.

C'est aussi dans les romans de jeunesse de Marivaux que l'on trouve de nombreuses situations, des détails, des caractères d'où sortiront les personnages ou les intrigues de ses pièces les plus célèbres. L'âpre réalisme du *Télémaque travesti* et de l'*Homère travesti* ne doit pas cacher la portée de ces deux œuvres burlesques dont la vraie signification se place au niveau d'une attitude humanitaire de l'auteur, s'élevant contre l'injustice d'un certain ordre social : le *Télémaque* renferme une critique courageuse de la persécution des protestants en France, et l'*Homère* est la satire la plus féroce qu'on ait faite de la guerre au XVIIIe siècle. (Ce n'est que le travestissement burlesque qui permit à la censure de tolérer la très grande audace de ces textes.)

Dans ses romans de jeunesse, l'auteur se révèle aussi sous un jour très personnel. Il y a des passages dans lesquels Marivaux semble dévoiler son être sentimental; il n'a pas encore pris le masque du « spectateur » ou du « philosophe » de ses œuvres de maturité.

L'expérience intellectuelle vécue par Marivaux entre 1714 et 1725 fut celle aussi d'autres jeunes gens qui s'étaient attachés au parti des Modernes : La Motte, Crébillon et Fontenelle leur avaient apporté la même révélation pour la littérature que Descartes et Malebranche pour la philosophie. Ce qui comptait, pour eux, c'était la liberté de pensée, l'ingéniosité, les discussions, les exercices de la raison et de l'esprit; c'était la recherche d'une vérité que l'on ne trouverait pas par des emprunts aux Anciens, mais par ses propres forces.

Parmi les différents écrivains ayant fait partie du même groupe littéraire, il y a bien des analogies de pensée et d'écriture : il faut donc replacer à un moment précis de l'histoire littéraire et de l'histoire des idées, des articles comme les « Pensées sur différents sujets » ou des journaux comme *le Spectateur français,* dans lesquels Marivaux défend et illustre sa conception des devoirs de l'écrivain en laissant deviner toute sa passion pour la littérature.

Les premiers succès

En 1717, Marivaux se marie, et des problèmes matériels, qu'il semble avoir ignorés jusque-là, se posent soudain à lui. Lorsque son père meurt, en 1719, il tente de lui succéder dans sa charge à la Direction de la monnaie de Riom : il semble qu'il ait été, à ce moment-là, prêt à sacrifier sa carrière littéraire que la vie en province l'aurait évidemment obligé à interrompre. Mais sa demande n'ayant pas abouti, il reprendra son activité d'écrivain dès 1719, avec la publication, dans *le Nouveau Mercure,* des « Lettres contenant une aventure ».

Une période de doutes et de tâtonnements se prolongera jusqu'au début de 1722. L'auteur se cherche, et, finalement, il se découvrira dans la nouveauté et l'originalité : les *Lettres sur les habitants de Paris* (1717) sont le premier essai de Marivaux journaliste. Les *Pensées sur différents sujets* (1719) posent le problème du langage (déjà soulevé dans l'*Homère travesti*), auquel Marivaux s'attachera jusque dans ses derniers écrits. Sa tragédie, *Annibal* (1720), est une preuve de plus de sa recherche de différents et multiples moyens d'expression.

Mais les difficultés financières de Marivaux, ruiné par la faillite de Law, deviennent si grandes vers 1720 qu'il se voit contraint d'interrompre ses activités littéraires pour se trouver une carrière plus lucrative, celle d'avocat. Il se réinscrit à la faculté de droit; il y obtient, le 31 mai 1721, le grade de bachelier et, le 4 septembre de la même année, celui de licencié.

Sur les trois pièces qu'il avait fait jouer l'année précédente, une seule fut bien accueillie, *Arlequin poli par l'amour*; *l'Amour et la Vérité* eut une représentation, *Annibal* trois.

Ces recherches successives, ces tâtonnements littéraires aboutirent finalement, pour Marivaux, au choix définitif de ce qu'il devait écrire et de l'écriture qui allait être la sienne : critique sociale et réalisme satirique dans ses journaux, peinture de l'âme féminine et de l'amour dans ses réflexions psychologiques et morales, réflexion de l'auteur sur son art, création de moyens d'expression plus personnels, mieux adaptés à sa liberté d'invention et, enfin, conception et élaboration d'un théâtre poétique et psychologique.

Son œuvre reflète une vaste culture littéraire. Ses lectures s'étendent de Molière, Corneille, Racine (lus et relus) aux poètes antiques, d'Homère à Lucain, aux dramaturges de la Restauration anglaise, à Milton, au Tasse, à Sorel, à Dufresny, à Regnard. Même de petites comédies sans intérêt des années 1725 ou 1733, des récits découverts dans des journaux français ou hollandais lui inspirent des trouvailles littéraires et des réussites théâtrales.

L'étude du cœur humain

C'est dans les vingt années qui vont suivre que se situe la période la plus féconde de Marivaux : il s'attache à la création de plusieurs œuvres conjointement — ce qui rend difficile l'établissement de dates précises concernant la mise en chantier, la rédaction et l'achèvement de chacune. Celles-ci se situent dans le domaine du journalisme, dans celui du roman et dans celui du théâtre.

Le journalisme, chez Marivaux, prend une forme particulière : *le Spectateur français* (1717-1734), *l'Indigent philosophe* (1727) et *le Cabinet du philosophe* (1734) expriment les réflexions morales de l'auteur, lesquelles feront également l'objet des articles publiés par Marivaux dans *le Nouveau Mercure.*

L'observation, la réflexion, l'analyse psychologique et morale trouvent également leur place dans ses romans. Marivaux passera plusieurs années à écrire *la Vie de Marianne* : la rédaction et la publication de cette œuvre s'étendent sur plus de dix ans (1731-1741). Ce roman « de sentiment », dont la nouveauté et l'originalité furent mal senties, peu remarquées et peu comprises à l'époque, unit au romanesque un réalisme poétique. Dans *le Paysan parvenu,* qui fut d'une rédaction plus rapide (1734-1735), l'auteur laisse libre cours à sa veine satirique. Les thèmes développés dans ces deux romans rappellent certains sujets de ses œuvres de jeunesse. Les personnages et les situations des *Effets surprenants de la sympathie* ébauchent le romanesque de *la Vie de Marianne;* les expériences burlesques ou picaresques auxquelles donnèrent lieu des romans comme *le Télémaque travesti* ou comme *Pharsamon* ne furent pas sans influence sur la conception du *Paysan parvenu,* dans lequel Marivaux s'efforce de retenir, avec le plus de précision possible, la réalité des êtres et des sentiments.

Les tentatives théâtrales de Marivaux furent assez rapidement couronnées de succès. *Arlequin poli par l'amour* fut merveilleusement bien joué par les Comédiens-italiens qui avaient été rappelés, à peine cinq ans auparavant, par le Régent. Ils avaient ainsi eu le temps de s'accoutumer au public français, tout en pratiquant un art fondé sur une excellente formation d'acteur, de chanteur et même d'acrobate due à la tradition de la *commedia dell'arte.* L'univers raffiné et spirituel des pièces de Marivaux leur fit découvrir un théâtre entièrement nouveau et pourtant à leur mesure. La collaboration de Marivaux et des Comédiens-italiens fut, dès lors, féconde : l'un apportait la poésie, l'originalité, la nouveauté psychologique et dramatique des situations et des caractères; les autres, la fantaisie, la gaieté, le mouvement, une vive sensibilité, la mimique, le geste. Les italiens étaient aussi en mesure de faire deviner et de suggérer des sentiments, de créer une atmosphère de féerie, de donner vie et expression à des situations que la psychologie seule reliait à des réalités contemporaines. Sensible au jeu de ces excellents acteurs, Marivaux découvrit progressivement des possibilités théâtrales nouvelles, insoupçonnées. Il écrivit ses rôles pour des interprètes précis (Gianetta Benozzi, dite Silvia, ou Thomassin), respectant leur personnalité et leur faisant découvrir des aspects de leur talent qu'ils ignoraient peut-être eux-mêmes. Ces rôles leur convenaient à tel point que le public en arrivait à confondre l'interprète avec son personnage sur scène.

Cette période d'intense création fut aussi une période de rencontres, d'amitiés. Mme de Lambert, Mme de Tencin, qui contribua à le faire élire à l'Académie française, Fontenelle, Crébillon père, témoin à son mariage avec Colombe Bollogne, furent de ses amis. En 1742, il prêta son concours à Jean-Jacques Rousseau, qu'il aida à revoir une pièce, *Narcisse.*

Mais ses succès lui valurent aussi de nombreux ennemis, dont la malveillance et les méchancetés se reflètent dans certains jugements portés sur son œuvre, jugements qui furent repris et répétés longtemps encore après la disparition de Marivaux.

L'académicien

Élu à l'Académie le 10 décembre 1742, Marivaux fit, le 4 février 1743, son discours de réception. Insolite et original, celui-ci fut très différent de ceux qui l'avaient précédé. Marivaux y remarquait (bien avant Rivarol) le rôle dominant du français en Europe, importance qu'il attribue à l'exceptionnelle qualité de l'esprit et des sentiments des écrivains ayant formé et formant l'Académie, ces esprits éclairés étant responsables du progrès présent et à venir de la culture et transmettant une tradition sans prix : « N'est-ce pas d'ici, en effet, que sont partis tant de rayons de lumière qui ont éclairé les ténèbres de cet esprit autrefois égaré dans de mauvais goûts et dans l'ignorance de toute règle et de toute méthode? »

Les œuvres que Marivaux écrivit dans cette dernière période de sa vie sont en majeure partie des réflexions ou des essais sur des questions de morale et de littérature. Parmi celles-ci, les *Réflexions sur l'esprit humain à l'occasion de Corneille et de Racine,* dont Marivaux fit des lectures à l'Académie, sont significatives à différents points de vue : elles constituent une défense de l'écrivain, de son utilité pour la diffusion de la « science du cœur humain » et de la « langue nationale », mais aussi une mise en garde devant la montée irréversible des philosophes, de plus en plus « scientifiques » et beaucoup plus appréciés que les hommes de lettres. L'essai de Marivaux est donc révélateur d'une évolution précise des intérêts intellectuels et des goûts de l'époque, auxquels il n'est pas resté étranger.

S'il ne revint pas au roman, Marivaux écrivit encore quelques comédies en un acte qui constituent la quintessence de sa pensée et de son art théâtral.

Marivaux mourut à Paris, à soixante-quinze ans, après avoir montré des signes d'affaiblissement dans les mois qui précédèrent sa fin. Certains documents retrouvés laissent imaginer aujourd'hui, du moins jusqu'à un certain point, ce qu'ont pu être les dernières années de sa vie. Même célèbre et élu à l'Académie, il n'avait guère fait fortune en vivant de sa plume; son œuvre n'avait cessé d'être controversée. L'édition erronée qu'en donna Duviquet, au XIXe siècle, ne contribua pas peu à défigurer davantage encore celui qu'une critique malveillante n'avait en son temps guère ménagé. Il aura fallu attendre le XXe siècle pour restituer à Marivaux son originalité et à son œuvre son excellence.

Masques et visages : le théâtre

Les contemporains de Marivaux ont cru voir dans ses pièces un seul sujet toujours répété : la surprise de l'amour. L'auteur s'élève contre cette erreur d'appréciation dans l'« Avertissement » des *Serments indiscrets* (1732) en soulignant les différences qui séparent cette dernière de *la Surprise de l'amour* (1727) : « [...] c'est qu'on y a vu le même genre de conversation et de style; c'est que ce sont des mouvements du cœur dans les deux pièces; et cela leur donne un air d'uniformité qui fait qu'on s'y trompe. » L'erreur que souligne Marivaux n'a pas été le fait de ses seuls contemporains : l'on retrouve ce jugement sommaire sous la plume de critiques plus récents.

En même temps que sa recherche de la vérité et des réalités psychologiques, Marivaux poursuit celle d'une forme, d'un langage qui soient « vrais », qui correspondent à la réalité de l'expression. Un autre passage de l'« Avertissement » cité expose cette idée :

« [...] ce n'est pas moi que j'ai voulu copier, c'est la nature, c'est le ton de la conversation en général que j'ai tâché de prendre : ce ton-là a plu extrêmement et plaît encore dans les autres pièces, comme singulier, je crois; mais mon dessein était qu'il plût comme naturel, et c'est peut-être parce qu'il l'est effectivement qu'on le croit singulier, et que, regardé comme tel, on me reproche d'en user toujours. » Plus loin, Marivaux se justifie de la critique formulée à l'endroit de sa langue de théâtre par le fait que l'on a pris pour un style d'auteur ce qui n'était que le ton naturel de la conversation, « le langage des hommes ».

Quant aux « mouvements du cœur », centre d'intérêt de ses pièces, ils comprennent ces instants psychologiques privilégiés qui correspondent à une prise de conscience de soi, à une évolution, à une transformation de l'être pris dans l'existence; mais aussi des instants de vérité dans les relations sociales, quand les conventions et les illusions font place aux réalités humaines, quand les masques tombent et laissent apparaître les visages.

Être et exister : le roman

Fort de son expérience littéraire et humaine, observateur sensible et intelligent, Marivaux crée un type de roman original dans ses deux œuvres de maturité, *la Vie de Marianne* et *le Paysan parvenu.* Les personnages traditionnels du roman baroque et du roman picaresque s'y trouvent renouvelés, et l'on retrouvera jusqu'à la fin du XVIIIe siècle, dans les romans, des personnages, des situations et des scènes empruntées à son œuvre romanesque.

C'est dans un « Avis au lecteur » placé en tête de son premier roman de jeunesse, *les Aventures de *** ou les Effets surprenants de la sympathie* (1712-1714), que Marivaux expose ses convictions théoriques concernant l'écriture romanesque. Il s'agit d'un véritable plaidoyer en faveur du roman. L'auteur y conteste — contre les disciples de Boileau — le rôle conjoint de la nature et de la raison, accordant beaucoup plus d'importance à la sensibilité dans la création d'une œuvre non seulement vraisemblable, mais qui réponde à des données psychologiques réelles. C'est au goût et au « sentiment intérieur presque toujours aussi noble que tendre, et qui seul fait juger sainement des faux et des vrais mouvements qu'on donne au cœur », indépendants « des lois stériles de l'art », que l'auteur exprime l'intention de conformer le langage et les actions de ses personnages. Il s'attaque aussi à des problèmes fondamentaux propres au genre romanesque, cherchant à établir un lien entre l'art et la vérité, entre la raison et la connaissance intuitive (le cœur); enfin, proposant de définir des critères esthétiques valables pour une critique du roman, il émet l'idée d'une vérité propre à la fiction : « La pitié qu'excite l'objet présent, les inquiétudes qu'il nous cause affligent l'âme et font des impressions fâcheuses. Elle est attendrie; mais elle souffre réellement. Le sentiment est triste, au lieu que le simple récit, quelque affreux qu'il soit, s'il excite la pitié, ne porte dans l'âme qu'un intérêt compatissant sans douleur [...]. L'âme émue se fait un plaisir de sa sensibilité, en se garantissant par la raison d'une tristesse véritable, qui ne doit la saisir qu'à la réalité des malheurs ».

L'« Avis au lecteur » nous révèle aussi que, dès le départ, le roman a été pour Marivaux « un ouvrage dont le sujet est le cœur » : ce qui lui importe, ce ne sont pas des aventures extérieures, sociales ou libertines, comme l'ont cru nombre de ses imitateurs, mais des « aventures » psychologiques touchant à la sensibilité, à la connaissance de soi et des autres et se traduisant dans l'émotion, dans la souffrance et dans la découverte de soi.

Dans un deuxième roman, intitulé *Pharsamon ou les Nouvelles Folies romanesques,* et très rapidement dans un troisième, *la Voiture embourbée,* Marivaux cherche à mettre en pratique ses idées sur le roman, ce qui explique la composition de ces œuvres de jeunesse; leur structure trouve son point d'accomplissement dans une forme originale du roman réaliste, celle du *Télémaque travesti.* Autant son premier roman était dédié à l'âme féminine et se caractérisait par l'importance accordée à la sensibilité, à l'intuition et au « génie natif », autant les trois suivants sont définis par l'accent mis sur la sensualité, la réflexion et l'apprentissage de la vie. C'est dans cette même perspective que Marivaux situe *la Vie de Marianne* et *le Paysan parvenu.*

Dans ces romans, un certain réalisme ne caractérise pas seulement les situations et les caractères, mais aussi l'espace et le temps. L'époque historique est précisée; les lieux sont dessinés par petites touches et avec le souci du détail correct. Jacob, le futur « paysan parvenu », arrive à Paris et entre, dans un hôtel particulier parisien, au service d'un financier. Il passe, par la suite, de l'appartement de dévotes à la demeure d'une veuve de procureur, du logis d'un président à la prison, de Versailles à la maison d'une entremetteuse, de la rue au lieu le plus élégant de Paris, la scène du Théâtre-Français.

Il y a également un lien solide avec la réalité dans les situations romanesques : l'individu est obligé d'affronter la société. Dans ses romans de maturité, Marivaux a décrit cet affrontement sous forme « d'aventure » pour trois de ses personnages, Marianne, Mlle de Tervire (dans *la Vie de Marianne*) et Jacob. Il présente ainsi des expériences parallèles : l'individu se trouve placé seul devant les membres d'une communauté qui, en refusant de l'accepter parmi eux, le contraignent à se défendre, à se définir et à revendiquer le droit d'être lui-même — ce qu'il finit par obtenir. Jacob, le roturier, doit acquérir des qualités qui sont naturelles à Marianne. Il lui faut se transformer sans se renier, en restant fidèle à lui-même. Marianne et Mlle de Tervire sont exposées à la souffrance en raison de leur délicatesse innée. Jacob subit plutôt des accidents que des malheurs, et, comme il ne possède rien, il saisit toute occasion favorable sans se préoccuper exagérément de scrupules ou de cas de conscience, jouissant de tout ce que le destin peut lui apporter. Si, pour Marianne, le mobile psychologique est l'honneur, et pour Mlle de Tervire la charité, pour Jacob c'est le plaisir, ce qui permet à l'auteur de tracer dans *le Paysan parvenu* un tableau sans illusion de la société de son époque.

L'œuvre en mouvement : les journaux

Une grande partie des textes écrits par Marivaux « journaliste » s'inscrivent dans le cadre de son apprentissage littéraire. Il donne au *Nouveau Mercure,* à partir de 1717, des « Lettres » (dont la première a été intitulée par l'éditeur « Lettre sur les habitants de Paris »), dans lesquelles il se livre pour la première fois à la description directe du monde qui l'entoure en y ajoutant les réflexions que ce spectacle lui suggère. Il ne se pose pas en moraliste sévère, mais plutôt en observateur ironique : « Ce qui gâte l'esprit des bourgeoises, c'est le faste continuel qui s'offre à leurs yeux : chaque équipage que rencontre en chemin une femme à pied porte en son cerveau une impression de douleur et de plaisir; de douleur, en se voyant à pied; de plaisir, en se figurant celui qu'elle aurait si elle possédait une pareille voiture. Le moyen que le cerveau d'une femme tienne à cela? »

D'autres articles publiés dans *le Nouveau Mercure* indiquent ses préoccupations esthétiques et littéraires, telles les « Pensées sur différents sujets » (1719), qui sont d'une importance capitale pour la compréhension de la pensée de Marivaux et également pour l'histoire de la critique en France. L'auteur y attaque le principe de la clarté et esquisse une esthétique de la suggestion : toute formule qui « met en image courte et vive » la pensée à exprimer paraît justifiée à Marivaux, qui remet ainsi en question la doctrine classique suivant laquelle l'image doit être du même ordre que l'objet auquel elle s'applique et former par elle-même un système cohérent.

Avec *le Spectateur français* (1721-1724), Marivaux se donne un cadre, et une forme originale susceptible d'une entière liberté d'expression : aucune contrainte de genre n'est imposée à la pensée, aux velléités du romancier, à l'observation et aux réflexions morales, qui se juxtaposent dans le texte et prennent une allure de chronique. Marivaux, tour à tour témoin et dilettante, y fait alterner le sérieux et le plaisant, puis, sensible et détaché, il frappe, insinue, instruit — et pourtant « s'amuse ». Certaines feuilles relatent l'expérience de toute une vie, tandis que d'autres ne décrivent que l'espace d'une soirée, utilisant subtilement toutes les nuances perceptibles dans le domaine du sentiment et de l'expérience humaine. S'il évoque avec humour de petites histoires de tous les jours (lettres de la fille dévote ou du mari de la femme avare), il décrit ailleurs, sur le mode romanesque, des moments où se joue le destin d'un être. La vie sociale lui donne l'occasion d'analyser les aspects qu'y revêt l'amour-propre. Marivaux accorde une très grande importance à la morale, qui, selon lui, est fondée sur la nécessité de la vie sociale et sur la conscience guidée par la réflexion. Ses pensées sur l'éducation des enfants, sur les rapports humains entre maris et femmes, sur la détresse des jeunes filles abandonnées, sur le rôle corrupteur de l'argent, sur le pacte des riches protégés par la loi et méprisant les pauvres, font preuve d'une générosité, d'une discrétion et d'une hauteur de vue auxquelles un lecteur, même aujourd'hui, ne peut rester insensible.

Dans *l'Indigent philosophe,* rédigé au printemps 1727, Marivaux choisit un gueux comme porte-parole, et la réflexion de l'auteur se situe à trois niveaux différents qui reflètent ou l'attitude, ou le tempérament, ou l'idéal secret de son personnage. Ses propos rendent souvent un son nouveau lorsqu'ils s'appliquent à l'esthétique, à la métaphysique ou à la morale, qu'il enrichit d'observations qui pourraient anticiper quelques-unes des découvertes modernes de la psychologie et même de la psychanalyse des névroses. La verve quelquefois amère et puissamment satirique de *l'Indigent philosophe* le distingue des autres œuvres de Marivaux et lui confère une place unique parmi celles-ci.

Le Cabinet du philosophe (1733-1734) a été conçu par Marivaux comme une série d'articles devant d'emblée former un tout. Les réflexions du philosophe se rapportent au « train du monde », aux femmes et à l'amour, à l'homme et à son destin, aux moyens d'expression et au rôle de l'écrivain (ces dernières réflexions étant complémentaires de celles qui parurent dans *le Mercure* et dans certains numéros du *Spectateur français*). Elles s'attachent aux rapports entre le fond et la forme et aux objets de la création littéraire et de la critique. Marivaux s'abrite derrière un narrateur détaché, jovial, bon vivant, délicat ou alors franchement comique, indigent et philosophe, spectateur et observateur dont les propos reflètent les sujets de l'actualité intellectuelle, morale, littéraire de l'époque : « ... réflexions gaies, sérieuses, morales, chrétiennes, beaucoup de ces deux dernières; quelquefois des aventures, des dialogues, des lettres, des mémoires, des jugements sur différents auteurs, et partout un esprit de philosophe; mais d'un philosophe dont les réflexions se sentent des différents âges où il a passé. » C'est en ces termes que, dans la première feuille du *Cabinet du philosophe,* l'auteur définit son propos. Les « réflexions chrétiennes » présentent un intérêt tout particulier. Marivaux y critique les athées et les déistes, parle des effets de la « Chute », prend position par rapport au mysticisme, met en valeur le rôle du cœur dans la conversion religieuse et fonde sa foi sur l'exigence d'ordre qu'il y a en l'homme. C'est le seul texte qui donne accès à la pensée religieuse de Marivaux.

Œuvre en mouvement, les « journaux » de Marivaux sont un écho du dialogue de l'auteur avec son temps.

Marivaudage

Violemment critiqué par ses contemporains, accusé de « courir après l'esprit », de « n'être point naturel », Marivaux s'est expliqué à plusieurs reprises sur sa manière d'écrire. Il revendique le droit à l'originalité, au « naturel de l'auteur » en s'appuyant sur le principe que, pour un écrivain qui sait sa langue, il n'y a pas de distinction possible entre le style et la pensée et même qu'à un certain niveau toute pensée est inséparable du langage. Mais il eut beau revenir avec insistance sur ces points, il ne fut pas compris par ses contemporains. Ceux-ci continuèrent à lui reprocher ses « néologismes », dont l'abbé Desfontaines établit même un dictionnaire qui puisait à tort et à travers dans l'œuvre de Marivaux à seule fin de le ridiculiser. C'est à ces critiques injustifiées que l'on doit les significations successives et souvent péjoratives du terme de « marivaudage ».

Le XXe siècle a découvert en Marivaux un grand prosateur. Il appartenait à une société qui parlait le mieux la langue de son temps, et il a su traduire dans son œuvre toute la vivacité de ce langage, sans crainte de l'enrichir encore par des apports populaires.

Marivaux n'est pas seulement un auteur novateur et original en matière de style. Il a créé une forme d'analyse psychologique et morale. Les observations que celle-ci comportait exigeaient des termes nouveaux. Marivaux a donc complètement renouvelé non seulement le vocabulaire psychologique, mais aussi la syntaxe : la phrase qu'il a imaginée représente une innovation offrant à l'avenir d'infinies ressources au roman d'analyse.

	VIE		ŒUVRE
1688	4 février : naissance à Paris de Pierre Carlet (qui prendra en 1717 le nom de Marivaux), fils de Nicolas Carlet et de Marie Bullet, sœur de l'architecte du roi Pierre Bullet.		
1699	Nicolas Carlet s'installe avec sa famille à Riom, où il exerce les fonctions de contrôleur-contregarde de la Monnaie. Pierre Carlet entre au collège des Oratoriens de Riom.		
1710-1713	Pierre Carlet étudie le droit à Paris.	**1712**	*Le Père prudent et équitable*, comédie jouée à Limoges, publiée à Limoges et à Paris. *Les Effets surprenants de la sympathie*, t. I, II, III, roman publié à Paris.
		1713	*Pharsamon*, roman, reçoit approbation et privilège (publié en 1737). *Le Bilboquet*, essai satirique.
1714-1716	Lors de la « Querelle d'Homère » Marivaux s'engage résolument dans le parti des Modernes.	**1714**	*La Voiture embourbée*, roman. *Les Effets surprenants de la sympathie*, t. IV et V.
1715	**Mort de Louis XIV.**		
1716	Retour à Paris des Comédiens-italiens, expulsés sous Louis XIV.		
1717	Marivaux épouse Colombe Bollogne, d'une riche famille de Sens.	**1717**	*L'Iliade travestie*, parodie burlesque, signée « Carlet de Marivaux ». « Lettres sur les habitants de Paris », dans *le Nouveau Mercure*.
1719	Mort de Nicolas Carlet : Marivaux tente, en vain, de lui succéder dans sa charge. Naissance d'une fille, Colombe-Prospère.	**1719**	« Pensées sur différents sujets » *(le Nouveau Mercure)*. « Lettres contenant une aventure » *(le Nouveau Mercure)*.
1720	**Banqueroute de Law.** Marivaux est ruiné; il hésite à abandonner la littérature.	**1720**	*L'Amour et la Vérité*, comédie jouée à la Comédie-Italienne. *Arlequin poli par l'amour*, comédie (Comédie-Ital.). *Annibal*, tragédie jouée à la Comédie-Française.
1721	Marivaux obtient sa licence en droit; il est reçu avocat au Parlement de Paris.	**1721**	Début de la publication du *Spectateur français*, sur le modèle du *Spectator* anglais. Le journal paraîtra jusqu'en 1734.
1722	Le *Spectateur français* obtient un « privilège général ».	**1722**	*La Surprise de l'amour*, comédie (Com.-Ital.)
1723	**Mort du Régent; règne personnel de Louis XV.** Mort de Mme de Marivaux.	**1723**	*La Double Inconstance*, comédie (Com.-Ital.).
		1724	*Le Prince travesti*, comédie (Com.-Ital.). *La Fausse Suivante*, comédie (Com.-Ital.). *Le Dénouement imprévu*, comédie (Com.-Fr.).
		1725	*L'Île des esclaves*, comédie (Com.-Ital.). *L'Héritier de village*, comédie (Com.-Ital.).

VIE		ŒUVRE	
		1727	*L'Indigent philosophe*, journal. *L'Île de la raison*, comédie (Com.-Fr.). *La Seconde Surprise de l'amour*, comédie (Com.-Fr.).
		1728	*Le Triomphe de Plutus*, comédie (Com.-Ital.).
		1729	*La Nouvelle Colonie*, comédie (Com.-Ital.).
1730	Marivaux commence à fréquenter le salon littéraire et mondain de Mme de Lambert. Après la mort de celle-ci (1733), on le verra chez Mme de Tencin, puis chez Mme du Deffand; enfin, dans les années 1750, il deviendra un habitué de Mme Geoffrin.	**1730**	*Le Jeu de l'amour et du hasard*, comédie (Com.-Ital.).
		1731	Début de la publication de *la Vie de Marianne*, roman (première partie). Au total, onze « parties » de l'ouvrage paraîtront successivement jusqu'en 1741. *La Réunion des amours*, comédie (Com.-Fr.).
		1732	*Le Triomphe de l'amour*, comédie (Com.-Ital.). *Les Serments indiscrets*, comédie (Com.-Fr.). *L'École des mères*, comédie (Com.-Ital.).
		1733	*L'Heureux Stratagème*, comédie (Com.-Ital.).
		1734	*Le Cabinet du philosophe*, journal. *Le Paysan parvenu*, roman. La publication s'achèvera l'année suivante. *Le Petit-Maître corrigé*, comédie (Com.-Fr.).
		1735	*La Mère confidente*, comédie (Com.-Ital.).
		1736	Publication, désavouée par Marivaux, du *Télémaque travesti* (parodie, rédigée en 1717). *Le Legs*, comédie (Com.-Fr.).
		1737	*Les Fausses Confidences*, comédie (Com.-Ital.).
		1738	*La Joie imprévue*, comédie (Com.-Ital.).
		1739	*Les Sincères*, comédie (Com.-Ital.).
		1740	*L'Épreuve*, comédie (Com.-Ital.).
1741-1748	**Guerre de Succession d'Autriche.**	**1741**	*La Commère*, comédie. La pièce ne sera découverte que deux siècles plus tard (1965; création Com.-Fr. 1967).
1742	Marivaux est élu à l'Académie française. Il aide J.-J. Rousseau à « retoucher » sa comédie de *Narcisse*.		
		1744	*La Dispute*, comédie (Com.-Fr.).
1745	Colombe-Prospère de Marivaux entre en religion.		
		1746	*Le Préjugé vaincu*, comédie (Com.-Fr.).
		1748	Lecture à l'Académie des *Réflexions en forme de lettre sur l'esprit humain.*
		1749-1750	Lecture à l'Académie des *Réflexions sur l'esprit humain à l'occasion de Corneille et de Racine.*
		1751	Lecture à l'Académie des *Réflexions sur les Hommes*, et des *Réflexions sur les Romains et sur les anciens Perses.*
		1754	*L'Éducation d'un prince*, dialogue publié dans *le Mercure.*
		1755	*La Femme fidèle*, comédie jouée au château de Berny.
1756-1763	**Guerre de Sept Ans.**		
		1757	*Les Acteurs de bonne foi*, comédie publiée par *le Conservateur; Félicie*, comédie publiée par *le Mercure.*

VIE	ŒUVRE
	1761 *La Provinciale*, comédie, publiée dans *le Mercure;* attribuée à Marivaux.
1763 12 février : mort de Marivaux. Il institue sa légataire universelle Mlle de Saint-Jean, qui l'avait hébergé durant ses dernières années.	

Arlequin poli par l'amour

Le premier succès de Marivaux au théâtre fut une féerie, une comédie en un acte et en prose, présentée par les Comédiens-italiens le 17 octobre 1720, *Arlequin poli par l'amour.* C'est la gracieuse Gianetta Benozzi, à peine âgée de vingt ans, qui incarna la bergère Silvia. La fée fut interprétée par l'actrice Flaminia (Elena Balletti), la femme de Luigi Riccoboni, directeur de la nouvelle troupe des Comédiens-italiens. Femme d'esprit plutôt que coquette, Flaminia prêta au personnage des traits de sa forte personnalité. Le commentateur ironique des agissements de la fée, Trivelin, était joué par Biancolelli, né à Paris, parlant couramment le français, et le seul acteur de l'ancienne troupe italienne à se retrouver dans la nouvelle. Pour les autres comédiens, Marivaux tint compte de leurs possibilités linguistiques, et c'est un texte en général très simple qu'il écrivit pour eux. Il donna un grand nombre d'indications scéniques très précises pour le personnage d'Arlequin, joué par un acteur qui ne possédait pas, à ce moment-là, suffisamment le français : un certain nombre de répliques étaient ainsi remplacées par un jeu de mimiques expressives.

Pour cette pièce, Marivaux s'inspira vraisemblablement, selon Shirley E. Jones, d'un conte de fées de Mme Durand intitulé *le Prodige de l'amour.* La comparaison des deux œuvres permet de souligner la conception originale de Marivaux — présente également dans d'autres pièces — concernant l'instantanéité du mouvement psychologique et de ses effets. La naissance d'un sentiment (guetté par le personnage central de la fée : « ... tous les jours je touche au moment où il peut me sentir et se sentir lui-même ») est à l'origine d'une prise de conscience de soi et du monde social. Mme Durand présentait la transformation du jeune homme amoureux comme lente et progressive, tandis que pour Marivaux elle est immédiate et radicale. Ainsi, ce qui est inhabituel pour une comédie, l'aspect psychologique des personnages est traité avec finesse et sérieux.

Synopsis. — Une fée, tombée amoureuse d'un jeune homme (Arlequin) endormi dans un bois, l'enlève. L'esprit sot et niais du jeune homme n'étant pas en rapport avec sa figure, la fée espère lui donner de l'esprit en l'éveillant à l'amour. La bergère Silvia, qui refuse l'amour d'un berger, tombe amoureuse d'Arlequin, qui passe par hasard et, dans le même temps, découvre les mêmes sentiments.

Arlequin, transformé, acquiert soudain l'esprit qui lui faisait défaut. La fée assiste à une scène de badinage amoureux entre les deux jeunes gens, ce qui lui déplaît tellement qu'avec sa baguette magique elle contraint Arlequin à la suivre et Silvia — enlevée par des lutins — à devenir sa prisonnière. Arlequin se tire assez bien d'une scène de jalousie que lui fait la fée, qui cherche par ailleurs à intimider Silvia, la forçant à faire croire à Arlequin qu'elle s'est moquée de lui. Arlequin réussit à savoir la vérité sur les sentiments de Silvia. Finalement, Trivelin les sauve en leur donnant le moyen de s'emparer de la baguette magique de la fée.

Quatre changements de lieu avec deux décors, deux divertissements, une dizaine d'airs à danser et de chansons sur une musique de Mouret contribuèrent à faire pleinement apprécier ce spectacle par le public. Pourtant l'auteur ne se fit pas connaître, car une pièce qui restait dans le domaine de la féerie et dans laquelle la peinture des mœurs et des caractères tenait si peu de place ne pouvait prétendre, au XVIIIe siècle, qu'à un succès de divertissement.

Arlequin poli par l'amour eut douze représentations consécutives et fut joué, ensuite, à plusieurs reprises, à l'Hôtel de Bourgogne. Pendant tout le XVIIIe siècle, il se trouva au programme de nombreuses fêtes de château. Ce n'est qu'en 1892 que la pièce entra au répertoire de la Comédie-Française, « adaptée » et jouée par Jules Truffier. En 1920, elle est présentée à l'Odéon, et, à partir de 1931, ses apparitions à l'affiche du Français se répètent. En 1950, Jacques Charon y joue le rôle d'Arlequin; en 1955, la pièce triomphe lors d'une tournée en Amérique; en 1965, dix ans plus tard, la Comédie-Française en aura déjà donné cent quinze représentations.

L'évolution des formes et la diversité dans le choix des sujets de ces comédies s'inscrivent dans un itinéraire intellectuel : la pensée de l'auteur se précise, devient plus concise, gagne en profondeur. En même temps, ses pièces reflètent certains épisodes de sa vie : son premier contact avec la Cour lui inspirera des personnages comme ceux du *Prince travesti.* Dans les pièces qui marquent ses débuts au théâtre s'exprime la rencontre heureuse de l'être plein de promesses et de ressources avec une société à son image qui ne demande qu'à remplir ses vœux et ses désirs : rencontre avec lui-même et révélation de son moi profond.

BIBLIOGRAPHIE

Shirley E. Jones, « A Probable Source of *Arlequin poli par l'amour* », *French Studies*, 1965.

La Surprise de l'amour

L'emprise grandissante de la société sur l'individu constitue comme une menace à laquelle il échappe toujours plus difficilement, ne sauvant son identité qu'en subissant épreuves et souffrances : ce sera le thème, en 1722, de *la Surprise de l'amour.*

Synopsis. — Lélio et son valet se sont réfugiés à la campagne pour oublier l'infidélité de leurs maîtresses respectives. La Comtesse vient voir Lélio pour régler des détails du projet de mariage entre Jacqueline, servante de Lélio, et Pierre, jardinier de la Comtesse. Celle-ci a très mauvaise opinion des hommes, Lélio des femmes, et leur rencontre donne lieu à de vives discussions; ils n'en finissent pas de se provoquer. Ils tombent amoureux l'un de l'autre, mais refusent de se l'avouer. Arlequin et Colombine, en leur faisant découvrir le fond de leur cœur, réussissent à obtenir un aveu réciproque des jeunes gens, qui réintègrent ainsi l'ordre social.

Plus littéraire que la précédente, la pièce prétend cette fois dire la réalité des sentiments. Le dialogue, plus brillant, gagne en subtilité, et l'on y trouve des réflexions dignes de figurer dans le contexte philosophique des journaux de l'auteur. Ainsi la protestation de la Comtesse contre la situation faite à la femme dans la société par rapport à celle de l'homme : « Oh, l'admirable engeance qui a trouvé la raison et la vertu des fardeaux trop pesants pour elle, et qui nous a chargées du soin de les porter : ne voilà-t-il pas de beaux titres de supériorité sur nous?... » (I, VII).

Lors de la création de la pièce, Flaminia assura, avec une vivacité que remarqua la critique, le rôle de Colombine. Arlequin, s'étant affiné depuis ses débuts, joua son rôle avec une balourdise non exempte de grâce. Luigi Riccoboni marqua certainement le rôle de Lélio, amoureux déçu, auquel il prêta des traits sombres, et qu'il rendit très vraisemblable grâce à son expérience de tragédien venu au comique malgré lui. Silvia, qui pendant plus de vingt ans (1720-1740) créa presque toutes les grandes pièces de Marivaux, interpréta le rôle de la Comtesse. Cette comédie, en trois actes et en prose, était accompagnée d'un divertissement placé à la fin.

L'accueil du public fut très favorable, et les registres du Théâtre-Italien indiquent qu'elle eut seize représentations. Avant *le Jeu de l'amour et du hasard,* c'est la première pièce de Marivaux devenue classique. Elle disparut pourtant de la scène du Théâtre-Français pendant tout le XIXe siècle, après avoir été jouée sous la Révolution dans plusieurs théâtres. En 1911, elle fut montée — réduite à un acte — à la Comédie-Française, et, en 1922, à l'occasion du bicentenaire de sa création, elle fut reprise à l'Odéon et au théâtre du Vieux-Colombier. Enfin, en novembre 1938, *la Surprise de l'amour* retrouva au Théâtre-Français la mise en scène de sa version originale, sort que méritait cette pièce considérée à juste titre comme une œuvre capitale de Marivaux.

BIBLIOGRAPHIE

Eckhart Koch, *Marivaux, « la Surprise de l'amour ». Textausgabe und Interpretation,* univ. Münster, 1967.

La Fausse Suivante

Dans une deuxième période de création (dont le début coïncide avec la décision de l'écrivain de vivre de sa plume), Marivaux développe une autre forme dramatique dont le centre n'est plus une rencontre, mais un jeu. Dans *la Fausse Suivante ou le Fourbe puni* (1724) [ou dans *l'Héritier du village*] apparaissent la mascarade universelle et l'hypocrisie qu'il s'agit de démasquer.

Synopsis. — Une jeune fille riche et belle, « maîtresse d'elle-même », a rencontré, à l'occasion du carnaval, celui (Lélio) que son beau-frère lui destine pour époux. Un travestissement masculin lui sert à se lier d'amitié avec lui pour le suivre à la campagne chez la Comtesse et apprendre à le connaître. Lélio et la Comtesse se sont engagés réciproquement à se verser, au cas où ils ne s'épouseraient pas, un dédit de 10 000 écus. Lélio pense faire un meilleur mariage en épousant la jeune fille, plus riche que la Comtesse, et propose, à celle qu'il prend pour un jeune chevalier sans fortune, d'épouser la Comtesse à sa place. Mais Lélio doit 10 000 écus à la Comtesse qui les lui a prêtés. La jeune fille se rend compte à quelle espèce d'individu elle a affaire, décide de « punir ce fourbe-là » et d'en débarrasser la Comtesse, ce à quoi elle réussit.

Bien écrite, spirituelle, cette pièce, intéressante pour l'histoire des mœurs, est plus une peinture réaliste qu'un exposé de beaux sentiments. Lélio, sorte d'homme à bonnes fortunes, marque beaucoup de cynisme dans la manière dont il pense traiter sa femme après le mariage (I, VIII). Pour l'histoire des mœurs et du théâtre, le personnage le plus intéressant est celui de Trivelin (valet du faux chevalier). Marivaux lui prête une hardiesse de parole inhabituelle dans ce rôle : il exprime des revendications assez crues en faveur du mérite et réclame des droits (propres à sa classe), qu'il présente en philosophe; le caractère polémique de cette scène est évident et annonce le Figaro de Beaumarchais.

Jouée pour la première fois le 8 juillet 1724, cette comédie en trois actes et en prose eut treize représentations et fut « très bien reçue » par le public (selon le *Mercure*). Elle fut même donnée devant la Cour, à Fontainebleau, en novembre de la même année; Silvia plut beaucoup dans le rôle principal. Les divertissements accompagnant la pièce furent écrits par Marivaux en collaboration, sans doute, avec l'aîné des frères Parfaict, sur une musique de Jean-Joseph Mouret. Puis cette comédie fut oubliée pendant plus de deux siècles. Elle ne fut redécouverte que vers le milieu du XXe siècle. Le T.N.P. la joua au palais de Chaillot au cours de la saison théâtrale de 1963-1964, et elle déconcerta d'abord ceux qui s'étaient fait une idée traditionnelle du théâtre de Marivaux : il ne s'agit ni d'une comédie romanesque ni d'une « surprise de l'amour », mais bien d'un jeu de masques.

Les masques, conventions et simagrées sociales que Marivaux dénonce sont le propre d'une société qui se veut immuable et dans laquelle règnent une hiérarchie et un ordre maintenus par des lois sévères. Obéissant à la règle du jeu collectif, l'individu s'y soumet. Brusquement, une réflexion, une ruse innocente révèle une vérité insoupçonnée qui se trouvait comme en attente de l'autre côté de cette façade lisse et policée de l'ordre social. Rien ne sera changé à ce dernier, certes, mais il y aura eu ce « moment de vérité » qui donnera sa juste valeur à ce qui semblait absolu et n'était que convention. *L'Île des esclaves, la Nouvelle Colonie, le Jeu de l'amour et du hasard* illustreront cet autre aspect du « système dramatique » de Marivaux.

BIBLIOGRAPHIE

L. Desvignes-Parent, « *la Fausse Suivante, le Triomphe de l'amour* et la tradition française », *Revue d'histoire du théâtre,* juillet 1970. On lira avec intérêt, dans les journaux et revues de la fin de 1971, les réactions de la critique à la mise en scène de Patrice Chéreau (Nanterre, théâtre des Amandiers, nov. 1971).

Le Jeu de l'amour et du hasard

Représenté pour la première fois par les Comédiens-italiens le 23 janvier 1730, ce chef-d'œuvre de Marivaux est le résultat d'une longue tradition de théâtre. Sa célébrité est le fait de la qualité de son écriture, de l'émotion qui l'anime et de sa franche verve comique; l'auteur exploite très habilement le procédé du double travestissement, tirant des effets dramatiques et psychologiques de l'échange des rôles entre les maîtres et les valets.

Synopsis. — Dorante et Silvia sont fiancés par leurs pères, sans s'être jamais vus. Chacun de son côté décide d'étudier le caractère de l'autre, sans se faire connaître. Dorante endosse la livrée de son valet Arlequin, et Silvia procède à un échange de robes avec Lisette, sa femme de chambre. Il s'ensuit une série de quiproquos. Silvia, à qui déplaît le faux Dorante, se croit amoureuse d'Arlequin, tandis que Dorante se croit amoureux de Lisette. La première, Silvia découvre le subterfuge, mais n'en continue pas moins son jeu, au risque de tout perdre. Ce qu'elle veut, c'est obtenir la certitude que Dorante l'aime pour elle-même.

Elle réussit à arracher à Dorante l'aveu qu'il l'épousera, même femme de chambre, et c'est alors seulement qu'elle lui dévoile la vérité sur son identité. Ainsi les deux jeunes gens sont sûrs de leurs sentiments et convaincus d'être faits l'un pour l'autre puisqu'ils ont su se reconnaître en dépit des apparences.

Dans cette pièce, Marivaux touche à une réalité humaine : la peur de la jeune fille devant un prétendant inconnu et l'aliénation sans retour que peut représenter un mariage mal assorti. Mais il l'adoucit en proposant un personnage de père généreux, tolérant et bon : « ... dans ce monde, il faut être un peu trop bon pour l'être assez », lui fait dire l'auteur (I, II); la crise qu'éprouve le personnage désobéissant aux conventions et aux lois sociales, Dorante, est la plus violente de toutes celles que l'on trouve dans les pièces de Marivaux. Et c'est vainement que l'on chercherait dans le théâtre de cette époque d'autres exemples de preuves d'amour aussi fortes que celle qu'il donne à Silvia. Selon l'esprit qui régnait alors, la situation était pratiquement sans issue pour Dorante, puisque (la fausse) Lisette n'était pas seulement sans fortune, mais qu'elle « servait ».

La pièce reçut un accueil honorable et connut quinze représentations la première année. Fin janvier, elle fut avec succès jouée à Versailles, et, jusqu'en 1761, elle eut chaque année entre deux et dix représentations. Elle en eut bien plus à partir de 1779, moment où s'effectua la francisation de cette comédie (qui n'était, au départ, qu'une simple comédie italienne en trois actes et en prose), lorsque la troupe, qui avait fusionné avec celle de l'Opéra-Comique (1761), se sépara de ses éléments italiens. *Le Jeu de l'amour et du hasard* deviendra l'une des pièces le plus fréquemment jouées du répertoire français.

Pour rendre sa liberté à l'être soumis aux lois sévères de l'ordre et de la hiérarchie, Marivaux invente une « surprise » tout intérieure, destinée à faire découvrir les vraies valeurs et à révéler les vains préjugés de la société en ce qui concerne le bonheur et le mérite.

BIBLIOGRAPHIE
M. Jasinski, « Une réminiscence de Marivaux dans le *Jeu* », *R.H.L.F.*, 1947 (il s'agit d'une nouvelle de Scarron); C. Cavalli, « Analyse stylistique de l'acte II », *Recherches et Travaux* XVII, univ. Grenoble, 1978.

L'École des mères

Dans cette pièce, tous les arrangements conventionnels sont dérangés par la « surprise » que constitue l'apparition soudaine d'une volonté propre du personnage principal, Angélique.

Synopsis. — Éraste, qui aime Angélique, s'introduit sous un déguisement de valet dans la maison de la mère de celle-ci, Mme Argante, avec la complicité de Lisette, la suivante d'Angélique, le matin du jour de la signature du contrat de mariage entre la jeune fille, qui a dix-sept ans, et Damis (*alias* Orgon), le père d'Éraste, qui en a soixante. Le mariage, arrangé par Mme Argante, semble convenable à celle-ci, parce que Damis est riche. Frontin se laisse gagner à la cause d'Éraste, car, valet de Mme Argante, il veut contribuer à sauver Angélique d'une situation qui lui répugne. Angélique, en fille soumise, ne marque pas sa répugnance à sa mère, qui, très autoritaire, aurait tôt fait de l'empêcher de parler. Éraste, toujours déguisé, rencontre Angélique et apprend les sentiments de celle-ci à son égard. Mme Argante donne un petit bal masqué en l'honneur du mariage de sa fille. Damis obtient de Mme Argante la permission d'avoir un entretien (le premier) avec Angélique. Au cours de ce tête-à-tête, la jeune fille naïvement fait part à Damis de son aversion pour l'union projetée et lui apprend qu'elle aime ailleurs. Damis paie Frontin pour en savoir plus et obtient d'assister, déguisé, dans une salle où le valet aura éteint les lumières, à l'entrevue d'Angélique et d'Éraste, dans lequel il reconnaît son fils et auquel il cède Angélique une fois obtenu le consentement de Mme Argante, qui a aussi assisté à l'entretien.

L'École des mères de Marivaux fut créée le 25 juillet 1732 au Théâtre-Italien. Elle rappelle par de nombreux traits *la Parisienne* de Dancourt, que les Comédiens-français avaient reprise quelque temps auparavant (1725). Si Marivaux s'est inspiré des personnages de cette comédie sans presque en changer les noms, il a par contre transformé l'intrigue en la simplifiant radicalement. Il garde l'idée de la rivalité fortuite du père et du fils, mais supprime les coups du hasard qui mettent les personnages en présence les uns des autres. Ce qui n'était qu'écriture rapide chez Dancourt devient, chez Marivaux, une pièce traitant du problème de l'éducation des enfants, et en particulier de celle des filles. C'est un sujet auquel l'auteur tenait: nous en retrouvons des échos dans *le Spectateur français*. Pour Marivaux, la communication entre parents et enfants est fondamentale dans l'éducation. Dans la scène V du premier acte de la pièce, il montre très finement comment, par sa faute, Mme Argante a perdu la confiance de sa fille, qui n'ose, devant elle, s'exprimer librement. Le souci pédagogique de l'auteur est évident également à d'autres moments de la pièce.

Cette comédie en un acte et en prose comportait un vaudeville de Panard, des danses et des divertissements sur une musique de Mouret. Elle fut bien accueillie par le public et eut quinze représentations la première année et de fréquentes reprises par la suite. Dès le XVIIIe siècle, elle fut traduite en plusieurs langues européennes.

En France, cette comédie fut représentée près de deux cents fois entre 1732 et 1769. Lors de sa reprise, en 1779, elle n'eut plus que quatre représentations, et, en 1809, à la Comédie-Française, elle n'en eut plus que deux. Au contraire, la création de la pièce, le 18 décembre 1878, à l'Odéon, eut un succès exceptionnel, et elle resta au répertoire de ce théâtre, où elle fut jouée très souvent, jusqu'à la fusion de l'Odéon et de la Comédie-Française.

BIBLIOGRAPHIE
L. Desvignes-Parent, « Dancourt, Marivaux et l'éducation des filles », *R.H.L.F.*, 1963; R. Pomeau, « Pour une dramaturgie de Marivaux », *Essays (...) in Honor of Otis Fellows*, Genève, Droz, 1974; M. Strathmann, « Wahlverwandtschaft und Kontrast in Moratins *El si de las niñas* und Marivaux *École des mères* », *Arcadia*, XVI, 1981.

*La Vie de Marianne ou les Aventures de Mme la comtesse de ****

En mai 1731 paraît la première partie de *la Vie de Marianne* et, jusqu'en 1741, seront publiées en France et en Hollande onze parties de ce roman inachevé, qui, dans une édition de 1745, faite à Amsterdam « aux dépens de la Compagnie », est pourvu d'une suite apocryphe, due à la plume de Mme Riccoboni.

La structure du roman n'est pas soumise à un ordre rigoureux. Marivaux donne libre cours à son imagination, soulignant ses analyses psychologiques et philosophiques, ses réflexions de moraliste par une écriture quelquefois détachée, en apparence, de l'objet romanesque, captant par surprise l'intérêt du lecteur.

Synopsis. — Le récit, confidences d'une dame à l'une de ses amies sur sa vie fort mouvementée, commence par l'attaque d'un carrosse : des brigands tuent tous les occupants de la voiture, sauf Marianne, qui a deux ans, et un chanoine, qui parvient à s'enfuir. Recueillie puis élevée par un curé et sa sœur, Marianne, durement éprouvée par le destin, les perd peu après son arrivée à Paris. Elle est placée en apprentissage chez une lingère, Mme Dutour, par les soins d'un dévot d'un certain âge, M. de Climal, qui se révèle être un hypocrite et devient rapidement pressant. Marianne, innocente d'abord, s'aperçoit vite de ses desseins. Un hasard lui fait rencontrer le jeune M. de Valville, qui aussitôt tombe amoureux d'elle. Pour échapper aux assiduités de M. de Climal, Marianne se réfugie dans une église, où, remarquée par une dame, elle voit momentanément ses problèmes résolus puisque celle-ci la met en pension dans un couvent et se charge de son avenir. Cette dame, Mme de Miran, est la mère de Valville. Devant le désintéressement et la vertu de la jeune fille, Mme de Miran consent au mariage de son fils avec la jeune fille. Ce mariage déplaît à la famille de Mme de Miran qui, appuyée par un ministre, fait enlever Marianne et lui propose un mariage qui n'est pas à son goût. L'arrivée inopinée de Mme de Miran et de son fils sauve Marianne de sa situation inconfortable. Rien ne semble plus s'opposer à son mariage avec Valville. Mais celui-ci tombe amoureux d'une autre jeune fille, Mlle Varthon, qu'il a rencontrée dans des circonstances romanesques. Il n'est plus question d'épousailles. Marianne reçoit une proposition de mariage d'un officier sensiblement plus âgé qu'elle, mais, profondément blessée par l'infidélité de Valville, elle envisage de se retirer au couvent. Une religieuse qu'elle y avait rencontrée et qui est devenue une amie, Mlle de Tervire, lui raconte sa vie pour essayer de la dissuader d'entrer dans les ordres. Ce second récit forme comme une espèce de contrepoint par rapport à celui de *la Vie de Marianne* et fait l'objet du dernier tiers du roman.

La perspective choisie par Marivaux pour son récit est double, puisque la narratrice raconte sa vie de jeune fille, interprétant à la faveur de son expérience d'adulte les faits et gestes qu'elle a vécus dans sa jeunesse. Une réflexion lucide, une analyse subtile font ainsi apparaître, non sans une légère et très spirituelle touche d'ironie propre à l'auteur, la portée morale d'un vécu sensible et frémissant, celui-ci s'insérant dans la description d'une entité sociale plus vaste. Cette autobiographie fictive se constitue, à mesure, de faits recréant une réalité poétique, mais quotidienne, non exempte de coups de théâtre spectaculaires, qui révèlent en entier le personnage principal. L'action naît de la tension entre des situations relevant d'une société hiérarchique aux règles figées, et l'image qu'a d'elle-même l'héroïne, dans un jaillissement momentané de tout son être. Marianne trouve en elle-même ressources et énergie pour défendre son image et en devenir digne. Ainsi Marivaux lui fait-il dire : « Je n'étais rien, je n'avais rien qui pût me faire considérer, mais à ceux qui n'ont ni rang ni richesse qui en imposent, il leur reste une âme, et c'est beaucoup; c'est quelquefois plus que le rang et la richesse, elle peut faire face à tout ».

C'est donc dans une dialectique continuelle entre le caractère du personnage, ses aspirations, ses besoins affectifs, spirituels et sa situation sociale, qui est celle d'une orpheline sans nom ni fortune, que se forme le personnage qui évolue au cours du roman. Il gagne en expérience tout en cherchant à rester fidèle au choix qu'il a fait de lui-même. On sera frappé par la modernité de l'analyse existentielle esquissée par l'auteur : « ... notre vie, pour ainsi dire, nous est moins chère que nous, que nos passions [...], on dirait que, pour être, il n'est pas nécessaire de vivre, que ce n'est que par accident que nous vivons, mais que c'est naturellement que nous sommes ». Cette citation, qui, dans le texte, se rapporte à une réflexion sur le suicide, est également significative pour l'attitude du personnage marivaudien, pris souvent entre deux aspects du vécu dont la congruence n'est pas atteinte. Il est sujet alors à une scission entre sa manière d'être et sa manière d'exister, situation intolérable mais, par excellence, motif et texture du roman.

La Vie de Marianne eut de nombreux imitateurs, tels l'abbé Lambert ou le chevalier de Mouhy, pour ne nommer qu'eux. Ce roman fut lu en Europe et eut également du succès en Angleterre. Son influence est indéniable sur la création romanesque au XVIIIe siècle.

BIBLIOGRAPHIE

L. Spitzer, « A propos de *la Vie de Marianne,* lettre à M. Georges Poulet », *Romanic Review,* 1953; B. Didier, « Narratrices et narrataires dans *la Vie de Marianne », Saggi e ricerche di letteratura francese,* Rome, 1980, et « Structures temporelles dans *la Vie de Marianne* », *Revue des Sciences humaines,* 2e trim. 1981.

🕮 *Le Paysan parvenu ou les Mémoires de M.****

Publié de 1734 à 1735, en cinq parties, chez Prault, à Paris, *le Paysan parvenu* semble être en opposition totale avec *la Vie de Marianne.* Le personnage principal, Jacob, est un paysan obscur, jeune et joli garçon, sortant pour la première fois, mais définitivement, du village champenois de son père. Comme l'orpheline Marianne, il relate, à la première personne, les expériences par lesquelles passe un individu qui s'est découvert et est devenu lui-même. « Mémoires » factices que cet autre roman, réunissant, comme le premier, les temps forts d'une existence et offrant au romancier la possibilité de créer un personnage mûri par la vie, interprétant lucidement des sentiments et des faits de conscience que, jeune, il n'avait su ni comprendre ni expliquer. Ce regard rétrospectif devient quelquefois ironique et, pour ce second des romans de maturité de l'auteur, fait surgir un comique savoureux dû à la manière dont Jacob parle de lui-même. Pourtant cette distance entre le personnage d'autrefois et le narrateur présent ne s'érige pas ici en structure permanente. Henri Coulet l'a fort bien analysé : « [...] le rapport entre le narrateur actuel et le héros des années d'apprentissage n'est pas si simple, la distance qui les sépare tend à se réduire et même à s'annuler, si l'on remarque que le jeune rustre surpris par son ascension rapide est aussi sceptique que l'homme vieilli, et qu'en revanche l'homme vieilli souscrit avec sérieux à des jugements du jeune rustre qu'un ironiste devrait dénoncer comme des sophismes ».

Synopsis. — Jacob, devenu M. de La Vallée, puis M. de ***, seigneur du village champenois qui l'a vu naître, évoque les étapes de sa fortune et de son ascension sociale. Arrivé à Paris à dix-huit ans, Jacob a vite découvert qu'il plaisait aux femmes. C'est d'elles qu'il va se servir pour « parvenir ». Le récit de sa réussite, fait par un esprit honnête mais peu scrupuleux, pourrait sembler immoral. Pourtant la franchise et la bonhomie satirique de Jacob font qu'on lui pardonne sa morale facile. Jacob a appris chez son premier maître à juger le monde et à s'y mouvoir. Il se retrouve à la rue lorsque le financier meurt; plus riche seulement d'une certaine expérience. Il porte secours à une demoiselle et entre à son service : Mlle Habert n'est plus toute jeune. Bientôt elle s'éprend de Jacob et l'épouse. Il l'aime à sa façon, mais n'hésite pas à la tromper. Par la suite, il continue à être la coqueluche des dames sur le retour, comme Mme de Fécour ou Mme de Ferval. Il porte secours à un gentilhomme attaqué par trois adversaires. L'homme qu'il sauve est le comte de Dorsan, neveu du Premier ministre; il lui offre sa protection et fera finalement sa fortune.

Les nombreuses rééditions du *Paysan parvenu* prouvent que ce roman reçut un accueil favorable du grand public. La critique, elle, fut assez sévère, reprochant à l'auteur le choix de son sujet et de son personnage principal. Ce n'est que depuis une trentaine d'années que l'on considère *le Paysan parvenu* comme l'une des œuvres les plus audacieuses du XVIIIe siècle. Certains critiques y voient même le chef-d'œuvre romanesque de Marivaux. Le succès européen du *Paysan parvenu,* pendant tout le XVIIIe siècle, est aussi attesté par une vingtaine d'éditions (en partie étrangères) et une demi-douzaine de traductions. Son influence est reconnaissable dans le choix de sujets similaires par d'autres romanciers de l'époque, dans leur manière de traiter des « tableaux de la société » et par l'accent que, dans leurs romans, des auteurs comme Fielding mirent sur l'« éducation sentimentale » du personnage masculin.

BIBLIOGRAPHIE

M. Gilot, « Remarques sur la composition du *Paysan parvenu* », *XVIIIe siècle* n° 2, 1970; L. Levin, « Masque et identité dans *le Paysan parvenu* », *Studies on Voltaire LXXIX,* 1971; L. G. Crocker, « le Portrait de l'homme dans *le Paysan parvenu* », *Studies on Voltaire LXXXVII,* 1972; E.B. Hill, « Sincerity and Self-Awareness in the *Paysan parvenu* », *Studies on Voltaire LXXXVIII,* 1972.

BIBLIOGRAPHIE GÉNÉRALE

Compléments biographiques

G. Bonaccorso, *Gli anni difficili di Marivaux.* Saggio biografico-critico con documenti inediti e tavole fuori testo, Peloritana Editrice, Messine, 1964 (l'auteur retrace la vie et la carrière de

Marivaux jusqu'en 1720); M.-J. Durry, *A propos de Marivaux*, S.E.D.E.S., 1960, « Quelques nouveautés sur Marivaux » (découvertes concernant la biographie de Marivaux à la lumière desquelles l'auteur interprète le caractère de l'écrivain); G. Couton, « le Sieur Nicolas Carlet, père de Marivaux », *R.H.L.F.*, 1963; M. Gilot, « Marivaux, homme de lettres sans enseigne », dans *Marivaux*, monographie publiée par la Comédie-Française, 1966; *id.*, « Maître Nicolas Carlet et son fils, Marivaux », *R.H.L.F.*, 1968; *id.*, « Quelques traits du visage de Marivaux », *R.H.L.F.*, 1970; *id.*, « Marivaux à la croisée des chemins : 1719-1723 », *Studi Francesi*, 1972; *id.*, « Marivaux dans la société de son temps », *Revue des sciences humaines*, 1974.

Œuvres

Théâtre. — *Théâtre complet*, texte établi avec introduction, chronologie, commentaire, index et glossaire par Frédéric Deloffre, Paris, Garnier frères, 1968, 2 vol. Il y a de nombreuses éditions du théâtre de Marivaux antérieures à celles de 1968 et intéressantes à de nombreux points de vue. Nous ne citerons que le *Théâtre complet*, préface de Jacques Schérer, présentation et notes de Bernard Dort, Le Seuil, 1964 (la présentation et les notes, bien documentées, sont remarquables. On y trouve également le texte de « l'Éloge de Marivaux », de d'Alembert). Une grande partie des pièces de Marivaux se trouvent séparément : la Comédie-Française en édite dans sa *Collection du Répertoire*. Elles sont également présentées dans des éditions scolaires généralement bien documentées et commentées chez Bordas, Hachette, Larousse.

Romans. — *Le Télémaque travesti*, comprenant les treize derniers livres retrouvés et réimprimés pour la première fois, avec introduction et commentaire par Frédéric Deloffre, Genève-Lille, Droz-Giard, 1956; *Œuvres de jeunesse*, édition établie, présentée et annotée par Frédéric Deloffre avec le concours de Claude Rigault, Paris, Gallimard, 1972 (contenant : *les Aventures de *** ou les Effets surprenants de la sympathie, la Voiture embourbée, Pharsamon ou les Nouvelles Folies romanesques, le Bilboquet, le Télémaque travesti, l'Homère travesti* [six premiers livres]); *la Vie de Marianne ou les Aventures de Madame la comtesse de ****, texte établi avec introduction, chronologie, bibliographie, notes et glossaire par Frédéric Deloffre, Paris, Garnier frères, 1963 (2ᵉ édition); *le Paysan parvenu ou les mémoires de M****, texte établi avec introduction, bibliographie, chronologie, notes et glossaire par Frédéric Deloffre, Paris, Garnier frères, 1959. Dans d'autres collections : *la Vie de Marianne*, texte établi par Henri Coulet, chronologie, introduction et notes par Michel Gilot, Garnier-Flammarion, 1978; *le Paysan parvenu*, chronologie et introduction par Michel Gilot, Garnier-Flammarion, 1965, et par R. Mauzi, Paris, coll. « 10/18 », U.G.E., 1965.

Journaux. — Mario Matucci, *le Miroir*, Libreria Scientifica Editrice, Naples, 1958; W. Wrage, *A Critical Edition of « le Spectateur français »*, University of Wisconsin, 1964; *Journaux et Œuvres diverses*, texte établi avec introduction, chronologie, commentaire, bibliographie, glossaire et index par Frédéric Deloffre et Michel Gilot, Paris, Garnier Frères, 1969.

Études

Études d'ensemble : l'œuvre de Marivaux a suscité de très nombreux travaux depuis une vingtaine d'années. Pour une mise au point, établissant l'état présent de la recherche et donnant une vue d'ensemble succincte de l'œuvre, de la critique et des données biographiques de Marivaux, on consultera l'excellent ouvrage de Henri Coulet et Michel Gilot, *Marivaux, un humanisme expérimental*, Paris, Larousse, « Thèmes et textes », 1973. Synthèses récentes : F. Deloffre, *Une préciosité nouvelle. Marivaux et le Marivaudage*, Paris, Colin, 1955, 2ᵉ éd. revue et mise à jour, Colin, 1971; E.J.H. Greene, *Marivaux*, Toronto University Press, 1965; S. Mühlemann, *Ombres et Lumières dans l'œuvre de Pierre Carlet de Chamblain de Marivaux*, Berne, Lang, 1970; J. Sgard, « Marivaux », dans *Histoire de la littérature française*, t. II, A. Colin, 1970; M. Deguy, *la Machine matrimoniale*, Paris, Gallimard, 1981.

Pour l'histoire de la critique : H. Lagrave, *Marivaux et sa fortune littéraire*, Saint-Médard-en-Jalles, Ducros, 1970; H. Coulet, « État présent des études sur Marivaux », *Information littéraire*, mars-avril 1979.

Pour le théâtre : A. Attinger, *l'Esprit de la Commedia dell'Arte dans le théâtre français*, Neuchâtel, La Baconnière, 1950; K. Mac Kee, *the Theater of Marivaux*, New York University Press, 1958; M. Meyer, *la Convention dans le théâtre d'amour de Marivaux*, São Paulo, 1961; V.P. Brady, *Love in the Theatre of Marivaux*, Genève, Droz, 1970; A. Spacagna, *Entre le oui et le non. Essai sur la structure profonde du théâtre de Marivaux*, Berne, Lang, 1978; J. Schérer, « Analyses et Mécanismes des fausses confidences. Marivaux et Pirandello », *Cahiers de la Compagnie Renaud-Barrault*, n° 28, janvier 1960; A. Séailles, « les Déguisements de l'amour et le Mystère de la naissance dans le théâtre et les romans de Marivaux », *R.S.H.*, 1965; M. Gilot, « la Vocation comique de Marivaux », *Saggi e ricerche di letteratura francese*, XI, 1971.

Pour l'influence : L. Desvignes-Parent, *Marivaux et l'Angleterre*, Paris, Klincksieck, 1970; J. Lacant, *Marivaux en Allemagne*, Paris, Klincksieck, 1975.

Pour les romans : G. Poulet, « Marivaux », *Études sur le temps humain* II, *la Distance intérieure*, Paris, Plon, 1952; J. Parrish, « Illusion et Réalité dans les romans de Marivaux », *Modern Language Notes*, mai 1965; Jean Rousset, « Marivaux et la Structure du double registre », *Forme et Signification*, Paris, Corti, 1962; R.C. Rosbottom, *Marivaux's Novels, Theme and Fonction in Early Eighteenth-Century Narrative*, Cranbury et Londres, Associated University Press, 1974; Henri Coulet, *Marivaux romancier. Essai sur l'esprit et le cœur dans les romans de Marivaux*, Armand Colin, 1975 (étude de base, ce remarquable ouvrage concerne l'ensemble des romans de Marivaux dont il donne d'excellentes analyses tout en faisant preuve d'une exceptionnelle érudition; il rend à l'auteur le mérite de l'intelligence, de la clairvoyance, de la sincérité et approfondit les principales questions soulevées par l'œuvre romanesque de Marivaux); Mario Matucci, *l'Opera narrativa di Marivaux*, Naples, R. Pironti e figli, 1962; René Démoris, *le Roman à la première personne*, Paris, Armand Colin, 1975; H. Kars, *le Portrait chez Marivaux. Étude d'un type de fragment textuel*, Amsterdam, Rodopi, 1981; Frédéric Deloffre, « De Marianne à Jacob : les deux sexes du roman chez Marivaux », *l'Information littéraire*, 1959; Jean Rousset, « Comment insérer le présent dans le récit : l'exemple de Marivaux », *Littérature*, février 1972.

Pour les journaux : F. Deloffre, « Aspects inconnus de l'œuvre de Marivaux, II », *Revue des sciences humaines*, n° 74, avril-juin 1954; W.H. Trapnell, *The Contribution of Marivaux's Journalistic Works to his Theater and Novels*, University of Pittsburgh, 1967; Michel Gilot, *les Journaux de Marivaux, itinéraire moral et accomplissement esthétique*, 2 vol., Lille (diffusion Librairie Honoré Champion, Paris), 1975 (contient la meilleure bibliographie critique et représente une somme exceptionnellement riche de renseignements et de réflexions sur la vie de Marivaux, son métier d'écrivain, de multiples aspects de son œuvre, toute son époque); W.P. Jacoebée, *la Persuasion de la clarté. Thèmes, formes et structures dans les Journaux et Œuvres diverses de Marivaux*, Amsterdam, Rodopi, 1976.

S. MÜHLEMANN

MARMONTEL Jean-François (1723-1799). La fortune de Marmontel — sujet de réflexions utiles — se résume en peu de mots : le public s'est conduit à son égard d'une manière digne de Bouvard et Pécuchet. De son vivant, il jouissait d'une réputation éclatante : éditeur original et distingué du *Mercure* (1758-1760), l'un des Quarante (1763), historiographe de France (1772) et secrétaire perpétuel de l'Académie (1783), il fut répandu partout, traduit, imité et glorifié comme un maître de libre pensée, de morale et de style. Peu après sa mort, cette gloire parut excessive, et la réaction là-contre ne fut pas moins immodérée : victime de préjugés politiques et personnels et, plus tard, de l'évolution du goût, Marmontel sombra par degrés dans l'oubli. Son œuvre devint synonyme de médiocrité.

Sainte-Beuve, peu tendre pour l'ensemble de sa carrière (encore moins pour sa personne), conscient de ce mouvement inexorable, tenta en 1851 — en parlant des *Mémoires* de Marmontel — de faire assumer à la critique ses devoirs : « Ce qui est à faire à l'égard de ces écrivains si estimés en leur temps et qui ont vieilli, c'est de revoir leurs titres et de séparer en eux la partie morte, en n'emportant que celle qui mérite de survivre. »

Ce jugement — riche de prolongements — paraissait sans doute trop optimiste, et l'on ne devait pendant cent ans prêter à l'exhortation qu'une oreille de plus en plus distraite. Si bien que cette carrière autrefois si glorieuse finira par devenir « inintéressante ». Mais il y a pire : une nette tendance à ironiser sur l'œuvre de Marmontel et à la juger par ouï-dire ira se précisant. La plupart du temps, le public et surtout la critique (laquelle se devait d'être plus alerte et moins soumise aux idées reçues) se contenteront d'en rester là.

Depuis une quinzaine d'années toutefois, on reconnaît que l'intérêt de la carrière de cet « homme de lettres » (au sens professionnel que son siècle avait donné à l'appellation) est multiple : historique et social surtout, mais aussi esthétique et proprement littéraire.

Marmontel témoin de son temps

Le futur secrétaire perpétuel de l'Académie, fils de tailleur, naquit à Bort-les-Orgues, en Auvergne. Rien n'indiquait alors qu'il dût devenir un jour celui qu'on a appelé « l'enfant gâté de l'Ancien Régime » (F. Aulard). La carrière qu'il parcourut démontre — plus clairement qu'aucune autre — quels étaient les chemins ouverts sous l'Ancien Régime à un sujet d'élite de basse extraction. C'est Marmontel, plus encore que Voltaire, son ami et maître (celui-là même qui l'avait remarqué et appelé de Toulouse à Paris en 1745), qui devait faire de la pratique de la littérature un métier, préfigurant la métamorphose de l'homme de lettres du XVIIIe siècle et annonçant l'ascension de bon nombre d'écrivains d'aussi obscure condition : Chamfort, La Harpe, Thomas, Delille.

La lecture des *Mémoires* (voir plus loin) laisse entendre que cet écrivain universel est précisément le mieux placé pour nous donner une idée plus exacte de son siècle. Il donne sur son époque un précieux témoignage et aide à raviver l'étoffe, depuis longtemps passée, du véritable climat intellectuel où évoluait l'énorme majorité de ses contemporains. Une enquête plus large, embrassant l'ensemble de sa carrière, ne fait que confirmer ce point de vue. Cette enquête même a ménagé aux chercheurs de jolies découvertes : partis à la recherche d'un témoin de son temps, les dix-huitiémistes devaient fatalement définir en cours de route — cent ans après l'invitation de Sainte-Beuve — quelle était la partie de cette carrière littéraire qui méritait de survivre, voire de revivre.

Théorie littéraire et esthétique

De cette enquête il ressort que la première — et la dernière — vocation de Marmontel était l'étude de la littérature et de sa théorie. Initié à cette discipline vers 1735, à l'âge de douze ans, au collège de Mauriac, Marmontel y conçoit pour elle « cette soif que soixante ans d'étude n'ont pas encore éteinte ». C'est le mémorialiste qui nous fait cette confidence (1793), et, comme preuve de sa bonne foi, il composera vers 1797 un *Traité de grammaire*. En effet sa réflexion sur la littérature et l'esthétique, ainsi que sur les problèmes du langage — exprimée très tôt dans des articles de l'*Encyclopédie* (1753-1758), remaniée et complétée dans sa *Poétique françoise* (1763, 2 volumes), considérablement élargie dans ses articles du *Supplément de l'Encyclopédie* (1776-1777) et de l'*Encyclopédie méthodique* (1782), rassemblée enfin dans ses *Éléments de littérature* (1787, 3 volumes) —, ne devait cesser de se préciser, de se nuancer, de s'approfondir.

Elle trouve son expression la plus développée et cohérente dans les *Éléments,* où la forme alphabétique de l'ouvrage « garantit une souplesse éclectique qui était tout à fait favorable à l'exposé des problèmes délicats de l'esthétique » au seuil du monde moderne (Annie Becq). Cette méthode de présentation — alors très répandue (le siècle aime la pensée anthologique) — était par ailleurs parfaitement adaptée pour traiter et exprimer à la fois les hésitations et les contradictions de son époque. Dans ces *Éléments,* nous discernons un corpus d'articles qui constitue une contribution majeure à la pensée esthétique du XVIIIe siècle, laquelle est déjà si vigoureuse et féconde. D'autre part, Marmontel y annonce sans conteste (mais ses idées les plus fécondes, certaines hardiesses possibles, certains prolongements « scandaleux » sont freinés par son tempérament) les temps nouveaux et les valeurs modernes. Qui aurait deviné que dans les *Éléments* existent des passages — et non en petit nombre — que n'auraient pas désavoués un Baudelaire ou un Valéry?

Marmontel philosophe

Théoricien d'importance, Marmontel ne néglige toutefois ni la pratique ni l'action. Partisan des Lumières, il s'intéresse à la politique, à l'économie, à l'éducation, à la manière de bien vivre, de procurer le bonheur au plus grand nombre de ses concitoyens. Comme il sait rendre la vertu facile et la philosophie rassurante, son influence n'est pas négligeable. Déjà les *Contes moraux* — publiés dans *le Mercure de France* de 1755 à 1759, augmentés deux fois en 1761, et une troisième fois encore en 1765, réunis en deux volumes en 1761 (puis en trois) — le font connaître sous cet aspect-là. Leur succès sera prodigieux. Traduits bientôt dans toutes les langues de l'Europe, ils connaîtront des dizaines d'éditions et seront mis en scène ou adaptés pour le théâtre lyrique jusqu'à la fin du siècle (même au-delà) partout où la culture française trouve des adeptes.

Mais la philosophie qu'il y exprime, une philosophie « parée de rubans », le laisse vite insatisfait. En 1765-1766, dans un climat douloureux, Marmontel rédige *Bélisaire.* Ce roman, dont le but était d'inciter Louis XV à adopter une conduite de roi-philosophe, a été — est encore — jugé comme « insipide », « ennuyeux », « pesant » et « illisible ». Ces critiques visant la valeur littéraire de l'ouvrage, malgré leur justesse n'enlèvent rien à son importance historique : fidèle témoignage de son temps, *Bélisaire* démontre en un fulgurant raccourci l'étendue du malaise dans l'opinion éclairée moyenne devant l'évidente faillite du gouvernement, et son XVe chapitre — plaidoyer en faveur de la tolérance civile — fut à l'origine de la contribution la plus efficace que Marmontel devait jamais faire aux Lumières : à savoir l'affaire de *Bélisaire.* C'est cette bataille-là, entre les Philosophes et la Sorbonne, qui se révèle le véritable point culminant de la Philosophie militante. Si l'on veut parler de la stratégie globale des années de lutte, on peut se référer à *Bélisaire,* car tout y est, condensé et sous une forme maniable. Mais veut-on désigner la confrontation décisive? C'est du côté de *Bélisaire* qu'il faut regarder. Pour comprendre enfin la question huguenote devant l'opinion éclairée ou réactionnaire, ainsi que le problème de la tolérance, suffit-il d'étudier les cas Calas et Sirven? Aucunement. *Bélisaire,* évoluant sur un tout autre plan, est à maints égards plus révélateur.

Mais que l'on n'oublie pas *les Incas* (1777), dont certains chapitres devaient exercer une forte influence sur deux géants de la littérature : Chateaubriand et Mickiewicz; cette épopée en prose — commencée pendant le tumulte de l'affaire de *Bélisaire,* et dans laquelle Marmontel reprend les armes en faveur de la tolérance — nous convie également à sa redécouverte. *Bélisaire* et *les Incas,* tous les deux de grandes machines au service de la philosophie, ont porté leurs fruits; à ce titre, dit Jean Fabre, « ils restent de grands ouvrages ».

Marmontel mémorialiste

Si donc la carrière de Marmontel et une bonne partie de son œuvre ont une indéniable valeur pour l'historien,

« La Porte rouge », peinture de Ahmed Cherkaoui (1934-1967) en 1964.
Coll. part. Ph. L. Joubert © Photeb - D.R.

5 Tout reprendre dans cette
ville, lui tisser de nouvelles
tripes plus colorées et moins
putrides. Le rebâtir en forme
de vrai pays. Un pays qui poussera
tout seul au mépris des architectes.
Une ville solaire, un pays héliotrope.
Sa croissance sera accélérée à grand renfort
d'acides aminés.

Le Muezzin bègue de Mourad Bourboune, illustré par une gravure en couleurs d'Abdallah Benanteur (1970), né en 1931. *Coll. part. Ph. Dahmane © Photeb - D.R.*

Maghreb

Pour pénétrer dans cet univers mal connu, complexe, riche de tous les souvenirs de grandes civilisations et pauvre de toutes les misères de l'histoire, la Porte Rouge d'Ahmed Cherkaoui entoure le seuil des prestiges d'une architecture somptueuse. Pour le comprendre, la belle métaphore du *Muezzin bègue* nous parle de la voix lyrique, de toute poésie, envol contrarié, chant ou prière balbutié.

La littérature écrite en français est, pour les Maghrébins, à la fois une voie royale et un simulacre, une révélation de soi-même et un carcan, légué par le colonialisme. Derrière cette littérature, il faut évoquer ses sources absolument étrangères à

Conteur tunisien
Ph. © Maison des cultures du monde, Paris.

Machaho ! Contes berbères de Kabylie de Mouloud Mammeri. Couverture illustrée par K. Omeïte. Coll. « Aux quatre coins du temps », Éd. Bordas, 1980. *Ph. M. Didier © Photeb © by Éd. Bordas, 1980.*

Jours de Kabylie de Mouloud Feraoun, illustré par un dessin de Charles Brouty. Éd. Baconnier, Alger. *Bibl. nat., Paris - Ph. M. Didier © Arch. Photeb - D.R.*

l'Europe : l'oralité du conteur populaire, les langues spontanées, maternelles, celles des ancêtres ; celles de l'affection, du rire, de la vengeance, des révoltes : les variétés d'arabe ou de berbère dans lesquelles se forgent les raisons et se forment les rêves.
C'est pourtant une autre langue, un français magnifique, qui exprime ces raisons et ces rêves, un français maîtrisé jusqu'à en être naturel. Les récits kabyles de Mouloud Mammeri, Mouloud Feraoun, (deux destins orientés sur le discours : *Mouloud,* grande fête musulmane qui célèbre

La Femme sauvage de Kateb Yacine. Représentation au théâtre Récamier par la Compagnie J.-Marie Serreau, décors d'André Acquart, avec Edwine Moatti, en 1963.
Ph. © Agence Bernand - Photeb.

Illustration de Nacer Khemir pour son ouvrage *l'Ogresse*. Coll. « Voix ». Éd. La Découverte, François Maspero, 1975.
Coll. part. Ph. Jeanbor © Photeb © by François Maspero, 1975.

Le Livre des délectations et du plaisir partagé (vie et mort de Abou Hayyan Attawhidi, intellectuel du xe s.) de Tayeb Sassiki. Représentation à la Maison des cultures du monde, Paris ; par la troupe Masrah Ennass (le théâtre des Gens, Maroc) en 1984. *Ph. B. Français © Maison des cultures du monde, Paris.*

le Prophète) dans leur simplicité, la puissance rhétorique de Kateb Yacine, dans le roman ou au théâtre, la psychanalyse culturelle de Nacer Khemir s'emparent de cette langue française. Et les thèmes arabes traditionnels (Tayeb Sassiki) empruntent une expression française tout en jouant le rôle d'une traduction plus intime, comme une traduction pour une reconnaissance internationale.

Cette littérature maghrébine en français traduit aussi une expérience humaine massive et douloureuse, celle de l'exil, de l'émigration.

Comme ses écrivains, les peintres du Maghreb expriment l'aspiration de

Travailleur maghrébin dans un train, en France.
Ph. © J. R. Salgado - Magnum.

« Le Mois d'octobre », peinture d'Ahmed Hajeri, en 1983
Ph. © Galerie Messine, Paris - D.R.

trois nations, étroitement parentes, à tous les registres de la créativité, à travers cette quête des richesses perdues, cette amertume des injustices de l'Histoire ; le plus souvent — et c'est miracle — sans haine, sans aigreur, avec la force, la légèreté, la gaieté même d'une culture qui peut enfin s'épanouir.

« Le Huitième Jour », peinture d'Abdallah Benanteur.
Coll. part. Ph. Dahmane © Photeb - D.R.

on ne lit plus guère toutefois de sa production totale, et pour le seul plaisir de la lecture, qu'une infime partie. On commence à se demander si certains contes moraux ne mériteraient pas de revivre, si les *Éléments de littérature* (si souvent pillés au XIXe siècle... mais subrepticement) ne devraient pas faire l'objet d'une édition critique et si *la Neuvaine de Cythère* n'est pas, après tout, un petit chef-d'œuvre du genre érotique; mais depuis toujours on lit ses agréables et piquants *Mémoires*. Ceux-ci ont évidemment une valeur historique, car ils révèlent ce XVIIIe siècle que Marmontel connut tout entier : le monde des salons, l'ordre établi, les attributs de l'« homme sociable », les chemins de l'ambition, la personnalité de tant de femmes et d'hommes illustres surprise dans l'intimité... Mais on reconnaît depuis peu que les *Mémoires* ont, dans une plus grande mesure encore, une valeur profondément humaine : ils ont le mérite de reproduire à différents niveaux la complexité du monde et de faire miroiter — par leur forme et leur langage — les contrastes du temps et de l'« humaine condition ».

BIBLIOGRAPHIE
Éditions. — *Mémoires,* 2 vol., éd. critique établie par John Renwick, Clermont-Ferrand, G. de Bussac, 1972; *Correspondance,* 2 vol. (vol. 1 : 1744-1780; vol. 2 : 1781-1799), texte établi, annoté et présenté par John Renwick, Université de Clermont, 1974; *la Neuvaine de Cythère* (voir plus loin).
Études. — Pour une bibliographie critique de tous les articles, études et monographies consacrés à l'auteur depuis 1800 jusqu'en 1970, consulter John Renwick, *la Destinée posthume de Jean-François Marmontel,* Université de Clermont, 1972; ajouter à cette bibliographie les articles suivants, parus depuis, que l'on peut consulter avec fruit : Ewa Rzadkowska, « les Lecteurs polonais de Marmontel », dans *Approches des Lumières,* Mélanges offerts à Jean Fabre, Paris, Klincksieck, 1974; *id.,* « la Carrière des *Incas* en Pologne », dans *la Littérature des Lumières en France et en Pologne,* Varsovie, 1976; Michael Cardy, « the Rehabilitation of a Second-Rate Writer : Jean-François Marmontel », *University of Toronto Quarterly,* vol. XLVII, nº 2, hiver 1977-1978; John Renwick, « Essai sur la première jeunesse de Jean-François Marmontel (1723-1745) ou Antimémoires », *Studies on Voltaire,* Oxford, the Voltaire Foundation, vol. CLXXVI, 1979.
Études et travaux d'ensemble : *De l'Encyclopédie à la Contre-Révolution : Jean-François Marmontel (1723-1799),* [dix-neuf] études réunies et présentées par Jean Ehrard, postface de Jean Fabre, Clermont-Ferrand, G. de Bussac, 1970; James Maurice Kaplan, « *la Neuvaine de Cythère :* une démarmontélisation de Marmontel », *Studies on Voltaire,* Oxford, the Voltaire Foundation, vol. CXIII, 1973 (cette étude contient une édition critique de *la Neuvaine*); John Renwick, « Marmontel, Voltaire and the *Bélisaire* Affair », *Studies on Voltaire,* Oxford, the Voltaire Foundation, vol. CXXI, 1974; Jacques Wagner, *Marmontel journaliste et le « Mercure de France »,* Presses Universitaires de Grenoble, 1975; Michael Cardy, « the Literary Theories of Jean-François Marmontel », *Studies on Voltaire,* Oxford, the Voltaire Foundation, vol. CCIX, 1982.

J. RENWICK

MAROLLES Michel de (1600-1681). Fils d'un capitaine de la garde du roi, nanti de la riche abbaye de Villeloin, protégé des ducs de Nevers, Marolles connut une carrière sociale sans encombre. Il publia des travaux d'histoire et de piété, quelques essais de critique et de poétique et des *Mémoires* (1656) qui sont surtout une apologie *pro domo.* Mais son rôle essentiel se situe dans le domaine de la traduction des Anciens, alors florissante. Il publia ainsi un grand nombre de versions : *Lucain* (1623 et 1644), *Virgile* (1649), *Lucrèce* (1650), *Horace* (1653)... Ces adaptations en prose des poètes latins visent à mettre en valeur la souplesse de la phrase française : Marolles participe ainsi au mouvement qui, dans la première partie du XVIIe siècle, offre au public mondain un accès aisé aux Anciens en même temps que le modèle d'une prose soutenue. Tenant de la tradition, il prônait une traduction scrupuleuse et dénonçait les versions trop libres (il accusait d'Ablancourt, pourtant maître reconnu du genre, de « paraphrase »); quand, après 1650, la mode s'établit des traductions versifiées, il s'y opposa, avant d'y céder à contrecœur. Il n'obtint jamais de franc succès : on lui reprochait de travailler trop vite et sans discernement, et aussi de polémiquer à tout propos. Il acquit pourtant une certaine autorité dans le monde lettré. Disciple, dans sa jeunesse, de Mlle de Gournay et de Coeffeteau, ami de Théophile, de Sorbières, de Colletet, il réunit plus tard, dans les années 1650, un cercle de gens de lettres où Gilles Boileau et Furetière firent leurs débuts. Ce groupe, qui se situait dans la mouvance d'Habert de Montmort, eut une influence notable; il fut un important foyer de diffusion du cartésianisme dans les milieux littéraires.

BIBLIOGRAPHIE
La thèse de R. Zuber, *les « Belles infidèles » et la formation du goût classique,* A. Colin, 1968, étudie les problématiques de la traduction en ce temps.

A. VIALA

MAROT

MAROT Clément (1496-1544). Madeleine de Scudéry s'étonnait déjà qu'avec le visage de philosophe austère que lui ont donné les peintres Marot pût être si « ingénieusement badin ». C'était s'étonner, mais avec beaucoup de finesse, de l'esprit de ces années 1530 que Marot exprima peut-être le mieux : Rabelais n'a-t-il pas cette même sévérité, alors que la grave Marguerite, leur bonne protectrice, sourit sur tous les crayons et tableaux? Humour et angoisse, voilà bien le lot du moment, et c'est difficile à admettre s'agissant de celui qui est resté jusqu'à la Révolution française le plus gai et le plus « populaire » de tous les poètes français.

La meilleure « maîtresse d'école » ou les meilleurs mécènes

« Prédestiné », dit-il assez souvent de lui-même sans attacher à ce terme un sens trop religieux, mais autant aux plus rapides succès qu'aux plus injustes malheurs, aimant la Cour la plus brillante, celle qui a son âge, et s'offrant sans prudence aux coups de ces institutions qu'il semble toujours oublier : la Sorbonne et le parlement de Paris. Avec l'appui des plus grands princes, il ne saura pas mieux se protéger à Genève ou en Italie.

Né deux ans après son roi, il a la chance d'avoir pour père un aimable Normand installé à Cahors, porté naturellement vers la poésie — dont il fait son dernier métier — et lié à tout ce que la Grande Rhétorique compte d'important dans ses flamboiements ultimes : auprès d'Anne de Bretagne, Clément écoute Guillaume Crétin ou Lemaire de Belges. Il se souviendra aussi des efforts que faisait son père en lui donnant de véritables leçons particulières : tout ce métier dont il est nourri, et qu'il pourra oublier avec d'autant plus d'élégance. Tout naturellement, en même temps qu'il participe aux fêtes de la Basoche, il prolonge l'engouement des rhétoriqueurs pour les traductions de textes latins — voire grecs, qu'il connaît par des traductions antérieures. Protégé par Nicolas de Neufville, le seul de ses mécènes qui ne fût pas « prince », il compose, à la manière de

Lemaire, son vaste *Temple de Cupido :* il n'a pas vingt ans qu'il sait déjà construire tout un ensemble symbolique, mêlé de détails heureux et sensuels, en l'honneur du mariage. L'œuvre est offerte au futur François Ier — qui épouse dans la joie générale la fille de Louis XII — et connaît déjà la gloire de l'impression (en 1515?). De cette période féconde date aussi l'*Épistre de Maguelonne,* réécriture romanesque d'une histoire connue; on a tort d'en souligner les invraisemblances, comme celle de Maguelonne se décrivant endormie, car elles montrent chez Marot ce goût inlassable pour la technique des points de vue, alors en pleine élaboration. Sans doute écrit-il dès ce moment beaucoup de ces pièces plus courtes qui font sa réputation et sont rapidement mises en musique : rondeaux et ballades, où, se libérant sans heurts des règles trop strictes des rhétoriqueurs, il retrouve souvent, comme on l'a souligné, la tradition des troubadours plus qu'il ne s'inspire du nouveau pétrarquisme italien, qu'il connaît à travers Serafino ou Chariteo. Il reste par-dessus tout fidèle au *Roman de la Rose,* à Villon et à Lemaire : s'il n'a vraiment signé que l'édition de Villon (1533), le XVIe siècle lui attribuait, sans doute avec quelque raison, l'édition des deux autres.

Tout cela plaît beaucoup à François Ier : il y a entre le roi et son poète un esprit de connivence, presque d'égalité, que l'on ne retrouvera qu'avec Marguerite ou Renée de France. François le « donne » à Marguerite en 1519, Marguerite l'enverra vers Renée en 1535; il passe au service du roi à la mort de son père, en 1527, et obtient la charge de « valet de chambre ». Exilé par force en 1534, sans avoir pu prendre congé du roi, il est immédiatement repris par celui-ci dès qu'il a abjuré à Lyon en 1536. Marot doit à François Ier sa maison, son entretien et celui de ses petits « maroteaux », auxquels il a sincèrement appris à prier pour le roi chaque soir avant de se coucher. Cette aisance du cœur que le poète manifeste dans chacune des pièces (notamment les épîtres) adressées à ses trois protecteurs disparaît presque entièrement lorsqu'il lui faut supplier les sombres personnages dont dépendent plus directement le versement de ses pensions — même sa liberté et sa vie —, tels le connétable de Montmorency, l'avocat de la Sorbonne Bouchart, ou n'importe quel trésorier. Quand l'entourage d'Hercule d'Este, à Ferrare, lui devient par trop hostile, il avoue à Renée :

Mon cueur qui ayme estre franc et delivre
Ne pourroit plus parmy telles gens vivre.

De fait, la cour de France est le seul lieu auquel il aspire; il en aime les dames, les jeux, les poètes, les échanges amicaux. Il y aime Anne d'Alençon, nièce par alliance de Marguerite : il a fait d'elle sa « Pensée », sa « Grande Amye », sa « Sœur ». Il y a entre eux un « baiser volé », des « baisers donnés », beaucoup de ces poèmes délicats ou francs qui restent dans toutes les mémoires. Quand Anne épouse M. de Bernay et craint les critiques de son milieu, Marot réunit pour elle ses poèmes amoureux en un *Second Livre d'épigrammes* et les lui offre comme le premier *canzoniere* français, célébrant cette toute particulière « alliance » :

Puis que les vers que pour toy je compose
T'ont faict tancer, Anne, ma sœur, m'amye,
C'est bien raison que ma main se repose...
Mais mon esprit reposer ne peult mye...
Pardonne doncq à mes vers le tourment
Qu'ilz t'ont donné, et, ainsi que je pense,
Ilz te feront vivre éternellement :
Demandes-tu plus belle recompense?

Les imprudences

L'un des plus grands mystères de Marot, ce poète dont les grâces ont charmé près de trois siècles après avoir séduit le sien, est de n'avoir pu rester dans ce rôle de poète de Cour, mais d'avoir affronté, comme par mégarde, tous les dangers de son époque tourmentée. Les pesanteurs, les haines qu'il rencontrait ont été telles qu'elles se perpétuent dans la critique contemporaine, héritière plus souvent de ses adversaires que de son art. Il semble bien, pourtant, que la plus grande provocation de Marot fut de jouer et d'avouer ses peurs, non de cacher ou de mentir; mais sans doute la langue est trop facile, l'aveu des faiblesses trop simple! Devant un personnage aussi mobile, plus soucieux de « faire des amis » que de fixer quoi que ce soit, tout adversaire qui lui donne une étiquette — celle, particulièrement, de « luthérien » — semble, dogmatiquement, avoir raison.

Les persécutions ne sont pas une preuve : Marot est de ceux qui s'en occupent trop tard. Il délivre un prisonnier et s'étonne d'être emprisonné pour ce fait : il a tort de jouer ainsi, mais comment s'en empêcher? En 1526, on l'accuse d'« avoir mangé lard en carême »; on discutera longtemps du sens de ces termes, repris contre lui en 1532, et de la valeur de sa défense (ce serait vengeance de femme), mais il est certain qu'en 1527, dans la *Déploration de Florimond Robertet,* le texte « religieux » le plus explicite en dehors des *Oraisons,* fort orthodoxes (on en parle donc peu...), sa foi et ses principes sont absolument conformes à l'évangélisme de Marguerite tel qu'il s'exprime en 1524 dans le *Dialogue en forme de vision nocturne.* Ensuite...

Le malheur de Marot a été de trop bien écrire : ou bien il fait des jaloux, qui sauront toujours où trouver des appuis, tel Sagon auprès des institutions que sont la Sorbonne et le parlement; ou bien on lui attribue des œuvres qui ne sont pas de lui, et qui, sous des airs de conformité, utilisent un nom pour des causes qui ne sont pas les siennes; ou bien encore, le succès même de certaines de ses œuvres, comme ses traductions des *Psaumes,* pourtant d'abord chantés à la Cour et offerts à Charles Quint, mais répandus ensuite avec l'aide de Calvin chez tous les réformés, provoque leur interdiction. Son expression est trop adéquate à son temps. « La belle Christine », son Église idéale, qui apprend à danser à son « Baladin » mourant, lui a joué de bien mauvais tours. On voudrait du moins que l'éditeur ne nous ait pas trompés en écrivant « Icy mourut » au bas de ces derniers vers :

Je traversay les boys où a esté
Ourson d'ung ours en enfance allecté.
Là traversay la beaulté spatieuse
En la vallée humble et délitieuse.

Marot a toujours été le premier à se plaindre des rançons de sa gloire, mais il se savait en même temps (et avant la Pléiade) immortel, ayant choisi pour devise cette presque anagramme : « La Mort n'y mord ».

Naissance de la littérature du moi

L'ensemble de ses textes, et surtout les *Epistres,* lui est apparu peu à peu comme une longue narration libre de ses émotions, de ses impatiences, de ses souffrances et de ses amitiés, au fur et à mesure que, dans sa relation voulue intime avec son dédicataire, il percevait l'originalité extrême de son parti pris : il ne s'agissait plus de se vendre, comme les rhétoriqueurs, mais de se faire accepter, avec toute la retenue et l'humour souhaitables. Dans cette voie, il n'a pas hésité.

Il dit très tôt, en 1521, et à l'épouse du chef d'armée, sa haine de la « boucherie » des guerres, la misère des « povres femmes errantes, leurs enfans au col » dans l'hiver et les incendies; plus tard — c'est assez connu, avant Montaigne — l'horreur physique des interrogatoires et tortures du Châtelet; ou bien, dans l'opulente Venise de 1536, « les pouvres nuds, palles et languissants », qui le côtoient, lui, cerf traqué. Voilà les « ymaiges vives » (au sens où Rabelais dira « pierres vives, ce sont hommes ») qu'il évoque en mots rapides et efficaces, jusqu'à pleurer. Son « cœur » et son humour jouent le balancier de sa présence, surtout lorsqu'il s'agit de ses amis, aussi bien « les froids amis que j'ai en France » que les disparus :

Ils ont été si bien rôtis
Qu'ils sont tous convertis en cendres...

Au roi, qui pourrait le rappeler, il exprime le désir de revoir ses « petits maroteaux » et « la maison désolée/De [son] petit et povre parentage ». A deux sœurs savoisiennes, fidèles croyantes, il avoue ses faiblesses :

De tant de croix que j'ay nommées
Le Seigneur Dieu m'en a plusieurs offertes
Que je n'ay pas comme devois souffertes.

Ailleurs il dit ses peurs et insomnies :

Aucunesfoys je dy : la nuict viendra,
Je dormiray, lors ne m'en souviendra.

ou il accorde son pardon à Sagon :

Mais que Dieu veuille qu'on oublie
Ce que souffrons par sa follie.

Ces aveux constants, ces confidences, ont complètement séduit ses contemporains, comme ils continuent à nous attacher à sa lecture. Le courant d'amitié qui s'est établi entre lui et Des Périers, Fontaine, Habert, Dolet, Charles de Sainte-Marthe et bien d'autres a inspiré à ceux-ci les remarques les plus intuitives, les plus fines sur son style et sur sa langue : phénomène bien rare de réception d'une œuvre, si l'on y songe.

Éditions, genres et structure de l'œuvre

Tant de facilité chez le poète cache des problèmes d'édition très complexes, d'abord parce que Marot a laissé pendant un certain temps publier des textes à son insu; lorsqu'il en a contrôlé par la suite l'édition, comme ce fut le cas de *l'Adolescence clémentine* de 1532 ou des *Œuvres* sorties en 1538 chez Dolet, puis chez Gryphe, il a souvent publié des textes corrigés, différents en tout cas des éditions non contrôlées, qui donnent parfois un meilleur état du texte antérieur. L'abondance de sa production imprimée (sans compter les recueils où paraissent certains de ses textes, deux cent trente-trois éditions sont sorties au XVIe siècle) ne simplifie rien, non plus que l'existence de nombreux manuscrits, parfois antérieurs aux éditions : Marot lui-même modifie son texte selon qu'il l'adresse à Renée de France ou à Montmorency.

Marot s'est efforcé de contrôler tout cela, non seulement pour être sûr des attributions (« N'y adjoustez rien sans m'advertir, et vous ferez beaucoup pour vous », ordonne-t-il aux imprimeurs), mais aussi parce que, avec les années, il veut son œuvre « plus ample et mieux ordonnée » : en 1534, dans la *Suite de l'Adolescence,* il est le premier poète français à concevoir un recueil où les poèmes soient classés par genres; à côté des deux grands genres qu'il a développés, élégies et épîtres, il regroupe des « chants », puis, sous le titre « Cymetière », des épitaphes, enfin des pièces courtes, pour la plupart dizains ou huitains, qu'il appellera plus tard épigrammes, et que, sensible au charme du trop peu, il nomme « le Menu ». En 1538, il invente l'épigramme, qui peut être satirique ou amoureuse, s'accorder ou non aux circonstances, mais qui représente tout son travail antérieur sur l'accord entre certains systèmes du rythme et de la rime et les formes brèves dans lesquelles l'économie de son style se révèle si fortement.

Accorder rime et raison est son grand travail : celui que l'aisance du résultat fait oublier. Aussi est-il, derrière Lemaire, l'un des plus conséquents lorsqu'il lui faut briser l'adéquation du sens au vers et, avec une grande variété rythmique, enchaîner vivement la syntaxe d'un vers sur l'autre pour suivre une pensée. Peu lui chaut alors que la rime soit riche (et elle ne l'est pas toujours!), puisqu'elle n'est qu'une manière de frapper la mesure. Encore moins se soucie-t-il de garder aux rondeaux et ballades leurs formes fixes : il est caractéristique que, tout en bouleversant — sans théoriser ni supprimer — le vieil ordre préconisé par les rhétoriqueurs, Marot n'ait pas pu introduire le sonnet en France; et cependant il écrit des « quatorzains ». Les genres qu'il a bien développés, comme l'élégie et l'épître, sont précisément les formes longues dans lesquelles la syntaxe a le temps de pivoter plusieurs fois selon la pensée; le coq-à-l'âne en représente l'exploitation extrême. Mais il excelle aussi dans les épigrammes parce que ce genre facétieux, ironique, ou pudique, ne trouve son achèvement que dans l'impression qu'en retient un lecteur inassouvi.

Marot et les mots

Quand un savant lecteur du roi reprend Marot sur l'usage qu'il fait du mot ancien *viser,* le poète défend ce terme comme étant « plus aigu » que le verbe *regarder,* et plus adapté en tout cas au métier des arquebusiers. Au pire, dit-il, sachant comme poète ruse, on en peut user comme d'une « métaphore » — mais il est bien clair que, pour lui, le mot est directement intéressant par sa précision.

Si la pensée de Marot emprunte souvent aux concetti pétrarquistes, son style en entretient rarement les figures rhétoriques : peu de métaphores ou d'antithèses, même dans sa poésie amoureuse; à peine les jeux du feu et de la glace, un peu de corail sur les lèvres, très peu d'yeux brillants comme des astres, encore moins de diamants. L'un des charmes du « Dixain de neige » est bien dans l'exactitude des sensations initiales et dans l'économie de leur transcription. De fait, la phrase de Marot est plus axée sur le verbe, sur la logique de l'action et du sentiment, et, quand il donne toute leur charge aux mots, c'est avec un sens aigu de ceux que l'évolution de la langue va reprendre jusqu'à l'usure (ceux qu'il a largement contribué à user, comme « mélancolie » ou « fantaisie »). Rien de plus facile que le fameux rondeau « Dedans Paris, ville jolie »; et pourtant, celui qui connaît cette époque sait à quel point les termes de « mélancolie », « fantaisie », « honnêteté » et « alliance » ne s'allient pas aussi naturellement à « beauté » et à « gaieté ». Le pouvoir de Marot ne vient d'aucune affectation — comme si son père avait fait pour lui tout le travail d'éliminer les tensions inhérentes à la langue de son temps —, mais de la posture générale dynamique, celle de la « voie oblique » qu'utilisera plus tard, et pour les mêmes raisons d'humour sentimental, un Stendhal.

Il n'est pas étonnant qu'on ait pu souligner chez Marot la diversité des voix narratives, la technique des points de vue, la variété du système du dialogue interne. Il aime faire parler, se dédoubler (ou fabriquer de merveilleuses tautologies, ce qui revient au même), puis feindre :

Que dys je? où suys je? O noble roy François
Pardonne moy car ailleurs je pensoys

après que sa logique a mené de biais le lecteur là où il l'entendait. Passé maître, avant son disciple La Fontaine, dans ces jeux d'esquive, il est si attentif à cet art qu'il n'est pas rare de trouver une pièce brève tout entière absorbée par la description de sa propre élaboration : jeu littéraire, mais aussi souvent enjeu d'un pari mondain.

Dans ce type d'écriture, Marot n'oublie en tout cas jamais le lecteur qu'il veut atteindre, et qu'il invite, se connaissant « bon persuadeur » et séducteur :

> Qu'en dictes vous, Madame, y dois je aller?
> Non, je y courray...
> Comment courrir? Je y pourray bien voller.

Ces feintes et parades ne masquent pas le poète : elles le livrent. Curieux pouvoir des mots, menaces perpétuelles; il suffit à Marot de moquer son valet de Gascogne pour que se dresse contre lui un Gascon mécontent. Il faut dire que Marot abandonne rarement la lutte contre les imposteurs; il ne comprend tout simplement pas qu'une langue qui cherche à plaire par les mots justes ne soit pas laissée en liberté. Quand, en 1534, on lui arrache ses livres (il admettra, sans doute pour faire rire la Cour, que ses lectures le portaient à « la cabale, [à] la nigromancie et [à] la magie »), il défend tout, en bloc :

> Et d'autre part, que me nuist de tout lire?

Continuateur de la sensualité et du tempérament artiste de Lemaire, des raffinements et libertés du *Roman de la Rose,* des audaces de Villon qu'il tempère des grâces de la cour, Marot deviendra, pendant les années qui suivent sa mort, un modèle pour tous ses amis. A la veille de la *Défense et Illustration,* c'est à sa conception de la poésie que se réfère toujours Sébillet. Ronsard et du Bellay, qui vont momentanément limiter son influence, lui reprendront des mots (« Si ne suis-je pourtant le pire du troupeau »), des thèmes (« Heureux qui comme Ulysse »), parfois même un genre, puisque l'ode ronsardienne — Aneau l'avait vu — doit à la fois à ses chansons et à ses *Psaumes.* Les poèmes de Marot demeurent aussi dans les recueils de musique, plus présents à la mémoire.

Destin de l'œuvre

Le sort de l'œuvre est très particulier, puisqu'il y a eu deux écoles « marotiques » avouées : l'une du temps des Précieux, l'autre qui a duré jusqu'aux années 1770, et qui s'est illustrée dans *le Mercure galant* et *le Mercure de France,* pour finir dans les gazettes helvétiques. Au XVIIIe siècle, Marot est le plus lu dans les bibliothèques, après Bayle, et avant Voltaire — celui-ci ne l'aime guère mais l'a imité dans la concision des épigrammes vengeresses. Ce que l'on goûte, au XVIIe siècle, chez Marot, c'est cette apparente facilité, cette galanterie fine et sentimentale, ce fameux et bien réel « badinage » ainsi que la « naïveté » que l'on prête à son époque. Au XVIIIe siècle, c'est son économie de moyens, ses audaces, ses effets. Et toujours, on imite ses tours, sa syntaxe, son vocabulaire, confondant les archaïsmes de sa langue et son style pour les mêler dans de bien amusants pastiches. Mais on ne pastiche vraiment que les créateurs inimitables. Marot est de ceux-là. Les romantiques ont préféré pasticher le Moyen Âge, et notre époque les romantiques. Le temps de l'humour sentimental n'est pas revenu sous cette forme.

	VIE		ŒUVRE
1496 (fin)	Naissance, à Cahors, de Clément Marot, fils d'une Quercynoise et de Jean des Mares, ou des Marets, ou Marot, originaire de Caen et installé comme négociant à Cahors.		
vers 1505-1506	Jean Marot, appuyé auprès de la reine Anne de Bretagne par Michelle de Saubonne (qui aidera aussi le fils plus tard à Ferrare), devient secrétaire de la reine. Clément rejoint son père, qui lui donne des leçons de poésie et confie son éducation à des régents.		
		1507	*Voyage de Gênes,* composé par son père pour Louis XII.
		1509	*Voyage de Venise.*
vers 1511-1514	Rencontre à la Cour Lemaire de Belges, qui lui donne des conseils.	**vers 1511-1514**	Traduction de la *Première Églogue des Bucoliques* de Virgile et du *Jugement de Minos* de Lucien.
1514	Clément Marot devient page d'un secrétaire du roi, Nicolas de Neufville, seigneur de Villeroy, auquel il dédiera avec reconnaissance son édition du *Temple de Cupido* (1538). Il trouve sans doute appui auprès de Florimond Robertet et poursuit lectures et composition poétiques. Il est clerc à la chancellerie de Paris.		
		vers 1514	Compose *le Temple de Cupido,* offert pour le mariage de François Ier et de Claude de France. Première édition. *Épistre de Maguelonne,* s.l.n.d.
vers 1519	François Ier, auquel il a présenté plusieurs poèmes, le recommande à sa sœur Marguerite d'Alençon, par l'intermédiaire du sénéchal d'Agenais, Antoine Raffin. On ignore alors ses fonctions.	**1519**	*Petite Épistre au roy.*
1520	Clément Marot au Camp du Drap d'or.		
1521	Juin : Clément Marot suit le duc d'Alençon dans la campagne militaire de Flandres : camp d'Attigny et Hainaut.	**1521**	*Épistre du Camp d'Attigny,* s.l.n.d. Compose une grande partie des pièces qui figureront dans *l'Adolescence clémentine* de 1532.
1521-1526	Clément Marot réside surtout à Paris, mais suit parfois la Cour; voyages à Orléans, à Lyon. Lié aux amis de Marguerite, dont son serviteur Lyon Jamet, qui passera ensuite au service de Renée de France à Ferrare. Il ne prend pas part à la bataille de Pavie.		

	VIE		ŒUVRE
1526	Mars : premières persécutions; il est incarcéré au Châtelet pour avoir « mangé lard en carême ». Marguerite est occupée au loin par la captivité de François Ier à Madrid. Sur la demande de l'évêque de Chartres — ou d'un de ses secrétaires? — Marot est transféré à Chartres. Il est délivré au moment du retour du roi.	**1526**	Compose *l'Enfer* et l'*Épistre à son ami Lyon*. Édition (non signée) du *Roman de la Rose*.
1527	(ou fin 1526) : son père meurt dans ses bras en lui conseillant de réclamer sa charge de valet de chambre du roi, qu'il obtient en effet. « Alliance » avec Anne d'Alençon. Oct. : il aide un prisonnier à s'évader et est emprisonné à son tour. Délivré aussitôt par une lettre du roi. Affaire Semblançay.	**vers 1527**	*Déploration de Florimond Robertet,* publiée à Lyon, vers 1527. *Complainte de Semblançay,* s.l.n.d. *Au roy pour le délivrer de prison.*
1528-1529	Période de succès à la Cour, mais il est détesté par « six dames » parisiennes, proches des idées de la Sorbonne. Affaire des *Gracieux Adieux aux dames de Paris.* Se marie sans doute vers 1529 : il aura une fille et un garçon, Michel, poète à son tour.		
1531	Marot est atteint de la peste et volé par son valet.	**1531**	*Épistre au roy pour avoir été dérobé.* Les *Opuscules* sont publiés à Lyon, à son insu.
1532	Reprise des accusations d'avoir fait gras en carême. Marot mêlé à la condamnation du financier Meigret, en butte aux tracasseries du connétable de Montmorency. Délivré sur l'intervention de Marguerite. Succès considérable de la première édition de *l'Adolescence* (six éditions en deux ans).	**1532**	Le *Petit Traicté* est publié à Paris, à son insu. 12 août : *l'Adolescence clémentine* est imprimée à Paris, chez Roffet, avec privilège royal.
		1533	Sept. : éd. des *Œuvres de Françoys Villon* à Paris. *Psaume VI.* Fin 1533 ou janv. 1534 : *Suite de l'Adolescence clémentine,* Roffet. *Premier Livre de la Métamorphose d'Ovide.*
1534	Année très dure pour Marot. Août : première dispute avec Sagon lors des fêtes du mariage d'Isabeau d'Albret. Oct. : Marot à Blois, obligé de fuir sans voir le roi, après l'affaire des Placards. Le parlement de Paris perquisitionne à son domicile parisien. Nov. : arrêté à Bordeaux, Marot s'échappe en se faisant passer pour un autre (?). A Nérac en déc.		
1535	Condamné par contumace à Paris, septième sur la liste des suspects. Marguerite lui conseille de partir pour l'Italie auprès de Renée de France, duchesse de Ferrare. Passage par Genève? Arrivée à Ferrare en avril?		
1536	Marot est secrétaire et poète de Renée de France, dont l'entourage est suspecté de luthéranisme. Marot, poursuivi par l'Inquisition de Ferrare, fuit à Venise (juin). Écrit au roi et au dauphin pour obtenir un sauf-conduit et regagner la France. Fin oct. : quitte Venise, passe par Genève. Déc. : cérémonie d'abjuration à Lyon, devant le cardinal de Tournon.	**1536**	Composition du blason du *Beau Tétin* et « concours » des Blasons anatomiques. *Épistre au roy du temps de son exil à Ferrare.*
1537-1541	Période de gloire pour Marot. En févr. 1537, participe au banquet pour la libération de Dolet. Accompagne la Cour dans ses déplacements. Reprise de la dispute avec Sagon.	**1537**	*Le Dieu gard de Marot à son retour,* à Rouen, puis à Paris. *Épistre de Frippelippes,* à Paris, puis à Lyon. Édition de *l'Amand vert* de Lemaire?
1538	Marot offre un manuscrit de ses œuvres à Montmorency. Accord avec Dolet pour la publication de ses œuvres; puis rupture en été; Marot redonne son texte à Gryphe et écrit contre Dolet.	**1538**	*Les Œuvres de Clément Marot,* à Lyon, chez Dolet; puis chez Gryphe, quelques mois plus tard. *Psaulmes de Clément Marot,* à Genève. *Églogue au roy sous les noms de Pan et Robin.* *Six Sonnets de Pétrarque,* à Paris.
1539	Le roi lui donne la maison du Clos Bruneau, près de St-Germain-des-Prés (juil.). Vie paisible en famille. Marot offre à Charles Quint, qui traverse la France, *Trente Psaumes.* Il traduit six poèmes de Pétrarque.		
		1541	Déc. : *Trente Psaumes,* à Anvers. *Histoire de Leander et Hero,* à Paris.
1542	Dolet publie *l'Enfer,* sans son accord. Les *Psaumes* sont interdits. Marot s'exile à Genève. Difficultés : affaires de jeux, etc.		

VIE		ŒUVRE	
1543	Déc. : Marot fuit en Savoie, cherche à rentrer en France.	**1543**	*Églogue sur la naissance du filz du Daulphin.* *Épistre à Monsieur d'Enghien.*
1544	Annecy, puis Chambéry, puis Turin, où il meurt. Enterré, par les soins de Lyon Jamet, dans l'église Saint-Jean-Baptiste.	**1544**	Il serait mort en écrivant *le Baladin.* Publication des *Œuvres,* chez Constantin, à Lyon.

BIBLIOGRAPHIE GÉNÉRALE

Éditions

Après le XVIIe siècle, on trouve quelques éditions essentielles : *Œuvres* de Jean et Clément Marot, éd. Lenglet-Dufresnoy, La Haye, 1731, 6 vol. Édition intéressante par le nombre de textes qu'elle apporte, malgré des erreurs d'attribution, et par son enthousiasme pour l'auteur. *Œuvres,* publ. par G. Guiffrey, Paris, 1875-1935, 5 vol., Slatkine Reprints, 1968; *Œuvres complètes,* publ. par A. Grenier, Paris, 1919, 2 vol.; *Épîtres; Œuvres satiriques; Œuvres lyriques; Œuvres diverses; Épigrammes; Traductions,* éd. crit., C.A. Mayer, Londres, Athlone Press, 1962-1970, Slatkine, 1981. Édition de référence, 6 vol.

Quelques œuvres ont été publiées à part : *Adolescence clémentine,* publ. par V.-L. Saulnier, Paris, Colin 1958; *l'Enfer,* publ. par M. Françon, Cambridge, Mass., 1960, fac-similé; *les Psaumes,* publ. par S.J. Lenselink, Assen et Cassel, 1969; *le Roman de la Rose,* publ. par S. Baridon, Milan, 1954 (version attribuée à Marot).

Pour les textes de la querelle Marot-Sagon, voir SAGON.

L'édition la plus abordable, et offrant le plus ample choix de textes, a été donnée par Y. Giraud, Garnier-Flammarion, 1973; contient aussi un dossier de textes adressés à Marot et de jugements sur l'œuvre très important.

On trouve des extraits dans A.M. Schmidt, *Poètes du XVIe siècle,* La Pléiade; et dans A. Pauphilet, *Marot et son temps,* Paris, 1941.

Études

Chronologie des œuvres et bibliographie : P. Villey, *Tableau chronologique des publications de Marot,* Rev. Seiz. S., 1921; — *Recherches sur la chronologie des œuvres de Marot,* Bull. du Biblio., 1920-1922; C.A. Mayer, *Bibliographie des Œuvres de Clément Marot,* I. Mss; II. Ed., Droz, 1954; Nizet, 1975; V.L. Saulnier, « État présent des études marotiques », *Inf. Litt.,* XV, mai-juin 1963; R. Aulotte, « Quinze années d'études sur Clément Marot », *Inf. Litt.,* XXX, 1978.

Études générales : P. Villey, *Marot et Rabelais,* Champion, 1923; rééd. 1967, ouvrage encore essentiel; P.A. Becker, *Clément Marot, sein Leben und seine Dichtung,* Munich, 1926; H. Guy, *Clément Marot et son école,* t. 2 de l'*Histoire de la poésie française à la Renaissance,* Paris, 1926; rééd. 1970; J. Plattard, *Marot, sa carrière poétique, son œuvre,* Paris, 1938; P. Jourda, *Marot, l'homme et l'œuvre,* Paris, Hatier, 1950; P.M. Smith, *Clément Marot, Poet of the French Renaissance,* Londres, Athlone Press, 1970; C.A. Mayer, *Clément Marot,* Nizet, 1972 (la somme de tous les renseignements accumulés par ce spécialiste de Marot); A. Lefranc, « le Roman d'amour de Clément Marot », *Grands écrivains de la Renaissance,* Paris, 1914; rééd. 1971 (pour le personnage d'Anne d'Alençon); E. Droz et P.P. Plan, « les Dernières Années de Clément Marot », *B.H.R.,* X, 1948.

Religion et Psaumes : C.A. Mayer, *la Religion de Clément Marot,* Droz, 1960 (importance de la satire de l'Église. Marot « luthérien » selon les nuances du XVIe siècle); M.A. Screech, *Marot évangélique,* Droz, 1967 (Marot vraiment luthérien); M. Richter, « L'evangelismo di Clément Marot; lettura della *Déploration de Florimond Robertet* », *B.H.R.,* XXXV, 1973; C. Martineau, *le Thème de la mort dans la poésie française (1450-1550),* Paris, Champion, 1978; C. Blum, *la Représentation de la mort dans la littérature française du XVIe siècle,* thèse de Paris IV, 1978; P. Leblanc, *la Poésie religieuse de Clément Marot,* Nizet, 1955; O. Douen, *Clément Marot et le Psautier huguenot,* Paris, 1878-1879; M. Jeanneret, *Tradition et Poésie biblique au XVIe siècle,* Paris, Corti, 1969; P. Pidoux, *le Psautier huguenot au XVIe siècle,* Bâle, 1962.

Musique : J. Rollin, *les Chansons de Clément Marot,* Paris, Fischbacher, 1951 (Marot musicien); F. Lesure, « Clément Marot et ses musiciens », *Revue de musicologie,* 1951; V.L. Saulnier, « D. Phinot et D. Lupi musiciens de Clément Marot et des marotiques », *Revue de musicologie,* 1959.

Genres : J. Vianey, *les Épîtres de Marot,* Nizet, 1962; V.L. Saulnier, *les Élégies de Clément Marot,* S.E.D.E.S., 1952, rééd. 1968; C. Scollen, *The Birth of Elegy,* Droz, 1967. Pour coq-à-l'âne, cf. cet article; C.E. Kinch, *la Poésie satirique de Clément Marot,* Paris, 1940.

Problèmes littéraires généraux : outre P. Villey, *Marot et Rabelais,* 1923, qui reste important, R. Griffin, *Clément Marot and the Inflections of Poetic Voice,* Berkeley, Los Angeles, 1974 (le plus important des ouvrages récents); A. Tomarken, « Clément Marot and the Grands Rhétoriqueurs », *Symposium,* XXXII, 1978; W. de Lerber, *l'Influence de Clément Marot aux XVIIe et XVIIIe siècles,* Paris, 1920; F. Rigolot, *Poésie et Onomastique,* Droz, 1977; M. Cocco, *la Tradizione cortese ed il petrarchismo nella poesia di Clément Marot,* Florence, Olschki, 1978; F. Joukovsky, « Clément et Jean Marot », *B.H.R.,* XXIX, 1967.

On consultera les très nombreux articles, parus notamment dans *B.H.R.,* en particulier ceux de V.L. Saulnier, Screech, C.A. Mayer, R. Marichal, A. Hulubei, J. McClelland.

M.-M. FONTAINE

MARSAIS, César Chesneau, sieur Du (1676-1756). Né à Marseille, orphelin de père, il connaît tôt la pauvreté. Après des études à l'Oratoire, il va à Paris, devient avocat et fait un mariage malheureux. Il quitte bientôt le barreau pour vivre chichement comme précepteur, auprès du président de Maisons puis du financier Law et rédige, dans la tradition des Pithou et des Dupuy, un texte sur la *Doctrine de l'église gallicane.* En 1722, il publie une *Méthode raisonnée pour apprendre la langue latine* fondée sur la traduction interlinéaire. Une tentative pour créer un établissement d'enseignement, boulevard Saint-Victor, se solde par un échec, mais son *Traité des Tropes,* paru en 1730, connaît un succès réel, et Du Marsais se voit proposer, par Diderot et d'Alembert, la rédaction des articles de grammaire de l'*Encyclopédie.* La mort le surprend quand l'ouvrage atteint la lettre F. Assez naïf, fier de ses ouvrages, celui que ses contemporains appelaient « le La Fontaine des philosophes » fut considéré comme le rhétoricien des Lumières.

L'œuvre de Du Marsais s'inscrit dans la lignée de la grammaire générale, qui abandonnait la tradition des « Remarques » pour proposer un traité systématique et raisonné. La logique sous-tend l'œuvre de Du Marsais, qui se réfère au concept cartésien de méthode. Ainsi la notion d'ordre naturel fonde sa description du double rapport de l'idée à la chose, et de la chose au mot, lequel est « l'instrument et le signe de la division de la pensée ». Du Marsais va même jusqu'à un « logicisme » en postulant l'existence d'une construction naturelle — uniforme dans toutes les langues — qui est mise en évidence en comblant les manques, en supprimant les répétitions et en retournant les inversions : pour « entendre la raison grammaticale d'une phrase », il faut « ranger les mots selon l'ordre successif de leurs rapports ». Ici apparaît — dans la notion de disposition — la construction figurée, dont les constituants sont précisément les ellipses, redondances et hyperbates diverses qui caractérisent une langue particulière : le projet du *Traité* est donc de rendre raison par la logique de ce que l'usage enseigne et autorise. L'analogie permet de rapporter les figures et les tropes (les différents sens pris par un même mot) aux lois générales du discours, et les notions logiques de cause, effet, antécédent rendent compte des différents types de figures (notamment des synecdoques, métaphores et hyperboles). Mais l'originalité de Du Marsais est de lier l'origine des tropes non pas à la nécessité (la pensée excédant la langue), mais à l'imagination et au désir de communiquer à autrui ses sensations; s'il se fait plus de figures à la Halle qu'à l'Académie, c'est que « la vivacité de l'imagination, l'empressement à faire connoître ce qu'on pense, le concours des idées accessoires, l'harmonie, le nombre, le rythme... » sont causes de l'expression figurée. L'esthétique et la théorie de la communication poétique sont ainsi en germe dans l'analyse du trope et de l'idée accessoire dont le nom, « désignant l'objet avec plus de circonstances, le peint avec plus d'agrément et d'énergie ». Parti d'une réflexion sur le caractère distinct du latin et du français par la comparaison de leurs figures spécifiques, Du Marsais a développé une analyse des figures du discours qui, par la promotion de l'élocution au premier rang des problèmes rhétoriques, annonce la stylistique contemporaine. Il est enfin le précurseur de la sémantique lexicale — entre Arnaud et Nicole et Maupertuis ou Condillac — et ses intuitions en font alors l'égal des plus grands.

BIBLIOGRAPHIE
Œuvres. — *Méthode raisonnée pour apprendre la langue latine,* Paris, 1722; *Des tropes ou des différents sens dans lesquels on peut prendre un même mot dans une langue,* Paris, 1730; *Traité des tropes, pour servir d'introduction à la rhétorique et à la logique,* nouv. éd., Leipzig, 1757; *les Tropes de Dumarsais, avec un commentaire à rendre plus utile que jamais cet excellent ouvrage classique,* par M. Fontanier, Paris, 1818, 2 vol., et Slatkine Reprints, 1967, introduction de G. Genette; éd. récente *le Nouveau Commerce,* Supplément au n° 38, postface de C. Mouchard, suivi du *Traité des Figures, ou la Rhétorique décryptée,* de Jean Paulhan; *Logique et Principes de grammaire,* post., 1797, 2 vol. publiés par E.-F. Drouet; P. Joseph de Jouvancy S.J., *Epitome de diis et heroibus poeticis, seu Appendix ad Ovidium. Abrégé de la Fable ou De l'Histoire poétique.* Traduit en français et rangé suivant la nouvelle méthode, par M. Dumarsais, Lyon, 1784; *Essais sur les préjugés,* Paris, 1822; *Exposition de la doctrine de l'Église gallicane par rapport aux prétentions de la cour de Rome,* Genève, 3 vol., 1757; *Œuvres,* Paris, 1797, 7 vol.
A consulter. — D'Alembert, « Éloge de M. Dumarsais », *Mélanges de littérature,* Amsterdam, 1772, vol. II; Ferdinand Brunot, *Histoire de la langue française,* t. VI, 2e partie; Gunvor Sahlin, *C.C. Dumarsais et son rôle dans l'évolution de la grammaire générale,* thèse, Upsala, Paris, 1928.

G. DECLERCQ

MARTIAL D'AUVERGNE (après 1430-1508). Ce juriste, procureur au parlement pendant cinquante ans, notaire au Châtelet, habitant l'île de la Cité, a rimé, sous le titre de *Vigiles de Charles VII,* la chronique de Jean Chartier, en adoptant un schéma d'office liturgique : la narration représente les psaumes, les morceaux lyriques, satiriques et didactiques servent d'antiennes, de leçons et de répons chantés par France, Noblesse, Marchandise, Clergé... L'intention en est polémique, opposant le temps de la paix retrouvée (« Depuis quarante ans/L'on ne vit les champs/Tellement flouris/Regner si bon temps/Entre toutes gens ») et la triste époque de Louis XI, où toute joie est morte (« Adieu dames, bourgeoises, damoiselles/Festes, dances, joustes et tournoiements/Adieu filles gracieuses et belles/Plaisirs mondains, esbatements »). Les *Matines de la Vierge,* sur un autre modèle religieux, perpétuent la tradition de la « prière farcie ». Mais l'œuvre la plus connue de Martial d'Auvergne, les *Arrêts d'Amour* (1460), qui fut l'un des livres les plus lus à la fin du Moyen Âge (on compte trente-cinq éditions jusqu'en 1734), repose sur la parodie du langage juridique et marque l'aboutissement du type lyrique des cours d'amour, ainsi que la fin des remous suscités par *la Belle Dame sans mercy.* Chacun des cinquante et un « arrêts » est un « cas » de casuistique amoureuse, un procès débattu devant Prévôt de Deuil, Bailli de Joie, Viguier d'Amour, Conservateur de ses hauts privilèges, ou devant la Cour de céans, les Dames du conseil d'Amour, la Cour d'Amour. Chaque arrêt est divisé en trois : énoncé de la cause, débat, où chaque partie développe ses arguments, lecture du jugement; chacun de ces chapitres constitue ainsi une véritable nouvelle. La peine la plus grave est le bannissement de l'empire d'Amour; mais souvent les châtiments sont aussi insignifiants que les causes elles-mêmes : la dame doit donner un baiser; le galant de l'arrêt 51 est condamné à « estre dépouillé tout nu et en cest état baillé et délivré par le bourreau à quatre vieilles chambrières d'étuves... » La plupart des chapitres concernent des dames sans merci et des amants martyrs. Le prologue en vers, laborieux, nous transporte dans le lieu des procès, décrit la magnificence des vêtements de l'assemblée. Sans transition, on passe au jugement. Dans le premier, l'amant fait croire à sa dame qu'il se tuera s'il n'obtient ses faveurs, puis se vante partout de les avoir eues : il est condamné à une amende. Le deuxième évoque une dame qui embrasse son galant si brutalement qu'elle le fait saigner du nez : la Cour lui fait obligation de fournir les chiffons pour l'emplâtre. La plainte d'un amant contre une dame qui lui a juré loyauté mais sourit aux autres et en accepte des fleurs est déboutée. Lors d'une sérénade, une dame renverse accidentellement du sang (?) sur la chemise de l'amant, qui est arrêté et soupçonné de meurtre : la punition est fixée à six baisers, chacun de la longueur d'un *De profundis...* Dans le 17e arrêt, Gracieux Amoureux est opposé au mari de son amie, Dangier, et à sa gouvernante, Chagrin : il en appelle contre les sbires qui lui interdisent de passer devant la porte de sa dame; la partie adverse argue de son devoir de veiller sur la personne, mais l'appelant proteste que la rue est à tous et reçoit satisfaction. La parodie du jargon juridique est à la mode (cf. Villon, Henri Baude, Coquillart); le décalage entre la solennité et l'insignifiance des histoires est à l'origine de l'effet comique, renforcé par des situations parfois saugrenues (49 : l'amoureux fait le pied de grue devant la fenêtre de la belle; il gèle si fort qu'il n'arrive plus à détacher ses semelles...). Les thèmes proviennent du lyrisme courtois, du roman, mais prennent souvent une tournure de fabliau : le plaisir de conter, le goût de l'époque pour le récit bref s'y trahissent. La technicité de l'argumentation (rescision de contrats usuraires en 3 et en 10; collation des bénéfices en 5; amortissement de rentes en 7; retrait lignager en 14) en font presque un document sur la procédure du temps. Mais le jeu trop perfectionné conduit à l'obscurité, que le style marque bien : « et quand est de la rue, disoit ledit appelant qu'ele n'apartenoit pas aus dits intimés ne n'i avoient fait les carreaulx qui y estoient, par quoy d'avoir deffendu qu'il y marchast et passat nullement, la deffense estoit torçonnière et son appellation bien recepvable » (17). La littérature courtoise s'est toujours efforcée de légiférer dans le domaine des sentiments : nous sommes ici devant un jeu où ces prétentions deviennent dérisoires : est-ce le signe d'une « décadence », d'un doute, la preuve que la fascination n'opère plus? Martial d'Auvergne, dont toute l'œuvre est, au fond, parodie, détournement de formes, est-il un exemple symptomatique d'une littérature qui ne trouve plus son inspiration créatrice que dans l'imitation et la déformation? Mais la parodie n'a-t-elle pas été la principale force de renouvellement dans toute la littérature médiévale?

BIBLIOGRAPHIE
Éditions. — *Arrêts d'Amours,* éd. J. Rychner, Paris, S.A.T.F., 1951; *Matines,* éd. Y. Le Hir, Genève, Droz, 1970; *Vigiles,* éd. Coustelier, Paris, 1724, 2 vol.
A consulter. — V. Puttonene, *Études sur Martial d'Auvergne,* Helsinki, 1941.

A. STRUBEL

MARTIN Claire (née en 1914). V. QUÉBEC (littérature du).

MARTIN Jean (?-1553). Traducteur parisien, Jean Martin a joué un grand rôle dans le développement de la belle prose française, en faisant connaître dans notre langue des ouvrages italiens ou latins essentiels à la littérature et à l'architecture renaissantes, ainsi qu'à toute la pensée symbolique du temps.

On sait peu de chose de lui : appartenant d'abord à la maison de Maximilien Sforza, lors de son exil en France, il affirme sa connaissance de l'italien en corrigeant la traduction du *Pérégrin* de Caviceo, célèbre roman, lu et imité, entre autres, par Hélisenne de Crenne (1528). C'est à lui aussi qu'on doit les traductions de deux ouvrages fameux, *l'Arcadie* de Sannazar (1544), modèle de pastorale poétique pour les générations suivantes, et les *Azolains* de Bembo (1545), le plus beau dialogue italien sur la philosophie d'amour : la langue de Jean Martin, élégante et suave, moderne dans le vocabulaire de la représentation, fait de lui le lecteur le plus intelligent du philosophe, dont il traduit adroitement les vers insérés dans le dialogue. Peut-être Martin est-il aussi l'auteur de la traduction du *Roland furieux,* parue en 1544? Il est alors, depuis 1530, secrétaire d'un grand diplomate, le cardinal de Lenoncourt, qu'il suit sans doute à Châlons et à Metz, et qui l'encourage peut-être dans la traduction de textes liés à l'art et à l'architecture. Il y est guidé par les conseils de Serlio, participant à l'édition bilingue des *Deux Premiers Livres d'architecture* de l'artiste italien (1545); il met à la disposition des « ouvriers » français de François Ier le traité *De l'architecture* de Vitruve (dédié au fils du roi en 1547, année de la mort de François Ier). Le texte français est à la fois inexact et magnifique, et des traducteurs successifs le reprendront. Enfin Denys Sauvage, ami de Jean Martin, fait paraître, après sa mort, en 1553, l'*Architecture et Art de bien bastir* d'Alberti. Avec le même goût, et en s'entourant des meilleurs illustrateurs (dont Jean Goujon), Martin avait livré au public français deux textes fondamentaux pour la symbolique renaissante, d'inspiration antique et égyptienne, *le Songe de Poliphile* de Colonna (1546) et le mystérieux *Horus Apollo.* Martin est aussi l'auteur de la première traduction de la *Théologie naturelle* de Raymond Sebond, qui intéressa si vivement Montaigne, et que lui commanda la reine d'origine espagnole, seconde femme de François Ier, en 1551. Martin finit sa vie loué par la naissante Pléiade : dès 1549, du Bellay le choisit parmi les lecteurs privilégiés de son *Olive,* et Ronsard lui dédie une de ses *Odes* de 1550. Sans doute fut-il le premier commentateur du poète, dans la *Breve Exposition* qui paraît à la suite des premières œuvres de Ronsard. Ronsard déplorera longuement la mort de l'« architecte » en 1553.

BIBLIOGRAPHIE
Aucune des traductions de Jean Martin n'a — malheureusement — été rééditée depuis le XVIe siècle. La *Breve Exposition* est reproduite dans l'édition Laumonier de Ronsard, t. II, p. 203-211.
A consulter. — Pierre Marcel, *Jean Martin,* Paris, 1898; rééd. 1927 (biographie, analyse des traductions, et quelques extraits des dédicaces); *les Traités d'architecture de la Renaissance,* XXIVe Colloque international de Tours, dirigé par A. Chastel et J. Guillaume, 1981.

M.-M. FONTAINE

MARTIN-CHAUFFIER Louis (né en 1894). Romancier et essayiste, né à Vannes. Louis Martin-Chauffier se consacre aux lettres à partir de 1923; il fait ainsi paraître des pastiches (*Correspondances apocryphes*), puis des romans (*Patrice ou l'Indifférent,* 1924, *l'Épervier,* 1925, *l'Amant des honnêtes Femmes,* 1927). Bibliothécaire à la Mazarine (1922-1925), puis à la bibliothèque Finaly à Florence (1925-1927), il entre ensuite dans le journalisme, notamment comme rédacteur à *Vendredi* avec Guéhenno et Viollis, et abandonne ses expériences romanesques au profit de la présentation et de la traduction d'œuvres littéraires. Il revient véritablement à la littérature pendant la Seconde Guerre mondiale, avec la publication de son essai : *Chateaubriand ou l'Obsession de la pureté* (1943). Il s'engage parallèlement dans la Résistance, mais, en 1944, il est arrêté par la police allemande, puis déporté. Après la Libération, il devient président du C.N.E. et participe à l'élaboration de la « liste noire » des écrivains accusés de collaboration — ses prises de position seront par la suite l'objet de quelques polémiques, notamment avec Jean Paulhan. Après avoir retracé ses expériences de la déportation dans *l'Homme et la Bête* (1947), qui demeure son livre le plus connu, il ne cessera de mener de pair le journalisme politique et l'essai littéraire (*la Voix libre* 1951; *l'Examen des consciences,* 1961). Le grand prix national des Lettres couronnera son œuvre en 1957.

Les textes de Martin-Chauffier révèlent un humanisme actif, voire combatif; qu'il relate l'univers concentrationnaire des camps nazis ou retrace l'itinéraire romanesque de Chateaubriand, l'écrivain, au fil d'études et d'analyses minutieuses, met au jour ce qu'il pense être les composantes fondamentales de « l'Homme ». La sociologie ou l'histoire l'occupent moins que la psychologie ou le trait de mentalité; ses essais littéraires ne tentent guère de cerner l'écriture d'un texte, mais plutôt la personnalité d'un auteur : Chateaubriand n'est pas tant un romancier qu'un « homme chevaleresque », « le plus sain du monde ». Ces tendances critiques contribuent aujourd'hui à faire de Martin-Chauffier un héritier tardif de la pensée unanimiste : il s'agit pour lui de découvrir et de transmettre à la communauté humaine les valeurs qui doivent en assurer la cohésion et la survie.

J.-P. DAMOUR

MARTIN DU GARD

MARTIN DU GARD Roger (1881-1958). Figure prestigieuse du monde des lettres, prix Nobel de littérature en 1937, Roger Martin du Gard n'a pas actuellement — mais sans doute est-ce provisoire — la place que très probablement il mérite. Il est un peu oublié. Bien sûr, on se souvient de ses deux principales œuvres romanesques : *Jean Barois* et *les Thibault,* mais elles semblent appartenir à une autre époque, révolue. Martin du Gard lui-même, sensible aux critiques qui lui avaient été faites, en particulier par Claude-Edmonde Magny dans son *Histoire du roman français depuis 1918,* écrivait à Gide le 9 juin 1950 : « C'est un bel éloge funèbre, que suit une exécution capitale... Me voilà prévenu : je comparaîtrai les mains vides, en somme, au tribunal de la postérité [...]. Tout cela correspond trop bien à ce que je pense moi-même — à ce que je vous répète depuis dix ans — pour que j'en sois affecté. »

En fait, le pessimisme de Martin du Gard n'était pas fondé : on commence à redécouvrir son œuvre; d'ailleurs il avait pris soin de « nourrir » son dossier : la découverte de sa correspondance (que l'on commence à connaître) et celle de son *Journal,* qu'il a confié à cette « postérité » si redoutée, renouvellent l'intérêt pour une œuvre qu'on voit déjà d'un regard neuf : tant par sa forme que par les thèmes qu'elle aborde, l'œuvre de Martin du Gard apparaîtra de plus en plus proche de nous.

L'univers de l'enfance et de l'adolescence

La façon dont Martin du Gard a su entrer en littérature est significative de sa personnalité : sans rupture avec son milieu d'origine, il a peu à peu affirmé sa volonté d'écrire, dans un curieux mélange d'indolence et de volonté obstinée, d'acceptation des valeurs familiales et de recherche novatrice.

Martin du Gard est né à Neuilly. Sa famille paternelle est originaire du Bourbonnais, sa famille maternelle du Beauvaisis. Mais, comme il l'écrit dans ses souvenirs, « l'une et l'autre comptait dans son ascendance une majorité de gens de robe — magistrats, avocats, notaires, financiers; quelques propriétaires terriens; pas de commerçants; pas de militaires; pas d'artistes ». Son père possédait une propriété dans le Berry, le château d'Augy, où Roger se lia avec son cousin Pierre Margaritis, le futur dédicataire des *Thibault,* et surtout où il put observer la vie et le parler du monde paysan qu'il devait présenter dans *Vieille France* et dans deux farces savoureuses : *le Testament du Père Leleu* et *la Gonfle.*

Durant son séjour à l'école Fénelon et au lycée Condorcet, Martin du Gard ne fut pas un élève brillant : Gaston Gallimard, qui fut avec lui à Condorcet, a gardé de lui le souvenir d'un cancre, préoccupé de ses cravates et passant son temps à lire. Ce qu'il lisait? Octave Mirbeau, Jean Lorrain, Zola, c'est-à-dire des auteurs que son milieu familial, catholique et bien-pensant, réprouvait. Ce seront là les lectures clandestines de Jacques Thibault. Il découvre également à cette époque l'œuvre de Tolstoï, qui devait avoir tant d'importance pour lui en lui révélant ce que devait être le travail du romancier. Inquiet, son père le mit en pension chez un ancien normalien, professeur à Janson-de-Sailly, Louis Mellerio, qui s'occupa de lui comme Antoine Thibault s'occupera de son frère. Martin du Gard insiste lui-même sur tout ce que Mellerio lui apporta : une culture classique (l'adolescent puisait librement dans l'abondante bibliothèque de son maître) et surtout l'habitude de faire des plans : Mellerio imposait quotidiennement à son disciple l'établissement de plans rapides sur les sujets les plus divers, et, devenu romancier, Martin du Gard devait tirer le plus grand parti de cette pratique.

Parmi les éléments qui allaient constituer l'univers de Martin du Gard, il faut enfin retenir les séjours qu'il fit dans la propriété de Clermont-de-l'Oise, dont il devait faire passer l'atmosphère dans *Jean Barois,* et à Maisons-Laffitte, où ses parents louaient chaque été une villa. C'est dans ce cadre fleuri et aéré qu'il situera en particulier le début de la liaison entre Jacques Thibault et Jenny de Fontanin.

Le chartiste

Après un échec à la licence ès lettres, Martin du Gard entra à l'École des chartes, et il lui fallut, avant d'obtenir son diplôme avec une thèse sur *l'Abbaye de Jumièges,* redoubler sa seconde année. Mais c'est à l'École des chartes qu'il prit le goût de l'histoire et l'habitude de la « probité » qui ont marqué son activité littéraire ultérieure. Il l'écrit le 8 avril 1935, dans une lettre à son ami Jean-Richard Bloch : « Notre formation d'historien et de chartiste est quelque chose de fort, de durable, qui explique une part de nous. Je l'éprouve pour moi. J'ai été un mauvais chartiste. J'y ai, du moins, appris des méthodes de travail, une "probité" qui m'ont servi énormément, me servent encore chaque jour. Libre aux couillons d'en rigoler! » Son passage à l'École des chartes explique sans doute la place importante, et parfois démesurée, comme dans *Jean Barois,* des événements historiques au sein de son œuvre. D'un autre côté, les habitudes prises aux Chartes, venant après celles que lui avaient inculquées Mellerio, bridaient sans doute une indolence naturelle et un goût pour le plaisir et la fantaisie qui dès lors n'allaient pouvoir s'exprimer que dans l'imaginaire et aussi dans la fascination pour les audaces de son ami Gide... Cette opposition est l'une des clefs de la création chez Martin du Gard. Par là se trouve en partie expliquée la réception de son œuvre, dans laquelle on voulut surtout voir le témoignage d'une époque — ce qui n'est qu'un de ses aspects — et qu'on jugea selon les critères apparents que l'auteur s'était imposés : la précision du plan et la rigueur de la construction.

Le roman dialogué

En 1910, à vingt-neuf ans, Martin du Gard sait définitivement ce qu'il veut, et il a sa voie tracée. Il s'est marié, s'est offert un peu d'exotisme en visitant l'Afrique du Nord pendant son voyage de noces, puis s'est installé à Paris. Il fait des séjours dans la propriété du Tertre, à Bellême, qui appartient à son beau-père et qu'il achètera plus tard. Une fille lui est née, Christiane. S'il n'exerce pas de métier, c'est parce qu'il n'a pas de soucis financiers — plus tard, en revanche, les avances sur droits d'auteur que lui versera généreusement Gaston Gallimard lui seront nécessaires — et parce qu'il sait qu'il pourra vivre en réalisant sa vocation : écrire.

A vrai dire, Martin du Gard a été un écrivain précoce, même s'il a longtemps tâtonné. Ses premières tentatives sérieuses remontent à l'année qui suit son entrée à l'École des chartes, 1901 : c'est d'abord un premier essai romanesque, *la Chrysalide.* En 1909, il publie, à compte d'auteur, son premier roman achevé, *Devenir!,* dont justement le personnage principal, André Mazerelles, rêve d'échapper à la carrière de notaire et veut s'écarter de la trajectoire familiale, pour devenir écrivain. Bien que, dans cette œuvre qui s'est assez mal vendue mais qui a reçu les encouragements de la critique, Martin du Gard rode une technique de composition par tableaux qui sera plus tard celle des *Thibault,* en fait il est en train de songer à quelque chose d'original : le roman dialogué. Il a été très tôt passionné par le théâtre, et il lui semble que, transposée dans le récit, la forme dialoguée, simplement interrompue par quelques indications scéniques, créerait un nouveau style. Celui-ci, comme il l'écrira le 1er septembre 1918 à Pierre Margaritis, s'adapterait « intelligemment à la vie moderne qu'il décrit, laquelle est rapide, changeante, pressée, cinématographique ». En 1903, il avait donc écrit, au retour de son service militaire, deux nouvelles dialoguées : *Jean Flers,* d'abord, et *la Méprise,* ensuite. Il récrira cette dernière en 1913 avant de la publier en 1930 sous le titre *Dialogue.* Et si l'échec d'*Une vie de saint,* en 1906, lui fait abandonner provisoirement cette technique pour écrire *Devenir!,* en fait, il n'a pas renoncé à son obsession, et, en 1910, il commence le long roman qui allait le faire connaître : *Jean Barois.* C'est en 1913, année faste pour les lettres françaises, que paraît ce roman qui devait constituer un tournant décisif dans la carrière de Roger Martin du Gard : d'abord parce qu'il connut un grand succès public (et son auteur acquit la certitude qu'il était un véritable écrivain, pouvant vendre ses livres), ensuite parce qu'il permit à Martin du Gard d'être accueilli au sein de l'équipe de *la Nouvelle Revue française*. Il est d'ailleurs amusant de constater, en cette année 1913, un curieux chassé-croisé : les Éditions de *la Nouvelle Revue française* avaient refusé *Du côté de chez Swann*, que Proust s'était résigné à confier à Grasset; ce dernier, en revanche, qui s'était engagé par contrat en 1910, en publiant *l'Une de nous* — une étude que Martin du Gard fit par la suite mettre au pilon —, à prendre le manuscrit suivant de l'auteur, souleva des difficultés devant *Jean Barois*, qui était encore intitulé *S'affranchir* : « *S'affranchir* n'est pas un roman, c'est un dossier; vous avez voulu jouer la difficulté, et vous ne m'en voudrez pas de vous dire que vous avez été absolument battu. Mon avis très net [...] est que votre livre est absolument raté [...] et je défie un lecteur d'aller au-delà de la centième page » (lettre du 17 juin 1913). Dépité, Martin du Gard se souvint de son condisciple de Condorcet et confia son livre à Gaston Gallimard. Ce fut l'enthousiasme dans l'équipe de *la Nouvelle Revue française*, en particulier de la part de Gide et de Schlumberger : ce qui n'empêcha pas Gide de mettre plus tard Martin du Gard en garde contre l'« esprit N.R.F », trop « artiste », trop soucieux de style, et d'inciter son ami à conserver la force de son tempérament. Effectivement, tout en entretenant des liens d'amitié avec les gens de la N.R.F., Martin du Gard, pendant toute sa vie, prit soin de se tenir un peu à l'écart et de mener une carrière avant tout personnelle.

Le théâtre et l'amitié avec Jacques Copeau

On peut dire que Martin du Gard fut un véritable homme de théâtre, et c'est à tort que l'on méconnaît cet aspect de sa personnalité, même si, en tant qu'auteur, il n'obtint pas le succès qu'il aurait désiré. Son goût pour le théâtre remonte à l'époque où il était encore lycéen, et il a lui-même raconté que, s'il n'avait pas subi l'influence de Tolstoï, c'est vers l'art dramatique qu'il aurait tourné toutes ses forces.

En 1912, il s'était mis à écrire une farce paysanne, *le Testament du père Leleu*, et, admis dans le cercle des amis de *la Nouvelle Revue française*, il allait tout naturellement confier cette première pièce à celui qui à l'époque exerçait distraitement les fonctions de directeur de la revue tant il était accaparé par l'ouverture, en 1913, de son théâtre du Vieux-Colombier : Jacques Copeau. C'est dans ce théâtre que le 7 février 1914 la pièce fut créée, la mise en scène étant due à Copeau; Charles Dullin, Gina Barbiéri et Antoine Cariffa interprétaient les trois rôles. Le succès fut énorme, sans doute parce que, dans cette farce en trois actes, Martin du Gard réalisait la synthèse harmonieuse d'une tradition comique remontant au Moyen Âge et d'une peinture de mœurs dans le goût provincialiste de l'époque : il avait observé le caractère des paysans berrichons, avait su rendre leur langage pittoresque et fort, qui ajoutait à la drôlerie de l'intrigue. La pièce resta inscrite au répertoire de Copeau jusqu'en 1923, date à laquelle elle fut reprise par Louis Jouvet à la Comédie des Champs-Élysées.

Le milieu N.R.F. était acquis au théâtre, et Gide, Schlumberger, Henri Ghéon, Jules Romains, Georges Duhamel ne pouvaient que conforter les tendances de Martin du Gard. Mais celui-ci fut surtout marqué à cette époque par une profonde amitié pour Copeau, qui devint son compagnon quotidien et lui fit découvrir Tchekhov (Martin du Gard eut ainsi l'idée d'adapter *les Trois Sœurs* et *la Cerisaie*). Ce n'était pas assez d'écrire : Martin du Gard passait son temps au Vieux-Colombier, s'intéressait à tous les métiers du théâtre, et il amena sa femme à exercer les fonctions de costumière. En mars 1914, il accompagne même la troupe de Copeau en tournée en Angleterre, et là peut-être est-il allé jusqu'à faire de la figuration. Il fallut la guerre pour mettre un terme à cette frénésie. Pourtant, en 1919, lorsque Copeau rentre des États-Unis, Martin du Gard aide son ami à la réouverture du Vieux-Colombier.

A partir des années 20, c'est à Louis Jouvet qu'il confie le sort de sa production théâtrale, qui n'aura pas, dans cette période, le succès de son œuvre romanesque, tant s'en faut. En 1922, il tente de renouveler son succès du *Testament du père Leleu* en commençant d'écrire une nouvelle farce de la même veine, *la Gonfle* : mais, à vrai dire, en écrivant les longs monologues du rôle d'Andoche, il songe à Lucien Guitry, et, à la mort de ce dernier, Louis Jouvet, sollicité par Martin du Gard, ne se sent pas disposé à endosser le personnage. En 1924, la pièce est finie, mais elle ne sera pas montée, et Martin du Gard se résignera à la publier en 1928. Cependant, Jouvet devait pousser Martin du Gard à sa dernière tentative théâtrale, qui ne fut pas un succès : en 1931, pour oublier les tracas que lui cause la rédaction des *Thibault*, il écrit une pièce que Jouvet crée la même année, *Un taciturne*. Ce « drame moderne » connut un accueil très mitigé : le public fut sans doute gêné par la faible théâtralité de cette pièce construite autour de nuances psychologiques, défaut que souligne l'abondance des indications de scène; quant à la critique, elle retint surtout le sujet, et, si certains admirèrent le courage de l'auteur, plus nombreux furent ceux qui, tels Paul Souday ou Paul Claudel, crièrent au scandale. C'est que Martin du Gard portait à la scène un thème difficile, celui de l'homosexualité (qui correspondait, chez lui, à des tendances qu'il a toute sa vie tenu à dissimuler) : la pièce raconte, sur un ton un peu trop mélodramatique, le tourment de Thierry qui découvre peu à peu qu'il est amoureux de Joe, le fiancé de sa sœur, et qui, ne supportant pas la vérité, se suicide.

Gloire et difficultés du romancier

En 1932, dépité par l'échec du *Taciturne* et en proie à la gêne financière, Martin du Gard revient au roman en même temps qu'au monde paysan, qu'il affectionne et qui lui a si bien réussi, et rédige *Vieille France*, où, en une suite de tableaux commandée par les nécessités de la tournée du facteur, il nous présente la vie d'un village et l'égoïsme paysan.

Mais la réussite de *Vieille France* ne le satisfait pas : sa grande œuvre est ailleurs, et elle lui cause bien du souci. En 1920, Martin du Gard avait conçu l'œuvre de sa vie, *les Thibault*, et, en bon chartiste, sur les treize tables du Verger d'Augy, il avait mis côte à côte les fiches et dressé le plan complet de l'histoire monumentale d'une famille qu'il projetait de suivre à travers plusieurs générations. La tâche était démesurée. Tout commença très bien : guidé par son plan, et convaincu que l'œuvre était faite pour l'essentiel, puisqu'il ne restait plus qu'à l'écrire, il alignait les volumes — et les succès de librairie — : *le Cahier gris* et *le Pénitencier* (1922), *la Belle Saison* (1923), *la Consultation* et *la Sorellina* (1928), *la Mort du père* (1929). C'est alors que le doute s'installa dans son esprit. La chronologie du roman s'étalait de 1904 à 1940, c'est-à-dire que le temps de la fiction devait rattraper le temps réel : or, Martin du Gard ne pouvait préjuger de l'arrière-plan historique, et son intrigue avait dévié, de ce fait, vers l'anecdote; *les Thibault* risquaient de tourner au roman-feuilleton. En outre, l'œuvre ne pouvait pas être close : à suivre ainsi une famille à travers les générations il n'y aurait eu aucune raison de s'arrêter à telle ou telle année. En 1931, profitant du temps de réflexion qui lui était imposé par un accident d'automobile, Martin du Gard brûla le manuscrit de *l'Appareillage*, qui devait suivre *la Mort du père*, et décida de modifier son projet. On sait ce que fut cette décision : il boucla son roman en ajoutant deux parties, *l'Été 1914,* qui finit de paraître en 1936, et *l'Épilogue,* qui fut publié au début de l'année 1940. Ce qu'il perdait en équilibre et en rigueur de composition, l'ouvrage le gagnait sur un plan esthétique : l'aventure individuelle des personnages se fondait dans l'aventure collective de la guerre, et l'*Épilogue,* situé en 1918, permettait, à travers le personnage d'Antoine, un retour en arrière, un bilan, faisait sentir les changements du monde en donnant au livre la domination du souvenir.

L'Été 1914 fut un succès; et le modeste Martin du Gard, qui depuis 1922 assistait chaque année aux décades de Pontigny sans oser y prendre la parole, impressionné qu'il était par le renom des autres écrivains, reçut en 1937 le prix Nobel de littérature. Sans doute, en cette période de montée des périls, l'académie de Stockholm avait-elle voulu couronner une œuvre dont le pacifisme pouvait inciter à la réflexion. La critique de droite ne manqua d'ailleurs pas de relever cet aspect des choses et attaqua violemment l'auteur de *l'Été 1914*. Il n'empêche que se trouvait récompensé le talent d'un homme qui n'avait pas hésité à se remettre en question et qui avait su surmonter ses doutes : son prestige devint alors très grand et s'exerça jusque sur la génération suivante, celle de Jean-Paul Sartre — qu'il n'aimait pas beaucoup, mais qui lui témoignait pourtant une grande admiration.

Les dernières années

Martin du Gard passa à Nice l'essentiel des années d'Occupation. Pendant cette période, il essaya de donner un tour nouveau et plus personnel à sa carrière en se mettant à la rédaction des *Mémoires du lieutenant-colonel de Maumort,* personnage qui le hantait déjà depuis le plan initial des *Thibault*. Il renonça finalement à terminer cette œuvre où un homme, ayant détruit son Journal à l'arrivée des troupes allemandes, s'efforçait de reconstituer son passé : la matière brute des prétendus documents accumulés se trouvait ainsi filtrée par le jeu de la mémoire. Deux des neuf parties prévues ont toutefois été achevées et nous indiquent le caractère intime de l'œuvre, qui a pu gêner Martin du Gard : elles posent le problème de la sexualité des adolescents, et particulièrement celui de l'homosexualité. Martin du Gard avait senti très tôt que là se trouvait un pan important de la psychologie humaine, surtout depuis les jours de l'hiver 1922, où, chez Gide, il assistait aux causeries de Mme Sokolnika sur le freudisme.

En fait, depuis la Libération, à l'époque où la majorité des écrivains prônaient l'engagement, il s'était, lui, dégagé (il ne devait sortir de sa réserve qu'en 1958, pour soutenir en compagnie de Malraux, Mauriac et Sartre, Henri Alleg, dont on avait saisi le livre *la Question*). Mais on ne peut parler à son propos de repliement : il retrouvait les problèmes fondamentaux du sexe et de la mort, problèmes qui dominaient déjà son œuvre antérieure, même si cela ne fut pas toujours remarqué par ses lecteurs. Et lorsqu'on connaîtra le *Journal* qu'il a tenu depuis 1919 jusqu'en 1949, et qu'il a confié, avec l'ensemble de ses papiers et dossiers personnels, à la Bibliothèque nationale avant de mourir, on pourra sans doute observer d'un œil nouveau un homme et une œuvre encore un peu énigmatiques, en tout cas moins simples qu'ils ne semblent au premier abord.

	VIE		ŒUVRE
1881	23 mars : naissance, à Neuilly-sur-Seine, de Roger Martin du Gard.		
1884	Naissance de son frère Marcel.		
1892	Classe de cinquième à l'école Fénelon. Suit les cours du lycée Condorcet.		
1896	Févr.-juil. : en pension chez Louis Mellerio. Lectures. Oct. : rhétorique à Janson de Sailly.		
1898	Juil. : baccalauréat de philosophie.		
1898-1900	Études à la Sorbonne. Prépare une licence ès lettres.		
1900	Oct. : entre à l'École des chartes.		
		1901	Écrit *la Chrysalide,* roman. Renoncera à le publier, et détruira le manuscrit en 1937.
1902	Recalé aux examens de fin de seconde année de l'École des chartes. Service militaire à Rouen, parmi les « dispensés».		
1903	Libéré de ses obligations militaires, il reprend la seconde année de l'École des chartes.	**1903**	Écrit *Jean Flers,* nouvelle dialoguée, et *la Méprise,* qui, remaniée, sera publiée en 1930 sous le titre de *Dialogue*.
		1904	Autre tentative, qui échoue : *Il est d'exquises fleurs*.
1906	Diplôme d'archiviste-paléographe. 19 févr. : épouse Hélène Foucault. Voyage de noces en Afrique du Nord. Oct. : s'installe rue du Printemps, à Paris, dans le XVIIe.	**1906**	Commence, en Afrique du Nord, un roman en plusieurs volumes, *Une vie de saint*.
1907	22 juil. : naissance de sa fille Christiane.		
1908	Mai : séjour à Barbizon.	**1908**	Commence *Devenir!*

VIE		ŒUVRE	
1909	Nov. : emménage au Verger d'Augy (Cher).	**1909**	Juin : *Devenir!*, publié à compte d'auteur chez Ollendorf. Août-oct. : commence *Marise*, au Tertre. Nov. : publication de sa thèse, *l'Abbaye de Jumièges, étude archéologique des ruines*.
		1910	Avr. : commence *Jean Barois*. Parution chez Grasset de *l'Une de nous*, seule partie publiée de *Marise*.
		1913	Août : écrit *le Testament du Père Leleu*. Nov. : publication de *Jean Barois* aux éditions de la N.R.F.
1914	Mars : en tournée en Angleterre avec la troupe de Jacques Copeau. 3 août : affecté au « Service de transport matériel 21 ».	**1914**	Févr. : *le Testament du père Leleu* est joué au théâtre du Vieux-Colombier.
		1916	A Auxi-le-Château, il adapte *la Cerisaie* et *les Trois Sœurs* de Tchekhov.
1919	Démobilisé en Rhénanie. S'installe rue du Cherche-Midi. Aide Copeau à la réouverture du Vieux-Colombier.	**1919**	Juil. : commence à tenir son *Journal*.
1920	Achète une maison à Clermont (Oise) pour travailler aux *Thibault*.	**1920**	Mai : établit le plan des *Thibault*.
1922	Juil. : séjour à Porquerolles avec Gide. Août : premier séjour aux décades de Pontigny, qu'il fréquentera par la suite régulièrement.	**1922**	Avr. : publication du *Cahier gris*. Mai : publication du *Pénitencier*. Juil. : rédaction de la première version de *la Gonfle*.
		1923	Oct. : publication de *la Belle Saison*.
1924	Mars : séjour à Hyères. Avr. : son père meurt à soixante-huit ans. Oct. : achète le château du Tertre à son beau-père.	**1924**	Mars : rédaction de la version définitive de *la Gonfle*.
1925	Sa mère meurt à soixante-cinq ans.		
1926	S'installe au Tertre, à Bellême (Orne).	**1926**	Travaille aux *Thibault*.
		1928	Avr.-mai : publication de *la Consultation* et de *la Sorellina*.
1929	Déc. : mariage de sa fille avec Marcel de Coppet.	**1929**	Mai : publication de *la Mort du père*. Mise en chantier de *l'Appareillage*.
		1930	Travaille à *l'Appareillage*. Écrit *Confidence africaine*.
1931	1er janv. : accident d'automobile. Hospitalisé deux mois dans une clinique du Mans, avec sa femme.	**1931**	Renonce à *l'Appareillage*. Févr. : parution de « Confidence africaine » dans *la Nouvelle Revue française*. Avr. : rédaction de *Un taciturne*. Oct. : création de *Un taciturne* à la Comédie des Champs-Élysées.
1932	Oct.-nov. : voyage à Berlin avec Gide.	**1932**	Janv. : détruit le manuscrit de *l'Appareillage*. Mai : rédige *Vieille France*.
1933	Naissance de son petit-fils, Daniel de Coppet.	**1933**	Conçoit un nouveau plan pour finir *les Thibault* et se documente en vue de la rédaction de *l'Été 1914*. Mars : publication de *Vieille France*.
1934	S'installe à Nice.		
1935	Naissance de sa petite-fille, Anne-Véronique de Coppet.	**1935**	Achève le 1er tome de *l'Été 1914*.
1936	Déc. : séjour à Rome.	**1936**	Mars : achève les deux autres tomes de *l'Été 1914*. Nov. : publication des trois tomes de *l'Été 1914*.
1937	Mars-mai : second séjour à Rome. 10 nov. : apprend, à Nice, que le prix Nobel de littérature lui a été décerné. Déc. : se rend à Stockholm, avec sa femme, pour recevoir le prix Nobel.	**1937**	Été : prépare l'*Épilogue*.
1938	Janv. : au retour de Suède, voyage en Europe.	**1938**	Travaille à l'*Épilogue*. Oct. : *le Testament du père Leleu* au répertoire du Théâtre-Français.

VIE		ŒUVRE	
1939	Mars : part avec sa femme pour les Antilles. S'installe près de Fort-de-France. Été : croisière dans le golfe du Mexique. Sept. : **déclaration de guerre.** Est obligé de passer par les États-Unis et l'Italie pour rentrer à Nice.	**1939**	Achève l'*Épilogue.*
		1940	Janv. : publication de l'*Épilogue.*
		1941	Commence les *Mémoires du lieutenant-colonel de Maumort.*
1942	Séjour à Nice, sous l'occupation italienne, et au cap d'Antibes.		
1943	A Nice, sous l'occupation allemande.		
1944	Apprend que son nom est sur une liste de suspects. Se réfugie à Roquefort (Lot-et-Garonne), où se trouve sa fille. Déc. : revient à Nice.		
1945	Remise en état du Tertre, qui a souffert de la présence des Allemands.	**1945**	Rédaction de *la Baignade.*
1949	28 nov. : mort de sa femme.	**1949**	28 nov. : interruption du *Journal.* Traduit, avec l'auteur, le roman de Dorothy Bussy, *Olivia.*
		1950	Déc. : écrit, avec Pierre Herbart, un scénario de film tiré du *Cahier gris* et du *Pénitencier.*
1951	Févr. : assiste aux derniers moments de Gide.	**1951**	Fait paraître ses *Notes sur André Gide.*
		1955	Publication des *Œuvres complètes* dans la « Bibliothèque de la Pléiade ».
1957	Oct. : dépose à la Bibliothèque nationale les cantines contenant ses inédits et en particulier le *Journal* et les correspondances.		
1958	Avr. : signe l'adresse au président de la République pour protester contre la saisie du livre d'Henri Alleg, *la Question.* 22 août : meurt au Tertre d'un infarctus du myocarde.		
		1983	Publication de *Maumort,* dans la « Bibliothèque de la Pléiade ».

Jean Barois

Jean Barois est l'œuvre qui a attiré l'attention sur Martin du Gard. Sans être une innovation, sa technique (il s'agit d'un roman entièrement dialogué, avec seulement quelques indications de « mise en scène ») a impressionné, surtout eu égard à la longueur de l'ouvrage. Même si aujourd'hui on peut trouver monotone cette succession de 350 pages de dialogues, il faut reconnaître qu'il fallait de l'habileté pour raconter par ce moyen l'histoire d'un homme, Jean Barois, qui se dégageait de l'emprise de la foi dans laquelle il avait vécu jusqu'à l'âge d'homme, s'enthousiasmait pour la science, quittait sa femme et sa fille, s'engageait dans l'affaire Dreyfus et la libre pensée, avant d'être « récupéré », malade et sur le point de mourir, par sa famille et par l'Église.

Ce roman a aussi valeur de témoignage; Martin du Gard, étant donné la destinée de son héros, a pu faire entrer dans un ouvrage romanesque toute une époque, celle des affrontements entre l'Église et le scientisme, de la lutte pour la laïcisation de la société, de la recherche d'un nouvel humanisme qui ne serait plus fondé sur une religion. De ce point de vue, ce roman reflétait les préoccupations et l'évolution personnelles de l'auteur.

Mais on voit également poindre dans l'œuvre ce qui sera la thématique ultérieure de Martin du Gard. Derrière les certitudes scientistes de Jean Barois, subsistent en effet des zones d'ombre : la difficulté de rompre avec son milieu et avec la tradition, d'assumer sa solitude; l'impossibilité d'éliminer au moins un mystère, celui de la sexualité; la présence, finalement victorieuse, de la maladie, avec la déchéance qu'elle entraîne. Là est, pour un lecteur contemporain, le principal intérêt du roman; il est fondé sur un déséquilibre, une lutte inégale, puisqu'il nous présente un héros du XIXe siècle qui triomphe des problèmes de son époque, mais qui vient buter sur ceux du monde moderne.

Les Thibault

Il serait difficile de résumer en quelques lignes cette œuvre monumentale qui popularisa ce que l'on a appelé le « roman cyclique », très prisé en France pendant l'entre-deux-guerres. Sa structure est pourtant simple : elle repose sur une double opposition. Deux frères, Jacques et Antoine Thibault, sont aux prises avec les valeurs de l'ancien monde, celui d'avant 1914, symbolisé par la figure autoritaire de leur père, Oscar Thibault. Jacques est, au début, encore adolescent, et il va incarner la révolte, le refus de se soumettre. Antoine, de neuf ans son aîné, est déjà entré dans la vie. Et s'il ne se fait aucune illusion sur la société qui l'entoure, il s'y est fait une place : il est médecin — précisément pédiatre — et il peut s'imaginer qu'il prépare ainsi l'avenir. Dans les six premiers tomes de l'ouvrage, jusqu'à *la Mort du Père,* on le voit, quoique troublé par la révolte de son frère, s'efforcer de la canaliser.

L'Été 1914 introduit une rupture — souvent étudiée — dans le déroulement de l'œuvre et amène une seconde opposition. Cet ancien monde, il s'était condamné lui-même. Les individus sont de peu de poids : Jacques mourra sous les balles d'un gendarme, alors qu'il milite dans une organisation pacifiste pour essayer d'empêcher la guerre. Et Antoine lui-même se verra rappeler qu'on ne peut pas, dans les temps modernes, assurer son avenir tout seul. Il reviendra gazé du front, et son journal, dans l'*Épilogue,* achèvera le cycle romanesque sur sa prise de conscience.

L'écriture de Martin du Gard est d'une déconcertante simplicité. Si, de ce point de vue, *Jean Barois* semblait être né d'un pari, en revanche c'est la volonté d'effacer toute préoccupation technique qui semble dominer *les Thibault.* Le respect de l'ordre chronologique symbolise assez bien cette soumission au réel du chartiste Martin du Gard. Mais la qualité des dialogues confirme que l'auteur, passionné par le théâtre, avait le sens de la scène, et la virtuosité dans l'expression de la simultanéité, qualités qu'avant Sartre on a souvent cru en France être l'apanage des romanciers américains.

Leur apparente simplicité ne doit pas faire prendre *les Thibault* pour une œuvre platement naturaliste. La richesse et la complexité de leurs thèmes sont inépuisables, car Martin du Gard y affronte souvent l'insondable. Deux exemples sont caractéristiques. D'abord, celui de la sexualité. C'est là un des aspects les plus importants de l'œuvre. Martin du Gard était passionné par Freud, et cela se sent. Toutes les nuances apparaissent dans ce roman : rapports ambigus des adolescents (Jacques et son ami Daniel de Fontanin); relation au père; sentiments proches de l'inceste (Daniel et sa cousine Nicole, Jacques et sa « sorellina » Gise); don juanisme (Jérôme de Fontanin); affrontement entre l'amour et l'amour-propre (Jacques et Jenny). Même Antoine, qui semblait si assuré, finit par vaciller, troublé par sa liaison avec Rachel, liaison qui, au bout du compte, aura été sa seule expérience humaine. Ce qui ressort finalement de cet enchevêtrement infini, c'est l'idée de la sexualité, lieu où s'exprime mystérieusement la complexité de l'être humain.

Le second thème obsédant est celui de la souffrance et de la mort. Et si Martin du Gard nous présente des médecins, s'il y a tant de scènes « médicales » dans son œuvre, c'est parce qu'il lie le mal physique et le mal moral. La médecine soigne les âmes en soignant les corps. Car le mal suprême, c'est le mal physique, comme l'enseigne l'expérience de la maladie, de la guerre, de la mort. La maladie et la mort sont les deux obstacles au progrès, les deux adversaires de l'homme moderne. C'est presque déjà la philosophie de l'absurde, et il n'est pas surprenant que Camus se soit intéressé autant à cette œuvre.

Confidence africaine

Ce court récit, écrit en 1930, au moment où Martin du Gard a interrompu, assailli par le doute, la rédaction des *Thibault,* et publié dans *la Nouvelle Revue française* de février 1931, a suscité bien des curiosités. C'est le thème de l'œuvre qui a longtemps arrêté les commentateurs. Dans cette *Confidence africaine,* on voyait avant tout la confidence de Leandro recueillie par le narrateur sur le paquebot qui les ramène tous deux d'Afrique du Nord à Marseille : pendant quatre ans, Leandro a eu des relations incestueuses avec sa sœur Amalia; un fils est né de cette union, Michele. C'est à l'occasion de la mort de Michele à Font-Romeu que, quelques années auparavant, Leandro et le narrateur avaient fait connaissance.

Mais dans un article récent, « le Procès de la littérature dans *Confidence africaine* », Maurice Rieuneau a montré que c'est sa structure qui révèle le sens profond de l'œuvre. La confidence de Leandro, notée « sans aucun souci de littérature » par le narrateur, est censée faire partie d'une lettre, écrite en mai 1930 par l'auteur des *Thibault* au directeur d'une revue qui lui a demandé « quelque chose ». Mais, entre le récit de Leandro et celui de Roger Martin du Gard auteur de l'ensemble, s'intercalent deux autres instances narratives : le récit du narrateur-confident, appelé « Monsieur du Gard » par Leandro, et le récit « littéraire » que ce narrateur aurait pu tirer de la confidence. Est mise ainsi en évidence, selon le mot de M. Rieuneau, la « dialectique du vrai et du faux, du fictif et du réel, du littéraire et du brut » qui s'établit grâce à ces quatre instances narratives. Le réel et l'imaginaire échangent leurs statuts, dans un infini jeu de miroirs. On retrouve bien l'idée de Martin du Gard selon laquelle la littérature a besoin d'être gagée sur le réel. Mais, fait nouveau, ce qui est présenté ici comme la réalité brute, c'est la donnée imaginaire. Ainsi, en montrant que pour lui la narration ne va pas toujours de soi, *Confidence africaine* nous invite à étudier Roger Martin du Gard d'un regard neuf.

BIBLIOGRAPHIE GÉNÉRALE

Les *Œuvres* dites complètes de Roger Martin du Gard ont paru dans La Pléiade, Paris, Gallimard, 1955. Ne figurent dans cette édition ni le *Journal,* encore inédit, ni la volumineuse *Correspondance,* qui fait l'objet de publications séparées, Gallimard. Certains textes, notamment *les Thibault,* sont disponibles en collection de poche. En 1983, André Daspre fournit, dans La Pléiade, une édition critique de *Maumort.*

A consulter

Martin du Gard a fait l'objet de nombreuses études, tant en France qu'à l'étranger. On peut retenir :

Clément Borgal, *Roger Martin du Gard,* Paris, éd. Universitaires, « Classiques du xxe siècle », 1958; Jacques Brenner, *Martin du Gard,* Paris, Gallimard, « Bibliothèque Idéale », 1961; Pierre Daix, *Réflexions sur la méthode de Roger Martin du Gard,* Paris, Éditeurs Français Réunis, 1957; René Garguilo, *la Genèse des « Thibault » de Roger Martin du Gard. Le Problème de la rupture de construction entre « la Mort du Père » et « l'Été 1914 »,* Paris, Klincksieck, 1974; Claude Sicard, *Roger Martin du Gard : les Années d'apprentissage littéraire (1881-1910),* thèse, diff. Champion, 1976.

Signalons également le nº 52 (oct. 1981) du *Bulletin des Amis d'André Gide :* « Centenaire de Roger Martin du Gard (1881-1981) », dans lequel on trouvera l'article de Maurice Rieuneau, « le Procès de la littérature dans *Confidence africaine* »; le *Catalogue de l'Exposition Roger Martin du Gard,* Bibliothèque nationale, 1981; le numéro spécial de la *Revue d'Histoire littéraire de la France,* V-VI, 1982.

Adaptations

Deux œuvres de Martin du Gard ont été adaptées pour la télévision : *Vieille France,* 9 févr. 1970, réalisateur : André Michel; dialogues : Eve Francis; *les Thibault,* feuilleton en 6 épisodes (déc. 1972-janv. 1973), adaptation de Louis Guilloux, réalisateurs : André Michel (du *Cahier gris* à *la Mort du Père*) et Alain Boudet (*l'Été 1914* et l'*Épilogue*).

C. LESBATS

MARTIN LE FRANC. V. LE FRANC Martin.

MASCARON Jules (1634-1703). Entré dans la congrégation de l'Oratoire, il enseigne la rhétorique au Mans, étudie la théologie à Saumur et commence sa carrière de prédicateur; ses succès le font appeler au Louvre, où il prêche Avent et Carême pratiquement chaque année, de 1667 à 1679. Son zèle lui vaut d'être appelé à l'épiscopat; il occupe le siège de Tulle (1671), puis celui d'Agen (1679). Il est bon évêque et s'adonne à la controverse avec succès.

Sa renommée a difficilement survécu à la perte de ses sermons. Il nous reste des *Oraisons funèbres,* qui font de lui un des grands orateurs de la chaire royale, très apprécié de Mlle de Scudéry, de Mme de Sévigné, loué par Fléchier et par le roi (pour avoir su « contenter une cour délicate »). Ses principales oraisons sont celles d'Anne d'Autriche (1666), du duc de Beaufort (1671), d'Henriette d'Angleterre (1671), du chancelier Séguier (1672), de Turenne (1675).

Les oraisons de Mascaron présentent toutes les caractéristiques de la grande éloquence : souffle puissant (épique pour Turenne), articulations bien marquées (Turenne encore : le soldat, l'honnête homme, le chrétien), longs développements scandés par des apostrophes pathétiques, amples métaphores (« Me voici dans l'endroit de mon discours où il faut que je tire le rideau pour découvrir à vos yeux le sanctuaire de ce cœur que Dieu remplissait de sa majesté »), fortes antithèses (non un « César et un Alexandre » mais plutôt « un David ou un Théodose ») et syntaxe d'accumulation caractérisent son style. Ce style sied à celui qu'il célèbre, mais aussi au roi, qui écoute et entend louer « les lumières, la pénétration [...] l'heureuse et sage impétuosité du courage de ce grand monarque ».

Agréable à lire par la vigueur et l'élégance de sa parole, Mascaron est le représentant type de la haute éloquence religieuse mais aussi courtisane.

BIBLIOGRAPHIE

Quelques manuscrits fournissent l'analyse des sermons, mais non leur texte : *Sermon d'Avent, prêché à la Cour en 1668,* ms Phélipaux, t. IV, B.N.; *Sermons inédits,* publiés par P. Griselle, 1910.

En revanche les oraisons sont publiées, notamment : *Recueil des Oraisons funèbres prononcées par Messire Jules Mascaron, Évêque et Comte d'Agen, prédicateur ordinaire du Roi.* Nlle Édition, Paris, 1745 (intéressante préface biographique).

A consulter. — Abbé A. Hurel, *les Orateurs sacrés à la cour de Louis XIV,* Paris, 1872 (livre I, ch. III); Lehanneur, *Mascaron,* 1878; F. Cayré, *Patrologie et Histoire de la théologie,* Desclée St Jean, t. III, 1944.

G. DECLERCQ

MASSILLON Jean-Baptiste (1663-1742). Né à Hyères, il fait ses études chez les Oratoriens, à Marseille d'abord, puis à Aix-en-Provence et à Arles. Il est ordonné prêtre en 1691, enseigne à Pézenas, à Montbrison, à Vienne et à Lyon, puis se tourne vers la prédication, sur les instances de ses supérieurs oratoriens qui ont remarqué son talent oratoire et qui le chargent de prononcer les oraisons funèbres des archevêques de Lyon et de Vienne.

En 1696, il vient à Paris pour diriger le séminaire de Saint-Magloire. Son activité de conférencier et de prédicateur à l'oratoire de la rue Saint-Honoré assure bientôt sa renommée et le pose en rival de Bourdaloue. Chargé de prêcher, à Versailles, l'avent de 1699, puis les carêmes de 1701 et 1704, il devient le prédicateur officiel de la Cour, malgré certaines réserves que lui attirent ses sympathies jansénistes et certaines relations mondaines compromettantes. En 1709, c'est l'oraison funèbre du prince de Conti (oraison « admirable », selon Saint-Simon), en 1711, celle du Dauphin, en 1715, celle de Louis XIV, qui débute par le célèbre « Dieu seul est grand, mes frères, et dans ces derniers moments surtout, où il préside à la mort des rois de la terre... »

Nommé évêque de Clermont en 1717, il prononce devant le jeune Louis XV une suite de sermons sur les devoirs incombant aux grands, qui, sous le nom de *Petit Carême,* seront considérés comme des modèles d'éloquence religieuse. Il est élu à l'Académie française en 1719. En 1721, il se retire dans son diocèse, où il se consacrera, jusqu'à sa mort, à sa tâche pastorale. Ses œuvres, restées pour la plupart inédites, seront publiées par son neveu, Joseph Massillon, oratorien lui-même, en quinze volumes (1745-1748). Elles comprennent une centaine de *Sermons,* six *Oraisons funèbres,* des *Panégyriques* de saints, des *Conférences sur les principaux devoirs ecclésiastiques,* des *Mandements,* des *Discours synodaux,* des *Paraphrases morales des Psaumes* et des *Pensées diverses.*

Estimé de Voltaire, qui voyait en lui « le prédicateur qui a le mieux connu le monde » et « un philosophe modéré et tolérant », admiré par d'Alembert, qui rédigea son *Éloge,* Massillon est le témoin du changement de la sensibilité religieuse au début du XVIIIe siècle. Moins théologien, moins attaché au dogme et à l'Écriture que Bossuet, il est plus que celui-ci moraliste et psychologue. Celui que l'on a appelé « le Racine de la chaire » se plaît à analyser la mélancolie des âmes affligées pour mieux ramener celles-ci à Dieu. Il se met à la portée d'un siècle où la laïcisation des consciences fait des progrès rapides. Il y est aidé par l'élégance fluide, non dépourvue d'artifices rhétoriques, d'un style qui n'a pas le « sublime» de celui de Bossuet ou la rigueur austère de celui de Bourdaloue. Mais la « sensibilité » de Massillon ne le conduit pas pour autant au laxisme. Il sait rappeler à son auditoire les exigences de la foi et de la charité, comme dans le *Sermon sur l'aumône,* et évoquer sans concession les plus rudes vérités de la religion chrétienne, comme dans le *Sermon sur le petit nombre des élus* (carême de 1704), dont la prosopopée du Jugement dernier fit se lever soudain les courtisans terrifiés. Aussi Sainte-Beuve est-il injuste quand, en réaction contre l'admiration que le XVIIIe siècle portait à Massillon, il définit comme « aimable et brillant » celui qui fut le dernier des grands orateurs sacrés de l'âge classique.

BIBLIOGRAPHIE

A l'édition des *Œuvres* publiée en 1745-1748 et citée plus haut, il faut préférer les *Œuvres complètes,* éditées par E.A. Blampignon, Bar-le-Duc, 1865-1867, qui sont enrichies de nombreux textes inédits, et qu'accompagne une *Correspondance inédite, ibid.,* 1869.

A consulter. — E.A. Blampignon, *Massillon, d'après des documents inédits,* Paris-Bruxelles, 1879; *id., l'Épiscopat de Massillon, d'après des documents inédits, suivi de sa correspondance,* Paris, 1884; J. Champomier, *Massillon,* Paris, 1942; A. Chérel, *Massillon,* 1943; *Études sur Massillon* (Actes de la journée Massillon, Clermont-Ferrand, 25 mai 1974), Clermont-Ferrand, 1975.

A. PONS

MASSIS Henri (1886-1970). Dans le combat pour la défense et l'illustration des idées et des lettres françaises, Henri Massis tient assez bien, à l'arrière-garde, le rôle d'un officier de cavalerie, de cette noble cavalerie française qui se fit décimer, avec ses lances et ses armures, au grand désastre national d'Azincourt. Il y a du panache, même s'il n'y a pas d'éclat, dans la vie et les écrits de cet homme austère.

Défenseur et militant, dès son plus jeune âge, des traditions philosophiques, politiques et littéraires de la droite la plus conservatrice, il se fit connaître, en 1911, par une enquête menée avec Alfred de Tarde sur *les Jeunes Gens d'aujourd'hui,* revendiquant pour sa génération un « nouveau nationalisme » dont la logique le conduisit à rejoindre les rangs de l'Action française. Il créa en 1920 et dirigea avec Jacques Bainville *la Revue universelle* dont il fit la tribune d'une doctrine exigeante, vouée à la défense des valeurs traditionnelles de l'Occident. Il exposera la théorie cohérente et rigoureuse de cette doctrine en de nombreux ouvrages mettant tour à tour en évidence son idéal politique (*Jugements,* 1923-1924; *Défense de l'Occident,* 1927), religieux (*De l'homme à Dieu*) ou littéraire (*D'André Gide à Marcel Proust,* 1948). Son œuvre de critique littéraire est dominée par une obsession de rigueur morale et de pureté classique de la forme qui n'excluent pas un romantisme inavoué, un peu raide et parfois convulsif, tendance dont Maurice Barrès reste la figure idéale (*Maurras et notre temps,* 1952; *Barrès et nous,* 1962). Après *Les idées restent* (1940) et *l'Occident et son destin* (1956) qui actualisent ses positions, il écrivit des mémoires (*De l'homme à Dieu,* 1959). Il fut élu à l'Académie française en 1960.

BIBLIOGRAPHIE

L'œuvre de Henri Massis a suscité une abondante bibliographie qui se situe essentiellement avant les années 40. Voir H. Talvard et J. Place, *Bibliographie,* t. 13, Paris, 1956, p. 214-229.

On conseillera surtout la lettre ouverte de A. Gide à Henri Massis : « Le mal ne compose pas », *Revue universelle,* t. I, 1938, p. 100-104. Voir également M. Barrès, *Mes cahiers,* t. IX, Paris, 1935, p. 372-373, et E. Berl, *Mort de la pensée bourgeoise,* Paris, 1929, p. 110-114.

A. LE PICHON

MASSON Arthur (1896-1970). Ce professeur, qui exerça longtemps à Nivelles, dans le Brabant, témoigne de la vigueur d'une tradition régionaliste vraiment populaire : celle des Ardennes belges. Ses principaux récits, dont le premier suffit à lui valoir une solide notoriété locale, évoquent avec une truculence attendrie les aventures et mésaventures de « Toine » Culot : on en parle parfois comme de la « Toinade » (*Vie du bienheureux Toine Culot, obèse ardennais,* 1938; *Toine, maïeur de Trignolles,* 1940; *Thanasse et Casimir,* 1942).

L'art simple d'Arthur Masson n'a pas besoin de savantes recettes : il s'appuie sur une confiance toute droite dans les vertus traditionnelles du terroir, et déploie sa sympathie — une sympathie vécue — pour ses semblables, dans un monde à demi imaginaire et toujours bon enfant. Aussi a-t-il des lecteurs parmi ceux qui ne lisent guère de livres, sans toutefois être bien connu hors du milieu géographique et social précis qu'il a aimé.

BIBLIOGRAPHIE

M. Lobel, *Arthur Masson ou la richesse du cœur,* Vanderlinden et Institut Jules Destrees, 1971.

A. REY

MASSON Jean, dit **Papire** (1544-1611). Humaniste, italianisant, présent à son temps mais convaincu des bienfaits de l'érudition, le Forézien « Jean-Papire » Masson laisse une œuvre riche et diverse où des générations de lecteurs, qui étaient aussi le plus souvent des écrivains, ont puisé une meilleure connaissance du passé national.

Après une jeunesse itinérante et un passage dans la Compagnie de Jésus, Masson se voue à l'étude, comme beaucoup de savants de son époque (Pierre de l'Estoile, Pasquier...).

Chasseur de manuscrits, comme l'avaient été les premiers humanistes italiens (Pétrarque, Pogge), il nourrit d'inédits ses recherches historiques. Les *Annales francorum* (1577) sont fondées sur de nombreux textes alors inédits, ce qui donne un certain intérêt à un ouvrage par ailleurs assez conventionnel dans son plan. Masson a été plus heureux comme biographe des hommes illustres : ses *Elogia,* réunis et édités au XVIIe siècle par Ballesdens, constituent un document original et mesuré sur plusieurs personnages contemporains. Ces mêmes qualités s'observent encore dans sa *Vie de Calvin* (publiée en 1620), première tentative visant à l'objectivité (en dépit des convictions catholiques de l'auteur) sur ce sujet.

Comme beaucoup d'historiens, Masson s'intéressa aussi à la « cosmographie », c'est-à-dire à la géographie. Dans sa jeunesse, il avait aidé Belleforest pour la rédaction des pages relatives au Forez de la *Cosmographie universelle* (1575). Il signera beaucoup plus tard une *Description des fleuves des Gaules* (1618, en latin), longtemps tenue pour un document économique, démographique et archéologique de premier ordre.

Masson, dont tous les livres, à quelques exceptions près, sont en latin, s'adresse en priorité au public cultivé, voire à ceux qui se chargeront de vulgariser les connaissances un peu touffues qu'il prodigue. Comme tel, il est un maillon solide, discret et représentatif, de notre histoire culturelle à la fin du XVIe siècle.

BIBLIOGRAPHIE

Pierre Ronzy (*Papire Masson [1544-1611],* Paris, Champion, 1924, et *Bibliographie critique des œuvres imprimées et manuscrites de Papire Masson,* Paris, Champion, 1924) a consacré à Masson deux livres essentiels et à bien des égards définitifs. On consultera également les *Écrivains foréziens* de Claude Longeon (Saint-Étienne, C.E.F., 1970). Les ouvrages de Masson n'ont pas fait l'objet d'éditions récentes et certains sont encore inédits.

M. SIMONIN

MASSON Loys (1915-1969). Né à l'île Maurice, fils de magistrat, il rompt bientôt avec son milieu et mène une vie aventureuse. La découverte de Gide confère à son esprit de rébellion, déjà nourri par le spectacle du racisme et de l'oppression, la dimension d'une morale et d'une conquête de soi (*les Autres Nourritures,* 1938). Venu en France en 1939, il passe six mois dans la Légion; en 1941, Pierre Seghers l'engage comme secrétaire de rédaction de la revue *Poésie 41.* Il rencontre à cette époque Max-Pol Fouchet, Pierre Emmanuel, Aragon, s'inscrit au parti communiste (1942), collabore aux *Lettres françaises,* participe à la Résistance par ses poèmes (*Délivrez-vous du mal,* 1942; *Poèmes d'ici* et *Chroniques de la grande nuit,* 1943, publiés en Suisse) et par l'action militante. Obligé de se cacher en Touraine (1943-1944), épisode de sa vie qu'il racontera dans son roman *la Douve* (1957), il devient, à la Libération, secrétaire général, puis rédacteur en chef (1946) des *Lettres françaises.* Mais les héros d'hier sont devenus des doctrinaires staliniens, et ce chrétien qui, pendant la guerre, a dénoncé la hiérarchie catholique, « le Christ bâillonné par ses prêtres » (*Pour une Église,* 1945), rompt en 1948 avec l'appareil communiste, sans pourtant changer de camp. La même année, il publie un « divertissement en prose », *l'Illustre Thomas Wilson,* explosion de fantaisie verbale à réminiscences rabelaisiennes.

Cependant l'exaltation des années de guerre a fait place à un lyrisme plus personnel, conduisant le poète saisi par le doute et la solitude vers une sérénité à laquelle contribuent sa femme, Paula Slaweski, la naissance d'un fils, la lumière et les parfums de Provence : *Quatorze Pièces du cœur vieillissant* (1952), *les Vignes de septembre* (1955), *la Dame de Pavoux* (1965), *la Croix de la rose rouge* (1969). Le poète se fait aussi dramaturge avec *la Résurrection des corps* (1952), *Cristobal de Lugo* (1959), et surtout romancier, puisant son inspiration dans des souvenirs mauriciens chargés d'images et de symboles : *l'Étoile et la Clef* (1945); *Saint-Alias* (1947), recueil de nouvelles; *Tous les corsaires sont morts* (1947); *les Mutins* (1951); *les Tortues* (1956); *le Notaire des noirs* (1961, prix des Deux-Magots). C'est au contraire l'actualité — la bombe atomique et le scandale des expériences génétiques — qui lui fournit le thème des *Sexes foudroyés* (1958).

Associant l'amour de la vie et la fascination de la mort, la mythologie révolutionnaire et celle de la rédemption, l'œuvre de Masson tire sa force non pas d'une prédication morale ou politique, mais de son projet d'écriture : ressaisir dans l'unité d'un même discours un monde entre le réel et l'imaginaire, l'absolu et le quotidien, la souffrance humaine et la beauté de la nature. « Liberté. Son printemps glisse en coulées de menthe sur les morts vers les prisons assises entre leurs pieds grêlés d'astres » (*Chroniques*). Dans les poèmes, ces mots simples, distribués en versets, et qu'enchaînent d'audacieuses métaphores, dans les romans le vacillement savant du récit fantastique construisent une mince ligne de crête que le narrateur s'efforce de prolonger toujours plus loin. « On allait où l'absolu nous menait et pour le temps qu'il lui plairait de nous garder flottants » (*les Mutins*).

BIBLIOGRAPHIE

Ch. Moulin, *Loys Masson*, Paris, Seghers, 1962; hommage des *Lettres françaises*, nov. 1969 (articles d'Aragon, Emmanuel, Fouchet, Seghers).

J.-P. DE BEAUMARCHAIS

MATHIEU Anselme (1828-1895). V. FÉLIBRIGE.

MATHIEU D'ESCOUCHY. V. ESCOUCHY Mathieu d'.

MATTHIEU Pierre (1563-1621). Tour à tour dramaturge, panégyriste, traducteur, historien, puis historiographe, poète de circonstance et pédagogue, Pierre Matthieu retient encore notre attention à cause de ses tragédies politiques et de ses *Tablettes de la vie et de la mort*.

Né à Pesmes (Franche-Comté), il dirige, très jeune, le collège de Vercel avant d'aller poursuivre des études de droit à Valence. Avocat à Lyon, il participe ensuite activement à la Ligue dans cette ville. Rallié au roi, il s'installe à Paris et occupe la charge d'historiographe sous les règnes d'Henri IV et de Louis XIII.

Esther (1585), comme le voulait une mode commune aux catholiques et aux protestants, est empruntée à un sujet biblique. L'auteur se contente de mettre en cause les mœurs de la Cour et le mauvais gouvernement du pays. C'est dans ses quatre autres tragédies (*Clytemnestre, Vasthi, Aman* et *la Guisiade* ou *Massacre du duc de Guise*, publiées en 1589) que se déchaîne sa violence : afin de se débarrasser d'un monarque vacillant et fragile (Henri III), coupable de la mort de Guise, il en appelle — écho des théories politiques à la mode — au tyrannicide.

Est-ce bien le même homme qui signe au soir de sa vie des *Tablettes de la vie et de la mort* (1613)? De conserve avec les ouvrages homologues des présidents Pybrac et Favre, ces deux cents quatrains d'alexandrins aux rimes croisées connaîtront, grâce aux presses troyennes, une vogue constante jusqu'au milieu du XVIIIe siècle. Un humour involontaire parcourt ces vers gnomiques pour qui connaît la vie de Matthieu :

> N'est-ce pas tout l'exces d'une folie insigne
> Voir un vieillard languir inutil à la Cour...

BIBLIOGRAPHIE

Sur les trente ouvrages dus à Matthieu, seules les *Tablettes de la vie et de la mort* (1613) et ses *Remarques d'estat et d'histoire sur la vie et les services de M. de Villeroy* (1618) ont été réimprimées, au XIXe siècle. Aucune étude d'ensemble n'a été consacrée à cet auteur; on verra, sur le dramaturge, E. Forsyth, *la Tragédie de Jodelle à Corneille (1553-1640). Le Thème de la vengeance*, Paris, Nizet, 1962.

M. SIMONIN

MAUBERT DE GOUVEST Jean Henri (1721-1767). Né à Rouen, il fut capucin; bientôt défroqué, il dut s'exiler, vécut en Saxe comme précepteur, puis comme soldat, fut enfermé à Königstein (1748-1752), où mûrirent ses célèbres *Lettres iroquoises* (1752), rééditées en 1769 sous le titre de *Lettres chérokéesiennes*. On le retrouve en Suisse (1753), converti à la Réforme, impliqué avec La Beaumelle dans l'édition de *la Pucelle* de Voltaire (1755), en Hollande comme agent autrichien, en Angleterre. Installé à Bruxelles, il se lance dans le journalisme en créant notamment *le Mercure historique et politique des Pays-Bas*. Mais sa vie scandaleuse le contraint à de nouvelles pérégrinations, en France, en Allemagne comme entrepreneur de spectacles, en Hollande où, de nouveau, il connaît la prison. Il y publie *le Temps perdu ou les Écoles publiques* (1765), suggérant qu'on profite de la récente dispersion des jésuites pour repenser le système éducatif et « ôter à l'éducation nationale le gothique qui la défigure ». Selon Maubert, le latin, survivance d'une époque révolue, doit être remplacé par un enseignement utilitaire, payant, et choisi à la carte selon les dons, les ambitions et les moyens financiers de chacun : langues vivantes, logique, arithmétique, conçue comme « la manière de tenir les livres de banque, de commerce, d'économie ». Il donna ensuite les *Lettres de M. Robert Talbot* (1766), recueil d'anecdotes de seconde main sur la vie parisienne, *Trop est trop* (1767), pamphlet antimonastique. Nouveau départ, nouvel exil, cette fois en Allemagne; il mourut à Altona.

Cet aventurier souvent famélique, pourchassé par la police et les libraires, laissa un chef-d'œuvre : les *Lettres iroquoises*. Un point de départ classique depuis les *Lettres persanes* : envoyé par les « Vénérables » de son pays pour vérifier sur place les dires d'un missionnaire, l'Iroquois Igli débarque en France et découvre les dures réalités d'une civilisation d'abord séduisante et apparemment vouée au plaisir : inégalité sociale, égoïsme, hypocrisie des prêtres, intrigues des femmes, cléricalisme et fanatisme. Mais pas plus que ne le fera Diderot dans son *Supplément au Voyage de Bougainville*, Maubert de Gouvest ne propose de modèle et ne prêche un impossible ou illusoire retour à la nature : « Je ne cherche pas à vous corriger, il faudrait recommencer votre monde [...] Votre folie est systématique, vos vices mêmes servent à vous aiguiser l'esprit. » D'abord ironique et badin, semé d'images et de métaphores propres, par convention, à signifier la langue « sauvage », le texte tourne progressivement au débat théologique. Maubert de Gouvest — que Roland Desné a classé parmi les « matérialistes du XVIIIe siècle » — utilise une dialectique toute européenne pour dénoncer les dogmes chrétiens, les thèses cartésiennes sur la spiritualité de l'âme : « Je lui prouvai par ses propres armes que les bêtes avaient des âmes. » Mais Igli se fait parfois théiste, et se moque de ceux qui divinisent la matière; seule, finalement, la morale peut clore la querelle métaphysique : « Nous ne sommes pas faits pour approfondir notre sort, mais pour en jouir. » L'audace ou la nouveauté des *Lettres iroquoises* est à chercher dans ce scepticisme généralisé qui atteint aussi bien la foi que la raison, et se résout en un hédonisme que la « civilisation » européenne a rendu à son tour impraticable...

BIBLIOGRAPHIE

Les *Lettres iroquoises*, introd. et notes d'Enea Balmas, Paris, Nizet, et Milan, Ed. Viscontea, 1962.

A consulter. — R. Desné, *les Matérialistes français (1750-1800)*, Paris, Buchet-Chastel, 1965; *Dictionnaire des journalistes*, dir. J. Sgard, Presses Univ. de Grenoble, 1976 (article de J. Vercruysse).

J.-P. DE BEAUMARCHAIS

MAUCROIX François de (1619-1709). Né à Noyon, fils d'un procureur, Maucroix fit ses études au collège de Château-Thierry et devint avocat. Mais il ne plaida guère, s'employa un moment au service de la puissante famille de Joyeuse, puis se fit chanoine à Reims, comme l'était déjà son frère aîné. Ecclésiastique galant, il a laissé une œuvre littéraire modeste : des poésies éparses — la plupart galantes —, des lettres, quelques travaux de traduction et pièces de circonstance. Cela ne suffirait pas à justifier sa place dans l'histoire littéraire de ce temps s'il ne s'était trouvé au centre de groupes où se dessinaient des traits essentiels de celle-ci.

En premier lieu, il fut l'ami intime de La Fontaine, son condisciple de collège, sur la formation et l'œuvre duquel il exerça une influence sensible. Son admiration pour *l'Astrée* aussi bien que pour les *Odes* de Malherbe retentit sur le goût du fabuliste. La Fontaine inséra d'ailleurs des pièces de son ami dans ses propres recueils (en particulier une « Ode au roi » dans celui de 1671); certaines fables et plus encore les *Contes* portent la marque de leurs conversations et échanges.

Par ailleurs, Maucroix fut lié avec tout un groupe d'écrivains à la fois sensibles à la galanterie et soucieux d'esthétique et de culture solide, autour de Patru, d'Ablancourt, Tallemant, ainsi qu'avec Pellisson... Or ce milieu, où le sens du raffinement et de l'humour, l'art de la mondanité s'allient avec un savoir discret mais bien établi, apparaît dans les années 1650 et 1660 comme promoteur de ce qui fera la qualité propre du goût classique, une génération durant.

BIBLIOGRAPHIE

On peut consulter les *Œuvres diverses* de Maucroix dans l'édition ancienne mais utile qu'en a donnée L. Paris (1854).

A. VIALA

MAUGIN Jean, dit **le Petit Angevin** (première moitié du XVIe siècle). Par une conception exigeante de son rôle, Jean Maugin occupe une place à part dans la cohorte de ceux qui, au XVIe siècle, récrivent les romans médiévaux.

On ne sait rien de certain concernant son existence sinon qu'elle fut industrieuse; la part importante des traductions (d'Apulée, de Machiavel, du *Melicello*, du *Parangon de Vertu*), le remaniement des *Propos rustiques* de Noël du Fail, l'exploitation tardive de la veine marotique font supposer que les commandes de libraire devaient y occuper une large place.

De tous ses travaux, seul le *Nouveau Tristan* connut un succès durable, au point de retenir au XVIIIe siècle l'attention du comte de Tressan. L'ambition de Maugin est grande : démontrer, preuves à l'appui, que le *Roland furieux* s'est embelli « de nostre plumage », « ennoblir » le vieux *Tristan* « de nouvelle eloquence » — ce qui est moins singulier —, effacer les erreurs géographiques et historiques de son modèle grâce à l'érudition humaniste — ce qui est probablement sans exemple. Bref, il prend son œuvre très au sérieux, recourant alternativement à la veine des fabliaux et à l'*ornatus* mythologique, sans abuser ennuyeusement du procédé.

Le *Tristan* de Thomas attendait, on l'a dit, Wagner; celui de Sala s'embourgeoisait; le *Nouveau Tristan* va « vers Racine, vers Marivaux, vers un certain Musset » (Jeanne Lods). Maugin connaît en particulier la fatalité de la passion (il est vrai que le *Tristan en prose* alléguait déjà Œdipe), ce qui, à un moment où la cape et l'épée submergent le genre romanesque, est rare. Une œuvre à redécouvrir, et tout d'abord à rééditer.

BIBLIOGRAPHIE

Aucun des ouvrages de Maugin n'est accessible ailleurs que dans les grandes bibliothèques; la première édition du *Nouveau Tristan* remonte à 1554, la dernière a été donnée par un spécialiste des livres à succès, Nicolas Bonfons, en 1586. Il n'existe pas d'étude sur Maugin.

M. SIMONIN

MAULNIER Thierry, pseudonyme de **Jacques Talagrand** (né en 1909). Essayiste, dramaturge et journaliste né à Alès. Issu de parents enseignants, Thierry Maulnier est d'abord élève des lycées d'Alès et de Nice, puis du lycée Louis-le-Grand, à Paris; il entre ensuite à l'École normale supérieure, où il sera le condisciple de Robert Brasillach et de Roger Vailland. Il s'oriente vers le journalisme et devient chroniqueur à *la Revue universelle* d'Henri Massis et Jacques Bainville, à *l'Action française* de Charles Maurras, et au *Figaro*. De 1932 à 1939, il fait paraître ses premiers essais (*La crise est dans l'homme*, 1932; *Nietzsche*, 1933; *Racine*, 1936 [essai auquel il faut joindre *Lecture de « Phèdre »*, 1943]).

Mais en 1944, au sortir de la Libération, il prend ses distances à l'égard de l'engagement politique, sans pour autant mettre un terme à ses activités de journaliste; collaborant à *Combat*, à *la Revue de Paris*, il fonde en 1950, avec François Mauriac, la revue *la Table Ronde*; c'est aussi à cette époque qu'après quelques adaptations scéniques il entreprend une carrière dramatique personnelle (*Jeanne et ses juges*, 1949, publié en 1951; *le Profanateur* [publié en 1952, avec *la Révolte et le Sacré*]; *la Défaite d'Annibal, la Ville au fond de la mer*, 1960). Thierry Maulnier a été élu à l'Académie française en 1964.

De ses liens avec l'Action française, Maulnier a conservé un extrême attachement au classicisme français, à la société aristocratique du XVIIe siècle, et une certaine conception de l'hellénisme. Ces références majeures ont dirigé ses réactions politiques et ses partis pris littéraires; après avoir fortement critiqué l'esprit et les pratiques de la démocratie libérale, Thierry Maulnier a tenté, depuis la Seconde Guerre mondiale, de nuancer ses positions : à partir de *Violence et Conscience* (1945), reprenant les thèses de Marx et de quelques économistes, il a cherché une « voie moyenne » qui concilie la critique marxiste du capitalisme et le refus du collectivisme, qui privilégie l'individu contre la société, tout en s'opposant fortement au communisme (*la Face de Méduse du Communisme*, 1952). Ses essais, très denses, au terme d'examens minutieux aboutissent souvent à des renversements dialectiques ou à des synthèses spectaculaires : « Les moyens de production, arrachés au monopole d'une caste, peuvent être rendus à la masse des producteurs, non par le collectivisme, mais par la généralisation de la propriété individuelle dans une économie collective » (*Violence et Conscience*). Il a encore publié *Lettre aux Américains*, 1968; *l'Honneur d'être juif*, 1970.

A travers ces problématiques parfois sinueuses, des certitudes demeurent : l'homme — le moi — a raison contre l'Histoire, et il est des valeurs qui ne doivent pas être mêlées aux problèmes de société tels la culture et l'art : « Il n'y a de grand art que du fondamental, et le fondamental humain est d'en appeler du temps et de la mort à une instance inaccessible » (*Cette Grèce où nous sommes nés*, 1965). Cet humanisme traditionaliste est directement illustré par le théâtre de l'écrivain : théâtre « à thèse », qui respecte autant que possible les principes classiques; la prose de Maulnier, souvent aphoristique, reflète volontiers les tournures raciniennes. Les héros du dramaturge illustrent les hésitations théoriques de l'essayiste : se sentant, comme le Wilfrid du *Profanateur*, profondément isolés dans un contexte historique qu'ils veulent ignorer (« Je n'aime pas être engagé. Je ne me sens pas engagé »), ils ne renoncent cependant pas à se soumettre à la loi collective pour assurer la survie d'un ordre politique. Les valeurs morales sont alors convoquées, qui viennent consacrer l'humanisme tout-puissant et un peu naïf du personnage : « L'homme n'est pas fait pour être immobile. L'homme n'est pas fait pour attendre. Il est fait pour conquérir. Pour conquérir son humanité » (*la Ville au fond de la mer*).

L'œuvre de Maulnier apparaît essentiellement comme le témoignage d'un écrivain soucieux d'affirmer les valeurs auxquelles il n'a cessé d'être fidèle.

BIBLIOGRAPHIE
Sur Maulnier, peu étudié par la critique moderne, on pourra consulter : Gaétan Picon, *Panorama de la nouvelle littérature française,* Paris, Gallimard, 1949.

J.-P. DAMOUR

MAUNICK Édouard J. (né en 1931). Édouard Maunick est né à Flacq, à l'île Maurice, d'un père noir et d'une mère blanche. Diplômé de l'École normale mauricienne, il enseigne durant une dizaine d'années, puis devient bibliothécaire en chef à Port-Louis, la capitale. En 1954, il publie un premier recueil de poèmes en langue française, *Ces oiseaux du sang.* En 1960, il quitte l'Île pour Paris, amorçant une double carrière de poète et d'homme public.

Au cours des années 60, époque des indépendances africaines, il publie divers articles, dont un sur Aimé Césaire (1963), un autre sur le poète congolais Tchicaya U' Tam'si (1964) et, à peu près en même temps, produit d'une seule foulée trois textes poétiques importants : *les Manèges de la mer* (1964), *Jusqu'en terre yoruba* (1969) et *Mascaret ou le Livre de la mer et de la mort* (1966).

Cette première période de création, marquée par la rencontre déterminante de la négritude — concept et courant littéraires —, coïncide par ailleurs pour Maunick avec les débuts d'une carrière itinérante dans le cadre de l'action culturelle francophone. Chargé d'émissions culturelles et littéraires à destination de l'Afrique et de l'océan Indien pour l'Ocora et Radio-France internationale, il fait des conférences, participe à diverses productions littéraires (anthologie sonore, discographie de poésie africaine), produit cinq œuvres dramatiques destinées à la radio, s'essaie au genre de la nouvelle, l'essentiel étant pour lui l'élargissement d'une prise de conscience des situations culturelles et politiques qui va le conduire au journalisme de la presse écrite : on le retrouve rédacteur en chef à *Demain l'Afrique,* où il restera en fonction jusqu'en 1979.

L'écriture reste toutefois pour Maunick synonyme de poésie. Recouvrant la discontinuité objective de l'existence et de la carrière, sa poésie cherche à en ressaisir les contradictions toujours plus amples comme un impossible projeté refluant à l'identité originelle, symbolisée par l'île Maurice. La seule configuration matérielle de la production et de ses titres en donne une idée : *Fusillez-moi* (1970), *Ensoleillé vif* (précédé d'une préface de L.S. Senghor, prix Apollinaire 1976), *En mémoire du mémorable* (1979), suivi de *Jusqu'en terre yoruba* (réédition du texte de 1969), enfin *Désert-Archipel* suivi de *Cantate païenne pour Jésus-Fleuve* (1983) qui, au dire de l'auteur, met un terme à sa production poétique, et qui matérialise dans l'image-analogie de son titre, en dépit du trajet dialectique et néantisant de l'écriture, le désir d'un recentrement mythique de celle-ci autour du lieu originel.

Édouard Maunick, après une mission limitée d'expert-consultant à l'Agence de coopération culturelle et technique, exerce les fonctions de directeur-adjoint des publications de l'Unesco. Son œuvre poétique, traduite partiellement en plusieurs langues (anglais, américain, danois, slovène, arabe), a été reconnue tant en France que dans son pays natal : outre le prix Apollinaire pour *Ensoleillé vif,* il a obtenu le prix de la Société des écrivains mauriciens, le prix Léoville l'Homme, le prix national de poésie, le prix France-île Maurice, le grand prix des Mascareignes.

« Tout a commencé avec ma naissance », dit le poète. Le nœud fondamental à délier est celui de l'identité.

L'Île, l'enfance, l'amour, le tissu d'une durée personnelle coulée dans le corps du moi comme dans les paysages proches de sa parole créole : il faut d'abord se trancher de cela, agrandir l'écorchure — voyage, exil — entre l'être et l'exister avec, pour seule cargaison, sa « part indélébile ».

Affronter les mots de l'antériorité littéraire ensuite, s'en servir comme masques successifs nécessaires au trajet, pour délier peu à peu une sacralité autre au départ de l'« Île-décalogue » : la culture chrétienne et le « francotropisme », mais aussi les stéréotypes assimilés de la littérature mauricienne, de l'exotisme ancien à l'Apocalypse récente (de Bernardin de Saint-Pierre à Malcolm de Chazal). Ne jamais perdre l'Île de vue dans ces « Manèges de la mer » de l'écriture, viser le « mascaret » pour la rejoindre, juste « à la pointe de » sa « désobéissance ». Trouver, par la voix de la négritude (par le voyage symbolique : « Jusqu'en terre yoruba » devant le temple de la déesse Oshum), la part mémorable de sa mémoire : se découvrir « nègre de préférence » et trouver les « mots-racines rebelles » propres à universaliser le refus des humiliations de l'Histoire. Pouvoir alors, en « écrivain marron », « crier ses désobéissances au malheur » en rythme nègre, en images nègres, transfiguré, « Ensoleillé vif », cependant que d'images en citations, de vers en vers et de poèmes en recueils, s'opère progressivement — tous masques arrachés —, la courbe anaphorique d'un retour à soi-même qui transforme le trajet de l'écriture en « cycle poétique de l'Île » et s'accomplit contre la peur, la souffrance, la mort enfin, le défi d'une personnification.

Tel peut être brièvement résumé le projet littéraire d'Édouard Maunick. Fondamentalement lyrique, sa poésie tire paradoxalement son ton original d'une pluralité de voix fondues aux images et aux rythmes du « sang pluriel », ce sang que l'écrivain mauricien, « né en terre étroite », a choisi de dire — ou plutôt de nommer à travers l'exil et la langue française.

Si l'on trouve trace dans son œuvre de diverses proximités littéraires (Saint-John Perse et Éluard, Rimbaud et Pierre Emmanuel, Senghor et Césaire, Richard Wright et Dylan Thomas, mais aussi O.V. de L. Milosz ou Lorca...), ces langages formels comme les principaux thèmes qui leur correspondent (de la Mer ou l'Amer à l'apartheid, de *Soleil cou-coupé* au cri *debout...*), ce sont là autant de discours obliques — métaphoriques — pris en compte dans le jeu de l'écriture, autant d'allusions et d'alluvions qui servent les pulsations, flux et reflux, de ce lyrisme enraciné dans les valeurs ontologiques mauriciennes.

Un travail de translation constant à l'intérieur du texte assure au discours poétique de Maunick une forme de continuité focalisée autour de quelques symboles syncrétiques qui en subsument les oppositions sémantiques : ainsi l'Île — mère-femme-terre natale — ou la Mer — amour-mort-exil-écriture — peuvent « métisser » leur symbolisme à la faveur d'une image médiatrice et ambivalente comme celle de Neige, qui évoque tour à tour la mère, la femme aimée, l'autre, l'ailleurs, la langue française... La négritude, placée sous le signe du père, de l'écriture, du combat, trouve à s'enraciner dans les images de l'identique, à « s'insulter », elle aussi, dans la clarté de l'affirmation poétique (*Ensoleillé vif*).

Le langage littéraire confirme ainsi la profession d'identité :

> Moi est enfant de mille races
> pétri d'Europe et des Indes
> taillé plus profondément
> dans le cri du Mozambique.
>
> (*les Manèges de la Mer*).

BIBLIOGRAPHIE
Léopold-Sédar Senghor, préface à *Ensoleillé vif;* Jean-Louis Joubert, « Édouard J. Maunick, *en mémoire du mémorable* suivi de *Jusqu'en terre yoruba* », dans *Littérature de l'Océan indien* I. *Les Mascareignes : Île Maurice,* Paris, Notre Librairie -

C.L.E.F., nº 54-55, juillet-octobre 1980; Anil Dev Chiniah, *la Fascination des images. Études sur sept poètes mauriciens : J. Tsang Mang Kin, R. Chasle, J. Franchette, J.G. Prosper, E. Maunick, D. Virahsawmy, et J.C. d'Avoine*, préface de Joseph Tsang Mang Kin, Port-Louis, Imprimerie Père Laval, 1982, p. 87-98.

D. LATIN

MAUPASSANT

MAUPASSANT Henri René Albert Guy de (1850-1893). Plus que toute autre, la vie de Maupassant semble une peau de chagrin; en dix ans seulement s'édifie toute l'œuvre, abondante et variée : trois cents contes, cinq romans, une pléiade de nouvelles. Puis la folie et la mort emportent celui qu'on a appelé « un météore », le préservant de cette dégradation perfide évoquée avec angoisse dans bon nombre de ses écrits. Une biographie comme écartelée oppose deux aspects antithétiques : Maupassant aurait été, d'une part, le « taureau normand » — l'image est de Paul Morand —, l'homme fort, épris de canotage, l'écrivain à succès, l'homme à femmes, reçu dans le monde, et, d'autre part, le névrosé (avec un zeste de paranoïa lors d'un procès intenté à un journal), éthéromane, syphilitique, anxieux, fasciné par le morbide, condamné par son hérédité (une mère étrange, un frère dément), voué à un don juanisme pathologique et, de surcroît, suicidaire... Faut-il voir deux périodes successives, ou bien deux veines simultanées — quoique divergentes — dans cette existence à la fois banale et maudite, partagée entre le succès et l'échec? L'œuvre porte la marque de toutes ces tensions, aspirations aux paradis (naturels et artificiels), fascination des enfers; sa limpidité est faite de « ciels brouillés » (selon l'expression de Baudelaire, que Maupassant aimait et, à l'occasion, citait). L'homme, lui, n'aura pu survivre à cette lutte pour laquelle il avait été bien peu préparé. Sa mère, Laure de Maupassant, l'avait élevé seule, dès le départ d'un mari frivole à qui la cité parisienne convenait mieux qu'un manoir normand. Cultivée, dépressive (elle aurait tenté de se suicider avec sa longue chevelure), elle lui permit de jouer librement dans la campagne normande; l'enfant souffrira d'autant plus de la vie terne des lycées, de la discipline rigoureuse des jésuites, et il sera exclu du petit séminaire d'Yvetot. Avant qu'il n'ait le temps de faire son droit, éclate la guerre; en 1870, ce ne sont pas le combat et la gloire qu'il rencontre mais la défaite et l'absurdité, à goût de nausée. Dans les contes de la guerre, la veulerie des bourgeois, la bêtise ignoble des occupants, les crimes gratuits des soldats en proie à la panique, et même l'héroïsme des paysans, trop souvent cruels et sadiques, tout renvoie à l'horreur d'un monde grotesque, sans espoir de salut. Mais l'apprentissage difficile de la vie n'est pas terminée; employé au ministère de la Marine, Maupassant, enfermé dans une existence trop feutrée, s'ennuie.

Heureusement, les dimanches permettent les parties de canotage sur la Seine avec de joyeux amis; et il y a la littérature, avec ce maître paternel, un ami de la famille, un modèle aussi, Flaubert, qui le soutient, le corrige, l'aide, lui apprend à aiguiser son regard, à acérer son expression, un Flaubert qui pendant dix ans le retient de rien publier, l'oblige à travailler pour lui lâcher enfin la bride vers le succès, et cette fois sans lui ménager ses éloges. D'être passé par cette rude école, Maupassant sut peut-être mieux amorcer puis mener une brillante carrière littéraire. *Boule de suif,* un « chef-d'œuvre », selon Flaubert, le lance; les portes des journaux, qui paient bien (et il s'entend à se faire bien payer), s'ouvrent devant lui; il publie des chroniques sur des sujets politiques, sociaux ou littéraires — non sans courage parfois — ou des contes, qu'il publiera par la suite en recueils. Il voyage, s'achète un yacht, paraît à des soirées mondaines, dévore à pleines dents tous les plaisirs. Pourtant les voyages sont aussi des fuites, le Normand fidèle à son terroir est voué à l'errance, le mondain reste un solitaire, le naturaliste (il est d'abord proche de Zola) se sépare des écoles, le canotier musclé chancelle : troubles de la vue, migraines, hallucinations (autoscopie, c'est-à-dire dédoublement), chûte des cheveux, tout le corps s'abîme. Le pessimisme, si souvent noté, est aussi là : dans ce corps qui se détériore, dans cette conscience qui se voit mourir. Il faudra assumer en outre l'internement du frère Hervé, qui lance : « Le fou, c'est toi! » L'écriture exorcise un temps les démons en les disant; mais bientôt elle ne suffit plus, et les démences, celles de son temps (paralysie générale, syphilis), et la sienne propre (venue de quelle hérédité ou de quel mal?) l'emportent. Après la tentative de suicide du 1er janvier 1892, à Cannes, tout est joué et balayé par le délire, ce flux irrésistible.

Le problème des genres

Reste une œuvre éclatée, diverse. Après *Boule de suif,* Maupassant publie un recueil, *Des vers,* qui fait scandale à cause d'un passage un peu trop cru. Le théâtre l'attire aussi, et la forme dramatique (dialogues, certes, mais aussi scénettes, coups de théâtre) marque toute l'œuvre. Maupassant écrira quelques pièces légères (*Histoire du vieux temps, Musotte, la Paix du ménage*); rien de bien original dans cette double tentation de la poésie et du théâtre.

Boule de suif inaugure une veine infiniment plus intéressante, et Maupassant excelle bientôt dans ce genre de la nouvelle — qu'il reprendra vers la fin de sa vie —, la nouvelle qui permet une analyse relativement élaborée, quoique concise, et annonce le roman. Il a l'art de la litote, du détail, de la distance, de la cruauté presque indifférente. Le narrateur griffe le récit de son humour acide. La description, le dialogue et le récit sont savamment dosés, la composition est impeccable. S'il a moins de raffinement et d'élégance que Mérimée, Maupassant, qui vise parfois à l'effet, a aussi plus de puissance.

Dans la chronique, l'écrivain semble ancré dans son époque et cependant distant de ses contemporains. Il dénonce les maux de son temps et, par exemple, la situation des femmes mariées sans leur consentement, vendues à des rustres indélicats, condamnées par une société hypocrite à la procréation. Il dénonce encore le colonialisme, l'affairisme, la guerre, sans vraiment songer pour autant à une possible révolution, voire évolution. La misère, contre laquelle il se révolte, il la conçoit comme un mal inéluctable. Et si ce naturaliste était, en fait, obsédé par le problème métaphysique du mal... et de l'être? Il ne croit pas à de quelconques vertus politiques et se fait publier par des journaux aussi bien conservateurs, comme *le Gaulois,* que républicains, comme *le Dix-Neuvième Siècle,* et aussi bien sérieux, comme *le Figaro,* que potiniers et mondains, comme le *Gil Blas.* Les chroniques, fins tentacules qui explorent le monde extérieur, montrent combien Maupassant, homme de son temps, hait son époque et veut s'en éloigner.

Maupassant se rallie bien vite au genre qui a alors ses lettres de noblesse, le roman grâce auquel il allait pouvoir brosser un itinéraire complet, celui d'une existence *(Une vie),* d'une carrière savamment orchestrées *(Bel-Ami),* d'un adultère *(Mont-Oriol),* d'une jalousie *(Pierre et Jean)* ou d'une passion non partagée *(Notre cœur).* Sans avoir la souplesse flaubertienne, le roman chez Maupassant parvient à évoquer un microcosme; ponctué d'une succession de moments forts, conduit sur une ligne mélodique tranchée, crescendo ou decrescendo, il a des accents dramatiques ou tragiques plutôt que musicaux et symphoniques.

Le journal de voyage, à mi-chemin entre le récit fictif et l'autobiographie, dévoile les accents les plus pathétiques, cri de détresse ou affolement devant la solitude. La réflexion, la méditation sont probablement, en même temps que la recherche de l'altérité (dans le paysage, l'exotisme), l'objet de ces journaux aux titres évocateurs comme *Au soleil* ou *la Vie errante.* Journaux où un moi se cherche ou se fuit dans une quête de l'ailleurs (« Mais ne voit-on pas que nous sommes toujours emprisonnés en nous-mêmes, sans parvenir à sortir de nous, condamnés à traîner le boulet de notre rêve sans essor! »), une course vaine où c'est toujours soi qu'on trouve en l'autre; témoin l'angoisse, ou la terreur qu'il ressent devant l'asile de Tunis; Maupassant a atteint dans la fascination pour le malade mental — on dit alors plus crûment le fou —, personnage central de son œuvre, un point de non-retour, de perte de soi, d'impossible accès à la distance et à l'échappatoire; cette attitude de distanciation sinon de schizophrénie s'ébauchait pourtant dans l'utilisation des pseudonymes (par exemple il signe MAUFRIGNEUSE, du nom d'un personnage de Balzac, ses articles du *Gil Blas*).

Dans le conte, la torturante oscillation entre le « je » et le « il » entreprise dans le journal de voyage sur un autre mode (par la fuite dans l'ailleurs) s'exprime et se module dans les multiples modalités du travail narratif. Le scripteur ne s'y confond pas avec le narrateur, et l'humour en est souvent la marque; le narrateur premier s'évanouit dans la parole d'un autre narrateur, et l'on peut souvent se demander quelle est, derrière l'éternel chasseur-gentilhomme provincial — sempiternel quinquagénaire confit dans de sages expériences — la source originaire du récit. D'autant que la fiction qui met en avant l'homme de science, le médecin objectif, le hobereau tranquille est trop codée pour rendre vraiment plausible l'illusion; et c'est un des paradoxes de cette écriture, dont une des bases théoriques est la vraisemblance.

Pas plus qu'on ne pourra parler d'un narrateur unique, on ne pourra définir une seule sorte de conte chez Maupassant. La notion de genre éclate sous la multiplicité de ces courts écrits : le récit peut s'amenuiser devant une réflexion dévorante, l'anecdote n'être plus que le point de départ d'une rêverie réflexive. Au cœur du récit un objet ou un événement, tragique ou anodin, peut ainsi se constituer. Le conte se meut aussi bien dans un univers angoissant ou sordide, que médiocre ou léger. Il y a du Racine et du Courteline, du tragique et du vaudevillesque chez Maupassant. S'il faut trouver une unité dans l'œuvre, ce serait moins dans une impossible structure, moins dans une série de thèmes (qui existent, bien entendu : et la folie destructrice, et la Normandie apaisante, et le type du paysan avare ou du bourgeois médiocre, avec même des thèmes ou motifs ambivalents comme l'eau ou la femme), moins dans ce faisceau thématique que dans une lutte constante — à travers l'immense diversité des genres ou des tonalités — contre la récurrence, un combat cent fois repris contre le principe de la répétition, contre l'obsession.

Le déchirement des voiles

Voir, tout voir et, à travers le regard, savoir, comprendre, déchiffrer les énigmes : c'est de là que part Maupassant, c'est là que Flaubert intervient, et c'est pour cela que Maupassant, tout naturellement, aboutit à la participation au recueil des *Soirées de Médan* avec *Boule de suif.* De l'écrivain naturaliste il possède la curiosité à l'égard de tous les milieux, avec une prédilection pour la prostituée (*Mademoiselle Fifi, la Maison Tellier, les Sœurs Rondoli...*), avec une fidélité toute particulière pour le monde de son enfance. Il doit en effet une large part de sa notoriété à ses personnages de paysans normands, roublards, un peu ivrognes mais de bonne humeur. Ce paysan est souvent vu grand escogriffe ridicule (*la Bête à Maît'Belhomme*) ou un bon obèse réjoui (*Toine*), avec ses expressions patoisantes savoureuses, généralement flanqué d'une épouse desséchée et acariâtre (pour faire plus vrai ou plus drôle), restitué dans des situations souvent dérivées de simples faits divers. Le regard perd de sa malice et devient, si l'on tient compte du pessimisme accru de l'auteur, plus naturaliste encore lorsqu'il se pose sur le monde des employés — peut-être parce que là l'individualité souffrante remplace une société — et se teinte de pitié dans l'observation des jolies épouses des petits employés, qui rêvent bals et bijoux (*la Parure, les Bijoux...*) et qui apparaissent comme les attachantes victimes de leur bovarysme. Maupassant scrute le monde des paysans, des petits-bourgeois, des gentilshommes campagnards, des notables, des riches ou des pauvres, et l'interprète implicitement. Il opère un déchirement des voiles. Ce réaliste ne se satisfait pas du monde des apparences. Ce qu'il lui faut, c'est la vérité des êtres. Son regard sait discerner toute une philosophie de la vie dans un geste anodin, une loi générale dans un détail infime, intonation ou sourire ébauché; le geste qui révèle, parfois trahit, est toujours signe d'une intériorité et renvoie à une psychologie du comportement. Le narrateur joue souvent un grand rôle dans cette entreprise de dévoilement en déclenchant l'aveu ou la crise; car il est nécessaire qu'un jour la vérité apparaisse; mais dans l'éclat de la révélation, la catastrophe est souvent présente. L'aveu de bien des personnages (*Mademoiselle Perle, Alexandre...*) explicite leur ratage; ils sont bel et bien passés à côté du bonheur. Le suicide n'est donc plus, parfois, qu'une conséquence logique. Le sadisme, la cupidité, dissimulés sous le voile des mornes apparences bourgeoises, ou sous la bonhomie des manières paysannes, peuvent également amener la mort. D'où l'importance, dans ce processus de mise à nu, d'une satire très cruelle; voir ce que l'apparence dément, ce peut être aboutir au tragique, c'est aussi s'amuser de l'apparence. L'humour prend sa source dans le plaisir du déchiffrement des signes mondains, bourgeois ou paysans; dans ce goût de démonter les mécanismes du jeu social, de démanteler les stratégies (comme dans *Bel-Ami,* où toute la vie d'un journal est analysée). On décèlera quelque chose de destructeur dans ce repérage des alibis, cet arrachage des voiles pudiques; une attitude cynique se profile, avec désespoir.

De l'humour à l'angoisse, du réalisme à la métaphysique, il n'y a qu'un pas. Entre les deux prend place la veine — essentielle chez Maupassant — du fantastique.

Le fantastique

Quoi de plus réel qu'un objet? de plus défini, de plus rassurant qu'un bout de ficelle ou qu'un collier? Dans les contes, ces objets se chargent pourtant, après un passage dans l'ambivalence, d'un pouvoir exclusivement maléfique et entraînent les êtres humains dans l'échec, le ressassement ou la mort. L'objet devient une sorte de vampire et fait basculer le personnage hors du réel, lui prenant sa raison et parfois sa vie. Le narrateur de *Qui sait?* se voit ainsi dépouillé de son existence par ses meubles. Leur danse provoque l'anéantissement de leur propriétaire, qui se trouve, en quelque sorte, « dépossédé » de lui-même.

Devant la levée des forces agressives extérieures, face à la force maudite des objets, le seul recours est la fuite. Le voyage apparaît alors comme une tentative de récupération de soi; il se transforme cependant bientôt en une errance, un déracinement définitif, une perte du moi. Car, bien sûr, c'est soi-même que l'on fuit — en vain; c'est sa propre image que l'on veut reconstruire à travers une quête qui n'arrache que bribes et morcellements.

La rationalité, appelée à la rescousse, ménage des moments de répit, qui n'empêcheront pas l'engloutissement définitif. Le conte fantastique, chez Maupassant, est moins le passage de l'autre côté du miroir que le récit d'une atroce, lente et inévitable dévoration. De là ces accents frémissants de répulsion (*le Horla*). Une identité qui semblait établie fermement s'est trouvée ébranlée. Et c'est bien, d'ailleurs, le propre du fantastique que cette rationalité étrangement mise à mal, qui s'affole pour resurgir triomphante avant de s'effondrer enfin. Rappelons que, selon la thèse de Marie-Claire Bancquart, le fantastique de Maupassant est un phénomène intérieur; ni monstres, ni sylphes, ni dragons, ni revenants avec l'attirail du roman noir. Processus intérieur donc, mais aussi projectif, ce fantastique naît bien de la réalité, et c'est la réalité qui s'effrite en mille morceaux; un miroir se brise, et le visage reflété se déconstruit. Le nom du Horla est trompeur; c'est « en-soi » qu'il aurait fallu dire, et cet écart de langage, cette inversion, est comme un rejet terrorisé de l'évidence : le hors-là, c'est cette part du moi qu'on se refuse à assumer et qui, d'être ainsi refoulée, resurgit dans l'objet persécuteur. Cette intériorité terrifiante et niée, cette force irrépressible et conçue essentiellement comme mauvaise, ressemble bien à ce que plus tard, et avec moins de négativisme et de peur, on appellera la pulsion.

L'obsession et le piège

Les psychiatres y ont trouvé leur pâture : la description clinique de la maladie mentale, sous ses diverses modalités, est remarquable dans l'œuvre. De la débilité à la démence, de l'hallucination à la perversion, presque tout y est, et bien décrit. Dominante, l'obsession, qui s'étaye de philosophie.

L'univers de Maupassant a la couleur du sang, car il est essentiellement tragique, et les personnages sont des condamnés à mort qui ressassent leur mal. Ce qui les détruit n'est pas tant la mort que l'obsession de la mort qui les mine de l'intérieur. Les accents nihilistes (repérés par Louis Forestier dans son édition de La Pléiade) se retrouvent partout, comme dans la bouche de Norbert de Varenne (*Bel-Ami*) : « Je la sens qui me travaille, dit-il de la mort, comme si je portais en moi une bête rongeuse. Je l'ai sentie peu à peu, mois par mois, heure par heure, me dégrader ainsi qu'une maison qui s'écroule [...]. Elle m'a pris ma peau ferme, mes muscles, mes dents, tout mon corps de jadis, ne me laissant qu'une âme désespérée qu'elle enlèvera bientôt aussi. » Une telle vie est vécue comme une agonie.

L'obsession de la mort fait basculer dans le monde de la folie ou de la perversion; nul écran n'empêche le passage à l'acte, et le tombeau n'a pas plus de pouvoir que la raison; la nécrophilie (*la Morte*; *la Tombe*) est une obsession devenue acte et manifeste l'échec d'une distance maintenue; le nécrophile croit la mort vivante, et sa folie ou sa perversion consiste à ne pas se tenir sur le seuil de l'interdiction. Refus du deuil, de son « travail » et perte du tabou, cette faculté à entrer dans le monde de l'autre (vivant ou mort) explique que la transgression soit destructrice; on croit dialoguer avec une morte, et l'on est corrompu par les miasmes d'un cadavre. Cet attrait pour le corps qui pourrit, corps féminin, est vertigineux : horreur glacée devant le cadavre de Miss Harriett, la noyée par amour impossible. Étrange baiser de compassion, d'un narrateur qui n'eût pas embrassé vivante son involontaire victime! Fascination sensuelle devant le corps sans tête (celle-ci est cachée par un mouchoir) de la petite Roque, mi-femme, mi-enfant, avec cette cuisse où court une mouche; c'est le substitut qui, cyniquement, lie le cadavre à l'*eros* : « Comme c'est joli, dit le médecin, une mouche sur la peau! Les dames du dernier siècle avaient bien raison de s'en coller sur la figure. Pourquoi a-t-on perdu cet usage-là? » L'érotisme et la mort se confondent, comme si un relent de morbidité surgissait du tombeau pour contaminer la vie, comme si, parfois, Maupassant ne parvenait à érotiser la femme que morte ou morcelée. La femme morte est d'ailleurs plus aisément objet de possession (car il importe à qui se sent dépossédé de retenir, d'étreindre des sujets-objets); dans la vie, la femme chasseur qui a guetté sa proie masculine (le jeu traditionnel doit se lire à l'envers) reste toujours séparée de son partenaire. Aucun indice de communication entre les sexes n'existe, et même dans l'amour physique. Ce qui veut dire que la passion est un leurre où l'homme est toujours perdant. Il ne peut cependant se défendre d'y croire et de renouveler, après chaque échec, sa quête de l'âme sœur, de la femme idéale sans savoir que son rêve est impulsé par une force aveugle.

L'influence de Schopenhauer intervient là, alors que l'homme ne peut résister à cette force, à ce flux (Schopenhauer dit cette « volonté », ce « vouloir-vivre », ce « désir ») en lui qui le jette vers la femme, et où cette tension irrépressible est une force aliénante et trompeuse. « Toute passion, écrit le philosophe, quelque apparence éthérée qu'elle se donne, a sa racine dans l'instinct sexuel... », et l'individu devient le jouet misérable d'une nature qui lui tend un piège, « en faisant naître [...] une certaine illusion, à la faveur de laquelle il regarde comme un avantage personnel ce qui en réalité n'en est un que pour l'espèce ». Le désir masculin, qui rend la femme nécessaire et l'idéalise, est semblable à l'instinct animal. Il n'est en aucune façon fondateur d'une fusion entre l'homme et la femme; l'homme est manipulé par lui et le subit comme une malédiction (n'est-ce pas lui qui incite le maire à violer la petite Roque?). Maupassant reste pétrifié d'horreur devant la violence de ce qui peut surgir en l'homme, hors de son vouloir. Cette puissance de l'inconscient, pressentie négativement par Schopenhauer, va marquer toute une époque, et Maupassant, comme avant lui le philosophe du néant, découvre avec anxiété les forces pulsionnelles, monstres terrifiants et dévorateurs.

Mais n'y aurait-il aucun moyen de tromper à son tour cette puissance aliénante, dépossédante, d'être plus fort que cette nature, mauvaise mère qui domine et se moque perversement?

Une stratégie de la perversion

Contre l'omnipotence de la nature, Maupassant construit une sorte d'anti-*physis* protéiforme qui permettra, sous divers modes, de canaliser ou d'utiliser l'intensité des forces internes.

Une lutte passive contre le vouloir-vivre qui pousse l'homme vers la femme amène à rejeter ce désir et à vivre dans la solitude, comme le font les protagonistes de *Un fou, Qui sait?, le Horla,* qui résistent ainsi aux pressions conjuguées de la loi naturelle et de la loi sociale. Mais si la société tolère le célibat, la nature se venge en perturbant la santé mentale de celui qui se rebelle contre elle. La solitude, qui est d'ailleurs souvent le premier pas vers la folie, ne saurait donc constituer une véritable solution.

L'égoïsme naturel sera, lui, battu en brèche par l'accession à la position morale, une forme de sublimation qui entraîne l'oubli de soi au bénéfice des autres, grâce à la pitié et à la charité. Les accents de compassion pour les faibles, en particulier les enfants, les infirmes ou les animaux, vont dans ce sens.

Pour déjouer la pulsion maudite, une autre tentative — non plus morale mais esthétique — est fournie par l'art, qui protège du désespoir, de la mondanité, de la mort et qui se trouve du côté de l'authentique. Exemplaire, le seul personnage vrai de *Notre cœur,* le sculpteur, qui dédaigne les robes sophistiquées des femmes du monde pour ne se soucier que de la ligne pure, montre la voie vers ce qui est à la fois la sublimation la plus élaborée et peut-être aussi le salut.

Mais le triomphe le plus sûr, en même temps que le plus facile, nous est donné par le plaisir sexuel; si la nature se joue de nous en nous incitant à l'acte charnel en vue de la procréation nécessaire à l'espèce, nous pouvons la duper à notre tour en refusant la finalité sans renoncer au plaisir. Il y aurait même là une certaine sagesse, nous dit un Maupassant paisible, libertin influencé par le XVIIIe siècle. Cependant, pour lui, le culte de l'érotisme est conçu essentiellement comme pervers en ce sens qu'il témoigne d'une révolte contre le naturel. Des contes comme *la Moustache, les Caresses,* auxquels on pourrait rattacher bien des contes lestes sur l'impuissance, le voyeurisme, la nymphomanie, sont comme des pirouettes qu'un astucieux Pierrot esquisserait devant une nature rusée. Celle-ci, ironie suprême, se verra reniée par ses propres créatures, ses instruments privilégiés, les femmes, qui, chez Maupassant, sont des coquettes (qui ont raison de l'être) plus que des mères. Le refus de l'enfant est fréquent, il s'exprime de façon viscérale et avec violence, et les infanticides, assez nombreux dans l'œuvre (*l'Enfant, la Confession, Rosalie Prudent...*), sont, contre la morale sociale, pratiquement justifiés. D'ailleurs, si le nourrisson survit, il deviendra inexorablement un raté (*Un fils, l'Abandonné*), voire un monstre criminel (*Un parricide, l'Orphelin...*). Pas de maternité ni de paternité heureuses. De plus, sur quoi fonder la paternité? Le thème tragique du bâtard, condamné au malheur, rejoint la veine désabusée de la paternité incertaine, torturante et destructrice (*le Père, le Petit, Monsieur Parent...*).

Il reste une méthode d'évitement de la fatalité — qu'on l'appelle « destin », « vouloir-vivre » ou « pulsion » —; contre la vie aveugle, on usera de la mise à mort cynique : du meurtre. C'est encore une façon de poser le problème du mal. Moiron, l'instituteur, tue insidieusement ses élèves préférés (c'est dans la mort qu'il les aime) et le juge de *Fou?,* parfait assassin, rivalise lui aussi avec un dieu vague qui s'assimilerait plutôt à une *physis* bêtement proliférante.

Quand on échoue, quand on ne sait pas jouer d'une de ces touches qui constituent un système de perversions, quand on a perçu le fond des choses (à savoir que la vie est mauvaise et aliénante) et qu'on n'a su ni devenir artiste (pôle esthétique), ni s'oublier dans l'amour des autres (pôle moral), ni accéder au libertinage (pôle libidinal), ni triompher de la vie (pôle criminel sadique), il ne reste que l'ennui — jusqu'à mourir — ou le suicide.

La violence de l'expression

Si l'écriture n'a pu exorciser longtemps la plongée aux abîmes de la folie, nettement marquée par la tentative de suicide de 1892, c'est peut-être qu'elle porte en elle la possibilité de se fondre dans cet univers où, d'atteindre un noyau pur de violence, le monde et le sujet se brisent.

L'acuité de la vision de Maupassant, si forte, peut devenir vrillante d'intensité : du naturalisme on passe alors à l'horreur de la dépossession et à l'angoisse. Transfiguration du paysage breton qui devient lieu de torture dans *la Vie errante,* où les arbres dont on vient d'ôter l'écorce présentent « un tronc rouge, d'un rouge de sang comme un membre d'écorché ». Ils ont pour le narrateur « des formes bizarres, contournées, des allures d'êtres estropiés, épileptiques qui se tordent », et il ajoute : « Je me crus soudain jeté dans une forêt de suppliciés... » La force du regard, pathologique, provient de la volonté d'entrer au cœur des choses, des êtres, au cœur du désir sexuel comme au cœur de l'angoisse de la mort. Ce regard, devenu violence, se retourne contre lui-même, et installe une sorte de frénésie, atroce, inapaisable, qui appelle la destruction. Cette simplicité, cette crudité qu'on a souvent reprochées à Maupassant, comment ne pas voir qu'elles sont en réalité une sorte de gloutonnerie, d'hystérie : s'identifier à l'autre — conscience ou objet — pour le saisir. Mais c'est lui qui vous saisit. Les choses ont tant de puissance qu'il ne peut subsister entre elles et celui qui les dit nul écran, nulle protection. Maupassant, directement branché sur les forces de la vie, s'y abolit. Il semble subir cette capacité à la fois comme une malédiction existentielle et comme une bénédiction littéraire : « Pourquoi cette torture inconnue qui me ronge, écrit-il dans *Sur l'eau...* C'est que je porte en moi cette seconde vue qui est en même temps la force et toute la misère des écrivains. J'écris parce que je comprends, et je souffre de tout ce qui est parce que je le connais trop... »

Cette oscillation souffrante des limites est parfois endiguée par l'élaboration d'une esthétique. Ce naturaliste, cet observateur méticuleux met la beauté au centre de son œuvre, et cela jusqu'à la fin puisque le dernier recueil de contes prend un titre typiquement parnassien : *l'Inutile Beauté.* Beauté corporelle (le corps de la femme) et beauté formelle de la phrase, à la Flaubert. Les contes de Maupassant se tiennent d'eux-mêmes, comme les romans du maître, bien que l'anecdote y semble souvent primordiale. Seulement, du maître au disciple, un déplacement s'est opéré : le travail sur le style devient travail sur la composition, chez Maupassant; la subtilité devient puissance. Maupassant a pris des leçons de rigueur avec Flaubert : netteté de l'écriture; netteté de la structure — ce qui donne à ses écrits leur force. La sobriété, aux antipodes de l'écriture artiste, ne manque pourtant pas — avec la prédilection de Maupassant pour la litote — d'une certaine souplesse. Elle lui permet de dire le fantasme et l'obsession comme le réel, et les contes fantastiques sont bien de la même plume que les contes réalistes, style qui n'est pas entièrement dominé par les impératifs naturalistes et se laissera infléchir parfois par la langueur du décadentisme pour évoquer les orchidées, l'éther, les bienfaits ou les grâces d'un dandysme désabusé.

Fausse limpidité de cette œuvre qui évoque la surface trompeuse des marais ou des étangs qu'aimait tant Maupassant. Un miroir paisible et perfide.

	VIE		ŒUVRE
1846	Mariage de Laure Le Poittevin et de Gustave de Maupassant. Mariage d'Alfred Le Poittevin, frère de Laure et grand ami de Flaubert, avec Louise, sœur de Gustave de Maupassant.		
1850	Naissance de Guy de Maupassant, probablement à Fécamp et non, comme l'indique l'acte de naissance, au château de Miromesnil.		
1851	2 déc. : **coup d'état de Louis Napoléon Bonaparte.**		
1854	Les Maupassant s'installent au château de Grainville-Ymauville.		
1856	Naissance d'un frère, Hervé.		
1859	La famille Maupassant quitte la Normandie pour Paris, où Gustave a dû prendre un emploi à la banque. Ses liaisons entraînent la séparation des époux, et Laure se retirera bientôt dans sa villa des Verguies, à Étretat, avec ses deux fils.		
1863	Guy entre au petit séminaire d'Yvetot, dont la tristesse lui pèse; il compose ses premiers poèmes.		
1866	Guy sauve de la noyade le poète anglais Swinburne, qui l'invite dans sa chaumière de Dolmancé. Cette rencontre lui inspirera quelques contes.		
1868	Exclu du petit séminaire pour un poème impertinent, Guy achève sa rhétorique au lycée de Rouen et il a pour correspondant le poète Louis Bouilhet qui, avec Flaubert, corrige ses premiers essais.		
1869	Mort de Louis Bouilhet. Bachelier, Guy s'inscrit en droit à Paris.		
1870	**Guerre franco-allemande.** Guy est mobilisé, attaché à l'intendance et, pendant la débâcle, manque d'être fait prisonnier.		
1871	Avr. : **Armistice.** Mars : **les Prussiens à Paris.** Mars-mai : **la Commune.** Sept. : Guy parvient à se faire remplacer et quitte l'armée.		
1872	Obtient un emploi subalterne au ministère de la Marine et s'inscrit en deuxième année de droit.		
1873	Parties de canotage sur la Seine le week-end. Il rédige des contes, et Flaubert le guide.		
1875	Il fréquente les « mardis » de Mallarmé, et Flaubert lui fait connaître Tourgueniev et Zola.	**1875**	Publication d'un conte macabre, « la Main d'écorché », dans *l'Almanach lorrain de Pont-à-Mousson*. Représentation d'une pièce pornographique : *A la feuille de rose, maison turque*.
1876	Guy fréquente quelques parnassiens, ainsi que Zola et Huysmans. Il voit surtout très fréquemment Flaubert.	**1876**	Le *Bulletin français* publie un conte et *la République des lettres* un poème (« Au bord de l'eau »), *la Nation* un article sur Balzac.
1877	Guy obtient un avancement. Problèmes de santé dus à la syphilis. Cure à Loèche-les-Bains.	**1877**	Il donne à *la Mosaïque* « le Donneur d'eau bénite » (conte) sous la signature de GUY DE VALMONT.
1878	Migraines et canotage. Il fréquente les hydropathes et le salon de Nina de Villard.	**1878**	*La Trahison de la comtesse de Rhune,* drame, est refusé au Français.
1879	Voyage en Bretagne en septembre.	**1879**	Une pièce, *l'Histoire du vieux temps,* est jouée chez Ballande et publiée chez Tresse. *La Réforme* publie « le Papa de Simon » (conte).
1880	Guy doit comparaître devant le juge d'Étampes pour outrage à la morale publique à cause de son poème *Une fille.* Flaubert intervient en sa faveur. Troubles oculaires et cardiaques. Mort de Flaubert. Guy quitte le ministère et voyage en Corse. Il lit Schopenhauer.	**1880**	*La Revue moderne* publie « Une fille », et Charpentier un recueil : *Des vers. Boule de suif,* publiée dans *les Soirées de Médan,* rend Guy célèbre.
1881	Séjours à Paris, Étretat et Sartrouville. Voyage de deux mois en Algérie, troublée politiquement. Maupassant écrit des chroniques engagées.	**1881**	Collabore à diverses revues, en particulier au *Gil Blas,* où il signe MAUFRIGNEUSE. Havard publie *la Maison Tellier.*

VIE	ŒUVRE
	1882 *Mademoiselle Fifi*, chez Kistemaeckers, et un fragment d'*Une vie* dans la revue *Panurge*.
1883 Santé chancelante; problèmes de la vue. Naissance du premier enfant de Joséphine Litzelmann, très probablement enfant illégitime de Maupassant (il en aura trois).	**1883** Publication d'*Une vie* en feuilleton au *Gil Blas*, puis en volume chez Havard. *Contes de la bécasse*, chez Rouveyre et Blond et *Clair de lune*, chez Monnier.
1884 Correspondance avec Marie Bashkirseff et avec la comtesse Potocka. Grande amitié avec Herminie Lecomte de Noüy. Séjours à Cannes.	**1884** *Au soleil*, journal de voyage, chez Havard, ainsi que *Miss Harriet*. *Les Sœurs Rondoli*, chez Ollendorf. Préface aux lettres de Flaubert à George Sand.
1885 Voyage en Italie et en Sicile. Été à Châtelguyon. Achat du yacht le *Bel-Ami*.	**1885** *Bel-Ami* d'abord publié en feuilleton au *Gil Blas*, puis chez Havard. *Monsieur Parent*, chez Ollendorf et *Contes du jour et de la nuit*, chez Havard (recueils).
1886 Amorce de duel avec Jean Lorrain, qui l'a raillé dans un roman. Voyage en Angleterre; invité par le baron de Rothschild. Séjour à Étretat.	**1886** *Toine*, chez Marpon et Flammarion. *La Petite Roque*, chez Havard. Le *Gil Blas* publie la première version du *Horla* (26 oct.).
1887 Troubles mentaux d'Hervé de Maupassant, son frère, que Guy fait examiner avant de partir pour l'Afrique du Nord.	**1887** *Mont-Oriol*, roman, chez Havard. Ollendorf publie *le Horla*, recueil qui contient la seconde version de la nouvelle.
1888 Croisière à bord du *Bel-Ami*. Séjourne quelques jours chez la princesse Mathilde. Voyage à Alger et Tunis.	**1888** *Pierre et Jean*, roman, précédé de l'étude *le Roman*, son écrit théorique le plus important, paraît chez Ollendorf. *Sur l'eau*, journal, chez Marpon et Flammarion. *Le Rosier de Mme Husson*, recueil, chez Quantin.
1889 Il aide financièrement Villiers de L'Isle-Adam. Correspondance passionnée avec la comtesse Potocka. Séjours près de Vaux, à Paris ou à Étretat. Hervé est interné et meurt trois mois après. Fête dans la maison d'Étretat avec représentation du *Crime de Montmartre*. Croisière à bord du *Bel-Ami*. Visite à Tunis d'un asile d'aliénés. Voyage en Italie. Graves problèmes de santé.	**1889** *La Main gauche* et *Fort comme la mort* (roman), chez Ollendorf. Une étude, « l'Évolution du roman du XIXe siècle », dans la *Revue de l'Exposition universelle de 1889*.
1890 Aggravation de ses troubles de santé. Projette des voyages en Espagne, en Égypte; il ne les entreprendra pas. Reçoit les visites d'une mystérieuse « dame en gris ». Cure à Plombières et à Aix-les-Bains, où il se lie d'amitié avec le docteur Henry Cazalis (en littérature Jean Lahor).	**1890** *La Vie errante*, journal de voyage, chez Ollendorf. *L'Inutile Beauté*, recueil de nouvelles, chez Havard. *Notre cœur*, roman, chez Ollendorf.
1891 Guy ne peut plus écrire, tant sa santé se détériore. Dépression et grandes périodes de fatigue. Les premières atteintes de la paralysie générale lui causent de véritables tortures, et son comportement en souffre (démêlés avec un romancier, avec un journal de New York). Déc. : atroces souffrances; dernières lignes à Cazalis : « C'est la mort imminente et je suis fou ».	**1891** Une pièce, *Musotte*, jouée au Gymnase, remporte du succès.
1892 Nuit du 1er au 2 janv. : tente de se trancher la gorge. Est soigné par le docteur Blanche dans la maison de santé de Passy. Sa santé mentale et physique sombre rapidement : crises, convulsions.	
1893 6 juil. : mort de Guy de Maupassant.	

Boule de suif

La nouvelle fut publiée en 1880 dans le recueil collectif des *Soirées de Médan*, qui, associant au nom de Zola ceux de Maupassant, Huysmans, Céard, Hennique et Alexis, parut comme un manifeste de la nouvelle école naturaliste. Brusquement Maupassant devint célèbre. Le volume fut largement commenté, son thème directeur, la guerre de 1870, suscitant bien des controverses dans la mesure où les naturalistes rejetaient le patriotisme enthousiaste, vertueux et sentimental qui était alors de rigueur. « Ce ne sera pas anti-patriotique, écrivait Maupassant à Flaubert, mais simplement vrai. » Le succès de *Boule de suif* ne fut pas assuré uniquement par son insertion dans un recueil qui fit du bruit : la nouvelle se suffisait à elle-même, et les remarques de Flaubert valent tous les commentaires critiques. Pour lui, le récit est un « chef-d'œuvre de composition, de comique et d'observation. C'est bien original de conception, entièrement bien construit et d'un excellent style. Le paysage et les personnages se voient, et la psychologie est forte ». Ses quelques conseils sur des retouches de détail avaient été suivis, et il put prédire à l'œuvre la postérité.

Synopsis. — Après la débâcle, les Prussiens envahissent Rouen, où les bourgeois ne leur font pas trop mauvaise figure; rapidement la vie reprend son cours normal, et une diligence peut même partir pour Le Havre avec, à son bord, deux couples d'aristocrates financiers, un marchand de vin roublard accompagné d'une épouse acrimonieuse, deux religieuses marmonnant leur chapelet, un républicain virulent et une prostituée un peu trop grasse surnommée Boule de suif. La faim tenaille bientôt le groupe, et les victuailles apportées par la fille sont acceptées, après quelques réticences, par tous. A Tôtes, la diligence est retenue par un officier prussien qui a décidé d'obtenir les faveurs de Boule de suif. Le refus de celle-ci plonge ses compagnons de voyage d'abord dans l'admiration vertueuse, puis dans la consternation. Une fine stratégie d'influences sournoises est mise en œuvre pour venir à bout de cette obstination, et Boule de suif cède enfin. La voiture repart, chacun mange ses provisions dans son coin, pendant que la jeune femme, rejetée de tous, ne peut ravaler ses larmes.

Naturaliste par sa fidélité au réel, *Boule de suif* dépasse le souci d'école grâce à un système de narration très souple (l'humour, en particulier, y joue un grand rôle) et un système de composition à la fois strict et nuancé. Plus qu'une anecdote réelle, ou que la peinture de personnages renvoyant à des modèles aisément identifiables (rappelons seulement que Maupassant rencontra plus tard l'incarnation de son héroïne, une prostituée rouennaise), c'est l'esprit d'une époque, dans ses diverses variations, selon la gradation sociale, qui resurgit là. La satire, féroce et pénétrante, n'aboutit jamais au manichéisme; nul héros parfait chez Maupassant, où les meilleurs n'accèdent qu'à un héroïsme un peu ridicule et souvent désespéré, précisément comme cette Boule de suif, prostituée un instant vertueuse, qui, si elle est rejetée par le parti de l'ordre (notabilités aristocrates et bourgeoises alliées au clergé) et de la morale, ne peut que le soutenir (elle est effarouchée par le républicanisme purement verbal de Cornudet et reste sentimentalement orléaniste). Contre l'hypocrisie des uns et des autres, le mouvement de révolte d'une fille perdue ne peut rien. Mais, dans le pessimisme de l'œuvre, une singulière gaieté se fait jour, celle d'une malice toujours en éveil qui traduit un jeu mouvant de distance du narrateur par rapport à son récit.

En un parallélisme inversé, la structure claire de la nouvelle, qui s'articule en trois moments (voyage jusqu'à Tôtes, séjour forcé, départ pour Le Havre), s'appuie sur une série d'oppositions (acceptation puis rejet de la prostituée, neige puis soleil, partage puis exclusion) en dissimulant sa solide armature sous un habile système de transitions.

BIBLIOGRAPHIE

Marie-Claire Bancquart, *Boule de Suif et Autres Contes normands*, classiques Garnier (introduction sur l'importance de la veine normande); Louis Forestier, préface de *Boule de Suif, la Maison Tellier*, « Folio » 1973 (sur la modernité de Maupassant et la figure de la prostituée dans son œuvre) et la Bibl. de La Pléiade (pour la genèse, l'étude du succès et les variantes de l'œuvre).

Une vie

Publié en 1883, ce premier roman pourrait apparaître comme une mosaïque de temps forts (d'ailleurs Maupassant a utilisé des chapitres de l'œuvre pour les transformer en contes), si l'on n'y discernait la maîtrise de la composition, l'alternance des moments de drame et de répit, l'utilisation du suspens et surtout un art consommé de rendre le quotidien avec une présence presque violente.

Il s'agit bien là d'un roman naturaliste, avec son désir de tout explorer, de tout dire, et en particulier ce qui touche à la sexualité. Maupassant évoque une étonnante diversité d'attitudes devant cette sexualité, depuis celle du baron, rousseauiste qu'attendrit tout accouplement, jusqu'à celle du mari, veule, brutal, mais raffiné par instants, sans oublier le goût de la grivoiserie chez les campagnards. Tout est dit, sans fioritures, de l'essentiel : de l'amour physique donc, mais aussi de l'accouchement, de la mort, de ce qui précisément constitue « une vie ».

Naturaliste encore cette évocation d'une dégradation, cette course à l'anéantissement : Maupassant est bien aussi l'émule de Flaubert, non seulement de celui des *Trois Contes,* mais aussi de celui de *l'Éducation sentimentale :* car Jeanne, le personnage principal, fait l'apprentissage prosaïque du désabusement; et le mot de la fin, que prononce Rosalie, la sœur de lait de Jeanne : « La vie, voyez-vous, ça n'est jamais si bon ni si mauvais qu'on croit », ne doit pas faire illusion : ce n'est qu'au moyen d'un engourdissement béat, d'une sorte de folie adoucissante (on appelle en effet Jeanne « la folle »), de cette tendresse mouillée, autour du corps de l'enfant, que le vide de l'existence peut parfois disparaître.

Tout s'effrite peu à peu et sans retour pour la jeune femme : d'abord la figure idéalisée de son mari, puis la fusion tendre avec les parents. Le ratage du couple de Jeanne s'accompagne de la révélation d'un autre échec, celui du couple parental. Univers sans espoir, où chacun répète les échecs des générations précédentes, aggravant la déchéance. Plus terrible encore que la destruction des rêves, la dégradation des forces instinctives chez celle qui avait tout pour être heureuse marque l'ironie cruelle du sort. Le passage entre l'innocence (l'enfance ignorante, trop protégée) et l'âge adulte s'est mal fait; et tout sombre.

Il nous manque dans cette vie si banalement, et donc si abondamment remplie, la mort de Jeanne; peut-être tout simplement parce que la vision désespérée de Maupassant fait de toute vie, non pas un enrichissement, mais une perte continuelle, une dépossession, une série de morts; peut-être aussi que le reste à vivre, dans cette atmosphère pessimiste, est pire que la mort.

BIBLIOGRAPHIE

Pour une étude très détaillée des sources : André Vial, *la Genèse d'« Une vie », premier roman de Guy de Maupassant, avec de nombreux inédits*, Belles-Lettres, 1954; et pour une série d'articles assez divers qui situent l'œuvre dans l'histoire des courants de pensée, un ouvrage collectif : *Analyses et Réflexions sur « Une vie » de Maupassant et le pessimisme*, éd. Marketing, 1979.

Bel-Ami

Le roman de *Bel-Ami*, publié en 1885, trace un trajet inverse de celui qui est évoqué dans *Une vie;* là où l'échec s'approfondissait par paliers, le succès chemine de la même façon. Roman d'apprentissage avant tout, puisque Georges Duroy, dit bientôt « Bel-Ami », s'adapte au jeu social et utilise ses meilleurs atouts (en l'occurrence les femmes, séduites par sa beauté) pour accéder à la fortune. Duroy est l'envers masculin d'Emma Bovary : si Emma échouait dans le réel pour avoir trop rêvé, Bel-Ami triomphe en don Juan doublé d'un Homais.

Synopsis. — Georges Duroy, ambitieux sans fortune, retrouve à Paris son ami de régiment, Forestier, qui le présente à M. Walter, directeur de *la Vie française* (ı et

II). Duroy sait plaire à Madeleine Forestier, qui rédige pour lui une chronique pittoresque sur l'Algérie (III), ce qui lui permet de s'affirmer rapidement comme un « remarquable reporter » (IV). Dans le même temps, Mme de Marelle, amie des Forestier, devient sa maîtresse, mais, découvrant qu'il fréquente une prostituée, le quitte bientôt (V). Il se tourne alors vers Mme Forestier, qui se refuse à lui, puis vers Mme Walter (VI). Son rôle devient plus important au journal, mais, attaqué par un confrère, il doit se battre en duel (VII). Appelé par Madeleine, qui acceptera une « association » plutôt qu'un véritable mariage, il assiste à l'agonie de Forestier (VIII).

Madeleine, devenue Mme Du Roy du Cantel, donne à son époux des conseils pour gagner plus d'argent (IIe partie, I) et lui dicte un article qui fait sensation : il obtiendra la rédaction politique du journal. Mais Duroy devient rétrospectivement jaloux de Forestier et se détache de sa femme (II) pour reprendre sa liaison avec Mme de Marelle et s'attacher à inspirer une passion violente à Mme Walter (III), tandis qu'il devient pour son directeur un allié rusé, prompt à plonger dans le marais politique (IV). Mme Walter, qui a succombé et s'accroche maintenant à son « Bel-Ami », lui révèle les dessous d'une sordide affaire : l'expédition du Maroc (V). Au nom de l'honneur, Duroy soutire habilement à sa femme, qui a besoin de sa signature, la moitié de l'énorme héritage qu'un vieil ami lui a laissé (VI), ce qui ne l'empêche pas d'envier un Walter prodigieusement enrichi par l'affaire du Maroc, et dont il va séduire la fille, Suzanne (VII). Après avoir fait constater le délit d'adultère de sa femme avec un ministre, se donnant par là le plaisir de « jeter bas le ministère des Affaires étrangères » (VIII), et une fois le divorce prononcé, il enlève Suzanne (IX).

Le scandale dûment constaté, Mme de Marelle consentant à rester l'éternelle maîtresse, Mme Walter désespérée mais condamnée au silence et Madeleine Forestier prêtant son talent à un nouveau Bel-Ami en herbe, Duroy, promu rédacteur en chef, couronne sa carrière par un richissime mariage (X).

Bel-Ami risque cependant de succomber lors de l'apprentissage dangereux du caractère inéluctable de la mort. Malgré sa roublardise normande et son gros bon sens, il reste fasciné devant le néant et doit apprendre, comme malgré lui, qu'il faut mourir un jour, et que toute entreprise est vouée au néant : ce qui donne un étrange éclairage à ce roman d'une réussite. Les discours nihilistes d'un chroniqueur du journal où il travaille et l'agonie de son ami Forestier ne manquent pas de troubler un moment Duroy. Autre danger paralysant, la peur avant un duel : « Si une force plus puissante que sa volonté dominatrice, irrésistible, le domptait, qu'arriverait-il? Oui, que pouvait-il arriver? » Heureusement, tous ces obstacles, tentations d'échec à visage de mort, cèdent devant ses forces de vie, qui sont, elles, tournées du côté de la platitude cynique. Le grand sauveur de Bel-Ami, c'est Éros, c'est son désir des femmes. Même si elles lui sont utiles, il ne les désire pas seulement pour leur aide éventuelle. Bel-Ami, qui n'abandonne jamais le principe de plaisir, est un être de pulsions qui vise toujours à les satisfaire, et son goût des femmes dépasse ses calculs.

Seulement — là apparaît la philosophie pessimiste de Maupassant —, cet être de désir, à qui le succès sourit, qui obéit si facilement à cette force irrésistible qui le pousse vers l'autre sexe, ne peut être qu'un médiocre : il n'atteint pas l'intelligence désabusée de la lucidité.

A côté d'un psychologisme un peu rapide (les portraits de femmes, le don-juanisme sommaire), la satire brille dans la dénonciation toute politique (l'anticolonialisme de Maupassant s'y profile), et l'humour sert l'indignation. Belle leçon de sociologie critique que celle qui montre comment fonctionne un grand journal, comment on peut construire une chronique par des recettes, dans l'inauthentique et l'artifice.

Or Bel-Ami est celui qui sait que la réussite est dans l'artifice, qui sait que le miroir — où il se regarde avec complaisance — ment et qui s'y sourit quand même.

BIBLIOGRAPHIE
Roger Bismut, *Quelques problèmes de création littéraire dans « Bel-Ami »*, Colin, 1967; Armand Lanoux, *Maupassant le Bel-Ami*, Fayard, 1967; Marie-Claire Bancquart, *Bel-Ami*, Imprimerie nationale, « Les Lettres françaises », 1979, et dans le *Magazine littéraire* de janvier 1980 un article sur *Bel-Ami* (Maupassant « écrivain de la politique » dénonçant les expéditions coloniales : Tunisie puis Égypte et Tonkin).

Le Horla

Les deux versions du *Horla*, celle du 26 octobre 1886 et celle du 25 mai 1887, montrent son importance. Avec le remaniement, c'est la portée de l'œuvre qui a évolué; la seconde version accentue le caractère fantastique en modifiant le point de vue : plus de médecin, plus d'auditeur, plus de neutralité bienveillante; le lecteur est projeté d'emblée dans la lecture d'un journal intime qui lui présente les mêmes faits que *le Horla* de 1886, mais dans une version plus intériorisée puisque, selon Todorov, l'utilisation du « je » suggère l'identification du lecteur avec le narrateur. Le changement d'optique ou de narration, en supprimant la conclusion de type merveilleux (croyance en une sorte d'extra-terrestre dominateur), au profit du pur fantastique, a transformé radicalement, comme l'a montré André Vial, la finalité du conte. Le nouvel éclairage tient aussi à une différence de structure, et Marie-Claire Bancquart a mis en évidence la « symétrie décalée » qui régit la seconde version, où l'on voit le journal à la date du 2 août reprendre ce qui a été dit à celle du 8 mai, sans présenter la même « résistance à l'invisible ». Dans *le Horla* de 1886, où le médecin joue un rôle de garde-fou, le récit est encadré par des épisodes qui apportent une caution scientifique au discours en discréditant l'hypothèse de la folie, aboutissant, selon la formule de Louis Forestier, à une sorte de « messianisme à rebours ».

Étude d'une démence naissante, d'une lutte inutile contre une obsession dévorante, *le Horla* fait également figure de document clinique : Maupassant avait suivi les cours de Charcot sur l'hystérie, il s'intéressait à l'hypnotisme et au magnétisme (le nom de Mesmer est cité dans *le Horla*).

Qu'est-ce que le Horla, cet être qui apparaît progressivement comme source d'effroi et de dévoration? Marie-Claire Bancquart a repéré les appellations successives de cette présence : « on, l'être invisible, le Horla, celui que la terre attend »... Mais ce défini reste à jamais indéfini, et la nomination ne renvoie qu'à une absence de support référentiel. On a proposé plusieurs origines du nom « Horla » : génitif de Oriol, dérivé de Hurlubleu de Nodier, résultat d'un attrait pour le vocalisme *o/a* comme dans *Zola* ou *choléra*... Ce « hors-là » est peut-être tout simplement un vampire qui dévore la vie sur la bouche de sa victime. L'arrachant de ses racines (car *le Horla* de 1887 commence par l'affirmation d'une identité fondée sur « ces profondes et délicates racines qui attachent un homme à la terre où sont nés, ont vécu et sont morts ses aïeux »), le Horla vole son terroir au narrateur et l'oblige à fuir.

Monstre terrifiant, irréductible à toute catégorie humaine, le Horla, si l'on en juge par quelques légères notations, appartient peut-être tout autant à quelque « roman familial », comme le fantôme d'un amour lointain; ce baiser qu'une bouche prend sur une bouche, cette rose cueillie, ce lait bu (détesté par le narrateur), renvoient à un être doux, tout entier du côté de la liquidité primordiale (et pourquoi ce choix du nom de Parent — « Monsieur Parent » est d'ailleurs le personnage central d'un conte de Maupassant qui porte ce titre — pour le tout-puissant médecin?). Dans l'horreur gît aussi le désir fasciné de mourir, comme un retour impossible (« comme on tomberait pour s'y noyer dans un gouffre d'eau stagnante »). Ce « bourreau » qui ne lâche pas sa victime et la retient dans ses invisibles filets, ne possède-t-il pas une horrible douceur bien maternante? Quoi qu'il en soit, et si multiple qu'il soit, le Horla est bien un ogre possessif qui va scinder l'identité de sa victime. « Je ne suis plus rien en moi, dit le malade déjà touché par l'aile noire de la folie et de la dévoration, rien qu'un spectateur esclave et terrifié de toutes les choses que j'accomplis. »

Ce feu qui brûle la maison sans venir à bout de cet être de lait est comme la métaphore d'un autre feu, dévorateur, terrifiant lui aussi, dont nous ne savons rien, sinon par de rares gerbes d'étincelles.

BIBLIOGRAPHIE

Marie-Claire Bancquart, « *Le Horla* » *et Autres Contes fantastiques*, Garnier, 1976 (une préface claire et documentée); l'auteur approfondit l'analyse et donne une définition du fantastique dans : *Maupassant conteur fantastique*, Archives des Lettres modernes, Minard, 1976; Pierre Cogny, *le Maupassant du « Horla »*, Minard, « Lettres modernes », 1970 (éd. annotée et étude de l'œuvre dans ses deux versions); Ross Chambers, « *Spirite* et *le Horla* », *Revue des sciences humaines*, 1980, n° 177 (article qui désigne en le Horla « cet autre du lecteur qu'est le texte »; analyse de l'écriture de Maupassant et de son articulation avec la lecture).

BIBLIOGRAPHIE GÉNÉRALE

Éditions

Il existe plusieurs éditions des œuvres complètes de Maupassant, comme celle d'Ollendorf (très sûre, en 30 vol. publiés de 1889 à 1912), celle de Conard (illustrée, en 29 vol.), celle de la Librairie de France ou celle des éd. Rencontre. Chez Albin-Michel (2 vol. pour les contes, 1 pour les romans), Albert-Marie Schmidt a classé les contes selon un ordre thématique.

En ce qui concerne les contes, on se reportera de préférence à la Bibliothèque de la Pléiade, Gallimard, 1974 et 1979, en 2 vol., précieuse grâce aux notes de Louis Forestier. Les Classiques Garnier proposent 2 vol. de contes (« *Boule de Suif* » *et Autres Contes normands*, « *le Horla* » *et Autres Contes cruels et fantastiques*) présentés par Marie-Claire Bancquart, et 2 romans (*Pierre et Jean, Notre Cœur*) annotés par Pierre Cogny. Les éditions de poche, « Folio », « Livre de poche » ou « Garnier-Flammarion », sont en outre très nombreuses.

Critiques

Pour une approche globale et rapide, on pourra se référer au *Maupassant par lui-même* d'Albert-Marie Schmidt, Le Seuil, 1962; les ouvrages de René Dumesnil, *Guy de Maupassant*, Colin, 1933 (assez complet), ou de Paul Morand, *Vie de Maupassant*, Flammarion, 1942 (moins nuancé), donnent une vue d'ensemble, ainsi que *la Vie et l'Œuvre de Guy de Maupassant* d'Edouard Maynial, Mercure de France, 1906. Artine Artinian dans *Pour et Contre Maupassant* a enquêté sur les opinions de divers hommes de lettres (la préface fait le point), Nizet, 1955.

On aura recours pour une étude plus approfondie à *l'Art de Maupassant d'après ses variantes*, Imprimerie nationale, 1950, de Jean Thoraval (mise en évidence d'une théorie de l'écriture chez Maupassant), et à *Guy de Maupassant et l'Art du roman*, Nizet, 1950, d'André Vial (on y trouve également une étude sur les contes). Gérard Delaissement met en lumière un aspect non négligeable de Maupassant dans son *Maupassant journaliste et chroniqueur*, Albin Michel, 1956.

Plus récents, les travaux de Marie-Claire Bancquart, en particulier *Maupassant conteur fantastique*, « Archives des lettres modernes », n° 163, Minard, 1976 (définition rigoureuse du genre fantastique chez Maupassant, et analyse détaillée des contes) restent les plus éclairants. Ceux de Micheline Besnard-Coursodon : *le Piège*, Nizet, 1973, et « Regard et destin chez Guy de Maupassant », *Revue des sciences humaines*, n° 167, 1977 (l'œuvre est analysée à travers les grilles pertinentes du piège ou du regard) participent davantage d'une étude thématique.

Les linguistes se sont intéressés aux contes de Maupassant et surtout à leur structure; Jean Verrier (« La Ficelle », *Poétique* n° 30, Le Seuil, 1977) et A.J. Greimas (*Maupassant, la sémiotique du texte*, Le Seuil 1976, travail sur *Deux Amis*) utilisent le texte comme matériel pour une analyse structurale à la fois formelle et très fine (la prodigieuse organisation interne du texte de Maupassant y est minutieusement explicitée). Dans *Lisible/Visible*, « Change », Seghers/Laffont, 1978, Jean Paris étudie *la Maison Tellier* (essai de « critique générative », décelant les procès de détermination de l'identité et de tendance à l'anonymat); dans *Univers parallèle II : le Point aveugle*, Le Seuil, 1975, le même auteur relève dans « Maupassant et le contre-récit » le dualisme structural et les logiques narratives des contes (en particulier l'enchâssement).

On trouvera aussi des articles dans diverses revues, comme *Europe* qui consacre à Maupassant son numéro de juin 1969 (études d'intérêt divers, voir en particulier « la Structure de la farce » de Pierre Cogny), la *Revue d'histoire littéraire de la France*, mars-avril 1980 (Michel Crouzet, « Une rhétorique de Maupassant? », étude de la création de l'effet de réel), *Littérature*, Larousse, mai 1977 (Alain Buisine étudie *l'Inutile beauté*). Le *Magazine littéraire* de janvier 1980 présente un dossier sur Maupassant avec des articles d'Armand Lanoux, de Marie-Claire Bancquart et d'Hubert Juin.

ADAPTATIONS

Après le cinéma muet, le parlant et la télévision se sont emparés de Maupassant qui a beaucoup inspiré les cinéastes dans le monde entier.

Les premiers films muets, qui reprenaient des contes de Maupassant, ont pour la plupart disparu; il nous reste cependant, entre autres, *le Collier* de Griffith (1909). Si les Soviétiques comme Donatien ou Tourjansky furent attirés par le réalisme de Maupassant, la meilleure production reste celle de Cavalcanti, *Yvette*, 1927. Laissant de côté les adaptations grivoises, trop nombreuses, nous citerons les deux intéressantes *Boule de suif*, celle du Soviétique Romm, 1934, et celle du Japonais Mizoguchi, 1935. En 1945, Jeanson et Christian-Jacque amalgament *Boule de suif* et *Mlle Fifi* dans un film qui évoque l'actualité de l'Occupation. On trouve une bonne adaptation de *la Parure* dans *Lumière de la nuit (Romanze in Moll)* de l'Allemand Kautner, 1943. En 1951, André Michel, dans *Trois femmes*, adapte *Boitelle, l'Héritage* et *Mouche*. Un an plus tard, Kirsanoff propose un court métrage de *Deux amis* et en 1966 Borowczyk réalise une *Rosalie* réussie. Cayatte tourne *Pierre et Jean* en 1943; Lewin mythifie *Bel-Ami* dans *the Private Affairs of Bel-Ami*. Pour l'adaptation de la même œuvre, Daquin mit l'accent sur la satire politique qui soulevait les problèmes du colonialisme : son film fut interdit en 1955 pour « fins de désagrégation française ». Astruc donne une très belle version de *Une vie* (1957) et Ophuls utilise poétiquement Maupassant (plus qu'il ne l'adapte) dans *le Plaisir*, 1952, qui reprend *le Masque, la Maison Tellier* et *le Modèle*. Godard s'inspire lui aussi de Maupassant dans *Masculin-féminin* en 1965.

Les adaptations fonctionnent à la télévision dans de nombreux pays et Carlo Rim réalise en 1961 et 1962 des versions françaises, anglaise, allemande, espagnole et italienne de 13 contes de Maupassant. C'est donc dans l'ensemble la veine réaliste de l'œuvre qui a inspiré le cinéma.

F. COURT-PÉREZ

MAUPERTUIS Pierre Louis Moreau de (1698-1759). Né à Saint-Malo, il fit des études de mathématiques à Paris et, dès l'âge de vingt-cinq ans, fut admis à l'Académie des sciences. Lié aux Bernoulli, il fit connaissance de Voltaire, qu'il convertit au système de Newton. Membre d'une expédition envoyée en Laponie pour mesurer la longueur d'un arc de méridien terrestre de 1° près du cercle polaire (1736-1737), il constata expérimentalement l'aplatissement de la terre vers les pôles. Élu à l'Académie française en 1743, il fut choisi en 1745, par Frédéric II, comme président de l'Académie royale de Prusse, à laquelle il appartenait depuis 1740. Son *Mémoire sur la moindre action*, dans lequel il établissait le « principe de moindre action » — « Le chemin que tient la lumière est celui pour lequel la quantité d'action est moindre » — lui valut une dispute avec le leibnizien Samuel Koenig. Voltaire, intervenant dans la querelle, ridiculisa Maupertuis dans *Micromégas* et dans *la Diatribe du docteur Akakia, médecin du pape*.

Jusqu'à sa mort, cet esprit fécond et original s'intéressa à des problèmes philosophiques divers. L'*Essai de philosophie morale* (1749) est une tentative d'application des mathématiques à l'étude des sentiments. Le *Système de la nature* (1751) tire la philosophie de Leibniz dans le sens d'un hylozoïsme qui anime la nature de sensations, de désirs et de sympathies, cependant que la *Vénus physique* (1745) et l'*Essai sur la formation des corps organisés* (1754), qui admettent que des variations fortuites expliquent l'apparition d'espèces nouvelles, font de Maupertuis un précurseur du transformisme. Les *Réflexions philosophiques sur l'origine des langues et la signification des mots* (1748) évoquent la possibilité d'écrire l'histoire de l'esprit à la lumière de l'histoire comparée des langues, et la *Lettre sur les progrès des sciences* (1752) propose un programme d'études expérimentales pour étudier l'origine du langage.

BIBLIOGRAPHIE

Œuvres, 4 vol., Lyon, 1756, 1768; *Réflexions philosophiques sur l'origine des langues et la signification des mots*, dans R. Grimsley, *Sur l'origine du langage*, Genève, Droz, 1971. On trouvera des extraits de Maupertuis dans *Maupertuis, le savant et le philosophe*, présentation et extraits par E. Callot, Paris, Rivière et Cie, 1964, et *Varia linguistica*, textes rassemblés et commentés par C. Porset, Bordeaux, Ducros, 1970.

A consulter. — J.H. Formey, *Éloge de Maupertuis*, Berlin, 1760; L. Angliviel de la Beaumelle, *Vie de Maupertuis*, Paris, 1856; P. Brunet, *Maupertuis, l'œuvre et sa place dans la pensée scientifique et philosophique du* XVIIIe *siècle*, Paris, 1929; *id.*, *Maupertuis, étude biographique*, Paris, 1929; L. Velluz, *Maupertuis*, Paris, Hachette, 1969; *Actes des Journées Maupertuis* (Colloque de Créteil, 1973), Paris, Vrin, 1975.

A. PONS

MAURIAC Claude (né en 1914). Né à Paris, fils de François Mauriac, Claude Mauriac entreprend des études de droit et, en 1941, obtient son doctorat. Il fait ses débuts littéraires en publiant en 1938 son premier ouvrage critique : *Introduction à une mystique de l'enfer* consacré à Marcel Jouhandeau. Pendant la guerre, il rejoint les rangs du gaullisme; en 1944, il devient le secrétaire particulier du général de Gaulle, fonction qu'il occupe jusqu'en 1949. Il se consacre ensuite au journalisme et à la littérature : il fonde et dirige de 1949 à 1953 la revue *la Liberté*, collabore, de 1946 à 1977, au *Figaro*, à *l'Express* et, à partir de 1978, au *Monde*. Sa réputation littéraire naît de ses articles sur la littérature et le cinéma autant que de sa tétralogie romanesque *le Dialogue intérieur* et ses « Mémoires » *(le Temps immobile)*.

C'est d'abord par la critique littéraire que Claude Mauriac aborde la littérature. D'œuvre en œuvre, l'essayiste affine ses jugements et tente d'éliminer du discours littéraire les mythes qui l'encombrent; il s'intéresse peu à l'« Auteur » — personnage illusoire et encombrant qui masque les véritables sens de l'œuvre — pour ne plus éclairer que le « Texte ». Cette exigence de rigueur, après quelques étapes (*André Breton*, 1949; *Proust par lui-même*, 1953; *Hommes et Idées d'aujourd'hui*, 1953), trouvera son aboutissement dans *l'Alittérature contemporaine* (1958). Dans ce livre, qui analyse, entre autres, les ouvrages de Kafka, Butor, Robbe-Grillet et Beckett, Claude Mauriac marque son attachement aux principes littéraires du « nouveau roman » : il faut éliminer la vaine littérature, celle qui prétend « avoir du fond », donner du « sens » : « Tous les sujets se valent », déclare-t-il; « l'une de mes certitudes est que ce que nous écrivons a moins d'importance que la façon dont nous l'écrivons ». C'est donc par la seule structure de son livre que le romancier dévoile sa vision du monde, sa conception de l'espace et du temps humain, et non par la création de personnages hautement symboliques ou par l'exposé de grandes thèses : le roman balzacien du XIXe siècle, pour Mauriac comme pour Robbe-Grillet, a cessé d'exister.

Cette réflexion sur la technique littéraire conduit Mauriac à la création romanesque. Se situant dans la lignée de Proust, l'écrivain fait du Temps le véritable personnage de ses livres. Le roman, pulvérisant la durée linéaire et « réelle », doit faire apparaître un nouveau mode temporel, recomposé par la structure de l'œuvre. Avec la chronologie vraisemblable doit disparaître l'impression de fuite que ressent la conscience humaine devant le temps. La recréation, par fragments de textes, d'un passé, d'un présent, d'un futur, décrits simultanément, acquiert alors un sens évident : écarter le sentiment de la mort. Ce sera *le Dialogue intérieur* (*Toutes les femmes sont fatales*, 1957; *le Dîner en ville*, 1959; *La marquise sortit à cinq heures*, 1961; *l'Agrandissement*, 1961). Suivront *l'Oubli* (1966); *Le Bouddha s'est mis à trembler* (1979).

Ce projet ambitieux est parfois démonstratif : on sent, dans *Toutes les femmes sont fatales*, une volonté avouée de monologue intérieur, à l'instar de Proust ou de Faulkner; dans les romans comme sur la scène, les intentions de l'auteur sont nettement soulignées par ses personnages : « Il n'y a plus de temps », affirme un des protagonistes à la fin du roman *Le Bouddha s'est mis à trembler;* « Pour nous, il n'y a pas de temps », déclare Lucien à la fin des *Parisiens du dimanche* (1968). Par là même, Claude Mauriac ne peut éviter de « redonner du sens » à un univers qu'il voyait simplement « fait de masses qui s'équilibrent » (*l'Alittérature contemporaine*).

Cependant, dans cette sorte de vaste journal qu'est *le Temps immobile* (*les Espaces imaginaires*, 1975; *la Terrasse de Malagar*, 1977; *Aimer de Gaulle*, 1978), Mauriac résout quelque peu cette contradiction; évitant les pièges que le « nouveau roman » réserverait à l'humaniste qu'il demeure, il laisse paraître ses jugements sur le monde contemporain, son admiration pour de Gaulle, tout en « fragmentant » ses remarques au mépris de la chronologie : la subjectivité est alors nettement assumée, qui refuse le temps historique pour ne plus mettre en lumière que ce que la conscience d'un homme a retenu, fixé, « immobilisé »; le genre du « journal », voire des « Mémoires », est ainsi délivré de ses traditionnels soucis de vraisemblance; à travers le prisme de l'écriture, le narrateur ne dissimule plus ses silences, ses hésitations, ses contradictions et il ne prépare pas les conclusions du lecteur : les ruptures, les retours en arrière obligent celui-ci à juger, seul.

Ainsi, indirectement, l'œuvre de Claude Mauriac révèle les questions que se pose un humaniste confronté à de nouvelles techniques et problématiques littéraires; l'écrivain tente alors d'opérer une synthèse personnelle. C'est sans doute par les leçons qu'il a su tirer des œuvres novatrices du XXe siècle qu'il retient le plus l'attention. Dans ses livres, ce n'est pas vraiment l'auteur qui s'impose, mais le témoin et le lecteur.

BIBLIOGRAPHIE

Sur Claude Mauriac on pourra consulter deux articles : « Claude Mauriac », étude de J. Majault, J.-M. Nivat et Ch. Geromini, dans *Littérature de notre temps*, Paris, Casterman, 1968; et Jacqueline Piatier, « Images d'un Orphée », dans *le Monde* du 11.12.1978.

J.-P. DAMOUR

MAURIAC

MAURIAC François (1885-1970). Homme de plume, homme de foi, homme de bien et de biens, Mauriac est aussi l'homme des déchirements. Chrétien, le romancier est en rupture avec une Église et des fidèles « pharisiens », qu'il accuse d'avoir perdu le message du Christ; bourgeois, il dénonce impitoyablement les tares de sa classe; journaliste, il exprime ses humeurs, polémiquant avec des adversaires, souvent alliés d'hier ou de demain. Mais, en même temps, il peut difficilement déserter ce qui le modela : « J'ai toujours rompu avec prudence » et il nous est difficile d'admettre qu'il y ait eu « rupture ».

« Je ne suis pas fait pour l'insuccès »

En François Mauriac, né à Bordeaux, se rencontrent deux traditions familiales : celle de la bourgeoisie d'affaires et celle des grands propriétaires terriens. Il reçoit une éducation catholique dont, plus tard, il conciliera difficilement les enseignements avec son statut de « nanti ». Si l'on en croit ses *Écrits intimes*, son enfance ne fut pas aussi solitaire qu'il le suggère dans *Un adolescent d'autrefois* (XII). Mais il eut alors l'occasion de développer, à côté d'un profond enracinement dans son terroir, des dons d'observateur : « Tout entrait en moi, et rien n'en sera perdu ». A seize ans, il découvre Barrès avec « émerveillement »; à dix-huit, suite à une conférence de Marc Sangnier, « une lumière du côté du *Sillon :* le problème social se découvrait à l'enfant bourgeois ». « Monté » à Paris, il opte pour une carrière littéraire qu'encouragent immédiatement plusieurs auteurs en renom, dont Barrès, dès 1910. D'abord tenté par la poésie (*les Mains jointes*, 1909; *Adieu à l'adolescence*, 1911), il choisit bientôt le roman, et, dans les années 20, il produit ses œuvres les plus marquantes : *le Baiser au lépreux, Genitrix, le Désert de l'amour, Thérèse Desqueyroux*... Parallèlement, il publie nombre d'essais (*la Rencontre avec Pascal, la Vie de Jean Racine, Dieu et Mammon*...) et de chroniques littéraires. Atteint d'un cancer des cordes vocales à la fin de 1931, il doit subir une opération qui lui laissera pour toujours sa célèbre « voix d'archange ». Cette maladie hâte son élection à l'Académie française (1933). Les années 30, durant lesquelles il publie *le Nœud de vipères, le Mystère Frontenac, la Fin de la nuit* et *Asmodée*, son œuvre théâtrale la plus réussie, sont aussi marquées par une réflexion théorique, *le Romancier et ses personnages*, que prolonge « la » polémique avec Sartre dont *la Pharisienne* porte la trace.

La guerre venue, il s'engage aux côtés de la Résistance en utilisant, dans *le Cahier noir* (publié sous le pseudonyme de FOREZ), ses armes spécifiques d'écrivain. A la Libération, manifestant son esprit de charité, il réagit contre les excès de l'épuration et, bien que très attaché au général de Gaulle, il critique le R.P.F. « J'étais alors avec de Gaulle contre de Gaulle ». Sa fidélité au général ne se démentira jamais. Simultanément à une intense activité journalistique (il lutte contre le colonialisme), il continue sans aucune trace de faiblesse son œuvre de romancier (*le Sagouin*, 1951; *Galigaï*, 1952; *l'Agneau*, 1954) et d'essayiste. Après 1958, il soutient inconditionnellement de Gaulle. Son *Nouveau Bloc-notes*, qu'il poursuivra jusqu'à sa mort, en est un témoignage.

Un romancier catholique

« Toutes les années de ma vie auront été pascaliennes. » La référence à Pascal est constante chez Mauriac depuis l'adolescence : « Je suis entré en Pascal » (*Un adolescent d'autrefois*). Cette vision sombre du monde, qui, dans sa dimension tragique, le rend « allergique au thomisme », influence sa création. La majorité de ses personnages sont en effet des êtres déchirés parce que la Grâce leur a manqué : Raymond Courrèges cherche en vain à se sauver dans le « divertissement », Thérèse Desqueyroux meurt un peu avant de goûter la paix de Dieu, tandis que le narrateur du *Nœud de vipères*, Louis, parvient ultimement « à cet amour dont [il] conna[ît] enfin le nom ador... » Une atmosphère de mystère baigne l'œuvre; elle est sous-tendue par le Mystère, l'importance du débat intérieur, et de lents cheminements vers la révélation rédemptrice de « ceux qui cherchent en gémissant ». Ainsi, dans sa vie comme dans ses romans, « l'un des grands bienfaits du christianisme est d'avoir donné un sens à la douleur humaine », poussée jusqu'au sacrifice (cf. *l'Agneau*). C'est pourquoi, au-delà de la psychologie, son œuvre s'inscrit dans une perspective racinienne : le secret enfoui en chaque être et guetté, dans une moiteur caractéristique, par certains héros, tel le Couture d'*Asmodée*, n'est qu'une réfraction du secret divin; et la crise se trouve concentrée sur le moment où, au fond de l'abîme, « les personnages entrevoient le ciel ».

Mais ce « témoignage du chrétien » n'implique pas une adhésion à l'appareil clérical. Mauriac déteste les « pharisiens », quelque justification qu'ils invoquent, et il ne peut admettre que l'Église pactise avec l'injustice (« Il n'est pas d'œuvre plus urgente que de libérer l'Église gallicane, enchaînée à la droite la plus aveugle, et, depuis l'affaire Dreyfus, la plus criminelle ») ou avec les puissances d'argent (« Que l'argent fût à ce degré chez des chrétiens ce qui ne se conteste pas... je m'en étonnais déjà dans mon enfance »). C'est donc un catholicisme tout intérieur, produit du « mystère de la foi, indestructible en ceux qui en ont reçu la grâce », qui l'inspire et nourrit sa lutte contre « les puissances trompeuses ».

« Souffrances du chrétien »

Mauriac emploie souvent les mêmes formules pour stigmatiser l'argent, la propriété (« Ce qui avilit, ce qui dégrade ») et — comme Julien Green — la sexualité (« L'érotisme met l'infini dans ce qui avilit et dans ce qui souille »), qui éloignent l'homme de l'amour de Dieu. Ses héros sont écartelés entre leurs pulsions et leurs scrupules, leurs remords et leurs regrets, l'idée de leur faute et celle de leur salut. A cet égard, le couple antithétique et typiquement mauriacien, qui oppose un être malade et consumé et un brillant nietzschéen éclatant de puissance; un intellectuel rabougri et un paysan plein de force animale; un provincial timide et un Parisien couvert de femmes, est la matérialisation, projetée en deux personnages, des débats intérieurs du chrétien. Car rien n'est plus difficile que de résoudre « le problème posé par la chair, par la cohabitation de l'âme, capable de Dieu, et de l'instinct le plus bestial ». Les héros de Mauriac n'en finissent pas d'assister en eux au combat de l'Ange et de la Bête, de la spiritualité et de la « chiennerie ». Les œuvres de Mauriac ignorent le bonheur du corps célébré (cf. la métaphorisation du désir dans le paysage mauriacien typique : solitude sous un soleil brûlant, dans une sécheresse étouffante), et il n'est de moments heureux que dans les extases mystiques : amour de la famille, grâce d'une rencontre, communion avec Dieu...

« Ne pas se renier »...

« Quelle grande œuvre est sortie d'un cœur et d'un esprit indifférents à l'histoire des hommes? » Né « du côté des injustes », Mauriac trouve dans le journalisme, en réponse à sa question, le moyen de rejoindre les justes. Ayant collaboré au *Gaulois,* à *l'Écho de Paris* (« plus réactionnaire que conservateur »), puis à *Sept,* le journal des dominicains, il devient, dans les années 50, le type même du chroniqueur polémiste. Le « bretteur gascon » est alors, grâce au *Bloc-notes,* puis au *Nouveau Bloc-notes,* intimement lié à la vie littéraire et, surtout, politique, de la décolonisation aux côtés de Mendès-France avec *l'Express,* et au « renouveau gaulliste ». Mais s'il s'affirme comme l'un des meilleurs polémistes du siècle, il se refuse certaines facilités : « la plupart des grands polémistes ont été de faux témoins ». Il revendique une démarche plus vraie et plus charitable, n'étant pas de ceux qui « ne font jamais que cribler de leurs flèches les fantoches qu'ils ont eux-mêmes fabriqués ». C'est de l'intérieur qu'il attaque ses adversaires, exploitant la moindre contradiction ou le moindre reniement. Pourtant, et comme à son insu, une cruauté malicieuse investit sa rhétorique à l'égard d'adversaires que, comme malgré lui, mais visiblement, il méprise.

C'est pourtant dans l'intériorité du propos critique qu'on retrouve une des caractéristiques de son univers romanesque, généralement construit autour de la fêlure d'un être en perpétuel porte-à-faux. En polémique aussi, « l'histoire d'un être, c'est celle de sa blessure », rouverte par le style, dont Mauriac souligne lui-même le sens étymologique de « poignard ». Il est donc, en continuité avec ses « fictions », « tout entier dans le moindre article », modulant, jusque dans ses écrits les plus liés au quotidien, pour lui-même et pour les autres, le motif du déchirement.

	VIE		ŒUVRE
1885	11 oct. : naissance de François Mauriac à Bordeaux, 86, rue du Pas-St-Georges, cinquième enfant de Claire et de Jean-Paul Mauriac. Famille maternelle : négociants bordelais; paternelle : propriétaires terriens.		
1887	11 juin : son père meurt d'un abcès au cerveau.		
1892	François entre au collège des Marianistes.		
1896	12 mai : première communion.		
1898	Entre en cinquième, au collège Grand-Lebrun de Caudéran. Amitié avec André Lacaze, qui influencera ses tendances « modernistes ». Févr. : procès et condamnation de Zola à propos de l'affaire Dreyfus.		
1901	Découverte de Barrès.		
1903	Va au lycée où il a comme professeur Marcel Drouin (MICHEL ARNAULD, l'un des fondateurs de *la Nouvelle Revue française),* beau-frère d'André Gide. Lit *l'Histoire contemporaine* d'Anatole France. **Séparation de l'Église et de l'État.**		
1906	Licence ès lettres. Adhère au *Sillon* de Marc Sangnier, qui sera condamné par Pie X en 1910.		
1907	Sept. : prépare à Paris l'École des chartes, logeant dans la maison des Maristes, 104, rue de Vaugirard. Quitte le *Sillon.*		
1908	Nov. : entre à l'École des chartes; participe aux affrontements Sillon/Action française.		
1909	Pâques : démissionne de l'École des chartes pour « se consacrer à la littérature ».	**1909**	Nov. : *les Mains jointes,* « Bibliothèque du Temps présent », Falque, « à compte d'auteur ».
1910	Article élogieux de Barrès sur *les Mains jointes* dans *l'Écho de Paris.* Fréquentation des « salons ». Été, voyage en Italie.	**1910**	Activités journalistiques (depuis 1908) à *la Revue du Temps présent,* au *Mercure de France,* à la *Revue hebdomadaire...*
1911	« Mésaventure sentimentale ». Été : voyage avec André Lafon, « reçus à Orthez par Jammes ».	**1911**	Juin : *Adieu à l'adolescence,* poèmes, chez Stock.
1912	6 juil. : rencontre Mlle Jeanne Lafon à la Fresne.	**1912**	Juin/juil. : *l'Enfant chargé de chaînes,* au Mercure de France.
1913	3 juin : mariage avec Mlle Jeanne Lafon. Nov. : lit Proust, *Du côté de chez Swann.*	**1913**	Mai : *l'Enfant chargé de chaînes* chez Grasset.
1914	25 avril : premier fils, Claude. Août : **déclaration de guerre à l'Allemagne.** 13 août : brancardier au grand séminaire, « en attendant le conseil de révision ».	**1914**	Articles de polémique politique dans *la Voix de Clichy,* sous le pseudonyme de FRANÇOIS STUREL. Juin : *la Robe prétexte,* roman, chez Grasset. Juil. : commence *la Chair et le Sang.*
1915-1916	Engagé dans « les formations du front de la Croix-Rouge ». 2 déc. 1916 : part pour Salonique.		
1917	Rapatrié fin mars, à la suite d'une fièvre. Juin : retour à Paris après convalescence. 5 août : première fille, Claire.		

	VIE	ŒUVRE
1918	4 févr. : rencontre Proust.	
1919	17 avr. : seconde fille, Luce. Collabore au *Gaulois*.	
1920		*Petits essais de psychologie religieuse*, Paris, à la Société littéraire de France. *La Chair et le Sang*, roman, chez Émile-Paul.
1921	Juil./sept. : compose *le Baiser au lépreux*. Déc. : commence *le Fleuve de feu*.	Janv. : « la Paroisse morte », dans *la Revue des jeunes*. Mai : « Dialogue d'un soir d'hiver », dans *les Écrits nouveaux*. Juil. : *Préséances*, roman, chez Émile-Paul.
1922	Fréquente « le Bœuf sur le toit », rue Boissy-d'Anglas, « Bacchanale »..., « ma période la moins chrétienne... »	*Le Baiser au lépreux*, roman, chez Grasset.
1923		Mai : *le Fleuve de feu*, roman, chez Grasset. Déc. : *Genitrix*, roman, chez Grasset.
1924	15 août : second fils, Jean.	1er avr. : « le Mal » (dans la revue *Demain*) et chez Grasset, roman. *La Vie et la Mort d'un poète*, chez Bloud et Gay (sur son ami André Lafon).
1925	Participe aux décades de Pontigny. Amitié naissante avec Charles Du Bos.	Févr. : *le Désert et l'Amour*, chez Grasset. Grand prix du roman de l'Académie française. Sept. : *Orages*, poèmes, chez Champion.
1926	Activité de critique dramatique.	*Le Jeune Homme* et *la Province*, chez Hachette.
1927		*Thérèse Desqueyroux*, chez Grasset.
1928	Crise religieuse à la suite de sa lecture du *Traité de la concupiscence* de Bossuet : « tout un destin cristallisait ». Rencontre l'abbé Altermann.	Févr. : *Destins*, roman, chez Grasset. Mars : *la Vie de Jean Racine*, essai, chez Plon. Mai : *le Roman*, aux éditions l'Artisan du livre. Oct. : *Souffrances du chrétien*, à la N.R.F.
1929	Mai : voyage en Espagne. Juin : mort de sa mère.	*Dieu et Mammon*, essai, aux éditions Le Capitole. *Trois récits*, nouvelles, chez Grasset. Avr. : *Bonheur du chrétien*, à la N.R.F.
1930		*Ce qui était perdu*, roman, chez Grasset.
1931		*Souffrances et Bonheur du chrétien*, essai, chez Grasset. *L'Affaire Favre-Bulle*, chez Grasset. *Blaise Pascal et sa sœur Jacqueline*, chez Hachette. *Le Jeudi Saint*, chez Flammarion.
1932	Cancer des cordes vocales, Mauriac doit être opéré.	Janv./mars : *le Nœud de vipères*, roman, chez Grasset.
1933	1er juin : élection à l'Académie française : « une élection de maréchal ». 16 nov. : réception à l'Académie.	Févr. : *le Mystère Frontenac*, roman, chez Grasset. Juil. : *le Romancier et ses personnages*, essai, chez Corréa.
1934	Juin : entre au *Figaro*.	*Journal I*, chez Grasset.
1935		Janv. : *la Fin de la nuit*, roman, chez Grasset.
1936	**Guerre d'Espagne.** Mauriac évolue vers un catholicisme de gauche.	Janv. : *les Anges noirs*, roman, chez Grasset. Févr. : *la Vie de Jésus*, chez Flammarion.
1937	Collabore à *Temps présent*, journal catholique de gauche.	*Journal II*, chez Grasset. *Asmodée*, jouée le 22 nov. à la Comédie-Française, publiée chez Grasset, « grand succès ».
1938	Articles polémiques antifascistes.	*Plongées*, recueil de nouvelles, chez Grasset.
1939	Févr. : Sartre publie « M. François Mauriac et la liberté » dans *la Nouvelle Revue française*. 3 sept. : **déclaration de guerre à l'Allemagne.**	Janv. : *les Chemins de la mer*, roman, chez Grasset. Déc. : *les Maisons fugitives*, essais, chez Grasset.

Manuscrit illustré d'un recueil de poésies de Clément Marot : *Chronique parisienne d'une partie du règne de François Ier, de 1523 à 1534.*
Ph. © Bibl. nat., Paris - Arch. Photeb.

Page du manuscrit de Jean Charlier, dit Jean de Gerson, rédigé fin 1389. « J. de Gerson scripta contra... de Montesono. »
Ph. © Bibl. nat., Paris - Photeb.

Manuscrits

Après avoir été la seule voie de notation pour les textes — aide-mémoire et partition dans une littérature orale ; corps sensible de l'œuvre dans la littérature écrite — le manuscrit a doublement changé à la fois de valeur et de sens.

Avant l'imprimerie, recopier à la main est le seul moyen pour assurer à l'œuvre une circulation : l'exemplaire recopié peut être calligraphié ou maladroitement réécrit, nu ou orné d'images (Marot, ici, ou le *Pseudo-Turpin*) et il arrive que le texte devienne prétexte à œuvre d'art.

Tout au contraire, il peut s'agir de la trace même de l'acte matériel créateur, de la projection du corps de l'auteur. Le manuscrit, entouré aujourd'hui par les reproductions mécaniques, chimiques, électroniques, est d'abord

Le Mémorial ou l'expérience mystique de Pascal, formulée dans la nuit du 23 novembre 1654 sur ce papier que l'on trouva, cousu dans son pourpoint, au lendemain de sa mort.
Bibl. nat., Paris - Ph. Jeanbor © Arch. Photeb.

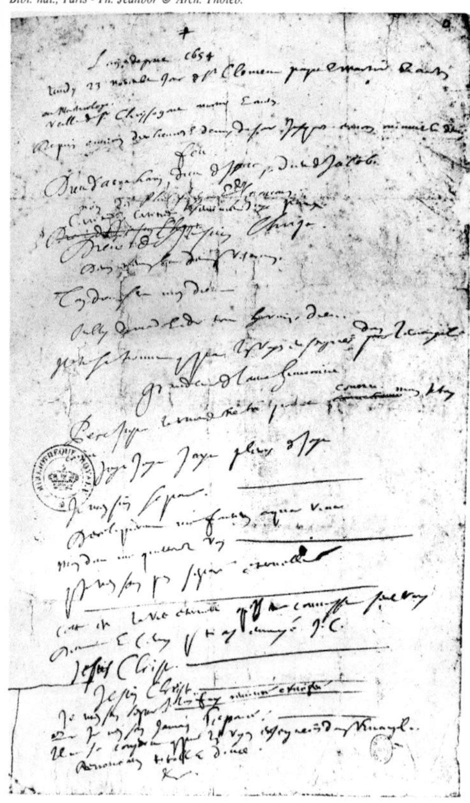

Dessin à la plume, rehaussé, extrait du manuscrit *Chronique du pseudo-Turpin.*
Ph. © Bibl. nat., Paris - Arch. Photeb.

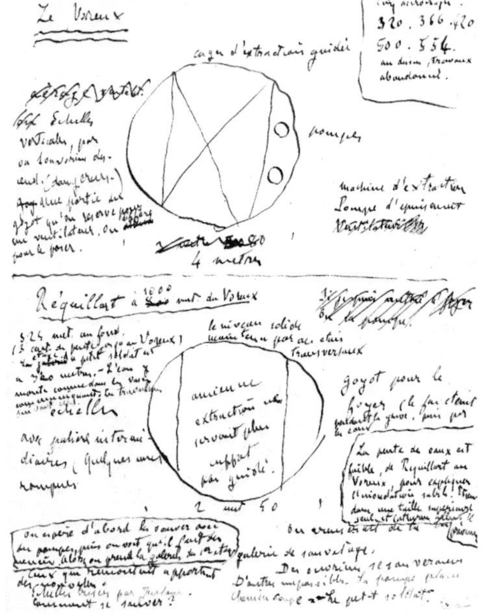

Page du manuscrit de *Germinal* d'Émile Zola, 1885.
Ph. © Bibl. nat., Paris - Photeb.

cela pour nous. Trace vive des impulsions nerveuses, il nous parle. Impressionnant dans sa régularité élégante, le brouillon latin de Gerson, tracé il y a six siècles... Émouvante, effrayante presque, la fulguration graphique, l'anticalligraphie du *Mémorial* pascalien... Instructif, le contraste entre les notes et croquis pressés de Zola et la rondeur bonhomme de l'écriture de Paulhan, dénuée de la vie qu'apportent les ratures.

Enfin, que la main apparaisse, telle un animal bien dressé, et l'écriture reprend son mystère : c'est l'hiéroglyphe d'un « travail » profond, en amont de toute œuvre possible. Devant le livre imprimé, devant ce

Carnets manuscrits de Marcel Proust contenant des notes prises entre 1908-1909 sur ses lectures : Balzac, Barbey d'Aurevilly, Sainte-Beuve ; et une ébauche de *A la recherche du temps perdu.*
Ph. © Bibl. nat., Paris - Arch. Photeb.

pseudo-manuscrit que fabrique la machine à écrire — sans parler des lettres lumineuses, fictives, du terminal d'ordinateur — nous oublions que l'écrire, c'est aussi cette gesticulation réglée, cette danse minuscule au bout des doigts. Sans même nous laisser aller aux délices interprétatives de la graphologie, nous en redevenons conscient par la contemplation des manuscrits. Parfois, comme Zola, à travers un brouillon l'écrivain s'adresse à lui-même un avant-texte — mise en scène, repérages, croquis, chiffres — pour mieux cerner l'imaginaire.

hommes arabes qui tressaient silencieusement des claies de branchages, et enroulaient le fil de fer barbelé aux chevaux de frise.

Toutes ces choses, et les herbes ou les baies qui me revenaient de souvenirs d'enfant, n'étaient pourtant pas nouvelles pour moi ; mais la façon dont je les considérais leur donnait un charme qu'elles n'avaient point encore eu. Cette nature, sur quoi régnaient péniblement les paysans, m'avait laissé l'idée d'une vieille servante, dont

Page du manuscrit *le Guerrier appliqué* de Jean Paulhan (publié en 1917).
Bibl. littéraire Jacques Doucet, Paris. Ph. Jeanbor © Photeb.

Colette et la chatte dernière. « Quand je cesserai de chanter la chatte dernière, c'est que je serai devenue muette sur toutes choses », *le Fanal bleu*, 1949.
Bibl. nat., Paris. Ph. © W.-Limot - Arch. Photeb.

Portrait de Jean Genet, peinture d'Alberto Giacometti en 1955. *Musée national d'Art Moderne, Centre Georges-Pompidou, Paris. Ph. © Galerie Maeght, Paris, © by ADAGP 1984.*

Antonin Artaud dans le rôle de Gringalet dans le film de Luitz Morat *le Juif errant*, 1926. *Ph. © Bibl. nat., Paris - Arch. Phobeb - D. R.*

Marginalité

« Coin d'atelier, le poêle », peinture d'Eugène Delacroix, vers 1830. Décor qui n'illustre plus guère qu'un état socio-économique et non une étape éthique de l'esthétique « bohême ». *Musée du Louvre, Paris - Ph. H. Josse © Arch. Photeb.*

Il n'y a de marginalité que face à une norme. Et face à une norme affirmée, procédant par exclusion – ou renfermement – de ce qui est parole et comportement autres. D'où la mobilité de la marge, mobilité dont l'histoire littéraire montre qu'elle couvre le champ allant des « maudits » aux *minores* tôt ou tard récupérés par l'institution. On pense à Sade, bien sûr, à Lautréamont aussi. Mais on pourrait citer Cyrano jadis, Baudelaire et Flaubert plus près de nous mis en procès par la norme « bourgeoise ». Et Artaud. Et Genet. Encore que le poids des intellectuels, le discours psychanalytique et son intégration progressive, relativisant la notion de norme, aient rendu la marginalité... moins marginale.

	VIE		ŒUVRE
1940-1944	Mauriac est l'objet d'attaques constantes de *Je suis partout.* Perquisition allemande à Malagar (juin 1941). Résistance de plume.	**1940**	*Journal III,* chez Grasset. *Le Sang d'Atys,* poème, chez Grasset.
		1941	*La Pharisienne,* roman, chez Grasset.
		1943	*Le Cahier noir,* essai, aux Éditions de Minuit, sous le pseudonyme de FOREZ.
1944-1945	S'efforce de modérer « les excès de l'épuration », essaie d'intervenir pour sauver Brasillach... Polémique avec Camus sur ce sujet. 1er sept. 1944 : première rencontre avec de Gaulle.	**1945**	1er mars : *les Mal Aimés,* à la Comédie-Française. *Sainte Marguerite de Cortone,* essai chez Flammarion. *Le Bâillon dénoué,* recueil d'articles, chez Grasset. *La Rencontre avec Barrès,* à la Table ronde.
1946	21 janv. : **démission de De Gaulle.** Mauriac au M.R.P.		
1947	13 mars : réception de Claudel à l'Académie française par Mauriac.	**1947**	*Du côté de chez Proust,* aux Éditons de la Table ronde. 9 déc. : création du *Passage du Malin* au théâtre de la Madeleine.
		1948	*Passage du Malin,* chez Grasset. *Journal d'un homme de trente ans,* chez Egloff.
		1949	*Mes grands hommes,* aux Éditions du Rocher.
		1950	Début des *Œuvres complètes,* chez Fayard (tomes I, II). 12 oct. : *le Feu sur la terre,* création à Lyon par le théâtre Hébertot.
		1951	*Journal IV,* chez Flammarion. *La Pierre d'achoppement,* aux Éditions du Rocher. *Le Sagouin* (retour au roman), aux Éditions de La Palatine. *Le Feu sur la terre,* théâtre, chez Grasset. *Œuvres complètes* (tomes III à VII). *Journal V,* chez Flammarion.
1952	Nov. : prix Nobel de littérature. Déc. : début de la série des « bloc-notes » à *la Table ronde.*	**1952**	*Galigaï,* roman, chez Flammarion.
1953	Sensibilisé au problème marocain, Mauriac fonde, avec d'autres intellectuels amis, l'association France-Maghreb.	**1953**	Nov. : le « Bloc-notes » paraîtra dorénavant (jusqu'en avril 1961) dans *l'Express.*
1954	Juin : Mauriac soutient Mendès-France.	**1954**	Juin : *l'Agneau,* roman, chez Flammarion.
1955	Quitte *le Figaro* quotidien mais continue à écrire pour le *Figaro littéraire.*	**1955**	*Le Pain vivant,* scénario de film, chez Flammarion.
1958	13 mai : **putsch d'Alger.** Ralliement de Mauriac à de Gaulle.	**1958**	*Bloc-notes* (1952-1957), chez Flammarion. *Le Fils de l'homme,* essai, chez Grasset.
		1959	*Mémoires intérieurs,* chez Flammarion.
1961	Rupture avec *l'Express* en avril, le « Bloc-notes » paraîtra dans le *Figaro littéraire.*	**1961**	*Le Nouveau Bloc-notes* (1958-1960), chez Flammarion.
1962	Mars : **accords d'Évian.**	**1962**	*Ce que je crois,* essai, chez Grasset.
		1964	*De Gaulle,* essai, chez Grasset.
		1965	*Nouveaux Mémoires intérieurs,* chez Flammarion.
1966	Janv. : **affaire Ben Barka.** Démission de Mauriac de l'Association France-Maghreb.		
		1967	*Mémoires politiques,* chez Grasset.
		1968	Juil. : *le Nouveau Bloc-notes* (1961-1964), chez Flammarion.
		1969	Mars : *Un adolescent d'autrefois,* roman, chez Flammarion.
1970	1er sept. : mort de François Mauriac. Hommage national, le vendredi 4, avec deux discours : l'un de Pierre Gaxotte, l'autre d'Edmond Michelet. Enterrement à Vémars.	**1970**	15 août : dernière page du *Bloc-notes.* Déc. : *le Nouveau Bloc-notes,* chez Flammarion.
		1971	*Le Dernier Bloc-notes,* chez Flammarion.
		1972	*Maltaverne* (suite inachevée d'*Un adolescent d'autrefois*), chez Flammarion.

Le Baiser au lépreux

« *Le Baiser au lépreux* (1922) fixe le moment de ma carrière où, en même temps que mon style, j'ai trouvé mes lecteurs », déclare Mauriac dans la préface à ses œuvres complètes (1950). Il y trouve aussi des thèmes, des personnages et une atmosphère caractéristiques.

Synopsis. — Riche héritier, mais laid et complexé (I), Jean Péloueyre doit épouser la jeune Noémi d'Artiailh (II). Malgré sa répugnance, Noémi, influencée par le curé, accepte cette union, car « on ne refuse pas le fils Péloueyre » (III). Mais aucun accord sensuel n'est possible entre « ce petit mâle noir et apeuré » et cette « femelle merveilleuse » (IV, V), malgré tous les efforts de Noémi (VI). Dévoré par le remords (VII, VIII), Jean décide de s'éloigner (IX) et part pour Paris (X-XI). Noémi est alors attirée par un jeune médecin, et le curé rappelle Jean. A son retour (XII), il décide de se suicider lentement en allant veiller un tuberculeux à l'agonie, le fils du docteur Pieuchon (XIII), et meurt discrètement (XIV-XV). Noémi se consacre alors à son beau-père, aussi souffreteux et mal aimé que Jean, et résiste à une dernière tentation (XVI).

L'un des enjeux du roman apparaît dans le balancement entre la vie et la mort, induit dans le titre même, où le baiser renvoie à la vie et la lèpre à la mort. En acceptant Noémi, Jean la tue symboliquement. Durant la nuit de noces, il doit se battre « contre une morte » (V), et, non seulement il n'aura « jamais tenu entre ses bras qu'un cadavre » (X), mais encore, « par sa seule présence, il assassine » Noémi (VII). C'est pourquoi, lors de son départ pour Paris, « il assiste à la résurrection » de sa femme (IX). Mais, inversement, Jean dépérit loin d'elle, se consumant à ne la bien posséder qu'en rêve (X).

Cette incompatibilité tragique est modulée sur le roman entier. Noémi ne peut aimer Jean que s'« il touche à son heure dernière », « se disant en elle-même : "il était beau" »; et celui-ci, agonisant, vit le même paradoxe : « Voici qu'ayant vécu comme un mort, il mourait comme s'il renaissait » (XIV).

C'est pourquoi Jean n'a de choix qu'entre la mort de Noémi et sa propre mort. D'où sa première disparition, lors de son voyage à Paris, voulu par un curé qui, après avoir bloqué la situation en favorisant le mariage, semble offrir une solution : Jean dépérit, Noémi connaît enfin la tentation de la chair. Mais la disparition doit être définitive, et c'est précisément à son retour que Jean décide de refuser la mort que s'inflige Noémi dans « ces baisers qu'autrefois les lèvres de saints imposaient aux lépreux » (XIII).

De fait, c'est « poussé par le désir de la mort » (XV) que Jean va veiller le fils Pieuchon, autrefois disciple de Nietzsche. Or, c'est « dix pages de Nietzsche mal comprises » qui l'avaient décidé à épouser Noémi (II). Chercher la mort au chevet de Pieuchon, c'est donc tuer le sursaut nietzschéen, la révolte des sens qui avaient porté Jean à se vouloir dominateur. C'est détruire le mari de Noémi. Mais cela ne la délivre pas, puisqu'elle doit, sans se remarier, soigner cet autre Jean, son beau-père Jérôme. Elle meurt ainsi définitivement au monde, comme l'indique la scène finale. « Fleur déjà coupée » (III) à peine fiancée, Noémi « refleurit » (X) au départ de Jean.

Enfin pourtant, se livrant à la mort, elle finit par « enserrer un chêne rabougri sous la bure de ses feuilles mortes mais toutes frémissantes d'un souffle de feu — un chêne qui ressemblait à Jean Péloueyre » (XVI), en un dernier baiser au lépreux.

Genitrix

Le Baiser au lépreux évoque fugitivement un quinquagénaire, Fernand Cazenave, que sa mère Félicité aime d'un amour si dévorant qu'elle déclare : « Si Fernand se marie, ma bru mourra » (II).

Genitrix (1923) développe ce thème : « la vieille mère louve » (X), « Genitrix » (XVI), ne vit que pour son fils, mais elle lui voue un amour qui ne ressemble pas « à celui des autres mères, qui n'exige rien en échange de ce qu'il donne » (X). Cet amour exclusif, qui fait apparaître la mort du mari (V, XII) et celle du fils puîné (XII) comme des délivrances, ne s'exprime que dans un « besoin insatiable de domination, de pression spirituelle » (XII), et même physique : « Elle se le mange des yeux » (XIV). C'est pourquoi la bru Mathilde ne peut être tolérée. Prétendant avoir « fait son devoir », Félicité l'assassine en lui refusant tout secours (I, II). L'agonie de Mathilde la remplit même d'« étonnement », d'« espoir », puis d'« une immense joie criminelle » (VII).

Mais son triomphe est sa perte. En effet, « Genitrix » doit aussi être la mère fondatrice, comme Fernand le signale lui-même : « Tu es le type achevé d'une fondatrice de race » (II). En tuant la mère qu'aurait pu être Mathilde, Félicité trahit sa mission. « Née Péloueyre », elle brise la caste, alors même que Fernand « crevait d'orgueil parce qu'il y aurait peut-être un Cazenave de plus dans le monde » (II). Pourtant, Mathilde était peu redoutable. Cette « pauvre fille », dont Mauriac prend souvent le parti (II, III, IV, IV, IX), n'adhérait ni à la famille Cazenave ni à son idéologie (II). Elle prenait ses distances grâce à « son humeur moqueuse » (III). Étrangère à la caste, elle rêvait d'une fille et non d'un fils (II).

Synopsis. — Seule dans un pavillon désert, Mathilde Cazenave se meurt, après une fausse couche (I à IV). Son époux, Fernand, complètement dominé par sa mère Félicité, laisse s'accomplir ce véritable assassinat. Mais, rongé de remords, il accuse sa mère de cette mort (V) et se détache d'elle (VII), passant ses nuits dans la chambre mortuaire (VIII, IX), et menaçant même de la frapper (X). Félicité est dès lors condamnée, malgré quelques jours de détente trompeurs (XI, XII) et, victime d'une attaque, (XIII), meurt à la fin de l'hiver (XIV). Fernand mesure alors le vide de sa vie (XV) et, excédé, chasse la famille envahissante de Marie de Lados, la vieille servante (XVI, XVII). Mais, au moment où il pense mourir seul, Marie revient le toucher de sa « main usée » (XVIII)...

On retrouve donc la dialectique vie/mort chère à Mauriac : Fernand choisit Félicité contre Mathilde vivante, et Mathilde morte contre Félicité. C'est que, alors même qu'il a toujours pris plaisir à faire souffrir sa mère (VII), il est de « ces hommes qui ne sont capables d'aimer que contre quelqu'un » (XV). L'infantilisation dans laquelle Félicité l'a toujours tenu se retourne alors contre elle : « Il demeurait ce même petit garçon trépignant qu'elle avait nourri; il ne voulait pas que Mathilde fût morte. La mort même ne déconcertait pas son exigence forcenée » (VII). Quant à sa « chair vigilante » (IX), face au souvenir sublimé de son « jouet cassé », elle lui fait mesurer la misère sexuelle qui fut toujours la marque de sa race (VI, VII, IX).

Ainsi donc, des thèmes chers à Mauriac (esprit de caste, refoulement sexuel, mère abusive) forment la trame d'une situation romanesque complètement bloquée, que seule la mort des protagonistes peut résoudre. Félicité disparaît la première, « crucifiée » à son tour, éprouvant « obscurément qu'il était bon qu'elle souffrît pour son fils » (XIV). C'est toute la maison qui s'endort alors, en un rétrécissement symbolique (XVI) annonçant la mort de Fernand, malade depuis longtemps (III, XI, XVI). A cet égard, Marie de Lados semble être un personnage clef du roman. Comme le suggère M. J. Petit et citant Freud (La Pléiade, p. 1221), elle représente, à la fin du roman, l'image de la mort se penchant sur Fernand. Mais cette identification vaut pour l'ensemble du texte : « vierge noire » (XII), « vieille figure décomposée » (XVII), elle est toujours liée à la mort, semblant surgir de nulle part pour coiffer (V) ou veiller le cadavre de Mathilde. Et son activité de fileuse, le soir, au coin du feu (V), n'évoque-t-elle pas les Parques?

C'est donc la mort qui triomphe dans ce roman très sombre, d'où le bonheur paraît exclu, puisque « les absents ont toujours raison » (XI).

Le Désert de l'amour

Comme souvent dans les œuvres de Mauriac, l'enjeu de ce roman tient en une conviction psychologique, concernant ici « la fatalité qui nous condamne au choix exclusif, immuable, qu'une femme fait en nous de certains éléments, et elle ignorera éternellement tous les autres » (XI). Ainsi, le docteur Courrèges sera à jamais pour Maria un savant, un saint asexué (VIII, X), et Raymond un « enfant farouche » (VII) et pur (VIII), qu'il ne faut approcher « qu'avec une ardente pudeur » (IX). Raymond est situé hors du désir : « un rire, une allusion, un regard en dessous eussent pu la mettre en garde; mais elle tenait à son ange » (VII). Devenant mâle, il prend immédiatement pour Maria une épaisseur physique intolérable (la sueur, IX) et rejoint le troupeau des hommes qui ne provoquent que le dégoût (VII, IX, X). Ainsi s'explique le recours symbolique au petit François, prétexte à la première rencontre (« sur la route qui mène à l'enfant mort, il a fallu qu'elle rencontrât cet enfant vivant » [VIII]) et aux voyages répétés en tramway (IX). Magie de l'enfance mythifiée (X).

Or, tout recommence sur le même schéma dix-sept ans après, comme le souligne le fameux retour en arrière effectué dans la conscience de Raymond (I, II). Se rappeler son passé équivaut pour lui à lire son immédiat avenir; et il semble que le but de Mauriac ne soit pas tant de faire un exercice de style sur la technique du point de vue (cf. les multiples entorses qu'elle subit : III, IV) que d'illustrer par cet artifice temporel la « fatalité » qui régit Maria. Alors que le docteur reste le « médecin savant » (XI), Raymond, à jamais marqué par son échec (IX), redevient dans le bar le mâle menaçant et conquérant (XI), « chèvre-pied » (VII) et « bouquetin » (VIII). Mais s'interpose toujours l'image d'un enfant, symbolisé maintenant par Bertrand, le seul pour qui Maria ait un geste d'amour (XI), le motif primitif de Phèdre rejoignant l'enjeu du texte actuel.

Cette fatalité qui pèse sur les êtres ne peut, bien sûr, que les rejeter dans le « désert de l'amour ». Autre sexe, autre race (IV) avec laquelle on ne peut ni communiquer (Préface) ni connaître le plaisir (III). Un « désert sépare les êtres », hommes et femmes, père et fils (IV, V, X), toute douleur d'amour est elle-même un désert (IX), indéfiniment continué, malgré ce vide de dix-sept ans suggéré par la narration. Pas de bonheur charnel possible pour ceux qui ignorent « celui qui à leur insu appelle, attire, du plus profond de leur être, cette marée brûlante » (XII).

Le « cycle » *Desqueyroux*

Né d'un souvenir d'adolescence — l'affaire Canaby, jugée à Bordeaux en 1905 —, le personnage de Thérèse Desqueyroux est l'un de ceux qui hantèrent le plus Mauriac. Et, chez ce grand lecteur de Balzac, c'est véritablement autour de Thérèse que se constitua l'amorce de ce qui aurait pu être sa « comédie humaine ».

Synopsis. — Thérèse Desqueyroux, née Larroque, vient de bénéficier d'un non-lieu à propos d'une tentative d'empoisonnement de son mari Bernard (I). Dans le train qui l'emporte vers Saint-Clair, elle se remémore les circonstances antérieures qui la menèrent à son geste : son enfance, son mariage, la naissance de sa fille Marie, l'amitié d'Anne de La Trave, son rôle auprès de Jean Azévédo (II à VIII). Rentrée à Argelouse, elle retrouve son mari; la tentative d'explication tourne court et creuse encore le fossé entre les époux (IX). Sur ordre, elle vivra dorénavant recluse en sa chambre, seule avec sa douleur (X, XI). Jusqu'au jour où, après les fiançailles d'Anne avec le fils Deguilhem (XII), son mari décide de « libérer » Thérèse à Paris. Pas de divorce ni de séparation, mais un éloignement discret. Leur dernière conversation (XIII) à la terrasse d'un café parisien, ultime essai de Thérèse pour justifier sa tentative criminelle, manifestera définitivement l'incompréhension réciproque des époux.

Antérieurement à *Thérèse Desqueyroux* (1927), Mauriac avait composé *Conscience, instinct divin* (publié en 1927), longue confession écrite adressée à un prêtre, dans laquelle une femme avouait un crime justifié en grande partie par son horreur de la sexualité. *Thérèse Desqueyroux*, plus complexe, est dominé par cette question fondamentale : pourquoi Thérèse a-t-elle tenté d'empoisonner son mari? Même si le narrateur, par le truchement du monologue intérieur de Thérèse, analyse la genèse événementielle de ce drame, même si le « monstre » naît sous nos yeux, même si Bernard, son mari, propose, « entre mille sources secrètes de son acte » (IX), le mobile sordide de la cupidité (les pins de la propriété), cela ne nous satisfait aucunement. En fait, c'est dans la sensation d'étouffement, dans la tenaille de « l'esprit de famille » (titre premier abandonné), que réside la justification : Thérèse a voulu sauver en elle « l'autre » Thérèse qu'elle ne sait pourtant définir (XIII). Cela est corroboré par des formules de *la Fin de la nuit* par lesquelles Thérèse analyse son passé : « Son crime, qui a précédé tous les autres, fut sans doute de se lier à un homme, d'enfanter, de se soumettre à la loi commune, alors qu'elle était née hors la loi » (III). « Enterrée vive... », elle a cru se libérer de « l'homme qui était (s)on geôlier au fond d'une prison pire qu'aucune prison de pierre » (VII).

Les tentatives de Thérèse pour trouver la paix sont autant de tentatives de mort, de tentatives d'empoisonnement. Apparue dans un autre récit — *Ce qui était perdu* (1930) —, Thérèse avait cherché en vain le repos par la psychanalyse (« Thérèse chez le docteur »), par la séduction (« Thérèse à l'hôtel »), nouvelles publiées en 1938 dans *Plongées*. Quinze ans après avoir empoisonné son mari, après avoir joué un rôle ambigu dans l'histoire d'amour entre Anne de La Trave et Jean Azévédo, Thérèse, dans *la Fin de la nuit*, entre en rivalité avec sa fille Marie, amoureuse d'un Georges Filhot guère pressé de se marier et découvre avec « évidence, certitude qu'elle n'accomplissait rien d'autre... que d'empoisonner le bonheur de Marie! Et cette fois, quelle excuse invoquer? » (VI). Il faudra l'épreuve du délire paranoïaque pour que Thérèse, revenue à Saint-Clair, puisse enfin attendre dans une paix relative « la fin de la vie, la fin de la nuit ».

Thérèse, « image brouillée de mes complications » (*le Nouveau Bloc-notes*), est le parangon de ces créatures de Mauriac que la vie, longue descente aux enfers, laisse « épuisées par cette lutte interminable contre elles-mêmes », dans l'affrontement d'une liberté qui cherche à s'accomplir et d'une fatalité venue des autres et d'elles-mêmes, au seuil d'une paix dont le jansénisme de l'auteur n'ose pas toujours leur faire la Grâce.

Le Nœud de vipères

Sans doute parce qu'il considérait cette œuvre comme l'une de celles qui atteint « l'espèce de perfection qui [lui] est propre » et parce qu'il en mesura l'influence, Mauriac a abondamment commenté ce roman, qu'il définissait ainsi dans *le Romancier et ses personnages* : « *Le Nœud de vipères* est, en apparence, un drame de famille, mais, dans son fond, c'est l'histoire d'une remontée. Je m'efforce de remonter le cours d'une destinée boueuse et d'atteindre à la source toute pure. Le livre finit lorsque j'ai restitué à mon héros, à ce fils des ténèbres, ses droits à la lumière, à l'amour et, d'un mot, à Dieu. »

Synopsis. — Louis ***, vieil avocat bordelais, dans une lettre à sa femme Isa, exprime toute sa rage de n'avoir été aimé ni d'elle ni de ses enfants et d'avoir perdu ceux qui lui manifestaient quelque tendresse : la petite Marie, sa fille morte; Marinette, sa belle-sœur; Luc, son neveu. Dévoré par l'instinct de possession et animé d'une ardeur antireligieuse en réaction à l'esprit de sa famille, il entreprend de déshériter ses enfants au profit d'un fils adultérin, Robert, qui vit à Paris. Mais, celui-ci ayant prévenu Hubert, le fils légitime, le projet avorte. La mort d'Isa, sa femme, le laisse tout étonné de lui survivre. Il décide alors, métamorphosé, de donner sa fortune à ses enfants, ne se réservant que la jouissance de sa propriété de Calèse et une rente mensuelle. Il meurt réconcilié avec les siens, au seuil de la Révélation de « cet amour dont [il] connaî[t] enfin le nom ador... »

Se présentant d'abord comme la lettre adressée par un vieillard, qui « achève de vivre », à sa femme, le récit se poursuit sous la forme d'« un journal interrompu, repris ». Par le biais de cette rétrospection autobiographique, à l'intérieur de laquelle interfère de plus en plus souvent le présent, Louis *** apparaît comme un « ennemi des siens », un « cœur dévoré par la haine et par l'avarice », un de ces êtres que « certains bien-pensants » (« leur médiocrité, leur avarice, leur injustice, et surtout leur malhonnêteté intellectuelle ») « détournent de la source d'eau vive ». Monstre parmi les monstres, Louis, sans le savoir, « cherche Dieu en gémissant » et il ne le découvre qu'au seuil de la mort...

« Le scandale de cet accaparement du Christ par ceux qui ne sont pas de son esprit, voilà, il me semble, le thème essentiel du *Nœud de vipères*... L'auteur [...] ne saurait, sans mensonge, récuser la qualité de "romancier catholique" » (Préface des *Œuvres complètes*, 1951).

🕮 *Le Mystère Frontenac*

En désignant comme « le thème même du *Mystère Frontenac* (1933) cette union éternellement indissoluble de la mère et de ses cinq enfants », Mauriac invite le lecteur à projeter sur le roman un éclairage métaphysique, qui en explique les motifs et les techniques.

Synopsis. — Veuve depuis huit ans, Blanche Frontenac ne vit que pour ses cinq enfants (I), aidée par le frère de son mari Michel, Xavier, qui cache fébrilement une « liaison » culpabilisante avec Josépha (II, III). L'aîné, Jean-Louis, qui rêve d'étudier la philosophie, découvre un jour les talents poétiques de son jeune frère Yves (IV) et le pousse à se faire éditer (V), pour la plus grande joie de ce dernier (VI, VIII). Les enfants connaissent alors des jours heureux, sous la garde de Xavier (VII), en l'absence de leur mère (IX). Mais ils deviennent adultes, et Jean-Louis doit renoncer à ses rêves pour reprendre l'affaire familiale (X) et se marier (XI). C'est la fin d'une ère pour les Frontenac, et notamment pour Yves (XII).

Alors que José est « exilé » (XIII), et que Jean-Louis se perd dans son idéalisme (XIV), Yves manque un dernier rendez-vous avec sa mère (XV), qui meurt et est enterrée peu après (XVI). Il s'aigrit, miné par la jalousie (XVII), mais assiste tout de même aux derniers moments de Xavier (XVIII, XIX). Inquiet pour Yves (XX), averti par son instinct « Frontenac » (XXI), Jean-Louis vole au secours de son frère, faisant agir une fois encore « le mystère Frontenac », « le groupe éternellement serré de la mère et de ses cinq enfants » (XXII).

Il faut ainsi donner à « mystère » son sens le plus religieux, c'est-à-dire celui d'une série de faits et de croyances inaccessibles à la raison (IX, XIV, XX). Les Frontenac ont, certes, l'« esprit de famille », préservant une tradition morale (III) et des intérêts financiers (II, III, X, XVI, XX). Mais, au-delà, ils constituent une caste élue, s'élevant à la dignité d'une race : « Le mystère Frontenac échappait à la destruction, car il était un rayon de l'éternel amour réfracté à travers une race » (XXII).

Ainsi s'expliquent les multiples manifestations de mysticisme dont le roman est empreint : foi profonde de Blanche (I) et de Jean-Louis (XIII); tonalité des premiers poèmes d'Yves (XIII), auxquels font écho de véritables dialogues avec Dieu (XII); attachement de l'oncle Xavier au souvenir de son frère Michel (I, II, III), malgré son matérialisme (II); enfin, surtout, enracinement dans une terre où tout porte la trace d'une indestructible permanence (II, III, V, XV, XVI, XXII), sous le double signe des allusions à Barrès et de l'épigraphe de Maurice de Guérin.

Les non-Frontenac sont donc rejetés, puisqu'ils sont extérieurs au peuple élu. Tout au plus, peuvent-ils lentement accéder à la « grâce » Frontenac. Certes, les meilleurs moments du roman se passent strictement entre Frontenac (les enfants et oncle Xavier), sans Blanche, redevenue une Arnaud-Miqueu au chevet de sa mère (IX). Mais, ne vivant que pour ses enfants, Blanche est, malgré tout, « gardienne des derniers Frontenac » (II), défendant le nom sacré contre sa propre famille (III). C'est pourquoi, comme l'indique un habile « montage critique » (XVI), elle connaît à son enterrement une consécration élective et sélective : elle n'est comprise que par les membres du clan. De même, contrairement à M. Cazavieilh (XIV), « l'humble Joséfa », sorte de « fille repentie » (II) que sa fidélité rachète, finit par entrer dans le « mystère Frontenac » (XXII), malgré l'« intégriste » Xavier (XVIII, XIX), dont Dieu lui-même corrige la volonté (XIX).

Ce mysticisme, caractéristique des œuvres de Mauriac, mais manifesté ici très clairement, est mis en valeur, dans la narration, par les secrets (de Xavier : II, III et d'Yves : III, IX, XII) et les prémonitions des protagonistes (XV, XX, XXI), ainsi que par les projections dans l'avenir que l'auteur prend à son compte, transformant la vie des Frontenac en un destin (Jean-Louis sera ruiné : XI; l'inspiration d'Yves tarira : XII; José mourra : XIII, XVII). Mais, au-delà des aventures individuelles, c'est le bloc uni de la « communauté » (XXII) qui importe, sorte de corps vivant dont la pérennité est illustrée par la division du roman en deux parties. Alors que la première traite équitablement des « jeunes et vieux Frontenac », la seconde se centre sur Yves et Jean-Louis; cette focalisation, qui reproduit le mouvement des générations, renvoie à la permanence des Frontenac : les filles ont une vie semblable à celle de leur mère; Yves « continue » son père Michel; et Jean-Louis, devenu chef de famille, fait la synthèse des tendances familiales. Les individus échouent, ne pouvant mener à bien un amour humain, mais le mystère qui les transcende, la « filiation divine » (XXII) demeurent.

Ultime vision métaphysique, qui fait du *Mystère Frontenac* l'archétype d'une tendance fondamentale de l'œuvre romanesque de Mauriac.

🕮 *La Pharisienne*

La Pharisienne (1941) témoigne de la sensibilité de Mauriac, en tant que chrétien, en tant qu'écrivain.

Brigitte Pian, la pharisienne, représente tout ce contre quoi il n'a cessé de lutter : une religion de conformité à la lettre et non à l'esprit de l'Évangile, un conformisme altérant la charité du Christ en un rigorisme pointilleux, oubliant « que ce n'est pas de mériter qui importe, mais d'aimer ». La vertueuse intransigeance de Brigitte Pian, « ce tissu serré de perfection et de mérite dont elle s'enveloppait tout entière », bride constamment Louis Pian, son beau-fils; multiplie les obstacles à l'amour de Michèle, sa belle-fille, et de Jean de Mirbel; dénonce l'abbé Calou à ses supérieurs; mène avec machiavélisme son mari à une déchéance mortelle; accule à une misère fatale le couple M. Puybaraud/Octavie. La mort de celle-ci révèle à Brigitte Pian combien elle est coupable, mais elle ne parviendra — et non sans sursauts — à la véritable humilité qu'au soir de sa vie.

Mauriac tient manifestement compte, dans *la Pharisienne,* des remarques de Sartre (cf. Mauriac et la liberté de ses personnages). Plus de « point de vue de Dieu », la narration, confiée à Louis Pian, ne formule que ce qu'il est censé savoir. Pour cela, Mauriac multiplie — non sans artifice parfois — les notations qui limitent l'information de Louis Pian du fait des lieux, de l'âge, des souvenirs, de l'oubli..., en même temps qu'il fournit ses sources : lettres de Mme La Mirandieuze-Mirbel, d'Hortense Voyod, carnet de l'abbé Calou, journal de M. Puybaraud... Jamais, sans doute, Mauriac n'a pris autant de précautions pour user de son « droit d'ordonner cette matière, d'orchestrer ce réel » et, en réponse à cette phrase de Sartre, ne pas être Dieu, mais un artiste.

En 1954, dans *l'Agneau,* Brigitte Pian réapparaît, devenue un personnage plus discret, de rigueur moins ostentatoire, mais tout aussi soucieuse du devenir et de la moralité des autres. C'est ainsi que, pour de pieux motifs, elle contrariera l'amour naissant de Dominique, sa jeune secrétaire, et de Xavier Dartigelongue, qui se destinait à la prêtrise. Xavier, l'Agneau, se sacrifiera, « tout entier à tous et à chacun », pour sauver l'amour vieilli du couple Michèle/Jean de Mirbel et confier le petit Roland, enfant de l'Assistance, à Dominique. Xavier est l'incarnation même de l'« esprit du Christ », celui qui a choisi entre « tuer ce que nous aimons ou mourir pour ce que nous aimons »; c'est l'anti-pharisienne par excellence.

Mauriac et la liberté de ses personnages

Si, dans *Dieu et Mammon* (1929), titre dû à André Gide, Mauriac s'interroge surtout sur le problème moral, religieux, du romancier catholique, romancier et catholique, sa réflexion, dans *le Roman* (1928) et dans *le Romancier et ses personnages* (1933), concerne les aspects théoriques du genre romanesque, considéré comme point de rencontre de deux exigences : « d'une part, écrire une œuvre logique et raisonnable — d'autre part, laisser aux personnages l'indétermination et le mystère de la vie ».

« Singe de Dieu », le romancier crée des hommes et des femmes vivants, empruntés au réel, mais qu'il restitue après avoir usé de son « formidable pouvoir de déformation et de grossissement ». Amplifiées, simplifiées, ses créatures « forment une humanité qui n'est pas une humanité de chair et d'os, mais qui en est une image transposée et stylisée » : « des planches d'anatomie morale ». Tant il est vrai « que le roman n'est rien s'il n'est pas l'étude de l'homme, et qu'il perd toute raison d'exister s'il ne nous fait avancer dans la connaissance du cœur humain » (raison essentielle du refus par Mauriac, plus tard, du Nouveau Roman « qui ne comporte ni caractères, ni types, ni figures dessinées d'un trait appuyé »). Mais pour que vivent ces personnages du roman, encore faut-il que le romancier n'intervienne pas arbitrairement dans leur destinée; que ces êtres, comme chez Dostoïevski, entretiennent l'inquiétude; qu'ils aient de la résistance et se défendent âprement, obligent l'écrivain à changer la direction du livre vers des horizons non entrevus. Ainsi seulement seront conciliées « la liberté de la créature et la liberté du Créateur ».

Or, c'est précisément à l'application de ces idées dans *la Fin de la nuit* que Sartre s'en prit en son article fameux « M. Mauriac et la liberté », dans *la Nouvelle Revue française* de février 1939 (repris dans *Situations I,* 1947). Tous les reproches — temps du lecteur non captivé, technique théâtrale « plus tragique que romanesque », « va-et-vient de Thérèse-sujet à Thérèse-objet » participant d'une lucidité divine du romancier, de l'omniscience de Dieu... — s'organisent autour de la conception même de la liberté de Thérèse : pour Sartre, « M. Mauriac assassine la conscience de ses personnages »; « avant d'écrire il forge leur essence, il décrète qu'ils seront ceci ou cela »; « en ciselant sa Thérèse *sub specie æternitatis* [il] en fait d'abord une chose ». Pour Sartre, Mauriac enferme son personnage dans un Destin « qui représente, au sein de la Nature [...] la puissance du Surnaturel » : « Thérèse est prévisible jusque dans sa liberté », laquelle « diffère de la servitude par sa valeur, non par sa nature ». « Est libre toute intention dirigée vers le haut, vers le Bien; est enchaînée toute volonté vers le Mal ». « Ainsi *la Fin de la nuit,* qui, dans la pensée de M. Mauriac, doit être le roman d'une liberté, nous apparaît surtout comme l'histoire d'une servitude ».

Ce réquisitoire/verdict impitoyable émut fortement Mauriac. Pour lui, qui avait cru manifester « le pouvoir départi aux créatures les plus chargées de fatalité — ce pouvoir de dire non à la loi qui les écrase », cet article apparut comme le constat d'échec de toute son activité de romancier. Perplexité? Prudence? Préoccupations des menaces de guerre? Toujours est-il que Mauriac n'entretint pas la polémique... mais qu'il tint compte de ces remarques dans sa production romanesque ultérieure (cf. *la Pharisienne*).

BIBLIOGRAPHIE GÉNÉRALE

Éditions

Les œuvres complètes, préfacées par Mauriac lui-même, ont été publiées chez Fayard (1950-1956). La meilleure édition critique est celle de La Pléiade (Gallimard, 1979) : l'établissement du texte, les introductions et les notes sont de Jacques Petit. Mine de renseignements, notamment sur la genèse des œuvres, ce modèle d'édition critique est indispensable à toute étude approfondie de l'œuvre de Mauriac (contient actuellement les essais et les romans jusqu'au *Mystère Frontenac,* 1933).

Biographie

Jean Lacouture, Le Seuil, 1980. Étude scrupuleuse et brillante, par un spécialiste du genre (Malraux, Blum). Contient un certain nombre de documents inédits communiqués par la famille. Un monument de piété filiale est érigé par Claude Mauriac dans les 6 tomes du *Temps immobile,* Grasset. Portrait intéressant dans *Somme toute* de Claude Roy, Gallimard, 1976. Éclairage sur l'intervention de Mauriac dans l'affaire Rosenberg et dans la guerre d'Algérie.

Études générales

Pierre-Henri Simon, *Mauriac par lui-même,* Le Seuil, 1955, rééd. 1974 (excellents aperçus dans une étude pourtant partielle et déjà ancienne); à compléter par Michel Suffran, *François Mauriac,* Seghers, 1973. A signaler aussi un très bon ouvrage collectif (Marc Alyn, Jean Daniel, Gabriel et Alice Delaunay, Jean-Marie Domenach, Jean Lacouture, Jacques Madaule, André Séailles) dans la coll. « Génies et Réalités », Hachette, 1977, qui évoque les différentes facettes du talent de Mauriac en quelques articles brillants. Enfin, on peut consulter *les Cahiers François Mauriac,* études paraissant régulièrement chez Grasset.

Aspects particuliers

E. Glénisson, *l'Amour dans les romans de F. Mauriac,* Éd. universitaires, 1971; Charles Du Bos, *F. Mauriac et le Problème du romancier catholique,* Corréa, 1933 (l'auteur était un proche de Mauriac). Sur les débuts journalistiques de Mauriac, on consultera avec profit la présentation et les annotations de Jean Touzot, dans un recueil de textes peu connus : *Mauriac avant*

Mauriac 1913-1922, Flammarion, 1977. Correspondance : Caroline Mauriac, *François Mauriac : lettres d'une vie,* trois cent quatre-vingt-six lettres écrites entre le Ier juin 1904 et le 13 octobre 1969, Grasset, 1981.

ADAPTATIONS

De nombreuses œuvres de Mauriac ont été adaptées à la télévision avec l'accord explicite de l'auteur qui pensait que le petit écran « donne au romancier une chance supplémentaire de survie ». Considérant dans un premier temps que la télévision était « un spectacle d'hilotes », il critiqua ensuite « ces imbéciles qui ne regardaient pas la télévision », dont, pour sa part, il commentait souvent les émissions dans son *Nouveau Bloc-Notes.*

Ont été notamment adaptés *la Pharisienne, Destins, le Nœud de vipères, le Sagouin, la Fin de la nuit, le Baiser au lépreux* et *Thérèse Desqueyroux* (dont Emmanuelle Riva fut, d'après Mauriac lui-même, l'incarnation idéale). A signaler aussi la longue interview télévisée accordée à Étienne Lalou, Georges Suffert et Jean Daniel.

L. ACHER et J. MAURICE

MAUROIS André, pseudonyme puis patronyme d'**Émile Herzog** (1885-1967). Né à Elbeuf dans une famille d'industriels originaires d'Alsace et repliés en France après 1871, brillant élève du philosophe Alain au lycée de Rouen, André Maurois, après avoir participé à la gestion de l'entreprise familiale et, pendant la guerre, servi comme officier de liaison auprès des forces anglaises, entre dans la carrière littéraire en 1918 avec *les Silences du colonel Bramble,* que suivront, en 1922, *les Discours du docteur O'Grady*; en s'y peignant sous les traits de l'interprète Aurelle, il traduit, avec une élégance et une retenue toutes classiques qui le situent dans la lignée d'Anatole France, son expérience du caractère britannique : flegme, humour froid. Le succès de ces récits agréables et fins l'incite à abandonner définitivement les affaires pour les lettres.

Romancier, après s'être essayé sans grand bonheur à la fiction historique dans *Ni ange ni bête* (1919) — les aventures politiques et sentimentales de l'ingénieur Viniès pendant la révolution de 1848 —, il trouve, avec *Bernard Quesnay* (1926; première version en 1922, sous le titre *la Hausse et la Baisse*), la voie de la peinture de mœurs et du roman psychologique qu'il suivra désormais; il confronte les expériences contrastées de deux industriels associés, les frères Quesnay : Bernard, généreux mais positif, qui sacrifie toute vie personnelle et sentimentale à sa profession; Antoine, inquiet, rêveur, qui finit par quitter l'usine pour préserver son bonheur privé. *Climats* (1929) est généralement considéré comme le chef-d'œuvre de Maurois : l'impossibilité d'atteindre à un équilibre heureux, l'absence fatale de synchronie entre les passions des personnages colorent de tragique cette représentation de l'existence bourgeoise. Philippe, industriel introverti et méditatif, raconte d'abord son amour pour la fantasque Odile, son mariage, et l'irrémédiable dégradation de cette union; dans une seconde partie, la tendre et soumise Isabelle rappelle ses difficiles amours avec Philippe, qui, s'ennuyant auprès d'elle, adopte les conduites de fuite qui l'avaient tant fait souffrir chez Odile : double éclairage sur les douleurs des mal aimés. *Le Cercle de famille* (1932) revient à une construction plus traditionnelle, comme le feront *l'Instinct du bonheur* (1934) et *les Roses de septembre* (1956) : repli sur un réalisme psychologique où la description des milieux s'allie harmonieusement à l'évocation des sentiments.

Ces œuvres révèlent un observateur moraliste, socialement conservateur, plus qu'un créateur d'atmosphères et de mondes nouveaux: aussi n'est-il pas étonnant que l'essayiste (*Dialogues sur le commandement,* 1925; *Mes songes que voici,* 1932), le critique (*Études anglaises,* 1928; *Aspects de la biographie,* 1929; *Cinq visages de l'amour,* 1942; *Alain,* 1949) et surtout l'historien aient bientôt pris le pas sur le romancier. *Édouard VII et son temps* (1933), l'*Histoire d'Angleterre* (1937), l'*Histoire des États-Unis* (1943-1944); l'*Histoire de la France* (1947) sont des ouvrages de vulgarisation précis, utiles, mais imperméables aux mutations de l'historiographie, qui réévalue l'économie et le social. Dans ses biographies, Maurois déploie la finesse intuitive de ses analyses et les subtilités formelles de sa narration; les premières empruntent beaucoup aux procédés du roman, jusqu'à donner parfois dans le romancé (*Ariel ou la Vie de Shelley,* 1923; *la Vie de Disraëli,* 1927; *Byron,* 1930; *Tourgueniev,* 1931). La manière évolue ensuite vers plus de sobriété, sans perdre ni charme ni pouvoir de suggestion (*Chateaubriand,* 1938; *A la recherche de Marcel Proust,* 1949; *Lélia ou la Vie de George Sand,* 1952; *Olympio ou la Vie de Victor Hugo,* 1954; *Robert et Elizabeth Browning,* 1957; *Adrienne ou la Vie de Mme de La Fayette,* 1961; *Prométhée ou la Vie de Balzac,* 1965). Hors du domaine littéraire, Maurois a publié, outre son *Disraëli,* des biographies de Lyautey (1931), d'Alexander Fleming, etc.

Élu à l'Académie française en 1938, aimé du public féminin bourgeois, conférencier international, spirituel et souriant, prodiguant des lignes légères dans de nombreux magazines, André Maurois, fidèle au rationalisme d'Alain, a toujours résisté au modernisme, du bergsonisme à la psychanalyse ou à l'existentialisme, refusant d'embrasser les anciennes comme les nouvelles religions. Sa pensée et son art sont tout apolliniens : leur mesure comporte ses limites; c'est le prix que doivent payer toute idée et toute forme pour échapper aux troubles de l'ambiguïté qui ont séduit tant de romanciers et de biographes modernes.

BIBLIOGRAPHIE

Michel Droit, *André Maurois,* Paris, Éd. universitaires, 1953; Amélie Fillon, *André Maurois romancier,* Paris, Société française d'éditions littéraires et techniques, 1937.

D. MADELÉNAT

MAURON Charles (1899-1966). V. PSYCHOCRITIQUE.

MAURRAS Charles (1868-1952). Essayiste, homme de presse et homme politique, passionné d'histoire, de littérature et de philosophie, poète enfin, Charles Maurras a guidé pendant près d'un demi-siècle un courant important de la pensée française. Les monarchistes et, plus généralement, une certaine droite (dont il systématise les options, celle, en particulier, du régionalisme qu'il oppose à la centralisation jacobine) lui doivent une solide doctrine.

Le théoricien de la réaction

Maurras est né en Provence, à Martigues, et il décrira plus tard, dans ses textes autobiographiques, une enfance bourgeoise et choyée, passée entre les jardins et les livres. Très tôt son père meurt, et sa mère vient à Aix : le brillant sujet des bons pères ne conserve pas la foi, et c'est une sorte d'incroyant romantique qui arrive à Paris après son baccalauréat. On voit rapidement sa signature dans des journaux et des revues, dont *la Revue blanche,* puis la *Revue encyclopédique* et la *Gazette de France.* Peu à peu, à travers ses articles, ses livres (*le Chemin de Paradis,* 1895; *Trois Idées politiques,* 1898; *Anthinéa, d'Athènes à Florence,* 1901), à travers les rencontres, aussi, qu'il multiplie malgré sa surdité, Maurras élabore des théories : avec Moréas, il crée l'école romane, pour réagir contre le romantisme, qu'il dénonce également dans *les Amants de Venise : George Sand et Musset* (1902) et dans *l'Avenir de l'intelligence* (1905) — il réhabilite ainsi, en esthétique, l'idée de tradition qu'il défend en politique en exaltant la patrie et la monarchie, notamment lors de l'affaire Dreyfus. Avec la création du quotidien *l'Action française* (1908) et avec l'*Enquête sur la monarchie* (1900-1909), suivie d'un grand nombre de livres et de brochures politiques, Maurras devient le maître à penser des royalistes (cf. le *Dictionnaire politique et critique,* 1931). Parallèlement, il poursuit une œuvre moins directement engagée, dédiée à son enfance, à la Provence, à son amour enfin pour la Grèce et l'Italie : on notera ainsi *l'Étang de Berre* (1915), *Quatre Nuits de Provence* (1930), *les Vergers sur la mer* (1937) et les textes qui seront publiés en 1954 sous le titre de *Suite provençale.* L'essentiel, pourtant, de l'activité de Maurras est consacré à l'Action française, dont il appartient aux historiens de suivre l'évolution : notons quand même sa participation à l'union sacrée entre 1914 et 1918, sa contestation violente du régime entre les deux guerres, la condamnation que Rome inflige au mouvement en 1926, enfin, au moment de l'Occupation, le pétainisme de Maurras, qui lui vaudra d'être condamné pour intelligence avec l'ennemi, d'être emprisonné à Riom, puis à Clairvaux. L'Académie française, qui l'avait accueilli en 1936, l'exclura en 1945. En 1952, il sera placé en résidence surveillée dans une clinique près de Tours, où il finira ses jours.

Littérature politique et politique littéraire

« Politique d'abord » énonce une phrase célèbre de Maurras, qui semble du même coup s'exclure de la littérature au sens strict. En effet, plutôt qu'un écrivain, Maurras est d'abord un penseur. Un tel jugement, pourtant, mérite d'être nuancé, ne serait-ce qu'en raison de la culture essentiellement littéraire de cet homme d'idées, dont elle oriente et explique même la réflexion. Formé par les humanités classiques, Maurras considère naturellement la Méditerranée comme l'espace propre de la civilisation face aux barbaries diverses (orientale ou sémitique, par exemple!). La France doit donc être l'héritière de la Grèce et de Rome : de la première Maurras retient l'harmonie, l'équilibre, tandis que la seconde représente à ses yeux l'ordre stable qu'il voit, lui, dans la monarchie. Car tout, selon Maurras, vient de la tradition, de cet ordre ancien dérangé malencontreusement par des novateurs irresponsables. Parmi ces derniers, on compte, bien sûr, un grand nombre d'écrivains dont l'objectif semble être, justement, la subversion généralisée, la révolution, que Maurras associe au romantisme.

Le romantisme, voilà l'ennemi : malgré le classicisme de Béranger et le « loyalisme monarchique » de Chateaubriand, c'est à ce mouvement littéraire et culturel que nous devons la multiplication des mouvements séditieux. Issu de la revendication individuelle, héritier de la Réforme et, plus lointainement encore, d'un esprit « hébreu et germain », le romantisme apparaît avec le « misérable Rousseau » et aboutit à la décadence des lettres, elle-même inclinant « à admettre la décadence de la patrie ». Rien de plus gênant, en effet, qu'un écrivain dans une société ordonnée où il introduit ce ferment d'anarchie que Maurras discerne par exemple dans Chateaubriand. On l'avait dit depuis Platon : les poètes sont néfastes à la cité — surtout lorsqu'ils veulent remplacer, pour le malheur des peuples, les élites d'autrefois.

Le nationalisme littéraire

Le remède à tout cela, c'est, bien sûr, la réaction, le retour à l'ordre d'autrefois : il s'agit d'abord d'être classique et français, de renouer avec notre héritage littéraire national, d'abandonner le cosmopolitisme romantique. Cette xénophobie, comme l'observe un critique, est cependant sélective, puisque Rome, Athènes et toutes les littératures latines constituent la communauté culturelle à laquelle nous appartenons. D'où la sympathie de Maurras pour l'école romane, son amitié pour Moréas et pour Mistral, le Provençal qui enrichit la patrie d'une variante régionale. Renouant ainsi avec ses traditions et sa vocation nationale, la littérature selon Maurras échappe forcément à ces erreurs du goût qui ont nom Hugo, Baudelaire ... et Verlaine lorsque Rimbaud oriente celui-ci vers la « plus parfaite perversion esthétique »!

On voit donc à quel point cette philosophie de l'histoire est à l'origine une critique, reposant, certes, sur des critères extra-littéraires, mais considérant tout de même la littérature comme le moteur secret de la société. Rien d'étonnant, dès lors, à ce que l'écriture maurrassienne s'inspire de préférences philosophiques et historiques, évoque la Grèce et les Grecs, la Provence, cette Grèce française, et Florence, l'Athènes italienne. Tous ces lieux, en effet, marqués par le passé, rassurent sa nostalgie et son angoisse; l'angoisse, c'est celle qui saisit Maurras devant un monde en mutation, et dont l'histoire même n'est plus que ruptures et crises qui nous font regretter les temps anciens; ceux-ci, idéalisés comme il se doit, deviennent dès lors le Beau et le Bien : l'art et la littérature d'aujourd'hui doivent en retrouver l'esprit s'ils veulent à leur tour s'intégrer dans la tradition et devenir « racines ». « Cela se résume à quelques mots, dit Maurras dans l'*Art poétique* : Maintenir ce qui est transmis. Le conserver vivant. » [Voir aussi ACTION FRANÇAISE].

BIBLIOGRAPHIE

Charles Maurras, *Œuvres capitales,* Paris, Flammarion, 1954.
A consulter. — A. Thibaudet, *Trente ans de vie française,* I, *les Idées de Charles Maurras,* Paris, N.R.F., 1919; *Charles Maurras,* Paris, Éd. d'histoire et d'art, 1953 (coll.); I.P. Barko, *l'Esthétique littéraire de Charles Maurras,* Genève, Droz, Paris, Minard, 1961; E. Weber, *l'Action française,* Paris, Stock, 1964; J. Paugam, *l'Age d'or du maurrassisme,* Denoël, 1971; C. Capitan Peter, *Charles Maurras et l'Idéologie d'Action française,* Le Seuil, 1972; P. Boutang, *Maurras, la destinée et l'œuvre,* Plon, 1984.

A. PREISS

MAXIME. « Les proverbes des honnêtes gens », disait-on des maximes au XVIIe siècle; et, sans connaître l'usage anonyme et spontané de son concurrent populaire, la maxime a sans doute joué un peu ce rôle, dans un milieu bien moins figé cependant dans ses conduites et son idéologie : parole emblématique, signe d'appartenance à une communauté de doctes et de croyants, d'allégeance à une morale (généralement celle de la tradition humaniste, à laquelle son essor paraît lié); parole figée qui, après s'être inscrite sur la pierre des monuments, dont son métalangage imagé porte le souvenir (parole gravée, parole lapidaire...), dans les œuvres des grands penseurs ou de leurs disciples, dans la légende exemplaire des héros, continue d'inspirer les postérités fidèles; parole pleine et euphorique, dépôt de sagesse et d'expérience, grâce auquel l'individu d'une langue, d'une croyance et d'une culture ne s'engage jamais tout à fait démuni — ni tout à fait libre — dans la grande aventure du discours.

Mais nos siècles modernes ont moins besoin de ces formules inspirées et définitives, et la maxime aurait peut-être connu le sort du proverbe, condamné au déclin par le recul de la créativité et de l'autonomie du discours populaire, si elle n'avait été l'objet, essentiellement au XVIIe siècle, d'une promotion mondaine et surtout littéraire. Elle y était préparée par ses origines humanistes, son usage dans les classes cultivées, son utilité pédagogique; mais ce n'est point tant ce rayonnement attendu qui mérite d'être souligné que sa consécration comme forme littéraire. La Rochefoucauld n'a pas inventé la maxime, même si son nom lui demeure définitivement attaché, mais, partageant l'intérêt des moralistes de son temps pour certaines formes désuètes ou marginales du discours, il lui a assuré une survie et un avenir glorieux. Cette appropriation de la maxime par la littérature — entendons comme genre constitué et autonome, où le souci de la performance esthétique prime l'intention didactique, si elle ne la pervertit pas toujours — était rendue possible par l'ambiguïté de ce type d'énoncé. Par définition, la maxime (*maxima sententia*) se veut affirmation générale et incontestée, précepte ou règle de vie (Bossuet : « C'est la maxime qui fait les grands hommes »); elle sollicite les ressources du langage (prosodie, métrique, figures syntaxiques et stylistiques, effets de symétrie ou de fermeture) à l'appui de la force et de l'évidence d'une pensée; elle joint à l'autorité de l'idée la séduction de la formule bien trouvée, bien tournée. Mais une telle recherche de l'efficacité formelle ne peut être tout à fait innocente : elle requiert habileté et artifice, outre ces merveilleuses dispositions du langage à travailler pour lui-même, qui ont dû plus d'une fois surprendre La Rochefoucauld dans la rédaction de ses maximes [voir LA ROCHEFOUCAULD]. Ce double jeu, pour ainsi dire, de la maxime, explique ses avatars de l'époque récente : méprisée ou condamnée pour sa prétention naïve à dire le vrai, à régenter les conduites (qui songe aujourd'hui à s'autoriser d'une maxime, à « couvrir » son discours ou ses actes d'un précepte?), elle a séduit et continue de séduire les écrivains par le défi de sa structure. « Comme c'est vain, une idée », disait Jules Renard, bon faiseur de maximes, « sans la phrase j'irais me coucher ».

Outre cette volonté d'exploiter d'abord une forme, La Rochefoucauld a orienté l'écriture des maximes dans une direction nouvelle, celle de la recherche de l'effet de surprise, du paradoxe et même de la provocation. C'est là que son héritage a été immédiatement le plus fécond. Libérée de la nécessité de porter la bonne parole, celle de la *doxa* humaniste, la maxime s'est ouverte aux jeux du langage mais aussi à l'expression des différences et des ruptures. Ainsi, au XVIIIe siècle, pour un Vauvenargues tentant de restaurer, contre l'illustre précurseur, une sorte de climat humaniste (au besoin, la maxime se fait contestation de la maxime : « Pour savoir si une pensée est nouvelle, il n'y a qu'à l'exprimer bien simplement »), des auteurs de la période révolutionnaire, comme Chamfort ou Rivarol, aux deux pôles du combat idéologique, vivent dans l'écriture des maximes leur drame individuel. L'aphorisme, dans sa promptitude et son agressivité formelle, devient message d'affirmation de soi, volonté de se différencier, règlement de comptes personnel avec les pratiques et les discours dominants. La discontinuité spécifique du genre mime chez Chamfort les sursauts de l'indignation et de la colère, l'irritation de la rancœur et de l'échec, la haine du semblable. Et même, paradoxalement, lorsque Rivarol se fait l'apologiste d'un monde où règnerait, sous la loi vigilante de la maxime, le conservatisme social et politique le plus strict, son combat est déjà celui d'un exclu, face à l'idéologie triomphante du progrès et de l'égalitarisme : « Le génie en politique consiste non à créer mais à conserver; non à changer mais à fixer; il consiste à suppléer aux vérités par des maximes. Car ce n'est pas la meilleure loi mais la plus fixe qui est la bonne ». Rivarol ou la maxime saisie par la nostalgie de son âge d'or...

Pessimisme et dérision sont devenus les inspirateurs privilégiés (maximistes/pessimistes, a-t-on pu dire). On sait que ce sont toujours les condamnations qui requièrent le moins de mots. Mais ce qui frappe surtout, ce qui est nouveau par rapport au siècle précédent, c'est la démarche propre de l'écrivain; comme si, désormais, l'aventure de la maxime devait se vivre solitairement, dans une sorte de romantisme de l'écriture. La maxime n'est plus « cette vérité qui court les rues » selon le mot de Vauvenargues; elle ne dit plus aux hommes la vérité, mais leur vérité, au prix d'un déchirement qui, dans la tourmente révolutionnaire, est celui de l'homme aigri et désespéré (Chamfort) ou du proscrit (Rivarol); et sera celui de l'écrivain dans sa condition moderne.

Loin du combat d'idées, mais contemporain de Chamfort et de Rivarol, Joubert est l'inventeur de ce genre de pensées intimistes où l'auteur semble s'adresser plus à lui-même qu'à ses semblables; la maxime a toujours autant conscience de son prix et de sa rareté, mais elle se fait plus fragile, plus discrète; elle est destinée moins à édifier les autres ou à les agresser qu'à gratifier son auteur, à récompenser son labeur : « Je m'arrête jusqu'à ce que la goutte de lumière dont j'ai besoin soit formée et tombe de ma plume », écrit Joubert. Le fragment exprime, à la fois, le désir et l'impuissance d'écrire, la peur du discours continu, vaniteux et complaisant. Bien des écrivains modernes, de Gide à Valéry, hériteront de cette démarche, de ces scrupules, qui poursuivront dans leur Journal, dans leurs Cahiers, sorte d'envers de leur production officielle, ce face-à-face avec la phrase : comme si le pressentiment et la formulation de l'essentiel, vocation première de la maxime, ne devaient plus se claironner sur la place publique, mais se murmurer, trouvaille précaire et précieuse, écriture plus fragmentée que fragmentaire, dans la solitude et le secret.

Curieux destin que celui de la maxime, qui, du lieu du pouvoir et de la maîtrise où elle fut longtemps placée, se retrouve mener une existence clandestine dans les régions les plus secrètes de la production de nos grands écrivains.

Aujourd'hui, les abus triomphants d'un autre type de discours de maîtrise, celui des sciences humaines, saisi à la fois par l'ivresse de son flot et par la peur de tarir, pourraient inciter ceux qui veulent poursuivre, dans et par le langage, les vieilles interrogations sur l'homme, à redécouvrir les vertus du discours discontinu (maxime, fragment, pensée, aphorisme : le flottement terminologique a ici valeur de définition); à renouveler un pari aussi vieux que l'écriture elle-même : celui de risquer dans une formule, phrase surgie entre deux silences, se soutenant de la seule force de son achèvement et de son écho, la vérité de l'homme et du langage.

F. SUZZONI

MAYNARD François. V. MAINARD.

MAZARINADES (1648-1652). On appelle du nom générique de mazarinades la multitude de pamphlets et écrits politiques de toute sorte qui parurent durant la Fronde et qui, dans leur grande majorité, étaient hostiles au Premier ministre Mazarin. Le nom de *mazarinade*, titre d'un poème satirique paru le 11 mars 1651 et attribué à Scarron, est fait sur le modèle de « pasquinade » (en italien, *il pasquino* = « le bouffon »; à Rome, statue sur laquelle on attachait des libelles polémiques).

Une explosion d'écrits polémiques

Les mazarinades sont la manifestation littéraire de la crise profonde que constitua la Fronde; aussi convient-il pour les comprendre de garder présents à l'esprit quelques traits fondamentaux de celle-ci. Le nom même de « Fronde » tend à en minimiser l'importance, mais il est désormais établi que cet affrontement, d'une extrême violence, entre les diverses forces politiques du pays fut la crise la plus grave que connut la France au XVIIe siècle. Elle ne se limitait pas au domaine politique; l'économie et la démographie étaient affectées : disette, cherté et mortalité sévirent durant ces années où la guerre civile ravagea le pays. Certes, ce phénomène complexe reste encore relativement mal connu dans ses détails, et son interprétation prête à controverses. Mais sans nul doute, il a représenté un temps capital de mutation pour la société française et, en particulier, le moment d'une lutte intense pour le pouvoir entre la monarchie, les diverses fractions de la noblesse, la haute bourgeoisie financière et parlementaire et une part des forces populaires (à Bordeaux, la ville fut un an durant sous l'emprise de l'organisation démocratique et prorépublicaine de l'Ormée).

Il faut aussi avoir en mémoire les principales phases de la crise. En 1648-1649, le conflit oppose le gouvernement de Mazarin aux Parisiens, menés par leur parlement et une faction de nobles (autour du duc de Beaufort, bâtard d'Henri IV) et d'ecclésiastiques (autour de Paul de Gondi, futur cardinal de Retz — voir RETZ). Il aboutit au siège de Paris et à la victoire de l'armée royale, que commandait Condé (printemps 1649). Suit une période de tractations, au terme de laquelle Mazarin fait arrêter les princes (Condé, Conti et Longueville), dont les prétentions devenaient extrêmes. S'engage alors une seconde période de combats (1651-1652), durant laquelle Mazarin doit s'exiler tandis que Condé, libéré, contrôle Bordeaux et Paris, mais est finalement défait par l'armée royale, aux ordres de Turenne.

La floraison des pamphlets et libelles qui constituent les mazarinades suit ces diverses phases. Elle débute, à proprement parler, en octobre 1648, quand Gondi engage une guerre de pamphlets contre Mazarin. Ses temps forts coïncident avec les deux sièges de Paris. Pour en situer l'importance quantitative, un chiffre suffit : on a pu recenser plus de six mille mazarinades pour ces quatre années, soit une moyenne de cinq par jour avec des pointes de plus de trente par jour.

Ces libelles offrent peu de ressemblance avec nos tracts modernes. Leur texte est, en règle générale, beaucoup plus long, certains libelles ont jusqu'à 16 pages. Le plus souvent, ils adoptent des formes proprement littéraires et/ou oratoires : de nombreux poèmes, à côté de harangues, discours, lettres, remontrances... Très fréquentes y sont les chansons, qui, par leur diffusion orale, se prêtaient bien à l'effort pour atteindre le plus large public dans une population en très grande majorité illettrée. Enfin il y figure nombre de périodiques : gazettes et courriers, tous plus ou moins éphémères, que l'on pourrait considérer comme les ancêtres de la presse moderne d'opinion. Les historiens et bibliographes ont pris l'habitude de ranger aussi parmi les mazarinades toutes sortes de factums qui n'appartiennent pas directement à la littérature (extraits de délibérations de parlements, par ex.) : il est vrai que, par le seul fait de leur publication, ces textes se trouvaient inclus dans le débat général. Ainsi, une approche qualitative confirme les données brutes de l'approche quantitative : il s'agit bien d'une « explosion de polémique ».

Elle atteignit souvent une extrême violence de ton. Ainsi *la Mazarinade* présente Mazarin en des termes tels que :

> Ce faquin est gras comme suif;
> Il n'est ni fourbu ni poussif,
> Et, sur le point génératif,
> Il aime le copulatif...

pour aboutir à un appel au meurtre, le ministre représentant

> (...) la ruine du royaume,
> Si quelque maître Jean Guillaume
> Ne nous en débarrasse à la fin.

Ce texte n'est pas le prototype du genre, mais, venant assez tard lui donner son nom de baptême, il en résume des traits essentiels quant à la thématique et à l'orientation d'ensemble.

Deux nuances s'imposent cependant. La première concerne les thèmes développés dans ces libelles. Malgré le nom générique, malgré la tendance dominante, tous ne sont pas hostiles à Mazarin : le ministre et la Cour avaient leurs propres pamphlétaires affidés; de fait, chaque parti ou faction avait les siens, et, dans l'écheveau des alliances et revirements, on peut voir se dessiner de nombreux changements de thèmes et de cibles. La seconde nuance concerne la forme de ces écrits : si la polémique y est de règle, leur diversité fait que le ton peut varier beaucoup, et l'on trouve autant d'exposés sentencieux, savants, ampoulés que de textes allégrement satiriques, paillards ou gaiement orduriers.

Les mazarinades ne forment donc pas un genre au sens rigoureusement formel du terme, mais un ensemble hétérogène, dont l'unité repose sur trois traits : la dimension polémique, bien sûr, mais aussi la visée populaire et la liberté de parole.

Une littérature à visée populaire

Le caractère « populaire » d'une production textuelle se définissant à partir de la combinaison de trois critères : la situation sociale de l'auteur, les sujets traités, le public visé, il apparaît que les mazarinades semblent plus populaires par leur fonctionnement et leurs intentions que par leur nature et leur source.

Les auteurs de mazarinades ne semblent pas être à proprement parler des représentants du peuple. La prudence s'impose sur ce point : en effet, l'anonymat ou au moins le recours au pseudonyme sont la règle en ce domaine, et il est très difficile d'identifier les libellistes. Très peu nombreux sont ceux qui ont publié leurs pamphlets à visage découvert : seul, en fait, un Gondi pouvait signer certaines de ses proclamations en forme de plaidoyers. Parmi les autres figurent quelques écrivains célèbres : Scarron, déjà mentionné, Cyrano de Bergerac, auteur d'un féroce *Ministre d'État flambé* (mais qui, par la suite, se rallia à Mazarin), l'historien Mézeray, ou encore, à la solde des princes, Marigny et Dubosc-Montandré, qui fut sans doute le plus redouté des libellistes du moment, à la solde de la Cour, Naudé et Renaudot.

Peu de gens du peuple identifiables : le cas le plus notable est celui de Charlotte Hénault, sœur d'un imprimeur. Le plus souvent, on trouve force signatures telles que : « Un bourgeois de Paris » (ou de quelque autre ville), « Un curé »,... ou encore nombre de signatures collectives, par exemple dans le *Manifeste des Bordelais*.

En revanche, le peuple est omniprésent dans les thèmes développés, et les formes adoptées visent le plus souvent à obtenir une audience populaire. Tous les partis se réclament de l'intérêt public et du désir de soulager les petites gens. Il est vrai que la Fronde eut pour cause la plus immédiate un surcroît d'impôts, dû en partie aux charges de la guerre que menait alors la France contre l'Espagne et en partie à la gabegie financière qu'entretenait Mazarin. Le soutien des masses populaires était, d'autre part, indispensable aux manœuvres des factions; il fut d'ailleurs question (sans que l'exécution suivît) de réunir les états généraux. Mais le peuple auquel s'adressent ou dont parlent la plupart des mazarinades est avant tout le peuple des villes. Les références fréquentes, dans les titres ou les signatures, aux « bourgeois », « marchands », « curés », etc., montrent bien qu'il s'agissait de mobiliser les couches moyennes de la population urbaine, ce qu'a parfaitement établi aussi l'étude de S.A. Westrich sur la composition de l'Ormée de Bordeaux. Les paysans sont peu représentés, et à titre plutôt folklorique, comme dans *les Agréables Conférences de deux paysans de Montmorency sur les affaires du temps* de Richer.

A ces couches sociales intermédiaires, disposant en général d'une culture peu étendue mais suffisante pour avoir accès à la lecture, on proposait donc, outre des exposés en bonne et due forme de discours, des ouvrages de ton divertissant, dont l'alacrité faisait l'efficacité. De là, la vogue des textes rédigés sur le mode du burlesque (voir BURLESQUE). Si la dénonciation des dépenses excessives de l'État et des grands y est constante, ce qui a le plus de retentissement est, d'évidence, l'accusation de mœurs dissolues : s'appliquant au cardinal ministre, elle offrait une large gamme de possibilités d'allusions ou d'affirmations paillardes. Ainsi, Cyrano clamait que Mazarin était un débauché, sodomite autant qu'amateur de femmes :

Cardinal à courte prière,
Priape est chez vous à tout vent,
Vous tranchez des deux bien souvent
Comme un franc couteau de tripière,
Et ne laissez point le devant
Sans escamoter le derrière.
(*Le Ministre d'État flambé*, strophe X)

Si le principe monarchique est rarement contesté, si la personne même du roi (Louis XIV, alors enfant) est en général respectée, il arrivait que la régente fût attaquée, et en particulier qu'on l'accusât d'être l'amante du cardinal : ainsi fait *la Custode du lit de la reine qui dit tout.*

De tels écrits remportaient un succès qui ne tenait pas seulement à leurs implications politiques : la verve satirique y était recherchée pour le plaisir de l'irrévérence, de la rupture des normes, sans qu'il y ait forcément attachement à quelque parti que ce fût. De fait, une part non négligeable de la production est due à des auteurs et à des imprimeurs qui trouvaient là une occasion de vendre leurs écrits (ou, pour les imprimeurs, d'en commander en étant assurés d'un bon débit) et de se procurer de la sorte des ressources non négligeables : les colporteurs qui les diffusaient (à Paris, sur le Pont-Neuf principalement) avaient en général tôt fait de liquider les tirages.

Une littérature en liberté

Tout cela n'allait pas sans risques. Le parlement aussi bien que le gouvernement s'efforçaient de combattre le flot des publications. Il y eut quelques arrestations et condamnations d'autant plus sévères qu'elles se voulaient exemplaires. Ainsi, la veuve Mugnier et ses fils, imprimeurs, furent condamnés, elle au bannissement, l'aîné à mort, et le cadet aux galères. Claude Morlot, imprimeur de la *Custode du lit de la reine,* fut arrêté et condamné à mort (mais la foule parisienne, conduite par les ouvriers imprimeurs, l'arracha à ses gardes dans la cour même du Palais de justice [juillet 1651]). Des colporteurs furent saisis et condamnés au fouet...

Mais, outre les cas d'impunité procurée par les troubles du moment, qu'illustre l'exemple évoqué ci-dessus de Morlot, nombre d'auteurs et d'imprimeurs ne furent pas inquiétés car ils jouissaient de la protection des grands, à la solde de qui ils écrivaient et publiaient. Aussi les mazarinades apparaissent comme une production caractérisée par l'extrême liberté conférée, pour un temps, à la littérature.

A cet égard, elles s'inscrivent dans une tradition qui a pu prendre, selon les moments, deux aspects.

Dans les temps de troubles, elle s'est manifestée directement. L'époque de la Ligue avait été riche en libelles de tous ordres, et les mazarinades reprirent volontiers nombre de thèmes développés à ce moment; parfois même, les textes étaient réimprimés tels quels, avec de simples modifications des noms propres et des dates pour les actualiser. Mais la Fronde apparaît, par l'ampleur que prit alors le phénomène, comme un cas exceptionnel à cet égard, que même les années révolutionnaires n'ont pas vu se reproduire.

Un second aspect de la liberté d'écrire réside dans les publications faites en dépit des lois et de la censure. A cet égard, les mazarinades sont héritières d'une pratique constante au XVIIe siècle, celle des libelles circulant sous le manteau, tantôt imprimés, tantôt en manuscrits. A l'époque de Richelieu, les adversaires de celui-ci avaient constamment entretenu une activité de polémique littéraire, soit depuis l'étranger, comme fit Mathieu de Morgues, soit à Paris, comme les auteurs anonymes de *la Milliade.* D'autre part, il ne faut pas perdre de vue que la Fronde suit de peu la première vague de polémiques à propos du jansénisme, qui suscita des publications clandestines, et précède de peu la seconde vague, marquée par les *Provinciales,* elles-mêmes diffusées clandestinement. Et même, lors de l'arrivée au pouvoir de Louis XIV, les écrits de combat circulant sous le manteau n'avaient pas cessé : que l'on songe, par exemple, aux *Mémoires du maquereau royal...* Il y a là tout un fonds d'ouvrages qui, peu connus aujourd'hui, mériteraient des études et des éditions.

Enfin, dans cette même perspective, les mazarinades furent un lieu privilégié pour l'expression d'une autre forme de liberté des écrivains. A défaut de l'indépendance totale, au moins ceux-ci pouvaient-ils se livrer, mettant à profit les troubles, à l'exercice fécond du double langage. Ils y étaient pour une part contraints : les renversements d'alliances, les changements de politique de leurs patrons et commanditaires les contraignaient souvent à se contredire, à tricher avec leurs opinions. Parfois, c'est selon leurs intérêts propres qu'ils changeaient de camp : ainsi fit Cyrano. Mais parfois aussi, ils mettaient à profit le cadre qui leur était à la fois offert et imposé pour avancer des idées que leurs maîtres, quels qu'ils fussent, n'auraient pu en aucun cas avaliser : la situation n'était pas comparable à celle de l'Angleterre, où, à la même date, la révolution rendait possibles les options républicaines; mais sous le couvert de discours respectant le principe monarchique, l'influence des idées anglaises se faisait sentir. Hobbes, dont le *Leviathan* venait d'être traduit, a été à coup sûr lu par certains auteurs de mazarinades, qui lui font écho. Et parfois, détournant le projet qui leur avait été confié, certains d'entre eux lancent des appels à la révolte totale, comme fait Dubosc-Montandré dans *le Point de l'Ovale* (1651), où, sous prétexte d'exciter le peuple de Paris pour favoriser les manœuvres de Condé, il écrit : « Voyons que les Grands ne sont Grands que parce que nous les portons sur nos épaules. Il nous suffit de les secouer pour en joncher le sol ».

De telles prises de position sont minoritaires, et les mazarinades sont un phénomène exceptionnel, certes. Néanmoins, leur existence oblige à prendre en compte une complexité des structures culturelles du XVIIe siècle parfois trop négligée.

Deux auteurs de mazarinades

Marigny (Jacques Carpentier, abbé de) fut au service de Gaston d'Orléans dans les années 1630, puis de la princesse Marie de Gonzague, duchesse de Nevers. Lors des négociations de Munster, il fut secrétaire du ministre Servien, mais celui-ci le chassa. Il voyagea alors en Europe, puis rentra à Paris, où il se mit au service de Gondi. Le premier pamphlet attaquant personnellement Mazarin partit de sa plume. Il imposa aussi une forme de chanson qui fit florès durant la Fronde, les « triolets », par ceux qu'il composa contre le duc d'Elbeuf (janvier 1649). Pamphlétaire actif, il s'attira l'inimitié personnelle de Mazarin, qui le considérait comme un des agitateurs les plus redoutables. Il dut ensuite s'exiler, ne rentra à la Cour qu'après la mort de Mazarin, et mourut à Paris en 1673, laissant des « œuvres diverses » qui, en dehors de ses mazarinades, sont assez minces.

Dubosc-Montandré (Claude). La biographie de cet auteur est mal connue. Il fut, durant la Fronde, un des pamphlétaires les plus actifs, aux gages de Condé : on lui doit quarante-huit libelles en quatre ans, dont certains dépassent la centaine de pages. Ses positions politiques déclarées varient selon les alliances politiques de son maître, mais certaines constantes s'y discernent : hostilité à la monarchie absolue; inclination à la république parfois. Ainsi peut-on citer, outre son *Point de l'Ovale*, mentionné par ailleurs, *les Dernières Convulsions de la monarchie reconnues* (1651) ou encore *le Formulaire d'état, faisant voir par la raison et l'histoire : 1° que les lois fondamentales de la monarchie sont au-dessus de l'autorité du roi; 2° qu'il n'y a que les états généraux qui puissent entreprendre impunément les lois fondamentales du royaume, et par conséquent que l'autorité des états généraux est au-dessus de celle du roi; 3° que la royauté dégénère en tyrannie quand elle attente à ces lois fondamentales* (1652). Après la Fronde, il s'exila en Belgique avec Condé, composa une tragédie politique (*Dioclétian et Maximian*, 1654) et divers travaux historiques.

BIBLIOGRAPHIE

Pour une approche de la Fronde : B. Porchnev, *les Soulèvements populaires en France de 1623 à 1648* (trad.), Paris, S.E.V.P.E.N, 1963, éd. abrégée, Paris, Flammarion, 1972; S.A. Westrich, *l'Ormée de Bordeaux*, Paris, I.A.E.S., 1973; R. Mandrou, éd. A. de Wicquefort, *Chronique discontinue de la Fronde*, Paris, Fayard, 1978.

Sur les mazarinades : pas d'étude d'ensemble. Une grosse *Bibliographie* (C. Moreau, Paris, 1850-1851, 3 vol. A été suivie de nombreux suppléments). Des éléments dans M.-N. Grandmesnil, *Mazarin, la Fronde et la Presse*, Paris, Colin, 1967, et F. Deloffre, éd. L. Richer, *les Agréables Conférences de deux paysans de Montmorency sur les affaires du temps*, Paris, Garnier, 1963.

A. VIALA

MBIA OYÔNÔ, Guillaume. V. OYÔNÔ MBIA Guillaume.

MÉCHAKRA Yamina. V. MAGHREB. Littérature d'expression française.

MÉDAN (groupe de). Le succès de *l'Assommoir* permet à Zola d'acheter en 1878 sa maison de Médan, « une cabane à lapins entre Poissy et Triel, dans un trou charmant » : là, dans le cadre que fréquentent chaque automne les zolistes d'aujourd'hui, il reçoit ses confrères et ses disciples. Le naturalisme passe en effet pour une école littéraire nettement définie : malgré une « doctrine » contradictoire et diversement interprétée, le groupe que forment Zola et ses amis s'identifie pour une petite dizaine d'années à la littérature d'avant-garde, mais aussi à celle qui obtient les succès de vente ou de scandale. A Médan (auquel ces passionnés de langage viennent d'ajouter un accent aigu euphonique), on trouve, autour du « Maître », beaucoup de jeunes écrivains : Marius Roux, l'Aixois, Paul Alexis, qui a introduit Hennique, Huysmans et son ami Céard. Il y a aussi Maupassant, qui fait le lien avec Flaubert, leur dieu à tous. Accueilli par Mme Zola, tout ce monde mange (fort bien), discute esthétique ou littérature, nage, canote enfin jusqu'à l'île que Zola a achetée en face de sa villa.

L'idée d'un livre qui serait l'expression de ces amitiés, qui montrerait le naturalisme en action, se fait jour peu à peu. Selon Maupassant, elle serait née à Médan, où Zola aurait convié ses invités à un « Hexaméron improvisé » (A. Lanoux), lui-même racontant de vive voix *l'Attaque du moulin*. Selon Hennique, c'est Alexis qui aurait proposé la chose à Zola, et l'on devrait le titre à Céard. Quoi qu'il en soit, la proposition est agréée : Zola, Maupassant, Huysmans, Céard, Hennique, Alexis se mettent au travail, et le livre — qui réunit dans cet ordre les différentes contributions — paraît le 1er mai 1880, lancé par un article de Maupassant. Il est précédé de quelques lignes de Zola parlant de « l'idée unique », de « la même philosophie » qui, selon lui, inspire toutes ces nouvelles; « la critique est furieuse, attaque [...] Nous n'avons pas peur; nous nous amusons. Le public s'amuse, achète » (Hennique).

La cohérence du groupe est, bien entendu, un peu douteuse : si la critique confond souvent les amis de Zola, si elle les injurie en vrac, s'ils se soutiennent entre eux et partagent les mêmes admirations, quelle distance entre *Boule de suif* et la nouvelle de Céard, ne serait-ce que dans la qualité! Quant à *l'Attaque du moulin*, ce n'est pas du meilleur Zola : la construction de ce drame rustico-guerrier est peut-être trop fruste — trop « fabriquée », dit Armand Lanoux. Huysmans donne *Sac au dos*, où il conte à la première personne les aventures d'un soldat malade qui ne se bat pas. Il est suivi de Céard avec *la Saignée*, une nouvelle trop longue sur un personnage de demi-mondaine poussant son général d'amant à briser le siège de Paris! Il y a encore *l'Affaire du grand sept*, de Hennique, où des soldats en furie partent à l'assaut d'un lupanar. Pour finir, *Après la bataille*, d'Alexis, chante les amours d'une veuve et d'un blessé. En fait, plus qu'un manifeste, *les Soirées de Médan* constituent le témoignage d'une rencontre, passagère, de tempéraments assez divers. Et il est révélateur que cette rencontre ait lieu sur le thème de la guerre de 1870. *L'Invasion comique*, tel était le premier titre du recueil, et il en exprimait bien la tonalité noire et amère : le « groupe de Médan » a en effet la volonté de casser des clichés, en particulier ceux qu'alimente un patriotisme mal compris; il veut « tout montrer », y compris et surtout ce qui est horrible, sordide ou absurde, incongru parfois : la lâcheté des « honnêtes gens », l'incurie des responsables, la souffrance et la bêtise, tout ce qui paraissait alors scandaleux et qui devait être caché, cette guerre où le second Empire trouve sa débâcle et le naturalisme son origine.

BIBLIOGRAPHIE

Les Soirées de Médan, introd., notes et dossier par C. Becker, le Livre à venir, 1981.

A. PREISS

MEDDEB Abdelwahab. V. MAGHREB. Littérature d'expression française.

MEIGRET Louis (1510?-1560?). Ce traducteur, dont on connaît mal la vie, semble avoir passé son existence à travailler pour des éditeurs. Il a laissé une première série de traductions, de 1540 à 1542 (Pline, Aristote, Columelle); de 1542 à 1547, il traduit Polybe, Isocrate, Salluste et Cicéron; en 1557, Valturin et Dürer. Mais c'est comme grammairien que Meigret est le plus connu et qu'il mérite l'intérêt des historiens de la langue. Son premier ouvrage original, le *Traité de l'escriture françoise* (1542), reprend avec justesse les fondements de l'orthographe et de la phonétique. Contrairement aux idées courantes à l'époque, Meigret affirme que l'orthographe doit suivre la prononciation : donc, pas de lettre superflue, pas de « diminution » abusive ni d'« usurpation » d'une lettre pour une autre. Cette tentative de « fère quadrer le lettres e l'ecrittur ao voes e à la prononciacion » ne manque pas d'audace. Seulement, Meigret remet en cause les opinions sur le fonctionnement de la langue et sur la pratique de l'écriture et de l'imprimerie.

Son mépris de l'étymologie, encombrement inutile, son insistance à fonder ses principes sur le bon sens et la raison, ses propositions de lettres nouvelles ou de graphèmes nouveaux (le ç, l'apostrophe) sont contestés. Il s'ensuit une polémique orthographique dont les principaux protagonistes sont Jacques Pelletier du Mans, dans une *Apologie à Louis Meigret* (1550) où, malgré le titre, il le critique, et surtout Guillaume Des Autels, avec le *Traité touchant l'ancienne ecriture de langue françoise* (1548) et sa *Réplique aux furieuses defenses de Louis Meigret* (1551). Le grammairien se défend chaque fois : il a contre lui les partisans de l'usage écrit et de l'étymologie. Il aurait fallu, pour que la réforme de Meigret fût efficace, que Ronsard, d'abord séduit, l'applique sans se laisser influencer par du Bellay, partisan de la coutume. Par suite de leur hardiesse — et de leur stérilité —, les propositions de Meigret sont tombées dans l'oubli.

Meigret est aussi l'auteur d'une importante *Grammaire* (1550), qui, loin de se calquer sur les traités latins, amorce une réflexion originale sur les fonctionnements du français d'usage. Selon Ferdinand Brunot, elle mêle une grande justesse à d'incontestables faiblesses — notamment, elle manque de doctrine précise. Mais elle possède une certaine logique et prolonge ce que le traité sur l'orthographe affirmait, à savoir que la langue doit être un « miroir » de la raison.

BIBLIOGRAPHIE

Charles Livet, *la Grammaire et les Grammairiens au XVI*[e] *siècle*, Genève, Slatkine, 1967; Henri Hauser, « Un document sur la réforme orthographique de Louis Meigret », dans *Revue d'Histoire Littéraire de la France*, 1911; Ferdinand Brunot, « Louis Meigret », *Histoire de la langue et de la littérature françaises* (Petit de Juleville), Paris, 1897; Nina Catach, *l'Orthographe française à l'époque de la Renaissance*, Genève, Droz, 1968.

M.-L. LAUNAY

MEILHAC Henri (1831-1897) et **HALÉVY Ludovic** (1834-1908). Meilhac et Halévy eurent d'abord des destinées séparées; leur rencontre fut un événement et commença à créer l'entité Meilhac-Halévy; la rencontre de Meilhac-Halévy avec Jacques Offenbach fut un autre événement, transformant le duo en un trio célèbre.

Henri Meilhac était employé de librairie quand il se mit à écrire : en 1855, il débuta par deux vaudevilles : *Garde-toi, je me garde* et *Satania*. Puis il fait jouer diverses comédies : *la Sarabande du Cardinal* (1856), *le Petit-fils de Mascarille* (1859), *la Vertu de Célimène* (1861) et une opérette : *le Café du roi* (1861). En 1860, Meilhac, employé de librairie et écrivain, rencontre Ludovic Halévy, secrétaire de ministère, déjà mémorialiste et écrivain. Ils écrivent une comédie, *Ce qui plaît aux hommes* (1860). C'est le début du couple Meilhac-Halévy : une collaboration qui s'étale sur cinquante pièces, de 1860 à 1880. Meilhac avait écrit de nombreux livrets d'opérettes, publié de nombreux récits humoristiques dans le journal *la Vie parisienne* (ils seront réunis, plus tard, sous les titres *Madame et Monsieur Cardinal*, 1872; *les Petits Cardinal*, 1882; *la Famille Cardinal*, 1883), composé avec Hector Crémieux divers vaudevilles : le couple théâtral Crémieux-Halévy est antérieur au couple Meilhac-Halévy; il continue après la rencontre de Meilhac et Halévy. En 1855, Halévy avait collaboré avec Offenbach à une pièce en un acte, donnée aux Bouffes-Parisiens, *Ba-ta-clan*. En 1858, Crémieux remet à Offenbach le livret d'*Orphée aux enfers* : le 21 octobre 1858, surgit, aux Bouffes-Parisiens, l'opéra bouffe *Orphée aux enfers*. Événement capital. Devant le public du second Empire éclate, en musique et en calembours, une parodie de l'Antiquité; cette parodie ne prenait sa source qu'à l'intérieur d'une culture : il fallait que le public du second Empire fût un public « bourgeois », assez familier de la culture antique, quelque peu habitué à Homère et à l'Olympe. La bouffonnerie lyrique, nouveau genre, subvertit le mythe d'Orphée : Orphée, devenu professeur de violon, déteste Eurydice; il l'abandonnerait volontiers à Jupiter (« Jupin ») ou à Pluton, qu'escorte son « domestique », John Styx. Pluton se travestit en marchand de miel, Jupiter se déguise en mouche... Le tout assorti de couplets et d'hymnes divers, parfois d'airs inspirés par *la Marseillaise*. Le personnage de l'« Opinion publique » remplaçait le chœur antique. Le succès fut immense. De fait, la société qui applaudissait à *Orphée* se reconnaissait dans une sorte d'image, un peu déformée, d'elle-même, assoiffée de danse et de joie. Jules Janin, dans *le Journal des débats*, attaque violemment *Orphée;* Crémieux révèle alors que Jupiter, à l'entrée de l'Olympe, prononce une phrase... tirée d'un feuilleton de Janin dans *les Débats :* le rire cascadait. Daudet salua la blague nouvelle. Il y eut 228 représentations du 21 octobre 1858 au 5 juin 1859.

Cependant, le couple Crémieux-Halévy continuait sa carrière, elle-même brillante : en 1861, aux Bouffes-Parisiens, *la Chanson de Fortunio, le Pont des Soupirs, Monsieur Choufleury restera chez lui* (l'auteur du texte était, ni plus ni moins, Morny, sous pseudonyme), *le Roman comique*.

La collaboration Meilhac-Halévy-Offenbach commence, en vérité, avec *le Brésilien*, opéra bouffe donné au Palais-Royal en 1863. Alors, seconde grande date de l'époque, 1864 : *la Belle Hélène*. Offenbach avait demandé à Halévy des chansons pour Pâris, des calembours pour Agamemnon; la parodie de l'Olympe gagnait en bouffonnerie : les rois grecs évoluaient en pantoufles; tous des viveurs. Dans ce carnaval de l'Olympe, Pâris, Hélène, Oreste, Calchas jouant notamment au jeu de l'oie, où Hortense Schneider en Hélène avait fait un triomphe, une « Belle Époque » se reconnaissait encore et voyait allégrement piétiner tout un sacré culturel. Jules Janin maudit « ce perfide Meilhac, ce traître d'Halévy, ce misérable d'Offenbach »; Banville salua la parodie; Jules Vallès se moque : « Junon, Jupin, Athénée, Zeus, est-ce qu'on s'appelle comme cela? » et conclut : « Et toi, *Vieil Homère*, aux Quinze-Vingts! »

Bientôt, grâce au trio Meilhac-Halévy-Offenbach, la « société » n'eut plus besoin d'applaudir sa propre image déguisée dans le miroir mythologique : l'image fut directe. En octobre 1866, *la Vie parisienne* fut donnée aux Bouffes-Parisiens : l'actualité se reflétait elle-même, grisante et dérisoire, sans Olympe ni noms grecs. Février 1867, aux Variétés, *Barbe-Bleue*, en trois actes : léger travestissement du conte de fées. En avril 1867, toujours aux Variétés, en pleine année de l'Exposition universelle, *la Grande-Duchesse de Gérolstein* projette, Hortense Schneider régnant encore, la société du second Empire dans un petit royaume mythique qui sort tout droit des *Mystères de Paris* d'Eugène Sue. Alors se succèdent *la Périchole* (1868), opéra bouffe tiré de Mérimée, *la Diva et les Brigands* (1869); après la guerre, *Tricoche et Cacolet* (1871), une nouvelle version de *la Périchole* (1874), puis *la Boulangère et ses écus* (1875), *le Mari de la débutante* (1879). Cependant Meilhac et Halévy écrivent, à deux, un drame, *Froufrou* (1869); Halévy lance, avec Busnach, *Pomme d'api* (1873); avec Ferrier, *Belle-Lurette* (1880). Offenbach meurt en 1880; Halévy entre à l'Académie en 1884, Meilhac y entrera en 1888. Auparavant, Meilhac et Halévy auront encore écrit *Mam'zelle Nitouche* (1882).

R. BELLET

MÉLANCOLIES. V. DUPIN Jean.

MELLIN DE SAINT-GELAIS. V. SAINT-GELAIS Mellin de.

MÉLODRAME. « Bâtard de Melpomène » (Geoffroy), « fils dévoyé » du drame bourgeois (F. Gaiffe), le mélodrame n'a pas bonne presse. Pourtant son succès, tant auprès du public populaire du premier tiers du XIXe siècle qu'auprès des jeunes écrivains romantiques — on se souvient de l'apostrophe de Musset : « Vive le mélodrame où Margot a pleuré! » —, traduit sa double fonction : idéologique « d'éducation » et littéraire « d'ouverture » aux formes nouvelles. Mais en même temps, l'espace réduit que le mélodrame occupe, aussi bien historiquement que sociologiquement, pose le problème de sa théâtralité et de sa « représentabilité ».

Le mot et ses glissements

Emprunté à l'italien *melodramma,* où il désigne, au XVIIe siècle, un drame entièrement chanté, le terme apparaît en France au moment de la querelle des Bouffons, simple doublet d'opéra, ainsi qu'en témoigne l'équivalence posée par Delisle de Sales dans son *Essai sur la tragédie* (1772) : « le mélodrame ou l'opéra, tel que je l'ai défini, est donc vraiment dans la nature ».

Cependant, dans ses *Fragments d'observations sur l'Alceste italien de M. le Chevalier Gluck* (1766), Jean-Jacques Rousseau définissait ainsi son *Pygmalion :* « J'ai imaginé un genre de drame dans lequel les paroles et la musique, au lieu de marcher ensemble, se font successivement entendre, et où la phrase parlée est en quelque sorte annoncée et préparée par la phrase musicale »; et de nommer ce « genre de composition » mélodrame, tout en précisant qu'il pourrait « constituer le genre moyen entre la simple déclamation et le véritable mélodrame ».

Mais c'est un troisième sens qui a consacré l'existence et la pérennité du terme — et de son dérivé « mélodramatique » comme de l'apocope populaire et péjorative « mélo » — en tant que synonyme de « tragédie des Boulevards » (Geoffroy). Dans cet emploi, « mélodrame » a évincé diverses formules du type « drame en prose à grand spectacle », « pantomime dialoguée », « féeries mélodramatiques », etc. Pixérécourt lui-même ne l'emploie qu'en 1802 sous la forme « mélodrame » *(la Femme à deux maris).*

Tout bascule donc autour des années 1800, époque où, précisément, le genre naît et prolifère sur les scènes du boulevard du Crime.

Un genre daté

« Le règne de Louis XIV fut le règne de la poésie et de l'éloquence, le XVIIIe celui de la philosophie et du raisonnement, le XIXe le triomphe de la chimie et du mélodrame » : en dépit de leur hostilité au genre, les trois auteurs qui se cachent sous la curieuse signature A!A!A! — Abel Hugo, Armand Malitourne et Jean Ader — auront prophétisé dans leur précoce *Traité du mélodrame* (1817) le durable succès d'une forme dramatique qui, de la *Coelina* de Pixérécourt (1800) aux *Deux Gosses* de Pierre Decourcelle (1896), en passant par *les Deux Orphelines* d'Adolphe Dennery, traverse de part en part le siècle. Mais il y a loin du mélodrame historique façon romantique au mélo « tranche de vie » naturaliste, et c'est à l'époque où il se constitue comme genre que le mélodrame trouve sa véritable signification : réaliser dans la pratique les souhaits de Le Chapelier, l'auteur du *Rapport sur les spectacles* (1791), en « épurant les mœurs, en donnant des leçons de civisme, en étant une école de patriotisme ». « Moralité de la Révolution » selon le mot de Nodier, le mélodrame ne pouvait donc naître en d'autres temps. Il prolonge sur la scène l'apparition dans la rue de « cet être réel, palpable, animé, passablement dramatique et cependant jusqu'à nous tout à fait oublié par les metteurs en œuvre de la scène, qui s'appelle le *peuple* » (Nodier, 1829). Mais en passant du rôle d'acteur à celui de spectateur le peuple cédait à d'autres l'initiative : et le mélodrame n'est en fait, dans le domaine littéraire, qu'une conscience populaire mythique façonnée par la bourgeoisie pour que le peuple soit peuple et reste peuple.

Un genre nécessaire

D'où, sous le couvert du spectaculaire, une fonction essentiellement idéologique : le théâtre, se substituant à l'Église, se fait chaire de morale et, relayant l'autorité civile, devient tribune politique. Et le très réactionnaire *Spectateur français du XIXe siècle* pouvait à juste titre noter dès 1806 que « le goût des spectacles à grands sentiments » trouvait sa justification dans les « troubles politiques [qui avaient sorti] les gens du peuple de l'état où la Providence et les lois les avaient placés ». La Providence et les lois : tout le mélodrame s'inscrit sous ce double patronage où se rejoignent les « héritiers » de 89 et les ultras. Paradoxe plus apparent que réel, tant il est vrai que le remplacement des uns par les autres supposait toujours une hiérarchie et maintenait le peuple en bas de l'échelle, c'est-à-dire à sa place; et le mélodrame jouait alors pleinement son rôle en justifiant moralement le propos de Rousseau : « Les bonnes mœurs tiennent plus qu'on ne le pense à ce que chacun se plaise dans son état [...] Tout va mal quand l'un aspire à l'emploi de l'autre » (*Lettre à d'Alembert*). Ainsi s'explique la transposition, dans le mélodrame, des revendications d'égalité du plan social ou politique au plan éthique; et l'on verra nombre de grands seigneurs affirmer qu'« il est une noblesse plus vraie que celle de la naissance et des titres », une noblesse fondée sur le travail, le courage et la vertu, toutes qualités par lesquelles le peuple doit se définir en tant que tel. Et quelle meilleure démonstration proposer au public faubourien que cette princesse détrônée qui se fait peuple le temps d'un acte et en incarne les vertus laborieuses : « Faudra-t-il me nourrir du pain de la pitié? O Dieu!... Non, je veux le gagner par le travail [...] J'irai chez quelque laboureur : mes bras ne sont pas robustes, mais le ciel soutiendra mon courage » (Caigniez, *la Forêt d'Hermanstadt,* 1805).

Un genre codé

Défini historiquement, le mélodrame peut-il l'être « poétiquement »? Gautier répondait par la négative en regrettant « qu'aucun Aristote n'ait tracé de préceptes pour ce genre de composition; l'esthétique et l'architectonique n'en sont fixées nulle part » (*Histoire de l'art dramatique en France depuis vingt-cinq ans,* 1859). Paul Lacroix, présentant *Coelina* dans le *Théâtre choisi* de Pixérécourt (1841), faisait de l'auteur non seulement le « créateur » du mélodrame mais surtout le « fondateur des règles de ce genre ». En fait, s'il n'existe pas à proprement parler d'art poétique mélodramatique, les déclarations d'intention des auteurs, les brochures hostiles et les pièces elles-mêmes permettent de déterminer une structure, des thèmes et des personnages types.

« Canevas type » (A. Ubersfeld), « graphique invariable » (J.-M. Thomasseau), « structure mélodramatique typique » (P. Brooks), tous les critiques ont été sensibles à l'artifice structurel du genre dans lequel « la persécution apparaît comme l'axe de l'intrigue » (Thomasseau), séparant un « avant » fondé sur un bonheur insouciant mais menacé et un « après » s'appuyant sur le châtiment et la reconnaissance. Structure qui détermine donc un univers manichéen où les forces antagonistes (la vertu/le mal) s'incarnent dans des personnages schématiques : le héros, vertueux et persécuté, qu'aide un niais dont la présence comique permet de détendre l'atmosphère et qu'agresse un méchant, traître, fourbe ou intrigant.

Indifférent à la causalité (les méchants comme les bons le sont par essence), ignorant le temps (la fin n'est jamais qu'un rétablissement de l'idyllique bonheur initial) et, dans une certaine mesure, l'espace (toujours mimétique d'une nature réduite à un lieu clos — caverne, château, forêt, etc. — investi par l'imaginaire), le mélodrame fonctionne comme un univers « infantile » (Ubersfeld), coupé du réel.

Un genre visuel

Il est vrai que le mélodrame n'est pas le lieu d'une analyse : il ne démontre rien mais cherche à tout montrer. De là un langage emphatique et assertif — vide, en fait, puisqu'il ne fait que nommer les personnages, désigner les actions ou signifier les valeurs. En éliminant toute possibilité de surprise, le discours mélodramatique s'insère parfaitement dans le schéma d'une intrigue où tout repose sur le spectaculaire : d'où la prolifération des indications scéniques qui envahissent le texte au point de constituer à elles seules parfois toute une scène; d'où, aussi, l'importance du « tableau », fixation momentanée de l'action qui convoque toutes les formes du visuel (décor, costumes, ballet, pantomime, etc.). Rien d'étonnant, dès lors, que le concept de mise en scène soit apparu dans les premières années du XIXe siècle : Pixérécourt et ses émules cumulaient d'ailleurs, au nom de l'unité du spectacle, les fonctions de dramaturge, décorateur, metteur en scène, etc.

Pourtant le mélodrame est démodé. Est-ce parce que la prolifération des didascalies et la précision descriptive des dialogues ne laissent au metteur en scène d'aujourd'hui, essentiellement recréateur, que peu de champ pour s'exprimer? Le mélodrame reposant sur l'adéquation absolue de sa lettre et de son esprit, toute fidélité à l'un impose nécessairement un respect absolu de l'autre sous peine que les « ficelles » ne détruisent l'efficacité de l'ensemble. Comme le note justement Louis Althusser, « le mélodrame date : les mythes et les charités distribués au peuple sont autrement organisés aujourd'hui, et plus ingénieusement ». Et de fait, le schéma mélodramatique s'est aujourd'hui réfugié dans l'opérette ou l'opéra, retrouvant ainsi ses sources étymologiques.

BIBLIOGRAPHIE

Le travail de base est la thèse de Jean-Marie Thomasseau, *le Mélodrame sur les scènes parisiennes*, Service de reproduction des thèses, université de Lille III, 1974; *id.*, Coll. « Que Sais-je? », 1984. Il peut être complété par l'ouvrage ancien de Paul Ginisty, *le Mélodrame*, Paris, Michaud, 1910.

La Revue des sciences humaines, Lille, a publié un excellent numéro (1976, n° 162) consacré au « Mélodrame » avec des contributions d'Anne Ubersfeld, Martine de Rougemont, Jean-Marie Thomasseau, Pierre Reboul qui abordent le genre sous l'angle politique, littéraire, poétique, sociologique et historique.

Enfin on trouvera de suggestives remarques dans l'article de Peter Brooks, « Une esthétique de l'étonnement », *Poétique*, Paris, Le Seuil, 1974, n° 19.

D. COUTY

MEMMI Albert (né en 1920). Né à Tunis, Albert Memmi est le plus grand écrivain tunisien d'expression française (dans un pays où, cependant, l'essentiel de la production littéraire est en arabe); il est également une sorte de symbole culturel dont l'importance dépasse les frontières de sa patrie; de plus, les études littéraires et sociologiques contemporaines sur le Maghreb lui doivent une grande part de ce qu'elles sont.

Symbole, Memmi l'est d'une double acculturation, dans une triple culture, puisqu'il est de famille juive, de langue maternelle arabe, et de culture en grande partie française. Il l'est aussi de la plupart des formes de dépendance (ou d'aliénation) culturelle et économique du Maghrébin, puisque aux expériences de la plupart des intellectuels maghrébins plus jeunes il ajoute celle qu'il a connue dans les camps de travail forcé en 1943.

Aussi Memmi est-il d'abord le théoricien de l'aliénation — assez proche, en cela, de Sartre, qui a préfacé son *Portrait du colonisé*, précédé du *Portrait du colonisateur* (1957). Il poursuit obstinément cette veine de l'essai avec le *Portrait d'un juif* (I et II, 1962 et 1966), *l'Homme dominé* (1968), *Juifs et Arabes* (1975), ouvrage qui s'inscrit dans une virulente polémique avec le Marocain Abdel Kebir Khatibi, auteur du pamphlet *Vomito Blanco*; avec enfin *la Dépendance* (1979).

C'est autour d'Albert Memmi et de son enseignement à l'École pratique des hautes études que sont nées les recherches contemporaines sur le Maghreb, et particulièrement sur ses littératures, dans l'optique sociologique de leurs débuts. Il a ainsi dirigé les collecteurs de l'*Anthologie des écrivains maghrébins d'expression française* (Présence africaine, 1964).

Son roman le plus connu reste *la Statue de sel* (1953), récit en grande partie autobiographique, où son enfance pittoresque tient la plus grande place. *Agar* (1955) s'interroge sur le ménage mixte dans une relation de dominance. Dans *le Scorpion* (1969), c'est, par le biais d'une « confession imaginaire » où l'écriture elle-même se met perpétuellement en cause, une réflexion indirecte sur les mécanismes de la dépendance même de l'« homme dominé ».

En 1975, ses positions tranchées sur la Palestine ont plus ou moins coupé Memmi des intellectuels maghrébins dont il a en grande partie permis le foisonnement, et la marginalité silencieuse dans laquelle il semble se réfugier n'est peut-être, à tout prendre, qu'une manifestation supplémentaire de cette « dominance » qu'il aura toute sa vie décrite pour mieux y vivre. Mais peut-on, veut-on vraiment se défaire de la dépendance?

Ch. BONN

MÉMOIRES DE TRÉVOUX (XVIIIe siècle). Connu aussi sous le nom de *Journal de Trévoux*, ce périodique portait en réalité le titre de : *Mémoires pour servir à l'histoire des sciences et des arts*. Il parut de 1701 à 1768, en 878 parties, et fut continué par le *Journal des sciences et des beaux-arts* de l'abbé Aubert (1768-1773) et, en 1774, par le *Journal des beaux-arts et des sciences* des frères Castilhon, qui le firent renaître sous son précédent titre de 1775 à 1777. En 1779, et jusqu'en 1782, c'est sous le titre de *Journal de littérature, des sciences et des arts* que s'acheva la carrière de ce grand périodique.

Les *Mémoires de Trévoux*, mensuels, passaient pour l'émanation de la Compagnie de Jésus. Au moment où ils virent le jour, l'ultramontanisme n'était guère goûté en France par le pouvoir : c'est pourquoi leur lieu d'impression fut la principauté autonome de Dombes, propriété du duc du Maine, bâtard de Louis XIV, qui fut compromis sous la Régence dans la conjuration pro-espagnole de Cellamare. En fait, ce lieu d'impression permettait aux *Mémoires* d'échapper à la censure royale; leurs rédacteurs étaient, pour l'essentiel, des jésuites parisiens : à l'origine, les PP. Buffier, Catrou, Despineul et Hardouin. Leur ambition n'était pas tant de faire concurrence au *Journal des savants* que de lutter avec les mêmes armes contre la presse militante hollandaise qui, du Refuge, critiquait les positions idéologiques de la monarchie française et surtout la religion catholique. Les *Mémoires* furent les adversaires les plus acharnés des journalistes successeurs de Bayle (J. Bernard, J. Le Clerc...).

Les jésuites avaient compris la force de la presse : ils s'appliquèrent à n'être inférieurs en rien à leurs concurrents. Ils utilisèrent à cette tâche, et dans l'anonymat des articles, les esprits les plus vifs de la Compagnie et eurent l'ambition de couvrir à peu près tous les domaines de la connaissance, à l'exclusion de la littérature, à l'égard de laquelle ils manifestèrent un certain dédain (condamnation du roman), sans cependant la négliger totalement. Ils surent se faire d'illustres ennemis; les passes d'armes entre Voltaire et le P. Berthier, responsable des *Mémoires* entre 1745 et 1762, ont laissé de très considérables échos et suscité quelques « rogatons » voltairiens.

Les *Mémoires* ont du style, et ils sont empreints de cette bénignité ferme qui caractérise la Compagnie dans ses meilleurs moments. Sachant rendre agréables et utiles les débats les plus érudits, marquant une réelle sympathie personnelle pour l'adversaire dont ils attaquent les idées (Rousseau), les *Mémoires* ne furent pas indignes de leurs rivaux hollandais. A la suite de Voltaire, on a eu trop souvent tendance à voir en eux le symbole de « l'Infâme » (anti-cartésianisme, anti-newtonianisme) : ils firent cependant, à leur manière, avancer les Lumières en donnant, surtout au cours des premières décennies, de l'activité religieuse, scientifique ou philosophique une image relativement juste. Par la suite, avec le P. Berthier, leurs positions se durcirent. Mais ils sont très en avance sur le siècle dans des domaines comme l'économie politique, et se montrent les adeptes du libre examen, comme dans la question de l'inoculation. Ils ont de l'intellectuel une vision haute, débarrassée des préjugés pédants, qui les classe très loin devant leurs adversaires protestants du Refuge, longtemps passionnés de critique biblique. Les jésuites de Trévoux sont singulièrement laïques, « modernes » — au sens donné à ce mot lors de la fameuse Querelle; et un esprit libre comme Fontenelle le reconnaissait. Voltaire lui-même éprouvait pour les journalistes de Trévoux, dont certains avaient été ses maîtres, une attirance œdipienne.

Avec l'interdiction des jésuites en France (1762), les *Mémoires* perdirent à peu près tout intérêt, même si, par une ironie de l'histoire, les jansénistes en eurent pendant quelques années la direction. [Voir aussi JÉSUITE (littérature)].

BIBLIOGRAPHIE

Il existe chez Slatkine un *reprint* de la collection (1968-1969, 67 vol.), et le P. Sommervogel en a donné une *Table méthodique* (1864-1865). Les études des *Mémoires* se sont multipliées ces dernières années : *Études sur la presse* (Lyon, 1973, 1975, multigraphiées); nº spécial de *Dix-Huitième Siècle* (nº 8, 1976). Mais les ouvrages classiques restent ceux du P. Desautels, *les Mémoires de Trévoux et le mouvement des idées au XVIIIe siècle*, Rome, Institutum Historicum S.J., 1956, et de G. Dumas, *Histoire du Journal de Trévoux depuis 1701 jusqu'en 1762*, Paris, Boivin, 1936.

F. MOUREAU

MÉNAGE Gilles (1613-1692). Ménage n'est guère connu, de nos jours, que comme l'original de Vadius, le pédant ridicule des *Femmes savantes*. Mais, dans sa pièce, Molière caricature et s'amuse; la réalité est autrement complexe.

La carrière sociale de Ménage fut banale : fils d'un avocat d'Angers, il devint avocat à son tour, mais quitta vite le barreau pour se mêler à la vie littéraire parisienne. Il obtint des bénéfices ecclésiastiques et vécut en abbé mondain. Sans s'engager dans une action effective à leur service, il sut se maintenir dans la mouvance des puissants : de Gondi (le futur cardinal de Retz) d'abord, qu'il quitta en 1652 pour rallier Mazarin, de Servien, de Fouquet enfin; après la chute de celui-ci, il se montra très réservé à l'égard du nouveau ministère et du clan Colbert.

La vie littéraire, où il acquit une autorité indéniable, fut donc le lieu de toute son activité. Lié — quitte à avoir avec certains des brouilles féroces — avec Guez de Balzac, Chapelain, Perrot d'Ablancourt, Pellisson, il fut aussi un maître et un ami de Mme de La Fayette. Il était en relation avec la plupart des érudits de son temps et avait ses entrées dans le cercle savant des frères Dupuy [voir LIBERTINS]. Il tenait chez lui des réunions littéraires. On lui reconnaissait de l'érudition, des connaissances solides de philologue. Il donna diverses études sur des questions de linguistique, en particulier un traité des *Origines de la langue française* (1650), qui fait de lui l'un des premiers historiens en ce domaine et qui, malgré quelques étymologies aberrantes, représentait un apport considérable. Des *Observations sur la langue française* (1672) complétèrent cet ouvrage par une étude de la grammaire et de l'usage présent.

Mais son œuvre présente aussi un caractère mondain et galant, où la poésie de circonstance est à l'honneur. Familier de l'Hôtel de Rambouillet, puis du salon de Mlle de Scudéry, il composa des poésies (*Poemata*, 1656) en français, en latin et en italien, qui furent souvent critiquées — à juste titre.

Enfin, il fut un polémiste virulent et redouté. Il se rendit célèbre par sa *Requête des dictionnaires* (composée dès 1636, publiée en 1649), où il ridiculisait la prétention des académiciens à régenter la langue. Parmi les nombreuses querelles où il s'engagea (contre d'Aubignac, à propos de l'unité de temps au théâtre, contre Montmaur, professeur de grec, plus tard contre Baillet...), la plus féroce l'opposa aux amis de Chapelain, à la fin des années 1650. Gilles Boileau avait raillé l'églogue « Christine » de Ménage, et, de répliques en répliques, l'affaire s'envenima, suscitant la publication de la violente *Ménagerie* de Cotin (1659); Molière se souvint de ces passes d'armes. Dans ces polémiques, la vanité et l'humeur mordante du personnage ont une part, tout comme les querelles de personnes et de clan. Mais on y discerne aussi un conflit entre mondains et traditionalistes qui amorce la querelle des Anciens et des Modernes.

Si l'œuvre de Ménage ne se lit plus — sauf le *Menagiana*, recueil posthume (1693) de ses souvenirs, document utile aux historiens de la littérature —, son rôle littéraire révèle les paradoxes et contradictions qui agitent le monde lettré parisien en ce temps où le classicisme s'impose.

BIBLIOGRAPHIE

E. Samfiresco, *Ménage polémiste, philologue et poète*, Paris, 1902; L. Senerini, *l'Eclissi della Fortuna. Cyrano, Sorel, Ménage* (...), Rome, Bulzoni, 1981.

A. VIALA

MÉNARD Louis Nicolas (1822-1901). Louis Ménard naît à Paris, où son père possède une librairie. Après ses études au lycée Louis-le-Grand, où il rencontre Baudelaire, il entre à l'École normale supérieure, dont il démissionne bientôt. Il fait alors partie de la jeunesse littéraire du Quartier latin et, en 1844, publie un *Prométhée délivré* d'inspiration épique et mythologique. Vers 1845, il rencontre Leconte de Lisle, attiré comme lui par les civilisations antiques, et entreprend « Euphorion » qui paraîtra dans les *Poèmes* de 1855. Ménard s'enthousiasme ensuite pour le mouvement de 1848, et publie le *Prologue d'une révolution* (1848), qui lui vaut une condamnation à quinze mois de prison. Il s'enfuit à Bruxelles, puis revient après l'amnistie : ses intérêts se partagent alors entre la chimie (il fut, en 1846, l'inventeur du collodion), la peinture, la poésie avec quelques poèmes d'inspiration parnassienne, le monde aussi où il fréquente le salon de Mme d'Agoult, la Grèce enfin, qui inspire sa thèse sur *la Morale avant les philosophes* (1860) et son ouvrage *Du polythéisme hellénique* (1863). On retrouvera cet intérêt pour la philosophie dans son ouvrage sur *Hermès Trismégiste* (1866), qui suit un dialogue inspiré de Diderot et intitulé *le Diable au café* (1864). Après 1870, Ménard est l'un des rares à défendre la Commune, au nom peut-être d'une morale et d'une métaphysique qui trouvent leur apogée dans son grand livre : *les Rêveries d'un païen mystique* (1876), ouvrage que suivront des études sur l'Orient, les israélites, les Grecs, la Bible. Assez peu connu malgré de nombreux articles, considéré comme un original, mais estimé de Clemenceau comme de Barrès, il disparaît à l'aube du nouveau siècle.

L'œuvre abondante de Louis Ménard, à laquelle il faut encore ajouter des études scientifiques ainsi que des livres sur l'art écrits en collaboration avec son frère, peut sembler singulière : elle touche à l'actualité immédiate comme à l'histoire la plus antique, elle aborde la métaphysique la plus élevée, mais s'intéresse aussi à la refonte de l'orthographe ou à la vivisection. Ce qui fait pourtant son unité, c'est la recherche d'une sagesse et d'une morale. Lorsque Ménard compare en effet toutes les mythologies et tous les panthéons, il y retrouve une même foi, qui, sous des formes diverses, est l'écho de la loi morale que nous portons en nous-mêmes.

En ce sens, cette philosophie débouche sur un humanisme, comme on peut le voir, malgré son côté oratoire, dans le *Prométhée délivré.* Un humanisme qui exalte cette justice et cette bonté étendue à tous les êtres qu'ont pu prêcher en leur temps le Christ ou Bouddha, qu'ont pu chanter Homère ou Hésiode, qu'ont pu montrer enfin les sculpteurs révélant dans leurs créations symboliques l'harmonie polythéiste de la religion grecque. On a, certes, le droit de penser que ces vues constituent une philosophie personnelle plutôt qu'une étude argumentée de la pensée religieuse universelle; on ne peut cependant être insensible à leur intelligence extrême, à la forme aussi — rapide, élégante et souvent convaincante —, dans laquelle Ménard développe ses spéculations.

BIBLIOGRAPHIE

M. Barrès, *le Voyage de Sparte* (1er chap.), Paris, Plon, 1922; M. Souriau, *Histoire du Parnasse,* Paris, Éd. Spes, 1929; H. Peyre, *Louis Ménard,* New Haven, Yale University Press, 1932; P. Martino, *Parnasse et Symbolisme,* Paris, A. Colin, 1967.

A. PREISS

MENDÈS Catulle (1841-1909). Poète habile et brillant, romancier prolixe, Catulle Mendès, en tacticien avisé de la vie littéraire parisienne, sut occuper pendant un tiers de siècle le devant d'une scène peuplée de précieux talents. Mais cet « étonneur » semble avoir épuisé, au service de ses contemporains, ses capacités de séduction, et il n'a laissé à la postérité que le souvenir d'une ingéniosité éclectique.

Les prouesses de Protée

On pourrait placer la sémillante carrière de Mendès sous l'invocation de Protée, dieu des métamorphoses. Né à Bordeaux, Mendès appartient à la génération de Verlaine, de Mallarmé et de Zola, celle du premier symbolisme et du naturalisme; protégé par Théophile Gautier, il fonde, en 1859, *la Revue fantaisiste,* qui regroupera les initiateurs du mouvement parnassien, et publie des vers (*Philoméla,* 1863) que la critique accueille favorablement. Il épouse en 1866 Judith Gautier, la fille de son maître, et accomplit avec elle un voyage en Allemagne, d'où il revient enthousiaste du wagnérisme. Plein d'activité et d'entregent, il est la cheville ouvrière du *Parnasse contemporain* (1866), recueil collectif qui rassemble, autour de Leconte de Lisle, de grands aînés (Baudelaire, Gautier, Banville, Heredia), et de jeunes disciples (Coppée, Verlaine, et Mendès lui-même, entre autres), tous unis par un amour exigeant de l'art et de la forme sévère; il en a raconté la genèse dans sa *Légende du Parnasse contemporain* (1884), où il n'oublie pas de souligner son rôle personnel. Assez vite rebelle à l'idéal de rigueur qui distingue la nouvelle école, il contribue peu aux livraisons suivantes du *Parnasse,* se lance dans une épopée mystique swedenborgienne, *Hespérus* (1869), qui annonce les poèmes philosophiques de Sully Prudhomme, donne dans la poésie patriotique après la guerre (*Contes épiques,* 1870; *Odelette guerrière, la Colère d'un franc-tireur,* 1871) et publie encore quelques recueils lyriques, comme *le Soleil de minuit* et *Soirs moroses* (1876).

Après avoir rassemblé ses *Poésies,* en 1872 et en 1876, Mendès tente sa chance au théâtre et se lance dans la prose : sa première pièce, donnée au Français, *la Part du roi* (1872), est suivie de beaucoup d'autres (*les Frères d'armes,* 1873; *la Justice,* 1877; *les Mères ennemies,* 1882; *la Reine Fiammette,* 1889; *Médée,* 1898; *Scarron,* 1905). Il adapte pour la scène de l'Opéra-Comique *le Capitaine Fracasse* de Gautier (1878), fournit à Emmanuel Chabrier le livret de *Gwendoline* (1886) et à André Messager celui d'*Isoline* (1888). Il publie sans relâche contes, nouvelles ou romans, spirituels, légers, et même fort lestes pour la plupart (*les Folies amoureuses,* 1877; *la Vie et la Mort d'un clown,* 1879; *le Roi vierge,* 1881; *Monstres parisiens,* 1882; *Zo'har,* 1886; *l'Homme tout nu,* 1887; *la Première Maîtresse,* 1887...). Critique dramatique et musical, il se fait l'apôtre de l'art wagnérien (*Richard Wagner,* 1886; *l'Œuvre wagnérienne en France,* 1899). Il ne craint pas d'aborder la traduction (celle des *Confessions* de Cagliostro, 1881) ou les disciplines austères de l'histoire littéraire (*le Mouvement poétique français de 1867 à 1900,* 1903).

Les faiblesses de l'opulence

Le succès dont a joui cet habile faiseur étonne aujourd'hui, et que cette littérature de consommation ait pu passer pour de l'invention stupéfie quand on pense aux œuvres qui paraissaient à la même époque : les poèmes de Mallarmé, de Laforgue, les nouvelles de Barbey d'Aurevilly, les contes de Maupassant ou de Marcel Schwob. Sans doute, Mendès regorge d'un talent délié, parisien, expert dans le cliquetis des mots, la pointe et l'effet; ses premiers poèmes le classent parmi les bons parnassiens, disciples de Gautier et de Banville, admirateurs de Baudelaire et de Leconte de Lisle : une inspiration érotique rêveuse et trouble y voisine avec les froideurs esthétiques et les rimes impeccables propres à l'école; un drame comme *Scarron* (1905) évoque l'âge tumultueux de la Fronde avec un charme qui n'est pas sans rappeler *Cyrano de Bergerac* (1897) d'Edmond Rostand : le poète infirme, torturé par la jalousie, pétillant d'esprit à travers ses larmes, épigrammatiste impénitent, y meurt après un dernier sursaut d'honneur et mainte grimace; la féerie d'*Isoline,* sa Grèce de fantaisie s'accordent à merveille aux sourires de Messager; et les chroniques ou les ouvrages de Mendès sur Wagner ont joué un rôle essentiel pour favoriser en France la réception et la compréhension d'un spectacle total, étranger à la tradition nationale.

Mais l'abondance roule dans ses flots mêlés trop de facilités; Mendès compense un manque évident d'idées et de convictions par des emprunts multipliés et intempérants : l'ange du bizarre le visite, et il s'inspire de Swedenborg; le démon de midi, associé au désir de plaire et de piquer, l'aiguillonne, et il se livre à une imagination salace, plus ou moins réveillée par la lecture des petits-maîtres licencieux du XVIIIe siècle : initiations à l'amour, scènes de boudoir, péripéties des sens et du cœur sont la matière privilégiée de ses romans et de ses contes. Au théâtre, la recherche d'une efficacité assez grossière tire souvent la tragédie ou le drame du côté du mélodrame : la liaison de la reine Fiammette avec son assassin désigné, le dominicain Danielo, nous introduit dans une Renaissance italienne de convention, avec ses bals masqués où rôde le spadassin, ses passions exacerbées et ses ténébreuses intrigues. Partout un style clinquant, tendant à l'étrange, à l'aigu plus qu'à l'énergique, recherchant le flou « esthétique », ce poncif qui poétise à bon compte : on comprend l'éloignement des symbolistes pour cette dégénérescence des ambitions parnassiennes, ces grâces faisandées, et les réactions violentes qui s'exprimèrent alors contre la décadence et les compromissions d'un art exténué, contre une aisance vide dont Catulle Mendès fait jaillir les étincelles et démontre les limites.

BIBLIOGRAPHIE
Éditions. — *L'Homme tout nu,* Paris, éd. libres Hallier, 1980; *la Légende du Parnasse contemporain* (réimpression de l'édition de Bruxelles, 1884), Amersham, Gregg, 1971; *le Mouvement poétique français de 1867 à 1900* (fac-similé), New York, Lenox Hill.
Critique. — Adrien Bertrand, *Catulle Mendès,* Paris, Sansot, 1908; J.F. Herlihy, *Catulle Mendès, critique dramatique et musical,* Paris, Lipschutz, 1936.

D. MADELÉNAT

MENGA Guy. V. NÉGRO-AFRICAINE (littérature d'expression française).

MÉRAT Albert (1840-1909). Poète et amateur d'art, Albert Mérat est né à Troyes dans une famille d'avocats. Il entreprend des études de droit puis tente le concours de l'École normale supérieure. Après son échec, il entre dans l'administration de la Ville de Paris, où il rencontre Verlaine et Léon Valade. C'est avec ce dernier qu'il fait paraître un premier recueil de poèmes, *Avril, mai, juin* (1863), qu'il donne ensuite une traduction de l'*Intermezzo* de Heine (1868). En 1866, il publie des vers dans *le Parnasse contemporain,* puis les *Chimères,* que lancera un article de Sainte-Beuve. Sa carrière professionnelle le mène ensuite dans les services puis à la bibliothèque du Sénat, où il succède à Coppée, France et Leconte de Lisle. Quant à sa production littéraire, elle comprend deux périodes distinctes. Dans un premier temps, Mérat publie *l'Idole* (1869), *les Villes de marbre* (1869), qui évoquent un voyage en Italie, *les Souvenirs* (1872), *Au fil de l'eau* (1877) et surtout *les Poèmes de Paris* (1880), qui le font encore mieux connaître. Puis, tout à coup, c'est le silence, un silence qui dure vingt ans et ne s'achève qu'en 1900 avec la parution de *Vers le soir* et des *Triolets des Parisiennes de Paris,* à quoi font suite *Vers oubliés, chansons et madrigaux* et les *Joies de l'heure* (1902), *Quelques pages avant le livre* et *Petites Pensées d'août* (1904). Mérat se suicidera à Paris à soixante-neuf ans.

Ce qui caractérise surtout ces poésies, c'est l'importance qu'y prend la référence picturale, non seulement par les peintres et les œuvres qu'évoque Mérat, mais aussi par son art de la description. Ce collectionneur d'œuvres d'art essaie en effet de voir, d'ouvrir les yeux sur « ceux qui vivent et qui passent », d'en faire le croquis. D'où une inspiration très diverse, changeant au gré des voyages ou des promenades, faisant apparaître une mer d'huile sous le soleil, une boutique au moment de Noël, une montagne ou un paysage parisien dont il saisira l'image « aux mailles de [ses] vers ». Ces poésies, pourtant, ne sont pas uniquement descriptives; les objets qu'elles nous révèlent n'existent souvent que par un regard, une sensibilité ou une culture, la fin du poème conférant à l'image restituée le caractère d'un vrai tableau.

BIBLIOGRAPHIE
M.L. Buchan, *the Life and Works of Albert Mérat,* thèse, Université d'Aberdeen, 1979.

A. PREISS

MERCANTON Jacques (né en 1910). V. SUISSE. Littérature d'expression française.

MERCIER Louis-Sébastien (1740-1814). « Monsieur l'âne comme il n'y en a point », dit une image du temps : Louis-Sébastien Mercier n'a pas échappé à la caricature; pas plus qu'aux jugements les plus opposés : « exagéreur » *(sic),* selon Métra, « infatigable barbouilleur », selon Grimm, « extravagant », selon Dussault, « reporter », selon Jules Lemaitre, « phrasier sentencieux », selon Nodier — tous ces auteurs lui reconnaissant par ailleurs vertu et courage. Mercier est bien, comme le dit Geneviève Bollème, qui a fait de lui le plus chaleureux des portraits, un auteur qui « n'écrit qu'à l'extrémité », qui « a tout dit, tout écrit, au nom du bonheur que les hommes se doivent les uns les autres et à eux-mêmes ». Avec lui, nous sommes devant le paradoxe d'un homme à qui toute la critique, depuis le XIXe siècle, reconnaît (sans parfois l'avoir lu) une influence énorme, une présence incontournable, sans lui accorder le moindre « génie ». Voilà pourquoi sa fortune est plus connue que son œuvre. Mercier, comme Sade, est inclassable; donc « refoulé ». Ce « polygraphe » (G. Bollème) publia plus d'une centaine d'ouvrages, et tant d'articles qu'il parvenait avec peine à établir sa propre bibliographie; et l'on possède encore de lui dix mille pages inédites.

Un original

Seule la première partie de la vie de Mercier est bien connue. Né à Paris, il devient professeur de rhétorique à Bordeaux. Introduit dans la littérature par quelques œuvres fort conventionnelles (notamment quelques *Héroïdes* et une traduction de *l'Homme sauvage* de Pfeil), il écrit des *Songes philosophiques* (Londres et Paris, 1768). Enthousiasmé par l'œuvre de Rousseau, il rencontre celui-ci à Paris autour de 1770. Il se lie avec Crébillon fils, Rouelle, Diderot, Letourneur (le traducteur de Shakespeare et de Richardson) et écrit de nombreux drames dans le style de « l'avant-garde » théâtrale des années 1760 (Diderot, Sedaine, Saurin) et inspirée des Anglais (Edward Moore, Lillo) : *Jenneval ou le Barnevelt français* (1769), *le Déserteur* (1770), *Olinde et Sophronie* (1771), *Jean Hennuyer, évêque de Lisieux* (1772). Il fait suivre ces drames historiques d'un ouvrage théorique et polémique qui a un énorme retentissement et qui lui vaut de nombreux ennemis : *Du théâtre ou Nouvel Essai sur l'art dramatique* (1773). L'hostilité des Comédiens-français (dont il attaque violemment les traditions) ne devait désarmer qu'en 1787 lorsque Mercier leur confia *la Maison de Molière,* pièce imitée de Goldoni. Mais les pièces qu'il a écrites entre-temps (notamment *la Brouette du vinaigrier,* 1775) rencontrent un énorme succès au théâtre des Associés et en province. Ce sont tantôt des drames historiques (*la Destruction de la Ligue ou la Réduction de Paris,* 1782; *la Mort de Louis XI,* 1783), tantôt des drames qui montrent un être humain aux prises avec les difficultés et les devoirs de son état dans la société (*le Juge,* 1774); Mercier mène de front constamment l'écriture dramatique et la réflexion théorique sur le théâtre et son public, que ce soit dans les préfaces de ses pièces ou dans *De la littérature et des littérateurs, suivi d'un Nouvel Examen de la tragédie française* (1778).

Il commence à publier en 1781 son *Tableau de Paris,* étrange et irremplaçable document sur la France d'avant 1789, qui connaît un succès considérable (jusqu'au XIXe siècle) en France et en Europe, mais que la censure fait saisir. Mercier s'enfuit à Neuchâtel, où il achève son ouvrage (12 volumes) et écrit *Mon bonnet de nuit* (1784). C'est que, depuis 1771, dans son roman utopique *l'An 2440, rêve s'il en fut jamais,* Mercier se situe dans la fraction la plus radicalement politique de l'élite des Lumières. A l'approche de la Révolution, il revient d'Allemagne, se lance dans l'activité journalistique (il collabore aux *Annales patriotiques et littéraires de la France* et à divers autres journaux), puis est élu à la Convention en 1793. Il refuse de voter la mort du roi, alors même qu'il a menacé les rois, dans *l'An 2440* et dans *Charles II* (1789), du sort de Charles Ier. Arrêté avec les Girondins, il a la chance de se faire oublier dans sa prison, dont il ne sort qu'après le 9-Thermidor. Membre du Conseil des Cinq-Cents, il fait des interventions saugrenues et contradictoires (contre le transfert des cendres de Descartes au Panthéon, contre le divorce, etc.), puis devient professeur d'histoire à l'École centrale. Pendant toute la Révolution, son œuvre s'est poursuivie (essais, comédies). Il écrit une *Histoire de la France* (1800), *Néologie ou Vocabulaire de mots nouveaux* (1801), *Nouveau Paris* (1798). Il se lie avec Restif et Cubières-Palmézeaux. Resté un républicain intraitable, il est marginalisé et peu à peu oublié sous l'Empire. Son succès fut considérable jusqu'à la fin du XVIIIe siècle, et des études récentes montrent que son influence fut durable, notamment à l'étranger. Non seulement son théâtre fut joué parfois jusqu'au milieu du XIXe siècle en Allemagne, à Venise, à Amsterdam, en Russie, mais des auteurs comme Lenz, Jean-Paul, Büchner, Victor Hugo et les romantiques français lui ont rendu hommage explicitement ou par leurs emprunts.

De l'utopie au réel

Il n'est pas possible d'embrasser d'un seul regard un ensemble aussi confus, aussi immense, et qui n'a cessé de se modifier. Mercier dirige son œuvre dans une direction unique mais reprend, réévalue constamment ses propres idées, ses ouvrages passés (qu'on se reporte, par exemple, aux éditions successives et augmentées de *l'An 2440*) au fur et à mesure des événements. C'est qu'il veut être (avoir été) toujours actuel et engagé; ce qui donne à son écriture une allure protéiforme et l'empêche de s'immobiliser dans la totalité monumentale de l'œuvre littéraire. Le travail de Mercier n'est jamais séparable de la société en mouvement à qui il la destine; il est toujours transformateur et transformé. *L'An 2440...*, que Mercier écrivit à la fin de 1770, présente l'image rationalisée d'un accomplissement futur du progrès et du mouvement des Lumières auquel l'auteur s'associe. Le narrateur, après une conversation déprimante avec un vieil Anglais, s'endort pour se réveiller dans un songe, il se retrouve à Paris six cent soixante-douze ans plus tard. « Tout était changé », le bonheur enfin réalisé. Paris est une ville hygiénique et magnifique, débarrassée du désordre et de l'obscurité de l'Ancien Régime, rendue à la transparence d'un urbanisme rationnel à la Ledoux. Ses habitants vivent conformément à la morale de l'*Émile*. La science et une instruction moderne et pratique leur ont permis d'étendre le règne de l'humanité. L'égalité et la liberté triomphent. La religion est simplifiée; la culture littéraire, débarrassée d'auteurs inutiles pour l'avenir (leurs enseignements les plus utiles ont été conservés dans un petit volume), est réorganisée autour de quelques écrivains : Fénelon, Beccaria, Rousseau, Shakespeare. Le roi est un sage lié par des lois démocratiques. Le pays vit surtout de son agriculture. Le luxe en a disparu, de même que la guerre et l'esclavage.. Cette utopie, dont le succès fut grand (malgré les critiques qui lui furent adressées) ressemble, bien sûr, dans sa structure et dans son projet, à l'immense littérature utopique qui, après More ou Bacon, après *la Cité du soleil* de Campanella ou *l'Histoire des Sévarembes* de Vayrasse d'Allais, devait se poursuivre au XVIIIe siècle avec une égale fortune (*la Basiliade* de Morelly, *la Découverte australe* de Restif). Comme les autres mondes utopiques, le Paris de 2440 vit dans la transparente froideur de l'évidence rationnelle; ce serait une image de refoulement si Mercier n'y introduisait un élément destabilisateur. Certes, Mercier y « réalise » les idées de Turgot, de Montesquieu, de Beccaria ou de Rousseau, mais, passant de l'u-topie à l'u-chronie, il livre son image au devenir historique : la perfectibilité (que Rousseau inscrit au cœur de l'essence de l'homme) continuera à faire progresser les heureux habitants de *l'An 2440*. L'uchronie est débarrassée de cette condition qui fige l'univers utopique et qu'énonce Morelly dans le *Code de la nature* : « Trouver une *situation* dans laquelle il soit presque impossible que l'homme soit dépravé ou méchant ou, du moins, *minima de malis* ». S'expliquent alors les retouches que Mercier apporta à ce roman au fil des éditions successives, ses prétentions à y voir « prophétisée » la Révolution française.

La véritable dimension de *l'An 2440* s'accomplit en réalité dans les volumes du *Tableau de Paris*. Cette libération de la puissance critique de l'écriture, qui valut à son auteur un tel succès, résulte de l'abandon des contraintes formelles et rationnelles des genres. Au fil d'un texte bigarré où se mêlent anecdotes, descriptions, jugements et propositions de réformes, Mercier livre au feu de la critique toute la société de l'Ancien Régime. Il la saisit, la décrit dans toutes les couches de sa hiérarchie; il évoque toutes ses divisions, toutes ses instances : les nobles, les bourgeois, le peuple mais aussi la misère, la prostitution, les aigrefins, les agioteurs, les capitalistes. Il sait découvrir les clivages les plus fins, les solidarités les plus secrètes, entre « états », corps de métier, la signification du moindre geste de la vie quotidienne, de la moindre pratique. Il sourit devant la morgue d'un secrétaire du roi que cette charge anoblit : « Le fils d'un secrétaire du roi sera plus noble que son père; aussi l'acheteur de la charge n'envisage-t-il qu'avec un certain respect ce fils qui, épurant la race, devient la tige d'une famille de gentilhommes. Son imagination ravie se prosterne devant ses petits-fils, qui seront décorés de titres et n'auront rien de commun avec la souche originelle ». Mercier s'indigne, vitupère la noblesse avec la rhétorique ampoulée des philosophes mais, rendant à chacun sa parole, laisse arriver sous sa plume les mots des autres, le monde de ceux qui sont absents des livres. Il assume cette vulgarité qu'on lui a reprochée : « Les rameurs ont les bras nerveux, mais ils ne savent pas marcher sur leurs jambes. J'ai tant couru pour faire *le Tableau de Paris* que je puis dire l'avoir fait avec *mes jambes* ». C'est dire que l'écriture est emportée dans une pratique carnavalesque qui devait amener Mercier à écrire sa *Néologie ou Vocabulaire de mots nouveaux, à renouveler ou pris dans des acceptions nouvelles* (Paris, 1801). Avant Hugo, Mercier avait compris qu'il était désormais nécessaire de mettre « un bonnet rouge au dictionnaire ».

Néologie ou Vocabulaire des mots nouveaux

« Prolétaire. — C'est celui qui ne possède aucune propriété. Dieu du ciel! naître! et n'avoir pas à soi sur le globe la place de son berceau! O lois humaines! pour que toute république fleurisse, il faudrait que chaque citoyen fût propriétaire et se montrât jaloux des devoirs et des droits que ce titre suppose; car il n'y a point de patrie pour quiconque n'a aucun lien qui l'attache au sol qu'il habite. Ma tête tournera quand je creuse le mot *gouvernement*. O magie!

« Malheur! malheur à une nation divisée en deux classes nécessairement ennemies, celles des propriétaires et celle des prolétaires!

« Prolétaire, c'est le mot le plus repoussant de la langue; aussi tous les dictionnaires l'ont-ils rejeté. Jean-Jacques Rousseau n'avait pas en propriété un carré de choux; mais sa tête valait bien un carré de choux : je veux dire qu'il a imprimé, par ses écrits et sa musique, un mouvement commercial et productif qui ne le rangeait plus dans la classe des prolétaires. Il en est de même d'un médecin qui n'a pas une pomme et qui fait payer ses ordonnances à des électeurs; ou d'un peintre qui fait entrer en France dix mille écus pour une toile et des couleurs qui n'ont pas coûté cent francs ».

Alors que, chez Thomas More, le texte va de la critique du réel à la solution (utopique), il va, chez Mercier, crevant l'écran de l'utopie, du rêve à la réalité, puis à la réalité de l'écriture.

Le théâtre et le peuple

Comme Diderot et comme Beaumarchais, Mercier se bat pour une réforme du théâtre, pour le drame, sans jamais dissocier l'écriture dramatique de la théorie du théâtre érigée en manifeste, en pamphlet. Pour lui, comme pour les autres, le drame est bien, selon la définition de Félix Gaiffe (*le Drame en France au XVIIIe siècle,* Paris, Colin, 1910 et 1971), « un spectacle destiné à un auditoire bourgeois ou populaire et lui présentant un tableau attendrissant de son propre milieu ». On trouve, dans sa théorie et dans sa pratique du drame, la critique et le refus des règles classiques, de la traditionnelle opposition entre comédie et tragédie, le souci de montrer des héros positifs bourgeois, de faire la « peinture des conditions », d'élaborer des caractères mixtes, d'ôter au personnage principal son rôle de pivot. Avec Mercier le théâtre a une valeur pédagogique et morale : « Le spectacle est un mensonge, il s'agit de le rapprocher de la plus grande vérité. Le spectacle est un tableau; il s'agit de rendre ce tableau utile, c'est-à-dire de le mettre à la portée du plus grand nombre, afin que l'image qu'il présentera serve à lier entre eux les hommes par le sentiment victorieux de la compassion et de la pitié », écrit-il dans *Du théâtre. Le Juge, l'Indigent, la Brouette du vinaigrier* offrent au spectateur un tableau des vertus de la bourgeoisie ou du peuple allocutaires idéaux du théâtre. Le recours au pathétique, comme dans *le Fils naturel* de Diderot, correspond à un appel à la sensibilité morale. Les textes dramatiques de Mercier présentent donc une synthèse des théories de Diderot et des idées contenues dans l'*Essai sur le genre dramatique sérieux* (1767) de Beaumarchais; c'est l'une des raisons de leur succès, en Allemagne notamment.

L'originalité de Mercier est ailleurs : sa réflexion repose sur une analyse profondément novatrice de l'ensemble du phénomène théâtral dans ses rapports avec la société. Sa réforme est une politique. S'il critique la tragédie, par exemple, c'est parce qu'elle sidère le spectateur et le rend passif devant le déroulement de l'histoire. Or, Mercier veut éclairer le peuple-spectateur, c'est-à-dire lui restituer la possibilité d'initiative historique. C'est la fin qu'il assigne à ses drames historiques. Cette préoccupation, toujours présente, aussi bien dans *Du théâtre* que dans ses longues préfaces, le conduit à une tentative vouée à l'échec : montrer le peuple sur la scène (dans *l'Indigent, la Brouette du vinaigrier, la Destruction de la Ligue, Jean Hennuyer, la Mort de Louis XI).* Mais dans tous ces drames le peuple n'est jamais actant, il est toujours objet: le peuple-acteur est une notion aussi ambiguë que le peuple allocutaire idéal. Dès que Mercier le représente — se le représente — comme agent historique (cela apparaît aussi dans *le Tableau de Paris*), il en fait un enfant à éduquer (du point de vue de l'idéologie bourgeoise) ou une force menaçante : il n'est de représentation idéologique du peuple que bourgeoise ou aristocratique.

La Brouette du vinaigrier

Ce drame en trois actes (1775), que Mercier appelle parfois comédie et qui valut à son auteur les plus vives critiques et le plus grand succès, offre un sujet tout à fait nouveau au XVIIIe siècle : jamais héros n'avait été de condition sociale plus modeste. Le fils de Dominique (le vinaigrier), commis de M. Delomer, un commerçant aisé, s'éprend de la fille de celui-ci. La ruine du commerçant fait fuir l'autre soupirant de Mlle Delomer. A l'acte III, le père Dominique apparaît dans le salon, poussant la brouette et le tonneau, qui contient, non du vinaigre, mais des pièces d'or, fruit de son travail : son fils pourra épouser la fille du patron. Le drame dissimule, derrière un très bourgeois éloge du travail des humbles et de l'économie la plus parcimonieuse, une sévère critique de la fonction sociale de l'argent. Toute la pièce est construite en fonction du tableau du IIIe acte (dans lequel Mercier voit une peinture de Teniers) et d'un effet de réel qui bouscule déjà les nouveaux codes de la mimésis tels que le drame les a conçus, en introduisant un objet incongru au centre du salon bourgeois.

Mais les drames de Mercier dessinent les contours d'une telle absence, font surgir le peuple comme excès. Dans un effort pour s'inspirer du peuple, Mercier laisse pénétrer sur la scène des pratiques carnavalesques, traces directes de culture populaire. Quand il s'en prend à la royauté, à travers les images de Philippe II, de Louis XI, de Charles II, d'Henri III ou même d'Henri IV, il découvre la cible même du peuple et s'y attaque avec une joie grotesque semblable à celle du *Jugement dernier des rois* de Sylvain Maréchal ou du *Père Duchêne.* Ces pratiques viennent fracturer le protocole même de la représentation dramatique bourgeoise.

Cette absence d'unité repérable dans les textes de Louis-Sébastien Mercier, l'opposition irréductible entre l'idéologie bourgeoise des Lumières et l'apparition de pratiques du signe qui la remettent profondément en question expliquent largement les malentendus de la critique : dénigrement en France; acceptation à l'étranger, une fois payé le prix de la traduction. Le texte de Mercier est (selon la notion de M. Bakhtine) profondément dialogique.

BIBLIOGRAPHIE

La meilleure bibliographie de l'immense œuvre de Mercier a été donnée par Gilles Girard dans un ouvrage collectif dirigé par Hermann Hofer, où l'on trouvera aussi de nombreuses études : Hermann Hofer, *Louis-Sébastien Mercier précurseur et sa fortune,* München, Wilhem Fink Verlag, 1977.

Œuvres. — Nous nous bornerons à signaler les éditions aujourd'hui accessibles. D'abord des réimpressions : *Du théâtre ou Nouvel Essai sur l'art dramatique,* Amsterdam, 1773, Slatkine Reprints, Genève, 1970; *De la littérature et des littérateurs,* Yverdon, 1778, Slatkine Reprints, Genève, 1970; *Théâtre complet,* Amsterdam, 1778-1784, (4 tomes en 1 vol.), Slatkine Reprints, Genève, 1970; *le Tableau de Paris* (1788) et *le Nouveau Tableau de Paris* (1799), Slatkine Reprints, Genève, 1970. *L'An 2440...* est accessible chez deux éditeurs, France Adel et Ducros. On se reportera de préférence à : *l'An 2440...,* éd., introduction et notes par R. Trousson, Bordeaux, Ducros, 1971. Deux éditions récentes de *la Brouette du vinaigrier :* R. Aggéri, Larousse, « Nouveaux classiques », Paris, 1972; *Théâtre du XVIIIe siècle,* t. II (éd. établie, présentée et annotée par J. Truchet), Paris, Gallimard, Bibl. de La Pléiade, 1974. Deux recueils de textes : *Dictionnaire d'un polygraphe,* textes établis et présentés par G. Bollème, Paris, 10/18, 1978; *le Tableau de Paris,* introduction et choix de textes par Jeffry Kaplow, Paris, Maspero, 1979.

Ouvrages critiques. — Outre l'ouvrage de H. Hofer et les préfaces des œuvres déjà citées, on indiquera : L. Béclard, *Sébastien Mercier, sa vie, son œuvre, son temps,* Paris, 1903. Cet ouvrage est malheureusement inachevé et ne concerne que la première partie de la vie de Mercier. Il faut signaler les travaux nombreux de Helen Temple Patterson. L'un d'entre eux se trouve dans l'ouvrage de H. Hofer, mais on se reportera aussi à « Poetic Genesis, Sébastien Mercier into Victor Hugo », dans *Studies on Voltaire,* n° 11, Genève, 1960. A consulter également, M. Steinhard-Unseld, *Mercier's Theater in Deutschland,* thèse, univ. Hambourg, 1981.

P. FRANTZ

MERCŒUR Élisa (1809-1835). Que manqua-t-il à Élisa Mercœur, orpheline de père, poétesse à douze ans, saluée par Chateaubriand et Lamartine de la plus flatteuse manière quand elle parvient, après bien des refus, à faire éditer ses *Poésies* (1827), pour entrer dans la légende? Lamartine, quitte à y revenir plus tard, ne s'embarrasse pas de nuances : « Je ne croyais pas à l'existence du talent poétique chez les femmes... Cette fois je me rends, et je prévois [...] que cette petite fille nous effacera tous tant que nous sommes ». Seul le temps sera trop mesuré pour que l'écrivain puisse attendre, après les premiers succès, que les déconvenues s'estompent. 1830 a privé la jeune poétesse des faveurs de Martignac. Poitrinaire, elle n'a plus que cinq ans à vivre, ne devant sa subsistance qu'à diverses publications littéraires auxquelles elle collabore : *le Conteur, les Annales romantiques, la France littéraire, le Journal des femmes,* etc. Pouvait-elle espérer mieux que l'oubli profond dans lequel elle sombre dès lors?

Beaucoup d'aspects guindés et pédants de l'œuvre d'Élisa Mercœur n'étaient certes pas faits pour assurer à son auteur une fortune littéraire durable; on se lasse vite de l'emphase de certaines pièces comme « l'Avenir ». On pardonne difficilement la naïveté d'embarrassantes professions de foi :

Non, tu n'as point rêvé ce gothique esclavage;
Tu veux la liberté, mais la liberté sage...,

écrit-elle, enflammée, dans « A sa Majesté Louis-Philippe ». De même, son unique tentative au théâtre, *Boabdil, roi de Grenade* (1829), tragédie inspirée de Florian, n'apporte rien à sa gloire, hésitant sans cesse entre le modèle d'une dramaturgie néo-voltairienne et les hardiesses du drame romantique. Pourtant, au détour de quelques poèmes plus fraîchement venus (« Élégie », « Ne le dis pas »...), on recontre parfois des vers d'une musicalité et d'un lyrisme délicats :

Ma voix, qui faiblement soupire,
S'exhale en regrets superflus...,

murmure la poétesse. Puis elle se tait, alors même que paraît s'ébaucher son retour en grâce et qu'elle semble trouver une voie plus conforme à la nature de son talent. *Le Moniteur* ne porte-t-il pas sur *la Comtesse de Villequier* (1833), nouvelle historique, un jugement tout à fait prometteur? « C'est avec une énergique simplicité de style que Mlle de Mercœur a su peindre des situations neuves, dramatiques, et revêtues d'une couleur locale habilement saisie ». De son destin d'écrivain, celle que l'on surnomme la MUSE ARMORICAINE (elle était née à Nantes) n'aura accompli que des ébauches, informes, balbutiantes, lourdes de déceptions, ainsi que le figurent les fragments (« les Quatre Amours », « Louis XI et le bénédictin... ») qu'elle abandonne à la sollicitude de ses admirateurs, qui les recueillent pieusement dans l'édition de ses *Œuvres complètes* (1843).

BIBLIOGRAPHIE

Élisa Mercœur, *Œuvres complètes,* chez Mme veuve Mercœur et chez Pommeret et Guénot, Paris, 1843. Les introductions qui y figurent, ainsi qu'une intéressante correspondance, sont les seuls documents dignes d'être consultés à propos de la vie et de l'œuvre de l'écrivain.

D. GIOVACCHINI

MERCURE DE FRANCE (le). Créé en 1672 sous le nom de *Mercure galant,* titre qu'il conserva avec de légères variantes jusqu'en 1723, *le Mercure de France* traversa le XVIIIe siècle jusqu'à la Révolution. Il connut ensuite divers avatars jusqu'en 1965. *Le Mercure de France* a été à la fois le premier périodique littéraire français et celui qui a eu la plus longue durée : près de trois siècles, avec de rares interruptions.

Officiel, le *Mercure* le fut depuis son origine jusqu'à la Révolution : ce caractère explique sa fonction et son histoire. La monarchie absolue souhaitait contrôler la circulation de la pensée comme celle des marchandises. L'État colbertiste divisa l'information en divers secteurs. Chacun d'entre eux eut « son » journal, dirigé par un « privilégié » : celui-ci, responsable devant le pouvoir politique, révocable, avait en contrepartie un droit tacite de transmission du privilège à ses descendants ou ses amis. Au cours du XVIIIe siècle, on entoura le privilégié de « pensionnés sur le *Mercure* », hommes de lettres qui touchaient une rente sur le journal et la perdaient si le privilégié était cassé. La suppression des privilèges sous la Révolution mit fin à ce système : depuis, *le Mercure de France* est une simple entreprise de presse. Mais il conserve de ces origines un côté officiel et, parfois, bien-pensant, qui subsiste, atténué, jusqu'à ses dernières années.

Sous l'Ancien Régime, la plupart de ses directeurs furent des écrivains d'une relative célébrité : Donneau de Visé, qui le fonda, Dufresny, La Bruère, l'abbé Raynal, Marmontel, La Place, La Harpe. Donneau de Visé créa le style du journal : mélange d'informations mondaines, de comptes rendus littéraires ou dramatiques, d'œuvres originales en vers ou en prose. La forme de la lettre à une Dame qu'il donna à son *Mercure,* et qu'il imitait des « lettres en vers » de la période précédente, ne dura pas au-delà de sa direction (1672-1710). Dès la Régence, le *Mercure* prit la forme qu'il devait revêtir durant tout le XVIIIe siècle : une première section destinée aux œuvres originales, ensuite des comptes rendus, rapidement universels pour toutes les formes de théâtre, un carnet mondain nourri de généalogies, et une vaste section d'informations générales à la manière de la *Gazette.* Un grand entrepreneur de presse, Charles Joseph Panckoucke, développa cette dernière rubrique en la fusionnant, à partir de 1778, avec le *Journal politique de Bruxelles,* mais, dès le XVIIe siècle, des *Extraordinaires* et des *Suppléments* atténuaient parfois sa spécificité littéraire.

Mensuel, le *Mercure* se présente comme un « livre » : il en a l'aspect et le format jusqu'à la Révolution : 1 772 volumes de 1672 à 1791, date à laquelle le *Mercure* perdit son sous-titre de « Dédié au roi ». Tous les écrivains qui ont compté en France y ont d'une manière ou d'une autre collaboré. Il fut, dans ses premières décennies, l'organe principal des Modernes dans leur querelle avec les Anciens; et, dès la fin des années 1750, avec Marmontel et, plus tard, avec La Harpe, il manifesta que l'air du temps était voltairien : le *Mercure* est le journal des modes. Cela explique, à travers les méandres de son histoire, qu'il prit toujours soin de ne pas se laisser dépasser par l'actualité. On y trouve les petites œuvres des grands écrivains et les grandes des petits : Fontenelle, Perrault (avec les préoriginales de certains contes), Marivaux, Marmontel... Mais, à côté de ces célébrités, le *Mercure,* qu'on lit dans les boudoirs parisiens et dans les salons de province, se nourrit de vers venus d'amateurs experts en petits genres et en « bouquets », de production féminine. Le *Mercure* fournit aux abonnés sa ration mensuelle de bouts-rimés et de chansons. Dans le *Mercure,* la littérature est du meilleur monde.

La politique aussi y est très convenable. Donneau de Visé suscita l'ironie et la gêne des Français eux-mêmes pendant les terribles guerres de Louis XIV : *le Mercure* tira de cette période une détestable réputation dont son créateur est le premier responsable. Par la suite, les directeurs du *Mercure* se contentèrent de reproduire les dépêches ciselées par les bureaux compétents. Seul Panckoucke voulut faire du *Mercure* un concurrent sérieux à toutes les gazettes de langue française, spécialement aux étrangères qui envahissaient le marché national : la ruse du journal « de Bruxelles » ne trompa cependant personne.

Sous l'Ancien Régime, le *Mercure* tirait à plusieurs milliers d'exemplaires, chiffre important pour l'époque, et qui correspondait à un bon succès de librairie. Quand l'étau des privilèges exclusifs se desserra au cours du XVIIIe siècle, on l'imita (journaux de l'abbé Desfontaines, de Fréron, etc.). Son importance littéraire n'est pas négligeable : il fit de la littérature un sujet dont on parle, sinon du livre un objet qu'on lit. Des comptes rendus bien faits, parfois honnêtes, toujours circonstanciés informaient des nouveautés, dispensant ainsi un public pressé d'y aller voir lui-même. Les écrivains français participèrent, dès lors, et en grande partie grâce au *Mercure,* à cette société du spectacle qui est l'une des spécificités de notre vie littéraire.

Pendant près d'un siècle, à travers divers régimes, le *Mercure* ne fut plus que l'ombre de lui-même. Constitutionnel au début de la Révolution, bon serviteur de l'Empire, un moment en coquetterie libérale (Benjamin Constant) sous la Restauration, il suivit habilement la politique du moment : Chateaubriand et Bonald ne furent pas ses rédacteurs les moins en vue. Mais le périodique connut une lente décadence; il s'éteignit en 1825, pour ressusciter en 1890. La « série moderne » du *Mercure de France* est l'œuvre d'Alfred Vallette, qui le dirigea jusqu'en 1935. Ce mécène du symbolisme accueillit dans les colonnes d'une revue devenue alors strictement littéraire les signatures les plus éminentes de la jeune littérature, de Mallarmé à Jarry. Remy de Gourmont en fut la conscience, et Paul Léautaud le mémorialiste : secrétaire et chroniqueur dramatique, Léautaud a laissé dans son *Journal* un tableau au jour le jour de la vie du *Mercure.* Cette période de la revue fut sans doute la plus brillante de son histoire presque tricentenaire. Après 1935, et malgré une brève période où Georges Duhamel le dirigea, le *Mercure,* fortement concurrencé par *la Nouvelle Revue française,* ne connut plus l'éclat d'antan.

BIBLIOGRAPHIE

Il existe diverses tables du *Mercure de France,* tant pour la série ancienne que pour la moderne. Sur celle-ci, on trouve peu d'études documentées, sauf pour l'influence hispanique dans le *Mercure.* Le *Mercure* d'Ancien Régime a bénéficié de monographies sur certains de ses directeurs : P. Mélèse, *Donneau de Visé,* Paris, 1936; F. Moureau, *le « Mercure galant » de Dufresny (1710-1714) ou le Journalisme à la mode,* Oxford, Clarendon Press, 1982; J. Wagner, *Marmontel (journaliste) et « le Mercure de France » 1725-1761,* Presses univ. de Grenoble, 1975. A consulter aussi : A. Martin, « Marmontel's Successors. Short Fiction in the *Mercure de France* », Oxford, *Studies on Voltaire,* CCI, 1982. Slatkine Reprints a entrepris une reproduction des anciens *Mercure.*

F. MOUREAU

MÉRÉ, Antoine Gombaud, chevalier de (1607-1684). Issu d'une famille noble du Poitou, formé chez les jésuites, Méré se consacra à la vie mondaine. Familier des salons de Mme de Rambouillet, de Lesdiguières, de Sablé, ami de Guez de Balzac, de Ménage, de Mme de La Fayette, il fut aussi celui de Pascal : il était joueur, et l'argument pascalien du « pari » est en partie le fruit de leurs conversations. Surtout, Méré passait pour le modèle de l'« honnête homme ». Lorsque, après 1660, il se retira sur ses terres, c'est à l'« honnêteté » qu'il consacra pour l'essentiel sa production littéraire. Il affectionne la forme souple du dialogue d'idées ou ses substituts : *Conversations* (1669), *Lettres* (1682), discours (*De la justesse,* 1671; *Des agréments,* 1676; *De l'esprit,* 1677; *De la conversation,* 1677; et, posthumes, *De la vraie honnêteté* et *De l'éloquence*). Pour lui, la « vraie honnêteté » est une qualité foncière et se distingue de la galanterie, plus brillante mais moins durable. Il la fonde sur une théorie du jugement et du langage : « il faut s'attacher principalement à bien penser » et « c'est la délicatesse du sentiment qui fait celle du langage » (*Cinquième Conversation*). Le juste raisonnement fuit les extrêmes et cherche l'adéquation de la démarche à l'objet (c'est déjà la notion de pertinence). Enfin, l'honnêteté ne doit pas se borner à la civilité ni s'encombrer d'un savoir affiché; elle doit consister « en je ne sais quoi de noble qui relève toutes les bonnes qualités, et qui ne vient que du cœur et de l'esprit » *(ibid.).* Méré théorise donc les modèles du goût et de la distinction, qui, dans le public mondain et cultivé, sont les fondements de l'esthétique classique.

BIBLIOGRAPHIE

On peut consulter l'éd. C. Boudhors des *Œuvres,* Belles-Lettres, 1930 (texte complet, notices et notes), et J.P. Dens, *l'Honnête homme et la Critique du goût,* Lexington, French Forum Publications, 1981.

A. VIALA

MÉRIMÉE

MÉRIMÉE Prosper (1803-1870). Narré, mis en scène ou représenté — à plus forte raison vécu —, le destin effraie Prosper Mérimée. L'homme comme l'écrivain répugnent à suivre tout ce qui est tracé de manière absolument rectiligne, à assumer le poids entier de leurs engagements, à pousser chaque entreprise jusqu'à son total accomplissement. L'œuvre tout entière traduira cette hésitation persistante, refusant de boucler la geste de ses mythes, de définir les formes de son art, de trancher les incertitudes qu'elle développe. Personnage ou narrateur, au moment de conclure, d'affirmer ou de révéler, se dérobent ou s'anéantissent.

Je, Il

Au-dessus de toutes les manières possibles d'être ou de paraître, Mérimée semble toujours placer celles que lui prête la mystification. Le véritable auteur du *Théâtre de Clara Gazul* aime la quiétude qu'on goûte à l'abri d'un masque ou d'un pseudonyme. Écrire et exister comme un être unique, voilà ce qu'il ne saurait assumer, car, pour lui, la personne ne peut vivre sans se fragmenter dans la multitude de ses désirs; le personnage ne devient racontable qu'au prix de ses métamorphoses, de ses reniements, de sa dispersion dans les ombres des choses de sa quête. *Les Âmes du purgatoire* (1834) promeuvent en don Juan l'image d'un héros hétérogène en son essence : « J'ai tâché de faire à chaque don Juan la part qui lui revient dans leur fonds commun de méchancetés et de crimes »..., déclare le narrateur pour situer son personnage dans les innombrables et contradictoires traditions de sa légende. Sa vérité luciférienne, écrite et proférée sur le mode dérisoire d'une inscription funéraire (« *Aqui yace el peor hombre que fué en el mundo* »), le héros a depuis longtemps renoncé à s'y tenir.

Quant au narrateur, après avoir pris une distance ironique vis-à-vis de la confusion érudite qui a canonisé les images dont il joue, il met en place, à la faveur d'un étourdissant ballet pronominal où JE, IL, ON et VOUS s'intervertissent à loisir, une instance aussi problématique que le personnage lui-même : le lecteur, qui peut encore bouleverser les choix de l'écrivain au gré de son humeur, de son tempérament : « Mergy se consola-t-il? Diane prit-elle un autre amant? Je le laisse à décider au lecteur, qui, de la sorte, terminera toujours le roman à son gré » (*Chronique du règne de Charles IX*).

Personne et personnage, en somme, paraissent subir une crise rigoureusement analogue, toujours dépassés par leurs options, fragmentés, déchirés dans leurs êtres, moins désireux, à coup sûr, d'accomplir ce qu'ils entreprennent que de conjurer les représentations imaginaires qu'ils en projettent, d'échapper à une mission qui les écrase et les condamne. Le thème de la « vision » prémonitoire, menaçante, barrant à l'horizon du héros tous les chemins de la révolte ou du bonheur prend alors une place prépondérante, et ses nombreuses récurrences dans le corps de l'œuvre sont bien là pour en témoigner. Image énigmatique et obsédante, apparition surnaturelle ou simple rencontre, hasard significatif, coïncidence troublante et fondatrice de doutes, d'interrogations sans trêve : quelle que soit sa forme, la vision replonge le personnage dans ses ténèbres initiales, le forçant à se renier, à revenir sur lui-même, à ne plus exister que pour se raconter, s'offrir comme sujet de récit.

Ainsi don Juan, hanté depuis son enfance par l'effrayant tableau des *Âmes du purgatoire,* « faisant le récit de chacun de ses crimes ». Ainsi Charles XI, oubliant son pouvoir d'autocrate pour s'investir tout entier dans l'humble relation de sa « vision » : « Et si ce que je viens de relater, dit le roi, n'est pas l'exacte vérité, je renonce à tout espoir d'une meilleure vie, laquelle je puis avoir méritée pour quelques bonnes actions, et surtout pour mon zèle à travailler au bonheur de mon peuple, et à défendre la religion de mes ancêtres » (*Vision de Charles XI*).

Narrateur et personnage finissent par habiter le même non-être textuel, à la lisière des faits, plus présents pour la syntaxe que pour les événements.

Sans cesse épouvantée par le fantasme de ce qu'elle pourrait ou aurait pu être, la conscience se réfugie dans l'univers narratif comme dans un espace balisé dont elle connaît et éprouve les limites sécurisantes, où tout contribue à neutraliser, contrôler, domestiquer les mythes à l'intérieur de vérités admissibles et récupérables, épurées et socialisées. Colomba n'atteindra jamais à l'incestueuse fureur d'une Électre, Miss Lydia vient à point pour le lui interdire et ramener Orso de la tragédie à l'idylle. Tout à la fois fasciné et repoussé par son autre, dont l'espace littéraire lui tend perpétuellement l'image, double ou simulacre, le personnage de Mérimée demeure prisonnier de hantises dont il ignore comment se libérer, s'il faut les assouvir ou les exorciser.

Pour le héros comme pour le narrateur, pour l'écrivain lui-même, l'autre apparaît le plus souvent sous les traits d'une femme au rayonnement subjuguant, mais démoniaque et dévastatrice; une féminité satanique en laquelle on brûle de se perdre, mais dont on n'ose jamais revendiquer pleinement la passion dévorante, la magie créatrice, l'impérieuse supériorité. Clara Gazul, l'actrice aux prunelles de feu, auteur prétendu des œuvres dramatiques de Mérimée, n'est finalement que le prototype de Mariquita (*Une femme est un diable*), de la Périchole (*le Carrosse du Saint Sacrement*), de Colomba, de Carmen et d'autres terribles Vénus marquées au front de l'inquiétant « *Cave amantem* ».

Un siècle plus tôt, Des Grieux hésitait entre la sérénité de l'âme d'un Tiberge et les félicités terrestres promises par Manon. Voilà Mérimée récrivant sa Régence, érigeant en art son incertitude, tandis qu'autour de lui les doctrines s'affermissent, les genres se fondent, l'histoire impose des choix. Longtemps après que Marion Delorme a triomphé, Carmen doit encore expier.

Poétique de l'inachèvement

Entrer dans une telle œuvre revient à accepter l'indécision pour règle : c'est la nouvelle qui va bâtir l'essentiel de la gloire de Mérimée. A y regarder de près, on constate qu'elle participe plus d'une hésitation sur les formes que d'un parti pris esthétique. Tantôt dramaturge, tantôt conteur, l'écrivain paraît user indifféremment des ressources de la mise en scène ou de l'économie du récit.

Habile à nouer des combinaisons dramatiques serrées, pleines de vivacité et strictement découpées, donnant sa mesure dans la saynète (*le Carrosse du Saint Sacrement*) plutôt que dans l'acte, Mérimée, de même, ne semble appréhender le matériau narratif que sous la forme de séquences signifiantes, de courts chapitres jouant de toute la magie de l'ellipse, rigoureusement enfermés dans le temps des « faits », dans l'espace des « scènes » et dans le strict dénombrement des présences des « rôles » indispensables :

« Par une belle matinée d'avril, le colonel sir Thomas Nevil, sa fille mariée depuis peu de jours, Orso et Colomba sortirent de Pise en calèche... » (*Colomba,* XXI).

Si l'on remarque encore le goût manifesté par l'écrivain pour les formes « défaites » — lettres (*Lettres d'Espagne*); chroniques (*Chronique du règne de Charles IX*), assez comparables aux hybrides « scènes historiques » conçues par Vitet — ou éclatées — brouillons romanesques fragmentés en une poussière de chapitres, tantôt pointilleusement numérotés, tantôt séparés par des blancs (*Arsène Guillot, la Double Méprise...*) —, force est d'admettre que l'œuvre s'obstine en des états suggérant toujours son inachèvement.

Rarement résolues, au moins en apparence, les crises restent le plus souvent ouvertes, à la faveur de dénouements ambigus, où l'indécision n'est jamais un accident de l'art mais sa substance même. Tout est réuni, dans *la Vénus d'Ille,* pour que le fantastique ne parvienne pas à l'emporter sans conteste sur le vraisemblable. « Nous en restons au "semble" et n'atteignons jamais à la certitude », note judicieusement Todorov. De même, *la Partie de trictrac* peut se conclure sans que soit élucidée la moindre énigme : « Je ne pus savoir comment mourut le pauvre lieutenant Roger ».

Dès lors que la raison, la morale, les normes vacillent, l'auteur ne conçoit pas de meilleure façon d'endiguer ces dérèglements que le renoncement à tout ce qui leur a donné corps, minant ce qu'il a édifié pour en conserver la maîtrise.

Les passions ont tout pour inquiéter Mérimée. Ce voltairien bourgeois a tôt fait de contenir tout épanchement du cœur, toute aventure de l'esprit dans les bornes d'un néo-classicisme de bon aloi. L'impétuosité de ses plus romanesques créatures se trouvera à tout moment bridée par un efficace système de notations ironiques, d'apartés lourds de jugements, de révélations violant aux moments opportuns l'intimité des consciences et refoulant leurs élans. Carmen, héroïne dont Bizet saura exalter toute la ferveur anticonformiste, se voit soigneusement exorcisée par Mérimée, qui insiste sur chaque élément capable de souligner sa marginalité — sa particularité ethnique, notamment —; qui fait artificiellement de José, promu narrateur, un sujet, quand il n'a jamais cessé d'être objet; qui ne saurait avoir la conscience en repos avant d'avoir banalisé le sortilège de la séduction de sa sémillante bohémienne : « Une jolie fille vous fait perdre la tête, on se bat pour elle, un malheur arrive, il faut vivre à la montagne; et de contrebandier on devient voleur avant d'avoir réfléchi ».

Au théâtre, Mérimée excelle dans le huis-clos. Exilés dans un lieu coupé du reste du monde, en marge du temps, évoluant dans un espace imaginaire jalousement calfeutré au plus lointain des poncifs de l'exotisme (*l'Amour africain*), oubliés dans une île où la raison ignore ce que l'histoire les envoie faire (*les Espagnols en Danemark*), figés dans les étroites limites d'une situation dramatique symbolique et conventionnelle — d'un procès, par exemple (*Une femme est un diable*) —, les personnages épuisent toutes leurs virtualités au sein d'un ailleurs, d'un là-bas radicalement hermétique. Tandis qu'ils se consument dans leur vérité d'un jour et d'un lieu, seul l'auteur parvient à s'échapper, à aller et venir librement de la fiction à la réalité, de l'ailleurs à l'ici. Tantôt voyageur et témoin, fondant en souvenirs et en clichés les drames qu'il traverse, tantôt savant érudit et raisonneur, autopsiant les choses, préférant les connaître par leurs vestiges plutôt que par expérience vécue (*Carmen, la Vénus d'Ille*), l'écrivain ramène de chacune de ses descentes aux enfers de la passion la certitude tranquille d'un présent à jamais affranchi des désordres : « Il est curieux, ce me semble, de comparer ces mœurs avec les nôtres et d'observer dans ces dernières la décadence des passions énergiques au profit de la tranquillité et peut-être du bonheur » (*Chronique du règne de Charles IX*, Préface).

Béante de son inachèvement ou étouffée par ses propres structures, l'œuvre proclame à tout moment la préoccupation majeure de Mérimée : au-dessus de la cohérence de l'univers littéraire, il importe de placer la nécessité d'un retour toujours possible à l'ordre, à la norme, au réel. L'étrange ne doit faire courir au quotidien qu'un risque calculé. N'ayant d'autre ambition que de permettre à notre paisible banalité de s'éprouver un instant dans les délicieux vertiges de l'insolite, le texte autorise le lecteur à se cramponner dès qu'il le désire à l'intime protecteur qui accompagne et guide fidèlement ses pas, l'auteur, qui a vite fait de rééquilibrer les choses dans leur relativité et de soumettre les pires délires à l'aune de la froide raison et de l'objective connaissance : « En voilà bien assez pour donner aux lecteurs de *Carmen* une idée avantageuse de mes études sur le romani. Je terminerai par ce proverbe qui vient à propos : *En retudi panda nasti abela macha*. En close bouche, n'entre point mouche ».

Inachevée, d'une façon ou d'une autre, l'œuvre se résout à l'être, dès lors qu'il est urgent de couper les ponts entre le passé qu'elle raconte et le présent qui la lit.

Un romantisme?

Bâti pour la dérision, l'univers de Mérimée laisse toujours planer sur la moindre envolée sublime un soupçon narquois. On ne s'étonnera pas d'y trouver les éléments constitutifs et traditionnels de l'épique singulièrement dévalués. Héros fatigué, traînant sa demi-solde comme une malédiction, mal éveillé dans une vie civile encore plus fertile en surprises et en fureurs que la plus mouvementée des campagnes (Orso), soldat déclassé, égaré dans le monde de la passion, où la chiquenaude d'une cigarière suffit à le faire crouler de toute la hauteur de son orgueil et de ses pâles ambitions (José), les personnages rencontrent le narrateur déjà dépouillés de tout le prestige dont les auréolait la fiction. Le malentendu qui pousse le colonel Nevil à honorer Orso du grade de « caporal » bafoue tout à la fois le lieutenant de Waterloo, le chef de clan corse, et même l'idole qu'il révère encore, dont il croyait partager la gloire, et qui l'anéantit, de fait, dans sa chute : Napoléon, le « Petit Caporal ». Quand le narrateur de *Carmen* croise enfin la route du « fameux bandit nommé José-Maria, dont les exploits étaient dans toutes les bouches », et qu'il découvre « ce héros » dont il admirait la « bravoure et la générosité », il remarque désabusé : « C'était un voyageur comme moi, moins archéologue seulement » (*Carmen*, I).

Stendhal n'aurait peut-être pas désavoué ces figures évanescentes, incapables d'aller jusqu'au bout de leurs quêtes, gaspillant leur destinée au lieu de l'accomplir, intimidées par leurs désirs aussi bien que par leurs actes, contraintes enfin d'être les bourreaux de leurs rêves, de détruire ce en quoi elles ont cru, de tuer ce qui les faisait espérer, convoiter et agir. Mais si Julien Sorel n'est pas allé au terme d'une seule de ses promesses, il en tient mille autres par son échec. L'héroïsme romanesque d'une Mathilde ou d'une Sanseverina est toujours prêt à relever de leur ruine les rêves de grandeur des hommes qui ne voyaient en elles que des objets ou des moyens. L'inachèvement stendhalien, en somme, est peut-être moins lourd pour qui échoue, plus inquiétant pour tout ce qui triomphe. Rien de tel chez Mérimée, où l'œuvre, close ou ouverte, se trouve toujours conçue comme forme résolutive. Dans le conflit où il s'est fourvoyé, le personnage est soudain confronté à des choix trop grands pour lui, sommé de se hausser aux dimensions de l'autre. Le fantastique, au demeurant, réside presque tout entier dans le mode d'existence propre de l'autre et dans la terreur qu'inspire cette image de ce qu'on ne peut se résoudre à être, à élire, à aimer ou à conquérir comme un nouveau soi-même.

Ne sachant plus être un avec sa hantise s'il ne lui cède ni ne parvient à l'abolir, le héros doit à toute force se précipiter dans un acte capable de mettre fin à ses épreuves, de le ramener au moins à l'indifférente quiétude du néant de ses origines. L'odyssée lamentable de Tamango est tout entière dominée par cette loi : roitelet pétri de vanité et d'inconsistance, le rôle de chef rebelle que le hasard lui offre, au lieu de le transfigurer, le révèle dans toute sa médiocrité. Au terme de son aventure, il n'est plus qu'« un nègre si décharné et si maigre qu'il ressemblait à une momie ». Il n'a qu'à s'alléger du peu de substance qui lui reste, son récit, pour gagner le droit d'assumer sa nullité.

Arrêté dans sa course, le héros stendhalien laisse la conviction qu'il aurait pu poursuivre son envol si le monde ne lui avait fixé des bornes. Chez Mérimée, le personnage n'abdique qu'au moment où il se reconnaît lui-même limité, fini en son être, dépassé par l'infinité des choses qui se dérobent à son contrôle et à son expérience.

Seul le narrateur paraît toujours conscient du caractère dérisoire et décevant de toute recherche de l'absolu. Lui qui n'a cure de régner sur les choses, se contentant, sous l'identité commode du savant polyglotte ou du philologue, de répertorier les mots comme autant de vestiges des faits, d'en déchiffrer par bribes la ténébreuse syntaxe, de s'initier à l'étrange en commençant par en balbutier les idiomes de prédilection : latin (*la Vénus d'Ille*), romani (*Carmen*), corse (*Colomba*) ou lituanien (*Lokis*).

Une créature de Manzoni ou de Hugo n'a besoin que d'elle-même pour savoir dès le début ce que comporte de désespéré sa recherche. Sa chute ne l'abaisse jamais au-dessous de ce qu'elle n'a pu atteindre. Lokis, au contraire, se croyait un homme. Son histoire n'est fantastique que sur le fond de cette méprise qu'il fait partager au lecteur avant que le docte professeur ne la dissipe totalement : il n'a jamais cessé d'être animal; Lokis veut dire « ours », « ce n'est pas un nom d'homme », et, on aurait dû le noter, « pas un seul des personnages ne s'appelle ainsi ». Plat travestissement de notre bon vieux loup-garou? Pas même : on cherchait un personnage, et il n'existait pas. *Lokis*, dernière œuvre de Mérimée, tend ainsi à achever un système où se tramait depuis toujours la mort du personnage comme entité problématique et autonome.

	VIE		ŒUVRE
1803	28 sept. : Prosper Mérimée naît à Paris, fils de Jean-François Léonor Mérimée, professeur de dessin à l'École polytechnique, peintre et esthète, et d'Anne-Louise Mérimée, née Moreau, dont l'aïeule, Marie Leprince de Beaumont, entre autres œuvres narratives et didactiques, adapta un conte célèbre : *la Belle et la Bête.*		
1812-1819	Élève du lycée Napoléon (Henri-IV), il poursuit ses études avec conscience et efficacité, trouvant dans ses lectures assez de rêve et d'évasion. L'anglophilie de son milieu familial ouvre sa sensibilité aux charmes de la langue et de la littérature anglaises.		
1820-1823	Tout en travaillant à sa licence de droit, il traduit Ossian et ébauche peut-être ses premières œuvres, *les Espagnols en Danemark* et *Une femme est un diable,* comédies, révélées plus tard et intégrées au *Théâtre de Clara Gazul; la Bataille,* récit dont la forme séquentielle, presque dramaturgique, et l'extrême concision annoncent ce qui constituera l'originalité de l'écrivain. Auparavant, il a déjà donné lecture d'un *Cromwell* dont il n'est rien resté.		
1824-1830	La vie mondaine l'accapare. Entre un épisode libertin, une idylle ou un duel, Mérimée fréquente les salons littéraires, se liant avec Delécluze, Victor Hugo, Musset. Il s'affirme comme romantique, lit ses œuvres et les publie. Il voyage et découvre l'Angleterre (1825, 1826) et l'Espagne (1830). Libéral, il accueille favorablement le régime de Juillet, qui va l'en remercier rapidement par ses protections et faveurs. L'histoire veille déjà sur la quiétude de Mérimée : à Madrid, il est devenu un intime du comte de Montijo, dont la fille cadette, Eugénie, sera vingt ans plus tard impératrice des Français.		
		1825	*Théâtre de Clara Gazul.*
		1827	*La Guzla ou Choix de poésies illyriques, recueillies dans la Dalmatie, la Croatie et l'Herzégovine* (nouvelle mystification).
		1828	*La Jaquerie, scènes féodales, suivies de la Famille de Carvajal,* drame.
		1829	*Chronique du temps de Charles IX,* puis, dans la *Revue de Paris,* les nouvelles : « Mateo Falcone »; « le Carrosse du Saint Sacrement »; « Vision de Charles XI »; « Tamango »; « le Fusil enchanté »; « Federigo »; « l'Occasion »; « le Ban de Croatie »; « le Heyduque mourant »; « la Perle de Tolède ». Dans *la Revue française :* « l'Enlèvement de la redoute ».
		1830	« Histoire de Rondino »; « le Vase étrusque »; « les Mécontents »; « la Partie de trictrac ».
1831-1840	N'osant compter sur son seul talent pour assurer son avenir, il joue de ses relations pour s'ouvrir les portes d'une plus sûre carrière : après avoir occupé des fonctions de second plan aux ministères de la Marine, du Commerce et de l'Intérieur, il est nommé inspecteur général des monuments historiques (27 mai 1834). Il est ainsi amené à effectuer à travers la France une série de tournées, dont il va publier les notes.		
		1832	*Les Voleurs en Espagne.*
		1833	*Les Sorcières espagnoles* *Mosaïque.*
		1834	*Les Âmes du purgatoire.*
		1835	*Notes d'un voyage dans le midi de la France.*
		1836	*Notes d'un voyage dans l'ouest de la France.*
		1837	*La Vénus d'Ille.*
		1838	*Notes d'un voyage en Auvergne.*
		1840	*Notes d'un voyage en Corse.*

	VIE		ŒUVRE
		1840	*Colomba.*
1841-1851	Il se détourne presque totalement des lettres pour se consacrer à sa tâche d'inspecteur des monuments. A peine trouve-t-il le temps, au retour d'un voyage, entre deux recherches érudites sur l'archéologie, l'histoire ou l'architecture, de s'intéresser à la littérature russe, de traduire Pouchkine ou d'écrire *Arsène Guillot* (1844) et *Carmen* (1845), donnant ainsi de plus vifs regrets à ceux qui l'ont élu à l'Académie française. Pour cet homme arrivé, 1848 aurait dû être le signal de la chute. Ce ne sera qu'une chaude alerte. On le maintient dans ses fonctions, et l'Empire vient vite dissiper ses frayeurs conservatrices. Tout de suite rallié à Louis Napoléon Bonaparte, il voit désormais pleuvoir sur sa personne les faveurs du régime (officier de la Légion d'honneur dès janvier 1852, sénateur en juin 1853, familier de la Cour) et les vitupérations de Rochefort, de Hugo et de tout ce que l'opposition à Badinguet compte de plumes. On ne lui sait pas gré de son courage quand il prend la défense de Guillaume Libri, contre toute raison (comment justifier un concussionnaire?) et par pure générosité. Cette intervention lui vaut, malgré ses fonctions et son crédit, quinze jours de prison (1852). Le repli dans l'étude favorise alors un effacement salutaire.	**1841-1851**	Quelques œuvres mineures ne suscitent qu'indifférence (*Arsène Guillot,* 1844, *l'Abbé Aubain,* 1846, *les Deux Héritages ou Don Quichotte, moralité à plusieurs personnages,* 1850), voire restent inédites (*Il Viccolo di Madama Lucrezia,* 1846).
		1845	*L'Inspecteur général. Débuts d'un aventurier* *Carmen.*
		1855	*Mélanges historiques et littéraires.* Publication des *Aventures du baron de Faeneste,* d'Agrippa d'Aubigné.
		1856	Traduction du *Coup de pistolet* de Pouchkine.
1860-1870	Se livre à des recherches pour le compte de l'empereur, qui projette d'écrire (?) une *Histoire de Jules César* afin de s'ouvrir les portes de l'Académie. Mais sa santé, depuis 1862, se dégrade au point de devenir l'objet d'une exclusive et obsédante angoisse. Asthme et bronchite le tourmentent sans relâche, malgré de nombreuses cures. Les errements politiques de la fin du règne l'inquiètent tout autant. Il épuise ses dernières forces pour essayer de sauver un régime qui, depuis Sedan, ne peut plus l'être. Mérimée ne survit pas à son échec, et il s'éteint le 23 septembre 1870.		
		1863-1864	Publication d'articles sur « Bogdan Chmielnicki » et l'« Histoire du règne de Pierre le Grand », dans *le Journal des savants* (il reprendra ce dernier sujet en 1867).
		1866	*La Chambre bleue.*
		1869	*Le Journal des savants* publie deux articles sur l'« Histoire de la fausse Elisabeth II ». *Lokis.*

La Jaquerie

Publiée en 1828, au moment où Mérimée commence la rédaction de la *Chronique, la Jaquerie* procède, comme le roman, d'une juxtaposition plus que d'une subordination d'épisodes : suite de « scènes féodales » (trente-six en tout), la pièce, sous couvert de montrer la révolte paysanne du printemps 1358, s'attache surtout à « donner une idée des mœurs atroces du quatorzième siècle » (Préface).

Car montrer importe ici plus que démontrer : l'action se dilue en intrigues aussi diverses que les amours de l'écuyer Pierre pour la noble Isabelle d'Apremont, l'ambition du frère Jean, les excès nobiliaires ou les malheurs paysans, etc., subordonnant ainsi l'Histoire à une conjonction de vengeances personnelles. Peu ou pas de psychologie, donc, mais du mouvement, des foules (troupes d'aventuriers, hordes paysannes, armées seigneuriales, groupes de brigands), des lieux dignes du mélodrame (le château féodal, la forêt, les champs de bataille), une succession de « tableaux » où la violence s'étale avec complaisance (le sénéchal tué à coups de hache [sc. XI], l'enfant d'Apremont poignardé dans le dos [sc. XVII], la tête fracassée de l'abbé sur la châsse de saint Leufroy [sc. XVIII]) : œuvre bien de son temps, « œuvre de combat, œuvre libérale aussi bien du point de vue politique que littéraire » (P. Jourda), *la Jaquerie* offre une parfaite illustration des ruptures voulues par les romantiques à la scène, tant par le refus des règles ou des bienséances classiques que par la promotion des obscurs au rang de héros. Mais, par son schématisme et ses excès, la pièce de Mérimée montre les ambitions et les limites d'une dramaturgie conçue contre la parole, d'un théâtre où l'image voulue par l'auteur ne laisse aucune place à l'imagination du spectateur.

BIBLIOGRAPHIE

Absent des éditions de poche du *Théâtre* de Mérimée, *la Jaquerie* a fait l'objet de deux bonnes éditions : dans le t. IX des *Œuvres complètes* (préface de Pierre Jourda), Paris, Champion, 1931, et dans le *Théâtre* de Mérimée (préface de Gilbert Sigaux), Paris, Club français du Livre, 1963. La pièce ne figure pas dans le volume de La Pléiade.

Peu ou pas de critiques à l'exception d'une rapide approche d'Aragon dans *la Lumière de Stendhal*, Paris, Denoël, 1954, et surtout de l'article très complet de Roger Bellet, « la Lutte de classes dans *la Jaquerie* », *Europe*, nº 557, septembre 1975.

La Vénus d'Ille

Publiée dans la *Revue des Deux Mondes* en 1837, *la Vénus d'Ille* fut imprimée en volume avec *Colomba* et *les Âmes du purgatoire* en 1841. « C'est, suivant moi, mon chef-d'œuvre », confessait Mérimée; chef-d'œuvre du fantastique, précisa la critique.

Et de fait, le récit procède par contamination réciproque du réel et du merveilleux : ainsi la statue, objet d'admiration esthétique — « un antique admirable » — pour M. de Peyrehorade, mais que les habitants d'Ille — qui l'appellent « l'idole » — ont investie de pouvoirs maléfiques, est-elle aux yeux du narrateur dotée « d'une merveilleuse beauté » mais aussi d'un « caractère étrange ». Étrangeté qui se précise au fil du texte et fait de la Vénus une créature infernale : M. Alphonse ne se croit-il pas « ensorcelé » par « cette diable de Vénus »? Et le narrateur, « désespérant de rendre cette diabolique figure », n'a-t-il pas l'impression d'y voir les traits « d'une divinité infernale applaudissant au malheur qui frappait cette maison »?

Reste que, si l'essence de la statue se dévoile progressivement, son existence demeure mystérieuse, à l'image de l'énigmatique formule latine — *cave amantem* — qui orne son socle; et le narrateur peut bien rationaliser certains épisodes — « il était évident que la pierre avait rebondi sur le métal », « je le crus tout à fait ivre » —, la mort violente de M. Alphonse échappe à toute explication. Si bien que le récit, qui aurait pu basculer vers la fiction policière — le narrateur accumule les indices pour tenter d'éclairer logiquement le mystère —, s'achève par le triomphe du fantastique. Un fantastique fait de mots et de signes qui tracent à travers la nouvelle un réseau de correspondances installant la Vénus au rang de suspecte sans jamais en faire une accusée. Ainsi le meurtre n'a-t-il d'autre explication que... sémantique : car, s'il est vrai que l'inscription du socle signifie bien : « Prends garde à toi si elle t'aime », passer au doigt de la statue, comme l'a fait imprudemment M. Alphonse, une bague de mariage où s'inscrit un serment d'amour éternel — *Sempr'ab ti* —, c'est signer son arrêt de mort, et cette mort n'est autre qu'un crime passionnel. Mais, de même que le récit enregistre les signes sans les interpréter — ainsi l'histoire de l'idole s'inscrit-elle entre l'olivier gelé qui préside à sa découverte et le gel des vignes qui suit sa fonte en cloche —, de même la statue détient-elle seule l'explication d'un mystère que le texte expose sans jamais le dévoiler.

BIBLIOGRAPHIE

Beaucoup d'articles se sont intéressés aux sources de la nouvelle (F. Saisset, dans *Revue bleue*, 6 février 1932; G. Bianquis, dans *Revue universitaire*, mars-avril 1942; M. Parturier, *le Divan*, avril-juin 1945; J. Decottignies, *R.S.H.*, 1962; G. Lambrechts, dans *Revue de littérature comparée*, janvier-mars 1969), peu aux techniques narratives. On retiendra toutefois : J.-B. Rattermanis, « la Perspective temporelle dans *la Vénus d'Ille* de Prosper Mérimée », dans *le Français moderne*, juillet 1963, et M. Guerrero, « *la Vénus d'Ille* ou le Cryptogramme non déchiffré », dans *Europe*, septembre 1975 (un curieux essai d'approche fondée sur la géomancie et l'astrologie...).

Chronique du règne de Charles IX

Rédigé dans l'année 1828, l'ouvrage fut publié en 1829 sous le titre initial de *1572, Chronique du règne de Charles IX, par l'auteur du Théâtre de Clara Gazul*; ce n'est qu'à l'occasion de la deuxième édition (1832-1833) que le livre reçut son titre définitif et que Mérimée imprima son nom sur la couverture.

Bien accueillie par le public, la *Chronique* suscita nombre de réserves de la part de la critique, qui s'attacha à en contester l'exactitude historique : dès la sortie, Magnin remarquait dans *le Globe* que le « livre, daté en gros caractères *1572* [évoque] des mœurs de trente ans postérieures ». Ce procès devait être rouvert par Maurice Maindron dans un article du *Gaulois* (1909) où étaient relevés les anachronismes dans le vocabulaire, dans les détails vestimentaires, dans les attitudes idéologiques, et qui condamnait « l'érudition de mauvais aloi » et « l'archéologie nulle » de Mérimée! Faux procès, en vérité, qu'avait prévenu l'écrivain tant dans sa « Préface » — « Il n'appartient pas à un faiseur de contes comme moi de donner dans ce volume le précis des événements historiques de l'année 1572 » — que dans le « Dialogue entre le lecteur et l'auteur » qui constitue l'ensemble du chapitre VIII — « Je voudrais bien avoir le talent d'écrire une Histoire de France; je ne ferais pas de contes ».

C'est qu'ici l'Histoire n'est que prétexte à raconter une histoire — et les sources revendiquées par Mérimée (« Ce n'est point dans Mézeray, mais dans Monluc, Brantôme, d'Aubigné, Tavannes, La Noue..., que l'on se fait une idée du *Français* au seizième siècle ») indiquent clairement qu'il recherche moins l'exactitude des faits que la vraisemblance d'une atmosphère —, élément d'illusion (la « couleur locale » chère aux romantiques) au service d'une œuvre d'imagination qui veut « donner le sentiment de relater des faits réels » (R. Mathé). Faits dont l'enchaînement ne procède d'aucune dialectique ni d'aucun déterminisme, mais dont la juxtaposition permet de brosser des portraits types — les jeunes courtisans (chap. III), les religieux fanatiques (chap. XXVII), etc. —, d'évoquer des scènes pittoresques — une beuverie (chap. I), une chasse royale (chap. X), un duel (chap. XI), etc. — ou franchement romanesques — la « magie blanche » (chap. XII), le rendez-vous masqué (chap. XIV-XV). Évacuée au profit de l'imaginaire, l'Histoire n'en demeure pas moins un cadre doublement utile : pour l'insertion de personnages fictifs dont les aventures galantes ou les débats théologiques forment la véritable trame du récit; pour l'établissement d'un incessant va-et-vient d'hier à aujourd'hui qui permet au narrateur de dégager les sentiments permanents de l'humanité : l'amour comme la haine, la fraternité comme l'intolérance, etc. Dès lors, l'Histoire rejoint le quotidien, et le dernier mot reste au lecteur, « qui terminera toujours le roman à son gré » (chap. XXVII).

BIBLIOGRAPHIE

Disponible en collection de poche, la *Chronique* a fait l'objet d'éditions critiques dans lesquelles on trouvera nombre de renseignements historiques; on se reportera en particulier à celle de Gustave Dulong (Paris, « les Textes français », Belles-Lettres, 1933) et de Maurice Parturier (Paris, Garnier, 1967).

Pour les lectures de l'œuvre, on retiendra surtout les articles de R. Lebègue, « la Saint-Barthélemy et la *Chronique...* », et C. Duchet, « la Saint-Barthélemy. De la scène historique au drame romantique », *R.H.L.F.*, sept.-oct. 1973, ainsi que celui de R. Mathé, « l'Illusion historique dans la *Chronique* », *Europe*, nº 557, sept. 1975.

Carmen

Au retour d'un premier voyage *tra los montes* en 1830, Mérimée publia dans la *Revue de Paris* quatre « Lettres d'Espagne » qui tiennent à la fois du récit de voyage et de la fiction, et dont les trois premières furent insérées à la fin du recueil *Mosaïque* (1833). Le sujet de ces « Lettres » — les courses de taureaux, une exécution, l'histoire du « brigand » José-Maria, les sorcières espagnoles — se retrouve dans *Carmen,* publiée, après un second voyage, dans la *Revue des Deux Mondes* (1845). Mais, dans l'intervalle, Mérimée s'est attaché à « l'étude des bohémiens avec beaucoup de soin » : aussi a-t-il fait d'une *zingara* son héroïne, tout en lui conservant le nom de la sorcière de la quatrième « Lettre » : Carmencita. Travail de contamination des sources qui donne à la nouvelle cette structure complexe où se mêlent les voix narratives, le récit que fait don José de ses amours tumultueuses avec Carmen (chap. III) venant s'enclaver entre la double rencontre du narrateur avec le brigand José-Maria (I) et la bohémienne Carmen (II) d'une part, et la digression finale sur l'histoire, les mœurs, le caractère et la langue des bohémiens, d'autre part (IV). Il naît ainsi un effet stéréoscopique dans la présentation des personnages : à la vision externe du narrateur, qui voit en Carmen « une beauté étrange et sauvage » (II), répond le regard de don José, qui, saisissant « cette diable de fille » de l'intérieur, y décèle « un démon » (III), tandis que le chapitre IV permet de comprendre ce qui, chez l'héroïne, ressortit à ses origines; de même don José, dont « les exploits sont sur toutes les bouches », et que le narrateur compare à un « Satan de Milton » (I), s'attire-t-il les méprisants propos de Carmen : « Va, tu as un cœur de poulet » (III). Poulet, canari, mouton..., les animaux qui désignent don José ne sont que proies faciles pour la « bête fauve » (IV) qu'est Carmen; et celle-ci peut d'ailleurs prédire : « Chien et loup ne font pas longtemps bon ménage [...]. Ne pense plus à Carmencita ou elle te fera épouser une veuve à jambe de bois » (III).

Mais, au-delà du heurt de deux caractères et de l'intrigue amoureuse, nouvelle variation sur le thème mélodramatique de la déchéance par l'amour — « C'est toi qui m'as perdu; c'est pour toi que je suis devenu un voleur et un meurtrier » —, *Carmen* est avant tout une tragédie — Peter Brook, dans l'adaptation qu'il proposait du texte-opéra, avait choisi le titre de *la Tragédie de Carmen* (1981) — qui naît de la tension entre deux univers mentaux : « Pauvre enfant! » confie don José à la fin de son récit, « ce sont les *Calés* qui sont coupables pour l'avoir élevée ainsi » (III). Dès lors se justifie le rôle du chapitre IV, antithèse de la vie sociale que symbolisent l'armée et l'Église. Et autant que l'envoûtement du brigadier par la bohémienne, la nouvelle conte la fascination de don José pour la liberté : « La vie de contrebandier me plaisait mieux que la vie de soldat ». Fascination pour l'impossible, car on ne *devient* pas bohémien — « cela ne se peut pas », dit Carmen —, et qui contraint le héros à une errance au bout de laquelle il trouvera le lieu le plus clos de l'ordre social : la prison.

Histoire d'une illusion et de son échec, *Carmen* est, d'une certaine façon, la condamnation d'un romantisme qui se plaisait à exalter la rupture de l'ordre et la marginalité.

BIBLIOGRAPHIE

Texte célébrissime, disponible dans toutes les collections de poche ou de « petits classiques », *Carmen,* paradoxalement, n'a guère été étudiée que sous l'angle des sources humaines (Henry Malherbe, « la Véritable Carmen », *Hommes et Mondes,* novembre 1949) ou de la couleur locale (L.H. Hoffmann, *Romantique Espagne,* Paris, P.U.F., 1961). Les meilleures lectures sont peut-être à chercher dans les adaptations cinématographiques ou les mises en scène de l'opéra de Bizet (livret de Meilhac et Halévy) créé en mars 1875 et qui continue de fasciner le monde entier. On lira avec profit le dossier *Carmen* réuni par *l'Avant-Scène Opéra,* n° 26, mars-avril 1980.

Colomba

Écrite au retour d'une mission d'inspection archéologique (16 août-7 octobre 1839) d'où allaient sortir les *Notes d'un voyage en Corse* (avril 1840), la plus longue nouvelle de Mérimée fut d'abord publiée dans la *Revue des Deux Mondes* (juillet 1840) et ne connut la consécration du volume qu'un an plus tard.

En raison de la multiplicité et de la variété des sources — relations orales, archives judiciaires, ouvrages historiques, etc. —, l'écrivain a d'abord fait œuvre d'organisateur : « J'ai tâché de faire une *mosaïque* avec les récits que j'ai recueillis à gauche et à droite » (lettre à E. Conti du 12 novembre 1840). D'où, afin d'éviter au récit de se diluer dans une couleur locale gratuite ou dans l'anecdotique, le centrage de l'intérêt non sur la réalisation de la *vendetta* (celle-ci n'occupe que le chapitre XVII), mais sur les clivages qu'elle révèle entre les personnages : détermination farouche de Colomba, refus moral et social de miss Nevil, incertitude d'Orso. Dès lors que le problème était intériorisé, il devenait normal que le débat d'Orso fût au cœur de la nouvelle; mais de ce conflit d'où pouvait naître un héros tragique — « ... il lui semblait entendre un oracle fatal, inéluctable, qui lui demandait du sang » (XI) — Mérimée a fait un récit d'où émerge un « héros de roman » (VIII et XVIII) en qui viennent se fondre la veine dramatique qu'incarne Colomba et la veine sentimentale que représente miss Nevil. Reste que si l'unité psychologique des deux héroïnes tranche avec l'ambiguïté d'Orso, c'est que les caractères comptent sans doute moins que les idées qu'ils symbolisent : Colomba est moins une « Électre rustique » (P. Josserand) que le symbole de l'attachement aux traditions et au passé, la représentante d'une société archaïque; de même miss Nevil apparaît-elle moins comme le porte-parole du romanesque que comme la prosélyte de la civilisation moderne à laquelle « il serait glorieux de convertir un Corse » (IV). Ainsi, fidèle à son habitude, Mérimée élargit-il le problème du particulier au général en faisant de son récit, à travers quelques figures emblématiques, le portrait d'un pays ou d'un peuple autant que l'histoire de héros privilégiés; et même si le narrateur ne s'affuble ici ni du savoir de l'ethnologue ni des connaissances de l'historien, il n'en décrit pas moins, au travers du drame d'Orso, « sauvage trop civilisé » (VII) sans cesse « agité de résolutions contraires » (XVII), le déchirement d'une île tentée par la culture continentale mais incapable de renoncer à sa propre nature.

BIBLIOGRAPHIE GÉNÉRALE

Éditions

On pourra consulter en bibliothèque, pour avoir une connaissance étendue de l'écrivain, l'édition des *Œuvres complètes de P. Mérimée,* sous la direction de P. Trahard et Éd. Champion (Paris, Champion, 1927). Existent aussi l'édition d'E. Marsan (Paris, le Divan, 1927-1931, 10 vol.), qui comporte d'excellentes préfaces, et celle de M. Levaillant (Paris, Larousse, 1927, 3 vol.).

Pour l'œuvre romanesque et dramatique, la meilleure édition est aujourd'hui celle de Jean Mallion et Pierre Salomon, *Théâtre de Clara Gazul. Romans et Nouvelles,* Paris, Gallimard, Bibliothèque de La Pléiade, 1978 (introduction, bibliographie, notices et notes en font un précieux outil de travail).

La *Correspondance générale* éditée par M. Parturier est disponible pour les tomes I à VI au Divan (Paris, 1941-1947) et pour les tomes VII à XVII chez Privat (Toulouse, 1953-1964).

Les *Notes de voyages* ont été rassemblées par P.M. Auzas pour le centenaire de la mort de l'écrivain (Paris, Hachette, 1971).

Répertoire bibliographique

P. Trahard et P. Josserand, *Bibliographie des œuvres de Prosper Mérimée,* Paris, Champion, 1929 (dans *Œuvres complètes,* éd. cit.). A compléter par le catalogue de l'exposition *Prosper Mérimée,* Paris, B.N., 1953.

Études

La biographie est scrutée par Pierre Trahard dans sa trilogie *la Jeunesse de Prosper Mérimée (1803-1834),* Paris, Champion, 1925, 2 vol., *Prosper Mérimée de 1834 à 1853,* Paris, Champion, 1928, et *la Vieillesse de Prosper Mérimée (1854-1870),* Paris, Champion, 1930. Un point de vue plus récent est apporté par Robert Baschet, *Du romantisme au second Empire : Mérimée,* Paris, Nouvelles éditions latines, 1959, et A.W. Raitt, *Prosper Mérimée,* Londres, Eyre and Spottiswoode, 1970.

L'art de l'écrivain a été étudié dans une perspective classique par P. Trahard, *Prosper Mérimée et l'art de la nouvelle,* Paris, P.U.F., 1923; J.W. Hovenkamp s'est attaché à *Mérimée et la couleur locale,* Paris, Belles-Lettres, 1928. Enfin, F.P. Bowman a rendu compte de la thématique majeure du nouvelliste dans *Prosper Mérimée : Heroism, Pessimism and Irony,* Berkeley and Los Angeles, Univ. of California Press, 1962.

D. COUTY ET D. GIOVACCHINI

MERLE Robert (né en 1908). Né à Tebessa (Algérie), agrégé d'anglais, docteur ès lettres, il a été professeur dans plusieurs facultés et termina sa carrière universitaire à Paris X. Sa production littéraire est éclectique. Il consacre deux essais à Oscar Wilde, écrit pour le théâtre; traduit quelques grandes œuvres classiques de langue anglaise, puis, en collaboration avec son épouse, des écrits de « Che » Guevara et des œuvres américaines contemporaines. Il est aussi l'un des biographes de Fidel Castro et de Ahmed Ben Bella.

Mais, depuis *Week-end à Zuydcoote* (1949, prix Goncourt; porté à l'écran par Henri Verneuil), puis *La mort est mon métier* (1953), c'est surtout son œuvre romanesque que recherche un large public épris d'idées généreuses, qui apprécie ses récits à la fois imaginaires et vraisemblables. Ceux-ci, en se fondant le plus souvent sur un fait réel, entraînent des personnages types à confronter leurs caractères, leurs cultures, leur vécu quotidien et leurs tabous aux grands problèmes de notre temps : l'asservissement des colonisés (*l'Ile,* 1962), l'exploitation des dauphins à des fins militaires (*Un animal doué de raison,* 1967), la survie de l'espèce (*les Hommes protégés,* 1974), etc. A l'intérieur de petits mondes clos (la faculté de Nanterre de *Derrière la vitre,* 1970; le charter sans équipage de *Madrapour,* 1976...), l'événement exceptionnel sert de révélateur aux problèmes de la solitude, de l'incommunicabilité ou de la « roue du temps ». La sympathie de l'auteur est manifeste pour le révolutionnaire qui rêve d'une société fraternelle, pour « tous les manants de ce val de misère [qui] entendent un jour [...] que zèle à Église sans amour de l'homme n'est que ruine de l'âme ». Merle a préfacé par ailleurs nombre d'œuvres qui dénoncent, comme ses propres romans, la guerre, le racisme, la torture, l'abus de pouvoir. Son style utilise toutes les ressources des niveaux et des tics de langage, y compris ceux des hommes du XVIe siècle dans ses romans historiques (*Fortune de France,* 1977; *Paris ma bonne ville,* 1981; *la Violente Amour,* 1983), romans qui l'ont consacré comme l'un des maîtres contemporains de ce genre.

M.-P. SCHMITT

MERLEAU-PONTY Maurice (1908-1961). Né à Rochefort, il enseigna à l'université de Lyon, à la Sorbonne, puis, à partir de 1952, au Collège de France. La *Structure du comportement* (1942) est une réflexion sur la notion d'organisme, qui n'est ni pur mécanisme ni pure conscience autonome. La *Phénoménologie de la perception* (1945) est une exploration des rapports du sujet au monde; elle intègre les données des sciences de l'homme (psychologie, psychanalyse, linguistique) à une perspective phénoménologique héritée des derniers travaux de Husserl. A la différence de Sartre, qui, à la même époque, oppose le pour-soi désincarné de la conscience à l'inertie de l'en-soi, du monde, de l'être, et définit l'homme comme liberté pure à chaque instant menacée d'être engluée dans l'inertie, Merleau-Ponty accepte comme une donnée indépassable l'incarnation du sujet humain dans son corps, le déploiement des significations dans la parole, et le rapport avec autrui comme horizon constitutif du monde humain. Le véritable sujet transcendantal est un sujet charnel, historique; il ne se donne pas dans un *cogito* coupé du monde, mais dans la perception et dans l'action.

Dans *Humanisme et Terreur* (1947) et dans *Sens et Non-sens* (1948), la conviction que c'est avant tout dans le champ social et historique que l'action peut trouver sa signification et sa valeur de vérité rapproche Merleau-Ponty du marxisme. C'est l'époque où, avec Sartre, il collabore aux *Temps modernes.* Sa rupture avec l'idéologie marxiste — surtout sous sa forme stalinienne — dans les *Aventures de la dialectique* (1955) entraîne sa rupture avec Sartre. Ses derniers écrits, restés inachevés et qui ont été publiés après sa mort (*le Visible et l'Invisible,* 1964; *la Prose du monde,* 1969), laissent clairement apercevoir une évolution vers une interrogation de plus en plus radicale sur ce qu'il nomme l'« Être brut », qui est la dimension préalable à tout savoir constitué. D'une qualité littéraire toute classique, l'œuvre de Merleau-Ponty ne renie pas l'héritage de ce qu'il nomme le « grand rationalisme », et son *Éloge de la philosophie* (1953) montre que sa réflexion si moderne sur les sciences de l'homme est subordonnée, en dernière analyse, aux questions toujours actuelles de la *philosophia perennis.*

BIBLIOGRAPHIE

A. De Waelhens, *Une philosophie de l'ambiguïté, l'existentialisme de Merleau-Ponty,* Louvain-Paris, Nauwclaerts, 1970; X. Tilliette, *Merleau-Ponty,* Paris, Seghers, 1970; G.B. Madison, *la Phénoménologie de Merleau-Ponty,* Paris, Klincksieck, 1973; C. Lefort, *Sur une colonne absente, écrits autour de Merleau-Ponty,* Gallimard, Paris, 1978; *les Temps modernes,* numéro spécial, 184-185, Paris, 1961; *Critique,* numéro spécial, 211, Paris, 1964; *l'Arc,* numéro spécial, 46, Aix-en-Provence, 1971.

A. PONS

MERLIN. V. ROBERT DE BORON.

MERSENNE, le père Marin (1588-1648). Mersenne fut un scientifique en vue et l'un des animateurs de la vie intellectuelle dans la première moitié du XVIIe siècle. Ses parents étaient laboureurs à Soultière (Sarthe), où il naquit. Il suivit la carrière ecclésiastique, seule possibilité pour un jeune homme pauvre de se consacrer à la vie intellectuelle. Élève des oratoriens au Mans, puis des jésuites au collège de La Flèche, il acheva ses études à Paris (1609-1611), où il entra dans l'ordre des Minimes. Dès lors, il vécut au couvent de la place Royale (aujourd'hui place des Vosges), ne le quittant que pour des voyages d'étude (notamment aux Pays-Bas en 1630 et en Italie en 1644), et il y mourut âgé de soixante ans.

Enseignant et chercheur scientifique, il fut aussi un polémiste catholique (*l'Impiété des déistes, athées et libertins, renversée et confondue,* 1624; *la Vérité des sciences contre les sceptiques et les pyrrhoniens,* 1625). Dans son couvent, il accueillait des réunions de savants, si bien qu'il forma, à partir de 1635, une sorte d'académie qui préfigurait l'Académie des sciences. Il était l'ami de Descartes, et il le resta même lorsque celui-ci, suspect aux yeux de l'Église, dut s'exiler. Il entretenait aussi une vaste correspondance avec de nombreux savants à travers toute l'Europe. Outre ses travaux personnels de mathématiques (*Synopsis mathematica,* 1626; rééd., 1644) qui le conduisirent à s'intéresser à la musique (*Harmonie universelle,* 1636), il fut un diffuseur des recherches de Galilée (traduction et commentaire des *Mécaniques...,* 1644) et de celles de Torricelli sur le vide (*Rapport...,* 1645). Il témoigne donc de la capacité de certains scientifiques catholiques à participer aux recherches nouvelles, malgré l'hostilité de l'Église à cet égard, aux côtés de tous les savants du temps, y compris les libertins érudits.

BIBLIOGRAPHIE

La publication de la *Correspondance* de Mersenne, entreprise en 1932 à l'initiative de Mme Paul Tannery, est aujourd'hui continuée par les éditions du C.N.R.S. (tome XIV, 1980).

A consulter. — R. Lenoble, *Mersenne ou la Naissance du mécanisme,* Paris, Vrin, 1943.

G. DECLERCQ

MERTENS Pierre (né en 1939). Écrivain belge d'expression française, né à Bruxelles. Ses romans et recueils de nouvelles peuvent être considérés comme les différents éléments d'une mosaïque d'ensemble en cours de constitution, pierres successives d'une œuvre dont se dessinent clairement l'importance et l'ambition.

Les personnages de Mertens sont des dépossédés : non qu'ils appartiennent à une classe d'individus totalement marginaux, non qu'ils soient des indigents, tenus à l'écart d'un monde qui les refuserait; ce sont, au contraire, des êtres qui ont apparemment leur place dans ce monde, et leur vie quotidienne, telle que le romancier l'appréhende, n'a souvent rien de très remarquable. Mais leur blessure est cachée : ce qui les mine, c'est une secrète inadéquation, une incapacité à s'identifier à l'image qui pourrait être la leur, à assumer leur rôle avec bonheur, à se tenir à flot dans la société et dans l'Histoire où ils sont plongés. En ce sens, l'œuvre de Mertens constitue une sorte d'exploration, cas après cas, d'une forme de déracinement intime, d'insularisation qui constitue une des fréquentes caractéristiques de l'homme contemporain. Seul Jaime Morales, le personnage de *Terre d'asile* (1978), échappe à cette catégorie d'êtres, dans la mesure où, réfugié politique chilien en Belgique, il est victime, à l'évidence, d'un déracinement beaucoup plus immédiat, beaucoup plus flagrant; il est tout aussi évident, cependant, que, comparé aux autres personnages de Mertens, il en apparaît comme l'archétype, comme la figure allégorique. Mais ce qui fait tout autant des différents textes du romancier une œuvre concertée, c'est l'architecture secrète qui les assemble et qui ne cesse de se compliquer à l'apparition de chaque nouveau livre, selon les principes d'une structure en expansion : réapparitions de personnages, variations sur un même thème, récurrences de lieux, de motifs, d'images, d'expressions spécifiques, parallélismes, oppositions tissent d'un livre à l'autre des liens multiples et complexes. Un grand montage d'ensemble s'élabore ainsi, où chaque fiction figure comme une séquence que l'on peut certes appréhender dans son autonomie mais dont la place est précise dans la topographie générale de l'œuvre.

Structurant l'œuvre entière, ce principe du montage constitue également la technique fondamentale de chacun des romans et recueils de nouvelles. Évocation d'une partie du périple d'un de ces dépossédés évoqués plus haut, chaque fiction de Mertens se présente comme une suite de séquences discontinues, descente par paliers dans les arcanes d'une destinée. Tout trajet romanesque fondé sur une quelconque causalité ou sur les lois de l'explicitation psychologique se trouve dès lors refusé, et c'est même une sorte de formule inversée d'un tel trajet qui apparaît : plus le récit progresse, plus s'épaissit le personnage et s'accentue à son égard un sentiment de « dessaisie ». Si bien que, quand il arrive à ce personnage de se réconcilier quelque peu avec son sort et de l'assumer, tout en conservant cette condition d'exil secret qui semble être définitivement la sienne, c'est au terme d'un parcours dont jamais le tracé n'est prévisible, dont jamais les repères ne sont clairement montrés.

Paru en 1969, *l'Inde ou l'Amérique,* le premier roman de Mertens, procède déjà pleinement de cette démarche. Julien Delmas, le personnage principal, est un enfant, mais il ne s'agit pourtant nullement d'un de ces habituels romans sur l'enfance qui sont des romans autobiographiques ou des romans d'apprentissage. *L'Inde ou l'Amérique* est plutôt un roman de « désapprentissage », racontant, non une suite de conquêtes, mais la perte d'un paradis et la découverte désillusionnée du monde adulte. Pas de continuité narrative dans ce roman, mais de brusques sauts, effectués au gré des passages d'une séquence à l'autre : sans cesse, dès lors, la narration reprend là où on ne l'attendait pas et semble repartir en exploration sur une terre vierge.

Même type de construction dans les nouvelles, dont le premier recueil, *le Niveau de la mer* (1970), décrit des personnages, enfants ou adultes, en état de crise latente. Une quête identique se retrouve chez chacun d'entre eux, qu'elle aboutisse ou n'aboutisse pas : celle de ce « niveau de la mer », état d'innocence et de dénuement, seconde patrie que chacun porte en soi. Cette quête n'a de chances de réussir qu'au terme d'un égarement, d'un délire parfois à peine perceptible, d'un engagement soudain du personnage dans un chemin de traverse, qui devient alors, en fonction d'un secret mécanisme, celui de la réconciliation avec soi-même. Ce qui est remarquable, tant dans ce recueil que dans les deux qui suivront, c'est que les nouvelles s'articulent les unes par rapport aux autres, formant un tout parfaitement cohérent, résultat, une fois encore, d'un minutieux assemblage.

La Fête des anciens (1971) est construite sur un jeu de miroirs permanent. On y retrouve Julien Delmas (personnage également de la première nouvelle du *Niveau de la mer*) devenu adulte, qui assiste, en compagnie de son père, à une représentation théâtrale clôturant l'année scolaire et dans laquelle le fils de Julien joue le rôle d'un rêveur par lequel le spectacle est suscité. Zigzaguant de l'un à l'autre de ces trois personnages, la narration met en scène trois solitudes, qui sans cesse coïncident, se confrontent et se font écho. Une image, ici aussi, hante tout le roman, celle d'un « paysage avec la chute d'Icare ». Cette chute provoque dans le décor figé une brutale déchirure, marque de la sortie du jeu, du refus du rôle auquel on est assigné.

Avec *les Bons Offices* (1974), Mertens plonge délibérément son personnage dans le bruit et la fureur du monde contemporain. Les bribes éparses de l'existence de Paul Sanchotte, bribes qu'il s'efforce d'assembler dans une quête de plus en plus vaine, constituent en effet le microcosme des profondes déchirures et des conflits qui ensanglantent notre époque. Médiateur international, Sanchotte est tout autant dépassé par les événements de l'Histoire qu'il l'est par ceux de sa propre histoire, incapable d'en saisir la synthèse, spectateur impuissant de la désagrégation de l'une et de l'autre. Cette fresque ambitieuse et exemplaire, doublée d'une fouille minutieuse et illusoire dans l'archéologie intime du personnage, hantée par l'image obsédante du corps morcelé, est régie par les lois d'un savant montage : les ruptures et les césures, les citations de tout genre et les collages multiformes, les changements de registre narratif composent un texte rigoureusement désarticulé. Une puissante batterie thématique y met en œuvre le foisonnement des motifs qui ne cessent de se croiser tout au long du livre, magnifique symphonie dédiée à une époque mise en pièces. Reste que, perdu dans le désert au terme de son épopée dérisoire, Sanchotte se retrouvera peut-être lui aussi, et comme malgré lui, au « niveau de la mer ».

Les nouvelles de *Nécrologies* (1977) reviennent à un mode plus intimiste et mettent en scène des personnages voués à une forme de monologue solitaire, incapables d'une véritable présence au monde qui les entoure. Peut-être est-ce dans ces textes que l'ombre de Kafka — qui constitue certainement pour Mertens la référence littéraire la plus importante — se fait la plus prégnante : face au caractère oppressant du monde quotidien, le personnage ne s'en tire que par une sorte de ruse, par une résistance qui consiste à entrer dans un jeu, dans une dérive intime où il ira jusqu'au bout, quel qu'en soit le côté apparemment factice ou dérisoire.

Référence kafkaïenne évidente aussi dans *Terre d'asile,* odyssée en terre belge d'un Robinson politique chilien qui a tout à réapprendre de l'existence. D'une écriture volontairement très sobre, en demi-teinte, construit comme une succession de longs plans fixes, *Terre d'asile* constitue une sorte de « roman politique introverti ». Car ce sont bien plus les conséquences de la dépossession intime de Jaime Morales et son exil intérieur qui importent ici que le fracas de l'Histoire et les multiples discours qui le répercutent. Monocorde, le récit se veut essentiellement attentif aux chuchotements et aux tâtonnements de l'exilé à la découverte de ses chemins de traverse. Mais il constitue aussi, par le biais du regard au ras des choses que promène Morales sur un monde qui lui est étranger, une description très particulière de la Belgique.

Les nouvelles de *Terreurs* (1984) se veulent, à leur manière, des sismographes de la violence qui bouillonne dans le monde contemporain. Sur le mode de la confession ou du témoignage y apparaissent des personnages poussés à l'errance, une fois encore, par le monde « tel qui est ». *Perdre* (1984) se joue sur un registre que Mertens avait peu abordé jusqu'ici : celui de l'érotisme. Pour reconquérir la femme qui est sur le point de le quitter, le narrateur l'attirera dans un huit clos où il tentera de sceller leur réconciliation sous le signe du fantasme partagé. De cette joute sensuelle et panique sur laquelle ne cesse de planer l'ombre d'Achille et de Penthésilée, les amants sortiront sans avoir pu « reconstruire Carthage », mais brûlés par une épreuve qui les aura rendus « incurables l'un de l'autre ».

Il convient de souligner l'attention à la Belgique qui marque l'œuvre de Mertens. Représentant d'une génération d'écrivains belges plus désireuse que les précédentes de se colleter avec la réalité du pays, le romancier intègre dans plusieurs de ses fictions — c'était le cas, par exemple, tout au long des *Bons Offices* — l'évocation critique de la société belge et des points brûlants de son histoire récente. Racontant l'exil volontaire d'un artiste bruxellois, « la Voix de ma maîtresse », une nouvelle du recueil *Ombres au tableau* (1982), est en ce sens particulièrement significative. D'autres thèmes de l'œuvre, comme ceux de la dépossession dès l'enfance ou de l'entrée dans le chemin de traverse, celui aussi de la réconciliation avec soi-même, voire avec son milieu (où l'on retrouve, quelques années plus tard, Julien Delmas, vivant à l'étranger et de retour au pays), apparaissent dans ce recueil avec une très grande acuité. Courant déjà en filigrane dans certains textes précédents, la réflexion de l'écrivain sur son propre travail, ou sur l'art en général, se retrouve également ici en évidence. « La Voix de ma maîtresse » — encore elle — constitue peut-être, à ce niveau, une des clés de voûte de l'œuvre. S'y trouve en effet explicitée une méditation sur la musique, cette pure fiction que la littérature ne pourra jamais qu'approcher et qui joue un rôle essentiel dans les textes de Mertens et dans le fonctionnement de son écriture. Ce n'est pas un hasard si l'on doit également à ce romancier un livret d'opéra, *la Passion de Gilles* (1982).

P. ÉMOND

MERVEILLES RIGOMER. V. RIGOMER

MERVEILLEUX (le). Le premier manifeste du surréalisme faisait du merveilleux la seule beauté possible. Pour Breton, en effet, la magie littéraire se réduit à cette catégorie fondamentale, révélatrice de ce qu'il appelle l'« irrémédiable inquiétude humaine ». Ailleurs encore, l'opposant au fantastique, « fiction sans conséquence », Breton montre le merveilleux luisant « à l'extrême pointe du mouvement vital », engageant « l'affectivité tout entière ». D'où l'importance de cette notion à la fois fuyante et universelle. Car, dès qu'on le cherche, le merveilleux est partout : dans la nature, dans le rêve, dans la littérature, dans la sensibilité même de chaque époque, qui en renouvelle les symboles : « ruines romantiques », « mannequin moderne »... Aujourd'hui, bien des études poursuivent la quête infinie des surréalistes. Les poètes, mais aussi les savants, explorent cet Autre Monde, primitif et euphorique, révélé par le merveilleux : ils psychanalysent les contes de fées ou s'intéressent à leur structure. Ils cherchent surtout à comprendre le sens de cette évasion hors des lois communes et des modes de pensée traditionnels. On le pressent : le merveilleux n'est pas absurde ou insignifiant, il a sa raison d'être. Simplement, aucun déchiffrage, mythique ou structural, ne semble pouvoir le définir totalement. Le merveilleux reste une belle énigme, et c'est peut-être là son sens premier : donner à réfléchir, donner à rêver.

Le mot lui-même n'a rien de mystérieux : la « merveille » est chose étonnante et singulière (*mirabilia*) : on l'admire, avec peut-être une petite nuance de respect ou de crainte. Quant au merveilleux littéraire, il réside, selon Littré, « dans l'intervention d'êtres surnaturels, comme dieux, anges, démons, génies, fées [...] ». En fait, il y a déjà là comme l'amorce d'une différence : entre la merveille, isolée, stupéfiante, et le merveilleux qui en systématise l'effet, qui installe un monde homogène quoique surnaturel; plus qu'une catégorie, le merveilleux serait donc un genre, à rapprocher sans doute du conte et de la féerie. Roger Caillois, dans *Images, images...,* distingue soigneusement féerie et fantastique. Malgré les apparences, le matériau n'est pas le même : « Dans chaque cas, il y a surnaturel et merveilleux. Mais les prodiges ne sont pas identiques, ni les miracles interchangeables »; alors que le fantastique « manifeste un scandale, une déchirure, une irruption insolite, presque insupportable dans le monde réel », « le féerique est un univers merveilleux qui s'ajoute au monde réel sans lui porter atteinte ni en détruire la cohérence ». Définitions opposées, procédés antinomiques, tout les sépare : alors que le fantastique ne peut inquiéter qu'un monde moderne et réglé par la science, la féerie relève d'un état de civilisation très ancien où rien encore n'est expliqué. Alors que le fantastique installe son « climat d'épouvante » dans un cadre réel et même réaliste, la féerie est une histoire heureuse en général, et surtout « fictive », « lointaine » : c'est *Peau-d'Âne* contre *le Horla,* Mme d'Aulnoy contre Balzac.

Tzvetan Todorov formule la distinction en des termes voisins : selon lui, en effet, le fantastique maintient l'ambiguïté entre le surnaturel et le réel, le personnage central s'interrogeant toujours sur la nature (bien équivoque) de ce qu'il voit. Au contraire, le merveilleux est un « surnaturel accepté », ni expliqué ni rationalisé, seulement ressenti. Il y a donc deux contrats de lecture : celui du fantastique, où le lecteur pose des questions, s'interroge, doute et mène l'enquête; tandis que, dans le merveilleux, nous acceptons d'être des spectateurs, naïfs et ravis, nous ne sommes pas encore entrés dans « l'ère du soupçon ».

Historiquement, le merveilleux peut apparaître comme le genre littéraire le plus ancien. Il semble indissociable du mythe comme il le sera plus tard du conte, c'est-à-dire, dans les deux cas, d'une histoire racontée. Pierre Mabille, dans son *Miroir du Merveilleux,* cite le poème mésopotamien de *Celui qui a tout vu,* qui célèbre Gilgamesh. Il n'est pas sacrilège de retrouver dans les récits religieux, bibliques, mystiques, hagiographiques ou autres, la plupart des caractéristiques du merveilleux. En tout cas, c'est le regard que nous pouvons aujourd'hui porter sur eux comme sur les romans de chevalerie ou sur les contes folkloriques : flèches magiques atteignant toujours leur but, puits sans fond, animaux parleurs, intersignes et talismans y sont « normaux », acceptés et même attendus. C'est que, selon le mot de R. Caillois, le surnaturel y est plus naturel : il appartient à une nature parcourue de forces et d'êtres dont on ne sait rien, sinon qu'ils existent peut-être. Pour le lecteur moderne, ces croyances ont disparu, si bien qu'il lui est impossible de lire ou d'écouter un conte comme il aurait pu le faire il y a quelques siècles. Quoi qu'il fasse, en effet, l'amateur de merveilleux ne peut que regretter un paradis perdu, celui de son enfance ou celui des anciens âges, plus crédules. C'est d'ailleurs ce que montre J. Barchilon dans son étude sur le conte merveilleux français : le genre apparaît à la fin du XVIIe, à une époque à la fois sombre et triste; il est une réaction « contre cette société matérialiste et avide » et se propose « comme un retour à un passé sans doute plus fruste, mais plus heureux. Les contes ne se passent-ils pas toujours dans un passé ambigu, lointain, mais proche, et pourtant toujours plus beau : le temps où les fées existaient, le temps où les bêtes parlaient? » On le voit clairement, il y a déjà une distance, un écart par rapport au sujet ou aux thèmes abordés : la fonction du merveilleux littéraire ne peut pas être de faire croire à ce qui est devenu depuis longtemps incroyable. Elle réside plutôt dans ce regard nostalgique porté sur un temps (lui-même mythique) où les mythes étaient possibles : « Il était une fois... » Le merveilleux est devenu inacceptable dans la réalité présente : il se réfugie dès lors dans le passé (ou dans l'avenir, avec la science-fiction). Il se réfugie surtout dans les livres, chargés maintenant de toute la magie attribuée autrefois aux fées et aux sorcières. L'enchantement, décidément, s'est déplacé : c'est le conte qui est merveilleux, et non plus tant ce dont il parle.

BIBLIOGRAPHIE

H. Matthey, *Essai sur le merveilleux dans la littérature française depuis 1800 (Contribution à l'étude des genres),* Lausanne, Payot, 1915; P.-M. Schuhl, *le Merveilleux, la pensée et l'action,* Paris, Flammarion, 1952; P. Mabille, *le Miroir du merveilleux,* Paris, Éd. de Minuit, 1962; M.-F. Christout, *le Merveilleux et le « Théâtre du silence » en France à partir du XVIIe siècle,* thèse, éd. Mouton, Paris, 1965; R. Caillois, *Images, images...,* Paris, J. Corti, 1966; T. Todorov, *Introduction à la littérature fantastique,* Paris, Le Seuil, 1970; J. Pierrot, *Merveilleux et Fantastique — Une histoire de l'imaginaire dans la prose française du romantisme à la décadence* (1830-1900), thèse, Univ. de Paris IV, Lille III, 1975 (avec une abondante bibliographie); J. Barchilon, *le Conte merveilleux français de 1690 à 1790,* Champion, Paris, 1975.

A. PREISS

MÉRY Joseph (1798-1867). Caustique et mondain, ce journaliste fut également apprécié comme romancier et poète, au point de faire écrire à Mme de Girardin qu'« il était le roi de l'esprit ».

Né à Marseille, chassé du séminaire pour avoir lu Voltaire, Joseph Méry jette tapageusement sa gourme puis fonde à Marseille des journaux si engagés qu'ils lui valent plusieurs procès : au *Phocéen* (1820) succéderont, au fil des condamnations, *le Caducée, la Méditerranée, le Sémaphore.* Libéral et bonapartiste, il s'installe en 1824 à Paris, où il connaît un énorme succès grâce à un poème satirique écrit avec son compatriote Barthélemy, *la Villéliade* (1826), dont Théophile Gautier appréciera plus tard la « force de style » et la « perfection métrique ». Il trouve le temps de traduire *la Henriade* en vers latins et ne néglige pas de faire parler la poudre sur les barricades de Juillet 1830.

Désormais, il va bouder la lyre et la tribune pour se consacrer au roman, à la nouvelle ou au théâtre, répandant sa verve dans *le Bonnet vert* (1830), *les Nuits de Londres* (1840) ou *Gusman le Brave* (1853), drame où éclatent ses dons pour la couleur locale, déjà prouvés par le romancier (*Scènes de la vie italienne,* 1837) et le chroniqueur (*Constantinople et la Mer Noire,* 1853). Barbey d'Aurevilly vante le « coloriste » et le « poète », « esprit multicolore [qui] a toujours eu la facilité du génie, même les jours où il n'en eut pas la puissance ».

Quand on relit Méry aujourd'hui, c'est malheureusement cet abus de facilité qui rebute. Pour un trait heureux contre les jésuites (« La Congrégation se rend et ne meurt pas »), combien *la Villéliade* ânonne-t-elle d'alexandrins corsetés dans la platitude! Sans oublier quelques flétrissures antisémites à l'égard des « banquiers israélites », présentés comme les sauveurs traditionnels des monarchies agonisantes... Méry ne devrait-il sa fortune du moment qu'à la promotion des thèmes les plus éculés de l'idéologie dominante, à sa complaisance pour les sentiments les mieux partagés quoique les plus superficiels et tortueux? Il semble trop souvent n'avoir retenu de Voltaire que ses sarcasmes les plus futiles, ses hardiesses de salon.

BIBLIOGRAPHIE

Barbey d'Aurevilly, *Voyageurs et Romanciers,* Paris, Lemerre, 1908; G. Benoist, « J. Méry et ses poèmes satiriques sous la Restauration », *Revue d'histoire littéraire de la France,* Paris, A. Colin, 1929.

D. GIOVACCHINI

MESCHINOT Jean (1420-1491). Ce poète de la cour de Bretagne, d'une famille de petite noblesse, servit à partir de 1442, en qualité d'écuyer, quatre ducs successifs. Il connut une période brillante sous Artus III, connétable de Richemont, puis une disgrâce de deux ans qui marqua son œuvre d'un pessimisme prolixe. Gentilhomme de la garde (1461-1467), puis maître d'hôtel d'Anne de Bretagne, il fut le poète de la cour ducale et, comme tel, composa des pièces amoureuses (quatre rondeaux, une ballade) sophistiquées dans lesquelles il joue le « banny de liesse » (« plus ne voy rien qui reconfort me donne/ Plus dure un jour que ne souloient cent », sur le refrain « puis que de vous approucher ne puis »); répétitions, antithèses, jeux de rimes caractérisent son style, proche des « rhétoriqueurs » bourguignons (« Je suis gary de santé langoureuse/J'ai liesse pénible et douloureuse/Et doulx repos plein de melancolie »). Il participe aux échanges poétiques du temps, écrivant des lettres-poèmes, visitant d'autres cours, dont celle de Charles d'Orléans, à Blois. En réponse aux *Princes* de Chastellain, il rédige sous le même titre vingt-cinq ballades, chacune construite sur le premier vers des vingt-cinq strophes de Chastellain. Dans *les Princes* de Meschinot, se lit en filigrane une théorie du prince berger, maintenant la paix, la justice, plein de pitié pour les faibles, incarnant la largesse, né pour « labourer » dans le gouvernement; tel est le portrait idéal tracé par Tempérance. Faut-il voir dans les attaques contre les « mauvais princes » une satire de Louis XI (« Prince menteur, flatteur en ses paroles... ») ou simplement les lieux communs de l'« enseignement des princes »? Une ballade pour la duchesse de Foix, une ode funèbre sur Isabelle de Portugal pour le Téméraire forment la partie officielle de l'œuvre. Une prière (« O pere par creation »), deux poèmes à la Vierge, deux ballades satiriques sur l'argent, une ballade dialoguée entre « destruicte France » et son roi, une *Supplication* au duc François II, en 1473, où l'on trouve « lac d'amertume, ruisseau de larmes courant par la vallée de Vergogne trop près de la dolente demeure à celuy Banny de Liesse », montrent la diversité d'une inspiration qui donne avec *les Lunettes des princes* (1493) son *opus magnum.*

Succès de librairie comme le *Testament* de Villon, ce texte est une autobiographie allégorique en trois parties, dont une, centrale, en prose. Quatre-vingt-six douzaines de décasyllabes sur deux rimes tracent d'abord une fresque où triomphe la Mort. L'entrée de Désespoir dans la maison du poète est compensée par une visite de Raison, munie des lunettes de Prudence et de Justice, et d'un livret de Conscience; la séquence en prose développe le contenu de ce livret et l'explication des lunettes; enfin un dernier morceau, de « rhétorique versifiée », offre quatre discours : ceux de Prudence (misère humaine), de Justice (appel aux puissants), de Force et de Tempérance. Œuvre calquée sur le *De consolatione* de Boèce, *les Lunettes* s'articulent autour de cinq grands thèmes : Fortune; le prince; la compassion pour les petits; la satire de la Justice; la Mort. C'est le dernier qui donne le ton, faisant apparaître Meschinot comme un poète à la tristesse sentencieuse, au pessimisme grognon, qui se complaît dans la contemplation de la misère de l'homme (« Je m'esmerveille comme sur pieds me porte/Et que la mort a tout coup ne m'emporte »), plein de ressentiment contre sa « miserable et tres dolente vie/Qu'en nul temps ne peult estre assouvye ». La situation individuelle ne fait que refléter la situation collective : « La guerre avons, mortalité, famine/Le froit, le chaut, le jour, la nuyt nous mine »; la loi de la jungle règne partout : « Les grans pillent leur moyens et plus bas/Les moyens font aux moindres maints cabas/Et les petis s'entreveulent destruyre ». Omniprésence de la mort, sentiment du vieillissement inéluctable, impression que l'univers entier se ligue contre l'homme, voilà les ingrédients d'une mélancolie qui semble plus enracinée dans le personnage de Meschinot que chez des poètes à la tristesse élégante comme Charles d'Orléans. Du jeu poétique on glisse à la pathologie, et le nœud du texte est ce passage où s'offre la tentation du suicide : « Des biens mondains n'ay vaillant une plaque/Mais de doleurs plus de plain une caque/Sens en mon cueur : de ce point ne me moque/Je voys aux champs sur ma petite hacque;/La conviendra qu'a la dague je sacque/A celle fin que ma vie desroque ». De la soumission masochiste à une belle dame sans merci d'un amant qui porte son martyre comme une élégance, on a passé au désenchantement existentiel; l'amour de la belle lointaine va de pair avec l'amour de la mort, comme le montre ce renversement ironique qui clôt la ballade du « Banny de Liesse » : « Advisez donc se ma vie est jolye/Mais que la Mort soit de moy amoureuse »; la mélancolie revient à ses sources physiologiques, l'« humeur noire »; *les Lunettes* sont des verres déformants à travers lesquels rien ne trouve grâce.

BIBLIOGRAPHIE

P. Champion, *Histoire poétique du XIVe et du XVe siècle,* II, p. 189-238; Ch. Martineau-Genieys, *Meschinot, « les Lunettes des princes »,* Genève, Droz, 1972; A. de La Borderie, *Jean Meschinot, sa vie et ses œuvres,* Paris, Champion, 1896.

A. STRUBEL

MESLIER Jean, dit **le Curé Meslier** (1664-1729). Loin des cercles intellectuels parisiens, seul dans son presbytère avec quelques livres, un curé de village écrit au fil des jours un mémoire-testament matérialiste, athée, dans lequel il démontre à ses « chers amis », ses paroissiens « et leurs semblables », c'est-à-dire tous les paysans opprimés, la « vanité et fausseté » de la religion, complice et soutien des nobles et des seigneurs qui les oppriment. Manuscrit massif de 349 feuillets, dont l'auteur laissera à sa mort trois copies. Texte âpre, véhément, transposition intellectuelle des émeutes paysannes, appel à la révolte et rêve de communisme primitif; texte d'un style plus souvent rustique que savant, et qui va pourtant, dès 1730, séduire ou inquiéter toute l'Europe éclairée; texte qui touche et qui trouble aujourd'hui encore; étape importante dans l'histoire de la libre pensée.

Jean Meslier est né dans un village des Ardennes françaises, Mazerny, en un temps où l'Église persécutait Molière à cause de *Tartuffe.* Il eut vingt ans quand le Roi-Soleil décadent révoqua l'édit de Nantes. Mort en 1729, il n'aura connu que la longue fin de règne désastreuse d'un vieillard et le début du règne d'un roi enfant. Vivant près de Sedan, bastion calviniste, et dans les Ardennes, riches en foyers jansénistes, il a vu les persécutions; dans cette province frontière, il a vu aussi les continuels ravages causés par les soldats; il a connu les grandes famines de 1709 et 1725. De la lointaine et quasi mythique monarchie centralisée à Versailles, on ne connaissait au village que les collecteurs d'impôts, « fiers et arrogants ». Le père de Jean Meslier, marchand-fabricant de serge et cultivant quelques terres, se situait dans la petite bourgeoisie. Trois filles à doter. Jean suivit, sans vocation, le conseil de ses parents de se faire prêtre pour avoir, sans mise de fonds, une situation confortable. Vie sans aventure : le séminaire de Reims en 1684; la paroisse d'Étrépigny, village proche du sien, de 1689 jusqu'à sa mort.

Le seul événement important se produisit en 1716, le jour où il fustigea en chaire le seigneur local pour avoir maltraité quelques paysans. Cet éclat valut au curé une sévère remontrance de l'archevêque de Reims. C'est alors, peut-on croire, qu'il commença la rédaction secrète de son « mémoire ». Il imitait en cela, dans un esprit différent, ces nombreux prêtres jansénistes qui ne s'opposaient pas de front à la bulle *Unigenitus,* mais laissaient à leur mort un testament révélant leurs vrais sentiments. Dans les deux *Lettres à Messieurs les Curés du voisinage* jointes à son mémoire, il leur conseille de « demeurer maintenant dans le silence » comme lui, mais de dire la vérité à l'heure de leur mort. Leur mission est d'apporter au peuple la vraie délivrance : foin de la « prétendue rédemption spirituelle » des âmes; « le vrai péché originel pour les pauvres peuples est de naître, comme ils font, dans la pauvreté, dans la misère, dans la dépendance et sous la tyrannie des grands; il faudrait les délivrer de ce détestable et maudit péché ». Tout le reste est imposture.

S'il conseille le silence plutôt que la démission, c'est que, pour lui, le curé et le prêtre sont deux; le curé a une mission à remplir, de charité, d'assistance; il est indispensable au village pendant sa vie; à l'heure de la mort, le prêtre, non moins indispensable, doit crier sa vérité. La démission annulerait tout. Toute sa contestation et son matérialisme sont à base de pitié et de colère; il a mis son érudition au service de ses paysans dans l'espoir qu'après sa mort son texte contribuerait à leur délivrance.

Une jacquerie philosophique

Son texte, il l'a tiré uniquement de son expérience paysanne et de la méditation solitaire de ses quelques livres — les œuvres de Malebranche et de Montaigne surtout, de Fénelon, dont il annote en marge la *Démonstration de l'existence de Dieu,* pour la réfuter, et la Bible, évidemment, qu'il condamne, sauf les livres plus réalistes de sagesse humaine : les *Proverbes, Job, l'Ecclésiaste.* Il rend à ces livres leur vérité déjà paysanne d'origine, il

Métier d'écrivain

« Le Rêve ou Voltaire composant *la Pucelle* », en médaillons : Jeanne d'Arc, Charles VII, Dunois. Voltaire foule au pied *La Pucelle* de Chapelain (1656), témoignage d'un siècle classique révolu. Peinture de Gabriel de Saint Aubin (XVIIIe s.). *Musée du Louvre, Paris - Ph. © Bibl. nat., Paris - Arch. Photeb.*

Peinture du début du XVIe s. dans l'exemplaire appartenant à Louis XII des *Héroïdes* d'Ovide, traduites par Octavien de Saint Gelais à la fin du XVe s. Dans cet exemplaire, en marge des emblèmes, des « L », des ailes d'oiseau et des ailes de moulin à vent. *Ph. © Bibl. nat., Paris - Arch. Photeb.*

Congrès des écrivains, Paris, le 31 janvier 1936. André Gide au micro, Louis Aragon derrière lui et André Malraux. *Ph. © David Seymour - Magnum.*

Écrivain : derrière la symbolique entretenue se cache une activité réglée, souvent régulière, artisanale avant d'être artistique, commandée par des situations où l'économie et l'argent sont aussi discrets qu'essentiels. Mage, phare, porte-voix de la culture, l'écrivain doit d'abord être un travailleur (en chambre), exercer un métier. Curieux métier, d'ailleurs, souvent fantasmé et rêvé (Voltaire vu par Saint-Aubin) et dont les instruments sont presque inaperçus (cf. illustration des *Héroïdes*). Métier qui conduit aussi à présenter, représenter, proclamer (Gide).

« Louis XIV et Molière déjeunant à Versailles », huile sur toile de J.-Dominique Ingres (1780-1867), offerte par le peintre aux artistes sociétaires de la Comédie Française.
Bibl. - Musée de la Comédie-Française, Paris - Ph. L. Joubert © Photeb.

Roger Martin du Gard et Gaston Gallimard en 1924.
Ph. © X-D. R. - Arch. Éditions Gallimard.

Comité de lecture aux Éditions Grasset, le 15 février 1984. De droite à gauche : François Nourissier de l'académie Goncourt, J.-Claude Fasquelle Président-directeur général, Yves Berger directeur littéraire, Jacques Brenner, Denis Bourgeois, Dominique Fernandez, Mathieu Galey, Claude Dalla Torre, Bernard-Henri Lévy, François Bourin, Marie-Anne Bernard, Monique Mayaud.
Ph. Jeanbor © Photeb.

Invitation au bal anthropométrique, organisé à Montparnasse, le 20 février 1931, pour lancer la première série des *Maigret.* Les empreintes digitales sont celles des invités.
Ph. © Fonds Simenon de l'université de Liège - Photeb.

Jury Goncourt en 1945, avec Séraphin Justin Boex, dit J.-H. Rosny Jeune, Francis Carco, Colette, André Billy, Lucien Descaves, Roland Dorgelès. *Ph. © Keystone.*

Réception de Marguerite Yourcenar à l'Académie française, le 22 janvier 1981. Autour d'elle, d'autres membres de l'Institut de France. De bas en haut et de gauche à droite : Jean Bernard et Henri Gouhier ; Eugène Ionesco, Robert de Vernejoul et Bernard Pullman ; Edmond Giscard d'Estaing et Alain Horeau ; Jean Delay et Maurice Schumann ; Louis Leprince-Ringuet, Jean-Jacques Gautier et Bernard Gavoty. *Ph. © F. Apesteguy-Gamma - Photeb.*

« M. Michelet », caricature du « Nouveau Panthéon charivarique », lithographie de Paul Hadol (1835-1875). *Ph. © Bibl. nat., Paris - Photeb.*

Métier, c'est ministère (*ministerium*), c'est-à-dire service — mais quelque peu *mysterium.* Choyés par le pouvoir (Molière) et par leurs employeurs mêmes (Martin du Gard), les écrivains, vêtus en plantes vertes, sont mis en serre, sinon en pot (académiciens). Malgré une surveillance quasi anthropométrique, ils ont droit aux vacances du talent, se portent des santés (Colette) : les plus libres volent après les papillons (Michelet).

Mais les honneurs, depuis la banale décoration (Dorgelès) jusqu'au

Tableau d'un coiffeur de Saint-Rémy sur Avre, intitulé : « Exposition du corps de Victor Hugo sous l'Arc de triomphe dans la nuit du 31 mai au 1er juin 1885. Exécuté en cheveux par E. Flaunet. »
Musée Victor Hugo, Villequier. Ph. © du Musée.

Roland Dorgelès élevé à la dignité de grand-officier de la Légion d'honneur, le 6 décembre 1962. A gauche : Pierre Chanlaine ; à droite : Mme Courteline.
Ph. © Lapi - Viollet/Photeb.

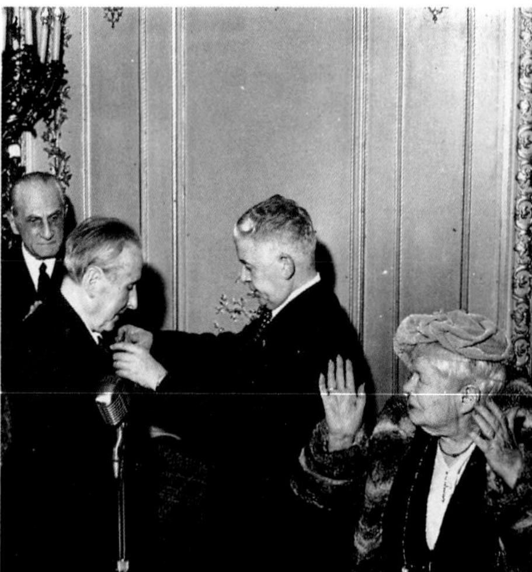

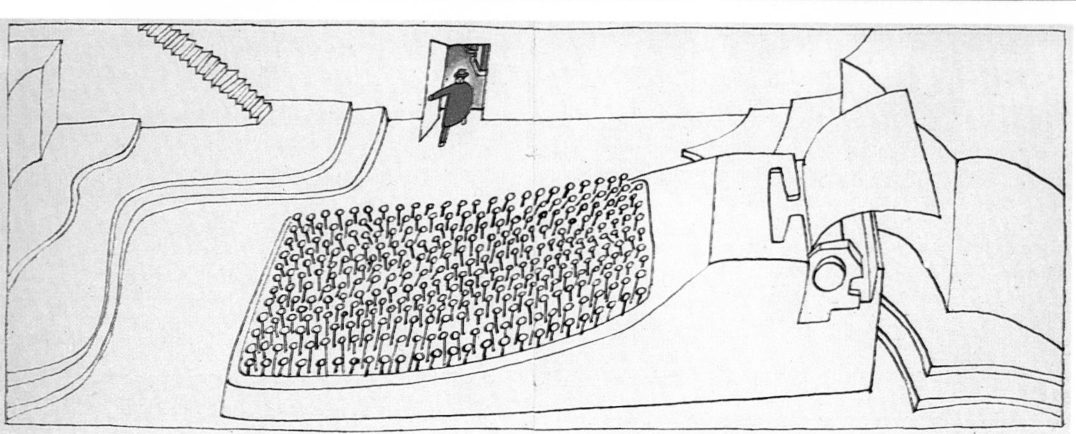

Dessin de Jean-Michel Folon (né en 1934) extrait de l'album *le Message* d'après une idée de Giorgio Soavi - Herman éditeur, Paris, 1967.
Coll. particulière. Ph. M. Didier © Photeb © by SPADEM 1984.

catafalque faramineux (Hugo, à bord de la locomotive *Histoire*, se dirige à toute vapeur vers son avenue même), ne sont qu'apparence : la vraie mission de l'écrivain, c'est de se perdre dans la forêa des signes. Petit Poucet présomptueux, plein de courage, il s'égare aux « machines à écrire » : l'artisan sera-t-il dévoré par le traiteur de textes ?

les retourne contre l'Église, qui les a déformés à son profit. Chez lui, aucune référence à Gassendi, à Spinoza, ni au *Dictionnaire* de Bayle. Nulle part le nom de Newton, dont il a dû même ignorer l'existence. Paradoxalement, c'est à partir de la Bible et de Descartes revu par Malebranche que Meslier forge son matérialisme athée. Matérialisme à la fois métaphysique et rural, très différent du matérialisme scientifique et biologique de Diderot ou de d'Holbach.

Le *Mémoire* est organisé en huit « preuves » de la fausseté de toute religion et de leur danger. En un style oral, rocailleux, volontairement lourd de répétitions pour bien faire entrer les idées dans des esprits frustes, sermon sacrilège tantôt goguenard, tantôt violemment polémique, truffé d'anathèmes, d'images brutales, illustré d'exemples historiques, Meslier commence (preuves 1 à 5) par réduire les religions à des « inventions humaines », dénonçant longuement l'imposture des miracles, de la divinité du Christ, « misérable fanatique » et « malheureux pendard ».

La sixième preuve, la plus pathétique, expose la misère paysanne, dénonce les vrais « diables et diablesses » : non les monstres grimaçants des prédicateurs ou des peintres, mais les beaux seigneurs et « toutes ces belles dames et damoiselles que vous voyez si bien parées, si bien mises, si bien frisées, si bien poudrées, si bien musquées [...] Ce sont ceux-là même qui sont vos plus grands ennemis », ceux qui empêchent l'avènement d'une communauté fraternelle dans la justice et le partage égal des terres et des biens de subsistance.

Mais, pour Meslier, le renversement de l'ordre social passe d'abord par le renversement de la religion. C'est pourquoi les septième et huitième preuves reviennent, de façon plus érudite, sur la matérialité absolue de l'univers, de l'âme, de la pensée, avant qu'apparaisse, dans la terrible conclusion, le prophétisme révolutionnaire, l'appel au tyrannicide. « Il est dit dans un de nos prétendus saints et divins Livres que Dieu renversera de leurs trônes les princes orgueilleux et superbes... » Dieu n'ayant pas tenu ses promesses, c'est aux peuples opprimés de les tenir à sa place, de renverser les princes, les « fiers receveurs de tailles et d'impôts », les « superbes prélats » et tous les parasites qui vivent de la sueur des paysans pauvres. Meslier blâme la passivité des opprimés, compte sur le dynamisme de son discours pour éveiller les masses misérables, les convertir à l'athéisme, première étape de leur délivrance sociale. Une nouvelle forme d'éloquence est née, celle d'un « Bossuet du pauvre » (Roland Desné).

Destin d'un texte

Dès la mort de Meslier, son *Mémoire,* recopié, est diffusé dans les circuits de manuscrits clandestins. En 1740, une centaine d'exemplaires circulent à Paris; le texte est connu jusqu'à la cour de Prusse. Des extraits apparaissent ensuite, qui ne retiennent guère que les arguments contre le christianisme. Voltaire connaissait-il le manuscrit intégral? C'est en tout cas un de ces extraits qu'il utilise pour en tirer son propre *Extrait des Sentiments de Jean Meslier,* précédé d'un abrégé de sa vie; on était en 1762, l'offensive contre les jésuites faisait espérer la fin prochaine de l'Église catholique romaine, le testament du curé Meslier devenait un instrument polémique précieux pour achever l'« Infâme ». Mais Voltaire n'appréciait ni l'athéisme du texte, ni son appel à la révolte paysanne, ni son style de « cheval de carrosse », même si ce cheval « rue bien à propos » : il efface donc toute trace de jacquerie, change le style oral en style écrit, et, pour comble, travestit le curé athée en déiste voltairien.

Dix ans plus tard, d'Holbach à son tour publie des textes de Meslier, mais, étrangement, c'est son propre *Bon Sens* qui est pris pour une œuvre du curé et qui, en 1791, sera publié comme tel : Meslier, cette fois, devenait défenseur d'une éthique bourgeoise de la propriété! *Le Bon Sens du Curé Meslier* fut fréquemment réédité jusqu'en 1939, bien qu'un excentrique libraire hollandais autodidacte, Rudolf Charles d'Ablaing Van Gissenburg, ayant en main l'un des douze manuscrits subsistants actuellement recensés, ait publié pour la première fois le texte intégral du *Mémoire* en 1864, l'année justement du bicentenaire de la naissance de Meslier, et l'année de la fondation de la Ire Internationale.

« Unissez-vous donc, peuples, unissez-vous tous, pour vous délivrer de toutes vos misères communes », écrivait Meslier. Le *Mémoire* fut récupéré par le communisme naissant, et le nom de Meslier fut gravé à Moscou, en 1919, sur l'obélisque honorant les précurseurs du marxisme-léninisme. Meslier était pourtant bien étranger aux notions de devenir historique et de lutte des classes, bien loin de l'analyse de l'aliénation économique, sensibilisé comme il l'était à l'aliénation religieuse. Son communisme agraire, rêvant de collectivités paysannes closes gouvernées par de sages anciens, sans idées d'échange ni de progrès, était plutôt retour vers le mythe primitif de l'âge d'or qu'évolution vers une organisation démocratique. Il n'en reste pas moins qu'en invitant « les peuples » à se lever et à renverser les forces d'oppression, il s'inscrivait dans la ligne du socialisme révolutionnaire en même temps que, littérairement, dans celle des plus violents satiriques, de Juvénal à d'Aubigné et à Hugo.

Malgré la faiblesse de sa réflexion politique et économique, malgré la contradiction entre l'appel à la révolte pour un monde nouveau et la conception pessimiste d'une histoire statique où les riches sont toujours riches, les pauvres toujours pauvres, le rude mémoire-testament de Meslier est un de ces « phares » qui éclairent la nuit des pauvres et tonifient l'éternelle espérance des opprimés. Sa réception universelle, aujourd'hui encore, en est la preuve. Le colloque d'Aix-en-Provence en 1964, pour le tricentenaire de la naissance du curé, la première édition critique de ses œuvres en 1970-1972, un autre colloque international, à Reims, en 1974, ont ouvert enfin l'ère d'une approche plus sûre, plus méthodique de Meslier et de son œuvre insolite, insolente.

BIBLIOGRAPHIE

Édition. — *Œuvres de Jean Meslier,* éd. R. Desné, J. Deprun, A. Soboul, Paris, Anthropos, 3 vol., 1970-1972.

A consulter . — *Études sur Meslier. Actes du Colloque d'Aix-en-Provence* (21 novembre 1964), Paris, Société des Études robespierristes, 1966; Maurice Dommanget, *le Curé Meslier, athée, communiste et révolutionnaire sous Louis XIV,* Paris, Julliard, 1965; *le Curé Meslier et la Vie intellectuelle, religieuse et sociale (fin* XVIIe*-début* XVIIIe *siècle). Actes du Colloque international de Reims* (17-19 octobre 1974), Publ. de l'univ. de Reims, 1980.

R. VIROLLE

MESMES Henri de, seigneur de Roissy (1532-1596). Ce grand personnage, ami et collaborateur de Michel de L'Hospital, appartient à une dynastie prestigieuse du parlement de Paris. Il fut, avec quelques autres membres des cours souveraines, l'un des patrons de l'humanisme français de la seconde moitié du XVIe siècle.

Des études approfondies, une carrière où la responsabilité de hautes charges dans l'État alterne avec des missions délicates (surintendance des finances dans la république de Montalcino; négociation de la paix de Saint-Germain en 1570) dessinent le parcours classique des membres de la grande noblesse de robe. Une brutale disgrâce survenue en 1575 l'incite à écrire des *Mémoires,* plaidoyer pour son honnêteté et son désintéressement.

Henri de Mesmes était non seulement un mécène mais aussi un authentique érudit. Sa bibliothèque, particulièrement riche en manuscrits grecs et latins, a été un lieu de rendez-vous et de travail pour l'élite intellectuelle dès les années 1560. Dorat, Turnèbe, Lambin, Claude Fauchet, Henri Estienne, François Hotman, Étienne Pasquier (sans parler de Passerat, précepteur de son fils) ont rendu hommage à sa science et à sa libéralité en lui dédiant nombre de leurs travaux. On notera, à ce propos, que les collections rassemblées par les grandes familles de robe — celles des Mesmes, des Bignon, des Molé, des De Thou —, qui fournissaient aux savants les ouvrages nécessaires à leurs recherches, jouaient également le rôle de « centre de documentation législatif » où le roi puisait souvent pour étayer ses prétentions (H.-J. Martin).

Au XVIIe siècle, le président de Mesmes et son frère Claude d'Avaux, habile diplomate au service de Richelieu, ont maintenu la tradition humaniste de leur famille et la réputation des *Aedes Memmianae.* La célèbre bibliothèque de l'Hôtel de Jouy, dont Gabriel Naudé fut quelque temps le garde, ne fut dispersée qu'en 1706.

BIBLIOGRAPHIE

Les *Mémoires inédits* de Henri de Mesmes, Paris, 1886 (Genève, Slatkine Reprints, 1970) sont particulièrement intéressants pour le récit de ses années d'études au collège de Bourgogne puis à l'université de Toulouse. Dans sa thèse, *Livre, pouvoirs et société à Paris au XVIIe siècle (1598-1701),* Genève, Droz, 1969, H.-J. Martin passe en revue les grandes bibliothèques parisiennes et analyse leur rôle dans la vie intellectuelle.

M. CHOPARD

MESNAGIER DE PARIS (le). On a conservé sous ce titre un curieux traité — proche du *Livre du chevalier de La Tour Landry* — composé par un bourgeois anonyme pour son épouse (vers 1393); ce recueil de conseils doit servir à celle-ci d'« instructions » pour le cas où elle se retrouverait veuve et lui permettre de préparer ainsi son remariage. Comme dans beaucoup d'ouvrages didactiques (*Chemin de Pauvreté et de Richesse* de Jean Bruyant, *Histoire de Grisélidis, Roman de Mélibée et Prudence*), la compilation y tient une grande place, et l'on chercherait en vain l'unité de cet ouvrage où alternent des considérations d'économie domestique (choix des domestiques, jardin, chevaux, repas), des recettes de cuisine, des préceptes de fauconnerie et des leçons morales. Trois rôles reviennent à la femme : être une épouse chrétienne; tenir sa maison; organiser les loisirs. Le principe est que « l'on doit toujours tendre a faire le plaisir de son mary », « quant il est sage et raisonnable », précise l'auteur. C'est ainsi que la femme est invitée à prendre modèle sur les animaux, chez qui la femelle est d'une fidélité exemplaire : « Pour montrer ce que j'ay dit que vous devez estre tres privee et amoureuse de vostre mary, je mets un exemple rural que mesmes les oiseaulx ramages et les bestes privees et sauvaiges [...] ont le sens et industrie de cette pratique, car les oiseaulx femelles suivent et se tiennent prouchaines de leurs masles et non d'autres ». Ainsi se construit le rêve bourgeois de la femme humble, dévouée, douce et active, qui fait contrepoids à l'image de la ruse diabolique qu'en donnent la satire et le fabliau, mais aussi à celle de la « dame lointaine » du registre courtois et lyrique.

BIBLIOGRAPHIE

Édition. — G.E. Brereton et J.M. Ferrier, Oxford, Clarendon, 1981.

A consulter. — G.E. Brereton, « Deux sources du *Mesnagier,* le *Roman des septs sages* et *les Moralitez sur le jeu des eschecs* », dans *Romania* LXXIV, 1953.

A. STRUBEL

MESSAGE. V. CODE.

MESTREZAT Jean (1592-1657). Né à Genève, fils d'un conseiller d'État, il fait de brillantes études à Genève et à Saumur et, en 1614, devient pasteur de Charenton (où se trouve alors le temple de Paris). Il y restera quarante-trois ans, assumant deux aspects du protestantisme typiques du régime de l'édit de Nantes : soumission à la monarchie, et fermeté doctrinale. Le premier aspect se révèle surtout au synode de Saumur, où Mestrezat, qui préside, manifeste le loyalisme de l'Église réformée, engagée dans une délicate négociation avec Richelieu.

Le deuxième aspect est attesté par son œuvre, qui l'amène à la célébrité avec ses controverses contre les jésuites, notamment le père Véron et le futur cardinal de Retz. Il y brille par l'érudition et par des raisonnements clairs et serrés, où s'allient, selon le processus habituel en la matière, preuves tirées de la Bible et preuves tirées de l'histoire. Ses œuvres principales, en particulier *De la communion à Jésus-Christ au sacrement de l'Eucharistie* (1624) et le *Traité de l'Église* (1649), montrent une exigence et une dignité dans l'argumentation qui donnent un ton nouveau à la polémique religieuse, jusqu'alors d'une agressivité extrême. Mestrezat se distingue ainsi d'autres controversistes protestants plus violents, comme Du Moulin ou Daillé, des excentriques comme Isaac de La Peyrière (1594-1676), qui transita d'une religion à l'autre tout en s'adonnant surtout à une philosophie personnelle absconse, et dont le traité des *Préadamites* fut brûlé de la main du bourreau (1655), ou encore des anxieux comme Jurieu, auxquels le retour des persécutions donnera une nouvelle crédibilité.

BIBLIOGRAPHIE

Em. André, *Essai sur les œuvres de Jean Mestrezat,* Strasbourg, 1847; H. Häberlin, *la Vision de Dieu dans la pensée d'un pasteur parisien de la 1re moitié du XVIIe siècle,* Zürich, Juris Druck und Verlag, 1977.

A. VIALA

MÉTABOLE. V. RHÉTORIQUE ET LITTÉRATURE.

MÉTAPHORE. La métaphore est à la fois la plus connue des figures et la plus vague. Souvent synonyme d'image, elle est généralement considérée comme une comparaison implicite amputée du morphème (comme, ainsi que, tel) ou du lexème (verbe du type « ressembler ») par lesquels s'effectue le rapport comparatif. Ainsi, depuis Aristote (*Rhétorique,* III), l'exemple canonique de la comparaison : « Achille s'élança comme un lion » peut-il se réduire à la métaphore « le lion s'élança » par l'analogie sous-entendue qui existe entre le courage d'Achille et celui qu'on attribue légendairement à l'animal auquel il est comparé dans le discours.

Ce simple exemple soulève cependant tous les problèmes que peut susciter l'analyse précise de la métaphore en tant qu'élément linguistique : le sens figuré peut-il se traduire dans un sens propre, littéral? L'image réside-t-elle dans une seule unité — au niveau lexical — ou dépend-elle de l'ensemble de l'énoncé — au niveau morpho-syntaxique —? La distinction substitution paradigmatique/commutation syntagmatique est-elle pertinente? La préciosité de la poésie baroque annonçait déjà une problématique que le radicalisme de la position surréaliste n'a fait qu'accentuer. Sans entrer dans le détail d'une étude sémiologique, les deux exemples suivants soulignent la difficulté qu'il y a à repérer le foyer de la métaphore : « Déjà la nuit en son parc amassait/Un grand troupeau d'étoiles vagabondes » (du Bellay); « Bergère ô tour Eiffel le troupeau des ponts bêle ce matin » (Apollinaire). Convient-il de parler d'image, de sens second, de métaphore, d'allégorie? On remarque certes une vision insolite du monde, mais les mots ont-ils une acception différente (contrairement à « le lion = Achille ») de celle que leur attribue le dictionnaire? Le verbe bêler lui-même n'est impropre que si on le rapporte à « pont »; il est tout à fait cohérent avec le sujet : « troupeau ». Le sens figuré ne doit donc pas être cherché au niveau lexical mais au niveau des relations qu'entretiennent entre eux les différents termes de l'énoncé ou même à celui de leur rapport avec un système de référence extérieur au texte : isotopie sémantique ou code culturel dont la congruence, respectée ou non, permet de définir un énoncé comme insolite ou au contraire normal.

Pour Guiraud, la métaphore est « un relais sémantique dans lequel une première image mentale phonétiquement signifiée devient le signifiant d'une image secondaire qui constitue le sens auquel mène la première en le motivant » (*le Langage,* Gallimard, Bibl. de La Pléiade). On reconnaît ici le mécanisme d'emboîtements successifs qui permet par ailleurs de définir le système des connotations (cf. Barthes : « Éléments de sémiologie », dans *Communications,* n° 4, Le Seuil, 1964). Mais toute approche inspirée par la méthode de la rhétorique classique n'est-elle pas condamnée à l'échec? Fontanier n'affirmait-il pas déjà, à la suite de Dumarsais notamment, que la métaphore, ou trope par ressemblance, consiste à « présenter une idée sous le signe d'une autre idée [...] qui ne tient à la première par aucun lien que celui d'une certaine conformité ou analogie »? Reste, bien sûr, à savoir si les systèmes symboliques peuvent se décrypter à partir des signes du langage.

Si « le Cygne de Cambrai » désigne, en langue ornée, Fénelon, si par « vie orageuse » on a voulu évoquer l'image, plus frappante, d'une vie « qui ressemble à un temps d'orage », alors le mythe de la traduction dans une langue figurée d'une pensée antérieure se trouve accrédité : « vie orageuse » signifie, en clair, « violemment agitée ». Le sens est le même, seules l'intention, la connotation diffèrent. L'image, ainsi substituée au mot propre, est un simple ornement du discours. Dans les cas extrêmes, elle pallie les carences du vocabulaire. Ce sont alors les « tropes par nécessité » ou catachrèses (« bras » d'un fauteuil, « jupe » d'une voiture, par exemple). Mais comment interpréter, dans ces conditions, les associations surréalistes ou même la simple logique des métaphores « filées »? Lorsque « la pie ouvre et referme sa lettre de faire-part » (Saint-Pol Roux), l'énigme poétique est facile à deviner; mais lorsque « ma plume vole dans le ciel de papier » (Desnos), le mécanisme du jeu de mots (?) réside dans la prévalence de l'homogénéité des homonymes sur l'hétérogénéité des référents. De même, si, dans la chaîne du discours, une première image peut être insolite, les suivantes paraîtront au contraire motivées : « des fleurs grimpantes "cachaient" le perron de cette maison inhabitée qu'elles "embrassaient" jusqu'au premier étage » (A. Dumas fils); le premier verbe, animisé, marque une recherche de style que l'on trouvera ou non élégante; le second poursuit simplement le fil de la comparaison et semble tout à fait justifié, ou même passe inaperçu.

A la limite, il ne serait pas impossible de considérer que le processus métaphorique existe indépendamment de tout contenu lexical spécifique : le discours publicitaire contemporain use abondamment de l'allusion, du transfert, du dépaysement pour évoquer tout ce que les tabous socioculturels ne permettent pas de montrer directement. De même, dans le cas de la parabole, la théorie médiévale des quatre sens (littéral, moral, allégorique, anagogique) enseignait, comme le rappelle J. Molino, « l'art d'interpréter n'importe quel passage des Écritures — voire n'importe quel phénomène —, non seulement "au pied de la lettre", dans une lecture historique et critique, mais aussi, et simultanément, comme une leçon édifiante, l'accomplissement des prophéties et l'annonce de la vie éternelle : les éclipses de lune rappellent les persécutions dont fut ensanglantée l'Église et annoncent qu'indéfiniment elle en sortira renouvelée » (« la Métaphore », *Langages,* n° 54, juin 1979, Didier-Larousse). Plus près de nous, le romantisme puis le symbolisme ont réaffirmé cette présence universelle de l'analogie, des « correspondances », redécouvrant ainsi le rôle du symbolisme dans la culture occidentale (cf. le *Manifeste* de Moréas). L'attitude surréaliste marque l'aboutissement ultime de cette fascination pour la métaphore. Mais en retenant essentiellement l'aspect phonétique, donc le matériel signifiant de l'image, elle ruine du même coup le principe classique de la ressemblance objective, au niveau du signifié : la poésie s'éloigne donc de l'analogie référentielle et se focalise sur l'analogie sémiotique, sonore ou morphologique.

Le sens métaphorique pose en outre une ultime question : le langage figuré est-il antérieur ou postérieur au langage dénotatif? Sur le plan logique, le sens propre du mot est sa signification première; sur le plan chronologique, le figuré, dans la mesure où il est concret, et peut-être spontané, correspond sans doute à la forme originelle du langage, au besoin intuitif de rapporter l'inconnu au connu (cf. « le soleil se lève »), de projeter sur le monde un regard animiste et d'expliquer les phénomènes naturels au travers d'un filtre anthropomorphique (cf. la plupart des « métaphores d'usage »). Ainsi, pour J.-J. Rousseau et pour le primitivisme romantique, il est certain que « le langage figuré fut le premier à naître, le sens propre fut trouvé le dernier » (Rousseau, *Essai sur l'origine des langues*). Le sens propre ne serait que l'aboutissement de la critique rationnelle de l'homme adulte débarrassé des peurs ancestrales et de la superstition.

La logique de l'inconscient, de Freud à Lacan, tendrait à prouver aussi que le fonctionnement de la métaphore rejoint les mécanismes mêmes qui mettent en jeu les constructions oniriques, humoristiques ou névrotiques consubstantielles à la psyché humaine : transfert, déplacement, condensation, etc. Si comparer le sexe féminin au « placer » et à l'« ornithorynque » (A. Breton, *l'Union libre*) est réellement incongru, arbitraire — ou simplement poétique —, comparer Achille à un lion est-il plus explicite? La référence à la réalité est-elle le pôle ultime de la métaphore ou s'agit-il d'une représentation subjective du monde issue de nos fantasmes et codifiée suivant les habitudes propres à l'imaginaire collectif d'une société donnée? [Voir aussi RHÉTORIQUE ET LITTÉRATURE].

BIBLIOGRAPHIE

Outre les ouvrages de base (Aristote, Cicéron, Quintilien) et les manuels de rhétorique classiques (Lamy, Dumarsais, Fontanier), on consultera les livres indiqués dans le sommaire bibliographique de l'article FIGURE.

Beauzée, articles de l'*Encyclopédie :* « Métaphore », « Tropes », etc.; Danièle Bouverot, « Comparaison et métaphore », dans *le Français moderne,* n°s 2 et 4, 1969; Albert Henry, *Métonymie et métaphore,* Paris, Klincksieck, 1971; Hedwig Konrad, *Étude sur la métaphore* (1939), Paris, Vrin, 1958; Michel Le Guern, *Sémantique de la métaphore et de la métonymie,* Paris, Larousse, 1973; Molino, Soublin, Tamine, « la Métaphore », dans *Langages,* 54, Larousse, 1979; Warren A. Shibles, *Metaphor: an Annotated Bibliography and History,* Whitewater, Wisconsin, The Language Press, 1971.

B. VALETTE

MÉTAPLASME. V. RHÉTORIQUE ET LITTÉRATURE.

MÉTASÉMÈME. V. RHÉTORIQUE ET LITTÉRATURE.

MÉTATAXE. V. RHÉTORIQUE ET LITTÉRATURE.

MÉTONYMIE. S'il est possible d'hésiter quant à la classification exacte de telle ou telle figure (« le fer » pour l'épée est une métonymie pour Marouzeau ou Bénac, une synecdoque pour Fontanier; d'autres distinguent encore la métalepse, la métathèse temporelle, etc.), force est de reconnaître que la métonymie, la métaphore et la synecdoque sont, au moins depuis Beauzée, les figures de base de la rhétorique, correspondant à trois attitudes mentales essentielles. La métonymie serait même, pour Fontanier, le trope par excellence.

Si l'engouement pour l'image, l'irrationnel, l'universelle analogie ont provoqué, du romantisme au surréalisme, un renouveau de la métaphore, proscrite depuis Port-Royal au nom de la rigueur janséniste et cartésienne, l'intérêt pour la métonymie, mettant en jeu des processus linguistiques spécifiques, a été réactivé par Jakobson (« Deux Aspects du langage et deux types d'aphasie », 1965, dans *Essais de linguistique générale*), puis par l'ensemble du courant néo-rhétorique contemporain. Beauzée, dans l'article « trope » de l'*Encyclopédie* (1765), réduit à trois catégories la douzaine de figures habituellement recensées par les manuels classiques de rhétorique : « Je crois que voilà les principaux caractères généraux auxquels on peut rapporter les tropes : les uns sont fondés sur une sorte de *similitude :* c'est la métaphore, quand la figure ne tombe que sur un mot ou deux; et l'allégorie, quand elle règne sur toute l'étendue du discours. Les autres sont fondées sur un rapport de *correspondance :* c'est la métonymie, à laquelle il faut encore rapporter ce que l'on désigne par la dénomination superflue de métalepse. Les autres enfin sont fondées sur un rapport de *connexion :* c'est la synecdoque et ses dépendances; et l'antonomase n'en est qu'une espèce, désignée en pure perte par une dénomination différente ». De même Fontanier considère qu'il ne peut y avoir que trois genres principaux de tropes proprement dits (*id est* en un seul mot) : « les tropes par *correspondance,* les tropes par *connexion* et les tropes par *ressemblance* » (= métonymie, synecdoque et métaphore), auxquels il convient d'ajouter les « tropes *mixtes* » (syllepse) [*les Figures du discours,* première édition, 1821]. Dans un souci de taxinomie propre à la méthode du XIXe siècle, Fontanier distingue de façon plus ou moins heureuse neuf métonymies :

« De la cause pour l'effet : *Bacchus* pour le vin, *Mars* pour la guerre (cause "suprême et divine"); *Mérope, Zaïre* pour les tragédies dont elles sont les héroïnes;

« De l'instrument pour la cause active ou morale : une excellente *plume* pour un auteur habile dans l'art d'écrire;

« De l'effet pour la cause : "Je l'ai vu cette nuit, ce malheureux Sévère, /La *vengeance* à la main, l'œil ardent de colère";

« Du contenant pour le contenu : le *vase,* la *coupe,* le *calice* pour la liqueur qu'ils contiennent; le *Ciel* pour Dieu ou les dieux;

« Du lieu de la chose pour la chose même : un *madras,* un *cachemire;* le *Lycée,* le *Portique* pour les doctrines enseignées dans ces écoles;

« Du signe pour la chose signifiée : la *pourpre* pour les grandeurs, la *bure* pour la pauvreté, le *froc* pour l'état religieux, le *cothurne* pour la tragédie, le *laurier* pour la gloire, l'*olivier* pour la paix, etc.;

« Du physique pour le moral : "ventre affamé n'a point d'*oreilles*" (= pitié, compassion);

« Du maître ou patron pour la chose même : *lares* pour foyer, *Saint-Roch* pour l'église, voire la corporation consacrées sous l'invocation de ce saint;

« De la chose pour le maître ou le patron : *perruque* pour homme à perruque, etc. »

Inventaire fastidieux auquel il ne manque que l'humour de Prévert! Cette liste, très hétérogène quant à ses critères, ambiguë quant à son classement (n'est-on pas souvent à la limite de la métaphore, de la catachrèse ou du mythologisme, comme le reconnaît souvent Fontanier lui-même?), a du moins un mérite : elle est l'aboutissement de la « grammaire philosophique » qui sous-tend la rhétorique depuis Dumarsais dont le *Traité des tropes* servait de bible (première édition : 1730). Les exemples choisis et leur commentaire montrent clairement quels sont les présupposés de cette tendance logico-sémantique : emprunts au style littéraire, voire à l'Antiquité classique, de préférence au langage oral de la Halle; principe ornementaliste : la figure est un embellissement par rapport à la banalité de l'expression propre; méthode substitutive : le trope porte sur un seul mot, celui-ci peut toujours se traduire. Il y a donc un répertoire culturel, un lexique des figures qui caractériserait le langage littéraire que la rhétorique a précisément pour but d'enseigner. Énigmatiques pour ceux qui ne possèdent pas les clefs d'une culture donnée, les « signes pour la chose signifiée » perdent leur ésotérisme et deviennent tout à fait transparents pour ceux qui en apprennent ou en reproduisent le code. Comprendre une métonymie, c'est d'abord être capable de traduire d'une langue (savante) dans une autre (populaire) et pouvoir effectuer la transcription en sens inverse.

Ainsi une femme portant une couronne de lauriers, ayant à la main une trompette et un livre n'est-elle une femme qu'en apparence : il s'agit, en fait, de Clio (la muse de l'Histoire) avec ses attributs traditionnels (cf. Vermeer, *l'Atelier*). De nos jours, Barthes a montré (*Communications,* n° 8, Le Seuil, 1966) que la rhétorique de l'image utilise abondamment le processus métonymique, soit dans les pictogrammes internationaux (dessin stylisé d'un lit = hôtellerie, etc.), soit dans la création publicitaire (Montmartre = Paris; un bouchon et un jet de mousse = champagne; longueur des cils et hauteur des talons = signe de la féminité). La codification culturelle des indices métonymiques est en définitive si forte que l'image la plus originale, l'invention artistique deviennent vite un fait de langue, un cliché éculé : cf. les stéréotypes tels que le sabre (= l'armée) et le goupillon (= l'Église) ou la fausse élégance des périphrases journalistiques : le Palais-Brongniart (« métonymie du lieu pour la chose même » : la Bourse de Paris), le « métal jaune » pour l'or. [Voir aussi RHÉTORIQUE ET LITTÉRATURE].

B. VALETTE

MÈTRE. V. RYTHME ET DISCOURS; VERS ET VERSIFICATION.

MEUNG Jean de. V. JEAN DE MEUNG.

MEURICE François Paul (1820-1905). Né à Paris, Paul Meurice abandonne vite le droit pour le théâtre. Il fait représenter, à vingt-deux ans, un *Falstaff* (1842) qu'il signe avec Théophile Gautier et Auguste Vacquerie. C'est en collaboration avec ce dernier qu'il donne ensuite *le Capitaine Parole,* comédie tirée de Shakespeare (1843), et aussi une *Antigone* (1844), qui est très bien accueillie. Toujours fidèle à Shakespeare et désormais lancé, il travaille alors avec Alexandre Dumas pour *Hamlet, prince de Danemark,* qui sera monté au Théâtre-Historique en 1847, et pour un certain nombre de romans comme *Ascanio* (1843), *Amaury* (1844) et *les Deux Diane* (1846-1847). En 1848, Hugo, qui l'a connu en même temps que Vacquerie, le prend comme rédacteur en chef de *l'Événement* — une responsabilité qui le conduit à la prison pour un article de François-Victor Hugo. Après le coup d'État, Meurice reste en France et veille sur la gloire de l'Absent; bien entendu, on le retrouve au

Rappel en 1869, et c'est lui qui sera l'exécuteur testamentaire du maître, dont il publiera les *Œuvres* dans leur édition définitive (1880-1885). Il participera aussi à des adaptations théâtrales de *Notre-Dame de Paris* (1879), de *Quatrevingt-Treize* (1881) et des *Misérables* (1899). A part cela, l'abondante production de Meurice compte encore plusieurs romans (*Cesara* en 1869) et de nombreux drames dont *Benvenuto Cellini* (1852), *Schamyl* (1854), *Paris* (1855), sans parler de *l'Avocat des pauvres* (1856), de *Fanfan la Tulipe* (1858) et des pièces écrites en collaboration avec George Sand : *les Beaux Messieurs de Bois-Doré* (1862), *le Drac* (1865), *Cadio* (1868).

Cette œuvre mérite probablement mieux que l'oubli où elle est tombée. Meurice sait construire une pièce et organiser un scénario. Il sait surtout faire parler ses personnages et les mettre dans le ton de l'époque et du lieu qu'il a choisis : 1747 pour *Fanfan la Tulipe;* Paris en 1540 pour *Benvenuto Cellini;* Londres en 1655 pour *l'Avocat des pauvres,* qui se déroule dans l'atmosphère shakespearienne si chère aux romantiques et en particulier à Hugo — dont on retrouve souvent chez Meurice, son admirateur de toujours, l'écho affaibli mais bien réel.

BIBLIOGRAPHIE

Alexandre Dumas, *Œuvres : les Deux Diane* (notice de G. Sigaux), Paris, Club de l'Honnête Homme, 1978.

A. PREISS

MÉZERAY François Eudes de (1610-1683). Fils d'un chirurgien aisé, au service d'Henri IV, Isaac Eudes, et frère cadet de saint Jean Eudes, le fondateur de la congrégation des Eudistes, François Mézeray appartient à une famille en voie d'ascension sociale. Après des études à l'université de Caen, il est introduit, grâce à la protection de Vauquelin des Yveteaux, dans la clientèle de Richelieu. Il en obtient (1637) un poste de commissaire aux armées. Mais il se fait surtout remarquer par ses talents littéraires, dans des libelles en faveur du cardinal et dans des traductions. Aussi, lorsque ses projets d'historien prennent corps, le pouvoir lui facilite la tâche : Richelieu lui accorde une gratification (1642) puis Séguier une pension (1644) comme historiographe de France. Il peut ainsi se consacrer à son *Histoire de France,* qui commence à paraître en 1643, et s'imposer comme l'historien le plus en vue du XVIIe siècle.

Cela ne l'empêche pas de se mêler à la Fronde : sous le pseudonyme de SANDRICOURT, il publie une vingtaine de libelles en faveur du parti des princes. Le pouvoir royal ne lui en tient pas rigueur : dans la liste des gratifications de 1664, il est le mieux nanti, avec 4 000 livres. Par ailleurs, il est aussi actif à l'Académie française, où il est entré en 1647 et dont il devient le secrétaire perpétuel en 1675 : en particulier il a la charge des travaux préparatoires du dictionnaire; pendant plus de trente ans, il devra combattre la torpeur ou l'indifférence de ses collègues à cet égard. Il fut enfin le promoteur du projet du *Journal des sçavants.*

Mais l'essentiel de son œuvre reste son *Histoire de France depuis Faramond jusqu'au règne de Louis le Juste* (Louis XIII) et, à un moindre degré, son *Histoire des Turcs* (1650-1662). L'*Histoire de France* connut un large succès, si bien qu'il en fut fait une version abrégée, dans un format plus petit (1667-1668), pour la rendre plus accessible au grand public.

La démarche de Mézeray se caractérise par la conception d'une histoire réellement nationale, où dominent les questions politiques, sans que celles-ci constituent pour autant la seule perspective. Il traite d'abord des conditions économiques et sociales en général, puis passe en revue l'état des cités et des provinces. Les abus des puissants et les mouvements de protestation ne sont pas occultés; en 1668, Colbert lui retira d'ailleurs sa pension pour avoir exposé les abus des finances royales... D'autre part, dans cette perspective politique, Mézeray fait une place mesurée aux questions religieuses, manifestant une attitude gallicane modérée. L'ensemble est soutenu par une érudition solide.

Mézeray fait, à bien des égards, figure d'historien novateur. Son œuvre, comme d'ailleurs l'ensemble des ouvrages historiques de son temps, est aujourd'hui tombée dans l'oubli. Elle fut pourtant, jusqu'au milieu du XVIIIe siècle, le modèle de l'historiographie classique.

BIBLIOGRAPHIE

La thèse de W.H. Evans, *l'Historien Mézeray et la Conception de l'histoire en France au XVIIe siècle,* Paris, 1930, reste la référence essentielle.

A. VIALA

MÉZIÈRES Philippe de. V. PHILIPPE DE MÉZIÈRES.

MICHAULT Pierre (XVe siècle). Ce prêtre que l'on trouve en 1466 secrétaire de Charles de Charollais, puis en 1468 chapelain d'Arthur de Bourbon, fut longtemps confondu avec Michault Taillevent. Les quatre œuvres qu'il a laissées sont d'un poète savant, « bon représentant de ce pédantisme morose qui guette les rhétoriqueurs quand il leur manque un grain de folie » (D. Poirion). Dans *la Dance aux aveugles* (1465), Entendement montre au narrateur les « plaisances et dances mondaines » menées par Cupido, Fortune et Atropos.

C'est une curieuse combinaison de perspective chrétienne (le salut de l'âme est le bien suprême) et de vision fataliste (fragilité de la condition humaine, absence de grâce, règne de Fortune « la Deesse mondaine/Empereris et dame de la terre/De tous seigneurs terriens souveraine », force qui compense les dons de Nature : « Et se Nature a formé et tissu/Un corps humain let et defiguré [...] S'il est par moy de mes biens pointuré [...] Il n'est si grant qui ne lui face place »); mais Entendement console le poète : on peut se soustraire à l'amour, se garder de Fortune et se préparer à la mort; les pouvoirs de ces personnifications ne tiennent qu'aux faiblesses acceptées de l'homme. Le *Procès d'honneur féminin* est une fiction juridique comme les *Arrêts d'amour* de Martial d'Auvergne (procès instruit contre tous ceux qui ont répandu des calomnies sur les femmes, devant une cour présidée par Raison). La *Complainte sur la mort d'Ysabeau de Bourbon* met en scène un verger où devant Mort surgit Vertu, qui lui reproche d'avoir enlevé un « suppôt » exemplaire et expose les derniers moments de la princesse. Le genre de départ est ici truqué, le conflit factice, car Vertu se dénonce par une douleur outrée, et Mort est seule à tenir des propos pertinents. Ainsi l'on passe subtilement d'un éloge tout à fait classique à une consolation. Au passage, l'exercice même de la complainte est dénoncé comme contradictoire : « Chascun jour, par avisé propos/Tu diminues et occis mes suppos » (Vertu); « Vos suppos, dea! les fist Diex immortelx/Ou plus vivans que les autres ne sont? » (Mort). Plus étrange est le *Doctrinal de temps présent,* sur le modèle du *Doctrinale puerorum* d'Alexandre de Villedieu (manuel de syntaxe latine). L'« acteur » se promène dans un bois et rencontre Vertu, qui se plaint d'avoir été exclue des écoles; elle lui fait visiter douze classes de l'école de Fauceté, où chaque chapitre de la grammaire latine est expliqué allégoriquement par un Vice : Vantance « decline tous cas », Mescognoissance enseigne les comparaisons (être content de soi et mépriser autrui). Chaque leçon est suivie d'un commentaire de l'auteur. La moralisation touche ici un domaine limite, le langage grammatical, et donne allégrement dans l'hermétisme, sinon dans le mauvais goût. Après avoir assisté aux examens et à la distribution des grades, l'auteur suit Vertu à son école abandonnée et subit les plaintes de ses quatre filles, Justice, Prudence, Force et Tempérance. Les thèmes traités par Pierre Michault sont les sujets à la mode au XVe siècle : danse macabre, querelle des femmes, débat de personnifications qui prétendent régir la vie humaine; son originalité réside surtout dans la virtuosité de la versification. Mais un raffinement trop poussé le conduit à cette obscurité qui semble être devenue la tendance générale à la fin du XVe siècle (Martial d'Auvergne, Coquillart...).

BIBLIOGRAPHIE
Éditions. — *Dance aux aveugles,* par Pilinski, Paris, 1884; *Doctrinal de temps présent,* par Th. Walton, Genève, Droz, 1931. On trouve le *Procès d'Honneur,* la *Dance* et la *Complainte* dans P. Michault, *Œuvres poétiques,* présentées et éditées par B. Folkart, Paris, U.G.E., 1980 (« 10/18 »).
A consulter. — G. Doutrepont, *la Littérature à la Cour des ducs de Bourgogne,* Paris, Champion, 1909, et A. Piaget, « Pierre Michault et Michault Taillevent », *Romania* XVIII, 1889.

A. STRUBEL

MICHAULT TAILLEVENT (1390/1395-1458). Ce poète, qui avait adopté pour devise un jeu de mots sur son nom (« a grant froidure demy chaut »), est le premier représentant d'une école bourguignonne qui fut féconde au XVe siècle.

Mentionné une trentaine de fois dans les comptes de la cour de Bourgogne, rangé parmi les humbles serviteurs (de 3 à 6 sous par jour), il est le factotum de la culture, organisateur de fêtes, poète chargé de célébrer l'événement quand le duc Philippe le Bon n'a pas encore de chroniqueur. A ses gages s'ajoutent de nombreuses gratifications : il accompagnait le duc comme « chevaucheur d'écurie » et remplissait diverses missions.

La gloire du règne et les séductions du lyrisme courtois

On pourrait parler à son sujet de poésie de circonstance si son but n'était pas justement d'élever la circonstance hors de l'anecdotique. Le *Songe de la Toison d'or* (1431) évoque la fondation du célèbre ordre de chevalerie et la rattache aux origines de celle-ci. Le poème est un moyen de propagande, destiné à créer l'enthousiasme pour les initiatives princières, un instrument de communication avec l'opinion. En 1435, Michault fait jouer une *Moralité* sur le traité d'Amiens (« Povre commun », endurant le martyre de Guerre, essaie d'apitoyer « Pouvoir papal »). En 1443, il célèbre l'entrée de Philippe au Luxembourg, exaltation de l'ardeur patriotique. Le *Lay sur la mort de Catherine* lui permet d'étaler sa virtuosité en raffinant sur les contraintes formelles pour en tirer plus de solennité (division des couplets en deux quartiers équivalents, emploi de deux rimes au plus, vers impairs).

Dans le *Jardin de plaisance,* on trouve de lui un « Débat du Cœur et de l'Œil » (pendant une chasse, le narrateur rêve d'un combat entre Œil, qui a arraché Cœur de sa quiétude en se laissant fasciner par Beauté, puis en se détournant sans avoir obtenu merci, et Cœur, devant Amour). La *Bien Alliée* comporte sept ballades sur le renoncement à l'amour, et le *Congé d'amour,* sur un thème identique, assimile les malheurs du poète avec ceux des héros antiques (Orphée, Narcisse, Samson), autres « amans malades » (« Plus d'amours ne de ses délis/Ne veul : ma liesse est finee »). L'*Edifice de l'hôtel douloureux d'amour,* la *Ressource et Relèvement du douloureux hôtel* sont des variations sur le motif de l'architecture allégorique.

En écho au *Bréviaire des nobles* de Chartier, Michault compose sur le même schéma (treize ballades, dont douze sont un discours de Vertus qui enseignent une sagesse pratique aux grands), un manuel de morale aristocratique contre « villenie », le *Psautier des Vilains.* Gentillesse, Noble Vertu, Bonté de cœur, Franchise... critiquent surtout les déviations par rapport à l'idéal d'une classe sommairement définie (« Est chil gentil qui cheval esperonne/Ou cil vilain qui son asne talonne », vers 450/451). Le *Régime de Fortune* propose, en sept ballades, un rondeau et un envoi, une sagesse de résignation aux « hommes de Fortune attains », sur l'image de la maison de Fortune.

La poésie « personnelle »

Cette expression trahit bien l'intérêt — anachronique — de la critique moderne pour un aspect de l'œuvre qui lui est plus familier, les pièces où l'individu se met en scène, où « il raconte sa vie ». Ainsi, la *Destrousse* retrace la mésaventure d'une embuscade dans la forêt de Pont-Sainte-Maxence et demande le remplacement du cheval volé; le *Voyage à Saint-Claude* manifeste l'étonnement du poète devant le paysage de la montagne (« roches horribles »), les activités économiques (Salins) : expression d'un « sentiment de la nature » et d'une attention au concret rares au Moyen Âge. Mais c'est le *Passe-temps* qui lui a valu sa célébrité, au point que « contempler le Passe-temps Michault » était devenu une expression proverbiale. C'est un long monologue (quatre-vingt-treize strophes) sur la fuite du temps, la nostalgie de la jeunesse, les misères de la vieillesse, qui annonce le *Testament* de Villon (« A l'iver qui est grans et frois/Suis venu; hors de joye j'is [...] Car en ung hostel loge et gis/Ou de toutes pars bise vente »). Le poète rencontre Vieillesse et Povreté, « pire que mort »; il faut changer de style de vie et d'écriture : « En mon jeune temps fus atrains/De faire virelais de flours/Or suis je maintenant contrains/A faire ballades de plours/Et complaintes de mes follours ».

Michault Taillevent est le premier de ces poètes « fonctionnaires » grâce auxquels la cour de Bourgogne a pu briller d'un éclat soudain; il y en eut de plus prestigieux : Chastellain, La Marche, Molinet, mais, chez ses successeurs, l'inspiration officielle et la sophistication des jeux formels de « rhétoriqueurs » ont étouffé ce qui, du moins superficiellement, fait le charme de Michault pour le public moderne : une poésie parfois spontanée, mais qui, paradoxalement, l'est aussi peu que celle d'un Villon.

BIBLIOGRAPHIE
G. Doutrepont, *la Littérature à la cour des ducs de Bourgogne,* Paris, Champion, 1909; P. Champion, *Histoire poétique du XVe siècle,* Paris, Champion, 1923; R. Deschaux, *Un poète bourguignon du XVe siècle, Michault Taillevent,* Droz, Genève, 1975; W.H. Rice, « Deux Poèmes sur la chevalerie : le *Bréviaire des nobles* d'Alain Chartier et le *Psautier des vilains* de Michault Taillevent », *Romania,* LXXV, 1954.

A. STRUBEL

MICHAUX Henri (né en 1899). Poète d'origine belge. Même si aujourd'hui Michaux n'est plus à découvrir, malgré le retrait et le silence où il se confine toujours (il a refusé le grand prix national des Lettres qui lui avait été décerné en 1965), son œuvre, tenace et rigoureuse, résiste, laissant de son auteur l'image d'un homme cherchant sans cesse, en lui et hors de lui, à ses risques et périls et par tous les moyens possibles (poésie, peinture, musique, observation clinique), de l'inconnu, sans préjuger jamais de sa découverte.

Sous la faiblesse, la force

Michaux a regroupé sous le titre volontairement objectif « Quelques Renseignements sur cinquante-neuf années d'existence » (1958) les données principales de sa biographie. Naissance à Namur « dans une famille bourgeoise » à la « lointaine ascendance espagnole ». Lui l'« insoumis », l'irréductible, on s'efforce en vain de le briser en l'envoyant (pour sa santé, sûrement) dans un pensionnat « pauvre, dur et froid » de petits paysans flamands. Dépaysement moins grand que celui d'être au monde : la résistance passive s'organise, il devient cet émigré de l'intérieur qu'il ne cessera d'être toute sa vie. Il rentre à Bruxelles, où il va poursuivre ses études chez les jésuites. Plus tard, en 1920, il abandonne sa médecine et embarque à Boulogne-sur-Mer comme matelot sur un schooner. Mais avec le désarmement international des bateaux, la « grande fenêtre se referme », il doit revenir « à la ville et aux gens détestés » : c'est en 1921 ce qu'il ressent comme le « sommet de la courbe du raté ». Retour au pays natal — si peu aimé pour y avoir été mal aimé — qu'il quitte définitivement pour se fixer à Paris. Il part pour l'Équateur « avec et chez son ami le poète Alfredo Gangotena ». Après la mort de ses parents, on le retrouve en Turquie, en Italie et en Afrique du Nord, où il voyage « contre », pour « expulser de lui sa patrie, ses attaches de toutes sortes et ce qui s'est, en lui et malgré lui, attaché de culture grecque ou romaine ou germanique ou d'habitudes belges ». Mais, le refus cédant au « désir d'assimilation », il découvre en Asie « enfin son voyage » (1930-1931). D'autres voyages suivront, et c'est l'Occupation allemande, « la seconde pour lui ». Après la mort de sa femme, « il écrit de moins en moins, il peint davantage » et, en 1956, fait sa première expérience de la mescaline. En 1957, une fracture du coude droit rend sa main inutilisable : c'est la « découverte » en lui de l'« homme gauche ».

Plus que par ses dates et les renseignements organisés en fiche d'état civil, l'autobiographie d'Henri Michaux, écrite à la troisième personne, vaut par les précisions qu'elle donne sur ce que R. Dadoun appelle ses « états énergétiques ». L'existence bruxelloise concentre les traits d'une enfance « qui n'a pas eu son compte ». « Indifférence. Inappétence. Résistance... Sa moelle ne fait pas de sang, son sang ne fait pas d'oxygène. Anémie ». Déterminant son existence, l'axe de la faiblesse et de la déficience traverse tout le texte jusqu'à l'indication finale, signalant l'apparition d'une « ostéoporose », comme si les os eux-mêmes se faisaient complices du manque, de l'évidement, chez celui qui, dans *Ecuador* (1929), s'écrie : « Je suis né troué ». D'où la difficulté d'exister évoquée en plusieurs points de cette vie qu'habite la nostalgie beckettienne de « l'anti-vie » (cf. l'éloge de la paresse, le désir d'« hiberner » et le rêve « d'être agréé comme plante »). Même lorsqu'il écrit, il se voit « toujours réticent », « partagé » : « ça empêche de rêver. Ça le fait sortir », car « il préfère rester lové ». Ce peu d'être, honteux de n'être que ce qu'il est, Henri Michaux l'entend sonner creux jusque dans son nom alors qu'il rêve « d'un pseudonyme qui l'englobe, lui, ses tendances et ses virtualités ». Mais « il continue à signer de son nom vulgaire... », pareil à une étiquette qui porterait la mention « qualité inférieure », trouvant dans la fidélité au « mécontentement et à l'insatisfaction » le moyen de se préserver « du sentiment même réduit de triomphe et d'accomplissement ». Rien d'étonnant alors si l'œuvre se donne à voir sous la menace de son propre effondrement, dans la hantise de sa propre ruine : « Je me suis bâti sur une colonne absente ».

Or, contredisant l'asthénie, l'atonie, le repli sur soi, voici les moments « chocs », les passages de lumière et de fulguration : vers douze ans, « découverte » du dictionnaire et des « mots qui n'appartiennent pas encore à des phrases, pas encore à des phraseurs, des mots et en quantité et dont on pourra se servir soi-même et à sa façon ». Lui, l'« inintéressé », il s'intéresse au latin, « belle langue qui le sépare des autres, le transplante; son premier départ... le premier effort qui lui plaise ». Quelques années plus tard, « première composition française : un choc pour lui qui a fait ses études en flamand », et bientôt « lectures en tous sens pour découvrir... ceux qui peut-être savent » (Hello, Ruysbroeck, Tolstoï, Dostoïevski). En 1922, la lecture de *Maldoror*, prolongée en 1925 par une étude, « le Cas Lautréamont », publiée dans la revue belge *le Disque vert*, « déclenche en lui le besoin longtemps oublié d'écrire ». Prolongeant le choc scriptural, le choc pictural de 1925 (« Klee, puis Ernst, Chirico... ») ouvre à Michaux la voie de plus en plus efficace et glorieuse de la peinture. « Sursaut », « surprise », déclenchement : ainsi la découverte des signes agit comme appel dynamogène de l'énergie, qui, mobilisée, va se mettre à produire. Du coup, cette vie appauvrie est comme soulevée par une envie à la mesure de son vide : appel d'air, appel d'être, les forces de dessaisissement (« vent terrible », « effroi », « rage », « haine », dont le forage à froid fore « inlassablement », « comme sur une solive de hêtre deux cents générations de vers ») s'entendent comme effort battant l'aire où se libèrent les formes, immenses forêts de l'être (lettres).

Carnets de voyages

Lorsque, dans *Passages* (1950), Michaux s'interroge sur ce qui unifie la diversité de sa pratique créatrice, il recourt à des termes spatiaux pour signifier le trajet jamais achevé où, se fiant au mouvement pour mieux fuir l'acquis d'un résultat, se réalise la fusion d'un faire et d'un vivre : « J'écris pour me parcourir. Peindre composer écrire : me parcourir. Là est l'aventure d'être en vie... je fais surtout de l'occupation progressive ». L'écriture comme parcours exigeant, pour se déployer, du temps et de l'espace, entre 1920 et 1957 toute une série de voyages réels ou imaginaires et, à partir de 1956, l'exploration d'un autre monde, celui de la mescaline, témoignent de cette recherche de l'« essentiel, le secret qu'il a depuis sa première enfance soupçonné d'exister quelque part ». Les livres qui en résultent, en porte-à-faux sur la littérature, se présentent d'abord comme des comptes rendus d'exploration, des journaux de bord dont l'objet est de faire le point, d'inscrire les étapes d'une découverte. Dès *Qui je fus* (1927), malgré son cœur frêle, pompant mal, Michaux apparaît en voyageur, « la valise faite en un tournemain », choisissant, comme Rimbaud, le départ, la déliaison, même si c'est au prix d'un déchirement (« Adieu à une ville et à une femme »). Suivent des livres dont le titre renvoie à des pays réels, dont on peut lire le nom sur les cartes : *Ecuador* (1929), *Un Barbare en Asie* (1933). Le premier porte le sous-titre « Journal de voyage », aussitôt contredit par la préface : « Un homme qui ne sait ni voyager ni tenir un journal a composé ce journal de voyages ». Aussi, même si elle correspond à un séjour effectué en 1927, cette découverte de l'Équateur est essentiellement une découverte de soi. Passé l'exaltation du départ, Michaux dit sa désillusion à propos du voyage : « Je n'ai écrit que ce peu qui précède et déjà je tue ce voyage »; sa déception devant l'Équateur : « l'Équateur est grand, qu'il le montre! »; son découragement face à l'effrayant duo, duel andin, sur fond nu, noir, massif de montagnes en surplomb qu'affronte quotidiennement le « pèlerinage voûté » des Indiens écrasés, « trapus, brachycéphales », dans un mouvement d'épuisement généralisé : « voix basse, petit pas, petit souffle,/Peu se disputent les chiens, peu les enfants, peu rient »; son dépit de ne trouver que « vallée riante », « jardins japonais », « douceur d'intérieur », « abri », « site pour pique-nique », quand, galvanisé par le défi, il était « venu pour chercher du volcan » en entreprenant l'ascension de l'Atacatzho (4 536 mètres). Sous l'observateur veille un moraliste qui, dans le voyageur, condamne le touriste : « Ce voyage est une gaffe. Le voyage ne rend pas tant large que mondain "au courant", gobeur de l'intéressant coté, primé avec le stupide air de faire partie d'un jury de prix de beauté. On trouve aussi bien sa vérité en regardant quarante-huit heures une quelconque tapisserie de mur ». Pressentant, comme Lévi-Strauss, « la fin des voyages », Michaux, cet « affamé de plus grand », voit la terre « rincée de son exotisme », « misérable banlieue » prisonnière de la « crise de la dimension ». Enfin le lecteur des « Vies » des saints, « des plus surprenants, des plus éloignés de l'homme moyen », tenté, au seuil de l'adolescence, par la vie monastique, découvre, à travers l'Indien, « un homme comme tous les autres, prudent, sans départs, qui n'arrive à rien, qui ne cherche pas, l'homme comme ça ».

Il faut attendre le voyage en Inde pour que la rencontre exaltante ait lieu. Michaux voit dans les Hindous « le premier peuple qui en bloc paraisse répondre à l'essentiel, qui dans l'essentiel cherche l'assouvissement ». Né de ce contact, *Un Barbare en Asie* semble accorder plus de réalité au pays observé qu'à l'observateur : « Quand je vis l'Inde et quand je vis la Chine, pour la première fois des peuples sur cette terre me parurent mériter d'être réels ». Pourtant l'attention de cet observateur qui, dans la préface de 1967, regrettera d'avoir laissé de côté « ce qui allait faire dans plusieurs de ces pays de la réalité nouvelle : la politique », révèle la même préoccupation : au-delà des faits, rejoindre l'être, remonter l'histoire à partir de « l'homme de la rue, l'homme qui joue de la flûte, l'homme qui joue dans un théâtre, l'homme qui danse et qui fait des gestes ». Déchiffrés comme autant de gestes signifiants, langues, musique, peinture, théâtre, vêtement se prêtent à la sémiologie expérimentale de Michaux. Paradoxalement, la haine de la figure, qui, dans le tatouage des Indiens, apprécie le moyen de la « faire disparaître », fait place à la fascination du visage : visages de Chinois « huilés de sagesse », par rapport auxquels les Européens paraissent asservis à la bestialité de leurs « groins de sangliers »; visages de vieillards hindous « véritables pères de l'humanité »; visage de la jeune Népalaise aperçue à Darjeeling, offrant au « voyageur émerveillé » le « premier sourire de la race jaune, le plus beau du monde », et préfigurant le visage des jeunes filles chinoises « où la Chine a toujours quinze ans... visage fragile... musical, qu'une lampe intérieurement compose plus que les traits » (*Passages*). Mais, dans cet Orient extrême où se situe le Japon, sans fleuve et sans espace, sagesse, spiritualité, beauté deviennent l'agressivité d'un pays qui rivalise avec l'Occident pour coloniser, conquérir, industrialiser, battre des records; la médiocrité d'une « religion d'insectes » impersonnelle et ritualisée à l'extrême; l'artifice et la sophistication d'un vêtement qui fait de la femme « cette création malheureuse d'un peuple d'esthètes et de sergents ». L'Europe encore, celle de Kant et de la Loi morale, inspire la critique du théâtre japonais, perverti par la « Voix du Peuple, sentant à mille lieues le préjugé et la vie prise par le mauvais bout... voix de l'impératif catégorique ». Pratiquant le voyage avec le décentrement des philosophes du XVIIIe siècle, Michaux voit dans le Japon la plaque sensible de « notre mal et de notre civilisation ». L'Orient du refuge et du refus de l'Occident incite donc au retour sur soi selon la prescription bouddhique qui clôt le livre : « Tenez-vous bien dans votre île à vous, COLLÉS À LA CONTEMPLATION ».

« Cet horrible en dedans-en dehors qu'est le vrai espace »

Se repliant sur ses « propriétés » (*Mes propriétés*, 1929), Michaux revient à la question liminaire de son premier livre, où, loin de se poser en un moi central et cohérent, le *je* glisse, happé par l'ouverture d'un *qui* indéfini (*Qui je fus*), de même dans la postface de *Plume* (1938) : « Il n'est pas un moi. Il n'est pas dix moi. Il n'est pas de moi. Moi n'est qu'une position d'équilibre ». A l'origine du moi insaisissable sinon comme support de rapports, on découvre l'expérience que Michaux fait de son corps : corps impropre, dont on chercherait en vain « la conscience réjouissante ». Parmi les signes de « trahison », la fatigue, qui expose l'être au morcellement : « une fatigue, c'est le bloc moi qui s'effrite ». Fatigue « fatidique », selon le mot de Leiris, parce qu'elle résulte d'une déficience insurmontable : celle du cœur, innommable sauf par métaphore (« le honteux interne »). Sans prise sur l'espace, le corps est la proie de toutes sortes de maladies qui le désignent comme « maudit ». Là où il s'amincit, s'amenuise et s'exténue (cf. « Portrait des Meidosems »), elles veillent, prêtes à se déclarer, envahir, proliférer, perforer, vérifiant cette loi de l'univers michaudien : « Impuissance, puissance des autres ». Mais la dépersonnalisation atteint son plus haut degré avec la douleur — « à force de souffrir, je perdis les limites de mon corps » —, dans une série de métamorphoses qui, sur le plan du discours, se traduisent par la disparition progressive du sujet de l'énonciation. Resterait la libération par la mort qui, dans ce monde du cauchemar sans fin, n'arrive jamais. Ainsi le corps comme manque est aussi un corps en trop, éveillant le désir de pouvoir « marcher à côté » de lui au lieu d'avoir à le « faire marcher », de ne plus l'« occuper » au lieu d'avoir à s'en occuper.

Mais ce qui passerait à tort pour le compte rendu d'une expérience morbide est constamment traversé par l'humour, et la distance subie par celui qui ne peut se rejoindre se transforme en distance voulue par l'écrivain, qui ne perd pas de vue (ce) qu'il écrit. A cette distanciation contribuent la composition par juxtaposition, les arrêts avec chutes de tension, le passage du discours au récit où c'est l'autre, « personnage-tampon », qui reçoit les coups, mais aussi le jeu que, par fidélité à ses « principes d'enfant », Michaux pratique sur le signifiant. Ainsi le délit de Plume, l'« homme paisible », n'est autre que d'avoir été délogé de son lit; léger comme une plume, il voyagerait sans cesse, si les autres n'étaient toujours déjà là, devant et avant lui. Néanmoins il résiste à la pression d'un pluriel dévastateur, et la distraction qui l'expose au risque d'une chute mortelle parce qu'il n'a pas les pieds sur terre (cf. « Plume au plafond ») se renverse soit en verticalité difficile où, « taupe de plafond », héroïquement il s'obstine, soit en distance étonnée par laquelle, en s'excusant, il se met hors de cause; tel Charlot, ce « héros antiromantique », il se maintient être de « passages », mobile et nomade, « entre centre et absence », dans l'intervalle de son indétermination : « un certain (incertain) Plume ».

Connaissance « musicienne de la vérité »

Parce qu'il permet à Michaux de décoller de son mal, Plume représente la tentation de la littérature, alors que l'écriture tâche de garder « le contact » avec le « trouble », la « région vicieuse jamais apaisée ». Car il n'y a pour l'écrivain d'autre « aventure d'être en vie » que la recherche de ce dont la révélation se dérobe à la fin du poème « Vieillesse » : « Et le blême sillage de n'avoir pu savoir ». Certes, la visée scientifique n'est pas absente des textes antérieurs à 1956, où elle s'exprime dans un cadre fictif. Dans *Ailleurs* (1948), de pseudo-reportages, d'étranges encyclopédies s'organisent en bestiaires, traités, classifications, et le fantastique y devient le miroir des sciences (géographie, ethnologie, histoire naturelle). Mais, comme chez Lautréamont, où beaucoup de mots sont empruntés au registre scientifique, ces reflets sont de pures provocations. Quant aux aphorismes de « Tranches de savoir », ils parodient et répudient un savoir qui n'est là que « pour renseignements », débité en « tranches » et bouclé sous les « verrous ».

La parution de *Misérable Miracle* (1956), dont le titre évoque le nom même de la mescaline (Mis[...]acle/Mescali), semble introduire une rupture : c'est en savant curieux de l'« immense inexploré » (le fonctionnement de la pensée) que Michaux aborde les drogues, auxquelles il s'était intéressé dès 1923. Avant le texte proprement dit, la formule développée de l'alcaloïde succède à un texte fragmentaire, issu de points de suspension, où se dit la difficulté d'exprimer l'inexprimable. Ce qu'offrent au lecteur les « livres sur la mescaline » (*l'Infini turbulent,* 1957; *Connaissance par les gouffres,* 1961; *les Grandes Épreuves de l'esprit,* 1966), ce ne sont plus les promesses du plaisir de la fiction, de l'émotion poétique, mais celles de l'explication, de l'élucidation : intitulés de chapitres, questions posées, tout éveille en lui l'attente d'investigations objectives, d'exposés rigoureux : « Comment agissent les drogues? »; « les Effets de la mescaline »; « Aliénations expérimentales ». De plus, en affirmant, au seuil de *Connaissance par les gouffres :* « Les drogues nous ennuient avec leurs paradis/Qu'elles nous donnent plutôt un peu de savoir/Nous ne sommes pas un siècle à paradis », Michaux refuse l'évasion hédoniste où glissaient parfois *les Paradis artificiels,* pour mettre en relief, dès le titre, son désir de se savoir garanti par la volonté de contrôle; car là où Burroughs perd l'initiative, Michaux contrôle ses expériences : il en calcule le moment, la durée, la dose. Aussi tendent-elles à s'organiser en une série d'investigations tenaces.

D'où, cependant, la violence n'est pas exclue. Réapparaît le rapport antagoniste fondamental dans cet univers régi par « la loi de domination-subordination », où l'observation se change en espionnage. Surgies de *La nuit remue* (1935), les images agressives, oppressantes traversent les visions mescaliniennes, plus radicales dans leur contingence. En fait, plus que d'expériences, il s'agit d'« épreuves » où le sujet s'engage et s'expose, cherchant en lui ce qui se manifeste chez d'autres, « des centaines de ceux-là auxquels on donne le nom de schizophrènes, des milliers auxquels on n'a pas encore donné de nom ». Aussi, loin de se conformer à l'objectivité sèche d'un exposé scientifique, et tout en évitant les pièges de l'autobiographie complaisante, l'écriture poétique de la « clairvoyance » se déploie « nerveusement et non constructivement », trouée de silences, secouée de saccades, attentive à l'urgence vitale d'un sujet qui, entre la misère et le « miracle » de cet infini qui l'aspire — et auquel il aspire parce qu'il en vient —, tente de se situer, « pilote tant qu'il pourra/pilote ou plus rien » (*Moments,* 1973).

Mais si le savoir est poésie, il est aussi sagesse. Ayant tiré des expériences hallucinogènes une conscience plus aiguë des perceptions déroutantes d'un corps en perpétuel déséquilibre, ayant découvert dans le dédoublement entre l'« homme droit » et « l'homme gauche » ce que Caillois appelle la « dissymétrie féconde », Michaux revient à cette Asie qui l'avait subjugué, pour nous dire l'essentiel : paroles de vie dont la portée s'accroît du fait qu'elles s'adressent à la deuxième personne; incitation au travail intérieur, ce « combat sans corps auquel il faut te préparer », nous rappelant que la force du faible, c'est sa faiblesse, parce qu'elle est infinie, et que la seule occupation fertile, c'est la « pelote inextricable de l'intime ».

BIBLIOGRAPHIE
Principaux titres de l'œuvre écrite non cités dans l'article : *les Rêves et la Jambe,* essai philosophique et littéraire, *l'Espace du dedans,* pages choisies (1927-1959), Paris, N.R.F., 1944; *Épreuves, exorcismes 1940-1944,* Paris, N.R.F., 1945; *Nous deux encore,* Paris, J. Lambert, 1948; *la Vie dans les plis,* Paris, N.R.F., 1949; *Face aux verrous,* Paris, N.R.F., 1954; *Vents et Poussières,* Paris, Karl Flinker, 1962; *Façons d'endormi façons d'éveillé,* Paris, N.R.F., 1969; *En rêvant à partir de peintures énigmatiques,* Fata Morgana, 1972; *Émergences-Résurgences,* Genève, A. Skira, 1972; *Face à ce qui se dérobe,* Paris, N.R.F., 1975; *Idéogrammes en Chine,* Fata Morgana, 1975; *les Ravagés,* Fata Morgana, 1976; *Jours de silence,* Fata Morgana, 1978; *Une voie pour l'insubordination,* Fata Morgana, 1980; *Poteaux d'angle,* Paris, N.R.F., 1981.
Principales expositions : 1937, Galerie Pierre à Paris; 1957, États-Unis, Rome, Londres; 1976, Fondation Maeght; 1978, rétrospective à Beaubourg.
A consulter. — André Gide, *Découvrons Henri Michaux,* Paris, N.R.F., 1941; Renée Bertelé, *Henri Michaux,* Paris, N.R.F., 1959; Raymond Bellour, *Henri Michaux ou Une mesure de l'être,* Paris, N.R.F., 1965; *l'Herne* n° 8, « Henri Michaux », Paris, 1966; Martine Beguelin, *Henri Michaux esclave et démiurge,* Lausanne, l'Age d'homme, 1973; *Ruptures sur Henri Michaux,* articles de R. Dadoun, P. Kuentz, J.-C. Mathieu, C. Mouchard et M. Mourier, Paris, Payot, 1976; Geneviève Bonnefoi, *Henri Michaux peintre,* Abbaye de Beaulieu, 1976.

M. VALETTE

MICHEL Clémence Louise (1830-1905). Militante révolutionnaire, femme de lettres, cette fille naturelle d'une servante reste dans la mémoire collective comme LA VIERGE ROUGE de la Commune. Sa vie s'identifie avec la cause républicaine : institutrice, mais refusant de prêter le serment à l'Empereur, elle ne peut enseigner que dans les établissements libres; elle milite dans l'opposition républicaine à Paris, puis adhère à la Ire Internationale.

Elle préside le Comité de citoyennes de Montmartre pendant le siège de Paris et, amie de Théophile Ferré, elle se fait conférencière, ambulancière et combattante sur les barricades pendant la Commune. Condamnée à mort par les versaillais, elle voit sa peine commuée en travaux forcés (déc. 1871), puis en déportation en Nouvelle-Calédonie (1873). Bénéficiant de l'amnistie de 1880, elle rentre à Paris et participe au mouvement anarchiste, d'où plusieurs condamnations (1883, 1886). En 1890, elle gagne Londres, où, jusqu'en 1895, elle gérera une sorte d'école libertaire. De retour en France, elle va, durant des mois, de ville en ville, menant son combat politique. Elle mourra à Marseille, au cours d'une tournée de conférences.

Louise Michel a poursuivi son militantisme en littérature : sont encore lisibles ses *Mémoires* (1886) et *la Commune, histoire et souvenirs* (1898). Elle écrivit aussi des romans (*la Misère,* 1881, avec J. Guetre; *les Méprisées,* 1882; *la Fille du peuple,* 1883) et des pièces de théâtre, ainsi que des poèmes, parfois publiés sous le pseudonyme d'ENJOLRAS (*A travers la vie,* 1894; *Fleurs et Ronces,* 1913), où surgissent, au détour de vers assez insipides, des images saisissantes portées par une respiration toute épique.

Nous reviendrons, foule sans nombre,
Nous viendrons par tous les chemins;
Spectres vengeurs sortant de l'ombre,
Nous viendrons, nous serrant les mains,
Les uns pâles dans les suaires,
Les autres encore sanglants...

(*la Révolution vaincue*)

En une occasion mal connue, Louise Michel sut encore montrer cette attitude digne et courageuse qui lui était coutumière. Lors de sa déportation en Nouvelle-Calédonie, elle affirma sa solidarité à l'égard des Canaques, reprochant vivement à ses propres compagnons (dont Rochefort) leur indifférence : « Comment, vous n'êtes pas avec eux, vous les victimes de la réaction, vous qui souffrez de l'oppression et de l'injustice? Est-ce que ce ne sont pas nos frères? Eux aussi luttent pour leur indépendance, pour leur vie, pour leur liberté, comme j'étais avec le peuple de Paris, révolté, écrasé, vaincu » (cité par Jean Bruhat dans son article « les Communards contre les Canaques », *le Monde-Dimanche,* 22 févr. 1981).

BIBLIOGRAPHIE
Œuvres. — *La Commune,* Paris, Vitiano, 1970; *Mémoires,* Paris, Maspéro, 1979; *Matricule 2181, souvenirs de ma vie,* Éd. Dauphin, 1981.
A consulter. — E. Thomas, *Louise Michel ou la Velléda de l'anarchie,* Paris, Gallimard, 1971; Pierre Durand, *Louise Michel,* Paris, Livre Club Diderot, 1974; Paule Lejeune, *Louise Michel, l'indomptable,* Paris, Éd. des femmes, 1978; Cl. Helft, *Louise Michel, aux barricades du rêve,* Paris, Hachette, 1983 (introduction pour les jeunes).

G. GENGEMBRE

MICHEL Jean (1435-1501). Médecin et régent de l'université d'Angers, il est l'auteur d'un *Mystère de la Passion* de 30 000 vers, qui fut représenté dans sa ville en août 1486, puis à Paris (1490, 1498, 1507); on en connaît dix-sept éditions entre 1488 et 1550. Selon la tradition, Jean Michel emprunte largement à Arnoul Gréban (11 000 vers sur 17 000 pour les journées II et III...). L'orientation de l'œuvre est néanmoins différente : pour lui, il s'agit avant tout d'illustrer le *verbum caro factum est*; les évangiles apocryphes sont aussi plus sollicités. La première journée va de la prédication de Jean-Baptiste à sa décollation; la deuxième prépare l'entrée à Jérusalem; la troisième s'étend jusqu'à la comparution devant Caïphe; la quatrième narre les événements du Calvaire jusqu'à la garde du Tombeau.

BIBLIOGRAPHIE
O. Jodogne, *le Mystère de la passion,* édition critique, Gembloux, Duculot, 1959.

A. STRUBEL

MICHELET

MICHELET Jules (1798-1874). Historien de la nation française au siècle des nationalités, historien du peuple au siècle des révolutions, Jules Michelet est d'abord géographe et philosophe des faits et des structures de civilisation. Héritier de deux traditions, narrative ou pittoresque et philosophique ou analytique, qu'il dépasse dans sa pratique de la « résurrection intégrale », dans l'usage méthodique de l'imagination comme prophétie, dans la constitution d'une prose absolument originale — celle d'un Rabelais qui serait à la fois tendre et sérieux —, il lui faut sans cesse s'assurer la possession du paysage et du terrain, des chroniques et des documents, des manuscrits originaux et des œuvres d'art, de l'érudition en plein essor et des concepts en train de se forger. Il crée aussi un réseau complexe de correspondants et d'amis, une socialité politique et scientifique sans laquelle la solitude de son ambition héroïque se condamnerait à l'échec. Cette *mens heroica* imitée de Vico, héritée des philosophes du siècle des Lumières, anime et aimante cette infinité d'« extraits », d'enquêtes, de notes, de correspondances échangées, de placards corrigés, de cours révisés au travers de quoi l'œuvre se construit.

La subjectivité et la mobilité de son style lui ont très tôt valu aussi bien la critique que l'éloge. Surtout, ces qualités d'écriture révèlent le secret de la genèse et de la production de l'œuvre : un mouvement ininterrompu d'une lecture à une rencontre, d'un cours à un livre, d'un auditoire à un autre, d'une imprégnation purement littéraire ou artistique au dépouillement des fonds de bibliothèque et d'archives, d'un torrent bibliographique à la sidération d'un symbole, de programmes successifs à des rédactions fragmentaires.

Le *Journal,* des voyages aux séjours

Depuis le « mémorial » suscité par la ferveur d'une amitié adolescente, ou dans les tentatives de « Journal de mes idées » ou de « Journal de mes lectures » (publiés dans les *Écrits de jeunesse,* 1959), se construit une autobiographie qui enregistre, décante et gouverne le dialogue de Michelet avec l'histoire, avec son temps et avec lui-même. Et c'est la perpétuelle relecture de ce *Journal* qui alimente et ordonne l'œuvre comme la vie. Ainsi se trouve personnellement réalisée, intimement pratiquée la méthode du maître italien de Michelet, ces cercles symboliques et prométhéens dont Vico armait le mouvement et le sens de l'histoire comme autogenèse de l'humanité. Ramener le modernisme de Hegel à ce bonheur primitif — italien et homérique — de l'enfance des civilisations claires, vivre avec Virgile pour soutenir le cauchemar dantesque des convulsions historiques, telle est la sécurité fondamentale de ce parcours initiatique. Depuis qu'il a été révélé par P. Viallaneix et Cl. Digeon, le *Journal* de Michelet — même si toute la fin s'encombre d'obsessions séniles — n'est pas seulement un document indispensable à l'étude et à la compréhension de l'œuvre. Il en est proprement la légende, c'est-à-dire à la fois le mode d'emploi et l'historicité, l'origine multiple et la conscience unique.

Malgré les manques, il n'est pas sans signification que l'entreprise du *Journal* se soit principalement engagée à partir des périodes de voyage. Comme chez Montaigne, le déplacement a vertu philosophique, la curiosité pour l'autre renseigne aussi sur soi. D'où un comparatisme généralisé qui ne va point au scepticisme mais, par la scansion analogique des dates, des lieux, des hasards, à une sorte de science naturelle des mœurs. Le jeune universitaire y cherche sa provende. Plus que voyages, ce sont enquêtes auprès d'érudits, de penseurs, d'archivistes et de bibliothécaires, nécessitées par la passion professionnelle. Et l'on voit bien, outre les rapports précis avec l'œuvre en cours, la systématique qui commande cette cavalcade européenne. Les voyages d'Allemagne (1828 et 1842) ou d'Italie (1830 et 1838) traversent la France de l'Est; tout l'Ouest (Normandie et Bretagne en 1831, Sud-Ouest en 1835) se parcourt en fonction de la question capitale de l'Angleterre pour l'histoire comme pour les sciences économiques et sociales (voyage de 1834). Reste, en 1844, le voyage du Sud-Est, qu'équilibrent un nombre considérable de séjours entre la Normandie et les Flandres.

Ainsi, méthodiquement, Michelet conquiert en ses quatre secteurs — comme dans le « Tableau de la France » qui fait le ressort des deux premiers volumes de l'*Histoire* — la géographie nationale, avec ses ressources documentaires et l'équilibre de ses climats, tout en rédigeant l'*Histoire du Moyen Âge* et celle de la *Révolution,* à peu près pendant le temps de la monarchie de Juillet. Cette géographie se déploie évidemment autour de Paris, et selon le grand antagonisme d'Orient et d'Occident, de continentalité et de péninsularité qui commandait la philosophie de l'histoire vers 1830. Au centre, Paris et l'Ile-de-France. Leur vocation d'incarner la mixité profonde de la personnalité nationale ne se fonde pas seulement sur la Bibliothèque et les Archives que rois et révolutions ont centralisées en centralisant leur pouvoir et le pays. La promenade banlieusarde, les déambulations de boulevards et barrières, frontières civiles et frontières de classes, explorées à partir de domiciles de plus en plus périphériques, conduisent Michelet vers les lieux du non-lieu historique : le cimetière du Père-Lachaise, où la mort parle; le quartier Latin, où, du jardin des Plantes à la Bièvre et à Bicêtre, le souvenir et le deuil de Poinsot, l'unique ami, croisent et recroisent études et sensualités.

Ainsi l'histoire pratique du moi, la vie qui s'écrit, le travail acharné qui se réfère constamment à l'expérience vécue constituent progressivement des lieux de familiarité historique, des structures sensibles qui pourraient bien être en quelque sorte analogues aux grands monuments, écrits ou figurés, chartes, traités, églises, halles ou palais, tableaux et inscriptions dont notre culture mesure et emblématise l'histoire. A l'historien de la nation et du peuple il faut cette mémoire secrète de soi-même, la revendication obstinée de ces paysages aussi bien intérieurs qu'extérieurs, de ces lieux à la limite du dedans et du dehors, où les yeux du voyeur palpent la chair des choses et des êtres pour naturaliser en intuitions fulgurantes toutes ces morts séparées — et pourtant communes — qui, pour Michelet, s'inscrivent à la fois dans l'extrait documentaire et dans sa propre affectivité.

Au bout de cette curiosité minutieuse et passionnée, le « côté de la mort » et l'immensité du savoir s'inversent en résurrection et en « sève », en nature du peuple, par le truchement de cette vertu d'animalité et d'enfance que Michelet met précisément au cœur du livre du *Peuple*. La méthode biographico-historique, surgissant en quelque sorte dans le prolongement de la méthode anatomo-clinique de Laennec, fait de l'historien le médecin des pauvres autant que l'interprète des morts. Toute une économie de la personne anticipe sur les nécessités de l'histoire (et de l'action) économique; de la longue série des « révolutions » effectuées ou manquées par l'histoire monarchique, de la Révolution à la fois faite et non faite par 89, surgit, dans les catastrophes de la IIe République, la question lancinante de l'alliance de la république et du socialisme. Mais ce qui sort surtout de cette pratique intime de la vocation d'historien, de cette introspection née jadis au Père-Lachaise et poursuivie à Fontainebleau ou à Versailles entre le silence des palais-musées et le bruissement de la forêt, entre les monarchies révolues et la justice ou la science non encore advenues, c'est la qualité du texte historique, de la narration agissante, de l'énonciation sans cesse à la recherche de l'écoute, de cette passion de convaincre qui multiplie arguments, notes et références pour faire poindre partout la liberté.

Alors le voyage devient séjour. La cruauté de l'histoire se venge de l'historien, le coup d'État le prive de son poste aux Archives. De juin 1852 à juin 1854, Michelet quitte Paris pour Nantes, puis pour l'Italie. C'est l'achèvement de l'*Histoire de la Révolution française,* le retour vivifiant au « Banquet » et à la Renaissance, l'engagement aussi d'opérer la suture des siècles classiques. Sans doute bibliothèques et archives déterminent encore un peu ce qui reste de voyage dans ces séjours. Mais la pratique naturaliste de la mer et de la montagne, de la forêt et du soleil presque africain des rivages de Toulon et d'Hyères, se substitue à l'activité réglée de la première période. La moitié du temps absent de Paris, où il a fixé rue de l'Ouest sa forteresse d'érudition, Michelet nage dans l'immanence de l'amour. Dans son remariage avec Athénaïs Mialaret, il a trouvé les bonheurs et les épreuves que la vie et l'œuvre d'autrefois cherchaient obscurément. L'enregistrement obscène, fétichiste et maniaque des moindres détails de cette conjugalité perverse ne doit pas détourner du *Journal.* Si celui-ci n'offre plus les grands textes de la première partie, s'il s'en tient à la quotidienneté, il est aussi plus abondant en indications secrètes, il se fait plus attentif aux bas-fonds de la psyché comme aux mystères de l'organisme et aux dessous de la société. Il authentifie, par exemple avec de nombreux récits de rêves, des permanences et des performances fantasmatiques qu'on percevait plutôt en hypothèse dans le premier volume. De ce paradis conquis, que les bonnes âmes n'ont cessé de reprocher à Michelet, s'éclaire rétrospectivement la carrière magistrale de l'historien. Il est vraisemblable en effet qu'il y a un rapport entre les cours de 1827-1851 et l'érotisme flamboyant de l'exilé de l'intérieur, entre son public de jeunesse et la jeunesse de son épouse. De plus en plus, et surtout quand *la Bible de l'humanité* (1864) s'impose comme insurpassable, les deux parties de son action, avant et après la destitution de 1851, dialoguent en des bilans qui ne sont pas seulement des justifications au soir de la vie. Une intelligence aiguë et volontaire, rapprochant les grands moments de son histoire et de l'Histoire, dessine, autour d'un projet rêvé, le « Livre des livres », l'identité de sa figure, l'essentialité de sa passion pédagogique, la souveraineté intellectuelle et militante de celui qui, comme le petit *Philosophe* de Rembrandt, « a cuvé la vendange de la vie », et qui juge son siècle.

Ces retours en arrière, ces mises en perspective ramènent Michelet « aux temps de [sa] naissance », aux ambiguïtés du Directoire, à la fascination intellectuelle et sexuelle qu'il a toujours eue pour la question du Même, que ce soit dans l'identification historique ou sociologique ou dans les réalités ou les représentations de l'inceste et de l'homosexualité. L'indiscrétion obstinée du *Journal* boucle ainsi, de manière prophétique pour l'anthropologie moderne, pour la naissance des « sciences humaines », l'épineuse question de l'origine. Partie de la théorie des races en 1833, qu'il critiquait modérément, l'*Histoire de France* s'attaque enfin à la véritable origine du XIXe siècle, à la socialité des thermidoriens, à l'émergence du socialisme avec Babeuf. L'écroulement du second Empire, qui est aussi celui de la France devant les Empires centraux, la tragédie de la Commune, les débuts difficiles d'une République douteuse assombrissent les dernières années de Michelet en un combat obstiné contre le mythe de Bonaparte. Mais le *Journal,* comme les préfaces, reste fidèle à l'idéal d'association, à cette volonté de rendre naturelle l'histoire par la production harmonique des sciences de la société (la justice) et des sciences de la matière (la nature).

Le rôle capital de ce *Journal* d'un historien, c'est en somme de constituer l'alliage le plus aigu du privé et du public. Risquer, pour une publication même soigneusement différée, les petitesses ou les à-peu-près trop insistants de la vie la plus génialement ou sordidement intime n'aurait d'intérêt qu'anecdotique ou documentaire si ce n'était du même coup faire entendre que la grande vie publique, l'histoire elle-même, se doit d'être appropriation privée de l'humanité. En faisant tomber patiemment, scandaleusement pour ses meilleurs amis même, et encore, hélas! pour notre époque, les barrières que la peur construit entre public et privé, et sur lesquelles s'édifient les ignorances et les despotismes, l'universelle tromperie productrice de systèmes idéologiques et non de sciences, le *Journal* de Michelet lègue à notre siècle non seulement la légende de son œuvre, mais aussi la révélation du mécanisme mortel de nos servitudes. Au terme de cette passion où le moi et l'histoire ne peuvent être qu'en s'inscrivant l'un dans l'autre, en s'engendrant mutuellement, fatalité et liberté, qui tenaient en 1830 la scène allégorique du faux triomphe bourgeois, ont en quelque sorte changé de signe et de nature. Car si le triomphe de la liberté reste bien celui de l'esprit, il ne l'est que par incarnation sociale, et par reprise en compte de tout un symbolisme concret dont le libéralisme de la monarchie de Juillet comme les immortels principes de 89 avaient vainement prétendu s'affranchir.

La distance secrète du *Journal* à l'œuvre, du recueillement au discours, se mesure assez exactement à l'attitude de Michelet devant Fourier : une sympathie entière, sauf le refus de l'« écart absolu ». La relativisation constante de l'écart, le travail sournois de la différence, voilà ce par quoi Michelet fait que l'histoire ne soit plus une sorte d'utopie, qu'elle fonctionne comme le creuset d'une socialisation heureuse. Cette conquête, ce chant qui font de Michelet un autre Luther, réformateur de notre histoire, inventeur de l'universalisation concrète et plurielle du monde moderne, on en suit dans le *Journal* les développements démoniaques. Dans l'histoire de l'œuvre, le déploiement de l'*Histoire* est peut-être moins directement parlant que les œuvres pour ainsi dire latérales qui ponctuent cette aventure de leur dynamisme stratégique. Là, l'histoire se reflète, se réfléchit, éprouve sa méthode, trouve ses renouvellements.

Première époque de la méthode : la désymbolisation

Au lendemain de la révolution de 1830, sursaut de la jeunesse des écoles, triomphe du principe de liberté, essor national des conquêtes bourgeoises, l'*Introduction à l'histoire universelle* et l'*Histoire romaine* (avril et juillet 1831) ont valeur et allure de manifestes. L'« éclair de Juillet » n'est pas seulement illumination foudroyante pour Michelet, c'est le véritable lancement de sa carrière. Deux thèses de quelques pages, quelques *Tableaux* (1825) ou *Précis* (1827) pour les classes, la revendication — hâtive autant que géniale — de la philosophie de Vico, rien de tout cela ne justifiait vraiment la protection de Victor Cousin et de Guizot, le préceptorat royal, la chaire de l'École normale, ni déjà l'ambition du Collège de France. Dans le remaniement des pouvoirs publics, des charges et des places qui s'opère fin 1830, la préparation de ce double coup d'éclat s'explique autant par la nécessité de faire ses preuves que par l'exigence d'une idéologie du mérite.

Pour le fond, ces chefs-d'œuvre de maîtrise n'apportent rien de nouveau. Ils doivent tout à la philosophie de l'histoire telle que Cousin ne cesse de l'importer d'Allemagne et au génie avec lequel l'historien allemand Barthold-Georg Niebuhr, lui-même auteur d'une *Histoire romaine,* avait bouleversé la méthode historique. Mais la puissance de systématisation, l'ampleur audacieuse du propos, l'intelligence quasi physique des rapports entre les structures du passé et les urgences de l'actualité, tout cela appartient en propre à Michelet. Au moment où le régime de Louis-Philippe, « roi-citoyen », passe pour « la meilleure des républiques », l'*Introduction* vise à fonder en démocratie cette monarchie, et l'*Histoire romaine* met celle-ci en garde contre l'involution orientale de tout Empire. Les deux œuvres équilibrent leurs forces autant qu'elles dynamisent leur éclectisme en une savante occidentalisation du phénomène religieux.

C'est en effet le développement organique de l'humanité, de ses pouvoirs intellectuels et sociaux d'Est en Ouest, qui commande cette ouverture de toute l'œuvre. L'Asie, mère de l'humanité, c'est la continentalité, l'enveloppement, l'indifférenciation, professait Cousin. De cette « immobile chrysalide du symbole » qui intrique fatalité, nature et matière, Michelet fait sortir les papillons du monde moderne, liberté, humanité, esprit, toute une rationalité sur quoi se fonde l'hégémonie de la péninsule européenne et qui, d'après Michelet, désigne évidemment la France comme terre et moment définitifs de cette évolution. La netteté idéologique de la visée s'appuie sur des caractérisations philosophiques d'histoire religieuse, juridique, sociale. D'Inde en Perse, d'Égypte en Judée, d'Étrurie à Rome, on assiste au même affranchissement grâce au progrès de l'activité conceptuelle : l'histoire est donc universelle. Fondée sur la lutte de principes opposés : fatalité et liberté, elle incarne sa dramaturgie progressiste en des langues, des races, des terres, des époques dont la valeur métaphorique fait le pont entre leur réalité d'objet et leur idéalité de fonction. A l'origine de cette mise en scène, le moi de Michelet face à l'individu de droit que le siècle des Lumières construit et que consacre 1789; au terme de cette sorte de prosopopée historique du rationalisme moderne, l'émergence du moi comme principe actif du peuple et de la France comme personne.

La poéticité dialectique de l'*Introduction* passe vite de cette synthèse fulgurante à un tableau militant de l'Europe nouvelle. On écarte Espagnols et Slaves en leur commettant la garde aux frontières des Barbares, on abandonne Scandinaves et Italiens à leurs climats extrêmes. Au centre, l'Allemagne fait problème : ce sera « l'Inde de l'Europe », le risque perpétuel — que fondent la psychologie des peuples et la « pétrification » hégélienne — d'un retour massif à la fatalité panthéiste des origines asiatiques, de l'État despote. Face à cette prophétie trop vérifiée depuis, Michelet dessine les linéaments de son tableau de la France. Celle-ci sera le centre parce qu'elle a un centre, parce qu'elle équilibre et nivelle, parce qu'elle est ordre et expérience — aristotélisme. Bien sûr, l'Angleterre a peut-être de meilleurs titres à une telle hégémonie. N'importe : elle est « l'ivresse du moi humain », l'orgueil de « la liberté sans l'égalité », le vertige byronien. Elle ne peut être l'élue de la Providence, ce « Verbe de l'Europe », « révélation nouvelle ». La France, appuyant sa prose sur le sens italien du rythme et du nombre, continuant l'œuvre florentine d'architecture civile, alliant sa mixité, son intimité à l'énergie toscane, relancera l'Europe à la conquête du monde et de l'avenir. Après Dante et Vico, Machiavel et Napoléon, ce que Michelet dessine dans son *Introduction,* c'est un empire sans empereur, une Rome tout entière là où surgit le moi moderne, une socialité qui nécessite une nouvelle définition du peuple.

L'*Histoire romaine* de Michelet s'attaque ainsi à « la plus belle vie de peuple qui fut jamais ». L'ambition est délibérément organiciste. Contre la dissertation, contre les « romans » de l'histoire narrative et ornementale, pour rendre compte de la création autonome de l'humanité, Michelet prend la relève d'une tradition attentive aux symboles. Saisissant l'« idée » de Vico, la « sève » de l'école historique et philosophique allemande, il se propose, nouveau Montesquieu, de concevoir à son tour « la méthode et l'exposition », fondées sur le principe de « proportion harmonique » des parties au tout. Ainsi la discussion philologique, ethnologique et symbolique des légendes originaires de Rome, à la suite de Niebuhr, installe un système ternaire (langue, race, culte) qui se reproduit dans le récit sous d'autres espèces : les grands hommes, Hannibal ou César; le va-et-vient des conquêtes entre l'Orient et l'Occident, le développement et les vicissitudes de l'ordre équestre. Descendant des héros aux empires, des empires aux classes, sans cesse attentive aux systèmes institutionnels que les structures de la langue révèlent, l'histoire des mentalités se fonde ici sur une recherche du « génie » proprement historique d'un peuple, tel qu'il se forge dans les affrontements intérieurs ou extérieurs. Pour chaque grande phase, un tempérament et une culture s'associent à une réalisation politique. La souche italienne crée la cité, l'assimilation de la Grèce conquise caractérise l'Empire, celle de l'Orient soumis diffuse le christianisme, « république invisible » née des ruines de l'autre. Chaque phase engendre la suivante par un procès de transformations — à mi-chemin de Montesquieu et de la dialectique hégélienne du maître et de l'esclave — dont la constante est la progression rythmiquement continue du « nivellement ». Ce que discerne et construit Michelet, c'est donc l'homogénéité potentielle autant que réelle de l'espace historique moderne, l'universalité analogique de la rationalité conquérante. Michelet arrête son récit à la victoire d'Octave sur Antoine, c'est-à-dire au triomphe idéalement définitif de l'Occident sur l'Orient, et avant la mort de Jésus sous Tibère, pour que de toutes ces dissolutions puisse sortir la synthèse moderne du religieux et du politique, à savoir la liberté.

A bien des égards, cette fermeté idéologique sent le protestantisme et la présence de Guizot. Mais l'apport original de Michelet, c'est d'avoir dès le début installé peuples et nations sur leur terrain, de leur avoir donné le soubassement matériel qui leste leur histoire et fait descendre leurs épopées idéales sur la terre des hommes. Cette géographie de tableaux et de paysages, d'espaces vécus et transformés, de conditionnements culturaux, culturels et cultuels, cette sensibilité aux réalités populaires et cette esthétique anthropologique qui donne corps et chair à la virtuosité du style d'idées et de narration, c'est, en 1831, la marque du génie de Michelet. Son énergie intellectuelle s'ordonne selon la permanente dissolution du symbole en raison, de la lettre matérielle en esprit discursif : tout est explicitation. Mais en même temps, l'Ardenne originaire, l'imprimerie paternelle, la terre des morts du Père-Lachaise, la hantise satanique du sexe font que tout est implication. Entre ces deux pôles, faisant vertu de ce déchirement, le jeune universitaire ouvre sa carrière, trouve son ressort — et donne naissance à une grande œuvre d'historien.

La crise de la désymbolisation : problématique de la Renaissance

Arrivant, dans son *Histoire de France,* à la fin du Moyen Âge, au seuil de la Renaissance, à ce Louis XI fondateur ambigu de la monarchie d'État que Hugo avait en 1831 associé au travail symbolique de *Notre-Dame de Paris,* Michelet est à l'entre-temps de l'histoire au moment même du milieu de sa vie. Son veuvage de 1839 s'est redoublé de la mort de Mme Dumesnil en 1842. Sa fille va se marier en 1843. On vient de rééditer, fin 1842, l'*Introduction* et l'*Histoire romaine* de 1831. Le succès et l'originalité des cours au Collège de France donnent aux partisans de la « liberté de l'enseignement », c'est-à-dire de la tutelle de l'Église romaine, l'occasion d'attaques féroces contre l'Université et le monopole. Précepteur chaleureusement reçu dans l'intimité de la famille royale, Michelet est très certainement, dans la contre-offensive qu'il déclenche avec Quinet contre les jésuites, l'un des instruments d'une politique qui aboutit, en 1845, à l'expulsion de leur ordre. C'est en premier lieu l'attachement à la tradition nationale, gallicane, de la vieille royauté, mais aussi l'influence de Guizot, protestant, universitaire et anglophile, qui se révèlent dans la volonté de doter la France, face à l'hégémonie britannique, d'un système d'enseignement à la hauteur des destins du capitalisme, système qui ne soit prisonnier ni de la curie papale ni de l'aristocratie terrienne. La conjonction de cette situation politique et d'un moment climatérique dans la vie et l'œuvre de l'historien lui fait trouver (le 10 avril 1843) dans le thème de l'éducation le lien entre ses cours, qui connaîtront, à la fin du même mois, un succès éclatant. La stratégie de ces six leçons (qu'accompagnent les six leçons de Quinet, en des manifestations étonnantes de solidarité savante et internationale) repose sur le retournement de son enseignement de médiéviste. Le christianisme originaire, dit Michelet, le vrai Moyen Âge en son jaillissement, a été pluriel, divers, organique; la politique des jésuites, en revanche, tend à instituer un faux Moyen Âge, monolithique, despotique, mécanique (*Des jésuites,* 1843). Cette opposition reprend la dynamique conflictuelle des écrits de 1831, et Michelet réutilise effectivement ses cours des débuts de Juillet pour mener cette contre-offensive de la vraie liberté d'enseigner. Au travers de cette guerre contre l'Église romaine, qui se poursuit dans le cours de 1844, posant la question de l'autorité — qu'il faut reprendre à l'ultramontanisme des années 1820 pour fonder le laïcisme en religion nouvelle —, surgissent au moins trois repentirs féconds qui se déploient dans *Du prêtre, de la femme et de la famille* (1845).

Certes, toute la stratégie est de convaincre le jésuitisme de matérialisme symbolique, autant dire de despotisme asiatique et régressif. La première partie consiste en une critique du culte du Sacré-Cœur de Jésus au XVIIe siècle (et notamment en une analyse pathologique de la passion de Marguerite-Marie Alacoque), contemporain de la révocation de l'édit de Nantes, du déclin de la France et de l'essor de l'Angleterre (par la révolution de 1688, modèle constant des idéaux de la monarchie de Juillet). Et pourtant — premier repentir —, qui d'autre que Michelet a poétisé le Moyen Âge, relancé la mode et le goût sensuel des cathédrales gothiques?

La seconde partie, consacrée au XIXe siècle, reprend la critique principielle de 1831, la nécessité de désymboliser, c'est-à-dire de rationaliser, d'occidentaliser, de constituer l'individu moderne contre tout système archaïque d'absorption de la personne. De là, la profondeur de la Renaissance conçue non tant comme époque que comme recours, comme méthode. Mais qui aussi, sinon Michelet jusqu'alors — second repentir —, a vécu sexualité, mariage et amour dans un mélange douteux de frénésie et d'indifférence, dans l'équivoque tartufferie pour laquelle il condamne précisément le siècle jésuite?

La troisième partie s'attache à la famille, et précisément à la femme, fille puis épouse et mère, qu'il convient d'éduquer à la liberté de la Loi pour l'arracher à la tyrannie de la direction de conscience : « il faut une personne pour aimer » et « l'amour veut élever ». C'est de là que part la réflexion de Michelet sur les rapports — tant sur le plan sexuel que sur le plan social — de l'homme et de la femme, dans la perspective d'une éducation favorable à l'héroïsme créateur, et c'est sans doute là que se dessine le destin qui devait lui faire rencontrer Athénaïs Mialaret. Le troisième repentir n'est pas le plus explicite; il est peut-être le plus important. Outre leur activité d'éducation et de direction, leur mainmise sur l'enfant et la femme, les jésuites ont un troisième champ d'activité, que l'intellectuel au milieu de sa carrière ne connaît guère : les ouvriers, les domestiques, ce peuple sorti de la paysannerie que seuls les prêtres peuvent alors contrôler en associations légales, potentiellement militantes. Devant ce risque, tout un travail de mémoire et d'introspection, de retour en arrière et de proposition va produire *le Peuple.* Mais il faut à ce triple surgissement d'histoire, de physiologie sociale et d'économie politique, une idéologie par quoi va se justifier et se déséquilibrer à la fois la vocation de Michelet.

Du prêtre... s'achève par un appel aux prêtres, une exhortation au gallicanisme visionnaire : « La France est pape [...] tout autre pays est excentrique ». C'est la reprise de l'idée-force de 1831, mais aussi la réfection de l'idée folle de 1789, une nouvelle constitution civile du clergé et en même temps une constitution religieuse de la société civile. *Des jésuites* et *Du prêtre...,* livres de combat, de méthode, de justification personnelle, voués à l'échec parce que la France n'est pas l'Angleterre — ni Louis-Philippe un nouveau « Guillaume et Marie » —, aident pourtant à comprendre pourquoi Michelet abandonne l'histoire de la Renaissance pour celle de la Révolution française. Pourquoi aussi toute une philosophie de la nature se prépare pendant ce détour, visant à réunifier en science autant qu'en passion une histoire nationale dont l'industrialisation et la misère laissent pressentir les catastrophes.

Jeté dans la mêlée, aventuré bien loin des questions de l'Université, Michelet unifie son œuvre, sa méthode et son propre moi dans *le Peuple.* Parti d'un projet historique, dépassant la polémique des deux précédents ouvrages, c'est le manifeste organique de l'organicité individuelle, sociale, nationale, une tentative pour relier en termes de religion les éclats et les crises du monde moderne. L'ouvrage se divise en trois parties, dont la dialectique complexe élabore un naturalisme. La première — « Du servage et de la haine » — passe en revue, depuis le paysan jusqu'au bourgeois, les échelons de l'ascension sociale en un tableau de l'aliénation progressive, de la mécanique envahissante dans la Babylone moderne. Par une violente réaction au sacrifice des humbles, Michelet dégage le principe d'instinct populaire qui fondera les deux autres parties : l'affranchissement par l'amour. Tout le centre du livre explore le tréfonds métaphorique de la vertu terrienne, du travail et de l'intelligence pratique de la nature. L'enfance et le génie y échangent leurs puissances dans une sorte d'analogie fondatrice de ce que Michelet appellera la loi de la révolution : l'identité de l'instinct du peuple et de la science des intellectuels, qui conditionne le principe d'association selon lequel, dans la troisième partie, Michelet dessine en prophétie « la jeune patrie de l'avenir ».

C'est le mouvement même *Du prêtre...,* qui va de la critique à l'éducation. Mais, à la place de l'élaboration centrale de la personnalité moderne, tout un jaillissement de barbarie naturaliste vient remettre en cause l'histoire. Au lieu de l'occidentalisation, constante depuis Juillet, voici que l'Inde profonde refait surface. C'en est fini de la désymbolisation obstinément poursuivie depuis vingt ans. La métaphore, le fonctionnement double, l'épaisseur signifiante des réalités matérielles font désormais le ressort de la méthode, la poésie visionnaire de cette prose. Le professeur s'investit complètement dans ce livre d'autobiographie précédé d'une considérable lettre-dédicace à Quinet, et qui réemploie des passages entiers du *Journal.* Au sacrifice initial du paysan répond le sacrifice final de l'auteur. Il s'agit bien ici d'une transfiguration de Michelet en lui-même, d'une sorte d'involution évolutive, dont les aspects régressifs sont peut-être les plus audacieux.

La plupart des contradictions du livre reposent en effet sur l'« insuffisance de la statistique ». D'une certaine façon, *le Peuple* s'inscrit dans le manque d'une histoire économique et sociale, dont il appelle la constitution en même temps qu'il en dénonce les risques de falsification. Il dénonce aussi la faillite de la bourgeoisie, dont la misère ouvrière, à Lyon notamment, démontre l'incapacité à réaliser les aspirations de 1830. Sans doute, tout le livre s'élève, en un sursaut quasi désespéré, contre la division et la lutte des classes. L'idéologie de la petite-bourgeoisie s'y retrouve sans peine en des résistances que Marx devait juger tragi-comiques. Mais il fallait une telle pulsion de mort pour que l'histoire d'un homme et son action se transfigurent en une résurrection. Et c'est somme toute l'ancien Michelet, élève des bons collèges, que le Michelet du *Peuple* condamne avec les bourgeois de 1789, « terribles abstracteurs de quintessence », armés « de cinq ou six formules qui comme autant de guillotines leur servirent à abstraire des hommes ». L'irruption de la vie fait ainsi que 1789 reste prophétie, reste à réaliser dans ce que la préface de 1866 maintiendra au-delà des drames de la IIe République et du rétablissement de l'Empire : l'inspiration des foules, les « voix naïves de conscience » comme réalités de l'histoire et « profonde base de la démocratie ». L'idéologie de la désymbolisation se renverse ainsi en une *praxis* populaire qui ne cessera pas, des explosions de 1848 à l'œuvre de Victor Duruy (élève de Michelet), de Jules Ferry aux tumultes de 1968, d'exercer concrètement ses ambitions et ses ambiguïtés. Désormais, au travers du long effort d'éducation, les réalités symboliques du sexe, de l'argent, de la langue, de la matière et de l'art font obstinément retour contre toutes les formes d'harmonie rationnelle : celle de 1789 ou celle de 1830, celle aussi des utopies religieuses ou socialistes.

Toute la question de l'histoire tient à son statut et à son objet. L'asservir à une visée générale d'éducation, d'affranchissement, c'est sans doute courir le risque d'aggraver l'insuffisance de la documentation par les gauchissements de l'interprétation. Mais c'est d'abord lui rendre son humanité et sa continuité; lui restituer cette chair de coutumes, de mœurs, d'imagination, sans laquelle elle n'est, au mieux, qu'un cadavre exquis. C'est organiser son immanence originale dans la bipolarité de la mémoire et de l'espoir, ouvrir à l'étude du culturel dans le matériel le plus obscur et, redoublant la compréhension par l'action, montrer que les époques et les civilisations se regardent au moins autant qu'elles se suivent.

Cette sorte d'éternité interne de la dure durée des hommes balaie les faux-semblants de l'« histoire monarchique », de l'entropie chronologique, descriptive ou narrative. Retrouvant le titre de Vico, la *Science nouvelle,* l'anti-jésuite passionné qu'est Michelet pourrait dire, paraphrasant Pascal, autre fondateur de science et de spiritualité : « Nous sommes embarqués ». Il faut comprendre que cet engagement dépend moins peut-être d'un décret de la volonté, d'un caprice pulsionnel, que d'une intuition fondatrice d'épistémologie : l'histoire est à elle-même son fait principal, et tout ne peut y être qu'explicitation d'implications. En cette période cruciale de 1842 à 1846, où l'histoire du moi se découvre comme modèle du moi de l'histoire, où la conscience prométhéenne vole la providence aux dieux et le libéralisme aux bourgeois pour en faire l'appropriation de la liberté sociale par les hommes, c'est un nouveau mystère de l'Incarnation qui se joue, synthèse prophétique de science et de religion, « mariage des sciences physiques et morales ».

Il n'est pas sans signification que Michelet ait été conduit par les Thierry au docteur Edwards et par celui-ci à Antoine Serres : de l'histoire à la physiologie et à l'ethnologie et, de là, à l'organogénie, à l'étude — capitale en ce milieu du siècle — non seulement des phénomènes de la génération, mais du principe d'engendrement comme pivot des connaissances humaines. L'œuvre de Michelet, sa contribution décisive à la création de l'histoire moderne sont à revoir à partir de cette aventure de la physiologie et aussi en fonction de ce que le *Journal* nous apprend de la manière dont le maître des études historiques se mit à l'école de la science organique. Dans cette voie véritablement initiatique, Edwards est à plus d'un titre le Virgile de notre Dante; converti au catholicisme, il meurt en 1842; Michelet l'enterre d'un mot : « Une de mes ruines ». Au même moment, réagissant contre *De l'humanité* (1840) de Pierre Leroux, l'historien reprend les schémas de Joachim de Fiore (1132-1202), où la théologie du Saint-Esprit se fait modèle et sens de l'évolution historique.

Depuis Lessing et son *Éducation du genre humain,* le siècle nouveau avait emprunté aux franciscains du XIIIe siècle le système trinitaire de Joachim de Fiore : une théorie des trois âges, qui peut revêtir toutes sortes de formes, comme chez Hugo dans la Préface de *Cromwell.* Vers 1840, c'est encore la pensée du moine calabrais ou de ses successeurs qui alimente l'œuvre d'un Leroux ou d'une George Sand : l'histoire réalise successivement les personnes de la Trinité. Après l'Antiquité de la loi du Père, l'Église du Fils a régné sur les premiers temps. Le règne de l'Esprit, c'est-à-dire de l'Amour, doit substituer aux récits synoptiques du Nouveau Testament l'évangile éternel qu'annonce celui de Jean. L'ambition critique et mystique, aristocratique et communiste des moines mendiants du XIIIe siècle est bien reprise dans la production de ces intellectuels romantiques, idéologues d'un nouvel âge que la bourgeoisie n'arrive plus à penser après dix ans de pouvoir sans partage, et que le socialisme ne fait encore que rêver. La violente réaction de Michelet contre Pierre Leroux ne vise qu'un seul point, le refus de la « personnalité croissante », le système panthéiste d'absorption. Mais c'est bien au contact de Pierre Leroux que, dès 1842, Michelet trouve la dialectique de la symbolisation et de la désymbolisation, de l'incarnation mythique et de la temporalité historique comme progrès de l'esprit. Ainsi les deux sens de l'esprit, spirituel et intellectuel, se trouvent articulés. En fait, cette nouvelle méthode, illumination motivée par le destin de l'auteur et la crise du régime de Juillet, décide en 1842 du renversement que *le Peuple* achève en 1846.

De l'affirmation de la « maternité de Dieu » à la recherche ultime des « deux sexes de l'esprit », de la doctrine de Joachim de Fiore à la « valeur adéquate de l'instinct et de la réflexion », de l'organicisme à la constitution d'une foi nouvelle, du précepteur des Tuileries et de Neuilly au héros de la jeunesse de 1848, en quelques années l'évolution de Michelet est complète, et elle ne se modifiera plus substantiellement. L'adieu à l'Église n'est pas moins net que l'adieu à l'idéologie progressiste, occidentalisante, de 1831. La fréquentation de l'orientaliste Eugène Burnouf provoque chez Michelet un véritable « retour » à l'Inde. La pratique du mysticisme logique, la conscience de l'historicisation de Dieu dans le Verbe ont pour effet d'atténuer, aux yeux de l'historien, l'antinomie de la Grâce et de la Justice. Michelet fait d'Abélard un prophète de cette nouvelle liberté de l'Esprit. En fait, il projette sur Abélard son propre besoin d'amour et de grâce, sa recherche d'une inspiration héroïque qui ne pouvait plus se trouver dans le déclin de la monarchie bourgeoise, dans l'évanouissement du grand espoir rationaliste.

Pur et génial produit du système des écoles et du pouvoir, Michelet se place bientôt en position excentrique, affirmant alors une personnalité de type nouveau, celle qui allait trouver en 1849, dans le mariage avec Athénaïs Mialaret, la réalisation complète de cet évangile de la nature.

Au terme de cette crise méthodique des années 1840, la figure de Michelet est donc complète. Ennemi déclaré — et reconnu — du christianisme autant que du parti prêtre, historien désabusé des espoirs politiques et intellectuels de 1830, théoricien passionné de la « biographisation », c'est-à-dire du fonctionnement en modèles réciproques du moi et de l'histoire, professeur vilipendé par ses pairs et acclamé par ses élèves, hanté de peuple et de pédagogie jusque dans le lit de ses servantes, génie de la compénétration du livre et de la nature, il va prêter le flanc à toutes les attaques scientifiques ou dogmatiques et s'offrir à toutes les récupérations poétiques. Un jésuite d'aujourd'hui résume parfaitement cette synthèse du pitoyable et de la culture en concluant : « pauvre grand Michelet ». En fait, c'est la synthèse qui échappe, et son caractère délibérément organique qui pose à la recherche plus de problèmes qu'elle n'en pouvait résoudre. L'exigence de « personnalité » — d'identité, dirions-nous aujourd'hui — est essentielle à cette histoire vécue comme vivante. Mais la dévoration historique n'est plus cette physique du « nivellement » optimiste que la préface de l'*Histoire romaine* dégageait d'assimilations successives et réciproques, dans une progressive épiphanie du droit. Le fonctionnement biologique de l'histoire a ses rejets, ses excréments. Toute une légende devient nécessaire pour apprendre à lire les faits et les structures de l'histoire. Une mythologie, certes, un mimodrame où le peuple et son historien se projettent l'un dans l'autre en dialogues visionnaires, en impossibilités de prendre langue, mais une mythologie dont la pertinence désigne enfin la singularité du phénomène moral et social, linguistique et économique suintant au travers des fresques institutionnelles. Déjà les *Origines du droit...* et les *Mémoires de Luther* empruntaient au génie germanique cette opacité plurielle qui résiste à l'identification. Bientôt, le martyre des nations en proie aux Empires suscitera les *Légendes démocratiques du Nord,* comme les voix de Jeanne d'Arc rendaient compte non tant de sa mission que de sa vocation, de son ajustement révélateur à la situation et aux mentalités de l'époque plus que de sa figure canonique ou parodique. Femme habillée en homme, héroïne et victime d'une double exclusion, produit de la double croyance en la sainteté et en la sorcellerie, symbole que l'Esprit modèle sur l'*Imitation de Jésus-Christ* pour prophétiser la nation, et que l'histoire désymbolise dans la création de l'État moderne avec Charles VII et Louis XI, Jeanne prépare chez Michelet ce livre en partie double, *la Sorcière,* qui va dialoguer, pour toute la fin de l'œuvre, avec la *Bible de l'humanité.*

Le retour du symbolique ou l'exil du dedans

Le livre de *l'Oiseau,* comme toute la production d'histoire naturelle et d'amour qui traverse l'œuvre de Michelet pendant le second Empire, doit évidemment à la collaboration de la nouvelle épouse, de cette jeune Athénaïs Mialaret qui fut par la suite une « veuve abusive » et à qui l'on impute souvent ce qu'on voudrait considérer comme une décadence de Michelet. En réalité, cette présence féminine catalyse la totalité des aspirations de l'œuvre, produit un nouveau statut général de la réflexion historique et philosophique de l'auteur, porte à l'extrême l'exercice poétique de sa prose. Le principe fondamental de cette nouvelle synthèse est probablement la notion d'exotisme — d'alibi —, ou plutôt le travail de réintégration, d'assimilation problématique aussi bien que voluptueuse de toutes les extériorités, de tous les ailleurs dont la pratique virile du magistère historique ne pouvait rendre compte, de toutes les légendes que la raison désymbolisante ne pouvait saisir, dans l'âme collective. Toute l'histoire, en effet, pour Michelet aussi bien que pour Hugo, constitue exemplairement la femme comme aporie : elle est à la fois exil et patrie, impossibilité et promesse, servitude et libération, silence et inspiration. Elle est figure analogique de la nature, des humbles, du peuple; ses cycles sont image des révolutions, de la grande rythmique humaine, de la pulsation sociale que l'impérialisme de la raison occidentale s'efforce désespérément de méconnaître par son universalisme aveugle et dérisoire, par ce géométrisme cartésien qui entrave l'essor — indispensable pourtant — de la pensée organiciste, biologique, par ce primat du politique qui refoule sans cesse le social.

L'échec de cette ambition sèchement totalisatrice, qui fut l'ambition de 1830, est brutalement sanctionné par le massacre de juin 1848 et par le coup d'État de Louis-Napoléon Bonaparte que ce massacre rend possible : la bourgeoisie orléaniste et les intellectuels républicains ont à la fois manqué le peuple et le pouvoir; ce sont les aventuriers cyniques de la finance qui feront l'industrialisation, et la classe ouvrière, autonome dans les conflits économiques, échappera aux idéologues rassurants ou héroïques de la liberté. A la suite de cet écroulement général, Michelet s'enfuit vers Nantes, vers la mer, la grande « soupe » primordiale, parce que l'histoire impose ce recours à l'élémentaire. Outre l'oiseau dont il va faire, avec sa femme, une morphologie sociale de type géopolitique dont il tire en fin de compte un chant d'espoir — celui du rossignol —, Michelet trouve à Nantes le savant Ange Guépin, militant de la science et de la république, historien et philosophe de la tradition socialiste. Passant ensuite de la rive atlantique au rivage méditerranéen, à Nervi, Michelet tient enfin cette alliance de la féminité, de l'histoire naturelle, de la Renaissance comme méthode, de l'économie sociale, de la refonte philosophique et religieuse contre la systématisation infirme d'un Feuerbach. C'est cette alliance pour l'alliance générale de l'humanité qu'il appelle le « Banquet ».

On voit bien ici, malgré des voies et des conclusions fort différentes, l'étonnant parallélisme de ce développement anthropologique avec celui de Marx, l'égalité d'intensité et de souci très attentif aux conditions inextricablement idéales et concrètes de l'histoire, et il faudrait un jour poursuivre ce parallélisme critique pour comprendre, autrement que de façon conjoncturelle, leur réunion en 1870 en un appel à la paix. On aura alors sans doute une vue bien nouvelle de l'unité conflictuelle du siècle, de sa réalité et de son sens, de l'importance sensible de toute une production littéraire que les héritiers de Marx ont trop vite passée au tourniquet des concepts ou au peloton d'exécution. Mais pour Michelet, l'essentiel se dit peut-être aux dernières lignes de *l'Oiseau,* qui définissent l'orientation de cette époque : « Déterminer la mesure de liberté, de servage, d'alliance et de collaboration avec nous dont chaque être est susceptible, c'est un des plus graves sujets qui puisse occuper. Art nouveau, où l'on ne pénétrera pas sans un approfondissement moral, un affinement, une délicatesse d'appréciation, qui commence à peine et qui n'existera peut-être que quand la femme entrera dans la science, dont elle est exclue jusqu'ici ».

Athénaïs, c'est la femme à la fois inaccessible et obligatoire. L'amour, avec la quasi-impossibilité du coït ou, à tout le moins, de l'orgasme partagé; d'où la nécessité pratique d'une perpétuelle éducation érotique mutuelle, symbolique du dialogisme social. Athénaïs est aussi l'extrême Occident, par son père qui fut aux Amériques et qui y devint le secrétaire du Napoléon noir, Toussaint Louverture. Elle est l'Orient de l'Europe par son passé d'institutrice chez la princesse Cantacuzène. Elle est enfin la mixité française, catholique d'origine, mais en pays protestant, campagnarde, mais tenant salon pour tout ce que la future république anticléricale, fondatrice de la puissance moderne de la France, comptait de grands esprits. Telle est l'unité, personnelle et publique, de la pratique de Michelet en cette période sombre : à la fois parfaitement excentrique et commune, perverse et morale, ridicule et héroïque. Fidèle en cette transmutation ultime, en cette *vita nuova,* aux exigences premières de la *scienza nuova* de Vico, résolution pratique du grand débat philosophique de 1830 entre intériorité et extériorité, Orient indien et Occident capitaliste.

L'exil du dedans dit ainsi le dedans comme exil, comme interdit et refoulé, comme secret qui doit remodeler toutes les habitudes et, finalement, apporter à l'histoire l'organicité symbolique du réel.

La Sorcière est exemplaire de cette méthode définitive. Michelet reprend dans son *Histoire* plusieurs parties relatives à la sorcellerie — cette apparente marginalité de l'histoire —, les remanie et les complète dans une mise en scène où la géographie recoupe la chronologie. Il s'en sert comme d'un repoussoir pour montrer l'émergence successive des pouvoirs d'Église, de magistrature, d'État et de science — ouvrant ainsi la voie à toute l'anthropologie moderne des sciences humaines telle qu'un Michel Foucault peut l'illustrer et la poursuivre. Il fait précéder cette revue historique d'une première partie toute de légende : la sorcière du Moyen Âge, collectrice des origines païennes, épouse sodomique de Satan, envers de la société paysanne et féodale, cueilleuse de simples apparaît comme l'antinature naturelle de la société civile, l'origine des sciences de la vie. Ce faisant, Michelet opère en fait le retournement de son retournement : la *Renaissance* consistait pratiquement en une sorte de désaveu de son Moyen Âge; voici le Moyen Âge qui fait retour comme principe archéologique de relecture de l'histoire des siècles classiques, comme critique populaire et féministe de la cancérisation monarchique dont la France dépérit depuis les guerres de Religion, et que ni la Révolution ni le romantisme n'ont pu arrêter.

A creuser ainsi l'échec de la Renaissance, ce que Michelet apporte à toute Histoire possible, c'est la vigueur d'une contre-Histoire, l'amour sorcier d'un satanisme producteur de science — comme Caïn et tous les réprouvés sont producteurs de production, ouvriers d'une Histoire remise sur ses pieds. Et cette contre-Histoire rusée, instruite des erreurs et des crimes de sa sœur officielle, en dénonce sans cesse les risques de dévoiement : ce que celle-ci condamne, le pacte démoniaque, la messe noire, hystéries qui, une fois conceptualisées, justifient les enfermements dans les Sacré-Cœur ou les asiles, ne sont en réalité que représentations mutilatrices, et réassurements idéologiques. Au terme de *la Sorcière,* dans le lieu « tout africain » de la rade de Toulon, Michelet attend la grande aube religieuse de l'espoir, dans « la Raison, le Droit, la Nature », mais si le triomphe de l'Occident s'accomplit à ce rivage, c'est par sa défaite absolue, par la prémonition fulgurante que nos progrès vertigineux, dans les domaines de l'économie, du sexe, des langues, ne sont pas vraiment le monde, et que notre universalité est déjà dépassée par la réclamation profonde des oubliés et des exclus.

La *Bible de l'humanité* fournit en 1864 à cette ambition d'universalité nouvelle (« la Terre pour Terre promise, et le monde pour Jérusalem ») le nouveau « livre élastique » qui lui est nécessaire. La synthèse est prodigieuse, et elle ne s'encombre d'aucune des prudences de discussion qui pourraient lui valoir une audience polie. Apologie générale des peuples de la lumière (l'Inde, la Perse, la Grèce) contre les peuples de la nuit (Égypte et pays de la tradition judéo-chrétienne), dramaturgie de l'effondrement de l'Empire romain et de l'écrasement médiéval, discussion passionnée de l'épopée de la femme, le livre se conclut sur une ample citation de la préface à l'*Histoire de la Révolution.* Mais si 1864 fait ainsi retour à 1847 en prophétisant la Justice à venir, c'est dans un remaniement général, un recreusement hyperbolique de la fidélité à soi. A la charnière des deux parties du livre, les mythes d'Hercule et de Prométhée disent assez que le travail est moteur du monde et de l'esprit. Ils disent aussi que la mythologie est la réalité vivante de l'union, de l'identité de la science et de la conscience.

La conséquence de cette fidélité à Vico, à l'histoire et à ses bouleversements au XIXe siècle, à l'unité de son œuvre et de sa vie, à ces *corsi e ricorsi* du principe de révolution autour de la réalité et de l'impossibilité de 89, c'est, littérairement, un style dont le lyrisme et la tendresse se sont sans doute vite démodés, une audace visionnaire que l'Histoire a bien fait de s'interdire pour un temps. Mais c'est aussi, dans le feu de la discussion et de l'action, la plus vigoureuse incitation à la recherche et à la pensée, la fondation de l'histoire des mentalités, l'orientation décisive d'une philosophie au croisement de l'économie et de la culture. Et puis, par la recherche pour ainsi dire fanatique du « livre organique », du « livre élastique », c'est la mutation décisive du statut de la littérature. Transmuant l'une par l'autre l'insuffisance commode et trompeuse de la narration romanesque et celle de l'articulation didactique, ruinant réciproquement la fausse imagination du roman et la fausse science des traités, Michelet engage l'écriture moderne dans une grande aventure.

Violemment antiromantique dans la mesure où le romantisme se cantonne dans les nuées distinguées du mal du siècle bourgeois et passe à côté des réalités profondes et savantes du travail et de l'Histoire, mortellement hanté par sa mission d'éducation, Michelet veille jalousement à préserver la direction de son action, cette *linea recta* qui l'oblige à la lutte contre Renan, à la rupture avec Quinet, aux distances par rapport à un Hugo dont pourtant, dans l'exil, tout de plus en plus le rapproche. Mais outre la puissance mythologique, outre cette narrativité de type nouveau qui dialogue dans l'amitié avec George Sand et même avec Flaubert, outre ce naturalisme scientifique, philosophique et littéraire qui est bien l'aboutissement suprême du romantisme, l'écriture de Michelet ne peut se ramener à un style, qu'on admirerait pour sa poésie pour mieux invalider tout le reste. Elle est d'abord composition, structuration mimétique des documents, des savoirs fragmentés, de leurs relations hypothétiques et symboliques, des rêveries de leur conscience historique. Et puis, surtout, mise en place, dans cette traversée des signes, du dialogue éclaté des subjectivités à conquérir dans l'objectivité du devenir social. Le moi de Michelet s'y cherche et s'y éprouve, toujours en suscitant l'interlocuteur, en conduisant le moi du lecteur hors de lui-même pour le faire naître à la liberté, pour le piéger afin qu'il se libère.

A cet égard, le rôle historique de Michelet est considérable. D'une part, il fonde la conscience républicaine, l'éducation nouvelle — mais aussi les ambiguïtés officielles du radicalisme et du socialisme français, jusqu'aux pires risques de trahison, d'antisémitisme, de réaction pétainiste, et de « néo-philosophie » au paganisme nazi. D'autre part, il fournit toutes les conditions prophétiques de science et de conscience pour éviter ce « déclin de l'Occident » que Spengler décrira en 1918. Et enfin, comme Hugo, il porte l'exercice littéraire du naturalisme philosophique et historique au point exact d'excès contrôlé où la systématisation de la différence s'appelle aussi bien supranaturalisme que surréalisme. Élevés dans des écoles indûment dédiées à Michelet ou tout aussi indûment hostiles à sa figure, les écrivains du XXe siècle n'avouent pas aisément leur dette à son égard. Mais il est rare qu'ils ne l'aient pas rencontré, dans la destruction nostalgique des religions et des patries, dans le bouleversement des langues et des civilisations, dans la révolution du sacrifice et de l'amour, comme celui qui fait sans cesse qu'Aujourd'hui s'arrache au Moyen Âge.

J. SEEBACHER

	VIE	ŒUVRE
1798	21 août : naissance, à Paris, de Jules Michelet. Son père, Jean Furcy Michelet, originaire de Laon, est imprimeur. Sa mère est originaire des Ardennes. De 1798 à 1814, les Michelet, qui vivent dans la pauvreté en raison des difficultés de l'imprimerie, déménagent huit fois dans Paris.	
1799	**Coup d'État du 18-Brumaire.**	
1804	**Premier Empire.**	
1808	Le père de Michelet est emprisonné pour dettes pendant quelques mois, à Sainte-Pélagie.	
1809	Le petit Michelet apprend à composer dans l'atelier d'imprimerie de son père.	
1810	Oct. : Michelet, jusqu'alors sans éducateur, suit les cours de M. Mélot, grammairien, chez qui il rencontre son premier grand ami, Poinsot.	
1812	Michelet entre au collège Charlemagne en classe de troisième. L'application des décrets impériaux de févr. 1810 limitant le nombre des imprimeurs à soixante entraîne la fermeture de l'imprimerie paternelle.	
1814	Le père de Michelet obtient une place de gérant dans la maison de santé du docteur Duchemin.	
1815	**Les Cent-Jours; Restauration.** 9 févr. : mort de la mère de Michelet. Le père et le fils s'installent chez le docteur Duchemin, près du jardin des Plantes.	
1816	Mme Fourcy, employée elle aussi chez le docteur Duchemin, et qui vient de perdre sa fille, joue auprès de Michelet le rôle d'une mère et d'une initiatrice.	
1817	Bachelier ès lettres.	
1818	Licencié ès lettres. La maison du docteur Duchemin ferme ses portes. Les Michelet s'installent rue de la Roquette, en compagnie de Mme Fourcy et de Pauline Rousseau, ex-employée du docteur Duchemin. Pauline devient à la mi-juin la maîtresse de Jules. Tout en gagnant sa vie comme répétiteur, le jeune Michelet poursuit son *cursus honorum*.	
1819	Docteur ès lettres grâce à deux thèses fort minces : *Examen des Vies des hommes illustres de Plutarque* et *De percipienda infinitate secundum Lockium*.	
1820	Michelet commence à tenir un journal (mai) et à rédiger (en juin) un Mémorial (souvenirs d'enfance) destinés à son ami Poinsot, alors étudiant en pharmacie à Bicêtre. Michelet manifeste un vif intérêt pour les sciences naturelles. Importance d'un rêve érotique auquel le *Journal* de l'âge mûr fera maintes références.	

	VIE		ŒUVRE
1821	14 févr. : mort de Poinsot. Le cimetière du Père-Lachaise, où son ami et sa mère sont inhumés, devient un des lieux de prédilection de Michelet. 21 sept. : reçu à l'agrégation de lettres, nouvellement instituée. 13 oct. : nommé professeur suppléant au collège Charlemagne.		
1822	Oct. : professeur au collège Sainte-Barbe, où il assure l'enseignement de l'histoire, rétabli dans les collèges par Royer-Collard (1818).		
1823	Déc. : mort de Mme Fourcy.		
1824	Avr. : Michelet rencontre Victor Cousin, jeune chef de file de la philosophie libérale, qui l'encourage à entreprendre la traduction de la *Scienza nuova* de Vico, où Michelet a trouvé les premiers éléments de sa philosophie de l'histoire. 20 mai : Michelet épouse Pauline Rousseau (enceinte). 28 août : naissance d'Adèle Michelet.		
1825	Mai : Michelet se lie avec Edgar Quinet, traducteur de Herder, qu'il a rencontré chez Victor Cousin et qui lui fait connaître mieux l'Allemagne et ses penseurs.	**1825**	*Tableau chronologique de l'histoire moderne* (1453-1789).
		1826	*Tableaux synchroniques de l'histoire moderne.* Ces deux manuels scolaires connaissent un vif succès, cependant rapidement enrayé par les arrêtés ministériels de 1826 qui limitent l'enseignement de l'histoire aux petites classes.
1827	3 févr. : nommé maître de conférences de philosophie et d'histoire à l'École normale.	**1827**	8 mars : mise en vente des *Principes de la philosophie de l'histoire* traduits de Vico, précédés d'un *Discours sur le système et la vie de Vico.* 15 nov. : première partie du *Précis de l'histoire moderne.*
1828	16 août-18 sept. : voyage d'Allemagne, consacré à des recherches concernant l'histoire du Moyen Âge et de la Réforme (Luther). Dans les villes universitaires allemandes (Heidelberg, Francfort, Bonn), Michelet fait des lectures capitales : religions et mythes (Creutzer et Schlegel), droit (Grimm), culture populaire (Görres). Michelet reprend son *Journal,* délaissé après la mort de Poinsot, mais s'y limite à un compte rendu de ses voyages. Sept. : choisi comme professeur de la princesse de Berry, petite-fille de Charles X.	**1828**	15 avr. : seconde partie du *Précis de l'histoire moderne,* nouveau manuel scolaire très apprécié.
1829	Sept. : mis en demeure de choisir entre philosophie et histoire, opte pour la philosophie, mais le ministère lui impose l'histoire. Il consacre son cours de 1828-1829 à l'histoire romaine. 17 nov. : naissance de Charles Michelet.		
1830	14 mars-fin avr. : Michelet voyage en Italie; boulimie de rencontres, de découvertes, de culture. **Révolution de Juillet.** Michelet bénéficie du changement de régime : maître d'histoire de la princesse Clémentine, 5e enfant de Louis-Philippe, il est nommé chef de la section historique des Archives royales (la révélation des archives est capitale pour sa méthode historique).		
1831	20 févr. : Michelet et Quinet assistent, salle Taitbout, à une réunion saint-simonienne et écoutent une prédication du « Père » Enfantin. 2-25 août : voyage en Normandie et en Bretagne, inaugurant une série de tournées provinciales. Découverte de la France (architecture, paysages, hommes et économie) parallèle à la rédaction de l'*Histoire de France.*	**1831**	Avr. : *Introduction à l'histoire universelle* (où Michelet expose sa philosophie de l'histoire en se démarquant de Victor Cousin, d'Augustin Thierry et même de Vico). Juil. : *Histoire romaine* (la République).
1832	1er-8 sept. : voyage en Belgique, découverte de Rubens, du champ de bataille de Waterloo.		
1833	14-16 avr. : premier des nombreux séjours de Michelet à Fontainebleau. Juil. : visite de la cathédrale de Reims. 21 nov. : nommé suppléant de Guizot à la Sorbonne.	**1833**	1er déc. : tomes I et II de l'*Histoire de France* (des origines à 1270). *Précis d'histoire de France jusqu'à la Révolution.*
1834	5 août-5 sept. : voyage en Angleterre, Irlande, Écosse; découverte du pays qui connaît le plus fort développement industriel. Angleterre médiévale : intérêt pour la guerre de Cent Ans, que Michelet va étudier dans son prochain volume d'*Histoire de France.*		

	VIE		ŒUVRE
1835	18 août-25 sept. : visite méthodique des bibliothèques et des archives du sud-ouest de la France. Déc. : doit renoncer à suppléer Guizot.	**1835**	Août : nouvelle édition du *Vico*, augmentée d'une *Vie de Vico par lui-même.* 15 sept. : *Mémoires de Luther.*
1837	A partir de cette date, le *Journal* est tenu plus régulièrement. 22 juin-18 juil. : voyage en Belgique et en Hollande.	**1837**	Juin : tome III de l'*Histoire de France* (1270-1380). *Origines du droit français, cherchées dans les symboles et les formules du droit universel.*
1838	13 févr. : nommé professeur de morale et d'histoire au Collège de France. Les cours du Collège de France, jusqu'en 1842, suivront la progression de l'*Histoire de France.* Mars : élu membre de l'Académie des sciences morales et politiques. 8 juil.-17 août : Suisse, Venise, Tyrol; documentation pour les guerres d'Italie.		
1839	24 mars-7 avr. : voyage à Lyon et à Saint-Étienne. Enquête sur le sort des canuts, dont les récentes révoltes ont bouleversé Michelet. A Saint-Étienne, visite d'une manufacture d'armes et d'un puits de mine. 24 juil. : mort de Pauline, déchirement; frénésie de méditation, de travail.		
1840	5 mai : première visite de Mme Dumesnil, mère d'un élève, Alfred. Michelet nouera bientôt avec elle une amitié passionnée. 25 juil.-16 août : voyage en Belgique.	**1840**	Févr. : tome IV de l'*Histoire de France* (1380-1422).
1841	Févr. : Mme Dumesnil, qui doit recevoir des soins à Paris, s'installe chez Michelet, rue des Postes. Séjours à Fontainebleau, avec Mme Dumesnil et son fils, et à Vascœuil, maison des Dumesnil, près de Rouen.	**1841**	23 août : tome V de l'*Histoire de France* (Jeanne d'Arc). Août : *le Procès des Templiers* (recueil de documents).
1842	Début 1842 : violentes attaques de la presse cléricale *(l'Univers)* contre l'université. Quinet est nommé professeur au Collège de France. 31 mai : mort de Mme Dumesnil, chez Michelet. 19 juin-30 juil. : voyage en Allemagne. Année décisive pour l'approfondissement de la méthode et la préparation du *Peuple* et de la *Renaissance.*		
1843	Pour riposter aux attaques de plus en plus virulentes de la presse cléricale, Michelet et Quinet consacrent tous deux leurs cours à l'étude de la Compagnie de Jésus. Août : mariage d'Adèle avec Alfred Dumesnil, que Michelet considère comme son disciple. Il quitte le christianisme pour « le Dieu nouveau de l'avenir ».	**1843**	15 juil. : *Des jésuites.*
1844	Michelet poursuit sa campagne dans son cours annuel centré sur Rome et la France. 18 mai-22 juin : voyage en Provence et dans le Massif central.	**1844**	4 janv. : tome VI de l'*Histoire de France* (Louis XI).
1845	Les milieux gouvernementaux et leurs journaux, jusqu'alors favorables aux professeurs libéraux, commencent à manifester leur désapprobation devant la tournure révolutionnaire que prennent les idées professées par ceux-ci. Janv. : Michelet inaugure au Collège de France une série de cours consacrés à la Révolution française. 8 mars : Michelet reçoit une longue lettre du Père Enfantin, qui vient de lire *Du prêtre*. L'étude du *Journal* (du 8 au 23/3/45, 13/4/54) montre le profond retentissement, dans la pensée de Michelet, de cette lettre qui proclame la nécessité d'une attitude positive et la création d'une « religion de l'avenir ».	**1845**	Janv. : *Du Prêtre, de la femme et de la famille* (œuvre inspirée du cours de 1844 et qui dénonce le système de la direction de conscience).
1846	Avr. : le cours de Quinet est suspendu. 18 nov. : mort du père de Michelet, son compagnon de toujours, qui représentait pour lui le peuple et la Révolution française.	**1846**	28 janv. : *le Peuple* (le premier des « livres positifs qui ne combattent plus mais enseignent »).
1847	Les études sur la Révolution française commandent l'actualité littéraire. En janv., Louis Blanc commence la publication de son *Histoire de la Révolution;* en mars, Lamartine publie l'*Histoire des Girondins.* 13 oct. : Michelet reçoit une lettre d'Athénaïs Mialaret, jeune institutrice de vingt ans, que la lecture de *Du prêtre* a bouleversée.	**1847**	10 févr. : tome I de l'*Histoire de la Révolution française.* 15 nov. : tome II de l'*Histoire de la Révolution française.*

	VIE		ŒUVRE
1848	2 janv. : suspension du cours de Michelet. Il décide de publier, semaine par semaine, les leçons prévues. 24 févr. : **Révolution de 1848.** 6 mars : Michelet et Quinet reprennent leurs cours. 10 mars : Michelet refuse de se présenter à la députation. Horreur devant la répression de Juin. Août : il se consacre à la méditation d'une future *Bible du peuple*. 8 nov. : première rencontre avec Athénaïs Mialaret, de trente ans plus jeune que lui. Déc. : mort de Letronne, administrateur du Collège de France; il est remplacé par Barthélemy Saint-Hilaire, encore plus hostile à Michelet.	**1848**	Avr. : publication du recueil des leçons interdites (intitulé par la suite *l'Étudiant*).
1849	25 janv. : Michelet inaugure au Collège de France un cours consacré à l'amour et l'éducation. 12 mars : mariage civil de Michelet et d'Athénaïs Mialaret. Le couple s'installe rue de Villiers, aux Ternes. Patience réciproque pour surmonter les difficultés sexuelles. 13-26 août : voyage dans les Ardennes et en Belgique (champ de bataille de Jemmapes). 3 sept. : consommation du mariage; elle ne sera complète qu'à la Toussaint. 1er-15 oct. : Michelet siège comme juré à la cour d'assises. Il s'efforce d'obtenir soit l'allégement des peines, soit l'acquittement des inculpés.	**1849**	10 févr. : tome III de l'*Histoire de la Révolution française.*
1850	2 juil. : naissance d'un fils : Yves Jean *Lazare* (comme Hoche et comme le ressuscité de l'Évangile). 24 août : mort de Lazare. Athénaïs désire qu'il soit ondoyé : ce besoin d'un rituel religieux bouleverse Michelet. Le couple cherche un refuge à Fontainebleau (1er-8 sept.). En 1850 et 1851, cours centrés sur la femme et l'éducation populaire.	**1850**	10 févr. : tome IV de l'*Histoire de la Révolution française.*
1851	6 mars : Michelet est convoqué devant le bureau du Collège de France (ensemble des professeurs réunis en conseil) par Barthélemy Saint-Hilaire, qui l'a dénoncé au ministre comme hostile à Louis-Napoléon Bonaparte. Le 11, il est blâmé pour son enseignement trop polémique : ses collègues ne le soutiennent pas. 12 mars : le cours de Michelet est suspendu. 20 mars : manifestation des étudiants du quartier Latin en sa faveur. 8 avr. : annonce de la suspension de son traitement de professeur. Fin juil. : voyage à Bordeaux et Arcachon. 24 oct. : Michelet refuse le demi-traitement qui lui est octroyé. 2 déc. : **coup d'État de Louis-Napoléon Bonaparte.**	**1851**	Avr. : tome V de l'*Histoire de la Révolution française.* 26 nov. : premier épisode de *la Légende d'or de la démocratie : Légende de Kosciuszko* (général polonais patriote).
1852	Avr. : Michelet destitué de ses fonctions de professeur au Collège de France, ainsi que Quinet et Mickiewicz. 3 juin : refuse de prêter le serment que le nouveau régime exige de tout fonctionnaire. 9 juin : quitte les Archives. 12 juin : départ pour Nantes; c'est dans la ville de Carrier, et près de la Vendée, qu'il va écrire l'histoire de la Terreur. A partir de cette date, Michelet, qu'aucune obligation professionnelle ne retient plus à Paris, passe souvent une partie de l'année en province.		
1853	Févr.-mars : fatigue et maladie, qui correspondent (réaction psychosomatique?) à la rédaction de l'histoire de la Terreur. 29 oct. : départ pour l'Italie, où Michelet pense rétablir sa santé. 18 nov. : installation à Nervi, petit port près de Gênes. Michelet, très malade, observe la grande pauvreté de la contrée et de sa population; idée du *Banquet,* dans la critique de Feuerbach.	**1853**	1er août : tome VI (et dernier) de l'*Histoire de la Révolution française.* 15 nov. : second épisode de *la Légende d'or de la démocratie,* intitulé *Principautés danubiennes. Mme Rosetti.* *Jeanne d'Arc* (publication séparée du récit du tome V de l'*Histoire de France).*
1854	20 avr.-4 juin : séjour à Turin, où il consulte les archives du XVIe siècle. 5-30 juin : séjour à Acqui, bains de boue. Initiation à la fonction thérapeutique et poétique des éléments.	**1854**	21 janv. : *Légendes démocratiques du Nord (Kosciuszko, Mme Rosetti, les Martyrs de la Russie).* Mars : écrit plusieurs chapitres du *Banquet* (œuvre non publiée de son vivant). Avr. : *les Femmes de la Révolution.*
1855	6-15 juil. : voyage en Belgique et en Hollande (rend visite à Quinet, proscrit depuis le coup d'État du 2 déc., et recueille des informations pour l'histoire de la Renaissance). 15 juil. : mort d'Adèle Dumesnil, fille de Michelet. 23 août : au cours d'un séjour au Havre, Michelet prend pour la première fois un bain de mer (rencontre avec un second élément). A partir de cette date, les séjours balnéaires deviennent annuels.	**1855**	1er févr. : *Histoire de la Renaissance* (tome VII de l'*Histoire de France*). Dans la Préface de ce tome, une nouvelle interprétation — dévalorisante — du Moyen Âge. 2 juil. : *Histoire de la Réforme* (tome VIII de l'*Histoire de France*).

	VIE		ŒUVRE
1856	Suit des cours d'anatomie, s'émerveille des pouvoirs du microscope. Juil.-sept. : voyage en Suisse.	**1856**	8 mars : tome IX de l'*Histoire de France* (guerres de Religion). 12 mars : *l'Oiseau*. Ce livre est le premier d'une série consacrée à l'histoire naturelle, dont Michelet a gardé le goût depuis sa jeunesse. Fruit d'une collaboration avec sa femme, qui a réuni des notes sur l'ornithologie et des observations personnelles. Michelet a refondu le tout. 1er nov. : tome X de l'*Histoire de France* (la Ligue).
1857	Les Michelet passent l'été à Fontainebleau. Ce séjour est désigné par Michelet comme un grand moment de ressourcement (orage du 8 sept.). Pouvoir du lieu, qui réunit nature (promenades dans la forêt, observation des insectes) et histoire (contemplation du château et de ses fresques); qui rappelle aussi les trois amours (Pauline, Mme Dumesnil et Athénaïs). Fascination redoublée de Michelet pour le corps de sa femme : multiplication de signes de coprophilie dans le *Journal*. Séjour à Hyères pendant l'hiver.	**1857**	27 mai : tome XI de l'*Histoire de France* (Henri IV). Oct. : *l'Insecte*.
1858	Juin-oct. : séjour à Granville et à Pornic.	**1858**	Mars : tome XII de l'*Histoire de France* (Richelieu et la Fronde). 17 nov. : *l'Amour*.
1859	20 mars-11 avr. : assiste à des séances d'anatomie. Juin-oct. : séjour à Saint-Georges-de-Didonne (aux portes de Royan).	**1859**	21 nov. : *la Femme*.
1860	Août : séjour à Étretat. 20 juin-5 août : séjour à Veules-les-Roses, décisif pour l'abandon du roman au profit de l'histoire, de l'amour, et de l'histoire naturelle.	**1860**	27 avr. : tome XIII de l'*Histoire de France* (Louis XIV).
1861	22 août-18 sept. : séjour en Suisse, à Veytaux, près des Quinet. A Toulon, où il passe l'hiver, Michelet rassemble des documents pour *la Sorcière*.	**1861**	15 janv. : *la Mer*. 28 févr. : Michelet commence un roman, qui sera plusieurs fois abandonné puis repris, et qu'il ne réussira pas à achever : *Sylvine ou les Mémoires d'une femme de chambre*. A Veytaux, il délaisse ce projet pour se consacrer aux *Mémoires d'une jeune fille honnête* (vie d'Athénaïs).
1862	16 avr. : mort de Charles Michelet, hospitalisé à Strasbourg depuis le 23 mars. Août-sept. : Saint-Valery-en-Caux, lit Darwin.	**1962**	Févr. : tome XIV de l'*Histoire de France* (Louis XIV et le duc de Bourgogne). 15 nov. : *la Sorcière* (édité par Dentu et Hetzel, puis par Lacroix, Hachette ayant refusé par peur du scandale et d'une saisie).
1863	Avr.-sept. : séjour à Montauban, auprès de la mère d'Athénaïs, puis (sept.-oct.) à Toulouse et dans les Pyrénées, jusqu'à Saint-Jean-de-Luz.	**1863**	1er oct. : tome XV de l'*Histoire de France* (la Régence).
1864	Juil.-sept. : séjour à Saint-Valery-en-Caux. 21 oct. : mort de Poret (« cinquante ans d'amitié »).	**1864**	31 oct. : la *Bible de l'humanité* (conçue comme une réplique à *la Vie de Jésus* de Renan).
1865	30 juin-28 juil. : séjour à Veytaux, puis, en août, à Saint-Gervais, où Michelet a l'idée d'un nouvel ouvrage : *la Montagne*. De sept. à déc. : Chamonix, Annecy, Aix-les-Bains, Hyères. L'attrait des séjours à la montagne supplante désormais celui de la mer.		
1866	Fin avr. : retour à Paris par Toulouse. 21 août-13 sept. : Bagnoles-de-l'Orne. 14 déc. : départ pour Hyères.	**1866**	1er mai : tome XVI de l'*Histoire de France* (Louis XV). Août : rédaction d'un article sur le Collège de France pour *Paris-Guide*. Les autres articles sont assurés par Hugo, Quinet....
1867	Hiver à Hyères. Mai-juin : séjour en Suisse (Veytaux, Bex). Important bilan d'« orientation et résumés » depuis 1847. Juil. : promenades dans l'Engadine (préparation de *la Montagne*). 15 août : mort de son oncle Narcisse.	**1867**	10 oct. : tome XVII et dernier de l'*Histoire de France* ((Louis XV et Louis XVI).

VIE	ŒUVRE
1868 A l'occasion de la réédition de l'*Histoire de la Révolution*, Michelet est amené à lire *la Révolution* de Quinet (1865), ainsi que l'ouvrage de Louis Blanc consacré à la même période. Il s'aperçoit de l'écart qui le sépare maintenant de Quinet. Le 9 sept., il lui remet une lettre de « quasi »-rupture. 26-30 sept. : Fontainebleau. Oct. : à Paris, Michelet soutient dans *le Temps* une controverse avec Louis Blanc sur la Révolution française, contre la figure et le rôle de Robespierre.	**1868** 1er févr. : *la Montagne.* Travaille au *Livre des livres*, où apparaîtrait la ligne de force de son œuvre et de sa vie : l'éducation. 2 juil. : rédaction d'une nouvelle préface pour l'*Histoire de la Révolution;* interruption finalement féconde du travail sur l'éducation.
1869 Mai : Michelet appuie la candidature de Jules Ferry, candidat républicain aux élections législatives de 1869. La victoire des républicains à Paris en juin redonne à Michelet foi en l'avenir et le pousse à se réengager dans la lutte politique. Mai : un rêve, qu'il date de 1820, mais non relaté dans le *Journal*, obsède particulièrement Michelet. Août-sept. : séjour et voyages en Suisse. Multiplie les notes d'« orientation » toute la fin de l'année.	**1869** 13 sept. : envoi à Lacroix d'une nouvelle préface pour l'*Histoire de France* qui va être rééditée. 12 nov. : *Nos fils* (histoire et réforme de l'éducation). Nov. : projet de l'*Histoire du XIXe siècle* au détriment du *Livre des livres* et d'une *Histoire de l'amour* (projetée depuis 1849).
1870 **Plébiscite sur l'Empire** (7 millions de oui, 1,5 million de non). 19 juil. : **la France déclare la guerre à l'Allemagne.** 2 sept. : Michelet, accablé par les défaites françaises, quitte Paris pour la Suisse. 4 sept. : **la République est proclamée à Paris.** 19 sept. : **début du siège de Paris.** 29 oct. : Michelet, dont la santé est chancelante, s'installe à Florence.	**1870** 2 oct. : Michelet songe à écrire des articles sur la situation de la France, pour contribuer à sa manière à la défense de la patrie.
1871 30 avr. : crise d'apoplexie à Pise. 18 mars-27 mai : **la Commune de Paris.** 22 mai : à Florence, nouvelle attaque à l'annonce de l'écrasement de la Commune. Juin-oct. : séjour en Suisse, où Michelet reprend la rédaction de l'*Histoire du XIXe siècle.*	**1871** 25 janv. : mise en vente à Florence de *la France devant l'Europe.*
1872 Oct. : fluxion de poitrine et demi-paralysie de la main droite. Depuis avr., Michelet est revenu à Paris.	**1872** 3 avr. : tome I de l'*Histoire du XIXe siècle* (en même temps que d'une recherche historique, il s'agit d'une réflexion sur l'origine, sur les années voisines de sa naissance).
1873 Séjour en Suisse, puis à Hyères.	**1873** 15 mars : tome II de l'*Histoire du XIXe siècle.*
1874 9 févr. : mort de Michelet à Hyères, d'une crise cardiaque.	**1874** Janv. : le tome III de l'*Histoire du XIXe siècle* est achevé.
	1875 Publication du tome III de l'*Histoire du XIXe siècle.* Après la mort de Michelet, Mme Michelet entreprend la publication de ses œuvres posthumes, non sans les remanier à sa façon : coupures et ajouts de passages de sa plume : *le Banquet* (1879), *Ma jeunesse* et *Mon journal* (1884 et 1888) — souvenirs de jeunesse et passages du *Journal* réécrits et recomposés —, *Rome, Sur les chemins de l'Europe, Notre France* (patchwork à partir des récits de voyage). De 1893 à 1898, la première édition des *Œuvres complètes* de Michelet paraît chez Flammarion.
	1959 *Journal,* tome I (1828-1848). *Écrits de jeunesse* (*Journal* de 1820-1821, *Mémorial, Journal des idées, Journal des lectures*).
	1961 *Journal,* tome II (1849-1860).
	1976 *Journal,* tome III et IV (1861-1874).

PAULE RICHARD

BIBLIOGRAPHIE GÉNÉRALE

Œuvres

Œuvres complètes, en cours de publication chez Flammarion, sous la direction de P. Viallaneix (vol. I, 1971; vol. VIII, 1980); *Écrits de jeunesse*, prés. par P. Viallaneix, Paris, Gallimard, 1959; *l'Étudiant*, prés. par G. Picon : « Michelet et la parole historienne », Paris, Le Seuil, 1970; *la Femme*, prés. par Th. Moreau, Paris, Flammarion, 1982; *Histoire de France*, prés. par Cl. Mettra, Lausanne, Rencontre, 1965-1966, et Paris, Laffont « Bouquins », 1981-1982; *Histoire de la Révolution*, ibid., 1979 et 1984, Gallimard, La Pléiade, 1939; *Jeanne d'Arc*, prés. par P. Viallaneix, Paris, Gallimard, « Folio », 1974; *Des jésuites*, prés. par P. Viallaneix, Paris, Pauvert, 1966; *Journal*, prés. par P. Viallaneix et Cl. Digeon, Paris, Gallimard, 1956-1976; *Mémoires de Luther*, Paris, Mercure de France, 1974; *Légendes démocratiques du Nord*, prés. par M. Cadot, P.U. Clermont-Ferrand, 1968; *la Mer*, prés. par M.C. Chemin et P. Viallaneix, Lausanne, l'Âge d'homme, 1980, et Paris, Gallimard « Folio », 1983; *Nos fils*, prés. par F. Puts, Genève, Slatkine, 1980; *l'Oiseau*, Paris, Laffont, 1982; *le Peuple*, prés. par P. Viallaneix, Paris, Flammarion, 1979; *Procès des Templiers*, Paris, B.N., 1951; *la Sorcière*, prés. par P. Viallaneix, Paris, Garnier-Flammarion, 1966.

Études

Hippolyte Taine, *Essais de critique et d'histoire*, Paris, 1858; Élie Faure, *les Constructeurs*, Paris, 1913; Robert van der Elst, *Michelet naturaliste*, Paris, 1914; Gustave Monod, *la Vie et la pensée de Jules Michelet*, Paris, Champion, 1923; Jean-Marie Carré, *Michelet et son temps*, 1926; Jean Guéhenno, *l'Évangile éternel*, Paris, Grasset, 1927; Daniel Halévy, *Jules Michelet*, Paris, Hachette, 1938; Lucien Febvre, *Michelet*, Paris-Genève, Éd. des Trois-Collines, 1946; Oscar A. Haac, *les Principes inspirateurs de Michelet*, Paris, P.U.F., 1951; Roland Barthes, *Michelet*, Paris, Le Seuil, 1954; Jean-Louis Cornuz, *Jules Michelet, un aspect de la pensée religieuse au* XIX*e siècle*, Paris, 1955; Paul Viallaneix, *la Voie royale, essai sur l'idée de Peuple dans l'œuvre de Michelet*, Paris, Flammarion, 1959, nouv. éd. 1971; Jean Gaulmier, *Michelet*, Paris, Desclée de Brouwer, 1968; Paul Viallaneix et collaborateurs, *Michelet cent ans après*, Paris, 1975; Paul Bénichou, *le Temps des prophètes*, Paris, Gallimard, 1977.

A consulter aussi les numéros spéciaux de revues : *l'Arc*, nº 52, 1973; *Europe*, nov.-déc. 1973; *Revue d'histoire littéraire de la France*, sept.-oct. 1974; *Romantisme*, X, 1975.

J. SEEBACHER

MIÉLOT Jean (XVe siècle). Ce personnage est intéressant — moins comme créateur que comme phénomène littéraire — par sa fonction d'« entrepreneur en littérature » aux gages du duc de Bourgogne. Ecclésiastique, il est d'abord « secrétaire » de Philippe le Bon (1448), puis chanoine à Lille, avant d'entrer au service de Louis de Luxembourg. Philippe le paie « pour ses paines et occupations qu'il avoit a faire translations de livres de latin en françois, et iceulx escripre et istorier » : il est donc traducteur, copiste, enlumineur. « Fonctionnaire » au traitement régulier de 12 sols la journée, il est spécialisé dans les œuvres dévotes et hagiographiques. Sa fécondité est grande et témoigne de l'activité intellectuelle de la cour de Bourgogne, qui a pris le relais de celle de Charles V.

Miélot traduit le *Speculum humanae salvationis* (*Miroir de la salvacion humaine*), puis donne un recueil de *Moralités* « contenant aucuns bons mots des anciens philosophes », et on a de lui des traductions d'œuvres aussi variées que le *Romuleon* de Roberto della Porta, abrégé d'histoire romaine, certains des *Dialogues des morts* (*Débat d'honneur entre Annibal, Alexandre et Scipion*) de Lucien de Samosate, l'*Épître à Quintus* de Cicéron, un remaniement de l'*Othea* de Christine de Pisan, un recueil de soixante-treize *Miracles de Notre-Dame*, un guide de voyage pour pèlerins (*Advis directif pour faire le Voyage d'Outremer*), le *Miroir de l'âme pécheresse*, un texte sur la « regle et maniere comment le mesnage d'un bon hostel doit estre gouverné ». Ainsi Miélot met-il la littérature savante à la portée d'un public plus vaste; on peut voir, par ailleurs, dans le choix des sujets (car si l'auteur est prêtre, le commanditaire ne l'est pas), la prédominance de la littérature édifiante même à la fin du Moyen Âge.

BIBLIOGRAPHIE

G. Doutrepont, *la Littérature à la cour des ducs de Bourgogne*, Paris, Champion, 1909.

A. STRUBEL

MIGUEL André (né en 1920). V. BELGIQUE. Littérature d'expression française.

MIKHAËL Éphraïm, pseudonyme de **Georges Éphraïm Michel** (1866-1890). La vie brève d'Éphraïm Mikhaël commence à Toulouse. Le provincial « monte » ensuite à Paris, où il entre en 1882 au lycée Condorcet. Licencié ès lettres et chartiste, il travaillera à la Bibliothèque nationale, tout en entamant une carrière littéraire qui apparaît prometteuse. On voit en effet son nom dans des revues comme *la Basoche*, *la Pléiade* ou *la Jeune France*. En 1886, il publie le recueil de ses premières poésies : *l'Automne*, avant d'écrire, avec Bernard Lazare — nom important du symbolisme —, une légende dramatique en trois actes, *la Fiancée de Corinthe*. En décembre 1888, le Théâtre-Libre donne de lui *le Cor fleuri*, une féerie en un acte écrite avec Ferdinand Hérold. Mikhaël commence donc à avoir une réputation, qui s'accroît, l'année suivante, avec *Florimond*, couronné au concours poétique de *l'Écho de Paris*, dont le jury comprenait entre autres Banville, Heredia, Leconte de Lisle et Mallarmé. En même temps paraissent dans les revues plusieurs textes qu'on retrouvera, réunis en volume, dans le recueil de ses *Œuvres*, paru en 1890, peu de temps après la mort du poète. La création de son drame lyrique *Briséis* (sur une musique d'Emmanuel Chabrier), issu de sa collaboration avec Catulle Mendès, n'aura lieu qu'en 1897.

L'œuvre peu abondante de Mikhaël se situe délibérément dans la mouvance symboliste, dont elle reprend souvent jusqu'à la caricature les thèmes essentiels : voluptés, tristesses, deuils et crépuscules, parfums, ostensoirs et clairs de lune, corruptions et fleurs vénéneuses, songes fabuleux et forêts sacrées se combinent pour produire un climat décadent et morose. Souvent aussi les poèmes se déroulent dans un passé indéfini, où le poète devient mage ou « hiérophante » chargé de révéler au monde on ne sait quels secrets ténébreux. Ces vers, souvent très travaillés, très « artistes » aussi, ne nous convainquent pas : peut-être parce qu'on y sent plus d'application, plus d'érudition et de maniérisme que d'originalité.

BIBLIOGRAPHIE

Œuvres, Paris, Lemerre, 1890.

A consulter. — L. de Nardis : *Simbolismo minore : Éphraïm Mikhaël*, dans *Studi sulla letteratura*, Ediz. Scient. italiane Napoli, 1959 (avec bibliographie); F. Pruner, *les Luttes d'Antoine. Au Théâtre libre*, Paris, Minard-Lettres Modernes, 1964 (à propos du *Cor fleuri*).

A. PREISS

MILET Jacques (1425-1466). Ce poète, dont la mort inspira de nombreuses complaintes, fut apprécié de ses contemporains et successeurs (Gréban, Saint-Gelais, Lemaire de Belges). En 1450, « estudiant es loys en l'université d'Orléans », il commence, pour Charles VII, une *Istoire de la destruction de Troie la Grant,* pièce de 27 000 vers en quatre journées, qu'il achève comme « maistre ès arts » en 1452. Cette œuvre fut très populaire : une douzaine de manuscrits aux XVe et XVIe siècles, autant d'éditions entre 1484 et 1544; Philippe le Bon en possède deux transcriptions. Elle constitue la première mise en scène de l'Antiquité à une époque où les sujets sont surtout religieux. Sa source semble avoir été l'*Historia destructionis Troiae* de Guido de Colonna (1287). Le lien avec la légende est explicite : « Et pour ce que bien je savoye/Que aultreffois a esté escripte/En latin et en prose laye/Si ay voulu éviter reddicte/Si ay proposé de la faire/Par parsonnages seullement ».

Milet adapte un mythe historique déjà connu sur les origines lointaines de la France, exploitant la conscience médiévale de la continuité entre les époques. Le prologue est la transposition dramatique d'un argument romanesque et lyrique : l'auteur traverse un pré, voit un arbre, qu'une bergère lui dit être celui du lignage de France, le trouve creux, contenant des urnes troyennes, qui lui donnent l'idée d'écrire l'histoire de la cité. La sympathie patriotique de Milet va aux Troyens, et les Grecs sont traités sans complaisance : Achille n'est qu'un faible, couard et traître, qui sera ignominieusement bastonné. Parmi les morceaux de bravoure figurent deux lamentations : celle d'Hélène à la mort de Pâris; celle de Priam à la mort d'Hector. La technique ne diffère pas de celle du drame religieux (mansions); des ménestrels, anges musiciens, apparaissent durant les intermèdes. Le style est très varié, associant plusieurs types de vers, des songes, des séquences allégoriques, des proverbes; mais la prolixité y règne — défaut de l'époque. En 1459, Milet compose la *Forest de tristesse,* retrouvée dans le *Jardin de plaisance.* L'auteur donne le ton : « En termes obscurs et couvers/Je vueil escrire et mectre en vers/Cela que ne voult onques bouche... » L'amant traverse une forêt, véritable enfer des amoureux, gardée par une femme horrible, parsemée de cadavres, remplie de gens fous de désespoir : « C'est icy la forest d'ennuy/Ou arbre nesung fruict ne porte/Et n'y peut vivre en paix nulluy/Tout est layt et de fausse sorte.../ Melancolie en est la dame ». Il arrive à un arbre où est attachée avec la chaîne d'Amer Souvenir une jeune fille jadis « fraîche et vermeille », maintenant « desconfortée », qui se plaint à lui de « deux livres faux et mauldis » (le *Roman de la Rose* et Matheolus); après avoir risqué de se noyer dans la rivière de Reffus en compagnie de l'ami de la Belle Dame sans Merci, il rencontre Subtilité, qui lui apprend que tout homme doit traverser la forêt une fois dans sa vie. Le malade d'amour aperçoit enfin la prairie de Merci. Cette pièce est un plaidoyer pour les femmes, contribution à cette querelle littéraire qui oppose, au XVe siècle, les partisans d'une image idéalisée de la dame aux héritiers de la tradition satirique inspirée par Jean de Meung; elle reflète aussi la vision amère et mélancolique que le lyrisme du temps cultive complaisamment, d'un amour souffrance, d'un plaisir masochiste de la tristesse.

BIBLIOGRAPHIE
Édition. — Reproduction en 1883, par E. Stengel, de l'édition *princeps* de 1484 (Marburg).
A consulter. — A. Piaget, « Simon Gréban et Jacques Milet », *Romania,* XXII, 1893; G. Haepke, *Kritische Beiträge zu Jacques Milets dramatischer Istoire...,* Marburg, 1899.

A. STRUBEL

MILLEVOYE Charles-Hubert (1782-1816). La vie brève de Millevoye, mort de phtisie à trente-trois ans, a été tout entière dévouée à la poésie : elle occupe l'espace ingrat, confus et flou qui sépare les premières heures romantiques du crépuscule néo-classique.

Un poète éclectique

Après avoir émerveillé ses maîtres, au collège d'Abbeville, par son génie précoce de la versification, Millevoye poursuit de brillantes études à Paris, au collège des Quatre-Nations : l'application poétique, présente dans toute son œuvre, évoque le zèle scolaire de ses débuts. Après avoir recueilli ses premiers essais (*les Plaisirs du poète,* 1801), il obtient des prix académiques pour une *Satire des romans du jour* (1802), *Belzunce ou la Peste à Marseille* (1808), *la Mort de Rotrou* (1811), *Goffin ou le Héros liégeois* (1812). Ainsi couronné dans les genres satirique, narratif et descriptif, il n'en néglige pas pour autant la tragédie (*Antigone, Saül, Ugolin*) ni le poème héroïque (*Charlemagne à Pavie,* 1812; *Harold aux longs cheveux,* 1812; *Alfred, roi d'Angleterre,* 1815). Épigrammatiste honorable, il n'en triomphe pas moins dans les tendresses et les langueurs élégiaques (*Élégies,* 1811). Ses *Œuvres complètes* (1822, 1827) forment une rhapsodie des thèmes et des goûts du temps : continuateur de la poésie du XVIIIe siècle (celle de J.-B. Rousseau, de Lebrun-Pindare, de Léonard, de Gilbert, de Parny, de Chénier...), il a lu Shakespeare, Milton et Ossian. Il est à l'aise dans les sujets antiques, médiévaux ou scandinaves, dans l'impersonnalité ornée du poème descriptif aussi bien que dans les pudeurs de la confidence voilée.

Le style Empire

Une manière correcte, pure, pâle, unifie et harmonise toutes ces diversités : caractéristique du style poétique impérial, elle atteint, chez Millevoye, à une perfection limpide et mélodieuse. Nulle rudesse, nulle transition abrupte, nul excès de couleur historique ou locale : en deçà des audaces pindariques de Lebrun ou de la vigoureuse expressivité d'André Chénier, une heureuse facilité parvient à joindre sans heurt des tons contrastés et apaise en une diction quelque peu monotone, mais toujours distinguée, les émotions et les violences. Lorsqu'il évoque la peste à Marseille, le poète confère à la cérémonie funèbre en l'honneur des victimes du fléau une grandeur touchante qui compose un tableau lumineux, idéalisé, éthéré :

> La terre s'en émut, et les cieux l'entendirent :
> On dit même qu'alors l'ange mystérieux
> Qui s'assied aux confins de la terre et des cieux,
> Laissant un sillon d'or sur sa route étoilée,
> Descendit lentement et, la tête voilée,
> Recueillit les soupirs et, saint médiateur,
> Les porta sur son aile aux pieds du Créateur.

Cette élégance n'exclut ni la force ni l'image, mais se plaît dans une litote qui contient les sentiments, modère les mots, tempère les rythmes; elle rappelle les bas-reliefs du temps, avec leurs Victoires ou leurs Génies pensifs, les ornements des bronziers ou des orfèvres, les dessins de Prudhon; elle fait le charme et le prix des romances et des ballades, des pièces « officielles » et des chansons intimes, qui témoignent toutes d'une légèreté gracieuse, d'une savante simplicité, d'un classicisme fragile et frémissant.

Théorie et pratique de l'élégie

L'œuvre entière de Millevoye est imprégnée d'une mélancolie grave : cette basse continue, présente derrière les sourires ou les engouements, devait conduire le poète à la confidence élégiaque, qui lui permet d'exprimer avec les contraintes formelles et thématiques minimales sa secrète anxiété. Les *Élégies* de 1811 (rééditées et augmentées en 1814) sont précédées d'un « discours » qui refuse toute définition trop précise du genre : nomenclature de « sujets » traditionnels, de moules métriques (comme le distique élégiaque), de formes fixes ou convenues. L'élégie y apparaît comme une tonalité singulière de l'inspiration, évidente dans une épopée comme *l'Énéide* ou dans une tragédie comme la *Bérénice* de Racine, qui veut parfois se produire seule, et qui pénètre les trois livres du recueil : compositions personnelles; pièces de couleur grecque; « récits et chants élégiaques » qui transportent le lecteur dans l'Orient biblique, l'immémoriale Arabie ou la Perse voluptueuse. La réminiscence fleurit dans ces pages charmantes qui rappellent Parny, Chénier, voire Bernardin de Saint-Pierre ou Chateaubriand; mais on y perçoit, en même temps, des accents nouveaux : un mal de vivre lancinant, une tristesse apprivoisée et projetée sur les êtres et les choses, une sincérité qui parvient à franchir l'académisme de la forme et les timidités de la langue. « La Chute des feuilles », « le Poète mourant » annoncent les accents plus sonores des prochaines *Méditations* de Lamartine; les esquisses antiques préfigurent les premiers poèmes de Vigny; l'intimisme du « Berceau », du « Déjeuner » ou de la « Soirée » précède le retour à la poésie de la quotidienneté et du foyer qui s'épanouit après 1830. Ainsi, en des vers frêles, en des strophes automnales, en des tableaux où la finesse du trait se voile d'une vaporeuse imprécision, se déploient les séductions de la lyrique néo-classique, vibre une sensibilité nouvelle et se cherche un ton plus familier pour évoquer les moments où s'entend, dans le silence de l'apparente insignifiance, la chanson triste de la vie humaine.

BIBLIOGRAPHIE
Éditions. — *Élégies* (...), publiées par A. Séché, Paris, Michaud, 1909; *Œuvres*, publiées par P.L. Jacob, Paris, A. Quantin, 1880, 3 vol.
A consulter. — P. Ladoue, *Charles Millevoye* (1782-1816), Paris, Perrin, 1912; A. Ledieu, *Millevoye, sa vie et ses œuvres*, Paris, Picard, 1886.

D. MADELÉNAT

MILOSZ Oscar Vladislas de Lubicz-Milosz, dit **O.V. de L.** (1877-1939). C'est une destinée littéraire singulière que celle de cet aristocrate lituanien qui a choisi la langue française pour faire œuvre de poète, de dramaturge et de métaphysicien : il a fallu, en effet, à Milosz suivre un itinéraire insolite pour passer de l'héritage symboliste aux macérations du messianisme. Ce cheminement original a su retenir l'attention d'un auditoire restreint, composé d'abord d'amis, puis de quelques critiques animés d'un double souci : révéler une « somme » marquée du sceau du génie et de l'étrangeté; la tenir pourtant cachée sous des demi-mots d'initiés.

Un itinéraire tourmenté

Né en Lituanie — alors sous administration russe —, à Czeréïa, Milosz, descendant d'une antique lignée, se trouve mal ancré sur une terre que l'envoûtement des émotions enfantines a rendue, pour lui, irréelle. Il connaît, certes, le sentiment aristocratique et un peu passéiste d'appartenance à un sol, mais ce sentiment est contrarié par les alliances cosmopolites que nouèrent ses parents : sa grand-mère n'est-elle pas une cantatrice italienne? Son père n'a-t-il pas épousé la fille d'un rabbin polonais?

Au tiraillement des origines viennent s'ajouter les embarras du choix d'une langue, les impératifs de l'éducation du jeune noble ayant fait de lui précocement un polyglotte. L'installation de Milosz en 1889 à Paris, où il suivit les cours du lycée Janson-de-Sailly, puis ceux d'épigraphie orientale de l'École du Louvre, détermina le choix qu'il fit de la langue française et d'une seconde patrie qui devait être sa patrie d'écrivain.

Il publie dès 1899 son premier recueil poétique, *le Poème des décadences*, où se marque l'influence de ses fréquentations littéraires : salons parisiens et cercles symbolistes. Il donne par la suite, dans la même veine, deux autres recueils : *les Sept Solitudes* (1906); *les Éléments* (1911).

Les années 1910 sont pour l'écrivain celles du trouble; les voyages en Europe se succèdent, ainsi que diverses échappées vers d'autres modes d'expression que la poésie. Il s'exerce au roman avec *l'Amoureuse Initiation* (1910) et compose une trilogie de mystères : *Miguel Mañara* (1912), *Méphiboseth* (1914), *Saül de Tarse* (inédit jusqu'en 1971).

Les préoccupations métaphysiques, que révèlent le roman et le théâtre de Milosz, trouvent leur aboutissement dans la nuit d'extase qu'il connaît le 14 décembre 1914. L'expérience de la révélation, qui ne le ramènera à l'orthodoxie catholique qu'en 1927, irrigue désormais toute son œuvre, aussi bien celle du poète qu'il demeure en publiant *Symphonies, Nihumim* (1915), *Adramandoni* (1918), *la Confession de Lémuel* (1922), que celle du métaphysicien qu'il est devenu avec *Ars magna* (1924) et *Arcanes* (1926), deux traités de métaphysique que prolongent les derniers « poèmes » qu'il ait écrits de 1924 à 1937.

Dans le même temps, Milosz s'est mis au service d'une Lituanie ressuscitée comme État indépendant en 1918; tout d'abord en tant que diplomate, jusqu'à sa naturalisation française en 1931, ensuite comme traducteur « d'une des plus vieilles poésies populaires de l'Europe » : *Daïnos* (1918), *Contes et Fabliaux de la vieille Lituanie* (1930), *Contes lituaniens de ma Mère l'Oye* (1933).

Il achève sa quête d'une patrie et d'une origine, à la fois terrestre et céleste, en composant de troublants essais tels que *les Origines ibériques du peuple juif* (1933), *les Origines de la nation lituanienne* (1937) ainsi que l'ensemble exégétique qui réunit *l'Apocalypse de saint Jean déchiffrée* (1933) et *la Clef de l'Apocalypse* (1938).

Il meurt à Fontainebleau — où il s'était retiré depuis plusieurs années — à soixante-deux ans, foudroyé par une crise cardiaque.

Du poète au prophète

Celui qu'Oscar Wilde surnomma « Milosz-la-Poésie » se rattache, par ses premiers recueils, au symbolisme finissant. Il s'agit là d'une poésie d'école un peu fanée, et qui, nourrie des thèmes empruntés au romantisme ou à Baudelaire, ne leur restitue pas leur vigueur originelle. Évocation de la brumeuse patrie, nostalgie, morbidité, goût de l'exotisme se noient dans les « loin », les « là-bas » et dans les facilités du style incantatoire. Ce mélange d'artifices voyants et de « langueur tant soit peu surannée » (cf. « Scènes de Don Juan », dans *les Sept Solitudes*) restera la marque du lyrisme miloszien.

Toutefois, au lecteur qui examine le ton d'amère célébration des recueils plus tardifs, où les préoccupations religieuses deviennent essentielles, s'impose la référence à Claudel, dont l'œuvre abandonne brusquement les options poétiques du siècle pour le recensement exhaustif de la Création. Jamais cependant Milosz n'accédera à cette solide naïveté avec laquelle l'art claudélien sertit le réel et héberge le surnaturel.

Sans doute l'expression poétique est-elle pour lui un langage par défaut qu'excède un projet à la fois littéraire et philosophique plus vaste qu'il tentera d'accomplir au sein de genres nouveaux.

Ainsi, dans *l'Amoureuse Initiation*, on peut ne lire que la confession burlesque d'un seigneur vénitien qui tient de l'auteur lui-même d'être à mi-chemin entre Don

Quichotte et Don Juan, mais le récit, chaotique et baroque, mêle déjà aux scènes de débauche les réflexions d'ordre métaphysique où se jette le héros « dont toute (la) chair brûle de prophéties ». Cette hésitation entre le donjuanisme et l'ambition prophétique, entre l'amour de la créature et l'amour du Créateur, se retrouve dans tout le théâtre de Milosz, notamment dans *Miguel Mañara,* sa pièce la plus achevée et la seule jouée. Formant un triptyque avec la pénitence de David et la conversion du futur saint Paul, thèmes respectifs de *Méphiboseth* et de *Saül de Tarse,* la fin édifiante du « pire homme qui fût » marque le terme d'un certain dilettantisme littéraire.

Déjà l'œuvre théâtrale, avant la confirmation de la nuit d'extase de 1914, fait de Milosz ce « poète de Dieu » auquel a cédé la place le simple « pleureur du passé ». Sans se soucier des écueils de la mégalomanie, il n'aura désormais de cesse qu'on ne l'intronise comme prophète de notre temps.

La quête mystique

Lorsque Milosz déclare, dans *la Confession de Lémuel :* « Je ne m'adresse qu'aux esprits qui ont reconnu la prière comme le premier entre tous les devoirs de l'homme », il avoue la brutale restriction qui frappe son propos. Dans ses traités métaphysiques (*Arcanes, Ars magna*), où la langue s'affermit jusqu'à devenir impénétrable, il se lance, au-delà de la prière et du credo, dans une aventure conceptuelle où d'aucuns, abusivement sans doute, croiront déceler des recoupements avec les théories d'Einstein. Le « Rien sacré », principe de l'Être, l'instantanéité du mouvement, la pensée simultanée du temps et de l'espace sont les axes principaux de cette gnose miloszienne.

Ses propres concepts posés, il donne, utilisant sa science consommée de l'hébreu, de la cabale et de l'histoire des civilisations, une série d'essais où se résument ses « travaux de préhistorien et d'exégète ». Essayiste, il ne rompt à aucun moment la continuité de sa démarche mystique : une seule obsession d'un bout à l'autre, celle de tout ramener à une origine unique et fondatrice; telle cette Ibérie mythique, berceau de la civilisation occidentale, rassemblant la terre d'Israël, la Lituanie et... l'Euskadi.

La quête mystique de Milosz, autant qu'une aspiration au divin, semble être la recherche d'un mythe fondateur, d'un texte sacralisant qui justifie sa propre existence d'homme et de prophète. Ainsi à la fin de sa vie jettera-t-il son dévolu sur l'Apocalypse selon saint Jean et en donnera-t-il une leçon « paranoïaque », n'hésitant pas, à l'issue d'interminables jeux philologiques et anagrammes hébraïsantes, à se donner, sans la moindre ironie cratyléenne, comme le dernier envoyé de Dieu sur terre.

Le jugement que portera l'histoire sur ces « bizarreries » déterminera, en dernier ressort, la survie littéraire de Milosz. Ceux que ne déroute pas la gnose et qui admettent qu'une certaine grandiloquence est la loi du genre, lui accordent du génie; il reste cependant, pour l'instant, à la fois tenu en suspicion par les métaphysiciens orthodoxes et boudé par la plupart des historiens de la littérature.

BIBLIOGRAPHIE

Les *Œuvres complètes* d'O.V. de L. Milosz sont désormais éditées par les éd. André Silvaire (Paris) qui ont mené à bien une réalisation entreprise en 1946, par les éd. Egloff (Fribourg) et la Librairie Universelle de France (Paris); publication du t. XII en 1982; *Bibliographie,* par G. Place, Paris, Chronique des lettres françaises, 1971.

Les travaux critiques qu'a pu susciter l'œuvre de Milosz sont surtout le fait de miloszien fervents qu'obsède un exemple aussi hors du commun de passage de la littérature au mysticisme gnostique; parmi les études les plus accomplies et les mieux documentées, on citera : A. Godoy, *Milosz, poète de l'amour,* Paris, éd. Silvaire, 1960; J. Bugé, *Milosz en quête du Divin,* Paris, Nizet, 1963. L'ouvrage, sans conteste, le plus agréable, c'est-à-dire distancié, et le plus facilement accessible reste : J. Rousselot, *O.V. de L. Milosz,* Paris, Seghers, 1972. On consultera aussi J. Bellemin-Noël, *la Poésie-philosophie de Milosz,* Paris, Klincksieck, 1977, et les actes du Colloque de Fontainebleau, *Lire Milosz aujourd'hui* (1977), Paris, A. Silvaire, 1977. Les Éd. Silvaire publient depuis 1967 les *Cahiers* de l'association des amis de Milosz.

M. RENDU

MIMÉSIS, DIÉGÉSIS. Pour Platon (*la République*) comme pour Aristote (*Poétique*) la représentation artistique se divise en deux grandes catégories. La première, qui correspond à la poésie dramatique, consiste à « imiter » directement la réalité par le biais d'acteurs qui s'expriment devant le public; c'est la mimésis. La seconde appartient au genre narratif; c'est le récit (*diégésis*) d'événements, fictifs ou non. Pour la rhétorique antique, l'opposition s'établit entre le discours des personnages, postulé comme une image du réel, et le discours d'un narrateur, considéré comme imaginaire ou mythique. Cette tradition culturelle se retrouve dans certains romans contemporains où les dialogues, par exemple, reproduisent les impropriétés du langage oral et populaire tandis que l'auteur s'impose la « correction » dévolue au style littéraire.

A l'époque classique, le couple antithétique mimésis/diégésis s'efface devant l'opposition — de nature différente — description/narration, comme le montre ce distique de Boileau : « Soyez vif et pressé dans vos narrations; / Soyez riche et pompeux dans vos descriptions » (*Art poétique*). La description (avatar de la mimésis antique) est alors considérée comme un ornement destiné à embellir le récit tout en connotant l'aspect littéraire du genre. Il s'agit, en quelque sorte, d'un artifice rhétorique qui doit exploiter toutes les ressources des figures de style sur lesquelles repose la majeure partie de l'enseignement de la littérature.

Figure-ornement, tel est encore le statut de la description sous la plume néo-classique d'un Chateaubriand. Avec le développement du positivisme et des préoccupations réalistes, l'imitation va conquérir, au cours de l'âge d'or du roman « objectif », une place prépondérante jusque dans sa signification diégétique, c'est-à-dire dans ses rapports symboliques avec l'intrigue, les motivations psychologiques des personnages ou encore le contexte sociologique de l'étude des mœurs. Chez Balzac, Flaubert, Stendhal et leurs épigones naturalistes, le récit « réaliste » se veut avant tout descriptif. La fonction mimétique l'emporte sur le déroulement diégétique.

Avec le « nouveau roman », ce mouvement s'accentuera au point que, dans certains textes comme les *Instantanés* de Robbe-Grillet, l'évolution temporelle ne résultera plus que de la juxtaposition de descriptions aux changements imperceptibles. C'est alors le glissement diégétique du récit. Imitation et narration tendent à se confondre. L'usage généralisé d'un temps grammatical dont on ne sait s'il s'agit d'un présent « de narration » destiné à rendre le récit plus vivant ou d'un présent scénique, intemporel, achève de gommer les frontières du récit classique. Déplacé, le problème de l'imitation se situe désormais plus au niveau de l'opposition récit/discours qu'à celui du couple antithétique description/narration.

C'est sous le titre des « relations de temps dans le verbe français » que le linguiste Émile Benveniste a exposé les bases de la distinction couramment admise entre deux systèmes complémentaires qui manifestent deux plans d'énonciation différents :

Le plan du récit historique comporte trois temps grammaticaux : l'aoriste (ou passé simple), l'imparfait, le plus-que-parfait, et, éventuellement, un présent « de définition ».

Le plan du discours utilise un registre beaucoup plus vaste. Un seul temps est exclu : l'aoriste. L'utilisation systématique du parfait (ou passé composé) en est une des caractéristiques fondamentales.

En conséquence, le dialogue, en tant que représentation (mimésis) de propos échangés, se situe normalement au niveau du discours : les temps essentiels sont le présent et le parfait, les éléments grammaticaux les plus importants sont les pronoms « je » et « tu », les marques de la « deixis » par rapport à l'*ego* (« ici », « maintenant », etc.); le récit d'événements, ultérieurement rapportés (diégésis), utilisera l'aoriste et le pronom « il », ainsi qu'un temps commun : l'imparfait, et les marques du système « allocentrique » (organisées par rapport à une référence extérieure à l'*ego*). Sur le plan sémiologique, la linguistique moderne rejoint l'opposition logicosémantique pressentie par la rhétorique antique.

BIBLIOGRAPHIE

E. Benveniste, *Problèmes de linguistique générale*, Gallimard, 1966; G. Genette, *Figures II et III*, Le Seuil, 1969, 1972; J. Damourette et E. Pichon, *Des mots à la pensée. Essai de grammaire de la langue française*, d'Artrey, 1952.

B. VALETTE

MIOMANDRE Francis de, pseudonyme de **François Durand** (1880-1959). L'œuvre de Francis de Miomandre rend un écho fidèle de la jolie musique qui remplit son pseudonyme. Poète, conteur et, à ses heures, philosophe, il se situe de façon très originale dans une tradition d'élégance : perfection et clarté de la langue, aisance dans l'art de conter, qui évoquent aussi bien La Fontaine que Nodier ou Gobineau, mais aussi, dans son œuvre poétique, la fluidité et la liberté d'un Verlaine, ou le raffinement des symbolistes.

Il eut le prix Goncourt pour *Écrit sur de l'eau* (1909). Ses œuvres ultérieures ont, entre le conte et la nouvelle, l'allure d'une promenade nonchalante, où l'ironie souriante voile et révèle à la fois les méditations d'un contemplateur solitaire : *l'Aventure de Thérèse Beauchamp* (1914), *Voyages d'un sédentaire* (1918), *Zombie* (1935), *Direction Étoile* (1937). Sa poésie témoigne plus ouvertement d'une philosophie de la contemplation et d'une sagesse mystique d'inspiration orientale (*Samsara*, poèmes en prose, 1936), sans se départir pourtant de la légèreté et de la fantaisie qui marquent constamment son œuvre (*Humoresques*, 1943). Miomandre est également l'auteur d'une abondante œuvre critique qui manifeste sa grande culture et la sûreté de son jugement (*le Pavillon du mandarin*, 1921). Traducteur, il a contribué à la diffusion de la littérature espagnole en France.

Dans la pléiade des meilleurs écrivains du début du siècle, Miomandre est une étoile mineure dont la lumière un peu triste durera peut-être plus longtemps que celle de *supernovae* vite éteintes.

BIBLIOGRAPHIE

J. Cassou, « la Divine Fantaisie : Miomandre », dans *les Nouvelles Littéraires* 2075, juin 1967, 3; A. Thibaudet, *Réflexions sur le roman*, Gallimard, 1938; J. Renard, *Journal* 1887-1910, Gallimard, La Pléiade, 1960, p. 1208-1220.

A. LE PICHON

MIRABEAU, Honoré Gabriel Riqueti, comte de (1749-1791). Fils du marquis de Mirabeau, l'économiste ami des physiocrates et auteur de *l'Ami des hommes*, il eut une jeunesse scandaleuse et fut enfermé trois ans à Vincennes pour avoir enlevé une jeune femme mariée, Sophie de Monnier. C'est là qu'il écrivit ses brûlantes *Lettres à Sophie* (publiées en 1792), un *Essai sur les lettres de cachet et les prisons d'État* (1782) et un ouvrage licencieux, *Erotika Biblion* (1783). Il voyagea ensuite en Angleterre et en Hollande, et fut chargé par Calonne d'une mission secrète en Prusse (1786-1787). La correspondance chiffrée qu'il envoya à cette occasion fut publiée en 1789, anonymement, sous le titre *Histoire secrète de la cour de Berlin*. Revenu en France, il participa, par son activité de publiciste, à l'agitation politique des années qui précédèrent la Révolution. En 1789, élu aux états généraux par le tiers état à Aix et à Marseille, il opte pour le siège d'Aix. Malgré la méfiance qui l'entourait, il devint très tôt le porte-parole du tiers état, et, grâce à l'ascendant que lui valaient son immense talent oratoire et son intelligence politique, il joua, pendant près de deux ans, jusqu'à sa mort prématurée, un rôle capital à l'Assemblée nationale constituante. Disciple de Montesquieu, admirateur des Anglais, il se voulut « l'homme de la liberté publique, l'homme de la Constitution », attaquant la Cour et les princes, s'en prenant aux privilèges de la noblesse, qu'il fit soumettre à la contribution patriotique du quart des revenus (*Discours contre la banqueroute*, 24 septembre 1789), obtenant la saisie des biens du clergé, tout en défendant obstinément la prérogative royale : droit de veto, droit de commander l'armée. Les « patriotes », dès 1790, dénoncèrent « la grande trahison du comte de Mirabeau », qui se rapprocha secrètement du roi. Son corps, transporté après sa mort au Panthéon, en fut chassé par la Convention quand eurent été découvertes, dans la fameuse armoire de fer des Tuileries, les preuves de sa collusion avec la Cour. Les cinq volumes de ses *Discours*, publiés en 1791-1792, rassemblent ses interventions aux états de Provence et à l'Assemblée nationale.

Il est généralement admis qu'il fut le plus grand orateur d'une période pourtant riche en talents oratoires. Son éloquence un peu théâtrale, nourrie d'antique, savait se faire ample et majestueuse, ou bien pressante et pathétique, ou bien parfois foudroyante. Préparés par ses secrétaires (Pellenc, Dumont, Clavière, Reybaz, du Roveray, Chamfort), ses discours, d'une remarquable clarté, allaient à l'essentiel. Avec la fameuse apostrophe à Dreux-Brézé — opposant la « puissance du peuple » à celle « des baïonnettes » (21 juin 1789) —, la postérité a particulièrement retenu les discours sur le veto (1er septembre 1789), sur la contribution du quart (24 septembre 1789), sur le droit de paix et de guerre (20 et 22 mai 1790), sur le drapeau tricolore (21 octobre 1790), sur la constitution civile du clergé (novembre 1790 et janvier 1791).

BIBLIOGRAPHIE

Les *Œuvres* de Mirabeau (9 vol., Paris, 1821-1827) ne comprennent pas les lettres, les traductions, les ouvrages littéraires (et en particulier les textes érotiques). Parmi les rééditions récentes, il faut citer : *Discours*, préface et commentaire par J. Hérissay, Monaco, 1949-1950; *Discours*, édition établie, présentée et annotée par F. Furet, Paris, Gallimard, 1973; *le Libertin de qualité ou Ma conversion*, suivi de *le Rideau levé ou l'Éducation de Laure*, Paris, Cercle du livre précieux, 1962.

A consulter. — L. Barthou, *Mirabeau*, Paris, 1913; P. Dominique, *Mirabeau*, Paris, Flammarion, 1947; J.-J. Chevallier, *Mirabeau, Un grand destin manqué*, Paris, Hachette, 1947; A. Vallentin, *Mirabeau avant la Révolution*, Paris, Grasset, 1946; R. de Castries, *Mirabeau ou l'Échec du destin*, Paris, Fayard, 1960; Centre Aixois d'Études et de Recherches sur le XVIIIe siècle, Colloque 1966, Aix-en-Provence, *les Mirabeau et leur temps*, Paris, 1968.

A. PONS

MIRACLES. Comme les vies de saints, les récits de miracles sont liés, au départ, à un sanctuaire. Leur tradition latine est prolifique : Grégoire de Tours en avait rédigé huit livres. Le genre fleurit après l'an mille, se spécialise. Les miracles de Notre-Dame deviennent une source d'inspiration essentielle dès les traductions d'Adgar (XIIe siècle). Mais sous ce terme se rencontrent plusieurs types d'écriture, dramatique ou non. Avec

Rutebeuf, qui innove en transportant sur scène son *Miracle de Théophile* (un clerc qui a fait un pacte avec le diable se repent; la Vierge arrache au démon la charte signée avec le sang), les « miracles par personnages » se multiplient et deviennent la forme de théâtre par excellence au XIVe siècle. Le seul manuscrit conservé en compte 40, de 2 000 vers, et les pièces qu'il recueille ont été représentées aux assemblées annuelles de la guilde des orfèvres de Paris entre 1339 et 1386.

Le thème en est toujours identique : la Vierge sauve *in extremis* un pécheur repentant ou intervient contre une calamité. Les personnages sont nombreux — de 25 à 46 — et forment un tableau de la société du temps. Les sujets sont volontiers mélodramatiques : Guibourc, accusée à tort d'un inceste, est condamnée au bûcher, mais enlevée à temps par les archanges Gabriel et Michel pour avoir prié la Vierge Marie avec ferveur. L'originalité de cette production se trouve dans l'illustration du miracle par des scènes familières, concrètes, pittoresques, dans la tradition du *Jeu de saint Nicolas* et de *Courtois d'Arras :* la présence du sacré dans le quotidien y est démontrée de manière tangible; l'action est située dans un registre délibérément bas afin de rehausser le caractère extraordinaire et paradoxal de l'intervention divine. Ce *corpus* offre un magnifique témoignage sur l'imagerie mariale qui se répand à la fin du Moyen Âge : ultime refuge du pécheur, proche de la souffrance des hommes, la Vierge est, par son intercession maternelle auprès de son Fils, l'avocate du genre humain (cf. Villon, *Ballade pour prier Notre-Dame*). Mais le recueil le plus célèbre de *Miracles de la Vierge* est celui de Gautier de Coincy, moine à Saint-Médard de Soissons et prieur de Vic-sur-Aisne (1177-1236) : il comporte 90 récits (30 000 vers), non destinés à la scène. L'auteur y raconte, « pour cil et celes qui la letre n'entendent pas », des miracles qu'il « a trouvés en latin » et qu'il a voulu « translater et en rime metre » [Voir aussi THÉÂTRE RELIGIEUX].

BIBLIOGRAPHIE

Gautier de Coincy, éd. A. Langfors, Helsinki, 1937; éd. V.F. Koenig, Droz, « Textes littéraires français », 1955.

R. Glutz, *Miracles de Notre-Dame par personnages*, Berlin, Akademie Verlag, 1957; P. Kunstmann, *Vierge et merveilles. Les miracles de Notre-Dame narratifs au Moyen Âge*, Coll. « 10/18 », 1981.

A. STRUBEL

MIRBEAU Octave (1848-1917). Il est né à Trévières dans le Calvados. Après de tristes années d'enfance passées en Normandie, où, tout jeune, il a perdu sa mère, et où il a vécu dans la compagnie d'un père qui le terrifiait, Mirbeau connaît le temps amer du collège des jésuites à Vannes, puis commence des études de droit, interrompues par la guerre de 1870, à laquelle il prend part. En 1872, il s'initie au journalisme dans les pages bonapartistes de *l'Ordre* : il y passe de la critique artistique, où il défend Monet et Cézanne contre les académiciens, à la critique dramatique. Le voilà bientôt lancé dans la politique, mais, après avoir été quelque temps — au lendemain du 16 mai 1877 — sous-préfet de Saint-Giron (Ariège), il abandonne la carrière administrative et rejoint Paris, dont la vie mouvementée correspond à son tempérament. Collaborateur du *Gaulois* et du *Figaro*, il fait scandale par un violent article sur les comédiens (1882). En 1883, il fonde avec Alfred Capus, Étienne Grosclaude et Paul Hervieu, un hebdomadaire satirique, monarchiste et antisémite, *les Grimaces*. Il a des duels avec Paul Déroulède, avec Catulle Mendès...

En 1886 paraît son premier recueil de nouvelles, *Lettres de ma chaumière*, suivi de trois romans, tout à la fois réalistes et lyriques : *le Calvaire* (1887), *l'Abbé Jules* (1888), *Sébastien Roch* (1889). D'un individualisme sensible et passionné, qui ne se plaît que dans le paroxysme, Mi[illegible]ita-riste, avec la [illegible]pour l'Église, l'arm[illegible] les scandales, les [illegible]

Il sympath[illegible]a fin du siècle, l'a[illegible]isard. Ses romans [illegible] de la société cont[illegible]*pplices* (1899) et *l*[illegible] (1900) obtiennent de gros tirages, [illegible]*t et Un Jours d'un neurasthénique* (1901), *la* [illegible]), récit d'un voyage en automobile dont le titre donne l'immatriculation, et enfin *Dingo* (1913). Au théâtre se succèdent des pièces anarchisantes : *les Mauvais Bergers* (1897), *l'Épidémie* (1898), une série de comédies qu'il réunira dans *Farces et moralités* (1904). Son plus grand succès dramatique devait être *Les affaires sont les affaires* (1903).

Écrivain engagé et rebelle, dont l'internationalisme ne résistera pourtant pas à la guerre de 1914, il n'abdique pas la lucidité de l'artiste. Membre de l'académie Goncourt depuis 1896, il fut aussi un critique de talent, avocat des impressionnistes, et il apparaît comme un trait d'union entre les naturalistes et les symbolistes.

Réalisme et lyrisme

Naturaliste, Mirbeau? Il s'en est toujours défendu, et, bien que son esthétique s'apparente à celle du mouvement réaliste des années 1880, elle ne saurait se confondre avec elle.

Ainsi, dès les nouvelles des *Lettres de ma chaumière*, la satire est-elle étroitement mêlée à l'observation : l'attrait du grotesque et de l'excès, mais aussi la sensibilité à la poésie de la nature imprègnent déjà ces portraits de paysans normands, hantés — comme ceux de Maupassant — par l'appât du gain et par la présence de la mort.

Ironie, outrance et lyrisme resteront les constantes du réalisme de Mirbeau; ses trois premiers romans : *le Calvaire, l'Abbé Jules* et *Sébastien Roch*, en tirent une puissance particulière. Ce sont trois romans biographiques, âpres et denses, lourds d'expérience personnelle (souvenirs de collège ou de guerre) et de violence satirique.

Histoire d'une liaison amoureuse, écartelée entre la passion, la lucidité et le mépris, *le Calvaire* révèle des qualités d'analyse qui suscitèrent l'admiration de Bourget, mais il exprime aussi la révolte contre la guerre, la haine de l'armée et l'horreur de toute autorité. La dénonciation des méfaits de l'ordre social entreprise par Mirbeau se poursuit dans *l'Abbé Jules*, en même temps que s'approfondit l'attirance de l'auteur pour les abîmes psychologiques : à travers l'étude de ce prêtre mystérieux et torturé, hanté par ses désirs refoulés, à la fois prisonnier et rebelle, Mirbeau a sans doute écrit son roman le plus fort, un roman à la construction plus thématique que narrative, qui fait le procès d'une société de répression, incapable de respecter le développement individuel et la liberté de l'instinct.

Sébastien Roch continue cette œuvre de vengeance : récit d'une éducation malheureuse, il évoque la découverte de l'injustice et de la corruption pendant les années de collège et décrit le viol par un prêtre d'un adolescent à jamais désabusé, dont le marasme moral et les difficultés affectives ne trouveront d'issue que dans la mort à la guerre.

Critique véhémente des contraintes et des perversions de la religion, de l'éducation et des normes sociales, satire caricaturale de la bourgeoisie, mais aussi, pudiquement exprimées, tendresse et pitié à l'égard des vaincus; un équilibre instable se manifeste dans ces récits dont la composition, parfois éclatée, et le travail de l'écriture trahissent l'admirateur des Goncourt.

Entre le roman pamphlétaire...

Les séductions de l'anarchisme, d'abord, la dureté des luttes dreyfusardes, ensuite, vont entraîner Mirbeau vers d'autres genres littéraires, tels que le théâtre « social », mais aussi vers de nouvelles formes romanesques, susceptibles d'exprimer avec plus de vigueur l'infamie des classes privilégiées et la bassesse de l'humanité.

« Pages de meurtre et de sang » dédiées « aux prêtres, aux soldats, aux juges, aux hommes qui éduquent, dirigent, gouvernent les hommes », *le Jardin des supplices* peint le défilé monstrueux des débauches et des souffrances humaines auquel une femme convie le narrateur... Pourriture de la société et corruption de la femme : ce roman, qui n'en est plus tout à fait un, déroule une série d'anecdotes et de portraits révélateurs de l'hypocrisie sociale, avant de se muer en un long poème cauchemardesque, entremêlant le sadisme et la misogynie; une végétation luxuriante et orientale s'y nourrit du sang des suppliciés et des plaisirs de la cruauté. Ce livre où se conjuguent tous les excès de l'esprit fin de siècle remporta un succès de scandale mais ne fut guère compris.

S'ils témoignent d'un retour vers plus de réalisme, les autres romans de Mirbeau continueront à stigmatiser les médiocrités ou les ignominies de la société — et avec un mépris toujours croissant pour la composition romanesque. Ainsi, *le Journal d'une femme de chambre* tourne-t-il à la chronique scandaleuse, tant le violent réquisitoire dressé par Célestine contre la sottise des classes dominantes accumule les tares, les perversions, les ridicules et les mesquineries des mœurs bourgeoises — sans que Mirbeau soit beaucoup plus tendre pour les classes populaires — dans une succession linéaire d'épisodes.

Désormais la veine pamphlétaire l'emporte sur les nécessités de la fiction; la caricature prend le pas sur l'observation; la tirade ironique ou passionnée se substitue à la mise en acte romanesque comme si, devant tant d'injustices à combattre, le roman perdait sa raison d'être, se réduisait à une suite d'anecdotes significatives ou de propos véhéments, qui n'échappent pas toujours à la redondance.

... et la satire

Reste aussi le théâtre. Soucieux de trouver une nouvelle tribune où poursuivre ses combats et défendre ses thèses, Mirbeau s'est fait dramaturge : des neuf pièces qu'il a écrites, les premières ont beaucoup perdu de leur force, en raison de leur schématisme et de leurs intentions trop ouvertement polémiques; ainsi *les Mauvais Bergers,* violente critique des hommes politiques. Plus incisives sont ses comédies, des *Amants* à *Vieux Ménage,* pièces courtes et acerbes qui, par la caricature des existences bourgeoises, évoquent les duperies de l'amour et les injustices de la société.

Son chef-d'œuvre théâtral, *Les affaires sont les affaires,* s'inscrit dans la lignée de Jules Renard et d'Henry Becque; vraisemblance des caractères, dominés par la figure de l'homme d'affaires Isidore Lechat, qui néglige les siens pour mieux songer à ses intérêts et conserve son cynisme au milieu des pires tragédies familiales; unité et rapidité de l'action; et ironie amère.

Tout aussi épris de vérité que d'excès, ce réalisme de Mirbeau ne serait-il pas un lointain avatar du romantisme? Dans une œuvre inégale, mais souvent forte, il mêle l'imagination du lyrique à la virulence du pamphlétaire.

BIBLIOGRAPHIE
M. Schwarz, *Octave Mirbeau - Vie et œuvre,* La Haye, Mouton, 1966.

M.-O. GERMAIN

MIRECOURT Eugène de, pseudonyme de **Charles Jean-Baptiste Jacquot** (1812-1880). Sainte-Beuve a parfaitement défini la place où Mirecourt doit être situé dans la littérature de son temps : « Ce n'est pas à mon gré un écrivain ou un littérateur, c'est un libelliste, de ceux pour qui étaient faites autrefois les lettres de cachet et qui sont du domaine aujourd'hui de la police correctionnelle ». La *Gazette des tribunaux,* en effet, résume peut-être toute sa gloire : il est condamné en 1845 à six mois de prison à cause d'un pamphlet jugé — à tort? — diffamatoire et injurieux : *Fabrique de romans : maison Alexandre Dumas et Compagnie.* George Sand, La Mennais, Jules Janin, Proudhon, Émile de Girardin, Veuillot et bien d'autres le traîneront à nouveau en justice quand les soixante volumes de sa *Galerie des contemporains* (1854-1865) défraieront la chronique des scandales. L'hebdomadaire qu'il fondera, *les Contemporains,* consolidera cette douteuse notoriété, avant que l'auteur ne sombre dans un oubli dont Mirecourt n'aurait pu être sauvé, sans doute, par ses autres éclats littéraires : quelques nouvelles sans succès, un ouvrage pittoresque signé avec Leupol, *la Lorraine historique et pittoresque* (1839-1840), une pièce de théâtre sur *Madame de Tencin* (1842) ou deux timides essais pour exploiter l'engouement soulevé par des sujets et figures à la mode (*Amours historiques, les Confessions de Marion Delorme,* 1848; *Mémoires de Ninon de Lenclos,* 1852). Les titres parlent d'eux-mêmes : c'est de succès faciles et rapides que rêve Mirecourt. Mais la gloire se veut plus farouche. C'est parce qu'elle réserva ses faveurs à ceux qui daignèrent relever ses outrages que Mirecourt pourra encore marquer son nom dans quelques marges de l'histoire des lettres françaises, et que le critique Mazerolle aura loisir d'ironiser à son propos : *Confession d'un biographe : fabrique de biographies, maison Eugène de Mirecourt et Compagnie* (1857). Cependant Mirecourt demeure un intéressant témoin, et on a récemment réédité son *Berlioz* (Paris, 1979).

BIBLIOGRAPHIE
Sainte-Beuve, *Portraits littéraires,* Gallimard, La Pléiade.

D. GIOVACCHINI

MIRON Gaston (né en 1928). Avant même que l'on eût rassemblé, en 1970, sous le titre de *l'Homme rapaillé,* la plupart de ses poèmes épars, publiés ici et là dans les revues et journaux depuis une quinzaine d'années, Gaston Miron, dit « le Magnifique », était déjà l'objet d'une légende contre laquelle, d'ailleurs, il s'est longtemps défendu. Fondateur, dès 1953, des éditions de l'Hexagone, qui occupent une place prépondérante dans la production poétique de Montréal, protecteur des jeunes poètes, il a lui-même fort peu écrit, justifiant son quasi-silence dans des textes d'une très haute portée, comme ses *Notes sur le non-poème et le poème* (1965), sorte de poétique et de manifeste à la fois, où Gaston Miron assume d'une façon particulièrement tragique l'impossibilité de faire surgir la poésie dans un pays qui, dans son histoire comme dans son quotidien le plus trivial, en est la négation : c'est la situation même de l'homme québécois qui est, selon Miron, le non-poème. Et c'est ainsi que les silences mêmes du poète deviennent poésie.

L'œuvre, en conséquence, criblée de ces silences, révélée dans son inachèvement essentiel, par « extraits », par lambeaux, résonne comme le chant exemplaire de « celui qui a souffert dans sa chair et son esprit d'une situation collective ». Quelques « poèmes cycliques », dont ne nous sont livrées que des bribes, y composent une large thématique en triptyque : la femme, le poème et le pays. La femme, parce qu'elle est pour le poète l'être même de l'amour; le poème, parce qu'il est l'instance de la réalisation totale du langage; le pays, parce qu'il est la métamorphose nécessaire (et à venir) de l'homme en l'homme. Et cette quête, désespérément, cherche à « rassembler » (c'est ce que signifie « rapailler ») les fragments éclatés du poète, de ses amours, de sa culture fondamentale (voir aussi *Courtepointes*, édité à Ottawa en 1975).

Malgré son fort caractère d'oralité (Miron ayant surtout diffusé ses vers par la récitation), nulle œuvre de poésie n'est cependant plus écrite ni ne lutte avec plus de désespérance pour s'écrire sur la page comme s'il s'agissait de la graver sur le marbre ou le granit. Certains poèmes, comptant quelque huit ou dix vers, ont été tenus en constante gestation pendant dix ou quinze ans. Nulle œuvre à portée proprement politique n'aura été, non plus, autant que celle de Miron, le fruit d'une âpre recherche et d'une singulière attention aux puissances vives et latentes du langage quotidien.

Poésie de rebelle qui entend aller « jusqu'au bout dans la démonstration monstrueuse et aberrante », elle ne cède à aucune des facilités attendues, toute concentrée dans ses amas d'images d'une rigueur saisissante, tel ce « vieil Ossian aveugle qui chante dans les radars ». La voie même par laquelle cette œuvre circule et se diffuse, dans la rareté ou le refus, confirme l'exigence de sa singularité.

De la lignée des Rutebeuf, Villon, Rimbaud, Miron aura réussi à concerter sa vie et son poème, dans le même temps qu'il aura fait grincer d'une façon bouleversante la langue française. Peut-être le maître poète du Québec, à tout le moins il apparaît comme le plus exemplaire représentant de son dire poétique, de sa modernité et de sa « déchirante infortune ».

BIBLIOGRAPHIE

La Barre du jour, nº 26 (« Document Miron »), octobre 1970; Pierre Nepveu, *les Mots à l'écoute. Poésie et Silence chez Fernand Ouellette, Gaston Miron et Paul-Marie Lapointe*, Québec, P.U.L., « Vie des lettres québécoises », 17, 1979; Eugène Roberto, *Structures de l'imaginaire dans « Courtepointes » de Miron*, Ottawa, E.U.O., *Cahiers du C.R.C.C.F.*, 21, 1979.

J.-M. PAQUETTE

MISES EN PROSE. On désigne ainsi le résultat d'une activité traductrice qui, à partir de 1440 et jusque vers 1530, s'attache à translater en prose des poèmes relevant des domaines épique [V. GESTE (Chanson de)] et romanesque. Il s'agit d'un phénomène spécifique, issu de la volonté politique de certains princes qui souhaitent, en faisant procéder au rajeunissement d'épopées et de textes narratifs, disposer d'un miroir chevaleresque dont les valeurs serviront d'idéal et de justification à la chevalerie nouvelle qu'ils prétendent incarner. Né dans le duché de Bourgogne, sous l'impulsion de Philippe Le Bon, le mouvement des mises en prose s'est étendu à d'autres cours, comme celles de Jacques de Nemours, de Charles VIII et de Louis XII; il s'est poursuivi en dehors du milieu de la noblesse, et certains prosateurs, au début du XVIᵉ siècle, paraissent avoir travaillé pour des éditeurs. Les conditions d'élaboration de ces œuvres répondent au caractère aristocratique de leurs destinataires : réalisées à la demande d'un grand seigneur, dans des ateliers où collaborent écrivains, copistes et enlumineurs, elles sont parfois conservées dans de splendides manuscrits, comme la rédaction amplifiée de *Renaut de Montauban* (Arsenal, 5072-75, Munich Gall. 7) ou le *Roman d'Alexandre*, de J. Wauquelin (B.N., fr. 9342); certaines éditions anciennes sont également des joyaux de l'art du livre, comme le *Roman d'Ogier le Danois*, imprimé sur parchemin et richement enluminé, qu'A. Vérard présente à Louis XII en 1498; mais plusieurs de ces textes, notamment des récits épiques, ont été si largement diffusés par l'imprimerie, en particulier dans les éditions de colportage, qu'ils sont devenus de véritables livres populaires.

Les proses translatant un modèle épique sont les plus nombreuses (quarante-cinq œuvres ou versions distinctes); elles partent d'une chanson de geste ancienne (*Beuves de Hamtone*), tardive (*Ciperis de Vignevaux*) ou remaniée (*Journal de Blaives*), ou d'un cycle d'épopées (*Roman de Guillaume d'Orange*), ou regroupent dans une compilation des textes de provenance diverse (*Croniques et Conquestes de Charlemaine*, de D. Aubert). Certaines proses ne sont connues que par les imprimés, et certaines éditions, comme celle de *Valentin et Orson*, nous permettent de remonter à un poème perdu. Les proses épiques les plus célèbres parviendront, à travers les éditions successives de la Bibliothèque bleue, jusqu'à la seconde moitié du XIXᵉ siècle; il s'agit, entre autres, de *Renaut de Montauban*, devenu *les Quatre Fils Aymon*, qui immortalise la lutte menée contre Charlemagne par les quatre frères et leur cousin Maugis; de *Huon de Bordeaux*, fertile en aventures fantastiques; de *Fierabras*, devenu les *Conquestes du grand roy Charlemagne des Espagnes*, qui doit son succès non seulement au géant converti, mais aussi au récit de la bataille de Roncevaux; de *Galien Réthoré, fils d'Olivier*, roman d'aventures et d'amour dont le centre reste également Roncevaux; enfin de *Valentin et Orson*, véritable pot-pourri de situations épico-romanesques, construit avec un sens consommé de l'intrigue.

Difficiles parfois à distinguer des proses romanesques, dont ils adoptent la complexité narrative et le goût pour les épisodes amoureux, ces textes reprennent les thèmes favoris de la chanson de geste : combats livrés contre les Sarrasins, expéditions outre-mer; bien qu'ils soient œuvres de fiction, ils prétendent à la dignité de l'ouvrage d'histoire, dont ils ne récusent pas la technique; ils explorent une mémoire collective qui a pour points de repère des figures royales (Charlemagne, Dagobert, Pépin) ou héroïques (Roland, Ogier, Renaud) et proposent au lecteur la généalogie imaginaire du courage et de la noblesse d'âme : ainsi peut s'expliquer le fait que ces « miroirs » du prince, répudiés par l'aristocratie après 1540 au profit des *Amadis*, aient pu devenir le bien propre des plus humbles liseurs.

Les translations romanesques sont moins nombreuses (quarante œuvres ou versions distinctes). Elles concernent très peu le récit arthurien, mais il faut tenir compte du fait que les cycles en prose de *Lancelot* et de *Tristan* continuent d'être copiés, avant d'être édités; on mentionnera les mises en prose d'*Erec* et de *Cligés*, ainsi que celle de *Perceval*, imprimée en 1530; *Giglan*, pour sa part, associe le *Bel Inconnu* et *Jaufré*. Le roman antique a donné des œuvres plus variées et plus répandues : *Thèbes* est représenté par trois versions différentes, *Troie* n'a produit directement que deux proses, mais diverses sources « troyennes » (Darès, Guido, Boccace) ont inspiré plus de douze versions ou compilations, parmi lesquelles deux œuvres de R. Lefèvre, *Jason et Médée* et le *Recueil des troyennes histoires*, ont fait l'objet de plusieurs éditions au XVIᵉ siècle. La catégorie la plus abondante est, comme pour la période ancienne, celle des romans d'aventures. On y relève des récits proches, à certains égards, des proses épiques et contenant comme elles des récits relatifs aux croisades : ainsi *Baudouin de Flandres*, où la *Généalogie de Godefroy de Bouillon*, prose épique, a peut-être recueilli la légende de Jehan Tristan, et *Gillion de Trazegnies*. A côté d'eux figurent des romans dont l'argument principal, ou un élément important, est fourni par un motif de type folklorique, comme le *Chastelain de Coucy* (légende du cœur mangé), *Cleomades* (le cheval fantastique), *Guillaume de Palerne* (la métamorphose en loup-garou), la *Manekine* (la main coupée), *Gérard de Nevers* (la gageure).

Sont également translatés en prose des récits variés et difficilement classables, tels *Blanchandin*, *Florimont* ou

Berinus. Comme les proses épiques, certains textes romanesques ont été édités dès les débuts de l'imprimerie; toutefois, à l'exception de certains romans d'aventures comme *Guillaume de Palerne, Gérard de Nevers, Robert le Diable* ou *la Belle Helaine*, qui se situent aux confins des traditions épique et romanesque, ces œuvres n'ont pas été éditées au-delà du XVIe siècle. Il est vraisemblable que le succès des *Amadis* a capté l'attente romanesque du public aristocratique; les récits que nous avons cités sont donc ressentis comme populaires : à côté de textes écrits directement en prose, comme *Jean de Paris* ou *Pierre de Provence*, ils seront constamment repris par les éditions de colportage. La prétention à la vérité historique n'est pas absente des proses romanesques, mais leur attrait principal consiste dans le nombre et la variété des aventures qu'elles proposent au lecteur, tout autant que dans la puissance de leurs représentations mythiques (par exemple, le fait d'avoir épousé le diable, dans *Baudouin de Flandres*).

L'intérêt des mises en prose épiques ou romanesques est certain. Pour l'histoire littéraire, on saura gré à ces œuvres d'avoir transmis des textes dont les modèles en vers n'existent plus *(Meurvin, Mabrian)* ou ne nous sont parvenus qu'à l'état de fragment *(Berinus)*; de plus, elles ont perpétué un goût et une tradition qui avaient presque complètement disparu de la culture officielle : elles ont ainsi permis aux modèles épiques et romanesques du Moyen Âge de se transmettre depuis le XVe jusqu'au XIXe siècle, c'est-à-dire jusqu'au moment où la critique érudite s'est trouvée en mesure, grâce aux découvertes de la paléographie et de la philologie, d'étudier et de faire connaître les textes les plus anciens. Mais il s'agit encore d'intérêt littéraire, car le talent des prosateurs est réel : certains, comme D. Aubert ou J. Wauquelin, sont d'abord des compilateurs à la plume féconde; mais d'autres ont des compétences variées : B. de Villebresme, qui fut au service de Charles d'Orléans, est aussi un poète; l'historien P. Desrey a traduit le *Compendium* de R. Gaguin et a composé de nombreuses chroniques; quant à Ph. de Vigneulles, bourgeois de Metz, il est, au début du XVIe siècle, un véritable polygraphe; translateur de la geste des *Lorrains*, il tient un journal autobiographique et compose un recueil de nouvelles. Conscients de la dignité de leur sujet, ces prosateurs recherchent dans l'expression oratoire un registre qui permette de rivaliser avec le souffle de l'épopée ou la séduction du discours romanesque. Formés par le style curial à l'admiration de la période latine, ils cultivent une prose ample et rythmée, par moments savoureuse, où se prépare déjà l'écriture narrative du XVIe siècle.

BIBLIOGRAPHIE

G. Doutrepont, *la Littérature française à la cour des ducs de Bourgogne*, Champion, 1909; id., *les Mises en prose des épopées et des romans chevaleresques*, Bruxelles, 1939; B. Woledge, *Bibliographie des romans et nouvelles en prose française antérieurs à 1500*, Genève, Droz, réimpr. 1975; id., *Supplément*, 1975; Ch. Nisard, *Histoire des livres populaires*, Paris, 1854, t. II; J. Frappier, *Amour courtois et Table ronde*, Genève, Droz, 1973, p. 265-295; R. Guiette, *Forme et Senefiance*, Genève, Droz, 1978, p. 135-194; F. Suard, *Guillaume d'Orange*, Paris, Champion, 1979, p. 529-591.

F. SUARD

MISK Michel. V. LIBAN. Littérature libanaise d'expression française.

MISTRAL

MISTRAL Jean Étienne Frédéric (1830-1914). Depuis plus d'un siècle, la critique s'est emparée de Mistral. Une critique souvent tendancieuse, au-delà même de la subjectivité courante, dans l'éloge excessif comme dans l'injuste dénigrement. Une critique prolixe, qui substitue sans scrupule son propre discours à celui de l'écrivain dont elle prétend parler. Ainsi peut-on soutenir, devant ces milliers de pages écrites à leur sujet, que Mistral et son œuvre — son œuvre surtout! — restent pour beaucoup des inconnus...

Naissance d'un homme

Fils du second mariage d'un agriculteur aisé, François Mistral, et de la jeune Adélaïde Poulinet, Frédéric reçut une éducation conforme aux aspirations bourgeoises de ses parents. Ses études le conduisent de l'école de Maillane au pensionnat de Saint-Michel-de-Frigolet, du lycée d'Avignon et de la pension Dupuy — où il rencontre Roumanille — à la faculté d'Aix-en-Provence, d'où, en 1851, il sort licencié en droit.

Certes, le jeune homme s'est très tôt penché sur la poésie provençale : quelques œuvres de jeunesse en témoignent (la première tentative poétique, en 1840, est une « berceuse »; le poème géorgique *Li Meissoun, les Moissons*, est de 1848). Mais le républicain farouche de 1848 écrit aussi en français des articles et des poèmes brûlant d'un même feu révolutionnaire, et il n'hésite pas, dans sa thèse, à défendre la France unitaire : « L'effort constant de tous les régimes qui se sont succédé en France a été la création de cette unité puissante qui fait aujourd'hui la force et l'orgueil de notre nation [...] Oui, sans doute, la centralisation nuit considérablement à l'indépendance locale, mais, disons-le, au grand avantage de la liberté générale » (cité par Jean Pélissier).

C'est peu de temps après, pourtant, que, selon ses propres *Mémoires*, Mistral rentre au Mas-du-Juge, où il est né, et se promet de devenir le premier défenseur et le premier illustrateur de la langue du peuple provençal et de sa culture, tenues enchaînées depuis des siècles par l'hégémonie française et parisienne.

Erreur de jeunesse, alors, ou opportunisme d'étudiant légitimement soucieux d'en finir au plus vite et au mieux avec l'Université? Peut-être! Mais peut-être aussi est-ce la première apparition d'une pensée mouvante et parfois paradoxale, que l'on retrouvera, sublimée, dans l'ode « Aux poètes catalans » (1861) lorsque, finissant de chanter l'antique gloire de la Provence indépendante, Mistral dira : « nous sommes de la grande France, franchement et loyalement ». Fédéraliste ou séparatiste — c'est de cela qu'on l'accuse à certaines époques —, Mistral ne fait pas fi de l'estime « franchimande »; patriote, républicain et antidreyfusard, il accepte ce rôle de demi-dieu que lui font jouer les diverses tendances du nouveau félibrige. Et n'échappe-t-il pas encore aujourd'hui à une conception unie de la personnalité ou de la pensée, lorsque le mythe créé autour de lui sert de flambeau, de garde-fou ou de garant inévitable aux poètes localistes et patoisants comme aux occitanistes les plus engagés dans la recherche de leur identité?

Soixante-dix ans après sa mort, la vie privée de Mistral reste mal connue. Tout a été mis en œuvre autour de Maillane, il faut le reconnaître, pour occulter, avec une même vigilance, les actes politiques, les angoisses et les incertitudes du penseur, les grandes amours et les menues fredaines de l'homme. A peine se raconte-t-on, entre provençalistes discrets, quelques anecdotes d'où surgit l'image d'un être tout de vitalité, poète, homme d'affaires et homme d'action, infatigable travailleur (il suffit de songer aux dizaines de milliers de lettres qu'il écrivit), « créateur » d'écrivains, marieur de jeunes gens, grand amoureux devant l'éternel et fier amant dès ses années aixoises...

Il épousa en 1876 Marie Rivière; elle avait dix-neuf ans.

Naissance d'une œuvre

On connaît mieux l'histoire de l'homme public, celui dont le génie s'est voué « aux pâtres et gens des mas » et qui leur dédie *Mireille (Mirèio),* mais aussi le maître du félibrige, l'« éditeur » de l'*Armana prouvençau* et de l'*Aiòli,* le lexicographe du *Trésor du félibrige,* le préfacier d'une cinquantaine d'ouvrages, l'auteur de discours, d'articles et d'une autobiographie *(Memori e raconte),* autant que l'écrivain à qui l'on doit encore *Calendal, les Iles d'or, Nerte, la Reine Jeanne, le Poème du Rhône, les Olivades.*

Ici, l'évolution est claire, autour d'une seule constante qui porte un nom magique : Provence. L'écrivain la découvre dans sa réalité humaine, géographique, historique, linguistique, littéraire. Il prend conscience des possibilités latentes d'une culture presque morte; il l'assimile, la repense et l'offre à ses lecteurs sous une forme neuve, avec des intentions précises.

Le didactisme des premières œuvres est partout apparent, qu'il soit niché dans quelque allusion culturelle, dans quelque mot « savant » et dans quelque symbole, ou qu'il s'étale dans les fameuses « notes » finales des poèmes mistraliens.

Mais ces signes importants qui véhiculent le message du félibre ne font que connoter le langage poétique. Et c'est peut-être là qu'apparaît avec le plus de force l'art de Mistral, dans cette ambivalence du signifié littéraire : si *Mirèio* décrit la vie paysanne en Provence, sans omettre la plus petite occasion d'attacher aux déplacements des héros la relation de l'une ou l'autre légende locale, elle reste, dans sa grandeur épique, une puissante et belle histoire d'amour et de mort, où peuvent aussi se lire les angoisses de l'homme éternel, ses obsessions, ses fantasmes, ses rêves.

En écrivant *Mirèio,* le jeune Mistral s'essayait à un mode d'expression, et il découvrit deux publics. On n'a jamais bien su quel fut, en Provence, le succès « populaire » de *Mirèio,* combien elle eut, dans ses vers provençaux, de lecteurs ou d'auditeurs paysans. On sait, en revanche, qu'elle apporta aux intellectuels du Midi, gagnés à la cause félibréenne, un encouragement fondamental, tandis qu'elle partait, coquette et infidèle, à la conquête de Paris et du monde.

Naissance d'un mythe

A peine fut-il reconnu comme écrivain de valeur que Mistral devint un mythe. Le « Quarantième Entretien » du *Cours familier de littérature* que lui consacra Lamartine y fut pour beaucoup. Le romantisme vieillissant, qui n'avait pas perdu le goût — ou l'illusion — de la création littéraire spontanée et populaire après la découverte de Jasmin, le perruquier d'Agen, par Sainte-Beuve, celle de Dehin, le chaudronnier liégeois, par Béranger, celle de Burati, le vagabond vénitien, par Stendhal ou celle de Reine Garde, la servante aixoise, par Lamartine lui-même, croyait enfin tenir un témoignage irréfutable. Barbey d'Aurevilly eut beau insister, sans amertume, sur l'erreur qu'il y aurait à prendre Mistral pour un pâtre : le mal — ou le bien — était fait. La mise en opéra, par Carré et Gounod, peu fidèle à l'esprit de l'œuvre, ajouta encore à son renom : peu importait, après tout, à Paris, à Bruxelles ou à Londres, que les adaptateurs prissent les cigales pour des sauterelles...

Mistral n'eût-il plus écrit, après cela, sa gloire n'en aurait pas été ternie. A ce point de vue, en effet, on ne peut pas considérer ses œuvres postérieures comme les jalons d'une carrière. Ni *Calendal,* ni *les Iles d'or,* ni *Nerte* ne furent accueillis avec enthousiasme par la critique française. Le génie mistralien était depuis longtemps, et très simplement, une « évidence » que rien ne devait confirmer et que rien ne pouvait ébranler. L'attribution du prix Nobel (1904) et l'érection d'une statue de l'Arlésienne sur le forum d'Arles (1909) ne firent que concrétiser un jugement porté trente ans plus tôt. Le long dialogue de Mistral avec les lettres françaises du XIXe siècle ne fut, en réalité, qu'un monologue que chacun approuvait sans vraiment l'écouter.

Ailleurs dans le monde, il semble que l'on ait été plus attentif à la voix de Mistral, partout où l'on cherchait à faire revivre les patois, partout où des ethnies cherchaient à devenir des nations. Le poète hongrois André Ady ne s'inspire-t-il pas, dans sa *Légende de sainte Marguerite,* du symbolisme patriotique évident, de « la Comtesse » *(les Iles d'or)* de Mistral? Et, en 1913, le nom du père de *Mireille* est assez connu au Chili pour inciter Lucila Godoy y Alcayaga à prendre le pseudonyme de GABRIELA MISTRAL...

Naissance d'une sagesse

Dans le midi de la France, et particulièrement en Provence, l'évolution du mythe de Mistral est moins unie, moins harmonieuse qu'on a voulu le dire; mais elle est plus attachante, parce qu'elle répond aux réalités vivantes et aux aspirations des hommes.

Après *Mireille,* Mistral donne à la Provence, avec *Calendal,* l'épopée symbolique de son histoire et un projet pour son avenir. Nul doute que l'auteur ne rêve ici, comme dans certains poèmes des *Iles d'or,* de reconstituer l'unité occitane, en partant du comtat Venaissin, dans une Europe fédérée. Dans un même souffle, il entreprend de donner aux parlers occitans le dictionnaire qui leur manque pour que puisse leur être reconnu le statut de langue. Ce grand œuvre, Mistral va l'achever en 1886. Mais, entre-temps, troublé par la guerre de 1870, par la Commune, par les reproches de séparatisme qui lui sont faits, par les tendances contradictoires qui déchirent parfois le félibrige, le poète se sera réfugié dans une calme sagesse. Sans doute caressera-t-il encore l'« idée latine », mais il se tourne résolument vers une « histoire » qui ne lui offre plus désormais de leçon pour l'avenir, mais une méditation désengagée (*Nerte,* une nouvelle, *la Reine Jeanne,* une tragédie en vers assez médiocre), d'où surgira aussi l'ultime chef-d'œuvre : *le Poème du Rhône.*

Mireille (Mirèio)

« S'il est faux que les chefs-d'œuvre aient des droits sur nous, écrit Robert Lafont *(Mistral ou l'Illusion),* nous avons, nous, des devoirs envers eux ». Quand il s'agit de *Mireille,* le premier devoir consiste à relire le poème, en s'efforçant d'oublier les milliers de pages critiques écrites à son sujet dans l'enthousiasme ou le délire.

Les douze chants de cette épopée pastorale, œuvre de jeunesse où affleure une maturité singulièrement précoce, s'offrent sans grande résistance à l'approche plurielle des éléments de signification dont ils constituent la synthèse. En suivant l'intrigue, qui est d'une grande simplicité, on reconnaît sans peine le thème des amours juvéniles et contrariées qui conduisent à la mort. L'ombre des amants de Vérone suit Mireille et Vincent dans leur cheminement amoureux, depuis les premiers émois jusqu'à la mort de l'héroïne. Mais, au départ de cet invariant thématique, que de variations; celles-ci fondent l'originalité mistralienne!

« Desdémone maudite par son père », peinture d'Eugène Delacroix, en 1852.
Musée des beaux-arts, Reims.
Ph. © Bulloz.

Modèles étrangers

Gravure en couleurs de William Blake pour *The Complaint...* d'E. Young.
Éd. R. Edwards, London, 1797.
Ph. © Bibl. nat., Paris - Photeb.

Pour Gustave Lanson, la vie littéraire française se caractérise par « un mouvement de bascule qui fait qu'alternativement nous nous ouvrons, nous nous fermons à l'importation des idées et des formes étrangères ». Ainsi, à un XVIe siècle marqué par les influences italiennes aurait succédé un âge classique né du seul génie national... Peut-être serait-il plus exact de dire que, jusqu'au traité de Vienne, la langue et la littérature françaises se sont imposées comme des modèles à travers l'Europe (Voltaire : « notre langue et nos belles-lettres ont fait plus de conquêtes que

« Dante tenant le livre de *la Divine Comédie* » (dont la lumière éclaire Florence), fresque de 1465.
Cathédrale Santa Maria del Fiore, Florence. Ph. Scala © Arch. Photeb.

« Lotte et Werther », gravure en couleurs de Morange d'après R. de Saint-Amand (XIXe s.) pour *les Souffrances du jeune Werther* de Goethe (publié en 1774).
Goethe - Museum, Düsseldorf - Ph. Walter Klein © Photeb.

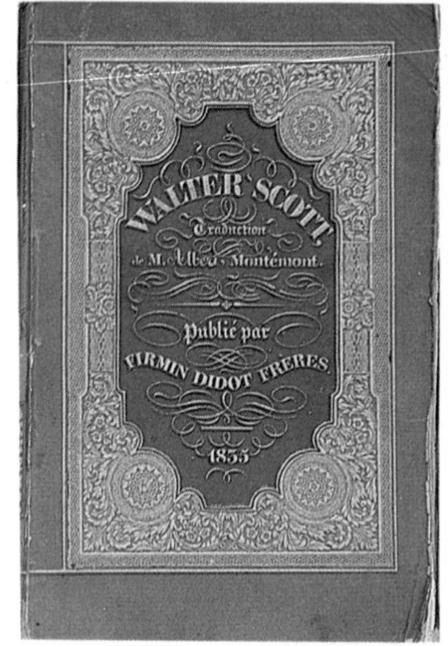

Couverture romantique pour *Ivanhoé* de Walter Scott - Firmin Didot frères, 1835.
Coll. part. - Ph. J.-L. Charmet © Photeb.

Minna von Barnhelm de G. Ephraim Lessing, écrit en 1763. Gravure de Daniel Chodowiecki vers 1770.
Ph. © Bildarchiv Preussischer Kulturbesitz, Berlin.

« Bloomsday - 16 juin 1904 », gravure de John Ryan pour *Ulysse* de James Joyce.
Coll. part. Ph. © Arch. Seuil - D.R.

« Les lumières de la ville », vue du quartier de Manhattan à New York, prise du 70ᵉ étage du Rockefeller Building.
Ph. © Keystone.

Maître Puntila et son valet Matti de Bertolt Brecht, au théâtre Mogador à Paris, en 1978, par le Centre dramatique national des Alpes de Grenoble. Mise en scène de G. Lavaudan, décors et costumes de J.-P. Vergier. Puntila : G. Monet ; Matti : G. Arbona.
Ph. © C. Lê Ahn - Arch. Photeb.

Charlemagne ») et que depuis le romantisme elles n'ont cessé d'absorber les influences les plus diverses : les romans noirs anglais, les contes fantastiques d'Hoffmann, les romans historiques de Walter Scott... et plus près de nous Joyce, les romanciers américains des années 30... Influences d'époque à époque, de courant à courant mais qui parfois se font d'homme à homme (on pense, bien sûr, à Baudelaire et Poe) et aboutissent à la redécouverte, par-delà les siècles, de figures volontairement ou non oubliées (Shakespeare, Dante, Lope de Vega...).

« L'étreinte mortelle », ill. de L. Armand Rassenfosse, 1899, pour *Les Fleurs du Mal* de Baudelaire. *Bibliothèque nationale, Paris. Phot. Jeanbor © Arch. Photeb © by SPADEM 1984*

La mort

La mort est plus qu'un thème littéraire. C'est l'« objet nécessaire de notre visée » (Montaigne), le point ultime du temps perdu, la porte des fantasmes collectifs ; à la fois mère de douleur et de sagesse, menace et espoir de délivrance (« 0 mort, vieux capitaine... » Baudelaire), occasion de méditation et d'éblouissement (« Le soleil ni la mort ne se peuvent regarder fixement » La Rochefoucauld). Un squelette étreint symboliquement toute chair — alors que toute chair l'enferme et le suppose — ; il conduit à la lumière céleste la dépouille transie du poète.

« Rue de la vieille lanterne », lithographie de Gustave Doré (1832-1883). Dans cette rue G. de Nerval fut trouvé pendu le 26-01-1855. *Bibliothèque nationale, Paris, ph. © Arch. Photeb*

Synopsis. — Maître Ambroise et son fils Vincent, pauvres vanniers, sont accueillis chez maître Ramon, le père de Mireille, au mas de Micocoules. Le soir, maître Ambroise chante, et Vincent raconte des histoires. Mireille écoute le jeune homme avec ravissement (I). Bientôt, Mireille et Vincent se retrouvent, pendant la cueillette des feuilles de mûriers destinées aux vers à soie, et ils ne tardent pas à se déclarer leur amour (II, III). Maître Ramon et sa femme Jeanne-Marie ont d'autres intentions pour l'avenir de leur fille, qui successivement éconduira trois prétendants : Alari, le riche propriétaire de troupeaux, Véran, le gardien de chevaux, et Ourrias, le dompteur de taureaux (IV). Ce dernier n'admet pas son échec : il attaque Vincent, et, vaincu en dépit de sa force, il profite lâchement de la générosité du jeune homme pour le frapper de son trident. Au cours d'une scène fantastique, Ourrias est englouti par le Rhône (V). Mais Vincent est grièvement blessé. Trois porchers le trouvent étendu dans le désert de la Crau et le ramènent au mas de Micocoules. Mireille l'accompagne dans l'antre de Taven, la sorcière des Baux, qui le guérit par ses incantations (VI). Tout à la joie de se retrouver avec celle qu'il aime, Vincent charge son père d'aller demander la main de Mireille à ses parents. Mais le vieillard est violemment éconduit par maître Ramon (VII). Mireille est désespérée. Elle s'enfuit de la maison paternelle pour aller implorer l'aide des saintes Maries de la Mer. Après avoir traversé la Crau (VIII), elle atteint la Camargue, et là, au bord du Vaccarès, elle est frappée d'insolation (X, XI). Partis à sa recherche (IX), ses parents la retrouveront seulement pour la voir mourir, dans un élan mystique, enlacée par Vincent (XII).

Sur le plan psychologique, tout d'abord, on peut être sensible à une obsession du temps qui privilégie le passé, à une poétique de la fuite dont la mort de Mireille apparaît comme la transcendance, à une pensée animiste qui annihile le mal (mort d'Ourrias) ou apaise le désespoir (vision des jeunes filles folles d'amour, V) en soumettant les êtres aux forces naturelles. Mais tout nous renvoie, dans *Mireille*, à une conception et à un traitement littéraires de l'espace. Le poète l'affirme dès son invocation au Dieu de la nativité paysanne : c'est l'espace qui engendre Mireille, « fille de la terre », c'est l'espace qui impose le mode d'expression (notre langue méprisée), l'espace qui circonscrit l'audience recherchée (pâtres et gens des mas).

A partir de là, tout est possible, et tout se tient dans un univers aux limites soigneusement tracées, depuis les traits dynamiques qui fondent la narration (les raisons du refus de maître Ramon procèdent des structures de la société paysanne) jusqu'aux développements lyriques qui n'appréhendent le temps qu'en fonction de l'espace (c'est la référence aux lieux qui ont conservé leur souvenir qui détermine le long récit de l'apostolat provençal des saintes Maries de la Mer), et jusqu'aux incohérences apparentes de ce poème chrétien (Taven, la sorcière, guérit Vincent, tandis que les saintes laissent mourir Mireille)...

Nous voilà aussi loin, en tout cas, des pâtres grecs de la vision lamartinienne que du poème catholique et national rêvé par Maurras.

BIBLIOGRAPHIE

Le texte de *Mirèio*, avec la traduction française, se trouve évidemment dans les éditions bien connues des *Œuvres complètes* de Mistral (voir ci-dessous), mais on en possède aussi une édition critique très intéressante due à Eduard Koschwitz (*Mirèio, poème provençal de Frédéric Mistral*, Marburg-Paris-Marseille, 1900). En 1959, pour le centenaire de *Mireille*, Jean Fontvieille a publié une bibliographie sélective (« Bibliographie du centenaire de Mireille », *Mirèio — Mélanges pour le centenaire de Mireille*, Montpellier) faisant suite à celle d'Edmond Lefèvre (*le Cinquantenaire de Mirèio*, Marseille, 1909). Il répertorie ainsi 407 titres de livres ou d'articles... Limitons-nous donc à signaler, à côté des études générales (voir plus loin) où *Mireille* a évidemment sa place, le livre d'Émile Ripert, *Mireille mes amours*, Paris, 1930.

L'adaptation lyrique

Dès 1862, Charles Gounod fit part à Mistral de son intention d'adapter *Mireille* en opéra. Le poète ayant marqué son accord, Gounod vint en Provence pour s'inspirer des lieux et rencontrer Mistral, non sans avoir invité au préalable son librettiste, Michel Carré, à préparer un découpage provisoire de la version lyrique. Le 23 mars 1863, Gounod s'installe à Saint-Rémy; le 24 mai, sa partition est achevée. Le 19 mars de l'année suivante, l'œuvre est représentée au Théâtre lyrique de Paris.

Si le sage Mistral ne s'est jamais plaint de cette mise en musique de son poème, qui, en fait, contribua très largement à le rendre célèbre jusqu'à nos jours, beaucoup de Provençaux furent déçus. Ils reprochèrent surtout à Michel Carré diverses maladresses et plus d'une trahison. C'est évidemment le sort de toute œuvre adaptée, et celle-ci n'a pas été moins respectée qu'une autre. Simplement, comme il fallait s'y attendre, puisque l'opéra est destiné au public parisien, tout ce qui, chez Mistral, était « empaysement » devient « dépaysement » et « couleur locale ».

L'opéra, dans sa version définitive, comprend dix-neuf scènes et sept récitatifs chantés, répartis en cinq actes qui promènent le spectateur de l'« enclos des mûriers » à la chapelle haute des Saintes-Maries-de-la-Mer, en passant par les arènes d'Arles (détail touristique ajouté par Carré), le val d'Enfer, le Rhône, le mas des Micocoules et la Crau.

Parmi les « trahisons », la plus féconde est sans doute la transformation de la chanson de Magali (chantée par Nore dans *Mirèio*) en duo permettant à Vincent de se déclarer indirectement à Mireille. L'air est resté célèbre, et il en va de même pour « Trahir Vincent... » (Mireille, acte II), « les Filles d'Arles » (Ourrias, acte II), « Anges du Paradis » (Vincent, acte V) et même pour ce morceau de bravoure du Ier acte, « O légère hirondelle », ajouté par Gounod pour satisfaire la diva, Mme Miolhan-Carvalho, qui voulait du « brillant », et qui était aussi l'épouse du directeur du Théâtre lyrique...

Calendal (Calendau)

Mistral n'est pas un poète de l'imaginaire. Il le prouve, dans ce second poème épique — en douze chants lui aussi, mais de caractère « héroïque » —, en puisant aux sources du genre troubadour français. Une œuvre du vicomte François de Villeneuve-Bargemont, *Lyonnel ou la Provence au XIIIe siècle* (Paris, 1832), se trouve à la base d'une intrigue qui utilise aussi les voyages érudits et romancés de Marchangy (*la Gaule poétique*, 1813; *Tristan le Voyageur*, 1825). La pauvreté narrative de *Calendal* contribue à mettre en évidence sa valeur profonde. Si l'espace provençal domine ici encore la création littéraire, il trouve le relais du temps, le relais de l'histoire pour exprimer, tout en symboles, les revendications de l'« idée provençale » à travers « les rythmes gigantesques de la fécondité universelle » (R. Lafont, *Mistral ou l'illusion*).

Synopsis. — Un jeune et vaillant pêcheur de Cassis, Calendal, a accompli mille exploits pour conquérir la femme qu'il aime, et il est prêt à en accomplir d'autres, pour peu qu'elle lui promette son amour. Mais la dame s'y refuse, et, devant le désespoir du jeune homme, elle se justifie en lui racontant sa triste histoire. Elle est la descendante de la famille des Baux, illustre au temps des troubadours (I). Parmi les nombreux jeunes gens qui la courtisaient, elle a choisi le comte Séveran. Mais, le jour même de ses noces, l'homme s'est montré ignoble et a révélé sa vraie personnalité : il est le chef d'une bande de brigands. La jeune épousée s'est enfuie dans les montagnes, où Calendal l'a rencontrée (II). Le héros part à la rencontre de Séveran, non sans se demander comment il pourra lutter seul contre une armée de bandits. Il se trouve pourtant en face de son ennemi, et, pour le provoquer, il lui raconte ses aventures passées (III) et surtout sa rencontre, sur le mont Gibal, avec une femme aussi belle qu'une fée — que la fée « Estérelle », dont elle portera désormais le nom (IV). Calendal y ajoute le récit des hauts faits accomplis pour plaire à Estérelle, mais ces hauts faits, et les dons qu'il fait à la dame aimée, sont vains, puisque, en faisant appel à l'exemple des troubadours (V) et des héros épiques du Moyen Âge, la dame lui a « fait connaître l'impuissance de la richesse sur la magnanimité » (VI). Après un dernier exploit inutile, seulement destiné à rendre Séveran plus jaloux (VII), Calendal se met au service des causes justes : il apporte la paix aux compagnons du Tour de France, qui se disputaient Marseille (VIII), et il délivre la Provence du monstre Marco Mau (IX). Le héros est glorieusement reçu à Aix (X), mais Séveran lui réserve un dernier piège en essayant de le corrompre au cours d'une orgie organisée dans son château d'Aiglun (XI). Calendal détruit tout, dans une juste colère, et s'enfuit pour rejoindre Estérelle. Un dernier combat lui permet de triompher « dans l'amour et dans la gloire », sous l'empire du soleil qui appartient à Dieu... (XII).

Calendal est un poème d'action, où l'obsession du Moyen Âge apparaît comme le fondement d'une pensée qui se tourne, en fait, vers l'avenir. Le poème peut — même s'il s'agit là d'une vue un peu caricaturale — se lire comme la reconquête par l'homme provençal (Calendal) de son identité culturelle (Estérelle) brimée par un centralisme aveugle (Séveran, Marco Mau). « *Calendau* est le bréviaire par voie de narration de l'idéalisme militant, un idéalisme qui, au lieu de laisser au poète les bras croisés, lui découvre un monde où l'action est d'une utilité, d'une nécessité constante et pressante » (Marcel Coulon, *Dans l'univers de Mistral*).

Voilà pourquoi, boudé par le public français, *Calendal* reste l'œuvre la plus authentiquement « félibréenne » de la renaissance provençale. L'invocation, dans laquelle le poète s'est adressé à l'âme de son pays plutôt qu'à Dieu, est considérée par les félibres, aujourd'hui encore, comme une profession de foi. Elle annonce sans équivoque le sens de l'allégorie, en maudissant la croisade contre les Albigeois, qui marqua, pour le Midi, le début de la décadence, et en faisant de la grandeur du souvenir la source de toute espérance. *Calendal* est avant tout un poème engagé, lucide dans tous ses effets, où il est difficile de trouver la persistance des thèmes psychologiques mistraliens, hormis celui de l'obsession solaire. Mais il n'y a rien d'étonnant, par exemple, à ce qu'Estérelle soit la seule héroïne du poète qui ne soit pas vouée à la mort : d'ailleurs comment pourrait-elle mourir, puisqu'elle personnifie l'« Idée » provençale?

BIBLIOGRAPHIE

On ne possède malheureusement aucune édition critique de *Calendau,* mais Léon Teissier a consacré aux divers aspects du poème un livre très riche : *Calendau. Introduction au poème de Mistral,* Montpellier, 1959. On peut aussi consulter quelques articles importants comme celui de Charles Rostaing, « l'Élément historique dans *Calendau* », *Annales de la faculté des lettres d'Aix,* XXX, 1956, de Charles Camproux, « le Héros mistralien d'après *Calendal* », *Mélanges mistraliens,* Montpellier, 1955, ou de René Méjean, « *Calendal,* épopée onirique », *l'Astrado,* X, 1973.

Les Iles d'or (Lis Isclo d'or)

De l'édition originale à l'édition définitive, ce recueil a subi des transformations qui nuisent à son unité. Fort bien connus grâce à la remarquable édition critique de Jean Boutière, les poèmes qui le composent ont été rédigés à différentes époques et ne se réfèrent donc pas à un seul moment de la pensée mistralienne. De là proviennent des discordances qui seraient des contradictions si elles étaient contemporaines. L'allégorie fédéraliste de « la Comtesse » y voisine ainsi avec le très national « Psaume de la pénitence »; la « Chanson de la Coupe », devenue l'hymne félibréen, avec l'ode plus calme « Aux troubadours catalans ».

Certains poèmes sont très denses — d'une densité intellectuelle, toutefois, plutôt que lyrique : sauf exception, comme dans « Rancœur » ou dans « Incandescence », Mistral ne livre pas volontiers des sentiments personnels. Mais les visions rêvées ou les constructions symboliques (« la Communion des saints », « Romanin », « la Belle d'août »), les contes ou les légendes ressuscités ou repensés (« le Pouilleux », « la Princesse Clémence », « la Chaîne de Moustiers »...) ne manquent pas de puissance poétique. Quelques poèmes de circonstance, en revanche, salutations, épithalames ou « toasts », égarent le lecteur sur les voies de l'inspiration patoisante.

Conscient des disparates de sa production, Mistral trouve la cohérence dans la diversité. Renouant avec le goût pour la variété formelle de ses chers troubadours occitans, il a classé par genres les pièces des *Iles d'or :* chansons, romances et sirventès, rêves (« somni » chez les troubadours, « pantai » chez Mistral), plaintes, sonnets (Mistral confond le « sonet » ou petit « son », petite « chanson » des troubadours, avec le genre bien connu) et saluts ont des antécédents médiévaux. Épithalames, contes, toasts et cantiques viennent innover, mais dans le même sens classificatoire cher au Moyen Âge. Et ce goût pour la recherche des formes se retrouve à l'intérieur des textes : *les Iles d'or* ne présentent pas moins de trente-six schémas strophiques différents, sans tenir compte des variations syllabiques...

BIBLIOGRAPHIE

L'ouvrage fondamental est l'édition critique de Jean Boutière (Frédéric Mistral, *Lis Isclo d'or,* 2 vol., Paris, 1970).

Nerte (Nerto)

Avec *Nerte,* œuvre injustement mal aimée, Mistral renonce à chercher dans le passé des leçons de militantisme. Au rythme narratif de ces octosyllabes légers, il promène une nouvelle vierge, amoureuse et farouche, sur les troubles sentiers mêlés de l'enfer et du paradis. Un pape de mélodrame, un prince de comédie et un diable d'opéra s'unissent pour fournir à l'intrigue un décor à la fois réel et fantastique. Le mythe de Faust, transposé dans la Provence avignonnaise du XIVe siècle, projette ses feux métaphysiques sur le destin de cette pauvre enfant, expiant un péché qu'elle n'a pas commis. Victime innocente, et pourtant condamnable aux yeux des hommes, Nerte se sauve et elle entraîne dans sa rédemption un pécheur authentique. Mais l'épanouissement, pour eux, ne pourra s'accomplir dans ce monde. Rodrigue et Nerte sont affamés d'amour humain : ils trouveront le pain de Dieu.

Synopsis. — Le baron Pons de Châteaurenard a fait un pacte avec le diable : comme il venait de perdre au jeu, Satan lui a, contre de l'or, acheté l'âme de sa fille Nerte, « livrable » treize ans plus tard. L'échéance approche, et Pons, sentant la mort venir à lui après une existence bien peu édifiante, voudrait sauver au moins l'innocente victime du sinistre marché. Il décide d'envoyer Nerte auprès du pape d'Avignon, Benoît XIII (Pierre de Luna), mais, comme celui-ci est alors assiégé par Boucicaut, la jeune fille empruntera un passage souterrain dont le secret fut confié aux seigneurs de Châteaurenard par la reine Jeanne elle-même. Nerte arrive donc au palais papal, où elle est accueillie par Rodrigue de Luna, jeune aventurier débauché et propre neveu du pape. Après une vaine tentative de séduction, il consent à conduire Nerte auprès du pontife. Elle lui révèle l'existence du souterrain et lui permet d'échapper à ses ennemis en la suivant jusqu'à Châteaurenard.

Le pape obtient la protection du roi Louis II d'Anjou, qu'il marie à Yolande d'Aragon dans un climat de fêtes.

Nerte est sauvée par Rodrigue, dans les arènes d'Arles, au moment où un lion se précipite sur elle. Mais la jeune fille n'oublie pas qu'un destin plus effrayant encore l'attend, et, pour y échapper, elle prend le voile à l'abbaye de Saint-Césaire. Rodrigue ne tarde pas à venir l'enlever de son couvent. Avant de livrer combat, il cache Nerte entre les tombes des Aliscamps, mais à son retour, il ne l'y retrouve pas. Il fait alors appel au Diable, mais, transfiguré bientôt par un amour dont il connaît désormais la force autant que la vanité terrestre, il présente à Satan la croix de son épée. Nerte et lui sont sauvés et peuvent entrer en gloire dans le royaume de Dieu.

On rencontre souvent, chez Mistral, ce paradoxe du bonheur. Les héros le cherchent avec frénésie, dans ce qu'il a de plus concret, et ils atteignent, bien au-delà de leur désir, une sainteté froide au parfum pétrifiant. Il en va ainsi de Nerte la courtoise, nourrie du *Breviàri d'amor*, puis éteinte par la vie, comme la fileuse de Valéry, mais statue de marbre plutôt que vitrail : « Ta sœur la grande rose où sourit une sainte »...

BIBLIOGRAPHIE

L'ouvrage fondamental est celui de Dimitri Scheludko, *Mistrals Nerto, Literarhistorische Studie*, Halle, 1922.

Le Poème du Rhône

Mistral l'a reconnu : ce n'est pas en courant après la mode qu'il a rencontré le « vers libre », c'est en lisant *la Divine Comédie*. Cette découverte rejoignait une lassitude : « Lorsqu'on a pondu vingt ou trente mille vers », écrit Mistral à un journaliste du *Figaro*, « on finit par s'apercevoir que les mêmes rimes vous rivent plus ou moins aux mêmes images et aux mêmes idées ». C'est donc de ce nouveau débat — intérieur — entre la rime et la raison que sont nés les vers tant admirés, décasyllabes féminins à césure épique, du *Poème du Rhône*.

Synopsis. — Patron Apian, élu « roi du Rhône » par la corporation des bateliers condrillots, descend le fleuve sur son *Caburle*, de Condrieu à Beaucaire. A son bord, il emmène un prince hollandais de la famille d'Orange, Guillaume, qui souhaite retrouver le berceau historique de ses illustres ancêtres. Personnage sensible et quelque peu poète, il rêve d'amour et de légende. Quand l'Anglore monte sur le bateau, il croit voir se concrétiser la grande aventure de sa vie. Cette jeune fille qui cherche des paillettes d'or dans le sable du Rhône, ravissante et mystérieuse à souhait, vit aussi de fantasmes, comme du souvenir de ce « Drac » (dragon), monstre du Rhône et séducteur de vierges, image amalgamée de ses craintes et de ses désirs. Le Prince et l'Anglore se berceront de leur mélancolique amour au fil des eaux du Rhône jusqu'à ce que le fleuve les unisse dans la mort : un bateau à vapeur coupe la voie au *Caburle* qui va heurter une pile du pont; l'équipage est sauvé du naufrage, mais les amoureux disparaissent, engloutis par le Rhône ou emportés par le Drac...

Ici, tout est musique, et le titre équivoque contribue savamment à créer cette douce impression : poème consacré au Rhône, ou poème écrit par le Rhône dans son voyage vers la mer?

Léon Teissier l'a montré : la source de Mistral est un portulan du XIXe siècle, dû au baron Raverat (*la Vallée du Rhône de Lyon à la mer*, Lyon, 1889), et le poète, soucieux de précision, s'est aussi référé à des « voyages archéologiques » comme celui de Millin (*Voyage dans les départements de France*, Paris, 1807). C'est dire assez qu'un certain didactisme continue à hanter la poésie mistralienne. Mais la science se mêle ici de façon si magique au merveilleux de la vision poétique qu'on sent à peine sa présence. Elle disparaît, d'ailleurs, quand entrent en scène le prince Guillaume d'Orange (Guilhem), et l'Anglore, l'orpailleuse, ces personnages d'un autre temps et d'une autre vie, qui semblent se mouvoir dans un monde étranger où ils ne sont nés que pour y mourir.

Le Prince appartient, dès son apparition, à ce passé qu'il cherche à retrouver dans l'espace rhodanien (toujours cette mise en équation mistralienne de l'espace et du temps!). L'Anglore, quant à elle, n'appartient à aucun temps. Elle vit de rêve et ne peut offrir au réel que la matérialité diaphane qui habitera un songe éphémère. Somme toute, elle n'est qu'un rêve mis en abyme, que le Rhône engloutit avec les illusions du Prince, les illusions du poète, les illusions des hommes...

Si Mistral a un jour cédé à la faiblesse de s'identifier à l'un de ses personnages, c'est sans aucun doute à ce prince d'Orange qui, dans sa quête du passé, se heurte au présent prosaïque, comme le *Caburle* rencontre pour sa perdition le premier bateau à vapeur.

BIBLIOGRAPHIE

Léon Teissier, *Lou Pourtoulan dón Pouèmo dón Rose*, dans *Calendau*, t. 84, 1940.

Les Olivades

Cet ultime recueil, que le poète présente un peu comme un testament, offre apparemment moins d'unité encore que *les Iles d'or*, même sur le plan formel. Les poèmes s'y succèdent sans que soit annoncé le genre auquel ils appartiennent, sans présenter entre eux de relation thématique. Quelques pièces de circonstance n'ajoutent rien à la gloire du poète...

Mais, çà et là, se lisent en filigrane une sagesse mélancolique, le sentiment du devoir accompli (« Mon tombeau »), tempéré par un sentiment de l'inachevé (« Durandal »), du rêve interrompu (« l'Archétype », « la Hantise »), de la fuite impossible (« le Mirage »).

BIBLIOGRAPHIE

L'édition critique prévue par le professeur Boutière n'a pu voir le jour. On se référera donc à l'édition des *Œuvres complètes*, publiée par Pierre Rollet.

Mes origines. Mémoires et Récits

Le sous-titre de ce livre — plus souvent cité que le titre — a donné lieu à d'innombrables commentaires. N'évoque-t-il pas, en tête de ce chef-d'œuvre de la prose en langue d'oc, le « Dichtung *und* Wahrheit » de Goethe?

Ce ne sont, il est vrai, ni des « confessions » ni des « Mémoires d'outre-tombe ». Mistral ne se livre pas plus qu'ailleurs, il n'informe ses lecteurs qu'au sujet de ce qu'ils connaissent déjà de son itinéraire littéraire et félibréen.

A travers la bonhomie du ton, et en dépit de quelques scènes paysannes et pittoresques, on reconnaît ici la démarche de l'écrivain lucide qui parachève son œuvre en fixant, sous forme autobiographique, un mythe savamment entretenu au cours des ans autour de sa personne et autour du félibrige. Autour du félibrige surtout, car, assez paradoxalement, Mistral est à la fois orgueil et modestie : réservé pour ce qui touche à sa vie d'homme, il se montre soudain prolixe lorsqu'il s'agit d'évoquer son rôle dans les conquêtes de la renaissance provençale. [Voir aussi FÉLIBRIGE.]

BIBLIOGRAPHIE GÉNÉRALE

Œuvres

Les *Œuvres poétiques complètes* de Frédéric Mistral ont été publiées en 1966 par Pierre Rollet (Aix-en-Provence, is edicionn Ramoun Berenguié, 2 vol.); les *Mémoires et Récits* et une *Correspondance* choisie constituent un troisième volume publié en 1969 *(ibid.)*.

Pour la correspondance de l'écrivain, on se référera utilement à Bruno Durand, *Correspondance de Frédéric Mistral et Léon de Berluc-Perussis*, Gap, Ophrys, 1955 (publications de la Faculté des Lettres d'Aix-en-Provence); *Correspondance de Frédéric Mis-*

tral et Adolphe Dumas (1856-1861), notes de Frédéric Mistral neveu, introduction de Charles Rostaing, Gap, Ophrys, 1959; *Correspondance de Frédéric Mistral avec Paul Meyer et Gaston Paris,* recueillie et annotée par Jean Boutière, introduction d'Hedwige Boutière, Paris, Didier, 1978 (publications de la Sorbonne — Série « Documents » — 28) et à Marie-Thérèse Jouveau, *Alphonse Daudet, Frédéric Mistral, la Provence et le Félibrige,* 2 vol., Nîmes, imprimerie Bene, 1980.

Critique

Pendant de longues années, la bibliographie mistralienne a été très abondante. L'essai le plus complet sur ce sujet est celui de Georges Place, publié en 1969 (tirage à part de la Bibliographie... de Talvart et Place, Paris, Éditions de la Chronique des Lettres françaises), qui comporte 157 pages.

Selon les aspects de Mistral qui peuvent intéresser le lecteur, il pourra lire Richard Aldington, *Introduction to Mistral,* Carbondale, Southern Illinois University Press, 1960; Jean-Paul Clebert, *la Provence de Mistral,* Aix-en-Provence, Edisud, 1980; Marcel Coulon, *Dans l'Univers de Mistral,* Paris, Gallimard, 1930; Jacques De Caluwé, *le Moyen Âge littéraire occitan dans l'œuvre de Frédéric Mistral — Utilisation éthique et esthétique,* Paris, Nizet, 1974; Marcel Decremps, *Mistral, image de l'Occident,* Paris, La Colombe, 1954; Pierre Devoluy, *Mistral et la Rédemption d'une langue,* Paris, Grasset, 1941; Robert Lafont, *Mistral ou l'Illusion,* Paris, Plon, 1954; Emile G. Léonard, *Mistral, ami de la science et des savants,* Paris, Horizon de France, 1945; Jean Pelissier, *Frédéric Mistral au jour le jour,* Gap, Ophrys, 1967 (publications des Annales de la Faculté des Lettres d'Aix-en-Provence); Sully-André Peyre, *Essai sur Frédéric Mistral,* Paris, Seghers, « Poètes d'aujourd'hui », 1959; Léon Teissier, *Mistral chrétien,* Avignon, Roumanille, 1954; Albert Thibaudet, *Mistral ou la République du Soleil,* Paris, Hachette, 1930.

J. DE CALUWÉ

MITTERRAND François (né en 1916). Né à Jarnac, il fait ses études au collège Saint-Paul, d'Angoulême, puis aux facultés de lettres et de droit à Paris. Après un passage par l'École libre des sciences politiques, il devient avocat. Prisonnier pendant la guerre, il s'évade et participe à la Résistance intérieure. Secrétaire général aux Prisonniers de guerre dans le gouvernement de Gaulle en août 1944, il sera constamment député ou sénateur de gauche à partir de 1946. Dix fois ministre de 1947 à 1958, il est maire de Château-Chinon et conseiller général de la Nièvre. Dans les rangs de la F.G.D.S., puis du parti socialiste (P.S.), il pratique une politique d'alliance avec le parti communiste français et est le candidat malheureux de la gauche aux élections présidentielles de 1965 (contre de Gaulle) et de 1974 (contre Giscard d'Estaing). Le 10 mai 1981, il est élu président de la République.

François Mitterrand a d'abord signé plusieurs essais traitant de la décolonisation, de la Chine, du gaullisme, etc. (*Politique 1 et 2* réunira, en 1981 et 1982, l'ensemble de ses interventions parlementaires), et *le Coup d'État permanent* (1964) est un pamphlet vigoureux. En 1969, *Ma part de vérité* ouvre une série d'entretiens et de chroniques qui passent en revue, sur un ton personnel et familier, les grandes questions de notre temps et de la société française. On y suit la genèse des thèmes et des thèses chers à l'homme politique. Il y montre son opposition indignée à l'égard du terrorisme d'État, du fanatisme, du pouvoir de l'argent et de l'exploitation de l'homme par l'homme et s'enthousiasme au contraire pour les idéaux de 1789, la justice, la liberté, l'esprit de responsabilité et la généralisation de la culture : « Le socialisme n'est pas un objectif, mais une *démarche* ». L'auteur de *la Rose au poing* (1973) a aussi le sens de l'amitié et connaît les ressources spirituelles de la solitude; il sait lire les livres qui comptent (*l'Abeille et l'Architecte,* 1978), et se trouve à son aise dans le milieu littéraire. L'amour de la vie et de la nature (*Ici et maintenant,* 1980), joint au souci du bien public, le range dans la tradition humaniste et moraliste française (*la Paille et le Grain,* 1975). L'écriture, solennelle, incisive, émue ou amusée, mais toujours sobre et exacte, confirme cette filiation.

M.-P. SCHMITT

MITTON Damien (1618-1690). Fils d'un maître barbier et chirurgien parisien, d'une famille d'origine picarde, Damien Mitton fut titulaire d'un office très lucratif, celui de trésorier de l'extraordinaire des guerres pour la Picardie et l'Artois. Ne fut-il, comme l'affirme Ch.-H. Boudhors, qu'« un publicain qui fait des bons mots et a de l'argent », un de ces discrets épicuriens de la société libertine, joueur, compagnon de Des Barreaux et de Saint-Pavin, ami du chevalier de Méré? Derrière un effacement très délibéré, on devine cependant une figure qui intrigue.

La pensée de Mitton, sceptique jusqu'à l'évanouissement de sa propre expression, tient toute en quelques pages publiées au tome VI des *Œuvres mêlées* de Saint-Évremond. Il s'agit des *Pensées sur l'honnêteté, Description de l'honnête homme* et d'*Avis et Pensées sur divers sujets.* Dans une forme qui constitue un bel exemple de « degré zéro de l'écriture », Mitton indique la voie de la perfection morale et esthétique. Il s'agit de tendre au bonheur par l'altruisme, au plaisir par la science subtile de l'appréciation du « goût » des choses. L'honnête homme « ne se pique point de rien savoir », mais « il connaît le prix, le fort et le faible de tout ». Un témoignage de l'importance de cette pensée est la fascination qu'elle exerça sur Pascal, ce dont témoignent explicitement plusieurs passages des *Pensées.*

Ce théoricien du bonheur passa les vingt dernières années de sa vie paralysé. On le visitait pour son esprit et son jugement. On a recueilli de lui des *Bons Mots* d'une belle et très laconique simplicité. Thomas Corneille disait de lui : « Il juge si bien de toutes choses et il a le goût si fin et si délicat sur tout ce qui fait la beauté de notre langue... ». Il a laissé une édition annotée des *Remarques* de Vaugelas.

BIBLIOGRAPHIE

L'édition originale des *Œuvres mêlées* de Saint-Évremond est de 1680. *Œuvres en prose,* éd. R. Ternois, Paris, Didier, 4 vol., 1962-1969. *Les Bons Mots de feu M.M.* ont été publiés avec le portefeuille de M.L.D.F., Carpentras, 1694.

A consulter. — H.A. Grubbs, *Damien Mitton, bourgeois, honnête homme,* Princeton University Press, et Paris, P.U.F., 1932.

O. BIYIDI

MOCKEL Albert (1866-1945). V. BELGIQUE. Littérature d'expression française.

MODERNITÉ. V. BAUDELAIRE Charles.

MODIANO Patrick (né en 1945). Son premier roman, *la Place de l'Étoile,* paraît en 1968; il porte en épigraphe une « histoire juive » qui en reflète bien le thème et le ton : « Au mois de juin 1942, un officier allemand s'avance vers un jeune homme et lui dit : Pardon, monsieur, où se trouve la place de l'Étoile? Le jeune homme désigne le côté gauche de sa poitrine ». Dès cet ouvrage, Modiano impose un monde : celui des bas-fonds de l'Occupation, d'abord à travers le personnage de Raphaël Schlemilovitch, juif collaborationniste puis vengeur des juifs; monde qui se joue du temps et de l'espace, et dont les héros partagent les mêmes obsessions, le même égocentrisme, la même façon de pleurer sur soi; monde que l'on retrouve un ton plus bas, dans *la Ronde de nuit* (1969), autour de Swing Troubadour-Lamballe, introduit par la Gestapo dans un réseau de résistance, incapable d'être un traître, incapable d'être un héros, et qui ne saura, très pudiquement, que devenir un martyr. Dans *les Boulevards de ceinture* (1972), le narrateur part à la recherche d'un père dont on ne sait au juste s'il est un trafiquant de marché noir ou un juif traqué, c'est une quête poursuivie avec horreur et avec tendresse. Et, toujours rappelées, la vanité de toute biographie, l'évanescence de tous nos souvenirs. *Villa triste* (1975) restitue un passé vieux de douze ans, un séjour dans une station thermale, au bord d'un lac, en face de la Suisse; tout paraît y ressusciter avec une extrême précision; mais, en même temps, l'oubli d'un nom, un trou remettent en question la perception de ce passé; l'essentiel semble en être une passion entre une jeune femme qui vient de tourner dans un film et un garçon qui se cache car il ne veut pas partir pour l'armée, alors en guerre en Algérie.

Passé toujours ambigu avec *Livret de famille* (1976), où Modiano mêle, dit-il, le vrai et l'imaginaire, et où il écrit : « Je n'avais que vingt ans, mais ma mémoire précédait ma naissance. J'étais sûr, par exemple, d'avoir vécu dans le Paris de l'Occupation ». Et encore dans *Rue des Boutiques obscures* (1978, prix Goncourt) : un détective amnésique tente de se glisser dans le passé et dans la personnalité de différents inconnus qu'il a « pu être » lors d'enquêtes qui ramènent le lecteur à l'époque et dans les milieux de prédilection de l'auteur.

Une jeunesse (1980) raconte les débuts dans la vie d'Odile et de Louis, aujourd'hui couple paisible, heureux parents et propriétaires d'un salon de thé en Savoie, acquis en bernant le brasseur d'affaires interlope avec lequel Louis travaillait parfois, il y a quinze ans, dans un Paris des années 60 qui finit par apparaître aussi mystérieux et inquiétant que celui de l'Occupation.

Il existe un univers et un style propres à Modiano. Dans cet univers qui mêle le passé et le présent, le tumulte de la jeunesse est considéré depuis le rivage de la maturité. Lorsque Modiano explore le passé, c'est, entre autres choses, pour mettre en évidence le côté théâtral d'un monde où les hommes endossent leurs rôles suivant les hasards de la vie (cf. *Memory lane,* 1983).

Le style est toujours d'une parfaite simplicité; sa fluidité et sa pureté se doublent d'un puissant pouvoir allusif. Patrick Modiano a signé avec Louis Malle les dialogues du film *Lacombe Lucien* (1974). Il est l'auteur d'*Emmanuel Berl, Interrogatoire* (1976). Au théâtre, il a donné *la Polka* (1974).

F. NASSERY-WARBURG

MOGIN Jean (né en 1921). V. BELGIQUE. Littérature d'expression française.

MOHRT Michel (né en 1914). Né à Morlaix d'une famille de négociants, il fit ses études secondaires au collège Saint-Louis à Brest, fit une licence de droit avant de s'inscrire au barreau de Morlaix. En 1939 il est affecté comme officier dans une section d'éclaireurs skieurs sur le front italien. Après l'armistice, il s'installe à Marseille, où il assure le secrétariat d'un groupement industriel. Il fait paraître son premier roman en 1945, *le Répit,* récit consacré à la « drôle de guerre ». Il poursuit aux États-Unis une carrière de professeur de littérature française et de conférencier.

Il publie alors, notamment, *Mon royaume pour un cheval* (1949) et *les Nomades* (1951). De retour en France, Michel Mohrt devient en 1952 lecteur chez Gallimard, puis directeur des traductions pour la langue anglaise; il écrit un essai sur *le Nouveau Roman américain* (1955) et de nombreux romans, dont *la Prison maritime* (1961) — grâce auquel il obtient le Grand prix du roman de l'Académie française —, *l'Ours des Adirondacks* (1969), *Deux Indiennes à Paris* (1974), *les Moyens du bord* (1975). *La Maison du Père* (1979) est un récit autobiographique.

L'œuvre de Michel Mohrt est abondante et, dans l'ensemble, relève d'une conception traditionnelle de l'intrigue et de l'écriture romanesques. Cependant, malgré l'abondance de la production, on remarque que, d'une manière constante, apparaît le thème de l'échec : les personnages de Michel Mohrt, et particulièrement les narrateurs, se caractérisent par leur absence de grandeur, leur incapacité à se fixer (voir le titre du roman *les Nomades*), leur impuissance devant l'action. Le problème essentiel de Guillaume, le héros des *Moyens du bord,* est « de montrer ce qu'il est capable de faire ». Cette sensation de désenchantement leur vient de l'impression d'être perdus devant l'événement, inadaptés à la société qui les entoure; leurs valeurs se sont effondrées, leur monde est désarticulé; le cas le plus typique à cet égard est celui des soldats de la « drôle de guerre » dans *le Répit.*

Dans ce monde étranger, les seuls refuges sûrs sont les structures déjà établies : l'armée (« Je ne me suis jamais senti bien que dans l'armée », dit Michel Mohrt luimême dans *la Maison du Père*), la culture, le culte fidèle voué aux souvenirs d'enfance, l'attachement au rituel religieux hérité des anciens, la conscience d'être « enraciné » dans une région (« Je ne peux me considérer autre que Breton »). Quant à la littérature, elle permet de dire « ce qu'on ne dirait pas autrement », elle offre à l'écrivain ce passage à l'action qui gêne tellement ses personnages, elle est chemin de la conscience, de l'identité retrouvée : « C'est une autre façon de répondre aux questions [que tout écrivain] s'est posées toute sa vie : qu'ai-je été? qui suis-je? » Au-delà du caractère apparemment traditionnel de son œuvre, Michel Mohrt, hanté par la recherche de son moi, est bien un écrivain de son siècle.

J.-P. DAMOUR

MOINEAUX Jules (1815-1895). V. COURTELINE Georges.

MOLÉ Guillaume François (1742-1790). Ce Rouennais, homme de goût, historien des arts et de la mode, fut l'auteur d'*Observations historiques et critiques sur les erreurs des peintres, sculpteurs et dessinateurs dans la représentation des sujets tirés de l'Histoire sainte* (1771) et surtout d'une *Histoire des modes françaises* (1776) qui montre une certaine rigueur d'observation et un sens déjà sociologique des comportements humains. Également préoccupé d'hygiène, il laissa des *Lettres sur les moyens de transférer les cimetières hors de l'enceinte des villes* (1776).

A. LE PICHON

MOLIÈRE

MOLIÈRE, pseudonyme de **Jean-Baptiste Poquelin** (1622-1673). L'un des grands problèmes posés par l'œuvre de Molière est celui de son universalité. Car cette universalité n'est pas une illusion française. A notre époque où le répertoire dramatique international nourrit plus que jamais la vie théâtrale, Molière a partout du succès; il est utile et actuel, source de plaisir et d'efficacité en U.R.S.S. et au Brésil, à Bâle, à Londres, au Maghreb et en Afrique noire, tout au long des axes Est-Ouest et Nord-Sud. Tout entier partout? Ce n'est pas sûr, car chacun se fait « son » Molière.

Molière en son temps

Tout commence avec un homme ordinaire, sujet des rois Louis XIII et Louis XIV. Il naît dans la bourgeoisie marchande parisienne. Les Poquelin forment une famille en ascension qui fréquente la maison et même la personne du roi grâce à un office de tapissier, mais la famille n'accède pas encore à l'anoblissement. En tant que fils aîné qui décide de faire ses humanités chez les jésuites du collège de Clermont et son droit à Orléans, Jean-Baptiste s'élève socialement. Le choix du théâtre, à vingt et un ans (1643), sort du commun mais n'est pas absolument scandaleux. Il n'y a guère, Richelieu a fondé l'Académie française et soutenu le théâtre, et, en son Palais-Cardinal, a construit une belle salle à machines, celle que Molière occupera et réaménagera en 1661. Le théâtre du Marais remet à l'affiche de temps à autre *l'Illusion comique* de Corneille, où un père noble entend vanter le métier de comédien choisi par son fils. Enfin depuis deux ans (édit de 1641), Louis XIII a relevé les comédiens de l'indignité attachée à leur métier. Le théâtre est désormais réputé épuré et digne; il est représenté à Paris par deux troupes fixes (celle de l'Hôtel de Bourgogne appartient au roi). Au début de leur activité au cours des deux saisons 1643-1644 et 1644-1645, Molière et ses camarades, cofondateurs de l'Illustre-Théâtre, n'arrivent pas à imposer une troisième troupe fixe à Paris. On sait qu'ils ont joué les tragédies nouvelles d'auteurs réputés cependant que Corneille donnait de nouvelles pièces au Marais : *Pompée* (tragédie) et *le Menteur* (comédie), avant de passer à l'Hôtel de Bourgogne, chez les comédiens officiels du roi, en 1645, avec *Rodogune*. La société parisienne établie est au bord d'une crise violente : celle de la minorité de Louis XIV et de la Fronde, éruption due à une mutation politique et sociale. Tragédies des monstres (Corneille) et comédie burlesque à l'espagnole (Scarron) marquent ces secousses. La comédie de mœurs n'est pas encore de mise.

L'Illustre-Théâtre sombre, et Molière doit partir pour la province. C'est là, entre 1646 et 1658, de vingt-quatre à trente-six ans, qu'il va se forger une expérience nouvelle de la société française et du métier théâtral. Les érudits du XIXᵉ siècle ont mis au jour de rares documents à partir desquels on extrapole souvent trop largement. La troupe, qui se trouve parfois un protecteur titré et se déplace au sud-est d'une ligne Bordeaux-Grenoble, joue le grand répertoire, et notamment Corneille. Molière utilise de nombreux canevas de farce, dont il fixe en partie le texte (*le Fagotier*, premier titre du *Médecin malgré lui*; *le Médecin volant*; *le Docteur amoureux*). Il aborde la fonction de poète dramatique en composant deux comédies d'intrigue en cinq actes et en vers remarquablement brillants pour un tout jeune auteur : *l'Étourdi* et *le Dépit amoureux*.

Dans une France où l'autorité s'est rétablie (de 1655 à 1658) et qui a vaincu les armées étrangères, la troupe, après s'être essayée à Rouen, joue la carte de Paris et de la cour. Une première carrière s'achève. Elle a duré quinze ans. Une autre commence qui, elle aussi, durera quinze ans (du 24 octobre 1658 au 17 février 1673). Elle se déroulera publiquement, à la cour et à la ville, commencera à la veille de la prise du pouvoir par Louis XIV et s'achèvera à l'instant où le jeune Roi-Soleil atteindra son zénith. Elle nous montre un homme mûr, courageux, conscient de son talent, récompensé par des succès, condamné à produire sans relâche comme acteur, auteur, chef de troupe et serviteur du roi. Un homme qui a des protecteurs et des fidèles, mais aussi qui est critiqué, calomnié, attaqué, trahi, dans sa personne, dans son entreprise, dans son œuvre, et qui meurt à cinquante et un ans, laissant derrière lui un corpus théâtral d'une trentaine de comédies (trente ou trente-trois selon la façon de compter) : le théâtre de Molière.

Pour résister à la tentation de faire un récit émouvant mais anecdotique, renvoyons à la chronologie et soulignons seulement quelques données de cette seconde et éminente carrière. Tout se passe dans un cercle étroit, là où le pouvoir politique et le pouvoir intellectuel, le sort de l'État et les distractions de l'élite sont étroitement imbriqués. Molière se saisit des mœurs et de l'actualité; il surprend, ravit et choque par une pertinence concrète immédiate; mais il est accusé de fautes contre la vraisemblance et la bienséance : on lui reproche de faire retomber le théâtre dans l'ornière d'où Richelieu l'avait tiré et de pousser ses concurrents à en faire autant pour obtenir le même succès « bas » — ces critiques sont des attaques de mauvaise foi venant d'ennemis déclarés ou des réserves théoriques et doctrinales.

Molière s'inscrit pourtant dans la pensée classique; il ne se considère ni comme un bouffon ni comme un fournisseur de divertissements; il sait que, grâce à lui, les Modernes sont en train de dépasser les Anciens, que ce soit en vérité (la « nature »), en dignité ou en efficacité sociale (faire rire les honnêtes gens).

Enfin cette carrière suit une courbe très lisible : jusqu'en 1665, c'est le progrès rapide et infaillible de l'audace, du talent, de la notoriété et du succès, dans un climat de bataille exaltant, allègre; ce progrès est arrêté net par une répression qui entrave l'œuvre et qui semble déteindre sur la vie affective et sur la santé de l'homme (1665-1667); puis la carrière reprend, fertile mais comme assagie, pour six ans encore.

Au début de cette grande carrière parisienne, la troupe nouvelle, qui s'est « donnée » à Monsieur et que le roi protège, joue la tragédie de façon critiquée mais plus naturelle que les « grands comédiens » de l'Hôtel de Bourgogne. Elle brille dans toutes les formes de comédies, farces en prose ou comédies d'intrigue en vers. Le chef de troupe, Molière, est un des fournisseurs de la compagnie. Le 18 novembre 1659, on affiche une farce en complément d'une représentation de *Cinna :* ce sont *les Précieuses ridicules,* révélation, tout à coup, de la comédie de mœurs. La société s'y reconnaît et, moyennant quelques formules apaisantes (il s'agit là de « pecques provinciales », mauvaises copies d'excellents modèles), elle ne se sent pas offensée. D'où vient alors le coup qui frappe la troupe un an plus tard, la destruction sans préavis de son lieu théâtral au Louvre... qui entraîne trois mois de relâche et des frais considérables avant de pouvoir rouvrir au Palais-Royal? Le deuxième coup d'éclat de la comédie de mœurs est *les Fâcheux.* Il ne s'agit guère encore que de portraits de courtisans, mais déjà *l'École des maris* et bientôt *l'École des femmes* sont reçues comme des merveilles de « naturel » au goût du jour. Bien sûr, l'art est artifice, et il est difficile d'expliquer comment les grâces du jeu et du style versifié, le recours à un très vieux scénario (la jeune fille soufflée par un blondin au barbon qui la tient recluse), la perfection épurée d'un mécanisme comique, relevés de touches précises qui actualisent le sujet — comment tout cela est reçu un beau jour, avec reconnaissance, comme une éblouissante vérité. Ce fut le cas. Et la mauvaise querelle faite à Molière, alignant tous les reproches énumérés plus haut, fut une querelle impuissante ou sans pertinence. Sauf à armer contre l'auteur une machinerie extra-théâtrale et extra-artistique, à savoir : si Molière est, dans son œuvre et peut-être dans sa vie, obscène et irréligieux, il faut qu'il soit condamné et réduit au silence par les autorités civiles et religieuses. Mais, précisément, cela représenterait déjà deux centres de décision, sans compter que le public de théâtre, élite incluant la cour et le roi, pèse d'un certain poids en faveur de Molière.

Dans cette situation, conscient ou inconscient des enjeux et des risques, Molière avait accentué son réalisme critique. Et ce fut le *Tartuffe* de 1664, qui traite de la dévotion intéressée, pièce aussitôt interdite : le roi est du parti de Molière mais cède au parti adverse qu'anime la reine mère. Puis c'est *Dom Juan,* qui montre un jeune « grand seigneur méchant homme », libertin, athée, hypocrite mais courageux; la pièce est étouffée après quinze représentations en un mois. Fin 1665, c'est la trahison de Racine dont la troupe avait créé la première pièce, puis la seconde, *Alexandre le Grand;* deux semaines après la première d'*Alexandre,* cette tragédie paraît sur la scène de l'Hôtel de Bourgogne, avec l'accord de Racine. Molière, trahi, tombe alors malade, et c'est un long relâche.

C'est alors dans les années assombries que Molière crée, avec un certain succès d'estime, une comédie pleine de « sérieux », *le Misanthrope,* où l'on voit dans un salon parisien s'entre-déchirer comme des loups les aristocrates de cour des deux sexes.

A partir de 1668, son activité créatrice se déploie : Molière écrit dans tous les genres de la comédie et notamment des comédies-ballets, des pastorales, etc., mais les sujets sociaux ne sont pas oubliés : le provincial à Paris, le paysan marié à une aristocrate, le bourgeois gentilhomme, les impostures et les illusions de la médecine. Le ridicule est plus clairement désigné et circonscrit, à moindres frais et à moindres risques que naguère. L'ambiguïté et l'amertume jouent à cache-cache. Certaines grandes pièces reçoivent un accueil réservé : *l'Avare* (est-ce une « grande » comédie de caractère, mais en prose, et truffée d'éléments farcesques?); *les Femmes savantes,* superbe exercice littéraire, peut-être trop appliqué, manquant un peu de verdeur, de folie et de générosité — tandis que *les Fourberies de Scapin* ressemblent à une fuite (nostalgique?) dans la gratuité intemporelle.

Molière, après avoir créé sur son théâtre deux pièces de Corneille vieillissant, s'orientait peut-être, en 1672, vers la fondation avec Lully d'une entreprise originale d'opéra français. Mais Lully intrigue secrètement, obtient un privilège pour lui seul et rompt avec Molière. Les droits à faire de la musique des autres théâtres sont réduits. Le Palais-Royal, où triomphe toujours *Psyché* (de Molière, Corneille, Quinault et Lully) et où se crée *le Malade imaginaire* (musique de Marc-Antoine Charpentier) en février 1673, est donc en pleine crise par rapport à la politique théâtrale du pouvoir. La mort de Molière accélère le mouvement qui mène à la fin de la grande époque du théâtre classique : Corneille donne sa dernière pièce en 1674, et Racine se retirera, après la cabale de *Phèdre,* en 1677.

Tels sont les points saillants de la courbe moliéresque.

Louis XIV et Molière

Les relations sont directes, les rencontres régulières. Molière, qui a seize ans de plus que Louis, sert le jeune roi, et celui-ci l'aime et le protège (sauf dans la dernière année de sa vie).

Il y a d'abord cette charge de tapissier et de valet de chambre ordinaire. Le père de Molière l'achète à son frère cadet, alors que Jean-Baptiste a six ans. Il en obtient la survivance (transmission au décès du père) pour son fils aîné. Molière y renonce en s'engageant dans le théâtre, mais la récupère en 1660 (à la mort de son frère cadet), et il entre en charge en 1669 (à la mort de son père). Il a donc fait le lit du roi, au sens propre, dans le rituel du coucher, quand c'était son tour. Les autres valets de chambre du roi, dit-on, étaient plutôt offusqués de servir avec un comédien que flattés de travailler avec une célébrité.

Dès qu'il l'a vu jouer, à la tête d'une troupe dont c'était la première à Paris, Louis XIV a adopté Molière. On ne sait qui avait arrangé cette représentation du 24 octobre 1658 dans la salle des gardes du Vieux-Louvre (*Nicomède,* suivi, impromptu, du *Docteur amoureux).*

La troupe dite de Monsieur est établie sur ordre du roi dans un bâtiment royal, la salle du Petit-Bourbon. Louis XIV impose la cohabitation avec les Italiens et la concurrence avec ses propres comédiens ordinaires de l'Hôtel de Bourgogne. Il voit très souvent la compagnie, aide à son transfert au Palais-Royal, accordé sans loyer (1660). Il inspire une scène des *Fâcheux.* Il fait allouer une pension d'homme de lettres à Molière dès 1663. Il danse dans les comédies-ballets qu'il lui commande jusqu'en 1669. *L'Impromptu de Versailles* témoigne du fait que le roi est aux côtés de Molière dans la querelle de *l'École des femmes.* En 1663, en parrainant, avec sa belle-sœur Henriette, le fils premier-né d'Armande et de Molière, Louis, Louis XIV répond aux accusations d'inceste. Impuissant à défendre *Tartuffe,* il l'imposera après la mort d'Anne d'Autriche. Enfin, la réponse royale à l'étouffement de *Dom Juan* sera d'élever la troupe au rang de « troupe du Roi au Palais-Royal », avec 7 000 livres de pension annuelle.

En retour, l'œuvre de Molière présente trois images du roi. L'une, politique et directe, dans les comédies de mœurs (le prince omniscient et justicier de *Tartuffe;* l'idole autour de qui tous se poussent, dans *le Misanthrope*); une autre, galante et à peine voilée (le prince amoureux à qui tout est permis des pastorales et des pièces mythologiques); une troisième, allégorique, s'expose dans les vers de célébration de maints prologues. La critique, l'humour, la volupté des premières références font pardonner la platitude obligée des dernières.

Cela n'a qu'un temps. Une fois mise en place l'image du Roi-Soleil et de son pouvoir, il ne reste plus de place pour l'aigre-doux. Dans l'affaire Lully (1672) et de son privilège de l'opéra, qui lèse si fort Molière, il est clair que Louis XIV, préférant l'opéra de sa propre gloire à la comédie, toujours critique, a sacrifié un homme à un autre et un genre à l'autre. Après tout, qui est ridicule, qui est odieux, quand M. Jourdain s'habille... en Louis XIV?

Les genres

L'œuvre de Molière est en conformité avec son époque, mais sans conformisme. C'est un assemblage des dramaturgies les plus diverses, qui sauve, reprend et relance toutes les possibilités du théâtre comique.

On peut, pour clarifier, distinguer six « genres » dont Molière s'inspire ou qu'il tend à constituer. Dans chaque cas, son intervention est un événement inoubliable dans l'histoire de ces genres ou tendances, et toutes ses comédies sont composites.

La farce française et italienne

La farce est ce qui survit du comique populaire médiéval. A tout ce qui instaure un « haut » (hiérarchie sociale ou prétention à l'idéalisme) et une gravité, elle oppose le « bas matériel et corporel », qu'elle célèbre par le moyen du rire. Ce rire est tantôt sympathique : le corps qui mange et qui excrète, qui coïte et qui fait des enfants est une machine magnifique, quoi qu'en disent les cafards; tantôt c'est un rire cruel : toute prétention à la supériorité mérite d'être punie physiquement par des coups de bâton. On a assez remarqué que divers Sganarelle (valets, paysans ou bourgeois), Géronte, Dandin, Arnolphe, Harpagon sont bastonnés. L'épée du maître d'armes fonctionne comme un bâton dans *le Bourgeois gentilhomme*. Orgon menace son fils du bâton et sa servante d'un soufflet. La hiérarchie descendante épée-soufflet-bâton est malignement et joyeusement pervertie par la farce. La satire médicale oppose la folle parole des médecins au corps bien en chair du malade (ou du bien portant).

Ainsi orientée, la farce ne se soucie ni de nuances, ni de débats, ni de morale. C'est l'esprit de la farce qui permet d'écraser sans pitié, sous le rire et la défaite, Dandin, Pourceaugnac, Arnolphe et Amphitryon, et d'appeler de ses vœux la mort d'un père (*l'Avare*).

La *commedia dell'arte* avait fixé une série de masques et de types revenant dans toutes les comédies. Molière a esquissé un tel système (avec Villebrequin, Gorgibus, Gros-René), puis l'a abandonné. Mais l'étude de sa carrière d'acteur montre qu'il a personnellement conservé à ses personnages une référence à deux types opposés : le côté brillant de Mascarille-Scapin, le caractère pataud mais prétentieux de Sganarelle, Dandin, Sosie, Monsieur Jourdain et même dans une certaine mesure Alceste, le misanthrope.

L'héritage latino-italien

Depuis qu'Horace, dans son *Art poétique,* a opposé le vieillard type au jeune homme type, la comédie de la vie privée abuse de deux schémas : le jeune homme souffle la jeune fille au barbon; la fille, contre l'autorité du père qui arrange les choses à sa convenance, se choisit un partenaire à son goût et de son âge. Il s'agit souvent, dans tout cela, de conjurer les fantasmes portant sur l'identité sexuelle et la prohibition de l'inceste. Ces archétypes ont un caractère social et psychologique qui vient de la comédie antique et se prolonge dans la *commedia sostenuta* de la Renaissance italienne. Pour les Français, Molière est celui qui a inlassablement repris ces stéréotypes pour constituer ses intrigues et leur donner des dénouements postiches. On ne peut ni l'en louer ni l'en blâmer globalement : il faut analyser, cas par cas, l'usage qu'il en fait.

L'héritage espagnol

La *comedia* espagnole, imitée par Corneille et Scarron, ignore les unités et mélange les tons. Elle se termine généralement bien (mais par un changement dans la volonté du caractère principal, aristocrate enflammé de passion et attaché au point d'honneur) ou de façon violente. On ne dirait rien des trois emprunts (indirects) qu'y fait Molière (voir *Dom Garcie* et, faiblement, *le Sicilien*) si, dans les trois, ne figurait *Dom Juan.* Pièce vraiment atypique, entre les perfections classiques de *Tartuffe* et du *Misanthrope,* mais centralement moliéresque dans ses thèmes et son discours. Pièce-itinéraire, où le valet et le maître se déplacent sans cesse; Dom Juan rencontre le tombeau et meurt foudroyé; Sganarelle s'enrichit des couleurs du *gracioso* espagnol; pièce baroque de l'instabilité.

La comédie-ballet

Il s'agit de commandes. Molière sert une fois Fouquet (en 1661), puis, en huit ans (1664-1672), dix fois Louis XIV. Le ballet de cour, à sujet volontiers allégorique, pastoral ou mythologique, remonte au XVIe siècle. Les nobles, les princes et le roi même y dansent. Le travail de Molière consiste à insérer une comédie (pastorale, galante...) dans le déroulement d'une fête à programme, ou, plus souvent, à insérer les ballets obligés dans la comédie. Il actualise prestement — et adapte aux mœurs — des archétypes d'intrigue et des « numéros » empruntés au répertoire de la farce : ainsi naissent *le Mariage forcé, l'Amour médecin, George Dandin, Monsieur de Pourceaugnac*; les « entrées » de chant et de danse interviennent en prologue, en entractes et en épilogue. Mais, alors que la *comedia* espagnole est représentée de façon discontinue (précédée, entremêlée et suivie de divertissements sans rapport avec la grande pièce en trois « journées » qui fait le corps du spectacle), l'effort — en cela classique — de Molière est d'assurer entre les parties une espèce de lien thématique et esthétique, de les « coudre ensemble ». Et comme il reprend ses spectacles de cour à la ville, dans son théâtre du Palais-Royal, il évolue vers une forme originale de comédie musicale, comportant un jeu subtil de « théâtre dans le théâtre », et où les parties chantées et dansées en intermèdes peuvent exprimer les fantasmes du caractère principal. *Le Bourgeois gentilhomme* et *le Malade imaginaire* instaurent une navigation réglée entre le réalisme, la fourberie, le rêve et le théâtre.

La comédie de mœurs et/ou de caractères

Ces combinaisons de formes sont mises par Molière au service d'un projet : peindre d'après nature, et donc intervenir dans le champ social, politique et idéologique. On a souvent mis en doute son courage politique et la valeur morale du rire qu'il fait naître. Mais il est sûr qu'il a traité les questions les plus aiguës et les plus gênantes (le pouvoir, les classes sociales, la science, l'éducation, la mode, la passion, le sexe, les femmes, le mariage, la religion, la philosophie), étendant aussi loin que possible, à ses risques et périls, sa liberté artistique et sa liberté esthétique.

Se pose alors la question difficile de la durée, de la « transhistoricité » des œuvres d'art pertinentes en leur temps. Est-ce par analogie (une analogie n'est pas une identité mais un rapport; un travail d'élucidation remplit la distance) que George Dandin, M. Jourdain et les femmes savantes touchent et irritent à toutes époques, ces caractères étant des types sociaux? Ou des types moraux, comme l'avare Harpagon? Ou psychologiques comme l'atrabilaire Alceste? Le caractère, est-ce le type individualisé ou l'individu typisé (c'est en ces termes que Balzac posera le problème pour le roman au XIXe siècle)? Puisqu'il s'agit de théâtre, le caractère et le type renvoient à une mécanique mystérieuse, mais bien réelle, celle du personnage. Déposé dans le texte, celui-ci n'existe qu'à l'état latent. Puis, entre le personnage et l'acteur, entre le personnage et le public, il se passe quelque chose qui est et qui n'est pas inclus dans la structure du texte. Molière n'est pas tout entier dans la fable, dans l'intrigue, dans la peinture des mœurs : il a créé des personnages, inépuisables, car il était à la fois grand poète et grand comédien. Et voici le lecteur, l'acteur, le spectateur complètement investis dans un travail indéfini et producteur de sens et d'émotion, face à Alceste, à Harpagon, à Dom Juan, à Célimène — comme face à Hamlet, à Iago, à Lady Macbeth. Comédie de mœurs, d'intrigue, de rêve et de personnages..., non pas comédie de caractères.

La comédie ou le drame bourgeois

La grande invention de Molière — peut-être trop remarquée et trop exploitée — est la comédie bourgeoise. Elle n'existait pas avant lui, il en arrête la dramaturgie : elle enferme le chef de famille bourgeois chez lui, avec parents, enfants, serviteurs, visiteurs. C'est pour la première fois la *familia* bourgeoise vue de l'intérieur. Quelle postérité, jusqu'à Ibsen, Tchekhov ou Pirandello! Et pourtant, de *Tartuffe* au *Malade imaginaire,* cinq comédies seulement sur trente ont réalisé ce modèle, repris plus tard par Goldoni, Marivaux, Diderot. La tentation est ici de virer au sérieux et au pathétique. Molière n'y cède jamais, même si, au Ve acte de *Tartuffe,* toute une famille est dans la désolation et l'angoisse avant l'intervention du *deus ex machina.* Mme Pernelle, M. Loyal, Dorine sont là pour maintenir la température comique. C'est que Molière compte avec la vertu du rire, alors que, bientôt après lui, on comptera sur la vertu des larmes.

Molière après Molière

Dès 1680, la situation théâtrale est gelée, et Molière est mis au Panthéon des lettres avec Corneille et Racine. Mais, bien plus que les deux autres « grands », il sent le soufre. Une sélection puritaine, pédante et répressive commence à s'exercer. Elle opère un tri, établit une hiérarchie. Elle trouve dix, vingt porte-parole pour ressasser le jugement officiel. Les défenseurs, les collaborateurs de Molière sont les premiers à emboucher la trompette. *Misanthrope,* oui, *Fourberies,* non (Boileau, dès 1674); et, dans la préface, hagiographique, de l'édition de 1682 : « Toutes ses pièces n'ont pas d'égales beautés; mais on peut dire que dans ses moindres il y a des traits qui n'ont pu partir que de la main d'un grand maître, et que celles qu'on estime les meilleures, comme *le Misanthrope, le Tartuffe, les Femmes savantes,* etc., sont des chefs-d'œuvre qu'on ne saurait assez admirer ». Le « etc. » n'est pas innocent. La maturité de Molière comportant quatre « grandes » comédies régulières, en cinq actes et en vers comme les tragédies, le rédacteur oublie *l'École des femmes* et lui préfère *les Femmes savantes* (comme le fera l'enseignement littéraire sous la IIIe République).

Ce type de jugement ignore complètement la vie du théâtre, qui a besoin de l'oxygène des farces, des fantaisies-ballets, des pièces courtes et des saveurs de la prose moliéresque (mais, sur ce point, le discours officiel se tempère assez tôt).

On s'enferme d'autre part dans une théorie du rire « correctif » — issue de la théorie, d'ailleurs interprétée, de la *catharsis* aristotélicienne — qui bloque toute analyse sérieuse des effets de la comédie, tout juste bonne, alors, à critiquer la mode (ou, pis, à en accompagner les virages). Citons encore la préface de 1682 : « Lorsqu'il a raillé les hommes sur leurs défauts, il leur a appris à s'en corriger, et nous verrions peut-être aujourd'hui régner les mêmes sottises qu'il a condamnées, si les portraits qu'il a faits d'après nature n'avaient été autant de miroirs dans lesquels ceux qu'il a joués se sont reconnus. Sa raillerie était délicate, et il la tournait d'une manière si fine que, quelque satire qu'il fît, les intéressés, bien loin de s'en offenser, riaient eux-mêmes du ridicule qu'il leur faisait remarquer en eux. » Cela peut bien s'appliquer aux *Précieuses* ou aux *Fâcheux,* aux pièces qui ont des titres au pluriel, mais pas à Arnolphe, à Dandin, à Amphitryon, à Harpagon, à Orgon. Qui ne voit en Alceste qu'un « cas » de ridicule ne comprend rien à l'essence de la comédie. Même M. Jourdain (le bourgeois gentilhomme) et Argan (le malade imaginaire) sont saisis par le fantasme (avec une dramaturgie irrégulière parfaitement appropriée). Parfois pressentie avant Freud, mais plus nettement formulée après lui, la théorie d'un rire « cathartique » — avec une *catharsis* psychique qui n'est plus celle d'Aristote — explique, dans Molière, tout ce qu'une critique moralisante et normalisante n'arrive pas à digérer. Car la comédie met aussi en « représentations » ce qui se passe sur (dans) ce que l'on appelle après Freud l'« autre scène », la scène mentale : régressions, pulsions sexuelles sans loi, désir de meurtre et de mort. Elle joue avec la terreur, mais non avec la pitié, et elle nous en libère par l'explosion du rire.

Les littérateurs et les philosophes, gênés et divisés, vont donc consacrer un Molière « élevé » réduit à quelques pièces. Cependant le Molière « bas » poursuit sa carrière au théâtre sans demander de permission : *le Cocu imaginaire, l'École des maris, George Dandin, Amphitryon* sont représentés avec succès au XVIIIe siècle, pour les villes, les cours et les châteaux, tandis que *le Misanthrope, Tartuffe* et *les Femmes savantes* font des salles peu garnies et où l'on ne rit pas (témoignages répétés — dont ceux de Stendhal et de Musset [« j'étais seul l'autre soir au Théâtre français... »] —, de 1740 à 1840).

Puis vient le temps où la bourgeoisie assure la permanence au répertoire des pièces qui ont pour cadre le bourgeois en famille; mais si deux d'entre elles ont déjà été citées comme figurant dans la sélection suprême, les trois autres sont totalement composites (*l'Avare, le Bourgeois gentilhomme* et *le Malade imaginaire*), et elles contredisent tous les besoins esthétiques de cette classe sociale : besoin de pièces bien faites, d'une morale rassurante, d'une cohérence psychologique des personnages, d'un réalisme homogène. Les analyses et les propositions du critique Jacques Arnavon pour la mise en scène de Molière (dans des ouvrages parus entre 1909 et 1946) illustrent de façon très concrète les embarras de la « vision bourgeoise » alors diffusée par le lycée.

Molière ne peut pas plus être contenu dans le vraisemblable bourgeois que dans le vraisemblable classique — qui sont tous deux des conformismes —, car il montre l'éclatement ou les failles de la conscience individuelle et de la société par le jeu éclaté des formes de représentation propres au théâtre. Arnavon est, à cet égard, typiquement retardataire. Le XXe siècle est un siècle de restauration moliéresque parce qu'il est le siècle du musée de tous les goûts et parce qu'il a consacré au théâtre le règne du metteur en scène. Ces deux facteurs ne se recouvrent pas, mais ils se complètent.

Pour la première fois, il est proposé à l'élite occidentale de tout tolérer et de tout aimer : le fétiche africain et les marbres du Parthénon, *les Fourberies* et *le Misanthrope.* Et la mise en scène moderne, qui se veut création, à chaque fois, qui n'est plus une technique ni un savoir-faire (savoir faire « comme il faut »), casse l'esprit de musée en disant : cela se fait aujourd'hui, avec vous, pour vous, parce que, héritage culturel ou pas, je le veux, j'en ai envie.

Jacques Copeau ouvre la voie : il explique, retrouve la poésie du *Sicilien* et des *Fourberies,* chère à Théophile Gautier et à Stendhal, mais joue aussi *le Misanthrope.* Un de ses héritiers est Dullin, qui rethéâtralise *l'Avare* et qui a pour héritier, à son tour, Jean Vilar. Autre descendance de Copeau : Louis Jouvet. Il dirige Jean-Louis Barrault dans *Scapin,* mais réserve tout l'effort classique de son théâtre aux grands Molière : *l'École des femmes* (1936), *Dom Juan* (1947), *Tartuffe* (1950) et un *Misanthrope* en projet, empêché par sa mort (1951). Ces quatre pièces sont montées en même temps et représentées comme une tétralogie cohérente par Antoine Vitez (1978-1979), qui s'était passionné pour la « grossièreté » de *la Jalousie du barbouillé.* Dans une autre direction, Roger Planchon parvient à poser et à dominer à la fois la distance historique et la distance formelle, dans une représentation signifiante et non illusionniste. Il part de la brutalité sociale de *George Dandin* avant de théâtraliser dans *Tartuffe* la famille, la passion sensuelle, l'idéologie et le sentiment religieux, le pouvoir d'État (deux versions, présentées dans le monde entier et publiées, en 1962 et 1972). D'autres metteurs en scène, de Gaston Baty à Marcel Maréchal, montrent que *le Malade imaginaire* combine la comédie-farce grossière du corps avec un drame-rêverie, psychologique et métaphysique, de la mort.

La sélection de notre temps paraît donc la plus ouverte. L'avenir dira si elle est, elle aussi, partielle, partiale et historique. La satire (notamment la satire des femmes et des médecins) n'y domine pas. Quatre chefs-d'œuvre contigus (où *Dom Juan,* superbement atypique, est associé à trois pièces « régulières ») sont universellement présents sur la scène et sans cesse réinterrogés — comme les plus grands Shakespeare, ou les quatre grands Tchekhov. Les charmes gracieux — pour nous presque verlainiens — de la comédie-ballet ne s'imposent pas vraiment, mais ce que l'on vient d'appeler le théâtre bourgeois composite tient très haut son rang. Le théâtre dur ou méchant fait des apparitions remarquées dès lors que la mise en scène échappe au divertissement mièvre ou respectueux (*le Mariage forcé, George Dandin, Amphitryon, Monsieur de Pourceaugnac*). Enfin, *le Médecin malgré lui* et *les Fouberies de Scapin* apparaissent comme des modèles toujours opportuns de théâtre populaire, irrespectueux et jubilatoire. Mais attention : le lycée s'intéresse lourdement aux « quatre grands », et le C.E.S. fournit une clientèle facile aux pièces populaires. Enfin, heureusement, toute cette classification est fausse. Tous, artistes, éducateurs, critiques, public, doivent veiller à transgresser ces divisions. Car, depuis toujours, le secret et la force de Molière, c'est l'osmose de tous les genres de la comédie.

	VIE		ŒUVRE
1622	15 janv. : baptême de Jean-Baptiste Poquelin à Saint-Eustache. Il est fils de Jean Poquelin (vingt-cinq ans) et Marie Cressé (vingt ans). Naissance d'un frère et de deux sœurs.		
1632	11 mai : mort de la mère.		
1633	11 avr. : le père épouse Catherine Fleurette. Trois autres naissances vont suivre.		
1636	Mort de Catherine. Le père Poquelin reste veuf avec cinq enfants vivants dont l'aîné est Jean-Baptiste (Molière). Pas de documents sur les études secondaires au collège de Clermont (à Paris) et les études de droit (à Orléans).		
1642	Voyage à Narbonne comme valet de chambre de Louis XIII (?).		
1643	6 janv. : règlement financier avec son père (pour ses vingt et un ans).	**1643**	30 juin : acte de fondation de l'Illustre-Théâtre.
1644	Amours de Molière et de Madeleine Béjart (née en 1618).	**1644**	1er janv. : ouverture de l'Illustre-Théâtre au jeu de paume des Métayers, près de la tour de Nesle. Difficultés. Apparition du pseudonyme MOLIÈRE.
1645	Molière et sa troupe quittent Paris. Passages à Nantes, Poitiers, Toulouse, Albi, Agen, Narbonne, Pézenas, Montpellier, Grenoble, Lyon.	**1645**	Transfert au jeu de paume de la Croix-Noire, près du port Saint-Paul. Août : Molière est emprisonné pour dettes. L'Illustre-Théâtre s'agrège à la troupe itinérante de Charles Dufresne.
1651	Autres règlements de Molière avec son père.		
1652	Mlle Menou (Armande) joue un rôle d'enfant à Lyon dans une représentation d'*Andromède* (?). Passages de l'Illustre-Théâtre à Dijon, Montpellier, Bordeaux, Agen, Béziers, Lyon.		
		1653	Le prince de Conti accorde son patronage à la troupe.
		1654	*L'Étourdi.*
		1656	*Le Dépit amoureux.*
		1657	Conti, « converti », retire son patronage.
1658	Lyon, Grenoble, Rouen, Paris. Molière habite quai de l'École-du-Louvre.	**1658**	Patronage de Monsieur, frère du roi. 24 oct. : première de la troupe à Paris, devant le roi et la cour, salle des gardes du Vieux-Louvre. Satisfait, le roi fait installer les comédiens de Monsieur au théâtre du Petit-Bourbon, qu'ils partageront avec les Comédiens-italiens; ceux-ci seront absents de Paris de 1659 à 1662.
		1659	18 nov. : *les Précieuses ridicules.*
1660	Molière habite place du Palais-Royal. Avr. : mort du frère cadet de Molière, qui récupère la survivance de la charge de tapissier du roi exercée par son père.	**1660**	28 mai : *Sganarelle* ou *le Cocu imaginaire.* 11 oct. : démolition (en raison des travaux de construction de la colonnade du Louvre) de la salle du Petit-Bourbon.

VIE		ŒUVRE	
1661	Oct. : installation rue Saint-Thomas-du-Louvre.	**1661**	20 janv. : ouverture de la salle du Palais-Royal. 4 févr. : *Dom Garcie de Navarre.* 24 juin : *l'École des maris.* 17 juin : *les Fâcheux* (fêtes de Vaux).
1662	20 févr. : Molière épouse Armande Béjart.	**1662**	26 déc. : *l'École des femmes.*
1663	Il est pensionné comme homme de lettres.	**1663**	1er juin : *la Critique de l'École des femmes.* 19 (?) oct. : *l'Impromptu de Versailles* (à Versailles).
1664	28 févr. : baptême d'un fils, Louis, dont Louis XIV est le parrain. 30 avr.-22 mai : séjour à Versailles, pour les fêtes royales. 10 nov. : mort de Louis.	**1664**	29 janv. : *le Mariage forcé* (au Louvre). 8 mai : *la Princesse d'Élide* (à Versailles). 12 mai : *Tartuffe,* en trois actes (aux fêtes de l'Ile enchantée à Versailles). Interdiction d'imprimer et de représenter *Tartuffe.* 20 juin : création, au Palais-Royal, de la première pièce de Racine, *la Thébaïde.*
1665	4 août : baptême d'une fille, Esprit Madeleine, qui survivra. Déc. : « trahison » de Racine.	**1665**	15 févr. : *Dom Juan.* 14 août : la troupe devient troupe du roi. 14 sept. : *l'Amour médecin* (à Versailles). 4 déc. : création, au Palais-Royal, de la deuxième pièce de Racine, *Alexandre le Grand.*
1666	Janv.-févr. : Molière gravement malade. Mort de deux adversaires de Molière : Conti et la reine mère.	**1666**	4 juin : *le Misanthrope.* 6 août : *le Médecin malgré lui.* 1er déc. : *Mélicerte* (inachevée, à Saint-Germain).
1667	Déc.-févr. : séjours de Molière à Saint-Germain. Maladies. Molière propriétaire d'une maison de campagne à Auteuil.	**1667**	5 janv. : *la Pastorale comique* (aujourd'hui perdue, à Saint-Germain). 14 févr. : *le Sicilien ou l'Amour peintre* (Saint-Germain). 4 mars : création, au Palais-Royal, de l'*Attila* de Corneille. 5 août : unique représentation — suivie d'interdiction le lendemain — de *l'Imposteur* (*Tartuffe*).
		1668	13 janv. : *Amphitryon.* 18 juil. : *George Dandin* (à Versailles). 9 sept. : *l'Avare.*
1669	27 févr. : mort du père de Molière. Molière devient tapissier-valet de chambre du roi.	**1669**	5 févr. : *Tartuffe* joué librement. 6 oct. : *Monsieur de Pourceaugnac* (à Chambord).
		1670	4 févr. : *les Amants magnifiques* (à Saint-Germain). 14 oct. : *le Bourgeois gentilhomme* (à Chambord). 28 nov. : création, au Palais-Royal, de *Tite et Bérénice* de Corneille.
1671	17 déc. : mort de Madeleine Béjart.	**1671**	17 janv. : *Psyché* (aux Tuileries). 24 mai : *les Fourberies de Scapin.* 2 déc. : *la Comtesse d'Escarbagnas* (à Saint-Germain).
1672	Conflits avec Lully. 1er oct. : installation rue de Richelieu. Baptême d'un fils, Pierre Jean-Baptiste Armand Poquelin, qui meurt dix jours plus tard.	**1672**	11 mars : *les Femmes savantes.*
1673	17 févr. : mort de Molière. 21 févr. : inhumation, après intervention du roi auprès des autorités ecclésiastiques.	**1673**	10 févr. : *le Malade imaginaire.* 17 févr. : Molière, atteint d'un grave malaise au cours de la cérémonie qui termine *le Malade imaginaire* (dont c'est la quatrième représentation), est ramené mourant chez lui. Il rend l'âme quelques heures plus tard.

L'École des femmes (1662) : nature et tyrannie

Un « caractère ». Arnolphe a une obsession, le cocuage. Il se moque hautement des maris trompés ou complaisants. Pour éviter ce sort, il s'est fait céder par une femme pauvre une petite fille de quatre ans, Agnès, et l'a fait élever comme une sotte, dans un couvent, puis dans une maison retirée, où il la séquestre, gardée par un couple de valets stupides. En outre, bourgeois entiché de noblesse, il se fait depuis peu appeler M. de La Souche.

Action. Arnolphe est prêt à épouser Agnès le lendemain et révèle ses intentions à son ami Chrysalde (I, I, exposition). Mais un jeune homme, Horace, a vu Agnès à son balcon, un sentiment est né, et une intrigue se noue, malgré les défenses et les obstacles.

Mécanisme comique. Horace n'identifie pas Arnolphe, un ami de sa famille qui possède une maison au centre de la ville, avec le M. de La Souche qui séquestre en ce quartier retiré la jeune Agnès. Aussi prend-il Arnolphe pour confident de ce qu'il a mené à bien et pour auxiliaire de ce qu'il compte entreprendre auprès d'Agnès. Ainsi prévenu, Arnolphe invente des parades, toutes vaines. La pièce est rythmée par les récits accablants d'Horace qu'Arnolphe doit souffrir sans mot dire (I, IV; III, IV; IV, VI), par les monologues d'Arnolphe en début et en fin d'acte, par ses scènes avec Agnès, qui vont de la tyrannie affirmée (III, II) à la supplication désespérée (V, IV).

Dénouement romanesque. L'autorité paternelle allait être fatale au couple Agnès-Horace, lorsqu'on apprend que la jeune fille inconnue que le père d'Horace l'avait envoyé épouser en cette ville, et dont Horace s'était détourné en tombant amoureux d'Agnès, est précisément Agnès elle-même (V, IX), enfant secrète aujourd'hui reconnue et retrouvée chez Arnolphe. Arnolphe disparaît sur un « ouf », et il ne reste qu'à « rendre grâce au Ciel, qui fait tout pour le mieux ».

Unités. De temps et de lieu : un jour et une nuit jusqu'au lendemain matin, devant la maison d'Arnolphe où est gardée Agnès. D'action : le triomphe de l'amour.

Interprétations. Molière ne se prononce pas sur l'éducation ni sur l'instruction religieuse en elles-mêmes quand il montre une entreprise égoïste de mutilation (la non-instruction d'Agnès), puis de répression (dans son « sermon », Arnolphe se sert d'un christianisme de croque-mitaine). De la situation et du caractère — qui sont précis — aux grands thèmes et aux données générales qui les sous-tendent, il y a une marge de liberté interprétative. Cependant on entend bien célébrer ici la jeunesse et l'amour :

> Il le faut avouer, l'amour est un grand maître [...]
> Le moyen de chasser ce qui fait du plaisir...

Le théâtre de Molière, à ce moment de sa vie et du siècle, reflète les courants mondains, libertins, épicuriens.

Tartuffe (1664/1669) : bourgeoisie, religion et politique

Un grand bourgeois. Mêlé aux troubles de la Fronde, Orgon a soutenu le roi mais aussi a aidé un ami malheureux du parti adverse. Resté veuf avec un fils (Damis) et une fille (Mariane), il s'est remarié avec une femme plus jeune. En « retirant » (accueillant) chez lui un dévot de profession, Tartuffe, dont l'attitude anti-mondaine et la personne le séduisent, Orgon a semé la division dans sa maison. Le trio dévot (Orgon, sa mère et Tartuffe), animé de passions diverses, s'oppose au reste de la famille, avec ses projets de bonne vie, de bons mariages, de défense du patrimoine (I).

Action. Orgon veut retirer sa parole à Valère, fiancé de Mariane, car il la destine maintenant à Tartuffe (II). Mais Tartuffe, charmé par Elmire, femme de son protecteur, se laisse aller à lui déclarer sa passion. Damis dénonce l'imposteur à son père, mais Orgon veut croire à une calomnie, chasse son fils et va signer une donation de ses biens à Tartuffe (III). On arrive à détromper Orgon en le faisant assister, caché sous une table, à une nouvelle tentative de séduction d'Elmire par Tartuffe (IV). Humilié et chassé, Tartuffe a deux armes contre la famille : il est propriétaire de la maison par donation, et il peut prouver, en livrant certains papiers à la police, qu'Orgon a eu des complaisances pour un criminel d'État. Mais le pouvoir tranche : le roi pardonne à Orgon, casse la donation et envoie en prison Tartuffe, aventurier connu sous plusieurs noms (V).

Dramaturgie. Tout se passe entre matin et soir chez Orgon, un jour où il rentre de voyage. Dénouement avec péripétie : la police arrive, conduite par Tartuffe, pour arrêter Orgon, et c'est une surprise d'apprendre que « le Prince » — *deus ex machina* — retourne l'événement. D'abord joué en trois actes, puis en cinq actes; en vers.

Interprétations. A travers les propos d'un personnage non impliqué, Cléante, frère d'Elmire, mis là comme « raisonneur », Molière prendrait position contre les excès d'une morale ascétique, en faveur des valeurs mondaines et d'une « bonne vie » bourgeoise... Rien n'est moins sûr. Tartuffe n'est ni rigoriste comme un janséniste ni laxiste comme un jésuite. Il est donné comme hypocrite, imposteur, fourbe. Donc le thème (ou un autre thème, généralisable par analogie) est la réussite sociale individuelle, sous couvert d'une cause bonne, « sacrée », avec des actes bien évidemment contraires aux principes diffusés par cette cause. Quant à la question psychologique : Tartuffe est-il sincère? (disons : croyant, préoccupé de son salut et du salut des autres), elle est théâtralement inconcevable avant le XIXe siècle. Molière, transposant ce problème de foi de la religion à la médecine, tentera d'éluder la question. Il est vrai que, pour le « raisonneur » du *Malade imaginaire*, sincères ou pas, les médecins sont les serviteurs-profiteurs d'une mauvaise cause : « Il y en a parmi eux qui sont eux-mêmes dans l'erreur populaire dont ils profitent et d'autres qui en profitent sans y être ».

Monsieur de Pourceaugnac (1669) : la comédie-ballet

Eraste veut épouser Julie contre la volonté de son père, qui la destine à un nobliau de province, M. de Pourceaugnac. Avec l'aide d'une équipe de gens louches qui vont se travestir en médecins, en femme gasconne, en enfants, en soudards suisses, Eraste entreprend d'accueillir Pourceaugnac à son arrivée à Paris. Il s'agit pour lui de faire en sorte, avec le concours de deux filous, Nérine et Sbrigani, que le futur beau-père et le futur gendre se dégoûtent l'un de l'autre. Il s'agit aussi d'effrayer Pourceaugnac pour qu'il s'en retourne à Limoges.

Les entrées de ballet amplifient jusqu'au fantasme le théâtre dans le théâtre constitué par ces fourberies.

La pièce est grinçante (pas de personnages sympathiques) et on peut considérer qu'il s'agit d'un théâtre cruel, inquiétant (le faible isolé victime d'une coalition de forts).

Madeleine et Armande Béjart

Quelques faits vérifiés, beaucoup de légendes, d'inconnues et de pamphlets.

Le père des Béjart, époux de Marie Hervé, huissier à Paris, est un bourgeois pauvre chargé d'enfants. Quand trois d'entre eux (Joseph, Madeleine, Geneviève, rejoints plus tard par Louis) signent avec Jean-Baptiste Poquelin et six autres associés l'acte de fondation de l'Illustre-Théâtre, Madeleine est déjà une personne « lancée », elle a vingt-quatre ans et possède des biens personnels; elle est la mère d'une fille adultérine du comte de Modène, Françoise, née en 1638 (fait reconnu dans son acte de baptême).

Madeleine fut la maîtresse, l'amie, la collaboratrice de Molière pendant les années de formation. Elle négocia activement le retour de la troupe à Paris. Mais, quand les comédiens s'installent au Petit-Bourbon, elle a atteint quarante ans et sa carrière d'actrice décline. On a peu de renseignements sur les rôles qu'elle a tenus dans les comédies de Molière et dans les tragédies créées ou reprises par la troupe sur son théâtre. Sa beauté touchait, comme nous touche le rôle de Dorine, qu'elle a créé et qui est le plus grand cadeau de théâtre et d'adieu que Molière lui a fait. Elle abjura chrétiennement le métier de comédienne et mourut un an avant Molière (décembre 1671).

Abordons maintenant le mystère Armande. Son contrat de mariage (23 janvier 1662) la présente comme Elisabeth-Claire-Grésinde Béjart (elle n'y est pas prénommée Armande!), âgée de vingt ans ou environ, sœur de Madeleine et fille de Marie Hervé, veuve Béjart, qui l'aurait eue à cinquante-trois ans (l'année de la mort de son mari). Mais il est peu vraisemblable qu'elle soit fille de Marie Hervé et tout le monde la considère comme la fille de Madeleine, élevée dans le Midi et ayant suivi la troupe, encore enfant. Et le père? L'accusation implicite d'inceste figure dans une requête (1663) du comédien Montfleury au roi. Il accuse Molière « d'avoir épousé la fille et d'avoir autrefois couché avec la mère ». Pour écarter définitivement le soupçon, il suffirait qu'Armande fût Françoise, la fille adultérine d'Armande et du comte de Modène. Cette hypothèse, fragile — les âges ne semblent pas coïncider —, ne serait complètement écartée que si on retrouvait l'acte de décès de Françoise ou l'acte de naissance d'Armande, deux documents qui font défaut.

« Mademoiselle Molière » se révèle grande actrice du vivant de son mari, créant Célimène, la princesse d'Élide, Elmire, Alcmène. Il y eut des séparations de domicile entre elle et son mari, notamment après la naissance de Louis (1664, mort à dix mois) et d'Esprit Madeleine (1665-1723) et avant celle de Pierre (1672, mort à dix jours). Elle forma avec le comédien Baron un couple idéal, en 1671, dans *Tite et Bérénice* et dans *Psyché*.

Elle sauva, avec Lagrange, les débris de la troupe du Palais-Royal (fondation du Théâtre Guénégaud en 1673). Elle épousa en 1677 son camarade de théâtre, Guérin (devenant la Guérin), dont elle eut un fils Nicolas. Elle se retrouva à partir de 1680, avec Guérin et des anciens du Palais-Royal, à la Comédie-Française. Elle y joua ses rôles moliéresques jusqu'à sa retraite (1694) et mourut en 1700.

ADAPTATIONS

Molière a adapté, et il s'est adapté lui-même, réutilisant des passages de sa comédie héroïque manquée *Dom Garcie de Navarre*, tirant des comédies des farces de son répertoire (*le Fagotier* devient *le Médecin malgré lui*), réduisant ses comédies-ballets de cour pour les jouer sur son théâtre de ville (*le Mariage forcé; George Dandin*). Il a porté *Tartuffe* de trois à cinq actes et il y a mis des « adoucissements ».

Puis on l'a adapté. Le *Dom Juan* étouffé de 1665 a été, dès 1677, remplacé par une adaptation en vers de Thomas Corneille, *le Festin de pierre*, qui a fait carrière à la place du texte original jusqu'au milieu du XIXe siècle. Un *Dépit amoureux* en deux actes, réunissant les scènes qui justifient le titre, a été longtemps joué à la Comédie-Française, où la « tradition » comportait, dans le détail, nombre d'interpolations et de retranchements.

On l'a peu adapté en opéra. Lully a fait un opéra de *Psyché* en 1678, en composant une musique récitative sur les parties parlées à l'origine. En 1858, un an avant leur *Faust*, Gounod et ses librettistes Barbier et Carré font jouer un opéra-comique en trois actes d'après Molière, *le Médecin malgré lui :* les airs sont habiles, et les parties parlées sortent directement de Molière. Enfin, Rolf Liebermann a tiré un opéra de *l'École des femmes* (livret de Heinrich Strobel, joué à Salzbourg en 1957).

Les pièces de Molière du cinéma et de la télévision sont rarement des adaptations. Grâce au film et à la vidéo, elles conservent des représentations et des interprétations de ce demi-siècle, parfois reprises du théâtre, parfois directement réalisées pour la caméra. La plupart, mises en images sans génie, sont condamnées à se périmer et à devenir purs documents d'archives. Deux exceptions : le *Tartuffe* de F.W. Murnau, film muet de 1925, et le *Dom Juan* de Marcel Bluwal, film noir et blanc (O.R.T.F., 1965). Murnau inclut *Tartuffe*, abrégé mais chargé d'une belle violence, dans une histoire moderne : une gouvernante tente de capter l'héritage d'un vieillard; la famille de celui-ci, en lui projetant *Tartuffe*, film dans le film, le désabuse. Fidèle au texte de *Dom Juan*, Bluwal en donne une lecture romantique — Dom Juan héros rationaliste mais *Sturm und Drang* — et picaresque : tels Jacques le Fataliste et son maître, Dom Juan et Sganarelle chevauchent en habits de la Restauration dans des décors naturels. Le cinéma convient à cette lecture particulière.

Molière est adapté aussi quand il est traduit. L'*Amphitryon* « d'après Molière » de Heinrich von Kleist (1806) suit de près l'original avant de basculer dans une thématique personnelle du rêve, de la faute et de l'innocence. A signaler deux *Misanthrope* récents, un anglais (texte de Tony Harrison, 1973) et un allemand (de H.M. Enzenberger, 1980), tous deux traduits en vers rimés (ce qui est insolite dans ces langues), mais transposés à l'époque contemporaine. Dans la version de Londres, les fenêtres de Célimène donnent sur les jardins de l'Élysée, et « la Cour » est celle de Charles de Gaulle, dont *le Canard enchaîné* avait fait la chronique dans le style de Saint-Simon. Dans la version de Berlin, l'action se passe à Berlin, et la Cour c'est Bonn. Le caractère sacré du texte classique fait qu'en France metteurs en scène et dramaturges s'inspirent de Molière, le démarquent, le citent, se lancent dans l'interpolation et la déconstruction, mais ne procèdent guère par adaptations et retouches.

C'est Molière qui, le premier, a fait de lui-même un personnage de théâtre, présent (*l'Impromptu de Versailles*) ou dont on parle *(le Malade imaginaire)*, ouvrant les vannes à un flot ininterrompu d'œuvres dramatiques ayant Molière pour personnage. On citera, pour le XXe siècle : *le Ménage de Molière*, de Maurice Donnay (cinq actes en vers, joués à la Comédie-Française en 1912); *la Cabale des dévots*, de Mikhaïl Boulgakov (1932, écrite sous Staline, jouée sept fois, puis interdite); *Jean-Baptiste le Mal-aimé* (1944, d'André Roussin); et le film *Molière*, d'Ariane Mnouchkine (1978), puissante évocation de la vie d'un grand comédien plutôt que d'un auteur.

BIBLIOGRAPHIE GÉNÉRALE

Éditions

On établit le texte de Molière en partant des éditions originales séparées publiées de son vivant et de la première édition posthume des *Œuvres complètes* (1682) comportant six pièces inédites. Un problème spécifique (de censure) a concerné *Dom Juan*. Le XIXe siècle a restitué en outre deux farces dont l'attribution est très probable : *la Jalousie du barbouillé* et *le Médecin volant*. Le *corpus* actuel est de 32 pièces.

Trois éditions majeures : des « Grands Écrivains de la France », par E. Despois et P. Mesnard, Hachette, 13 vol., 1873-1893; des Éditions nationales, par G. Michaut, 11 vol., 1947-1949; de La Pléiade, par G. Couton, 2 vol., 1971 (la première édition de La Pléiade, par M. Rat, insuffisante, a été remplacée en 1971 par celle de G. Couton : récente, accessible, critique, remplie de documents annexes et commentée avec discrétion, elle a toutes les qualités souhaitables).

Biographie, histoire

L'époque des « moliéristes » (chercheurs de documents authentiques, XIXe) aboutit aux synthèses suivantes :

G. Michaut, *la Jeunesse de Molière, les Débuts de Molière à Paris, les Luttes de Molière*, Hachette, 1923-1925 (cette série est inachevée, mais on en retrouve la substance dans l'édition Michaut); M. Jurgens et E. Maxfield-Muller, *Cent ans de recherches sur Molière, sur sa famille et sur les comédiens de sa troupe*, Imprimerie nationale, 1963; G. Mongrédien, *Recueil des textes et des documents du XVIIe siècle relatifs à Molière*, Éd. C.N.R.S. 1965; Grimarest, *Vie de M. de Molière*, 1705, dans l'édition critique de L. Chancerel (Renaissance du Livre, 1907) ou celle de G. Mongrédien (Brient, 1955); *Registre de Lagrange*, édité par E. et G. Young, Droz, 1967, ou en fac-similé, Minkoff, 1973.

Critique

Anthologies critiques : M. Descotes, *Molière et sa fortune littéraire*, Bordeaux, G. Ducros, 1970; J.-P. Collinet, *Lectures de Molière*, A. Colin, « U2 », 1974.

Monographies modernes : R. Bray, *Molière, homme de théâtre*, Mercure de France, 1954; J. Audiberti, *Molière dramaturge*, l'Arche, 1954; R. Jasinski, *Molière*, Hatier, 1970; R. Laubreaux, *Molière*, Seghers, 1973.

Monographies de quelques grands titres (si l'ouvrage contient le texte de la pièce, on le signale comme éd. com. = édition commentée; s'il tente de décrire et d'illustrer une mise en scène du XXe siècle, on le signale comme m.e.sc. de = mise en scène de... et si c'est possible on indique deux dates, la première étant celle de la mise en scène, la seconde celle de la publication).

L'École des femmes : H. Becque, *Molière et « l'École des femmes »*, Tresse, 1906; éd. com. par S. Rossat-Mignod, Éd. sociales, 1964; m.e.sc. de H. Gignoux, Hachette, 1967/1969.

Tartuffe : J. Arnavon, *« Tartuffe », la mise en scène rationnelle et la tradition*, Ollendorf, 1909; éd. com. par S. Rossat-Mignod, Éd. sociales, 1958; m.e.sc. par Fernand Ledoux, Le Seuil, 1953; J. Scherer, *Structures de « Tartuffe »*, S.E.D.E.S., 1974; m.e.sc. par Roger Planchon, Hachette, 1962/1967; m.e.sc. par R. Planchon, C.R.D.P. de Lyon, 1972/1976; m.e.sc. par R. Planchon, éd. com. par A. Simon, *l'Avant-Scène*, 1972/1976.

Dom Juan : éd. com. par G. Leclerc, Éd. sociales, 1960; J. Scherer, *Sur le « Dom Juan » de Molière*, S.E.D.E.S., 1967;

m.e.sc. par P. Chéreau, éd. com. par G. Sandier, *l'Avant-Scène*, 1969/1975.

Le Misanthrope : R. Doumic, *« le Misanthrope » de Molière*, Mellottée, 1928; J. Arnavon, *l'Interprétation de la comédie classique, « le Misanthrope »*, Plon, 1940; id., *« le Misanthrope » de Molière*, Plon, 1946; R. Jasinski, *Molière et « le Misanthrope »*, A. Colin, 1951; éd. com. par E. Lop et A. Sauvage, Éd. sociales, 1963; *Alceste et l'absolutisme*, essais par P. Szondi, J.-P. Vincent etc., Galilée, 1977.

L'Avare : m.e.sc. par Charles Dullin, Le Seuil, 1940/1951; m.e.sc. par J. Mauclair, Hachette, 1965.

Les Fourberies de Scapin : m.e.sc. par Jacques Copeau, Le Seuil, 1950.

Les Femmes savantes : J. Arnavon, *la Mise en scène des « Femmes savantes »*, S.A.P.P., 1912; G. Reynier, *« les Femmes savantes » de Molière*, Mellottée, 1937; éd. com. par J. Cazalbou et D. Sevely, Éd. sociales, 1971.

Le Malade imaginaire : E. Thierry, *Documents sur « le Malade imaginaire »*, Berger-Levrault, 1880; J. Arnavon, *« Le Malade imaginaire », essai d'interprétation dramatique*, Plon, 1938; m.e.sc. par P. Valde, Le Seuil, 1946; m.e.sc. par R. Manuel, Hachette, 1965.

Dans la même direction : J. Copeau, *Molière* (Appels II), Gallimard, 1976; L. Jouvet, *Molière et la comédie classique*, Gallimard, 1965.

Enfin, les trois numéros spéciaux d'*Europe* (1961, 1966 et 1972) ont été réédités en un seul volume.

R. MONOD

MOLINET Jean (1435-1507). Né à Desvres, près de Boulogne-sur-Mer, probablement en milieu bourgeois, Molinet passa, après l'achèvement, à l'université de Paris, d'études « libérales », plusieurs années difficiles en quête d'un patron auprès de qui employer ses talents de lettré. Il assurera plus tard avoir frappé en vain à la porte de l'austère roi Louis XI, qui se montra peu sensible à sa rhétorique, à celles de la duchesse de Bretagne, des comtes d'Artois et de Saint-Pol, du roi d'Angleterre même. Il atteignait trente-deux ans quand il trouva preneur avec le duc de Savoie, Amédée IX, qui l'engagea on ne sait trop à quel titre. Mais Amédée, infirme, meurt quelques mois plus tard. Molinet, que cette disparition replonge dans l'insécurité, parvient à se glisser parmi le personnel de la cour de Bourgogne. Armé chevalier, il est bientôt attaché à la chancellerie de l'ordre de la Toison d'or, et collabore avec l'« indiciaire » (chroniqueur officiel de la maison ducale), l'illustre Georges Chastellain. Quand celui-ci meurt, en 1475, le duc Charles le Téméraire accorde à Molinet sa succession. Suivent une dizaine d'années d'intense activité poétique et historiographique. La crise qu'entraînent, après 1477, la défaite et la mort de Charles ne trouble que pour peu de temps la vie personnelle du poète : il reprend du service auprès de Marie, fille du Téméraire, qui vient d'épouser l'archiduc Maximilien, futur empereur. Deux ans plus tard naîtra de ce couple, à qui la fortune de Molinet est désormais attachée, la future Marguerite d'Autriche. La *Ressource du Petit Peuple*, l'un des plus beaux textes de Molinet (1480-1481), célèbre l'espoir qu'au milieu de la débâcle de la maison de Bourgogne porte cette enfant.

Dans les années qui suivent, alors que la situation publique se rétablit peu à peu dans les terroirs belges et lorrains, Molinet, devenu veuf, reçoit une charge de chanoine de Notre-Dame de la Salle, à Valenciennes. En 1485, Maximilien le confirme dans sa dignité d'indiciaire. C'est dans cette double fonction que Molinet passera la fin de sa vie, loué par les écrivains de la génération plus jeune, respectueusement consulté par ses pairs, honoré par les grands. Il meurt à soixante-douze ans, laissant le souvenir, comme dira Jean Lemaire de Belges, son neveu et disciple, d'un « chef souverain » des poètes. Ses œuvres poétiques seront rééditées quatre fois avant 1540, date extrême de cette gloire posthume : en quelques années, l'évolution du goût aristocratique et la diffusion des modes littéraires italiennes font alors tomber dans un injuste oubli Molinet ainsi que les autres « rhétoriqueurs ». Ce n'est que depuis peu que l'on redécouvre en lui l'un des plus grands poètes de langue française.

L'écriture et le réel

L'œuvre de Molinet, diverse en apparence mais profondément une, comporte, outre un ensemble de textes poétiques réunis (à quelques exceptions près) sous le titre de *Faits et Dits* (posth., 1531), les *Chroniques*, composées en sa qualité d'indiciaire. Molinet, en outre, publia vers 1500 une édition « modernisée », en prose, du *Roman de la Rose*, auquel il intègre une glose allégorique qui lui permet d'y déchiffrer une emblématique des vertus chrétiennes. On a enfin attribué — sans preuve décisive — à Molinet le livret d'un drame à grand spectacle, le *Mistère de saint Quentin* (vers 1480), dont les formes poétiques s'apparentent étroitement à celles des *Faits et Dits*.

Les *Chroniques* elles-mêmes, qui retracent les événements survenus dans le duché de Bourgogne entre 1474 et 1506, tiennent de près aux parties panégyriques de ce recueil. Le contrat de 1485, définissant les tâches de l'historiographe (et prévoyant pour lui des honoraires du même ordre de grandeur que ceux d'un artiste sculpteur), implique en effet une conception politico-poétique de l'histoire, pensée dans les termes d'une fiction chevaleresque, et dont le principal indice de véracité est d'être écrite en prose, non en vers. Au reste, la richesse sonore, la subtilité lexicale, l'harmonie syntaxique de la prose « historique » de Molinet ne sont pas d'une autre nature que les qualités correspondantes de ses vers. Le choix même des épisodes racontés n'est pas sans ressemblance avec celui qui dicte le sujet des « poèmes d'actualité » des *Faits et Dits* : scènes de la vie curiale, qui se réalise dans les formules qui la prononcent en la parabolisant. Ce qui, dans la vieille tradition chevaleresque, était tension, idéologie agressive, subsiste comme *mimesis* d'un récit archétypique : fêtes et beaux faits d'armes, mais aussi lamentables dévastations des guerres; haïssables troubles populaires, dont triomphera finalement la gloire du prince; faits divers étranges, attestant la perturbation du siècle; miracles...

Des cent soixante poèmes rassemblés dans les deux gros volumes des *Faits et Dits*, la moitié s'articulent sur des arguments semblables et constituent globalement, en fait, le plan de référence des *Chroniques*. Événements militaires (la « Complainte de Grèce », la « Journée de Thérouanne »), politiques (« Sur ceux de Gand », « Au roi de Castille ») ou relatifs à l'existence des princes : naissance (d'Éléonore d'Autriche, du futur Charles Quint), mariage (des infants d'Autriche et d'Espagne), mort (de Philippe le Bon, du Téméraire, de Marie de Bourgogne, de l'empereur Frédéric, de bien d'autres), incidents divers (le « Naufrage de la Pucelle »).

En tout cela, Molinet se montre passionnément bourguignon et antifrançais. Mais son discours dit sa passion comme un attachement inconditionnel à l'ordre aristocratique. Sans jamais y parvenir tout à fait, le texte tend à se centrer sur soi, à articuler une expérience qui ne soit rien d'autre que la sienne propre. Sa référence s'établit ainsi au niveau de sa totalité plutôt qu'à celui de ses parties. La société du XVe siècle, dans son état conflictuel, tient encore, par bien des traits, à la vieille culture médiévale, dont l'idéal est un recours incessant à ses propres structures, une fidélité parfaite à ses archétypes;

mais déjà se manifeste avec violence un autre type de culture, voué au changement, sinon à la fuite en avant. D'où les chocs et les premiers ébranlements en profondeur, dont le discours de poètes comme Molinet a pour fonction officielle de tenter la neutralisation — en fait, le maquillage. D'où l'aspect théâtral du texte : moins communication que reconnaissance des contraintes hégémoniques pesant sur le langage. D'où l'élément hyperbolique de louange personnelle (du prince ou de son substitut) que comporte presque inévitablement le revêtement figuratif. Toute rupture perçue dans le réel vécu, toute contradiction impliquée par les faits est pensée et exprimée en termes statiques, dont les variations provisoires ne sont que le signal d'un prochain retour à l'équilibre : paix/guerre, justice/tyrannie, d'une part, et, de l'autre (relativement à la guerre), juste/injuste, glorieuse/honteuse, par nous/par eux. Le discours opère d'infinies variations sur ce schème, y incorpore de façon amplificatoire divers lieux communs, descriptions et digressions; l'investissement des valeurs morales s'y fait, généralement, par le moyen de figurations allégoriques. La « Robe de l'archiduc », dans le contexte des événements qui suivirent la mort de la duchesse Marie, allégorise, sous la figure d'une robe somptueuse tour à tour déchirée, partagée, rapiécée, enfin remise en état, les possessions de la maison de Bourgogne. Le « Débat des trois nobles oiseaux », combinant calembour et allégorie, figure Louis XI, « roitelet », Charles le Téméraire, « grand-duc », et Sixte IV, « papegaut » (perroquet)...

Souvent, ces motifs généraux sont spécifiés par restriction : la source de la gloire s'identifie avec la bravoure, la vertu se résorbe dans ses connotations guerrières. Mais encore toute gloire n'est-elle pas « vraie », et le discours poétique a aussi pour fonction de la distinguer de la fausse, qui procède d'orgueil. La vraie s'incarne éminemment dans le prince qu'on loue; la fausse, dans ses ennemis ou dans les personnages moindres de l'entourage princier. De toute manière, le porteur de vraie gloire s'en trouve grandi.

Les poèmes d'inspiration religieuse (à peine plus de vingt dans les *Faits et Dits*), qui, selon la pratique courante au XVe siècle, ont le plus souvent la forme de louanges de Notre-Dame, ne s'écartent pas vraiment de cette perspective idéologique : un déplacement (plutôt qu'une métaphore) y christianise explicitement les idées de justice, de vertu et de gloire. Les nombreuses pièces ironiques, burlesques, voire obscènes, du recueil (à quoi s'en ajoutent quelques autres, restées extérieures aux *Faits et Dits*), elles-mêmes se rattachent directement au jeu de la cour, en vertu de l'un des dynamismes poétiques les mieux enracinés et les plus puissants dans la culture médiévale (mais que le XVIIe siècle éliminera un jour de la tradition française) : la parodie. Tout discours médiéval possède nécessairement, de façon explicite, sa parodie, sans laquelle il demeure sans force et sans prise sur le réel.

Dans cet ensemble d'idées, à l'époque banales, d'imagerie typée et, parfois, de jaillissements oniriques plus inattendus, le sentiment de l'incertitude des temps présents, une confuse appréhension de l'avenir percent malaisément le réseau des thèmes traditionnels, issus des anciennes allégories « courtoises », du moralisme monastique ou des malheurs d'hier (thème de la mort) : tous éléments qui, aussi bien, constituent le fond topique de la poésie d'un Villon (exact contemporain de Molinet). Ce sont là autant de niveaux d'articulation, organisant rhétoriquement les éléments qui le constituent. De niveau à niveau se définissent des corrélations stylistiques, dont le faisceau fonde la cohésion du texte. Mais, par là même, tout fait de surface se prête simultanément à plusieurs interprétations. Plusieurs vraisemblances s'affichent ensemble, de façon logiquement absurde; mais les contraires se conjoignent, du fait même qu'ils s'excluent.

La rhétorique et le sens

Bien représentatif ainsi de sa génération, Molinet s'en dégage fortement par l'exceptionnelle qualité de son langage poétique — étonnamment « moderne » à nos yeux. Cette qualité provient moins de recherches originales que du rare bonheur avec lequel Molinet tire, des techniques connues au XVe siècle, les effets les plus propres à diversifier les plans de signification du discours.

Molinet (contrairement à Charles d'Orléans, d'une génération son aîné, et à bien d'autres) pratique peu les « formes fixes » (ballade et rondeau) : on peut supposer qu'un sentiment aigu de son propre talent le poussait à éviter ce qu'elles comportaient, en apparence, de contraintes toutes faites. Les « genres » qu'il préfère sont en effet les moins réglés par la coutume : épître, débat, plus rarement pastorale ou « testament ». Ses poèmes les plus réussis échappent entièrement à de tels cadres; les plus ambitieux sont faits d'une alternance de prose (très ornée, fortement rythmée, parfois rimée) et de vers : type de « prosimètre » qui fut à la mode chez les rhétoriqueurs. Forme solennelle, recourant aux figurations allégoriques, et réservée aux arguments politiques ou moraux, le prosimètre, durant un demi-siècle, fut senti comme particulièrement propre à soutenir la gravité de la vie de cour. Son unité d'intention, sans cesse décalée par le retour soit du vers, soit de la prose, provient d'une poussée profonde qui fond en chatoiements fugitifs les rythmes contrastés, diffère la jouissance que promet l'existence concrète du texte, jusqu'au silence qui en marque la fin. La distribution de la prose et des vers n'y est jamais aléatoire; de chaque texte se dégage une fonction particulière qui la justifie et qui, souvent, la rend nécessaire.

En vers ou en prose, les moyens de cet art sont les mêmes. Molinet témoigne d'une extrême finesse d'ouïe, d'une grande délicatesse dans le maniement des sons : qualités d'ordre instrumental, épanouissant en surface des virtualités profondes. L'extraordinaire diversité des rimes (on en a relevé une vingtaine de variétés classifiables), les tours de force dont elles semblent le produit ont à la fois fasciné et (bien à tort) rebuté les commentateurs universitaires. En même temps que source de plaisir pour l'oreille, elles sont vecteurs de sens par cela même qu'on ne peut les isoler de l'ensemble des configurations phoniques (allitérations, échos),

> Princes puissants, qui trésors affinez
> Et ne finez de forger grands discords,
> Qui dominez, qui le peuple a minez,
> Qui ruminez, qui gens persécutez
> Et tourmentez les âmes et les corps [...]
> Tranchez, coupez, détranchez, découpez,
> Frappez, happez banières et barons,
> Lancez, heurtez, balancez, behourdez [...]
> Tirez canons, faites grands espourris :
> Dedans cent ans vous serez tous pourris.
>
> (*Ressource du Petit Peuple*)

rythmiques (groupements réguliers de syllabes, de mots, de synonymes),

> Marie, mère merveilleuse,
> Marguerite mondifiée,
> Mère miséricordieuse,
> Maison moult magnifiée,
> Ma maîtresse mirifiée [...]
> Ardant amour, arche adornée,
> Ancelle annoncée, acceptable [...]
> Rubis radiant, rosé ramée,
> Rai réchauffant, réseau rorable...
>
> (*Oraison*. Pantogramme : chaque strophe joue de l'une des lettres du nom de *Marie*)

pas plus que des ruptures de registre (pièces bilingues, insertion de proverbes, citations intégrées, accumulations parfois vertigineuses),

O quam glorifica luce
Resplend notre arche archiducale!
Splendor paternæ gloriæ
Par sa couronne impériale
Illumine cour, chambre et salle...

(*Pour la naissance du duc Charles*)

[...] Elle avait le chef cornu, les oreilles pendantes, les yeux ardents, la bouche moult tordue, les dents aiguës, la langue serpentine, les poings de fer, la pance boursouflée, le dos velu, la queue venimeuse et était puissamment montée sur un étrange monstre à manière de leuserve (loup-cervier) fort et courageux à merveille, jetant feu par la gueule, chaux et soufre par les narines, chargé de tous côtés d'épées, couteaux, dolequins, rasoirs, scies, faulx, dagues, planchons, paffus, piques, pinces, pouchons, fourches, fourchettes, arcs, dards, harts, licous, chaînes, cordes et cagnons ensemble plusieurs instruments convenables à son office, et portait sur la croupe un baril plein de scorpions, riagal, arsenic, huile, plomb bouillant, harpois, acide et mortels poisons...

(*Ressource du Petit Peuple,* « Portrait de Tyrannie »)

ni des perpétuelles « jongleries » formelles,

O quelle offense outrageuse et acerbe
*Ma*ledite Eve apporta en ce monde!
*Ter*reur en vint du serpent qui enherbe
De son venin maint bon cœur net et monde.
*Ju*stice en fit Dieu, qui nos péchés monde...

(*Chant royal.* Chaque strophe fournit en acrostiche une invocation latine)

les procédés constituent la matière — parfaitement homogène — de ce discours et en multiplient les possibilités sémantiques. Molinet lui-même recommande comme le plus haut idéal poétique la pratique de « plaisants équivoques » : d'où les mots ou mêmes les phrases à double, à triple sens, les calembours, tous éléments jouant le rôle de signaux d'une ambiguïté fondamentale et qui comme telle se déclare poésie.

[...] *Mi*lle chanteront en bé*Mol*
Mi, la. S'on pile, il y fait doux et *mol*!
*Re*quérons Dieu que le bon temps jo*li*
*Re*vienne bref et ramène anco*li,*
*Ut*ile paix : se chanterons tout *net* :
Ut re mi fa sol la, vive Jen*net*!

(Épître à Jennet de Ranchicourt. Toute la pièce joue sur les noms des notes de la gamme et ceux des correspondants)

Dame, j'ai senti les fa*çons*
Du feu d'amour dès que je *vis*
Les yeux plus âpres que fau*cons*
De votre gent et plaisant *vis.*
Je suis jusques ès cieux ra*vi*
Et de bonheur si fort co*cu*
Que mieux n'aurais, à mon a*vis,*
S'on me donnait cent mille é*cus...*

(Ballade. Rimes approximatives sur *con, vit* et *cul. Cocu* signifie « pourvu »)

A la limite, Molinet s'amuse à composer tel rondeau, telle tirade ironique, que des artifices lexicaux et syntaxiques permettent de lire de deux à sept manières différentes!

Une expérience des limites

Les trois sources de la poésie, écrivait Molinet dans sa vieillesse, sont la grammaire, la rhétorique et la musique : le langage en ses normes propres et les régularités formelles grâce auxquelles se manifeste l'harmonie. Idée qui, sans être bien originale vers 1500, était depuis longtemps prise au sérieux par Molinet et avait sous-tendu sa pratique. C'est elle qui anime l'*Art de rhétorique* (au sens d'« art poétique ») qu'il écrivit, entre 1477 et 1492, pour un mécène de la région de Valenciennes. Cet ouvrage, prudemment interprété, révèle quelque chose des options profondes du poète Molinet. Sous le couvert d'un didactisme assez plat, une conviction sous-jacente, indiscutée, se laisse percevoir : le poème, dans sa matérialité linguistique, constitue un tout insécable, dans lequel le « théoricien » se refuse à distinguer des parties auxquelles on pourrait supposer quelque fictive existence autonome. C'est pourquoi des mots comme vers, rime, style et d'autres sont presque interchangeables. En effet, écrit Molinet, la poésie « est une espèce de musique appelée rythmique ». Semblable au jeu, cette musique repose sur une pulsion que Molinet, dans son Prologue, assimile métaphoriquement au désir érotique. C'est par là que l'« art » (la technique) trouve sa justification finale et sa valeur. D'où la « délectation » que suscite le décor de ce style flamboyant : quelle que soit la matière, la manière est toujours joyeuse; elle enlève à ce qui est dit tout aspect de contingence, elle le promeut dans l'ordre de ce qui s'offre à une contemplation intemporelle, forme-sens inépuisable, dont la face tournée vers le lecteur est celle de ces « heureuses contraintes » dont parle ailleurs Molinet. Mais, dans la tradition médiévale, remontant à Boèce et à saint Augustin, la musique repose sur le nombre (d'où, sans doute, l'importance des combinaisons numériques dans l'agencement général ou la disposition stylistique des poèmes de Molinet). La parole poétique, non moins que l'univers — et de la même façon —, subsiste par la « raison » du nombre, car celle-ci dépasse et organise le sensible : ce à quoi elle fait référence, c'est la mémoire, qui est rythme du monde dans le temps humain. La prosodie harmonieusement nombrée constitue l'énergie qui porte le discours et en assure la cohérence. Elle opère, à la manière d'une médecine naturelle, la purification que procure, au-delà de tous les autres arts, la poésie. Des influences néo-platoniciennes, diffuses dans le premier humanisme, sont concentrées, chez un auteur comme Molinet, dans la conception qu'il se fait de la forme versifiée : flux verbal parfaitement dominé, réglé, tentative vécue d'aller jusqu'au bout des possibilités d'un langage. Chacun des raffinements de cette versification revendique à sa manière une liberté qui se veut souveraine et qui consiste non à briser les formes existantes, mais à en multiplier les réalisations au point qu'elles recouvrent le champ entier de ce que comprend le mot de poésie. Le poème n'est jamais que la réalisation provisoire d'une harmonie qui l'englobe en le liant aux autres poèmes, dans un mouvement sans fin, de la façon dont s'enroule sur elle-même l'équivocité foncière de la forme.

BIBLIOGRAPHIE

Œuvres. — N. Dupire, *les Faictz et Dictz de Jean Molinet,* Paris, Picard, 1936, 3 vol. (et S.A.T.F., 1937-1939, 3 vol.); G. Doutrepont et O. Jodogne, *Jean Molinet, Chroniques,* Bruxelles, Académie de Belgique, 1935-1937, 3 vol.; H. Chatelain, *le Mistère de saint Quentin,* Paris, Champion, 1908; E. Langlois, *Recueil d'arts de seconde rhétorique,* Slatkine Reprints, 1974 (original, Champion, 1902) : *Art de rhétorique* de Molinet, p. 11-102.

Études. — N. Dupire, *Jean Molinet, la vie et les œuvres,* Paris, Droz, 1932; P. Zumthor, *le Masque et la Lumière, la poétique des grands rhétoriqueurs,* Paris, Le Seuil, 1978.

P. ZUMTHOR

MONCRIF François Augustin Paradis de (1687-1770). Moncrif naquit à Paris. Sa mère, d'origine écossaise (Moncreiff), qui prêtait sa plume aux courtisans en peine d'écriture, lui donna son nom et décida peut-être de sa vocation. Musicien, poète, maniant aussi bien le pinceau que le fleuret, ce bon vivant aux mille talents fit en effet carrière comme amuseur des grands : auprès du duc d'Aumont, puis du comte d'Argenson, de l'abbé de Clermont (descendant de Condé), fournissant ses maîtres successifs en parades, divertissements et poésies légères.

S'y glissa un petit chef-d'œuvre d'humour érotique et d'érudition bouffonne, *les Chats* (1727), une histoire de l'animal (mais le mot a déjà un autre sens dans la langue verte du temps) depuis la « déesse-chatte » égyptienne jusqu'à l'illustre Marlamain de la duchesse de Sceaux. Voilà Moncrif devenu « historiogriffe » (d'Argenson). Vers 1745, changement de cap : la pieuse reine Marie Leczinska l'engage comme lecteur. Il se convertit aussitôt à la poésie édifiante avec des *Consolations des âmes justes* et un *Retour vers Dieu* dénonçant dévotement un « monde attirant, monde trompeur »... pour lequel il continue d'écrire des parades *(le Père respecté,* 1748) mais sous le manteau ou, plus ouvertement, des pastorales (*Zélindor roi des Sylphes,* 1745) et des romances néo-médiévales (*Alix et Alexis; les Aventures de Tant-Belle*). Ce courtisan modèle, qui mourut riche d'honneurs et de charges, académicien (1733), censeur royal, lecteur de la Dauphine, secrétaire du duc d'Orléans, avait en quelque sorte rationalisé son comportement dans un *Essai sur les nécessités et les moyens de plaire* (1738), un art qu'il faut, selon lui, cultiver dès l'enfance et dont le degré suprême consiste à « démêler le mérite d'autrui et à lui donner lieu de paraître ».

BIBLIOGRAPHIE

A. Augustin-Thierry, *Trois amuseurs d'autrefois, Moncrif, Carmontelle, Collé,* Paris, Plon, 1924.

J.-P. DE BEAUMARCHAIS

MONDOR Henri (1885-1962). Né à Saint-Cernin (Cantal), fils d'instituteur, Henri Mondor poursuit de brillantes études à l'école de Saint-Cernin, puis au lycée d'Aurillac. Après le baccalauréat, il s'oriente vers la médecine, est reçu à l'internat de Paris (1908) et se spécialise ensuite en chirurgie. A partir de 1923, il se consacre à l'enseignement et, jusqu'en 1955, occupe plusieurs chaires, notamment celle de clinique chirurgicale à la faculté de médecine de Paris. Il écrit en outre de nombreux ouvrages scientifiques sur la pratique médicale (*Traité des diagnostics urgents,* 1930) et sur les figures illustres de la médecine (*Grands Médecins presque tous,* 1943; *Pasteur* et *Dupuytren,* 1945; *Anatomistes et chirurgiens,* 1949). Son apport personnel à la médecine est consacré par son élection à l'Académie de médecine (1945) et à l'Académie des sciences (1961). Parallèlement à cette carrière illustre, Henri Mondor ne cessera de s'intéresser aux lettres; fréquentant les milieux mondains où évoluent les symbolistes, Valéry ou Alain, il va publier quelques essais biographiques sur ces auteurs (notamment : *Vie de Mallarmé,* 1941; *Alain, souvenirs,* 1953; *Rimbaud ou le Génie impatient,* 1953; *Précocité de Valéry,* 1957; *Claudel plus intime,* 1960). Élu en 1946 à l'Académie française, il s'éteindra à Neuilly-sur-Seine à soixante-dix-sept ans.

Historiquement, les essais littéraires d'Henri Mondor représentent l'aboutissement d'une critique fondée sur le témoignage; il s'agit, pour l'écrivain, de retrouver un « homme », de « témoigner » des manifestations de son esprit — de son « génie » — : Mondor tente de faire comprendre, à propos de chaque mot prononcé dans les lieux mondains ou quotidiens, en quoi se révèle la grandeur de Mallarmé, d'Alain ou de Valéry; l'écrivain devient une sorte de figure mythique, irradiant de son pouvoir les esprits qui l'approchent; ainsi, aux « mardis » de Mallarmé : « Les nouveaux venus [...] qui ne sont pas familiarisés avec la pensée et le langage du maître n'insistent pas. Ils respirent dans l'atmosphère une déférence, une religiosité, un encens qui les déroutent » (*Vie de Mallarmé*).

Le « texte », principal objet des préoccupations contemporaines, n'est souvent étudié par Mondor que de façon indirecte : on recherche des sources, des influences, des parrainages, mais l'écriture demeure encore un univers mystérieux, un « au-delà » littéraire, que le critique ne peut guère explorer : devant le « Sonnet du cygne » de Mallarmé, Mondor avoue à la fois sa fascination et son impuissance : « Il y a des mots et des images dont on voudrait savoir où trouver les analogues » (*Vie de Mallarmé*).

Ainsi le discours critique d'Henri Mondor concerne-t-il surtout les historiographes de la littérature et les amateurs de recherche biographique. L'essayiste a d'ailleurs souvent précisé lui-même la limite de son œuvre : « Aussi n'ai-je cherché à recueillir ici que le Valéry détendu, c'est-à-dire le plus facile, mais peut-être le moins connu. L'autre est dans l'œuvre... » (*Propos familiers de Paul Valéry*).

BIBLIOGRAPHIE

Anne Fontaine, *Henri Mondor,* Paris, Grasset, 1960.

J.-P. DAMOUR

MONFREID Henry de (1879-1974). Peut-être stimulé par des influences précoces — son père, qui était peintre, fut l'ami de Gauguin et ce dernier lui écrivait en 1896 : « Ah! mon cher Daniel, que ne connaissez vous pas (*sic*) cette vie tahitienne, vous ne voudriez plus vivre autrement » —, il mena une existence aventureuse, dangereuse, parfois en marge des lois, trafiquant quelque peu armes et drogues. Il parcourut notamment l'Éthiopie, les rivages du golfe Persique et de la mer Rouge. Ses récits, écrits d'une plume facile et habile, firent rêver la bourgeoisie casanière et l'adolescence avide d'un ailleurs; certains remportèrent un grand succès de librairie. C'est du moins le cas de ses premiers écrits, *les Secrets de la mer Rouge,* 1932; *les Derniers Jours de l'Arabie heureuse,* 1935; *la Croisière du haschisch,* 1937; *le Masque d'or ou le Dernier Négus,* 1936; *l'Enfant sauvage,* 1938; *la Poursuite du Kaïpan,* 1938; *Vers les terres hostiles de l'Éthiopie,* 1939.

Fixé en France en 1947, Monfreid ne cessa ni de voyager, ni de rapporter de ses pérégrinations des récits hauts en couleur, convaincus et convaincants, où la morale de l'homme seul, aventurier intrépide, amateur de valeurs primitives et viriles, de danger et d'émotions fortes, entraîne le mépris du modernisme et de ses douillettes facilités, mais non pas la prise de conscience des situations historiques et des évolutions inscrites en elles. *Le Cimetière des éléphants,* 1952; *Pilleurs d'épaves,* 1955; *la Route interdite,* 1952; *la Perle noire,* 1957; *Mon aventure à l'île des forbans,* 1959; *le Trésor des flibustiers,* 1951; *En mer Rouge avec Kessel,* 1965, ne sont que des exemples, aux titres suffisamment parlants, dans une production pléthorique et inlassable. Vieillard d'une vitalité exceptionnelle, Monfreid publia son dernier roman, *le Feu Saint-Elme,* à 94 ans, montrant avec l'élégance d'un personnage romanesque les vertus de jouvence d'une vie exposée; avec toutes les facilités du genre, il avait illustré dignement un type de récit pauvrement représenté dans la littérature française.

A. REY

MONLÉON (début du XVIIe siècle). Nous avons peu d'informations sur ce dramaturge qui aurait été proche de Théophile, à en croire une phrase de lui, diversement interprétée, où il déclare : « Je ne desadvouë point ce que je dois à Théophile; il a corrigé une partie de mes deffauts. Aussi me suis-je toujours reputé glorieux d'escouter, d'admirer et de croire celuy qui, outre les publiques acclamations, a treuvé, dans la bouche des roys et des reynes, des louanges ».

Monléon est connu comme l'auteur de deux pièces mythologiques, *Amphitrite* (1630) et *Thyeste,* tragédie (1638). La première retient surtout l'attention car elle hésite entre la pastorale et une forme proche des premiers opéras. L'intrigue, plutôt sommaire, permet surtout de développer des scènes spectaculaires. Le Soleil repousse les avances de la déesse Amphitrite, ce qui crée divers incidents pittoresques qui appellent une mise en scène soignée. Monléon utilise des métriques variées, à cinq reprises des stances, et il orne sa pièce d'un concert de sirènes et de tritons. Son écriture rappelle celle des textes qui accompagnent certains ballets de l'époque. De cette œuvre, dédiée à Cinq-Mars, l'auteur déclare dans sa Préface : « Si je n'ay pas parlé divinement, au moins j'estime que ç'à esté clairement et avec des termes françois » (par opposition aux faiseurs de rimes qui « parlent latin en françois »).

A propos de sa *Thyeste,* tirée de Sénèque, Monléon estime que le thème est trop simple pour son temps, mais qu'il l'a embelli et rendu moins horrible pour les « estroites regles ». Il ne semble pas qu'il ait pour autant connu le succès avec un sujet qui semble déjà déplacé à l'époque, en dépit des efforts qu'il a déployés pour l'adapter au goût de ses contemporains.

BIBLIOGRAPHIE

H.C. Lancaster, *A History of French Dramatic Literature in the Seventeenth Century,* J. Hopkins Press, 1929-1942, vol. I.

J.-P. RYNGAERT

MONLUC ou **MONTLUC, Blaise de Lasseran-Massencome, seigneur de** (vers 1502-1577). Ce soldat des campagnes d'Italie et des guerres de Religion renommé pour sa vaillance, mais aussi pour avoir passé les populations de villes entières au fil de l'épée, eut une ambition littéraire avouée. A l'imitation de César, qu'il se faisait lire au soir des batailles, il laissa des *Commentaires* en sept livres, destinés à transmettre à la postérité « oublieuse » le bel exemple de ses hauts faits. Un demi-siècle de combats et de guerres y est parcouru dans un style dense et pressé, depuis les guerres d'Italie de sa jeunesse jusqu'à la quatrième guerre de Religion, qui fait suite au massacre de la Saint-Barthélemy. Pour être frustes, ces « escriptures » — comme il les appelle — témoignent d'une conscience littéraire évidente, où l'amour-propre d'auteur se complaît dans la glose et le commentaire, la « farcissure » et l'amplification oratoire. Un tel travail du texte, qui s'augmente progressivement de digressions et de considérations techniques ou morales, est à rapprocher, *mutatis mutandis,* de l'infinie réécriture par Montaigne de ses *Essais.*

Une vie de soldat

Né au château de Saint-Puy, près de Condom, Blaise de Lasseran-Massencome, seigneur de Monluc, appartient à la petite noblesse pauvre de Guyenne. N'ayant d'autre perspective que la carrière des armes, il entre tôt au service du duc Antoine de Lorraine. Page, puis archer, il est désormais de toutes les guerres. En Italie, il prend part à la bataille de La Bicoque (1522) et à celle de Pavie (1525), où il est fait prisonnier. Libéré bien qu'il n'ait pu payer rançon, il reprend aussitôt les armes, à Naples, à Marseille, au siège de Perpignan. Commandant l'arquebuserie à Cérisoles (14 avril 1544), il joue un rôle décisif dans la victoire. Lors d'une nouvelle campagne en Piémont, il dirige, en tant que lieutenant du roi, l'héroïque défense de Sienne assiégée par le marquis de Marignan pour Cosme de Médicis (hiver 1554-1555). C'est là son exploit le plus célèbre, qui lui vaudra à son retour en France d'être fait chevalier de l'ordre de Saint-Michel. Galvanisant l'énergie de ses troupes, Monluc ne s'était rendu — avec les honneurs de la guerre — qu'au bout de huit mois de résistance et alors que la population était décimée par la famine. A la cour de Henri II, son « bon maître », où il paraît quelque temps, il choque par sa brusquerie de soudard. Il repart en guerre, en Italie encore, puis en Lorraine, où il prend une part active au siège victorieux de Thionville (1558).

La mort accidentelle de Henri II en 1559, dont Monluc aurait été averti par un songe prémonitoire, marque un tournant décisif dans sa carrière aussi bien que dans les destinées de la France. A la période héroïque des guerres étrangères succèdent les années sordides en Guyenne : dès le début des guerres de Religion, Monluc se forge une solide renommée d'homme de sang, enragé défenseur de la cause royale et catholique. Sans jugement et sans préavis, il fait ainsi décapiter sur les marches d'un calvaire, dont la pierre se fend sous le coup, Saint-Mézard, qui avait médit du roi. Les exécutions pour l'exemple se multiplient après les victoires de Targon et de Vergt en 1562, peuplant les arbres de Guyenne de cohortes de pendus. Après l'édit d'Amboise (1563), Monluc fait régner la paix avec la même intransigeance. A la reprise des hostilités en 1567, il n'obtient que des succès limités et ne peut empêcher la victoire de Montgomery au Béarn (1569). Destitué de sa charge au moment où se négocie la paix de Saint-Germain, il est grièvement blessé au visage par une arquebusade lors de la prise de Rabastens (juillet 1570). C'est alors que, défiguré et tombé en disgrâce, il entreprend la dictée de ses *Commentaires,* œuvre de justification autant qu'activité compensatoire à l'échec d'une vie.

La plume après l'épée

Écrite d'un seul jet, l'œuvre est achevée en sept mois (novembre 1570 - juin 1571). Elle se présente comme une revue de détail, hâtive et minutieuse à la fois, qui ne néglige aucune circonstance d'une carrière chargée, et qui ne laisse guère de place, en revanche, à la réflexion non plus qu'aux vues d'ensemble. Tout à son amertume, Monluc dresse un état de ses bons et loyaux services, sans que jamais transparaisse le doute ou le remords. Servi par une mémoire fidèle et porté à comptabiliser, il « récite » par le menu les cinq batailles rangées, les dix-sept assauts de forteresses, les onze sièges et les deux cents escarmouches auxquels il lui fut donné de prendre part.

Lavé de toute accusation par le duc d'Anjou, qui, devenu roi de France sous le nom de Henri III, le fera maréchal (1574), il va procéder à l'amplification d'une œuvre où les leçons destinées aux capitaines futurs occupent une place accrue. Prenant la pose sous le regard imaginaire des générations à venir, il développe le « beau exemple » de la résistance désespérée de Sienne, donne au souverain des cours de bon gouvernement, conseille la guerre de conquête pour prévenir les troubles civils. Son frère Jean, évêque de Valence, et Florimond de Raemond, conseiller au parlement de Bordaux et ami de Montaigne — c'est lui qui éditera en 1592 les *Commentaires* —, ont peut-être joué un rôle décisif dans cette mise au propre finale d'une chronique drue et brouillonne.

L'honneur tient une place prépondérante parmi les valeurs que défend Monluc. S'il maudit l'invention de l'arquebuse, c'est moins à cause de la perte de son nez et d'une bonne moitié de son visage que parce que cette arme nouvelle, maniée de loin et sans risque, tend à ruiner la morale de la témérité chère à l'ancienne noblesse. Monluc, au demeurant, s'est adapté à la guerre moderne et impure, comme suffiraient à le prouver et les exécutions massives de prisonniers qu'il ordonne à plusieurs reprises et quelques actes de traîtrise délibérés, dont il s'excuse en invoquant la « malice du temps ». A cet égard, il est le témoin exemplaire d'une époque où le pouvoir de décision passe du champ de bataille à la cour princière, échappant de manière définitive à la petite noblesse en armes. D'où la rancœur de Monluc contre les intrigants du Louvre — ces « prêteurs de charités » inspirés, à l'en croire, par l'envie et la médisance, et qui, loin des combats, infléchissent à leur gré la politique royale, disposant comme ils l'entendent du destin des hommes de guerre. Monluc et ses pareils, qui s'épuisent dès lors en de sanglantes escarmouches de village à village, n'ont plus, pour conjurer leur néant politique, qu'à multiplier sur leur passage ces inutiles charniers dont les *Commentaires* sont remplis. L'« honneur » et la « réputation » désertent à ce moment le champ de plus en plus restreint d'une action militaire d'autant plus forcenée qu'elle est sans objet, pour se réfugier dans les « escriptures ». Là, par la magie d'une plume que lui prêtent des scribes patentés — car lui-même n'écrit pas couramment —, ces médiocres hauts faits des dernières années vont lui acquérir « une immortelle mémoire ». Monluc rejoint alors sciemment, loin de son siècle et de ses misères, les destinées exemplaires des Catons et des Césars, des Scipions et des « Scévoles ».

BIBLIOGRAPHIE

Commentaires (1521-1576), éd. P. Courteault, 3 vol., Paris, 1911-1925; rééd. Paris, Gallimard, La Pléiade, 1964. Avec une Préface de Jean Giono.

P. Courteault, *Blaise de Monluc historien,* Paris, Picard, 1907; id., *Un cadet de Gascogne au XVIe siècle, Blaise de Monluc,* Paris, Picard, 1909; Pierre Michel, *Blaise de Monluc,* Paris, S.E.D.E.S., 1971; Jacques Pineaux, « Mort et transfiguration d'un héros : Blaise de Monluc à Rabastens », dans *Études seiziémistes offertes à V.-L. Saulnier,* Genève, Droz, 1980.

F. LESTRINGANT

MONNERON Frédéric (1813-1837). V. SUISSE. Littérature d'expression française.

MONNIER Henry Bonaventure (1799-1877). On ne se souvient plus guère aujourd'hui de Monnier : seul demeure le personnage de M. Prudhomme, qui hanta longtemps son créateur et semble l'incarnation la plus réussie du « stupide XIXe siècle » dans sa version bourgeoise. Monnier inventa son personnage, le dessina, prit plaisir à le suivre dans les circonstances de sa vie et à l'observer enfin dans tous ses modèles vivants. Au-delà même de Prudhomme, c'est en effet cette idée de vérité qui guide Monnier dans son exploration de l'espace social : toujours à l'affût des tournures de langage et d'esprit qui caractérisent un type, il réussit à créer un petit monde théâtral où la caricature rejoint une certaine forme d'étude sociologique.

M. Prudhomme et son double

La vérité, c'est d'abord dans sa propre vie que Monnier aura été la chercher, auprès de son père — qui semble comme un prototype de Prudhomme — surnuméraire aux Finances, décoré et commandant dans la Garde nationale. C'est en effet dans un milieu petit-bourgeois, d'origine provinciale, que Monnier est né à Paris. Il grandit dans les bouleversements de l'Empire, avant de faire un stage chez un notaire, puis de devenir surnuméraire au ministère de la Justice, où il trouve à employer ses dons de calligraphe (et de farceur). Là, il recueille les matériaux de ses futures caricatures des bureaucrates. Monnier s'est en effet découvert un talent de dessinateur : il quitte alors son emploi, passe dans l'atelier de Girodet, puis dans celui de Gros, visite l'Angleterre, où il publie ses premières lithographies. A son retour, Monnier est devenu un jeune homme *fashionable :* il est en relation avec les grands noms du jeune romantisme et dessine avec succès des vignettes ainsi que de nombreuses séries lithographiques comme *les Grisettes* (1827), *Esquisses parisiennes* (1827), *Mœurs administratives* (1828) ou *Esquisses morales et philosophiques* (1830). Ce goût pour le croquis, il le transpose dans la littérature lorsqu'il publie en 1830 les *Scènes populaires,* qu'il enrichira avant d'en poursuivre la veine avec *Scènes de la ville et de la campagne* (1841), *les Bourgeois de Paris, scènes comiques* (1854), *la Religion des imbéciles, nouvelles « Scènes populaires »* (1861), *les Bas-Fonds de la société* (1862), enfin *Paris et la Province* (1866). Monnier possède le sens du dialogue et du théâtre, comme on le voit dans *la Famille improvisée* (1831), pièce écrite en collaboration et dans laquelle il jouera quatre rôles diffférents. Il se fait donc comédien, épouse une comédienne et part pour des tournées qui ne s'achèveront qu'en 1839 : on le voit alors publier de nouvelles séries lithographiques et collaborer au grand ouvrage des *Français peints par eux-mêmes,* où il donne un article et de nombreux dessins. On retrouvera aussi sa signature dans des illustrations pour son camarade Balzac qui l'a portraituré sous le nom de Bixiou dans *les Employés* (1837). Il essaie ensuite de retrouver ses succès au théâtre, notamment avec *Grandeur et Décadence de Mr Joseph Prudhomme* (1852, écrit en collaboration avec Gustave Vaez), puis avec *le Roman chez la portière* (1855). Il publie les *Mémoires de Monsieur Joseph Prudhomme* en 1857. Mais le personnage cesse peu à peu de plaire au fur et à mesure que son auteur, par une ultime mystification, lui ressemble davantage en vieillissant. Pourtant, Monnier rédige toujours des articles humoristiques et poursuit son œuvre de dessinateur et d'aquarelliste, avant de s'éteindre à soixante-dix-huit ans.

La comédie de l'humanité

Le titre d'un livre de Monnier indique bien comment il faut comprendre son art : *Scènes populaires dessinées à la plume.* Écrire, pour lui, c'est d'abord montrer ce qu'il voit et veut reproduire. On comprend dès lors pourquoi les réalistes l'ont regardé comme leur ancêtre. Ce dessinateur, cet acteur aussi, qui fut M. Prudhomme à la scène et aimait à le jouer dans la vie, essaie de s'approcher au plus près du réel, d'être peut-être ce miroir à quoi le comparait Baudelaire; mais Baudelaire considérait cela comme un reproche et dénonçait ainsi chez Monnier l'incapacité d'atteindre le grand art. Et, en effet, on constate aisément le goût de Monnier pour le détail caractéristique, le mot drôle enregistré. Ses livres se veulent à l'image de la vie : on peut leur prêter toutes les significations. Certes, Prudhomme est d'abord une caricature, une « charge » du bourgeois vaniteux, vide, au faux bon sens, un précurseur de Homais et plus modestement du Fenouillard de Christophe. Il est un cliché vivant, avec son ventre rebondi, sa chemise empesée et surtout son langage, orné de lieux communs, de métaphores ineptes, de lapalissades. Certains de ses mots sont bien connus, tels « Le char de l'État navigue sur un volcan » ou « Ce sabre est le plus beau jour de ma vie », mais d'autres trouvailles prudhommesques, ou du moins proches de sa pensée, méritent d'être retenues : « Ces frelons qui viennent s'engraisser de la sueur des employés », le « couteau de Fualdès avec son manche à Rome et sa pointe dans l'Aveyron », ou encore cette merveille : « Ôtez l'homme de la Société, vous l'isolez ». Monnier crée donc le type du bourgeois; il en créera d'autres, comme celui de la portière avec son chien : « Mme *Desjardins,* portière, [...] esclave du *premier,* soumise aux volontés du *second,* à son aise avec le *troisième,* mangeant dans la main du *quatrième,* fière et hautaine avec les étages supérieurs [...] ». « *Azor,* carlin de quatorze ans, surchargé d'embonpoint, exhalant après dîner une odeur fétide [...] ». Chaque fois, on retrouve un caractère, noté avec précision dans son comportement et ses paroles, en situation : le bourgeois en visite, le bourgeois en voyage, le bourgeois mystifié.

On peut alors faire de Monnier un pur comique dont le seul talent serait de tourner tout en dérision, de dénicher partout le stéréotype, de montrer le ridicule universel qui nous submerge à chacune de nos actions. Et c'est bien là que réside, en fait, le second sens de cette œuvre : nous ne ririons pas tant si nous ne nous sentions pas, peu ou prou, et tous, des Monsieur Prudhomme en puissance, capables d'émettre des balourdises et des clichés. D'où probablement cette fascination qu'exerce le personnage — et d'abord sur son créateur, à qui il ressemble sur bien des points et qui l'obsédera jusqu'à la fin de sa vie. En effet, les *Mémoires de Monsieur Joseph Prudhomme* sont aussi ceux de Monnier, et l'on retrouve dans les deux cas un même amour du théâtre : Prudhomme, qui se fait auteur puis directeur, aime les acteurs, et cela probablement parce qu'il leur ressemble : en fait, flottant au vent de ses préjugés, de ses illusions, de ses phrases creuses, il n'est qu'une bulle. On serait tenté de dire qu'il n'a pas de personnalité, si l'on ne s'apercevait bientôt que Monnier est présent derrière ce masque, qu'il l'utilise à des fins perverses, que son personnage, expert en écriture, est peut-être une image de l'écrivain.

Faut-il en rire?

Toujours est-il que Prudhomme devient équivoque : on ne sait plus si les jugements qu'il émet sont ou non pris à son compte par l'auteur, et sa bêtise, loin d'être toujours simple, prend, au second degré, le caractère d'une lucidité extrême. De même, c'est son « héros » que Monnier chargera de rapporter les conversations d'atelier, de bureau ou de théâtre, de nous prévenir aussi de leur côté plaisant : « J'ai toujours entendu les mêmes conversations entre mes collègues; j'ai fini par les retenir, et je crois que je pourrais les stéréotyper d'un bout à l'autre ». La Prudhommie se peuple alors de personnages aussi vrais et burlesques à la fois que MM. Bonnet, Fardeau et Pedurand, que John Brioch, Krakersdorf et Malvina de La Jollifière. Mais une telle énumération pose en même temps toute la question du type et de la caricature : en d'autres termes, où ferons-nous passer la limite entre la restitution réaliste d'un personnage ou d'un milieu, la scène de genre, le croquis typé où l'auteur choisit et accentue quelques traits particuliers, enfin la « charge » pure où il ne reste plus que ces traits, mais poussés jusqu'à la caricature. D'où également notre hésitation : faut-il rire devant telle scène ou seulement admirer la précision avec laquelle l'auteur fait parler un personnage, une fille, un voleur, un paysan ou un enfant, dans sa singularité langagière qui semble, pour Monnier, le définir presque tout entier?

En fait, Monnier hésite souvent entre la farce et la comédie, entre Plaute et Térence, avec même parfois un détour du côté du drame : par exemple dans l'exécution capitale des *Scènes populaires,* ainsi décrite : « Oh! est-il grêlé celui-ci, c'est pas un beau. Il veut faire résistance, empoignez-le donc... Oui, va, t'as beau faire; il a fait la grimace à son prêtre [...]. T'as beau rouler tes yeux, va... jouis d' ton reste, t'as beau faire... Enfoncée... elle n'a pas d' sang... au panier... » Peut-être est-ce là, en fin de compte, le meilleur de son œuvre : un mélange des genres qu'on retrouverait dans ces dialogues doux-amers que Monnier multiplie : entre le grand-père et son affreux Jojo de petit-fils, entre le médecin et un curieux paysan qui aimerait bien se débarrasser de sa femme, entre la garde-malade sadique et son patient désespéré. L'histoire même de Prudhomme racontée dans ses *Mémoires,* si joyeuse, se termine par sa ruine complète, et le gogo pompeux devient d'un coup pitoyable, de même qu'inversement l'accusé de cour d'assises Jean Iroux devient prétexte à rire. On n'a donc pas le droit de considérer Monnier comme un auteur mineur, au registre restreint : il réussit en effet à créer un monde dont la vérité nous amuse en même temps qu'elle nous fait honte. Il nous permet enfin de regarder d'un œil neuf la société qui nous entoure, moins éloignée peut-être de Monnier et de son époque que nous ne pourrions le penser.

BIBLIOGRAPHIE
Œuvres rééditées de H. Monnier : *Morceaux choisis* (avant-propos d'A. Gide), Gallimard, 1935; *Mémoires de Monsieur Joseph Prudhomme* (Préf. et notes de G. Sigaux), Club français du Livre, 1964; *Scènes populaires* (introduction par C. Cœuré), Flammarion, 1973.
A consulter. — Champfleury, *Henry Monnier,* Dentu, 1879; A. Marie, *Henry Monnier,* Floury, 1931; E. Melcher, *The Life and Times of Henry Monnier,* Harvard Univ. Press, Cambridge (Mass.), 1950.

A. PREISS

MONNIER Jean-Pierre (né en 1920). V. SUISSE. Littérature d'expression française.

MONNIER Marc (1829-1885). V. SUISSE. Littérature d'expression française.

MONNIER Mathilde Anna, dite **Thyde** (1887-1967). Née à Marseille, d'une famille bourgeoise, elle fait ses études au lycée Montgrand et très tôt se sent attirée par la littérature. Ses œuvres de jeunesse — des pièces de théâtre, des poèmes, des nouvelles — resteront longtemps inédites, et ce n'est qu'en 1937, avec le roman *la Rue courte,* qu'elle connaît la célébrité.

De nombreuses œuvres, dont certaines furent couronnées par des prix littéraires, se succèdent alors; la plupart sont intégrées dans des cycles, et le plus souvent situées en Provence. *Les Desmichels* comprennent *Grand-Cap* (1937), *le Pain des pauvres* (1938), *Nans le berger* (1942), *la Demoiselle* (1944), *Travaux* (1945), *le Figuier stérile* (1947). La série intitulée *Pierre Bacaud* est formée de *Fleuve* (1942), *le Barrage d'Arvillard* (1946), *Pourriture de l'homme* (1949) et *Largo* (1954). Commencé en 1937 (*la Rue courte* et *Annonciata),* le cycle dit *les Petites Destinées* s'achève en 1951 par *Cœur. Franches Montagnes* a paru de 1948 à 1956, et le dernier roman de l'auteur, *la Ferme des Quatre-Reines,* a été édité en 1963. Enfin, quatre volumes de souvenirs — intitulés *Moi* — ont paru : *Faux départ* (1949), *la Saison des amours* (1950), *Sur la corde raide* (1951) et *Jetée aux bêtes* (1955). Thyde Monnier passa ses dernières années à Nice, où elle s'éteignit à quatre-vingts ans.

L'œuvre de Thyde Monnier se rattache, pour l'essentiel, à une double tradition : tout d'abord celle du « roman-cycle », héritée des romanciers de l'école naturaliste du XIXe siècle et du début du XXe siècle, depuis *les Rougon-Macquart* de Zola. Dans *les Desmichels,* la série la plus connue de Thyde Monnier, il s'agit de raconter, roman par roman, l'histoire des membres d'une même famille afin d'illustrer, comme chez Zola, le principe de l'hérédité des tares familiales. En second lieu, Thyde Monnier s'insère dans la lignée des écrivains régionalistes comme Marcel Pagnol, Henri Bosco. En effet, à travers ses romans, elle vise à donner une image fidèle de sa province natale, la Provence, et celle-ci se trouve représentée d'une manière pittoresque, avec ses cyprès, ses champs de lavande, ses lavoirs où les femmes passent leur temps à bavarder, ses sources, son mistral; il est question des « coteaux derrière Solliès-Toucas, là où il y a une fontaine si claire qu'elle rafraîchirait le cœur d'un qui a commis un crime, [...] des collines de genêts, [...] des vignes qui s'étagent au long des terrassettes rouges et qui portent tout le bon raisin, [...] des prairies qui bordent le Gapeau, où les cerisiers, les figuiers, les abricotiers posent leurs fruits sur l'herbe, tellement ils sont chargés » (*Grand-Cap*). La région provençale et, d'une manière générale, la vie rurale sont présentées au lecteur comme une sorte d'Eden dont il est fatal de sortir; les personnages de Thyde Monnier finissent toujours par revenir aux sources de leur famille et trouvent là leur véritable raison d'être, loin des divertissements frelatés des villes et de la civilisation; ainsi Olivier, dans *les Desmichels,* revient au bercail après des années passées à courir les mers et finit par épouser une fille riche, en conformité avec l'origine bourgeoise de sa famille, après avoir vécu avec une prostituée.

L'univers romanesque de Thyde Monnier est alimenté par les thématiques qu'aborde régulièrement le roman bourgeois : l'honneur de la famille (« Un fils Desmichels, ça ne va pas sur les routes », déclare un des personnages de *Grand-Cap*), le culte de la terre ancestrale, le rôle de la destinée dans le devenir des hommes, les conflits entre l'amour et le rang social, l'amour maternel déchiré, etc.

On perçoit également, chez Thyde Monnier, une critique de la guerre et de ses incidences sur la vie des familles (la mort, la désunion), et ce pacifisme ne va pas sans rappeler celui de certains milieux intellectuels d'avant-guerre, celui qui notamment anima, autour de Giono, les réunions du Contadour. Ici, l'adjectif « traditionnel » semble de rigueur, quel que soit l'aspect qu'on aborde dans l'œuvre de la romancière, au point que l'on peut se demander si cette œuvre n'est pas très éloignée des chemins actuels de la littérature; mais son succès auprès des lecteurs incite à la considérer comme un phénomène sociolittéraire important.

BIBLIOGRAPHIE

De nombreuses études ont été consacrées à la romancière dans des revues ou des panoramas de la littérature française contemporaine, en particulier dans le *Dictionnaire de la littérature contemporaine* de A. Bourin et J. Rousselot, Paris, Larousse, 1966.

J.-P. DAMOUR

MONNIER Philippe (1864-1911). V. SUISSE. Littérature d'expression française.

MONOLOGUE DRAMATIQUE. *One man show* comme le sermon joyeux, mais débarrassé du lien formel avec le contexte liturgique, le monologue dramatique met en scène un acteur unique, qui incarne un personnage mais qui peut donner la réplique de deux ou trois rôles par des changements de voix. Le comique se nourrit de la parole et du geste d'un « type » dont les ridicules sont complaisamment exposés. Certains rôles, auxquels la « publicité » est inhérente, offrent une matière privilégiée : charlatans débitant leur marchandise, jongleurs vantant leurs talents, serviteurs offrant leurs services, ainsi que les hâbleurs « par nature », amoureux et soldats. C'est un genre fragile, qui tend à éclater : l'introduction de contradicteurs fictifs, les changements de voix le mènent à la limite de la farce. Les monologues dramatiques, nécessairement courts, servent d'introduction ou d'interlude à des représentations plus longues. Ils se développent au XVe siècle, mais dès le XIIIe on trouve une œuvre d'un esprit et d'une forme étonnamment proches, le *Dit de l'herberie* de Rutebeuf, que l'on qualifie, faute de mieux, de « boniment de jongleur » : un marchand d'« herbes » débite sa tirade sur une place publique, se déclare diplômé de toutes les facultés étrangères, prétend avoir ramené au péril de sa vie des remèdes universels; grivoiseries, recettes bouffonnes, explications pseudo-philosophiques sur l'origine des vers, traitements contre les parasites intestinaux composent un ahurissant numéro de déclamation où l'action dramatique est remplacée par la verve et la création verbale.

Le plus connu des monologues, *le Franc Archer de Bagnolet* (1468?), utilise des procédés équivalents, mais plus élaborés, sur le thème du *miles gloriosus;* le rôle est plus riche et permet l'esquisse d'actions, grâce à l'accessoire d'un épouvantail (mimiques de combat et de fuite, avec un « retournement de situation »). Le motif traditionnel se charge d'allusions historiques : Pernet, triste exemplaire d'un corps d'archers créé par Charles VII, entre en scène « en cornant à un cornet », prêt à combattre seul contre quatre et jurant qu'« il ne craint page/S'il n'a point plus de quatorze ans ». Le récit de ses exploits contre les Anglais (il a participé à toutes les batailles) est lamentablement interrompu par la découverte d'un épouvantail placé dans un champ : « Par le sang bieu, c'est un Breton, et je dis que je suis Français! c'en est fait de toi cette fois, Pernet, il est du parti contraire ». Le monologue se fait dialogue avec deux interlocuteurs muets, l'épouvantail et le public. Pernet dicte son épitaphe, se confesse, mais un coup de vent providentiel renverse l'ennemi et permet à l'archer de conclure sur un triomphe bien mérité : seul le souci du butin (la « robe ») empêche le matamore de transpercer son adversaire. Ce style de vantardise qui se dénonce elle-même par un usage immodéré de l'hyperbole est aussi celui du monologue de *l'Amoureux de la botte de foin,* épicé d'allusions grivoises. Spectacle de bateleur aux moyens réduits, le monologue dramatique, comme le sermon joyeux, se « joue », en fait, entre deux « personnages »; l'acteur et un public dont il faut supposer qu'il ne reste pas passif : sa participation semble même prévue par le texte du *Franc Archer,* au moment où le personnage entend un « cocorico » qui relance le récit de ses hauts faits.

BIBLIOGRAPHIE

Édition. — *Le Franc Archer de Bagnolet,* L. Polak, Genève-Paris, 1966.

A consulter. — J.-Cl. Aubailly, *le Théâtre médiéval profane et comique,* Larousse, 1975; — *le Monologue, le dialogue et la sotie,* Champion, 1976; G. Cohen, *le Théâtre en France au Moyen Âge,* Paris, 1928, t. II; K. Schoell, *das Komische Theater des französischen Mittelalters,* Fink, Munich, 1975.

A. STRUBEL

MONOLOGUE INTÉRIEUR. Le monologue, comme le soliloque au théâtre, est conventionnellement et arbitrairement — car rien ne prouve que l'on « pense » ainsi, sauf lorsqu'on pense « tout haut » et qu'on parle — calqué sur le langage oral. La distinction entre dialogue et monologue est donc, le plus souvent, marquée par le lexique et dépend seulement du verbe introducteur : « Elle n'est pas méchante, tante Estelle, pensait-elle. Mais elle m'a fait de la peine. Cette robe... comme elle m'a dit cela!... Mon Dieu, elle trouve cela naturel... Elle a oublié, elle ne peut imaginer que je pense toujours à... Elle ne disait pas de nom. Elle pleurait seulement sur une place vide dans son cœur » (Émile Henriot, *Aricie Brun ou les Vertus bourgeoises,* 1924). La substitution du verbe « penser » ou « se dire » à « dire » ou « faire », etc., suppose une extension de l'omniscience du narrateur : en effet, si, en bonne logique béhavioriste, les propos tenus par un personnage (dialogue) peuvent être perçus par un autre, il n'en va pas de même de la pensée. La vraisemblance réaliste se trouve donc bousculée. Ainsi le postnaturalisme puis les techniques impressionnistes à la mode dans les années 20 finissent-elles, par excès de pénétration psychologique, et peut-être sous l'influence indirecte du freudisme naissant, par confondre l'intimité du personnage avec la rêverie de l'auteur lui-même et aboutissent du même coup à transformer le roman en journal; le récit à la première personne sera la seule façon d'échapper aux incohérences : « Ce matin même je les y mènerai, puisqu'elles repartent ce soir. Ah, le chien de Cerri a bougé. Sa chute, hier à Palavas. "Poverino! tutto bagnato! Giù!" Désagréable animal. Le soleil touche le drap juste à la hauteur de... Si je ne craignais pas de les réveiller, je tirerais le drap pour voir arriver le rayon sur la gorge d'Inga » (Valery Larbaud, *Amants, heureux amants,* 1923). Il faut donc remarquer d'autre part que tout ce que l'on a appelé « courant de conscience » à la suite du *stream of consciousness* des romans anglo-saxons, puis ce qu'on a nommé « sous-conversation » avec le nouveau roman (Nathalie Sarraute, Samuel Beckett), dépend plus des problèmes de focalisation (ou points de vue) — et notamment de l'emploi du présent « scénique » ou simultané (comme on l'a vu dans l'extrait précédent) — que du monologue proprement dit. G. Genette considère qu'il vaudrait mieux substituer le terme de « discours immédiat » à celui de monologue « puisque l'essentiel, comme il n'a pas échappé à Joyce, n'est pas qu'il soit intérieur, mais qu'il soit d'emblée ("dès les premières lignes") émancipé de tout patronage narratif, qu'il occupe d'entrée de jeu le devant de la "scène" » (*Figures, III*).

Les marques formelles du monologue intérieur sont de deux types : langagières (syntaxiques et lexicales) ou typographiques, comme pour le dialogue. Dans l'extrait suivant, la pensée ne se distingue de la parole que par les verbes introducteurs :

« — D'ailleurs, je ne m'en plains pas, ajouta la grande sœur.

« C'est ce qu'elle a de mieux à faire », pensa Bernard en avalant son visqui.

« — Alors on les met? demanda Polo.

« — Comment? ah oui, dit Lehameau » (Raymond Queneau, *Un rude hiver,* 1939).

Mais un autre système apparaît fréquemment au niveau stylistique : l'emploi de phrases nominales, de verbes à l'infinitif, de ruptures de construction, de phrases en suspens :

« Le fleuve... Les cloches... Si loin qu'il se souvienne — dans les lointains du temps, à quelque heure de sa vie que ce soit —, toujours leurs voix profondes et familières chantent... La nuit — à demi endormi... Une pâle lueur blanchit la vitre... Le fleuve gronde » (Romain Rolland, *Jean-Christophe,* 1904).

Édouard Dujardin, dès 1931, avait très bien analysé ce mécanisme dans *le Monologue intérieur,* théorisation de son récit *Les lauriers sont coupés :* « Un personnage exprime sa pensée la plus intime, la plus proche de l'inconscient, antérieurement à toute organisation logique, c'est-à-dire en son état naissant, par le moyen de phrases directes réduites au minimum syntaxial *(sic),* de façon à donner l'impression du *tout venant.* »

On peut, analysant l'extrait suivant d'un récit de Camus, *la Femme adultère,* se demander ce qui permet de distinguer le « discours vécu » du reste de la narration : « La chambre était glacée. Janine sentait le froid la gagner en même temps que s'accélérait la fièvre. Elle respirait mal, son sang battait sans la réchauffer; une sorte de peur grandissait en elle. Elle se retournait, le vieux lit de fer craquait sous son poids. Non, elle ne voulait pas être malade. Son mari dormait déjà, elle aussi devait dormir, il le fallait. Les bruits étouffés de la ville parvenaient jusqu'à elle par la meurtrière. Les vieux phonographes des cafés maures nasillaient des airs qu'elle reconnaissait vaguement, et qui lui arrivaient, portés par une rumeur de foule lente. Il fallait dormir. Mais elle comptait des tentes noires; derrière ses paupières passaient des chameaux immobiles; d'immenses solitudes tournoyaient en elle. Oui, pourquoi était-elle venue? Elle s'endormit sur cette question ». On remarque nettement la reprise du récit avec le dernier verbe au passé simple : « Elle s'endormit ». Pour le reste, la distinction temporelle n'est pas pertinente puisque tous les verbes sont à l'imparfait, qu'il s'agisse de descriptions ou du style « indirect libre ». Force est donc de reconnaître que « le début du discours vécu est indiqué par une redondance appuyée de la négation, caractéristique du discours oral, moins construit et souvent porté à la sur-caractérisation : *Non, elle ne voulait pas être malade.* Plus loin, l'articulation syntaxique un peu lâche se prête à traduire le flou des pensées naissantes : *Son mari dormait déjà, elle aussi devait dormir, il le fallait* [...] La question rhétorique se fait aussi assez fréquente, précédée ici d'un *oui* pensif : *Oui, pourquoi était-elle venue?* Enfin les quelques métaphores poétiques n'échappent pas aux familiers de Camus *(Derrière ses paupières passaient des chameaux immobiles);* s'il se les permet dans le discours vécu, dans le récit, en écrivain moderne, il y a renoncé. Nous sommes cette fois en présence de signaux véritablement stylistiques, et non plus syntaxiques » (Weinrich, *le Temps,* Le Seuil). Mais le plus souvent, il n'y a pas de distinction entre une réflexion de l'auteur et le monologue intérieur du personnage :

« Et l'homme répondait toujours, de sa voix enrouée par les intempéries des saisons : « Encore rien c'te fois, ma bonne dame ».

« C'était une femme assurément qui empêchait de répondre!

« Jeanne avait résolu de partir tout de suite » (Maupassant, *Une vie,* 1883).

Quels indices textuels permettent de distinguer par qui la phrase mise ici en italiques est prononcée? [Voir aussi VERS ET VERSIFICATION].

B. VALETTE

MONSTRELET Enguerrand de (vers 1390-vers 1453). Familier du comte Jean de Saint-Pol, bailli du chapitre de Cambrai (1436-1440), prévôt de la ville, il est l'auteur de *Chroniques* qui se proposent de continuer « ce prudent et très renommé historien maistre Jean Froissart » (I, v). Il commence son récit en 1400 et innove en l'étendant à la Bourgogne jusqu'en 1444. Comme son prédécesseur, qui admirait les « notables proesses et merveilleuses aventures, les grandes apertises et les beaulx fais d'armes » et cherchait dans l'événement une qualité esthétique, Monstrelet aime « les tres dignes et haulx fais d'armes », « les inestimables et aventureux engins et subtilitez de guerre dont les vaillans homes ont usé »; de l'histoire, le lecteur tirera le même plaisir que d'un roman.

Le but du chroniqueur est toujours didactique : former les générations contemporaines qui se « vouldroient aux armes exerciter », enregistrer « la gloire et louenge de ceulx qui par force de courage et puissance de corps vaillamment s'i sont portés ». Il s'agit de répercuter dans l'écriture l'idéologie chevaleresque, d'en trouver la démonstration dans l'événement. Ainsi, une large place est accordée, au début, à un défi lancé par Louis d'Orléans au roi d'Angleterre. La veillée d'armes est aussi importante que la bataille : à Azincourt, les deux armées s'excitent à son de trompettes, et les Français se plaignent de ne pas en avoir eu assez « pour eulx resjouyr », et d'avoir manqué de soutien moral... Mais Azincourt est aussi un moment de crise pour l'aristocratie. La chronique prend ses distances : une autre réalité perce à l'évocation de la prise de Soissons (l'armée royale viole « femmes mariees, presents leurs maris, jeunes pucelles, presents leurs peres et meres, nonnains sacrées, gentilles femmes et autres de tout estat »). Quelque chose a changé depuis Froissart, la fascination n'est plus inconditionnelle. L'auteur se veut impartial, mais son attachement à la maison de Luxembourg transparaît. Les silences sont révélateurs (réserves sur Jeanne d'Arc, sur Philippe le Bon à Compiègne). Mais, pour le meurtre de Louis d'Orléans, nous avons une version équilibrée des faits, avec la *Justification* de Jean Petit et sa réponse, incorporées dans le texte; le commentaire reste sobre et prudent : « Si fut adonques fait grant murmure dedens la ville de Paris, tant des princes et nobles hommes comme du clergié et de la communaulté, et y eut plusieurs et diverses oppinions. Car ceulx qui tenoient le parti du duc d'Orléans disoient icelles accusacions estre faulces et décevables, et ceulx tenans le parti du duc de Bourgogne maintenoient le contraire. »

La prose de Monstrelet est piétinante, les idées s'y juxtaposent comme les propositions et ont du mal à s'organiser. L'écriture de l'histoire ressemble encore à sa narration orale; les faits se succèdent, et les interprétations se surajoutent à l'accumulation des événements plus qu'elles ne la guident ou ne la mettent en forme. Chastellain suivra Monstrelet de près dans ses deux premiers livres, mais avec moins de sécheresse, plus d'explications et la volonté de donner une certaine épaisseur psychologique aux individus.

BIBLIOGRAPHIE

Édition. — L. Douët d'Arcq, *la Chronique d'Enguerrand de Monstrelet,* Paris, Société de l'Histoire de France, 1857-1862, 6 vol.

A. STRUBEL

MONTAIGNE

MONTAIGNE, Michel Eyquem, seigneur de (1533-1592). Michel Eyquem est de noblesse récente : les terres et le château de Montaigne ont été achetés par son bisaïeul. Lui-même sera le premier à se faire appeler de Montaigne, effaçant par là les origines commerçantes de sa famille paternelle. C'est un homme à peine sorti du commun — mais conscient de sa valeur personnelle —, qui fera part, dans les *Essais,* de ses pensées et de ses actions.

Vivre une modeste fortune

La vie de Montaigne est signifiée par les lieux qu'il fréquente : Bordeaux, décor d'une scolarité mal vécue et siège de la magistrature dont il fera partie jusqu'en 1585; Paris, pour sa vie politique qui, si elle a pu être ambitieuse sous les règnes de Henri II et de Charles IX, deviendra une entreprise de négociations pendant toute la durée des guerres de Religion (transactions entre les différents partis, présence à la Cour au moment fort des troubles de Guyenne); le château de Montaigne, à partir de sa « retraite » (1571) : non pas retraite politique, mais bien philosophique; enfin, un itinéraire de voyages (1580-1581) qui aura le double but de le soulager de la maladie et de lui faire pratiquer l'« entregent ». Malgré des périodes plus sédentaires, consacrées à la lecture et à l'écriture, Montaigne est un homme qui bouge.

On peut remarquer que la vie littéraire de Montaigne commence à la mort de son père (1569). Celui-ci avait, en quelque sorte, guidé ses premiers pas : le forçant à n'apprendre que le latin, sous le préceptorat d'Horstanus; l'emmenant avec lui lorsqu'il se rendait à la Cour ou voyageait ailleurs; résignant en faveur de son fils sa charge de conseiller à la cour des aides de Périgueux; et surtout lui demandant la traduction de la *Théologie naturelle* de Raymond de Sebonde. Montaigne l'a suivi de bonne grâce, semble-t-il, mais avec le regret de ne pas avoir vraiment continué l'œuvre paternelle : l'embellissement du château et la consignation des événements familiaux dans les Éphémérides (voir les *Éphémérides de Beuther,* laconiquement annotées par Montaigne).

L'amitié et la mort de La Boétie (1563) furent des événements décisifs dans les années qui suivirent : La Boétie était, selon les *Essais,* une figure exceptionnelle et exemplaire, ce que Montaigne avoue ne pouvoir être. C'était un écrivain à peine publié encore, et un praticien de la noblesse d'âme. Montaigne reconnaîtra cette qualité de mœurs et d'esprit dont il ne reparlera qu'à propos d'une femme, sa fille d'alliance, Mlle de Gournay. Mais il ne commencera à la fréquenter qu'en 1588, après qu'elle lui aura fait part de son admiration pour les *Essais.* Entre ces deux dates, Montaigne vit apparemment seul; son mariage et sa paternité semblent traverser sa vie sans la marquer. Ces vingt-cinq années seront remplies par une activité littéraire et politique intense, et les *Essais* assureront rapidement un « nom » au seigneur de Montaigne.

Nulle contradiction entre ce que les *Essais* nous disent sur la vie de Montaigne et ce que nous en connaissons par ailleurs. Il est vrai que Montaigne servit la monarchie avec loyauté et sans esprit partisan. Il est également vrai qu'il n'a pas pris de risques inutiles, limitant par là sa « gloire », mais agissant davantage selon lui-même.

En tout point, si l'on regarde les actes de sa vie, Montaigne a sauvé les apparences d'un gentilhomme né catholique et instruit par les humanistes. Cependant, les *Essais* indiquent, entre l'extériorité de la vie publique et la réalité du moi, un fossé qui s'agrandit avec les années. La conscience de la médiocrité de la vie, et de la sienne en particulier, se fera de plus en plus aiguë.

Essais

Loin de se présenter comme un livre lisse, achevé, aux liaisons soignées, les *Essais* ont une structure et induisent une lecture qui correspond à leur titre : montage spécifique de réflexions rédigées à diverses époques, commentées à d'autres, et qui force le lecteur à pratiquer une lecture non linéaire.

Lire en spirale

Difficulté d'abord provoquée par ce qu'on appelle les trois « strates » du texte (voir la chronologie des œuvres), c'est-à-dire la couche A (édition 1580, livres I et II), la couche B (édition 1588, livres I, II et III) et la couche C (annotations portées sur l'exemplaire de Bordeaux, après 1588). La diachronie du texte s'impose, même si une lecture cursive (ou globale) tend à effacer les différentes époques de la rédaction. Encore faut-il distinguer celles-ci des moments clés que sont les dates d'édition, importantes, certes, mais qui ne rendent pas compte du travail effectué durant des années par Montaigne sur son texte.

Une des premières exigences des *Essais* (I, VIII, « De l'oisiveté ») est celle de la liberté de l'écriture (et des réécritures) : Montaigne « met en rolle » ses « chimeres et monstres fantasques ». Les premiers chapitres offrent l'aspect d'une compilation, d'un florilège d'exemples comme on en trouve dans les « leçons » de l'époque. Cet aspect diminue à mesure que l'on pénètre dans le texte — et donc aussi selon l'évolution personnelle de Montaigne — sans jamais disparaître tout à fait. L'intervention de l'auteur se fait plus sensible, plus raffinée, plus subtile : il n'empêche qu'elle a souvent pour point de départ un élément étranger.

Montaigne revendique le droit de ne pas produire une œuvre : « Je peins principalement mes cogitations, subject informe, qui ne peut tomber en production ouvragere » (II, XII). Son texte ne prétend pas à la profondeur ni à la hauteur, mais à l'humanité, au ras des possibilités de l'homme, quelles que soient ses aspirations à la divinité. A une telle modestie idéologique (ce n'est pas pour rien que le texte s'intitule « essais ») correspond une modestie littéraire dont la forme reste très spécifique : on a souvent tenté de l'ordonner (Pierre Charron), mais sans succès : on peut toujours aboutir à une réduction ou à une expurgation des *Essais*, jamais à une lecture totale.

Il faut donc renoncer à « lire totalement » Montaigne, c'est-à-dire à vouloir rendre compte d'un texte qui s'avoue lui-même comme un montage. La structure synchronique telle qu'elle s'organise au cours des pages tournées est, selon l'expression de Montaigne, une « marqueterie mal jointe » : des jonctions syntaxiques floues, des liaisons-chevilles qui renforcent l'idée d'une association plus que d'un raisonnement organisé à partir d'un plan. Refaire le plan des *Essais* serait une gageure. La critique s'est limitée, la plupart du temps, à étudier un chapitre ou un groupe de chapitres et à rendre compte de l'absence de structure dans les *Essais* par des images : architecture non terminée (A. Glauser), guirlande, bastion (M. Butor), spirale (A. Compagnon), cercles concentriques (G. Poulet). Autant de métaphores de l'impuissance à lire un texte qui nous montre ses coutures tout en cachant les indices de sa structure profonde.

Un centre?

De l'aveu de Montaigne lui-même, les *Essais* auraient dû avoir un centre (I, XXVIII). Les « grotesques » auraient dû entourer le tableau principal d'un opuscule de La Boétie. Mais plusieurs années ont passé entre cette intention et la première édition : plusieurs années au cours desquelles s'est probablement élaborée l'« Apologie de Raymond de Sebonde »; années pendant lesquelles l'étude du scepticisme s'est approfondie, et pendant lesquelles l'auteur du *Discours de la servitude volontaire* a disparu au profit de l'ami. Un centre promis, mais non tenu.

Avec l'édition de 1580, l'« Apologie » apparaît comme un monument, ordonné en principe sur un sujet précis, la théologie de Sebonde, et où Montaigne décide de parler à la place de l'auteur. L'œuvre apparaît désormais comme un labyrinthe (Butor) : on a apparemment une entrée et une sortie, un début et une fin, mais les thèmes reviennent et s'entrecroisent. De plus, ils ne sont pas spécifiques à ce chapitre : bon nombre d'entre eux sont annoncés ou développés ailleurs. L'« Apologie » ne paraît centrale que par la masse imposante de ses pages.

La rédaction des *Essais* conduit Montaigne, qu'il le veuille ou non, à des décentrements successifs, comme si, une fois le sujet abordé, c'était l'écriture qui comptait avant tout, et non plus un contenu forcé. L'absence de mémoire alléguée par Montaigne est un singulier prétexte : elle justifie la relecture permanente de l'œuvre et en même temps des additions nécessaires, puisqu'une certaine durée s'est écoulée et que le sujet écrivant n'est plus exactement le même. Elle justifie ce qu'on appelle le désordre du livre; le lecteur, mémorisant d'une autre façon, lit le texte à la suite, sans distinguer un à un les méandres d'une pensée qui, malgré nous, nous échappe.

Seule l'écriture est là pour pallier une mémoire presque volontairement défaillante : « Et suis si excellent en l'oubliance que mes escrits mesmes et compositions, je ne les oublie pas moins que le reste » (II, XVII, « De la praesumption »). Montaigne se relit donc, sans se dédire. Les additions insérées dans les chapitres déjà écrits sont nombreuses, les rajouts et les allongements par de nouveaux chapitres constituent la majeure partie du livre III; en revanche, les corrections sont rares, et les contradictions ne sont pas niables.

C'est pourquoi Montaigne dit avoir fait de son livre un enfant monstrueux (II, XVIII, « Du démentir ») : une production qui fait s'enchevêtrer des thèmes et des idées à divers degrés générateurs. L'agencement ne se fait pas selon un ordre secret — que divers critiques ont évoqué sans qu'il s'agisse d'autre chose que de l'ordre qu'ils auraient aimé y trouver (M. Baraz, A. Glauser, O. Naudeau) —, mais selon une notion sur laquelle Montaigne revient souvent, parce qu'elle permet à l'écriture personnelle de se développer librement : le hasard : « Que sont-ce icy, à la verité, que crotesques et corps monstrueux, rappiecez de divers membres, sans certaine figure, n'ayants ordre, suite, ny proportion que fortuite? » (I, XXVIII, « De l'amitié »).

L'abandon et la négation du principe d'unité extérieure du livre seront les principaux obstacles aux lectures postérieures des *Essais*. La critique essaiera d'y remédier en replaçant le texte dans la perspective d'une unité interne et subjective, qui renvoie, bien sûr, à la propre subjectivité du lecteur.

La dislocation

Plusieurs éléments propres à la technique de l'écriture viennent appuyer l'idée d'un texte guidé par le hasard du lecteur Montaigne. En premier lieu, Montaigne est lecteur d'autres livres. Il commence par là. Il est conduit à pratiquer l'exemple, souvent une narration effectuée de mémoire, c'est-à-dire avec un gros risque d'erreur (I, XXI), et à rechercher une vérité d'emprunt, puisqu'il trahit — il le reconnaît lui-même — ses propres sources. Les citations, d'emblée, paraissent plus vraies, plus authentiques. Elles sont légion : « Quelqu'un pourroit dire de moy que j'ay seulement faict icy un amas de fleurs estrangeres, n'y ayant fourny du mien que le filet à les lier » (III, XII, « De la phisionomie »). Elles sont avouées ou cachées, car les emprunts de Montaigne aux Anciens ou aux textes sacrés ne sont pas toujours signalés par une typographie ou une disposition particulières. L'étude des sources montaigniennes est donc particulièrement féconde mais pas toujours essentielle. Car le « filet » a sans doute plus de portée que l'emprunt lui-même, très souvent distordu de son sens premier par l'extraction du contexte. Cela est particulièrement vrai pour les références à Platon, à saint Augustin ou à l'*Ecclésiaste*, en des textes utilisés par Montaigne dans le sens qui lui convenait. La citation est donc à distinguer radicalement de l'influence exercée par l'auteur cité.

Montaigne ne se contente pas de troubler le sens du texte des autres : il se transforme lui-même, dans les additions nombreuses des « strates B et C ». Il est extrêmement délicat de déterminer avec précision la portée de chacune des additions par rapport au texte original (mais peut-on parler de texte original quand c'est l'auteur qui se surajoute à lui-même?). Le plus souvent, le lecteur parcourt un chapitre d'un seul tenant : s'il revient sur les étapes A, B et C en essayant de les distinguer, il effectue une lecture érudite qui ne tient plus compte de l'effet global, sauf par un effort de recomposition *a posteriori*. Il semble donc que, contrairement à la citation et à l'emprunt délibérément livrés comme tels, l'addition fasse partie du texte sans être un supplément. Différencier les couches, à la lecture, est un projet aussi irréalisable que de retrouver le fil de la pensée de Montaigne entre 1571 et 1592, avec toutes les interactions biographiques possibles. Une telle entreprise de totalitarisation du texte s'inscrirait en faux par rapport à ce que Montaigne dit lui-même de son livre. Il décourage toute tentative de ce genre, parce qu'il mêle constamment l'exemple ou la citation d'autrui avec sa propre expérience. La liaison entre la lecture des autres, la lecture de soi et la pratique de soi est si intime qu'il est vain de vouloir les démarquer. Le fil secret existe, comme il en existe dans tout phénomène d'association d'idées. Ce que l'on accepte de l'écriture surréaliste, on devrait pouvoir l'accepter de Montaigne. Les titres qui ne concordent pas avec la matière relèvent du même processus. On a souvent glosé le plus étrange d'entre eux, « Des coches » (III, VI) : il témoigne de la fuite de l'auteur devant un principe qui apparaîtra essentiel au siècle suivant, embrasser un maximum d'idées sous un minimum de mots adéquats à celles-ci. Montaigne, au contraire, « choisit » une partie des sujets traités, décalant volontairement le rapport du mot au thème abordé.

L'expérience de l'Antiquité

Les Anciens ont fourni à Montaigne ce qu'ils ont apporté aux autres auteurs du XVIe siècle, à savoir : la matière principale des citations et emprunts et des notes de lecture. Mais Montaigne prend ses distances vis-à-vis d'eux au cours de la rédaction des *Essais :* il lui paraît urgent de se dire en se servant des autres. Le développement de l'analyse personnelle va de pair avec l'examen des exemples et du discours antiques. Ainsi, Plutarque, abondamment exploité, fournit à Montaigne bon nombre d'histoires extraordinaires : mais ce ne sont que des histoires, c'est-à-dire une matière malléable, susceptible d'être insérée dans un autre discours. Montaigne aurait emprunté au même Plutarque les images héraclitéennes sur le mobilisme universel; mais il faut dire que le disciple a largement détourné le maître, et que le mobilisme est devenu diversité. L'histoire n'est pas pour Montaigne une réalité intangible, mais du discours, puisqu'elle est précisément sujette à la variabilité temporelle. Montaigne prend ses exemples aussi bien dans la vie pratique que dans les histoires fabuleuses, parce que la différence entre l'expérience et la lecture n'est pas évidente. Notre expérience est aussi un discours sur les choses.

De même, l'Antiquité n'est pas un âge d'or plus ou moins utopique; Montaigne a senti l'exagération mythique qui gonflait, à l'époque, le prestige des auteurs anciens. Ce que d'autres évoquaient comme un âge proche de la divine nature, il le range dans le domaine de la fiction. La figure antique qui matérialise ses désirs est, de façon caractéristique, celle de Socrate; celui qui n'écrit pas, celui qu'on a raconté.

La dislocation du texte, légèrement atténuée par Montaigne lorsqu'il prépare ses éditions, laisse apparaître la diversité des matériaux utilisés, en même temps qu'elle met en relief la seule unité vivante possible, celle de l'individu Montaigne, lecteur des autres et de lui-même. Elle nous garde de l'illusion d'un sens absolu (J.-Y. Pouilloux).

De la nudité et de la parure

De part en part, l'idée d'une peinture sincère et complète de soi traverse les *Essais.* Elle s'affirme avec le temps : « Je m'estalle entier : c'est un *skeletos* où, d'une veüe, les veines, les muscles, les tendons paroissent, chaque piece en son siege [...] Ce sont mes gestes que j'escris, c'est moy, c'est mon essence » (II, VI, « De l'exercitation »); et, en III, XIII : « Je m'estudie plus qu'autre subject. C'est ma metaphisique, c'est ma phisique » (« De l'experience »). Nudité de sa nature individuelle et humaine, et non peinture d'une humaine condition considérée comme un modèle. Le style s'en ressent, par une nonchalance que l'auteur veut proche de la parole, plus spontanée que l'écriture. Montaigne se tient à une distance respectable de toute fureur poétique, même s'il songe à une prose « à sauts et à gambades ». Le genre des *Essais* tient de la lettre et du dialogue, beaucoup plus que d'une esthétique baroque qui viserait, par-delà la multiplicité des images, à une unité de sens.

Les images de Montaigne, et particulièrement les métaphores, ne peuvent se distinguer du discours lui-même. En admettant que beaucoup d'entre elles soient empruntées, elles sont partie intégrante du développement de l'essai et ne sont jamais là pour représenter à titre d'ornement un univers idéal, préexistant à l'image qui l'exprime. Les images ne sont pas seulement la matérialisation du texte, son insertion poétique dans le concret, elles définissent à elles seules la nature des *Essais,* matérielle et corporelle. Dire de la mort : « C'est une viande, à la vérité, qu'il faut engloutir sans mascher, qui n'a le gosier ferré à glace » (II, XIII) n'est pas seulement insérer une image digestive dans un discours traditionnel sur le sujet. Montaigne s'engage plus dans ses métaphores que dans des développements théoriques qui renverraient au lieu commun. Lire les *Essais* à la lumière de leurs métaphores conduit à se faire une idée différente des philosophies diverses pratiquées par leur auteur et à remettre en cause les distinctions classiques : scepticisme, stoïcisme, épicurisme ou pragmatisme. Un livre qui se définit comme excrémentiel (« ce sont icy [...] des excremens d'un vieil esprit, dur tantost, tantost lasche, et tousjours indigeste » [III, IX]) ne peut pas être un livre de philosophie systématique, même étalée dans le temps. Il tient compte de la variabilité de l'auteur : il faut admettre les contradictions et les antithèses sans chercher à les réduire. L'acte d'écrire est comme un geste corporel, ce qui rend caduc le problème de la référence.

Or, la prééminence de la métaphore — et particulièrement de la métaphore concrète et matérielle — introduit des rapports entre l'auteur et la rhétorique. Montaigne s'insurge contre la littérature ornementale, « vaine monnoie », comme chez Cicéron. Tout ce qui relève d'une rhétorique artificielle, tant au point de vue de la syntaxe qu'à celui des figures de pensée, est rejeté, car on y masque les choses substantielles. Le style des phrases de Montaigne est périodique; cependant, il est constamment disjoint par les insertions qui viennent à l'esprit de l'auteur sur le moment ou plus tard. Montaigne ne cessera de dénoncer ce qu'il doit aux écoles du temps : « J'ay naturellement un stile comique et privé, mais c'est d'une forme mienne, inepte (inapte) aux negotiations publiques, comme en toutes façons est mon langage : trop serré, desordonné, coupé, en particulier; et ne m'entens pas en lettres ceremonieuses qui n'ont autre substance que d'une belle enfileure de paroles courtoises » (I, XL, B).

Le sujet seul, Montaigne, justifie l'utilisation de la rhétorique quand elle n'est plus son propre objet. Elle aide le moi à se constituer comme tel. La seule unité de style et de structure, c'est le moi. « Comme à faire, à dire aussi je suy tout simplement ma forme naturelle : d'où c'est à l'adventure que je puis plus à parler qu'à escrire » (II, XVII). La nature n'est évidemment pas un modèle abstrait et extérieur, c'est ce que le moi produit de lui-même et sans effort, en incluant ce qu'on lui a appris, puisque cet apprentissage a été « digéré ». « Encore se faut-il testoner, encore se faut-il ordonner et renger pour sortir en place. Or je me pare sans cesse, car je me descris sans cesse » (I, VI) : la nudité absolue n'est pas possible, car le livre est destiné à la publication. Les *Essais* ne sont pas un journal intime venu par hasard, ou par l'insistance d'amis, dans l'atelier d'un imprimeur. Montaigne sait que les lois de la communication écrite existent, et que son livre doit rester lisible. Mais cet habillement minimal est loin de la recherche délibérée de la grandiloquence et des effets sans matière. S'il y a éloquence chez Montaigne, elle reste mesurée et ne relève jamais de la « grande » éloquence.

Une telle affirmation de la nature linguistique propre au sujet fait de Montaigne un des auteurs les moins cratyliens du siècle : pas de distinction entre le mot et son essence, puisque l'essence est donnée par le sujet qui parle. Celui-ci ne cesse de penser ensemble conception de l'idée et enfantement du discours.

Profiter

A plusieurs reprises, Montaigne affirme que le livre est « consubstantiel à son auteur » (particulièrement II, XVIII) : le profit de l'œuvre est avant tout celui de l'auteur, avant même que le livre ne soit donné à lire. Ce profit est peut-être d'abord contemplation de soi et de son être en train de se faire. Narcissisme? Pas vraiment. Montaigne dépasse vite l'instant du regard sur soi ou de l'autoportrait pour prendre conscience de la véritable dimension de son travail : aller vers une sagesse.

A la sagesse s'oppose une notion dangereuse, sur laquelle Montaigne revient comme pour la démystifier ou comme pour se justifier d'avoir été trop loin dans son attachement à lui-même : la gloire. C'est l'idéal qui parcourt beaucoup d'œuvres antiques et contemporaines, et Montaigne avoue qu'il n'y est pas insensible. Les vies des « hommes illustres » ont tellement passionné son époque que Montaigne s'est laissé prendre, dans sa jeunesse, à l'illusion de sa réputation. Il a renoncé à la gloire politique : en revanche, la gloire littéraire reste possible, même et surtout après la mort — ce qui la rend totalement vaine, puisqu'on n'en jouit pas. Montaigne a donc la tentation de prolonger le regard qu'il porte sur son livre par le regard que les autres y jetteront : mais c'est un désir passager. L'exemple de Socrate enseigne à se mépriser au fur et à mesure que l'on se connaît : « Se complaire outre mesure de ce qu'on est, en tomber en amour de soy indiscrete, est, à mon advis, la substance de ce vice [de la présomption] » (II, VI). Sceptique sur sa gloire ultérieure, Montaigne n'est pas moins conscient de l'intérêt de son œuvre.

Quant au lecteur, Montaigne pense à lui en se décrivant lui-même : loin de se proposer en exemple (une « fricassée » peut-elle être exemplaire?), il songe davantage à la confrontation, par la lecture, entre une nature individuelle et une autre. La lecture des jugements en fait foi : les *Essais* sont moins lus selon des critères d'écoles littéraires variables que selon les heurts ou les attachements que sa pensée provoque, et Montaigne laisse des interlignes pour qu'un lecteur éventuel puisse les remplir de ses propres réflexions et exemples. L'œuvre est donc inachevée, dans son projet comme dans sa réalisation. Elle ne vise pas à constituer un modèle, ni même un réservoir de sentences ou de belles paroles. Quand Montaigne parle de servir à l'instruction publique (II, XVII), il ne le fait pas comme un professeur de sagesse, mais en cherchant à susciter des réactions diverses. Dans celles-ci, il inclut le rejet total, puisqu'il imagine comme la pire éventualité que son livre serve à envelopper « un coin de beurre au marché » (II, XVIII). Conception toute moderne d'une œuvre livrée aux lecteurs quels qu'ils soient, y compris les mauvais lecteurs. Le texte écrit, comme la parole, n'appartient pas seulement à celui qui le produit : « La parole est moitié à celuy qui parle, moitié à celuy qui l'escoute » (III, XIII). Le lecteur pourra être insuffisant ou, au contraire, outrepasser les espoirs de l'auteur : « Un suffisant lecteur descouvre souvent ès escrits d'autruy des perfections autres que celles que l'auteur y a mises et apperceües, et y preste des sens et des visages plus riches » (I, XXIV).

Montaigne insiste sur le fait que le langage est le ciment de la société : « C'est le seul util par le moien duquel se communiquent nos volontez et nos pensees, c'est le truchement de nostre ame : s'il nous faut, nous ne nous entreconnoissons plus. S'il nous trompe, il rompt tout nostre commerce et dissoult toute les liaisons de nostre police » (II, XVIII). D'un individu à un autre, la situation n'est pas la même. Il est possible d'établir des relations privilégiées entre eux, alors que le langage, comme instrument de communication sociale, peut mettre en péril l'équilibre d'un État. Ici, le péril reste individuel. Voilà pourquoi, peut-être, les *Essais* ont été regardés par Rome comme un ouvrage d'agrément, car on s'y adresse de personne à personne. Le désordre du livre n'implique pas le désordre social.

Différence et diversité

La relativité reconnue de l'œuvre est en étroite corrélation avec la critique la plus fondamentale que Montaigne ait opérée, celle qui fait la substance de l'« Apologie » (II, XII), la critique de la raison.

Malgré les filiations recherchées entre Montaigne et Descartes, il y a peu de rapport entre le doute cartésien, orienté vers l'abolition de ce doute, et la confirmation, de plus en plus nette dans les *Essais,* des défauts de la raison humaine.

Le rationalisme des philosophies médiévales (et Sebonde n'y échappait pas) s'appuyait sur la recherche « raisonnée » ou empirique des ressemblances entre les choses. Montaigne prend le contre-pied de cette démarche : ce qu'il y a de plus évident lorsqu'on lit ou lorsqu'on observe, c'est l'extrême différence et disparité qui se manifeste d'un être à un autre, d'un élément naturel à un autre. Le problème posé par Sebonde dans sa *Théologie naturelle,* à savoir la possibilité d'appuyer la foi sur la raison, n'intéresse pas Montaigne : la question, pour lui, est du ressort des théologiens. En revanche, il concentre ses développements critiques sur la possibilité pour la raison humaine de s'occuper de l'univers (macrocosmique ou microcosmique) afin de le systématiser ou de lui trouver un ordre. Montaigne met en évidence, par de nombreux exemples, les failles de l'entendement, lequel est susceptible d'erreur autant que les sens. Cette critique de la raison apparaît dès le livre I (chap. XXXII, « Qu'il faut sobrement se mesler des ordonnances divines ») et se continuera dans l'« Apologie » pour se poursuivre jusqu'à « De l'experience » (III, XIII).

L'anthropocentrisme de la *Théologie naturelle* est aussi fermement contesté : Montaigne trouve ses arguments dans l'héraclitéisme (comment la raison humaine resterait-elle ferme et une, alors que l'homme varie sans cesse?); dans le nominalisme de Guillaume d'Ockham (lu à travers Sebonde, mais considérablement dépassé : le langage ne possède pas d'universaux, et l'homme ne peut être le centre d'un monde illisible); dans des ouvrages comme *De la vanité des sciences* de Henri Cornélius Agrippa ou *De la vicissitude ou Variété des choses en l'univers* de Louis Le Roy. Cependant Montaigne ne termine pas son raisonnement contre la suprématie de l'homme et de la raison par un éloge de la foi. Il conclut que la nature humaine, fondamentalement, est diverse autant qu'elle est faible, et qu'il ne faut pas chercher à aller au-delà de ces deux constatations.

Pas de « folie divine » : le sage ne doit pas outrepasser les limites de son humanité. « Ils veulent se mettre hors d'eux et eschapper à l'homme. C'est folie : au lieu de se transformer en anges, ils se transforment en bestes; au lieu de se hausser, ils s'abattent » (III, XIII). Même Socrate est, de ce point de vue, contestable : « Rien ne m'est à digerer fascheux en la vie de Socrates que ses ecstases et ses demoneries, rien si humain en Platon que ce pourquoy ils disent qu'on l'appelle divin » (III, XIII). L'expérience, qui est la connaissance et la pratique de la diversité, est aussi la connaissance et la pratique de l'ignorance : « et ne traite à point nommé de rien que du rien, ny d'aucune science que celle de l'inscience » (II, XII). L'idée de la vanité universelle du monde est tirée de l'*Ecclésiaste* et renforcée par la lecture de saint Augustin. Malgré tout, elle n'aboutit pas chez Montaigne à une exaltation de Dieu.

Que doivent les *Essais* à ces philosophies antiques ou syncrétiques où les érudits ont cherché les sources du texte? Montaigne a pris de chacune d'elles ce qui lui convenait, à tel ou tel moment de la rédaction : du stoïcisme et de Sénèque, il a d'abord retenu l'idée de la domination de la mort par sa connaissance — sans doute d'après l'exemple de La Boétie; puis la fuite lui a semblé le meilleur moyen de s'en délivrer; chez Aristote, il prend la notion de limite propre à l'homme : « Et il a raison d'appeler folie tout eslancement, tant louable soit-il, qui surpasse notre propre jugement et discours » (II, XII); le platonisme est présent par des images (celle du timonier, par exemple) et par la forme « parlée » du texte, mais Montaigne conteste le principe de la divination (« il n'est que de deviner en choses faictes », II, XXX) et de la réminiscence (« car si l'alteration de facultés est si grande que l'âme n'en conserve aucun souvenir, cet oubli, à mon avis, ne differe guere de la mort » [II, XII]); de même, ni Plotin ni Marsile Ficin ne provoquent chez l'auteur des *Essais* une adhésion à un principe d'harmonie unificateur équilibrant le monde et l'âme; enfin, ce qu'on a appelé la « crise sceptique » est plutôt une attitude fondamentale approfondie avec l'écriture du texte : elle remet en cause le principe de la stabilité des choses et du savoir. La seule référence constante qui parcoure les *Essais* est une notion vague que Montaigne adapte à son entreprise individuelle : la Nature (III, XIII particulièrement).

Or, on s'aperçoit que la Nature évoquée par Montaigne comme principe de la diversité entre en concurrence avec les attributs traditionnels de Dieu; influence probable de Pomponazzi et de l'école de Padoue, chez lesquels la foi reste inaccessible à cause de la diversité : « Si nous avions un pied et un fondement divin, les occasions humaines n'auroient pas le pouvoir de nous esbranler, comme elles ont [...], l'amour de la nouvelleté, la contrainte des Princes, la bonne fortune d'un party, le changement temeraire et fortuit de nos opinions n'auroient pas la force de secouer et alterer notre croiance... » (II, XII). Le fidéisme, terme par lequel on rend le moins mal la position de l'auteur par rapport à la religion, consiste à passer de la constatation de la différence (commune aux textes sacrés et à la plupart des philosophies transcendantes) à la diversité universelle qui rend impossible la conciliation des opinions contraires. La religion, considérée en dehors de la foi, est pure contingence : « Nous sommes chrétiens comme nous sommes perigordiens ou allemans » (II, XII). Dieu reste le grand ouvrier de la « machinerie »; autrement, il est vain de vouloir atteindre à la moindre de ses qualités.

Le voyage de Montaigne à Rome, où il fait examiner les *Essais* par la censure, et le serment d'allégeance à la religion catholique ont fait conclure à un changement d'attitude de Montaigne par rapport à l'Église. Certes, il devenait indispensable de ne pas introduire le doute dans l'esprit d'éventuels lecteurs détenant le pouvoir. Mais l'Église n'est pas la foi, et Montaigne proteste fort peu de celle-ci, si ce n'est par des gestes extérieurs dont on ne saura jamais s'ils correspondent à une conviction sincère ou à une acceptation de la coutume. L'Inquisition romaine a fait plus de remarques sur l'emploi du mot « fortune » que sur l'absence de foi. Malgré cet avertissement, Montaigne n'a pas modifié les occurrences du terme, et l'on comprend pourquoi : chaque fois qu'une causalité est recherchée par l'homme, celui-ci l'attribue soit à la Providence (miracle), soit à la science (médecine, astrologie...), soit à une technique appropriée. Montaigne raisonne différemment : la multiplicité contradictoire des exemples qu'il allègue exprime ses doutes quant à la nécessité de rechercher les causes premières. La Fortune, notion peu précise, conception païenne personnalisée qui fait plutôt référence à la Nature qu'à Dieu, est un recours contre l'abstraction des théories. Elle souligne les limites de l'homme, qui ne doit pas se laisser aller au vertige de la connaissance ni au désespoir devant la mort. Elle exprime la liberté de la Nature par rapport à l'homme et assure la liberté de l'homme par rapport à un déterminisme providentiel. Elle permet de justifier à la fois la non-violence politique de Montaigne et son conservatisme : mieux vaut laisser les choses dans l'état où elles sont, sans forcer, car la Fortune c'est aussi le temps qui s'écoule, marque les changements et apaise les esprits.

Montaigne ne s'exclut pas des caprices de la Fortune. Lui et son livre sont tributaires du hasard; le moi n'est pas un bastion immobile, ni le livre une pierre sans âge. Le moi ne se ressemble pas. La tentative des *Essais* est l'inverse d'une réduction des difficultés que pose l'existence. Elle vise, au contraire, à les étaler au fil des pages, sans la honte de ne pas être éternel.

La Fortune est une des figures de la mort, qui a prise sur nous par notre nature terrestre. Au lieu de se lamenter sur celle-ci, comme l'ont fait ceux qui accusent le corps d'être le tombeau de l'âme, Montaigne est conduit à l'accepter, jusqu'à la complaisance. On ne trouve guère, dans les *Essais*, d'éloge de l'immortalité de l'âme. Le corps humain a ses plaisirs, qu'il ne faut pas dédaigner. Montaigne n'admet pas le dualisme du corps et de l'âme : sans la violence d'un libertin ou d'un athée, il s'attache à montrer leur liaison indissoluble, par l'expérience que nous en avons. En réhabilitant le corps jusque dans ses fonctions les plus basses (génitale, excrémentielle), Montaigne replace l'homme à l'endroit qu'il n'aurait jamais dû quitter, un point faible dans une Nature dissemblable. La matérialité de l'homme n'est pas un péché : « Est-ce pas erreur d'estimer aucunes actions moins dignes de ce qu'elles sont necessaires? Si ne m'osteront-ils pas de la teste que ce ne soit un très convenable mariage du plaisir et de la nécessité... » (III, XIII). L'âme ne doit pas être dégoûtée du corps, car elle participe avec lui à la nature humaine, selon un principe que Montaigne ressent sans pouvoir l'expliquer : « Mais comme une impression spirituelle fasse une telle faucée (trouée, percée) dans un subject massif et solide, et la nature et liaison et cousture de ces admirables ressorts, jamais homme ne l'a sçeu » (II, XII). La présence du corps est partie intégrante d'un discours qui ne peut se construire en dehors de la matière vivante.

Remettre l'homme à sa juste place, c'est donc rendre à la Fortune ce qu'on lui doit, et redonner au corps une valeur que lui ont fait perdre quinze siècles de christianisme mal compris et des commentaires néo-platoniciens pratiquant la surenchère critique à l'égard de cette matérialité honteuse. En même temps, Montaigne ne semble pas à la recherche d'un point d'ancrage qui permettrait de soulager le moi de l'impression de déséquilibre qu'entraîne la notion omniprésente de « diversité ». Même le jugement est à remettre en question : nos opinions sont diverses, notre jugement l'est aussi; il fait son « jeu à part » (III, XIII).

Ce principe de relativité, difficile à admettre pour qui est animé par une exigence d'absolu, oblige le sujet à se regarder autrement : décentré par rapport à l'univers, il risque le même décentrement par rapport à lui-même, et de se perdre tout à fait dans l'inanité. Montaigne fait état de sa propre pratique du déséquilibre et des résultats qu'il en tire : il faut fuir les extrêmes si l'on veut éviter la douleur. Si la vie a un sens, c'est dans l'effort pour souffrir le moins possible. Rien de comparable, cependant, au raidissement stoïcien devant la douleur. Montaigne s'est défini comme un homme moyen, et la modération est un principe qui convient à sa nature. Elle n'est pas incompatible avec le plaisir, et, à bien des égards, les *Essais* sont un art de la jouissance. Mais le plaisir, pour être plein et entier, doit éviter un excès qui s'évalue en perte. Pour parvenir à la volupté, il faut être capable d'ascétisme, savoir la maintenir dans un degré moyen, humain : « Les sages nous apprennent assez à nous garder de la trahison de nos appetits, et à discerner les vrais plaisirs, et entiers, des plaisirs meslez et bigarrez de plus de peine » (I, XXXIX). La satiété engendrant le dégoût, et la défense aiguisant l'appétit, la modération préconisée par Montaigne apparaît donc non pas comme une fuite devant le plaisir mais bien plutôt comme une pratique raffinée de celui-ci. Fuir les extrêmes pour profiter de la plénitude du milieu, sans honte ni fausse pudeur : ... « mais les plus plaisans et utiles de nos membres semblent estre ceux qui servent à nous engendrer : toutefoys assez de gens les ont pris en hayne mortelle, pour cela seulement qu'ils estoient trop aymables, et les ont rejettez à cause de leur pris et valeur » (I, XIV). En revanche, la douleur n'a pour Montaigne aucune valeur expiatoire. Elle relève d'une négativité nécessaire, à laquelle on ne peut se soustraire, mais qui n'est pas à rechercher. Le corps n'étant pas identifiable au péché, il ne sert à rien de le meurtrir : l'âme ne s'en amende pas pour autant : « Quoy que nos medecins spirituels et corporels, comme par complot fait entre eux, ne trouvent aucune voye à la guerison, ny remede à la maladie du corps et de l'ame, que par le tourment, la douleur et la peine » (I, XXX).

L'arrière-boutique

Dans un monde où, précisément, tout est excessif, où les théories politiques se heurtent comme les opinions religieuses, où les philosophies s'affrontent et s'interpénètrent, où le pillage militaire et littéraire est la règle générale, on voit mal comment, d'une façon pratique, il est possible de vivre la diversité sans qu'elle devienne désordre, la modération sans qu'elle devienne mollesse ou conservatisme. Les *Essais* proposent un savoir-faire que l'on peut appeler d'après une expression du texte une théorie de l'« arrière-boutique ». Il est relativement facile de se fabriquer, à l'intérieur de sa tour et au cœur de sa « librairie », une philosophie nonchalante qui laisse sa place au plaisir et détourne la douleur; toutefois, et la vie de Montaigne et la structure des *Essais* concordent sur ce point : nous sommes sans cesse confrontés à des obstacles, à l'« autre », à quelque chose que l'on ne peut pas d'emblée s'assimiler ou digérer. L'arrière-boutique est le lieu des réserves personnelles, que les autres ne peuvent pénétrer, mais duquel on peut sortir pour prendre le pouvoir (mairie), la parole (*Essais*), les eaux (le voyage). Le mouvement du dedans vers le dehors ou du dehors vers le dedans est peut-être aussi capital pour comprendre les *Essais* que de distinguer les strates A, B ou C. La retraite au château de Montaigne est une sorte d'intériorisation; la lecture des auteurs est un mouvement hors de soi; leur assimilation est une réintériorisation; la citation et l'écriture des *Essais* sont une sortie du moi vers les autres.

On a beaucoup écrit sur la permanence du jugement chez Montaigne. Or, ce qui est permanent, ce n'est pas le contenu de tel ou tel jugement sur un thème, c'est l'art avec lequel Montaigne se confronte avec l'obstacle. L'arrière-boutique est une façon de se dédoubler. A tout moment, Montaigne se réserve la possibilité de le faire.

L'instabilité collective

Quand il s'agit de la diversité individuelle, le sujet peut toujours — et c'est ce que Montaigne fait dans les *Essais* — tenter de la comprendre ou de la suivre. Quand il s'agit de la diversité naturelle, d'ordre cosmique ou biologique, il suffit de l'accepter comme telle. En revanche, la diversité d'opinions, qui explique la présence non seulement de divers gouvernements mais encore de religions diverses, met en péril l'individu par le pouvoir de coercition qu'une collectivité forte peut exercer sur lui : à savoir l'État et l'Église. S'il y a pression physique, douleur, torture, il ne nous est pas possible de penser et de vivre selon notre désir. Montaigne se plaint à juste titre du climat d'instabilité religieuse et politique; insupportable diversité, qui ne se rapporte pas à la nature. Montaigne dénonce avec virulence la façon dont on justifie les actes de révolte et de répression par la référence à la Nature, et en particulier au corps humain, modèle d'ordre social. De même qu'il ne croit pas au savoir des médecins, de même il conteste les méthodes des politiciens qui se prennent pour des praticiens du bien public : « La fin du chirurgien n'est pas de faire mourir la mauvaise chair : ce n'est que l'acheminement de sa cure. Il regarde au-delà, de faire renaître la naturelle et rendre la partie à son deu estre. Quiconque propose seulement d'emporter ce qui le masche [fait souffrir], il demeure court, car le bien ne succede pas necessairement au mal [...] Toutes grandes mutations esbranlent l'État et le desordonnent » (III, IX). Le prétendu conservatisme de Montaigne tient dans ce refus du remède pire que le mal, remède administré au nom d'une loi que les gens tiennent pour « naturelle ». La diversité des opinions n'est pas un reflet de la Nature, elle est la marque de la raison humaine emportée par l'excès de sa vanité vers les vertiges du pouvoir.

S'il est possible de s'accommoder de la diversité naturelle par une philosophie de la modération personnelle et par l'humilité devant les hasards de la vie, le compromis reste difficile avec une disparité coutumière qui exige, de plus, qu'on prenne parti. On a souvent noté que Montaigne recevait des catholiques et des huguenots, qu'il s'est engagé dans des actions de conciliation sans jamais céder au fanatisme des catholiques. Qu'il n'a jamais cherché, non plus, à rénover de vieilles coutumes. Qu'il a participé à la vie politique, en somme, sans se faire trop remarquer. Peut-être est-ce précisément à cause de cette liberté personnelle qu'il pouvait préserver en observant des marques extérieures d'allégeance. Il se flatte d'être bien conditionné, bien civilisé, et, grâce à ce savoir-vivre, il lui est loisible de penser dans une relative indépendance : « Ce que j'adore moy-mesme aux Roys, c'est la foule de leurs adorateurs. Toute inclination et submission leur est deüe, sauf celle de l'entendement. Ma raison n'est pas duite [conduite] à se courber et fléchir, ce sont mes genoux » (III, VIII). La coutume sert de masque en même temps que de contrainte : « Pourquoy, estimant un homme, l'estimez-vous tout enveloppé et empacqueté? Il ne nous faict montre que des parties qui ne sont aucunement siennes, et nous cache celles par lesquelles seules on peut vrayement juger de son estimation » (I, XLII). L'art de Montaigne, que ce soit dans la vie ou dans ses écrits, est de tourner l'obstacle à son profit : la cérémonie nous empêche souvent d'agir selon nous-mêmes, elle ne nous empêche pas de la mépriser, puisque, justement, on n'est jugé que sur l'extérieur.

Apparemment, les *Essais* n'ont rien d'un livre hérétique. On s'apercevra seulement un siècle plus tard (1676, mise à l'Index) qu'ils sont incompatibles avec l'exercice d'un pouvoir établi requérant une adhésion cérémonielle et rationnelle.

La barbarie

L'autre, c'est aussi l'étranger, celui qui vient d'ailleurs, et ne parle pas la même langue que nous. La célébrité du chapitre « Des cannibales » est justifiée (I, XXXI). Mais Montaigne n'a intitulé aucun de ses chapitres « Des animaux ». Et pourtant l'apologie du primitif va de pair avec un regard intelligent sur le monde animal. Le cannibale et l'animal ont en commun, selon Montaigne, une sorte de cruauté innocente et une infériorité de langage. Le regard porté par Montaigne sur le sens profond du cannibalisme chez les peuples nouvellement découverts est plus qu'un essai de compréhension : considérer un primitif à l'égal d'un Européen, c'est changer les repères et les modèles traditionnels. L'âge d'or n'est plus une Antiquité perdue mais une Nature perdue où les gestes sociaux ont une signification immédiate et non cérémonielle (au sens vu plus haut). Le cannibale n'a pas besoin de se dédoubler pour être lui-même.

La réhabilitation de l'animal procède du même désir d'abolir l'idée reçue de hiérarchies naturelles, dans lesquelles l'homme et l'animal diffèrent essentiellement par la présence de l'âme et du langage chez le premier. Montaigne constate chez l'animal une aptitude, sinon à parler, du moins à « signifier », à posséder une sorte de « discours » : « Nous devons [...] confesser par consequent que ce mesme discours, cette mesme voye, que nous tenons à ouvrer, c'est aussi celle des animaux » (II, XII). Ce que nous attribuons à notre nature, Montaigne ne l'enlève pas aux animaux : la raison comme le langage nous sont offerts ou repris par la Nature. L'animal, au lieu d'asseoir avec certitude notre supériorité, nous renvoie à la vanité de notre condition, qui est variable. Pour le primitif comme pour la bête, Montaigne effectue une démarche d'étude qui est une leçon de modestie et de relativité. Les cannibales possèdent leur propre logique, un courage certain, et un sens poétique. Au nom de quoi les jugerions-nous? Les animaux ont leurs codes et leurs lois : au nom de quoi les abaisserions-nous?

La naïveté

Les *Essais* tournent autour de l'idée d'une Nature indéfinissable, et il n'est pas étonnant que Montaigne s'attache à tout ce qui fait référence à elle. En particulier, on trouve diverses remarques sur les qualités du peuple. Comme aristocrate de fraîche date, Montaigne se méfie de la démocratie. Comme auteur des *Essais,* il s'attache à la simplicité philosophique des classes qui n'ont pas le pouvoir : « Les mœurs et propos des paysans, je les trouve communéement plus ordonnez selon la prescription de la vraye philosophie que ne sont ceux de nos philosophes » (II, XVII). Il admire la façon de mourir sans prétention qu'ont les gens du peuple en temps de peste. Il dit la même chose de la mort de Socrate, qui à cette occasion fit preuve de « naïve vertu ». Socrate, paradigme du peuple, parce que, comme le paysan, il n'écrit pas. Ce silence d'une classe devant l'éternité du texte, Montaigne n'entend pas le combler : cependant, l'attention qu'il accorde à ceux que l'on a tendance à exclure de la catégorie « homme » montre son souci de ne pas prétendre à une aristocratie de la pensée.

La féminité opprimée

Le peuple n'est pas la seule victime d'une éviction perpétuelle. Les femmes subissent le même sort, et Montaigne le reconnaît : « Les femmes n'ont pas tort du tout quand elles refusent les reigles de vie qui sont introduites au monde, d'autant que ce sont les hommes qui les ont faites sans elles » (III, V). L'hypocrisie des hommes qui leur recommandent la chasteté est sans bornes. Pourtant, il semble que la relégation de la femme ne soit pas injustifiée : ce sexe est plus apte que l'autre à l'excès du désir, moins ferme d'âme, moins capable de vraie amitié. Et l'éloge de La Boétie, l'ami vrai, le double est joint à une reconnaissance des défauts de la femme, qui ne permettent pas une telle union : « C'est un assez grand miracle que de se doubler » (I, XXVIII). La femme est hétérogène à l'homme, elle est une preuve que la Nature produit de la diversité; incapable de modération, elle est l'incarnation même du fuyant désir. Ce que dit Montaigne du mariage vient renforcer cette apparente misogynie : acte social, il est un contrat passé entre deux êtres de sexe différent. L'amour détruirait la solidité du pacte, comme si on ne pouvait pas marier la société avec la Nature. Car la femme, incontestablement, et malgré sa vanité et son désir de paraître, est plus proche de la Nature que l'homme. Elle n'est que jaillissement du désir.

On a reproché à Montaigne de ne pas s'être intéressé à sa femme et à sa fille parce qu'elles étaient de l'autre sexe. En fait, c'est peut-être plutôt parce qu'elles n'étaient pas La Boétie; il ne reconnaissait ni en l'une ni en l'autre ces qualités qui rendent l'amitié possible. En revanche, Mlle de Gournay vient démentir le mépris supposé de Montaigne pour la féminité : « Si l'adolescence peut donner presage, cette ame sera quelque jour capable des plus belles choses, et entre autres de la perfection de cette tres-saincte amitié où nous ne lisons point que son sexe ait peu monter encores » (II, XVII). Montaigne fait une constatation : peu de femmes ont pu montrer leur valeur, comme si la difficulté d'être un humain se multipliait quand on naît femme. La cause en est connue : c'est le poids de cette coutume séculaire que Montaigne fait semblant d'accepter; sinon, il n'affirmerait pas : « Je dis que les masles et femelles sont jettez en mesme moule : sauf l'institution et l'usage, la difference n'y est pas grande » (III, V). C'est la conclusion du chapitre « Sur des vers de Virgile », où Montaigne se livre à une violente critique de l'appétit tyrannique des femmes et de leur jalousie. Les dernières lignes sont : « Il est bien plus aysé d'accuser l'un sexe que d'excuser l'autre. C'est ce qu'on dict : Le fourgon se moque de la poele [le tisonnier se moque de la pelle]. »

En dehors de cette ironie d'un homme parlant des femmes avec la vanité des mots, un autre aspect rend la féminité moins négative : à plusieurs reprises, il est question dans les *Essais* du caractère féminin de l'écriture : jaillissement perpétuel de réflexions, désir de se prolonger, de s'additionner. La métaphore vient de Plutarque : « Et comme nous voyons que les femmes produisent bien toutes seules des amas et pieces de chair informes, mais que pour faire une generation bonne et naturelle, il les faut embesoigner d'une autre semence; ainsi est-il des esprits... [...] il me sembloit ne pouvoir [lui] faire plus grande faveur que de le laisser en pleine oisiveté... » (I, VIII). Le travail du style, la mise en ordre que Montaigne avait relégués dans un avenir vague n'ont jamais été effectués vraiment. L'auteur a laissé aller l'impétuosité de l'écriture à son rythme, rythme de « cheval eschappé » et de production féminine. C'est bien de ces œuvres-là, de ces œuvres mères, que l'on profite le plus. L'écriture, comme le désir naturel féminin, est infinie par son auto-engendrement et par la production de centaines d'autres textes. L'obstacle de la féminité, loin d'être masqué, est la matière même des *Essais.*

🕮 *Journal de voyage*

On ne peut pas considérer, à proprement parler, ce texte paru en 1774 comme une « œuvre » de Montaigne : l'auteur avait sans doute ses raisons pour ne pas le publier. Une bonne partie du texte a été rédigée par un présumé secrétaire, et une autre (écrite partiellement, en outre, en italien) semble être de la main de Montaigne. Les encyclopédistes attendaient beaucoup de cette publication : déçus, ils n'accordèrent guère d'importance à un texte qu'ils considérèrent comme mineur. Néanmoins, il a l'intérêt d'un récit de voyage, s'il n'a pas celui d'un chef-d'œuvre : on y trouve une observation minutieuse et détaillée des coutumes étrangères (les courtisanes vénitiennes; les fêtes; une circoncision juive...) et une description très personnelle de Rome.

VIE		ŒUVRE	
1528	Janv. : mariage, au retour des guerres d'Italie, de Pierre Eyquem et d'Antoinette de Louppes.		
1530	Pierre Eyquem est nommé prévôt de Bordeaux.		
1532	Automne : Rabelais publie *Pantagruel.*		
1533	28 févr. : naissance, au château de Montaigne, de Michel Eyquem. Il est envoyé en nourrice dans un village voisin.		
1534	Naissance de Thomas, frère de Michel.		
1535-1539	Michel est confié à Horstanus, médecin allemand, qui lui apprend le latin comme une langue vivante.		
1535	Rabelais publie *Gargantua.* Naissance de Pierre (de La Brousse), frère de Michel.		
1536	Mars : Calvin publie à Bâle l'*Institution de la religion chrétienne.* Le père de Michel devient sous-maire de Bordeaux.		
1539 (?) -1546	Michel étudie au collège de Guyenne, à Bordeaux, avec Buchanan et Vinet (?).		
1542	**Fondation, à Rome, de la congrégation de l'Inquisition.**		
1543	Copernic publie son *De revolutionibus orbium coelestium.*	**1543**	Voir les *Essais* II, XII.
1545	**Début du concile de Trente.** Le parlement, avec l'autorisation de François Ier, fait raser des villages de Savoie qui continuent à propager l'hérésie vaudoise. Des théologiens sont brûlés pour avoir refusé de signer des « articles de foi ».		
1546	Michel-Ange est chargé de la construction de Saint-Pierre de Rome. Étienne Dolet est condamné au bûcher. Montaigne aurait suivi des cours de philosophie à la faculté des arts de Bordeaux sous la direction de Muret (?). Rabelais publie le *Tiers Livre.* Publication du *Discours de la servitude volontaire* de La Boétie.		
1547	**Mort de François Ier. Henri II lui succède.**		
1548	Bordeaux se révolte contre la gabelle. Le roi réprime sans merci. La ville perd ses privilèges juridiques. Établissement, au parlement de Paris, de la Chambre ardente. Les juges eux-mêmes devront être épurés. Il semble que Pierre Eyquem ait inscrit son fils à l'université de Toulouse, où celui-ci aurait suivi l'enseignement de Turnèbe.	**1548**	Voir II, XVII.
1549	Du Bellay publie la *Deffense et Illustration de la langue françoise.*	**1549**	Voir I, XXV, XXVI, et II, XVII.
1552	Rabelais publie le *Quart Livre,* et Ronsard *les Amours.* Naissance de Léonor, sœur de Montaigne. Bartolomé de Las Casas publie la *Très Brève Relation de la destruction des Indes.*		
1553	Mort de Rabelais. Exécution de Michel Servet, condamné par le Grand Conseil de Genève à être brûlé, pour avoir nié la Trinité.		
1554	Naissance de Marie, sœur de Montaigne. Michel nommé conseiller à la cour des aides de Périgueux. La Boétie est alors conseiller au parlement de Bordeaux. Pierre Eyquem est élu maire de cette ville et embellit le château de Montaigne. Il se rend à Paris (sans doute avec Michel) pour plaider la cause de sa ville. Ils voient Henri II.		
1556	Naissance de Jeanne de Lestonnac, nièce de Michel (canonisée en 1949).		
1557	Après la suppression de la cour des aides de Périgueux, Montaigne entre au parlement de Bordeaux.		
1558	Montaigne se lie d'amitié avec Étienne de La Boétie. Cette amitié durera jusqu'à la mort de ce dernier.	**1558**	Voir I, VIII.
1559	Henri II fait condamner au bûcher des magistrats qui ont protesté contre l'intolérance catholique. Répression générale jusqu'en 1562 (édit de tolérance). Juil. : **mort de Henri II.** Michel aurait assisté au tournoi meurtrier (?). Il séjourne à la Cour, va à Paris, à Bar-le-Duc (près de François II). Traduction des *Vies* de Plutarque, par Amyot.		

	VIE		ŒUVRE
1560	Naissance de Bertrand, frère de Montaigne. **Échec de la conjuration d'Amboise.** **Mort de François II.**		
1560-1561	Séjour de Michel à Paris : mission relative aux troubles religieux en Guyenne. Il suit le siège de Rouen. Il rencontre dans cette ville trois sauvages venus du Brésil.	**1560-1561**	Voir I, XXIV. Voir I, XXXI et III, VI.
1562	Mars : massacre de Wassy par les catholiques. Les *Discours* de Ronsard. Juin : Michel prête serment d'allégeance à la foi catholique devant le parlement de Paris.		
1563	**Assassinat du duc de Guise.** Août : mort de La Boétie.	**1563**	Voir la « Lettre à son père ».
		1564	Lecture et annotation des *Annales* de Nicole Gilles (?).
1565	Visite de Charles IX en Guyenne. Sept. : mariage de Montaigne avec Françoise de La Chassaigne, fille d'un parlementaire bordelais.		
1568	Mort de Pierre Eyquem. Michel hérite du nom et des terres.		
		1569	Publication, à Paris, de la *Théologie naturelle* de Raymond de Sebonde, traduite par Montaigne à la demande de son père. A Paris, publication de quelques œuvres de La Boétie (poésies latines, traductions, poésies françaises), que Montaigne dédicace.
1570	**Paix de Saint-Germain.** Montaigne cède sa charge au parlement de Bordeaux, au profit de Florimond de Raemond. Naissance et mort de la première fille de Montaigne, Toinette.		
1571	Montaigne se retire dans cette « habitation des douces retraites de ses ancêtres ». Oct. : il reçoit le collier de l'ordre de Saint-Michel. Naissance de Léonor, seule fille de Montaigne qui survivra.	**1571**	Début de la rédaction des *Essais :* la plus grande partie du livre I. Lecture (entre autres) de compilateurs, de Sénèque, des *Mémoires* des frères du Bellay, des *Annales d'Aquitaine* de Jean Bouchet, de *l'Histoire d'Italie* de Guichardin, des *Joyeuses Récréations* de Des Périers, de l'*Apologie pour Hérodote* de Henri Estienne, des *Épîtres dorées* de Guevara, de Diodore de Sicile traduit par Amyot, et de Plutarque.
1572	Août : **massacre de la Saint-Barthélemy.**		
1573	Organisation de la résistance protestante dans le Midi. Naissance et mort d'Anne, troisième fille de Montaigne. Montaigne va rejoindre l'armée catholique en Poitou.		
1574	**Mort de Charles IX. Henri III lui succède.** Mai : Montaigne prononce un discours devant le parlement de Bordeaux. Publication, dans un pamphlet calviniste, sans nom d'auteur, du *Discours de la servitude volontaire* de La Boétie. Naissance et mort de la quatrième fille de Montaigne.		
1574-1575	Séjour de Montaigne à Paris (selon de Thou).	**1574**	Lecture des *Hypotyposes* de Sextus Empiricus.
1575	Paix de Monsieur. Liberté de culte pour les protestants. Constitution de la Ligue, menée par Henri de Guise, dit le Balafré. Févr. : Montaigne fait frapper une médaille, avec la devise (en grec) « Je suspends mon jugement » et l'image d'une balance aux deux plateaux équilibrés.	**1575**	Montaigne commence à travailler à l'« Apologie de Raymond de Sebonde ».
1577	Naissance et mort de la cinquième fille de Montaigne. Montaigne devient gentilhomme de la chambre du roi de Navarre.		
1578	Premières atteintes de la maladie de la pierre dont il souffrira jusqu'à sa mort.		

	VIE		ŒUVRE
		1579	Fin de la rédaction du livre I. Composition du livre II. Lecture et annotations d'œuvres de César, de Tacite, d'Amien Marcellin, de Jean Bodin (*République*), d'Innocent Gentillet (*Discours sur les moyens de bien gouverner*), de Laurent Joubert (*Erreurs populaires*).
1580	Départ de Montaigne pour l'Italie. A Paris, il présente les *Essais* à Henri III, qui dit les apprécier. Août : il assiste au siège de La Fère : M. de Gramont, son ami, y est tué. Sept. : départ pour Plombières; Montaigne y prend les eaux pendant huit jours. Commence un long voyage au cours duquel il visitera Mulhouse, Bade, Augsbourg, Munich, Vérone, Vicence, Padoue, Venise, Ferrare, Bologne, Florence, Sienne. Nov. : Rome. Il soumet les *Essais* à la censure : on lui fait quelques remarques de détail.	**1580**	Première édition des *Essais* à Bordeaux (2 vol., chez S. Millanges) : *texte A*. Mars : « Avis au lecteur », placé en tête de cette édition. Lecture de Sénèque (*Lettres à Lucilius*), de Plutarque, d'Horace, de Lucrèce, d'Ovide, de Virgile, de Martial. Montaigne dicte à son secrétaire (?) son journal de voyage qu'il ne fera jamais publier (aucune mention n'en est faite dans les *Essais*).
1581	Mars : le titre de citoyen romain lui est conféré. Avr. : fin du premier séjour à Rome. Pèlerinage à Lorette, puis visite de la Toscane. 7 sept. : Lucques, il apprend qu'il a été élu maire de Bordeaux en août, pour deux ans. Fin sept. : Rome (deux semaines). 30 nov. : retour à Montaigne. Henri III doit insister, par lettre, pour que Montaigne accepte sa charge.	**1581**	Deuxième édition de la *Théologie naturelle* (version corrigée).
		1582	Deuxième édition des deux premiers livres des *Essais* (Bordeaux, in-8°). Quelques additions, concernant l'expérience du voyage et les lectures italiennes : Le Tasse, Guazzo, Varchi. Voir les lettres au maréchal de Matignon.
1583	Août : réélection de Montaigne à la mairie de Bordeaux, pour deux ans. Des négociations s'engagent, par son truchement, entre le roi de France et Henri de Navarre. Naissance et mort de Marie, dernière fille de Montaigne.		
1584	**Mort du duc d'Anjou. Henri de Navarre est héritier du trône.** Déc. : Henri de Navarre passe deux jours au château de Montaigne. Une chasse est donnée en son honneur.		
1585	Poursuite de négociations difficiles. Bordeaux échappe aux Ligueurs. Montaigne arrange une rencontre entre Matignon et le roi de Navarre. Matignon devient maire de Bordeaux. La région est ravagée par la peste. Montaigne est obligé de quitter son château.		
		1586	Févr. : lecture de *l'Histoire des princes de Pologne,* de Herburt de Fulstin. Lecture des *Mémoires* d'Olivier de La Marche.
		1586-1587	Rédaction de nombreuses additions, et composition des treize essais du livre III.
1587	Oct. : Henri de Navarre gagne la bataille de Coutras. Il dîne au château de Montaigne.	**1587**	Juil. : lecture de Quinte-Curce. Troisième édition des *Essais,* à Paris, conforme à celle de 1582.
1588	Montaigne se rend à Paris pour faire imprimer sa nouvelle édition. Il est dévalisé par des gentilshommes masqués. Puis on lui rend ses affaires, dont le dernier manuscrit des *Essais.* 12 mai : **journée des Barricades.** Montaigne est embastillé par les Ligueurs, puis libéré sur l'intervention de la reine mère et du duc de Guise. Juil.-août : début des relations avec Mlle de Gournay, chez laquelle il effectuera plusieurs séjours. A diverses reprises, il rejoint la Cour à Paris. Oct.-nov. : Montaigne fait la connaissance de De Thou et de Pasquier aux états généraux de Blois. Déc. : **assassinat, à Blois, du Balafré.**	**1588**	A cette époque, Montaigne a approfondi la lecture de Catulle, de Juvénal, de Lucain, de Lucrèce, d'Ovide, de Perse, de Properce, de Térence; il a lu l'*Histoire des conquêtes* de Fernand Cortès, l'*Histoire générale des Indes* de López de Gomara et *la Démonomanie des sorciers* de Jean Bodin. Juin : quatrième édition des *Essais* (appelée cinquième) comprenant l'original du livre III et de nombreuses additions aux deux premiers : *texte B.*

	VIE		ŒUVRE
		1588-1592	Lecture de Cicéron, de Diogène Laërce, de Juste-Lipse, de Sénèque, de saint Augustin, commenté par Vivès; d'historiens anciens : Diodore de Sicile, Hérodote, Tacite, Tite-Live, Xénophon; d'historiens modernes : Chalcocondyle, Du Haillau, de Franchi, Paul Jove, Gonzalès de Mendoza, Osorio et Castaneda, Postel... Rédaction d'un millier d'additions nouvelles.
1589	**Siège de Paris, par Henri III et Henri de Navarre.** Août : **assassinat de Henri III par Jacques Clément.**		
1590	Mariage de Léonor de Montaigne avec François de La Tour.	**1590**	Janv. et sept. : lettres au roi Henri IV, manifestant son loyalisme et sa franchise.
1591	Naissance de Françoise de La Tour, petite-fille de Montaigne.		
1592	13 sept. : Montaigne meurt au moment de l'élévation, au cours d'une messe dite dans sa chapelle. Il est enterré à l'église des Feuillants, à Bordeaux.	**1592**	A sa mort, Montaigne laisse un exemplaire manuscrit des *Essais* destiné à une cinquième édition et comportant de nombreuses additions marginales. C'est l'« exemplaire de Bordeaux » : *texte C.*
		1595	Publication à Paris, chez Langelier, de l'édition posthume des *Essais,* d'après une copie de l'exemplaire manuscrit laissé par Montaigne. Édition réalisée par Mlle de Gournay et Pierre de Brach.
		1613	Traduction anglaise par Florio.
		1774	Publication du *Journal de voyage* en Italie, par Meunier de Querlon, d'après le manuscrit retrouvé par l'abbé Prunis au château de Montaigne.

BIBLIOGRAPHIE GÉNÉRALE

Principales éditions

Essais, reproduction phototypique de l'exemplaire de Bordeaux, publiée par Fortunat Strowski, Paris, Hachette, 1912; *Essais,* édition municipale de la ville de Bordeaux, par Strowski-Gebelin-Villey, 1908-1933, 5 vol.

Éditions courantes : *Œuvres complètes* (*Essais, Journal de voyage*), Paris, Gallimard, La Pléiade, 1967; (comprenant, en outre, les *Ephémérides de Beuther* et les *Lettres*), Paris, Le Seuil, « l'Intégrale », par Robert Barral et Pierre Michel, 1967. *Essais,* éd. Pierre Villey, revue par V.-L. Saulnier, Paris, P.U.F., 1965. *Journal de Voyage,* texte établi, notes et variantes, par Ch. Dédéyan, Paris, Belles-Lettres, 1946; éd. Pierre Michel, Paris, le Livre de Poche, 1980; éd. Fausta Garavini, Paris, Gallimard, « Folio », 1983.

Ouvrages critiques

Pour une première approche : Francis Jeanson, *Montaigne par lui-même,* Paris, Le Seuil, « Microcosmes », 1951; Pierre Moreau, *Montaigne,* Paris, Hatier, « Connaissance des Lettres », 1966.

Études classiques et érudites : Alan Boase, *The Fortunes of Montaigne,* Londres, 1935 (utile pour qui veut suivre l'évolution des jugements portés sur Montaigne); Donald M. Frame, *Montaigne : A Biography,* New York, Harcourt Brace and World, 1965; Maturin Dreano, *la Religion de Montaigne,* Nizet, 1969 (un point de vue sur la sincérité de Montaigne en matière de religion); Eva Marcu, *Répertoire des idées de Montaigne,* Genève, Droz, 1965 (l'idée d'un répertoire vaut ce qu'elle vaut : son utilité, néanmoins, n'est plus à prouver); Olivier Naudeau, *la Pensée de Montaigne et la Composition des « Essais »,* Genève, Droz, 1972 (tient à faire de Montaigne un être décidé à se dominer et à dominer le monde); Anthony R. Sayce, *The « Essays » of Montaigne,* Londres, Weidenfeld and Nicolson, 1972; Albert Thibaudet, *Montaigne,* Paris, Gallimard, 1963 (Thibaudet fait de Montaigne, par une étude pointilliste et subjective, un précurseur du XVIIe siècle); Pierre Villey, *les Sources et l'Évolution des idées de Montaigne,* Paris, Hachette, 1933 (base indispensable pour l'étude des sources); Floyd Gray, *le Style de Montaigne,* Paris, Nizet, 1958 (pertinente approche du problème); Jules Brody, *Lectures de Montaigne,* Lexington (Kentucky), French Forum Publishers, 1982; Jean Starobinski, *Montaigne en mouvement,* Paris, Gallimard, 1982; François Moureau et René Bernoulli, *Autour du « Journal de Voyage » de Montaigne (1580-1980). Avec une copie inédite du « Journal de Voyage »,* Genève-Paris, Slatkine, 1982.

Ouvrages plus engagés dans l'appréciation des *Essais :* Michaël Baraz, *l'Être et la Connaissance selon Montaigne,* Paris, Corti, 1968 (insiste sur la notion d'inscience sans pour autant renoncer à l'idée d'harmonie); Alfred Glauser, *Montaigne paradoxal,* Paris, Nizet, 1972 (à force de pousser l'idée du paradoxe, il n'y aurait plus de conscience matérielle des choses chez Montaigne); Françoise Joukovsky, *Montaigne et le Problème du temps,* Paris, Nizet, 1972 (il n'est pas évident que Montaigne intellectualise autant ce thème); Alexandre Micha, *le Singulier Montaigne,* Paris, Nizet, 1964 (insiste sur l'être en mouvement; analyse des rapports entre l'art et la nature); Hélène Hedy-Ehrlich, *Montaigne, la critique et le langage,* Klincksieck, 1972 (souligne l'importance de l'écriture chez Montaigne); Hugo Friedrich, *Montaigne,* Paris, Gallimard, 1968 (travail approfondi, complet et indispensable); Michel Butor, *Essai sur les « Essais »*, Paris, Gallimard, 1968 (propositions séduisantes sur les structures possibles du livre); Jean-Yves Pouilloux, *Lire les « Essais » de Montaigne*, Paris, Maspéro, 1969 (opuscule tonifiant : critique radicale de l'ordre des *Essais*, sans exclure leur évolution); Antoine Compagnon, *Nous, Michel de Montaigne*, Paris, Le Seuil, 1980 (problèmes fondamentaux du nom et de la paternité intellectuelle).

Signalons aussi une importante publication : le *Bulletin de la Société des Amis de Montaigne*, qui ne cesse d'apporter sa contribution aux recherches les plus actuelles sur Montaigne.

M.-L. LAUNAY

MONTAL Robert (né en 1927). V. BELGIQUE. Littérature d'expression française.

MONTALEMBERT, Charles Forbes René, comte de (1810-1870). Montalembert est né à Londres, où son père avait émigré. Aux côtés de Lacordaire, qui fut son condisciple de collège, il fait ses premières armes en écrivant dans *l'Avenir;* ce journal, fondé par La Mennais en octobre 1830, exprime le point de vue de catholiques libéraux, soucieux de concilier le retour au peuple et la fidélité au pape. Lorsque ce dernier (Grégoire VII) condamne cette tentative (*Mirari vos*, 1832), Montalembert se soumet, mais il n'en continue pas moins à lutter. Parmi ses grands combats, celui qu'il mène contre le vandalisme qui menace en France les vestiges du Moyen Âge; celui aussi qui fait de lui le champion de la liberté de l'enseignement : il s'engage personnellement en créant une école, d'où un procès devant la Chambre des pairs, où il est entré après la mort de son père.

Il prononce de nombreux discours sur les questions religieuses et intervient en faveur de la liberté de la presse, en faveur de la Pologne, de la Grèce, du *Sonderbund* des Suisses catholiques et conservateurs... En 1848, il est élu député : il se range à droite, et de vifs affrontements l'opposent à Hugo. Ce monarchiste soutient Louis Napoléon Bonaparte. En revanche, s'il approuve le coup d'État « pour dompter l'armée du crime », il n'accepte pas les choix politiques et religieux du nouveau régime. Réélu député en 1852 (mais pas en 1857), il continue à lutter pour ces idées dites alors modernistes, et que vont condamner l'encyclique *Quanta cura* et le *Syllabus* (1864) : à cette occasion, Montalembert trouvera en Veuillot un adversaire à sa taille.

Montalembert a aussi fait œuvre d'historien : on lui doit un travail d'hagiographie sur sainte Élisabeth de Hongrie (1836), une étude sur *Saint Anselme, fragment de l'introduction à l'histoire de saint Bernard* (1844) et un immense travail sur *les Moines d'Occident depuis saint Benoît jusqu'à saint Bernard* (1860-1867). Il a publié de nombreuses brochures ainsi que des articles, notamment dans *le Correspondant*. Le plus intéressant, cependant, dans son œuvre, ce sont les discours : outre un vrai talent d'orateur, ils révèlent une générosité « romantique », en particulier pour les nations en lutte de l'époque. Montalembert fut élu à l'Académie française en 1851.

BIBLIOGRAPHIE

Les *Œuvres complètes* de Montalembert ont paru à Paris, chez J. Lecoffre (1860-1868). Il existe aussi une abondante Correspondance.

Parmi les nombreuses études : R.P. Lecanuet, *Montalembert* (3 t.), Paris, Ch. Poussielgue et de Gigord, 1895-1927; A. Trannoy, *le Romantisme politique de Montalembert avant 1843*, Paris, Bloud et Gay, 1942; la *Revue d'histoire de l'Église de France*, t. LVI (1970), avec une bibliographie.

A. PREISS

MONTAUSIER, Charles de Sainte-Maure, marquis puis **duc de** (1610-1690). Charles de Montausier fit plusieurs campagnes au temps de Richelieu et de Mazarin. Il eut ainsi l'honneur d'être cité à maintes reprises (sous le nom de MARQUIS DE SALLES) dans la *Gazette de France* pour ses belles actions militaires en 1637, en 1642, en 1643, en 1646 (au siège de Dunkerque), en 1652. Il abjura le calvinisme pour pouvoir épouser, en 1645, Julie d'Angennes. Il obtint la même année le gouvernement d'Angoumois et de Saintonge. Durant la Fronde, Montausier demeura fidèle au roi. Après 1660, ce dernier le couvrit d'honneurs : il lui donna le gouvernement de la Normandie en 1663 et le fit duc et pair en 1665; sa femme fut nommée, en 1661, gouvernante des enfants de France, puis dame d'honneur de la reine; il fut désigné, en 1668, pour diriger l'éducation du Dauphin, charge qu'il exerça avec conscience, peut-être avec un peu trop de rigueur... Veuf en 1671, il mourut à quatre-vingts ans.

Dès sa jeunesse, Montausier fut introduit dans le salon de Mme de Rambouillet [voir PRÉCIOSITÉ]. Pour faire sa cour à Julie d'Angennes, la fille de la marquise, il commanda aux poètes de ce cercle la fameuse *Guirlande de Julie*, à laquelle il ne rougit pas de collaborer lui-même. On a beaucoup raillé cette cour interminable (elle dura quatorze ans!) et romanesque. La réalité est sûrement plus complexe, et les petits vers des soixante-deux madrigaux qui constituent la *Guirlande* ne sont ridicules que si on les aborde avec un esprit de sérieux qui ne leur convient pas. Dans le roman célèbre de Madeleine de Scudéry *Artamène ou le Grand Cyrus*, Montausier est Mégabate; l'auteur y fait l'éloge de sa bravoure à la guerre et de son universelle culture; elle insiste surtout sur la délicatesse de son goût, sa haine des flatteurs, sa franchise un peu rude, car il est « d'un naturel fort violent » et il soutient « ses opinions avec trop de chaleur ». Montausier se serait reconnu, a-t-on dit, dans l'Alceste de Molière; en tout cas, ce dernier s'est souvenu du portrait de Mégabate, qu'il paraphrase dans la scène première de sa comédie.

Gentilhomme valeureux, protecteur des Scudéry et de Gombauld, promu par Louis XIV à d'importants emplois, qu'il exerça sans faiblesse, Montausier peut être considéré comme une figure typique — et peut-être comme la plus haute figure, avec le Grand Condé — de l'aristocratie entre 1640 et 1680, capable de concilier la bravoure guerrière et l'amour des arts, la vertu et l'état de courtisan, l'idéal hérité des âges anciens et la réussite qu'exigent les Temps modernes.

BIBLIOGRAPHIE

Édition. — *La Guirlande de Julie*, prés. O. Uzanne, Paris, 1875.
A consulter. — P. Clément, « le Duc de Montausier », *Revue européenne*, XII et XIII, 1860 et 1861.

A. NIDERST

MONTCHRESTIEN Antoine de (vers 1575-1621). Les images de la vie d'Antoine de Montchrestien se succèdent et se contredisent comme à plaisir. Dramaturge corrigeant ses œuvres avec soin à la lumière de Malherbe, puis homme d'affaires et économiste, bourgeois rangé et aventurier, enfin agitateur politique révolté contre le pouvoir et tragiquement tué, Montchrestien échappe à toutes les tentatives de classement. Né à Falaise, en Normandie, d'un père apothicaire, orphelin très tôt, le jeune homme reçut une bonne éducation puisque le baron François Thésard le reçut chez lui comme compagnon de ses enfants.

De 1596 à 1604, Montchrestien écrivit sept pièces de théâtre. Une première édition en 1601 rassembla *Sophonisbe* (datée de 1596), *l'Écossaise ou le Désastre, les Lacènes ou la Constance, David ou l'Adultère, Aman ou la Vanité* et une *Bergerie,* en cinq actes, rompant avec la série de tragédies. En 1604, une nouvelle édition du recueil comporte une pièce supplémentaire, *Hector,* mais la *Bergerie* a disparu. Les œuvres rééditées sont chaque fois travaillées, la langue épurée et clarifiée.

Entre-temps, Montchrestien, qui, en dépit des interdictions royales, avait été mêlé à plusieurs duels, dut s'exiler en Angleterre pour échapper au châtiment. Quand il rentra en France, assagi, il installa une aciérie à Ousonne-sur-Loire, et il dut s'intéresser d'assez près aux affaires puisqu'il publia, en 1615, un *Traité de l'économie politique.* Il s'est marié, on peut le croire devenu un bourgeois rangé, riche et bien vu des milieux officiels, qui lui attribuent diverses charges. Pourtant, vers 1620, sans que l'on sache très bien pourquoi, sans doute autant pour des raisons politiques que pour des raisons religieuses, il s'engage dans la cabale des Huguenots et se lance dans la révolte armée. Il défend Sancerre et Sully, offre ses services à La Rochelle pour soulever la Normandie. Mais il est attaqué et tué en 1621 par la garde royale, et on le considère comme un adversaire politique si dangereux qu'on lui fait un procès posthume.

Bizarrement, la plupart des critiques reprochent aux tragédies de cet aventurier de manquer d'action, d'être statiques et bavardes, de s'enfermer dans les discours et la méditation. Il est certain qu'elles obéissent aux habitudes lyriques des tragédies de la Renaissance, et qu'une grande partie du dialogue repose sur les sentences et les généralités morales. Les personnages secondaires abondent, au sein d'intrigues à la construction lâche.

Pourtant, la critique récente s'est intéressée à *Hector* dont la conception tragique est d'une tout autre nature. Hector veut combattre les Grecs, malgré les craintes de ses parents et un songe prémonitoire d'Andromaque. Il finit par obéir à la volonté de Priam et aux supplications d'Hécube, mal convaincu cependant que son devoir l'autorise à laisser les autres chefs de guerre se battre à sa place. Quand il apprend que l'armée troyenne est en péril, il n'y tient plus et court au combat. Andromaque supplie Priam de le rappeler, et celui-ci est sur le point de s'exécuter lorsqu'on apprend qu'Hector va vaincre Achille. Mais il ne s'agit que d'une dernière péripétie, avant le dénouement tragique un moment masqué par l'euphorie engendrée par des nouvelles partielles.

Reposant tout entière sur la volonté du héros, cette tragédie a des accents nouveaux qui font regretter que Montchrestien ait délaissé la littérature pour s'abandonner à son destin tragique.

BIBLIOGRAPHIE
Éditions. — Les *Tragédies,* éd. Petit de Julleville, Paris, Plon, 1891; *Two Tragedies* (*Hector* and *la Reine d'Écosse*), éd. C.N. Smith, Londres, 1972; *Hector,* introd. et notes de J. Scherer, dans *Théâtre du XVIIe siècle,* vol. I, Gallimard, La Pléiade, 1975.
A consulter. — Richard Griffiths, *the Dramatic Technique of Antoine de Montchrestien,* Oxford, 1970; Micheline Sakharoff, *le Héros, sa liberté et son efficacité de Garnier à Rotrou,* A. Colin, 1967.

J.-P. RYNGAERT

MONTEILHET Hubert (né en 1928). V. ROMAN POLICIER.

MONTÉPIN Xavier, comte de (1823-1902). Né à Apremont (Haute-Saône), il s'essaya dans le journalisme politique (en 1848, il publie *le Lampion,* journal satirique et réactionnaire) avant d'aborder la littérature. La série d'insuccès que constituent ses vingt premières œuvres s'arrête en 1855 avec la parution des *Filles de plâtre,* un roman qui, jugé contraire aux bonnes mœurs, amena Montépin en prison en même temps qu'au seuil de la notoriété. Vingt années durant, ses innombrables romans-feuilletons, écrits selon le goût conformiste et mesuré de la moyenne bourgeoisie, lui valurent d'être considéré comme le maître incontesté du genre: *les Chevaliers du lansquenet* (1847); *Jeanne de La Tremblaye* (1857); *les Viveurs de province* (1860); *les Drames de l'adultère* (1873); *Fille de courtisane* (1874); *Sa Majesté l'argent* (1877); *les Drames du mariage* (1878); *le Médecin des folles* (1879); *les Amours de province* (1884); *la Demoiselle de compagnie* (1884); et surtout *la Porteuse de pain* (1884), qui constitua le plus gros succès de l'auteur.

Archétype du roman dit « de la victime » (où la rédemption de la victime et le châtiment du « bourreau » sont obligatoires à la fin du récit), cet ouvrage relate sur un ton apitoyé les malheurs sans nombre advenus à l'héroïne Jeanne Fortier, à la suite d'une erreur judiciaire.

Généralement, l'auteur cultive, dans un style plat et une forme souvent négligée, le genre sentimental et « mondain »: drames d'alcôve, histoires d'adultère et de séduction incarnées par des personnages (riches banquiers, aristocrates, viveurs, aventurières, gredins) qu'animent sans nuances des sentiments simples tels que l'amour, la haine, la vengeance.

Témoin mais non dénonciatrice, l'œuvre reflète les grands problèmes contemporains: spéculation, triste condition des fous et des bagnards, erreurs judiciaires, internements abusifs, questions coloniales.

Montépin adapta pour la scène quelques-uns de ses succès: *la Porteuse de pain, le Médecin des folles, la Marchande de fleurs, les Chevaliers du lansquenet...* Largement traduit à l'étranger, Montépin mourut à Paris en auteur comblé.

C. BARBÉ

MONTESQUIEU

MONTESQUIEU, Charles-Louis de Secondat, baron de (1689-1755). Si cette image n'est pas trop irrespectueuse ou saugrenue, on verrait facilement le châtelain de La Brède transformé en *polena,* comme on appelle en italien, utilisant un mot d'origine française, ces figures de proue qu'on plaçait jadis sur le devant des bateaux, tels des meneurs ou des guides symboliques. Cette transformation quelque peu inattendue serait facilitée non seulement par tout ce qu'il y a de statuaire dans l'image que la tradition nous a transmise de Montesquieu, mais elle permettrait une représentation assez impressionnante dans sa précision de l'un des problèmes fondamentaux que pose l'œuvre de Montesquieu pour ceux qui s'en nourrissent. La périodisation chronologique étant toujours le fruit de choix, de préférences et, finalement, de jugements de valeur, on a en effet du mal à situer Montesquieu dans un temps qui soit vraiment le sien. Né dans les dernières décennies du XVIIe siècle, appartient-il au siècle de Descartes et de Malebranche ou bien à celui de Voltaire? Suivant l'orientation des différentes périodisations, est-il né trop tôt ou trop tard? Sans doute est-il un penseur, dominé par un rationalisme clair et indéfectible, d'une exemplaire sérénité. Ce qui lui permet, en un sens, de transcender son temps. Mais il ne s'insère pas pour autant dans le dialogue séculaire de la philosophie. Il ne se pose pas de problème d'ordre gnoséologique, il ne bâtit pas de système. Convaincu que la philosophie des Grecs « était très peu de chose », il traite Platon de « poète », le mettant sur le même plan que Malebranche, Shaftesbury et Montaigne : ce sont pour lui les « quatre grands poètes ». S'il n'est pas philosophe au sens technique et traditionnel du mot, Montesquieu l'est-il au sens nouveau du siècle des Lumières? La question mérite d'être posée. De toute façon, c'est un fait que le siècle qui l'avait vu naître continue à vivre en lui. C'est pour cela qu'on a pu dire — en employant une formule suggestive — qu'il y a en lui un moraliste (comme avait pu l'être un La Rochefoucauld) qui devient philosophe (au sens nouveau). La philosophie — dit-il d'ailleurs — ne doit point rester isolée, elle doit avoir des rapports avec tout. Le moraliste du XVIIe siècle s'ouvre donc à la réalité sociale, beaucoup plus et de façon plus moderne que La Bruyère et Saint-Simon. On pourrait dire — pour utiliser encore une fois la formule que nous avons employée — que Montesquieu est bien plus qu'un moraliste : c'est un philosophe; ou bien que Montesquieu est bien plus qu'un philosophe : c'est un moraliste. Le choix de l'une ou l'autre de ces deux expressions est commandé par l'orientation du regard, suivant qu'il se tourne vers le passé ou vers l'avenir. Ce dilemme nous fait revenir à nos *polene*. Quand on les contemple à terre, détachées des navires, dans un musée, rien ne nous dit qu'elles doivent être obligatoirement placées à l'avant des bateaux. Ces yeux qui fixent l'eau, qui l'effleurent, qui en reçoivent les embruns, peuvent bien scruter avec espoir les lignes d'un rivage auquel le vaisseau abordera ou bien regretter des côtes et des golfes que l'on a quittés pour toujours.

Le charme profond et l'énigme de Montesquieu résident peut-être dans cette double valence dynamique. Son esprit se meut et nous communique un mouvement, mais en quel sens? Ce gentilhomme campagnard, cet honnête homme sans Cour, ce magistrat sans tribunal, précisément à cause de sa modération et de son rationalisme, donnant lieu à des nuances infinies et aux ouvertures les plus inattendues, est à l'origine de débats et d'affrontements qui sont loin, aujourd'hui, plus de deux siècles après sa mort, d'être apaisés.

La « légende dorée »

Montesquieu « le Romain » : comment ne pas le voir sur un piédestal, dominant la salle austère d'un palais de justice ou dialoguant avec la statue de Montaigne, sur la place des Quinconces, à Bordeaux? Peu d'auteurs ont si grandement risqué l'embaumement doré des momies par trop respectées. Si le Panthéon, où la Révolution a solennellement placé les restes de Rousseau et de Voltaire, ne s'est pas ouvert à Montesquieu, c'est un fait qu'un Panthéon imaginaire (mais combien plus dangereux!) a réquisitionné dans l'asepsie de la gloire cet auteur vraiment « auteur », au profil aquilin, tout naturellement destiné à être sculpté dans des médailles, si adapté à l'éternité figée des bustes. On est revenu aujourd'hui de ces belles certitudes. Pendant ces dernières décennies, l'homme aussi bien que son œuvre ont été mieux scrutés. L'optimisme presque de commande dont on le gratifiait jadis tend à s'atténuer. On le voit mécontent et emprunté dans sa vie de magistrat, trop compassé dans sa carrière de libertin, ni courtisan ni grand féodal, ayant besoin de vivre à Paris aussi bien qu'à La Brède (content partout ou... nulle part), voyageur désintéressé sans doute, mais aussi diplomate velléitaire. Restent cependant la gloire vite atteinte et la consolation de l'écriture. Certains nœuds paralysants de la vie sont coupés non par l'épée, mais par la plume, dont le style devient tranchant comme une rapière.

C'est alors que l'homme qui ne réussissait pas à se réaliser dans l'action de façon complète et satisfaisante, ou dans l'amour, atteignait une sorte de radieuse plénitude, se transformant en Persan, convoquant les Romains ainsi que tous les autres peuples de la terre et leurs lois dans les salles du château de La Brède, les passant en revue sur les rayons de sa bibliothèque. Mais pourquoi vouloir reconstituer une unité à tout prix dans la vie et dans l'œuvre de Montesquieu? Il y a peut-être heurt et dissension. Certains critiques ont même réduit cette unité prétendue et seulement apparente à une sorte de connivence : la vie et l'œuvre se donneraient la main pour escamoter les vrais problèmes, pour ne pas vivre authentiquement, pour ne pas agir... Par là nous ne voudrions aucunement décourager les biographes, dont la tâche est d'ailleurs facilitée (ou rendue plus difficile?) par le peu d'événements caractérisant la vie de Montesquieu (le châtelain devient magistrat, le magistrat s'adonne aux lettres, fait un grand voyage en Europe, se consacre totalement à l'écriture, séjourne alternativement à La Brède et à Paris, lutte contre une vue qui s'affaiblit de jour en jour et meurt banalement d'une fièvre maligne mal soignée lors d'un séjour à Paris en 1755. Ajoutons le poids d'une gloire toujours plus exigeante, qu'il faut défendre, quelques éreintements plus ou moins étouffés par une opinion publique généralement bienveillante sinon admirative, le coup de Jarnac de la mise à l'Index de *l'Esprit des lois,* qui ne fut cependant pas rendue publique, et c'est tout, ou presque tout).

L'important est de sauver Montesquieu d'une sorte de « légende dorée » qui finit par l'enlever à notre humanité. On croit pouvoir tout expliquer dans sa personne et dans son œuvre, on admire tout mais on risque de ne plus rien comprendre. Montesquieu est un auteur « clair », qui se veut clair et qui tend à une clarté nerveuse et concise. Mais cette concision, souvent digne de Tacite, éblouit sans instruire pour autant. Nous possédons de Montesquieu une correspondance assez copieuse (et on est en train de découvrir d'autres lettres). Il nous a laissé aussi des « journaux intimes », les *Pensées,* le *Spicilège,* etc. Ajoutons les lettres et les réactions de contemporains, celles des amis, des femmes qui, assez nombreuses, ont été en relations avec lui : sa philosophie, voulant avoir des rapports avec tout, ne méprisait pas le boudoir... Mais nous avons du mal à pénétrer dans son intimité. Il ne s'agit pas de « sécheresse » — comme on l'a dit trop souvent jadis, le mot servant à frapper le XVIIIe siècle tout entier — ni de pauvreté. En réalité, le degré de signification des données que nous possédons est souvent en proportion inverse de leur éminente et par trop vantée transparence. Ce n'est pas la richesse confuse et pleine de méandres, la complexité grouillante de l'univers d'un Rousseau, ni l'agitation créatrice et bienfaisante d'un Diderot ou d'un Voltaire (pour ne citer que les trois Grands du siècle). Tout est apparemment moins compliqué chez Montesquieu. Les lignes de l'homme et de l'œuvre paraissent claires et bien marquées sur la paume d'une main élégante et volontaire. Mais, dès qu'on s'en approche pour en saisir le sens, toute promesse d'explication satisfaisante s'évanouit ou exige des renvois. Comme dans certaines maximes des moralistes du Grand Siècle, chez Montesquieu cette souveraine tendance à l'expression essentielle et définitive ne va pas sans ambiguïtés. Elle est porteuse d'une richesse sûre, mais dont nous ne réussissons pas à interpréter toutes les valeurs. Il y a des significations qui nous échappent, ou qui donnent lieu à des renversements inattendus. Gide a écrit que l'optimisme rayonnant de certaines pensées de Montesquieu l'émouvait davantage que les plus ravissantes plaintes. C'est pour cela que toute stratégie d'explication, inspirée de la « légende », allant de l'homme à l'œuvre ou de l'œuvre à l'homme et visant à reconstruire une unité confortable, paraît destinée à d'inéluctables naufrages.

Littérature et voyages : le mouvement et la retraite

Il serait si simple de voir une progression vers la complexité, des *Lettres persanes* (1721) aux *Considérations* (1734) jusqu'à la maturité solaire de *l'Esprit des lois* (1748). Après le ballon d'essai sociologique qui oppose plaisamment l'Orient à l'Occident (et vice versa), une grande réflexion diachronique prend place : elle est consacrée au plus célèbre peuple de la terre, aux Romains. Et, finalement, on aboutira à la synthèse, une synthèse magistrale, à la fois diachronique et synchronique, où l'on découvre le sens de la totalité : *l'Esprit des lois* serait alors la révélation du sens. La préface aura un ton de satisfaction presque biblique. Montesquieu regardera son ouvrage avec les yeux de Dieu le Père : « J'ai posé les principes; et j'ai vu les cas particuliers s'y plier comme d'eux-mêmes, les histoires de toutes les nations n'en être que les suites [...]; j'ai découvert mes principes, tout ce que je cherchais est venu à moi... »

Cette auguste interprétation, cette évolution solennelle, qui fait tant d'honneur à l'homme et à l'œuvre a plu à tous ceux qui aiment l'ordre et la progression unitaire dans les créations de l'esprit. On a donc dit que tout, chez Montesquieu, prépare son chef-d'œuvre. Or ce messianisme glorieux pourrait être un leurre. De toute façon il risque de masquer des solutions de continuité qui ne manquent pas dans une œuvre si vaste et si variée, sans compter qu'il nuit à l'appréciation autonome de chaque moment et de chaque saison créatrice dans la carrière de Montesquieu. Celle-ci se présente bien riche d'imprévus. Le jeune magistrat suivait avec ardeur les activités de l'Académie de Bordeaux et y lisait des mémoires aussi érudits qu'encyclopédiques. Et pourtant, à la même époque, ce polygraphe passionné conçoit un ouvrage aussi élégant que nerveux où il n'est aucune trace de poussière académique : les *Lettres persanes.* S'agit-il d'un épisode dans la vie du magistrat, d'une pause entre un mémoire scientifique et un autre? Ou bien y a-t-il là déjà tout Montesquieu, telle une sorte de première ébauche de *l'Esprit des lois,* un prélude souriant et léger, souple et fuyant, comme toute œuvre de jeunesse? Ce débat s'alluma déjà du temps de Montesquieu et il est loin d'être clos à l'heure actuelle. D'autre part comment expliquer l'extraordinaire succès de cet ouvrage? Fut-il dû à un phénomène de réception? Tel une comète prévue, il devait apparaître à l'« horizon d'attente » des lecteurs à la suite de la diffusion croissante de l'exotisme. Celui-ci, entre autres, avait reçu une remarquable promotion grâce à l'œuvre accomplie en France par Antoine Galland, orientaliste, professeur au Collège de France, traducteur des *Mille et Une Nuits.* De toute façon Montesquieu, sur un ton différent et nouveau, très frais, se rattachait à une tradition déjà considérable, où l'on pouvait compter des auteurs comme Chardin, Tavernier, Bernier, etc. Il se ressentait de l'influence de La Bruyère et Dufresny; il n'avait pas été insensible à *l'Espion turc* (1684) de l'italien Marana.

L'intrigue est peu consistante. Des Persans aux noms mystérieux mais signifiants (Usbek, Rhédi, Rica) échangent des lettres relatant les réactions qu'ils éprouvent au contact des mœurs européennes; d'autres lettres sont écrites par les femmes prisonnières dans le harem et par les eunuques qui en sont les gardiens : un ensemble de ces dernières lettres évoque l'étrange liaison d'Usbek avec ses femmes et le drame qui s'y noue (la trahison et le suicide de Roxane). Plusieurs lectures de cet ouvrage si réussi, désinvolte et pétillant, sont donc possibles. Satire des mœurs contemporaines; petite encyclopédie socio-politique (d'autant plus que les lettres contiennent en outre des histoires indépendantes, telles l'apologue des Troglodytes et celles d'autres contes, et qu'on y discute de questions de tous ordres, de poésie, de littérature, de démographie, etc.); roman épistolaire, où le libertinage traditionnel devient une critique de la morale sexuelle; manifeste « féministe » exaltant l'héroïsme de Roxane, ou accablante justification de la servitude des femmes...; pamphlet anticlérical mais inspiré d'un déisme œcuménique très proche de nos préoccupations religieuses; ouvrage autobiographique où Usbek exprime la « philosophie » et les contradictions de Montesquieu lui-même... Cette liste pourrait être prolongée. Ce qui ajoute encore à l'originalité de l'ouvrage, c'est que l'auteur lui-même a présenté son livre comme essentiellement énigmatique, en évoquant une « chaîne secrète » qui lierait le tout (et lui donnerait un sens définitif). Inutile de dire que les critiques, surtout ceux de notre temps, n'ont pas ménagé leurs efforts pour parvenir à découvrir cette sorte de pierre philosophale. Toutes ces tentatives d'interprétation, parfois très subtiles et suggestives, n'ont pas permis — on pouvait le prévoir! — de résoudre l'énigme, mais elles l'ont approfondie en tous sens. De toute façon, on peut dire qu'avec *Jacques le Fataliste,* l'ouvrage de Montesquieu est sans doute l'un de ceux qui ont le plus stimulé la critique des dix-huitiémistes d'aujourd'hui.

Cette « ouverture » dans toutes les directions des *Lettres persanes* montre bien la difficulté de les insérer dans une mosaïque signifiante, d'en faire une étape par laquelle devait passer l'auteur de *l'Esprit des lois.* Ces « lettres » parfois languissantes et voluptueuses (au point d'avoir été citées par l'avocat de Flaubert comme exemple de pornographie véritable, lors du procès intenté en 1857, pour offense aux mœurs, contre *Madame Bovary*) ont sans aucun doute un sens bien profond pour Montesquieu lui-même. Elles trahissent un inévitable débordement de sa sensualité et, en même temps, une difficile condescendance à la passion, ce qui semble avoir été le propre de sa vie intime. De toute façon elles n'ont pas connu de véritable lendemain dans la production de l'écrivain qui, assez jeune encore, avait pourtant atteint, grâce à elles, un succès bien tapageur (au point de le gêner lorsqu'il se présentera à l'Académie française, quelques années après, en 1727 : il y sera quand même élu grâce à l'appui puissant de Mme de Lambert). Si l'exotisme endiablé ou voluptueux jette encore des étincelles dans l'*Histoire véritable,* composée entre 1731 et 1738 (mais publiée seulement en 1892) et dans *Arsace et Isménie* (1742, publié en 1783), l'intérêt dominant de l'auteur est ailleurs. Quant au *Temple de Gnide* (1725), s'il reprend la veine galante et sensuelle des *Lettres persanes,* il n'a plus ce style précis et délicieusement ironique qui faisait le charme inégalable des Persans de Montesquieu. Il a cependant beaucoup plu aux contemporains. D'Alembert, qui l'admirait, le définit comme un « poème en prose » et observe qu'il soutiendrait avec succès l'une « des principales épreuves de descriptions poétiques, celles de les représenter sur la toile ». C'est un petit essai de pastorale affadie et langoureuse, qui exercera pourtant une durable influence tout au long du siècle, de Vivant Denon à Sylvain Maréchal, à Algarotti en Italie. Au pays de Pétrarque, d'ailleurs, *le Temple de Gnide* jouira d'une remarquable fortune, comparativement supérieure à celle de *l'Esprit des lois* lui-même : beaucoup de traductions, dont certaines en vers, marquent un intérêt très vif qui se prolongera jusque dans les pages pensives du *Zibaldone* de Leopardi qui, au début du XIXe siècle, y cherchera une confirmation de son pessimisme.

Le Temple de Gnide fut donc un succès pour son auteur, un succès surtout auprès des femmes... Mais tous ces succès ne fixèrent pas Montesquieu à Paris. En 1726 il avait interrompu, pour ne plus la reprendre, sa carrière de magistrat. Il était donc libre. Libre et inquiet. Le polygraphe, l'auteur mondain et fortuné, ne sait pas rester en place (comme le lui reproche Mme de Lambert). Il s'habille en voyageur et fait le tour de l'Italie et de l'Europe (tout au moins une partie). En Italie il suit les traces de Montaigne et il précède Goethe. Entre 1728 et 1731, ce sont ses *Wanderjahre.* Il voyage, il observe, il note ce qu'il voit. Tout l'intéresse : des éruptions du Vésuve au miracle de saint Janvier, du temps infini que met la neige à fondre à Mittenwald, aux tableaux et aux statues qui peuplent les galeries et les églises d'Italie. Le voyageur se mue en critique d'art. Mais l'économie, la politique, la démographie, les mœurs, les gouvernements, les fortifications des pays qu'il traverse ne cessent d'attirer son attention. Les visages et les corps des femmes (au naturel et dans les musées) contribuent à augmenter le charme et l'excitation du voyage. Cet équilibre souverain entre l'idéal et la réalité que Goethe découvrira à Rome et qui s'exprime dans l'*Italienische Reise,* Montesquieu le réalise déjà dans la première moitié du siècle. L'honnête homme de la Renaissance et des théoriciens du Grand Siècle quitte le statisme étouffant de la Cour, passe de ville en ville, d'État en État, d'expérience en expérience. L'art, la littérature, la conversation, le paysage, la montagne et le sous-sol, la mer et les plaines, la diplomatie et la politique, tout lui devient aisé, presque familier. L'amour aussi se fait plus fort et enflammé, lui dictant, pour la princesse Trivulce, les lettres les plus passionnées qu'il ait jamais écrites. Puis, par une alternance qui semble physiologique, le voyageur qui a parcouru l'Europe, de l'Italie à la Hongrie, à l'Angleterre, éprouve le besoin de s'arrêter et de s'atteler à un travail de grand souffle.

L'auteur quelque peu frivole et, en tout cas, fort galant des *Lettres persanes* se drape dans sa robe la plus solennelle, devient Romain avec les Romains, dont il retrace l'histoire émouvante et tragique. C'est un historien dont l'esprit critique laisse quelque peu à désirer : il ne se pose pas de problèmes de critique des sources, il raconte les événements des premiers siècles de Rome comme si ceux-ci étaient des faits historiques. Quelques années auparavant, en 1722, Lévesque de Pouilly n'avait-il pas présenté à l'Académie des inscriptions et belles lettres un mémoire dénonçant l'incertitude de l'histoire de Rome à ses débuts? On en avait été choqué, mais Montesquieu semble ignorer le débat. Il s'intéresse d'ailleurs beaucoup plus à la philosophie de l'histoire qu'à l'histoire. Les événements dont il est question le passionnent surtout en tant que symboles. L'histoire n'est plus qu'un prétexte pour l'historien moraliste et philosophe qui vise à atteindre le sens et les lois de l'histoire. L'historien quelque peu naïf se transforme du coup en un historien déterministe, pour qui ni hasard, ni transcendance, ni dessein divin n'existent plus. Mais Montesquieu ne s'enferme pas dans la prison d'un historicisme scientiste et étriqué. Ces Romains sont aussi beaux qu'irréels. Ce sont des personnages d'une tragédie ininterrompue, dont les passions ont une haute valeur d'exemple et de sagesse; Rome n'est plus dans Rome, mais dans les cœurs et dans les esprits de tous les hommes. Grâce à cet ouvrage, qui en France n'eut pas le succès des *Lettres persanes* (on évoqua même, avec méchanceté, la « décadence » de Montesquieu), le classicisme d'inspiration romaine, si vivant au Grand Siècle, se transmet au siècle des Lumières, devient une esthétique et une philosophie de l'action auxquelles seront très sensibles les hommes de la Révolution et Napoléon lui-même. Celui-ci s'est même donné la peine de critiquer un autre ouvrage « romain » de Montesquieu, le petit *Dialogue de Sylla et Eucrate,* dans lequel, en 1724, l'auteur des *Considérations* avait déjà campé la figure de Sylla comme celle d'un personnage grand et sinistre à la fois, une sorte de dangereux surhomme. Peut-être Napoléon s'y reconnaissait-il?

L'année fatale

Mais enfin vint 1748. L'année de *l'Esprit des lois,* un travail immense, commencé — nous dit l'auteur — vingt ans avant. Commencé déjà, en un sens, pendant les années où Montesquieu, jeune élève au collège de Juilly, écrivait sa tragédie (perdue) au titre solennel de *Britomare,* où l'on peut lire ce vers plein d'avenir (l'avenir de Roxane? l'avenir de *l'Esprit des lois?*) : « Je défendais encore ma liberté mourante ». Y a-t-il un rapport entre l'orphelin de mère qui écrivait ce vers et *Prolem sine matre creatam,* l'énigmatique devise de *l'Esprit des lois*? C'est un fait que 1748 marque pour Montesquieu l'aboutissement d'un travail où s'inscrit le sens et le prix de sa vie tout entière. Par là il se différencie profondément des autres Grands du siècle des Lumières. Ni Voltaire, ni Rousseau, ni Diderot n'ont écrit une seule œuvre, une œuvre qui soit unique à leurs yeux et à ceux des contemporains. 1748 est une date triomphale. Un très grand exploit se réalise, la conscience s'apaise, la tension se relâche, on peut mourir tranquille (la mort d'ailleurs ne se fera pas trop attendre : sept ans seulement s'écouleront de la fin du livre à la fin de celui qui l'a écrit). Même en faisant abstraction de la parution de *l'Esprit des lois,* 1748 est une date historique, celle de la paix d'Aix-la-Chapelle, qui mit fin à la guerre de Succession d'Autriche. Cette paix était « bête » — comme on disait — puisqu'elle ne résolvait rien et ne faisait que préparer de nouvelles guerres : mais le moment choisi par Montesquieu pour publier son chef-d'œuvre s'accordait avec la nouvelle situation européenne. L'exaltation du régime de cette Rome nouvelle que devenait pour lui l'Angleterre s'accompagnait du réveil méthodiste et du réveil national de l'île grâce à l'œuvre de William Pitt. La guerre de Sept Ans, qui éclatera par la suite un an après la mort de Montesquieu, confirmera et accentuera l'essor mondial de l'Angleterre.

	VIE		ŒUVRE
1689	18 janv. : naissance de Charles-Louis de Secondat au château de La Brède, près de Bordeaux.		
1696	Mort de la mère de Montesquieu.		
1700-1705	Études chez les Oratoriens au collège de Juilly (près de Paris).		
1705	Retour à Bordeaux, où il étudie le droit.		
1708	Il obtient sa licence en droit.		
1709-1713	Premier séjour à Paris. Il commence un livre de notes, le *Spicilège*.		
1713	Mort du père de Montesquieu.		
1714	Il est reçu conseiller au parlement de Bordeaux.		
1715	Mariage avec Jeanne Lartigue, huguenote. Le couple aura trois enfants : Jean-Baptiste (1716), Marie-Catherine (1717) et Denise 1727). Celle-ci deviendra le « petit secrétaire » de Montesquieu.		
1716	Élection à l'Académie de Bordeaux. Mort de son oncle paternel, Jean-Baptiste de Secondat, dont il hérite le nom de Montesquieu (ce nom est d'origine en partie latine et en partie franque. Il désigne un mont sauvage et peu cultivé. Ce toponyme se rencontre dans le Sud-Ouest de la France). Charles-Louis devient baron de Montesquieu et hérite aussi la charge de président à mortier au Parlement de Bordeaux.	**1716**	Lecture à l'Académie de Bordeaux d'une *Dissertation sur la politique des Romains dans la religion*.
		1717-1721	Rédaction de plusieurs mémoires et discours académiques.
		1721	Publication des *Lettres persanes*.
1722	Montesquieu s'installe à Paris, où il fréquente la cour et les salons. Il passe à Paris, désormais, quelques mois chaque année. Il évolue dans les milieux politiques, littéraires, scientifiques et mondains. Il jouit de la protection de Mme de Lambert. Il fréquente le club de l'Entresol.		
		1725	Publication du *Temple de Gnide*.
1726	Il vend sa charge de Président.		
1728	Il est reçu à l'Académie française.		
1728-1729	Voyages en Autriche, Hongrie, Italie, Allemagne, Hollande.		
1729-1731	Séjour en Angleterre.		
1731	Retour à La Brède.		
		1734	Publication des *Considérations sur les causes de la grandeur des Romains et de leur décadence*.
		1745	Publication du *Dialogue de Sylla et d'Eucrate* (rédigé une vingtaine d'années auparavant).
		1748	Publication de *l'Esprit des lois* à Genève.
		1750	Publication de la *Défense de l'Esprit des lois* contre les attaques des jésuites et des jansénistes.
1751	Mise à l'index de *l'Esprit des lois*.		
1755	10 févr. : Montesquieu meurt à Paris, presque aveugle.		

L'esprit des lois

Toute une tradition très ancienne d'herméneutique juridique se penchait sur le sens authentique, sur l'« esprit des lois ». On trouve cette expression chez Strube de Piermont, dans sa *Dissertation sur la raison de guerre et le droit de bienséance* (1734) qui eut un certain succès et fut imprimée plusieurs fois. Montesquieu ne connaissait pas Strube, mais il est piquant de rappeler que celui-ci, philosophe du droit allemand émigré en Russie, pour défendre son pays d'adoption qui avait été taxé de despotisme par Montesquieu, éreintera vigoureusement, par ses *Lettres russiennes* (1760), *l'Esprit des lois.*

Le chef-d'œuvre de Montesquieu se veut un traité, d'où son aspect rigoureusement systématique. Mais ce n'est qu'un aspect tout extérieur. L'ordre formel et apparent est toujours sacrifié à un ordre plus profond et presque caché, à une sorte de nouvelle « chaîne secrète ». Divisé en livres et en chapitres, il présente, d'entrée de jeu, une typologie des univers politiques où les « natures » des États (monarchie, république, despotisme) sont mises en un rapport essentiel et dynamique avec leurs « principes » ou « ressorts » (honneur, vertu, peur). Par là, la classification traditionnelle, purement politique et formelle, est dépassée dans une conception plus vaste et plus concrète, à la fois sociologique et éthique. On pourrait facilement y élucider des préoccupations qui seront au cœur des systèmes de Hegel et de Max Weber. Par la suite, Montesquieu se tourne vers le problème de la liberté, qui finit par devenir fondamental et presque obsédant. Dans cette optique, il analyse la constitution anglaise et le problème de la séparation des pouvoirs. Puis le politologue se mue en géographe, étudiant dans les détails l'influence du climat et du terrain sur les mœurs et les lois. Suivent des analyses fort attentives des causes sociales (commerce, monnaie, démographie, religion, etc.). Un hors-d'œuvre est constitué par une étude historique des législations romaine et féodale.

Peu unitaire du point de vue du contenu, l'ouvrage de Montesquieu présente un style assez peu fondu. Les critiques n'ont pas manqué qui ont étudié le phénomène d'un écrivain d'inspiration classique s'exprimant de façon si fragmentée et, en un sens, si moderne. On a allégué des causes d'ordre politique (provoquant des changements de point de vue, des coupures, des adaptations, etc.); d'ordre psychologique (Montesquieu avoue être fort timide et il se produirait une sorte de bégaiement dans son écriture); d'ordre pathologique (sa vue empirait, il ne pouvait plus se relire, ce qui l'obligeait à se servir de secrétaires : pour mieux contrôler sa pensée il était donc obligé de s'exprimer dans de courtes périodes). Ce qui est sûr, c'est que ce style à la fois synthétique et syncopé ajoute encore à la fascination de l'ouvrage. Présenté par l'auteur lui-même comme un ouvrage « de pure jurisprudence », *l'Esprit des lois* ne saurait être lu comme une doctrine pure du droit selon Kelsen. Il n'empêche que celui qui lit *l'Esprit des lois* comme un ouvrage de politique ou de philosophie, destiné à changer le monde, ne peut qu'en sortir profondément déçu (comme Rousseau) ou irrité et goguenard (comme Voltaire). D'abord, quel système politique en tirer? La discorde a régné chez ceux qui se croyaient autorisés à déduire un enseignement univoque du grand livre. Robespierre se considérait bon élève de celui qui avait tant exalté la vertu républicaine. Mais aussi Catherine de Russie, elle qui, à l'annonce de l'exécution de Louis XVI, se mettra au lit, frappée de douleur et de peur. Le plus vrai système de Montesquieu réside peut-être dans une visée méta-politique. Comme d'autres grands théoriciens politiques (nous pensons surtout à Machiavel), Montesquieu est un moraliste pessimiste. Dans les rapports parmi les hommes tout devient pouvoir et abus. Politique signifie pouvoir, pouvoir veut dire empiétement, usurpation et excès. Cette réflexion sur l'irrésistible tentation du pouvoir et sur la stratégie qu'il faut adopter pour la contrecarrer est étonnamment moderne : parfois on croirait lire Foucault ou Barthes. Contre la *libido dominandi,* seul un partage pondéré des pouvoirs est un remède sûr et réaliste. Voilà le noyau méta-politique et éternel de la doctrine de la division des pouvoirs, qu'il aurait voulu appliquer à la réalité politique de son temps en fortifiant les pouvoirs intermédiaires confiés à la noblesse et aux parlements. Sur cette voie, il préconisait même le retour, après les excès de l'absolutisme de Louis XIV, à une sorte de monarchie féodale, convaincu, comme il l'était, que la liberté était ancienne, le despotisme récent. Dans cette perspective, il considérait Richelieu comme l'un des plus méchants citoyens qu'ait eus la France... Il faisait donc appel au passé pour sauvegarder l'avenir. Il allait évidemment à contre-courant, il jouait le rôle de Cassandre. D'où sa solitude, sa nostalgie, qui fait penser à celle de Saint-Simon, ses rapports avec les hommes, empreints d'une hautaine tendresse. Il n'appartient à aucun parti, il ne collabore pas à la glorieuse entreprise de Diderot, à cette *Encyclopédie,* à laquelle il se borne à donner l'article sur le GOÛT, paru posthume en 1757 : article quelque peu anodin, sans doute, du point de vue politique, mais qui contient les éléments d'une esthétique.

Nous avons parlé de « visée méta-politique ». Cela signifie que la préoccupation rationaliste domine et oriente l'enquête. Toute stratégie d'action est reléguée au second plan. D'où le désappointement ou l'indignation des réformateurs. Au lieu de réagir à une réalité sociale ou politique dont son esprit mesurait aisément l'injustice et même l'horreur, Montesquieu semble vouloir tout expliquer, se rendre compte. Mais expliquer le mal n'est-ce pas mettre en branle une démarche de justification et de résignation? Devant un atroce fléau comme celui de l'esclavage colonial, les « explications » de Montesquieu, pourtant mêlées aux réprobations les plus nettes, finissent par permettre, à certains trafiquants de mauvaise foi, d'afficher une certaine bonne conscience. D'autre part, tout à l'opposé, on a soutenu que la grande nouveauté de l'œuvre de Montesquieu réside surtout dans son effort puissant de compréhension de la réalité humaine. Il n'enseigne pas à changer de façon utopique et abstraite (sinon sanglante) la réalité sociale, il vise à la comprendre. Il est le créateur de la sociologie juridique, politique, religieuse, etc., de la sociologie tout court, ce qui est, en un sens, aussi révolutionnaire et même infiniment davantage que certaines réformes de l'époque. En effet, toute explication est déjà un début de changement et tout changement sérieux, d'ailleurs, ne saurait s'opérer si l'on ne connaît pas profondément la réalité sur laquelle on veut travailler. Marat en était bien conscient qui, dans son *Éloge* de Montesquieu (1785), expliquait ainsi la typologie du despotisme contenue dans *l'Esprit des lois :* en brossant un portrait si frappant et si précis du despotisme, en indiquant même ce qu'il faut faire pour le conserver, Montesquieu contribue, comme aucun autre, à le détruire.

La célèbre définition, sur laquelle s'ouvre *l'Esprit des lois,* de la loi comme un rapport nécessaire dérivant de la nature des choses, vise à identifier la loi humaine à un ordre scientifique, donc à la soustraire à l'irrationnel et au mystère. En élucidant rationnellement le fondement des lois, on s'achemine graduellement vers une réforme des lois. Babeuf et les socialistes, mais aussi Guillaume von Humboldt, ceux qui prônent l'intervention de l'État dans la vie des individus et ceux qui le définissent comme un « mal nécessaire », tous ont quelque chose à glaner. Mais ce rachat rationnel des lois ne serait-il pas synonyme du pire déterminisme? On tomberait ainsi de

Charybde en Scylla, on se sauverait de l'arbitraire pour se soumettre à un pouvoir encore plus exigeant, absolu.

Tout esprit réellement scientifique n'est-il pas épris de stabilité, de permanence, d'ordre fixe et prévisible? Montesquieu semble parfois céder à cette tentation. Il faut cependant reconnaître que le déterminisme de Montesquieu, s'il est parfois un peu trop rigide, n'est jamais pour autant vraiment despotique. Par un étrange paradoxe, cet homme qui alourdit de façon si inflexible le poids des conditionnements les plus variés défend inlassablement la liberté. Celle-ci fonde pour lui toutes les autres valeurs et réussit à se frayer un passage grâce à la surdétermination qui résulte du faisceau des déterminations s'exerçant sur les hommes. Montesquieu refuse en effet tout monisme déterministe. Grâce à la pluralité infinie des causes, un relativisme s'implante qui détruit toute hégémonie d'un déterminisme sur les autres. C'est ce relativisme en matière religieuse qui lui a valu l'opposition la plus opiniâtre de certains milieux ecclésiastiques. Par un autre paradoxe également frappant, cet homme, si attentif aux détails (ce qui impatientait Voltaire), si concret, a toujours en vue l'universel. C'est lui qui, si passionnément géographe, si amoureux de certains lieux (La Brède, ou le golfe de La Spezia qui suscitait son enthousiasme), a écrit le célèbre morceau où il fixe l'impératif éthique consistant à préférer toujours le genre humain à l'Europe, l'Europe à sa patrie, sa patrie à sa famille, sa famille à soi-même. Cet universalisme concret l'amène à une conception de l'État où tout se tient dans une synthèse organique (l'esprit général). A cette idée totalisante de l'État Hegel ne sera pas insensible. Mais sur cette ligne on rencontrera aussi des distorsions nationalistes et totalitaires qui auraient indigné Montesquieu, défenseur de la liberté et de la tolérance. Les idées libératrices du siècle ne sont-elles pas inscrites dans les pages si peu révolutionnaires de *l'Esprit des lois*? Mais elles ne sont jamais imposées : elles découlent de la « nature des choses ». Le message de Montesquieu n'est pas monolithique. Sa pensée n'a pas l'arrogance ou la naïveté d'une saisie globale et définitive de la réalité.

L'Esprit des lois peut bien se présenter telle une *mathesis universalis*, il n'en demeure pas moins un livre ouvert, des pages blanches y restent que Montesquieu nous a enseigné à remplir ou qui, peut-être, ne seront jamais écrites. Si l'auteur de *l'Esprit des lois*, ici comme ailleurs, pense et écrit par saillies ou par maximes, c'est que la totalité d'un univers continu n'est pas son lot. Ce macrocosme éclairé et rassurant, conquis par Descartes à force d'heureuses déductions, ne saurait être pour Montesquieu qu'un objet de nostalgie ou d'espoir. Le romantisme, de Mme de Staël à Chateaubriand, verra en lui un grand maître, mais c'est un maître prudent, dont le rationalisme serein n'exclut pas un pessimisme modéré. Montesquieu s'arrête devant la porte du grand Être, tel Kant, à la fin du siècle, devant la chose en soi. Il se tient sur le seuil où l'ombre deviendra lumière. Il l'a écrit lui-même : « Je touche presque au moment où je dois commencer et finir, au moment qui dévoile et dérobe tout, au moment mêlé d'amertume et de joie, au moment où je perdrai jusqu'à mes faiblesses mêmes... Mon âme agrandissez-vous! Précipitez-vous dans l'immensité! Rentrez dans le grand Être! »

BIBLIOGRAPHIE GÉNÉRALE

Textes

Œuvres complètes, éd. R. Caillois, Paris, Gallimard, La Pléiade, 1949-1951, 2 vol.; *Œuvres complètes*, sous la direction d'A. Masson, Nagel, 1950-1955, 3 vol. (cette édition comprend aussi la *Correspondance*); *Œuvres* de Montesquieu, texte établi par D. Oster, Le Seuil, « l'Intégrale », 1964. *Lettres persanes :* éd. critiques de H. Barckhausen (Imprimerie nationale, 1897; Hachette, 1913; Droz, 1932); de E. Carcassonne (Belles-Lettres, 1929); de A. Adam (Droz, 1954); de P. Vernière (Garnier, 1975); dans la coll. Garnier-Flammarion, l'ouvrage est présenté par J. Roger (1964). *Considérations sur les causes de la grandeur des Romains et de leur décadence* : éd. critiques de C. Jullian (Hachette, 1896, 3e éd., 1906); de H. Barckhausen (Imprimerie nationale, 1900); l'ouvrage est présenté par J. Ehrard dans la coll. Garnier-Flammarion, 1968. *De l'esprit des lois :* éd. critiques de J. Brethe de la Gressaye (Belles-Lettres, 1950-1961, 4 vol.); de R. Derathé, Garnier, 1973, 2 vol.; dans la coll. Garnier-Flammarion, l'ouvrage est présenté par V. Goldschmidt (2 vol., 1979). *Histoire véritable*, éd. R. Caillois, Droz, 1948. *Essai sur le goût*, éd. J. Beyer, Droz, 1967.

Études

Pour s'orienter on peut toujours consulter avec profit la bibliographie commentée par David C. Cabeen, *Montesquieu. A Bibliography*, The New York Public Library, 1947. L'auteur a continué cette bibliographie dans l'article « A supplementary Montesquieu Bibliography », *Revue internationale de Philosophie*, 1955, p. 401-434. Pour 1948 on peut consulter R. Shackleton, « Montesquieu in 1948 », *French Studies*, 1949, p. 299-323. Pour les années suivantes : J. Ehrard, « les Études sur Montesquieu et *l'Esprit des lois* », *l'Information littéraire*, 1959, p. 55-66; C. Rosso, « Montesquieu présent : études et travaux depuis 1960 », *Dix-huitième siècle*, 1976, p. 373-404.

La bibliographie critique sur Montesquieu étant très vaste, nous nous bornons ici à donner quelques indications essentielles : sur l'homme et l'œuvre la meilleure étude reste le livre de R. Shackleton, *Montesquieu. A Critical Biography*, Oxford, University Press, 1961 (trad. fr. : Presses universitaires de Grenoble, 1977, avec aperçu bibliographique mis à jour); un portrait très suggestif est celui qui a été brossé par J. Starobinski, dans son *Montesquieu par lui-même*, Le Seuil, 1953, 1967; Montesquieu « bordelais » fait l'objet du livre de P. Barrière, *Un grand provincial : Charles-Louis de Secondat de Montesquieu, baron de La Brède*, Bordeaux, Delmas, 1946; une bonne introduction à Montesquieu demeure toujours le livre de J. Dedieu, *Montesquieu*, mis à jour par J. Ehrard, avec bibliographie, Hatier, 1966. La plus importante interprétation marxiste de Montesquieu est due à L. Althusser, *Montesquieu. La Politique et l'Histoire*, P.U.F., 1959. Sur le « socialisme » de Montesquieu : M. Leroy, *Histoire des idées sociales en France*, t. I., *De Montesquieu à Robespierre*, Gallimard, 1946. Sur la « sociologie » de Montesquieu : S. Cotta, *Montesquieu e la scienza della società*, Turin, Ramella, 1953. A compléter par R. Aron, *les Étapes de la pensée sociologique*, Gallimard, 1967, 1976. Sur le problème constitutionnel : E. Carcassonne, *Montesquieu et le Problème de la constitution française au* XVIIIe *siècle*, P.U.F., 1927. Sur Montesquieu et l'Angleterre : J. Dedieu, *Montesquieu et la Tradition politique anglaise en France*, 1909, Slatkine Reprints, 1971; L. Landi, *l'Inghilterra e il pensiero politico di Montesquieu*, Padoue, CEDAM, 1981. Sur la profession et les biens de Montesquieu : J.-M. Eylaud, *Montesquieu chez ses notaires de La Brède*, Bordeaux, Delmas, 1956, et J. Dalat, *Montesquieu magistrat*, Minard, 1971-1972, 2 vol. Sur Montesquieu philosophe du droit : S. Goyard-Fabre, *la Philosophie du droit de Montesquieu*, Klincksieck, 1973. Sur la politique de Montesquieu : J. Ehrard, *l'Idée de nature en France dans la première moitié du* XVIIIe *siècle*, S.E.V.P.E.N. 1963, 2 vol.; — *Politique de Montesquieu* (textes choisis et présentés), Colin, 1965; G. Vlachos, *la Politique de Montesquieu, notion et méthode*, Montchrestien, 1974. Sur la sociologie de la connaissance : W. Stark, *Montesquieu, Pioneer of the Sociology of Knowledge*, Londres, Routledge, 1960. Sur le despotisme : B. Kassem, *Décadence et Absolutisme dans l'œuvre de Montesquieu*, Genève, Droz, 1960. Sur le droit naturel : M.H. Waddicor, *Montesquieu and the Philosophy of Natural Law*, La Haye, Nijhoff, 1970. Sur la justice : S.M. Mason, *Montesquieu's Idea of Justice*, La Haye, Nijhoff, 1975. Sur la constitution anglaise : J.-J. Grandpré Molière, *la Théorie de la constitution anglaise chez Montesquieu*, Leyde, Presse Universitaire, 1972. Sur la pensée morale : C. Rosso, *Montesquieu moraliste, des lois au bonheur*, Ducros-Nizet, 1971. Sur Montesquieu à l'étranger : F.T.H. Fletcher, *Montesquieu and English Politics*, Londres, Arnold, 1939; P.M. Spurlin, *Montesquieu in America*, Louisiana State University Press, 1940; C.P. Courtney, *Montesquieu and Burke*, Oxford, Blackwell, 1963; P. Berselli Ambri, *l'Opera di Montesquieu nel Settecento italiano*, Florence, Olschki, 1960; C. Rosso, *Mythe de l'égalité et rayonnement des Lumières*, Pise, Goliardica, 1980. En Allemagne, l'ouvrage le plus important et le plus récent est celui de Walter Kuhfuss, *Mäßigung und Politik*, Munich, Fink Verlag, 1975. Sur l'Italie et la critique d'art : J. Ehrard, *Montesquieu critique d'art*, P.U.F., 1965; M.F.

Harris, « le Séjour de Montesquieu en Italie », *Studies on Voltaire*, CXXVII, 1974. Sur la religion : P. Kra, « Religion in Montesquieu's *Lettres persanes* », *Studies on Voltaire*, LXXII, 1970. Sur les *Lettres persanes* : R. Ouellet et H. Vachon, *Lettres persanes*, Poche critique, Hachette, 1976. Sur le harem : A. Grosrichard, *Structure du sérail. La fiction du despotisme asiatique dans l'Occident classique*, Le Seuil, 1979. Sur la féminité : J. Geffriaud Rosso, *Montesquieu et la Féminité*, Pise, Goliardica, 1977. Sur Montesquieu et l'esclavage : C. Biondi, *Montesquieu, Strube et l'Esclavage*, postface aux *Lettres russiennes* de Strube de Piermont, éd. C. Rosso, Goliardica, 1978.

La vieille monographie de L. Vian, *Histoire de Montesquieu*, Didier, 1878, bien que dépassée sur plusieurs points, demeure une très riche source de renseignements. Pour reconstruire la formation intellectuelle de Montesquieu, un instrument fort utile est le *Catalogue de la bibliothèque de Montesquieu*, publié par L. Desgraves, Genève-Lille, Droz-Giard, 1954.

Un instrument bibliographique extrêmement important est constitué par l'introduction de R. Derathé à son édition de *l'Esprit des lois;* elle contient aussi un très utile « dossier » de *l'Esprit des lois*. Paul Vernière, dans son *Montesquieu et « l'Esprit des lois » ou la Raison impure*, S.E.D.E.S., 1977, offre aussi une bibliographie raisonnée.

Publications collectives : *la Pensée politique et Constitutionnelle de Montesquieu*, Bicentenaire de *l'Esprit des lois*, Recueil Sirey, 1952; Revue internationale de Philosophie, 1955; *Actes du Congrès Montesquieu de Bordeaux, 1955*, Bordeaux, Delmas, 1956; *Intorno a Montesquieu*, travaux de différents auteurs sous la direction de C. Rosso, Pise, Goliardica, 1970; *Archives Montesquieu* de l'Académie Montesquieu de Bordeaux; elles paraissent dans les *Archives des Lettres modernes*, Minard; « Montesquieu », *Revue d'Histoire littéraire de la France*, II, 1982; *Cahiers de l'A.I.E.F.*, n° 35, 1983.

C. ROSSO

MONTESQUIOU-FEZENSAC Robert, comte de (1855-1921). Écrivain multiple, poète, critique d'art, chroniqueur et mémorialiste, esthète et dandy, Robert de Montesquiou est avant tout un aristocrate. Être le meilleur, telle est la vocation de Montesquiou, d'abord en se donnant la peine de naître dans une famille illustrée entre autres par le nom de Montluc et celui de d'Artagnan, ensuite en cherchant toujours à se distinguer en cultivant sa différence, son style, dans ses poèmes comme dans son mobilier. A ce jeune homme riche la publication du roman de Huysmans *A rebours* apporte la célébrité, car on voit en lui le modèle qui a servi pour le personnage central de cette œuvre : Jean des Esseintes. Comme celui-ci il a le goût des choses rares, des sensations exquises, des bibelots et des parfums. Montesquiou est désormais une notoriété parisienne que portraitureront Whistler, Boldini, Helleu. Il se bat en duel, il a des brouilles, il donne des fêtes avec son « fidèle assistant » Yturri; il fréquente, entre autres, Mallarmé et Heredia, Sarah Bernhardt et Barrès, Gustave Moreau et d'Annunzio et jusqu'au jeune Proust — qu'il protège — et qui s'inspirera de lui pour le personnage du baron de Charlus. Le grand seigneur a lui aussi envie d'écrire : en 1892, il donne *les Chauves-souris*; en 1893, *le Chef des odeurs suaves;* en 1894, *Félicité*, une étude sur les poésies de Marceline Desbordes-Valmore; en 1895, *le Parcours du rêve au souvenir*; en 1896, son œuvre majeure : *les Hortensias bleus*.

En dépit d'une critique qui, dans ces recueils, découvre plus de prétention que de vraie poésie, Montesquiou ne ralentit nullement sa production; on en retiendra deux « séries de mœurs mondaines » et des livres comme *Autels privilégiés* (1898), *Assemblée de notables* (1908), *Têtes d'expression* (1912), etc. Ce sont des essais, des critiques, des conversations, ce tout et ce rien qui fait le charme aussi des *Délices de Capharnaüm* (1921) et des Mémoires de Montesquiou parus sous le titre *les Pas effacés* (posth. 1923).

Tous ces livres ressemblent, au fond, à leur auteur : ils en ont le côté surprenant et quelque peu monstrueux. Montesquiou pratique, à son niveau, l'obscurité mallarméenne ou le raffinement artistique des Goncourt. Jamais en peine d'un vocable rare, d'une tournure alambiquée ou d'une rime difficile, il a le snobisme de son écriture, qu'il veut, consciemment, pleine d'outrance. C'est donc aux *happy few* que s'adressent ses écrits, à ceux qui le suivront lorsqu'il évoquera une duchesse, une fleur, un parfum, la nuance d'une couleur, lorsqu'il partira en quête d'une sorte d'extase à la fois culturelle, sensuelle et mystique. Il est indéniable que l'auteur des *Hortensias bleus* a un côté caricatural. Cela ne doit pas nous empêcher d'en goûter les beautés artificielles et précieuses.

BIBLIOGRAPHIE

Les Mémoires de Montesquiou, *les Pas effacés*, ont été publiés par P.-L. Couchoud, Paris, 1923.

Dans les pages choisies intitulées *les Hortensias bleus* (introduction de D. Faye-Patry et B. Taravant, Éd. des Autres, 1979) on trouvera une bibliographie très complète.

A consulter. — Louis Thomas, *l'Esprit de Montesquiou*, Mercure de France, 1943; Ph. Jullian, *Robert de Montesquiou, un prince 1900*, Perrin, 1965; H. Juin, *les Écrivains de l'avant-siècle*, Seghers, 1972.

A. PREISS

MONTFAUCON Bernard de (1655-1741). L'œuvre de Bernard de Montfaucon, immense et diverse, a marqué la littérature française mais plus encore la philologie et l'histoire. Et dans ces domaines, il est venu — pour une gloire posthume dont il se fût sans doute peu soucié — un siècle ou deux trop tôt. Au XIXe siècle, il se fût confronté avec les Burckhardt et les Mommsen, au XXe, c'est avec les linguistes et avec l'histoire nouvelle de l'école des Annales qu'il eût engagé le débat.

Par la rigueur de sa méthode et l'ampleur de ses investigations, par la nouveauté de sa recherche, il mérite d'être considéré comme l'un des précurseurs de plusieurs de ces disciplines qui devaient bientôt devenir les sciences humaines. Mais, au-delà du savoir technique, l'universalité du propos scientifique, la parfaite clarté et le classicisme de l'expression font de ses textes une grande œuvre littéraire que seuls connaissent un petit nombre d'initiés.

Théologien, historien, archéologue, philologue, dom Bernard de Montfaucon a détenu près de cinquante ans les clefs de tout le savoir érudit du XVIIIe siècle en matière d'antiquité. Bénédictin de Saint-Maur, disposant des admirables instruments (archives et bibliothèques) et des équipes savantes des monastères bénédictins, il a instauré patiemment, par sa propre enquête et par un travail très moderne d'interprétation critique, de confrontation des monuments archéologiques et des textes, un « art nouveau » fondant la connaissance historique sur la lecture des archives et des documents (*l'Antiquité expliquée et représentée en figures, histoire appuyée sur les monumens*, 1719, 5 vol.; 1724, 5 vol.).

Il est aussi le véritable fondateur de la science philologique : il fut le premier à réunir en corpus de doctrine et à organiser comme science l'étude des manuscrits grecs (*Paleographia græca*). Il sut en déduire une histoire de l'évolution de l'écriture tant d'après les signes eux-mêmes que d'après l'orthographe et les abréviations, permettant ainsi une datation des manuscrits.

Tant de science fit école, et l'on parla bientôt d'une « Académie des Bernardins » et des « fils de dom Bernard ». Sa célébrité s'étendit à toute l'Europe : « le vaste savoir du père l'avait rendu comme le centre de l'Europe littéraire ».

Bernard de Montfaucon est également l'auteur d'une *Traduction commentée de Philon*, et il a apporté une importante contribution à la *Grande Édition des Pères de l'Église*, traduisant en latin les Pères grecs. Sa correspondance avec dom Mabillon est restée inédite.

A. LE PICHON

MONTFAUCON Nicolas Pierre Henri II de, abbé de Villars. V. VILLARS.

MONTFLEURY, pseudonyme d'**Antoine Jacob** (1639-1685). Antoine Jacob était issu du monde du théâtre : ses parents étaient tous deux comédiens. Ils tentèrent de l'orienter vers des milieux socialement plus stables et mieux considérés, en lui faisant faire des études de droit, qui le menèrent au titre d'avocat (1660). Mais à peine son diplôme en poche, il revint vers le théâtre, devenant auteur et acteur. Au total, donc, une carrière de véritable « enfant de la balle ».

Au cours de son activité à l'Hôtel de Bourgogne, il fut l'ennemi et le rival de Molière. Il l'attaqua d'ailleurs à travers son *Impromptu de l'hôtel de Condé* (1664), dans les remous de la querelle de *l'École des femmes*. Son œuvre théâtrale, outre une tragi-comédie (*Trasibule*, 1664) et une tragédie mêlée d'intermèdes comiques (*les Amours de Didon et d'Énée*, 1673), compte dix comédies. Plusieurs eurent du succès, comme *le Mariage de rien* (1660), par laquelle il débuta. Les intrigues y sont assez minces et conventionnelles (*le Gentilhomme de Beauce*, 1670), parfois romanesques (*la Fille capitaine*, 1672) et parfois relèvent de la farce (*Trigaudin ou Martin Braillart*, 1674). De telles pièces visent plutôt au divertissement facile et allègre qu'à la peinture de mœurs ou de caractères. *Le Comédien poète* (1674, écrite en collaboration avec Thomas Corneille) peut être considéré comme une mise en scène de la situation qui était la sienne ainsi que celle de son grand rival.

A. VIALA

MONTHERLANT

MONTHERLANT Henry Marie-Joseph Millon de (1896-1972). Tout Montherlant, sa vie, son œuvre, l'image sommaire qu'on a souvent de lui, pourrait tenir en cette formule du *Carnet XXI :* « Un paradoxe bien insolent est le chef-d'œuvre de la prudence ». Paradoxe en effet et chef-d'œuvre de prudence, qu'un Montherlant glacé vivant dans le classicisme, moraliste austère et anachronique, qui affirmait pourtant faire œuvre éphémère, amateur d'aphorismes qui ne croyait qu'au néant, alors que « connaissant, mêlées, la sensualité et la tendresse », il ne rejetait pas la subversion. Mais la prudence, pour Montherlant « l'Antique », conservait sa double acception : protection contre le monde; conquête d'une sagesse personnelle pour l'aborder.

« Un voyageur solitaire est un diable... »

L'origine sociale de Montherlant marque ses premières années. Du côté paternel, sa famille remonterait jusqu'à Robert Millon, seigneur d'Abbémon (Oise), au XVIe siècle. Son trisaïeul François, député à la Constituante, Jacobin, fut guillotiné le 23 juin 1794. Du côté maternel, il descend du comte légitimiste Henry de Riancey. Après l'expérience des collèges catholiques et des « amitiés particulières », ses goûts s'infléchissent vers la camaraderie « démocratique », sur « le terrain de vérité » de la tauromachie, de la guerre et du sport. Simultanément — dès dix ans — s'affirme sa vocation : il sera écrivain, rien que cela. La notoriété vient avec *la Relève du matin* (1920), *le Songe* (1922), *les Olympiques* (1924). Mais il ne saurait s'installer dans son succès; en effet, dans les années 1925/28, Montherlant connaît une évolution décisive, lors de la crise des « voyageurs traqués ».

Délaissant « la sale gloire parisienne » pour « réaliser la féerie », il rejettera dorénavant l'idée de faire carrière, méprisera l'argent, renoncera au mariage et se tiendra « à l'écart de la religion », tout en la respectant. Sa vie semble tracée, au terme de cette « explosion d'adolescence retardée », d'où se dégage « un homme meilleur ». Jusqu'en 1942, sa vie devient, par essence, une vie « privée », dont les seules manifestations publiques, en dehors d'articles « antimunichois », sont les transcriptions autobiographiques déguisées des œuvres romanesques et les réactions d'humeur dont ses *Essais* ou ses *Carnets* se font l'écho. Mais l'homme demeure profondément secret, et son attitude pendant l'Occupation suscitera quelque incompréhension, sa production littéraire de l'époque — le théâtre — venant renforcer l'équivoque. C'est en effet durant cette période qu'il apparaît, grâce à *la Reine morte* (1942), comme un auteur dramatique de renom.

Après-guerre, il se manifeste peu, vivant à Paris, quai Voltaire, et menant de front sa production dramatique, son œuvre romanesque (*le Chaos et la Nuit*, 1963) et de nouveaux essais qui accentuent son image de moraliste désabusé. Reçu à l'Académie française en 1960 sans l'avoir sollicité, il est surtout connu du grand public grâce aux nombreuses adaptations télévisées de ses œuvres, et c'est avec surprise qu'on apprend son suicide, le 21 septembre 1972.

Ce suicide est pourtant dans la logique de ses idées, au-delà de toute pose stoïcienne : « Si la maladie ou les circonstances sociales me privaient à la fois de [l'amour et du travail], que deviendrais-je? Nous retombons sur le suicide ». Accomplissant son existence en un destin, il authentifie par ce geste ultime des attitudes que l'on avait pu trouver affectées.

« Quand je répète, c'est que ce que je répète est important pour moi »

La première impression que laisse l'œuvre, c'est la variété. Si le grand public connaît surtout Montherlant par son théâtre, par ses romans, on ne saurait négliger l'abondance et l'importance de ses *Essais*, de ses poèmes en prose ou en vers libres (dans *les Olympiques*, dans *Encore un instant de bonheur...)*, auxquels il faut ajouter les conférences prononcées, les articles de journaux, les préfaces... Rien de ce qui est littéraire ne lui fut étranger. Mais la multiplicité des genres ne doit pas abuser; derrière elle, en elle, se cache un écrivain « têtu » (Pierre Sipriot). Cette permanence se manifeste essentiellement selon trois lignes de force : genèse; écriture; thèmes et idées.

Genèse : quelques exemples suffiront. La lecture de *Quo vadis?* en 1904 sera déterminante pour *le Treizième César* de 1970. Le *Port-Royal* représenté est le second *Port-Royal. Un assassin...* (1971) est contemporain de la composition des *Célibataires* (1933), sur des notes de 1928. Certaines œuvres sont « nécessaires » : « Je me suis dit, pendant des années : "Je ne voudrais pas mourir sans avoir écrit au moins la seconde partie du *Chaos et la Nuit*", et, pendant cinquante-cinq ans, je me suis dit : "Il ne faut pas mourir sans avoir écrit *les Garçons*" (*les Nouvelles littéraires,* 1971). Tout sujet entrevu par Montherlant sera un jour ou l'autre exploité.

Écriture : d'œuvre en œuvre... « "Comme de longs échos qui de loin se confondent/Dans une ténébreuse et profonde unité/Vaste comme la nuit et comme la clarté"... se répondent, et se complètent par des scènes, des situations identiques mais différentes par le niveau auquel elles sont abordées, la tonalité qui leur est conférée. Ainsi, dans *le Chaos et la Nuit,* j'ai voulu montrer une corrida burlesque et odieuse après l'avoir montrée sous un jour lyrique dans *les Bestiaires...* » Et l'on voit revenir, tout au long de l'œuvre, la métaphore obsédante de la corrida : la corrida est partout, depuis le portrait d'Alban de Bricoule jusqu'au détour d'une phrase d'*Un assassin...*

Thèmes et idées : « Tout grand homme n'agit et n'écrit que pour développer deux ou trois idées », écrivait Montherlant dans *Carnet XXI.* De fait, tant dans ses *Essais* et dans ses pièces que dans ses romans, ce sont toujours les mêmes thèmes qui reviennent, avec, comme obsession fondamentale, le dialogue Éros/Thanatos, de plus en plus tragique, contrebalancé par l'acceptation victorieuse de la condition humaine « sur les mers du néant », grâce à la vertu d'indifférence. « Entre moi à soixante-douze ans et moi à dix-huit ans, il y a un fonds permanent très fort. Sur quantité de sujets, les vues que j'avais à seize ans n'ont pas changé » (*Magazine littéraire,* n° 28).

« Je n'ai que l'idée que je me fais de moi pour me soutenir sur les mers du néant »

Dans un monde multiple et incohérent, « tout le monde a raison, toujours ». Il ne peut donc être question de choisir, mais de « rester libre pour tous les possibles suspendus sur soi » et de s'adonner à l'« alternance », puisque toutes les attitudes, tous les êtres, toutes les opinions sont équivalents. Mais cette alternance, qui fait dire à Costals : « Il y a en moi le pire et le meilleur », n'est pas vécue douloureusement. Comme tout est indifférent, on peut tout concilier et ainsi se réaliser pleinement : « Être humain, c'est comprendre tous les mouvements des hommes ». L'alternance est intégrée et dépassée dans le « syncrétisme », où la contradiction interne est élevée au rang de philosophie de la vie, condition d'un sauvetage personnel. Ainsi, déclarer : « Il n'est rien que j'aie écrit, dont, à un moment donné de mon existence, je ne me sois senti pressé d'écrire le contraire », c'est affirmer son indépendance d'esprit et son appétit de vivre, en refusant de se leurrer sur de fausses valeurs.

Cette attitude morale trouve notamment sa justification dans des considérations esthétiques : « Je suis poète, et j'ai besoin d'aimer et de vivre toute la diversité du monde et tous ses prétendus contraires ». Le syncrétisme et l'alternance sont donc les conditions de l'acte créateur, grâce à quoi on voit enfin l'unité d'un monde où « tout est vrai ». C'est pourquoi Montherlant nourrit de lui-même ses personnages les plus opposés, en tant qu'ils représentent tous l'une de ses virtualités. Mais aucun ne peut être un pur héros, un « être limpide », de l'espèce que Ferrante déteste : insaisissables pour autrui et parfois pour eux-mêmes, ces types d'homme alternent la force et la faiblesse, l'héroïsme et la lâcheté. Dans la création aussi, « mille états différents nous appellent ».

Sur le plan social, cela débouche sur le plus complet scepticisme et, notamment, sur le refus de l'engagement. Au-delà de la simple humeur (« Mon esprit est réfractaire au politique et au social »), il s'agit d'une position philosophique qui prend en compte l'aspect cyclique de l'histoire, « la même pièce, jouée par des acteurs différents ». On ne peut rien faire pour changer le monde, et tous les « services » sont « inutiles ». La seule patrie qui compte est la « patrie intérieure ». Il faut donc s'exiler, « se désolidariser », cultiver sa différence et ses paradoxes et s'accomplir dans cette solitude créatrice « d'où naît l'œuvre », nécessité interne vitale.

Le syncrétisme et l'alternance débouchent donc sur la création, mais aussi sur une solitude dont l'aboutissement normal est l'« apathie stoïcienne », le néant. La « sédation physiologique » de la création devenue impossible, se profile logiquement la « sortie raisonnable » du suicide.

« Vive le malentendu! »

« Rien qui ne soit fondé sur le malentendu », rappelle — après Baudelaire — Costals, dans *Pitié pour les femmes.* Tel est le lot de Montherlant.

Aristocrate? Certes, mais il aima la camaraderie dans la guerre et fréquenta les stades de banlieue. Colonialiste? Certes, il a vécu aux colonies et se tut sur les injustices qu'il y vit; mais *la Rose de sable* est un roman anticolonialiste. Misogyne? Certes, *les Jeunes Filles* est un ouvrage peu tendre pour les femmes, « poupées » culturelles, complaisantes par bêtise à l'entreprise d'avilissement masculin, épouses dévoreuses, stérilisantes; mais il apprécie les femmes « d'égal à égales » (*les Olympiques*).

Quant à son œuvre... « Mon succès est un malentendu », écrit Montherlant, qui ne se fait aucune illusion : le public ne vient voir son théâtre que parce que « c'est très bien joué », mais seule une minorité entre « dans les problèmes que je traite », et, pour le reste, c'est « du chinois ». « Il est entendu que je suis un auteur bien-pensant, classique, une statue de bronze [...], de droite, ancien combattant, etc. » Mais lui se voit « subversif », « de la subversion des gens indépendants ». Pourtant, ce n'est pas faute de s'être expliqué dans ses œuvres. « On me représente volontiers comme inhumain, hautain. Alors que mon œuvre fait toujours appel à la sensibilité, et même au pathétique [...] Je crois qu'il n'y a pas d'œuvre plus vibrante que la mienne, que je suis d'une sensibilité extrême ».

Ce malentendu ne l'inquiète pas; il ne pouvait, en effet, en être autrement quand, « athée », on écrit des pièces « chrétiennes », quand on prône le syncrétisme et l'alternance, quand, par Jeanne la Folle, on affirme « la solide conscience de la vanité de tout », quand, par Costals interposé, on définit comme rapports avec le monde : 1° jouir de lui; 2° se protéger de lui; 3° se jouer de lui. Montherlant le mal-entendu, qu'importe! « J'ai été un homme de plaisir d'abord, ensuite un créateur littéraire, et ensuite rien. Le plaisir est pris; les œuvres, c'est pour me faire plaisir aussi que je les faisais, et ce plaisir lui aussi est pris. C'est pourquoi tout est bien ainsi » (*la Marée du soir*).

	VIE		ŒUVRE
1896	21 avr. : naissance de Henry Marie-Joseph Millon de Montherlant à Paris, 15, avenue de Villars.		
1904	Lecture de *Quo vadis?* de Sienkiewicz, ouverture sur le monde romain.		
1905-1908	Écrit seul ou avec Faure-Biguet, son ami, des récits inspirés de ses lectures : *Pro una terra, Scipion l'Africain...*		
1907-1909	Quitte le lycée Jeanson-de-Sailly, pour l'école Saint-Pierre de Neuilly.		
1910-1912	Études au collège Sainte-Croix, d'où il est renvoyé en 1912. S'initie à la tauromachie pendant les vacances.		
1913	Suit des cours particuliers et passe le baccalauréat de philosophie.	**1913**	Première esquisse de *la Ville dont le prince est un enfant.*
1914	Mort de son père. 1er août : **déclaration de la Première Guerre mondiale.** Veut s'engager; mais sa mère l'en dissuade : « Attends donc pour t'engager que je sois morte ».	**1914**	Écrit *l'Exil* (qu'il ne publiera qu'en 1929).
1915	Sa mère meurt. Il s'engage.		
1916	Affecté au service auxiliaire à l'École militaire.		
1917	Combattant volontaire au 360e régiment d'infanterie.		
1918	Blessé (sept éclats d'obus dans les reins), puis réformé. 11 nov. : **armistice.**		
1919	**Traité de Versailles.** Commence à écrire *le Songe.*		
1920-1924	Secrétaire général de l'Œuvre de l'ossuaire de Douaumont : « emploi qui prolongeait pour moi la guerre dans la paix ». Pratique différents sports (déjà en 1915).	**1920**	Oct. : publie, à compte d'auteur, *la Relève du matin* (à la Société littéraire de France).
		1922	*Le Songe* (roman), chez Grasset.
		1924	Été : *les Olympiques* (gros succès). *Chant funèbre pour les morts de Verdun,* chez Grasset.
1925	15 janv. : quitte Paris. Écrit *Syncrétisme et Alternance.* 7 nov. : blessé par un taureau en Espagne, près d'Albacète.		
1926	Voyage au Maroc espagnol et en Tunisie. Abandonne *les Crétois.* Écrit *Pasiphaé* (pièce). Rencontre Marguerite Lauze.	**1926**	*Les Bestiaires* (roman), chez Grasset.
1927	En Tunisie jusqu'au 1er avril. Du 1er juin au 23 déc. à Paris. Fiançailles : rupture en oct.	**1927**	*Aux fontaines du désir* (Ier tome de la série des *Voyageurs traqués*).
1928	En Algérie.		
1929	Retour à Paris en févr.	**1929**	Publication de *l'Exil* (Éd. du Capitole, Paris). *La Petite Infante de Castille* (IIe tome des *Voyageurs traqués*).
1930	A Paris, travaille à une pièce, *Don Fabrique,* qu'il abandonne; première version de *la Ville dont le prince est un enfant,* qu'il abandonne aussi; commence *les Garçons.* 19 sept. : départ pour Alger. Mars : commence *la Rose de sable.*	**1930**	*Pour une vierge noire.*
1931-1932	Demeure en Afrique du Nord. Travaille à *la Rose de sable,* roman anticolonialiste.	**1932**	*Mors et Vita.*
1933	A Paris, mai-août, écrit *les Célibataires.* 23 août-16 oct., voyage à Alger. 15 nov., conférence à l'École supérieure de guerre : « la Prudence ou les Morts perdus ».		

VIE	ŒUVRE
1934 6 févr. : **émeute à Paris.** Ne cesse de voyager entre Paris et Alger. Commence *les Jeunes Filles.* Mai : liaison avec une jeune fille; fiançailles le 15 oct.; rupture le 4 nov. Refuse le Grand prix de littérature coloniale.	**1934** *Encore un instant de bonheur* (recueil de poèmes). *Les Célibataires* (juil.) chez Grasset, Grand prix de littérature de l'Académie française, prix Northcliffe-Heinemann.
1935 Reprise de la liaison (févr.); rupture définitive en mai.	**1935** Oct. : *Service inutile.*
1936 **Gouvernement de front populaire.** 7 mars : **Hitler occupe la Rhénanie.** 25 déc. : commence *le Démon du bien* à Peira-Cava.	**1936** *Les Jeunes Filles; Pitié pour les femmes,* chez Grasset. *Pasiphaé,* aux Éd. des Cahiers de Barbarie, Tunis.
1937 21 févr. : a terminé *le Démon du bien.*	**1937** Juin : *le Démon du bien,* chez Grasset.
1938 Sept. : **conférence de Munich.** Prononce des conférences antimunichoises.	**1938** Sous le pseudonyme de FRANÇOIS LAZERGUE, publie *la Rose de sable* sous le titre *Mission providentielle* (65 exemplaires), Paris, Éd. imprimerie Rambot et Cie. Articles antimunichois dans *Candide.* Déc. : *l'Équinoxe de septembre.*
1939 Malade à Nice. 3 sept. : **déclaration de guerre de la France et de l'Angleterre à l'Allemagne.** Emménage au 25, quai Voltaire, à Paris.	**1939** Juil. : *les Lépreuses,* chez Grasset.
1940 Commence un premier *Port-Royal.* 20 mai : entre à l'hebdomadaire *Marianne* comme correspondant. Prépare des textes qui seront réunis en 1952 dans *Textes sous une Occupation.* 15 juin : **armistice.** Se replie à Marseille, puis à Nice. Retrouve Marguerite Lauze et son fils Jean-Claude à Grasse.	
1941 Mai : retour à Paris. Oct. : prépare *la Reine morte.*	**1941** Oct. : *le Solstice de juin* (d'abord interdit par les Allemands).
1942 Mai/juin : écrit *la Reine morte* à Grasse. Oct. : s'occupe du service d'Assistance aux enfants français (jusqu'en 1945).	**1942** 8 déc. : première de *la Reine morte* à la Comédie-Française. Accueil assez froid, l'ouvrage paraît chez Gallimard.
1943 Écrit *Malatesta.*	**1943** 18 déc. : création de *Fils de personne,* au théâtre Saint-Georges.
1944 Perquisition allemande chez lui. 6 juin : **débarquement en Normandie.** 25 août : **libération de Paris.** Montherlant connaît quelques ennuis : une enquête est ouverte qui n'aura pas de suites.	**1944** *Un incompris,* chez Gallimard.
1945 8 mai : **capitulation de l'Allemagne.**	
	1946 Publication de *Malatesta,* chez Marguerat, à Lausanne.
	1947 *Le Maître de Santiago,* chez Gallimard.
	1948 Création du *Maître de Santiago* au théâtre Hébertot (gros succès).
	1949 *Demain il fera jour,* au théâtre Hébertot, l'ouvrage paraît chez Gallimard. *Pasiphaé,* nouvelle publication.
	1950 *Celles qu'on prend dans ses bras,* au théâtre de la Madeleine, l'ouvrage paraît chez Gallimard. *Malatesta* au théâtre Marigny par la compagnie M. Renaud/J.-L. Barrault.
	1951 *La Ville dont le prince est un enfant* est reçue à la Comédie-Française, mais Montherlant en refuse la représentation. L'ouvrage paraît chez Gallimard.
1953 Écrit un nouveau *Port-Royal.*	**1953** *Pasiphaé* à la Comédie-Française. *Textes sous une Occupation* (1940-1944), chez Gallimard.
1954 **Début de la guerre d'Algérie.**	**1954** Version tronquée de *la Rose de sable, Histoire d'amour de la rose de sable. Port-Royal* créée à la Comédie-Française. *Le Théâtre* paraît dans la « Bibliothèque de la Pléiade » (de son vivant, fait rarissime).

	VIE		ŒUVRE
1955-1957	Écrit *le Préfet Spenduis,* qu'il ne publie pas.		
		1956	*Brocéliande* à la Comédie-Française.
		1957	*Carnets* (1930-1944), chez Gallimard.
1958	**Après référendum, Ve République.**		
1959	Insolation, qui aura pour conséquence une cécité progressive.	**1959**	*Don Juan* créé au théâtre de l'Athénée. *Romans et Œuvres de fiction non théâtrales,* dans la « Bibliothèque de la Pléiade ».
1960	Est élu à l'Académie française, sans avoir fait les visites « protocolaires ».	**1960**	*Le Cardinal d'Espagne* créé à la Comédie-Française.
1961-1962	Écrit *le Chaos et la Nuit.*	**1961**	*Un voyageur solitaire est un diable* (1925-1929). 3e volet de la série des *Voyageurs traqués,* chez Gallimard.
		1963	*Le Chaos et la Nuit,* roman, chez Gallimard. *Essais,* dans la « Bibliothèque de la Pléiade »; *l'Embroc* créé au théâtre des Mathurins, petit lever de rideau accompagnant la reprise de *Fils de personne.*
		1965	*La Guerre civile,* au théâtre de l'Œuvre.
		1966	*Va jouer avec cette poussière* (Carnets 1958-1964), chez Gallimard.
		1967	Création de *la Ville dont le prince est un enfant,* au théâtre Michel.
1968	Perd la vision de l'œil gauche.	**1968**	*La Rose de sable,* version intégrale, chez Gallimard.
		1969	*Les Garçons* (version incomplète), chez Gallimard, 2e volet de *la Jeunesse d'Alban de Bricoule.*
		1970	*Le Treizième César* (sur l'Empire romain), chez Gallimard.
		1971	*Un assassin est mon maître,* roman, chez Gallimard.
1972	Jeudi 21 sept., 16 heures : Montherlant se suicide, quai Voltaire. « Je deviens aveugle, je me tue ».	**1972**	*La Marée du soir* (Carnets 1968-1971). *La Tragédie sans masque* (notes de théâtre), chez Gallimard.
1973	Avr. : Jean-Claude Barat et sa mère, ses uniques héritiers, dispersent ses cendres à Rome, sur le Forum.	**1973**	*Mais aimons-nous ceux que nous aimons?,* chez Gallimard.
		1974	*Le Fichier parisien,* chez Gallimard. *Les Garçons* (version intégrale).
		1975	*Tous feux éteints,* chez Gallimard.
		1976	*Coups de soleil,* chez Gallimard.

LES ROMANS

Les Olympiques

La démobilisation de 1918 permit à Montherlant de revenir sur les stades, qu'il aurait fréquentés dès 1915. De cette expérience sont nées *les Olympiques* — titre justifié par les Jeux Olympiques de Paris —, qui parurent en deux volumes dans la collection des « Cahiers verts », chez Grasset, et valurent la notoriété à leur auteur.

L'édition définitive de 1938, augmentée, préfacée, réunit en un seul volume les deux « Olympiques » : « le Paradis à l'ombre des Épées », « les Onze devant la porte dorée ». L'ensemble est varié : on y trouve le récit lyrique d'exploits sportifs, des conversations avec le jeune athlète Jacques Peyrony, dans « la Gloire du stade » et « le Trouble dans le stade », la narration d'un dimanche après-midi de boxe (« Royaume de ce monde »), des poèmes en vers libres (« les Coureurs de relais », « Vesper »...) ou en prose (« Stade dans le ciel », « Feux sur les corps »...), une petite nouvelle (« Mlle de Plémeur ») et des dialogues scéniques (« la Leçon de football dans un parc », « les Onze devant la porte dorée »). L'unité est conférée par l'exaltation presque mystique du sport.

Certains des thèmes développés ont été largement popularisés depuis. La « gymnastique », demandait déjà Aristote, doit « créer des qualités morales » : franchise, volonté, dignité, noblesse, abnégation, camaraderie... Le stade, ajoute Montherlant, est « le terrain de vérité », de l'accomplissement de nos « possibles », qui procure une autre vision du monde, « un bonheur qui n'est pas un relâchement, mais une activité et une tension ». Dans ce « royaume de Garçonnie », les femmes n'ont pas de place, sauf si elles sont elles-mêmes athlètes (cessant alors d'être des « poupées », elles deviennent de pures camarades pour l'homme, « enfin, d'égal à égales »). Le sport est à la fois aristocratique par « la sélection des meilleurs physiquement » et démocratique : « avec le peuple, sur un même terrain, dans les mêmes sentiments ».

Ce qui domine le texte et obsède Montherlant, c'est la présence de la mort au sein même du sport. Le jeu a l'odeur de la guerre, et le corps si exalté, le corps qui, souvent, seul « sauve une créature humaine d'être du néant ou de l'ignominie » n'est qu'une protection éphémère que guette le génie de la mort. « Mouvement et ordre moral, raison et corps exercé », le sport prolonge « le grand lyrisme physique de la guerre » dans la paix, « épiphanie de l'homme-dieu! »

Les Célibataires

Écrit en mai-avril 1933, ce roman connut un grand succès dès sa publication dans la *Revue des Deux Mondes* en 1934. Enfin, estima la critique, Montherlant échappait à l'inspiration autobiographique où il s'était complu presque exclusivement jusqu'ici, ce que l'auteur confirme en notant qu'il avait eu « le désir de peindre des personnages qui [lui] fussent violemment antinomiques ». De plus, idéologiquement, nombre de lecteurs se réjouirent de voir attaquée la classe sociale à laquelle Montherlant lui-même appartenait : la noblesse.

La narration analyse « avec ironie, mais aussi avec une certaine affection pour [ses] fantoches aristocrates », le passé, les mesquineries, les petites manies, les velléitaires sursauts de fierté des protagonistes : Octave de Coëtquidan, le banquier et baron américanophile; Élie de Coëtquidan, frère du précédent, rusé et méchant; Léon de Coantré, neveu des deux autres, « un original un peu simple d'esprit ». Le sentiment de médiocrité générale est renforcé par une galerie de personnages secondaires.

L'ensemble laisse une impression de « naturalisme enjoué » (Pierre Sipriot), visant à démontrer deux formules chères à l'auteur : l'une, en conclusion de la première partie : « Ce qu'il y a de tragique chez les anxieux, c'est qu'ils ont toujours raison de l'être »; l'autre : « C'est une grande erreur que de faire une confiance illimitée à la méchanceté des hommes : il est rare qu'ils nous fassent le mal qu'ils pourraient ». Mais... c'est de tout le bien qu'on aurait pu lui faire et qu'on ne lui a pas fait que meurt Léon de Coantré.

La narration dans la série des *Jeunes Filles* (*les Jeunes Filles, Pitié pour les femmes, le Démon du bien, les Lépreuses*)

La série des *Jeunes Filles* — écrite avant une longue interruption de l'écrivain dans la pratique du genre — manifeste un art romanesque poussé au plus haut point et assez audacieux, pour l'époque, par sa variété même.

En premier lieu, concurremment au caractère libertin du protagoniste, Costals, l'influence des *Liaisons dangereuses* de Laclos est évidente du point de vue narratif. Le premier volume, *les Jeunes Filles,* commence en effet comme un roman par lettres : échange de correspondance entre Pierre Costals, écrivain, et Thérèse Pantevin, « folle (du genre mystique) », Andrée Hacquebaut, grande amoureuse frustrée, Rachel Guigui, « juive intelligente ». Puis le procédé épistolaire devient secondaire, la lettre ne sert plus qu'à commenter une intrigue marginale, un rebond événementiel ou à entretenir un lointain rapport père/fils dans *Pitié pour les femmes.* Dans *le Démon du bien,* les lettres ne réapparaissent guère que pour justifier les ruptures. Enfin, dans *les Lépreuses,* les lettres (résumées) ne subsistent que par celles d'Andrée Hacquebaut, elles sont devenues tellement extérieures à l'intrigue principale qu'elles sont signalées comme n'ayant pas même été ouvertes. Seul l'épilogue reprendra le procédé épistolaire, signifiant ainsi l'éloignement définitif des protagonistes.

« Dans le roman qu'il [Costals] écrivait, il avait ajouté le personnage de Solange ». Cet ajout, signalé dans *le Démon du bien,* est presque contemporain, dans *les Jeunes Filles,* de l'apparition d'un nouveau mode narratif : de manière traditionnelle, le récit sera désormais confié à un narrateur omniprésent, omniscient, et polarisé sur Costals. Ses hésitations avant le mariage (l'« Hippogriffe »), ses fuites en Italie, au Maroc, ses retours constituent l'intrigue véritable de la série. Or, le narrateur épouse si manifestement les opinions de Costals, soit en abondant directement dans son sens, soit en usant « complaisamment » du discours indirect libre, soit même en livrant des pages du « Journal » de Costals (autre aspect de la technique romanesque), que la tentation est grande d'opérer la fusion auteur/narrateur/protagoniste. Pourtant, différents procédés affirment l'émancipation du narrateur. Certains passages vont juqu'à détruire toute illusion réaliste, en faisant intervenir une réflexion directe de l'auteur : « Si ce roman sacrifiait aux règles du genre... » (*Pitié pour les femmes*).

Cette volonté de distanciation, diffuse tout au long de l'œuvre, se manifeste par un effet supplémentaire : l'effet miroir. Miroir des attitudes amoureuses; miroir anticipé des personnages : Costals se reconnaît « pareil » à Dandillot père et se voit « dans la glace » (*Pitié pour les femmes*), Solange se métamorphosera en Andrée (« car toutes les femmes [sont] Andrée Hacquebaut »), miroir de l'œuvre dans la littérature, miroir du roman dans le roman (Costals écrit un roman, « vit de façon à continuer à faire œuvre d'art dans la vie », et Andrée, Solange savent qu'elles deviendront « ses » personnages). Le roman génère par Costals un autre roman, dont l'écriture conditionne le vécu du premier. On songe ici, dans cet embryon de construction en « abyme », à Gide (dont Costals, selon Andrée, est disciple) et aux *Faux-Monnayeurs,* parus en 1925.

La tonalité générale, qui choqua profondément l'opinion publique d'avant-guerre, est cynique, voire cruelle. Les propos de Costals, ceux du narrateur fourmillent de sentences catégoriques énonçant des « vérités essentielles » sur les rapports de l'homme et de la femme, où se manifeste le Montherlant moraliste des *Carnets.* Il déclara d'ailleurs en 1952 : « La seule erreur que je voie dans cet ouvrage est un certain abus de la généralisation. J'y dis trop "les femmes"... "les hommes"... Il en naît parfois quelque simplisme ».

Le Chaos et la Nuit

Le héros du *Chaos et la Nuit,* un vieil anarchiste espagnol réfugié en France depuis la guerre civile, décide, lors du décès de sa sœur Elvire, de retourner à Madrid. Ce retour lui sera à la fois fatal et salutaire, car « sa folie est le quichottisme ».

Comme don Quichotte, Celestino Marcilla est un solitaire. A Paris, il se brouille avec ses seuls amis. Il vit seul avec sa fille Pascualita, mais le mutisme s'est instauré entre ce « petit oiseau » et le vieil original irascible. Ses articles, lien éventuel avec ses contemporains, sont refusés par les journaux. En Espagne, il fuira les contacts avec son beau-frère.

Comme don Quichotte, don Celestino est un inadapté social et politique. Depuis vingt ans en exil en France, il ne s'est aucunement intégré à la société française, il en refuse la langue, les usages. A son retour en Espagne —

Espagne qu'à son grand désappointement il découvre heureuse —, il s'y trouve à son tour étranger : la France n'est pas sa patrie; l'Espagne ne l'est plus. Politiquement, Marcilla est anachronique : « un retardé idéologique ». Anarchiste par « haine sociale », il a combattu contre Franco mais ne s'est jamais relevé de sa défaite. Comme don Quichotte, il est le jouet d'hallucinations, vit dans un autre monde : il prend d'assaut le Conservatoire des arts et métiers pour l'Alcazar de Tolède, « torée » au milieu de la circulation à Paris... A Madrid, il se croit traqué, rencontre des fantômes (le capitaine Aguirre, mort en 1939) et assiste à une course de taureaux qu'il veut voir « horrible et dérisoire ».

Le choc avec la réalité de l'Espagne franquiste de 1959 lui est fatal. Revenu, par une étrange juxtaposition de provocation et de peur, de prudence et de témérité, accomplir son destin tragique avec allégresse, la corrida lui fait découvrir que le taureau vit sa peur, à lui. Il ne lui reste qu'à mourir « à quatre pattes », devenu taureau, avec, « entre la nuque et le bas des omoplates, quatre blessures, quatre entrées minces et nettes comme d'un couteau ou d'une épée ».

Mais cette agonie (chap. VIII) est salutaire. Il atteint enfin sa morale : mourir caché, indifférent à «souffrir pour le chaos qui va rentrer dans la nuit »; il n'y a pas de sérieux, mais du tragique; « regarder le monde, jouir de lui, s'en préserver, mais ne jamais y prendre part »; « pas de vérité »; « tout est un non-sens... » Ce sont là les clefs de la morale de Montherlant.

Les Garçons

Bel exemple du Montherlant « têtu » que ce roman! Tant du point de vue de la genèse que de celui de ses sujets.

Conçu dès 1929, annoncé en 1937 dans la Préface du *Démon du bien,* le roman *les Garçons* paraît en 1969. Qui plus est, il complète *la Jeunesse d'Alban de Bricoule,* dont il constitue le tome II, entre *les Bestiaires* (tome I), 1926, et *le Songe* (tome III), 1922. En outre, il reprend et développe de façon romanesque la pièce *la Ville dont le prince est un enfant...* (texte de 1967), conçue dès 1913, présentée sous la forme d'un essai : « la Gloire du collège », inséré dans *la Relève du matin* (1920) : « J'ai donc donné forme, à trois reprises, au même matériau : par l'essai, la pièce, le roman. Une fois transfiguration (l'essai), une fois l'écorché (la pièce) et une fois une partie des profondeurs (le roman) » (*la Marée du soir,* 1972).

Le roman présente « ce qui se passe avant » et « ce qui se passe après » l'action de *la Ville...,* organisé autour de trois sujets. « Le premier est celui d'un prêtre qui entre en prêtrise sans avoir la foi », l'abbé de Pradts, face à son supérieur, l'abbé Pradeau de La Halle, et qui « meurt ravi d'avoir si bien conduit sa barque »; « le second sujet, c'est celui d'une mère et de son fils », de leurs relations tumultueuses; « le troisième sujet, qui se trouve imbriqué au milieu des deux autres, est le sujet — mais traité en profondeur et comme peut le faire un romancier — de ma pièce *la Ville... »* : l'amitié particulière entre Alban et Serge Souplier.

Montherlant définit parfaitement le sujet de ce livre qu'il a « quasiment porté toute [sa] vie » : « Ce roman pourrait être sous-titré "ou le Triomphe de l'amour", à condition que ce mot *amour* fût employé dans son sens le plus épuré. Sans doute n'y a-t-il qu'un sujet dans ce livre, c'est l'amour : celui d'un adolescent et d'un prêtre pour un élève, celui d'un autre prêtre pour sa mission et pour Dieu, celui d'une mère pour son fils ».

Un assassin est mon maître

Synopsis. — Après avoir été en poste à Oran, Exupère, originaire de Montluçon, est bibliothécaire à Alger. Il vit seul, exploité par son seul ami Manuel Manoussié dit « Colle » et n'a que des amours vénales, avec Sanchita et Sophie d'entre-les-tonneaux. Estimé au début par son supérieur, Saint-Justin, il se croit bientôt persécuté par lui, auprès duquel il accumule les bévues. Quoi qu'il fasse, il est dans « ses griffes » : un assassin est son maître.

La lecture de l'*Introduction à la psychanalyse* de Freud lui a révélé sa névrose. Il en vient à avouer à Saint-Justin qu'il se sent fou à lier, et il demande son retour en métropole, ce qui lui est finalement accordé. Il rencontre Montherlant à Paris, et, alors que celui-ci voudrait l'aider, il disparaît sans laisser d'adresse et meurt « de mort naturelle » au Centre hospitalier d'Auxerre, le 16 novembre 1928.

Le roman est inséparable de la passionnante préface du professeur Jean Delay, dans laquelle — à partir du manuscrit que Montherlant lui avait fait porter — le psychiatre analyse en clinicien le « cas Exupère ».

LE THÉÂTRE

Montherlant ne vint que tardivement au théâtre représenté, mais on ne peut pas pour lui, comme pour Giraudoux, parler de la vocation tardive d'un romancier. En effet, Montherlant a constamment été sollicité par le théâtre; sa première œuvre, *l'Exil* (1929), fait déjà apparaître quelques thèmes essentiels : incommunicabilité; amitié virile; tentation de l'héroïsme et de l'esthétisme.

« Pour moi, il n'y a qu'une seule forme de théâtre digne de ce nom, le théâtre psychologique »

Passionné par l'expression dramatique, Montherlant n'est pourtant pas un homme de scène, et il aurait pu dire de presque toutes ses pièces ce qu'il disait de *la Ville dont le prince est un enfant :* « Il n'est pas dans les intentions présentes de l'auteur que cette pièce soit représentée ». Il affecte une certaine indifférence pour la mise en espace de ses œuvres : « Je m'en remets au metteur en scène pour les places et les mouvements (je serais incapable de les indiquer, et je ne me préoccupe pas de l'agencement scénique tandis que j'écris) ». Point d'aboutissement de cette tendance, *la Guerre civile* (1965) cache au spectateur son prologue et son épilogue, qui se déroulent rideau baissé.

C'est que, de son propre aveu, Montherlant se situe non sur le plan de la théâtralité, mais sur celui de la morale. Sans chercher à « construire mécaniquement une intrigue », il opte résolument pour un « théâtre tout intérieur », qui, « débarrassé de la mécanique foraine », serait « un prétexte à l'exploration de l'homme ».

Montherlant se réclame donc clairement de la tradition classique, cherchant à « exprimer avec le maximum de vérité, d'intensité et de profondeur un certain nombre de mouvements de l'âme humaine ». L'influence de Corneille (le thème de la Grâce permet de rapprocher *Polyeucte* et *le Maître de Santiago*) et même celle de Molière (les apparitions grotesques de Péréfixe dans *Port-Royal* et, bien sûr, l'inévitable comparaison entre *Dom Juan* et *la Mort qui fait le trottoir*) sont parfois sensibles. Mais c'est Racine qui est son maître. Par-delà sa constante référence au théâtre grec, et notamment à Sophocle et à Euripide, Montherlant sait faire « un monde avec rien » (Marcel Jouhandeau) et puise chez Racine nombre de thèmes et de structures : reprise du thème de *Phèdre* dans *Pasiphaé;* reproduction, dans *Celles qu'on prend dans ses bras,* d'une chaîne d'amour infernale; relations explicites entre certaines scènes de *la Ville...* et *Andromaque.* Ainsi s'expliquent les exigences dramatiques de Montherlant : unité et simplicité de l'action, rigueur de la construction et aussi, dans ce théâtre du discours, goût des créations verbales.

« Le style gentilhomme »

Le théâtre de Montherlant peut paraître bavard et affecté. De fait, ses personnages semblent toujours en « représentation », se donnant par leurs discours le spectacle de leur « hautainerie ». Ils se jouent à eux-mêmes le théâtre du langage.

Mais le flamboiement du langage n'est pas artificiel. Il procède d'une nécessité interne aux œuvres, du double point de vue des thèmes et de la psychologie. D'abord, Montherlant ne craint pas de manier divers registres du discours, de l'argot des légionnaires (*la Guerre civile*) aux petits potins des religieuses (*Port-Royal*). De plus, quand il se produit, le choc des mots renvoie au duel des personnalités exceptionnelles mises en scène, et le rebondissement des formules témoigne des contradictions tragiques qui écartèlent les héros. « Le tragique de mon théâtre est bien moins un tragique de situation qu'un tragique provenant de ce qu'un être contient de lui-même ». Seul le langage peut alors manifester la prise de conscience de ces déchirements. Plus qu'une marque d'élection des êtres forts, il est l'essence même de la dramaturgie de Montherlant. Enfin, le choix de sujets politiques favorise l'usage de la maxime, qui donne aux « pièces en pourpoint » leur « atmosphère florentine ». Mais le langage scénique de Montherlant n'est pas figé dans une suite de formules cornéliennes; il laisse la place à des images ou à des figures, emblématiques de pièces entières : *le Maître de Santiago* se structure autour d'une antithèse (la colombe poignardée et la colombe ardente) qui est modulée dans le décor, les êtres et les discours. L'antithèse est d'ailleurs au cœur des pièces de l'affrontement, de *la Reine morte* à *Demain il fera jour*. Et la litote indique à elle seule le couvent (*Port-Royal*) et le collège aux amitiés particulières de *la Ville*. Ainsi se retrouve, au-delà des recherches de « poésie pure », quand la prose rejoint les mètres réguliers (cf. la fin du *Maître*), l'exigence classique, puisque « le théâtre n'est bon que dans la litote ».

« Ædificabo et destruam » : construction dramatique et dérision

En allant au-delà des clivages commodes (« pièces en veston »/« pièces en pourpoint »; veine profane/veine sacrée), on discerne dans le théâtre de Montherlant une continuité thématique, dans la psychologie (rapports père/fils), dans la géographie (la péninsule ibérique) ou dans la politique (complexité des rapports au pouvoir). En même temps on peut mesurer la distance qu'a prise vis-à-vis de son théâtre un auteur décidément paradoxal.

Malgré la grande diversité des pièces, Montherlant adopte un schéma dramatique différent de l'archétype « classique » défini par Jacques Schérer : « L'action se définit par les démarches des personnages mis en présence des obstacles qui forment le nœud et qui ne sont éliminés qu'au dénouement ». En effet, Montherlant passe sous silence les démarches préalables des personnages, car « l'action agitée est aimée du vulgaire ». Ainsi sont souvent mis en scène des héros âgés et désenchantés, dont les actions d'éclat sont loin dans le passé : Cisnéros, Malatesta, voire don Juan ne peuvent ou ne veulent plus créer l'événement qui lancerait la pièce. Tout commence donc à l'obstacle, au sommet de la crise classique : opposition d'Alvaro au mariage de sa fille Mariana, refus des religieuses concernant le « formulaire » ou volonté exprimée par Christine de ne pas se donner à Ravier. Comme aucune péripétie décisive ne vient débloquer une situation rendue ainsi inextricable, les pièces évoquent ensuite l'attente. L'action progresse peu et grâce à de lentes évolutions que n'affectent guère les événements extérieurs. Par exemple, dans *le Cardinal d'Espagne*, les jeux sont faits dès l'avant-dernier acte. Ainsi peut s'expliquer le laps de temps souvent considérable qui s'écoule d'un acte à l'autre : trois semaines entre le premier et le deuxième acte de *Brocéliande*, par exemple. Puis, de façon inattendue, survient le dénouement, c'est-à-dire la dissolution de l'obstacle : renoncement de Mariana, expulsion de sœur Angélique... Ce dénouement, loin d'être une concession à la « mécanique foraine », est la manifestation scénique des paradoxes et des contradictions qui pétrissent les héros : paradoxal refus de partir, chez Gillou (*Fils de personne*); trahison et course à la mort inattendues chez don Juan *(la Mort qui fait le trottoir)*... Mais généralement la pièce ne s'arrête pas là : elle se prolonge en un tableau final, scène muette, lourde de significations, où se manifeste ce « pouvoir du silence » que Montherlant apprécie chez Racine : dernière cruauté de Porcellio, qui brûle les apologies de Malatesta; sanglots de l'abbé de Pradts...

Or, cette forme visuelle de « théâtre pur », en même temps qu'apothéose, est invitation implicite à la relecture, à la réinterprétation de pièces alors placées sous le signe de la vision rétrospective. Ainsi les constructions en doublon abondent : parallélisme des actes IV et I, III et II dans *Malatesta*, des scènes III et VII de l'acte III dans *la Ville;* motif du rêve prémonitoire dans *Malatesta* ou dans *Demain il fera jour*, qui pousse à la réinterprétatin d'indices anodins et favorise le « second regard ». Il arrive même que celui-ci soit intégré dans la dramaturgie, créant un effet de distanciation. Tel est le rôle du « Penseur-qui-a-des-idées-sur-don-Juan », de l'allégorie de la guerre civile ou du chœur antique. De la vision critique à l'ironie il n'y a qu'un pas, et Montherlant en vient à sourire de son propre théâtre. Ainsi, la femme du commandeur tué par Don Juan tourne en dérision l'apothéose du *Maître de Santiago* : « *Unidos! siempre unidos!* (Au public) Ça, naturellement, ça veut dire : Unis! unis à jamais! » De même, la grotesque pantomime à laquelle elle se livre fonctionne comme une parodie de la gestuelle propre aux tableaux finaux. C'est enfin le « style élevé » lui-même qui est attaqué, dans *Brocéliande*. Au-delà de l'ironie sur la mentalité petite-bourgeoise, la seule vraie comédie de Montherlant se moque, par le théâtre du langage, du langage du théâtre, et notamment de celui des « pièces en veston ».

Ultime paradoxe et illustration du triple thème du syncrétisme, de l'alternance et du malentendu.

La Reine morte : l'œuvre théâtrale marquante

La pièce de Montherlant la plus jouée et la plus lue de par le monde, *la Reine morte* — écrite à Grasse au printemps 1942, d'après une pièce de Luis Velez de Guevara : *Reinar después de morir* (« Régner après sa mort ») —, connut des débuts difficiles lors de sa création à la Comédie-Française (décembre 1942). L'accueil initial laissa à l'auteur le souvenir d'une « dominante d'aigreur », car « la générale [...] ne fut que tiède ». Mais, après diverses coupures, le succès vint très rapidement, et ne s'est jamais démenti. *La Reine morte* apparaît comme la plus parfaite réalisation des principes dramaturgiques de Montherlant, qu'il s'agisse de la construction dramatique, de la conception des personnages ou du flamboiement du langage.

La pièce présente le schéma dramatique : obstacle-attente-dénouement-tableau final, dont chaque étape voit sa spécificité accentuée. L'obstacle, d'abord, est triple. Inès est non seulement la maîtresse de Pedro, mais aussi sa femme (ils se sont mariés secrètement), et elle est enceinte. De plus, c'est Inès elle-même qui, par deux fois, se constitue comme obstacle, révélant au roi Ferrante son mariage (I, v) et sa maternité (III, vi). Inès agit alors moins par naïveté que par stratégie, pour faire pression sur autrui par cette naïveté même. La situation, bloquée par la première révélation d'Inès, débouche sur une attente durant laquelle l'action ne progresse pas, malgré divers affrontements verbaux. Les évolutions décisives se produisant hors de la présence des spectateurs : les quatre jours qui séparent le premier et le deuxième acte déterminent un vide capital (II, IV) durant lequel Inès change de visage en mûrissant ce qui accuse les failles de Ferrante. Mais seul le résultat de ces changements, et non l'action elle-même, sera montré aux spectateurs. Le dénouement, brusque et immotivé, ne prend, quant à lui, tout son sens qu'en fonction du tableau final. L'ultime transformation de Pedro, qui impose enfin son autorité par la force de son seul regard, réunit Inès et Ferrante dans un même triomphe, puisque enfin le vieux roi a un fils digne de lui. Le meurtre n'aura pas été inutile, et la catastrophe inverse le sens du dénouement.

La Reine morte apparaît, à bien des égards, comme le drame du paradoxe et de l'antithèse. Le roi Ferrante est un « nœud épouvantable de contradictions » : constamment en représentation, il cache sa faiblesse par une distance hautaine entretenue par des maximes politiques. Mais c'est un personnage qui se défait : soutenant « le point de vue de l'État » au premier acte (« Moi, le roi »), vacillant au deuxième (« Je passe mon temps à recommencer ce que j'ai fait, et à le recommencer moins bien »), il constate à la fin la dissolution de sa volonté (« Pourquoi est-ce que je la tue? »). Si bien que — paradoxe supplémentaire —, malgré le sous-titre primitif *Comment on tue les femmes,* c'est la mort de Ferrante qui est le thème dominant, dès le début de la pièce : « Chaque fois qu'on me loue, je respire mon tombeau » (I, III). Mais, pour mettre en scène ce pur produit du syncrétisme et de l'alternance, Montherlant a recours, au contraire, aux rapports d'exclusion, à l'antithèse, dans le discours (« Un roi se gêne, mais n'est pas gêné », I, III) comme dans la construction dramatique. Toutes les grandes scènes de la pièce mettent aux prises deux personnages et, exception faite des entrevues entre Pedro et Inès (I, IV; II, IV), se présentent comme des duels. Deux principes antithétiques s'affrontent à travers les personnages : grandeur affectée/orgueil spontané; devoir de l'homme public/bonheur de l'homme privé; morgue/servilité; naïveté délibérée/duplicité incertaine.

Mais l'antithèse la plus originale, et la plus féconde pour l'ensemble de la pièce, concerne Inès et l'Infante. L'Infante incarne un principe mâle (II, V), alors qu'Inès est tout entière du côté de la féminité. Et, au-delà de l'« amitié particulière » que l'Infante semble parfois porter à Inès, c'est dans les métaphores qui désignent les deux femmes que l'antithèse prend tout son sens. Inès la naïve et la pure, c'est l'eau courante et l'eau limpide (I, IV; II, IV; II, V...). Ferrante, qui est du côté de la mort, reproche à Inès de faire « partie de toutes ces choses qui veulent continuer, continuer » (III, VI). Et c'est pourquoi l'enfant devient le mobile essentiel du meurtre. Ferrante arrête l'eau qui recommence, décrète la mort d'Inès et, partant, se suicide, abolissant tout recommencement de soi-même. L'Infante, au contraire, impose tout au long du texte l'image de la sécheresse (II, V), et cette sécheresse se retrouve dans son langage. La sécheresse de l'Infante renvoie à son orgueil du pays natal, à la rocaille navarraise —, en un mot, à la vigueur de celle qui a « été élevée pour le règne » et qui, à ce titre, ne peut que « violenter » l'eau du bonheur privé.

Paradoxe d'un Montherlant réputé sentencieux, et qui rend compte des enjeux de son œuvre la plus célèbre à travers les deux métaphores antithétiques! N'est-ce pas ainsi rejoindre son maître Racine?

BIBLIOGRAPHIE GÉNÉRALE

Éditions

Il n'existe actuellement aucune édition complète des œuvres de Montherlant. On trouvera les *Romans et Œuvres de fiction non théâtrales* (jusqu'aux *Lépreuses*), les *Essais* (jusqu'à *Textes sous une Occupation*) et le *Théâtre* dans la Bibliothèque de La Pléiade. Les œuvres postérieures à ces trois tomes sont disponibles chez Gallimard « Blanche » ou Gallimard « Blanche et Soleil ». En outre, les œuvres principales (romans et pièces) ont été reprises chez « Folio ».

Critique

On consultera prioritairement l'ouvrage de Pierre Sipriot, *Montherlant par lui-même* (Le Seuil, 1969), notamment pour la biographie et les renseignements concernant la genèse des œuvres. A compléter par André Marissel, *Henri de Montherlant,* « Classiques du XXe siècle » (Éd. Universitaires, 1966), ainsi que par Henri Perruchot, *Montherlant,* « Bibliothèque idéale » (Gallimard, 1969, revue et complétée par Henri Mavit). Le numéro spécial de la *N.R.F.* consacré à Montherlant (février 1973) donne aussi des renseignements utiles.

Sur quelques points particuliers, on consultera : à propos du Montherlant d'avant-guerre, Michel Mohrt, *Montherlant, homme libre,* Gallimard, 1943; à propos de l'attitude spirituelle de Montherlant, Philippe de Saint-Robert, *Montherlant le séparé,* Flammarion, 1969. Sur le théâtre, pour une approche synthétique rapide : Paul Ginestier, *Montherlant,* Seghers, « Théâtre de tous les temps », 1973. En complément, deux études à retenir pour certaines intuitions : John Batchelor, *Existence et Imagination, essai sur le théâtre de Montherlant,* trad. de M. Leredu, Mercure de France, 1970; *Henri de Montherlant, homme de théâtre,* recueil de textes établi par Sylvie Chevalley, Comédie-Française, 1965. Pour une synthèse : André Blanc, *les Critiques de notre temps et Montherlant,* Garnier, 1973.

L. ACHER et J. MAURICE

MONTLUC Blaise de. V. MONLUC.

MONTREUIL Jean de, pseudonyme de **Jean Charlin** (Johannes de Monsterio, de Monsterio Sicco, de Monsterolio, Jehan de Monstereul) [vers 1353-1418]. Né à Monthureux-le-Sec (Vosges), enclave française en terre d'Empire, ce Lorrain est considéré comme champenois et, à ce titre, est admis comme boursier au collège de Navarre à Paris, où il sera le condisciple de Pierre d'Ailly. Il y obtient la maîtrise ès arts et y enseigne sans doute durant quelques années la rhétorique. Prêtre, il ne semble pas avoir fait d'études théologiques, mais il sera prévôt du chapitre de Saint-Pierre de Lille et recevra divers bénéfices. Jeune notaire à la chancellerie royale, en novembre 1384, il est l'un des négociateurs de la reddition d'Arezzo aux Florentins et profite de l'occasion pour prendre personnellement contact avec le chancelier de Florence, le célèbre humaniste Coluccio Salutati, qui lui fait don d'une collection de ses lettres et de divers textes de Pétrarque. C'est le véritable début de la carrière de celui que l'historien G. Voigt tenait pour le premier humaniste véritable en France. Jusqu'à la mort de Salutati (1406), il restera en rapport avec celui-ci. Il fréquente aussi de nombreux lettrés italiens, parmi lesquels le Milanais Ambrogio Migli, devenu secrétaire de Louis d'Orléans, avec qui il finira par se brouiller. Même avec ses meilleurs amis — Nicolas de Clamanges, Contier Col, Laurent de Premierfait — il lui arrive de se quereller, mais cela est surtout prétexte à de brillantes passes d'armes littéraires. Il faut signaler à ce propos le célèbre « débat sur le *Roman de la Rose* » qui, dans les premières années du siècle, l'oppose, aux côtés des frères Col, à Christine de Pisan et au chancelier Gerson — ce qui ne l'empêche pas d'avoir pour ce dernier une profonde admiration. Sur le plan professionnel, il s'est très tôt spécialisé dans les activités diplomatiques, participant à de nombreuses ambassades, et est surtout chargé de s'occuper des relations avec l'Église, intervenant à maintes reprises dans les problèmes du Schisme. Celui-ci vient de prendre fin quand, en mai 1418, Montreuil périt dans le massacre qui suit la prise de Paris par les

Bourguignons. Sa bibliothèque — sans doute l'une des plus riches de l'époque — disparaît avec lui.

Dans cette bibliothèque figuraient certainement des textes rares de Cicéron et d'autres auteurs classiques, dont il recherchait les manuscrits avec autant d'ardeur que son ami Clamanges. Comme ce dernier, il s'est efforcé d'introduire en France l'usage de l'écriture humanistique.

Montreuil n'écrit pas le latin avec autant d'élégance que Clamanges, mais, à la différence de ce dernier, il a laissé quelques œuvres en français, remarquables par leur style clair et vigoureux (traité *A toute la chevalerie de France,* version française du traité contre les prétentions du roi d'Angleterre à la couronne de France...). Certains textes offrent un caractère véritablement historique, très nouveau pour l'époque; d'autres sont surtout polémiques et relèvent de la propagande politique (ainsi un très mordant pamphlet en latin contre l'empereur Sigismond). Presque toutes ses œuvres nous sont parvenues en autographes (qui ont échappé à la destruction sans doute parce qu'ils étaient restés dans son bureau à la chancellerie). C'est notamment le cas de deux recueils de ses épîtres latines, qui sont une source capitale pour la connaissance de la vie politique et intellectuelle de l'époque.

BIBLIOGRAPHIE

De l'édition critique des œuvres complètes, deux volumes ont déjà paru : vol. I, *Epistolario,* edizione critica a cura di Ezio Ornato, Torino, 1963, in-8°; vol. II, *l'Œuvre historique et polémique,* édition critique par Nicole Grévy, Ezio Ornato, Gilbert Ouy, Torino, Coll. d'Études et de recherches sur la Renaissance, 1975, in-8°. Un troisième volume regroupe les *Œuvres diverses,* un index alphabétique et des pièces justificatives. Un quatrième et dernier volume (introduction historique et codicologique, résumés des lettres et identification de leurs destinataires, compléments divers) suivra.

Pour la biographie de l'auteur, on se reportera surtout à l'ouvrage d'Ezio Ornato, *Jean Muret et ses amis Nicolas de Clamanges et Jean de Montreuil : contribution à l'étude des rapports entre les humanistes de Paris et ceux d'Avignon,* Genève-Paris, Droz, Coll. « Hautes Études médiévales et modernes », n° 6, 1969, in-8°, qui fournit une bibliographie très complète.

G. OUY

MONTREUX Nicolas de (1561-1610?). Issu de la noblesse du Maine et entré dans les ordres, il fut le bibliothécaire et l'historiographe du duc de Mercœur, gouverneur de Bretagne et dernier opposant à Henri IV. Combattant par l'épée et par la plume au service de la Ligue, il fut fait deux fois prisonnier par les troupes royalistes. Rallié au roi en 1598, il lui dédia la même année le poème allégorique de *la Paix.* Écrivain d'une vertigineuse fécondité, il publia, sous le pseudonyme d'OLENIX DU MONT-SACRÉ, anagramme de son nom, outre des ouvrages d'histoire et de théologie (*l'Homme, ses dignitez, son franc et libéral arbitre,* 1599), sept pièces de théâtre, dont trois pastorales dramatiques (*Athlète,* 1585; *Diane,* 1594, inspirée du Tasse; *Arimène,* 1597), trois tragédies (*Isabelle,* d'après le *Roland furieux* de l'Arioste; *Cléopâtre,* 1594; *Sophonisbe,* 1601) et une comédie (*Joseph le Chaste,* 1601). Il illustra avec plus d'abondance encore le genre romanesque, en répandant en France la vogue du roman grec (Héliodore) et de la pastorale espagnole dans la lignée de la *Diana* de Montemayor. Après avoir fait ses gammes en s'attaquant à l'inévitable *Amadis* (*le Seizième Livre d'« Amadis de Gaule »,* 1577), il compose son grand œuvre, *les Bergeries de Juliette,* dont les cinq livres s'échelonnent de 1585 à 1598. Tout en préparant cette apogée du roman pastoral que sera *l'Astrée* d'Honoré d'Urfé, les *Bergeries* apparaissent encore tributaires, dans leur composition par journées, de formules qui remontent à *l'Heptaméron,* et, dans leur contenu, de l'humanisme, verbeusement amplifié, de la première Renaissance.

BIBLIOGRAPHIE

La Sophonisbe, tragédie, texte établi et présenté par Donald Stone Jr, Genève, Droz, « Textes littéraires français », 1976.

J. Mathorez, « le Poète Olenix du Mont-Sacré, bibliothécaire du duc de Mercœur (1561-1610) », *Bulletin du bibliophile,* 1912, p. 367-371, 479-495; Rosemarie Daele, *N. Montreux, Arbiter of European Literary Vogues of the Late Renaissance,* thèse de l'université de Columbia, New York, 1946; Jules Marsan, *la Pastorale dramatique en France à la fin du XVIe siècle et au commencement du XVIIe siècle,* Paris, Hachette, 1905, p. 167 *sqq.*; T.E. Lawrenson, « la Mise en scène dans l'*Arimène* de Nicolas de Montreux », *Bibliothèque d'Humanisme et Renaissance,* 18, 1956, p. 286-290; Raymond Lebègue, « Unité et pluralité de lieu dans le théâtre français », dans *le Lieu théâtral à la Renaissance,* Paris, C.N.R.S., 1964, p. 352-355; Donald Stone, *From Tales to Truths. Essays on French Fiction in the Sixteenth Century,* Francfort, V. Klostermann, 1973, p. 43-49.

F. LESTRINGANT

MORALITÉ (genre dramatique médiéval). De la fin du Moyen Âge et du début du XVIe siècle subsistent quelque soixante pièces dont les acteurs sont des personnifications, du moins en grande partie. Le nombre des personnages va de quatre ou cinq à vingt (*Vie et Histoire du Mauvais Riche, Moralité de Charité*). *Bien Advenir et Mal Advenir,* joué à Rennes en 1439 avec ses 8 000 vers et ses 50 rôles (Raison, Foi, Obéissance, Contrition, Rebellion...), atteint une dimension qui le rapproche du mystère. La moralité, genre théâtral le plus littéraire (beaucoup de textes ont été transmis avec le nom d'auteur), est un avatar dramatique de la tradition allégorique didactique, dont elle emprunte les actants et le schéma simple, dichotomique (opposition d'une bonne et d'une mauvaise voie). La perspective est édifiante, pédagogique, mais moins doctrinale (cf. les *autos sacramentales* espagnols) que pratique : la parabole y trouve donc une résonance privilégiée. La clarté démonstrative de ce genre en fait un domaine de choix pour la représentation de l'actualité : le fait vécu se classe immédiatement en bien ou en mal sans passer par les détours de la satire ou du comique. L'exemplarité des cas est souvent renforcée par un pathétique de mélodrame qui rappelle l'inspiration des œuvres de Nicole Bozon ou du *Tombel de Chartrose :* Églantine, honnête fille de Grosmoulu, préfère la mort au déshonneur que lui propose un riche seigneur; sa constance amène le tentateur à résipiscence, et le vilain est affranchi (*la Pauvre Fille villageoise*).

Les sujets peuvent se répartir en trois catégories : bibliques (*l'Enfant prodigue,* avec, comme le veut la tradition, les scènes de taverne; *les Frères de maintenant,* d'après l'histoire de Joseph; *le Mauvais Riche et le Ladre*), historiques anciens (*l'Empereur qui tua son neveu*) ou contemporains (*Concile de Bâle,* de Georges Chastellain, en 1432; *Métier, Marchandise* et *le Temps qui court,* reflétant les plaintes du peuple contre la Praguerie). La *Condamnation de Banquet,* de Nicolas de La Chesnaye (1507), est un bon exemple d'un troisième type, prolixe en conseils moralisants sur l'existence quotidienne. 3 600 vers exposent une théorie diététique (dîner suffisamment à midi, souper six heures plus tard, ne pas banqueter de nuit) : après les recommandations de sobriété d'un « prolocuteur », apparaissent de joyeux convives sous la houlette de Bonne Compagnie (Gourmandise, Friandise, Je bois à vous), qui acceptent les invitations de Dîner, Souper et Banquet; au premier repas, Souper et Banquet épient les commensaux et font intervenir les maladies « en figures monstrueuses » (Hydropisie, Paralysie, Apoplexie, Goutte et Gravelle), qui profitent du souper pour battre les hôtes; chez Banquet enfin, Apoplexie égorge quatre personnes. Un tribunal où siègent Hippocrate, Avicenne et Galien exile Souper à six lieues (= six heures plus tard) et condamne Banquet à la pendaison. Le coupable est gracié *in extremis.* Diète et Expérience tirent la leçon. La redondance dans l'explication est la loi du genre. Malgré cette évidence de la signification, la lourdeur des effets et, souvent, la minceur de l'action, la moralité peut obtenir des moments de bouffonnerie carnavalesque (personnifications grotesques); mais, dans l'ensemble, cette production reste la partie du théâtre médiéval la plus étrangère à l'esthétique moderne.

BIBLIOGRAPHIE
K. Schoell, *das Komische Theater des französischen Mittelalters,* Fink, Munich, 1975; W. Helmich, *die Allegorie im französischen Theater des 15. und 16. Jahrhunderts,* Niemeyer, Francfort, 1976; Fournier, *le Théâtre français avant la Renaissance. Mystères, Moralités et farces,* 1872.

A. STRUBEL

MORAND Paul (1888-1976). Cultivant tous les genres littéraires, poésie, roman, chronique, théâtre, journal intime, histoire, Paul Morand est surtout un maître de la nouvelle. En réaction contre « les méandres du roman-fleuve et même du roman tout court », il y voit une façon de s'adapter à la vitesse des temps modernes en faisant « rare, bref et serré ». Appartenant à la génération des diplomates hommes de lettres (Giraudoux, Saint-John Perse), ce voyageur par profession l'est également par goût dans la tradition cosmopolite de Valery Larbaud. Ses chroniques, qui cherchent à capter le « mystère » de New York, de Londres ou de Bucarest, évoquent aussi de lointaines contrées : un exotisme d'esthète s'y marie alors aux méditations anthropo-philosophiques d'un globe-trotter qui parcourt « cinquante mille kilomètres, vingt-huit pays nègres », le regard amusé et passablement cynique toujours posé sur une élite internationale dont il fait suffisamment partie pour ne pas avoir à la ménager.

« Monplaisir »

Parisien de naissance, Paul Morand grandit dans la famille aisée et cultivée d'un directeur de l'École des arts décoratifs. Sciences politiques, Oxford; le jeune homme embrasse la carrière diplomatique et part pour Londres (1913). De retour au « Quai » en 1916, dans l'ombre de Philippe Berthelot, il observe les jeux politiques d'une époque troublée, témoin curieux du Paris de la Grande Guerre, gravitant aussi dans les milieux diplomatiques et mondains mais leur préférant les soupers fins chez Larue ou au Ritz, en compagnie de Proust, de Cocteau, de Misia Sert (*Journal d'un attaché d'ambassade, 1916-1917,* 1948). Il se lance bientôt dans la poésie (*Lampes à arc; Feuilles de température,* 1920), dans la nouvelle (*Tendres Stocks,* 1921) et le roman (*Lewis et Irène,* 1924). Deux recueils où il décrit les bouleversements de l'après-guerre lui apportent une réputation internationale : *Ouvert la nuit* (1922) et *Fermé la nuit* (1923). Après divers postes à l'étranger (Rome, Madrid, Bangkok), ce voyageur impénitent consacre un congé à faire le tour du monde. Portraits de villes, *New York* (1929), *Londres* (1933), *Bucarest* (1935), chroniques et nouvelles sont le fruit de ces périples. En 1934, il entre au comité directeur du *Figaro,* continuant toujours à publier : *France la doulce* (1934), une satire du milieu du cinéma; *les Extravagants* (1936), nouvelles; *l'Homme pressé* (1941), où il s'attaque au mythe de la vitesse, etc. Pendant la guerre, le gouvernement de Vichy le nomme ministre en Roumanie, pays d'origine de sa femme, puis ambassadeur à Berne. Sa carrière prend fin brusquement avec la Libération. Il se partage alors entre la Suisse et la France, fidèle encore à la nouvelle (*le Prisonnier de Cintra,* 1958) ou aux œuvres brèves (*Hécate et ses chiens,* 1954), s'essayant à l'histoire et à la critique littéraire avec *Fouquet ou le Soleil offusqué* (1961), récit d'une disgrâce, *Monplaisir en littérature* (1967), recueil de préfaces et de courtes monographies sur ses écrivains préférés, *Monplaisir en histoire* (1969). En 1968, l'Académie française lui ouvre ses portes, en dépit de nombreuses oppositions. Sa dernière chronique de voyage, *Venises* (1971), peut être considérée comme son testament littéraire. Prenant un départ foudroyant au début des années 20, son œuvre avait connu après la guerre une période de purgatoire. Relancée par les écrivains des années 50, notamment Roger Nimier, elle est aujourd'hui largement diffusée dans le grand public.

Au piège de l'écriture

Avec son « goût des bibelots », Morand est-il un collectionneur? Sa curiosité pour tout ce qui bouge, son « œil de rapace » (Chardonne) annoncent plutôt un chasseur. Même vigilance du regard; même convoitise, que l'écrivain assouvit par la médiation du langage. En effet, le meilleur de cette œuvre, ce sont des notations brèves, fruits d'une extrême concentration de l'attention (« la contraction de l'huître sous le citron », écrit-il à Maurice Rheims), captant en formules concises la quintessence d'une atmosphère : New York qui vous reçoit « debout »; Lisbonne et ses odeurs : « le poisson d'abord, puis le café frais moulu ». Il sait aussi immobiliser en pleine action la mimique des corps : un passage de relais (*Champions du monde,* 1930), un échange de balles sur un court (*Tendres Stocks*), la musculature d'un écuyer de haute école et celle de son cheval, associées aux différentes « allures » (« Milady », dans les *Extravagants*). Art de l'instantané fleurissant encore dans le *Journal d'un attaché d'ambassade* et dans sa correspondance : ainsi cette lettre à Jacques Chardonne caricaturant la manière de saluer des Poincaré, Claudel, Cocteau, Proust, soudain figés comme des marionnettes, le chapeau à la main, comme dans les dessins de Sem.

Mais Morand cherche aussi à enfermer le spectacle du monde dans le miroitement d'innombrables métaphores. Les plus élaborées accentuent sans le charger le dessin très précis du récit, soulignant le comique de gestes (« ces femmes qui rient avec un bruit de carafes qui se vident », *Fermé la nuit*), le tracé d'une silhouette (un écuyer de Saumur en tenue noire « boutonnée haut comme une soutane » annonçant la vocation « monacale », « Milady »), ou une simple ligne d'horizon (bateaux de guerre « rangés comme des caïmans dans la nasse conique de l'estuaire », *l'Europe galante,* 1925). D'autres, en revanche, plus gratuites, se succédant en cascade, ornementent l'écriture sans s'y intégrer. Des traces de symbolisme, voire de surréalisme (« plaies orangées » du crépuscule, tignasse fondant « au soleil comme de l'asphalte »), une certaine complaisance de l'auteur pour ses trouvailles produisent un effet de surcharge justement critiqué par Proust (préface de *Tendres Stocks*) et qui contredit l'esthétique formulée par Morand lui-même : répondant à un « réflexe foudroyant », toute image de vrai poète doit, « comme un crime parfait », s'évanouir dans une écriture « simple où l'art n'apparaîtra pas à première vue » (lettre à ses parents). Idéal qu'il atteint effectivement dans son chef-d'œuvre, « Milady ». De l'instinct du chasseur, Morand tire aussi le sens de la trajectoire parfaite, du moins dans ses œuvres brèves. Car, dans ses romans, il calcule mal la distance : descriptions prolixes et insistantes (*l'Homme pressé*), personnages aux traits simplifiés et dont la minceur ne retient guère l'attention (*France la doulce*). Mais ailleurs, la balistique est sans défaut; départ rapide : « Soirée à l'hôtel des ducs de Ré, rue de l'Université. Minuit trois-quarts » (« Congo », dans *Magie noire,* 1928) première partie en forme de scène d'exposition; la courbe culmine avec l'incident décisif (tache noire sur l'oreiller de Congo; lettre de l'huissier dans « Milady »), puis décline vers une fin habituellement tragique.

Un moraliste

Car ce conteur est un pessimiste. Nimier a vu en lui un homme mal à l'aise avec l'humain (cf. Préface d'*Hécate et ses chiens*), et Morand lui-même confesse qu'il a « ricoché sur des surfaces dures sans y pénétrer ». Que cherche l'infatigable voyageur? Peignant lestement ses premières héroïnes de *Tendres Stocks*, l'écrivain laisse pourtant percer son désarroi devant un monde feint. Sous leur innocence de « garçonnes » sportives, ces jeunes femmes annoncent la Clotilde d'*Hécate et ses chiens* dont le prénom aristocratique, la mise et les manières distinguées de « dîneuse en ville » couvrent l'« industrie de la maquerelle et l'impudicité de la ménade ». A mesure que se déploie l'œuvre de Morand, la dichotomie, sous une forme ou sous une autre, s'étend à l'ensemble de ses personnages : Montjoye, de jour fonctionnaire modèle, débauché la nuit, laissant, crime suprême, traîner « en désordre » les dossiers du ministre parmi les verres et les « tubéreuses » (*Tendres Stocks*); despote antillais déchiré entre deux cultures et prompt à retourner au vaudou, pratique, justement, du dédoublement (*Magie noire*); respectable marquise au nom prédestiné de « Beausemblant », révélant avec fougue de « maudites et inavouables » passions saphiques (*l'Europe galante*). Les lieux visités par l'auteur sont eux-mêmes divisés : dans les « endroits de plaisir » (*Fermé la nuit*), les « mecs et les prostituées » côtoient de « vénérables domestiques » décantant le bordeaux avec des gestes demeurés « rituels ». A leur tour, les villes que Morand scrute avec une attention passionnée se dérobent à ce guide pointilleux : « Avez-vous vu Londres? Je l'ai entendu — inoubliable rumeur — je l'ai senti, mais je ne suis pas sûr de l'avoir jamais vu » (*Londres*). Enfin de lui-même Morand dira plaisamment qu'il « s'est faufilé entre des écrivains qui le prenaient pour un diplomate et des diplomates qui le prenaient pour un écrivain ».

D'où, en définitive, le scepticisme désabusé de cet homme gâté qui fait profession d'une certaine candeur. « Méthodique, habitué à labourer ma vie par droits sillons » (*Hécate et ses chiens*), amoureux des causes perdues, le voilà floué. Et si le monde « est un immense bal masqué » (lettre à Chardonne), un comportement de fuite n'est-il pas justifié? Fuite dans un continuel ailleurs ne menant nulle part, puisque, avoue cet inlassable preneur d'avions, « Je n'aime pas les voyages, je n'aime que le mouvement » (*Rien que la terre*, 1926). Fuite aussi dans une éthique stoïcienne du dénuement; mais ce dénuement, effet du dégoût, n'est que le stade ultime de l'esprit de consommation : « Abuser des choses est une des conditions pour ensuite s'en rendre maître » (*Tendres Stocks*).

Hécate et ses chiens

Le texte (paru en 1954) est précédé d'une importante préface de Roger Nimier. Un homme mûr retrouve le cadre, transformé par le temps et de brûlants souvenirs, d'une aventure de jeunesse. Frais émoulu de l'inspection des finances, au cours d'une mission dans une ville au moite climat méditerranéen, le narrateur tombe amoureux d'une gracieuse joueuse de golf. Ébats charmants, jusqu'au jour où, dans les bras de son amant, la jeune femme s'anime d'une passion secrète, s'évadant en pensée vers d'autres étreintes. L'homme découvre en elle une perversité où il tentera passionnément de la rejoindre sans autre résultat que la montée d'un irrépressible dégoût. Enfin lucide, il quitte sa maîtresse, rappelé d'ailleurs à Paris par une prudente Administration. Bien des années plus tard l'inspecteur des finances retrouve son héroïne, vieillie, mais toujours inquiétante sous le masque de l'innocence, et il rencontrera même, au hasard d'une mission dans le Turkestan, le mari, passablement désaxé, de son ancienne amie. D'une écriture sèche, elliptique, mais sans pudeur excessive, ce récit est une étude de la perversion : habite-t-elle le sujet qui se laisse aller aux goûts de sa nature ou surgit-elle du regard qui la scrute, l'alimentant de sa curiosité?

BIBLIOGRAPHIE

M. Schneider et G. Guitard-Auviste, *Paul Morand*, Gallimard, 1971; J.F. Fogel, *Morand-Express*, Grasset, 1980; G. Guitard-Auviste, *Paul Morand*, Hachette, 1981.

J.-P. DE BEAUMARCHAIS

MORAX René (1873-1963). V. SUISSE. Littérature d'expression française.

MORÉAS Jean, pseudonyme de **Ioannis Papadiamantopoulos** (1856-1910). Jean Moréas est né à Athènes, dans une famille émigrée de l'Épire vers la Morée, qui inspira ce pseudonyme au poète. Son père, un magistrat important, lui fait donner une éducation française et classique que Moréas n'oubliera pas. Très jeune, il participe à la vie littéraire locale, publie même un recueil en grec, *Tourterelles et Vipères* (1878). L'année suivante, après un passage en Allemagne, il revient à Paris, où l'avait déjà mené une escapade. Il s'y fixe et fréquente les poètes, connaît Verlaine, puis Mallarmé, devient un affilié de la société des Hydropathes. Il fait enfin ses débuts dans des revues littéraires avant de faire paraître, en 1884, *les Syrtes*, où la critique découvre des réminiscences de Gautier et de Verlaine. La célébrité ne vient pourtant à Moréas qu'en 1886 : il publie cette année-là deux « romans » (dont le fameux *le Thé chez Miranda*, en collaboration avec Paul Adam) et surtout *les Cantilènes*, qui se situent dans la mouvance décadente bientôt baptisée symboliste. Moréas est le parrain de cette nouvelle tendance littéraire, dont il définit les principes dans un « Manifeste » que publie *le Figaro* (18 septembre 1886). Désormais, l'orgueilleux Moréas est célèbre; il fait figure de chef d'école, surtout quand un banquet fête en 1891 la parution du *Pèlerin passionné* (1890) : on y voit Mallarmé, France, Barrès, Régnier, Mirbeau, Gide, Gauguin et beaucoup d'autres. Mais déjà avec ce livre apparaît ce qu'un critique a appelé la deuxième manière de Moréas, qui fonde, avec Maurras, La Tailhède, Raynaud et Du Plessis, l'« école romane ». En sortent des poèmes qui rompent avec le symbolisme et veulent renouer avec ce que Moréas appelle le « principe gréco-latin » : ce sont *Énone au clair visage*, *Ériphyle* et *Sylves*, réunies avec *le Pèlerin passionné* dans l'édition de 1898 des *Poésies*. Fidèle à la tradition littéraire qu'il exalte, Moréas abandonne peu à peu les libertés qu'il s'était permises et revient finalement à un classicisme épuré : c'est l'esthétique, en tout cas, qui inspire son *Iphigénie*, d'après Euripide (représentée à Orange en août 1903), ainsi que les *Stances* (1899 et 1901), considérées comme son chef-d'œuvre. Il reste enfin de lui quelques ouvrages de prose, où la critique fait bon ménage avec les impressions de voyages.

Les œuvres de Moréas ont été réunies dans une édition posthume en 1923 (Mercure de France).

La virtuosité de Moréas n'est pas contestable : ses lectures, sa profonde culture et sa connaissance des poètes français lui inspirent une prosodie souvent inattendue et raffinée, ainsi qu'un vocabulaire qui, par sa richesse, fait penser à celui de la Renaissance. Mais, précisément, on s'aperçoit que cette culture est prisée pour elle-même, qu'elle n'inspire souvent à Moréas que des pastiches : pastiches de l'Antiquité, de Ronsard, de La Fontaine, de Gautier même ou de Verlaine, plaisants toujours, mais dont on comprend mal l'intérêt; ce n'est pas en imitant qu'on s'insère dans une tradition, surtout quand on l'imite dans ce qu'elle a de plus extérieur et que la poésie devient exercice de style : « Gentil amour, plus durement / Que tous gens d'armes, navre ». Il y a là un jeu un peu gratuit que le lecteur a du mal à prendre au sérieux. On est alors tenté de penser que Moréas ne fait que s'assimiler les styles : ceux d'autrefois, ceux aussi du Parnasse et même du symbolisme dont on le croit pourtant l'inventeur. L'art original de ce poète, où le trouver alors? Peut-être dans les *Stances*, où la culture de Moréas se fait moins voyante et s'épure. Là, le ton paraît moins artificiel, et l'élégie plus sincère. On peut y entendre une voix plus personnelle : celle du poète dialoguant avec les feuilles, les vents et les chemins, les saisons et les jours, évoquant devant nous son deuil, sa mélancolie et sa solitude :

Solitaire et pensif, j'irai sur les chemins,
Sous le ciel sans chaleur que la joie abandonne,
Et, le cœur plein d'amour, je prendrai dans mes mains
Au pied des peupliers les feuilles de l'automne.

BIBLIOGRAPHIE
R. Georgin, « Jean Moréas », *Nouv. Rev. critique*, 1930; A. Robert Jouanny, *Jean Moréas, écrivain français*, Minard, 1969; N. Richard, *Profils symbolistes*, Nizet, 1978.

A. PREISS

MOREAU Hégésippe, pseudonyme de **Pierre-Jacques Roulliot** (1810-1838). Né à Paris, Hégésippe Moreau est le fils naturel de Marie Roulliot et de Claude François Moreau, professeur au collège de Provins, dont il prendra le nom et qui meurt quand son fils a quatre ans. Sa mère entre alors au service de fermiers qui la prennent, avec son fils, sous leur protection. Par la suite, Marie meurt, et l'adolescent, dont on pense alors qu'il deviendra prêtre, poursuit ses études dans des établissements religieux. A la fin de sa rhétorique, il entre comme correcteur à l'imprimerie de Théodore Lebeau à Provins, où il rencontre l'amour de sa vie, Louise, la fille de son patron, qui est malheureusement mariée et à qui l'unira une longue correspondance. Il fait quelques pas dans la carrière littéraire en écrivant un poème séditieux et une chanson satirique lors de la venue à Provins de Charles X. Car Moreau a des options politiques : il admire Béranger et, à dix-neuf ans, participe aux journées de Juillet. Il est en effet parti pour Paris, où il entre à l'imprimerie de M. Didot, qu'il quittera ensuite pour d'autres ateliers : Moreau ne réussit pas à obtenir — ne veut pas, peut-être — de position stable et mène plus ou moins une vie de bohème. Il change aussi de métier et se fait maître d'étude — un « pion » d'ailleurs bien doux et copieusement chahuté.

Dans les années 1832 et 1833, notre auteur fait deux séjours à l'hôpital, où il est soigné pour cette phtisie dont son père était mort : il y écrit un *Souvenir à l'hôpital*, où il développe un parallèle entre son sort et celui du poète Gilbert, mort sous Louis XV à vingt-neuf ans. Il revient ensuite à Provins, où est représenté son vaudeville *l'Amour à la hussarde*. Il s'essaie aussi à faire la chronique en vers de la petite ville dans les neuf livraisons du journal qu'il fonde et qui paraît sous le titre *Diogène*. Mais là non plus, la réussite n'est pas au rendez-vous; après un duel, après des démêlés avec le sous-préfet, il est contraint de quitter Provins et tente plusieurs métiers : il en arrive même, pour 300 francs, à défendre en vers le préfet de police! A la fin pourtant, Moreau obtient quelques succès; il publie, en effet, dans la petite presse, des vers et des contes, parmi lesquels on citera « les Petits Souliers » (1836), où il met en scène la future impératrice Joséphine, « le Neveu de la fruitière » (1836), où nous reconnaissons le jeune Hoche, « Jeanne d'Arc » (1836), puis « la Souris blanche » (1837), sorte de féerie médiévale, « le Gui de chêne » (1837) et « Thérèse Sureau » (1837), où apparaît un personnage de femme-auteur. Moreau obtient la chance de faire paraître en 1838 le recueil de ses poésies, publiées ou inédites, et de ses contes : c'est *le Myosotis*, auquel un article de Pyat dans *le National* fera obtenir une certaine audience. Cette brève carrière va pourtant s'achever là : Moreau sombre dans la maladie et le découragement; il meurt à l'hôpital de la Charité à l'âge de vingt-huit ans. La phtisie a eu raison de lui.

Le lecteur moderne éprouve un peu devant cette poésie les réticences que montrait déjà Baudelaire dans un article fameux : le style de Moreau se refuse en effet à choisir nettement entre le classicisme et l'art romantique. Si la pensée se veut audacieuse, si elle exalte la liberté, la forme reste pourtant bien pâle, ampoulée — et cela, même quand Moreau évoque la colère du peuple et les révolutions. Ce sont souvent des périphrases, des lourdeurs et des clichés d'expression : « On trahit ma cause. / Un roi s'engraisse de ma faim / Au Louvre que mon sang arrose... » La revendication politique, le souvenir même de la Convention ne donnent pas à ces vers l'élan et la nouveauté qu'on pourrait en attendre. Reste alors à comprendre pourquoi Moreau a obtenu un tel succès : peut-être à cause du personnage qu'il fut et dont ses vers laissent le souvenir. Comme le dit Baudelaire, « il fut un temps où, parmi les poètes, il était de mode de se plaindre », et Moreau lui-même « donna dans ce grand travers anti-poétique [...] Il singea plus d'une fois les attitudes fatales des Antony et des Didier » en y joignant « ce qu'il croyait une grâce de plus, le regard courroucé et grognon du démocrate ».

S'il est vrai que Moreau prend souvent des attitudes, il serait injuste de ne pas tenir compte de ce ton plus personnel qu'il sait trouver dans certaines poésies, moins apprêtées, où il se souvient de son enfance. Là réside sans doute le meilleur Moreau, celui, en tout cas, que ses lecteurs ont retenu et qu'on découvrira notamment lorsqu'il évoque en ces termes un petit ruisseau de son pays :

Mais j'aime la Voulzie et ses bois noirs de mûres
Et dans son lit de fleurs ses bonds et ses murmures.
Enfant, j'ai bien souvent, à l'ombre des buissons,
Dans le langage humain traduit ces vagues sons [...]
L'onde semblait me dire : « Espère! aux mauvais jours,
Dieu te rendra ton pain ». Dieu me le doit toujours!

BIBLIOGRAPHIE
Les *Œuvres complètes* d'Hégésippe Moreau ont été publiées en 1890 (Lemerre).
A consulter. — Baudelaire, article sur Hégésippe Moreau publié dans l'*Art romantique*, Gallimard, La Pléiade, p. 728 à 733, 1961; A. Lebailly, *Hégésippe Moreau, sa vie et ses œuvres;* G.B. Guyod, *la Vie maudite d'Hégésippe Moreau*, Tallandier, 1945; O. Vignon, *Hégésippe Moreau, sa vie, son œuvre*, Coutances, Soc. d'histoire et d'archives de l'arrdt de Provins, 1966.

A. PREISS

MOREAU Marcel (né en 1933). Né dans le Hainaut (Belgique) au sein d'une famille ouvrière, Moreau a grandi dans ce qu'on appelle le « pays noir ». Dans *L'ivre livre* (1974), il évoquera cet univers de charbon et de terrils avec ce lyrisme torrentiel, coléreux et blessé qui lui est propre. Devenu comptable, puis correcteur dans divers journaux, il puisera là une véritable et incurable haine à l'égard des mots qui ne forment pas une écriture, qui ne formulent pas une parole.

Établi en France depuis 1967, il n'en est pas moins resté un paria, un *desperado* solitaire, ombrageux, libertaire. Dès son premier livre, *Quintes* (1962), et ceux qui, aussitôt, suivirent : *Bannière de bave* (1965), *la Terre infestée d'hommes* (1966), l'auteur s'adonnait à la véhémence d'un lyrisme qui n'épargnait nulle valeur, nul conformisme, qui transgressait naturellement les tabous, à commencer par la forme romanesque elle-même... Les mots, ici, brûlent comme la lave, le style décape l'intolérable vernis du réel. L'écriture est conçue comme dotée d'un pouvoir de subversion qui l'exaspère.

Écrits du fond de l'amour (1968) ne s'inscrit qu'en apparence dans le registre du roman épistolaire : prétexte à se perdre jusqu'à un suprême affranchissement, dans les dédales d'un délire érotique et homicide. Seuls des mots « nouveaux » assurent cette émancipation. Un sulfureux romantisme, réactualisé, rajeuni, rénové, sous-tend une démarche qui suppose la mise à mort des conventions sociales, le rejet de la morose quotidienneté à laquelle consentent les « assis », les « rangés », les bureaucrates-médiocrates de tous poils et de toutes confessions.

Julie ou la Dissolution (1971) procède du même « théorème » (et l'on peut songer à Pasolini...) : l'irruption ravageuse d'une créature ivre de liberté au cœur d'un univers programmé suffit à mettre à mal l'ordre des choses. Seul le paroxysme assure une survie qui ne se résolve pas dans une fantomatique inexistence. L'écriture est portée à un état d'ébullition permanente. Le récit est arraché comme une fenêtre à la grisaille des jours...

Dans *la Pensée mongole* (essai paru en 1972), le verbe se fait « horde » ou « flèche » pour investir et cerner les vérités dont l'écriture a fait sa cible privilégiée.

Moreau n'espère plus que dans le pouvoir d'expansion de notre expérience intérieure, débarrassée des jougs et des attaches, affranchie des freins et des contrepoids. Ainsi le style peut « transfigurer l'horreur ensevelie en valeur de contemplation ». Voilà un de nos Barbares, un possédé qui ne se fie qu'à ses transes.

A dos de Dieu (1980) confirme cette irréconciliation vindicative et forcenée avec le monde aseptisé, la société répressive qui châtrent nos élans et censurent toute subjectivité.

Outre les œuvres citées ci-dessus, Marcel Moreau a publié *le Bord de mort* (1974), *Orgambide* (1980) et des essais (*le Chant des paroxysmes*, 1967; *les Arts viscéraux*, 1975; *le Sacre de la femme*, 1977; *Discours contre les entraves*, 1979).

P. MERTENS

MOREAU DE SAINT-MÉRY Médéric Louis (1750-1819). V. CARAÏBES ET GUYANE. Littérature d'expression française.

MORELLET André (1727-1819). Fils d'un papetier lyonnais, il entra, sans vocation véritable, au séminaire parisien des Trente-Trois, où il se lia avec Turgot et Loménie de Brienne, qui y poursuivaient en même temps que lui leurs études. Licencié en théologie, il voyagea en Italie comme précepteur du fils du chancelier du roi de Pologne. Revenu à Paris, il fut introduit par Turgot dans le milieu des « philosophes », dont il partagea les combats. L'« abbé encyclopédiste » Morellet écrivit ainsi plusieurs articles de théologie pour le *Dictionnaire raisonné...* de Diderot et d'Alembert. En 1760, il rédigea, avec Voltaire, une série de pamphlets (*les Quand, les Si, les Pourquoi*) et répliqua à la comédie de Palissot *les Philosophes* — qui tournait en ridicule Diderot, Rousseau, Helvétius, Duclos, Mme Geoffrin — par une brochure anonyme, *Préface de la comédie des Philosophes ou la Vision de Charles Palissot*. Il y prenait à partie, entre autres, la princesse de Robecq, protectrice de Palissot et maîtresse du duc de Choiseul. Le scandale fut grand, et l'abbé Morellet passa deux mois à la Bastille.

Défenseur de la tolérance (*Petits Écrits sur une matière intéressante*, 1756), il publia en 1762 *le Manuel des inquisiteurs*, un abrégé du texte de Nicolas Eymeric. De son œuvre de publiciste, extrêmement variée et écrite dans un style clair et élégant, mais sans originalité ni profondeur, il faut retenir encore une réfutation du *Dialogue sur le commerce des bleds* (blés) de Galiani (1770), une *Théorie du paradoxe* (1775), où Linguet est attaqué, et des traductions de l'italien (*Traité des délits et des peines* de Beccaria, 1766) et de l'anglais. Membre de l'Académie française à partir de 1785, il en conserva les archives après la dissolution de la compagnie en 1792. La Révolution, qu'il avait accueillie avec faveur, fit bientôt horreur à cet homme qui incarna son siècle dans toutes ses contradictions, mais ne renia jamais ses convictions philosophiques et critiqua sévèrement le néo-catholicisme d'*Atala* et du *Génie du christianisme* de Chateaubriand. Survivant à tous les régimes, il devint membre du Corps législatif en 1807, ce qui ne l'empêcha pas d'être pensionné par Louis XVIII. A quatre-vingt-onze ans, il fit paraître des *Mélanges de littérature et de philosophie au XVIIIe siècle* (1816), qui furent suivis de deux recueils posthumes, *Mémoires inédits sur le XVIIIe siècle et sur la Révolution* (1821) et *Lettres inédites sur l'histoire politique et littéraire des années 1806-1807...* (1822).

BIBLIOGRAPHIE

G.P.O. d'Haussonville, *le Salon de Mme Necker*, Paris, 1882; V. du Bled, *l'Abbé Morellet*, Paris, 1889; A. Mazure, *les Idées de l'abbé Morellet, membre de l'Académie française (1727-1819)*, Paris, 1910, Genève, 1971.

A. PONS

MORELLY (XVIIIe siècle). On ne sait rien sur le personnage ni sur sa vie. Il semble avoir été régent du collège de Vitry-le-François, vers 1756. Il publia, en 1743, un *Essai sur l'esprit humain ou Principes naturels de l'éducation;* en 1745, un *Essai sur le cœur humain;* en 1748, *Physique de la beauté ou Pouvoir naturel de ses charmes;* en 1751, *le Prince, les délices du cœur ou Traité des qualités d'un grand roi et système d'un sage gouvernement.* Mais sa première œuvre à attirer l'attention fut un roman utopique, *Naufrage des îles flottantes ou la Basiliade du célèbre Pilpai. Poème héroïque en quatorze chants traduit de l'indien par M. M...* (Messine, 1753). Les critiques soulevées par cette fiction l'amenèrent à exposer ses idées sociales et politiques dans *Code de la nature ou le Véritable Esprit de ses lois, de tout temps négligé ou méconnu* (Amsterdam, 1755). Ce texte fut longtemps attribué à Diderot, malgré les protestations de Grimm, et ne parut sous le nom de Morelly qu'en 1841, grâce à Villegardelle.

L'utopie romancée de *la Basiliade* reprend les conventions du genre créé par Thomas More, illustré par Campanella (*la Cité du soleil*) et, en France, par Denis Vayrasse et son *Histoire des Sévarambes*. Dans une île heureuse, les hommes vivent sous le gouvernement d'un prince éclairé qui fait régner la loi naturelle : pas de propriété (tous pratiquent l'agriculture en commun), pas de mariage (l'inceste est admis), pas de police, d'Église, de privilèges. Les passions, parce que naturelles, sont bonnes, et les vices, représentés allégoriquement par les « îles flottantes », sont des conséquences de la propriété, mère de tous les maux, moraux et sociaux.

Le *Code de la nature* développe les mêmes thèmes sur un plan théorique. Il se réfère aussi aux lois de la nature, qui sont en même temps celles de la raison et celles de Dieu (Morelly n'est pas matérialiste). Mais si *la Basiliade* était plutôt d'inspiration anarchiste et voyait le bonheur dans la libre expression de la spontanéité naturelle, les lois fondamentales proposées dans le *Code de la nature* sont plus contraignantes, et le *Modèle de législation conforme aux intentions de la nature,* chargé d'assurer la liberté des hommes, apparaît aujourd'hui comme le code d'une cité totalitaire. La propriété privée est prohibée, la terre, définie comme instrument de travail, devant rester à la disposition de la communauté, qui, en retour, a charge de pourvoir à la nourriture, à l'entretien, à l'éducation de chaque citoyen, et de lui fournir du travail, selon son âge, son sexe, sa force et ses talents. Comme dans la plupart des utopies, l'uniformité règne : le costume est fixé selon l'âge et la profession, le mariage est obligatoire, les enfants sont élevés par la communauté. La vie intellectuelle est contrôlée, et si la recherche scientifique et technique reste libre, les principes moraux et métaphysiques sur lesquels repose la collectivité sont intangibles.

Babeuf se réclamait de Morelly dans sa défense devant les juges de la haute cour de Vendôme. En faisant de lui un des principaux précurseurs du communisme moderne, Marx, Engels et leurs continuateurs ont sauvé de l'obscurité ce penseur médiocrement original.

BIBLIOGRAPHIE
Code de la nature, introduction par V.P. Volguine, Paris, 1970.
A consulter. — A. Lichtenberger, *le Socialisme au XVIIIe siècle. Étude sur les idées socialistes dans les écrivains français du XVIIIe siècle avant la Révolution*, Paris, 1895; A. Reverdy, *Morelly, idées philosophiques, économiques et politiques* (thèse), Poitiers, 1909; B.P. Hepner, « Morelly ou aux sources du totalitarisme », *Revue d'histoire économique*, XXX, 1952; J. Dautry, « Réflexions sur Morelly et le *Code de la nature* », dans *la Pensée*, 1956; R.N.C. Coe, « A la recherche de Morelly, étude biographique et bibliographique », *R.H.L.F.*, LVII, 1957; id., *Morelly, Ein Rationalist auf dem Wege zum Sozialismus*, Berlin, Rütten u. Loening, 1961; N. Wagner, *Morelly, le méconnu des Lumières*, Paris, Klincksieck, 1978.

A. PONS

MORERI ou **MORÉRI Louis** (1643-1680). Son grand-père Chatrand prit le nom du village provençal (Morier) dont il était le seigneur. Louis, élève des prêtres de la Doctrine chrétienne à Draguignan (humanités), puis des jésuites à Aix-en-Provence (rhétorique et philosophie), compose quelques poésies et de la prose galante : *le Pays d'amour, nouvelle allégorique*, 1665; *les Doux Plaisirs de la poésie*, 1666, et traduit des ouvrages italiens et espagnols. Ordonné prêtre, il enseigne pendant cinq ans la controverse à Lyon, avec succès. Reçu docteur en Sorbonne, il est attaché au service du ministre Pomponne, puis, après la disgrâce de ce dernier (1678), il se consacre à son *Grand Dictionnaire historique ou Mélange curieux de l'histoire sacrée et profane*, œuvre en gestation depuis 1668. Il explique son dessein dans la préface de la première édition (1674) : « L'inclination particulière que j'ai toujours eue à connaître les grands hommes [...] et l'étude des conciles et des affaires ecclésiastiques, [...] persuadaient encore à mes amis qu'il me serait facile de composer un dictionnaire, qu'un d'eux nommait l'encyclopédie de l'histoire. » L'ouvrage fut accueilli favorablement malgré des critiques, qui nécessitent une deuxième édition, en cours quand Moreri meurt d'épuisement à trente-sept ans. Le dictionnaire est lié à l'histoire de ses éditions (plus de vingt), preuve que l'ouvrage suscita l'enthousiasme. Parmi les plus célèbres continuateurs, citons J. Le Clerc, l'abbé Goujet (quatre volumes de suppléments) et Drouet (dix volumes).

Si Moreri ne crée pas le dictionnaire historique (le premier en français est de Broissinière de Juigné), sa façon de présenter l'information apparaît comme novatrice : « L'art de disposer les faits historiques suivant l'ordre alphabétique est le moyen le plus commode pour faciliter la connaissance de l'histoire. » L'ouvrage est une gigantesque compilation de sources (citées en préface), où Moreri fait son choix (« Je me suis attaché aux sentiments des auteurs qui sont les plus doctes, les plus raisonnables et les plus suivis ») et qu'il commente (« Quelquefois je fais de petites dissertations, pour éclaircir les difficultés de chronologie et pour terminer les controverses historiques »), tout en laissant le lecteur juger (« Je ne décide pourtant pas en maître, et je rapporte seulement les différentes opinions des auteurs »).

En outre, en joignant aux biographies des descriptions portant sur les noms de lieux et sur les textes, Moreri s'approche de la conception moderne du dictionnaire de noms propres. Mais l'absence de critique quant aux textes véhiculés par la tradition à laquelle Bayle voudra remédier [voir BAYLE] le caractérise encore (« Les lecteurs s'attacheront à celle qui sera le plus de leur goût »). Malgré son ampleur (l'article « Angleterre », par exemple, compte près de trente-cinq pages avec chapitres de synthèse, généalogies, tableaux politique et social), l'ouvrage est pourtant jugé sévèrement après sa mort : « assez informe et assez superficiel » (Niceron), « étable d'Augias » aux « citations défectueuses » et « au style enflé et louche » (P. Marchand). D'une valeur scientifique contestable, ce « livre d'histoire » est donc devenu pour nous un document historique.

BIBLIOGRAPHIE
Le Grand Dictionnaire historique, ou le mélange curieux de l'histoire sainte et profane par le Sieur L.M., Lyon, 1674.
A consulter. — Niceron, *Mémoires pour servir à l'histoire des hommes illustres* (t. XXVII, p. 307), Paris, 1734; Prosper Marchand, *Dictionnaire historique ou Mémoires critiques et littéraires concernant la vie et les ouvrages de divers personnages distingués particulièrement dans la République des Lettres*, La Harpe, 1758; C. Sénès, *Moreri*, dans *Provençaux*, vol. I, Toulon, 1902.

G. DECLERCQ

MORGUES Mathieu de, abbé de Saint-Germain (1582-1670). Originaire du Velay, Mathieu de Morgues se tourna vers la carrière ecclésiastique et entra dans la Compagnie de Jésus en Avignon, avant de gagner Paris. En 1613, il y devint prédicateur en titre de Marguerite de Valois, avant d'occuper la même charge auprès de la reine mère Marie de Médicis (1618). Il reçut alors plusieurs bénéfices ecclésiastiques, qui lui assuraient des revenus assez confortables.

Ses talents de prédicateur, qu'il exerça sa vie durant, ne suffisent pas à le définir littérairement. Son intérêt principal tient, non pas à l'éloquence sacrée, mais à l'éloquence politique et polémique. Il fournit en effet l'exemple le plus significatif d'un mode d'écriture florissant au XVIIe siècle, et dont on a quelque peu perdu de vue aujourd'hui l'importance en cette période : la polémique. Libelliste attitré de la reine mère dans ses démêlés avec Louis XIII, puis avec Richelieu (*Manifeste de la reine mère envoyé au roi*, 1618; *Avis d'un théologien sans passion*, 1627, etc.), il écrivit des pamphlets extrêmement nombreux une trentaine d'années durant. Un large public appréciait ces écrits, d'autant que le cardinal-ministre était détesté. La pugnacité de Morgues, qui faisait son succès, fut bientôt quasi légendaire. Richelieu le redoutait et engagea contre lui une armée de polémistes (il suspendit en outre les revenus de ses abbayes...). Après la mort du cardinal, Morgues garda un temps le silence, mais il reprit la plume pendant la Fronde, pour attaquer Mazarin; nombre de mazarinades reprennent d'ailleurs les modèles de ses pamphlets antérieurs. Ses procédés polémiques sont caractéristiques d'une démarche habituelle de l'époque : sous un flot de considérations politiques et chrétiennes en apparence fort précises et raisonnées, c'est en fait la personne et les comportements privés de l'adversaire qui sont mis directement en cause, et l'écriture devient ainsi un art de l'agression.

A. VIALA

MORICE Charles (1860-1913). Ce critique littéraire fut un témoin important du mouvement symboliste. Si ses poèmes — publiés dans le recueil collectif *le Rideau de pourpre* — et ses romans — l'un d'eux, *Il est ressuscité!* (1911), est inspiré par sa conversion en 1901 — ne furent guère remarqués et ne nous semblent pas remarquables, son étude sur *la Littérature de tout à l'heure* (1889) garde de l'intérêt.

Charles Morice est surtout notable pour avoir été l'ami et le collaborateur d'un écrivain occasionnel mais étonnant de force et de conviction, Paul Gauguin, dont il mit en forme le récit dans le texte intitulé *Noa-Noa*

(1901). Jugée avec sévérité de nos jours — Daniel Guérin parle de rédaction « beaucoup moins authentique et plus emphatique que l'initiale », des « poèmes redondants » introduits par Morice, de « prose remâchée » —, cette collaboration reflète à la fois le peu de confiance de Gauguin en ses capacités littéraires — et l'on est aujourd'hui d'un tout autre avis — et l'estime qu'il portait au poète. Pourtant, alors que Gauguin était heureux de la première rédaction (1894) jusqu'à la recopier de sa main, l'édition de 1901, encore surchargée par Morice, avait inspiré au peintre ces réflexions, qui constituent peut-être la meilleure critique sur l'écrivain Charles Morice : « Il ne faut pas que le conteur disparaisse derrière le poète [...] On attend des vers de Morice, je le sais, mais s'il y en a beaucoup dans ce livre, toute la naïveté du conteur disparaît [...] Puis, ne craignez-vous pas que ceux qui attendent en jaloux [...] disent : oui, Morice a du talent, mais il manque de souffle créateur et sans Gauguin il n'aurait pas d'idées? » (Lettre de Gauguin à Mme Charles Morice, Tahiti, 1899).

BIBLIOGRAPHIE
P. Delsemme, *Un théoricien du symbolisme : Charles Morice*, Paris, Nizet, 1958; D. Guérin (éd.) dans Gauguin, *Oviri, écrits d'un sauvage*, Paris, Gallimard, « Idées », 1974.

A. REY

MORNAY Philippe de, seigneur du Plessis-Marly. V. Du Plessis-Mornay.

MORSY Zaghloul. V. Maghreb. Littérature d'expression française.

MORT LE ROI ARTU (la). C'est le troisième et dernier roman constitutif du *Lancelot en prose*, après le *Lancelot propre* et la *Queste del saint Graal*. Il relate la rechute de Lancelot dans le péché, l'état du monde après la fin des aventures (après l'aventure suprême de la Quête, quelle autre aventure eût pu survenir?) et la fin de la Table ronde. Les deux sources essentielles (le *Tristan* de Béroul et le *Brut* de Wace) ont été profondément remaniées et repensées pour donner une œuvre hautement originale.

Après la fin de la quête du Graal, les chevaliers survivants reviennent à la cour d'Arthur. Le roi, souhaitant faire renaître les aventures qui avaient fait le prestige de celle-ci, organise un grand tournoi : retour apparent à l'atmosphère courtoise du *Lancelot propre*. Lancelot ne peut renoncer à son amour pour Guenièvre : la grâce le déserte, et il s'enfonce immodérément dans le péché. A présent, l'entourage d'Arthur n'accepte plus de protéger les amants par son silence : le roi est informé de son infortune, tandis que Guenièvre est, de surcroît, accusée d'avoir empoisonné un chevalier. Lancelot la sauve du bûcher auquel elle était condamnée, mais, ce faisant, il tue sans les reconnaître les trois frères de Gauvain. Avec la douleur de ce dernier commence la seconde partie de l'œuvre : le neveu d'Arthur, offensé comme son oncle par Lancelot, pousse le roi à une lutte sans merci contre le meurtrier de ses frères et l'amant de la reine. Arthur, qui a exilé Lancelot en Petite-Bretagne, passe la mer pour le combattre et confie le royaume (ainsi que Guenièvre) à son neveu Mordret (qui est en réalité son fils incestueux). Ce dernier usurpe alors le pouvoir et s'apprête à combattre à son tour Arthur revenu d'urgence, Arthur à qui divers présages (la vision de la roue de Fortune...) annoncent la fin prochaine de son royaume, mais qui refuse obstinément d'accepter l'aide de Lancelot. La plupart des chevaliers périront dans la bataille de Salesbières, où Arthur tue Mordret cependant que celui-ci le blesse mortellement. Son épée Escalibur jetée dans un lac, le roi est emporté par des fées et enterré en terre chrétienne, à la Noire Chapelle. Lancelot, en tuant les fils de Mordret, vengera son roi (auquel, en dépit des circonstances et des affrontements, il avait toujours voulu rester fidèle, et qu'il avait toujours combattu courtoisement) et mourra dans une abbaye. On le voit, la première partie est un roman courtois qui serait assez traditionnel si l'atmosphère n'était imprégnée de l'odeur du malheur, tandis que la seconde partie retrouve le climat des chansons de la geste des rebelles.

Le principal acteur de ce roman est sans doute le destin. Dans la première partie, il agit à travers la « force d'amors » qui pousse les amants à oublier jusqu'aux contraintes sociales, et qui rappelle les effets du philtre dans le *Roman de Tristan*. Cette « force » ne s'exerce pas seulement sur Lancelot et sur Guenièvre : elle meut aussi la demoiselle d'Escalot, qui mourra de n'avoir pu conquérir le cœur du héros. L'amour est ainsi très généralement orienté vers sa forme la plus dramatique. Dans la seconde partie, chaque fois qu'un choix s'offre à l'apparente liberté des individus (d'Arthur et de Gauvain surtout), la voie retenue est celle qui conduit tout droit à la tragédie. Fortune précipite la ruine du monde arthurien en exacerbant les réactions de type féodal : vengeance du sang; primauté de la solidarité du lignage; démesure guerrière. C'est au cœur de la féodalité que l'auteur va chercher les armes qui détruiront cette société. Une antithèse se dessine entre courtoisie et féodalisme, tandis que l'obstination d'un Arthur, redevenu chef de guerre, permet de découvrir les ressorts du système. Nous assistons à une destruction du mythe et de la mystique chevaleresques — une fois la chevalerie redevenue profane. Le lien féodal lui-même se retourne contre le monde arthurien. Il n'y a plus d'univers féodalo-courtois viable, parce qu'un tel système ne peut durer s'il néglige la dimension religieuse. La leçon rejoint donc, dans une certaine mesure, celle de la *Queste del saint Graal* : toute société humaine ne peut que disparaître si elle ne s'efforce pas d'être la préfiguration de la cité de Dieu. Il est significatif que, lors de la trahison de Mordret, ce soient deux des valeurs les plus hautes, la générosité et le serment, qui retiennent les barons autour du traître auquel Arthur leur avait fait jurer fidélité. Aucune lueur positive ne fait signe, les valeurs reconnues se font les complices de la catastrophe : voilà bien la marque ultime de la fatalité. Comme le souligne J. Frappier, pour la première fois dans un roman arthurien les personnages n'ont pas à affronter des périls naturels ou surnaturels : c'est en eux-mêmes, entre eux, que se noue le drame. Un drame que les avertissements divins devraient leur laisser pressentir. Mais leur fatalité intérieure leur ôte cette nécessaire lucidité : « Instruits de leur sort, ils refusent de le reconnaître jusqu'à l'heure où l'événement est déjà assez avancé pour qu'il ne soit plus possible d'arrêter la catastrophe » (J. Frappier).

Le thème de l'écroulement du royaume d'Arthur n'est pas une invention de notre auteur : on le trouve, un siècle plus tôt, dans l'*Historia regum Britanniae* de Geoffroy de Monmouth, puis dans le *Roman de Brut* de Wace. La trahison de Mordret y figure aussi. Le *Perceval en prose*, un peu antérieur à *la Mort le roi Artu*, les suit assez fidèlement. Notre auteur, au contraire, en transforme profondément le sens : lui seul a voulu que le royaume d'Arthur périsse non par accident, mais par une profonde nécessité intérieure. [Voir Arthur].

BIBLIOGRAPHIE
Édition. — J. Frappier, Droz/Minard, 1964.
A consulter. — J. Frappier, *Étude sur « la Mort le roi Artu »*, Droz, 1936, 2e éd., 1961; F. Lot, *Étude sur le « Lancelot en prose »*, Champion, 1918.

D. BOUTET

MOTIN Pierre (1566-vers 1614). Né à Bourges, il s'établit à Paris en 1590 et se lia avec Mathurin Régnier. Après avoir écrit des élégies, il se spécialisa dans la satire et l'érotisme, et fut l'un des principaux auteurs des meilleurs recueils du genre : le *Parnasse satirique* de 1621 et le *Cabinet satirique* de 1618-1620.

Avec quelques poètes contemporains, et surtout Claude Esternod (1592-vers 1640) et Sigogne (vers 1560-1611), il utilise les thèmes de la sexualité avec une virtuosité toute baroque, et ne recule pas devant la crudité brutale d'un vocabulaire qui sera bientôt censuré. La poésie érotique, si vivante et si riche au XVIe et dans les premières années du XVIIe siècle, grâce à des poètes comme Motin, devra attendre le XIXe siècle pour sortir de la mièvrerie allusive ou de l'obscénité conventionnelle.

A. REY

MOUHY, Charles de Fieux, chevalier de (1701-1784). Sans fortune, le chevalier de Mouhy est contraint très tôt à vivre de sa plume et d'expédients : il écrira ainsi quatre-vingts romans, glanant dans les cafés les anecdotes qui lui fourniront souvent les thèmes de ses ouvrages. Il accepte d'être le solliciteur des procès de Voltaire et n'hésite pas à jouer le rôle de chef de claque. C'est à lui que recourt le ministre de la Guerre, le maréchal de Belle-Isle, pour les plus viles besognes; ces services, largement payés, et son amour-propre peu exigeant contribuent à sa très mauvaise réputation. Il collabore à différents hebdomadaires comme la *Gazette de France;* Voltaire, dans une lettre à d'Argental datée du 28 novembre 1750, s'indigne des propos stupides que le chevalier a tenus contre lui dans un journal imprimé à La Haye, *les Bigarrures.* Il sait choisir avec habileté les titres de ses romans : *la Paysanne parvenue* (1735), en quatre volumes, qui fit l'objet de plusieurs réimpressions, rappelle le célèbre ouvrage de Marivaux, mais l'on n'y retrouve ni la finesse de l'analyse des tentations ni l'attrait et l'ironie du héros, Jacob; *le Masque de fer* (1747), *les Délices du sentiment* (1753) en six volumes, *les Mille et Une Faveurs* (1748), *l'Amante anonyme ou l'Histoire secrète de la volupté* (1755), etc., obtinrent quelque succès. Mais le plus original de ses ouvrages reste *la Mouche ou les Aventures de Bigaud* (1736), roman dans lequel l'imagination de Mouhy laisse libre cours à l'intrigue et à la gaieté. Son *Abrégé de l'histoire du théâtre français depuis son origine jusqu'au 1er juin de l'année 1780,* en trois volumes, n'est guère apprécié, en raison de sa nomenclature fautive, de ses omissions et de son style maladroit, voire incorrect.

C. LAVIGNE

MOULIN Jeanine (née en 1912). V. BELGIQUE. Littérature d'expression française.

MOUNIER Emmanuel (1905-1950). Issu d'une famille modeste, Emmanuel Mounier fit des études de philosophie, qui le conduisirent à l'agrégation en 1928. Il fut dès sa jeunesse lié aux grandes figures du catholicisme moderne : Jacques Chevalier, dont il avait été l'élève à Grenoble, le père Pouget, Jean Guitton, et il fut un ardent lecteur de Charles Péguy, de Bergson, de Jacques Maritain... En 1932, il abandonna l'Université et se consacra à la revue *Esprit,* dont il voulait faire de nouveaux *Cahiers de la Quinzaine.* Il devint le héraut d'un christianisme social opposé à l'Action française et, à partir de septembre 1938, à l'esprit de Munich. Cela le mena à la Résistance contre l'occupant. Emprisonné en 1942, il fut libéré à la suite d'une grève de la faim. Son influence s'accrut après la guerre, quand *Esprit* reparut, et sa mort prématurée ne devait nullement altérer le rayonnement de sa vie et de ses travaux.

Constatant l'échec de la démocratie libérale, du capitalisme, de la mentalité bourgeoise, Emmanuel Mounier propose à l'Église un rôle révolutionnaire. Il est ainsi conduit, dans un dialogue parfois délicat avec les existentialistes et les communistes, à définir le personnalisme, qui doit se tenir à égale distance de l'idéalisme abstrait et du matérialisme. Il s'agit de revenir au véritable esprit évangélique, à une religion d'amour sans aucune compromission avec le « désordre établi ». Beaucoup d'ouvrages furent consacrés à diffuser cette idéologie (*le Personnalisme,* 1949; *Qu'est-ce que le personnalisme?,* 1946; *les Certitudes difficiles,* 1951). Mounier a également laissé un vaste *Traité du caractère* (1946), qui, dans une orientation personnaliste, utilise les recherches modernes en caractérologie.

BIBLIOGRAPHIE

Paul Ricœur, *Histoire et Vérité,* Paris, Le Seuil, 1955; Jean Calbrette, *Mounier, le mauvais esprit,* Paris, Nouv. Éd. lat., 1957; Candide Moix, *la Pensée d'Emmanuel Mounier,* Paris, Le Seuil, 1960; Lucien Guissard, *Emmanuel Mounier,* Paris, Classiques du XXe siècle, 1962; Jacques Charpentreau et Louis Rocher, *l'Esthétique personnaliste d'Emmanuel Mounier,* Paris, Éd. ouvrières, 1966; Jean Conilh, *Emmanuel Mounier, sa vie, son œuvre,* Paris, P.U.F., 1966; Michel Barlow, *le Socialisme d'Emmanuel Mounier,* Toulouse, Privat, 1971; Étienne Borne, *Emmanuel Mounier et le Combat pour l'homme,* Paris, Seghers, 1972; Jean-Marie Domenach, *Emmanuel Mounier,* Paris, Le Seuil, 1972.

A. NIDERST

MOUSKÈS ou **MOUSKET Philippe** (?-après 1243). Chroniqueur originaire de Tournai. Grand admirateur de la monarchie française, qu'il soutenait contre les Flamands, il est l'auteur d'une *Chronique rimée* de 31 000 vers qui retrace l'histoire de la royauté française depuis les origines et jusqu'à l'année 1243. Elle s'apparente donc, dans une certaine mesure, aux chroniques universelles. Comme elles, elle fait descendre les rois de France de la lignée troyenne, dont elle commence par retracer les pérégrinations depuis le siège de Troie. Bien que Philippe Mouskès déclare avoir trouvé sa matière dans la bibliothèque de l'abbaye de Saint-Denis, ses sources sont plus romanes que latines. Au demeurant, il ne se singularise guère : les Mérovingiens sont traités très traditionnellement, ainsi que la plupart des Capétiens, pour lesquels il suit les *Grandes Chroniques de France.* Tout au plus peut-on noter un intérêt particulier pour les reliques rapportées par les rois et données aux abbayes ou aux églises (Saint-Denis, Chartres, Compiègne, etc.). Les guerres carolingiennes contre les Sarrasins sont plus longuement décrites, et avec plus de flamme, que les intrigues et la politique « de couloirs ». Les quelque 10 000 vers consacrés au règne de Charlemagne suivent le pseudo-Turpin; mais Philippe y incorpore toutes les légendes que véhiculaient les chansons de geste, dont il possède un répertoire immense. Ce n'est pas là le moindre intérêt de son texte : car il nous permet de connaître des œuvres disparues, et de posséder un *terminus ad quem* pour dater un certain nombre de chansons du XIIIe siècle (ainsi *Gaydon* ou *Jehan de Lanson*). Enfin, pour la période vécue par l'auteur, la *Chronique* a une réelle valeur de témoignage historique. Par ailleurs, le texte ne brille par aucune qualité littéraire, qu'il s'agisse du style, de la composition ou de l'imagination créatrice. La *Chronique rimée* reste le vestige colossal d'un esprit banal mais honnête, essentiellement tourné vers une nostalgique *laudatio temporis acti.*

BIBLIOGRAPHIE

Édition : F. De Reiffenberg, *la Chronique rimée,* Bruxelles, 1838.

D. BOUTET

MOYEN ÂGE (langue et littérature). Le caractère général le plus pertinent peut-être de la littérature médiévale est son aspect dramatique. Tout au long du Moyen Âge les textes semblent avoir été, sauf exception, destinés à fonctionner dans des conditions théâtrales : à titre de communication entre un chanteur — récitant ou lecteur — et un auditoire. Le texte a, littéralement, un rôle à jouer sur une scène. Parmi les facteurs qui, entre le IXe et le XIIe siècle, déterminèrent l'émergence des divers codes poétiques de langue française, on ne saurait sous-estimer l'importance et de la mémoire, et de la voix comme moyens de transmission. D'où la nécessité de procédés mnémotechniques qui prennent valeur fonctionnelle et dont résultent des tendances textuelles déterminant des contraintes et des choix particuliers : une esthétique qui, par là, s'oppose en bloc à celle qui, dans les siècles ultérieurs, évolua sous l'influence d'un affaiblissement continu des communications vocales. La civilisation médiévale participe ainsi largement du type de culture à dominante orale qui a été plusieurs fois décrit par les ethnologues. Lors même qu'à partir du XIIIe siècle ce caractère progressivement s'estompa, les formes poétiques en restèrent marquées comme par une hérédité dont les séquelles subsistèrent jusqu'au XVe siècle au moins.

Tel est sans doute l'aspect principal d'une contradiction fonctionnelle qui devait (à l'insu, le plus souvent, des utilisateurs) opposer pendant des siècles les deux littératures coexistant au sein des nations européennes en formation.

D'une part, la littérature latine avait pour véhicule (quelle que fût la profondeur de son insertion dans l'univers médiéval) une langue, certes encore vive, mais qui, pour aucun individu de ce temps, n'était plus langue maternelle; et, depuis l'Antiquité, littérarisé par la pratique des arts libéraux et de la rhétorique ainsi que par la lecture des « auteurs » classiques, le latin était conçu comme langue littéraire par vocation, liée à l'écrit par une sorte de « connaturalité ». De ce fait, réservé à une élite, coupé de la parole intérieure, mal branché sur l'oralité créatrice, il allait, à partir de la fin du XIIe siècle, se voir, peu à peu mais inéluctablement, réduit au statut de langage doctoral et rituel, ou de discours d'esthètes.

D'autre part, ce que l'on nomme, d'un terme anachronique, les « littératures » de langues romanes (je n'envisage pas ici le germanique, dont le cas est assez différent) reposait sur des traditions beaucoup plus récentes, ces langues n'ayant pas commencé avant le VIIIe ou le IXe siècle à prendre conscience de leur identité. La relation liant ainsi, dans la culture romane, langue et littérature, était modalisée d'une manière nécessairement très différente de ce qu'elle était en latin. Les littératures romanes, la française en particulier, se formèrent en effet au sein de traditions populaires orales considérées par les écrivains latins, jusque vers 1150, du même œil dont les folkloristes du XIXe siècle contemplaient les divertissements paysans : pittoresques, naïfs, parfois grossiers et tant soit peu dérisoires..., en réalité directement entées sur la voix profonde de cette civilisation. Peu à peu cependant, dans la mesure où se rétrécissait l'usage latin, certaines de ces traditions engendrèrent des formes écrites, tandis que d'autres subsistaient à l'état oral, plus ou moins altérées sous l'influence de celles-là.

La question des rapports entre la langue et les diverses formes « littéraires » françaises médiévales se pose donc dans trois perspectives : celle de la « littérarisation » originelle de la langue romane orale; puis celle de l'émergence d'une écriture française; enfin celle de l'influence du modèle latin sur le deuxième de ces processus.

Naissance d'une langue littéraire : « documents » et « mouvements » en langue romane

Les connaissances que nous avons aujourd'hui du haut Moyen Âge nous permettent d'entrevoir, à l'aube du monde moderne, dans les nations issues de l'Empire romain, une double série de manifestations linguistiques, historiquement liées : des textes juridiques, destinés à fonder un droit (par exemple, les célèbres *Serments de Strasbourg*), et une poésie assez hautement formalisée (telle la *Séquence de sainte Eulalie*). Il semble ainsi que les langues romanes se soient découvertes elles-mêmes, et reconnues, dans et par l'invention de formes de discours à fonction juridique et poétique; que le droit et la poésie aient été premiers dans le processus de romanisation. De façon analogue, on a observé qu'une science du langage, grammaire et sémantique, s'était constituée, dans l'Antiquité, sous la forme d'une réflexion sur la poésie.

Cette dernière comporte en effet, à un degré quelconque, la structuration seconde, intentionnelle, d'une matière linguistique certes elle-même structurée mais d'une manière qui reste, chez la grande majorité des locuteurs, irréfléchie. Ce sont là deux états de la langue, opposés en principe l'un à l'autre comme la culture à la nature : dans les sociétés possédant une longue tradition littéraire cette opposition s'atténue et devient parfois indiscernable. Dans le haut Moyen Âge roman, elle dut, pour de nombreuses générations, apparaître avec évidence. D'où la distinction que l'on a proposée entre deux types de communication linguistique : le « document » (structuré en vertu des seules lois « naturelles » de la langue) et le « monument » (à structuration seconde). Cette distinction ne recoupe pas celle que l'on peut faire par ailleurs entre oral et écrit.

Ainsi posé, le problème est essentiellement historique. Les données s'en modifient avec le temps; celui-ci, dans une mesure à déterminer, en conditionne l'énoncé. Les deux niveaux de structuration d'une langue correspondent, en fait, à des fonctions différentes. La fonction primaire est déterminée par les seuls besoins de l'intercommunication sociale; la fonction secondaire est proprement fonction d'édification, au double sens d'élévation morale et de construction d'un édifice. En dépit de l'étroite alliance de ces fonctions et de ces termes dans l'usage réel de la langue, leur distinction seule rend compte, à certaines périodes de l'histoire, de l'origine du langage magique ou rituel, des formes poétiques primitives et du droit coutumier.

Il reste qu'au sein d'un groupe social, fonction primaire et fonction secondaire du langage s'exercent simultanément. État documentaire et état « monumentaire » coexistent à tout moment de la vie d'une langue. Toutefois, leur relation réelle et leur degré d'interpénétration dépendent du niveau collectif de culture. Dans la situation de dégradation culturelle et de raréfaction des échanges qui caractérise la période du VIe au IXe siècle, l'individu parlant ne dispose que d'instruments linguistiques imparfaits : un latin en complète désagrégation ou ce qui n'a pas encore tout à fait pris forme de langue romane. Le seul facteur qui maintient cet ensemble à son niveau de système signifiant, c'est la fonction vitale qu'il remplit : communiquer l'expérience vécue au fur et à mesure de son déroulement inorganique, afin de satisfaire aux besoins sociaux élémentaires. Mais cette satisfaction ne suffirait pas à maintenir la cohésion du groupe.

L'usage linguistique, en effet, se définit alors concrètement, dans chaque acte de parole, plus qu'à d'autres époques, relativement au locuteur. La langue comme telle ne se pense pas; elle s'ignore elle-même. Elle se disperse indéfiniment dans l'espace et dans le temps : dans la multitude des patois locaux et dans une évolution accélérée. Aussi, dans la conscience de certains locuteurs, une tendance profonde s'affirme, d'abord de manière sporadique (s'il faut en croire les témoignages historiques), puis avec une fréquence et une force croissantes : tendance radicale à dépasser la contingence, à opérer par la langue la transmutation du vécu, à transcender l'accidentel en en dégageant, grâce aux propriétés de l'expression, l'historicité propre, sur quoi se fonde la puissance morale de la collectivité. Cette opération comporte, au moins à l'origine, un double aspect. Aspect matériel : si le discours est oral, le rite, le décor, attitude ou mimique d'accompagnement, vêtement spécialisé, tous éléments d'une matérialité qui influe comme telle sur le déroulement du discours, ne fût-ce que par les rythmes respiratoires qu'elle implique ou impose; — si le discours est écrit, l'apprêt donné à l'acte même de tenir la main, de fixer, hors du temps, à l'aide des lettres, les mots du langage. Aspect linguistique : le signal, en effet, marquant la « dénaturation » du langage, sa poétisation, se localise pour l'essentiel dans les formes de l'expression. Ces formes à leur tour peuvent être définies au niveau des significations et des implications, en même temps qu'à celui de la manifestation langagière. D'où ce que l'ancienne rhétorique nommait « figures de pensée, de son, de mot, de grammaire », chacune, dans son plan, mesurant la dimension du poétique. C'est l'ensemble du donné linguistique, dans tous les aspects de sa réalisation, qui se trouve affecté par cette alchimie.

Le texte, dès lors, oral ou écrit, par rapport au milieu culturel qui l'a produit et sur lequel en retour il agit, fonctionne comme une mémoire conservatrice. Porté par la vitalité du groupe, le poète en confirme la cohésion et la renforce. Sa tâche consiste à appliquer les règles d'un art vénérable que l'on ne saurait exercer légitimement hors des rites enseignés. Par son opération, le discours commun se trouve assumé dans les formes d'un langage en principe inaltérable. Leur stabilité le garantit des contradictions du réel. Certes, il arrive qu'une scission se produise au sein de cette unanimité : la société n'est pas monolithique. Mais il s'agit d'une scission entre groupes, non entre un individu et un groupe. A la limite, le milieu se restreint jusqu'à ne plus embrasser qu'une coterie : la relation sociale profonde entre poète et auditeurs, entre langage poétique et langage primaire, n'en change pas pour autant de nature.

Les premiers « monuments » de langue française se sont constitués par abstraction à partir de l'usage communicatif courant : c'est-à-dire par limitation, au terme d'un procès marquant le passage de l'état linguistique naturel à l'état de structuration intentionnelle, de la conscience individuelle à l'universalité virtuelle. Originellement, la limitation est négative et porte sur le nombre des choix lexicaux et grammaticaux. Elle n'en trahit pas moins le besoin inné de la langue, qui fonde sa fonction secondaire. Plus tard, au-delà des premières et maladroites expériences, ce même besoin s'épanouira dans la recherche d'une intensité, opposée à l'extensivité du langage primaire. L'abstraction est ainsi d'abord élévation par rapport aux formes les plus étroitement locales de la langue en son usage primaire. En fait, dans toutes les langues romanes archaïques, le langage juridique et poétique, tel qu'il apparaît dans les monuments les plus anciens, montre une tendance à l'emploi du mot rare, savant, plus ou moins calqué sur le latin, donc proprement étranger et comme géographiquement abstrait; d'autre part, elle opère sur un vocabulaire et dans une syntaxe très peu variés.

Le procès de structuration seconde se mesure ainsi selon plusieurs axes de distanciation, correspondant aux différences fonctionnelles introduites entre l'expression primaire et le monument. Sommairement, on distinguerait trois axes possibles : mélodique (le monument est chanté ou déclamé, par opposition au discours parlé), prosodique (il comporte des combinaisons rythmiques artificielles, par opposition à la parole plane) et verbal, défini par tout ce qui tient aux formes grammaticales et aux significations. Seul le dernier de ces axes relève de la conception la plus étroite de la langue « monumentaire », encore que son mode de réalisation puisse différer beaucoup selon les cas. Le propre de la langue poétique (par quoi elle se distingue d'autres manifestations du monumentaire, tel le droit coutumier) est toutefois que les trois axes concourent également à sa constitution. Ils ne s'y juxtaposent pas, mais se combinent pour en créer l'espace — espace poétique où s'accroît indéfiniment le pouvoir suggestif de chacun d'entre eux. Chacun des axes ne se déploie et ne se valorise que par rapport aux deux autres, simultanément. Le texte poétique en effet possède une signification intrinsèque et globale, et son sens final (dépassant les sens provisoires dont il se charge au cours de son déroulement) vient de l'intérieur, de telle manière que l'énoncé poétique échappe totalement et évidemment aux catégories du vrai et du faux, que la tautologie y cesse d'être tautologique : caractères immédiatement perçus et, s'il y a lieu, interprétés par l'auditeur au sein de l'unité sociale qu'il forme avec le poète.

En français, comme dans beaucoup d'autres langues, c'est apparemment autour de l'axe rythmique que se sont articulés les deux autres, déclenchant ainsi le procès de structuration. Tel est le problème posé par l'existence de la versification dans les langues européennes et spécialement romanes : la plupart des études modernes indiquent que les vers usités dans nos plus anciens « monuments » remontent à des modèles rythmiques antérieurs aux langues romanes elles-mêmes. Le vers apparaît ainsi comme un cadre préexistant virtuellement au chant. L'acte de chanter consiste à remplir ce cadre mémoriel, selon les exigences particulières de son rythme. Comme celles-ci ne coïncident pas nécessairement avec celles de la syntaxe ni même avec celles du lexique courant, seul un petit nombre de combinaisons sera possible. Il en résulte pour le poète (surtout dans une tradition orale) une restriction considérable de sa liberté de choix et une tendance à reproduire les combinaisons les plus harmonieuses une fois qu'elles ont été découvertes, par lui ou par d'autres. On a depuis longtemps constaté, dans les poèmes français archaïques (jusqu'au milieu du XIIe siècle), qu'un lien attache de façon indissoluble les formes syntaxiques à celles du vers : mais il ne s'agit pas là d'un simple découpage du discours selon un patron rythmique prédéterminé; bien plutôt, il s'est produit, entre l'un et l'autre, à l'origine de cette tradition « littéraire », un échange vital, dont est issue une forme nouvelle, à la fois rythme et discours, le vers.

Registres, « convenance », jeu

Si l'on en juge par ces mêmes monuments archaïques, le procès de structuration poétique ne toucha pas l'ensemble de la langue romane comme telle, mais l'affecta, sans doute simultanément, dans plusieurs de ses usages, définissables comme des secteurs sémantiques à fonction sociale distincte : formes de récit, mythique ou légendaire, proverbes, dictons; et surtout (parce que plus étroitement formalisées, du fait de la musique) certaines formes du chant : celles qui se fondent sur la stylisation du quotidien (amour, travail, mort), sur l'exaltation des héros, ou encore qui actualisent les virtualités dramatiques ou fabuleuses du culte chrétien. Or, ce sont là des sphères d'expression entées sur des expériences d'ordre très concret et dont nous constatons qu'elles échappent, en fait, à cette haute époque, à l'emprise du latin :

— sphères d'une poésie d'évocation, à thèmes profanes, ainsi que de l'épopée (ou d'une sorte de proto-épique);

— sphère liturgique, spécialement en ce qui concerne le culte des saints.

Il semble ainsi que l'on puisse entrevoir, à l'aube de la poésie de langue romane, un petit nombre de registres d'expression spécialisés : ceux-ci se multiplièrent plus tard, et, vers la fin du XIIe siècle, leurs interférences de plus en plus fréquentes (recherchées d'abord comme un effet ornementaire, puis devenues inévitables) commenceront à dénaturer un art primitif trop subtil et que l'assouplissement de la langue, le renforcement des desseins monumentaires rendent moins nécessaires. Du moins, jusqu'à une date variable selon les régions et les « genres » (jusque vers 1200 chez les troubadours occitans et leurs imitateurs français; jusque vers 1250 chez les chanteurs épiques du nord de la France), l'existence d'une pluralité de registres importe-t-elle à ces « convenances » dont Dante, dans le *De vulgari eloquentia*, fait le fondement de la poésie et de ses valeurs sémantiques. La « convenance » implique l'adhésion de l'auditeur à un univers mental et verbal dont le style comme tel assure la communication. En vertu d'une sorte d'accord implicite entre chanteur et public se maintient un système de dire, constitué moins par l'addition de figures, de lieux communs et de trucs de métier que par le réseau complexe des relations qui s'établissent entre eux. Ce réseau est formé de liens thématiques, lexicaux, syntaxiques, rythmiques, qui s'entrecroisent de toute manière, au point de limiter singulièrement l'autonomie de la parole poétique : mots, types de phrases et de vers favoris, maintenus par une convenance extérieure au poète et à laquelle celui-ci n'a (culturellement) pas la possibilité de ne pas adhérer. Prédominance absolue de certains appellatifs, fréquence de tels tours présentatifs pour un motif déterminé, identité d'une figure de style et d'un groupe rythmique, fixation de métaphores typiques à la fois dans une zone sémantique étroite et dans un vocabulaire sans grande variation, images figées dans un mot, groupements de clichés liés à une fonction ou à telle place dans le discours.

C'est en tant que pluralité de registres que la poésie romane ancienne, dans son ensemble, constitue un jeu, dans l'acception la plus riche de ce terme. C'est au niveau du registre que le texte (oral ou écrit) appelle un jugement de valeur; que se révèle le degré de réalisation des tendances structurales et que la perfection ou l'imperfection se manifestent. En dépit du brouillage de cette perspective au XIIIe siècle (époque où la plupart des formes poétiques françaises originellement orales avaient accédé au statut de l'écriture), le système registral ne cessa de peser, jusqu'au XVIe siècle, sur le fonctionnement du langage poétique et, dans une grande mesure, d'en déterminer la visée.

Les versants : littérature « savante » et littérature « populaire »; écrit et oral

Cette poésie romane, dans sa profonde unité primitive, est néanmoins traversée par une ligne de clivage qui en sépare deux versants. On pourrait qualifier respectivement ceux-ci, selon une terminologie sommaire, de « populaire » et de « savant » ou (pour reprendre les termes de P. Burke) de « grande » et de « petite » culture : expressions, de toute manière, dangereuses en ce qu'elles paraissent impliquer la coexistence de deux cultures plus ou moins autonomes. On a proposé, relativement à l'épopée, de substituer à cette opposition une autre opposition, strictement technique et comme professionnelle, entre poésie orale et poésie écrite. De telles distinctions terminologiques restent pratiques à titre de procédés d'exposition; elles ne peuvent jamais être serrées de trop près. Il s'agit ici, en réalité, de deux courants, tantôt aisément discernables, parfois confondus, jamais entièrement distincts, au sein d'un vaste mouvement d'ensemble.

Le terme de « savant » peut sommairement se définir par l'influence prédominante de l'école et la pratique des arts libéraux; quant à « populaire », il peut désigner une littérature certes non dépourvue de technique élaborée, mais témoignant d'une liberté très large à l'égard de ces techniques. En fait, les témoignages ne manquent pas, dès le Xe siècle, sinon plus tôt, de l'assimilation par le latin d'éléments empruntés au registre poétique « populaire ». Vers l'an 1100, une poésie se constitue, de type « savant » mais de langue vulgaire et fonctionnellement liée à la classe féodale.

De toute manière, en ces temps où l'écriture et le livre exercent sur lettrés ou illettrés un prestige presque magique, la voix humaine demeure le moyen principal (en certaines circonstances, exclusif) de toute poétisation et la source réelle de l'autorité. Ce primat de la parole, hautement affirmé dès le IXe siècle — quoique périodiquement remis en question par quelque docte —, engendre une situation complexe. Si la grande masse ignore l'écrit et se transmet des formes d'expression parlées, une minorité de clercs maintient professionnellement la tradition antique du livre; d'où les interférences, les tensions et les malentendus, spécialement du jour où les hommes de l'écrit étendent leur emprise à la langue vulgaire. Au XIIIe siècle, elles tendront à s'estomper peu à peu : l'écriture alors se replie sur sa fonction instrumentale, se dégage de ses connotations sacrales. Ce n'est pas un hasard si apparaissent alors les premiers textes littéraires français écrits en prose.

Cette situation fluente explique certaines divergences d'interprétation de la part des médiévistes. C'est ainsi qu'il est aujourd'hui difficile de nier à la fois le caractère originellement oral de l'épopée médiévale (au XIe siècle, peut-être encore au XIIe siècle) et le caractère livresque de la plupart des chansons de geste qui nous ont été conservées, et qui furent copiées au XIIIe siècle. Il y eut comme deux processus successifs de production, le second tendant à transformer un objet déjà entré, peut-être depuis longtemps mais selon une tradition restée orale, en circulation.

Il reste que, dans la transmission des textes, l'oralité constitue la règle jusqu'à la fin du Moyen Âge. En d'autres termes, dans le texte poétique médiéval, l'énoncé est indissociable de l'énonciation, et celle-ci implique des facteurs personnels et situationnels partiellement étrangers au système linguistique. Geste et voix constituent une certaine manière, pour le texte, d'être présent, et ils remplissent une fonction assez forte pour se substituer, le cas échéant, aux défaillances de l'expression linguistique : comme pour le texte théâtral de nos jours encore. La fonction situationnelle (« proxémique ») du langage s'en trouve grandement valorisée, résultant d'une tension infligée au discours pour qu'il se dépasse vers le difficile à dire, le sensible, l'action transformatrice. A son époque ancienne, la poésie médiévale de langue vulgaire n'est pas sans ressembler ainsi, de loin, au *nô* japonais, dont tous les éléments, depuis le bruit des instruments jusqu'au ton de la voix et au débit du discours, participent à la stylisation et la constituent.

Rhétorique et langue vulgaire

C'est, en grande partie, par cet aspect même que le texte isole hermétiquement du monde de l'expérience une fiction cohérente, qui en reflète, il est vrai, de grands fragments. Déconnecté du réel quotidien, l'auditeur du texte accomplit un transfert de réalité beaucoup plus puissant et efficace qu'il ne peut l'être dans une situation de dialogue ordinaire, où l'opposition entre le contenu du discours et son référent est moins nettement tranchée. Ce transfert provoque chez lui une activité perceptive, affective, intellective qui constitue une intense participation : celle-ci, dans son dynamisme, déborde souvent en activité corporelle, geste, cris, danse... Certains signaux stylistiques même peuvent être interprétés comme un refus de ce qui sépare, une volonté de rentrer dans le commun, une méfiance envers l'éclat gênant des valeurs les plus individuelles. L'effet est si contraire à l'attente d'une sensibilité moderne qu'il ne contribue pas peu à donner au lecteur non prévenu une fausse impression de maladresse ou de naïveté.

C'est pourquoi la rhétorique de tradition antique, quoiqu'elle ait exercé sur la poésie de langue vulgaire une influence durable (et, du reste, très irrégulièrement répartie), ne saurait fournir un principe d'interprétation universel. Elle ne concerne pas les sources profondes d'une poétique. D'autres facteurs interviennent, qui ne contribuent pas moins que la rhétorique à la formation du langage poétique : tout au long des siècles médiévaux (plus, il est vrai, à haute qu'à basse époque), une opposition constructive se dessine entre elle et diverses innovations d'origine différente. Très tôt, les auteurs français les plus divers affectent un culte de l'écrit, non pas relatif à leur propre texte, mais à quelque source autorisée et authentifiante : « Je l'ai trouvé dans un livre... », lieu commun intégré à la technique du chant et du dire; à l'égard de cette source, sans aucun doute la plupart du temps fictive, la fonction du poète est de « gloser la lettre », de mettre le « surplus du sens ». En fait, les langues romanes empruntèrent à la tradition des écoles nombre de techniques linguistiques, mais elles le firent au hasard des besoins et des possibilités contingentes. Les « langues vulgaires » développèrent ainsi considérablement certaines pratiques de la littérature latine mais, pendant des siècles, en ignorèrent totalement d'autres. Lieux communs traditionnels, sentences ou menus fragments formels adaptés de textes des *auctores,* éléments de décor, schèmes de description, noms propres véhiculant des résidus d'histoire et de mythologie, débris figés de doctrines : toute une culture livresque, hétérogène mais qui, assimilée, se combine en un système expressif d'une cohérence souvent remarquable et informe une langue poétique déjà fortement structurée selon ses propres tendances archaïques.

Des parties que distingue la rhétorique telle qu'on l'enseignait dans les écoles médiévales, l'*elocutio* se ramène, en langue vulgaire, à l'usage très ample qui est fait de figures, quoique pendant longtemps le français ait été gêné en cela par la rusticité de sa syntaxe, inhabile à rendre les articulations de la pensée. Cette faiblesse, que contrebalançaient en pratique le geste et la voix, empêcha jusqu'au XIVe siècle la langue littéraire française de se prêter aux jeux les plus raffinés dont le latin pouvait offrir le modèle. En revanche, les figures de sons, spécialement attirantes dans une poétique de l'oralité, et moins conditionnées par les structures grammaticales, sont nombreuses dès l'époque ancienne, mais se laissent malaisément réduire aux définitions conventionnelles des arts de rhétorique. En fait, elles prendront vers la fin du Moyen Âge une telle importance fonctionnelle qu'elles constitueront, vers 1450-1500, l'un des plans de réalisation de la langue poétique, dans la pratique des grands rhétoriqueurs.

Les procédés qui, en français, paraissent provenir de la tradition latine, comportent souvent un réajustement, soit aux tendances propres de la langue vulgaire, soit à des besoins sémantiques particuliers. Presque toujours, une subordination apparente s'associe avec une complète autonomie. En deçà et au-delà de ces différences et de leurs causes, la poésie romane implique une esthétique distincte en fait de l'esthétique latine. La rhétorique est en langue vulgaire une composante, plus ou moins importante selon les cas, d'un langage qui l'utilise en la fonctionnalisant parmi d'autres composantes. Les écrivains de langue latine concevaient la genèse de leur texte comme l'application de modèles plutôt que comme un dynamisme initiateur. Sur ce point, un abîme séparait la plupart d'entre eux des meilleurs écrivains de langue vulgaire : ceux-ci, avant même que les *razos de trobar* occitanes du XIIIe siècle et les traités de Dante ne jettent les premiers germes d'une poétique doctrinale, ne cessèrent de s'interroger sur leur art dans le temps même qu'ils l'inventaient. Mais ils le firent dans des termes qui leur étaient propres et traduisaient surtout leur souci de l'efficacité de la communication au sein de la société pour laquelle ils chantaient ou écrivaient.

BIBLIOGRAPHIE

Généralités. — P. Zumthor, *Langue et Techniques poétiques à l'époque romane,* Paris, Klincksieck, 1963, et *Essai de poétique médiévale,* Paris, 1972; E. Auerbach, *Literatursprache und Publikum,* Berne, Francke, 1958; H. Glunz, *Literaturästhetik des europäischen Mittelalters,* Francfort, 1962; J. Jolivet, *Arts du langage et Théologie chez Abélard,* Paris, Vrin, 1969.

Rhétorique. — C. Baldwin, *Medieval Rhetoric and Poetics,* Gloucester, Mass., 1959; H. Lausberg, *Handbuch der literarischen Rhetorik,* Munich, M. Hueber 1960, 2 vol.; E. Faral, *les Arts poétiques aux XIIe et XIIIe siècles,* Paris, 1923; J. Murphy, *Medieval Rhetoric : a Selected Bibliography,* Toronto, 1971.

Littérature française. — R. Dragonetti, *la Technique poétique des trouvères dans la chanson courtoise,* Bruges, De Tempel, 1960; P. Haidu, *Aesthetic Distance in Chrestien de Troyes,* Genève, Droz, 1968; A.B. Lord, *The Singer of Tales,* Cambridge Mass., Harvard Univ. Press, 1960; J. Rychner, *la Chanson de geste : essai sur l'art épique des jongleurs,* Genève, Droz, 1955; J. Rasmussen, *la Prose narrative française au XVe siècle,* Copenhague, Munksgaard, 1958.

P. ZUMTHOR

MUDIMBÉ Vumbi Yoka, *ex* **Valentin Yves** (né en 1941). Un esprit brillant a permis à Mudimbé d'élaborer, dans le domaine des sciences humaines, un discours critique vif et souvent percutant. Né au Shaba, il a étudié dans les universités européennes les lettres, la sociologie, l'économie. Il enseigne la philosophie à l'université du Zaïre. Ses premiers essais sont réunis dans *l'Autre Face du royaume, Introduction à la critique des langages en folie* (1973). Il y met au goût du jour des thèmes promus par Cheikh Anta Diop : « Le discours africain, expression d'une autre idéologie, est, dans son principe même, récusé par l'idéologie dominante et, d'entrée de jeu, considéré comme "scientifiquement" irrecevable. Le discours "occidental", par contre, même aberrant (pour mémoire, les thèses du primitivisme, par exemple), possède des privilèges de légitimation qui souvent proviennent de critères externes au discours lui-même ».

Mudimbé a abordé la poésie (*les Fuseaux parfois,* 1974) et le roman, avec succès. Dans *Entre les eaux* (1975), il met en scène « Dieu, un prêtre, la révolution », confrontation des idéologies importées que sont le christianisme et le marxisme, par Africains interposés. La révolution y montre le visage hideux de tortionnaires pervers; la foi chrétienne, encore qu'un peu simoniaque, s'en tire un peu mieux. Dans *le Bel Immonde* (1976), on retrouve, derrière un élégant nihilisme, une critique qui sait jusqu'où elle peut aller trop loin. Un nouveau recueil d'essais, *l'Odeur du père* (1981), et un roman, *l'Écart* (1979), confirment l'habileté verbale et conceptuelle de Mudimbé. Mais il manque peut-être à Mudimbé de s'avouer à lui-même que le doute n'est pas seulement une posture avantageuse mais aussi un bien « mol oreiller ».

O. BIYIDI

MUHLFELD Lucien (1870-1902). Figure littéraire bien oubliée aujourd'hui, Lucien Muhlfeld appartient à une génération qui cherche sa voie et croit la trouver dans une sorte de naturalisme faisandé et élégant. Lecteur et critique attentif, Muhlfeld est pourtant mieux qu'une curiosité littéraire : en plus d'articles critiques nourris et lucides, Lucien Muhlfeld est en effet l'auteur de trois romans dont les facilités n'excluent ni la couleur ni les bonheurs d'écriture.

Critique et romancier, Lucien Muhlfeld est né à Paris. Après un bref passage à la Sorbonne, où il est sous-bibliothécaire, il devient très jeune le secrétaire de rédaction de *la Revue blanche,* dont il est aussi le critique littéraire. Grâce à cette position, il acquiert bientôt une certaine notoriété : on a de l'estime pour ce petit homme roux à lunettes qui ne mâche pas ses mots. Certains lui reprochent son côté dogmatique, son souci de faire une critique « scientifique » ou du moins sérieuse, et Léon Blum, qui lui succédera à *la Revue blanche,* pourra même parler de son « purisme sévère et parfois même un peu étroit ». Mais d'autres, au contraire, apprécient sa ferveur à défendre les auteurs qu'il aime : Barrès, qu'il appelle « le plus maître écrivain de langue française », Anatole France, Paul Adam, mais aussi Zola, Mallarmé, les Goncourt, le vieux Verlaine ou le jeune Gide. Les lecteurs de Muhlfeld apprécient également un style dont on reconnaît généralement qu'il est élégant, fin, bien-disant, avec parfois des recherches « goncourtistes ».

Muhlfeld quitte *la Revue blanche* sans cesser d'y écrire; il est devenu un collaborateur habituel de *l'Écho de Paris.* Il publie alors *le Monde où l'on imprime* (1897), et trois romans : *le Mauvais Désir* (1899) est l'histoire d'une jalousie; *la Carrière d'Adrien Tourette* (1900) conte la déchéance d'un éternel perdant; *l'Associée* (1903) évoque les aspirations intellectuelles et sociales déçues d'une femme de grand médecin.

Muhlfeld, écrivain reconnu, a épousé une femme qui reçoit dans son salon une partie de l'élite intellectuelle de l'époque : c'est donc un homme à la carrière prometteuse qui meurt à trente-deux ans, emporté par une fièvre thyphoïde.

Ce qui domine, chez Muhlfeld, c'est d'abord l'amoureux de littérature qui essaie de trouver un tour nouveau pour chaque phrase, de découvrir un mot rare dont il veut faire goûter la saveur. Ses livres, certes, sont pleins de trouvailles, mais nombre de celles-ci donnent à son écriture un côté artificiel et daté : « Il courut l'étreindre. Elle était essoufflée et sentait l'iris. Ce fut à travers le tulle le baiser d'une cerise chaude », ou bien « D'un tour de main, elle rétablit l'hiératisme de sa coiffure ».

Ses romans sont peuplés de types choisis surtout pour la surprise et l'amusement qu'ils doivent provoquer. On découvrira ainsi le maharadjah de Nakhom Sava mis au lit par des maladies cocasses, la doctoresse polonaise qui ressemble à une salutiste, le philanthrope qui a fait fortune dans la conserve; on sourira de cette Claire Wolff qui, pour plaire à son mari, amateur de femmes minces, s'abîme l'estomac de pilules.

Mais les intrigues principales reposent sur des personnages nettement plus conventionnels, familiers depuis les naturalistes et parfois même depuis Balzac : la femme qui fait la carrière de son mari sans que celui-ci s'en aperçoive; la fille du peuple poitrinaire et au grand cœur; le bon abbé gallican et libéral; le parieur cynique; le raté de quarante ans qui s'empâte; la courtisane lesbienne; ce monde romanesque est d'ailleurs assez statique : les situations une fois définies n'évoluent plus, les mêmes sentiments reviennent meubler des chapitres parfois assez pauvres. Alors, l'auteur lance ses personnages dans de longues discussions, dans des débats d'idées. Plus que l'intérêt proprement littéraire de ces œuvres, dont l'écriture artiste n'est plus alors une nouveauté, ce qu'il faut retenir, c'est un témoignage sur cette société parisienne de la Belle Époque dont Muhlfeld a su saisir l'image, entre Zola et Proust.

BIBLIOGRAPHIE

H. Bordeaux, *les Écrivains et les Mœurs,* Plon et Nourit, 1900; M. Lionnet, *l'Évolution des idées chez quelques-uns de nos contemporains,* Perrin, 1903-1905; J. Ernest-Charles, *les Samedis littéraires,* Perrin, 1903 (critique sévère); H. de Régnier, *Portraits et Souvenirs,* Mercure de France, 1913; A.B. Jackson, *la Revue blanche (1889-1903),* Paris, Minard, 1960.

A. PREISS

MULLER Charles. V. REBOUX Paul.

MUNO Jean (né en 1924). De cet écrivain discret, scrupuleux, d'une rare lucidité, on pourrait dire qu'il est exemplaire d'une certaine perception de la belgitude, faite de haine et de tendresse, d'exaspération et de résignation. Entre ces pôles contradictoires se développe une œuvre très personnelle, dont la voix serait celle de l'homme moyen dans un pays moyen, aux prises avec tout ce qui, irrémédiablement, l'enferme.

Jean Muno est né à Bruxelles. Il est le fils de Constant Burniaux, romancier prolifique. Il ne quittera guère la Belgique, où il sera professeur de lettres jusqu'en 1974. Sa première publication, *le Baptême de la ligne,* date de 1955. Suivront six romans (*Saint-Bedon,* 1959; *l'Hipparion, l'Homme qui s'efface,* 1963; *l'Ile des pas perdus, le Joker,* 1972; et *Ripple-Marks*), trois recueils de nouvelles, des essais, sept pièces radiophoniques, de nombreux articles critiques. Son œuvre s'est peu à peu affirmée jusqu'au succès de *Ripple-Marks* (1976), de *Histoires singulières* (prix Rossel 1979) et d'une adaptation théâtrale de ses récits qui triomphe à Bruxelles en 1981, année où il est reçu à l'Académie royale de langue et de littérature françaises. Dès 1962, *l'Hipparion* ouvrait un univers où rêve et réalité se côtoient dans l'amertume; où le fantastique surgit tout naturellement de l'anodin. *L'Ile des pas perdus* (1967), roman où un fils adulte est obsédé par la pensée envahissante de son père, se situe dans l'un des sites de prédilection de Muno, le bord de mer, la station balnéaire, site qui réapparaît dans *Ripple-Marks,* mais avec toute la force d'une caricature féroce de la bourgeoisie belge. La violence qui se dégage de cette œuvre, violence alliée à une observation réaliste, n'est pas coutumière dans la littérature française de Belgique. On retrouve le même regard acéré porté sur une humanité médiocre dans les contes naïfs ou fantastiques ultérieurs, mais sans colère, sans éclat, avec un détachement d'observateur étranger.

Romancier attachant, Muno est aussi un nouvelliste remarquable (*la Brèche,* 1973; *les Contes naïfs,* 1979; *Histoires singulières,* 1979). Il a le sens de l'atmosphère, du détail révélateur, de la progression souple par le dialogue ou par le discours intérieur. Certains de ses *Contes naïfs* (qui rappellent *l'Homme qui s'efface,* 1963, une féerie douce-amère, d'une richesse d'invention exceptionnelle) sont d'authentiques chefs-d'œuvre, tout imprégnés d'une ironie à la fois âpre et retenue, comme mouchetée.

L'univers de Jean Muno, c'est la moyenne bourgeoisie, et surtout dans ses loisirs. Une partie de golf miniature, une promenade avec le chien dans un parc public, une partie de croquet dans le jardin, les vacances à la plage près d'Ostende : à partir de sujets aussi mièvres, Muno s'interroge sur l'existence de ses concitoyens et sur la sienne propre. C'est dans ces instants de vacuité que se révèle la vérité des êtres, faite de manies, d'obsessions, de débats normaux, mais surtout de peur. Peur de n'être pas conforme. Horreur et besoin de se conformer. Le personnage de Muno recherche les règle-

Mystification

Écrire, peut-être, c'est s'inventer écrivain. Pourquoi, dès lors, ne pas se faire le parasite d'un nom propre magique, sublime ou très ancien ? Sur ce théâtre, il y a deux rôles opposés. Le premier, mystificateur, se déguise avec les oripeaux du génie et de la légende (et c'est le pseudo Ossian, ou Pierre Louÿs). Le second, au lieu de se masquer derrière un symbole, détruit ceux qu'il a édifiés. Ainsi, écrivain reconnu, Romain Gary invente un débutant talentueux et le pousse vers le succès.
La mystification ne porte jamais sur le texte mais toujours sur le nom de l'auteur, car les textes existent par eux-mêmes, qu'ils soient des créations originales, des pastiches ou des plagiats. Seule la signature est la garantie de la vérité d'un discours. Et le lecteur – à moins d'être initié au secret – n'aime pas les fausses signatures...

Couverture originale du roman de Romain Gary *Gros Câlin*, publié sous le pseudonyme d'Émile Ajar... Illustration de J.-Michel Folon (né en 1934). Mercure de France, 1974. *Coll. part. Ph. M. Didier © Phobeb © by Mercure de France, 1974.*

Gravure de Carlos Chessa, d'après Raphaël Collin (1850-1916) pour *les Chansons de Bilitis*, poèmes de Pierre Louÿs. Paris, Librairie des amateurs - A. Ferrond, 1906. *Bibl. nat., Paris - Ph. Jeanbor © Arch. Photeb.*

« Dom Juan et la statue du Commandeur », peinture d'Alexandre Evariste Fragonard avant 1830. *Musée des beaux-arts de Strasbourg - Photo © R. Franz.*

Les mythes

Modèle profond de toute narration, miroir des secrets ancestraux, le mythe alimente l'imaginaire d'une collectivité, d'une culture. En préférant à tout autre l'imaginaire littéraire, il tend à sa conservation, car seule la littérature peut l'arracher à la mort. Face au mythe anthropologique, le mythe littéraire rogne les branches de la filiation pour mieux dégager l'héroïsme d'une situation.
Réanimé par les textes, le mythe plonge dans l'archaïsme primordial et rajeunit ceux qui s'y baignent. Ancien

Penguin Modern Classics

Albert Camus

The Myth of Sisyphus

Le Mythe de Sisyphe par A. Camus, couverture illustrée par un tableau de René Magritte « le Cap des Tempêtes ».
Arch. Edimédia. By Courtesy of Penguin Books Ltd © by ADAGP 1984.

« Prométhée foudroyé », peinture de Gustave Moreau en 1868.
Musée Gustave Moreau, Paris - Ph. © Bulloz.

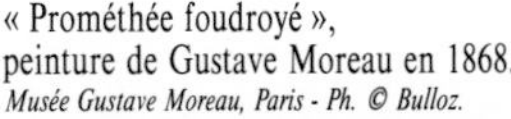

« Mercredi — Élément : le sang — Exemple : Œdipe », gravure de Max Ernst, in 4e cahier de : *Une semaine de bonté ou les Sept Éléments capitaux* publié en sept cahiers aux Éditions Jeanne Bucher, 1934.
Ph. © Bibl. nat., Paris - Photeb by SPADEM 1984.

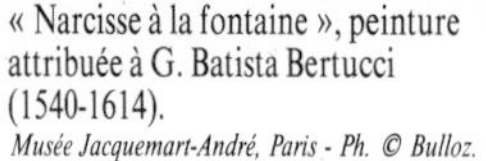

« Narcisse à la fontaine », peinture attribuée à G. Batista Bertucci (1540-1614).
Musée Jacquemart-André, Paris - Ph. © Bulloz.

« Départ de Mephisto et de Faust de la cave d'Auerbach », gravure d'Engelbert Seibertz pour illustrer *Faust*, eine Tragädie von Goethe, Stuttgart und Tübingen, 1854.
Ph. © Bibl. nat., Paris - Photeb.

ou moderne, le personnage mythique est un homme, un mâle, par sélection soigneuse de notre société. Un homme en proie aux femmes (don Juan) ou à la tentation du pouvoir absolu (Faust), mais avant tout un homme traqué par la malveillance des dieux (Œdipe, Sisyphe) et toujours défini par l'incommodité de se contempler, par le danger inexpiable de s'aimer (Narcisse).

La littérature moderne, depuis Molière, établit un rapport ambigu entre ses créations et les archétypes du mythe. Ainsi, Gide ou Camus en jouent, les dévient, mais s'en nourrissent.

D'abord systèmes d'explication du monde, les grands mythes deviennent des machines à produire la dérision, l'obscurité, l'angoisse. Ils pénètrent les récits en apparence les plus étrangers, les plus modernes et, sournoisement, les rendent immortels. Par leurs racines, ils traversent la réalité de chaque temps, et se réfèrent au surréel des fantasmes, ce qui les rend à jamais utilisables.

ments pour pouvoir les transgresser, mais tout en demeurant dans l'ordre; poser le pied sur une pelouse interdite lui est une révolution. Petites guerres intérieures, que l'on étire, dont on parle à son chien.

Férocité du trait, humilité de la présence. Un récit de Muno montre l'irruption d'une lueur de lucidité dans l'écoulement aveugle d'une existence terne. Cet homme en colère ne clame jamais : il ronge; c'est un sceptique, un désespéré. Toujours torturé par la bêtise qui l'entoure et à laquelle il se sent malgré lui participer, il rêve du blanc, il écrit en marge du silence. Le fondement de son écriture, c'est une incurable appartenance à une société bourgeoise, bien pensante et satisfaite dans laquelle toute son éducation l'a englué; qu'il s'indigne ou se rallie, il ne peut penser que par rapport à ce qui lui répugne. Cette vision lucide, désenchantée, d'une œuvre à la voix souterraine, fait la forte originalité de cet écrivain à l'écart des modes littéraires.

J. CRICKILLON

MURALT Béat-Louis de (1665-1749). Né à Berne, issu d'une famille protestante et aristocratique, il fait ses études à Genève, où il reçoit une formation philosophique de tonalité cartésienne et acquiert une parfaite maîtrise du français. Après la mort de son père (1684), il suit les traces de celui-ci en s'engageant comme officier au service de Louis XIV. Vers 1694, il accomplit un voyage en Angleterre, alors revenue à la Réforme. Ses observations communiquées par voie épistolaire à un ami bernois formeront la première partie — connue et traduite dès 1714 en Angleterre — de ses *Lettres sur les Anglais et les Français* (1725). Un nouveau séjour en France nourrira la seconde partie de l'ouvrage, que conclut une *Lettre sur les voyages.* Après son retour à Berne, le formalisme et les compromissions politiques de l'Église officielle l'orientent vers le piétisme, qui le conduira de l'exaltation du sentiment religieux (*Lettre sur l'esprit fort, De l'instinct divin recommandé aux hommes,* 1728) au mysticisme de ses *Lettres fanatiques* (1739). Banni en 1701, il s'établit en 1707 près de Neuchâtel, dans une propriété (le Colombier) qui appartiendra par la suite à sa petite-fille par alliance Belle de Charrière, y menant une vie studieuse et patriarcale.

Grâce à celui que l'on nomma le « gentilhomme suisse » et au succès ininterrompu de ses *Lettres* au XVIIIe siècle, la représentation mythique de son pays fut profondément modifiée : à l'image du montagnard primitif s'ajouta désormais celle du « sage moderne » (P. Chappuis), dont se souviendra Rousseau, lui-même fortement influencé par Muralt sur le plan moral et religieux. Saint-Preux et Julie, dans *la Nouvelle Héloïse,* discuteront ses thèses; sa critique du luxe (*Lettre sur les voyages*), sa dénonciation du « bel esprit », du paraître, du théâtre *(Lettres sur les Anglais...)* trouveront un écho dans le *Discours sur l'inégalité* ou la *Lettre à d'Alembert.* Mais ce précurseur idéologique de Rousseau est aussi celui de Voltaire. Deux ans avant les *Lettres philosophiques,* il fait connaître aux intellectuels du « continent » les mœurs et la culture des Anglais. Aux yeux de Muralt, ceux-ci, proches encore de la nature, allient le « bon sens naturel » à un goût des excès, le sens du négoce à un « reste de férocité » dont témoignent leur attirance pour le suicide, les tragédies sanguinaires, les combats de coqs et le football — exercice fort gênant lorsque « le peuple pousse le ballon à coups de pied par les rues » — mais aussi leur passion de la liberté, leur refus de l'absolutisme, leur esprit de tolérance, que salueront Voltaire, Prévost, Montesquieu.

La méthode de Muralt implique une écriture. La spécificité d'un peuple, objet de son étude, s'appréhende à partir de l'observation minutieuse, concrète des faits apparemment contradictoires que synthétise l'idée générale, elle-même, toujours décomposable en éléments simples : les Anglais « boivent comme les Saxons, ils aiment la chasse comme les Danois; les Normands leur ont laissé la chicane et les faux témoins » *(Lettres...).* Les images opposées du Français et de l'Anglais (sociabilité/« mépris de l'étranger »; « bonté de cœur »/rudesse; courtisanerie/goût de la liberté) se combinent à nouveau dans l'idée d'une Providence instaurant un ordre universel à travers la diversité des caractères nationaux. Mais ce milieu culturel qui conditionne l'individu permet-il à son discours d'atteindre à une vérité absolue? Ici encore, Muralt annonce le Rousseau du *Discours sur l'inégalité.* Car cette « heureuse obscurité » de la Suisse, hélas menacée *(Lettre sur les voyages),* offre à l'« homme de mérite » un lieu d'énonciation pur de tout déterminisme, sinon celui de la droite Raison. Pour Muralt, créateur des grands mythes ethniques du XVIIIe siècle, comme pour Rousseau, peut-être faut-il venir de Berne — ou de Genève — pour bien philosopher.

BIBLIOGRAPHIE

J. Texte, « Béat-Louis de Muralt et les origines du cosmopolitisme littéraire au XVIIIe siècle », *R.H.L.F.,* 1894; A. Ferrazzini, *Béat de Muralt et J.-J. Rousseau,* Paris, 1952; G.C. Roscioni, *Beat Ludwig von Muralt e la ricerca dell'umano,* Roma, Edizioni di storia e letteratura, 1961; H. Perrochon, « Béat de Muralt et les *Lettres sur les Anglais et les Français* », dans *Esquisses et Découvertes,* Genève, Perret-Gentil, 1971; S. Mühlemann, « Portrait des Français par Béat-Louis de Muralt », dans *la Découverte de la France au XVIIIe siècle,* Paris, éd. du C.N.R.S., 1980.

J.-P. DE BEAUMARCHAIS

MURET Marc-Antoine (1526-1585). « Après Cicéron, il n'y a personne qui parle mieux latin que Muret », dira Jules-César Scaliger. C'était résumer toute l'ambiguïté du meilleur écrivain néo-latin de la seconde moitié du XVIe siècle, longtemps tenu pour un cicéronien strict jusqu'à ce que Morris Croll, au début de ce siècle, montrât qu'il était au tournant de l'histoire de la rhétorique humaniste et qu'il annonçait l'orientation anticicéronienne qu'elle prendrait chez Lipse ou Montaigne.

Né à Muret, fils d'un juriste, le jeune Marc-Antoine fut un écolier capricieux qui se forma seul, comme le dit l'anagramme qu'il fit de son nom : « Nature droict m'a mené ». Après un séjour à Poitiers (1544-1546), il se lia à J.-C. Scaliger, à qui il rendit visite à Agen, et, sans doute sur sa recommandation, il enseigna au collège de Guyenne à Bordeaux (1547-1548). Il y rédigea une tragédie latine, *Julius Caesar,* qu'il fit représenter et où Montaigne joua. Ce fut ensuite un assez long séjour à Auch, avant de monter à Paris et de régenter au collège de Boncourt (1551-1553). Muret eut pour élève Vauquelin de la Fresnaye, il fréquenta Dorat, qui était le principal du collège de Coqueret. Il publia trois œuvres importantes : le *Discours sur l'excellence de la théologie* (1552); les *Juvenilia* (1553) — des poèmes souvent érotiques — et un *Commentaire sur les Amours de Ronsard* (1553). Mais il dut quitter précipitamment Paris pour fuir une accusation d'hérésie et de sodomie, puis Toulouse, où il fut brûlé en effigie. Réfugié en Italie, il y devint le représentant éminent de l'humanisme français, à Venise, où il se lia d'amitié avec Paul Manuce, le fils d'Alde, pour qui il fit quelques hâtives éditions savantes, puis à Padoue et à Ferrare, comme secrétaire du cardinal Hippolyte II d'Este (1558).

En 1563, il est appelé par Pie IV à Rome; il y restera et deviendra, du haut de sa chaire de la Sapienza, l'orateur de la Ville éternelle. Le meilleur de son œuvre est dans ses discours, qui sont pour la plupart les leçons d'ouverture de ses cours. La rhétorique sera pour lui le principe d'une réconciliation de l'érudition profane et sacrée, de l'humanisme et de l'orthodoxie romaine après le Concile de Trente. Il enseigne d'abord la philosophie morale (1563-1565) — et commente l'*Éthique à Nicomaque*, dont son ami Lambin vient de donner une édition à Venise —, puis le droit, à partir des *Pandectes*, qu'il aborde à la manière française de Douarent et Cujas, ce qui n'est pas du goût de tous et le contraint à revenir à l'enseignement de l'éloquence en 1572. Il vient de prononcer trois discours fameux : le premier, qui célèbre la victoire de Lépante, lui vaut le titre de citoyen romain; le deuxième est l'oraison funèbre de Pie IV; le troisième est un panégyrique fanatique de la Saint-Barthélemy.

La leçon d'ouverture de la chaire d'éloquence est le point de départ de l'anticicéronianisme au seuil du pontificat de Grégoire XIII, qui souhaite que la rhétorique se mette au service de l'Église. Muret, dont le cours portera sur des ouvrages philosophiques plutôt que rhétoriques, fait le procès du purisme, mais, non sans ruse, il ne renonce à rien des humanités et s'emploie à concilier le respect de la langue et la précision du style. Il condamne les imitateurs de Cicéron, réhabilite Sénèque et Tacite, sans jamais se départir de la clarté et de l'élégance cicéroniennes. Il commente le *De providentia* de Sénèque (1575), puis la *Rhétorique* d'Aristote, les *Annales* de Tacite, enfin les *Épîtres* de Cicéron. Celui-ci reste pour lui le modèle, mais l'épistolier et non plus l'orateur. Muret, qui sera ordonné en 1576 et prendra sa retraite en 1584 — un an avant de mourir —, a compris qu'est venue la fin de l'éloquence orale profane, que le *genus humile* de la lettre deviendra la référence de la littérature humaniste.

BIBLIOGRAPHIE

Muret, *Opera omnia*, éd. C.-H. Frotscher, 3 vol., Leipzig, 1834-1841; Genève, Slatkine Reprints, 1971. *Scripta selecta*, éd. J. Frey, 2 vol., Leipzig, Teubner, 1871-1873. La meilleure biographie de Muret est encore celle de Ch. Dejob, *M.-A. Muret, un professeur français en Italie dans la seconde moitié du XVIe siècle*, Paris, 1881; Genève, Slatkine Reprints, 1970. Pour une mise au point sur les années de jeunesse, voir R. Trinquet, « Recherches chronologiques sur la jeunesse de M.-A. Muret », *Bibliothèque d'Humanisme et de Renaissance*, 27, 1965, p. 272-285. Le rôle de Muret a été revu par Morris W. Croll, « Muret and the History of Attic Prose » (1924) dans *Style, Rhetoric, and Rhythm*, Princeton U. P., 1966. Voir aussi M. Fumaroli, *l'Âge de l'éloquence*, Genève, Droz, 1980, p. 162-175.

A. COMPAGNON

MURGER Henri (1822-1861). Le nom de Murger reste lié pour nous aux *Scènes de la vie de bohème*, à ses personnages, Mimi, Musette et Rodolphe, à l'opéra aussi qu'en tira Puccini. Et lorsqu'on relit ces chroniques rassemblées, on comprend vite la raison de leur succès : Murger nous y propose le tableau d'un milieu attachant, et surtout son livre est drôle, merveilleusement écrit. Le talent qu'il y déploie, à propos duquel on a pu citer les noms de Villon, d'Hoffmann et de Musset, réussit en effet à allier les qualités contradictoires de la fantaisie et du réalisme.

La bohème sans littérature

Rien ne semble, au départ, conduire le jeune Murger vers les livres et l'écriture. Il est le fils d'un concierge-tailleur venu de Savoie et établi à Paris, du côté de la chaussée d'Antin. Sa mère, qui veut lui faire une situation, le fait entrer comme saute-ruisseau chez un avoué. Il y rencontre des camarades qui ont l'ambition d'être peintres et qui vont le mettre en contact avec le milieu artiste. De son côté, Murger a, lui, envie d'écrire, encouragé peut-être dans cette vocation par Eugène Pottier, qui, très jeune, a été son maître. Lorsqu'il est renvoyé par son patron, Murger entre ensuite au service du comte Tolstoï, le soi-disant « correspondant du ministère de l'Instruction publique de Saint-Pétersbourg ». Celui-ci alloue à Murger un maigre traitement de secrétaire qui lui permet de ne pas mourir de faim, et qui le met même relativement à l'aise par rapport à ses amis de la bohème. Murger fait en effet partie de ce milieu bizarre, constitué, pour l'essentiel, de jeunes artistes désargentés, talentueux ou non, révoltés de façon plus ou moins sincère et durable. Il y rencontre Chintreuil, Champfleury, Nadar, Barbara, Baudelaire, d'autres habitués du café Momus, ainsi que quelques maîtresses, dont la femme d'un malfaiteur : ce seront les modèles de ses *Scènes de la vie de bohème*. Murger abandonne alors les vers, collabore à plusieurs journaux, dont *l'Artiste* et surtout *le Corsaire*, auquel il donne ses « scènes », réunies plus tard en volume (1851) après avoir fourni la matière d'une pièce de théâtre (1849). C'est enfin le succès pour Murger, qui entre même à la *Revue des Deux Mondes*, où il publie *le Pays latin* (1851), *Adeline Protat* (1853) et *les Buveurs d'eau* (1853-1854). Pendant les dix dernières années de sa vie, il fera paraître les *Scènes de la vie de jeunesse* (1851), *Propos de ville et Propos de théâtre* (1853), *le Roman de toutes les femmes* (1854), *le Dernier Rendez-vous* (1856), *les Vacances de Camille* (1857), *le Sabot rouge* (1860), deux comédies encore, avec *le Bonhomme Jadis* en 1852 et *le Serment d'Horace* en 1860.

Murger connaît désormais une vie plus tranquille qu'autrefois, une situation matérielle meilleure qui lui permet de s'installer à la campagne, à Marlotte, près de Fontainebleau. C'est là qu'il rédigera ses derniers livres non sans difficultés, d'ailleurs, car son état de santé est précaire. A moins de quarante ans, il mourra à l'hospice Dubois, à Paris, emporté en quelques jours par la gangrène. Il venait de corriger les épreuves des *Nuits d'hiver*, recueil de ses poèmes qui parurent après sa mort.

La farce

Le paradoxe de Murger tient à la manière dont il traite un sujet morose et sordide. La vie d'artiste, telle qu'il nous la décrit, n'est autre chose que la misère : le lecteur de Murger passe de grenier crasseux en café de second ordre, apprécie toute la valeur d'un habit sortable qu'on partage à plusieurs, il rit même des besognes alimentaires auxquelles l'artiste doit s'astreindre pour attraper cet animal farouche et fuyant qu'on appelle la pièce de cent sous. Rodolphe et ses camarades vivent au jour le jour, incapables de rembourser les avances qu'on leur a faites, encore moins d'épargner ou de prévoir. Dans ces conditions, l'apparition de 500 francs constitue un événément extraordinaire, qui sera naturellement accueilli comme il le mérite, c'est-à-dire célébré à grand renfort de repas fins et de festivités improvisées. Point de milieu entre le dénuement et l'opulence : rien ne hérisse plus ces artistes que la prudence du bourgeois, dont ils se veulent l'antithèse. Le bourgeois, pour eux, c'est le gogo qu'on exploite, l'Anglais qui paye 200 francs pour qu'on lui joue continuellement la même gamme, l'oncle qui veut qu'on lui rédige le manuel du parfait fumiste, ce naïf qui a envie de son portrait « peint avec des couleurs fines », le propriétaire enfin auquel Schaunard adresse la lettre suivante : « la politesse qui [...] est l'aïeule des belles manières, m'oblige à vous faire savoir que je me trouve dans la cruelle nécessité de ne pouvoir point satisfaire à l'usage qu'on a de payer son terme — quand on le doit surtout. »

A la différence du bourgeois, les gens de la bohème prennent tout à la blague : l'argent qui apparaît et disparaît plus vite encore, les faveurs dont on sait quelles bassesses en sont à l'origine, l'amour même — encore que, sur ce point, leur religion ne soit pas faite. La seule valeur à laquelle puissent croire ces marginaux, c'est dès lors le talent, l'art, dont pourtant le public ne veut accepter que les productions dégénérées et faciles : les vers de mirliton que Schaunard met en musique, ou encore *le Manoir abandonné* du peintre Marcel, article particulièrement demandé par un brocanteur de la place du Carrousel. Presque tout, chez Murger, aboutit à une sorte de sourire ironique, et cela à propos des sujets prêtant apparemment le moins à la gaieté. On retrouve d'ailleurs cet esprit dans les *Propos de ville et Propos de théâtre,* où Murger a recueilli quelques-uns de ces mots dont il faisait la trame de ses meilleurs livres : ce grossier personnage dont on nous dit qu'il a du foin dans son assiette, ce décavé marié à une femme riche et maigre qu'on appelle sa planche de salut! Sans arrêt, sur tous les sujets, Murger plaisante comme s'il voulait effacer par une insouciance apparente le tragique des situations : lorsqu'on n'a pas d'argent pour recevoir ses amis, on « fait subir force *deleatur* à l'article gâteaux », de même qu'on se promène dans la rue lorsqu'on ne peut rembourser ses créanciers, au cas où il se pourrait bien faire « qu'un billet de mille francs [...] attendît son saint Vincent de Paul ».

La tragédie

Car il faut bien en arriver là, aux échéances et à leurs menaces perpétuelles : le quart d'heure de Rabelais quand on fait la folie d'un dîner à 25,75 F sans avoir de quoi le payer, mais aussi l'hôpital, qui est l'échéance suprême à laquelle les héros de Murger ne peuvent échapper : la farce se transforme alors en drame, comme dans *le Manchon de Francine* où le ton change nettement par rapport aux autres « scènes ». La mort de Jacques et celle de Francine révèlent alors un Murger différent dont le ton devient même dramatique lorsqu'il évoque la mort de Jacques et son père marchandant longtemps avant de régler les 36 francs demandés par l'administration. La gaieté de Murger n'existe que sur un fond de détresse, d'inquiétude surmontée et douloureuse : l'amour même n'est pas durable, et les circonstances qui ont réuni deux fantaisies se chargent aussi de les séparer. Les liaisons se défont parce qu'Une telle tombe dans la galanterie ou change de partenaire, peut-être aussi parce que l'amour qui dure est près du mariage et de ses compromissions bourgeoises. On se perd de vue, on se retrouve à l'occasion d'un dîner ou d'une sauterie, on se reprend avant le lit à la Pitié où tout se dénoue.

Ce qui ressort de tout cela, c'est le sentiment d'un échec : dans leurs entreprises, les bohèmes n'aboutissent qu'à des résultats dérisoires et l'ironie ne les console même pas. Et c'est bien ce qu'avoue Marcel lorsqu'il semble renoncer à cette vie qui lui paraît au fond complètement stérile. En réalité, la bohème ne peut pas durer : antichambre de l'Académie ou de la morgue, elle est forcément passagère. Tout le mérite de Murger est donc d'avoir fixé cette « folie » brève, cette fantaisie permanente qui se manifeste aussi bien par l'imprévoyance des personnages que par leurs ruses, leurs calembours ou leurs incongruités.

On peut reprocher à Murger, surtout dans d'autres œuvres que les *Scènes,* un certain sentimentalisme, atténué pourtant par beaucoup d'humour, mais l'essentiel, c'est cette qualité d'écriture qu'il n'obtenait qu'avec infiniment de travail et de peine. Il portait en effet une attention extrême à ses phrases, et l'on sent bien à chaque page ce souci d'un langage qui aboutit au charme, à la drôlerie, à l'émotion — à ce climat étrange que Murger installe à mi-chemin entre l'humour noir et la poésie.

Murger et Puccini

Le livre de Murger a, comme on le sait, fourni le point de départ de l'ouvrage de Puccini, *la Bohème* (1896). Mais il était bien sûr impossible d'en reprendre dans un opéra la structure à la fois trop touffue et trop complexe. Les librettistes ont donc réuni dans une intrigue plus resserrée divers épisodes à l'origine indépendants : le Ier acte montre Marcel, Colline et Schaunard dans la mansarde de Rodolphe, où les quatre amis grugent le propriétaire venu toucher son loyer. Il y aura ensuite la rencontre de Rodolphe et de Mimi avant le départ chez Momus. C'est là que se déroule un IIe acte animé notamment par l'arrivée de Musette qui veut reconquérir Marcel. Le IIIe acte s'oppose au précédent par son côté dramatique : on y apprend surtout que Mimi est malade de cette phtisie dont elle mourra au quatrième acte, comme la Francine de Murger. Car les personnages ne sont pas exactement ceux de Murger : on leur a donné, dans l'opéra, des caractères plus tranchés, et Mimi, par exemple, s'y voit dotée d'un charme fragile et poétique qui n'est pas vraiment le sien dans le livre. Chez Puccini, bien plus que chez Murger, on insiste sur le tragique de la bohème, peut-être aussi sur une sorte de pathétique vériste, assez différent, dans le ton, de la pudeur de l'original.

BIBLIOGRAPHIE

Scènes de la vie de bohème, textes prés. et annotés par F. Geisenberger, Julliard, 1964.

A consulter. — Lelioux, Tournachon, dit Nadar, et L. Noël, *Histoire de Murger, pour servir à l'histoire de la vraie bohème, par trois buveurs d'eau,* Hetzel, 1862; G. Montorgueil, *Henri Murger, romancier de la bohème,* Grasset, 1929; A. Warnod, *la Vraie Bohème d'Henri Murger,* éd. P. Dupont, 1947; R. Baldick, *The First Bohemian, the Life of Henri Murger,* Londres, H. Hamilton 1961.

A. PREISS

MUSE FRANÇAISE (la). Revue littéraire mensuelle qui, de juillet 1823 à juin 1824, fut l'« organe officiel du premier romantisme » (J. Marsan), *la Muse française* rassemble autour de Guiraud, Soumet et E. Deschamps (le véritable animateur du groupe, l'inlassable « Jeune Moraliste » de la rubrique « Mœurs ») des écrivains aussi divers que Nodier, Baour-Lormian, Hugo, Ancelot, Vigny, Brifaut, Saint-Valry, Guttinger : nostalgiques du classicisme, poètes de transition ou défenseurs de l'art nouveau, « la plupart d'éducation distinguée ou d'habitudes choisies [...], nés royalistes, chrétiens par convenance et vague sentiment » (Sainte-Beuve), ils forment une union plus idéologique qu'esthétique. Union d'autant plus fragile que, à la différence du *Conservateur littéraire,* la *Muse* se donnait pour mission « principalement de rallumer et d'entretenir le feu sacré de la poésie » (« Prospectus ») : il était dès lors inévitable qu'au fur et à mesure que se préciseront les objectifs théoriques et que s'affirmeront les ambitions contradictoires des uns et des autres la revue se dissolve. Et l'élection de Soumet à l'Académie française (1824), où domine l'esprit classique, pourrait bien n'être qu'une des péripéties dans lesquelles s'engloutit le destin de *la Muse.*

Pourtant le romantisme de la *Muse* n'avait rien d'excessif, en dépit des protestations de ses adversaires : Guiraud, dans *Nos doctrines* (7e livraison, janvier 1824), Nodier, dans *De quelques logomachies classiques* (10e livraison, avril 1824), et Deschamps, dans *la Guerre en temps de paix* (11e livraison, mai 1824), conçoivent plus la nouvelle littérature comme un élargissement du classicisme que comme une rupture. Lorsque Guiraud s'insurge, ce n'est pas contre Corneille, Racine ou La Fontaine mais contre « les copistes » auxquels « nous pouvons justement attribuer la dégénération de notre littérature ». Nodier de son côté traite *les Précieuses ridicules* de « comédie romantique par excellence ». Quant à Deschamps, ceux qu'il attaque, ce sont ces « prétendus classiques qui ont toujours deux mille volumes entre eux et l'ouvrage qui vient de paraître ». Ainsi est-ce moins une opposition doctrinale que développent les collaborateurs de *la Muse* qu'une critique de fait de la littérature de leur temps : s'appuyant sur l'autorité de Boileau — Guiraud comme Nodier citent le fameux vers : « Rien n'est beau que le vrai... » —, ils dénoncent la stérilité et le prosaïsme engendrés par la copie des imitations. Attitude qui vise non les classiques mais leurs successeurs et que résume la formule de Guiraud : « La lutte est entre le XVIIIe et le XIXe siècle ». La raison contre le cœur et l'imagination, ou plutôt la raison au secours du cœur et de l'imagination, car le romantisme de la *Muse* n'est ni frénétique ni débridé : « Il est même très utile que les corps académiques opposent une digue puissante au système d'innovation aventureuse de quelques-uns de nos jeunes poètes; pourvu que les lisières ne soient pas des chaînes » (Deschamps).

Sage et modéré encore, mais déjà fermement décidé, le romantisme tel que le définit la *Muse* a créé un clivage décisif : tandis que les Guiraud, Soumet, Brifaut et autres Baour-Lormian allaient rejoindre le clan des classiques, les jeunes poètes du groupe, radicalisant leurs positions littéraires, préparaient œuvres et manifestes. Soutenus désormais par les libéraux, qui, avec *le Globe*, entraient à leur tour dans le débat.

BIBLIOGRAPHIE

La Muse française a été rééditée en 2 vol. (préface et notes de Jules Marsan), Paris, Edouard Cornély et Cie, 1907. Il en existe une autre réédition en Slatkine Reprints, Genève, 1970.

A consulter. — Toutes les histoires du romantisme traitent de *la Muse française*: René Bray, *Chronologie du romantisme*, Paris, Nizet, 1963; Pierre Martino, *l'Époque romantique en France*, Hatier, 1944. L'étude la plus complète, exclusivement érudite, est celle de Léon Séché, *le Cénacle de « la Muse française »*, Paris, Mercure de France, 1909 (Slatkine Reprints, Genève, 1968).

D. MADELÉNAT

MUSELLI Vincent (1879-1956). Né en Normandie, à Argentan, il fut quelque temps professeur et, à Paris, se lia avec des écrivains et des artistes tels qu'André Salmon, Jean Paulhan ou le peintre André Derain. Les vers qu'il publia dans diverses revues sont réunis dans *les Travaux et les Jeux* (1914), écrits en une métrique régulière et qui sont proches de l'esprit de Moréas. Dans *les Masques* (1919), Muselli exploite une veine burlesque en d'élégants sonnets héroï-comiques. En revanche, *Sonnets à Philis* (1930) et *les Sonnets de contre-Fortune* (1931) tendent à une préciosité savante. Abstraite avec les *Sonnets moraux* (1934), son inspiration se fait lyrique dans les *Sept ballades de contradiction* (1941). *Poèmes* (1943) recueille un ensemble de pièces où le classicisme de l'expression — qui fait parfois songer à Valéry — sert à la fois une gaieté sévère et une liberté qui peut aller jusqu'au libertinage. A la fin de sa vie, Muselli célèbre l'ascension de l'homme vers la vérité (*les Convives*, 1947) avec un optimisme grave qui doit tout à une conception chrétienne de la noblesse morale (*les Douze Pas des Muses*, 1952).

A. REY

MUSIQUE (et poésie, et rythme poétique). V. RYTHME ET POÉSIE. VERS ET VERSIFICATION.

MUSSET

MUSSET Alfred de (1810-1857). Marginal du romantisme se tenant en dehors des mouvements, sacrifiant aux modes tout en les critiquant, Musset a su donner à son œuvre un caractère profondément personnel. En se décrivant lui-même, en évoquant les tourments d'une personnalité divisée et ébranlée par les drames sentimentaux, il a réussi à exprimer les contradictions de son siècle, bien que celui-ci n'ait admiré en lui que son exaltation ou son esprit, laissant de côté ses questions pertinentes et ses remarques acides. Musset a longtemps joué le rôle qu'il s'était assigné à lui-même : celui de bouffon. Nous en percevons mieux aujourd'hui les deux facettes : brillant et spirituel, son discours est également tragique et désespéré.

C'est par une enfance confortable et choyée que commence la vie d'Alfred de Musset. Enfant nerveux, à l'intelligence précoce, il est aimé et protégé par ses parents. Sa mère, pleine d'admiration pour sa vivacité et ses talents, excuse avec indulgence ses débordements. Le jeune Musset, plongé d'emblée dans un milieu aux traditions intellectuelles (son père, connu comme écrivain sous le nom de MUSSET-PATHAY, a réalisé une édition complète des œuvres de J.-J. Rousseau; son grand-père est un conteur plein de verve, ami et admirateur de Carmontelle), obtient sans effort de brillants succès scolaires, suscitant l'intérêt de ses maîtres et l'irritation de ses condisciples. Ce « blondin toujours premier », collégien sérieux et couronné de lauriers, va devenir un étudiant plus que dilettante. La sortie du cocon familial marque une expérience de la rupture, qui s'imprimera profondément dans la conscience du futur poète : l'adolescent débauché gardera toujours en lui l'image de l'enfant pur et plein d'espoirs. Le jeune Alfred, assoiffé de liberté, se précipite vers les plaisirs; il court les cafés à la mode et côtoie une jeunesse dorée dont il n'a ni l'entregent ni les moyens financiers. C'est dans ce monde séduisant préoccupé d'art mais surtout de toilettes, de chevaux et d'aventures amoureuses que Musset se forgera une personnalité de dandy et rencontrera ceux qui resteront ses amis. Alfred Tattet, un jeune homme riche et cultivé, deviendra le maître des plaisirs du jeune Musset; Ulrich Guttinguer, un autre viveur, beaucoup plus âgé, fait également partie du cercle où Musset rivalisera d'esprit et de cynisme avec le comte d'Alton-Shée, le comte Belgiojoso et autres brillants jeunes gens.

Au sortir de l'enfance, Musset avait déjà confié à son frère Paul son incapacité à devenir « une espèce d'homme particulière » : ses aptitudes, peut-être trop nombreuses, lui ouvrent toutes les voies sans qu'il en choisisse aucune. Cependant, il fréquente assidûment les salons du Cénacle : chez Hugo, rue Notre-Dame-des-Champs, et chez Nodier, à l'Arsenal, il rencontre les écrivains de la génération romantique (Vigny, Mérimée, Sainte-Beuve...). Un premier recueil, *les Contes d'Espagne et d'Italie*, ouvre brillamment sa carrière littéraire. Mais ses premières tentatives théâtrales sont marquées du sceau de l'échec. *La Quittance du diable* n'avait pas été représentée; *la Nuit vénitienne* le fut : sifflée, chahutée, la pièce tint l'affiche deux soirées. Ne voulant plus « se livrer aux bêtes », Musset dit alors « adieu à la ménagerie, et pour longtemps ». Il s'oriente vers un théâtre destiné à la lecture. Ce n'est qu'en 1832 qu'Alfred de Musset prend la décision définitive de vivre de sa plume : profondément ébranlé par la mort de son père, il découvre le vide de son existence et prend conscience de son oisiveté. Il collabore à la *Revue des Deux Mondes*. C'est alors qu'il rencontre George Sand, et c'est le début d'amours dramatiques et tumultueuses. La jalousie exacerbée de Musset, sa nervosité extrême, son instabilité rendront difficiles ses rapports avec une femme habituée à l'indépendance et au travail régulier. Leur amour trouvera un épilogue provisoire à Venise, où Musset, malade, découvre une liaison entre sa maîtresse et son médecin, Pagello. C'est en 1835 que G. Sand quittera définitivement Musset, après de nombreuses ruptures suivies de réconciliations.

De 1833 à 1839 se situent les années les plus fécondes de l'écrivain : le souvenir du drame de Venise, sa vie amoureuse chaotique (liaisons successives avec Mme Jaubert, Aimée d'Alton, la comédienne Rachel) semblent le stimuler, et il publie alors la plupart de ses œuvres majeures. A partir de 1840, son état de santé se dégrade rapidement. La « verve de Fantasio » l'a abandonné, et il tombe gravement malade, exténué par une vie de plaisirs et d'abus. Guéri, il mène une existence assez morne et ne parvient que rarement à vaincre sa paresse. Il continue néanmoins son œuvre poétique et fournit à la *Revue des Deux Mondes* des contes et des nouvelles. En 1843, miné par l'abus d'alcool, il retombe malade: sa santé est définitivement compromise, et il fera de nombreuses rechutes. Son activité littéraire se réduit mais continue, parallèlement à ses nombreuses liaisons amoureuses; proverbes et contes se succèdent, comme les maîtresses. Cependant, les honneurs officiels lui échoient : il reçoit, en même temps que Balzac, la Légion d'honneur; il est élu à l'Académie française (1852). Son théâtre commence à être représenté. Après des années particulièrement tristes et ennuyeuses, Musset meurt, à l'âge de quarante-sept ans. Une trentaine de personnes seulement l'accompagne au cimetière.

Une grande diversité

L'œuvre d'Alfred de Musset frappe d'abord par sa diversité; diversité de sujets, de genres, de ton, d'opinions, de style, longtemps perçue et étudiée par le seul biais de la chronologie et de la biographie. Certes, entre le jeune et fringant romantique, provocateur de génie, auteur de la « Ballade à la lune » et l'écrivain fatigué, revenu de tout, ne satisfaisant qu'avec difficulté les commandes de la *Revue des Deux Mondes*, il y eut une évolution, une transformation non négligeables qui permettent d'expliquer les différences radicales dans l'inspiration et la composition. Mais les étapes de la vie de Musset ne peuvent éclairer les contradictions immédiates, la multiplicité des avis et des opinions, la variété des tons et des voix qui font de son œuvre une sorte de kaléidoscope coloré.

Celui qui déclarait, à dix-sept ans : « Je ne voudrais pas écrire ou je voudrais être Shakespeare ou Schiller », augurant ainsi d'une carrière d'auteur dramatique, semble s'être d'abord orienté vers la poésie. En fait, son premier recueil, les *Contes d'Espagne et d'Italie*, mêle les longs poèmes narratifs, quelquefois dialogués, au théâtre versifié et aux pièces courtes, telles les chansons et les ballades. Musset s'annonce donc d'emblée comme un poète, mais un poète qui a plusieurs cordes à sa lyre et qui entend pouvoir en jouer. En 1833, il écrit encore, dans *Namouna :*

> J'aime surtout les vers, cette langue immortelle,
> C'est peut-être un blasphème, et je le dis tout bas,
> Mais je l'aime à la rage.

Cet amour avoué pour les vers ne l'empêche pas, après les dernières tentatives du *Spectacle dans un fauteuil* (1re livraison), de s'orienter définitivement vers le théâtre en prose. Drames, comédies et proverbes succéderont aux « poèmes dramatiques », que Musset lui-même rangera plus tard aux côtés de ses œuvres poétiques. Né poète, il est devenu prosateur, comme il l'affirme dans *le Poète déchu*, non sans avoir précisé que poète et prosateur « sont deux natures entièrement différentes, presque opposées et antipathiques l'une à l'autre ».

« Que les dieux vous assistent et vous préservent des romans nouveaux » s'écrient Dupuis et Cotonet, ces provinciaux sous le masque desquels Musset écrit ses pamphlets. C'est pourtant une sorte de roman que cette *Confession d'un enfant du siècle* publiée la même année que les *Lettres de Dupuis et Cotonet*. Et, sans que l'auteur l'ait voulu, ce roman n'est pas éloigné des œuvres à la mode: le drame intérieur, l'exaltation de la nature et de la passion sont bien de ces thèmes romantiques que fustige avec humour le Musset satiriste. L'homme qui écrit, dans la dédicace de *la Coupe et les Lèvres :*

> [Mais] je hais les pleurards, les rêveurs à nacelles,
> Les amants de la nuit, des lacs, des cascatelles,
> Cette engeance sans nom, qui ne peut faire un pas
> Sans s'inonder de vers, de pleurs, et d'agendas

ne se prive pas d'évoquer les promenades werthériennes de ses personnages et leurs pleurs répétés. Cette dédicace est d'ailleurs fort instructive: Musset tente d'y définir ses goûts, ses croyances et ses méthodes et ne parvient qu'à une seule conclusion, le doute. Il est capable, au même moment, de professer des opinions différentes, de faire diverger son discours de toutes les manières possibles. Ce discours éclaté ne se limite pas à la contradiction entre une parole de l'œuvre et une parole sur l'œuvre; il est aussi la caractéristique interne des écrits de Musset. On a parlé à ce propos d'« autoscopie », cette faculté de projeter à l'extérieur de soi-même sa propre image, un second moi. L'exemple type en est fourni par la « vision » du narrateur de la *Nuit de décembre*. Cet « étranger vêtu de noir » qui ressemble au narrateur « comme un frère » est, en fait, présent dans presque toute l'œuvre de Musset. Il n'est pas l'avatar occasionnel du thème du double; il correspond à une nécessité dans l'œuvre : celle de la multiplication des voix.

Des voix contradictoires

« Il y avait presque constamment en moi un homme qui riait et un autre qui pleurait. Mes propres railleries me faisaient quelquefois une peine extrême, et mes chagrins profonds me donnaient envie d'éclater de rire », avoue Octave, le narrateur de *la Confession d'un enfant du siècle*. Ce dédoublement, caractéristique des personnages de Musset, ne se limite pas à des tiraillements psychologiques : il se matérialise dans les textes avec une surprenante récurrence. Le « je » unique du narrateur ou du héros ne cesse de se diviser, et il peut ainsi s'adresser à lui-même, se contredire, se critiquer. Ainsi Octave s'interpelle-t-il lui-même, à de nombreuses reprises, au cours de sa confession. Ses monologues internes sont, en fait, de véritables dialogues, où plusieurs voix « terribles et contradictoires » prennent tour à tour la parole. Ce phénomène est sensible jusque dans la poésie. Le cycle des *Nuits* est une série de poèmes à deux voix : la Muse et le Poète ne peuvent s'unir définitivement; plutôt qu'une conseillère et une inspiratrice, la Muse est celle qui permet au Poète de trouver un interlocuteur et de sortir du mutisme.

C'est évidemment au théâtre que mène cette multiplication des voix. Le nombre des personnages y permet la diversité des discours. C'est cette diversité même qui aboutit à une certaine vérité. Il n'y a pas, dans l'œuvre théâtrale de Musset, de véritable héros « porte-parole ». Le ou les héros sont toujours au confluent de plusieurs discours contradictoires, que ceux-ci sortent de leur propre bouche ou de celle des autres. Octave et Célio, dans *les Caprices de Marianne*, s'opposent, mais se complètent. Derrière celui qui est « heureux d'être fou » et celui qui est « fou de ne pas être heureux », une seule personnalité, ambiguë, apparaît. Parfois, d'un seul et même personnage émanent plusieurs voix. Fantasio, après avoir agi et parlé en bouffon, ne peut s'identifier totalement à cette personnalité; il lui faut rester multiple et il déclare : « J'aime ce métier plus que tout autre, mais je ne puis faire aucun métier ». Il y a dans *Lorenzaccio* plus de quarante personnages parlants; cependant, c'est grâce à l'extraordinaire duplicité de Lorenzo qu'apparaît la plus étonnante opposition des discours : une divergence irréductible de deux discours antagonistes est le moteur du drame. Ce que Lorenzaccio croit être un masque, une attitude destinée à tromper, est en fait une autre partie de lui-même. Par sa voix, deux personnages s'expriment, que l'on ne peut ni confondre ni séparer.

Dédoublement, contradictions, diversité pourraient faire croire à la désintégration de la personne du scripteur alors que, paradoxalement, celle-ci est partout présente. Cette « première personne » organise et modèle les autres, les représente pour mieux les investir. « Le moi lyrique, être soi; le moi dramatique, être les autres », préconisait Hugo. Musset a, quant à lui, appliqué cette formule de façon bien particulière. Pour lui, être soi n'est possible qu'à condition d'être plusieurs à la fois, de pouvoir exprimer intégralement les différentes composantes de sa personnalité. La crise de la conscience romantique s'exprime chez lui par cette division de la personne, unique possibilité d'expression de la vérité qui conduit inexorablement à l'échec : finalement, la réunion est impossible.

Il reste que ce discours divisé témoigne d'une tentative : celle d'une œuvre fondée sur la personne et dont l'auteur est souvent son propre sujet. La diversité des tons et des styles ne saurait cacher tout à fait l'unité et la récurrence de certains thèmes personnels qui resurgissent derrière la plus banale des répliques, dans le plus badin des propos.

Des thèmes obsédants

Dans l'œuvre de Musset, le thème s'oppose au sujet. Le sujet souvent anodin (une bonne fortune, une grisette, un proverbe), quelquefois grandiose (l'assassinat d'un monarque), sert habituellement de support à un discours parallèle, quelquefois même extérieur au sujet lui-même. Qu'ils soient évoqués par les personnages ou directement introduits par le narrateur grâce à une de ces digressions dont Musset a le secret, les thèmes centraux de l'œuvre fournissent une matière commune qui envahit et dépasse tous les sujets sans pour autant les détruire ou les absorber. Cette matière n'est pas toujours propre à Musset; certains des grands thèmes romantiques s'y rattachent; mais c'est avec la force de l'obsession personnelle et de l'image rémanente qu'ils apparaissent chez lui.

Musset se donne comme un poète, mais comme un jeune poète : il ne cesse de revendiquer cette jeunesse. Ses héros sont tous de jeunes gens au seuil de la vie et qui semblent refuser d'y entrer. Leur inaction leur permet de ne pas franchir le pas décisif qui les précipiterait dans l'âge adulte. « Pour écrire l'histoire de sa vie, il faut avoir vécu. Ainsi n'est-ce pas la mienne que j'écris », déclare Octave, l'« enfant » du siècle. Fantasio, Perdican et Camille, Lorenzo sont des jeunes gens qui se heurtent au monde des adultes où ils font leur entrée. Le thème majeur des pièces où ils apparaissent, c'est leur première prise de responsabilité, le moment où ils abandonnent le discours (des études, de l'art, de la débauche) pour l'action. La jeunesse, plus qu'une période, est un état, et cet état permet le doute, l'interrogation, le refus, donc l'inaction. Toute tentative pour le dépasser tourne à l'échec, partiel ou total, et au mutisme. La jeunesse réelle se double d'une jeunesse mythique; celle qui existerait si par avance le monde des adultes et de la souffrance ne l'avait brisée :

> J'ai vu le temps où ma jeunesse
> Sur mes lèvres était sans cesse
> Prête à chanter comme un oiseau;
> Mais j'ai souffert un dur martyre...
>
> (*la Nuit de mai*)

La jeunesse ne suscite aucun devenir. Le futur s'est déjà révélé à elle, parce que la première blessure lui a tout appris. Le poète est l'homme pour qui cette blessure est inguérissable, inoubliable. Plutôt que de la soigner il préfère la laisser béante. D'où le conseil de la Muse de *la Nuit de mai :*

> Quel que soit le souci que ta jeunesse endure,
> Laisse-la s'élargir, cette sainte blessure
> Que les noirs séraphins t'ont faite au fond du cœur.
> Rien ne nous rend si grands qu'une grande douleur.

Dans le même texte, Musset compare le poète au pélican qui se fouille les entrailles pour offrir son cœur en pâture à ses petits. Cette allégorie, à la limite du ridicule, est l'expression outrée du thème de la blessure, évoquée plus discrètement dans le reste de l'œuvre. La tentation masochiste est permanente chez Musset. Lorenzo, « pur comme un lys », se salit et se dégrade volontairement; Octave, le héros de *la Confession,* porte une « discipline » de fer, et ses plaies lui procurent « une volupté étrange ». La blessure doit être initiale parce que sans elle le cœur est inaccessible; elle est une nécessité, une provocation à l'ouverture et à la parole : elle évite l'ennui. La Muse de *la Nuit d'octobre* l'affirme clairement :

> Le coup dont tu te plains t'a préservé peut-être,
> Enfant : car c'est par là que ton cœur s'est ouvert.

Le poète se doit d'exhiber sa plaie : c'est bien ce que fait Musset, et la stratégie même de *la Confession* en est la preuve. C'est d'ailleurs cette tactique qui gâte parfois la sincérité et provoque l'outrance; mais elle explique la coexistence chez Musset d'œuvres douloureuses et d'œuvres légères. La blessure du cœur est nécessaire, mais elle est volontaire : aussi peut-elle être apparente ou cachée. C'est cette blessure qui fournit l'occasion de l'expression artistique, mais elle en constitue parfois le sujet.

La trahison est l'arme qui a blessé le poète. Il s'agit initialement d'une trahison amoureuse. Mais le « mal du siècle » aurait de bien faibles racines s'il reposait sur la seule infidélité d'une maîtresse. C'est l'absence de sincérité, la divergence tout à coup apparue entre les paroles et les actes qui se révèlent subitement aux héros de Musset. La femme traîtresse qui trompe simultanément tous ses amants est une image sociale. En regardant Florence, ville et corps prostitués, Lorenzo voit autre chose : « Tous les masques tombaient devant mon regard; l'Humanité souleva sa robe et me montra, comme à un adepte digne d'elle, sa monstrueuse nudité ». Rolla, prêt à se suicider, tente de croire un instant à la virginité de la prostituée qu'il regarde dormir : pour échapper à la mort, il faut croire à l'apparence. Dès que la vérité se démasque, l'espoir, qui semblait crédible, s'évanouit. Ou alors il faudra, pour jouer son rôle, porter masque et se tromper soi-même : vaincre le mal par le mal et user de la traîtrise et de l'hypocrisie comme d'un traitement homéopathique. Si, dans *le Chandelier,* la triple infidélité de Jacqueline fait le bonheur de Fortunio, c'est que celui-ci reste « bon, brave et sincère » : il est, en somme, l'exception qui confirme la règle. La trahison est partout, dans le moindre événement comme dans la moindre intrigue de Musset; quelquefois traitée avec humour, elle reste la toile de fond dramatique de son œuvre. La découverte de la vérité bloque tous les processus d'évolution : il est inutile de continuer le chemin puisqu'il ne mène nulle part. La jeunesse est indépassable; devant elle, la mort, ou plutôt le vide, le néant. L'image symbolique de ce refus du progrès et du temps se trouve au début de *la Confession d'un enfant du siècle.* L'« esprit du siècle » est un « spectre moitié momie, moitié fœtus ». Il évoque l'image d'une jeune fille embaumée dans sa parure de fiancée, dont le « squelette fait frémir car ses mains fluettes et livides portent l'anneau des épousées », et que « sa tête tombe en poussière au milieu des fleurs d'oranger ». A l'innocence de la jeunesse ne peut succéder que la mort ou l'anéantissement de soi par la débauche. L'angoisse devant le néant et l'ennui est un des grands thèmes romantiques; Musset l'analyse d'ailleurs comme un mal général dû à des circonstances historiques. Après l'exaltation et le vacarme de la Révolution et de l'épopée napoléonienne, la jeune génération ne peut accepter les pâles idoles qu'on veut lui faire adorer. Il y a pour elle, dans le mot de liberté, quelque chose qui lui fait battre le cœur « à la fois comme un lointain et terrible souvenir et comme une chère espérance, plus lointaine encore ». Elle doit cependant s'accommoder du présent, de cette époque suspendue, et elle plonge dans l'ennui. L'avenir ne se trouve que dans l'image du passé; Musset fait partie de ces « vieillards nés d'hier », au bord du néant. L'exaltation de l'art, bouée de sauvetage de sa génération, ne le séduit pas entièrement : des doutes subsistent sur sa fonction salvatrice. Comme le dit Lorenzo, l'art est plutôt l'« alambic » par lequel « les larmes du peuple retombent en perles ». En aucun cas il ne peut se substituer au monde. Musset, comme Fantasio, aimerait pouvoir se passionner « pour un homard à la moutarde, pour une grisette, pour une classe de minéraux ». Il n'y parvient pas. Il a soif d'un absolu qui a disparu depuis que le ciel est vide. Sa lucidité l'amène à une contradicton insoluble : Dieu est nécessaire mais il n'existe pas.

Je ne crois pas ô Christ, en ta parole sainte!
Je suis venu trop tard dans un monde trop vieux,

s'écrie Rolla. Dieu a disparu, et les « anges consolateurs du Christ » ont déserté les chaumières. Aucun idéal ne mérite plus que l'artiste se mette à son service, aucune force, politique ou religieuse, n'est assez convaincante. De là vient probablement cette haine de Musset pour deux catégories antagonistes : les apôtres de la Raison, qui ont détruit Dieu, et les prêtres, qui, en mentant, tentent de faire croire qu'il existe encore. Voltaire et « son hideux sourire » ont fait tomber l'édifice; les hommes en noir, corbeaux, cagots, tartuffes et hypocrites, n'habitent plus que des ruines. Ridicules ou malfaisants, les prêtres n'ont pas, dans l'œuvre de Musset, un plus beau rôle que les raisonneurs de toutes sortes.

L'idéal mystique et la croyance à la Raison et au Progrès écartés, il ne reste à Musset qu'une attitude personnelle, celle d'un dandysme et d'un donjuanisme à la fois séduisants, destructeurs et inquiets. Le dandy, comme l'écrira plus tard Baudelaire, c'est cet « homme riche, oisif et qui, même blasé, n'a pas d'autre occupation que de courir la piste du bonheur ». C'est un homme doué de qualités qu'il ne peut utiliser, un « hercule sans emploi ». Il tente de se distinguer dans « les époques transitoires où la démocratie n'est pas encore toute-puissante, où l'aristocratie n'est que partiellement chancelante et avilie ». C'est, en Musset, l'homme léger et brillant, habile à tous les exercices. Le don juan, lui, ajoute à la séduction et au cynisme le sacrilège, la provocation et l'angoisse. Il redoute et en même temps espère la venue du Commandeur : si le châtiment n'arrive pas, c'est qu'il n'y a aucune limite au mal et à la débauche. Partout dans l'œuvre la statue est présente : cette image obsédante est liée au froid, au cadavre, à la mort. Pour contrebalancer sa force, une image antithétique était nécessaire, celle de l'amour. Seuls les instants d'amour véritable échappent à la sanction et au néant dont « l'ombre immense ronge le soleil sur son axe enflammé ». Seule l'expression de cet amour, le « langage venu du cœur », peut s'opposer au discours glacial de la mort.

	VIE		ŒUVRE
1810	11 déc. : naissance de Louis Charles Alfred de Musset, à Paris, 33, rue des Noyers (aujourd'hui, 57, boulevard Saint-Germain).		
1819	Musset entre au lycée Henri-IV. Au cours de sa scolarité, il brille par son habileté à composer des vers latins.		
1824	Première création poétique : *A ma mère.*		
1826	*A Mlle Zoé Le Douairin.*		
1827	Août : Second prix de dissertation latine au concours général. *La Nuit.*		
1828	Musset commence des études de droit, puis de médecine. Il fréquente les cafés à la mode, connaît diverses aventures amoureuses. Il est présenté à V. Hugo par un beau-frère de celui-ci, P. Foucher.	**1828**	Premières publications : « Un rêve », dans *le Provincial,* à Dijon; *l'Anglais mangeur d'opium,* d'après Th. de Quincey.
1829	Musset est employé quelques mois chez un entrepreneur de chauffage militaire. Il se lie à Ulrich Guttinguer.	**1829**	Déc. : premier recueil, les *Contes d'Espagne et d'Italie* (contenant notamment « Don Paez », « les Marrons du feu », « Mardoche », « Ballade à la lune »).
1830	**Chute de Charles X.** Musset, vraisemblablement, participe aux journées de Juillet.	**1830**	Avr. : *la Quittance du diable.* Déc. : représentation à l'Odéon de *la Nuit vénitienne ou les Noces de Laurette.* Échec total. Publication de la pièce dans la *Revue de Paris.*
		1831	Publication dans *le Temps* des « Revues fantastiques » (janv. à juin).
1832	Épidémie de choléra; le père de Musset meurt brutalement. Musset décide de vivre de sa plume.	**1832**	Déc. : second recueil, *Un spectacle dans un fauteuil,* comprenant : *la Coupe et les Lèvres, A quoi rêvent les jeunes filles, Namouna.*

	VIE		ŒUVRE
1833	Musset inaugure sa collaboration à la *Revue des Deux Mondes* par un compte rendu de l'opéra de Scribe et Auber, *Gustave III.* En juin, il rencontre George Sand à une réception offerte par Buloz, le directeur de la revue. Août : début de la liaison amoureuse avec G. Sand. Musset commence *Lorenzaccio.* 12 déc. : départ des amants pour Venise, *via* Lyon, Marseille, Gênes, Livourne, Pise et Florence.	**1833**	Avr. : *André del Sarto.* Mai : *les Caprices de Marianne.* Août : *Rolla.*
1834	Janv. : Musset tombe malade à Venise. Févr. : il découvre la liaison entre G. Sand et le jeune Pagello, son médecin. Mars : guéri, il repart pour Paris. Août : G. Sand revient à Paris avec Pagello. Musset la revoit. Sept. : séjour de Musset à Bade. Il écrit à G. Sand des lettres enflammées et poursuit la rédaction, commencée en juil., de *la Confession d'un enfant du siècle.* Oct.-nov. : reprise de la liaison avec G. Sand, puis, en déc., nouvelle rupture.	**1834**	Janv. : *Fantasio.* Juil. : *On ne badine pas avec l'amour.* Août : deuxième livraison d'*Un spectacle dans un fauteuil,* qui comprend *Lorenzaccio.*
1835	Janv.-mars : nouvelle reprise de la liaison avec G. Sand; scènes violentes et rupture définitive. Liaison avec Mme Jaubert, épouse d'un magistrat et sœur d'un ami de Musset, le comte d'Alton-Shée. Rendu impossible par la jalousie de Musset, leur amour se transformera bientôt en une solide amitié.	**1835**	Juin : *la Nuit de mai.* Août : *la Quenouille de Barberine.* Sept. : rédaction du 1er chapitre de *la Confession d'un enfant du siècle.* Nov. : *le Chandelier.* Déc. : *la Nuit de décembre.*
1836	Liaison avec une jeune actrice, Louise Lebrun.	**1836**	Févr. : *la Confession d'un enfant du siècle.* Mars : *Lettre à M. de Lamartine.* Juil. : *Il ne faut jurer de rien.* Août : *la Nuit d'août.* Sept.-mai 1837 : *Lettres de Dupuis et Cotonet.* Oct. : stances *A la Malibran. Faire sans dire,* dans un recueil collectif (avec G. Sand, Mérimée, Dumas, Stendhal, Vigny...).
1837	Liaison avec une cousine de Mme Jaubert, Aimée d'Alton, qui épousera plus tard Paul de Musset, frère d'Alfred.	**1837**	Juin : *Un caprice.* Août : *Emmeline* (nouvelle). Oct. : *la Nuit d'octobre.* Nov. : *les Deux Maîtresses* (nouvelle).
1838	Oct. : Musset est nommé conservateur de la bibliothèque du ministère de l'Intérieur.	**1838**	Janv. : *Frédéric et Bernerette* (nouvelle). Févr. : *l'Espoir en Dieu.* Mai : *le Fils du Titien* (nouvelle). Juil. : *Dupont et Durand* (dialogue). Oct. : *Margot* (nouvelle). Nov. : *De la tragédie,* puis, en déc., « Reprise de *Bajazet* », articles célébrant les débuts au Théâtre-Français de la comédienne Rachel.
1839	Se détachant d'Aimée d'Alton, Musset courtise sans succès Pauline Garcia, sœur de la Malibran. Liaison avec Élisa Félix, dite Rachel, puis rupture.	**1839**	Févr. : *Croisilles* (nouvelle).
1840	Au début de l'année, grave maladie. Guéri, Musset commence une existence triste et morne.	**1840**	Première édition des *Poésies complètes* et des *Comédies et Proverbes.* Juin : *Une soirée perdue* (Molière à la Comédie-Française). Août : *Tristesse.*
		1841	Févr. : *Souvenir.*
1842	Musset tente de renouer avec Aimée d'Alton, puis fait la cour, inutilement, à la coquette princesse Belgiojoso.	**1842**	Janv. : *Sur la paresse.* Oct. : *Histoire d'un merle blanc* (conte). Nov. : *Après une lecture* (sur le poète italien Leopardi).
1843	Nouvelle maladie, due à l'abus d'alcool. Réconciliation avec Hugo (leur brouille datait de 1832) et avec Rachel. Correspondance avec Marie Nodier, fille de Charles. S'étant dérobé au service de la Garde nationale, Musset passe quelques jours en prison (comme en 1841, puis en 1849).		
1844	Très grave pleurésie au printemps; quelques liaisons, néanmoins.	**1844**	Contes : *Pierre et Camille, le Secret de Javotte, les Frères Van Buck.*
1845	Nouvelle grave maladie. 24 avr. : Musset reçoit la Légion d'honneur.	**1845**	Nov. : *Il faut qu'une porte soit ouverte ou fermée.* Déc. : *Mimi Pinson* (conte).

VIE	ŒUVRE
	1847 27 nov. : première représentation d'*Un caprice*, à la Comédie-Française, dont Buloz vient d'être nommé administrateur. C'est un grand succès; aucune pièce de Musset n'avait été jouée depuis l'échec, en 1830, de *la Nuit vénitienne*.
1848 **Chute de Louis-Philippe.** Musset perd son poste de bibliothécaire. Liaison avec Mme Allan-Despréaux, qui avait créé *Un caprice*.	
1849 Amitié amoureuse avec l'actrice Augustine Brohan.	**1849** Févr. : première représentation de *Louison* (comédie en vers). Mai : représentation, au Théâtre-Français, d'*On ne saurait penser à tout*.
	1850 *Le Constitutionnel* publie en feuilleton *Carmosine* (comédie).
	1851 *Bettine* (comédie) est représentée au théâtre du Gymnase, puis publiée par la *Revue des Deux Mondes*.
1852 12 févr. : élection à l'Académie française, après les deux échecs de 1848 et 1850. Liaison avec Louise Colet, maîtresse de Flaubert.	**1852** Publication des poésies dans leur classement définitif : *Premières Poésies* (1829-1835); *Poésies nouvelles* (1836-1852).
1853 Musset est nommé bibliothécaire au ministère de l'Instruction publique.	**1853** Publication du recueil des *Comédies et Proverbes*. *La Mouche* (conte).
1854-1857 Musset n'écrit pratiquement plus et continue à boire.	
1857 2 mai : mort de Musset. 4 mai : une trentaine de personnes mène son cercueil au Père-Lachaise.	
	1858 Publication de *l'Âne et le Ruisseau* (comédie).
	1861 Première représentation d'*On ne badine pas avec l'amour*, à la Comédie-Française.
	1896 Première représentation de *Lorenzaccio* au théâtre Sarah-Bernhardt (c'est Sarah Bernhardt qui joue le rôle de Lorenzo).

POÉSIE

Alfred de Musset est longtemps resté le « poète de la jeunesse », d'une jeunesse romantique et volontiers pleurnicharde — « rollaque », pour reprendre l'adjectif créé par Rimbaud. Des générations successives ont admiré en l'auteur des *Nuits* le dandy aux épanchements mélancoliques, à l'humeur quelquefois badine, au style léger et facile. Cette fascination était fondée sur les facteurs mêmes qui ont provoqué par la suite l'insuccès de Musset. Exécré par les symbolistes, rejeté par les surréalistes, oublié par la modernité littéraire, Musset poète n'a cessé, depuis le début du siècle, de péricliter. Le rejet volontaire d'une poétique rigoureuse, la croyance en une inspiration venue du cœur, lieu privilégié de l'élaboration artistique, le mépris pour l'engagement philosophique ou politique, autant d'éléments qui, après avoir permis à Musset de figurer parmi les « grands inspirés » de son siècle, ont suscité par la suite indifférence ou irritation. Musset est resté l'homme des « vers célèbres »; sa poésie est émaillée d'aphorismes devenus proverbes : « Qu'importe le flacon, pourvu qu'on ait l'ivresse », « Mon verre n'est pas grand, mais je bois dans mon verre », etc.

Sa carrière poétique a commencé avec les outrances et le brio d'un romantisme échevelé : les *Contes d'Espagne et d'Italie* recourent à la couleur locale, au sang, à l'érotisme. Le style en est volontiers heurté : rejets et enjambements, de vers à vers mais également de strophe à strophe, s'y multiplient. Les principales pièces en sont « Don Paez », « Mardoche ». La « Ballade à la lune », publiée en 1830, fut considérée par les classiques comme un véritable outrage. Les romantiques, eux, ne discernèrent pas le côté pastiche d'une œuvre qui n'hésitait pas à comparer la lune à « un grand faucheux bien gras/Qui roule/Sans pattes et sans bras ». Les neuf dernières strophes, ouvertement égrillardes, ne furent pas publiées. « Les Secrètes Pensées de Raphaël, gentilhomme français » laissent entendre une rupture avec le romantisme hugolien. Musset s'oriente ensuite vers une poésie à la versification et aux thèmes plus sages. *Namouna*, qui clôt le recueil, essentiellement théâtral, d'*Un spectacle dans un fauteuil*, est un conte au ton et aux digressions très désinvoltes. Viennent ensuite les œuvres les plus célèbres : *Rolla* et le cycle des *Nuits*.

🕮 *Rolla*

Synopsis. — Après une longue introduction sur la mort des dieux païens et du Dieu chrétien (I) commence l'histoire de Jacques Rolla, jeune débauché oisif et sans espoir, qui a décidé de dissiper sa maigre fortune (II). Il a passé la nuit chez une prostituée de quinze ans, Marion, qu'il a payée de sa dernière pistole (III). Un long passage, où le narrateur interpelle Voltaire le déicide (IV), précède le dénouement : au matin, après l'avoir contemplée endormie, Rolla annonce à Marion sa décision de se tuer. La jeune fille lui offre de l'argent, mais il s'empoisonne, et il meurt dans un dernier baiser d'amour (V).

Rolla est l'œuvre de Musset qui obtint le plus de succès, tant au moment de sa publication, en 1833, que par la suite. La fantaisie qui marquait les œuvres précédentes a disparu, faisant place à une poésie exaltée et douloureuse, fondée sur une écriture plus conventionnelle mais riche en audacieuses métaphores. Les thèmes abordés, les personnages, les lieux sont ouvertement romantiques : un jeune débauché, une adolescente prostituée, le lever du soleil, l'empoisonnement, le tout transcendé par le regard pur du narrateur. On hésite à qualifier *Rolla* de poème narratif. Le récit proprement dit n'y tient qu'une place restreinte; le personnage principal n'est pas Jacques Rolla mais le narrateur lui-même, qui pose les questions, introduit les comparaisons, interpelle, s'exclame et invite le lecteur à considérer telle ou telle partie du tableau présenté. Le poème est fondé sur des interrogations successives, qui reçoivent des réponses tragiques dans une scène qui s'éclaire peu à peu. L'histoire sert de prétexte à de longues digressions dont le thème principal est la disparition de Dieu et de l'espoir : Marie, l'enfant, la vierge, devient Marion la prostituée, et sa mère une maquerelle; le lever du soleil n'est plus début du jour, mais fin de la nuit. Du microcosme de la chambre de Marion au discours général sur l'humanité, il y a le lien de l'exemple; Rolla est l'homme tel que le « vieil Arouet » l'a voulu. A la fois Faust et Don Juan, Rolla ne réussit pourtant pas à « prostituer sa mort » : Marion, par son acte d'amour, sauve en lui la pureté.

🕮 Les *Nuits*

Le cycle des *Nuits* regroupe quatre poèmes : les « Nuits » de mai, de décembre, d'août et d'octobre, auxquels on a l'habitude d'ajouter, pour des raisons chronologiques et thématiques, la « Lettre à Lamartine », « l'Espoir en Dieu » et « Souvenir ». Leur parution s'échelonne de 1835 à 1841.

En 1835, Musset sort de la difficile période de ses amours avec George Sand. Des allusions répétées à un amour malheureux ne sauraient cependant faire conclure qu'il ne s'agit là que d'une poésie amoureuse de circonstance, liée à une expérience précise. Selon P. Van Tieghem, « le vrai sujet des *Nuits* est en effet l'incidence de la souffrance sentimentale sur la création poétique. Le problème de la création littéraire y est au premier plan ».

Les « Nuits » de mai, d'août et d'octobre donnent lieu à un dialogue entre le Poète et sa Muse », dédoublement des voix qui donne au thème de la blessure deux éclairages différents. Dans *la Nuit de mai,* la Muse propose au Poète des sujets d'inspiration et même des genres littéraires précis (l'épopée, l'églogue, la satire, etc.). Mais pour le Poète,

La bouche garde le silence
Pour écouter parler le cœur.

Il apparaît alors que seule la douleur peut engendrer le génie poétique. Les vers fameux :

Les plus désespérés sont les chants les plus beaux
Et j'en sais d'immortels qui sont de purs sanglots

ne convainquent cependant pas le créateur. L'expression de sa douleur est au-dessus de ses forces.

La Nuit d'août évoque un renouveau passager; le Poète, plein d'enthousiasme printanier, va chanter l'amour nouveau, malgré sa Muse sceptique :

Cœur gonflé d'amertume et qui t'es cru fermé,
Aime, et tu renaîtras; fais-toi fleur pour éclore.

La Nuit d'octobre est la résolution dialectique du dilemme entre mutisme et mensonge. Le poète suit le conseil de la Muse : sa cicatrice s'ouvre de nouveau; il laisse s'exprimer sa douleur, mais aussi son indignation et sa colère.

Le dédoublement prend une autre forme dans *la Nuit de décembre.* Les ombres, spectres et formes voilées qui hantent la poésie de Musset s'y précisent. C'est un véritable jumeau que découvre le narrateur : il incarne, paradoxalement, la Solitude.

La poésie des *Nuits* n'évite pas toujours l'allégorie trop poussée (le pélican, la cavale); mais la multiplicité des voix la préserve de verser dans la tentation rhétorique. Alors que le narrateur de *Rolla* a constamment besoin d'images, de digressions et d'ellipses pour alléger la pesanteur oratoire, les dialogues des *Nuits,* exprimant les contradictions, n'ont pas à recourir au jeu perpétuel des questions et des réponses.

THÉÂTRE

C'est au théâtre que Musset a donné le meilleur de lui-même. Son œuvre dramatique, presque totalement incomprise par ses contemporains, s'élève largement au-dessus de tout le théâtre romantique. Deux facteurs essentiels ont contribué à cette qualité. Musset, rebuté par l'échec de *la Nuit vénitienne,* a destiné les pièces ultérieures à la lecture; d'où une grande liberté dans la composition, le choix des événements et des lieux, le nombre des personnages. D'autre part, il n'a pas cherché à appliquer au théâtre les théories contraignantes du romantisme hugolien, bien qu'il s'en soit inspiré. « Racine, rencontrant Shakespeare sur ma table, s'endort près de Boileau, qui leur a pardonné », écrit-il dès 1830. Mais il ne s'accommode pas plus des obligations aristotéliciennes que de l'envahissante idéologie romantique. S'il se reconnaît un maître : Molière, c'est qu'il admire en lui « [sa] mâle gaieté, si triste et si profonde Que lorsqu'on vient d'en rire, on devrait en pleurer ». Son théâtre, original et surprenant, n'est jamais polémique. Le grotesque et le sublime s'y mêlent, mais sans ostentation : ils ne sont pas, comme dans le théâtre hugolien, juxtaposés. L'Histoire, la couleur locale enrichissent le spectacle sans le dénaturer. Les personnages burlesques, à mi-chemin de la satire sociale et de la bouffonnerie pure, dénoncent la convention théâtrale et sociale mais n'entament pas la gravité des propos tenus.

L'œuvre théâtrale de Musset comprend des genres divers. Elle a commencé par des poèmes dramatiques en vers, tels *les Marrons du feu, A quoi rêvent les jeunes filles, la Coupe et les lèvres.* A part la comédie (*les Caprices de Marianne, Fantasio, le Chandelier, Barberine*), deux genres prédomineront : le drame historique (*André Del Sarto,* de loin la pièce en prose la plus romantique de Musset, et *Lorenzaccio*) et surtout le proverbe. Il s'agit d'un exercice fort en vogue au XVIIIe siècle, qui consistait à composer une petite pièce à laquelle un proverbe choisi à l'avance servirait de morale. Musset a su dépasser l'exercice de style et son maître Carmontelle, pour parvenir à de véritables œuvres. Ces proverbes servent de titre aux pièces qui les illustrent : *On ne badine pas avec l'amour, Il ne faut jurer de rien, Il faut qu'une porte soit ouverte ou fermée, On ne saurait penser à tout.* [Voir PROVERBE DRAMATIQUE].

🕮 *Les Caprices de Marianne*

Synopsis. — Acte I. Marianne est la très sage femme de Claudio, podestat (juge) à Naples, au XVIe siècle. Célio, jeune homme sensible et timide, en est éperdument amoureux; son amour lui semble sans espoir. Octave, jeune débauché insouciant, cousin de Marianne et ami de Célio, lui propose de déclarer son amour à sa place : Marianne le reçoit froidement et prévient son mari. Hermia, mère de Célio, lui raconte comment son père, venu pour lui déclarer l'amour d'un de ses amis, l'a finalement épousée.

Acte II. Célio annonce à Octave qu'il renonce. Claudio, jaloux, reproche à Marianne une conversation qu'elle a eue avec Octave. Elle laisse alors entendre à Octave qu'elle est éprise de lui et lui donne un rendez-vous. C'est Célio masqué qui s'y rend et qui se fait assassiner par Claudio et son valet. Après sa mort, Octave repousse l'amour de Marianne.

Cette pièce, publiée en 1833, n'a été représentée — une fois remaniée, puis acceptée par la censure — qu'en 1851. Elle n'a de comédie que le nom; les thèmes évoqués, le personnage de Célio et le dénouement sont ouvertement dramatiques. Le personnage d'Octave, qui apparaît en Arlequin et se décrit lui-même comme « un danseur de corde, en brodequins d'argent, le balancier au poing, suspendu entre le ciel et la terre », n'est pas non plus exempt de caractère tragique, même si en lui la débauche est dépeinte sous son côté plaisant. Octave et Célio sont d'ailleurs deux aspects de la même personne, et Musset a avoué participer des deux à la fois. Octave est le masque de Célio : il est paresseux, fantasque, brillant, apparemment heureux. Célio, intellectuel et sensible, paie de son malheur son inadaptation à la vie. Marianne est la figure symbolique de la femme. Son personnage n'est que peu typé, bien que ses répliques sonnent juste. Elle est la femme, capricieuse, changeante et donc traîtresse. C'est elle qui, par son existence et son discours, provoque le drame, comme l'a provoqué jadis Hermia, la mère pourtant douce et protectrice de Célio. Le ton léger, les traits d'esprit, un mari jaloux et quelques domestiques à la Molière donnent à la pièce un inimitable caractère aigre-doux.

On ne badine pas avec l'amour

Synopsis. — Acte I. Perdican, en compagnie de son gouverneur Blazius, revient au château paternel. Il a terminé ses études et doit épouser sa cousine Camille qui vient de sortir du couvent, chaperonnée par la prude dame Pluche. Cependant, Camille repousse les avances de Perdican, qui, dépité, courtise ostensiblement une jeune paysanne, Rosette.

Acte II. Camille, irritée et jalouse, donne un rendez-vous à Perdican : elle lui explique qu'une amie religieuse l'a prévenue contre l'amour et les hommes. Perdican lui reproche violemment cette attitude qu'il estime insincère et conventionnelle.

Acte III. Perdican est décidé à épouser Rosette. Camille l'amène néanmoins à lui avouer son amour devant Rosette, qui assiste à leur entretien cachée derrière une tapisserie. Camille et Perdican reconnaissent finalement leur amour mutuel; Rosette en meurt.

Publié en 1834, ce proverbe ne fut pas représenté du vivant de Musset. Dans l'histoire de Perdican et de Camille, c'est l'orgueil qui détruit l'amour, en prétendant jouer, « badiner » avec lui. Car le jeu avec l'amour est une sorte de sacrilège. Perdican s'écrie, à la fin de la pièce : « O! mon Dieu... Il a bien fallu que la vanité, le bavardage et la colère vinssent jeter leurs rochers informes sur cette route céleste qui nous aurait conduit à toi dans un baiser ». La puissance divine prend la forme d'un destin implacable, et c'est sa sanction qui fait mourir Rosette derrière l'autel d'une chapelle, rendant l'amour impossible. La statue du Commandeur n'est pas loin. Ce pouvoir du destin s'oppose au ridicule et à la stupidité des personnages représentant l'Église : Blazius, « pareil à une amphore antique »; Dame Pluche, dont la pruderie n'a d'égale que la bêtise; l'avide et borné curé Bridaine. Tous appartiennent à cette pléiade de personnages burlesques, générateurs de scènes fort drôles, mais dont l'intervention sur l'action est apparemment nulle. Ils sont pourtant représentatifs d'un milieu humain qui pèse lourdement sur les destinées des héros : le père de Perdican et son simulacre d'autorité, Blazius et sa science incertaine et inutile, Bridaine et sa religion galvaudée, observés et raillés par le chœur des paysans, sont l'écho d'un monde où règnent le mensonge et la bêtise. C'est ce monde qui rend tragique le marivaudage des deux héros, et Perdican le fustige avec une violence extrême : « Le monde n'est qu'un égout sans fond où les phoques les plus informes rampent et se tordent sur des montagnes de fange. Mais il y a au monde une chose sainte et sublime, c'est l'union de deux de ces êtres si imparfaits et si affreux ». Comment mieux dire que le grotesque engendre le sublime?

Lorenzaccio

George Sand avait composé, à partir de la *Storia fiorentina* de l'historien italien Varchi (1721), six tableaux regroupés sous le titre : *Une conspiration en 1537.* Respectant scrupuleusement ces données historiques, Musset créa *Lorenzaccio,* drame de grande envergure, digne de Shakespeare. Plus de quarante personnages parlants, trente-huit changements de lieu, des intrigues entremêlées donnent à la pièce une telle complexité qu'on ne la représenta qu'en 1896 alors qu'elle avait paru en 1834. La densité, la richesse de l'œuvre suscitent évidemment plusieurs grilles de lecture, mais deux grands axes interprétatifs peuvent être dégagés : le drame personnel, celui du dédoublement et de la quête d'identité, et le drame historique, celui du meurtre du roi. L'un ne se superpose pas à l'autre; l'Histoire n'est pas la toile de fond nécessaire au déroulement d'une destinée individuelle. Des liens étroits se tissent, d'incessants échanges de valeur s'opèrent entre l'Histoire, l'histoire et l'individu.

Synopsis. — Plusieurs intrigues se mêlent dans la pièce. Voici la principale :

En 1537, le crime et la débauche règnent à Florence, sous la tyrannie du duc Alexandre de Médicis. Lorenzo, cousin du duc, a donné de lui-même l'image d'un homme corrompu, mauvais (Lorenzaccio, le « mauvais Lorenzo ») pour gagner sa confiance, dans le dessein secret de l'assassiner (actes I et II). Il avoue ce projet à Philippe Strozzi, un républicain dont la famille a toujours été l'adversaire du tyran; mais Philippe, malgré l'empoisonnement de sa fille Louise (acte III), ne s'opposera à Alexandre que par la parole. Tandis que Pierre Strozzi, fils de Philippe, tente en vain de prendre la tête d'une armée levée par les bannis de Florence, Lorenzo, après avoir prévenu les opposants au régime, assassine le duc (acte IV). La lâcheté des Florentins et l'incapacité des républicains amènent finalement sur le trône un autre cousin d'Alexandre, Côme de Médicis, soutenu par le pape et Charles Quint. La tête de Lorenzo est mise à prix; il parvient à se réfugier à Venise, mais il y sera poignardé, et le peuple jettera son corps dans la lagune (acte V).

Lorenzo est un héros ambigu : son identité est incertaine. Nom, sexe, caractère, rien en lui ne semble stable. Il ne devient Lorenzo de Médicis qu'après avoir accompli son acte. Sa personnalité, double d'un point de vue moral (Lorenzo vertueux et droit s'oppose à Lorenzaccio débauché et fourbe), reste multiple sur d'autres plans : il est aussi Renzo, Renzino, et même Lorenzetta, la femmelette, l'« homme sans épée » qui apparaît au Ier acte habillé en nonne et que George Sand avait surnommé « Castrataccio ». Sa quête d'identité ne peut aboutir que grâce à l'action qui s'impose à lui et qu'il veut difficile, glorieuse et efficace. Il est, dit W. Moser, « le personnage clef de l'opposition dire/faire ». Il s'agit là d'un thème cher à Musset et à sa génération : pour résorber le vide du discours et transcender la débauche et le libertinage, il faut un acte glorieux, tel celui de Byron sacrifiant sa vie à la liberté de la Grèce. Mais Lorenzo désire aussi s'identifier à des modèles qu'il a choisis dans l'Histoire : Brutus, le meurtrier de César, mais surtout l'autre Brutus, celui qui renversa Tarquin le Superbe et permit l'instauration de la république à Rome. Comme Brutus, qui contrefit longtemps la folie (*brutus*, en latin, « l'idiot »), Lorenzo joue un rôle qui, tout en le condamnant au mépris, lui permettra, pense-t-il, de réaliser son projet. Il a pris « dans un but sublime une route hideuse ». Lorenzo, homme du XVIe siècle empreint de l'exemple antique, est porteur des inquiétudes romantiques. En lui trois strates historiques se rejoignent, suggérant une Histoire répétitive et circulaire, mythique. Le texte suscite d'ailleurs constamment la référence au mythe, antique ou littéraire. Lorenzo est Oreste ou bien Hamlet assassinant le père usurpateur (le duc Alexandre) pour relever l'honneur de la mère devenue « catin » (la ville de Florence). Il incarne aussi l'homme de pierre, le Commandeur châtiant le séducteur sacrilège et criminel, le don Juan Alexandre. Il est « le héros individuel qui souffle son rôle à Dieu » (A. Ubersfeld).

Le meurtre du père est aussi le meurtre du roi. « Lorenzaccio est d'abord l'histoire d'un régicide ». Il s'agit de « l'examen critique des conditions qui permettent ou ne permettent pas au régicide d'aboutir à une transformation révolutionnaire » (A. Ubersfeld). La continuité mythique n'existerait pas sans la répétition réelle de l'Histoire; la mort du roi, le projet républicain uniquement soutenu par des hommes de discours (dans la pièce, les Strozzi), l'incapacité à assumer la liberté possible sont les problèmes politiques de Florence en 1537 mais aussi ceux de la France de 1793 et de 1830. Lorenzo n'en possède pas la clef: il est un héros de théâtre, il porte masque; son acte héroïque ne peut modifier la réalité qui l'a gangrené.

PROSE

Lettres de Dupuis et Cotonet

Publiées dans la *Revue des Deux Mondes* en 1836 et 1837, ces lettres sont de véritables pamphlets. Utilisant la technique des *Provinciales*, Musset s'attaque aux travers littéraires et sociaux de ses contemporains, avec une ironie mordante et fort drôle. Les romantiques, les idéalistes de toute sorte (l'« humanitairerie ») y sont fustigés, les modes et manies du temps sont autopsiées par le scalpel innocemment cruel de deux naïfs provinciaux. Ces lettres constituent un document d'importance sur la société et la littérature après 1830.

Contes et Nouvelles

Il s'agit d'œuvres de commande composées par Musset dans les périodes pécuniairement difficiles. Ses thèmes habituels y apparaissent sous un jour léger et badin, mais toujours illustrés avec un esprit et une finesse plus proches de la tradition du XVIIIe siècle que du romantisme ou du réalisme.

La Confession d'un enfant du siècle

Synopsis. — Ire partie. Les trois premiers chapitres relatent les causes et les circonstances de la « maladie du siècle ». La Révolution et l'Empire ont laissé des souvenirs glorieux, mais la jeune génération ne trouve devant elle que le vide. L'hypocrisie et la trahison sont entrées dans les cœurs. La première trahison amoureuse que subit le narrateur-héros Octave (IV) lui fait découvrir cette vérité (V, VI, VII). Il renonce au monde et avive sa souffrance par l'alcool (VIII) et la parodie de l'amour (IX et X).

IIe partie. Au bord du suicide, Octave choisit la solution que lui propose son ami Desgenais : la débauche (I). Il en fait l'apprentissage et adopte le masque du cynisme (II, III). Le vide glacial de cette vie lui apparaît (IV, V). Il apprend que son père se meurt, et il part pour la maison familiale (V).

IIIe partie. Octave trouve son père mort (I) et décide de s'installer dans sa maison à la campagne (II). Il rencontre Brigitte Pierson, qui vit seule avec sa mère et répand le bien autour d'elle (III). Leur amour naît peu à peu (IV, V, VI). Après s'y être longtemps refusée, Brigitte accepte l'amour d'Octave (VII, VIII, IX). Leur liaison commence (X, XI).

IVe partie. Rapidement, le soupçon de la trahison renaît dans l'esprit d'Octave (I), qui fait souffrir Brigitte par son attitude méfiante et cynique (II, III, IV). Des médisances (V) poussent les deux amants à partir pour Paris, dans le dessein de quitter la France (VI).

Ve partie. A Paris, Brigitte tombe malade (I), et le départ est différé. Smith, un jeune homme ami de Brigitte, lui rend souvent visite. Octave est torturé par les soupçons à son propos (II, III, IV). Après un faux départ (V), Octave, au bord de la folie, est sur le point de tuer Brigitte (VI) mais il renonce à son acte et, après avoir appris leur amour, pousse Brigitte à épouser Smith (VII).

C'est à son retour de Venise que Musset songe à raconter l'histoire de ses amours avec George Sand. Il entreprend donc, à vingt-cinq ans, d'écrire une confession. Mais celle-ci ne pourra ressembler aux célèbres *Confessions* de Rousseau; l'œuvre ne contiendra que des aveux partiels : « pour écrire l'histoire de sa vie, il faut avoir vécu ». Le projet de Musset est d'innocenter George Sand en endossant la responsabilité de la rupture, mais aussi de faire entrer leur histoire dans le moule mythique des amours impossibles, celles d'Héloïse et Abélard, de Roméo et Juliette, de Werther et Charlotte. *La Confession d'un enfant du siècle* est donc un roman à caractère autobiographique, mais le scripteur, grâce au masque du narrateur et du héros, y maintient, à l'égard du récit, une distance qui lui ménage une certaine liberté. L'histoire des amours de Brigitte et d'Octave est d'ailleurs encadrée par deux parties qui se dégagent du projet autobiographique : le début de l'œuvre est l'histoire d'une génération et non celle d'un individu. Pour l'épilogue, c'est la narration à la troisième personne qui est employée et non plus la première. L'originalité de l'œuvre tient justement à la liaison établie entre la destinée individuelle (celle d'Octave) et la détermination historique et sociale : une époque sans foi ni idéal ne peut produire que des hommes incapables d'amour. C'est le principe même de l'allégorie, si puissamment utilisée dans les premières pages : Octave est l'expression symbolique de sa génération, celle de Julien Sorel, coincée entre le rouge du sang de la Révolution et de l'Empire, et le noir des soutanes qui hantent la France de la Restauration. Alors que Stendhal avait débouché sur un roman réaliste, Musset aboutit à une introspection douloureuse. La détermination historique prend dans la *Confession* des allures de justification. Il s'agit, pour le narrateur, d'excuser la faiblesse de son caractère, de se déculpabiliser et, tout en se frappant la poitrine, d'obtenir l'absolution en trouvant des motifs à ses fautes. Sa culpabilité vient de son incapacité à croire : pour lui, la vérité, c'est la nudité, et il faut sans cesse dépouiller les apparences pour retrouver l'horrible réalité. Passivité ou masochisme, il lui faut, pour parvenir à la vérité, passer par la souffrance. « Certains hommes, à coup sûr malheureux, ne reculent ni ne chancellent, ne meurent ni n'oublient : quand leur tour vient de toucher au malheur, autrement dit à la vérité, ils s'en approchent d'un pas ferme, étendent la main et, chose horrible! se prennent d'amour pour le noyé livide qu'ils ont senti au fond des eaux ».

Au thème central de la *Confession* de Musset, ses amours avec George Sand, sont liés le récit de cette dernière, *Elle et lui* (1869) ainsi que l'œuvre du frère de Musset, Paul (1804-1880), *Lui et elle* (1859) et *Lui, roman contemporain,* de Louise Colet (la même année).

BIBLIOGRAPHIE GÉNÉRALE

Œuvres

Dans la Bibliothèque de La Pléiade, une édition très complète en trois vol. (Poésies, Théâtre, Prose) a été réalisée par Maurice

Allem. Elle contient notamment les nombreuses variantes du théâtre de Musset, dues à l'adaptation à la scène ou à la censure. Philippe Van Tieghem a réalisé également une édition complète en un seul volume, dans la coll. « l'Intégrale », au Seuil. On y trouve des extraits de la biographie d'Alfred de Musset par son frère Paul.

Théâtre : les *Comédies et Proverbes* (pièces regroupées par Musset) ont paru dans la coll. des classiques Garnier, présentées par M. Allem. Une édition presque complète du théâtre de Musset est disponible en deux vol., chez Garnier-Flammarion, réalisée par Maurice Rat.

Prose : *la Confession d'un enfant du siècle* est disponible en édition de poche (« Folio ») et également dans les classiques Garnier, qui proposent par ailleurs un volume de *Nouvelles*.

Poésie : les *Premières Poésies* et les *Poésies nouvelles* (œuvres regroupées par Musset) ont été éditées par M. Allem chez Garnier. Il existe une autre édition dans la coll. poétique de Gallimard.

Biographies

Hormis celle de Paul de Musset, qui tourne souvent à l'hagiographie, il existe une autre biographie d'Alfred de Musset, écrite par M. Allem et publiée en 1948 dans la coll. « A la gloire de... ».

Quelques œuvres plus partielles : Léon Séché, *Alfred de Musset. I. Les Amis. II. Les Femmes*, 1907; A. Adam, *le Secret de l'aventure vénitienne*, 1938; J. Pommier, *Autour du drame de Venise, George Sand et Alfred de Musset au lendemain de Lorenzaccio*, Nizet, 1958.

Critique

Une présentation générale de la vie et de l'œuvre de Musset, due à Philippe Van Tieghem, a été publiée dans la coll. « Connaissance des lettres » (Hatier, 1965, rééd. 1967). Malgré le sérieux et la finesse de l'étude, la liaison très étroite entre la vie et l'œuvre y empêche parfois la distance critique. Deux autres études générales : P. Gastinel, *le Romantisme d'Alfred de Musset*, Hachette, 1933; P. Moreau, *le Classicisme d'Alfred de Musset*, 1967.

La thèse de Léon Lafoscade sur *le Théâtre d'Alfred de Musset* (1901, rééd. Nizet, 1966) reste une source intéressante, notamment sur les influences subies par Musset. Elle est disponible dans la coll. « Slatkine Reprints ». Également sur le théâtre : P. Van Tieghem, *l'Évolution du théâtre de Musset, des débuts à « Lorenzaccio »*, 1957; H.S. Gochberg, *Stage of Dreams. The Dramatic Art of Musset*, Genève, Droz, 1967; A. Lebois, *Vues sur le théâtre de Musset*, Aubanel, 1966; H. Lefebvre, *A. de Musset dramaturge*, l'Arche, 1955.

La poésie de Musset ne semble pas avoir suscité beaucoup d'intérêt parmi la critique. Philippe Soupault lui a consacré un volume de la coll. « Poètes d'aujourd'hui », chez Seghers (1957), et J.-P. Richard, un article dans *Études sur le romantisme* (Le Seuil, 1971).

La *Revue des sciences humaines* a consacré son numéro 108 (1962) à Alfred de Musset. On y relèvera notamment les articles de Claude Duchet (« Musset et la politique ») et de Bernard Masson (« le Masque, le double et la personne dans quelques comédies et proverbes »). La revue *Europe* a également fait paraître un numéro consacré à Musset (novembre-décembre 1977). La *Société des études romantiques* a publié en cahier les interventions de son colloque Musset de 1978. Enfin, trois articles assez récents contribuent à une lecture moderne de *Lorenzaccio* : « Révolution et topique de la cité », par Anne Ubersfeld (*Littérature* n° 24), « *Lorenzaccio*, le carnaval et le cardinal », par Walter Moser (*Romantisme* n° 19), et « *Lorenzaccio* entre l'histoire et le fantasme », par Jeanne Bem (*Poétique* n° 44).

Ph. HÉDOUIN

MYSTÈRE. Ce terme désigne les productions les plus impressionnantes et les plus originales du théâtre médiéval : hypertrophie du spectacle, théologie en action, les mystères sont à la fois des opérations de prestige des villes, des actes religieux et la projection des angoisses d'un Moyen Âge finissant.

Le spectacle

La ville a fermé ses portes. Une place publique ou quelque autre lieu en plein air est équipé d'édifices en charpente (« hourds »). Une aire scénique (« parc », « champ »), probablement centrale, est aménagée. Le public l'entoure. Des centaines d'acteurs, visages familiers, évoluent sous les ordres d'un conducteur dans des décors simultanés (« mansions ») qui symbolisent les lieux de l'action : Enfer et Paradis, échoppes et tavernes. Le public, des milliers de personnes, est régulièrement rappelé au silence, renvoyé dans ses foyers pour manger et dormir, invité à revenir le lendemain, car la représentation dure plusieurs jours (souvent quatre : *Passion* d'Arnoul Gréban, de Jean Michel, d'Arras, de Semur); à Mons, en 1501, le mystère dure huit jours; la *Passion* de Valenciennes est prévue pour quinze ou vingt jours. Un personnage, « récitant », « acteur » (auteur) ou fou, fait le lien et crée la distanciation nécessaire à un spectacle où la communion de la foule est acquise, où il faut rappeler que ce n'est qu'un jeu. Si l'on ajoute à cela la « monstre » (parade des acteurs) et les intermèdes, nous avons là un spectacle plus proche du cirque que de notre théâtre clos.

Les finalités

Les organisateurs de la fête sont les municipalités, qui recrutent un metteur en scène et commandent un texte. Leurs subventions, celle du chapitre ainsi qu'une mise de fonds des participants couvrent les frais. Le mystère est d'abord acte religieux : le public revit un condensé de temps et d'éternité dans ce « théâtre en rond » dont la circularité même est signe d'achèvement et de perfection. Le compartimentage du décor, la succession ou la simultanéité des tableaux reflètent cette juxtaposition de temps forts qui caractérise la liturgie. Le sujet de la représentation est l'histoire de tous les temps, qui sert de mise en perspective pour un épisode significatif (Passion, vie de saint). L'événement, toujours passé, est marqué des indices de l'actualité (costumes, allusions, acteurs) : pathétique tentative de négation de l'histoire vécue comme dégénérescence du temps, de conjuration d'un sentiment de fin du monde propre à l'époque. La théâtralisation du monde, reconnaissable dans d'autres phénomènes sociaux de l'époque (jeux, tournois, fêtes des Fous, processions, entrées royales; nouvelle vitalité du rituel aristocratique), trouve ici son expression la plus poussée : « Monde qui, dans la vie quotidienne, joue les moindres aspects de son existence pour confirmer les structures qui la garantissent et les valeurs qui la justifient » (H. Rey-Flaud). La cité se voit en communauté idéale et joue son unité. L'opération est de prestige, mais déborde le domaine politique. Qu'il soit accomplissement de vœu, exaltation d'un saint local, manifestation publicitaire, écho des inquiétudes des contemporains, le mystère est un spectacle total, dont l'enjeu dépasse les finalités habituelles du théâtre : édification ou divertissement.

Les textes

Compte tenu de ces éléments, le texte apparaît comme un pauvre résidu de la fête. Pourtant celui des grands mystères est gigantesque : 30 000 vers ne sont pas rares (50 000 pour le *Mystère du Vieil Testament*). Le thème le plus utilisé est celui de la Passion, mais d'autres sujets religieux, en rapport avec les cultes locaux, ou plus généraux, sont appréciés : *Mystère de l'Incarnation et de la Nativité*, *Mystère de l'Assomption de la Vierge Marie* (1530), *Mystère de la vengeance Nostre Seigneur*, *Mystère des Actes des Apôtres*. Une riche tradition exploite les vies de saints (*Mystère de saint Didier* de Guillaume Flameng, de *saint Adrien*, de *saint André*, de *saint Bernard*, de *sainte Agathe*). Mais l'inspiration religieuse est vite débordée par un théâtre capable de tout assimiler : le *Mystère des Actes des Apôtres* avait pour toile de fond l'Empire romain; l'histoire ancienne (*Histoire de la destruction de Troie la Grant*, de Jacques Milet) et l'histoire récente (*Siège d'Orléans*, 1453) prennent le relais. Spectacle total, le mystère est aussi littérature totale : l'auteur, par la variété des personnages, peut faire intervenir tous les tons, du registre théologique (prologue au Paradis), didactique et moral au lyrisme (la pastourelle) et à la vulgarité. La confusion du tragique et du bouffon est inhérente au genre.

Mystères extraordinaires et mystères ordinaires

Ces textes, qui surprennent le lecteur moderne par leur ampleur, ne sont pas la production la plus courante du théâtre religieux au XVe siècle. A côté de ces manifestations exceptionnelles sinon uniques (une ville en fait représenter un seul), on joue des mystères de 1 000 à 3 000 vers avec une douzaine d'acteurs, sur des sujets voisins; la Passion est réservée aux grands mystères, mais les vies de saints et les épisodes de l'Ancien Testament peuvent être montés par telle ou telle confrérie pieuse, par des membres du clergé, par un particulier. Nous sommes alors dans une frange de la création dramatique qu'il est difficile de distinguer des moralités.

L'évolution du mystère

Ses origines peuvent remonter à une coutume des entrées royales où l'on mimait des histoires sacrées sur des échafauds dispersés ou des chars (cf. à Mons, en 1465, pour Charles le Téméraire). Il arrivait qu'un « rhétoricien » explique les scènes muettes, tableaux vivants détachés des frises d'église, à l'auguste visiteur. En ajoutant la concentration des lieux et l'attribution de la parole aux personnages, on aurait obtenu les mystères. Les représentations se poursuivent bien au-delà des limites arbitraires du « Moyen Âge » littéraire. Un édit du parlement de Paris daté de 1548 en interdit la pratique en Île-de-France, mais on continue à en jouer ailleurs. Le mystère semble être la manifestation théâtrale par excellence dans la première moitié du XVIe siècle. Ce sont les guerres de Religion qui en marquent le coup d'arrêt, avec l'arrivée des acteurs italiens, la nouvelle perspective scénique héritée de la peinture et le bouleversement des conceptions de l'homme et de la société. Beaucoup d'éléments qui font l'originalité du théâtre élisabéthain et du théâtre espagnol de la Renaissance ont leur source dans les mystères médiévaux. [Voir aussi GRÉBAN Arnoul, MICHEL Jean, PASSION et THÉÂTRE RELIGIEUX].

BIBLIOGRAPHIE

Édition. — *Le Mystère du Vieil Testament,* James de Rotschild-E. Picot, 6 vol., S.A.T.F., Paris, 1878-1891; *le Mystère du Roi Advenir,* A. Meiller, Paris, Klincksieck, 1970.

A consulter. — Pour la technique de la représentation, l'ouvrage le plus riche est celui d'Henry Rey-Flaud, *le Cercle magique. Essai sur le théâtre en rond à la fin du Moyen Âge,* Gallimard, 1973; G. Cohen, *le Théâtre en France au Moyen Âge,* t. I, Paris, 1928; G. Wickham, *The Medieval Theater,* Londres, Weidenfeld and Nicolson, 1974.

A. STRUBEL

MYSTIFICATION LITTÉRAIRE. Socrate, on le sait, n'a laissé aucun écrit. Ses pensées ne nous sont connues que par les œuvres de deux de ses disciples, Xénophon et, surtout, Platon. Et pourtant on vit paraître sous son nom, en 1892, chez Stock, un charmant petit ouvrage (VIII-48 pages de format in-16 carré) intitulé *la Couronne de Xanthippe.* Il s'agissait d'un choix de vingt-cinq épigrammes, parmi les quarante qui auraient été retrouvées. Textes brefs et modestes, d'un antiféminisme bonhomme et résigné, bien conformes à ce qu'on pouvait attendre de Socrate dans ses relations avec son épouse Xanthippe :

Le même jour sont nés le désir et la femme.
L'homme fait un foyer et dit : « Brille! » à l'amour;
— « Brûle! » dit sa compagne, en soufflant sur la flamme.
La femme et le tourment sont nés le même jour.

Comme toutes les éditions scientifiques de textes anciens, les épigrammes de Socrate étaient accompagnées d'un apparat critique étoffé : un avertissement du traducteur (dûment paginé en chiffres romains); une description des sources du texte; des notes explicatives détaillées, de caractère linguistique, philologique, historique, littéraire. En un mot, un excellent travail d'érudition, sur un texte dont la révélation devait constituer un véritable événement littéraire.

La Couronne de Xanthippe ne doit rien à Socrate. Elle a pour auteur Maurice Pottecher, romancier, essayiste et dramaturge, créateur, notamment, du théâtre du Peuple à Bussang.

On a dans cet exemple — choisi au hasard dans un *corpus* considérable — les traits essentiels de ce qu'il est convenu d'appeler la mystification (parfois, sans différence de sens appréciable, la supercherie) littéraire : un auteur X (ici, Pottecher) fait passer (ou tente de faire passer) sa propre production pour celle d'un autre auteur Y (ici, Socrate). Il s'aide pour cela de l'autorité d'un troisième auteur (ou groupe d'auteurs Z : ici, le « traducteur-annotateur »). La mystification est réussie quand le lecteur — et, spécifiquement, le lecteur professionnel qu'est le critique ou l'éditeur — lit le texte comme s'il était de Y, sans soupçonner l'intervention de X.

Dans le cas de *la Couronne de Xanthippe,* la mystification ne pouvait pas réussir. Pottecher a, de façon certainement intentionnelle, laissé apparaître quelques traits qui la dénoncent presque immédiatement, notamment les circonstances de la découverte du « manuscrit » (de la main de Socrate!) et la personnalité de l'autorité Z : Martin Petitclerc, élève de M. Courtaud-Profiterol! Mais il n'est pas difficile de citer d'autres « mystifications » qui ont « réussi ». Encore faut-il remarquer que, pour être identifiées comme mystifications, il faut bien qu'un jour elles aient été « éventées » : la véritable réussite, pour une mystification — comme pour un faux en peinture — est de n'être jamais réputée pour telle. Il est donc à la fois évident et nécessaire qu'un nombre non négligeable de textes reposent sur une « mystification » à jamais camouflée.

La Chasse spirituelle offre un bon exemple de mystification « réussie ». A des fins de vengeance personnelle contre des attaques qu'ils jugeaient excessives, deux jeunes comédiens, Akakia-Viala (pseudonyme anagrammatique de Marie-Antoinette Allevy) et Nicolas Bataille réussirent, en 1949, à publier *la Chasse spirituelle,* donné pour un inédit de Rimbaud et dont il est évidemment facile, après coup, de dire qu'il est un pastiche « maladroit ». Le rôle, ici ambigu — victime ou complice? — de l'autorité était tenu par Pascal Pia, auteur d'un avant-propos. Malgré les très lucides conseils de prudence prodigués, notamment, par Emmanuel Peillet, les critiques littéraires que visait la supercherie tombèrent dans le piège : ils garantirent l'« authenticité rimbaldienne » du texte, jusqu'au moment où les deux pasticheurs révélèrent à grand bruit leur machination.

Petite anecdote, sans grande portée, de la vie littéraire parisienne? Sans doute. Mais le mécanisme de cette mystification est en lui-même intéressant. Il fait apparaître en effet la fonction que joue dans la lecture du texte littéraire la notion centrale du nom de l'auteur. Toute mystification repose sur un changement de nom. C'est donc un cas spécifique de pseudonymie. Mais une pseudonymie aggravée ou, à tout le moins, dépourvue des circonstances atténuantes qu'on peut dans certains cas trouver à la pratique pseudonymique. Celle-ci, on le sait [voir PSEUDONYME], est l'objet d'une réprobation diffuse. A l'égard de la mystification, la réprobation se fait condamnation : il est, à proprement parler, immoral de présenter un texte sous un autre nom que celui de son auteur véritable. Malgré la notoriété de Romain Gary, malgré l'émotion provoquée par son suicide, la révélation de la « supercherie » (tel est le mot qui fut le plus souvent employé) à laquelle il s'était livré en attribuant certains de ses livres à ÉMILE AJAR (pseudonyme de Paul Pavlowitch, qui fut le cousin de Gary) donna lieu à des commentaires dans l'ensemble plus sévères qu'admiratifs. En voici un exemple :

« Cette histoire choque parce qu'elle est la révélation d'une véritable imposture, et parce qu'elle est associée à la publication d'un livre qui ne peut qu'en tirer une audience décuplée. De l'aveu même de Paul Pavlowitch, Romain Gary n'avait pas l'intention de renoncer à la seconde vie littéraire que lui avait procurée la création d'Émile Ajar. Son livre s'ouvre sur les moyens de faire connaître au public cette divulgation. Elle était nécessaire. Elle aurait pu être plus digne » (Jacqueline Piatier, *le Monde*).

On croit entrevoir les fondements de cette sévérité — qui fut, avec d'inévitables nuances, celle de toute la critique (y compris, de façon plus subtile, de ceux qui, par provocation, poussèrent des hurlements de feint enthousiasme) : ce qui est mis en cause par la « supercherie », c'est l'appareil même de la circulation du texte littéraire, fondé sur la notion de l'auteur *un*, totalement responsable de tout ce qu'il écrit et, à ce titre, jouissant d'un droit absolu de propriété sur son œuvre, et sur elle seule.

Et si les procédures de la production littéraire n'étaient pas conformes à ce modèle? S'il y avait, chez l'« auteur », une pulsion (plus ou moins intense, plus ou moins contrôlée) à se dédoubler? Débat trop complexe pour être abordé à propos du problème « marginal » (ou réputé tel...) de la mystification. On se contentera donc d'une très modeste constatation, livrée à l'état brut : la mystification littéraire est inséparable de l'institution littéraire. En témoigne la notoriété de certaines mystifications, qui conservent souvent, malgré le temps, un relent de scandale : le *Sefer Ha-Yačar,* texte anonyme juif, sorte d'anthologie biblique, réputé pour dater du XIIe siècle, mais sans doute rédigé au XVe; les *Poèmes d'Ossian,* prétendument recueillis « dans les montagnes d'Écosse » par James Macpherson, en réalité composés par lui; les *Lettres de la religieuse portugaise,* « frauduleusement » attribuées par Guilleragues à Marianna Alcoforado; le *Théâtre de Clara Gazul,* de Prosper Mérimée (et, du même Mérimée, dangereux récidiviste, *la Guzla* [anagramme de Gazul] et les poèmes de Hyacinthe Maglanovitch); *J'irai cracher sur vos tombes,* suivi de *Et on tuera tous les affreux* et de *Les morts ont tous la même peau,* trilogie attribuée à un mythique romancier américain du nom de Vernon Sullivan et dont le « traducteur » — Boris Vian — était en réalité l'auteur. Dès la fin du XIXe siècle, l'infatigable érudit Joseph Marie Quérard ne consacra pas moins de sept tomes à son ouvrage *les Supercheries littéraires dévoilées* (1869-1889)!

Chez les plus vétilleux des censeurs littéraires, la hantise de la mystification devient à proprement parler pathologique : ainsi chez Henry Poulaille, dont l'obsession était d'attribuer à Corneille l'œuvre de Molière, ou chez Charles Chassé, qui distendait la notion de mystification jusqu'à lui faire englober les cas d'« hermétisme poétique » — d'où son ouvrage sur *les Clefs de Mallarmé.* En réaction contre ces attitudes policières, on a pu assister à des entreprises particulièrement perverses de pseudo-mystification ou de mystification inversée, tendant, par exemple, à faire passer un texte « authentique » (à supposer que cet adjectif ait un sens...) pour le résultat d'une supercherie : c'est à une telle manipulation qu'a été soumise l'œuvre (à vrai dire très étonnante) de Julien Torma (1902-1933) : les plus subtils — et même Raymond Queneau — s'y sont trompés.

Adolphe RIPOTOIS

MYTHE ET LITTÉRATURE. « Nous avons éteint au ciel des lumières qu'on n'y rallumera plus », proclame, à la fin du XIXe siècle, Paul Bert, un des apôtres de la laïcisation; le positivisme, alors, prétend remplacer l'explication religieuse et mythique du monde par la connaissance rationnelle, la foi par le savoir. Mais, au même moment, les poètes symbolistes reprennent et modulent les anciens mythes; bientôt, Freud installe l'Œdipe au cœur de la formation et de la vie du moi. Tant il est vrai que le mythe, renvoyé à un passé archaïque par le rationalisme scientiste, resurgit, métamorphosé, pour éclairer et enrichir l'expérience du présent, et poursuit avec la littérature un dialogue millénaire, une alliance conflictuelle, mais féconde.

Le sacré mythique et le profane littéraire

Le mot mythe — du grec *muthos* « parole », puis « récit » — a subi des avatars sémantiques si surprenants qu'il importe d'en définir avec précision la signification première, pour mesurer l'écart des dérivations. Selon Pierre Grimal, « on est convenu d'appeler *mythe,* au sens étroit, un récit se référant à un ordre du monde antérieur à l'ordre actuel et destiné, non pas à expliquer une particularité locale et limitée (c'est le rôle de la simple *légende étiologique*), mais une loi organique de la nature des choses ». Ainsi toutes les « histoires » de Dieu, du monde et de l'homme — théogoniques, cosmologiques, anthropogoniques —, qui assurent le passage de l'unité primitive à la multiplicité d'aujourd'hui : mythes de la création du monde et de l'homme, des âges que parcourt l'univers pour se dégrader, depuis « le temps primordial, le temps fabuleux des commencements » (Mircea Eliade), jusqu'à un état historique, prosaïque, qui permette une vie paisible, moins exposée au vent perturbateur du sacré. Récit vrai (car il relate des réalités), religieux (car il met en œuvre des êtres surnaturels), d'une création originelle, le mythe est connaissance totale et globale : quand on le réactualise dans le rite, « on est saisi par la puissance sacrée, exaltante, des événements qu'on remémore » (Eliade); le fidèle, illuminé, transformé, peut maîtriser et transformer le réel, selon les modèles de conduite fournis par les dieux et les héros.

L'émergence d'un rationalisme empirique (un des aspects du « miracle grec ») substitue à la compréhension mythique une *epistêmê* nouvelle : au lieu d'expliquer les caractères généraux du donné à l'aide d'une histoire particulière, on pose des lois et des principes généraux qui gouvernent la réalité jusque dans ses aspects les plus particuliers. La chaleur solaire n'est plus attribuée au pouvoir d'un dieu parcourant l'éther sur son char lumineux, mais à des phénomènes physiques (comme les réactions des quatre éléments). Aux antipodes de *logos* (connaissance rationnelle) et d'*historia* (enquête scientifique), le mythe apparaît désormais comme un instrument dépassé, confus, où ne se distinguent pas la lettre et l'esprit, le signifiant et le signifié, un langage sans rigueur démonstrative ni précision dénotative (alors que la pensée philosophique naissante s'efforce à une claire définition des mots). Bientôt le christianisme, dont le dogme et la doctrine, totalitaires, n'admettent pas de partage, achève de reléguer le mythe parmi les mensonges et les mystifications. Ce qui fut une histoire absolument vraie devient une fiction absolument fausse et, en fin de compte, une manipulation; comme l'écrit Roland Barthes dans *Mythologies,* « le mythe est une parole volée et rendue. Seulement la parole que l'on rapporte n'est plus tout à fait celle que l'on a dérobée » : ce « moment furtif d'un truquage » résulte du parasitage d'un système premier de signification (l'intrigue, l'anecdote) par un concept (le symbolisé, le sens du mythe); Jeanne d'Arc, Mirabeau, Bonaparte au pont d'Arcole, le poilu de 1914 deviennent ainsi des images mythiques de la France. A la limite, on nomme mythes de simples concepts donnés comme justifications fausses et occultes des institutions : les mythes du progrès, du bien-être..., bref, comme aurait dit Durkheim, des « représentations collectives » qui légitiment l'arbitraire, qui « naturalisent » le culturel en le présentant comme allant de soi.

« C'est un mythe » équivaut désormais à « c'est de la littérature », pour confiner une proposition dans le pur domaine verbal et la priver de référence à la réalité. Or cette équivalence, au terme d'une longue dérive du concept, se préparait depuis les origines. La littérature — parole échappant à la pure fonctionnalité de la communication quotidienne, à l'inanité du babil social, considérée comme forme et contenu dignes d'être transmis — naît du mythe, qu'elle interprète et développe : légendes, contes populaires, épopées, rameaux parallèles de l'immense littérature orale qui précède et déborde l'écriture, modulent et monnayent les schèmes mythiques fondamentaux, comme la naissance divine, l'initiation, la transgression, les exploits héroïques, la descente aux enfers. La légende particularise et anecdotise le mythe, en brodant sur les aventures des dieux et des héros, ou en inventant des récits qui expliquent telle coutume dont le sens s'est perdu, telle singularité géographique (un chaos de rochers devient la « hottée » dispersée par un géant fatigué). Le conte met en scène, dans un passé intemporel (« Il était une fois... »), sans lieu précis, des personnages de toutes conditions, schématiques et paradigmatiques (le père, la mère, le roi, les sept fils...), qui savent utiliser les forces magiques d'une nature primitive (les animaux qui parlent, les pouvoirs des enchanteurs...) pour conquérir leur autonomie et fonder un foyer (« Ils se marièrent et eurent beaucoup d'enfants... »). L'épopée engage l'« essentiel » mythique dans l'événementiel historique : les divinités, les héros et la collectivité y dominent leurs dissensions pour s'unir dans une action productive et novatrice (expansion, fondation d'un État, reconquête d'un territoire sacré...).

Ainsi, aux lisières du mythe, prolifèrent des récits à demi profanes, où le dire est encore gorgé d'une efficacité surnaturelle, mais s'engage dans des arrangements formels, des techniques, des artifices proprement littéraires. Le symbolisme, latent dans l'unité mythique, ce discours massif, hiératique, insécable, tend à s'expliciter, à se codifier en allégorie. Bientôt, le mythe se « spectacularise » dans la tragédie grecque, où le dramaturge fait comparaître les acteurs originels devant un « tribunal » populaire (le chœur), qui commente, discute, frémit, réprouve ou conseille, au cours d'un conflit entre deux morales, deux conceptions du monde (Antigone doit-elle obéir à la loi non écrite du clan ou à la raison d'État?). Quand le mythe perd son prestige ancestral, la littérature, tout à fait émancipée en apparence, submerge de ses paroles multipliées l'usure des récits sacrés; avec la religion et la philosophie, elle hérite des pouvoirs immémoriaux du mythe, désormais dépecé, qu'elle réfracte en mythologies (arrangement, rationalisation, synthèse des histoires divines ou héroïques), en rhapsodies thématiques (comme *les Métamorphoses* d'Ovide), voire en parodies (comme les dialogues du Grec Lucien).

Les métamorphoses littéraires du mythe

Le mythe fut la première littérature; il trace les figures des poètes absolus — Orphée, Linos — qui apaisent toutes forces sauvages; les prêtres qui le conservent s'opposent à sa dégénérescence en fiction (la tragédie athénienne rencontre les résistances des milieux religieux; l'Église, en France, interdit les mystères en 1548; le rigoriste Boileau proscrit, par respect pour l'Écriture sainte, l'usage du « merveilleux chrétien », initiant de longues querelles); les théoriciens « réactionnaires », comme Platon, bannissent l'art — imitation artificieuse — de leur État idéal, tout en réhabilitant la connaissance mythique, seul moyen de communiquer l'ineffable par l'analogie symbolique (ainsi les mythes du *Banquet,* ou, dans *la République,* celui de la caverne); le néo-platonicien Plotin confine au monde inférieur des hommes le rationalisme discursif : « La sagesse des dieux et des bienheureux ne s'exprimant pas par des phrases, mais par de belles images. » Le mythe apparaît donc comme le père « œdipien » d'un littéraire qu'il essaie de dévorer, de retenir dans son sein et de contenir dans les limites d'une parole canonique.

La littérature, fille nostalgique et toujours amoureuse, ne « liquide » pas le lien œdipien; elle ne se résout pas sans regret à refléter la diversité des choses, à se soumettre aux impératifs obscurs des circonstances. A son plus haut niveau, elle se veut une écriture chiffrée qui « transperce le temps », pour reprendre l'expression de Karl Jaspers; elle entend, comme le mythe, légitimer un aspect fondamental du réel ou traduire une expérience psychologique essentielle, et, dans cette volonté de s'approprier l'autorité des récits sacrés, elle entretient avec eux des rapports ininterrompus : connivence secrète, imitation, rivalité, dépassement.

Le mythe s'offre à la littérature en état de fragilité : livré par des traditions mouvantes et parfois divergentes, il met en scène des personnages peu caractérisés, sans aucun souci de réalisme naturaliste, et comporte un certain nombre de « mythèmes », éléments qui s'articulent en un récit logique et chronologique et peuvent se superposer en ensembles thématiques (Lévi-Strauss appelle cette redondance nécessaire à l'expressivité symbolique le « feuilletage » du mythe : transgression de l'oracle, infraction aux normes des relations familiales, commise par Laïos, par Œdipe, son fils, par Etéocle et Polynice, ses petits-fils...). L'écrivain, dans cette « matière première », choisit selon les besoins de son époque et l'effet qu'il veut produire. Même au Moyen Âge, Ovide, Stace, les compilateurs de la latinité tardive inspirent le *Roman de Thèbes,* le *Roman de Troie* (de Benoît de Sainte-Maure), *Piramus et Tisbé, Narcisus,* œuvres du XIIe siècle où les mythes grecs s'actualisent avec force anachronismes, merveilleux de conte de fées et galanterie courtoise. A partir de la Renaissance, on puise sans fin dans le vocabulaire allégorique et symbolique légué par l'Antiquité : combien de traitements subissent Iphigénie, Hercule, Thésée, Achille? A l'intérieur de cette culture classique désormais omniprésente, chaque mythe connaît son lieu et son temps, ses zones de silence et ses éclipses : Phèdre, au XVIIe siècle, Prométhée, aux XVIIIe et XIXe siècles, ont leurs heures de vogue; Pygmalion, après l'époque des Lumières, s'efface; Daphné est liée à l'âge baroque, comme Protée, Circé, Calypso, qui président aux métamorphoses. Une adaptation s'opère sans cesse entre l'offre mythologique et la demande du moment; l'écrivain réutilise des histoires et des personnages prestigieux pour se mesurer à ses devanciers en un subtil exercice de reproduction, de critique implicite, de variation personnelle, pour annexer l'auréole de grandeur qui s'attache aux héros légendaires, en obtenir des effets d'écho, de stéréoscopie, en capter les puissances fascinantes et angoissantes; le remploi de mythes particuliers répond aux besoins du temps : ceux d'un État (fournir une légitimité historique, comme Ronsard calquant dans sa *Franciade* [1572] le dessein de *l'Énéide* de Virgile); ceux d'une société (l'*Antigone* de Garnier en 1580, celle de Rotrou en 1637, celle de Ballanche en 1814 reflètent successivement les divisions fratricides que sont les guerres de Religion, l'affrontement entre Richelieu et l'aristocratie, la Révolution française); ceux enfin d'un individu (Orphée, Pygmalion, Prométhée deviennent des allégories du créateur, ou de l'homme de génie, aux prises avec les résistances et l'hostilité du milieu).

Cette « surintentionnalité », liée à la diversité des situations et des esthétiques, impose au mythe des réélaborations parfois sévères : les personnages revêtent un costume au goût du jour; figures autrefois hiératiques, ils deviennent des personnes singulières; de là les sarcasmes des romantiques contre la description de civilités de cour chez Œdipe à Thèbes, ou chez Agamemnon, quand on attendrait une âpre et primitive sauvagerie. Les modernes ont joué de ces discordances, en un traitement ironique et humoristique : Gide fait descendre son « Prométhée mal enchaîné » sur les boulevards, où il fréquente les terrasses des cafés; Cocteau et Giraudoux, avec *la Machine infernale* (1934) ou *Amphitryon 38* (1929), montrent l'irruption des dieux, éternels messagers de destins cruels, dans l'existence la plus quotidienne. Pour accroître l'expressivité, les « mythèmes » jugés accessoires sont délaissés, et le mythe se mutile : le Prométhée joueur, espiègle, introducteur de la discorde dans l'harmonie qui unissait mortels et Olympiens, disparaît presque toujours, au profit du « philanthrope », père du progrès, des sciences et des arts; une variante qui fait de Prométhée le créateur d'une nouvelle race d'hommes prend souvent un poids prépondérant. Ou, au contraire, s'ajoutent aux mythèmes traditionnels des épisodes nouveaux : Racine donne à Iphigénie un amant, Achille, et une rivale qui sera immolée à sa place, Ériphile; il complique d'intrigues amoureuses *Andromaque* ou *Phèdre*. Ainsi, sans cesse surchargé et investi par les idées, les aspirations ou les traits culturels d'une époque, le mythe fluctue, s'affaiblit en décor ou en allégorie, ploie sous le romanesque ou les finalités morales et métaphysiques.

La création mythique en littérature

Il serait partial de ne voir dans la littérature qu'érosion ou accrétion s'exerçant sur un stock fini d'histoires; l'évolution même de certains mythes, usure, dénaturation, aboutit à une sorte de création : le Prométhée de Gide, qui découvre la gratuité et se libère d'une conscience pesante (symbolisée par son aigle), prend l'allure d'un mythe nouveau, dont chaque élément revêt des significations opposées à celles d'Eschyle. D'autre part, l'influence de la tradition judéo-chrétienne et des événements historiques gauchit l'héritage classique : très tôt, Prométhée est interprété comme une figure du Christ, un saint, un prophète. Les mythes, en essaimant et en se transformant, s'« aliènent »; ils subissent bientôt une mutation de nature, ils deviennent autres : Orphée veille, comme une référence discrète, sous le *Jean-Christophe* de Romain Rolland; dans le personnage de Caïn, si fréquent à l'époque romantique, subsistent la fierté rebelle et le grand refus de Prométhée, mais purement négatifs, sans conservation de l'altruisme philanthropique.

Par l'intermédiaire de « dérivations » de plus en plus lointaines — prométhéisme de Balzac, orphisme de Vigny, caïnisme de Nerval, où l'esprit du mythe survit à sa forme et à sa matière canoniques —, on atteint peu à peu des créations nouvelles, proprement littéraires, thèmes ou types qui tendent à s'égaler, dans la mémoire collective, aux mythes authentiques, dont ils calquent souvent la forme et le contenu, et qu'ils supplantent parfois grâce à une meilleure adaptation à la mentalité moderne. Ainsi à la consommation d'un patrimoine répond un accroissement productif : relation d'échange.

Le degré le plus élémentaire de cette créativité consiste dans une actualisation de quelques mythèmes par calque plus ou moins fidèle : combien de romanciers ou de poètes ont voulu « rajeunir » Ariane ou Médée lorsqu'ils évoquaient des femmes séduites et abandonnées? Zola, dans *la Curée* (1871), en peignant la passion d'une femme pour son beau-fils, semble transporter le mythe grec dans l'atmosphère raffinée et délétère de la grande ville. Mais il est ici malaisé de séparer l'imitation large, où ne sont retenus qu'un ou deux mythèmes caractéristiques, et la coïncidence de motifs : tous les frères ennemis ne sont pas des avatars de Caïn et d'Abel, ni des Iphigénie les filles sacrifiées à des pères abusifs.

Beaucoup plus audacieuse apparaît la promotion de tel personnage historique ou littéraire au rang de mythe assumant des traits et des conduites fondamentaux pour tout un peuple. La chanson de geste médiévale, trois siècles après la fondation de l'Empire carolingien, donne une stature mythique à l'empereur Charlemagne, croisé, défenseur de la foi chrétienne, garant de l'unité nationale, symbole des aspirations occidentales à la cohésion et à la reconquête, après les divisions féodales et l'assaut des Grandes Invasions. Roland, son neveu, dont l'historicité semble floue, devient l'emblème de la bravoure et de la fougue, tandis qu'Olivier, son compagnon, modère de sagesse et de jugement les vertus guerrières : deux paradigmes complémentaires du preux chevalier qui inspirent l'iconographie et la littérature au-delà de la Renaissance et suscitent continuations, parodies, romans. Des auteurs modernes ont tenté — avec des succès divers — de « mythifier » Saint Louis, Jeanne d'Arc (Chapelain, *la Pucelle,* 1656), Napoléon... Voltaire, avec *la Henriade* (1728), tente de ramener une légende en voie de formation — celle du « bon roi Henri IV » — au canon virgilien des aventures héroïques (avec une tempête, une descente aux enfers, une femme tentatrice...). Souvent les chansonniers ou les imagiers populaires, ainsi que les manuels d'histoire pour l'enseignement primaire, assurent la persistance, dans la mémoire collective, de ces « modèles » qui éclairent et résolvent (symboliquement) les difficultés du présent. Des personnages comme don Juan ou Faust (à un moindre degré Tristan et Yseult, Roméo et Juliette), aux origines obscures, acquièrent, au fil de leurs traitements littéraires, une dimension mythique; apparentés à certains héros des anciennes mythologies (Ulysse et Prométhée, avec leur esprit d'entreprise; Lucifer ou Caïn, avec leur obstination dans le mal), ils traduisent l'inquiétude individualiste, l'infini du désir, le rapprochement d'Éros et de Thanatos qui caractérisent la mentalité moderne. Types de comportement, tentations, antimodèles, ils se réfractent en une multitude de figures littéraires : le Valmont des *Liaisons dangereuses* de Laclos, le Rolla de Musset, le Costals de Montherlant sont des fils de don Juan, tandis que chez Balzac, Faust sous-tend les démesures de Louis Lambert, ou de Raphaël de Valentin, le héros de *la Peau de chagrin* (1831).

Encore plus éloignées de la mythologie traditionnelle sont les constellations thématiques, riches d'histoires virtuelles : ainsi l'Allemagne romantique, lieu maternel où s'épanouissent le sentiment, l'amour, la poésie; Paris, la mégalopolis du XIXe siècle, milieu grandiose et tragique défini par Roger Caillois comme le « monde des suprêmes grandeurs et des inexpiables déchéances, des violences et des mystères ininterrompus, le monde où, à tout instant, tout est partout possible » : ascensions (Rastignac chez Balzac), consécrations (Eugène Rougon, chez Zola), déchéances (Frédéric Moreau, dans *l'Éduca-*

tion sentimentale de Flaubert), irrémédiables chutes (Lucien de Rubempré, chez Balzac encore). Le merveilleux, au lieu de se réfugier dans l'espace infini de la rêverie, s'incarne dans une vision fantasmatique de la métropole, où il « nous enveloppe et nous abreuve comme l'atmosphère » (Baudelaire); la cité s'offre aux audacieux énergiques comme l'espace de l'initiation et de l'aventure héroïque (le roman populaire, d'Eugène Sue à Gaston Leroux, développe et exploite cette image mythique).

Enfin les philosophies de l'histoire qui se multiplient au XIXe siècle — celles de Hegel, de Marx, d'Auguste Comte — donnent des versions conceptuelles et ratiocinantes des anciens mythes sotériologiques et eschatologiques. Le prolétariat vu par Marx subit une passion mystique, initiatique et prend un pouvoir illimité pour établir un règne d'égalité et de bonheur. Comme l'esprit hégélien, il transpose dans la pure immanence les très anciens rituels des théophanies : les souffrances des dieux parèdres (comme Osiris) ou la dramatique hiérophanie de Dionysos (représentée par Euripide dans *les Bacchantes*), qui prélude à une reconnaissance cosmique et à une glorieuse apothéose.

Vers une matrice commune

Le mythe engendre une littérature qui, en retour, reprend, actualise, développe ou rationalise ses récits primordiaux. Le cordon ombilical n'est pas rompu. Mais ce « mythotropisme » de la littérature peut s'envisager comme fait de culture, nostalgie constante des hautes origines, ou renvoyer à un tiers commun, à une matrice immanente, active hier comme aujourd'hui.

Ces interrogations se posent quand le sentiment de consanguinité s'efface, quand se rompt l'évidente continuité entre le mythologique et le littéraire. Avant l'époque romantique, on interprète les mythes en stratifiant leurs significations : le Moyen Âge les « moralise » — leur découvre des sens moraux ou religieux —, les théoriciens classiques codifient leur utilisation, leur symbolisme, leurs dénotations allégoriques, et les écrivains en remploient, inlassablement, les personnes et les épisodes. La déstabilisation de l'esthétique classique, à la fin du XVIIIe siècle, débouche sur une autonomisation du littéraire : à l'élégante imitation, à la variation sur un thème connu se substituent, comme valeurs dominantes, l'invention, l'inédit, la singularité de la confidence, le choc de la nouveauté. On jette alors un regard neuf, d'abord étonné, sur les mythes, ce langage âpre et primitif du genre humain : la *Symbolique* (1810-1812), de l'Allemand Frédéric Creuzer, traduite en français de 1825 à 1831 par Joseph Guigniaut (sous le titre *les Religions de l'Antiquité considérées dans leurs formes symboliques*) tente de retrouver, chez les Grecs, les lambeaux des traditions « pélasgiques », révélations apportées d'Asie par les Pélasges et leur caste de prêtres initiés. Bientôt, l'herméneutique (art de la traduction du mythe, déchiffrement du symbole) est remplacée par l'exégèse (explication rationnelle et scientifique du phénomène). L'origine des mythes serait historique (divinisation des grands hommes, comme le soutenait déjà Evhémère au IVe siècle avant J.-C.; l'historien italien Jean-Baptiste Vico — *Science nouvelle,* 1725 — attribue la mythologie au bouillonnement de l'imagination des hommes après le Déluge); naturelle (souvenir confus et transposé des grandes catastrophes, selon Nicolas Boulanger — *l'Antiquité dévoilée par ses usages,* 1766 —), ou image métaphorique des phénomènes météorologiques et climatiques les plus communs (l'alternance des saisons, du jour et de la nuit, les rythmes de la végétation et de la vie...); enfin sociologique (reflet des structures sociales, des relations de subordination et de domination). Toutes ces clefs, successivement essayées au XIXe siècle, s'appliquent mal à la littérature, où ne se ressentent ni « introjection » ni codage de phénomènes collectifs et généraux en histoire particulière.

La recherche psychanalytique inverse le sens de l'explication. Les mythes apparaissent désormais comme les projections — et les résolutions fantasmatiques — des grands conflits psychiques qui opposent l'individu à lui-même, à sa famille et à son milieu; ensemble de symboles organisés en séquences dynamiques, ils constituent, selon l'expression d'Erich Fromm, un « langage oublié », au même titre que les contes populaires et les rêves, et renvoient à l'immutabilité des structures psychologiques (par exemple, l'opposition entre principes de plaisir et de réalité, entre les exigences illimitées et irrationnelles de l'inconscient et les normes admises de l'action utile). Or, la littérature ressasse, elle aussi, les complexes où se noue la vie de la psyché, les figures des relations vitales essentielles; il n'est donc pas étonnant que reparaissent en elle les mythes, ces lignes de force de l'imaginaire, ces cristallisations des problèmes que pose notre être-au-monde, ces élaborations pures et primitives des rapports inconscients entre les instances psychologiques, ainsi qu'entre le moi et le non-moi. Œdipe pose la limite et le non dit de tout roman de formation; Prométhée exemplarise toute aventure de la science.

Le structuralisme n'a pas abandonné cette conception du mythe comme représentation d'une activité inconsciente, universelle (mais logique). La pensée mythique, selon Lévi-Strauss, « procède de la prise de conscience de certaines oppositions et tend à leur médiation progressive »; elle fournit des solutions imaginaires, contradictoires, sans grande utilité pratique; « les mythes signifient l'esprit qui les élabore au moyen du monde dont il fait lui-même partie ». Ces réflexions s'appliquent aussi bien à la littérature, dont l'efficience et la cohérence sont problématiques en dehors du déchiffrement et du développement, en un jeu d'images multipliées et équivoques, des interrogations éternellement sans réponse qui forment la condition humaine.

Sous l'infinie variété du littéraire, le mythe apparaît comme l'armature invariante que Freud ou Jung se plaisent à découvrir au fil de lectures pénétrantes, le relais qui indique la matrice commune à l'abrupt schématisme des récits primitifs et à la luxuriante efflorescence de l'art moderne. Les théomachies frappent les figures essentielles des affrontements humains; les épisodes stéréotypés de la carrière héroïque dessinent le cadre du roman d'éducation; les incursions dévastatrices ou salvatrices des dieux préforment toute hiérophanie, toute irruption d'une transcendance ou d'une immanence inhumaines. Ainsi le mythe rappelle, par sa présence structurale, la littérature aux apories qui nous hantent, aux dilemmes tragiques qui nous constituent, à la cruauté énigmatique de notre destin; la littérature développe les sens et les virtualités du mythe; elle en assure la pérennité, sous les formes qui s'en éloignent en apparence le plus (le roman populaire, par exemple); elle en démontre, chaque jour, la permanence et la vitalité.

BIBLIOGRAPHIE

Sur le mythe en général : Roger Caillois, *le Mythe et l'Homme,* Paris, Gallimard, « Idées », 1972; Mircea Eliade, *Aspects du mythe,* Paris, Gallimard, 1963; C.-G. Jung, *l'Homme et ses symboles,* Paris, Pont Royal, 1964; — *Un mythe moderne,* Paris, Gallimard, 1975.

Sur les rapports entre mythe et littérature : Pierre Albouy, *Mythes et Mythologies dans la littérature française,* Paris, A. Colin, 1968; Raymond Trousson, *Thèmes et Mythes,* Bruxelles, éd. de l'université de Bruxelles, 1981.

Quelques études particulières : Pierre Brunel, *le Mythe d'Electre,* Paris, A. Colin, 1971; Jean Rousset, *le Mythe de Don Juan,* Paris, A. Colin, 1978; Raymond Trousson, *le Thème de Prométhée dans la littérature européenne,* Genève, Droz, 1964 (2e éd., augmentée, 1976).

D. MADELÉNAT

NADAR, pseudonyme de **Félix Tournachon** (1820-1910). Outre l'amitié qui les unissait au sein de la « Société d'encouragement pour la locomotion aérienne », ce n'est sans doute pas le hasard qui a guidé Jules Verne lorsqu'il choisit Nadar pour modèle de Michel Ardan — anagramme, soit dit en passant, du pseudonyme adopté par le photographe —, le héros de *De la Terre à la Lune*: l'existence de Félix Tournachon est en elle-même un roman qui rappelle ici la bohème des romantiques de la génération de 1840, là l'ambiance du réalisme bourgeois, ailleurs enfin la fièvre des récits de science-fiction. Issu d'une famille d'imprimeurs-éditeurs, le jeune Félix Tournachon fit ses études en passant de collèges en pensions, avant de prendre, à l'âge de dix-sept ans (1837), la place laissée libre par la mort d'un père âgé qu'avaient usé les dettes et la maladie. Pour parer au plus pressé, l'adolescent collabore à diverses feuilles aux ambitions et aux publics différents. C'est là qu'il fait connaissance de jeunes artistes en quête de succès (Asselineau, Murger, Labiche, etc.) et devient, par une dérivation suffixale argotique, « Nadar ».

En 1839, Nadar, aidé par l'héritage d'un ami, fonde *le Livre d'or,* luxueux périodique destiné à un public recherché, et comme tel, exigeant des signatures de noms connus: Nadar s'assure du concours de Vigny, Nerval, Sandeau, Karr, Balzac. L'échec du *Livre d'or* consommé au bout de trois numéros, Nadar reprend la plume au service des autres : dans *le Commerce,* il se lie avec les meilleurs dessinateurs du moment (Gavarni, Daumier), puis il entre au service du député Grandin, homme « enragé de modération » (*la Revue comique*), et publie un médiocre récit au ton journalistique, *la Robe de Déjanire* (1845).

Déjà tenté par le dessin, il entreprend alors une seconde carrière de caricaturiste: sa signature devient célèbre et ses portraits-charges fleurissent dans la presse polémique (*le Corsaire-Satan, le Charivari,* etc.) « où la plume et le crayon se disputent le plaisir de flageller ». Toujours aussi bohème, mais politiquement engagé, il part dans la légion polonaise au secours de la république de Varsovie écrasée par l'envahisseur russe, puis se trouve investi par Hetzel, alors au cabinet des Affaires étrangères de la IIe République, d'une mission secrète en Prusse orientale.

De retour, Nadar reprend le pinceau dans *la Revue comique* d'Hetzel (nov. 1848-nov. 1849) où il crée le personnage de Monsieur Réac, type de l'opportuniste médiocre, fraîchement converti à la cause républicaine; puis il entre au *Journal pour rire* que vient de fonder Philippon (auquel on doit la première représentation de Louis-Philippe en poire), y réunit une véritable équipe de dessinateurs — « l'atelier Nadar » — qui donnera en 1852 *la Lanterne magique,* préfiguration du *Panthéon Nadar* (1854).

Pour ses dessins, Nadar et son équipe se servirent de la toute récente daguerréotypie : et très vite, le photographe naissant comprit qu'il y avait là un art dépendant moins d'une technique que d'une vision personnelle : « Ce qui ne s'apprend pas, c'est le sentiment de la lumière, c'est l'appréciation artistique des effets produits par les jours divers et combinés [...] Ce qui s'apprend encore beaucoup moins, c'est l'intelligence morale de votre sujet ». Ce que vise ainsi Nadar, ce n'est pas la reproduction objective d'un sujet, mais ce qu'il appelle « la ressemblance intime ». De là ces portraits où se lit comme la synthèse d'un homme et d'une œuvre: le hiératisme dédaigneux de Barbey, le dandysme distant de Baudelaire, la simplicité miséreuse de Nerval, etc.

Très rapidement, Nadar va perfectionner et ouvrir le champ photographique : il dépose divers brevets (pour la lumière artificielle, pour la fixation des clichés, etc.), fonde la « Société de photographie artistique » (1856) et surtout réalise la première photographie aérienne (la place de l'Étoile prise en 1856 depuis un ballon où Nadar affirme pouvoir « dans [sa] nacelle collodionner, sensibiliser et développer l'image ») et la première photographie « sous-terraine » (trois mois dans les égouts et les catacombes parisiens durant l'année 1861).

La passion aéronautique relaie alors le plaisir du photographe : Nadar fonde, avec quelques convaincus, une « Société d'encouragement pour la locomotion aérienne au moyen d'appareils plus lourds que l'air », société qui éditera sa revue, *l'Aéronaute,* et défendra le projet du « Géant », ballon de 45 mètres de haut et de 6 000 mètres cubes, qui, le 4 octobre 1863, vola cinq heures, du Champ-de-Mars à la forêt de Meaux. L'expérience put être tentée grâce au mécénat de Nadar qui y laissa une bonne partie de son argent. Dès l'année suivante, Hugo et Jules Verne apportaient leur soutien à l'aéronautique défendue par Nadar. Mais les autorités demeuraient sceptiques à l'égard du « plus lourd que l'air » (et Nadar eut beau jeu de stigmatiser dans un pamphlet rabelaisien — *les Dicts et faicts du chier syre Gambette le Hutin en sa court* — l'attitude de Gambetta confiant dans les ballons au seul moment d'échapper à l'ennemi). La fin du second Empire allait lui fournir l'occasion de montrer le bien-fondé de ses vues: bien que farouche opposant à l'Empire, Nadar offre alors sa fortune à la patrie et met sur pied des équipes d'aérostiers militaires qui, une fois l'Empire tombé, organiseront la première liaison postale aérienne (le ballon « Neptune » quittera Paris assiégé avec le courrier destiné au gouvernement replié sur Tours).

Après l'échec de la Commune, Nadar quitte progressivement le devant de la scène : il recueille les proscrits, reprend ses travaux photographiques, soutient les jeunes impressionnistes qui organiseront leur première exposition en 1874 dans son atelier, boulevard des Capucines. Mais la maladie, les difficultés de santé, les brouilles avec son fils vont assombrir les dernières années de sa vie éclairées, toutefois, par le triomphe définitif de l'aviation (Clément Ader, 1890; Santos Dumont, 1906; Blériot, 1910). Lorsqu'il meurt, la presse salue en lui « le vétéran de la Grande Armée romantique », mais aussi l'homme qui « avait une foi indestructible dans les destinées sublimes du monde ».

Touche-à-tout de talent, Nadar échappe à toute tentative de synthèse, même si ses multiples activités s'enchaînent logiquement : le journaliste a entraîné le caricaturiste, qui a nécessité le photographe, lequel avait besoin de l'aéronaute. En fait ce qui se détache le plus nettement, c'est cette croyance absolue dans la modernité, tant en politique (toute sa vie Nadar fut un républicain convaincu et conséquent) qu'en esthétique. Corrélativement, l'homme se définit par le rapide passage à l'action : sa devise pourrait être « Je pense donc j'agis » et expliquerait l'inégale réussite de l'écrivain : médiocre dans les récits, le style s'adapte en revanche parfaitement lorsque le journaliste se fait frondeur (pochades incisives et pamphlets brefs saisissent alors la pensée dans le bouillonnement de sa gestion et l'acidité de son développement) ou se laisse aller à évoquer des souvenirs — souvent mythiques — conçus comme une succession de scènes précises (*Quand j'étais étudiant*, 1857, et *Quand j'étais photographe*, 1900).

BIBLIOGRAPHIE

Aucun texte de Nadar n'est aujourd'hui accessible en librairie. En revanche les meilleures de ses photographies ont été publiées dans le *Nadar* d'André Barret (*Trésor de la photographie*, André Barret éditeur, Paris, 1975). Le texte de présentation reprend l'ouvrage très complet de Jean Prinet et Antoinette Dilasser consacré à Nadar (A. Colin, « Kiosque », 1966).

D. COUTY

NADAUD Gustave (1820-1893). Né à Roubaix, il fait ses études au collège Rollin à Paris, puis revient dans sa ville natale, pour s'initier au commerce des tissus, profession de sa famille. Celle-ci se fixe ensuite à Paris, où Nadaud commence à écrire, avant de se consacrer à la chanson. Publiées séparément (la première fut *les Reines de Mabille*), ses chansons parurent en un recueil en 1849. Augmentées périodiquement jusqu'à dépasser 300, les chansons de Nadaud ont acquis une notoriété variable, mais leur ironie aimable et leur côté souvent léger valurent au chansonnier un succès d'estime bourgeois plutôt qu'un grand succès populaire à la Béranger.

Dans le lyrisme (« l'Invalide ») et la veine indignée (« le Vieux Mendiant de Lazare »), la versification convenue de Nadaud n'aboutit qu'à de pâles constructions néoclassiques. C'est dans l'ironie bonhomme, au contraire, que son habileté apparaît. La moquerie est d'ailleurs sa revendication explicite; elle s'adresse autant au bourgeois prudhommesque qu'à la prétention esthétique, comme on le voit par l'emploi distancié d'expressions plates ou ampoulées, mieux encore que par le contenu explicite de ce quatrain :

Je ne vis pas des *soupirs de la brise*
De *l'air du temps*, de la *manne du ciel*,
Non! non! je vis de l'humaine bêtise;
Vous le voyez, mon règne est éternel.

Politiquement, et comme il sied à un bourgeois chansonnant sa propre classe, il est modéré, ridiculisant à la fois la réaction (« les Écrevisses ») et le socialisme (« le Phalanstère »). Malgré sa gentillesse rassurante et son conservatisme (il se définit lui-même comme « modéré, très modéré »), Nadaud eut droit lui aussi à son petit procès. En effet, le ministère public, devant certains couplets d'une chanson particulièrement réussie et dont le refrain devait passer à la postérité, l'attaqua en justice, d'ailleurs vainement. Il s'agissait de « Pandore » ou « les Deux Gendarmes » qui fixa dans la conscience populaire l'image d'une force publique dérisoire, bornée et sympathique :

Puis ils rêvèrent en silence
On n'entendit plus que le pas
Des chevaux marchant en cadence;
Le brigadier ne parlait pas.
Mais quand revint la pâle aurore,
On entendit un vague son :
Brigadier, répondit Pandore,
Brigadier, vous avez raison.

L'irrévérence la plus grande étant pudiquement exprimée, le tribunal se contenta d'en rire.

Plus intimes, les romances de Nadaud représentent avec grâce un idéal élégiaque naïf et tendre dont la mélancolie correspond à l'une des traditions de la chanson française. Outre « Pandore », « les Reines de Mabille », « la Lorette », « les Deux Notaires » et « le Docteur Grégoire » furent souvent fredonnées. Nadaud lui-même, qui, semble-t-il, chantait agréablement ses œuvres, contribua à leur succès. Il composa la musique pour une centaine de chansons.

Il écrivit aussi des opérettes (*les Deux Étudiants, la Volière, le Docteur Miracle*), des contes et proverbes en vers, un court roman (*Une idylle*, 1861), des poèmes mis en musique par Félix Godefroy (*les Voix de la nuit*, 1854), enfin quelques comédies (*Théâtre*, 1893).

Ses attitudes politiques et sa « modération » en firent le premier chansonnier à recevoir une décoration de l'Ordre national, sous le second Empire. Mais son libéralisme se manifeste en 1884, lorsqu'il se fait l'artisan de la publication du recueil d'Eugène Pottier, pourtant communard.

Malgré sa réputation, et la justesse avec laquelle il incarne le lyrisme élégiaque et naïf en honneur sous le second Empire, Nadaud mourut dans la pauvreté et le découragement.

BIBLIOGRAPHIE

Recueil de chansons, Paris, chez Garnier frères, Palais-National, 1849 (éd. originale). D'autres éditions se succédèrent (1852, chez L. Vieillot; 1857, chez E. Dente; 1862 et 1865, chez Frédéric Henry; 1867 et 1870, chez Henri Plon). La septième édition en 6 volumes (1867, Plon et Heugel) présente un intérêt particulier; les œuvres sont divisées en : I, *Chansons de salon*; II, *Chansons populaires*; III, *Chansons légères*; IV, *Opérettes*; V, *Chansons nouvelles*; VI, *Chansons inédites*. Un recueil de chansons choisies parut, en outre, en 1881 (2 vol.).

L'édition originale de *Une idylle* parut en 1861 chez Hachette. Les *Contes, proverbes, scènes et récits en vers* parurent en 1870 chez Plon (éd. en 1877, 1889-1892 : en onze plaquettes chez Tresse et Stock).

A. REY

NADEAU Maurice (né en 1911). Né à Paris, élève de l'École normale supérieure de Saint-Cloud, il fut professeur de 1936 à 1945.

En 1945, il publie une importante *Histoire du surréalisme*, suivie de *Documents surréalistes* (1948). Cet ouvrage fait de lui le principal historien d'un mouvement qu'il considérait comme appartenant au passé : « Bien que nous attendions son retour avec impatience et curiosité, nous pensons que, pour le moment, en France tout au moins, il n'y a plus qu'à dresser l'acte de décès du mouvement surréaliste ». A quoi André Breton répliquait : « On n'a jamais vu de biographe plus pressé » (*Entretiens*), reprochant notamment à Nadeau de ne pas « porter le débat au-dessus du plan anecdotique ». En fait, Nadeau considère le surréalisme comme un mouvement historiquement délimité, alors que Breton y voyait un concept, une tendance plus générale, tout mouvement littéraire pouvant être envisagé selon l'axe historique ou comme la réalisation d'une potentialité abstraite [voir SURRÉALISME].

Nadeau fut successivement directeur littéraire de *Combat* (1945-1951), critique au *Mercure de France* (1948-1953), à *France-Observateur*, à *l'Express*. Directeur de collection aux éditions Julliard, puis chez Denoël, il joua un rôle notable dans la diffusion des œuvres nouvelles (par ex. Georges Perec) ou peu connues, par *les Lettres nouvelles* (depuis 1953) et *la Quinzaine littéraire* (depuis 1966) : introducteur en France de Malcolm Lowry, de Lawrence Durrell, de Gombrowicz, etc., Nadeau recherche les valeurs nouvelles ou récemment mises en relief (*Littérature présente*, 1953; *Michel Leiris et la Quadrature du cercle*, 1962; *le Roman français depuis la guerre*, 1964), ce qui n'exclut pas une approche moderne des grands auteurs, qu'ils soient consacrés (*Flaubert*, 1969) ou contestés (édition des œuvres de Sade, 1948).

A. REY

NAFFAH Fouad Gabriel (1925-1983). V. LIBAN. Littérature libanaise d'expression française.

NAIGEON Jacques André (1738-1810). On sait peu de chose sur la jeunesse de ce publiciste, né à Paris, qui prit une part active à la bataille philosophique. Selon Diderot, il aurait été peintre et sculpteur avant de se lier à d'Holbach et de travailler, avec la « coterie holbachique », à la rédaction de libelles clandestins. Il fut l'éditeur plus ou moins fidèle — associé à d'Holbach, qui en écrivit la fin — du *Militaire philosophe, difficultés sur la religion proposées au P. Malebranche* (1767), tirant vers l'athéisme et le matérialisme un ouvrage déiste dû sans doute à Robert Challe. On lui attribue *l'Intolérance convaincue de crime et de folie* (1769) et plusieurs pièces du *Recueil philosophique ou Mélange de pièces sur la religion et la morale* (1770), où l'on trouve aussi des textes de d'Holbach (dissimulé sous le nom de MIRABAUD); il est l'auteur de trois articles de l'*Encyclopédie* de Diderot et d'Alembert, mais son œuvre principale reste *l'Histoire de la philosophie antique et moderne,* publiée dans l'*Encyclopédie méthodique* (1791), dont trois volumes seulement, sur les quatre prévus, ont paru. On lui doit encore une *Vie de Sénèque* (1779), des éditions de Diderot (1798), Rousseau (1801) et Montaigne (1802), et des *Mémoires historiques et philosophiques sur la vie et les ouvrages de Denis Diderot* (posthume, 1821). Appelé à siéger à l'Institut national en 1795, il devint membre de l'Académie française en 1810.

BIBLIOGRAPHIE

Difficultés sur la religion proposées au P. Malebranche par Mr... officier militaire dans la marine, prés. R. Mortier, Presses universitaires de Bruxelles, 1970.

A consulter. — J.-P. Damiron, *Mémoire sur Naigeon et accessoirement sur Sylvain Maréchal et Delalande,* Paris, 1857; R. Brummer, *Studien zur französischen Aufklärungsliteratur im Anschluss an J.-A. Naigeon,* Breslau, 1932.

A. PONS

NAIN JAUNE (le). Les vicissitudes de ce titre forment une aventure originale dans la presse du XIXe siècle : un même nom naît, meurt et ressuscite à divers moments historiques; à peu près toujours pour la même raison d'indépendance coupable à l'égard des pouvoirs. Il naît ou renaît un *Nain jaune* en 1814, en 1857, en 1863, en 1865, en 1867.

Le Nain jaune est d'abord l'un des plus vieux titres de journaux au XIXe siècle. Né pendant les Cent-Jours, le premier *Nain jaune* tiendra jusqu'au 15 juillet 1815. Succédant au *Journal des arts, des sciences et de la littérature,* il se veut journal littéraire mais n'escamote point la politique; plus libéral que bonapartiste, il combat farouchement le royalisme et ses organes de presse, *la Gazette de France* notamment; mais il s'oppose aussi aux journaux installés, *la Quotidienne, le Journal des débats, le Moniteur.* Vingt-quatre pages, un style alerte et sarcastique : le directeur est Louis Cauchois-Lemaire, qui donne au journal son esprit, s'entoure de rédacteurs comme Merle et Jouy, et demande à des correspondants bénévoles de déposer leurs nouvelles dans une « bouche de fer » disposée à l'entrée de la rédaction. *Le Nain jaune* offre à ses abonnés des anecdotes, des « bruits », des « nouvelles de partout », « la chronique, comme voulait Cauchois-Lemaire, des salons, les bruits de la ville, la revue des théâtres et des journaux ». Le tout acide, mordant, caustique, ironique. Le journal était littérairement combatif, s'en prenant à tous les tenants du passé, attardés du classicisme et romantiques décoratifs. Laïque, défendant les soldats de l'armée napoléonienne vaincue, mais libéral avant tout. Son ironie? Il créa deux ordres de chevalerie, l'« ordre de l'Éteignoir » et l'« ordre de la Girouette », auxquels il affiliait plaisamment les politiques oublieux ou versatiles, les ennemis du libéralisme et de la Charte, tous ceux qui ont des quartiers « d'ignorance, d'impudence et de mauvaise foi », ceux dont la devise est toujours d'« abrutir pour gouverner ». On reconnut fort bien, parmi les plus grands chevaliers de ces deux ordres — notamment du premier —, ici ou là, Chateaubriand, Mme de Staël, Talleyrand, Cuvier, Bonald. Ce journal sut aussi, un des tout premiers au XIXe siècle, se servir de l'image (il comportait des caricatures en couleurs, vendues en tirés à part). A partir de 1815, *le Nain jaune* est menacé, poursuivi; on lui suscite de pâles rivaux, pour mieux le tuer : *Nain blanc, Nain vert, Nain rose*; il est saisi; il recommence, il se mue en brochure; il devient *Journal des arts et de la politique*; on le reconnaît; il va se faire imprimer à Bruxelles, prend le nom de *Nain jaune réfugié,* publié « par une société d'anti-éteignoirs » et passe la frontière; il finit, en 1816, par disparaître en se fondant dans *le Mercure surveillant,* puis dans *le Libéral.*

Le titre renaît, très éphémère, en décembre 1857, sous la direction d'Adolphe Jalabert (rédacteurs : A. Scholl, H. Babou); mais le second Empire n'était pas encore prêt à l'accepter. La véritable renaissance, quoique non définitive, est de 1863. Aurélien Scholl reprend le vieux titre, pour rivaliser avec *le Figaro*; le journal tiendra bon jusqu'en 1864; en vérité, le titre avait été racheté par Théo Silvestre, ancien « inspecteur général de la Librairie » au ministère de l'Intérieur (bref, directeur de la censure); au début, il était donc bien placé pour déjouer les menaces du pouvoir politique. Aurélien Scholl rétablit les deux ordres de l'« Éteignoir » et de la « Girouette » (dont le « grand maître » se définissait comme ayant trahi tous les gouvernements du XIXe siècle, sans exception), choisit pour collaborateurs Louis Combes, Arthur Ranc, Castagnary, Barbey d'Aurevilly (qui donne au journal, en 1863, sous la signature d'« OLL NOLL », les biographies d'académiciens qui seront regroupées dans l'ouvrage *les Quarante Médaillons de l'Académie*). On peut dire que le journal dépasse vite les intentions — et les précautions — de Théo Silvestre; il disparaît en 1864. Puis renaît un quatrième *Nain jaune,* celui de 1866-1867. Castagnary mène les négociations avec le ministère de l'Intérieur pour reprendre le titre et « déclarer » le journal; il prévoit d'ailleurs, pour plus de sûreté, un clavier de titres de remplacement : *le Nain bleu, le Nain gris, le Nain vert, le Nain rouge* — ce qui lui vaut de nouvelles difficultés, la ruse étant éventée. Castagnary finit par faire accepter le titre *le Nain jaune* pour un journal politique (avril 1867). En fait, c'est le financier douteux Grégory Ganesco qui prend le journal en charge et qui le transforme de publication littéraire et hebdomadaire en publication politique d'opposition et bihebdomadaire. Barbey d'Aurevilly revient y écrire, surtout sur le théâtre; autres collaborateurs : J.-J. Weiss, F. Morin, Édouard Drumont, Castagnary, Rochefort, A. Ranc, Siebecker, épisodiquement (en 1867) Jules Vallès. *Le Nain jaune* est un journal toujours caustique et ironique, qui porte des jugements acérés sur la presse de l'époque, de *l'Univers* de Veuillot, avec ses « quintes », à la « frangipane » du *Constitutionnel*; il montre le journalisme du second Empire, en 1867, tournant, « comme une dinde à la broche », entre « le ricanement et le renseignement »; il est convaincu que « le journalisme vit surtout d'opposition » (15 septembre). Jules Vallès, la même année, y décèle la fin proche du « journalisme causotier » et de « la chronique-commère » (14 février). Bientôt *le Nain jaune* fait l'objet de poursuites pour articles « agressifs » (par exemple, un article de Ranc sur les insurgés de juin 1848, qui vaut, au surplus, à Ranc personnellement, quatre mois de prison); il est interdit de vente sur la voie publique... Ganesco se rapproche du gouvernement; le journal est abandonné de tous ses grands rédacteurs; il s'éteint en 1868.

BIBLIOGRAPHIE
Histoire générale de la presse française, t. II, dir. C. Bellangé, J. Godechot, P. Guiral, F. Terron, P.U.F., 1969.

R. BELLET

NAPOLÉON Ier (1769-1821). L'Histoire fut l'interlocuteur privilégié de Napoléon Ier — « J'en appelle à l'histoire », écrit du *Bellerophon* qui le conduit vers son dernier exil le vaincu de Waterloo. Elle trace une ligne de partage entre l'œuvre de Bonaparte où l'écriture, dans l'ensemble très théorique ainsi qu'en témoignent les titres — *Réfutation de Roustan* (1788), *Parallèle entre l'amour de la patrie et l'amour de la gloire* (1787), *Discours sur le bonheur* (aussi appelé *Discours de Lyon*, 1791), etc. —, paraît concentrer toutes les ambitions du jeune militaire déçu dans ses aspirations politiques et sentimentales, jouant ainsi un rôle cathartique, et l'œuvre du chef d'État, en grande partie faite de proclamations, de discours, de rapports, dans lesquels la parole et l'action s'appellent et se commentent mutuellement. Enfin, il y aurait lieu de distinguer l'œuvre du proscrit, essentiellement composée de dictées à but apologétique — « Il ne faut pas passer sur cette terre sans laisser des traces qui recommandent votre mémoire à la postérité », écrit-il le 14 octobre 1807 au ministre de l'Intérieur, Crétet — destinées à faire pièce à la montée de la « légende noire ». Ainsi, l'homme du pouvoir qui avait canalisé la littérature — exil des écrivains, constitution d'une littérature officielle, censure, etc. — trouvait-il en elle l'arme ultime de sa légende.

Entre deux mondes

Si l'on excepte de médiocres travaux de versification, l'œuvre littéraire de Bonaparte se compose de textes à caractère philosophique ou politique, dont l'idéologie puise dans le fonds rousseauiste et dont la forme emprunte tantôt au conte voltairien, tantôt au dialogue à la Diderot. Ainsi le *Discours de Lyon*, entrepris pour le concours proposé par l'Académie rhodanienne en 1790, traite-t-il d'un sujet fort peu romanesque, « déterminer les vérités, les sentiments qu'il importe le plus d'inculquer à l'homme pour son bonheur », moins par des réflexions abstraites que par des scènes symboliques : Bonaparte crée ainsi divers personnages — un prêtre, un notaire, un « vénérable vieillard » — qui, tels les marionnettes croisées par Candide, proposent tous au héros des solutions qui conduisent à une sorte de sagesse bourgeoise proche de l'idéal du « jardin » : « Sois homme, mais sois-le vraiment; vis maître de toi. Sans force, mon fils, il n'est ni vertu ni bonheur ». Et l'on pense à Diderot pour ce *Souper de Beaucaire* (1793) où Bonaparte tente de convaincre les contre-révolutionnaires méridionaux de leur faiblesse stratégique : « Celui qui reste derrière ses retranchements est battu; l'expérience et la théorie sont d'accord sur ce point », et de leur isolement idéologique : « Il y a dans votre opiniâtreté de la folie », le tout parsemé de sentences moralisatrices dignes du plus mauvais cathéchisme : « L'apanage des bons sera toujours d'être mal famés chez le méchant ». Mais ni l'humour voltairien, ni le balancement dialectique de Diderot ne viennent animer ce qu'il faut bien appeler des récits; le discours théorique fige les personnages et les propos dans un manichéisme mieux justifié par le genre épique qu'atteindra la parole orale de Napoléon. Toutefois, le refus de l'abstraction pure au profit de la forme romancée — même embryonnaire — indique clairement vers quel genre s'oriente l'œuvre de Bonaparte. Ainsi *Clisson* est-il l'aboutissement logique de toute cette période : on y retrouve les thèmes philosophiques jusqu'alors abordés *in abstracto* — l'héroïsme, la gloire, l'amour, le bonheur... — ici mis en situation dans une véritable trame romanesque (Clisson, jeune militaire couvert de gloire dont « l'âme n'est pas satisfaite », rencontre Eugénie, s'éprend d'elle, l'épouse, mais doit s'en séparer pour conduire ses troupes à la victoire; à l'aube de l'ultime bataille, il écrit une lettre d'adieux à son aimée et trouve une mort héroïque... qui n'est en fait qu'un suicide déguisé) que subvertit un lyrisme exacerbé par la solitude, la rêverie et la nature. En effet *Clisson*, en rompant avec la rhétorique du XVIIIe siècle, donne un des premiers exemples français du romantisme, du « mal du siècle » (*René* ne date que de 1802) : l'appel au bonheur suprême, l'usure du temps — « J'avais épuisé la vie et ses biens », écrira Clisson peu avant de mourir —, l'apaisement au sein d'une nature qui fait naître chez le héros la « mélancolie » et transforme ses propos en effusion, etc., sont autant de sujets qui vont devenir les thèmes obligés de toute une génération. Mais surtout, avec *Clisson*, la littérature se présente dans une fonction essentielle pour Bonaparte : ni ludique, ni gratuite, elle comble un vide (Clisson n'est-il pas le double heureux de Bonaparte, couvert d'une gloire militaire que le général trouvera en Italie et victorieux d'un cœur que Désirée Clary s'obstine à lui refuser?), vide que le pouvoir seul pourra remplir. Dès lors le sens de l'œuvre se devra de changer : d'une certaine manière, l'écrivain meurt avec le consul. Le tribun prend alors la parole, le philosophe s'efface derrière l'aède. Dans *Clisson*, Bonaparte notait que son héros « avait remplacé la réflexion par la rêverie »; avec Napoléon, la rêverie cède le pas à l'action.

La rhétorique d'un tribun

Pour Napoléon, « l'homme qui gouverne ne peut avoir le même style qu'un écrivain » : aussi la rhétorique devient-elle l'objet du discours napoléonien. S'il est peut-être exagéré de dire avec Nadia Tomiche que « la proclamation française est un genre que Napoléon a créé », il convient néanmoins d'admettre que dans cet exercice court, en prise directe avec l'action, où « l'autorité raisonne moins » qu'elle « ne dirige », l'Empereur excella. Il est vrai que la forme se pliait mieux au style de Napoléon que l'analyse philosophique : l'emploi de l'apostrophe — en général « soldats », plus rarement « amis » (26 avril 1796) ou « camarades » (12 septembre 1797) — reprise anaphoriquement pour scander les diverses phases de la proclamation, l'élargissement au « nous » qui établit dans l'action une relation de sympathie, voire même d'équivalence, entre le chef et ses hommes, les formules élogieuses allant du célèbre « Soldats, je suis content de vous » (Austerlitz, 2 décembre 1805) au « Je suis content de vous voir » (Paris, 25 mai 1815) sont autant de traits caractéristiques d'une prose constamment tendue vers l'effet, et par conséquent vers l'épique. Dans ce but, Napoléon transforme ses hommes en héros — « Soldats, vous avez surpassé la renommée des armées modernes; mais vous avez égalé la gloire des armées de Rome... » (Paris, Carrousel, septembre 1808). Il entasse les chiffres qui acquièrent ainsi une signification fabuleuse — « ... nous avons pris 720 pièces de canon, 7 drapeaux, tué ou blessé ou fait prisonniers 60 000 Russes, enlevé [...] les 300 bâtiments qui étaient dans ce port [Kœnigsberg], 160 000 fusils que l'Angleterre envoyait pour armer nos ennemis » (Tilsit, 22 juin 1807) — et conclut par une péroraison brève qui déplace l'objet du discours du présent dans l'avenir de l'Histoire — « Vous rentrerez alors dans vos foyers et vos concitoyens diront en vous montrant : "Il était de l'armée d'Italie" » (Milan, 1er prairial an IV); « ... que la postérité la plus reculée cite votre conduite dans cette journée;

que l'on dise de vous : "Il était à cette grande bataille sous les murs de Moscou!" » (Borodino, 7 septembre 1812).

Si l'on excepte l'intérêt formel des proclamations et autres discours, ces textes importent dans la mesure où ils entretiennent une relation étroite avec la correspondance amoureuse de l'Empereur : en effet, une fois passé l'enthousiasme des premiers échanges avec Joséphine, l'Empereur traite avec son épouse des mêmes sujets qu'avec ses soldats. Ce ne sont que chiffres de canons pris à l'ennemi, généraux faits prisonniers, batailles gagnées... Bien mieux, dans le même temps que Napoléon passe avec Joséphine des formules les plus lyriques — « mio dolce amor » (décembre 1795), « mon adorable amie » (24 avril 1796) — aux stéréotypes les plus traditionnels — « Mon amie » à partir de 1804 —, il adopte une attitude de plus en plus paternaliste avec ses grognards : « Mes soldats, ce sont mes enfants! » (Ulm, 20 octobre 1805). Tout se passe donc comme si l'armée devenait l'épouse légitime de Napoléon, sa famille, et répondait à sa confiance, tandis que l'impératrice, volage et stérile, se dérobe aux vœux de l'Empereur.

Un grand écrivain?

L'œuvre rédigée à Sainte-Hélène fut dictée aux proches de l'Empereur, et il est fort difficile de déterminer avec précision la part d'expression propre à Napoléon : si les plans et les grandes idées sont incontestablement sortis de la volonté de l'Empereur, il est en revanche impossible de trouver une unité stylistique aux *Mémoires, Journaux* et *Histoires* qui répondent au projet annoncé lors du premier exil (Fontainebleau, 20 avril 1814) : « Si j'ai consenti à me survivre », dit-il à sa garde rassemblée, « c'est pour servir encore votre gloire. Je veux écrire les grandes choses que nous avons faites ensemble ».

Dernier déplacement de la relation entre l'écriture et l'histoire : Napoléon ne tente plus de forcer son cours, il ne l'influence plus directement, mais, prisonnier d'elle, il cherche à organiser définitivement sa mémoire. Le jugement des générations futures importe alors plus que l'action immédiate. Et sans doute l'exilé eût apprécié les louanges décernées par la critique qui, de Stendhal — « un langage imprégné d'étrangeté » (*Mémoires sur Napoléon*) — à Sainte-Beuve — lequel n'hésite pas à en faire « le plus grand écrivain du siècle » (le prince de la critique ira même jusqu'à comparer le style des *Pensées* de Pascal aux discours napoléoniens...) — n'a jamais pu dissocier le héros du mythe politique de l'écrivain. Plus étonnante sera l'admiration portée par le féroce Barbey d'Aurevilly, peu suspect de bonapartisme et plus inspiré habituellement dans ses jugements : « un écrivain de génie » qui possède « le don d'écrire avec génie » (*les Œuvres et les Hommes,* 1893). Et de fait, s'il est aujourd'hui difficile de soutenir que Napoléon a « fait école et contrecoup » comme le clame encore Sainte-Beuve, s'il est tout aussi difficile de prendre un véritable intérêt à la prose des écrits philosophiques ou même du *Souper de Beaucaire*, hormis d'un strict point de vue historique, on ne peut que reconnaître, à la suite de Maupassant, l'adéquation d'un style et d'un projet dans les proclamations : dans ce genre particulier, Napoléon « ne plaît ni ne persuade, il entraîne et subjugue » (Lanson). Enfin, et peut-être surtout, il faudrait dans le cadre d'une étude sur le romantisme français revenir aux quelques pages du *Clisson* — ou les découvrir — qui brillent dans cet ensemble théorique et rhétorique comme la seule œuvre d'imagination de leur auteur.

BIBLIOGRAPHIE

Il n'existe pas d'édition moderne des œuvres complètes de Napoléon. On pourra se procurer des textes séparés de la correspondance, des discours et proclamations (réédités en « 10/18 »), etc. dans des éditions de la fin du XIXe siècle.

Pour prendre un contact synthétique avec l'écriture napoléonienne on pourra se reporter à la thèse de N. Tomiche, *Napoléon écrivain,* A. Colin, 1951 (approche très classique, plutôt paraphrastique et psychologisante, qui donne d'assez précieux renseignements sur la méthode de travail de l'Empereur).

D. COUTY

NAPOLÉON III, Charles Louis Napoléon Bonaparte (1808-1873). Homme d'État français, né à Paris, fils de Louis Bonaparte et d'Hortense de Beauharnais, empereur des Français (1852-1870). D'un côté, la générosité d'un écrit de jeunesse, *l'Extinction du paupérisme* (1844); de l'autre, un régime autocratique, teinté de paternalisme sous la pression des événements et des luttes sociales : les œuvres de Napoléon III semblent des témoins à charge dans l'histoire d'un reniement. De fait, il n'y a guère de parenté entre la pratique gouvernementale du second Empire et les ouvrages de l'ancien carbonaro, prisonnier à Ham (1840-1846), lecteur de Saint-Simon et des socialistes utopiques, abonné à *l'Atelier* de Louis Blanc. Toutefois le « socialisme » de Louis Napoléon se conjugue avec une exaltation du modèle napoléonien, idée-force dans la lutte contre le libéralisme, la « féodalité de l'argent » et la monarchie bourgeoise (Napoléon, lui, était, d'après son neveu, un « héros plébéien »), mais aussi instrument de conquête d'un pouvoir qui ne saurait être de nature démocratique. Si Napoléon Ier a bel et bien été un « roi du peuple », il a surtout su traduire dans les faits un ensemble d'aspirations qui ne pouvaient être mises en œuvre — et en ordre — que par un régime autoritaire : « Consul, il établit en France les bienfaits de la Révolution; empereur, il établit dans toute l'Europe ces mêmes bienfaits » (*Réponse à Lamartine,* 1843).

Dans les mains du guide providentiel, le peuple a la puissance et l'aveuglement d'un phénomène naturel. Précisément : d'un fleuve. Ces « flots populaires » (*Idées napoléoniennes,* 1839) tantôt s'enlisent en un « étang bourbeux » (*Considérations politiques et militaires sur la Suisse,* 1833), tantôt débordent : « un torrent » (*Idées...*). Le grand homme doit être capable de creuser le « sillon » grâce auquel ce fleuve apportera « fertilité et abondance » (*Idées...*). Devenu prince-président, Louis Napoléon retrouvera tout naturellement sa métaphore favorite : « Je veux ramener dans le courant du grand fleuve populaire les dérivations hostiles qui vont se perdre sans profit pour personne » (*Discours de Bordeaux,* 1852). Mais le travail a désormais remplacé la guerre (« l'Empire, c'est la paix ») comme principe de rassemblement : s'inspirant de *l'Organisation du travail* de Louis Blanc (1839), Louis Napoléon propose, pour résoudre le problème de l'emploi en régularisant le cours du fleuve, d'établir des « colonies agricoles » fonctionnant comme « déversoirs de population »! (*l'Extinction...*). « Le peuple est une mer aussi », proclame Hugo à la même époque (« Ode à la colonne », 1827). Cette coïncidence ne suffit pas pour faire de Louis Napoléon un poète. L'important est plutôt de constater le travail d'une métaphore qui permet d'esquiver toute définition claire du concept de peuple (une « plèbe » inquiétante, ou l'ensemble du corps social) et de masquer ainsi les ambiguïtés théoriques du « socialiste de Ham ». Mais cette régression dans la littérature permet seule de réaliser une synthèse élégante entre l'« idée napoléonienne » et la critique petite-bourgeoise du capitalisme : avec Napoléon III, la France tient peut-être son premier théoricien fasciste.

BIBLIOGRAPHIE

Aucune réédition récente des œuvres de Napoléon III, auxquelles il convient d'ajouter une *Histoire de Jules César* en 2 volumes (1865-1869).

A consulter. — H.N. Boon, *Rêve et réalité dans l'œuvre économique et sociale de Napoléon III,* Paris, 1936.

J.-P. DE BEAUMARCHAIS

NARBONNAIS (les) [début du XIIIe siècle]. Chanson de geste médiévale, longue de 8 063 décasyllabes — à l'exception toutefois du dernier vers de chaque laisse, qui est un hexasyllabe à terminaison féminine (vers orphelin). Elle est datée des environs de 1210. Longtemps négligée, elle apparaît aujourd'hui, à la lumière de travaux récents, comme la pierre d'angle de tout le cycle d'Aymeri de Narbonne. L'analyse structurale et comparative révèle en effet que le matériau mis en œuvre dans ce poème s'articule, à travers des formules diverses, sur le cadre indo-européen des trois fonctions tel que l'a mis au jour et défini l'historien Georges Dumézil. Ainsi la somptueuse ouverture est bâtie sur deux schémas dans lesquels la structure trifonctionnelle et la comparaison avec les témoins indo-iraniens (*Shāh-Nāmeh* et *Mahābhārata*) invitent à reconnaître un héritage indo-européen : le vieil Aymeri, conforme à un type mythique très ancien, accomplit les gestes fondamentaux de tout « premier roi »; il organise la société dans ses divisions fonctionnelles (en faisant de ses trois fils aînés les dépositaires et les modèles des trois fonctions sociales : administration du droit/force guerrière/maîtrise de la nourriture et de la richesse); il organise le monde dans ses divisions à la fois géographiques et fonctionnelles (en exilant ses fils aînés hors du « pays central », réservé au plus jeune, et en les dispersant sur le pourtour selon les quatre points cardinaux). Organisateur d'une société tripartite et partageur d'un espace caractérisé trifonctionnellement, Aymeri de Narbonne représente de la sorte, face à la Scythie, à l'Iran, à l'Inde, le témoin occidental le plus précieux de ce « mythe d'origine » indo-européen qui expliquait par un partage trifonctionnel entre frères le découpage social et spatial du monde.

On distinguait naguère encore dans *les Narbonnais* deux poèmes distincts, *le Département des enfants Aymeri* et *le Siège de Narbonne*. La lecture « dumézilienne », par l'homologie qu'elle met en lumière entre les « Heurs et malheurs d'Aymeri » dans *les Narbonnais* et les « Aventures et mésaventures de Yayāti » dans le *Mahābhārata*, établit avec certitude l'unité originelle du texte et du scénario en même temps qu'elle pose à nouveau, et de manière insistante, la question de l'existence d'une littérature épique indo-européenne.

Enfin, contre la doctrine, qui a lontemps prévalu, selon laquelle le groupe composé par le comte de Narbonne et ses sept fils était né de l'assemblage arbitraire d'individus initialement séparés, la lecture des *Narbonnais* impose un diagnostic riche en perspectives nouvelles : les fils d'Aymeri ont été conçus comme un bloc; ils constituent et reconstituent une image parfaite de la société indo-européenne. Autour du plus jeune (Guibert) — lequel, supérieur sinon extérieur à la structure trifonctionnelle et héritier du « royaume central », préside à la manière du roi — se groupent harmonieusement deux représentants de chacune des trois fonctions sociales : Bernart/Beuve pour la première; Guillaume/Aïmer pour la seconde, Hernaut/Garin pour la troisième. Bref, les Aymerides, loin d'être la réunion fortuite d'éléments hétérogènes, forment un ensemble structuré.

Synopsis. — Le vieil Aymeri décide de chasser de Narbonne ses six fils aînés et de ne garder auprès de lui, comme unique héritier, que le plus jeune, Guibert. Les trois plus âgés, Bernard, Guillaume, Hernaut, sont envoyés à la cour de Charlemagne, à Paris, où ils revendiqueront respectivement les charges de pair et conseiller, de gonfalonier, de sénéchal. Beuve ira, lui, à la cour de Yon de Gascogne pour mériter la fille de celui-ci et devenir roi à son tour; Garin se rendra à Pavie et succédera à son oncle Boniface de Lombardie; quant à Aïmer, il devra conquérir à la pointe de l'épée le fief que son père lui a désigné : la sarrasine Espagne. Cet exil ne va pas sans cris ni grincements de dents; Hermanjart, en particulier, blâme la folle décision et l'orgueil insensé de son époux. Mais, au terme de toute une série d'aventures, les fils réaliseront, peu ou prou, les projets du père.

Cependant les Sarrasins, avertis du « departement » des « jeunes », mettent à profit l'isolement du vieillard et assiègent Narbonne. Une sortie désespérée, le sacrifice de Guibert se révèlent autant d'armes inefficaces face à une armée sarrasine innombrable. Venu à résipiscence, Aymeri accepte finalement d'appeler à l'aide. Et le salut viendra des fils naguère bannis : appuyés par l'armée royale, ceux-ci volent au secours de leur père. Les païens, taillés en pièces, lèvent le siège, et le roi Louis épouse Blanchefleur, la plus jeune fille du comte.

BIBLIOGRAPHIE
Édition. — *Les Narbonnais*, chanson de geste publiée pour la première fois par Hermann Suchier, Paris, S.A.T.F., 2 vol., 1898.
Études. — Joseph Bédier, *les Légendes épiques*, 3e éd., Paris, Champion, 1926, t. I; Jean Frappier, *les Chansons de geste du cycle de Guillaume d'Orange*, Paris, S.E.D.E.S., 1955, t. I; Joël H. Grisward, *Archéologie de l'épopée médiévale. Structures trifonctionnelles et mythes indo-européens dans le cycle des Narbonnais*, préface de G. Dumézil, Paris, Payot, « Bibliothèque historique », 1981; Madeleine Tyssens, *la Geste de Guillaume d'Orange dans les manuscrits cycliques*, Bibliothèque de la faculté de philosophie et lettres de l'université de Liège, fasc. CLXXVIII, Paris, Belles-Lettres, 1967.

J.-H. GRISWARD

NARCEJAC Thomas (né en 1908). Après des études de lettres et de philosophie, il fit une carrière de professeur de 1934 à 1947, et se consacra à la littérature après 1946. Outre des pastiches, il publia des romans d'aventures (*La mort est du voyage, Liberty Ship, le Grand Métier, Usurpation d'identité*...). C'est en collaboration avec Pierre Boileau qu'il écrivit ses récits les plus appréciés, récits appartenant au genre du roman policier, et renouvelés par la recherche d'une certaine « cruauté poétique » (selon Narcejac lui-même). *Celle qui n'était plus, les Louves, Delirium* (1969), *Manigances* (1971), comme les films dont il fut le scénariste (*les Diaboliques*, notamment), cherchent à déconcerter et à inquiéter, voire à terroriser le lecteur, à travers certains personnages, par des intrigues où le machiavélisme est une arme plus sûre que le revolver. Thomas Narcejac a élaboré une œuvre critique tendant à réhabiliter le genre où il s'est illustré avec P. Boileau. *Esthétique du roman policier* (1947), *la Fin d'un bluff* (1949), *le Cas Simenon* (1950) reposent sur une conception cartésienne et psychologique du genre, très éloignée de celle du roman noir : « Le roman policier est un récit où le raisonnement crée l'effroi qu'il est chargé d'apaiser ». La logique, comme agent d'inquiétude et de merveilleux, est chargée de dénouer les apparences qu'elle a contribué à susciter : on ne s'étonnera pas si les œuvres de Poe et de Gaboriau constituent les premières références de Narcejac. Cependant, l'éclectisme qui fait apprécier à la fois le psychologisme de Simenon et la cruauté efficace du *thriller* américain conduit Narcejac à revendiquer pour le récit policier une substance « littéraire », alors que le feuilleton d'aventures et la construction formelle d'une énigme (le classique roman anglais, par exemple) fonctionnent dans la pauvreté et la quasi-insignifiance d'un pur courant narratif. Le roman policier tel que l'envisage Narcejac est fonction d'une réalité psychosociale dont les éléments sont mis au service d'un effet sur le lecteur; son style est soumis à cet effet, il subit l'influence du dialogue réaliste du cinéma, comme la structure du récit subit celle du montage. Enfin, toutes les thématiques, y compris le fantastique scientifique, lui sont ouvertes.

Th. Narcejac est aussi l'auteur d'un essai sur le roman d'aventures (*Esthétique du roman d'aventures*) et de scénarios illustrant ce genre (*S.O.S. Noronha*, par exemple). [Voir aussi ROMAN POLICIER.]

A. REY

NARRATEUR. Le mot est attesté à la fin du XVe siècle et est emprunté au latin *narrator,* non pas dérivé du verbe *narrer.* Cette origine savante est sensible dans les emplois modernes. « Conteur » est un terme courant, mais « narrateur » est resté propre au discours didactique. La signification de base est « personne qui est la source d'un récit ».

Le concept

Tout processus de représentation des phénomènes du monde où intervient l'homme, linéarisé par et dans le langage (narration, récit, description...), engage deux protagonistes entre lesquels s'établit une communication : un « narrateur » et un « narrataire » (lecteur ou éditeur), qui sont l'émetteur (ou destinateur) et le récepteur (ou destinataire) du message.

Le narrateur correspond parfois à une notion familière au linguiste, celle de « sujet de l'énonciation ». Son repérage formel est alors le pronom *je.*

Il convient de distinguer d'emblée le narrateur de l'auteur d'un texte, parfois représenté dans ce texte par une instance distincte. Cet auteur-dans-le-texte peut être implicite, effacé, ou au contraire explicite (mémoires, correspondance, souvenirs, etc.). Il s'écrit alors *je* et se confond avec le narrateur, mais jamais avec la personne physique extérieure au texte : cela devient évident dans le cas des mémoires fictifs (où le narrateur, auteur prétendu du texte, est en fait un personnage), ou dans le cas du mensonge, qu'il soit ou non délibéré.

Le plus souvent, le narrateur s'écarte explicitement du scripteur, source du texte : il peut être parfois identifié à un personnage, à l'émetteur habituel ou occasionnel des opinions, des jugements révélant le système de valeurs mis en œuvre dans le récit.

Le discours du narrateur s'adresse le plus souvent à un destinataire qui reste implicite (le lecteur), mais l'explicitation est possible (par exemple, dans *la Modification* de Butor). Il peut viser l'univers référentiel, le monde décrit (le narrateur s'assimile au personnage) ou la genèse même du texte (le narrateur s'identifie au scripteur), ce texte pouvant être considéré comme un objet dans le monde (*Jacques le Fataliste* de Diderot).

Le narrateur peut donc agir en tant que personnage dans le monde décrit ou se contenter d'en parler et de l'évaluer.

Conçu par la littérature et par la critique traditionnelles, soit comme une personne productrice du texte (l'auteur, souvent un « écrivain »), soit comme une instance abstraite, conscience totale et source de choix au sein d'une connaissance illimitée, le narrateur, au XXe siècle, n'est plus considéré de la même façon. Souvent, on le voit comme le responsable d'une « simulation » : il ne sait, ne dit, ne conte que ce que pourraient savoir, dire (percevoir, connaître) les personnages (voir les romans de Sartre).

De telles conceptions, y compris la dernière, relèvent de l'assimilation de la réalité textuelle à une « vérité » psychologique illusoire.

En fait, la source du récit, celui qui « narre », n'est pas celui qui, avant tout discours, a écrit, et celui-ci, qu'il soit caché ou dévoilé dans le texte, n'est pas la personne physique nommée Henri Beyle ou Gustave Flaubert.

Ce narrateur peut donc assumer divers niveaux de connaissances : il peut être omniscient et supposé maîtriser la vérité totale de l'univers du discours (univers psychologique et perceptible, valeurs éthiques, etc.); il peut justifier son savoir par la genèse de ses connaissances (l'« observateur », avec un point de vue précis et des lacunes assumées).

Le rapport entre le narrateur et l'appréhension des personnages (intégration à une ou plusieurs « consciences », pures descriptions de comportement, niveaux d'explication...) a été souvent étudié. Moins connue, la configuration des écarts entre narrateur et auteur est mise en œuvre de manière complexe et exemplaire dans *A la recherche du temps perdu* [voir NARRATEUR PROUSTIEN, ainsi que PROUST].

Évolution

Sujet d'un processus spécifique, la narration [voir ce terme], le narrateur ne peut être envisagé *in abstracto.*

Au Moyen Âge, dans la littérature orale chantée et récitée, il est physiquement présent; il assume, met en œuvre et parfois modifie un texte traditionnel préexistant. Le « trouveur » (l'auteur) peut d'ailleurs dire ou chanter son œuvre : c'est le cas pour de nombreux poètes. Dans la tradition épique, le narrateur utilise pour le dire et le mettre en chant un texte venu du passé : fictivement, la source en est contemporaine à l'univers du récit, à la geste qui se donne pour vérité de l'histoire.

Cette situation de communication concrète, orale, reste vivante : c'est par exemple celle du chanteur qui utilise son propre texte [voir CHANSON] ou celui d'un poète, celle du comédien qui dit un texte.

Mais avec le théâtre, en dépit d'une source humaine incarnée, généralement plurielle, le narrateur se cache : il est celui qui fait parler, qui représente exactement (*mimésis*) les discours des personnages. Parfois, il peut se faire parler lui-même en tant qu'« auteur de théâtre » : Molière, Ionesco, dans leurs *Impromptus,* sont des auteurs-dans-le-texte et des personnages.

Les débuts de la littérature écrite et lue ne coïncident pas avec la production de textes écrits. Le poème noté — comme la musique — n'est qu'un aide-mémoire pour le récitant, lorsque la communication continue à s'effectuer sur le mode oral. Au contraire, quand l'auteur devient scripteur et que son destinataire n'a d'autre support qu'un texte, alors s'instaure proprement une littérature.

A l'époque où s'effectue cette mutation, le discours narratif, qu'il se veuille véridique ou qu'il assume l'imaginaire, se laisse classer en deux catégories, selon que le narrateur y est ou non présent. Paul Zumthor (*Langue, texte, énigme,* chap. III) a montré que dans les poèmes où le chant était constitutif du texte (« chant narratif »), le narrateur assumé, qui dit *je,* est fréquent, alors que dans la narration récitée, où le chant ne fait qu'accompagner, il n'est pas attesté — comme on le constate dans les chansons de geste. Quant aux récits écrits et destinés à la lecture, le *je* d'un narrateur ne se réalise que dans l'allégorie (ex. *le Roman de la Rose* de Guillaume de Lorris). Dans le genre lyrique, le *je* est d'abord acteur — sinon actant pur — avant d'assumer une réalité humaine identifiable : mais ici, la narrativité est secondaire.

Le roman courtois du XIIe siècle, notamment avec Chrétien de Troyes, appartient au domaine de la communication par l'écriture. C'est à partir de lui que l'on peut examiner la présence d'un narrateur en termes « littéraires ». C'est alors que le narratif devient autonome, que l'imaginaire s'accepte en un discours de la représentation, que le « référent » n'a d'autre loi qu'une structure interne, linéaire, celle du discours, celle de sa cohérence sémantique. Le « vrai » se sépare du « réel »; sa source humaine (auteur, trouveur, poète) se sépare de ses sources internes (auteur-dans-le-texte et narrateur) et celles-ci peuvent être effacées dans l'illusion d'une productivité sans origine.

Le narrateur et le récit

A partir de là, toute étude de récit, qu'il soit histoire, mythe, conte ou élaboration romanesque, requiert l'analyse de la dimension narrative et de la place du narrateur. Cette analyse peut revêtir deux formes : repérage des marques formelles et étude sémantique des unités distinguées fonctionnellement, à chaque niveau. En effet, si les pronoms personnels et les possessifs, les temps et les modes du verbe, les éléments du style indirect libre ou des commentaires trahissent parfois le « point de vue du narrateur », ils n'y suffisent pas.

Les récits classiques à la troisième personne supposent une assertion préalable à laquelle on peut prêter cette forme : « je (narrateur) vous (lecteurs) conte (présente, décris, rapporte...) que... ». Ce *je* implique que la narration, l'action de conter, s'effectue selon des choix infinis, « à la manière » du narrateur, qui fait la spécificité du discours-récit et peut-être celle du récit littéraire par rapport au récit « populaire » assimilable à une narrativité collective.

Cette spécificité est immédiate : la phrase qui étonnait Valéry : « La marquise sortit à cinq heures », est déjà un discours-récit, un choix dans une virtualité indéterminée (ex. « C'est à cinq heures que sortit la marquise »; « A cinq heures, elle sortit, la marquise », plus l'infinité d'expansions autorisées par une même situation référentielle : « A cinq heures précises, enfin, la marquise franchit le seuil de son château... »). Le narrateur, si discret soit-il, est toujours impliqué.

L'exemple le plus simple, choisi au hasard, met en évidence la complexité du problème. On voit dans le début très « objectif » du livre II des *Caves du Vatican* une phrase évoquant la fameuse marquise, produite par un narrateur très effacé : « Le 30 mars, à minuit, les Baraglioul rentrèrent à Paris et réintégrèrent leur appartement de la rue de Verneuil ».

A peine si le verbe « réintégrer », en tant qu'élément de sens, suggère un choix non quelconque, qui peut servir d'indice quant au processus de la narration.

« Tandis que Marguerite s'apprêtait pour la nuit, Julius, une petite lampe à la main et des pantoufles aux pieds, pénétra dans son cabinet de travail, qu'il ne retrouvait jamais sans plaisir... » : ici, le narrateur cesse de voir et de présenter (à sa manière) ce qu'il « voit » : il juge un état psychique, il sort du temps du récit — que l'on compare la valeur des deux imparfaits « s'apprêtait » et « retrouvait »; encore faut-il noter que le passage permet l'identification du narrateur et d'un personnage : il suffit de réécrire *Julius* (il) en *je* pour constater que cela n'entraîne nulle incohérence. Au contraire, un peu plus loin on lit : « Bien qu'il fût fatigué, le romancier parcourut les découpures de journaux... » : ici, aucune assimilation du narrateur au personnage n'est possible. Le *il* n'est plus un simple nom propre; il est placé dans une classe déterminée de l'extérieur. Julius est devenu « le romancier ».

« Puis il ouvrit une fenêtre et respira l'air brumeux de la nuit. Les fenêtres du cabinet de Julius ouvraient sur des jardins d'ambassade, bassins d'ombre lustrale où les yeux et l'esprit se lavaient des vilenies du monde et de la rue. Il écouta quelques instants le chant pur d'un merle invisible... » : entre les phrases où le narrateur se colle au personnage (cf. « j'ouvris une fenêtre... », « j'écoutais le chant pur d'un merle », mais l'adjectif « invisible » réintroduit une instance de la narration), un élément s'écarte de la représentation et du point de vue temporel du personnage (« bassins d'ombre lustrale... »). Ce jeu, cette danse du narrateur autour du récit et de ses éléments peut être masquée par la neutralité apparente des signes élémentaires, elle est toujours présente.

Mais inversement, l'exigence du *je* qui enferme le narrateur dans l'univers d'un personnage privilégié — dans le monologue intérieur — n'est jamais assez puissant que des décollements ne se produisent. C'est alors surtout, lorsqu'une distinction s'impose, que l'on parle différentiellement de narrateur, par exemple dans le récit proustien [voir ci-dessous].

BIBLIOGRAPHIE
Voir NARRATION.

A. REY

NARRATEUR PROUSTIEN (le). [Voir aussi PROUST]. Instance narrative de la première personne qui dirige *la Recherche du temps perdu,* cette voix anonyme mais non impersonnelle « raconte et dit *je* » (Lettre à R. Blum, 1913), voit tout, sait tout et fait de l'ensemble « une espèce de roman » (*ibid.*). Car si la *Recherche* est bien un roman (et il suffit de comparer pour s'en convaincre le passage de certains fragments autobiographiques tels que « Journées » qui, au présent dans le *Contre Sainte-Beuve,* sont repris au passé dans « Combray »), c'est que le Narrateur n'est pas Marcel Proust lui-même; pas plus qu'il ne se confond avec le héros : si ce dernier vit de croyances (voir l'abondance de termes appartenant à ce champ sémantique dans l'ouverture de *Du côté de chez Swann*), celui-là au contraire est détenteur d'un savoir absolu.

Qui est donc le Narrateur? Peut-être ce « Marcel » dont le nom est deux fois prononcé par Albertine (*la Prisonnière*), encore qu'un des deux exemples soit particulièrement ambigu : « ... ce qui en donnant au narrateur le même prénom qu'à l'auteur de ce livre, eût fait "Mon Marcel" ». En fait, pas plus qu'il n'a de nom, le Narrateur n'a de visage; double trait distinctif qui, dans une fresque de plusieurs centaines de personnages où les noms et les descriptions jouent un rôle primordial, contribue à mettre l'accent sur ce qui définit en propre le Narrateur : sa voix ou, pour reprendre l'expression d'E. Benveniste, « sa subjectivité dans le langage ». Dès lors, il importe moins de savoir *qui* est le Narrateur que *quel* il est. Pour le lecteur, le Narrateur est d'abord celui qui voit : c'est en effet par son regard que tout nous est livré, ou, plus exactement, par la position ambiguë qu'il adopte, à mi-chemin de la « naïveté » du héros et du savoir ultérieur, que nous suivons la lente maturation des divers signes qu'il croise (amour, mondanité, esthétique, langages). Contrairement à ce que l'on affirme trop souvent, l'omnipotence du Narrateur ne se manifeste pas dans la *Recherche* par une dilatation du point de vue narratif, mais au contraire par une restriction de champ : en feignant de ne pas anticiper sur le présent du héros, et de ne pas lui substituer sa propre expérience, le Narrateur crée ainsi une structure gigogne dans laquelle les divers *je* viennent s'emboîter comme autant d'étapes d'une expérience en fait unique. Car c'est bien d'expérience qu'il s'agit, et la *Recherche,* de ce point de vue, n'est pas sensiblement différente de certains récits initiatiques (voir, par exemple, l'*Aurélia* de Nerval, qui suppose la même disjonction d'une instance narrative unique) qui conduisent, au-delà des apparences, à une vérité essentielle.

Le Narrateur est donc aussi celui qui sait; d'où la double infraction à la règle générale de focalisation sur le héros : dans certains cas, le Narrateur modalise les pensées du héros de manière à faire ressortir l'inanité de ses déductions (voir le rôle des « comme si », des « peut-être », des verbes d'apparence, toutes formes par lesquelles se crée une « profondeur spirituelle » où Léo Spitzer voit « la distance entre le moi narrateur et le moi de l'action »), ainsi qu'en témoigne ce reproche tiré de *Swann* : « Ne savais-je donc pas que ce que j'éprouvais, moi, pour elle, ne dépendait ni de ses actions ni de ma volonté ». Autre infraction, autre infidélité au héros : le Narrateur, délaissant pour un temps le point de vue initial, s'insinue dans les pensées de personnages annexes (Mme de Cambremer à l'Opéra, l'huissier chez les Guermantes, les derniers instants de Bergotte, etc.). Cette incohérence apparente, que Gérard Genette baptise « polymodalité », risquerait de briser l'unité d'ensemble du récit, si le Narrateur ne récupérait, par sa voix, *in extremis,* toutes ces données pour en faire le grand chant du hasard devenu savoir. Car, en premier et dernier lieu, le Narrateur est tout entier contenu dans un souffle qui lui est propre « et qui est à la fois un mode d'appréhension du monde et du moi, et l'expression littéraire de cette saisie » (Jean Milly). D'où précisément le rôle assumé par les célèbres métaphores, dont le mécanisme est démonté à la fin du *Temps retrouvé*: elles sont le lien entre le savoir et la vision et, en tant que telles, appartiennent au seul Narrateur. La tricherie de ce dernier à l'égard de son héros n'est donc ni psychologique ni sentimentale, mais littéraire : même s'il feint de s'effacer derrière le protagoniste, le Narrateur ne peut empêcher celui-ci de voir, de sentir, de parler avec les tics qui sont le fait de l'homme engagé dans sa création. En témoignent « les clochers de Martinville », si difficiles à saisir pour le héros, dans le même temps que le Narrateur peut précisément rendre compte de leur essence alors insoupçonnée.

BIBLIOGRAPHIE

Léo Spitzer, « le Style de Marcel Proust » dans *Études de style,* Gallimard, 1970 (écrit en allemand en 1928, l'article met l'accent sur l'opposition entre le *je* narré et le *je* narrant); Gérard Genette, *Figures III,* Le Seuil, 1972 (une étude minutieuse du « discours » dans la *Recherche* qui devient prétexte à une théorie de l'analyse de tout récit; vocabulaire néologistique à souhait, parfois nosographique...); Marcel Muller, *les Voix narratives dans « A la Recherche du Temps perdu »,* Droz, 1965 (une approche méthodique, parfois un peu trop précieuse, et qui atomise à l'extrême les fonctions, le *je* recouvrant 9 voix différentes).

D. COUTY

NARRATION et **NARRATIVITÉ**. Le mot « narration » est attesté dès le XIIe siècle et constitue un emprunt au latin *narratio.* De la série des mots latins venant du verbe *narrare,* c'est le plus ancien en français : « narrer » n'est pas attesté avant la fin du XIVe siècle. Ces mots sont tous des emprunts « savants » (didactiques), ce qui situe leur niveau social initial. Celui-ci n'a guère changé, et « narration », comme « narrateur », s'il a pu acquérir des valeurs pédagogiques (exercice scolaire de nature rhétorique), n'est jamais passé, comme « conte », « récit », « histoire », au langage général. Sa valeur morphologique de nom d'action devrait suffire à le distinguer, comme dynamique, de ses synonymes partiels.

La critique littéraire fait aussi grand usage de l'adjectif « narratif » (XVe siècle; du latin *narrativus*), spécialisé après le XVIIe siècle. On parle ainsi d'activité, de communication narrative, de discours narratif; d'unités et de fonctions narratives, de syntaxe narrative (en les distinguant de unité, fonction, syntaxe linguistiques); de littérature narrative, de texte narratif, d'œuvre narrative (caractérisable comme récit); de syntagme narratif (le récit en tant qu'enchaînement d'unités); de temps narratif, de logique narrative. Poésie narrative s'oppose à poésie dramatique, comme *diégèsis* à *mimésis*: « narratif » a ici une valeur plus étroite.

L'adjectif concerne souvent l'étude de la narration : grammaire, analyse narrative. Enfin « narrativité », mot récent, désigne ce qui relève du récit, indépendamment de la forme, et s'oppose fréquemment à « littérarité ».

Le concept de narration et ses fonctions

La narration est ce processus par lequel une suite d'événements ou un événement analysé dans une temporalité sont intégrés dans un code — liant une source, le narrateur et ses destinataires — et assumés en un discours, un récit destiné à être interprété comme rapportant cette suite d'événements (l'histoire).

Il serait souhaitable de réserver le mot « narration » au procès narratif, dont le résultat est un discours de type particulier appelé « récit ». Le « sujet du récit » correspond donc au narrateur, repérable directement ou non dans le récit (qui peut être un texte) et non à l'auteur [voir NARRATEUR].

On peut envisager cet aspect dynamique comme le niveau de mise en œuvre des structures du récit abordées par la description. Pour Barthes (*Introduction à l'analyse structurale des récits*), la narration donne un sens intégrateur aux « fonctions », elles-mêmes intégrées dans un schéma d'« actions »; elle instaure un type de communication spécifique. C'est un code, et les signes ou marques de la narration sont ceux du narrateur, émetteur du message.

L'analyse narrative structurale s'impose une règle d'immanence; elle se borne à rechercher les indices du narrateur et ceux du lecteur :

« Le problème n'est pas d'introspecter les motifs du narrateur ni les effets que la narration produit sur le lecteur; il est de décrire le code à travers lequel narrateur et lecteur sont signifiés le long du récit lui-même. Les signes du narrateur paraissent à première vue plus visibles et plus nombreux que les signes du lecteur (un récit dit plus souvent *je* que *tu*); en réalité les seconds sont simplement plus retors [...] » (Barthes, *op. cit.*, p. 19).

En ce qui concerne la narration, ceci constitue le point de départ. Pour décrire le processus même, il faudrait atteindre le « modèle de communication », c'est-à-dire le phénomène socioculturel qu'est la transmission des récits et leur fonctionnement dans la société.

La situation communicative, qui rend possible la production d'un récit, ne relève plus de l'analyse structurale, mais bien d'une sémiotique sociale (ou d'une sociologie des systèmes signifiants). Dans nos sociétés, les formes reconnues sont réservées aux types de narration spectaculaires (théâtre, cinéma...) où le discours en langue naturelle n'est pas seul en cause. Le lecteur de roman, à la différence des auditeurs du conte traditionnel oral, et plus encore des auditeurs de récits mythiques (voir les travaux des anthropologues, et, en tout premier lieu, ceux de Lévi-Strauss), n'est soumis à aucun protocole, ne doit respecter aucun cérémonial.

Ouvrir un livre narratif, roman ou récit — qu'il soit donné pour vrai ou imaginaire importe peu, alors — déchiffrer une bande dessinée, regarder une émission narrative, un feuilleton à la télévision, en écouter une à la radio, lire le « récit » d'un hold-up ou d'une opération militaire dans le journal semblent des actes entièrement souples et individuels. Pourtant les codes sociaux de la narration et de la lecture narrative, codes par définition partagés, mais souvent imposés soit par l'émetteur soit par le consensus et le pouvoir social, sont à l'œuvre dans chacune de ces opérations.

En littérature, le masquage de la spécificité narrative — suppression des signes et protocoles explicites, simulation d'une « représentation » de la réalité au moyen de procédés illusionnistes : romans par lettres, témoignages soi-disant recueillis, mémoires fictives, etc. — aboutit à une confusion sans doute nécessaire : confusion entre un discours qui a ses lois propres (par exemple le discours romanesque) et une représentation d'une réalité « référentielle ». Cette confusion, en supprimant la spécificité du discours en langage, fonde la spécificité du narratif : un roman, une bande dessinée, un film... assimilés socialement (et fictivement) à l'image d'une suite d'événements, s'équivalent : ils présentent (*mimésis*) ou représentent (*diégèsis*) la même histoire. Toute réflexion sur le discours et sur la littérature dénonce cette confusion; mais il faut qu'elle reste vivante et active pour fonder socialement la consommation du narratif, et, par exemple, le processus de l'adaptation (du roman en film; du film en livre, etc.).

De fait, c'est à travers l'illusion narrative que l'on peut amener au phénomène littéraire et poétique les consommateurs et amateurs d'« histoires » que sont, spontanément, tous les êtres humains. L'adaptation du *Rouge et le Noir* au cinéma, celle du *Père Goriot* à la télévision peuvent ou non être des « trahisons » pour l'élite instruite en littérature; il se trouve qu'elles suscitent, par l'intérêt extra-littéraire (humain, social, visuel, anecdotique... tous éléments intégrés à l'« intérêt narratif »), le récepteur de l'audiovisuel à envisager la source, laquelle est un texte littéraire à caractère de récit [voir ADAPTATION]. Celui-ci peut être alors reçu comme une pure histoire, un film sans images; mais sa spécificité d'être de langage est forcément, si confusément, perçue, puisque le prétexte narratif ne peut être atteint dans la lecture que par la traversée des signes du langage. Ces signes, dans la lecture narrative, sont en effet traversés comme une transparence : c'est leur opacification qui fonde le caractère « littéraire » (littérarité ou poéticité). On peut concevoir la lutte actuelle entre partisans du renouveau romanesque (depuis le Nouveau Roman) et laudateurs des belles histoires (la majorité des institutions littéraires, en liaison avec les intérêts de la communication massive; la tradition et ses émanations structurées, telle l'Académie française) comme la reconnaissance tardive d'une possibilité de clivage en littérarité et narrativité. En fait, c'est le niveau d'interpénétration de ces deux facteurs qui est en cause.

A l'intérieur d'un processus narratif, on peut distinguer plusieurs éléments fonctionnels, les uns mimétiques, les autres diégétiques, selon l'opposition platonicienne (*mimésis-diégèsis* ou diégèse). Sont mimétiques les éléments narratifs donnés pour rapportés, les discours attribués à des personnages : la *mimésis* est purement discursive. La narration dramatique, le théâtre, est presque entièrement mimétique; le roman comprenant des lettres, des dialogues, l'est en général partiellement. Les procédés du discours permettent d'articuler l'« imitation parfaite » de Platon — *mimésis* — à l'« imitation imparfaite » qu'est la représentation des événements vécus par des hommes ou des êtres anthropomorphes (diégèse) : le discours indirect libre mérite d'être étudié de ce point de vue.

La distinction traditionnelle entre narration *stricto sensu* et description, l'articulation des deux formant la trame du récit, a pu être envisagée dialectiquement (voir notamment G. Genette : « Frontières du récit », dans *Communications*, n° 8, p. 156-159) : toute narration, par l'emploi des mots qu'elle suppose, entraîne des contenus descriptifs; toute description intégrée dans un récit assume une ou plusieurs fonctions narratives. Genette remarque que les importantes descriptions balzaciennes apportent au récit un réseau d'éléments constitutifs et lui confèrent, par exemple, leurs dimensions symboliques; que celles de Robbe-Grillet, par leur extrême précision autorisant un jeu continuel et subtil de transformations, s'insèrent, alors qu'elles paraissent interrompre le récit, dans une « irréductible finalité narrative ». Description et narration sont plutôt deux types de discours concernant la même finalité sémiotique : « La narration s'attache à des actions ou des événements considérés comme de purs procès, et par là même elle met l'accent sur l'aspect temporel et dramatique du récit; la description, au contraire, parce qu'elle s'attarde sur des objets et des êtres considérés dans leur simultanéité, et qu'elle envisage les procès eux-mêmes comme des spectacles, semble suspendre le cours du temps et contribuer à étaler le récit dans l'espace » (G. Genette, *op. cit.*).

Mais la spatialisation du narratif peut être subordonnée à son essence temporelle, qui coïncide avec celle du discours, la successivité (Balzac); à partir de Flaubert, elle peut introduire dans le discours romanesque, ou peut-être réintroduire, sous l'apparence du « tableau », la réalité plus essentielle de l'être de langage. Alors que le récit continue à représenter son objet, la description, plus visiblement, l'élabore.

La narrativité est distincte de la narration; celle-ci est à la fois un processus (l'action de narrer, de conter) et un produit; alors que la narrativité est la qualité abstraite du genre narratif.

Ce caractère narratif, ou « de récit », est décelable dans les textes et les discours, qu'ils soient ou non littéraires, lorsque les signes ou marques repérables indiquent l'intégration à une trame des unités fonctionnelles et des « actions » où elles se manifestent. Cette trame du récit, manifestée par la réalité langagière d'un discours (une syntagmatique) et s'y réalisant, suppose la mise en œuvre d'un code spécifique, commun à l'émetteur [voir NARRATEUR] et aux destinataires (auditeurs, lecteurs) : ce code se superpose et s'articule à un code plus fondamental, celui de la langue dans laquelle le discours se fait. Alors que le code de la langue est étudiable scientifiquement (par une « grammaire »), le code de la narration est une hypothèse et peut-être une illusion métaphorique; mais des éléments codés sont clairement à l'œuvre dans tout récit (voir Barthes, *S/Z*).

Les marques de la narrativité, très repérables dans les formes orales : formules de présentation, structures convenues et attendues, etc., sont beaucoup moins franches dans l'écrit : des formules introductives comme « il était une fois » sont réservées à des genres assez figés. Les marques de l'intervention du narrateur, le traitement du temps comme milieu logique, etc., permettent de définir certains textes comme des récits.

BIBLIOGRAPHIE

M. Butor, *Répertoire II*, Paris, Éd. de Minuit, 1964 (notamment « l'Usage des pronoms personnels dans le roman »); *Communications*, « l'Analyse sémiologique du récit », n° 8, Paris, Le Seuil, 1966 : notamment R. Barthes, « Introduction à l'analyse structurale des récits »; Tzvetan Todorov, « les Catégories du récit littéraire »; Gérard Genette, « Frontières du récit » (trois articles essentiels à la position du problème); Käte Friedmann, *Die Rolle des Erzählers in der Epik*, H. Haessel Verlag, Leipzig, 1910 (ouvrage de base sur la place et le rôle du narrateur dans le discours romanesque); Wolfgang Kayser, *« Wer erzählt den Roman », Die Vortragsweise*, Berne, Francke, 1928, p. 82-101 (aborde de manière originale le problème du rapport narrateur-lecteur); Marguerite Lips, *le Style indirect libre*, Paris, Payot, 1926 (sur les modalités de la narration selon le style direct, indirect et indirect libre); Jean Pouillon, *Temps et Roman*, Paris, Gallimard, 1946 (étudie notamment la vision du narrateur par rapport aux événements et aux personnages); Paul Zumthor, *Langue, texte, énigme*, Paris, Le Seuil, 1975 (sur le statut de la narration et du narrateur dans la poétique médiévale).

A. REY

NATURALISME

NATURALISME. Avant d'être utilisé par Zola pour désigner sa conception du discours romanesque et du contenu de ce discours, chargé de transmettre une réalité « expérimentale » sur le modèle des sciences de la nature, le mot existait en français.

Le mot et les concepts

Dès le début du XVIIIe siècle, ce dérivé savant de « naturel » avait désigné le système symbolique — et notamment mythologique — d'interprétation des phénomènes de la nature. Vers le milieu du siècle, reflet d'un besoin conceptuel lié à la philosophie des Lumières, « naturalisme » s'emploie pour dénommer les théories excluant toute causalité surnaturelle : le concept est alors étroitement lié à celui de panthéisme. Le *Dictionnaire de Trévoux* l'enregistre en 1752; dans son édition de 1777, il le définit comme « l'état et la religion de ces athées qui donnent tout à la nature, comme faisait Spinoza ». Mais le mot était plus ancien en philosophie : on trouve *naturalism* en anglais dès 1641, pour dénommer la croyance en l'humaine raison, seule.

Cependant, au XVIIIe siècle, le mot s'emploie aussi en science, « dans un sens qui n'a rien d'odieux », ajoutent les jésuites de Trévoux. Ce sens, en effet innocent, est tout simplement celui que le mot devrait avoir dans le système morpho-sémantique du français : « caractère naturel ». On parlait ainsi du « naturalisme de tant de phénomènes qui effrayaient nos pères » (*Mémoires de Trévoux*). Par ailleurs, l'abbé Guyon, en 1744, écrivit une *Histoire des Indes orientales... où l'on comprend le naturalisme* [l'« histoire naturelle »], *la géographie, etc.* Ici, c'est le couple « naturalisme-naturaliste » qui est régulièrement construit.

Mais le système du lexique se refuse souvent à fonctionner régulièrement; l'usage a rejeté ces emplois, et « naturalisme » est à peu près inusité lorsque, en 1857, *la Revue moderne* publie un texte du critique Castagnary qualifiant la peinture de Courbet de naturalisme (« Salon de 1857 »); ici, le sens est clair : « peintre traitant la nature avec réalisme », et la création du mot transparente (réel → réalisme; nature → naturalisme). Certainement, les emplois anciens de *naturalisme* n'ont rien à voir dans cette création.

Pourtant, lorsque le mot, avec la même valeur, passe en littérature, ses connotations philosophiques du XVIIIe siècle ne sont pas indifférentes. Attribué par l'opinion à Zola, le terme naturalisme — et ses équivalents dans d'autres langues — est en partie coloré par les valeurs du suffixe *-isme,* propre à désigner des systèmes intellectuels, des valeurs de connaissance, plus que des attitudes esthétiques. On peut sans paradoxe suggérer que l'illusion scientifique de Zola et de ses disciples, leur scient*isme,* précisément, était en germe dans la structure même d'un mot qu'ils n'avaient nullement « inventé ».

Le système naturaliste

Sous une diversité agressivement exprimée, le XIXe siècle cache en fait une profonde unité de pensée : c'est au nom des temps modernes que les romantiques partent en guerre contre les classiques, et c'est encore la modernité qui pousse le naturaliste Zola à rejeter le romantisme « démodé comme un jargon que nous n'entendons plus » (*Mes haines*). Au nom de l'union des contraires, les romantiques avaient cherché à atteindre l'unité esthétique que les parnassiens tenteront de réaliser par « l'union de l'art et de la science » (Leconte de Lisle, Préface des *Poèmes antiques*), unité que les naturalistes transposeront sur le plan philosophique : fondamentalement, le choix par Zola d'une littérature scientifique qui « obéisse à l'évolution générale du siècle » (*le Roman expérimental,* IV) réalise en le poursuivant le rêve totalisateur des romantiques qui, de la « Bouche d'ombre » hugolienne aux « Vers dorés » de Nerval (pour ne pas parler des « Correspondances » baudelairiennes), découvre un univers « où tout vit, tout parle, tout se correspond » (*Aurélia,* II, 6). Certes, les différences sont immenses, et le passage du type humain au type social suffirait à opposer la littérature des trente premières années du siècle à son dernier tiers : et cependant, qui ne trouverait dans les rêves de Thérèse Raquin, cette « brute humaine », l'écho assourdi des aspirations d'un René, d'un Antony ou d'un Rolla? Et Zola lui-même n'est-il pas, à la fin de sa vie, victime de cette « maladie romantique » tant décriée dans *le Roman expérimental,* lorsqu'il demande à Octave Mirbeau le droit « après quarante ans de dissection [...] de rêver un peu » (Lettre à propos de *Fécondité,* 1899)?

Rouages du système

Lorsque le Congrès scientifique de France lui demanda en 1866 une communication traitant du roman et de son évolution, Zola adressa un mémoire en deux parties fortement contrastées : au « j'imagine que je suis à Athènes dans la patrie des dieux » qui ouvre l'étude, correspondait le « me voici dans Paris, la cité moderne, fiévreuse et savante » par lequel débutait le second article. Tout le système naturaliste sort de cette opposition et, par-delà le système, toute la rhétorique de la nouvelle école, une rhétorique fondée sur un jeu d'oppositions symboliques : « un large soleil luit sur la ville blanche » / « sous le ciel gris et pâle l'immense cité frissonne »; « les habitants fiers et souples vivent au milieu des rues [...] parlant et agissant au grand air » / « un peuple inquiet emplit les rues, muet, grelottant, pressé. Chaque maison est devenue un petit monde, les passions se sont enfermées entre quatre murs », etc. (*Deux Définitions du roman*). Il est difficile de ne pas reconnaître ici l'influence du déterminisme défini par Taine dans ses œuvres de critique littéraire (parues entre 1855 et 1865) : influence avouée par Zola qui « se reconnaît comme l'humble disciple de M. Taine » (article du 25 juillet 1866 paru dans *l'Événement*). C'est ce même Taine qui se voit qualifié, dans le portrait qui ouvre la série des *Marbres et Plâtres* (19 août 1866), de « philosophe naturaliste », et dont la Préface à la seconde édition de *Thérèse Raquin* (1868) appliquera la célèbre démarche critique (« la race, le milieu, le moment et la faculté maîtresse ») à la technique romanesque transformée en « étude du tempérament et des modifications profondes de l'organisme sous la pression des milieux et des circonstances ».

Dans cette Préface, Zola parle pour la première fois d'« un groupe d'écrivains naturalistes » : et dès lors, pendant vingt-cinq ans, la vie littéraire — et plus généralement la vie artistique et intellectuelle — va se polariser sur le débat naturaliste : adeptes et opposants de la nouvelle doctrine vont s'affronter par articles, manifestes et textes théoriques interposés.

CHRONOLOGIE SOMMAIRE DU NATURALISME

1866 Émile Zola, *Une définition du roman.*
1868 Émile Zola, Préface à la seconde édition de *Thérèse Raquin.*
1871 Émile Zola, Préface aux *Rougon-Macquart.*
1877 J.-K. Huysmans, *Émile Zola et « l'Assommoir ».*
1879 Édouard Rod, *A propos de « l'Assommoir ».*
1880 Émile Zola, *le Roman expérimental.*
1881 Émile Zola, *les Romanciers naturalistes.*

1882 Louis Desprey, *l'Évolution naturaliste.*
1883 F. Brunetière, *le Roman naturaliste.*
1884 J.-K. Huysmans, *A rebours* (une importante Préface situant le roman et l'évolution de son auteur sera ajoutée pour l'édition de 1908).
1887 *Manifeste des Cinq* à propos de *la Terre,* de Zola.
1887 Anatole France, *« la Terre » d'É. Zola.*
1888 Guy de Maupassant, « le Roman » (Préface à *Pierre et Jean*).
1891 Jules Case, *la Débâcle du naturalisme.*
1891 Jules Huret, *Enquête sur l'évolution littéraire.*
1891 J.-K. Huysmans, Préface de *Là-bas.*

Une remarque s'impose d'emblée au vu de ce rapide panorama théorique : la prépondérance de Zola. Il semble que le débat naturaliste se catalyse autour du seul Zola. On prend parti pour ou contre ses œuvres romanesques, et lui-même multiplie les définitions et les professions de foi. Rarement école aura été aussi nettement incarnée par un individu — l'un des rares, il est vrai, à ne pas déserter le sérail au fil des ans. Un sérail qui se confondit rapidement avec la maison que l'écrivain possédait à Médan : là se réunissaient les jeunes disciples du maître (Maupassant, Céard, Hennique, Huysmans...); là s'élaboraient les œuvres de la nouvelle école.

Mais devant une telle personnalisation du naturalisme, a-t-on le droit de parler d'école? « École, le naturalisme constituait un contresens; mouvement, il se justifiait pleinement et ne pouvait pas ne pas éclore » (P. Cogny) : et de fait, malgré un corps de doctrine à la fois simple et logique, le naturalisme conçu par Zola proposait une dilution de la littérature dans le champ global de l'expérience humaine, et, comme tel, il constituait plus une vision « philosophique » du monde qu'une discipline esthétique.

Outre Taine, Zola reconnaissait sa dette envers la philosophie scientifique de son temps, et singulièrement envers la médecine : le *Traité philosophique et physiologique de l'hérédité* du Dr Lucas (1847-1850), qui servit à « établir l'arbre généalogique des Rougon-Macquart » (Préface à *Une page d'amour*), constituait la colonne vertébrale du cycle romanesque auquel l'*Introduction à l'étude de la médecine expérimentale* de Claude Bernard (1865) donnait vie et mouvement. On sait le rôle joué par l'*Introduction* dans les œuvres théoriques de Zola, en particulier dans *le Roman expérimental.*

Car la littérature prônée par Zola procède, d'une certaine manière, d'une révolution copernicienne : « L'homme métaphysique est mort, tout notre terrain se transforme avec l'homme physiologique » (*le Roman expérimental,* v). Maintes fois répété, cet axiome oriente la démarche de l'artiste de façon décisive dans le champ du scientifique : désormais le romancier sera « observateur et expérimentateur » (*ibid.,* II). L'observateur accumule les renseignements sur les milieux sociaux, les conditions de vie, d'environnement; il enquête sur le terrain, cerne d'aussi près que possible une réalité qu'il va tenter de transposer dans la matérialité du langage. Puis l'expérimentateur prend le relais, organisant les faits recueillis, montant en quelque sorte un mécanisme où tout s'enchaîne en fonction de la double détermination de l'hérédité — ce que Zola nomme les « lois physico-chimiques » — et du milieu : ainsi le personnage naturaliste est-il moins la marionnette d'un créateur que celle d'un système et d'une méthode. Et il est vrai que nombre de romans ne feront que répéter inlassablement une même situation aboutissant aux mêmes conclusions; car s'il ne s'agit pas de « tirer » une conclusion personnelle qui s'impose d'elle-même par l'enchaînement des causes et des effets, il n'en demeure pas moins vrai que le romancier naturaliste a un but moral : « nous sommes les juges d'instruction des hommes et de leurs passions », proclame Zola (*ibid.,* I), autrement dit « des moralistes expérimentateurs » (*ibid.,* III).

Légitimement, on peut se demander ce que devient l'écriture dans une telle perspective, plus scientiste que scientifique : réduit à un simple rôle de véhicule, le style se confond avec « le sens du réel » dont la définition consiste à « sentir la nature et la rendre telle qu'elle est » (*le Roman expérimental,* « Du roman »). Attitude naïve qui, comme toute la littérature naturaliste, repose sur un double postulat : le vrai et le transparent. Puisqu'il est le fruit d'une méthode scientifique, le roman naturaliste ne peut qu'atteindre la vérité — et, dans l'optique zoliste, son corollaire, le réel; d'où la nécessité d'une langue qui ne soit pas un « écran » : dans une longue lettre à son ami A. Valabrègue (18 août 1864), Zola oppose justement « l'écran classique [...], verre grandissant qui développe les lignes et arrête les couleurs au passage », « l'écran romantique [...], prisme à la réfraction puissante qui brise tout rayon lumineux et le décompose en un spectre solaire éblouissant » et « l'écran réaliste, simple verre à vitre [...] et qui a la prétention d'être si parfaitement transparent que les images le traversent et se reproduisent ensuite dans leur réalité » (on comprend alors pourquoi Edmond de Goncourt a préféré faire l'économie d'une syllabe pour parler de... « naturisme »!).

Cohérent, le naturalisme suppose sa propre dissolution dans un hypothétique degré zéro de l'écriture où la littérature se résoudrait dans le pur réel : mais comme il faut bien, *in fine,* reconnaître la spécificité de l'expérience littéraire, le naturalisme tombe dans le chaos idéologique; les principes sont bafoués au nom de termes sans pertinence : il faut accepter « l'aiguillon de l'idéal » (*Roman expérimental,* IV) et admettre qu'un « grand romancier » (*sic*) doit « avoir l'expression personnelle » (*ibid.,* « Du roman »). Le naturalisme est donc prisonnier d'une double postulation qui l'écartèle et le ruine : une méthode qui dissout le littéraire dans le champ expérimental de la science, une pratique qui l'installe dans sa spécificité. De ce point de vue, Zola est bien le seul « grand romancier » naturaliste, c'est-à-dire le seul romancier tout court.

Situation du système

S'il est vrai que l'histoire bégaye, le XIXe siècle en offre une illustration frappante : il semble en effet que la seconde moitié répète la structure des cinquante premières années. Deux révolutions (1789/1848) ouvrent les séquences et donnent naissance aux deux premières républiques françaises qui vont toutes deux s'achever par un coup d'État bonapartiste (18 brumaire an VIII/2 décembre 1851) débouchant sur la création d'un empire autoritaire. Brouillées un certain temps par l'ambiguïté des attitudes des deux Napoléon, les cartes du jeu politique finissent par se redistribuer logiquement, et les empires croulent sous les coups redoublés de l'extérieur (Waterloo, 1815/Sedan, 1870) et de l'opposition intérieure : une royauté constitutionnelle succède à Napoléon, une république fortement monarchiste prend le relais du second Empire. Ainsi réduite à une trame schématique, l'histoire paraît encore rapprocher les romantiques des naturalistes : les uns et les autres sont nés sous un empire mais sont restés fidèles à l'esprit révolutionnaire trahi, bourgeois pour la génération de 1820, républicain et populaire pour la génération de 1870. Faut-il dès lors s'étonner de voir les naturalistes se réclamer de Balzac et Flaubert, deux figures dont la position à l'égard du romantisme fut autant d'adhésion que de refus? Faut-il, de même, s'étonner de voir les naturalistes, confiants dans le progrès des sciences et des techniques, se rattacher à l'influence pessimiste du philosophe Schopenhauer, « ce vieux démolisseur [... qui] a renversé les croyances, les espoirs, les poésies, les chimères, détruit les apparences, ravagé la confiance des âmes, tué l'amour, abattu le culte idéal de la femme, crevé les illusions des cœurs, accompli la plus gigantesque besogne de sceptique qui ait jamais été faite » (Maupassant, *Auprès d'un mort*)?

Politiquement républicain — et pour beaucoup socialiste —, philosophiquement pessimiste, littérairement « objectif », le naturalisme a multiplié les « œuvres athées, essentiellement anarchiques, essentiellement immorales » (H. Céard, dans *l'Artiste* du 23 novembre 1877); entendons par ce dernier qualificatif que le naturalisme s'intéresse autant « au vice qu'à la vertu ». Dans le même registre, Huysmans affirmait que « pustules ou chair rose [...], peu nous importe. La société a deux faces : nous montrons ces deux faces ». Malgré ces belles formules et malgré les affirmations de Zola dans *le Roman expérimental* — « la littérature, quoi qu'on puisse dire, n'est pas toute dans l'ouvrier, elle est aussi dans la nature qu'elle peint » (v) —, la littérature naturaliste proposera presque exclusivement des figures populaires, ouvriers ou petits fonctionnaires (le héros type des romans de l'époque!), dans un décor urbain sale et triste; les lumières des hôtels bourgeois, les couleurs d'une nature hospitalière constitueront l'exception.

S'il n'existe pas de bataille d'*Hernani* du naturalisme, l'année 1880 marque néanmoins le point culminant du courant : Zola publie *Nana* (qui aura plus de quatre-vingts éditions en six mois!) et *le Roman expérimental*; il collabore au recueil des *Soirées de Médan* (avec Maupassant, Céard, Hennique, Alexis et Huysmans); Huysmans, précisément, réédite son premier roman, *Marthe*, tandis que le *Bouvard et Pécuchet* de Flaubert voit le jour en revue : synthèse des deux courants de l'époque, le naturalisme de Zola et le symbolisme de Mallarmé, cet antiroman « apportait au naturalisme ce qui le faisait éclater » (R. Pouillart, *le Romantisme*).

Thèmes et formes

De sa double filiation — le type balzacien et l'anti-héros flaubertien — le naturalisme a fait une littérature de synthèse, transformant le milieu de l'anti-héroïsme (le peuple) en protagoniste fondamental : par là même le roman devenait dans le meilleur des cas une fresque au ton épique. De l'épopée, le roman naturaliste possède le schématisme manichéen : il y a le bien et le mal, les bons et les méchants, les mous et les énergiques, etc. Mais cette épopée est souvent dérisoire : les actions tentées échouent, les rêves ne traduisent aucune ambition grandiose. Au sein de cet univers médiocre où vivent de médiocres personnages, l'artiste fait tache — il est l'homme qui transcende la réalité — et corps avec ceux qui l'entourent : incompris, il demeure isolé dans une médiocre existence... romantique.

Une fois le personnage vidé, il fallut opter : l'objet jusqu'alors accessoire est ainsi devenu le point de focalisation du récit. Pas de description générale à la Balzac ici, mais des suites de tableaux qui reproduisent imperturbablement les mêmes moments : objets jaunis, flétris, sordides, qui atteignent ainsi le niveau du symbole.

Rien donc de très poétique dans un tel bric-à-brac : et sans doute les poètes de l'époque se sont-ils volontairement dirigés vers les rangs parnassiens ou symbolistes : on aurait en effet bien du mal à citer une seule grande œuvre de poésie ou même un seul poète du naturalisme. Qui sait que Maupassant a tâté de la versification avec *Des vers* (1880)? Et qui connaît le nom de Robert Caze, l'auteur des *Poèmes de la chair* (1873)?

Du côté des planches, les tentatives ne furent guère plus brillantes : sifflés avec leur *Henriette Maréchal* (1865), les Goncourt avaient osé prédire la fin du théâtre : « Dans cinquante ans, notaient-ils, le livre aura tué le théâtre » (Préface). Malgré cette prévention, les naturalistes, Zola en tête, voulurent brûler les planches : presque tous les romans furent adaptés à la scène mais reçurent un accueil très défavorable. Devant un tel échec de ses troupes, Zola trouve des excuses — les servitudes théâtrales entravent la création totalisante voulue par les naturalistes — qui se résument dans un aveu d'impuissance tardif : « Où donc est l'auteur encore inconnu qui doit faire le drame naturaliste? » (*le Roman expérimental,* « le Naturalisme au théâtre »). De la pléiade qui tenta de s'illustrer sur les scènes, seul subsiste aujourd'hui le nom d'Henry Becque : mais celui-ci, éclos à l'ombre des coteries, est-il bien un auteur naturaliste?

Finalement, le bilan est assez mince : si l'on excepte Zola, le naturalisme n'a produit que des œuvres de seconde zone et des écrivains en rupture d'école. A moins de considérer le naturalisme comme une étape obligatoire entre le romantisme et le symbolisme (thèse défendue par Maupassant, entre autres), ce qui ferait de la démarche de Zola le point de convergence de deux idéalismes : l'un philosophique, l'autre esthétique!

BIBLIOGRAPHIE

La plus grande partie de la tradition critique n'aborde le naturalisme que dans une perspective diachronique : assez souvent paraphrastique, elle n'apporte pas grand-chose au lecteur. Une exception : le remarquable petit livre, initialement destiné à un public scolaire, mais fort bien documenté, de lecture stimulante, et complet dans sa rédaction, de J.-H. Bornecque et P. Cogny, *Réalisme et naturalisme,* « Documents France », Classiques Hachette, 1958. — Du même Cogny on lira le volume consacré au *Naturalisme* dans la coll. « Que sais-je? » (P.U.F.).

Le Roman expérimental de Zola

Publié en 1880 — date à laquelle *les Rougon-Macquart* n'en sont qu'à leur neuvième épisode, avec *Nana —, le Roman expérimental* regroupe sept études publiées dans divers journaux entre 1878 et 1880. Entre l'article qui ouvre le recueil et lui donne son titre, constituant une véritable doctrine de « la science appliquée à la littérature », et l'analyse finale consacrée aux liens « du moment politique et de la littérature », l'unité, bien réelle, vient de ce style direct — « la fougue même de l'idée », reconnaît Zola dans un prière d'insérer — conçu pour combattre, expliquer ou défendre et, comme tel, « ayant trop de simplicité dans l'allure et trop de sécheresse dans le raisonnement ».

Manifeste pour une nouvelle littérature, *le Roman expérimental* est le quadruple acte de foi d'un homme qui, après avoir nié Dieu et vidé son ciel, sacrifie sur l'autel de la science. Acte de foi dans la littérature d'abord : car c'est bien de littérature qu'il s'agit ici, même si l'on a pu accuser l'auteur de *l'Assommoir* de rabaisser « la » littérature en choisissant des sujets obscènes, méprisables, désespérants (Zola répond avec humour sur ce point en renversant les postulats : si on le juge obscène, c'est qu'aujourd'hui « le protestantisme nous envahit. On barde de fer les urinoirs, on crée des refuges blindés aux amours monstrueuses, lorsque nos pères innocemment se soulageaient en plein soleil » (*De la critique*).

A tous ses détracteurs, Zola lance au visage un cri de cœur : « la littérature est au sommet », qu'il corrige d'un cri de raison (à moins qu'il ne s'agisse du contraire) : « avec la science », ajoute-t-il (*De la critique,* « la Haine de la littérature »).

Acte de foi dans la jeunesse ensuite : dans une longue « Lettre à la jeunesse », Zola expose son opposition nuancée au romantisme, en particulier à Hugo en qui il loue « le rhétoricien admirable [qui] demeurera le roi indiscuté des poètes lyriques », mais dont il récuse la philosophie pernicieuse conduisant « aux détraquements cérébraux de l'exaltation romantique » (« Lettre », I). D'où l'appel aux jeunes générations qui doivent s'engager dans la voie de « la virilité du vrai »... au nom de la survie de la France : « car il faut le confesser très haut, c'est qu'en 1870 nous aurons été battus par l'esprit scientifique » (« Lettre », v). Cet esprit, il pense par exemple le trouver en Littré, qu'il oppose curieusement à Hugo. L'opposition au romantisme se fonde donc sur une opposition politique et appelle ainsi un acte de foi dans la république : une république qui ne soit pas née de l'illusion ou de l'utopie ni de l'abstraction, mais qui procède « du résultat logique de certains faits », donc « une république de républicains scientifiques ou naturalistes » (« la République et la Littérature »).

Tout s'enchaîne ainsi logiquement : les jeunes, comme les républicains, forment dans l'esprit de Zola une barrière naturelle contre les errements romantiques tant en politique qu'en littérature. Et l'on arrive ainsi au *credo* fondamental du *Roman expérimental :* « Le romancier expérimental n'est qu'un savant spécial qui emploie l'outil des autres savants, l'observation et l'analyse » (v). D'où la démarche de Zola : pour affirmer la solidarité du littéraire et du scientifique, il s'appuie sur l'*Introduction à la médecine expérimentale* de Claude Bernard (1865) qu'il paraphrase sans vergogne : « Le plus souvent il me suffira de remplacer le mot "médecin" par le mot "romancier", pour lui rendre ma pensée claire et lui apporter la rigueur d'une vérité scientifique » (Préface). Ainsi naît un texte composite, mélange de citations (à titre d'exemple, le chapitre I comporte 92 lignes d'extraits de Claude Bernard sur un total de 235 lignes), de commentaires et de diatribes. Le plus curieux étant l'attitude de Zola qui, plus scientiste que le savant, s'oppose à son modèle (v) lorsqu'il « refuse aux lettres l'entrée du domaine scientifique ». Dans son désir de faire à tout prix de l'écrivain un savant, Zola oublie la spécificité du langage : il est vrai que le problème stylistique ne l'embarrasse guère, en apparence et consciemment, et que le « sens du réel » sur lequel se fonde l'écriture naturaliste n'est qu'un nouvel avatar du « vrai » au nom duquel les écoles et les écrivains se sont toujours battus...

Scientifique, le romancier naturaliste rêvé par Zola l'est dans la mesure où il entend se rendre « maître des éléments intellectuels et personnels pour pouvoir les diriger » (III). Or c'est précisément sur ce point fondamental que l'attitude de l'écrivain s'éloigne de celle du savant : ce dernier cherche à appréhender des signes inconnus alors que l'écrivain dispose les signes à sa guise, choisit les phénomènes et monte un mécanisme. De ce point de vue, il se pourrait bien que toute la littérature ait fait du naturalisme sans le savoir et que la fatalité racinienne ne soit pas fondamentalement opposée à la logique et à la clarté de Zola!

On a reproché à Zola sa naïveté, et il faut bien reconnaître que *le Roman expérimental* nie par sa démarche même ce qu'il tente d'établir; exporter une méthode d'un champ expérimental à un autre champ d'application, c'est réduire singulièrement la portée et la validité de la méthode. Mais il convient de reconnaître avec Michel Butor que l'intérêt de l'ouvrage réside moins, sans doute, dans sa spécificité théorique à engendrer une nouvelle littérature que dans l'effort d'unir tous les éléments de ce que Zola appelle le « circulus social » : « Pour le roman, être expérimental, cela veut dire hâter, aider, faciliter, rendre moins sanglante la fondation inévitable, mais atrocement lente, de la société nouvelle ».

BIBLIOGRAPHIE

Le Roman expérimental est facilement accessible dans la coll. Garnier-Flammarion. On le trouvera aussi dans l'édition des *Œuvres complètes* de Zola (Cercle du Livre précieux) où il est précédé d'une intéressante Préface de Michel Butor (t. X, *Œuvres critiques*, 1, p. 1145-1171).

Le *Manifeste* des Cinq

Publiée en 1887, *la Terre* fut aussitôt au centre d'un violent débat qui allait ouvrir une brèche dans les rangs mêmes des naturalistes : en effet, dès le 18 août, *le Figaro* publiait une protestation — un « dictamen de conscience » — en forme de manifeste, qui marquait la rupture de la jeunesse avec l'école zoliste. Les cinq signataires — Paul Bonnetain, le concepteur, J.-H. Rosny, le rédacteur, auxquels s'adjoignirent Lucien Descaves, Paul Margueritte et Gustave Guiches — avaient de vingt-sept à trente ans et n'étaient guère connus du grand public : mais leur cri de révolte avait d'autant plus d'importance qu'il était proféré par des représentants de cette jeunesse à laquelle Zola s'était adressé dans *le Roman expérimental* et sur laquelle il fondait de grands espoirs. Espoirs déçus qui se traduisaient par une fin de non-recevoir exprimée sans retenue.

Mélange de style ampoulé et grandiloquent, charriant un contenu de goût parfois fort douteux, le *Manifeste* sapait le naturalisme (réduit au seul Zola) par une argumentation agressive qui visait plus l'homme que les principes.

Les reproches n'étaient pas nouveaux et, sous la plume des jeunes écrivains qui naguère se réclamaient de la mouvance naturaliste, acquéraient une nouvelle force persuasive : les Cinq reprochaient à Zola de « s'embourber dans l'ordure », lui faisaient grief d'abandonner les principes d'expérimentation pour s'appuyer sur des documents de seconde main, critiquaient la stérilité de son emphase romantique (pour l'occasion, les Cinq inventaient l'adjectif « hugolique », sans doute forgé par référence à une affection intestinale...). Bref, après avoir déserté physiquement en se retirant à Médan, Zola était accusé de « trahir l'écrivain devant son œuvre ». Le ton était donné, et les critiques pleuvaient : Zola se voyait reprocher pêle-mêle sa « boulimie de vente » (seule excuse avancée pour expliquer la poursuite de propos médiocres destinés à exciter facilement le public), son « ignorance médicale et scientifique », son goût scatologique, etc. Franchissant un nouveau degré, on l'accusait d'avoir « des manies de moine solitaire » et l'on appliquait au « maître » la théorie critique des milieux : l'échec de Zola était ainsi la conséquence logique de son origine (issu d'un milieu pauvre, l'écrivain, par peur de manquer d'argent, se serait tourné volontairement vers une production de bas étage, plus populaire), de son caractère (une timidité maladive devant les femmes transformée en principe de continence expliquerait la prédominance de situations adultérines dans ses romans) et même de sa « maladie rénale », qui, en l'inquiétant à propos « de certaines fonctions, le pousse à grossir leur importance ». Les reproches ne volent pas haut et l'on ne peut pas dire que la littérature triomphe dans ce genre de débat où l'invective tient lieu de raisonnement et l'aveuglement haineux de guide.

Mais le plus surprenant était de voir, après un tel déluge d'arguments peu chastes, les Cinq justifier leur *Manifeste* par leur « amour profond » et « leur suprême respect pour l'art », prôner « tenue et dignité en face d'une littérature sans noblesse ». Les Cinq, qui avaient retourné contre le « maître » ses propres théories, risquaient à leur tour de se voir condamner par leurs propres ambitions. Tous le sentirent, d'ailleurs, qui renièrent plus ou moins nettement ces propos de jeunesse : « J'ai gardé de cette pauvre aventure un profond dégoût », devait confesser Rosny quelque trente années plus tard, reconnaissant dans le *Manifeste* « un acte absurde et sans noblesse ».

Les Cinq ne furent pas les seuls à réagir violemment contre *la Terre*. Anatole France aussi retirait de cette lecture un violent dégoût, et s'il reconnaissait à Zola une

« L'Ancêtre », huile sur toile de Iba Ndiaye en 1983.
Coll. de l'artiste - Ph. L. Joubert © Photeb.

Négro-africaine et caraïbe (littérature)

Un griot. *Ph. coll. M. Renaudeau/Hoa Qui - Photeb/D. R.*

Affiche de Pablo Picasso en 1958, pour le deuxième congrès des écrivains et artistes noirs, 26 mars-1er avril 1959 à Rome. *Coll. Présence africaine. Ph. M. Didier © Arch. Photeb © by SPADEM 1984.*

Une vie de boy, 1956, Ferdinand Oyono, (né en 1929, Cameroun).
Ph. Jeanbor © Photeb © by René Julliard 1956.

Dessin à la craie de Wilfredo Lam (né en 1902) pour la revue *Tropiques*, créée et dirigée à Fort-de-France par A. Césaire et R. Ménil, rééditée en 1978 par J.-Michel Place.
© by Jean-Michel Place, 1978. Ph. M. Renaudeau - Hoa Qui © Photeb © by SPADEM 1984.

Légitime Défense, unique numéro publié en 1932 par un groupe d'étudiants martiniquais, réédité en 1979 par J.-Michel Place.
© by Jean-Michel Place, 1979. Ph. M. Renaudeau - Hoa Qui © Photeb.

Rue Cases Nègres, film d'Euzhan Palcy (antillaise), 1983. Avec Henri Melon.
Ph. © NEF Diffusion.

Un continent immense, un ensemble quasi inépuisable de langues, de traditions : l'Afrique. Une diaspora tragique, imposée, meurtrière : celle de la race noire vers l'Amérique. Telles sont les conditions d'où jaillissent le sentiment d'appartenance, la négritude, et la nécessité d'une « légitime défense » contre l'humiliation du passé colonial, contre la méconnaissance.

Parmi les séquelles de l'histoire subie, quelques pouvoirs ambigus : connaissances, techniques, influences culturelles venues du Nord ; surtout, peut-être, quelques langues, l'anglais, le français, imposées mais enrichissantes. Ainsi, sur l'héritage revendiqué du passé du corps et de l'esprit collectif (l'Ancêtre peint par Iba Ndiaye), sur la tradition d'une expression liée à la musique et à la voix (telle que la pratiquent les griots) se bâtit par la protestation (*Légitime*

Ô Pays, mon beau peuple, 1957, Ousmane Sembene (né en 1923, Sénégal). *© by Plon, 1957. Ph. M. Renaudeau - Hoa Qui © Photeb.*

Le Maître de la parole, Kouma Lafôlô Kouma, 1978, Camara Laye (né en 1928, Guinée). *© by Plon, 1978. Ph. M. Renaudeau - Hoa Qui © Photeb.*

Défense, puis *Tropiques* en sont les témoins antillais) une littérature nouvelle. La « Présence africaine », malgache, mauricienne, caraïbe... à la littérature écrite en français, est venue enrichir profondément et puissamment l'univers des discours dans cette langue.
De l'enseignement traditionnel retrouvé des « maîtres de la parole » (Tierno Bokar transmis par Hampaté Bâ, l'œuvre de Camara Laye, Birago Diop...) à l'école « à la française » de la *Rue Cases-Nègres*, de l'évocation des valeurs symboliques (*le Baobab fou*) à celle de la vie quotidienne (les romans de F. Oyono, de M. Diabaté...), valeurs, sentiments et réalités africaines, antillaises, etc., alimentent un moyen d'expression chargé d'une autre sagesse, d'autres

Le Coiffeur de Kouta, 1980, Massa Makan Diabate (Mali). *© by Hatier, 1980. Ph. M. Renaudeau - Hoa Qui © Photeb.*

Amadou Hampaté Bâ
Vie et enseignement de Tierno Bokar
Le Sage de Bandiagara

Vie et enseignement de Tierno Bokar, le sage de Bandiagara, 1980, Amadou Hampaté Bâ (Mali). *© by Éditions du Seuil, 1980. Ph. M. Renaudeau - Hoa Qui © Photeb.*

Les Angoisses d'un monde, 1980, Pascal Baba F. Couloubaly (origine malienne, vit au Sénégal). *© by les Nouvelles éditions africaines. Ph. M. Renaudeau - Hoa Qui © Photeb.*

Arc musical précédé de *Epitomé*, 1971, Félix Tchicaya U Tam'si (Congo). *© by J. P. Oswald, 1971. Ph. M. Renaudeau - Hoa Qui © Photeb.*

Le Baobab fou, 1982, Ken Bugul (Sénégal). *© by Les Nouvelles éditions africaines. Ph. M. Renaudeau - Hoa Qui © Photeb.*

valeurs. La narration – romans, récits, contes –, la poésie : Césaire, Senghor, Tchicaya U'Tamsi, et tant d'autres talents, ont investi et ressourcé, par un langage inouï et double, à la fois leur négritude et cette littérature trop « blanche » où ils pénètrent. De ses origines orales et du sentiment solidaire, la littérature négro-africaine en quelque langue que ce soit présente des traits permanents : lyrisme, sagesse parémiologique, goût du récit familier ou épique. Surtout, besoin du recours au rythme corporel, à la voix, à la présence humaine, à la *mimésis* : l'atteste la parenté étroite du littéraire et du cinématographique (le romancier cinéaste Sembene Ousmane). Quant aux valeurs nègres, quelques héros communs, tels Toussaint Louverture ou le guerrier bantou Chaka en rassemblent la force symbolique.

Les Amazoulous, tragédie inspirée du roman *Chaka* de Thomas Mofolo (Gallimard 1940), adapté par Abou Antaka, joué au Théâtre national Daniel Sorano, Dakar 1972. Première épopée Bantou sur « Chaka », héros d'Afrique noire.
Ph. © M. Renaudeau - Hoa Qui.

Sembene Ousmane, écrivain et cinéaste, tourne *Xala*, en 1974, d'après son roman publié en 1973 à Présence africaine.
Ph. © M. Renaudeau - Hoa Qui - Photeb.

gloire, d'ailleurs qualifiée de « détestable », c'est celle d'avoir élevé un « si haut tas d'immondices ». Condamné au nom du naturalisme lui-même, condamné au nom de l'homme réel et complexe, le roman de Zola, après avoir, avec *l'Assommoir,* porté son mouvement vers les sommets, le menait avec *la Terre* vers un trépas tout proche.

🕮 *Enquête sur l'évolution de la vie littéraire* de Jules Huret

Un jour de mai 1891, un curieux télégramme partit d'Aix-en-Provence : « Naturalisme pas mort. Lettre suit ». Signé Paul Alexis, il apportait à son destinataire, le journaliste Jules Huret, l'essentiel de la réponse de l'un des auteurs des *Soirées de Médan* à la question : « Le naturalisme est-il malade? » Du 3 mars au 5 juillet 1891, Jules Huret fit en effet publier dans *l'Écho de Paris* une série d'interviews ou de lettres d'écrivains — soixante-quatre au total, allant des plus célèbres aux moins connus, des chefs d'école aux disciples, des plus bavards aux plus secrets — qui tentaient de faire le point sur la situation de la littérature à la fin du XIXe siècle. Sorte de « reportage expérimental », cette *Enquête* fournissait à chacun l'occasion d'exprimer son opinion face aux idéologies esthétiques du moment — naturalisme, symbolisme, parnasse, néoréalisme, psychologisme — en toute liberté et en laissant au maximum parler son tempérament. Si bien que Huret pouvait, à la fin de son travail, regrouper ses interlocuteurs, toutes écoles confondues, en fonction « des attitudes d'esprit manifestées sous [ses] yeux » : les naturalistes se trouvaient ainsi éparpillés parmi les Théoriciens (Goncourt, Céard), les Boxeurs et Savatiers (Alexis, Descaves, Huysmans, Mirbeau, Zola), les Vagues et les Morfonds (Maupassant, Hennique), etc. C'était manifester clairement que sous une apparente bannière unitaire se cachaient des tempéraments, sinon inconciliables, du moins fortement contrastés.

L'*Enquête* n'est pas consacrée au seul naturalisme, et le symbolisme s'y taille une large place; mais, compte tenu des événements survenus dans les cinq années précédant le travail de Huret (en particulier le débat suscité par la publication de *la Terre* en 1887, la Préface théorique de Maupassant ouvrant *Pierre et Jean,* l'attitude de Huysmans exprimée dans *Là-bas* et précisant le tournant amorcé par *A rebours*), il n'en reste pas moins vrai que le naturalisme se situait au centre des préoccupations du monde littéraire. A la question liminaire sur l'état de santé du naturalisme, presque toutes les réponses prennent la forme d'un bulletin nécrologique : Anatole France déclare péremptoirement que de « toute évidence il est mort », imité en cela par Jules Lemaitre, ennemi de toujours de Zola. D'autres, avec plus de nuances, font un constat de mort imminente : tel Edmond de Goncourt qui pense « qu'il touche à sa fin »; tel encore Huysmans qui constate « qu'il ne pouvait pas toujours durer »... Dans ce concert funèbre, deux voix se font entendre pour clamer la survie — voire même l'immortalité — du mouvement : Zola, bien sûr, qui reconnaît le déclin passager du naturalisme, mais affirme « que ce qui ne peut pas mourir, c'est la forme de l'esprit humain qui, fatalement, le pousse à l'enquête universelle ». Même son de cloche chez le fidèle Alexis : « Le naturalisme sera la littérature du vingtième siècle! »

Et chacun de défendre son point de vue en usant d'arguments plus souvent envoyés au-dessous de la ceinture (d'où sans doute l'épithète trouvée par Huret pour qualifier certains interlocuteurs de Boxeurs...) : l'on se jette à la tête des chiffres de tirage (les 70 éditions de *l'Argent* contre les quelques plaquettes de Moréas), on use de l'invective ou de l'injure (les naturalistes sont qualifiés d'illettrés et d'absurdes), on croit expliquer le goût pour certains thèmes par les penchants pervers ou les impuissances de Zola... C'est la grande foire des littérateurs, le lavoir où chacun apporte son linge sale, et le jeune Jean Richepin peut à juste titre tirer une conclusion désabusée : « Votre enquête ne m'a pas appris grand-chose. Elle m'a seulement évoqué le tableau d'un marécage pestilent, aux eaux de fiel, où se dressent quelques taureaux et où ruminent quelques bœufs, tandis qu'entre leurs pieds s'enflent des tas de grenouilles coassant à tue-tête : “Moi, moi, moi!” C'est sans doute divertissant pour la galerie, mais ce n'est pas gai pour ceux qui aiment les lettres ».

Mais pouvait-il en être autrement? Et les clivages esthétiques, qui masquaient de féroces oppositions politiques, pouvaient-ils s'exprimer autrement que par la haine, l'insulte, ou, ce qui revient au même, une politesse de gens bien élevés : « J'ai une grande admiration pour Zola », déclare par exemple Mallarmé, qui aussitôt après marque les limites de l'écriture naturaliste de l'auteur de *Nana.* Ainsi, par-delà le bilan du naturalisme, l'*Enquête* de Jules Huret manifestait l'extraordinaire vitalité de la vie littéraire, même si on est obligé, avec le journaliste, de reconnaître que « les intérêts matériels priment et tyrannisent les appétences spirituelles ».

BIBLIOGRAPHIE
L'*Enquête* a été rééditée (Paris, Thot, 1982) avec une préface de Daniel Grognowski.

🕮 « Préface » pour une nouvelle édition de *A rebours* de Huysmans

A la sortie d'*A rebours,* deux hommes fort différents perçurent l'évolution qui se dessinait chez Huysmans. Zola sentit que le groupe de Médan perdait un de ses adeptes, que « le roman portait un coup terrible au naturalisme » et que son auteur « faisait dévier l'école » : il n'avait pas tort puisqu'en préface à son roman suivant, *Là-bas* (1891), Huysmans plaidait la cause d'une « autre route » qui permette « d'atteindre les en deçà et les après, de faire, en un mot, un Naturalisme spiritualiste ». C'était l'une des voies de l'alternative que Barbey décelait dans sa critique du 28 juillet 1884 : « Après un tel livre, il ne reste plus à l'auteur qu'à choisir entre la bouche d'un pistolet ou les pieds de la croix ».

Lorsqu'il ajoute une Préface en tête de son roman pour l'édition de 1903, Huysmans est doublement étranger à l'auteur de ses premiers récits : il a rompu avec le naturalisme — ce « cul-de-sac où je suffoquais », confesse-t-il maintenant — et s'est converti au catholicisme. Il lui est donc difficile d'expliquer après coup sa rupture sans jouer avec une évolution dont la mémoire brise un lent chemin chronologique. Néanmoins, cette Préface apporte, malgré le caractère très original de son auteur au sein du naturalisme initial, une importante contribution à la compréhension de la mort du mouvement.

Refusant d'adopter l'attitude du pamphlétaire, Huysmans explique l'abandon du naturalisme par un phénomène de saturation conduisant à la stérilité : « Cette école était condamnée à se rabâcher, en piétinant sur place ».

Deux causes sont principalement avancées pour rendre compte de cette évolution : la volonté théorique de « ne pas sortir de l'existence commune » et l'incapacité à traiter d'autres vices que la luxure; ou, si l'on préfère, le naturalisme est mort d'un excès de médiocrité et d'une crise de foi.

Esthétiquement, il est vrai, le naturalisme s'est appuyé sur des expériences qui « n'admettaient pas l'exception » : si bien qu'il est possible, ainsi que le constate Huysmans, de résumer tous les romans de cette école à un simple schéma : « Savoir pourquoi Monsieur Untel commettait ou ne commettait pas l'adultère avec Madame Une telle ». Les seules variations décelables se situant dans les détails (appartenance sociale des protagonistes, lieux et décors des scènes, etc.), le roman naturaliste apparaît alors comme une caricature d'analyse psychologique que l'auteur d'*A rebours* résume par le dilemme : « Tombera? Tombera pas? »

La vertu étant par définition une exception, les naturalistes s'attachèrent naturellement aux vices : mais parmi ceux-ci, ils privilégièrent « le septième Péché capital » (la luxure), le seul qui n'eût pas besoin d'être « scruté avec la lampe et le chalumeau de l'Église » : l'explication rejoint ici la justification, et Huysmans explique autant les carences d'un système que l'évolution de son art et de sa pensée. Dès lors, l'étude critique tourne à la guerre de Religion, et l'image, fortement teintée de christianisme, de la prison matérielle sert seule à dépeindre le réduit naturaliste, qui, par effets interposés, se métamorphose en un véritable enfer digne de l'imagerie romantique : en se convertissant, Huysmans s'est « aéré » (double implication : le ciel est opposé à la terre et l'esprit à la matière), a quitté un lieu où il « suffoquait », où il « étouffait » (comme rongé par les vapeurs et les flammes infernales...).

Mais le coup le plus terrible porté par Huysmans à ses anciens amis réside sans doute dans la genèse expliquée d'*A rebours* : sans qu'il y paraisse, en quelques lignes, il sape toute la théorie de l'écriture romanesque telle que l'a mise au point Zola dans *le Roman expérimental* : une écriture fondée sur une structure prédéterminée, appuyée sur une énorme documentation, où la part du hasard est réduite, voire même annulée. « *A rebours* est un ouvrage parfaitement inconscient, imaginé sans idées préconçues, sans intentions réservées d'avenir, sans rien du tout ». On ne saurait mieux brûler ce que l'on a adoré!

D. COUTY

NATURISME. Le mot « naturisme » apparaît au XVIIIe siècle dans le contexte philosophique, à côté de « naturalisme ». C'est au XIXe siècle que le mot, entendu comme « doctrine de la nature », est appliqué à la conception générale de la vie : l'idéal d'une vie « selon la nature », impliquant une renonciation aux artifices culturels, la nourriture végétarienne, éventuellement le nudisme (d'où la valeur spécifique du mot au début du XXe siècle, où les revues naturistes ne concernent pas la littérature).

La théorie littéraire s'en est un moment servi, sans doute à cause de l'emploi de « naturiste » en esthétique, par exemple chez Gautier, chez les Goncourt, pour désigner les partisans d'une transcription réaliste de la nature. Les raisons de Saint-Georges de Bouhélier pour promouvoir (et non pas créer) le terme de « naturisme » sont assez claires : l'emploi de « naturalisme » était confisqué par Zola et ses troupes [voir NATURALISME]. Mais le mot n'a pas mieux réussi que la théorie.

Le naturisme est donc un mouvement poétique de l'extrême fin du XIXe siècle, en relation avec l'évolution du symbolisme. Le créateur en est Saint-Georges de Bouhélier, fondateur de la *Revue naturiste* (1897). Sans théorie autre qu'un désir panthéiste de « noces de l'homme avec la Terre » et d'« épousailles du Poète avec la Vie, la Nature », Bouhélier représenta néanmoins une tendance hostile à la poésie immédiatement antérieure. Maeterlinck, Verhaeren, Régnier, Jammes et d'autres, retenant de Mallarmé la hauteur d'un « idéalisme » raffiné — et ne décelant à peu près rien de sa grandeur —, évoluaient dans une direction qu'on put à ce moment croire commune. Les sous-entendus politiques en étaient moins évidents qu'avec l'école romane de Moréas (Maurras), mais Barrès, chantre de l'enracinement national, n'est pas étranger à cette vision du poétique.

Diverses revues (*le Mercure, le Livre d'art* de Paul Fort, la *Revue blanche*) se firent occasionnellement l'écho de cette tentative confuse de renouveau poétique. Un *Collège d'esthétique nouvelle* fondé en 1900 réunit Bouhélier, Leblond, Eugène Montfort, et s'orienta vers la recherche d'un fondement « scientifique » anticipant sur l'unanimisme.

Quant à l'effort pour donner à l'esthétique et à la vision du symbolisme (interprétées de mille façons) une dimension « naturelle », il s'est manifesté surtout de 1900 à 1910. On a pu regrouper dans cette perspective des auteurs aussi divers que Ghéon, Gourmont, E. Dujardin, ceux du groupe de la revue *Antée,* autour de Christian Beck (de Claudel à Jammes, de Anna de Noailles à Colette et à C.-L. Philippe). Malgré la présence de Bouhélier, les intentions premières du naturisme, d'ailleurs peu précises, se dissolvaient en une synthèse où des éléments néo-symbolistes, chrétiens, et prétendument réalistes, ne contribuaient qu'à une addition de médiocrités. *La Nouvelle littérature (1895-1905)* de E. Gaubert et A. Casella, tente vainement de faire le point.

BIBLIOGRAPHIE

On trouvera dans *la Crise des valeurs symbolistes* de M. Décaudin (Toulouse, Privat, 1960) une analyse de cette situation confuse.

A. REY

NAU Émile (1812-1860). V. CARAÏBES ET GUYANE. Littérature d'expression française.

NAU Ignace (1808-1839). V. CARAÏBES ET GUYANE. Littérature d'expression française.

NAU John Antoine, pseudonyme d'**Eugène Torquet** (1860-1918). La carrière littéraire d'Eugène Torquet est paradoxale, comme son œuvre. Né à San Francisco, de parents français originaires de Normandie, il quitta dès l'enfance les États-Unis avec sa famille, et fit ses études au Havre, puis à Paris. Le goût de l'aventure, de l'exotisme et de la mer l'incita à s'engager comme timonier sur un voilier. Il navigua notamment dans la mer Caraïbe, et les Antilles furent toujours pour lui un paradis inoublié.

Après avoir publié un recueil de poèmes (*Au seuil de l'espoir,* 1897), il écrivit un roman, *Force ennemie,* qui attira l'attention du jury Goncourt, nouvellement réuni, et lui valut le premier prix Goncourt, décerné le 21 décembre 1903.

Malgré ce succès, les romans qui suivirent (*le Prêteur d'amour,* 1905; *la Gennia,* 1906) n'eurent qu'une médiocre audience. Quant aux poèmes de *Hiers bleus* (1904), de *Vers la fée Viviane* (1908), ils s'effacent dans l'abondante production de cette génération post-symboliste.

A sa mort, J.A. Nau, qui avait trouvé pendant un temps son lieu d'élection en Corse, était déjà à demi oublié. Il était revenu sur le continent, et c'est à Tréboul (Finistère), autre lieu marin, que le romancier s'éteignit à l'âge de 58 ans.

Sa correspondance avec son ami R. Randau fut publiée après sa mort et un exécuteur testamentaire enthousiaste, Jean Royère, fit paraître ses écrits inédits (poèmes : *En suivant les goélands*; *Poèmes triviaux et mystiques*, 1924; romans : *Thérèse Donati*, 1920; *les Galanteries d'Anthime Budin*, 1923; *les Trois Amours de Benigno Reyes*, 1928; contes et récits : *Archipel caraïbe*, 1929). Mais le zèle de Royère ne sauva pas Nau de l'oubli. Le premier prix Goncourt, bénéficiaire d'une distinction qui aujourd'hui garantit de gros tirages et un succès public, sinon une notoriété durable, ne fut jamais un auteur célèbre. L'oubli total où il est tombé est injuste. En effet, si Nau s'inscrit dans le courant post-symboliste, soucieux de concilier les délicatesses de vocabulaire et de rhétorique avec l'évocation fidèle de réalités « naturelles » — comme le naturisme de Saint-Georges Bouhélier [voir NATURISME] —, c'est avec une originalité presque inquiétante.

Dans son œuvre romanesque, deux aspects frappent : une technique du récit parfois efficace et une passion pour les variétés langagières capable de compromettre l'unité d'un discours par ailleurs naïvement raffiné.

Force ennemie

Ce roman conte à la première personne l'aventure intérieure, effrayante, souvent cocasse, d'un aliéné interné. Après avoir posé les personnages d'une galerie grotesque, le narrateur sent son comportement, reconnu aberrant, commandé par une « force ennemie ». Il se laisse envahir et, abandonnant le monologue, engage un dialogue schizophrénique avec l'« Être », l'« Esprit » qui l'habite. Celui-ci (IIe partie) prend la parole : s'instaure le thème, devenu banal, d'un récit de science-fiction, dont il ne faut pas oublier qu'il fut écrit vers 1900. La force ennemie est un extraterrestre; dégagé de son « corps astral », il est venu « voler » un corps sur la Terre et s'est emparé du narrateur, Veuly, l'homme veule. Sortant de son corps pour y laisser l'hôte insupportable, le narrateur voit, entend, conte ce que ses perceptions ne peuvent atteindre; il cesse de s'incarner dans le *je*; l'objet décrit, la troisième personne domine : cependant, des *nous* (narrateur + personnage épié) apparaissent. Il y a là une intéressante réflexion implicite sur la fiction romanesque.

Bientôt, revenant près de son corps, le narrateur se voit et se décrit en personnage-objet. Quand il se retrouve « en » lui, son hôte parasitaire s'exprime. Un *nous* instable et fortement marqué alterne avec le *je* habituel, coupé du *il* démoniaque : « Il abandonne la langue *psychique* et parle *tout haut avec ma voix* [...] Il a *lu* [...] dans ma pauvre cervelle... ».

Après cette crise peuplée de visions « affreuses », la personne du narrateur se singularise complètement. La suite le décrit, habité par son persécuteur, commentant divers méfaits et exploits érotiques, surpris et mis à mal par un médecin sadique, s'évadant après une éclipse de son habitant.

Une IIIe partie, située hors de l'asile, permet à Nau d'exprimer divers jugements sur le conformisme bourgeois, la poésie, les chères Antilles. Son héros, après diverses péripéties, sombre dans la brume sinistre d'un destin solitairement délirant.

Encadré par une Préface ironique et un dernier chapitre grotesque, où le « véritable » aliéniste, le Dr Joyeulx des Eypaves, célèbre l'excellence de sa thérapeutique, ce curieux roman révèle bien des choses sur son auteur.

Celui-ci se montre un sévère témoin de l'infamie carcérale et répressive en psychiatrie; mais l'outrance de ses personnages (médecins sadiques et furieux, froids et impitoyables, infirmières-mégères ivrognes et salaces, gardiens idiots) comme la violence naturaliste des descriptions d'agités est recouverte d'une cocasserie puisée dans le langage; d'où une bizarre, peut-être déplaisante, ambiguïté.

L'observation et la transcription des discours — du gardien analphabète aux « maboules » pompeux, délirants, haletants; du docteur fou furieux, fécond en injures imaginatives, aux infirmières goualeuses — sont d'intérêt majeur pour cet auteur plurivoque.

L'humour colonial

Dans les récits pittoresques qui forment la plus grande part de son œuvre en prose, Nau se montre un conteur plus bref, plus léger, assez allègre. Alliant les descriptions recherchées à la narration d'une histoire plaisante, il utilise un vocabulaire varié, parfois alambiqué (adverbes et verbes rares, épithètes sonores) et cherche toujours à reproduire, avec un bonheur inégal, la variété des usages du français. Évoquant parfois Alphonse Daudet par le goût du pittoresque et une gentillesse un peu mièvre, il met en scène des personnages caricaturaux ou attendrissants dans des récits souvent peu construits.

Quant au contenu, il manifeste une sympathie évidente pour les truculences et les libertés de mœurs, à condition qu'elles ne nuisent pas à autrui : morale aimable, élégante, ironique, mais toute extérieure. Et les « belles mulâtresses », les aventuriers bedonnants, les vigoureux Noirs ou les bandits corses au grand cœur forment une galerie de pantins relevant d'un regard « colonial », fort bienveillant, du reste. Les comiques discours en français créolisant, le style pompeux de l'Antillais embourgeoisé (remarquable pastiche : le chapitre v des *Galanteries d'Anthime Budin*), le jargon corsicant de certains contes utilisent les différences pour faire sourire : moquerie attendrie. Cet inconscient paternalisme, Nau l'exerce vis-à-vis des femmes qu'il évoque avec une grande sympathie.

Il serait absurde de reprocher à Nau ce qui fait son charme : la distance qui sépare le poète symboliste, chercheur de délicatesses langagières, et le petit monde cocasse, à la morale dégrafée, qui le fascine, qu'il aime sans doute, mais qu'il transforme inévitablement en guignol sans mystère. Les grossières galanteries du méprisable Anthime Budin, celles, plus charmantes, des jolies mûlatresses et capresses, s'accordent avec difficulté aux galanteries d'écriture surannées de l'écrivain John Antoine Nau, qui ne cesse de se dérober.

A. REY

NAUDÉ Gabriel (1600-1653). Érudit, philosophe et historien, Naudé est un représentant éminent du « libertinage érudit » [voir LIBERTINS].

Fils d'un simple huissier des finances de Paris, il put faire de solides études grâce à l'aide de son parrain, le conseiller du roi, Guénégaud. Après sa philosophie, il se tourna vers la médecine (1620). Mais déjà il se faisait connaître par ses premiers écrits et acquérait une réputation de savant bibliophile. En 1622, le président de Mesmes lui confia le soin de sa bibliothèque. En 1626, il partit pour l'Italie, où il suivit les cours de l'athée Cremonini à Padoue. Revenu en France, il fréquenta le cercle des frères Dupuy et se lia avec Gassendi et La Mothe Le Vayer. En 1630, il repartit pour l'Italie et séjourna dix ans à Rome, au service du cardinal Bagni. A son retour, il entra au service de Mazarin. Il rassembla pour celui-ci 40 000 volumes, dont une partie sera vendue durant la Fronde et dont les restes forment le fonds premier de l'actuelle bibliothèque Mazarine. En 1652, il se rendit en Suède, pour ordonner la bibliothèque de la reine Christine; il mourut à Abbeville, sur le chemin du retour.

La pensée de Naudé est une des plus audacieuses de son temps. En matière de religion, il est mécréant. Son *Apologie pour les grands personnages qui ont été faussement soupçonnés de magie* (1625) récuse le surnaturel et dénonce toutes les superstitions. Son petit traité *De fato et fatali vitae termino* (1639) vise à démontrer que le destin n'est rien qu'un enchaînement naturel de causes et de conséquences. Cependant, il restait prudent dans l'énoncé de ses opinions et affichait sa fidélité à l'aristotélisme, où son rationalisme trouvait le cadre d'une pensée méthodique.

En politique, il était machiavéliste. Cette attitude prenait appui sur son érudition et sa philosophie de l'histoire. Son *Addition à l'Histoire de Louis XI* (1630) développe la théorie du caractère cyclique de l'histoire. Dans ses *Considérations politiques sur les coups d'État* (1632; 1re éd., à tirage limité, à Rome en 1639; 2e éd. en 1667), sans illusion sur les sources du pouvoir, qui, à ses yeux, est toujours fondé sur la force, il prône la séparation de la politique d'avec la morale et la religion, et le pouvoir sans partage du monarque. Partisan de la monarchie absolue, il ne se rallia pas à Mazarin par simple opportunisme; il prit d'ailleurs la défense du ministre contre les Frondeurs dans le *Mascurat* (1649). Son attitude est exemplaire des options des libertins : méfiants à l'égard du peuple, qu'ils jugent superstitieux et ignorant, ils voient dans l'absolutisme une nécessité historique.

Mais Naudé est surtout un humaniste. Outre un traité de pédagogie (1633), il composa un *Advis pour dresser une bibliothèque* (1627) particulièrement révélateur de la culture et des choix des érudits de ce temps en matière de textes. Il privilégie les Anciens et les genres sérieux. Ainsi écrit-il : « Nous voyons que l'étude des morales et des politiques occupe maintenant la plupart des meilleurs et plus forts esprits [...], pendant que les plus faibles s'amusent après les fictions et romans... ».

BIBLIOGRAPHIE

L'Advis pour dresser une bibliothèque a fait l'objet d'une réédition en fac-similé (Leipzig, 1963); *Lettres à J. Dupuy*, éd. et introd. Ph. Wolfe, Edmonton, Halton-Alta Press, 1982.

L'étude essentielle reste celle de R. Pintard, *le Libertinage érudit*, Paris, Boivin, 1943. V. aussi P.O. Kristeller, « Between the Italian Renaissance and the French Enligthenment : G. Naudé », *Ren. Quart.*, XXXII, p. 41-72 , 1979.

A. VIALA

NAVARRE Marguerite de. V. MARGUERITE DE NAVARRE.

NAVARRE Yves (né en 1940). Romancier et dramaturge français, né à Condom (Gers). Fils d'un ingénieur P.-D.G. de l'Institut français du pétrole, il fréquente le lycée Pasteur à Neuilly, puis obtient des certificats de licence. Professeur d'anglais en 1960, il suit les cours de l'E.D.H.E.C. du Nord jusqu'en 1964. De 1965 à 1970, il travaille pour des agences de publicité. Il vit, depuis, de sa plume.

Très jeune, Navarre commence à écrire. De 1958 à 1971, il présentera aux éditeurs dix-sept manuscrits. Tous seront refusés. En 1971 paraît enfin le roman *Lady Black,* confession-pamphlet « scandaleuse, délibérément provocante » (Jean-Louis Bory). Depuis, il a publié au moins un roman par an (*Portrait de Julien devant sa fenêtre,* 1979; *Romances sans paroles,* 1982; *Première Page,* 1983, etc.) et des pièces de théâtre : *Théâtre I* (*Il pleut : si on tuait papa-maman?...,* 1974); *Théâtre II* (*la Guerre des piscines...,* 1976); *Théâtre III* (1982).

L'œuvre de Navarre révèle le narcissisme exacerbé et les obsessions d'un homosexuel au *Cœur qui cogne* (1974) : quête du plaisir (*le Petit Galopin de nos corps,* 1977), crainte et dégoût du vieillissement et du pourrissement, danger et solitude de la traque clandestine (*les Loukoums,* 1977)... Seule l'expression diffère : lyrisme des premiers romans, extraits de cahiers et notes de *Killer* (1975), roman classique de tradition moraliste du *Jardin d'acclimatation* (prix Goncourt 1980), auto-analyse fleuve de *Biographie* (1981). La notation pointilliste, le ton haletant, les flashes sur les petits faits sans importance traduisent l'éparpillement d'une société bourgeoise que soudent seulement le sentiment et les intérêts de la famille.

« L'essentiel de mon désir dans l'écriture, c'est le constat », affirme Navarre. Ce n'est pourtant pas sans tendresse qu'il dénonce la famille acharnée à briser celui qui revendique le droit à la différence; cette famille qui, dans le silence, condamne le marginal à la solitude dans l'involution (l'épouse-objet de *Je vis où je m'attache,* 1978), l'enfermement (le dépressif du *Temps voulu,* 1979) ou la mort symbolique (l'homosexuel mutilé du *Jardin d'acclimatation*).

M.P. SCHMITT

NAVEL Georges (né en 1904). Il y a, chez ce romancier né dans un petit village lorrain, deux côtés, comme chez Proust : celui du père, ouvrier fondeur à Pont-à-Mousson, victime résignée à la souffrance et à la misère; celui de la mère, encore paysanne, qui entraîne ses enfants dans les bois pour y ramasser des asperges sauvages. Deux côtés qui se rejoindront d'abord dans la vie de Georges Navel, tour à tour ouvrier d'usine et manœuvre itinérant, puis dans son œuvre, qui désigne comme un même esclavage le taylorisme et les illusions du travail « libre », mais les dépasse — ou les nie — dans un autre travail qui prétend dire leur vérité : l'écriture.

Un romancier prolétarien

Autodidacte, Navel fit en 1935 une rencontre importante, celle du philosophe Bernard Groethuysen, avec lequel il entretint une longue correspondance (reproduite dans *Sable et Limon,* 1952). C'est ensuite l'époque du Front populaire et de la guerre d'Espagne. Libertaire (« je ne suis pas collectiviste mais communard »), Navel est alors ouvrier agricole en Provence et engage le débat politique avec son ami, membre du parti communiste dont il n'apprécie ni le centralisme, ni la prudence lors des grèves de 1938 : « Daladier défend dans l'illégalité sa bourgeoisie, alors que la classe ouvrière s'embourbe dans l'esprit légal de crainte de déplaire aux boutiquiers ». Toujours la théorie s'étaye de remarques concrètes, souvent cocasses : « Rencontrer des communistes ici ne pourra me mener qu'à des parties de boules ». En revanche, Navel est attiré par les anarchistes espagnols; il s'est rendu à Barcelone en 1936. Simultanément commence un dur apprentissage d'écrivain, qui lui pose tous les problèmes à la fois techniques et idéologiques de ce qu'on appelle alors le roman prolétarien : l'ouvrier qui écrit affirme, face à la bourgeoisie, la dignité d'un homme dont « la part d'humanité n'est pas moins grande que celle des gens d'autres catégories »; mais, s'adressant aux bourgeois, l'ouvrier est contraint « d'embourgeoiser sa langue » (cf. *le Peuple,* de Michelet) : cette parole qu'il prend, est-ce encore la sienne? A l'inverse, ces récits où il relate une expérience vécue (*Travaux,* 1945; *Parcours,* 1950; *Chacun son royaume,* 1960), inconnue de la plupart de ses lecteurs, exercent une réelle fascination sur la critique petite-bourgeoise, qui y trouve le dépaysement de la fiction, la matière de sa bonne conscience, mais aussi la caution réaliste fournie par la condition sociale de l'auteur; un Georges Friedmann utilisera largement les récits de Navel comme documents sociologiques (cf. *le Travail en miettes,* 1956). Pourtant, cette fascination n'est-elle pas la preuve que l'ouvrier est devenu écrivain et entré dans un système de collaboration de classe, même si les siens ne peuvent l'entendre? « Il n'y a pas tant de métallurgistes conscients que se l'imaginent les intellectuels penchés admirativement sur les masses » *(Sable et Limon).*

« Fuir, là-bas fuir »...

En réalité, l'acte d'écriture ne se conçoit — et ne se disculpe — chez Navel qu'à partir d'un désir effréné, « libertaire », de fuite, où d'aucuns verraient les limites de sa propre conscience politique : fuir le travail répétitif en jouissant de l'exercice de son corps, en y appliquant son « attention », en sachant, au milieu de la misère, retrouver la douceur des choses : « Je ne sentais plus assez le plaisir de dormir sous de la bonne tuile, de craquer une allumette... ». Mais aussi fuir l'usine en travaillant la terre, comme jardinier ou terrassier : « Le travail en usine ne justifie rien. Le travail justifie le charron dans un village [...], il ne justifie pas le travailleur de la grande industrie qui produit pour la guerre ou les besoins de luxe de la classe privilégiée. Mais aussi fuir la solitude en retrouvant les autres, fussent-ils à la chaîne; fuir à la fois l'usine et la solitude, dans l'écriture travaillée et publiée, nouvelle fuite qui se nie en dénonçant les précédentes, mais qui est dénoncée à son tour par l'ultime évasion du silence : depuis 1960, Navel n'a rien publié.

Ainsi, chaque moment de la vie, malgré l'oppression présente, renvoie à un « ailleurs » illusoire. Le narrateur retourne en Algérie, où, enfant, on l'avait « replié » en 1914 : « A dix ans, je n'avais vu que le pays, les eucalyptus, les lauriers-roses, le soleil. J'avais passé près de la misère arabe sans la soupçonner. Maintenant je voyais sur les quais les montagnards en guenilles... ». La « poésie » de Navel se donne alors comme le moment « bourgeois » de la fiction et de l'écriture littéraire, laissant à côté d'elle des maximes d'un tout autre style : « Il y a une tristesse ouvrière dont on ne se guérit que par la participation politique [...]. La prison de classe dont on ne s'évade pas en courant le monde » (*Travaux*).

BIBLIOGRAPHIE

L'œuvre de Navel est difficilement accessible, à l'exception de *Travaux* réédité en 1980 « Folio », Gallimard. Ses écrits ont déjà fait l'objet d'études : P. Aubéry, « Regards sur l'œuvre de Navel », *Publications of Modern Languages Association*, New York, 1963, et « Sensibilité et condition ouvrières dans l'œuvre de Georges Navel », *le Français dans le monde*, mars 1968; M. Nadeau, *Littérature présente*, Buchet-Chastel, 1952; M. Ragon, *Histoire de la littérature prolétarienne en France*, Albin Michel, 1974.

J.-P. DE BEAUMARCHAIS

NDAO Cheikh. V. NÉGRO-AFRICAINE (littérature d'expression française).

NÈGRE LITTÉRAIRE. Le terme de « nègre », appliqué à une personne qui rédige, partiellement ou entièrement, contre rétribution, des textes que signera un écrivain, apparaît, nous disent les dictionnaires, au milieu du XVIIIe siècle. Le « nègre », c'est alors l'« esclave »; sans doute cette fonction d'esclave n'est-elle pas à l'époque très répandue, pour la simple raison que la notion même d'auteur reste encore assez floue. Aujourd'hui, les connotations racistes du mot n'en ont pas supprimé l'emploi.

Avant la Révolution, de très nombreux ouvrages paraissent de manière anonyme ou sous des signatures apocryphes de sorte que l'on se soucie plus, alors, de ne pas reconnaître la paternité d'un ouvrage qui peut attirer divers ennuis que de tirer gloire du travail d'un autre. Bien loin de signer des œuvres écrites par d'autres, les meilleurs écrivains de l'époque servent de nègres occasionnels à des protecteurs ou à des personnages riches et influents pour qui ils composent sonnets et épîtres destinés à quelque bien-aimée.

Le nègre est indissociable de l'auteur, dont il est en quelque sorte le négatif. Son apparition dans l'histoire des institutions littéraires coïncide avec un enrichissement radical, sur le plan idéologique et sur le plan matériel, de la notion d'auteur.

Avec le triomphe de l'idée d'individu à la fin du XVIIIe siècle, un lien d'appartenance indissoluble lie l'écrivain et son œuvre. Le livre lui appartient et il appartient au livre. L'auteur peut revendiquer des droits sur ce qu'il écrit parce que ces pages, manuscrites ou imprimées, l'expriment en tant qu'individu unique. L'œuvre est une propriété.

Mais en même temps qu'il se voit reconnaître existence spirituelle et existence professionnelle, l'auteur rencontre aussi, avec les développements de l'imprimerie, des communications et de l'instruction, un public à la fois considérablement élargi et avide de savoir. A peine est-il reconnu comme entrepreneur que l'écrivain doit faire face à une demande considérable. D'où la tentation de sous-traiter, d'où l'attrait du nègre.

Lorsqu'il fait appel à un auxiliaire, l'écrivain n'ignore pas qu'il rompt le contrat spirituel et matériel qui le lie à ses lecteurs; et ce n'est certes pas un hasard si la tromperie affecte essentiellement, au XIXe siècle et au début du XXe, la littérature populaire. Si le père Dumas emploie, pour préparer et pour écrire ses récits historiques, des équipes de nègres chargés de dénicher des anecdotes, de résumer les chroniques et de donner de la couleur locale, c'est qu'il n'attache pas une grande valeur spirituelle aux romans qu'il publie à la chaîne. Il s'agit seulement pour lui d'amuser le bon public; ces livres lui appartiennent à peine; il ne les considère pas comme des œuvres d'art, mais comme le produit d'un artisanat à usage vulgaire. Les fabriques actuelles de romans à l'eau de rose ou de littérature pornographique publiés sous des noms d'auteurs fictifs procèdent exactement de la même façon et en partant d'une même conception du public.

Le nègre du XIXe siècle a donc à peine besoin d'être clandestin : son maître n'éprouve qu'une honte légère à avouer son existence; et le public pour lequel il écrit ne demande guère qu'une signature pour repérer son plaisir.

Mais par la suite les choses se compliquent. Le développement des moyens de communication de masse a entraîné une « vedettisation » des écrivains et, avec elle, une exigence du public qui n'accepte plus que la personne qu'on lui présente comme l'auteur d'un livre n'en soit que la signature. La matérialisation sociale de l'auteur voue le nègre à la clandestinité.

Dès lors, il devient aussi difficile de savoir qui est ou qui a été nègre, qui en utilise réellement ou qui en est seulement accusé par des rumeurs malveillantes, que de démêler dans certaines œuvres la part qui revient à son auteur signalé et celle qui est due à d'obscurs tâcherons.

On sait que Colette écrivit des livres que signa son mari, Willy, qu'André Maurois se fit aider pour établir certaines de ses grandes biographies historiques ou que le célèbre best-seller de Maurice Thorez, *Fils du peuple* fut en fait rédigé par un universitaire communiste, Jean Fréville. Mais le reste, tout le reste, est d'une matière si délicate qu'une simple allusion dans le présent article risquerait de conduire l'éditeur devant un tribunal.

Car, faute de preuves matérielles — et les machines à écrire suppriment le témoignage de la graphie —, faute de nègres disposés à avouer leur commerce (et du même coup à se condamner au chômage), il n'est pas recommandé de nommer tel signataire qui, après un voyage de deux semaines, publie un ouvrage digne d'un érudit, ou tel autre qui serait bien incapable de citer la moindre source à l'origine des romans historiques parus sous son nom.

L'exercice est moins périlleux lorsque l'auteur déclaré n'est pas un écrivain. Depuis une quinzaine d'années, il semble que les personnages publics — hommes politiques, chanteurs, champions sportifs ou médecins — ne puissent pas résister à l'impérieux appel de l'autobiographie. Et comme ces célébrités ne sont pas écrivains, elles recourent à la plume de quelques amis mieux doués, qui leur fabriquent un ouvrage à partir de quelques heures de conversation recueillies au magnétophone. « Avec la collaboration de » sera, dans la plupart des cas (parfois, on l'oublie), la seule marque de reconnaissance, en lettres très minuscules, de leur travail d'auteur-nègre.

Faut-il tellement s'en scandaliser? Dans l'énorme production éditoriale que nous connaissons aujourd'hui, il existe évidemment une petite part de livres d'auteur — au sens classique ou, plutôt, romantique du terme. Mais les autres — la grande masse — sont plutôt le rassemblement, sous la direction d'un maître d'œuvre, de travaux d'équipes nombreuses et souvent anonymes. Tel historien vedette ne doit la matière de ses principaux livres qu'au labeur de fourmis d'une génération d'étudiants-nègres que, dans le meilleur des cas, il remerciera collectivement au début de son ouvrage. C'est la loi admise de la production universitaire, qu'elle soit littéraire, scientifique ou juridique; c'est celle des ouvrages de référence (encyclopédies, dictionnaires) pour lesquels le nom du signataire n'est pas toujours le plus pertinent, mais cela pourrait redevenir aussi un jour prochain une loi admise de la production artistique.

Déjà, la plupart des éditeurs emploient de façon très officielle des nègres — on peut les appeler « conseillers littéraires » —, dont la tâche est de récrire, de polir, de façonner tout ou partie des manuscrits qui leur sont confiés. Hier la peinture, aujourd'hui le cinéma : la notion d'auteur n'exclut pas l'élaboration collective; et le nègre n'est peut-être qu'une ombre passagère — cent cinquante ans — dans le paysage de l'histoire littéraire.

P. LEPAPE

NÉGRITUDE. Le mot fut lancé par Aimé Césaire. C'est le titre d'un des poèmes du *Cahier d'un retour au pays natal* (1939). L'écrivain reprenait, par manière de provocation, le mot-injure « nègre », jusqu'alors fui et redouté de ceux qu'il désignait, et le brandissait fièrement : démarche de poète surréaliste peut-être, plus simplement de la dignité humaine bafouée. Le terme servit alors de mot de ralliement au groupe des Afro-Antillais dont les principaux représentants étaient, avec Césaire, Léon Damas et Léopold Sedar Senghor. La revendication nègre provocatrice avait déjà éclaté avec âpreté dans *Pigments* de Damas, en 1937. Cette protestation venait après quatre siècles de déportation d'esclaves africains par les marchands européens et arabes, après un siècle de conquête de territoires de colonisation en Afrique par les mêmes Européens et, en conséquence, la constitution par ces derniers d'une solide idéologie raciste pénétrant toutes les fibres du psychisme européen. Les quelques rares, timides et parfois suspectes réactions intellectuelles ne doivent pas, en effet, faire illusion; l'essai de Gobineau *Sur l'inégalité des races humaines* n'est que la partie émergée d'un vaste iceberg culturel.

Réaction de fierté, la négritude de Césaire et Senghor est en même temps acceptation et intériorisation des théories exprimées aussi bien par Gobineau, qui méprisait les Noirs, que par Frobenius, qui les admirait. « Ceux qui n'ont jamais rien inventé », ainsi les définit Césaire; tandis que Senghor développera, à partir de *Ce que l'homme noir apporte* (1939), une théorie de la répartition des aptitudes psychiques, tout entière ramassée dans la célèbre déclaration « L'émotion est nègre et la raison hellène », qui a obtenu un prodigieux succès en Europe — et, l'on s'en doute, un succès très mitigé chez les intellectuels africains. Le problème est de taille. Y a-t-il, oui ou non, une « âme noire »? La présence de certains pigments dans les cellules superficielles de l'épiderme produit-elle un fonctionnement particulier des cellules cérébrales? Il ne faudrait pas, en effet, regrouper inconsidérément sous le terme d'« âme noire » certaines valeurs culturelles « terriennes », « affectives », « communautaires », « religieuses » propres aux sociétés agricoles antérieures à l'écriture. « L'âme noire est paysanne », dit, en effet, Senghor. De ce point de vue, les Gaulois décrits par César ressemblent beaucoup au nègre senghorien. Ces Gaulois n'avaient, eux non plus, rien inventé, étaient impulsifs, sensibles, irrationnels, en communion avec le ciel et la terre..., mais probablement pas d'une essence psychique différente de celle d'Archimède.

Dans ses discours *De la négritude* et *La négritude est un humanisme,* Senghor développe une négritude métaphysique qui correspond à une très défendable philosophie de l'irrationnel. Les exemples qu'il en donne englobent, certes, l'art nègre mais également les philosophes présocratiques, Bergson, Heidegger, Teilhard de Chardin, Matisse, la poésie surréaliste, qui sort du fameux « Je suis nègre » de Rimbaud. Mais comment cette négritude pourrait-elle être à la fois innée et communicable? La signification du mot tend alors à se dissoudre dans l'indéfinissable : « un certain état d'âme », « une certaine sensibilité » (Senghor), « une certaine qualité commune aux pensées et aux conduites des nègres » (Sartre..., qu'on aurait cru plus méfiant devant la trop fameuse « qualité » des scolastiques), ou dans un pur verbalisme : « Le nègre, de par sa conception philosophique et sa vision du monde, aime l'unité dans la diversité »; « La négritude, un mot à double sens : subjectif et objectif, particulier et universel, actuel et éternel » (Senghor).

En fait, il n'y a pas de négritude subjective, ou bien il faut admettre que nous sommes tous des nègres, ce qui revient au même, mais il y a bien une négritude physique, objective, concrète, *« our individual dark-skinned selves »,* dit Langston Hughes, « notre moi à peau noire », cette négritude-là, il faut bien le dire, est le support d'une névrose sociale imposée par la société « européenne », et a engendré, avec toutes les formes d'« apartheid » — légales ou hypocrites, mais toujours à fondement métaphysique, justement, pour en justifier l'absurdité physique —, la plus terrible lèpre morale sécrétée par une civilisation dite de la « rationalité ». « C'est le Blanc qui crée le nègre », dit Fanon. La négritude ne serait-elle que la projection du fantasme de la peur et de la haine de soi?

BIBLIOGRAPHIE

A. Césaire, *Cahier d'un retour au pays natal,* Paris, Présence africaine, 1956; R. Depestre, *Bonjour et Adieu à la négritude,* Paris, Laffont, 1980; F. Fanon, *Peau noire et Masques blancs,* Paris, Le Seuil, 1954; L. Frobenius, *Histoire de la civilisation africaine,* trad. Back et Ermont, Paris, Gallimard, 1952; Gobineau, *Essai sur l'inégalité des races humaines,* Paris, 1853-1855; L.S. Senghor, *Anthologie de la nouvelle poésie nègre et malgache de langue française,* précédée de *Orphée noir,* par J.-P. Sartre, Paris, P.U.F., 1969, et *Liberté I : négritude et humanisme; Liberté III, négritude et civilisation de l'universel,* Paris, Le Seuil, 1954.

O. BIYIDI

NÉGRO-AFRICAINE (littérature d'expression française). Littérature négro-africaine, littérature noire, littérature nègre d'expression française : cette diversité de termes s'appliquant à l'écriture d'écrivains de race noire qui s'expriment dans une langue autre que leur langue maternelle indique déjà qu'une telle littérature est née dans une situation ambiguë. A une langue donnée correspond une culture spécifique : si l'on s'en tenait à cet axiome, il serait vain de parler de littérature africaine d'expression française. Mais ce serait ne pas compter avec le désir des Africains de maîtriser la langue du colonisateur, et avec la politique d'assimilation pratiquée par la colonisation française; politique, à dire vrai, qui n'a été menée qu'à une certaine époque et dans un nombre limité de pays (au Sénégal en particulier) : à partir de 1920 les autorités coloniales se montrèrent plus soucieuses d'enraciner les Africains dans leur propre culture.

Premières prises de conscience

Bien avant la conquête européenne, l'Afrique subsaharienne s'était déjà trouvée en contact avec une culture venue d'ailleurs. Depuis longtemps l'Islam avait favorisé l'éclosion de centres d'enseignements de langue arabe, de jurisprudence et de théologie, dont les plus célèbres furent Tombouctou et Djenné, au Mali, plus tard le Fouta Djalon, en Guinée (cf. Alfiâ I. Sow, *la Femme, la vache, la foi,* 1966), et le Fouta Toro, au Sénégal. Il est intéressant de signaler que, jusqu'à présent, les langues africaines de ces régions s'écrivent encore, dans les milieux islamisés, avec les caractères arabes. La diffusion de ce savoir écrit semble avoir été freinée par son caractère élitiste, les familles de marabouts en étant les dépositaires presque exclusifs. Quant à la rencontre linguistique franco-africaine, elle devait, au départ, servir à asseoir l'autorité coloniale en formant des exécutants capables de comprendre la langue des nouveaux détenteurs du pouvoir. Les écoles fondées à cette fin furent d'abord peu courues : l'une des premières ne s'appelait-elle pas « École des Otages » (créée en 1861, au Sénégal, par Faidherbe)? Mais la rencontre des deux mondes étant irréversible, l'Européen et l'Africain étaient condamnés à se connaître, L.S. Senghor (né en 1906) parlera plus tard de métissage culturel, et le chevalier, personnage de *l'Aventure ambiguë* (1960) de Cheikh Hamidou Kane (né en 1928), dira à son ami Lacroix : « ... nous n'avons pas eu le même passé, vous et nous, mais nous aurons le même avenir rigoureusement [...] car nul ne peut plus vivre de la seule préservation de soi ». Cette rencontre, cette quête du nouveau savoir marquera profondément l'aventure ambiguë de tous les jeunes intellectuels africains transplantés en Europe; elle fournira à plus d'un futur écrivain les thèmes de l'exil, et du déracinement qui eux-mêmes conduiront à l'affirmation d'une identité culturelle africaine et au procès du colonialisme.

La langue française, de ce fait, devient une « parole claire », une « arme miraculeuse » permettant à ses utilisateurs de faire entendre leur voix, d'exposer leurs préoccupations, de dire haut et clair leurs revendications. La communication entre les deux mondes peut alors s'établir. Quelle responsabilité pour les premiers utilisateurs africains de la langue du pouvoir! Quand, à l'heure des indépendances, le français sera déclaré langue officielle, il remplira un rôle non négligeable de communication nationale et internationale qui favorisera l'émergence d'une classe de fonctionnaires, noyau d'une bourgeoisie nouvelle et citadine.

L'emploi exclusif du français sera alors rapidement perçu comme une forme de néocolonialisme, d'aliénation culturelle, et l'idée d'un recours aux langues nationales s'imposera naturellement. Tant il est vrai que tout écrivain nègre a dû, au moins une fois, ressentir un désarroi comparable à celui qu'exprime le poète haïtien Léon Laleau :

> ... ce désespoir à nul autre égal
> d'apprivoiser avec des mots de France
> le cœur qui m'est venu du Sénégal.
> («Trahison», *Musique nègre,* 1931)

Le choix d'enseigner et d'alphabétiser dans les langues nationales aura un caractère nécessairement politique, et dans tous les pays africains francophones, il sera une source de conflit entre écrivains de générations différentes mais de formation somme toute semblable. Pourtant la bibliographie des œuvres en langues nationales se réduit, à ce jour, à quelques dizaines d'ouvrages, d'un intérêt au demeurant parfois discutable. Par contre, de nombreux écrivains utilisent aujourd'hui un français décolonisé et « tropicalisé » (cf. les romans de Kourouma, Sony Lab'ou Tansi...) et, de leur propre aveu, estiment avoir dépassé le stade d'une prétendue « aliénation ».

Si l'on remonte aux premières publications objectives sur l'Afrique, loin d'un courant exotique au goût souvent douteux, on constate assez vite le souci d'introduire l'autre à l'essence de l'africanité par des écrits que l'on peut qualifier d'ethnologiques ou encore par des traités grammaticaux et philologiques.

Déjà, au XIXe siècle, le métis sénégalais David Boilat ou l'« abbé Boilat » (1814-1901) donne d'attachantes *Esquisses sénégalaises* (1853), suivies d'une *Grammaire de la langue ouolof* (1858), pour laquelle il reçut, parrainé par Prosper Mérimée, le 2e prix Volney, alors que le gouverneur Faidherbe n'obtenait que le 1er accessit. En 1843, il avait achevé une présentation des *Moeurs et coutumes des Maures du Sénégal : prières publiques des mahométans de Sénégambie.* Cet ouvrage semble avoit été parrainé par le baron Roger, un Français, qui, lui-même, avait déjà publié en 1828 des *Fables sénégalaises recueillies dans l'Ouolof.* Toujours au XIXe siècle, un métis, Paul Holle, en collaboration avec Carrère, publiera une monographie sur *la Sénégambie française en 1855.*

Au début de ce siècle, l'interprète malien Moussa Travelé continuera cette introduction à l'univers africain en publiant, entre 1913 et 1929, un *Petit Dictionnaire bambara-français et français-bambara,* un recueil de *Proverbes et contes bambara* (1923, précédé d'un abrégé de droit coutumier) et un *Manuel français-bambara.* Évidemment, ses fonctions d'interprète le prédisposaient à de telles publications. La période d'avant la Première Guerre mondiale et la période de l'entre-deux-guerres furent, à cet égard, prodigues en publications ethnologiques dues à des Européens, surtout des administrateurs, mais également aux nouveaux métis culturels qu'étaient les instituteurs et les interprètes africains.

C'est à cette époque que se firent connaître les grands africanistes européens, l'un des plus marquants étant l'Allemand Léo Frobenius dont l'*Histoire de la civilisation africaine* (1898) fut publiée dans sa traduction française en 1936 (Gallimard). Ses travaux eurent la faveur des Africains et L.S. Senghor allait jusqu'à affirmer que Frobenius restituait aux étudiants africains de sa génération leur authenticité et leur « dignité ». Du côté français, il faut signaler Jean Paulhan, traducteur en 1913 des *Hain-tenys mérinas,* ballades populaires malgaches, et Maurice Delafosse, qui, pour avoir bien approché les Nègres, parlera avec sympathie de *l'Âme nègre* (1922); plus tard, Marcel Griaule et son école d'ethnologie, dans les années qui suivent la Seconde Guerre mondiale, contribueront à faire connaître une civilisation africaine particulièrement bien préservée, celle des Dogons.

L'écriture toute neuve que représente cette littérature profitera d'ailleurs du support de diverses revues de l'ancienne A.-O.F. : le *Bulletin de l'enseignement de l'A.-O.F., l'Éducation africaine* (créés en 1934), le *Bulletin du Comité d'études historiques et scientifiques de l'A.-O.F.* (de 1916 à 1958), *les Notes africaines* et le *Bulletin de l'I.F.A.N.* (Institut français d'Afrique noire) à partir de 1939.

Ce premier élan de l'expression écrite en Afrique sera salué par Senghor, qui publiera lui-même quelques articles dans le *Journal de la Société des africanistes* entre 1944 et 1947.

Cette néo-littérature des Africains interprètes et instituteurs n'avait rien d'inquiétant pour les Européens, car elle ne contrariait nullement la préoccupation du pouvoir colonial — connaître les us et coutumes de leurs nouveaux administrés. C'est ainsi que Mamby Sidibé, de 1918 à 1932, publiera d'intéressantes monographies du Fada Ngourma, de la région de Boufira, de Bobo Dioulasso et sur l'actuel Mali. Le Voltaïque Dim Delobsom contribuera à la connaissance de la société mossi en publiant *l'Empire du Mogho Naba* (1932) et *les Secrets des sorciers noirs* (1936).

Le même esprit de collaboration et d'apaisement marque le roman de Bakari Diallo (1892-1979) : *Force-Bonté* (1926). Une critique pseudo-progressiste se plaît encore à reléguer dans les productions de peu d'intérêt — parce que trop flatteuse pour la France — ce récit qui retrace l'itinéraire d'un jeune berger peul devenu tirailleur sénégalais.

D'après R. Cornevin (*Littératures d'Afrique noire de langue française,* 1976), ces publications d'instituteurs et d'interprètes, au début du siècle, n'ont pu voir le jour que grâce au patronage des administrateurs, missionnaires ou journalistes coloniaux. Sans le démentir, il faudrait préciser que ce soutien intellectuel trouvait sa récompense dans les informations non encore « manipulées » que fournissaient ainsi des Africains sur leurs peuples, dont le destin avait changé et allait continuer à évoluer.

D'abord totalement ignorée, niée, la personnalité africaine, malgré de solides préjugés raciaux, devient mieux connue, et l'engouement dans les cercles culturels de la métropole pour la question nègre ne sera pas sans incidence sur la politique d'assimilation. C'est l'époque des reportages de Lucie Cousturier; Delafosse établit que « Les nègres avaient su parvenir à un degré de culture suffisant pour constituer des États stables, parfaitement comparables, à bien des points de vue, aux États orientaux et européens de la même époque » (*les Nègres,* 1927). Il convient également de rappeler qu'André Gide éveille alors la mauvaise conscience du colonisateur en publiant l'un après l'autre *Voyage au Congo* (1927) et *Retour du Tchad* (1928), que Paul Morand publie *Magie noire* (1928). Mais qu'un Nègre dénonce le système colonial, cela est moins bien accepté. Et c'est ce qui arrive quand l'Antillais René Maran (1887-1960), alors administrateur, publie *Batouala, véritable roman nègre* (1921). L'ouvrage obtint bien le prix Goncourt, mais l'auteur fut contraint de renoncer à ses fonctions administratives : l'administration coloniale ne plaisantait pas avec ce genre d'inconvenance, surtout de la part de Nègres; entre la négritude et l'exercice du commandement, il y avait des choix à faire, et certaines confusions ne pouvaient être tolérées. Les autres ressortissants des colonies ne s'y trompaient pas, et les Mandingues appelaient ces Nègres impliqués dans l'exercice du pouvoir blanc les « Blancs-Noirs » (*Tubabu-Fin*). Évidemment, ce sobriquet n'était pas inoffensif, il portait une certaine charge de mépris, de haine, d'incompréhension vis-à-vis d'un Nègre qui, par ses fonctions, était une sorte d'exécuteur des basses œuvres : prélèvement d'impôts, travail forcé, etc. Son image a longtemps hanté les romanciers noirs contemporains, ardents à dénoncer le rôle infamant de ces séides et de leurs maîtres blancs : les fameux « commandants de cercle ».

Le roman de René Maran avait l'imprudence de faire tenir au Noir des propos lucides. Et, comme l'a affirmé Aimé Césaire (né en 1913) dans son *Discours sur le colonialisme* (1951), « colonialisme = chosification ». En tout cas, le Nègre pris en flagrant délit de lucidité n'était plus conforme à la norme, et il devenait urgent de le « casser ». L'histoire de l'époque coloniale abonde, hélas! en exemples de cette sorte. Il est donc compréhensible que les écrits poétiques d'une certaine époque soient si remplis de violence.

Pendant les débuts de l'écriture en Afrique, que se passait-il dans la diaspora nègre des Antilles et des Amériques? Malgré les différences de politique et d'histoire, les Nègres avaient au moins en commun l'appartenance à une race opprimée, à laquelle était déniée toute histoire originale, et dont les prestations artistiques semblaient être les seuls repères positifs. Ce qui arrive ailleurs chez leurs frères de race va donc concerner fortement les jeunes générations des années 30, les jeunes étudiants antillais et africains « exilés » en France. L'arrachement formidable à soi que fut l'esclavage, la transplantation dans les Amériques, n'ont pas réussi à faire taire la mémoire des Noirs; et cette longue mémoire d'un continent à l'autre, ils ne vont plus se contenter de la faire revivre dans les *gospels, spirituals, blues, rumba* ou *candomble* vaudou.

L'Afrique existe, elle est en eux, ferrée au cœur! Il suffit de redescendre profond, de revenir vers soi, et ce, malgré les soumis, les *uncle Tom.* W.E.B. Dubois (1868-1945) écrivait aux États-Unis en 1903, avec des accents de prédicateur auxquels les Noirs étaient sensibles : « La pierre de touche des principes profonds de la grande république est tout bonnement le problème noir. Le combat spirituel des fils d'affranchis est ce travail des âmes dont le fardeau dépassa presque la mesure de leurs forces, mais ils le portent au nom de notre race, au nom de la foi humaine » (*Âmes noires*). Son ouvrage connut une grande faveur et, dix ans plus tard, fut la base du mouvement connu sous le nom de « Renaissance nègre », dont les animateurs déclaraient dans leur manifeste : « Noirs, créateurs de la nouvelle génération nègre, nous voulons exprimer notre personnalité noire sans honte ni crainte. Si cela plaît aux Blancs, nous en sommes très heureux. Si cela ne leur plaît pas, peu importe ». Ce mouvement, dit aussi « *New-Negro* », connut quelques difficultés, et les poètes Claude Mac-Kay (1860-1947), Langston Hughes (1902-1967), Countee Cullen (né en 1903) durent se disperser. Quelques-uns choisirent comme terre d'exil la France, où Claude Mac-Kay publia, en 1929, son roman *Banjo,* qui posait le problème de l'assimilation et eut un grand succès auprès de jeunes intellectuels noirs en France.

D'Haïti cependant parvenaient des nouvelles de la prise de conscience nègre, et le souvenir du pays de « Guinée » s'y était fait assez prégnant pour donner le départ au mouvement indigéniste. Carl Brouard fonda en 1928 la revue *les Griots,* le docteur J. Price Mars publia *Ainsi parla l'oncle* (1928), incitant les Haïtiens à maintenir vivaces leurs valeurs culturelles proprement haïtiennes. A Cuba, Nicolás Guillén (né en 1902) connut lui aussi le sort des poètes contraints à l'exil : c'est l'Espagne qui le recueillit. Le noyau futur du mouvement de la négritude ne pouvait rester insensible à cette similitude de situation des Noirs par le vaste monde; le temps était venu pour eux de crier leur révolte.

La négritude [voir NÉGRITUDE]

A Paris, dans les années 30, se créèrent des revues destinées à promouvoir les valeurs nègres; elles connurent des fortunes diverses. En 1932, de jeunes Antillais, dont le chef de file était Étienne Léro, publièrent la revue *Légitime Défense,* dont le titre dit assez ce que sera le but visé : donner aux Antillais de quoi se préserver contre la tentation d'imiter le monde blanc, surtout en littérature, et inciter les « bardes » antillais à libérer leur imagination poétique plutôt que de s'enfermer dans un conformisme « vieille France ». Mais courte fut la carrière de cette revue : un seul numéro fut publié. Deux années plus tard, une autre publication vit le jour, qui allait plus loin dans la prise de conscience et incitait cette fois à retourner aux sources africaines : *l'Étudiant noir.* Le groupe qui gravitait autour de cette revue avait comme figures de proue un Martiniquais, Aimé Césaire, un Guyanais, Léon Gontran Damas (1912-1978), et un Sénégalais, Léopold Sedar Senghor. De ce compagnonnage estudiantin naquit la « Négritude »; le mot, Senghor l'a dit, fut créé par Césaire. *Le Cahier d'un retour au pays natal* (1939) en témoigne, et, le livre refermé, il résonnera longtemps dans la tête, au cœur et dans la chair :

Ma négritude n'est pas une pierre, sa surdité ruée contre
la clameur du jour
Ma négritude n'est pas une taie d'eau morte sur l'œil
mort de la terre
Ma négritude n'est ni une tour ni une cathédrale
Elle plonge dans la chair rouge du sol
Elle plonge dans la chair ardente du ciel
Elle troue l'accablement opaque de sa droite patience...

Sur le plan théorique, Césaire définira la notion de négritude comme « la conscience d'être noir, simple reconnaissance d'un fait, qui implique acceptation, prise en charge de son destin de Noir, de son destin, de sa culture » (cité par Lilyan Kesteloot, dans son *Anthologie négro-africaine*). Rattachant la négritude essentiellement aux valeurs culturelles, Senghor dira qu'elle est « l'ensemble des valeurs culturelles du monde noir ». Senghor, devenu, au moment des indépendances, président de la République du Sénégal, orientera la politique culturelle de son pays vers une « défense et illustration » de la négritude. Auparavant, il s'était fait, dans diverses conférences, le spécialiste de l'« âme nègre »; déjà en 1939, il publiait *Ce que l'homme noir apporte*, texte inclus aujourd'hui dans *Liberté I*. Il semble que, dans le groupe de *l'Étudiant noir*, il ait été l'introducteur aux valeurs africaines.

Quant à Léon Gontran Damas, en métis douloureux, il revendiquera la négritude du plus profond de son être :

Mes aujourd'hui ont chacun sur mon jadis
de gros yeux qui roulent de rancœur de honte
Les jours inexorablement tristes
jamais n'ont cessé d'être
à la mémoire
de ce que fut
ma vie tronquée...

(*Pigments*, 1937)

Le Sénégalais Birago Diop (né en 1906) fera retrouver à Sarzan, un ancien militaire traumatisé par le choc des civilisations, le ton juste pour chanter les croyances primordiales de la négritude :

Écoute plus souvent
Les choses que les Êtres.
La voix du Feu s'entend,
Entends la voix de l'Eau.
Écoute dans le Vent
Le buisson en sanglots.
C'est le souffle des Ancêtres.
Ceux qui sont morts ne sont jamais partis...

La négritude, à ses débuts, est portée beaucoup plus par la poésie que par des écrits théoriques. La leçon de prise de conscience nègre va être comprise par tous les futurs écrivains. Mais selon Sartre (*Orphée noir*, 1948), « quand le nègre déclare en français qu'il rejette la culture française, il prend d'une main ce qu'il repousse de l'autre, il installe en lui, comme une broyeuse, l'appareil à penser de l'ennemi ». Pour excessive qu'elle puisse apparaître, cette réflexion de Sartre rejoint le genre de constatations qui viennent à l'esprit à propos de la littérature africaine, et cela en dépit du retour aux sources. En effet, non seulement c'est une littérature de langue non africaine, mais les genres illustrés vont y être également ceux de la production littéraire occidentale. C'est ainsi que, dans les années 50, on assiste à l'éclosion du genre romanesque, genre inconnu dans l'univers noir traditionnel. On aurait pu s'attendre à une introduction magistrale de la littérature orale, valeur culturelle propre au monde noir, mais l'esprit veut alors mener un combat plus urgent et dénoncer les sentiments de frustration résultant de la négation de la race noire, valoriser la race pour éloigner les tentations de l'assimilation culturelle. Les thèmes de la littérature orale auraient impliqué une relation plus harmonieuse à l'environnement et une autre approche psychologique de l'auditoire.

La poésie

Au groupe initial fondateur de la négritude, dont faisaient partie les deux Sénégalais Ousmane Socé Diop et Birago Diop, vinrent se joindre des poètes, et non des moindres : les Antillais Guy Tirolien (né en 1917) et Paul Niger (1917-1962), le Malgache Jacques Rabemananjara (né en 1913), le Sénégalais Alioune Diop (disparu en 1980). Ce dernier fut le fondateur, en 1947, de la revue *Présence africaine*, qui sera complétée par une maison d'édition du même nom où les jeunes talents vont pouvoir s'exprimer. La poésie de la génération des Senghor, Césaire, Damas, Diop, Rabemananjara, sera l'année suivante rassemblée dans l'*Anthologie de la nouvelle poésie nègre et malgache de langue française* de L.S. Senghor, qui paraissait un an après l'*Anthologie* publiée par L.G. Damas. Les textes rassemblés par Senghor se veulent témoins de la production poétique de Nègres conscients de leurs valeurs culturelles. A côté des poètes antillais Damas, Césaire, Gratiant, Tirolien et Niger figurent les Malgaches J.J. Rabearivelo (1903-1937), poète presque autodidacte, qui, porté par une extrême sensibilité, mit fin à ses jours, et Flavien Ranaivo (né en 1913). Tous deux puisent leur inspiration dans l'âme malgache, en respectant également le style des poèmes *Hain-tenys* de leur tradition populaire, nous dit Senghor.

Chuchotement de trois valiha,
son lointain d'un tambour en bois,
cinq violons pincés ensemble
et des flûtes bien perforées :

la femme-enfant avance avec cadence,
vêtue de bleu-double matin
Elle a une lambe rose qui traîne
et une rose sauvage dans les cheveux.

(J.J. Rabearivelo, *Presque-songes*, 1934)

Que celui qui soupire après moi
pense comme le plant de riz :
ni trop long pour s'embrouiller
ni trop court pour étouffer.

(F. Ranaivo, *le Retour au bercail*)

Jacques Rabemananjara, qui assumera de hautes fonctions politiques dans son pays, apparaît comme le plus puissant des trois poètes malgaches de la première génération. Son lyrisme éclate dans *Antsa* :

La tête tournée à l'aube levante,
un pied sur le nombril du ponant et le thyrse
planté dans le cœur nu du Sud.

Quant à Senghor, son engagement sur la scène politique n'empêchera jamais ses préoccupations poétiques de s'exprimer. Ne dit-il pas, du reste, que « ... la poésie est l'art majeur plus que tout autre art, elle est poésie : acte de faire, c'est-à-dire création à l'exemple de Dieu » (« Poésie française et poésie négro-africaine », dans *Liberté III*, 1977).

Pour avoir été enté dans son terroir par la branche maternelle, garante de tout développement harmonieux de l'enfant en milieu d'origine matriarcale, pour avoir très tôt goûté avec délectation le miel de la langue française — lui-même parle de goût de confiture —, Senghor s'est forgé en poésie une langue originale sans maniérisme ni violence verbale, pareille à un grand fleuve profond, paisible, drainant comme limon sa mémoire d'enfant; une langue qui prophétise, mais en prise sur le réel. C'est aussi bien à Senghor qu'à Césaire ou à lui-même que pense Rabemananjara lorsqu'il définit en ces termes le rôle du poète pour la cité : « Inspiré, il a à se faire ou tout au moins à nourrir l'ambition d'être le fidèle interprète de ce dernier [le peuple]. Il en est plus que le porte-parole : il en est la voix. Quelle plus noble mission que celle-là : se savoir non seulement le messager, mais le message même de son peuple, son verbe vivant! » (*Présence africaine*, n° XVI, oct. 1957).

C'est le *Cahier d'un retour au pays natal* (1939) de Césaire qui témoignera le plus magnifiquement de cette mission :

Et voici au bout de ce petit matin ma prière virile :
faites de ma tête une tête de proue
faites-moi rebelle à toute vanité, mais docile à son génie
comme le poing à l'allongée du bras
faites-moi commissaire de son sang
faites-moi dépositaire de son ressentiment
faites de moi un homme de terminaison
faites de moi un homme d'initiation
faites de moi un homme de recueillement
mais faites aussi de moi un homme d'ensemencement
faites de moi l'exécuteur de ses œuvres hautes...

à quoi répond *Chants d'ombre* :

Eléphant de Mbissel, entends ma prière pieuse,
Donne-moi la science fervente des grands docteurs de Tombouctou
Donne-moi la volonté de Soni Ali, le fils de la bave du Lion — c'est un raz de marée à la conquête d'un continent.
Souffle sur moi la sagesse des Keïta.
Donne-moi le courage du Guelwâr, et ceins mes reins de force comme d'un tyédo.
Donne-moi de mourir pour la querelle de mon peuple, et s'il le faut dans l'odeur de la poudre et du canon.
Conserve et enracine dans mon cœur libéré l'amour premier de ce même peuple.
Fais de moi ton Maître de Langue; mais non, nomme-moi son ambassadeur.
(L.S. Senghor, *Chants d'ombre*, 1945).

Sa haute mission ainsi chantée ne fait pourtant jamais oublier à Senghor qu'il est surtout un poète de l'amour comme en témoignent, outre *Chants d'ombre*, *Éthiopiques* (1956) et surtout les surprenantes *Lettres d'hivernage* (1973).

Les grandes orgues de la révolte nègre, c'est un jeune poète sénégalais, proche d'Alioune Diop, qui va en rejouer. David Diop (1927-1961), né en France, n'oubliera pas les leçons des aînés prestigieux, et ses poèmes figurent parmi les plus déclamés dans les écoles africaines :

Afrique mon Afrique
Afrique des fiers guerriers dans les savanes ancestrales
Afrique que chante ma grand-mère
Au bord de son fleuve lointain
Je ne t'ai jamais connue
Mais mon regard est plein de ton sang
Ton beau sang noir à travers les champs répandu...
(*Coup de pilon*, 1961)

Si le Congolais Tchikaya U'Tamsi (né en 1931) n'a que sarcasmes pour un mouvement qu'il considère comme une imposture, la fidélité à la négritude et le refus de toute complaisance « folklorique » restent la démarche des cadets de la grande poésie nègre que sont Edouard Maunick (né en 1931), de l'Île Maurice (voir MAUNICK); Lamine Diakhaté (né en 1927), du Sénégal; Elolongué Epanya Yondo (né en 1930), du Cameroun, pour ne citer que les plus connus. Et depuis l'installation de maisons d'édition en Afrique : C.L.É., à Yaoundé en 1964, et les Nouvelles Éditions africaines (N.E.A.), à Abidjan et Dakar, en 1971, la poésie négro-africaine s'enrichit de nouvelles voix qui élargissent le débat poétique. Le poète se reconnaît le droit de dire aussi son *ego*, mais, pour éviter toute confusion, ce n'est que lié à une partie de l'Afrique, sa terre, qu'il peut libérer sa sensibilité.

Les critiques qui tiennent à ce que les écrivains nègres entrent parfaitement dans les « créneaux » qui leur sont réservés reprochent à certains d'entre eux de n'être pas suffisamment nègres; mais quand ils disent trop souvent « Afrique, Afrique », on leur intime l'ordre de revenir à plus de modestie. Il n'est pas simple d'être nègre et d'exprimer son authenticité en une langue étrangère. Les critiques ne devraient-ils pas considérer l'effort de création, l'harmonie de la création, la sincérité de l'expression et faire abstraction de l'origine raciale du producteur littéraire? En effet, trop de sollicitude ou trop de sévérité à l'endroit des écrivains nègres ne font que les marginaliser davantage, les plaçant dans une catégorie bâtarde, contre nature. Les faits sont là, il y a des écrivains nègres qui s'expriment encore dans des langues européennes. Que les critères d'appréciation soient donc les mêmes pour eux que pour les autres. Si de jeunes poètes nègres, comme le malien Massa M. Diabaté (né en 1938), transcrivent des poèmes-chants oraux, cela prouve qu'ils se souviennent de la démarche originale de leurs aînés — de Fily Dabo Sissoko (1900-1964), par exemple, dont les écrits poétiques semblent directement transcrits des apologues de la sagesse africaine. De tels écrits ont l'avantage de ne pas faire un détour par l'expression douloureuse de la désaliénation. Sur un autre plan, il serait bon que les critiques puissent juger un poème nègre autrement que par rapport à sa négritude, en tenant compte de ses tendances élégiaques, mystiques, fantastiques ou idéologiques.

Présence africaine et la pensée sur l'Afrique

Comme on l'a vu, à l'origine du rassemblement des jeunes Africains étudiant à Paris dans les années 30, il y avait une revue, *l'Étudiant noir*. La Seconde Guerre mondiale survenant, le groupe des jeunes intellectuels nègres de Paris se trouva quelque peu disloqué : Césaire avait rejoint la Martinique, Senghor était au front. Mais après la guerre, un groupe de réflexion se reforma autour d'Alioune Diop, J. Rabemananjara et B. Dadié (né en 1916) pour attester de la présence africaine. Grâce à l'effort inlassable du professeur de philosophie Alioune Diop, la revue *Présence africaine* fit sa percée dans le monde culturel du Paris de 1947, regroupant les Africains, les Antillais, et bénéficiant de l'appui amical de ceux que Rabemananjara a appelé les « gourous de l'époque » (« Alioune Diop, le cénobite de la culture noire », dans « Hommage à Alioune Diop », *Présence africaine*, 1975) : Camus, Sartre, Jacques Madaule, Lanza del Vasto, E. Monnier, T. Monod, J. Howlett. Publiant romanciers, poètes, essayistes, *Présence africaine* voulait patiemment œuvrer au rapprochement de tous les peuples. Très tôt, elle fut la tribune de ceux qui souhaitaient qu'un « ordre nouveau » règne également pour tous. Les premières livraisons s'attachèrent à travers des numéros spéciaux à présenter : *le Monde noir, l'Art nègre, Haïti, Poètes noirs, Les étudiants noirs parlent*, etc.

Des hommes politiques, toutes tendances confondues, y publièrent les résultats de leurs réflexions politiques, sociologiques, historiques, tant Alioune Diop voulait sa revue d'abord, puis sa maison d'édition ouvertes à toutes les tendances. Pour compléter cette action, la Société africaine de culture porta à travers rencontres, colloques et festivals des idées généreuses, voulant montrer dans les faits que la civilisation nègre est bien vivante et peut contribuer à forger un avenir équitable pour tous les peuples. Quelques publications majeures pour l'Afrique furent ainsi diffusées par cette jeune maison d'édition.

En 1955, le linguiste et ethnologue sénégalais Cheikh Anta Diop (né en 1923) apporta une contribution étonnante aux études généralement admises sur le passé de l'Afrique : *Nations nègres et culture,* qui affirmait l'origine nègre de la civilisation égyptienne. Cet ouvrage dérangea fort dans la mesure où l'auteur prenait le risque de voir sa démarche scientifique confondue avec l'expression d'un nationalisme culturel. Et c'est sur le plan scientifique que les docteurs de la Sorbonne l'attaquèrent tandis que les Africains trouvaient chez lui une source inépuisable de références et la justification de leur fierté nationale. C'est en utilisant les méthodes de la recherche occidentale qu'un Nègre parlait de son Afrique, tout en l'intégrant à une place éminente dans le courant général de l'histoire (cf. *Antériorité des civilisations nègres,* 1967; *Parenté génétique de l'égyptien pharaonique et des langues négro-africaines,* 1977) : l'Égypte ancienne fonctionnait pour lui comme une nécropole inépuisable, apportant à chaque incursion sa brassée de délectation scientifique. Mais là aussi, il ne fallait pas qu'un Nègre vînt déranger l'ordonnance que des générations de chercheurs occidentaux avaient fixée sur leurs tablettes. Au-delà des batailles d'arguments, on ne peut nier que le Nil, nourricier de la terre d'Égypte, traverse aussi largement les pays noirs. Ce formidable moyen de communication, utilisé depuis l'aube des temps, ne peut-il expliquer un métissage dont rend compte le nom de « double pays » que l'on trouve dans l'ancienne Égypte? Cheikh A. Diop publia en 1959 *l'Unité culturelle de l'Afrique noire* : récidivant pour ainsi dire par le biais de l'étude comparée des structures familiales « africaines et européennes », l'auteur tenait à souligner qu'avant de jeter l'exclusive sur des peuples, il fallait apprendre à les connaître (voir DIOP Cheikh Anta).

Les années qui précèdent immédiatement l'indépendance furent propices à une riche éclosion d'écrits politiques, qui, pour la plupart, furent édités par Présence africaine. Cette maison publia les ouvrages d'auteurs tels que Mahjemout Diop (*Contribution à l'étude des problèmes politiques en Afrique noire,* 1958), Albert Tevodjeré (*l'Afrique révoltée,* 1958), Mamadou Dia (*Réflexions sur l'économie de l'Afrique noire,* 1960). Ayant créé une collection « Leaders politiques », Présence africaine donne, en 1961, de L.S. Senghor, *Nation et Voie africaine du socialisme* et, en 1962, du chef d'État guinéen Sékou Touré, *Expérience guinéenne et Unité africaine* (Préface d'Aimé Césaire). Quelques années plus tard, elle éditera, de Julius Nyerere, président de la République de Tanzanie, *Socialisme démocratique et Unité africaine.* Une autre contribution majeure de Présence africaine a été la publication des travaux des deux congrès des écrivains et artistes noirs de 1956 (Paris) et de 1959 (Rome). Ces ouvrages sont de consultation indispensable à qui veut comprendre l'originalité de la pensée nègre. Car Africains, Antillais, Malgaches et Américains, à travers les communications, y disent leur communauté de vues comme leurs divergences. Enfin, la Société africaine de culture (S.A.C.) fera également publier à Présence africaine les résultats de colloques, dont les plus importants sont les colloques sur *les Religions* (Abidjan, 1961); *l'Art nègre* (Dakar, 1966); *les Perspectives nouvelles sur l'histoire africaine* (Dar es-Salaam, 1965); *le Théâtre négro-africain* (Abidjan, 1970); *le Critique africain et son peuple comme producteur de civilisation* (Yaoundé, 1973).

Le roman, la nouvelle, le conte

Contrairement au grand « cri nègre » de la poésie qui semble avoir préparé les indépendances, l'écriture romanesque en Afrique est d'introduction récente. Mis à part quelques titres, c'est dans les années 50 que le roman africain d'expression française naît véritablement, élargissant le regard qui pouvait être porté sur les sociétés africaines. La poésie, assimilable au cœur, laisse à la tête, c'est-à-dire au roman, le soin de dire le destin du Nègre. De public africain, point; c'est donc toujours à l'Occident que l'on va s'adresser.

L'un des premiers récits, autobiographique, c'est la maladroite relation du tirailleur sénégalais Bakari Diallo, *Force-Bonté* (1926), dont le ton apologétique n'est pas prisé de tous. Ousmane Socé Diop est l'initiateur du roman de mœurs citadines avec son *Karim* (1935) et du premier roman de l'exil : *Mirages de Paris* (1937). Quant au Dahoméen Paul Hazoumé (né en 1890), continuateur des écrits ethnographiques, il donne à la littérature africaine son premier grand roman historique, *Doguicimi* (1938). De facture complexe, ce roman offre une étude sérieuse des coutumes du royaume d'Abomey au XIXe siècle, tout en contant l'histoire d'une femme exceptionnelle, Doguicimi. Félix Couchoro (1900-1968), du Dahomey, publiera à Cotonou, dans les années 30, des romans populaires. Puis, pendant dix ans, ce sera le vide dans la production romanesque. Ce n'est qu'en 1947 que le Sénégalais Abdoulaye Sadji (1910-1961) fera éditer son inoubliable *Nini,* portrait au vitriol d'une jeune métisse de Saint-Louis.

A partir des années 50, l'irruption de jeunes talents va asseoir définitivement le genre romanesque nègre, et toutes les tendances s'y trouveront exprimées. L'autobiographie ou, du moins, les connotations autobiographiques semblent avoir la faveur de tous. C'est ce que J. Chevrier appelle (d'une expression elle aussi occidentale) le « roman de formation »; dans cette catégorie se placent naturellement *l'Enfant noir* (1953), classique du genre, du Guinéen Camara Laye (1928-1980), ainsi que *Climbié* (1956), de l'Ivoirien Bernard Dadié, *Kocoumbo, l'étudiant noir* (1960), d'Aké Loba (également ivoirien, né en 1927). Le beau roman philosophique du Sénégalais Cheikh Hamidou Kane, *l'Aventure ambiguë* (1961), peut être considéré comme l'un des mieux structurés. Il faut également signaler *Chemin d'Europe* (1960) du Camerounais Ferdinand Oyono (né en 1929). Les héros de ces romans connaissent tous l'arrachement (voulu) à leur pays; postulants à l'initiation, ils vont effectuer le voyage vers les mystères de l'Europe, sauf Climbié, qui ne quitte pas l'Afrique.

C'est le contact avec l'Europe, mais tel que les sociétés africaines le vivent à travers la colonisation, qui fournira les thèmes de la satire la plus insidieuse que les romanciers noirs feront de leur propre société. Le maître du genre est incontestablement le Camerounais Alexandre Biyidi (né en 1932), qui publie en 1953, sous le pseudonyme d'EZA BOTO, *Sans haine et sans amour.* Puis c'est un autre nom qu'il rendra célèbre, et sa production littéraire ne sera plus signée que MONGO BETI : *Ville cruelle* (1954), *le Pauvre Christ de Bomba* (1956) et *le Roi miraculé* (1956) [voir BETI Mongo]. Pour Mongo Beti comme pour son compatriote Ferdinand Oyono, l'humour est de mise pour stigmatiser les situations dans lesquelles leurs héros se trouvent plongés. Mais Ferdinand Oyono va plus loin dans le tragique avec *Une vie de boy* (1956) et *le Vieux Nègre et la Médaille* (1956) : le jeune Denis est déjà l'anti-héros qui porte un regard lucide sur ce qui l'entoure, faisant montre de plus de détachement que le vieux Méka, qui attend une médaille pour service rendu à la patrie française.

L'atmosphère de ces romans traduit la disharmonie qui peut résulter de la rencontre de civilisations différentes, quelles qu'elles soient. Ici, il se trouve que c'est la civilisation du colonisateur et celle du colonisé qui sont confrontées à la difficulté de se rencontrer sans heurt; et nous savons ce qu'il advint. De cette rencontre de civilisations, le jeune Samba Diallo, héros de *l'Aventure ambiguë* de Kane, Nègre musulman devenu universitaire occidental, ne réchappera pas, peut-être parce que le questionnement se faisait plus intense. En lui donnant la mort, le fou accomplit moins un meurtre qu'un suicide sur une autre personne, double de lui-même. Là, Cheikh Hamidou Kane reprend le couple légendaire des épopées de la tradition orale, le héros et son presque semblable, ou le héros et l'anti-héros : Samba Gueladio Diegui et Doungourou, Silamakan et Poullôri...

Contre le traumatisme né du choc des cultures, certains romanciers proposeront d'adopter la dynamique du militant prônant une prise de conscience du fait colonial tout en affûtant ses armes pour le combattre. Ce combat passe également par la remise en question des vieilles structures traditionnelles de la société africaine — vécues comme contraignantes dans un monde en mutation. Cette attitude, contraire au retour aux sources que prône la négritude, est celle d'Ousmane Sembene (né en 1923), romancier et cinéaste sénégalais, dans les nouvelles du recueil *Voltaïque* (1962) et dans un roman, *l'Harmattan* (1964), dont l'action se situe à la veille du référendum de 1958. Auteur d'un roman moins réussi paru en 1956, *le Docker noir,* Sembene s'est hissé au premier rang des romanciers africains, comme l'attestent l'inspiration, la tenue et l'étude psychologique d'une de ses plus belles œuvres : *les Bouts de bois de Dieu* (1960). Dans ce roman, Sembene fait tenir un rôle dynamique à un groupe de femmes — les épouses des grévistes du train Dakar-Niger; en cela, il se conforme à ses engagements politiques progressistes, mais surtout il revalorise le rôle des femmes dans la société, en conformité avec des exemples du passé rapportés par la tradition orale. Cette attitude n'est pas isolée dans l'œuvre de Sembene, et elle procède d'un choix déterminé : car il sait que, par les femmes, une société peut changer en profondeur.

Dans la quête de revalorisation du passé précolonial, quelques écrits documentaires, des récits adaptés à la tradition orale peuvent être signalés. *Cette Afrique-là* (1963), du Camerounais J. Ikelle-Matiba (né en 1936), a l'originalité d'évoquer une situation coloniale particulière : le balancement entre deux puissances coloniales, l'Allemagne et la France; *Crépuscule des temps anciens* (1962), du Voltaïque Nazi Boni (1912-1969), présente une chronique du pays Bwanu; *la Légende de M'Foumou Ma Mazono* (1954), du Congolais Jean Malonga, et le *Soundiata* (1969), du Guinéen Djibril T. Niane (né en 1932), tirent directement leur source de l'histoire orale. Ahmadou Hampaté Bâ (né en 1901), du Mali, et Alexis Kagame, du Rwanda, savent avec bonheur extraire de l'oralité la matière de leurs écrits. Et dans la collection des « Classiques africains » (Armand Colin), A. Hampaté Bâ publiera *Kaïdara* (1969) et *l'Éclat de la grande étoile* (1974), admirables narrations poétiques traditionnelles, en des textes qui mettent en regard la version en langue africaine — le peul, en l'occurrence — et la traduction française. L'œuvre attachante du Nigérien Boubou Hama (né en 1906), sans pratiquer la traduction systématique, baigne dans cette mythologie africaine que révèle la tradition : *Le double d'hier rencontre demain* (1973) est l'exemple de cette sorte de production littéraire qui, sous la forme de la fiction, mêle mythe et poésie. En consultant la bibliographie relative à son œuvre, on constate qu'il est l'un des écrivains africains les plus féconds en même temps que des plus éclectiques.

Les conteurs qui furent les plus heureux transcripteurs de textes oraux sont les poètes Birago Diop et Bernard Dadié. Diop, médecin vétérinaire, camarade d'étude du groupe Senghor-Césaire-Damas, allie dans sa prose sensibilité, humour, finesse psychologique. Ses œuvres, *les Contes d'Amadou Koumba* (1947), *les Nouveaux Contes d'Amadou Koumba* (1958), *Contes et Lavanes* (1963), ont fait autant pour la revalorisation de la culture nègre que maint essai théorique. Bernard Dadié, poète, dramaturge, romancier, est l'auteur de *Légendes africaines* (1954) et d'un recueil de contes, *le Pagne noir* (1965) [voir DIOP Birago et DADIÉ Bernard].

Dans les productions romanesques, certains textes sont plus difficiles à situer. Tel est le cas du roman noir de Olympe Bhely Quenum (né en 1928), *Un piège sans fin* (1960). Camara Laye, avec son *Regard du roi* (1954), si différent de son premier livre, avait dérouté, en permettant toutes les interprétations possibles de cette allégorie romanesque. Parmi les inclassables, *l'Étrange Destin de Wangrin* (1975), d'Amadou Hampaté Bâ, qui décrit la vie d'un interprète de l'Afrique coloniale, est un document plein de vie, éclairant les aspects cachés d'un homme qui fait fonctionner les puissants comme des marionnettes; *le Devoir de violence* (1968), du Malien Yambo Ouologuem (né en 1940), qui détruit tous les clichés admis sur l'Afrique précoloniale telle que certains ethnologues la décrivaient, obtint le prix Théophraste Renaudot mais fut vivement critiqué; *la Place* (1967), du Sénégalais Malick Fall (né en 1920), est d'une belle écriture.

En reprenant la chronologie des publications romanesques, on constate d'une manière générale que l'époque d'après les indépendances marque un tournant décisif. Le roman, autour de 1968, va dresser un bilan peu rassurant de l'usage que font les politiques de leurs indépendances : les abus, les exactions, les répressions vont être dénoncées sans complaisance. Dans un numéro spécial de la revue *Présence africaine* de 1967, *Mélanges 1947-1967*, publié pour fêter les vingt ans de la revue, Jean Ikelle-Matiba propose : « Dans la décennie qui commence, *Présence africaine* devrait éviter de servir la "raison d'État". Démocrates, nous devrions accepter l'humour, le sarcasme, détruire l'unanimisme, vestige d'un passé remis en question... ». Cette injonction, les romanciers semblent l'avoir « entendue ». Le marasme économico-culturel issu d'orientations politiques souvent peu adaptées à la réalité africaine est dénoncé sur le mode humoristique et sarcastique. Mais la qualité d'écoute de la plupart des régimes « unanimistes » paraît s'être particulièrement atténuée depuis que le verbe est écrit et n'est plus porté par le griot. Ce sont les écrivains qui en subissent les conséquences : il arrive qu'ils soient comblés de louanges, mais souvent ils font l'amère expérience de la prison ou de l'exil; parmi les récits relatant leur désillusion figure l'un des romans africains qui fait — avec *l'Aventure ambiguë* — les délices de la critique, *les Soleils des indépendances* (1968) de l'Ivoirien Amadou Kourouma. Neuf par la facture, le ton et le style, cet ouvrage stigmatise les incohérences des temps nouveaux. Le personnage de Fama — prince déchu —, époux d'une femme stérile, est le symbole d'une Afrique où l'on ne sait plus reconnaître les valeurs du passé. Le Guinéen Alioum Fantouré (né en 1938), dans *le Cercle des tropiques* (1972), analyse comment « réjouissances » et massacres se conjuguent dans les allées du pouvoir africain. Évidemment, les pays qui sont le théâtre de ces récits sont « fictifs ». Mongo Beti, avec *Perpétue* (1974), Fantouré, qui récidiva en publiant *le Récit du cirque* (1975), attaque contre les partis uniques, le Zaïrois V.Y. Mundimbé (né en 1941), avec *le Bel Immonde* (1976), et Tierno Monenembo, avec *les Crapauds-brousse* (1979), témoignent de cette lucidité romanesque d'après les indépendances; *Tribaliques* (1971), recueil de nouvelles du métis congolais Henri Lopes (né en 1937), dénonce corruption, compromissions, despotisme, tandis que son roman *la Nouvelle Romance* (1976) élargit la critique au tribalisme qui pousse les pions sur l'échiquier politique. Quant aux romans de Sembene des années 60-70, ils semblent curieusement revenus — tout en conservant leur engagement idéologique — au modèle du roman de mœurs, cher aux écrivains sénégalais : *le Mandat* (1966),

Xala (1973) ont été portés à l'écran par l'écrivain-cinéaste lui-même.

Les maisons d'édition implantées en Afrique après les indépendances, le C.E.D.A., première maison d'édition ivoirienne, C.L.É., à Yaoundé, les N.E.A. à Dakar, et à Abidjan, les Éditions populaires du Mali à Bamako auront une action positive quant à la révélation de jeunes auteurs. L'œuvre de Francis Bebey (né en 1929), les poèmes, nouvelles et romans d'Henri Lopes sont édités par C.L.É..

Les Éditions populaires du Mali révèlent *Jaujon* (1970) de Massa M. Diabaté (né en 1938), après avoir publié, du même auteur, *Si le feu s'éteignait* (1967). Quant aux Nouvelles Éditions africaines, c'est la voix des femmes qu'elles font entendre : enfin la femme vint, pourrait-on dire... du moins dans la littérature de fiction.

Envoyées sur le tard à l'école occidentale, les femmes étaient déjà entrées en littérature, certes, mais elles se cantonnaient dans le domaine poétique, publiaient peu ou pas du tout. Par ailleurs, elles étaient remarquées pour le sérieux de leur travail de recherche, et il faut signaler les noms de la Camerounaise Thérèse Kuoh, fondatrice de l'Union des femmes africaines et malgaches, d'Agnès Diarra, d'Arame Diop, sans oublier la Malienne Awa Keita. Celle-ci publie un roman autobiographique mais également documentaire sur la genèse et les luttes d'un parti africain, le Rassemblement démocratique africain, sous le titre de *Femme d'Afrique* (1976). Aux Nouvelles Éditions africaines paraissent, de Nafissatou Diallo, une autobiographie à peine romancée, *De Tilène au plateau* (1975), premier écrit qui ne manque pas de fraîcheur (elle a ensuite publié un roman historique qui est une sorte de négatif de son premier ouvrage : *le Fort maudit,* 1981); en 1976, d'Aminata Sow Fall, *le Revenant,* suivi, en 1979, de *la Grève des Battu*; de Mariama Bâ, *Une si longue lettre* (1979), œuvre douloureuse et d'une rare qualité, qui dénonce la polygamie et la situation faite à la « première femme ». Le second roman de Mariama Bâ, *Un chant écarlate,* était sous presse lorsqu'elle décéda en août 1981, et fut publié à titre posthume. Les lettres sénégalaises ont perdu avec elle un talent sûr, au lyrisme contenu.

Le théâtre

La littérature négro-africaine d'expression française pratique tous les genres, et ses auteurs ne se laissent pas facilement enfermer dans l'un d'eux. Le romancier est souvent poète ou dramaturge, et les mêmes noms se retrouvent d'un genre à l'autre. Le théâtre, sous sa forme écrite, prit naissance à l'école William-Ponty, où Charles Béart, qui la dirigeait dans les années 30, faisait mettre en scène les coutumes et usages des différentes ethnies africaines. Le matériau était collecté par les élèves eux-mêmes durant leurs vacances scolaires. Quel que soit l'intérêt d'une telle démarche, on voit bien le dédoublement qu'elle impliquait de la part des jeunes Africains qui vivaient ces coutumes et à qui il était demandé de les représenter. Cette théâtralisation se faisait souvent sur le mode humoristique, alors que les coutumes dont elle s'inspirait sont si intensément, si dramatiquement vécues. L'ouvrage de Bakary Traoré *le Théâtre négro-africain et ses fonctions sociales* (1958) demeure la première référence d'une étude sérieuse et documentée sur le théâtre en Afrique francophone. A sa suite, colloques, articles divers posent périodiquement la problématique d'un théâtre dont les orientations, depuis l'école William-Ponty, se sont quelque peu renouvelées. En effet, la critique des mœurs et coutumes qui freinent les évolutions n'est pas nouvelle, mais l'évocation des grands meneurs d'hommes du passé qui se sont opposés ou ont été en butte à la colonisation est de plus en plus marquée. A ces deux courants vient naturellement s'ajouter la fustigation des mœurs après les indépendances. Le prototype des héros du passé est Chaka, chef zoulou que tout dramaturge négro-africain veut avoir campé. *Le Premier Chaka* est le poème dramatique de L.S. Senghor (1968), lui-même inspiré par le roman initialement écrit en langue lesotho par l'Africain du Sud Thomas Mofolo (1875-1948). Le romancier malien Seydou Badian Kouyaté (né en 1928) publie en 1962 *la Mort de Chaka,* Djibril Tamsir Niane, historien et romancier guinéen (né en 1932), *Sikasso ou la Dernière Citadelle,* suivi d'un nouveau *Chaka* (1971). En 1972 paraissent à Présence africaine *les Amazoulous* de Abdou Anta Kâ, dramaturge sénégalais au lyrisme très original. Cette pièce avait été magnifiquement mise en scène au théâtre Daniel Sorano de Dakar. Enfin, en 1977, est publié à Nubra — jeune maison d'édition africaine installée à Paris — le *Zulu* du poète congolais Tchikaya U'Tamsi. Cette énumération de pièces ayant pour héros le fondateur de la nation zoulou n'est certainement pas exhaustive. A côté de Chaka, dans ce théâtre d'inspiration historique, prennent place, également grandis par la mémoire collective, les visages de Albouri Ndiaye (*l'Exil d'Albouri,* de Cheikh Ndao, de 1969), Lat-Dior Diop (*les Derniers Jours de Lat-Dior,* d'Amadou Cissé Dia, 1965). L'Almany Samory Touré est évoqué déjà dans *Sikasso ou la Dernière Citadelle,* que nous avons cité plus haut, et dans *le Fils de l'Almany,* de Cheikh Ndao, 1973. *Béatrice du Kongo,* 1970, par Bernard Dadié, témoigne de l'art d'un dramaturge fécond, par ailleurs grand poète et romancier.

Le théâtre négro-africain apparaît aussi comme celui de la satire — satire des mœurs, des traditions et des errements politiques de l'après-indépendance —, genre dans lequel les auteurs congolais et camerounais excellent surtout. Il n'est que de citer Guy Menga (né en 1935) et son célèbre *Oracle* (1969); Guillaume Oyono-Mbia (né en 1939) avec *le Train spécial et Son Excellence* (1978), *Trois Prétendants, un mari* (1975); ou encore le Congolais Sony Lab'ou Tansi (né en 1947), qui dénonce les dictatures africaines actuelles avec une égale violence dans son roman *la Vie et demie* (1979) et dans sa pièce *Parenthèse de sang* (1981).

Littérature orale

Même si on la relègue en fin d'étude, c'est pourtant la première, la véritable littérature africaine, reconnue aujourd'hui dans sa pérennité. Du Zaïre à la Mauritanie, des maisons d'édition se sont attachées à la conserver. En Afrique, différents centres d'étude de collecte et de réactivation montrent qu'elle est enfin prise au sérieux, elle qui est la forme d'expression la plus communément répandue dans le monde, la plus essentielle et la plus vitale. Elle dit partout la même chose : la mémoire des peuples, en Afrique, en Asie, en Europe, aux Amériques. Elle a ses spécialistes dont on dit, en malinké, qu'ils ont « le ventre écrit », la parole siégeant dans l'être comme une composante biologique.

Si l'on faisait un tableau synoptique de la littérature négro-africaine, on se rendrait compte d'une évidence : à côté de l'écriture nouvelle à laquelle s'essayent les écrivains d'Afrique demeure un domaine de création littéraire inépuisable — du fait qu'il vit des pulsations essentielles du peuple — : la création littéraire orale.

Genre de la parole par excellence, cette littérature n'est pas que paroles : gestes, silences, regards, murmures sont nécessaires à l'émission du texte oral, qui perd beaucoup de sa beauté, de son sens même, en passant à l'écrit. Cette littérature participative ne privilégie pas l'auteur, qui n'est rien sans son auditoire. L'un et l'autre se mettent en situation et par là même en valeur. Parole rituelle, parole chargée de l'épopée, parole humoristique d'un conte, parole de miel des chansons des cours d'amour, elle peut être proférée par tous, mais chacun la sert, selon son degré de connaissance, comme son cœur le lui permet. Dans les pays héritiers des grands empires défunts, elle est presque exclusivement réservée à l'art du griot, spécialiste du verbe et mémoire vivante des puissants d'hier. Et ce, depuis que Soumangourou, le roi sorcier du Sosso, a coupé les tendons d'Achille du balafoniste Balla Fassaké, le retenant ainsi à Sosso pour jouer de son balafon magique dont lui, Soumangourou, jouait seul pour sa propre gloire.

Les louanges sont affaires de griot, mais il est une catégorie de récit oral qui est la matrice de tous les autres, c'est celle du mythe. En littérature orale, la référence au mythe est constante; le griot historien, le poète, l'amuseur des veillées, le conteur, tous doivent connaître cette « parole vieille ». En effet, le mythe dit comment l'homme imagine sa relation à l'univers tout entier, et c'est ce caractère qui en fait une parole lourde, enceinte, qui doit être cherchée et qui ne peut être dite à tout venant. A. Hampaté Bâ explique, dans *Koumen* (1961), quelles attitudes doit observer le récitant et à quel moment il doit procéder à la récitation, après avoir requis la permission, au moyen de libations, auprès des esprits régissant « les huit directions cardinales [...] de l'espace ». C'est pourquoi la notion de parole non innocente, capable de troubler et d'exalter, est si présente dans l'oralité. Le récitant des généalogies, des épopées, quand il sait de quoi il parle, ne se lance jamais sans préparation : il doit se mettre en accord avec lui-même en respectant l'enseignement qu'il a reçu. C'est la condition requise pour mettre les auditeurs — surtout lorsqu'il s'agit des grands de ce monde — eux aussi en accord avec eux-mêmes. Et lorsque la musique soutient la parole, toutes les générosités du cœur sont alors permises. L'histoire orale souffre sans doute de cet aspect passionné — passionnel — de la relation des faits du passé, où il faut savoir situer le récitant.

La tradition et l'avenir

Littérature écrite, littérature orale, l'Afrique n'a pas de choix définitif à faire, chacune pouvant nourrir l'autre. Que vivent l'une et l'autre et qu'elles se souviennent toutes deux que les sages considèrent l'utilisation de la parole comme un art difficile. Car, disent-ils, il est arrivé à la parole de « pleurer » en trois circonstances : lorsqu'elle a été dite là où il ne fallait pas; lorsqu'elle a été dite quand il ne fallait pas; lorsqu'elle a été dite à qui il ne fallait pas. Il faut espérer que les nouveaux écrivains (et écrivants) sauront se conformer aujourd'hui à cette ancienne sagesse.

La littérature négro-africaine a donc déjà un itinéraire remarquable. Elle a réglé ses comptes de jeunesse. Ses traditions littéraires sont bien ancrées, comme celles de toutes les littératures du monde. Si la thématique va, par la force des choses, se renouveler, peut-être radicalement, le rapport écrivain-public n'est pas encore résolu. L'écriture doit en effet répondre autant au projet d'universalisme qu'à celui de son enracinement dans des espaces géographiques et humains spécifiques à une Afrique qui restera diverse. L'aspect formel d'une telle littérature est capital.

Au-delà d'un choix entre une langue française, celle de l'ex-colonisateur, et une langue maternelle, maîtrisée oralement, il lui faut, pour répondre à sa vocation, concevoir un modèle réalisable et efficace que tout un public attend et qui, tôt ou tard, ne comprendrait pas qu'on le lui refuse.

C'est l'ambition majeure d'une nouvelle génération d'écrivains africains qui tentent de franchir les obstacles techniques, ceux de la diffusion, mais surtout linguistiques. C'est l'option par excellence qui déterminera le destin de la littérature négro-africaine.

BIBLIOGRAPHIE

Jingiri Achiriga, *la Révolte des romanciers noirs de langue française*, Sherbrooke, Naaman, 1978; Sunday Anozie, *Sociologie du roman africain*, Paris, Aubier, 1970; Th. Baratte-Eno-Belinga, J. Chauvreau-Rabut, M. Kadima-Nzuji, *Bibliographie des auteurs africains de langue française*, Nathan, 1979; G. Calame-Griaule, *Permanences et métamorphoses du conte populaire*, Paris, Publications orientalistes de France, 1975; Blaise Cendrars, *Anthologie nègre*, Paris, 1921; J. Chevrier, *Littérature nègre*, Paris, A. Colin, 1974; R. Colin, *Littérature africaine d'hier et de demain*, Paris, A.E.L., 1965; R. Cornevin, *Littérature d'Afrique noire de langue française*, Paris, P.U.F., 1976; E. Eliet, *Panorama de la littérature négro-africaine*, Paris, Présence africaine, 1965; S. Eno-Belinga, *la Littérature orale africaine*, Paris, « les Classiques africains », 1978; J. Falk et M. Kane, *Littérature africaine*, Paris, Nathan, 1974; A. Gérard, *Études de littérature française francophone*, Dakar et Abidjan, N.E.A., 1977; J.-P. Gourdeau, *la Littérature négro-africaine*, Paris, Hatier, 1973; L. Hughes et Ch. Reygnault, *Anthologie africaine et malgache*, Paris, Seghers, 1962; Lilyan Kesteloot, *les Écrivains noirs de langue française : naissance d'une littérature*, Bruxelles, Éd. de l'U.L.B., 1961, et *Anthologie négro-africaine*, 1967, 3e éd. remise à jour, Verviers, Marabout-université, 1981; Iyayi Kimoni, *Destin de la littérature négro-africaine*, Sheerbrooke, Naaman, 1975; B. Lecherbonnier, *Initiation à la littérature négro-africaine*, Paris, Nathan, 1977; J.P. Makouta-Mboukou, *Introduction à la littérature noire*, Yaoundé, C.L.É., 1970; P. Mérand et S. Dabla, *Guide de littérature africaine*, Paris, L'Harmattan, 1979; B. Mouralis, *Individu et Collectivité dans le roman négro-africain d'expression française*, Paris, Klincksieck, 1969; J. Nantet, *Panorama de la littérature noire d'expression française*, Fayard, 1972; P.G. Ndiaye, *Littérature africaine*, Paris, Présence africaine, 1978; M. Rombault, *la Poésie négro-africaine*, Paris, Seghers, 1976; L. Sainville, *Anthologie de la littérature négro-africaine*, Paris, Présence africaine, 1963 et 1968, 2 vol.; Léopold Sedar Senghor, *Anthologie de la nouvelle poésie nègre et malgache de langue française*, Paris, 1948, avec une Préface de J.-P. Sartre (« Orphée noir »), rééd. Paris, P.U.F., 1969; B. Traoré, *le Théâtre négro-africain et ses fonctions sociales*, Paris, Présence africaine, 1958.

M.-K. TONDUT-SÈNE et J. MSIKA

NELLIGAN Émile (1879-1941). Poète canadien d'expression française, né et mort à Montréal. Il fut le premier créateur littéraire important de sa « nation », malgré le paradoxe d'une inspiration formelle toute française. Rebelle à toute discipline, le jeune Nelligan se heurte dès son adolescence à son père, qui le contraint, en 1898, à s'embarquer comme matelot pour Liverpool, puis, à son retour, à accepter un emploi de comptable. Cependant il avait déjà fait ses débuts en poésie : dès juin 1896, le journal *le Samedi* avait publié quelques-uns de ses textes. L'année suivante, grâce au parrainage de son ami Arthur de Bussière, il est admis au sein de ce qu'on a appelé l'« école de Montréal », dont il sera le plus jeune membre. Atteint d'un mal incurable, Nelligan sombra dans la mélancolie, puis dans la psychose dépressive. On ignore dans quelles conditions réelles il fut interné à la retraite de Saint-Benoît (1899), puis, vingt-six ans plus tard, à Saint-Jean-de-Dieu, où il demeura muré, affreusement silencieux, jusqu'à sa mort.

Sa carrière poétique fut étrangement précoce et brève, et son œuvre, réunie et publiée par Louis Dantin en 1903, quatre ans après sa mort psychique, reste marquée par un réseau d'influences littéraires facilement — trop facilement — décelables. Tournant le dos à une veine nationale caractéristique de la génération précédente au Québec, Nelligan adopte les thèmes chers aux poètes européens et les formes littéraires françaises. Nostalgie légère des romantiques, exotisme, rêve et désespoir baudelairiens ou symbolistes alimentent son angoisse vécue. Voulant faire sienne l'aventure rimbaldienne — il fit connaître Rimbaud dans son pays —, il se montre parfois proche de Baudelaire par son refus cinglant d'une réalité mercantile, mais aussi de Verlaine, par son art des transpositions symboliques et musicales.

Chez Nelligan, un imaginaire triomphe permet de fuir, « loin de la matière et des brutes laideurs » (« Clair de lune intellectuel »), en des voyages sans destination précise, placés sous l'emblème de l'or, symbole glorieux du désir. Mais les espoirs, littéraires ou charnels, « gisent gelés ». Le poète est condamné à vivre dans l'« ennui » romantique de René, menacé par un monde mauvais où il n'a pas sa place.

Pour exprimer son désarroi et son exil moral, il recourt au symbolisme banal du noir. La thématique de la mort s'étale au titre de nombreux poèmes : « Vêpres tragiques », « Banquet macabre », « Marches funèbres »... Mais l'hiver, saison de mort, est aussi triomphe du blanc qui enveloppe les mythes ambigus de l'enfance et empêche le poète d'éluder l'inspiration immaculée, glaciale, qui hante tout écrivain québécois. Pour le monde littéraire canadien-français, Nelligan incarne durablement le jeune héros romantique livré au mal. « Poète maudit », « ange noir » (L. Mailhot), modèle de l'« enfance imperdable, absolue, mais douloureuse » (Réjean Ducharme), Nelligan a imposé l'image menacée du poétique, en une poésie à la fois intime et étrangère.

De fait, le jeu des influences textuelles semble définir les poèmes et ne laisser aucune place à l'irremplaçable. Influences symbolistes dans la recherche rythmique, les notations quasi verlainiennes (flûtes « au râle d'or », « pipeau qui pleure », « ivoire tremblant » du piano...). Influences criantes de Baudelaire et Rollinat, dans les visions « morbides » où des cris et des râles s'inscrivent en allitérations insistantes (*Vision*). Influence apparente des parnassiens, enfin, en des sonnets à la facture précise, mais où toute personnalité est bannie (« Potiche », « Placet », « Éventail »).

Derrière le jugement traditionnel qui condamne le poète pour son inspiration trop livresque, et surtout trop française (Mgr Camille Roy, en 1904), il faut reconnaître en Nelligan le témoin d'un fait social essentiel : l'aliénation d'une société déchirée, où la référence au réel était sous-tendue de frustrations, où l'angoisse devant la perte de personnalité, devant l'archaïsme du système de valeurs et l'écrasement idéologique et religieux laissaient peu de recours : le repliement sur soi, l'aventure physique, la révolution, enfin l'expérience créatrice venue d'ailleurs, en attendant...

Un discours capable d'assumer la précarité, l'angoisse, l'instinct de mort supposait alors un recours à l'entité présente-absente de la « langue de France », ultime refuge avant l'acceptation d'un langage propre.

Mais la critique visait surtout un contenu. Le drame, la menace psychique, la tension vers les interdits (l'« amour des vierges »), le refus d'une société méchante, la gaieté désespérée du vin, voilà, bien plus que les réminiscences formelles, voilà « qui n'est pas canadien et voilà donc ce qu'il faut condamner », disait Mgr Camille Roy.

Sur le plan littéraire, cela revient à condamner cet effort désespéré, sans doute inutile, vers une expression nouvelle par l'emprunt à l'Europe. Mais le cheminement émouvant de Nelligan, son échec à mimer la révolte rimbaldienne sont parfois compensés par une vérité immédiate, voisine et simple, plus encore que par l'habileté rythmique. Et c'est alors l'équilibre de la syntaxe émue et du lexique qui s'exténue de manière troublante dans la célébration d'une sensibilité à l'état naissant :

> Pleurez, oiseaux de février,
> Pleurez mes pleurs, pleurez mes roses
> Aux branches du genévrier.
> Ah! comme la neige a neigé!
> Ma vitre est un jardin de givre.
> Ah! comme la neige a neigé!
> Qu'est-ce que le spasme de vivre
> A tout l'ennui que j'ai, que j'ai...

Nelligan est alors dans les parages de ses contemporains les plus grands — et pas si loin d'Apollinaire.

BIBLIOGRAPHIE
Poésies complètes 1896-1899, Montréal, Fidès, 1966.
A consulter. — Roland-M. Charland et Jean-Noël Samson, *Émile Nelligan*, Montréal, Fidès, « Dossiers de documentation sur la littérature canadienne-française », t. III, 1968; Paul Myczynski, *Émile Nelligan : sources et originalité de son œuvre*, Ottawa, E.U.O., 1960; id. *Émile Nelligan*, Montréal, Fidès, « Écrivains canadiens d'aujourd'hui », 1968; id. *Bibliographie descriptive et critique d'Émile Nelligan*, Ottawa, E.U.O., 1973.

A. REY

NÉMIROVSKY Irène (1903-1942). Dans la France des années 30, à la fois celle des « années folles » et de la grande dépression, une jeune femme d'origine russe née à Kiev connaît avec ses romans un immense succès de librairie, et *les Nouvelles littéraires* n'hésitent pas à l'appeler « un Joseph Conrad français ». Jusque-là, cette fille de banquier a vécu une jeunesse dorée, un peu à la manière de l'une de ses compatriotes née Rostopchine : une gouvernante française, des séjours à Paris, des promenades aux Tuileries et aux Champs-Élysées. Mais après la révolution de 1917, sa famille a émigré : Finlande, Suède, Paris. Et la gloire en 1929, à vingt-six ans, avec son deuxième roman, *David Golder*. Elle mourra en déportation, arrêtée par les nazis en 1942.

« Je m'efforce de couler dans une forme française, c'est-à-dire claire et ordonnée, et aussi simple que possible, un fond qui est naturellement encore un peu slave ». Cet « art poétique » dit bien la rigueur d'horlogerie de ses intrigues; telle nouvelle (*le Bal*, 1930) se laisse découper comme une tragédie. Acte I, exposition : les parents d'une jeune fille de quatorze ans donnent un bal. Ils ne lui permettent pas d'y assister (acte II), et elle jette les invitations dans la Seine (acte III). Dénouement : au jour fixé, les parents attendent en vain leurs invités; catastrophe : ils se querellent violemment et se quittent. Mais il ne faut pas négliger la modernité d'écriture d'une émule de James Joyce dans la voie du monologue intérieur, tenu ici par un personnage que sa position sociale exclut du dialogue : un enfant, et les enfants ne parlent pas (*le Bal*, *le Vin de solitude*, 1935, *Jézabel*, 1936), mais leur vision du monde fait tomber les masques (1929 : Cocteau écrit *les Enfants terribles*); ou encore, un parvenu comme les financiers juifs Kampf (*le Bal*) ou David Golder : celui-ci évolue silencieusement au milieu d'une faune frelatée qui à la fois l'intimide et l'exploite, tandis que sa femme et sa fille, êtres de parole vains et superficiels, le conduisent de l'épuisement à la mort par leurs exigences (« Je suis contente de te voir, Dad. » — « Tu as besoin d'argent? »). Parfois l'artifice éclate, avec le contraste de descriptions un peu trop travaillées — « le jardin macérait dans une lumière jaune et transparente comme de l'huile fine » (*David Golder*) — et d'une familiarité non moins systématique dans le récit des pensées : « Ah! Qu'est-ce que ça fait que ce soit le cœur ou autre chose? C'est des noms », etc. Pourtant ce rapport d'oppositions est significatif : un narrateur-roi, maître des consciences et du beau langage; des marionnettes caquetantes et avides de jouir; enfin la naïveté ou les désillusions, également critiques, de ceux à qui ce plaisir est refusé parce qu'ils sont trop jeunes, ou trop occupés. Mais rarement parce qu'ils sont trop pauvres : car la vérité de ces années 30, pour Irène Némirovsky, c'est la spéculation; l'un se ruine, l'autre immédiatement s'enrichit et le jeu continue. La pauvreté n'est qu'un point de passage, la suite d'un accident ou l'effet d'une maladresse.

Là réside aussi l'intérêt — historique — de ces ouvrages : ils présentent le tableau d'un monde lancé à la poursuite du plaisir, qui cherche désespérément à retenir l'instant qui passe, qui fuit comme l'argent lui-même. L'héroïne de *Jézabel* est obsédée par l'idée de vieillir et laisse mourir sa fille « pour éviter d'être grand-mère »;

telle autre se lamente d'avoir tant attendu, pour « vivre » enfin, le génial coup de Bourse de son mari (*le Bal*). Ces altesses déchues, gigolos et vieilles ladies, ces financiers véreux appartiennent aussi à Paul Morand et à Bourdet. Mais Irène Némirovsky, qui en fut la victime, prend au sérieux ce désordre social : c'est ici la face noire des années folles.

BIBLIOGRAPHIE

Les romans d'Irène Némirovsky semblent aujourd'hui oubliés, à l'exception de *David Golder*, réédité en 1963 et en 1968 (Livre de Poche); son œuvre n'a encore suscité aucune étude critique d'envergure, malgré l'enthousiasme, jadis, de spécialistes aussi différents que Ramon Fernandez et Henri de Régnier. Des films ont été tirés de *David Golder* et du *Bal* : l'un réalisé par J. Duvivier avec Harry Baur dans le rôle-titre (1939), l'autre par W. Thiele (1931), avec Danielle Darrieux en « enfant terrible ».

J.-P. DE BEAUMARCHAIS

NÉOCLASSICISME. On applique ce terme, sans en préciser la valeur, à un ensemble de réactions anti-romantiques ou anti-symbolistes autour de 1900. L'école romane de Moréas, redéfinie par Maurras, prône alors un retour à la « tradition », au particularisme provincial enraciné, au classicisme méditerranéen, une vigilante xénophobie et la restauration des valeurs en péril. Son classicisme a peu à voir avec la tradition du XVIIe siècle, sinon en surface ou politiquement. [Voir ÉCOLE ROMANE].

Marc Lafargue (*l'Âge d'or*), J. Gasquet (*Chants séculaires*, présenté par Louis Bertrand) illustrent un occitanisme conçu comme le noyau rayonnant des valeurs nationales.

Le « néoclassicisme » d'avant 1914 est d'abord politique. Barrès, Maurras et Péguy inspirent une nuée de jeunes critiques et essayistes, où l'on distingue G. Le Cardonnel, Henri Clouard (*la Phalange*, 1907-1908), Henri Massis, Émile Henriot, André Thérive. Avec la revue *les Guêpes* (1909-1912) où écrivent Abel Bonnard, Pierre Benoît, Alexandre Arnoux et .... Francis Carco, la polémique l'emporte sur la théorie, et l'action politique sur toute réflexion proprement littéraire. En poésie, les « Fantaisistes » de la revue *le Divan* ne sont « néoclassiques » que par le goût partagé des nostalgies et des hostilités maurrassiennes ou barrésiennes. G. Sauvebois, dès 1911, montre dans l'*Équivoque du Classicisme* l'absence d'une esthétique commune à ce groupe.

La critique littéraire utilise aussi le terme de « néoclassicisme » à propos d'une tendance anti-naturaliste de la littérature allemande (vers 1905). En histoire de la littérature portugaise et brésilienne, on parle de néoclassicisme pour désigner un mouvement poétique du XVIIIe siècle en réaction contre le gongorisme, et caractérisé par le retour aux Anciens, le purisme linguistique, le respect de règles strictes.

Le mot, créé donc vers 1900 à propos de la tendance anti-symboliste, peut s'appliquer à toute esthétique tendant à mettre en œuvre explicitement les règles et les canons de la littérature, notamment de la poésie, dite « classique ». Mais il ne devient pas pour autant un synonyme de postclassique, lequel suppose une postériorité chronologique, et une continuité. [Voir NÉOCLASSIQUE].

A. REY

NÉOCLASSIQUE (poésie). On emploie parfois, un peu abusivement, ce terme ou celui de « postclassique » pour désigner un certain type d'écriture qui, au XVIIIe siècle, reprend à son compte les genres définis par Boileau dans son *Art poétique* (1674), et surtout les figures de la rhétorique traditionnelle. Mais, devant les transformations apportées à la pratique littéraire de la langue par les « Philosophes » — recherche du sens « propre » (cf. *l'Encyclopédie*), d'une langue sans figure et qui reproduise « l'ordre naturel des idées » (Diderot) —, la poésie « néoclassique » apparaît comme le lieu d'un écart par rapport à la norme stylistique de son temps. Écart que seule peut expliquer une fidélité désuète au passé, en particulier aux valeurs politiques et morales du Grand Siècle; voire, à travers lui, la tradition chrétienne (*Poésies sacrées* de Pompignan, imitées des Psaumes, 1751-1755), ou aux conventions pastorales de l'Antiquité (adaptations de Virgile par Malfilâtre et Delille).

Cette poésie appartient aussi au siècle des Lumières, auquel elle emprunte le goût de la Nature et de l'Antique, la « sensibilité » et les intentions didactiques. Pourtant le travail trop visible de la forme, la profusion des images mythologiques prêtent à cette modernité des allures de parodie : douceâtres élégies de Bertin (*les Amours*, 1783) ou Parny (*Poésies érotiques*, 1784), « belle Nature » décrite par Saint-Lambert (*les Saisons*, 1769), Roucher (*les Mois*, 1779), Delille (*les Jardins*, 1782); grandeur factice, malgré la passion de leur engagement politique, de *la Henriade* de Voltaire (1728) ou des *Odes* de Lebrun-Pindare (« Ode sur le vaisseau *le Vengeur* », 1794). Mais, paradoxalement, il arrive qu'une poésie qui se donne pour l'ornement de la prose provoque au hasard d'une métaphore un insolite vacillement du sens : « En vain l'astre du jour, embrassant l'Écrevisse... » (Roucher).

Il reviendra à André Chénier (1762-1794) de ramener cette rhétorique sans référent vers la réalité sociale des encyclopédistes : « Sur des pensers nouveaux faisons des vers antiques » (*l'Invention*). Ses poèmes didactiques (*Hermès, l'Amérique*) sont pourtant restés à l'état de fragments; mais peut-être ce souci du concret eut-il sa part dans la réussite, c'est-à-dire dans la sincérité de son lyrisme : *Bucoliques, Odes, Élégies* qui atteignent souvent à cette « pensée exprimée sans figures » où, d'après Dumarsais (*Traité des tropes*, 1730), se trouve l'une des « beautés » du premier classicisme.

BIBLIOGRAPHIE

On trouvera au nom des principaux auteurs de plus amples indications sur leurs œuvres et leur fortune littéraire. Pour une introduction d'ensemble à cette poésie « néoclassique », on pourra consulter : Maurice Allem, *l'Anthologie poétique française du XVIIIe siècle*, Garnier-Flammarion, 1966.

J.-P. DE BEAUMARCHAIS

NÉOLATINE (littérature). V. LATIN.

NERCIAT André Robert Andréa de (1739-1800). Les romans de Nerciat sont aujourd'hui oubliés ou méprisés, alors que se multiplient analyses et commentaires autour de Crébillon, Laclos ou Sade : tous « grands » auteurs, peut-être en ce qu'ils s'accordent à soumettre le plaisir physique à la censure de l'esprit, de cette « tête » où s'articulent le désir et un système de valeurs, ou plutôt d'interdits dont la transgression redouble la jouissance. Le propos de Nerciat est sans doute plus spontané, et son érotisme ne dit rien d'autre que le plaisir des sens, une joie de vivre et d'aimer, un hédonisme tranquille inspiré des théories de D'Holbach ou La Mettrie. Et dans ces romans sans défi ni paroxysme, l'intrigue se dissout en « tableaux » lascifs où la fraternité des corps se substitue au choc des caractères.

Un aventurier de bonne compagnie

De longues pérégrinations à travers l'Europe comme soldat de fortune, agent secret ou simple amateur de littératures ou de spectacles nouveaux : voilà l'essentiel de la carrière, à vrai dire mal connue, du chevalier de Nerciat, si l'on ajoute la rencontre, peut-être importante, de deux hommes de lettres : le prince de Ligne, épicurien aimable et fortuné qu'il croise à Bruxelles vers 1776, et auquel il dédie ses médiocres *Contes nouveaux*; le marquis de Luchet, admirateur de Voltaire, et qui le fait nommer pour deux ans, autour de 1780, « sous-bibliothécaire » à la cour francophile et raffinée du landgrave de Hesse-Cassel. En 1864, l'éditeur Poulet-Malassis annonçait une correspondance « extraordinaire » entre Nerciat et Beaumarchais, Restif de La Bretonne... Mais l'ouvrage n'a jamais vu le jour, et les documents rassemblés ont disparu.

La carrière littéraire de Nerciat commence en 1775 — il a trente-six ans — par une comédie, *Dorimon ou le Marquis de Clairville,* qu'il signe de son titre d'« ancien capitaine d'infanterie au service du Danemark ». Car ce romancier libertin est aussi, officiellement, un dramaturge; son œuvre, comme chez Sade, comporte deux faces, le théâtre, c'est-à-dire le paraître et les contraintes (formelles, morales) d'une société en représentation, que viennent dénoncer des romans libres dans leur forme et libertins dans leur contenu : la même année que *Dorimon* paraît le chef-d'œuvre de Nerciat, *Félicia ou Mes fredaines,* pourvu par la suite d'un médiocre appendice, *Monrose ou le Libertin par fatalité.* Dans sa *Correspondance,* destinée en particulier à l'information des cours allemandes, Grimm s'indigne contre *Félicia,* « catéchisme de libertinage et de corruption »; et pourtant, arrivé à Cassel, Nerciat offre son livre à la bibliothèque du landgrave... Provocation, goût de la plaisanterie? Son dernier ouvrage, *le Diable au corps,* sera publié par un prétendu « docteur Cazoné », « membre extraordinaire de la joyeuse faculté phallo-coïto-pygo-glottonomique »!

Pour cet homme d'intrigues et d'alcôves, il faisait bon vivre sous l'Ancien Régime : *les Aphrodites,* « fragments thali-priapiques pour servir à l'histoire du plaisir », publiées en 1793, s'en prennent violemment aux Jacobins; le chevalier reprend ses errances de plus belle, s'engage dans l'« armée des Princes » et pousse jusqu'en Italie, où il meurt, après avoir été policier, prisonnier au château Saint-Ange et chambellan de la reine de Naples... Cette existence mouvementée fait songer à celle d'un autre « bibliothécaire » de ce temps, Casanova, adepte lui aussi d'un cosmopolitisme « libertin » où, dans l'Europe dite des Lumières, mais aussi des cours, des prisons et des coups d'épée, un aventurier de bon ton se prête à tous ceux qui peuvent, pour un moment, lui donner son plaisir.

Les divertissements du corps et de l'écrit

En apparence, les principaux ouvrages libertins de Nerciat annoncent le partage sadien entre le roman d'aventures et le roman-inventaire; *Félicia* avant *Juliette, les Aphrodites* avant (pendant?) *les Cent Vingt Journées de Sodome*: deux procédures parallèles qui organisent la répétition indéfinie d'une séquence fondamentale, le « tableau » érotique; l'unité du récit étant assurée par la permanence soit d'un même acteur, soit d'un même lieu. Mais ici, au niveau du tableau, éclatent les différences : pour « réussir » — pour conduire à l'orgasme —, les combinaisons libertines selon Nerciat doivent être fondées sur l'échange et la fraternité des jouissances. Félicia conclut ainsi le récit de ses voyages et de sa vie agitée : « Constante en amitié, mais volage en amour, je suis heureuse et me flatte de n'avoir jamais fait le malheur de personne ». La joyeuse société des « Aphrodites » ne ressemble pas davantage au sinistre quatuor de Silling : car il ne s'agit pas ici d'opprimer, mais de bien assortir, et, chez les Aphrodites, le premier rôle appartient à la maquerelle, aidée dans sa tâche par une nomination essentiellement fonctionnelle des acteurs : il faut ménager « Mme de Condoux », mais la « vidame de Cognefort » convient bien à un « Foutenville » capable de « sept services en deux heures », tandis que la « vicomtesse de Chatouilly » s'entoure d'une « marmaille » habile à la « branlotter ». Malheur aux goûts « monstrueux », qui suppriment l'échange, ou trop restrictifs : les homosexuels sont bannis comme asociaux, et l'on se méfie des « ambidextres », des « janicoles » capables d'adorer à la fois « saint Noc et saint Luc ».

« Le néologisme, écrit Roland Barthes, est une obscénité ». Et réciproquement : sur le paradigme « sodomiser », Nerciat forme « loyoliser », voire « villettiser » (du nom d'un célèbre contemporain); telle pratique lascive est un « langueyage » ou, mieux, une « glottinade ». Mais surtout le discours libertin s'approprie par métaphore tous les lexiques de la vie sociale : la religion, bien sûr (« ce goupillon n'est pas chiche d'eau bénite »), l'armée (« je ménage ma poudre »), mais aussi la littérature, et Tircis devient ici « Tire-six ». D'autre part, la nomination apparemment métonymique des acteurs — Durengin, Molengin — désigne-t-elle effectivement leur « tout », leur moi, à travers la « partie » décrite? Voire. Ce moi, en fait, n'existe pas; le sujet de l'action n'est plus la « tête », mais le corps, lui-même décomposé en éléments autonomes : « Déjà les mains avaient beaucoup trotté, déjà les bouches et les tétons avaient essuyé maint hoquet amoureux... » (*Félicia*). Dans la gaieté des calembours — Mme de Pompamour! — et des sous-entendus, l'écriture libertine abolit ainsi le partage du moi social et du moi physique, et décompose le corps en atomes mus par le désir universel.

A ce point, le théâtre retrouve sa place à l'intérieur du roman, comme « tableau second » contemplé jusqu'à l'extase par un personnage provisoirement dissimulé : sir Sydney, l'amant de Félicia, a construit au centre de sa demeure un « nid aux espions », d'où il peut contempler un cercle de tableaux lascifs — transposition érotique du « panopticon » carcéral analysé par Michel Foucault, la prison circulaire tout entière surveillée par un seul homme. Et dans cet enchâssement de tableaux que reproduit dans le livre même l'alternance du texte et de la vignette, le lecteur est invité à prendre place à son tour...

L'auteur de *Félicia*

L'érotisme trop gai de Nerciat l'a privé sans doute du prestige des écrivains maudits. On se contente de l'ignorer, ou de ne voir en lui que l'auteur de *Félicia,* « charmant livre » au milieu d'un « voluptueux fatras » (Émile Henriot, 1926). De fait, *Félicia* a été édité une vingtaine de fois du vivant de l'auteur, et les autres écrits de Nerciat sont demeurés longtemps confidentiels. Sous le second Empire, l'œuvre de Nerciat retient l'attention du publiciste Charles Monselet (*les Galanteries du XVIIIe siècle,* 1862) et de Baudelaire : « Nerciat (utilité de ses livres)... », note publiée dans *l'Art romantique.* Mais il faut attendre la série des « Maîtres de l'amour » publiée au début de ce siècle par Apollinaire pour qu'un homme, et non plus une main anonyme ou infernale, apparaisse derrière ses romans. Nerciat se voit alors pourvu d'une biographie détaillée, accompagnée de morceaux choisis de ses ouvrages (Bibliothèque des curieux, 1910-1911, avec une édition complète de *Félicia*). Et l'on apprend ainsi, grâce à Apollinaire, qu'à l'origine des *Aphrodites* il y eut « une société secrète d'amour qui exista réellement ».

BIBLIOGRAPHIE

L'Œuvre du chevalier A. de Nerciat. Avec des documents nouveaux et de pièces inédites concernant la vie d'Andréa de Nerciat, introduction, essais bibliographiques, analyses et notes par G. Apollinaire, Paris, Bibliothèque des curieux, 1910-1911 *(le Doctorat impromptu, Monrose, Mon noviciat, Félicia, les Aphrodites, le Diable au corps).* Rééditions récentes : *les Aphrodites...,* postface d'H. Juin, Paris, l'Or du Temps, 1969; *Félicia,* ibid., et Le Livre de Poche, 1978, préf. de P. Josserand; *le Diable au corps,* Paris, l'Or du Temps, 1969, avec la présentation d'Apolli-

naire; *la Matinée libertine ou les Moments bien employés*, Paris, Éd. Civilisation nouvelle, 1970.
A consulter. — E. Henriot, *les Livres de second rayon*, Paris, « Le Livre », 1925; B. Ivker, « The Parameters of a Period Piece Pornographer », Genève, *Studies on Voltaire XCVIII*, 1972; S. Alexandrian, « Nerciat et le libertinage chevaleresque dans *les Libérateurs de l'amour* », Paris, Le Seuil, 1977.

J.-P. DE BEAUMARCHAIS

NERVAL

NERVAL Gérard de, pseudonyme de **Gérard Labrunie** (1808-1855). L'œuvre nervalien se déroule selon un ordre, une logique et une raison qui transgressent le sens habituel de cette triade. L'existence même de l'écrivain, vécue à la manière d'un destin, porte déjà les stigmates de l'inspiré; et, grâce à la conjonction de la folie, qui, tout à la fois niée et lucidement dominée, lui permit de déchiffrer « l'alphabet magique » de l'univers, et de l'écriture, par laquelle il put « diriger son rêve éternel au lieu de le subir », Nerval entreprit une tentative démiurgique dont la « genèse » aboutit à la création d'un mythe personnel.

Une vie de crises

Premier coup du destin : l'absence parentale. Fils d'un médecin de la Grande Armée dont il fut sans nouvelles jusqu'à six ans et d'une mère qui mourut en Silésie, où elle avait suivi son mari alors que l'enfant n'avait que deux ans, Gérard Labrunie passe sa petite enfance dans le Valois, d'abord en nourrice, puis chez son oncle maternel, Antoine Boucher. En 1814, au retour de son père, il regagne Paris, où il fait ses études au lycée Charlemagne en compagnie de Théophile Gautier. Dès 1826, il publie ses premières poésies, *Élégies nationales*, chant patriotique à la gloire de Napoléon écrit dans un style byronien. L'année suivante, il traduit le *Faust* de Goethe, qui lui vaut une renommée immédiate et le fait entrer dans les cercles littéraires. C'est l'époque de la bataille romantique pour la conquête de la scène, et Gérard y participe en tenant diverses critiques dramatiques dans des revues et en s'essayant, sans succès, au théâtre (*Lara; le Prince des sots*).

En 1832, il hérite, et il aurait alors pu vivre en paix si le destin, prenant les traits de l'actrice Jenny Colon, n'avait une seconde fois croisé son chemin. Liaison platonique, semble-t-il, dans laquelle s'engloutit tout son argent, puisque *le Monde dramatique*, qu'il fonda pour soutenir son idole, sombra en quelques mois. Ruiné, Gérard, qui signe du pseudonyme de Nerval en souvenir d'un clos familial du Valois, végète en faisant du journalisme, erre à travers l'Europe, passant d'Italie en Allemagne, de Belgique en Autriche, jusqu'à ce que, en 1841, une première crise de folie — alliance de manie aiguë et de psychose circulaire, diagnostiqueront plus tard les médecins — le conduise en maison de repos.

Peu après disparaît Jenny Colon, qui s'était, entretemps, mariée à un flûtiste : mais Gérard, qui a cristallisé sur elle ses rêves passionnels, voit sa raison chanceler de plus en plus. En 1843, il part pour l'Orient, en quête de la reine de Saba, avatar local de son idéal féminin : il en tirera la matière, très travaillée, du *Voyage en Orient* (1851), la première en date des nombreuses œuvres qui, en l'espace de quatre années, vont occuper le temps que lui laisseront, dans sa maladie, les moments de lucidité. Les crises se succèdent en effet : 1849, 1851-1852 et surtout 1853-1854, où il sera soigné dans la maison du Dr Blanche à Passy. Quelques voyages viennent encore occuper les rares loisirs de l'écrivain, qui se concentre sur sa création : en 1852 paraissent *les Illuminés, les Nuits d'Octobre, Lorely, la Bohème galante;* l'année suivante, *les Petits Châteaux de Bohême*. En 1854, il publie *les Filles du feu* (parmi lesquelles *Sylvie*), que précède une « lettre à Alexandre Dumas » — qui constitue une sorte de commentaire de toute son œuvre — et que suivent les douze sonnets des *Chimères*. Enfin, *Aurélia*, à laquelle il travaille chez le Dr Blanche, voit le jour au début de 1855, la mort de l'écrivain, trouvé pendu rue de la Vieille-Lanterne à l'aube du 26 janvier, survenant entre les deux livraisons de la nouvelle dans *la Revue de Paris* (1er janvier et 15 février).

Une vie d'errance, donc, sans véritable attache depuis la prime enfance, et qui ne trouva pour s'opposer à la dérive qu'un seul espace : celui de l'écriture.

Multiplicité et unité de l'œuvre

« La dernière folie qui me restera probablement, ce sera de me croire poète », clame Nerval à la fin de la « Lettre-préface » des *Filles du feu*. Et ce doute à l'égard de son propre talent n'est pas une formule de fausse modestie. Car si, pour le public, l'œuvre se réduit à trois ou quatre textes, on ignore souvent quel touche-à-tout fut Gérard. Et de son importante production on ne prit en compte, à l'exemple de ses contemporains, qu'une part légère — odelettes, contes, facéties, pochades —, qui, à juste titre, le faisait considérer comme un romantique mineur. Le *Voyage en Orient* lui-même ne fut longtemps lu que comme l'un des nombreux avatars du journal de voyage, dont la mode avait fleuri au cours de la première moitié du XIXe siècle : tout au plus reconnaissait-on dans ce reportage romancé de journaliste un authentique style d'écrivain.

C'est que le journalisme occupa une part importante de l'activité nervalienne, par nécessité dans les périodes noires, par plaisir dans les autres : articles mondains, critiques dramatiques et lyriques, pages diverses au gré de l'inspiration..., donnés aux revues les plus célèbres et aux journaux à la mode. Toute une œuvre éparpillée au fil du temps et dont la seule unité réside dans la démarche qui fait de Nerval journaliste plus un analyste qu'un simple témoin. C'est ce même trait que l'on retrouvera dans *les Illuminés*, sorte de chronique sur quelques « excentriques » (Restif de La Bretonne, l'abbé de Bucquoy, Cazotte, Cagliostro), qui conduit Nerval à un véritable travail de « psychologie morale ». En fait, et c'est en quoi la production journalistique fait totalement partie de l'œuvre nervalien, la relation critique d'une pièce ou d'un livre n'est, pour Gérard, qu'un moyen détourné de se déterminer lui-même et de construire sa propre poétique.

C'est précisément d'une impossibilité à réduire l'écart entre ses personnages et lui-même que vient l'échec de Nerval au théâtre : la tragédie historique de *Caligula* (écrite en collaboration avec Dumas en 1837), comme le drame mystique de *l'Alchimiste* (produit du même duo datant de 1839), tout autant que les livrets d'opéra comme *Piquillo* (où le rôle central fut joué par Jenny Colon) ou *les Monténégrins* (1849) trahissent une double incapacité de s'évader du monde goethéen et de se libérer d'une trame trop extérieure à ses propres préoccupations. On comprend dès lors que la seule réussite dramatique de Gérard — si l'on excepte la traduction du *Faust* de Goethe — soit une œuvre imparfaite, sur le plan formel (deux intrigues s'y mêlent lourdement, « l'une politique, l'autre intime »), comme sur le plan de la psychologie, mais qui permettait au dramaturge de proposer un système de valeurs différent des normes habituelles (le rêve et l'amour équilibrant le pouvoir et la réalité) : *Léo Burckart,* sans égaler les réussites de Musset (on songe à *Lorenzaccio,* dont la trame est assez proche), a le mérite de présenter un héros dramatique romantique différant des surhommes de Hugo ou Dumas.

Nourri de germanisme — « l'Allemagne, notre mère à tous », dira-t-il un jour —, Nerval excelle dans un genre fort répandu outre-Rhin : le *Märchen,* sorte de court récit proche du conte et de la nouvelle. *Sylvie, Aurélia, la Pandora,* les divers épisodes du *Voyage en Orient,* pour ne citer que les plus connus, ne sont rien d'autre que des variations « sans lien logique » sur un même sujet : la reconstruction d'une personnalité dissociée par le temps, l'espace, les autres. Chacun à sa manière offre, par le biais d'une expérience revécue par l'écriture, un moment de cette recherche du moi perdu. Et si l'on passe insensiblement du « récit d'éducation » (*Sylvie* en offre un exemple très classique), dont le résultat se révèle être un échec pour le narrateur, au « récit d'initiation » — qui, avec la conclusion d'*Aurélia,* conduit le narrateur au seuil d'une « vie nouvelle » —, la matière est toujours la même : de mythe en mythe, le narrateur devient progressivement ce « héros vivant sous le regard des dieux », qui réussit où échoua Orphée et, tel un Prométhée impuni, domine un univers que le dernier sonnet des *Chimères* décrit comme un paradis d'amour et de sagesse. Un monde libéré du péché originel, un monde où la seule femme interdite serait Pandore.

L'angoisse d'exister

Bien avant les écoles philosophiques du XXe siècle, Nerval a découvert et vécu le drame d'une existence en quête d'elle-même ainsi que le résume une inscription manuscrite au dos d'une gravure le représentant : « Je suis l'autre ». Cet autre dont les récits nous offriront de multiples avatars allant de l'architecte Adoniram (*Voyage en Orient*) à Saturnin l'aphasique (*Aurélia*) et qui deviendra le centre d'une théorie du double : « Il y a en tout homme un spectateur et un acteur [...], deux ennemis : le bon et le mauvais génie » (*Aurélia*). Dès lors, être devient un problème, vivre une angoisse, et l'on comprend que l'identité, chez Nerval, soit toujours en danger, appréhendée sur le mode interrogatif : Suis-je Amour ou Phébus? Lusignan ou Biron? (*les Chimères,* « El Desdichado »). Il y a là, en quelque sorte, une démarche contraire de celle du romantisme, du moins dans son expression française : ce qui gêne, ce n'est pas l'absence ou le vide, mais le flux de figures qui ne parviennent pas à se fondre en une harmonieuse unité, telles les trois héroïnes de *Sylvie* qui dansent dans la mémoire du narrateur l'impossible ballet de la ressemblance.

Significative de cette quête de l'unité perdue du moi dans l'évolution du mythe stellaire. A l'origine, rien de plus qu'une allégorie empruntée au *Roman comique* de Scarron dans lequel deux comédiens, l'Étoile et le Destin, forment un « couple aimable ». Et Nerval de commenter : « Mais qu'il est difficile de jouer convenablement ces deux rôles aujourd'hui » (« A Alexandre Dumas »). D'autant plus difficile que l'étoile elle-même va se scinder, « chatoyer d'un double éclat », avant de s'atomiser sur « le luth constellé » du poète : tout dialogue est alors impossible, et puisque le *tu* manque (« Ma seule étoile est morte ») qui fonderait le *moi,* il ne reste plus qu'à assumer la folie, qui seule inversera les signes : l'étoile cesse alors d'être un masque — celui de la femme —, une u-topie, pour devenir un lieu matériel où s'inscrira désormais la destinée du rêveur : « Je me mis à chercher dans le ciel une étoile. L'ayant trouvée, je continuai ma marche, marchant pour ainsi dire audevant de mon destin. Dans cette étoile sont ceux qui m'attendent! » (*Aurélia,* I, 2). Ainsi l'étoile est le destin, et le *moi* peut enfin se refermer sur la certitude de son existence : mais pour être, il aura fallu vaincre ses chimères, dominer le double et, comme le souligne Yves Bonnefoy, accepter que « la mort grandisse en soi ». Car, paradoxalement, l'être nervalien passe par la mort, et seul le franchissement des « portes mystiques » du rêve — que les première lignes d'*Aurélia* comparent à la mort — permet au *moi* de « s'affranchir des conditions du temps et de l'espace » qui fragmentent l'individu.

Palingénésie...

Comme le fait remarquer Kurt Schärer, « la recette de la guérison envisagée par Nerval se résume par le simple préfixe *re.* Pour régénérer ce qui souffre du déclin des forces, on n'a qu'à remonter le cours du temps et à se retremper aux sources originelles ». D'où le recours au voyage, au souvenir, au rêve.

Voyager, c'est en effet, pour Nerval, refaire un chemin parcouru et dont on se souvient (voir le retour à Ermenonville dans *Sylvie*), c'est vérifier que la réalité est bien semblable à l'idée qu'on s'en est formée (tel est le projet avoué du *Voyage en Orient* ou de *Lorely*) : « Ce n'est pas la fortune que je poursuis, c'est l'idéal, la couleur, la poésie », écrira-t-il à Gautier. Non attitude de dilettante, mais moyen de déplacer — faussement — durée et lieux : qu'on se souvienne du rôle de la « voiture » dans *Sylvie,* où, pendant le voyage, le héros « recompose » les souvenirs de son enfance. Survient la fin du voyage : « J'échappe au monde des rêveries », note avec tristesse le narrateur qui se heurte alors au mur de la réalité. Voyager, c'est donc se rappeler, comme se souvenir, c'est voyager dans le temps (significatif de cette similitude est le titre d'un recueil de pochades réunies en *Promenades et Souvenirs*). Mais, à la différence du voyage, le souvenir n'a de valeur, d'effet que lorsqu'il échappe à l'emprise de la raison ou de la conscience : qu'on oppose la joie née de la lecture d'un article de journal (*Sylvie,* I) — et qui met en jeu la mémoire involontaire — à l'errance dans le Valois « pour revoir » et retrouver le passé (*ibid.,* IX), qui, née du souvenir conscient, provoque ennui et désillusion. D'où l'aspect anodin des souvenirs que Nerval appellera « fidèles » : un chant d'enfant qui ressuscite « la voix tremblante des aïeuls », un habit de fête qui recrée magiquement l'atmosphère d'antan, une tour Henri IV qui semble faire revivre le cœur du vieux pays de France, etc.

La vie est un songe, a dit Calderon; Nerval, inversant la proposition, a voulu faire du rêve sa vie : « Je ne demande pas à Dieu de rien changer aux événements, mais de me changer relativement aux choses; de me laisser le pouvoir de créer autour de moi un monde qui m'appartienne, de diriger mon rêve éternel au lieu de le subir » (*Paradoxe et Vérité*). Non point « rêverie », telle que la comprenait Rousseau ou telle que la vivait la génération de René, et qui n'était qu'un abandon nostalgique aux chimères, mais rêve, c'est-à-dire un univers parallèle formé de signes dont seul l'initié peut interpréter le sens.

Ainsi l'itinéraire nervalien, sans jamais cesser d'être une errance, passe d'une recomposition des souvenirs à travers la réalité à une recomposition du rêve (« j'entrepris de fixer le rêve et d'en connaître le secret », *Aurélia*) à travers les symboles. Dès lors, il est logique que l'écriture, elle-même univers de signes, ait été chargée de fixer cette démiurgie.

Le mérite de l'expression

L'originalité de Nerval tient à cette osmose permanente du rêve et de la réalité qu'il a appelée « épanchement ». Mais comment transcrire une telle expérience en termes langagiers? La solution la plus évidente était d'user d'un style métaphorique. Or, il est surprenant de constater le peu de place qu'occupent les images référentielles dans le discours nervalien : de ce point de vue, la poétique de Nerval est éminemment « moderne », et l'on voit tout ce qui sépare le flot discursif de « la Bouche d'Ombre » hugolienne, des « Vers dorés » auxquels il suffit d'affirmer qu'« A la matière même un verbe est attaché » pour que se réalise la parole cosmique. Au surplus, le choix des termes est révélateur et renvoie explicitement à une conception mystique de l'écriture faisant du poète non point le mage ou le savant, mais le frère interrogateur des dieux des *Chimères* : Horus, Antéros, le Christ...

Une fois éliminé l'artifice de l'image, il ne restait qu'à transcrire la réalité dans sa vérité tout en la nimbant de cette « couleur pourprée » dans laquelle Proust voyait la magie nervalienne. D'où une technique impressionniste, à l'opposé de la narration romantique; les contours sont estompés, les héros n'interviennent plus comme types mais se fondent dans un décor dont ils deviennent tributaires : Sylvie et la « fenêtre où le pampre à la treille s'allie », Aurélie et la scène théâtrale, etc. Paradoxe suprême : si la majorité des textes porte le nom d'un personnage (il en va de même des poèmes des *Chimères*), ceux-ci ne sont jamais décrits. Ils n'existent que comme signes et, en tant que tels, n'acquièrent de sens que par rapport au regard omnipotent du narrateur-héros : là encore, Nerval tourne le dos au romantisme, et sans doute faut-il voir dans cette situation l'origine du relatif effacement de Gérard de l'horizon littéraire durant trois quarts de siècle : ni chef d'école ni disciple, il marque l'avènement d'un nouveau discours fondé sur l'assomption totale du langage. Ses pairs ne s'y sont pas trompés qui, très tôt, ont reconnu son importance tandis que Sainte-Beuve, décidément coutumier du fait, ignorait délibérément son originalité. L'histoire littéraire devait pour longtemps l'écarter des manuels scolaires; et tandis que les Aicard, Soulary ou autres illustres Autran paradaient en tête des « morceaux choisis », Nerval devra attendre les années 50 pour pénétrer véritablement dans l'univers scolaire, où il côtoie, à part désormais égale, les grands romantiques et Baudelaire, Mallarmé ou Rimbaud.

Pas plus que la critique officielle, le grand public ne s'intéressa à son œuvre : malgré une légende savamment entretenue par Gautier et ses amis, et qui en faisait un bohème antibourgeois ou un « fol délicieux », ses livres avaient disparu des vitrines, à l'exception de quelques contes fantaisistes ou des récits de voyage, deux genres mis en vogue par le romantisme. Seul l'avènement du surréalisme modifia les perspectives en faisant de Nerval et d'autres maudits (Sade, Lautréamont et même Rimbaud) des précurseurs des temps nouveaux : dès lors, les éditions savantes se multiplièrent; les études aussi, qui sacrifièrent d'abord à la biographie fantastique avant que la critique n'applique les grilles les plus surprenantes pour déchiffrer le microcosme nervalien : tarots, cabale, alchimie, etc. Plus récemment, les premiers travaux linguistiques appliqués aux *Chimères* ont montré que l'hermétisme ou l'ésotérisme n'étaient que des masques, et qu'une analyse méticuleuse du discours nervalien révélait, dans son originalité et sa démesure, l'entreprise du poète : faire de sa vie un mythe, c'est-à-dire un ensemble de signes ordonnés en fonction d'une logique propre.

	VIE		ŒUVRE
1807	Mariage d'Étienne Labrunie et de Marie-Antoinette-Marguerite Laurent.		
1808	22 mai : naissance de Gérard Labrunie à Paris, 96, rue Saint-Martin. Le Dr Labrunie est nommé médecin adjoint à la Grande Armée, puis médecin ordinaire attaché au service de l'Armée du Rhin; sa femme l'accompagne. Gérard est mis en nourrice à Loisy, près de Mortefontaine.		
1810	Le Dr Labrunie dirige l'hôpital de Hanovre, puis celui de Glogau en Silésie. Mort de la mère de Gérard à l'âge de vingt-cinq ans. Gérard va vivre à Mortefontaine chez son grand-oncle maternel Antoine Boucher.		
1812	**Campagne de Russie.**		
1814	Retour du Dr Labrunie.		
1815	**Seconde abdication de Napoléon. Restauration.**		
1820	Mort d'Antoine Boucher. Gérard habite chez son père, 72, rue Saint-Martin. Il est élevé au lycée Charlemagne et a pour condisciple Théophile Gautier.		
		1826	Premières publications : Févr. : *Napoléon et la France guerrière, élégies nationales,* chez Touquet. Mai : *M. Dentscourt ou le Cuisinier d'un grand homme,* chez Touquet. *Les Hauts Faits des jésuites,* chez Touquet. Nov. : *la Mort de Talma, élégies nationales nouvelles,* chez Touquet. Déc. : *l'Académie, ou les Membres introuvables, comédie satirique,* chez Touquet (2e éd. le même mois).

	VIE		ŒUVRE
1826-1827	Nerval traduit le *Faust* de Goethe.	**1827**	Janv. : *la France guerrière, élégies nationales* (2e éd.), chez Touquet. Mai : *Élégies nationales et Satires politiques* (2e éd.), chez les libraires du Palais-Royal. Nov. : publication de la traduction du *Faust* (datée 1828), chez Dondey-Dupré.
1828	Mort de la grand-mère maternelle de Nerval. Il est présenté à Victor Hugo.	**1828**	Déc. : *Couronne poétique de Béranger* chez Chaumerot.
1829	Nerval écrit son premier essai dramatique (resté inédit) : *Han d'Islande,* d'après le roman de Victor Hugo.	**1829**	Avril : *Huit Scènes de Faust,* traduction de Gérard, musique d'Hector Berlioz, chez Schlesinger.
1829-1831	Collaboration au *Mercure de France,* à la *Psyché.*	**1830**	Févr. : *Poésies allemandes,* chez Méquignon-Havard. Oct. : *Choix de poésies de Ronsard,* chez Méquignon-Havard.
1830	25 févr. : première d'*Hernani* (où Gérard participe à la « Bataille d'*Hernani* » dans les rangs des romantiques). **Révolution de Juillet, monarchie de Juillet.**		
1831	Premier et court séjour à la prison Sainte-Pélagie.	**1831**	Janv. : *le Prince des sots,* imité d'un mystère du Moyen Âge, reçu à l'Odéon mais non joué. Déc. : *les Odelettes* (dans *l'Almanach des Muses* de 1832).
1832	Le « petit cénacle » autour de Jehan Duseigneur. Les « Jeune-France ». Févr. : second séjour à Sainte-Pélagie. Épidémie de choléra. Gérard est étudiant en médecine.		
1834	Mort du grand-père de Nerval. Gérard hérite de 30 000 francs. Sept.-nov. : voyage dans le Midi de la France. Premier voyage en Italie. Première rencontre avec Jenny Colon?		
1835	Fondation du *Monde dramatique.*		
1836	Juin : liquidation du *Monde dramatique.* Gérard est ruiné. Collaboration au *Figaro,* à la *Charte de 1830.* Août-sept. : voyage avec Gautier en Belgique, à Londres. *Piquillo,* écrit en collaboration avec Alexandre Dumas, est achevé.		
1837	Collaboration à *la Presse.*	**1837**	31 oct. : première de *Piquillo* à l'Opéra-Comique. 26 déc. : première de *Caligula,* écrit en collaboration avec Alexandre Dumas, à la Comédie-Française.
1837-1838	Correspondance avec Jenny Colon.		
1838	11 avr. : Jenny Colon épouse le flûtiste Louis-Gabriel Leplus. Fin de l'intrigue avec Jenny Colon. Août-sept. : premier voyage en Allemagne. Préparation de *Léo Burckart* avec Alexandre Dumas.		
1839	Oct. : mission en Autriche. Gérard rencontre Marie Pleyel et Liszt.	**1839**	10 avr. : première de *l'Alchimiste,* écrit en collaboration avec Dumas, à la Renaissance. 16 avr. : première de *Léo Burckart* à la Porte Saint-Martin.
1840	Retour à Paris. Nerval remplace Gautier au feuilleton de *la Presse.* Oct.-déc. : voyage en Belgique.	**1840**	Juill. : traduction du *Second Faust,* chez Ch. Gosselin. 15 déc. : première à Bruxelles de *Piquillo.*
1841	Févr.-nov. : premières crises de folie; Gérard est soigné chez Mme de Saint-Marcel, rue de Picpus, puis chez le Dr Esprit Blanche à Montmartre.		
1842	5 juin : mort de Jenny Colon.		
1843	1er janv. : Gérard s'embarque pour l'Orient (Malte, l'Égypte, la Syrie, la Turquie). Retour à Marseille le 5 décembre.		

	VIE		ŒUVRE
1844	Mise en ordre des notes pour *le Voyage en Orient.* Sept. : voyage en Belgique et en Hollande avec Arsène Houssaye.		
1845	Août : une semaine à Londres.		
1846	Voyages dans les environs de Paris. Notes pour *Angélique, Sylvie, Promenades et Souvenirs.*		
1847	Gérard travaille au livret des *Monténégrins.*		
1848	**Abdication de Louis-Philippe. Révolution de 1848.** Gérard traduit des poèmes de Heine avec lequel il travaille et se lie d'amitié à Paris. Il collabore au *Journal* de A. Karr en compagnie de Nadar.	**1848**	Févr. : *Scènes de la vie orientale.* I, *les Femmes du Caire,* chez Sartorius. Juill. et sept. : publication de traduction de poèmes de Henri Heine dans la *Revue des Deux Mondes.*
1849	Avr. : nouvelle crise. Gérard est soigné par le Dr Aussandon. Choléra à Paris et émeute du 13 juin 1849 : lettres à Th. Gautier. Voyages à Londres	**1849**	31 mars : première des *Monténégrins* à l'Opéra-Comique.
1850	Juin : nouveaux soins, chez le Dr Aussandon.	**1850**	Mars-mai : *les Nuits du ramazan,* feuilleton du *National.* 13 mai : première à l'Odéon du *Chariot d'enfant,* adapté, en collaboration avec J. Méry, du drame indien de Soudraka. Août : *Scènes de la vie orientale.* II, *les Femmes du Liban,* chez Souverain. Oct.-déc. : publication au *National* des *Faux-Saulniers, histoire de l'abbé de Bucquoy (Angélique).*
1851	**Coup d'État du 2 décembre.** Gérard reprend la traduction de *Misanthropie et Repentir* de Kotzebue. Sept.-nov. : nouvelle crise. Gérard séjourne chez le Dr Émile Blanche à Passy.	**1851**	Juin : publication chez Charpentier du *Voyage en Orient* (3e éd.). 27 déc. : première de *l'Imagier de Harlem* à la Porte Saint-Martin.
1852	**Le second Empire.** Janv. : Gérard atteint d'un érysipèle est soigné chez E. de Stadler, puis hospitalisé à la maison de santé municipale (maison Dubois). Mai : voyage en Hollande. Août : voyage dans le Valois.	**1852**	Août : publication de *Lorely* chez Giraud et Dagneau. Oct.-nov. : publication des *Nuits d'Octobre* dans *l'Illustration.* Nov. : publication des *Illuminés* chez Lecou. Déc. : *Contes et Facéties* chez Giraud et Dagneau.
1853	Févr.-mars : seconde hospitalisation à la maison de santé municipale. Voyage dans le Valois. Août : nouvelle crise. Gérard entre à la clinique du Dr Émile Blanche à Passy. Il y reste jusqu'au 27 mai 1854. Il termine *les Filles du feu* et *les Chimères,* et travaille aux *Nuits d'Octobre.*	**1853**	Janv. : publication des *Petits Châteaux de Bohême.* 15 août : parution de *Sylvie* dans la *Revue des Deux Mondes.* 10 déc. : Dumas publie « El Desdichado » dans *le Mousquetaire.*
1854	27 mai-juill. : voyage en Allemagne. Août : Gérard rentre chez le Dr Blanche et écrit *Aurélia.* 19 oct. : il sort de la clinique. Pas de domicile fixe.	**1854**	Janv. : publication des *Filles du feu* chez Giraud. 15 févr. : « Myrtho » paraît dans *l'Artiste.* 31 oct. : *la Pandora* paraît dans *le Mousquetaire.* Déc. 1854-févr. 1855 : *Promenades et Souvenirs* paraissent dans *l'Illustration.*
1855	26 janv. : A l'aube, Gérard est trouvé pendu rue de la Vieille-Lanterne.	**1855**	1er janv. : première partie *d'Aurélia* dans *la Revue de Paris.* 15 févr. : deuxième partie *d'Aurélia* dans *la Revue de Paris.* Avr. : *le Rêve et la Vie. Aurélia,* chez Lecou. Nov. : *la Bohême galante,* chez Michel Lévy.
		1856	*Le Marquis de Fayolle,* terminé par E. Georges, chez Michel Lévy.
		1867-1877	*Œuvres complètes* (6 vol.), chez Michel Lévy.

Voyage en Orient

C'est en décembre 1842 que Nerval s'embarqua de Marseille pour gagner l'Orient afin de vérifier sur place la réalité de lieux sur lesquels son esprit avait fantasmé : mais le voyage ne répondit pas à son attente, et il confia, lors de son retour, que « l'Orient n'approche pas de ce rêve éveillé que j'en avais fait il y a deux ans, ou bien c'est que cet Orient-là est encore plus loin ou plus haut, j'en ai assez de courir après la poésie » (Lettre à Jules Janin, en mer, près de Malte, 16 novembre 1848). Trois ans plus tard paraissaient, dans la *Revue des Deux Mondes,* « les Femmes cophtes », puis « les Femmes du Caire », articles repris en recueil dans les *Scènes de la vie orientale* (1848) avant de rejoindre l'édition définitive du *Voyage en Orient* (1851), que la critique considère souvent comme « le premier livre de Nerval ». Selon une technique qu'il réutilisera à maintes reprises, Gérard construit son ouvrage à partir d'éléments fort divers, qu'il organise de manière à créer une véritable cohérence structurelle. C'est donc moins le récit d'un voyage à travers l'espace qui nous est alors rapporté que la relation d'un voyage imaginaire, idéal, au pays du *moi* (témoin l'introduction « Vers l'Orient », qui ne correspond pas à l'itinéraire effectué en 1843 mais répond au besoin fondamental de réunir dans l'espace d'un même livre tous les lieux d'une mythologie qui tend déjà à devenir personnelle) : de ce point de vue, le *Voyage en Orient* est avant tout un voyage livresque, qui traduit un besoin de dépaysement fondamental lié non à la couleur locale mais à une négation de la réalité. Il suffit d'ailleurs, pour s'en convaincre, de remarquer que Nerval se place non dans la lignée des voyageurs romantiques illustres — Chateaubriand, Lamartine, Gautier, Hugo... —, mais dans celle du *Songe de Polyphile,* de Francesco Colona, qui rapportait une expérience initiatique, donc intérieure. D'où le recours au mythe. Au centre de chacune des parties du *Voyage,* et par là même au centre d'une œuvre construite par celui que Gérald Schaeffer nomme le « poète-architecte », se dressent les trois figures d'Orphée (quatrième chapitre des « Femmes du Caire », qui en comptent sept), du calife Hakem (troisième des cinq chapitres de « Druses et Maronites »), de l'architecte Adoniram enfin dans « les Nuits du ramazan ». Trois figures masculines donc, qui se déterminent par rapport à l'image de l'autre, de la femme aimée et perdue (Eurydice, dont le nom servira à lancer la seconde partie d'*Aurélia,* Sétalmulc, la sœur courtisée par le frère, et la reine de Saba, aimée du prince Soliman et de son architecte Adoniram), et symbolisent en même temps que la création (poétique, délirante ou architecturale) l'impossible lutte contre le double, entre « le *moi* et le *non-moi* » (G. Schaeffer). Ainsi s'explique déjà l'utilisation par Nerval d'une division dialectique entre le *je* qui narre et le héros des divers contes : manipulant à sa guise les mythes, les organisant en fonction de son propre besoin (et il faut reconnaître qu'ici le mythe orphique est totalement recréé), il constitue sa propre mythologie par accumulation de mythologies préexistantes. Mais de même que ses héros aboutissent à l'échec, de même Nerval ne parvient pas à triompher de son ambiguïté : il lui faudra pour cela « renoncer au mythe pour s'en tenir au *je* » (Léon Cellier).

BIBLIOGRAPHIE

Le texte du *Voyage* est disponible, dans le tome II de la nouvelle édition des *Œuvres complètes* due à Jean Guillaume et Claude Pichois (Gallimard, Bibl. de La Pléiade, 1984) et dans la coll. Garnier-Flammarion, éd. M. Jeanneret, Paris, 1979. — Du point de vue critique on trouvera tous les éléments d'analyse dans l'excellente thèse de Gérald Schaeffer, *« le Voyage en Orient » de Nerval, Étude des structures,* Neuchâtel, coll. « Langages », La Baconnière, 1957 (clarté de l'expression, sérieux de la démarche, précision de l'analyse font de cet ouvrage un modèle de critique).

Les Illuminés

« Récits et portraits » : c'est ainsi que Nerval présente les six études qu'il regroupe en 1852 dans *les Illuminés,* qu'il sous-titre *les Précurseurs du socialisme.* Comme pour *les Filles du feu* ou *les Chimères,* Gérard fait un volume de pièces et de morceaux, et Max Milner peut avec humour remarquer que « l'utilisation des restes, souci quotidien de la cuisinière bourgeoise, joue dans l'œuvre de Nerval le rôle d'un principe créateur étrangement fécond ».

En effet, on retrouve dans *les Illuminés,* que précède une Préface originale, « la Bibliothèque de mon oncle », sorte de plaidoyer *pro domo* (« Ces analyses, ces biographies furent écrites à diverses époques, bien qu'elles dussent se rattacher à la même série »), six textes éparpillés au gré du jour et du besoin : un article publié dans *la Presse* en 1839, par Maquet, sur un scénario original de Nerval, et consacré à Raoul Spifame, « le Roi de Bicêtre »; une Préface pour l'édition de 1845 du *Diable amoureux* de Cazotte; un fragment de feuilleton paru dans *le National* (24 octobre-22 décembre 1850) sous le titre des *Faux Saulniers,* centré sur « l'Histoire de l'abbé de Bucquoy » (d'autres épisodes servant à constituer l'*Angélique* des *Filles du feu*); trois articles de la *Revue des Deux Mondes* (15 août, 1er et 15 septembre 1850), regroupés sous le titre « les Confidences de Nicolas »; quelques pages sur Quintus Aucler, extraites de *la Revue de Paris* (1851); enfin une paraphrase à peine voilée d'ouvrages consacrés à Cagliostro pour boucler l'ensemble...

Sévèrement jugé par la critique à sa sortie — en particulier par Barbey d'Aurevilly qui restait sur sa faim —, l'ouvrage apparut bâclé, résultat de la nécessité et du hasard. Or, c'était méconnaître la logique nervalienne, qui consiste à tisser des liens, non entre le narrateur et son lecteur, pas plus qu'entre les divers personnages de son imagination, mais entre le narrateur et ses propres héros. Hasard, ce titre d'*Illuminés*? Non, si l'on songe, comme Nerval nous y invite dans sa Préface, « qu'il y a quelque chose de raisonnable à tirer même des folies! » (de même qu'il préviendra Dumas, plus tard, en préfaçant *les Filles du feu,* que son histoire « n'a pas été entièrement dépourvue de raisonnement si elle a toujours manqué de raison »). Hasard, le sous-titre de *Précurseurs du socialisme*? Non encore, si l'on se réfère à l'aspect utopique du concept en cette première moitié du XIXe siècle (et si l'on conserve présente à l'esprit l'ambition de Gérard avouée dans *Paradoxe et Vérité* : « Diriger mon rêve éternel au lieu de le subir. Alors, il est vrai, je serai Dieu! »). Hasard également, le choix de ces « portraits »? Certes, non, si l'on songe que tous sont marqués du sceau du double : Spifame, double parfait du roi Henri II, se mirant dans le reflet que lui présente Claude Vignet, « le roi des poètes », figure étrangement proche de Nerval lui-même; Restif, véritable double du narrateur de *Sylvie,* amoureux d'une actrice qu'il va admirer « presque tous les soirs [...] à la première rangée du parterre » (voir le premier paragraphe de *Sylvie*); Cazotte aussi est un double de Gérard puisqu'il est « le poète qui croit à sa fable, le narrateur qui croit à sa légende, l'inventeur qui prend au sérieux le rôle éclos de sa pensée » (on songe encore au rapport entre Nerval et ses personnages, rapports longuement décrits dans la Préface des *Filles du feu,* où il est question de « ces conteurs qui ne peuvent inventer sans s'identifier aux personnages de leur imagination »). Hasard enfin, cet équilibre construit entre le « communisme » de Restif et « l'imagination rêveuse » de Cazotte? Non, si l'on considère qu'il s'agit avant tout de deux représentations particulières de l'opposition folie/sagesse lue par Nerval comme relative par rapport au temps : le neuf n'est qu'une reprise de l'ancien, et ce qui est aujourd'hui sagesse fut hier taxé de folie : Spitame enfermé dans sa prison dorée, Cazotte décapité, l'abbé de Bucquoy exilé sont autant de marques, aux yeux de Nerval, de l'injustice et de l'ignorance (à sa manière, *Aurélia* témoignera de la situation fraternelle de Nerval à côté de ses héros).

Ainsi *les Illuminés* constituent-ils une biographie indirecte de Nerval : les héros ne sont que prétexte à un texte dont toute l'œuvre développera, sous la fiction du *je*, les obsessions issues — ou retrouvées — dans les livres. Car *les Illuminés* marquent de façon définitive l'emprise du livre sur l'existence de Nerval : ouvrage consacré à d'autres ouvrages (les écrits de Cazotte et de Restif, bien sûr, mais aussi les pages mystiques des autres « excentriques »), le recueil renvoie explicitement à Érasme et à son *Éloge de la folie*, texte où parle directement la folie. C'est dire combien l'écriture tient un rôle d'importance dans cette « capture » de la raison, et, par là même, quelle place revient à ces *Illuminés*, trop souvent considérés comme une production annexe.

BIBLIOGRAPHIE

Max Milner, Préface aux *Illuminés*, Paris, Gallimard, « Folio », 1980 (une rapide étude sur la relation de Nerval à son texte et ses personnages); Gérald Schaeffer, *Une double lecture de Gérard de Nerval : « les Illuminés » et « les Filles du feu »*, Neuchâtel, La Baconnière, 1970 (article qui dégage, à partir des couples folie/sagesse et illuminisme/socialisme les principaux sens de l'ouvrage).

Sylvie

Publié en août 1853, puis inséré à la seconde place du recueil des *Filles du feu*, en 1854, c'est le texte le plus célèbre de Nerval, le plus lu et le plus commenté, celui qui lui a valu le surnom de « fol délicieux » et le fit annexer, au lendemain de la Première Guerre mondiale, par la grande campagne patriotique, comme un écrivain caractéristique de ce bon goût français fait de mesure et de limpidité. « Traditionnel, bien français? Je ne trouve pas », répondit Proust dans un pénétrant article du *Contre Sainte-Beuve*; et d'ajouter : « Peut-être y a-t-il encore un peu trop d'intelligence... ». Mais de l'intelligence, il en fallait pour faire « admettre l'histoire d'un cœur épris de deux amours simultanés » (XIII) et pour que le récit ne sombre pas dans la bluette ou le mélodrame boulevardier. Et c'est précisément le miracle de *Sylvie* d'avoir concentré en quelques pages toute une symbolique autour de l'opposition majeure rêve/réalité. Tout devient en effet chargé de sens dans cette construction serrée : Paris, lieu d'élection de l'artifice culturel, fait face au Valois, où s'épanouit la fête naïve; la nuit — réelle ou imaginaire, comme celle de la salle théâtrale — favorise l'éclosion du rêve, tandis que le jour baigne dans une lumière qui révèle la brutalité de la matérialité; Aurélie, l'actrice que sa vie transforme en déesse infernale — « la nature a oublié de (lui) faire un cœur » (I) — lutte dans l'esprit du narrateur avec Adrienne, la religieuse transfigurée en sainte chrétienne (VII). D'où le recours à Sylvie, la paysanne bien réelle, mais que le héros va poursuivre sur le mode du souvenir : c'est elle qui s'opposera à la figure composite « d'une religieuse sous la forme d'une actrice » (III); c'est encore à elle que le narrateur tentera de superposer le visage d'Adrienne (XI) en lui faisant mimer la scène de la transfiguration dans l'abbaye de Châalis, de même qu'il demandera plus tard (XIII) à la comédienne de jouer, sur les mêmes lieux, le rôle de la religieuse. Mais en vain : les trois héroïnes se déroberont à son appel, dans le mariage ou dans la mort, pour toujours.

Synopsis. — En sortant du théâtre, où il vient chaque soir admirer l'actrice Aurélie, le narrateur tombe sur un article de journal qui fait revivre en lui « l'écho lointain des fêtes naïves de la jeunesse » (I). Rentré chez lui, il revoit dans « un souvenir à demi rêvé [...] les rondes enfantines dans le Valois avec Adrienne, la noble, et Sylvie, la petite paysanne (II), et comprend que son amour pour la comédienne d'aujourd'hui « a son germe dans le souvenir d'Adrienne ». Pour échapper à ce sortilège, il décide de rejoindre Sylvie, seul visage bien réel, et part pour le Valois (III). Dans la voiture qui l'emmène à Loisy, il « recompose » les souvenirs du passé et se revoit en la compagnie de Sylvie aux fêtes populaires (IV), mimant les vieux mariés (V et VI), et retrouve l'image d'Adrienne transfigurée un soir à Châalis (VII). Mais le voyage se termine, et le narrateur échappe « au monde de la rêverie » : aussitôt la réalité l'agresse. Sylvie a vieilli, changé, s'est fiancée (VIII), et rien ne subsiste du passé qu'il était venu chercher : les lieux (IX), les gens (X) ont subi l'outrage du temps. Déçu, il revient à Paris pour apprendre qu'Aurélie, elle aussi, va se marier (XIII). Il ne lui reste plus qu'à méditer sur sa propre conduite et à goûter auprès du ménage de Sylvie un bonheur détourné (XIV).

Ainsi, au bout de sa quête de l'idéal — « ... c'est une image que je poursuis, rien de plus » (I) —, le héros trouve-t-il l'échec et l'amertume. Et pourtant, à la fin de ce voyage, mi-rêvé — la « recomposition » des souvenirs (IV à VII) qui fait suite à l'impulsion initiale fournie par la mémoire involontaire —, mi-vécu (le départ pour Loisy, l'errance dans le Valois), qui fait de *Sylvie* un véritable récit d'éducation, nulle morale constructive comme chez Voltaire : aucun jardin pour concilier le rêve et l'expérience. Le héros nervalien est condamné à vivre insatisfait dans la réalité et à ne pas réaliser ses chimères. A moins que l'écriture, venant combler ce hiatus, ne fasse de la réalité de la langue le support du rêve vécu et ne permette finalement au héros devenu narrateur de « conquérir et de fixer son idéal » (XIII)!

BIBLIOGRAPHIE

Pour le sens spirituel de la démarche : Georges Poulet, « *Sylvie* ou la pensée de Nerval », dans *Trois Essais de mythologie romantique*, Corti, 1966, p. 13-81; pour les structures temporelles : Raymond Jean, *Nerval par lui-même*, Le Seuil, 1964, p. 58-80; pour l'analyse de l'imaginaire : Uri Eisenzweig, *l'Espace imaginaire d'un récit : « Sylvie »*, Neuchâtel, La Baconnière, 1976; Léon Cellier, *De « Sylvie » à « Aurélia »*, Minard, « Archives des lettres modernes », 1971 (l'œuvre close et l'œuvre ouverte ou l'itinéraire d'une délivrance).

Les Filles du feu

« Depuis 1850 environ, Gérard est sans cesse tourmenté du besoin de publier, comme pour se prouver à ses propres yeux la validité de son existence » (Henri Lemaître) : d'où, en l'espace de quelques années, cette concentration des chefs-d'œuvre, le *Voyage en Orient* (1851), *les Illuminés* (1852), *Sylvie*, « El Desdichado » et *les Petits Châteaux de Bohême* (1853). Lorsqu'il entre à la clinique du Dr Blanche à la fin du mois d'août 1853, Nerval, qui est engagé par contrat avec l'éditeur Daniel Giraud, n'a rien de prêt : *Aurélia* est en travail et *la Pandora* n'avance guère. Aussi décide-t-il de composer, comme à son habitude, un recueil à partir de textes déjà publiés : l'idée remonte sans doute à 1852, période où il songeait à un ensemble intitulé « l'Amour qui passe » (lettre de mars 1852). Initialement, le volume devait se centrer sur des sujets italiens : on y retrouvait donc *Octavie* (publiée sous trois titres différents depuis 1848), *Isis* (d'après un texte d'Apulée et celui d'un archéologue allemand, parue en article la même année) et *Corilla* (une courte comédie dans le goût des proverbes de Musset, publiée une première fois en 1839, reprise sous le titre *les Deux Rendez-Vous* en 1844, avant d'être intégrée aux *Petits Châteaux*). *La Pandora*, prévue pour le recueil, n'étant toujours pas terminée, Gérard décide alors d'inclure *Angélique* (fragment des *Faux Saulniers* non utilisé pour *les Illuminés*) et *Jemmy* (traduction d'une nouvelle allemande déjà publiée en 1843); quelques jours plus tard (lettre à Giraud de décembre 1853),

Sylvie vient gonfler le volume (Nerval y ajoutera même *les Chansons et Légendes du Valois,* étude folklorique déjà éditée par six fois!); enfin, en janvier suivant, Nerval annonce au même Giraud « qu'il a absolument besoin d'une nouvelle pour terminer » et propose de reprendre *le Fort de Bitche,* texte publié en 1839 par Maquet, le collaborateur de Dumas. Toutefois, précise Gérard, « il faudra mettre au lieu de ce titre le nom de l'héroïne » : ainsi donc *Émilie* trouve-t-elle *in extremis* place aux côtés des autres *Filles du feu,* titre finalement retenu après bien des hésitations — « cela fait bien frou-frou » — puisque l'ouvrage sera déclaré à la direction de la Librairie sous l'intitulé des *Amours passées.* Une Préface dédiée « A Alexandre Dumas » donnera « la clé et la liaison de ces souvenirs » (lettre du 30 novembre 1853). [Certains éditeurs modernes éliminent du recueil *Jemmy* et/ou *Émilie,* les jugeant non nervaliennes].

Si les nouvelles portent toutes le nom d'une héroïne et si le recueil s'intitule *les Filles du feu,* c'est que Nerval, après avoir passé en revue ses doubles dans le *Voyage en Orient* et *les Illuminés,* a décidé d'approfondir son mythe féminin esquissé sous les traits de la reine de Saba. Après les Fils du feu, frères de Caïn et de la race rouge, les femmes prédestinées : saintes, déesses, actrices..., autant de visages intercesseurs entre l'homme et l'audelà, entre le poète et son idéal. Par ailleurs, tous ces visages féminins sont étroitement associés aux lieux que Gérard investit eux-mêmes de valeurs mythiques : le Valois, l'Italie, l'Allemagne. Ainsi ces *Filles du feu* offrent-elles un véritable voyage à travers cette « géographie magique » dont parle J.-P. Richard et qui regroupe tous les thèmes chers au poète : l'incantation des voix, les pouvoirs du théâtre — lieu d'élection du rêve et forme culturelle des « fêtes naïves » d'autrefois —, de même que sa séduction — visages semblables, lieux identiques, scènes répétées... —, mais aussi la dérision de la durée, la ruine des objets et des êtres.

En fait, ce qui s'affirme avec éclat à travers cet assemblage, c'est la puissance d'un style. Toutes les formes narratives se trouvent représentées, de la nouvelle classique à la scène dramatique en passant par le roman par lettres, et il est ainsi possible de saisir, dans sa multiplicité apparente, l'essence de cette prose, si souvent louée — la « magie nervalienne »! — et si souvent réduite à quelques adjectifs sans pertinence : « claire », « pure », « poétique »..., et cependant rarement analysée. Plus que toute autre notion, c'est la précision qui définit le mieux l'écriture nervalienne : sans détour, sans emphase, elle atteint spontanément la réalité que le narrateur cerne pour mieux la transformer. D'où l'exceptionnelle acuité du regard qui, chez Nerval, ne retient dans une masse d'impressions que le détail susceptible d'être investi d'une valeur symbolique : un trait de visage qui assure la permanence de l'être malgré le travail du temps, un élément décoratif ou topographique dans lequel l'esprit se réfugie pour s'opposer à la fragmentation. Ainsi les adverbes et les adjectifs, plus que les autres termes portent-ils le sens du discours : ils sont en quelque sorte les seuls éléments mobiles au sein d'un discours qui, malgré une remarquable stabilité lexicale — certains ont pu parler de « pauvreté » de la langue chez Nerval —, parvient constamment à déplacer le lieu de son expérience. L'économie des moyens se révèle alors comme l'effort ultime de restructuration du *moi* : par la condensation du langage.

BIBLIOGRAPHIE

Les Filles du feu et singulièrement *Sylvie* ont fourni matière à une abondante exégèse. On retiendra deux études différentes par leur ton et leur démarche : Jean Gaulmier, *Gérard de Nerval et « les Filles du feu »,* Nizet, 1956 (classique, bien documenté, parfois trop psychologique); Gérald Schaeffer, *Une double lecture de Gérard de Nerval* (ouvrage cité dans la bibliographie des *Illuminés*).

Les Chimères

Ces douze sonnets, dont Valéry ne voyait « pas d'analogues dans notre littérature », furent composés par Nerval entre 1843 et 1854 avant d'être regroupés à la fin des *Filles du feu,* dont ils sont le prolongement et le commentaire naturels : aussi importe-t-il de les lire à leur place « géographique » dans l'univers nervalien, c'est-à-dire entre *Sylvie* et *Aurélia,* entre l'échec de l'éducation et la rédemption salvatrice dont les « Vers dorés » se font l'écho.

Longtemps les commentateurs ont cru que l'ordre des poèmes était indifférent, et, sous couvert d'hermétisme, toutes les interprétations se sont déchaînées malgré les préventions de Nerval lui-même qui affirmait que ses sonnets « perdraient de leur charme à être expliqués, si la chose était possible ». Au nombre de ce qu'Artaud appelait « les tripotages de la critique », signalons l'étonnante lecture de G. Le Breton, qui a vu dans *les Chimères* « des énigmes alchimiques [...] où était écrite la fabrication de la pierre philosophale »! A sa suite, d'autres ont recouru aux lames du tarot, aux doctrines ésotériques ou cabalistiques... Il faudra attendre — si l'on excepte certaines « impressions » de poètes, éclairantes mais fragmentaires — les premières applications de la linguistique à l'analyse du discours, pour que soit enfin levé le voile de l'alibi de l'hermétisme. Henri Meschonnic, le premier, s'est intéressé à l'emploi des pronoms personnels et a ainsi pu mettre en évidence une courbe menant du « sonnet du *je* abandonné » (« El Desdichado ») au sonnet de l'impersonnel (« Vers dorés »), qui marque le triomphe de l'univers, de l'être obscur sur la pensée. Prolongeant ces préliminaires, Jacques Geninasca a tenté, par une étude minutieuse de chaque sonnet, d'approfondir le sens de cette courbe : c'est ainsi qu'il est parvenu à relier cette problématique du *moi* à une thématique de la durée telle que l'on évolue du passé mythique et mystique à une sorte d'intemporalité où tout deviendrait possible. Ce qui se trouve au cœur des *Chimères,* comme des autres textes de Nerval, c'est donc bien la quête du sujet : un sujet qui dès le premier poème s'affirme avec force (position initiale du personnel, que viennent renforcer les déterminants spécifiques et les définis à valeur personnelle), mais ne peut empêcher que cette identité ne soit négative (« inconsolé »), marquée de l'absence (« seule ») ou de la perte (« ma seule *étoile* est morte »), fût-ce dans sa réalité sociale (« Le Prince d'Aquitaine à la tour abolie »). D'où cette recherche désespérée de l'autre, qui seul permettra au narrateur de vivre son identité autrement que dans le doute ou l'alternative : mais autrui se dérobe dans la mort (« El Desdichado »), dans la fuite (« Horus ») ou dans le sommeil (« Delfica », « le Christ aux Oliviers I », et ne peut être évoqué que par le souvenir ou la pensée (« Myrtho ») qui ne font que renvoyer le narrateur-héros à sa solitude. Quel qu'il soit, le narrateur de chaque sonnet se retrouve seul : dans sa révolte, comme Antéros, ou dans sa passion, tel le Christ, il découvre que « le Dieu manque à l'autel où [il est] la victime ».

Ce qui est donc en jeu derrière cette quête de l'autre, c'est la parole elle-même : parole cherchée, attendue et finalement trouvée dans le « verbe » de la Nature, et qui fait du poète, selon l'expression de Valéry, un constructeur « de langage dans le langage ». Dès lors, comment s'étonner que ces sonnets délaissent la narration au profit du discours? Pourquoi décrire si l'on ne peut dire? Rompant avec l'abondance chère aux romantiques, Nerval a concentré dans le sonnet une expérience de l'indicible : plus de décors, plus de couleur locale, plus de scène (dans « le Christ aux Oliviers », seul véritable poème faisant intervenir une « mise en scène », les notations sont réduites au strict minimum et servent à isoler le héros de ses disciples, de ses amis, pour ne laisser comme seul interlocuteur que Judas, c'est-à-dire celui qui va trahir la parole par la parole), plus d'images : la poésie nervalienne est une poésie libérée du référentiel — une poésie pure, si l'on appelle ainsi une écriture qui, hors de toute thématique, ne s'interroge que sur sa seule possibilité d'exister et découvre ce qu'Yves Bonnefoy appelle « la *vérité de parole* ».

BIBLIOGRAPHIE

Henri Meschonnic, « Essai sur la poétique de Nerval », *Europe*, 1958, p. 10-33 (article pénétrant repris dans *Pour la poétique*, III, Gallimard); Jacques Geninasca, *Analyse structurale des « Chimères » de Nerval*, Neuchâtel, La Baconnière, 1971 (ouvrage difficile mais indispensable à toute approche sérieuse des sonnets).

Aurélia

Entreprise une première fois en 1841-1842, puis reprise à la demande du Dr Blanche, chez lequel il était soigné en 1854, la dernière œuvre de Nerval fut publiée en deux livraisons de *la Revue de Paris* (1er janvier 1855 et 15 février de la même année) qui encadrent la mort de l'écrivain, trouvé pendu au matin du 26 janvier 1855. Récit initiatique pour certains, autobiographique pour d'autres, *Aurélia* est d'abord une œuvre de fiction dans laquelle tous les matériaux (livresques, biographiques, etc.) sont savamment organisés autour d'une double quête : celle de la femme aimée — Aurélia — et perdue en raison d'une mystérieuse « faute » du narrateur, celle du pardon qui permettra seul l'union des amants. Réduite à ce schéma, *Aurélia* ne serait qu'un des nombreux avatars des romans d'amour mystique qui ont fleuri entre 1820 et 1860, et l'on comprendrait mal la faible audience de l'œuvre jusqu'à une récente époque (on ne compte en effet que trois rééditions à faible tirage entre l'édition originale et 1942, alors que les collections de poche ont toutes inscrit ce titre avec succès à leur catalogue).

En fait, le texte avait de quoi gêner des lecteurs habitués à suivre une histoire; celle-ci se diluait en même temps que la voix du narrateur se scindait en trois instances narratives : un commentateur, installé dans le présent, revenu « à ce que les hommes appellent raison » et détenteur d'un savoir acquis (« Le Rêve est une seconde vie », I, 1); un héros, prisonnier du passé et de la folie, dont les modalisations traduisent l'incertitude devant les événements (« Il me semblait que je rentrais dans une demeure connue », I, 4); un narrateur, manipulant les temps, recomposant les aventures survenues au héros, malgré son impuissance à rendre compte avec des mots d'une réalité extra-linguistique (« Je ne puis espérer de faire comprendre... », I, 4; « Je ne sais comment expliquer », I, 9, etc.). Au fur et à mesure que progresse le récit, les trois voix se rapprochent pour venir se fondre en un *je* unique dans l'ultime épisode des « Mémorables », sorte de transcription intemporelle d'une expérience onirique du divin.

Ainsi, cette « descente aux Enfers » se clôt sur un triomphe du *je* qui, par l'assomption de la folie, jadis refusée dans *Sylvie* (« Il y a de quoi devenir fou! Reprenons pied sur le réel », III), est parvenu à modifier « les conditions du temps et de l'espace » : l'amoureux éconduit devient alors un « héros vivant sous le regard des dieux » (III, 4). Mais qu'est-ce qu'un héros, sinon un homme qui se risque aux frontières de l'inconnu? C'est précisément ce que fait le narrateur en retraçant ses divers rêves et en choisissant de les explorer méthodiquement : rien à voir, certes, avec l'approche psychanalytique — et Giraudoux avait raison qui voyait dans les ultimes « délices » du héros un freudisme issu de l'allemand *Freude* (la joie) et non du médecin viennois —, mais, en proposant une lecture personnelle de ses rêves, Nerval ouvrait la voie à toute une littérature qui, trois quarts de siècle plus tard, allait à son tour entrer dans le domaine des « portes d'ivoire » et reconnaître en lui l'un de ses précurseurs (voir en particulier l'essai de Daumal consacré à « Nerval le nyctalope » dans *Chaque fois que l'aube paraît*).

Mais la plus grande réussite d'*Aurélia* tient à son existence même, qui, par sa présence, donne à la folie, confinée au silence depuis ce que Michel Foucault a appelé « le grand renfermement » du XVIIe siècle, une parole qui n'est pas un discours *sur* la folie, mais bel et bien un discours *de* la folie. Discours limpide dès lors qu'on le lit en fonction de la logique qu'il sécrète et qui transforme l'univers en un monde merveilleux où tout est indistinct, aussi bien le temps (« Un jour », « Un soir »), les lieux (« Une ville, « Une maison ») que les personnes (« Une femme », « Un ami »). Telle est cette *vita nuova* où tout devient possible comme dans les contes enfantins; car *Aurélia* réalise le rêve impossible de Nerval : être le « livre infaisable ».

BIBLIOGRAPHIE

Les manuscrits d'« Aurélia » ont été publiés en fac-similé par Jean Richer, Paris, Les Belles-Lettres, 1972. Le même Jean Richer a donné une édition critique d'*Aurélia*, Minard, 1965 (introduction notes, variantes, jugements, etc.).

La critique, lorsqu'elle abandonne les lectures ésotériques, se tourne vers la psychanalyse. Y échappent deux ou trois approches plus textuelles : Daniel Couty, « *Aurélia* : de l'impuissance narrative au pouvoir des mots », *Cahiers de la Société Gérard de Nerval*, no 3, Nice, Éd. Bélisane, 1980; Shoshana Felmann, « *Aurélia* ou le livre infaisable », *Romantisme*, no 3, Flammarion, 1973.

BIBLIOGRAPHIE GÉNÉRALE

Éditions

Il n'existe actuellement aucune édition complète des œuvres de Nerval. De plus, les volumes de La Pléiade et des Classiques Garnier étant épuisés et en attendant la nouvelle édition de La Pléiade — dont n'est actuellement paru que le tome II couvrant la période 1850-1852 (Gallimard, 1984) —, on se reportera aux principaux textes (*Sylvie, Aurélia, les Filles du feu, les Illuminés, les Chimères, Voyage en Orient*) qui existent dans diverses collections de poche, préfacés par des spécialistes (Léon Cellier et Michel Jeanneret pour Garnier-Flammarion, Jean Richer pour Poésie/Gallimard, Béatrice Didier pour Le Livre de Poche, Max Milner pour « Folio », etc.).

Critiques

De l'énorme bibliographie nervalienne (regroupée en deux volumes par Jean Sénelier chez Nizet) nous extrayons quelques ouvrages d'ensemble.

Pour une prise de contact rapide, trois monographies aux tons différents : Jean Richier, *Gérard de Nerval*, Seghers, « Poètes d'aujourd'hui » (la plus originale); Raymond Jean, *Nerval par lui-même*, Le Seuil, « Microcosme » (la plus moderne; très bonne analyse des structures temporelles dans *Sylvie*); Léon Cellier, *Nerval*, Hatier, « Connaissance des Lettres » (la plus complète).

Pour aller plus loin on aura recours à des ouvrages de spécialistes, généralement universitaires : Jean Richier, le maître des études nervaliennes, a « résumé » ses travaux dans un *Nerval, expérience et création*, Hachette, 1963, éd. revue et augmentée en 1970, 743 p. (très complet, parfois touffu, faisant appel à une érudition et des analyses quelquefois contestables méthodologiquement, demeure néanmoins l'ouvrage de référence); Ross Chambers a donné dans son *Gérard de Nerval et la Poétique du voyage*, Corti, 1969, 416 p., un modèle d'analyse thématique; Kurt Schärer, *Thématique de Nerval*, Minard, 1968, 286 p. (ouvrage important qui regroupe l'ensemble de l'œuvre à partir de quelques lignes de force — le temps, les lieux, le moi et la perte, l'autre, la femme — mais manque, hélas! d'un index facilitant sa consultation); Jean-Pierre Richard, « Géographie magique de Nerval », dans *Poésie et Profondeur*, Le Seuil, 1955, rééd. « Points », 1976, p. 16-89 (une vision impressionniste souvent enrichissante, quelquefois irritante par la préciosité du langage, toujours stimulante). Enfin, on lira la remarquable étude de Michel Jeanneret, *la Lettre perdue*, Paris, Flammarion, 1978 (moderne, textuelle, précise, aborde les rapports étroits de l'écriture et de la folie). Les *Cahiers de l'Herne* ont consacré leur numéro 37 à « Gérard de Nerval », Paris, 1980.

ADAPTATIONS

Aurélia, discours de la folie, a fait l'objet d'une adaptation cinématographique d'Anne Dastrée sur un dialogue librement adapté de l'œuvre de Nerval par René de Obaldia. Commandé par le département de psychiatrie d'un grand laboratoire pharmaceutique, le film (réalisé en 1954) tente « la gageure de rendre de l'extérieur l'expérience intime qu'avait Nerval de sa propre psychose maniaco-dépressive » (texte de présentation du film). Il n'est donc pas étonnant que cette adaptation médico-scientifique s'attache avant tout au contenu proprement psychiatrique de l'œuvre et délaisse presque volontairement toute l'exploration onirique (ainsi disparaissent les grands rêves de la première partie, les « Mémorables », etc.). De même, en voulant concentrer l'expérience d'*Aurélia* sur un contenu thématique orienté, les auteurs abandonnent tout l'aspect initiatique du récit (la « faute » en particulier n'est jamais nommée). Le jeu des voix (voix *off* pour le récitant, voix *in* pour le personnage) reprend superficiellement la partition des fonctions narratives, et, malgré l'interprétation très intériorisée de Serge Reggiani, comme à la limite de la rupture d'équilibre, le film réduit Nerval au seul rôle du « fol délicieux » dans lequel toute une critique l'avait trop longtemps enfermé. Le voyant a disparu; ne reste qu'un malade... victime de simplistes mouvements de caméra (contre-plongées, panoramiques à 360°, dédoublements du héros) et d'un texte qui condense en quelques phrases au ton vaguement nervalien (« Elle ne t'aime pas. Tu cours après un fantôme. C'est de la folie. ») l'expérience d'œuvres fondamentalement diverses dans le temps et par leur signification.

C'est une voie différente qu'a choisie Jean-Michel Ribes pour son « itinéraire autour de Nerval », *On loge la nuit-Café à l'eau.* Créé à l'hôtel Donon durant le Festival du Marais 1975, le spectacle scénique de Ribes reconstitue de l'intérieur l'espace mystique et mythique de Nerval. Un décor constitué de portes qui s'ouvrent et se ferment (sur qui? sur quoi?), des comédiens qui assurent plusieurs rôles (le Dr Labrunie et le Dr Blanche, la mère de Gérard et Jenny Colon), alors que deux acteurs jouent deux Gérard, l'un jeune, l'autre âgé, un texte-collage composé de phrases empruntées à l'univers du poète : voilà recomposées, l'espace d'une petite heure, les angoisses et les joies d'un homme qui se sent divisé et pourtant se heurte à un univers où tout lui semble du déjà vu et du déjà connu. Plus que de longs commentaires, « l'itinéraire » proposé par Ribes et sa troupe va droit au cœur de la problématique nervalienne dont il n'élude ni les ambiguïtés, ni surtout l'allure poétique.

BIBLIOGRAPHIE

L'adaptation d'Anne Dastrée figure dans le numéro 38 de la revue *l'Avant-Scène Cinéma* (scénario, découpage filmique et photos). Le texte de Jean-Michel Ribes a fait de son côté l'objet d'une publication dans le numéro 575 de *l'Avant-Scène Théâtre* (texte, propositions de mise en scène et photos).

D. COUTY

NERVÈZE Antoine de (vers 1570-après 1615). Gentilhomme poitevin, secrétaire de la chambre du roi Henri IV et du prince de Condé, ce courtisan accompli adresse des *Consolations* aux grands de la Cour, dédie des poésies amoureuses à Henri de Bourbon (*Essais poétiques,* 1605) et des vers religieux à la reine (*Poèmes spirituels,* 1605). Son souci d'éduquer la noblesse transparaît dans *la Guide des courtisans* (1606). Nervèze est aussi le plus fécond (et le plus alambiqué) des romanciers antérieurs à d'Urfé (Des Escuteaux, du Souhait, Vital d'Audiguier). Ses œuvres, typiques du genre sentimental, sont recueillies dès 1611, sous le titre des *Amours diverses* : l'amour (très fidèle) de chastes jeunes filles est perturbé par des parents autoritaires et aboutit à la mort ou au couvent (*Amours de Polidore et de Virgène,* 1608). Entre-temps, l'amant affronte naufrages et combats (*Aventures guerrières et amoureuses de Léandre,* 1608). L'intrigue des *Amours de Filandre et de Marizée* (1958), histoire tragique d'une femme délaissée qui tue ses enfants, s'efforce un peu plus au réalisme.

Sentiments et personnages relèvent du stéréotype. Toutefois, ces romans, en rupture avec la tradition gauloise des *Amadis* et marqués par la spiritualité du siècle naissant, traduisent l'aspiration de la noblesse à des mœurs plus raffinées, à l'issue des guerres civiles. Mais cet idéalisme s'allie à une conception aristocratique de l'écriture qui tourne au maniérisme : oxymores, longues métaphores, jeux anagrammatiques (Melliflore : « Seulle en moy floriras ») obscurcissent le texte.

Le « parler Nervèze », caricature de la conversation et de la lettre de cour, raillé par Sorel, engendrera une réaction prônant clarté et pureté. Pourtant, il témoigne d'un souci esthétique qui est à l'origine de la préciosité, l'élégance et la délicatesse en moins.

BIBLIOGRAPHIE

G. Reynier, *le Roman sentimental de l'Astrée,* Paris, A. Colin, 1908; H. Coulet, *Histoire du roman jusqu'à la révolution,* Paris, A. Colin, 1967; R. Zuber, « Grandeur et misère du style Nervèze », dans *l'Automne de la Renaissance,* dir. J. Lafond et A. Stegman, Paris, Vrin, 1981.

A. VIALA

NESSON Pierre de (1383-avant 1442). Né en Auvergne, attaché dès l'enfance à la maison de Bourbon, il est compromis avec les Armagnac et sera arrêté en 1413. Libéré, il deviendra par la suite secrétaire du duc de Berry. En 1425 on le trouve « élu à la Cour des aides » de Clermont puis bailli d'Aigueperse. Sa vie fut traversée de procès incessants. Son *Lay de guerre,* dédié à Jean de Bourbon, prisonnier des Anglais après Azincourt (« Pour l'envoyer au bon duc de Bourbon/Chevalereux, affin qu'en sa prison/Là où ne puis autrement luy aider/Je le peux ung peu désennuyer ») est une réponse tragiquement ironique au *Lai de paix* de Chartier (« Ainsi que dit son ribaut Charretier/Qui d'elle fit une rime avant hier/En blasmant ceulx que je norris et pais/Et l'appelle, le truant, Lay de pais ») : Guerre, fille du diable et d'Ennemi, prévoit sa fin proche et réunit ses enfants pour les gratifier de son héritage de misères, excitant ces « chiens d'Anglais, vieulx ennemis de la France » contre les amis de la justice et de l'Église. Son *Oraison à Nostre Dame* est un jeu formel sur l'acte d'hommage de Pierre, homme de loi, à la Vierge (P. Champion y voit une sorte d'ex-voto, et un éloge indirect de Marie de Berry : « Nous vous faisons foy et hommage/De tout nostre petit mesnage ») pour demander que « seulement noz necessitez/Pour passer ceste povre vie/Si que nul de nous ne mendie ». Mais c'est la paraphrase des neuf leçons de Job, les *Vigiles des morts,* qui a rendu Nesson célèbre comme spécialiste de la poésie macabre. Les paroles latines de Job sont commentées en versets sous forme de « leçons », suivies de réflexions de l'« acteur ». La mort est décrite sous son aspect le plus horrible : la pourriture est partout présente, comme une obsession (« Tu verras que chacun conduit/Puante matière produit », « Hélas! quant les arbres fleurissent/Deux belles odorans fleurs issent/Et le fruit savoureux qu'on mange :/Mais de toy n'ist que toute ordure/Morveaulx, crachas et pourriture/Fiente puant et corrompue »). A ces variations sur le *inter faeces et urinas nascimur* des Pères s'ajoute la vision répugnante et fascinante du cadavre décomposé, détaillé ici avec une joie masochiste : « O charoigne, qui n'es mes hom/Qui te tenra lors compaignie?/Ce qui istra de ta liqueur :/Vers engendrés de la pueur/De ta vil char encharoigniée ». Tout s'effondre, classes sociales, sentiments, idéaux, devant la réalité ultime : « Et les prestres qui chanteront/En criant requiem, penseront/Combien ils en auront d'argent ». Ne reste plus que la terreur sacrée, récupérée par la religion pour ramener dans la droite voie des âmes hésitantes. En effet, toute cette peinture doit déboucher sur la pénitence et la préparation à la mort. Cette pièce est souvent ajoutée dans les manuscrits à des livres de prière; donc elle était interprétée à l'époque comme édifiante. Mais les excès de la description relèvent d'une violence autrement significative... Les *Vigiles,* « tableau le plus sombre et le plus saisissant des fins dernières de l'homme » (Bossuet), s'inscrivent dans le courant de pessimisme macabre qui traverse le XVe siècle, temps d'invasions, de pillages, de massacres : multiplication des arts de bien mourir; iconographie des danses macabres, dont on retrouve les échos jusque dans la peinture de Bruegel (*Triomphe de la Mort*). Fin de siècle attirée par le néant avant l'« aube » de la Renaissance?

BIBLIOGRAPHIE

E. Droz et A. Piaget, *Pierre de Nesson et ses œuvres,* Paris, 1925, rééd. Slatkine, 1977.

A. STRUBEL

NEVERS Edmond de (1862-1906). V. QUÉBEC (littérature du).

NEVEUX Georges (1900-1983). Né à Poltava (Ukraine), il est d'abord journaliste, puis avocat, et devient, en 1927, secrétaire général de la Comédie des Champs-Élysées. En 1929, il publie un recueil poétique, *la Beauté du Diable.* Sa première pièce, *Juliette ou la Clef des songes* (1930), tout en étant appréciée de quelques connaisseurs, reçoit un accueil mitigé. Aussi renonce-t-il pendant dix ans à la scène, pour écrire des dialogues de films. Il revient au théâtre avec *Ma chance et ma chanson* (1940), que suivent *le Voyage de Thésée* (1943), *Plainte contre inconnu* (1946), *Zamore* (1953), *la Voleuse de Londres* (1960). Il écrit par ailleurs des adaptations de pièces étrangères, des livrets de ballets et d'opéras.

Ce n'est pas diminuer les mérites de Neveux que d'indiquer ce que doit son œuvre à l'influence de Roussel et de ses amis surréalistes : Vitrac, Desnos, notamment dans *Juliette,* où l'auteur nous conduit dans une cité onirique dont tous les habitants sont devenus amnésiques. La quête d'une silhouette de jeune fille entrevue par le héros, retrouvée puis reperdue à la manière d'un songe qui s'évanouit, est évoquée en un style d'une poésie étrange. Fantastique et réel s'y associent avec bonheur. *Le Voyage de Thésée,* une allégorie qui n'est pas sans rappeler Giraudoux, ressuscite, en le rajeunissant, le thème du Minotaure : Thésée découvre que le monstre qu'il lui faut tuer n'est autre que lui-même : telle est sa véritable victoire.

L'œuvre de Neveux, qui interroge sans relâche la condition humaine sous une forme originale, symbolique et poétique, et qui, contrairement au théâtre de l'absurde, est empreinte d'un humanisme chaleureux, ne devrait pas tarder, bien qu'elle soit parfois difficile d'accès, à trouver une meilleure place dans l'histoire de la scène.

BIBLIOGRAPHIE

Henri Béhar, *le Théâtre dada et surréaliste,* Paris, Gallimard, 1979, 3e partie, chap. VII.

H. GIDEL

NIANE Djibril Tamsir (né en 1932). V. NÉGRO-AFRICAINE (littérature d'expression française).

NICOLAS DE TROYES. V. TROYES Nicolas de.

NICOLAY Nicolas de, seigneur d'Arfeuille (1517-1583). Géographe et aventurier originaire du Dauphiné, il commence par mener une existence vagabonde, où il met à profit ses talents de dessinateur et d'observateur. Après avoir pris part au siège de Perpignan en 1542, on le voit tour à tour en Hollande (1543) où il épouse la veuve du gouverneur d'Utrecht, en Livonie, en Suède, au Danemark où il est reçu avec les honneurs diplomatiques (1544). En Angleterre, il réussira un coup de maître : ayant gagné la confiance de l'amiral Dudley (1547), il obtient le dépôt d'un précieux routier maritime et de cartes nautiques qui permettront l'année suivante à l'escadre française de Villegagnon de prendre d'assaut le château de St-Andrews en Écosse. A cette occasion, la jeune Marie Stuart pourra être enlevée et ramenée en France. Lors de la reprise de Boulogne sur les Anglais (1549), il est chargé de dresser le relevé cartographique des forteresses et d'établir l'inventaire de l'armement capturé. En 1550, toujours en qualité d'« ingénieux du roy » et dans les fonctions officieuses d'agent secret, il embarque, avec l'ambassadeur Gabriel d'Aramon, pour Constantinople. A Formentera, à Alger, à Bône, aux Dardanelles, il relève l'assiette exacte, la garnison et l'artillerie des principales places fortes. En août 1551, il assiste, du côté ottoman, à la prise de Tripoli sur les chevaliers de Malte.

Le résultat de ce périple levantin sera le volume des *Navigations, pérégrinations et voyages faicts en la Turquie* (1568), orné d'une soixantaine de tailles-douces représentant les habits masculins et féminins des principaux peuples d'Orient; cet ouvrage sera plagié tout au long des deux siècles suivants. La dernière période de la vie de Nicolay est apparemment plus calme. Établi à partir de 1561 à Moulins, dans le château royal, il mène, à la demande de Catherine de Médicis, la première enquête topographique et statistique des temps modernes qui devait porter sur toute l'étendue du royaume de France. Les trois *Generales Descriptions* du Berry, du Bourbonnais et du Lyonnais sont achevées respectivement en 1567, 1569 et 1573. Gêné par la gravelle dans la poursuite de son travail, Nicolay accède néanmoins aux dignités de géographe du roi, puis de premier cosmographe du roi (titre qu'il ravit à son concurrent Thevet vers 1582). Il s'éteint à Paris un an plus tard.

Homme du regard, en qui ne cesse d'agir une incoercible « pulsion scopique », Nicolay oscille constamment de l'espionnage au voyeurisme. « Voir, visiter, designer (= dessiner) et descrire » : ce programme, qui lui est fixé par la reine en 1561, abolit devant lui tous les écrans et lui permet d'accéder, depuis les tours et les clochers où il a libre entrée, à une vision panoptique du royaume. Avec ce chef-d'œuvre d'obsession visuelle que constituent les *Navigations* orientales s'esquisse un genre littéraire nouveau, plus proche du climat romanesque que de la traditionnelle collection de singularités à la manière de Belon ou de Thevet. Le récit de voyage y ouvre l'espace défendu du sérail, sur quoi se fixent, au gré d'intrigues complexes et scandaleuses, les fantasmes politiques et sexuels de l'Occident classique. C'est à l'érotisme des *Navigations,* illustré notamment par le portrait d'une prostituée du Bazar travestie en concubine royale, que puisera, après bien d'autres, le Montesquieu des *Lettres persanes.*

BIBLIOGRAPHIE

R. Barroux, « Nicolaï d'Arfeuille, agent secret, géographe et dessinateur, 1517-1583 », *Revue d'histoire diplomatique*, Paris, 1937, t. LI, p. 88-109; Roger Hervé, « l'Œuvre cartographique de Nicolas de Nicolay et d'Antoine de Laval », *C.T.H.S., Section de Géographie*, 1955, t. LXVIII, p. 223-263; Alain Grosrichard, *Structure du sérail. La fiction du despotisme oriental dans l'Occident classique*, Paris, Le Seuil, 1979; Frank Lestringant, « Guillaume Postel et l'"obsession" turque », *Actes du colloque Guillaume Postel-Avranches 1981*, Paris, G. Trédaniel, 1983.

F. LESTRINGANT

NICOLE Pierre (1625-1695). Théologien, controversiste, moraliste, Nicole fut un des écrivains les plus actifs du mouvement janséniste.

Il était issu d'une famille de juristes lettrés : son père, juge à Chartres, versifiait en latin et traduisit Quintilien; son cousin Claude Nicole (1611-1685), lui aussi magistrat, donna de nombreuses traductions et des poésies chrétiennes. Lui-même fit de brillantes études à Chartres, puis au collège d'Harcourt, à Paris. Il se destinait à la prêtrise, mais, en 1649, il y renonça pour rejoindre les « solitaires » de Port-Royal, où deux de ses tantes étaient religieuses, et se consacra à l'enseignement dans les « Petites Écoles ».

Ami d'Arnauld, il l'aida dans ses luttes en faveur de Jansenius. Il collabora avec Pascal, pour la conception et la diffusion des *Provinciales*, dont il publia, sous le pseudonyme de WENDROCK, une traduction latine (1658). Dans cette activité de controverse, il composa, sur le modèle des *Provinciales*, dix *Lettres sur l'hérésie imaginaire* (1664) et huit *Visionnaires* (1665). Pourtant, malgré cet engagement, malgré les poursuites encourues, Nicole fait figure de modéré parmi les jansénistes. Il fut sans doute, dans l'affaire de la signature du formulaire, à l'origine de la distinction du droit et du fait, qui permettait aux jansénistes de se soumettre à l'Église tout en niant que les propositions incriminées fussent dans l'*Augustinus* [voir JANSÉNISME]. Sa modération lui valut, par la suite, des brouilles avec Arnauld et avec l'extrémiste Barcos. Mais elle correspondait chez lui à un mouvement profond de rationalisme et d'irénisme. Elle le conduisit, lors de la « paix de l'Église » (1669-1678), à prendre part aux controverses anti-protestantes — contre Jurieu, notamment — et plus tard à collaborer avec Bossuet contre les quiétistes (1695).

Mais, dans son œuvre abondante, la part la plus intéressante réside sans doute dans ses *Essais de morale* (1670-1678) et leur *Continuation* (1687-1688), qui eurent un immense succès. Ils se composent de petits traités sur des questions de religion, de mœurs et de politique. Le pessimisme foncier de l'augustinisme s'y exprime sous les dehors de bon sens, dans une langue à la fois imagée et précise. Pessimisme sur la capacité de l'homme à dominer sa nature, « car nos diverses passions et nos diverses pensées tiennent lieu d'un peuple avec qui nous avons à vivre : et souvent il est plus facile de vivre avec tout le monde extérieur qu'avec ce peuple intérieur que nous portons en nous-mêmes » (*Essais*, I); pessimisme qui conduit au conformisme : « Les hommes sont pires que des tigres, des ours et des lions. Chacun voudrait dévorer les autres : cependant, par le moyen des lois et des polices, on apprivoise tellement ces bêtes féroces que l'on en tire tous les services humains que l'on pourrait tirer de la plus pure charité. L'ordre politique est donc une invention admirable... » (*Essais*, II). Écho (mais inversé) des thèses de Hobbes? Plus certainement (Nicole participa à la première édition des *Pensées*), inquiétudes proches de celles de Pascal.

BIBLIOGRAPHIE

Voir JANSÉNISME et : E.T. James, *P. Nicole, Jansenist and Humanist*, La Haye, Nijhoff, 1972; Le Breton-Grandmaison, *P. Nicole et la civilité chrétienne*, Paris, A. Michel, 1945; E. Thomerez, *P. Nicole*, Paris, 1926.

A. VIALA

NICOLET Arthur (1912-1958). V. SUISSE. Littérature d'expression française.

NICOT Jean, seigneur de Villemain (vers 1530-1604). Introducteur de la « nicotiane » (le tabac, alors célébré pour ses vertus médicinales...), Nicot reste aujourd'hui connu aussi pour son œuvre pionnière de lexicographe.

Né à Nîmes, où il fréquente dans sa jeunesse Gabriel de Luctz, Pierre Paschal et Guy de Bruès, il est à Paris autour de 1554. Envoyé en mission diplomatique au Portugal, il en profite pour faire parvenir à Catherine de Médicis des fruits alors exotiques tels que le citron, l'orange et la figue. Il se fixera ensuite à Brie-Comte-Robert pour s'adonner, dans sa riche bibliothèque, à des travaux d'érudition.

A l'origine du *Thrĕsor de la langue françoise tant ancienne que moderne* se trouvent les additions qu'il donne en 1573 au *Dictionnaire françois-latin* de Robert Estienne, publié pour la première fois en 1539, l'année de l'édit de Villers-Cotterêts. L'entreprise de Nicot est à la fois neuve à son moment et décevante dans sa réalisation. « Par l'abondance des termes et des emplois enregistrés (plus d'un million au dire des auteurs de la dernière réédition), par la place très réduite accordée au latin, par le nombre de mots enregistrés sans traduction latine (mots exotiques, mots techniques, mots empruntés aux langues modernes), il préfigure le dictionnaire monolingue du XVIIe siècle » (L. Guilbert). En revanche, il refuse néologismes, vulgarismes et dialectalismes, qu'il faut rechercher chez Oudin ou chez Cotgrave. Notre premier dictionnaire (1606) serait-il donc académique avant l'heure?

BIBLIOGRAPHIE

Il existe plusieurs reproductions anastatiques du *Thrĕsor* (Paris, Picard, 1960). La place de Nicot dans l'évolution lexicographique est examinée par B. Quemada dans sa thèse sur les *Dictionnaires du français moderne. 1539-1863*, Paris, Didier, 1968. T.R. Woolridge, *les Débuts de la lexicographie française, Estienne, Nicot et le « Thrésor » de la langue françoyse* (University of Toronto Press, 1977) constitue une étude exhaustive et approfondie du *Thrĕsor*.

M. SIMONIN

NIGER Paul, pseudonyme d'**Albert Béville** (1915-1962). Derrière un pseudonyme qui, à proprement parler, annonce la couleur, s'abrite l'un des auteurs les plus prenants de sa génération. Ce Guadeloupéen, après avoir achevé ses études secondaires à Pointe-à-Pitre, suivit, à Paris, les cours de l'École de la France d'outre-mer et s'engagea dans une carrière d'administrateur des colonies qui l'amena au Dahomey et au Niger. A Paris, avant et pendant la guerre de 1940, il avait fréquenté le groupe des Afro-Antillais de la négritude et participé à la Résistance française. Après la guerre, en même temps qu'il fait ses premières expériences d'administrateur colonial, il adopte une position de plus en plus critique à l'égard non seulement du pouvoir français mais aussi du mouvement culturel de retour aux sources. Son poème « Je n'aime pas l'Afrique » proclame sa haine d'une certaine folklorisation de l'Afrique. Le recueil *Initiation* (1954) donne libre cours à une poésie corrosive, tout entière annonciatrice de l'avenir explosif d'un continent humilié : « L'Afrique va parler,/J'entends chanter la sève au cœur du flamboyant ». Une sensibilité ombrageuse, le feu d'une colère contenue passent dans des mots qui composent une poésie sans fioritures.

Engagé dans un mouvement de libération des Antilles-Guyane, il est l'objet de sanctions administratives et se voit interdire de séjour en Guadeloupe. Alors qu'il y rentre clandestinement, il meurt dans un accident d'avion près de Pointe-à-Pitre. Dans ses derniers écrits Paul Niger avait entrepris de faire passer son expérience et sa prise de conscience. Son roman *les Puissants* (1956) est violemment et efficacement satirique. *Les Grenouilles du Mont-Kimbo* (1964) décrivent le processus des futures libérations. On peut trouver la démonstration dogmatique, cela n'enlève rien de sa justesse.

O. BIYIDI

NIMIER Roger, pseudonyme de **Roger de la Perrière** (1925-1962). Né à Paris, élève du lycée Pasteur de Neuilly, il poursuit ses études de philosophie, mais, en 1945, s'engage dans le 2e régiment de hussards. Entre 1948 et 1953, il publie plusieurs romans, parmi lesquels *les Épées* (1948) qui le rend aussitôt célèbre, *le Hussard bleu* (1950), *Histoire d'un amour* (1953). Il entame dès cette époque une carrière de scénariste (*Ascenseur pour l'échafaud*, L. Malle, 1957; *Éducation sentimentale*, A. Astruc, 1961). Ses activités se sont rapidement tournées vers le journalisme et l'édition : rédacteur en chef, collaborateur ou directeur littéraire de plusieurs revues, il entre chez Gallimard en qualité de conseiller littéraire. Il n'a que trente-sept ans quand il trouve la mort, sur l'autoroute de l'Ouest, au volant de son Aston-Martin. Un prix Roger Nimier sera fondé en 1963; en 1981 paraîtra, sous le titre *l'Élève d'Aristote*, un recueil de chroniques, préfaces et articles écrits de 1950 à 1960.

Des esprits malveillants ont suggéré que « cet excellent élève » avait disparu avant de devoir avouer qu'il n'avait plus rien à dire. Ses romans avaient pourtant été salués par des écrivains aussi considérables que Céline, Morand, Mauriac, Jouhandeau ou Chardonne. Nimier est représentatif de la génération de 1950, qui récusait l'attitude des intellectuels de l'immédiat après-guerre, lesquels étaient passés d'une philosophie de l'absurde à une morale de l'engagement. On a parlé à son propos d'une pensée de « droite ». En fait, ses goûts le portent vers l'amitié masculine, l'élégance des attitudes, l'honneur du « service inutile », et le rapprochent de ceux qui savent « passer au milieu des catastrophes avec légèreté, en tirant la langue au destin ». Il renoue avec une littérature de l'individu seul face à l'amour et à la mort, du héros narquois et désabusé, pudique et brutal à la fois. L'ellipse et l'insolence dilettante d'une certaine jeunesse, où se mêlent les influences de Drieu, Montherlant, Aymé..., fondent un style et un art de vivre qui influenceront les « Hussards », groupe d'écrivains parmi lesquels on compte Jacques Laurent et Antoine Blondin.

BIBLIOGRAPHIE

M. Dambre, *Nimier — Étude de bibliographie critique*, Thèse, Univ. Paris IV, 1976, et présentation de l'*Élève d'Aristote*, Paris, Gallimard, 1981; R. Poulet, « Nimier », *Écrits de Paris*, déc. 1978. Il existe une Association des amis de Roger Nimier qui publie des *Cahiers Nimier*. Le premier numéro (printemps 1980) comportait des études de P. Boutang, G. Dormann, M. Dambre, J.-M. Rouart; la publication semble très intermittente.

M.-P. SCHMITT

NISSABOURY Mustapha (né en 1943). V. MAGHREB. Littérature d'expression française.

NIZAN Paul (1905-1940). Tué à l'ennemi au cours de la Seconde Guerre mondiale, Paul Nizan, romancier et journaliste, mais aussi communiste militant jusqu'à la dramatique rupture de septembre 1939, éprouva son époque jusqu'à se confondre avec elle et en proposa une image variée mais cohérente qui vaut autant par la qualité du reportage que par la vérité des expériences vécues.

Révolte et roman

Journaliste, essayiste, romancier, Nizan a rendu compte de son temps avec une simplicité agressive et parfois schématique. Il a, du journaliste, tout à la fois les qualités et les défauts. S'il affronte — avec hardiesse, lucidité et humour — les difficiles questions que pose à l'intellectuel français de 1930 la présence simultanée d'un monde universitaire éloigné des réalités et d'une classe ouvrière accablée par la misère, il cède trop souvent à la facilité et à la caricature. De l'École normale supérieure, « troupe orgueilleuse de magiciens » (*Aden Arabie*) où il fut reçu en 1924, le pamphlétaire donne une image déformée par les exigences de la polémique. La philosophie, quant à elle, que Nizan étudia brillamment aux côtés de Jean-Paul Sartre (son camarade d'études dès 1917 au lycée Henri-IV, puis à la khâgne de Louis-le-Grand), de Raymond Aron, de Georges Canguilhem, est exécutée par lui avec une rage si froide, si brouillonne que la démonstration perd beaucoup de sa crédibilité.

Entre bons et mauvais philosophes, Nizan fait le partage sans nuances. Si la « philosophie idéaliste » énonce des « vérités sur l'homme », elle méconnaît « la carte de la répartition de la tuberculose dans Paris qui dit comment les hommes meurent ». Le manque de clairvoyance qui poussa Nizan à écrire que « jamais les philosophes ne s'occupent effectivement des hommes » fut comme l'envers du courage dont il fit preuve en dénonçant les professeurs en place comme les « chiens de garde » de la bourgeoisie, se privant du même coup de toute possibilité de carrière à l'intérieur de l'Université. Désireux de parler aux hommes de la réalité de leur vie (« Il est question d'être utile. Et non de faire l'apôtre »), il refuse la « philosophie présente » et prône le « ralliement à la philosophie de Marx et de Lénine ». Délaissant Spinoza (qu'il étudia longuement à l'École normale) et Heidegger (qu'il fut le premier à présenter au public français à travers un extrait de *Qu'est-ce que la métaphysique?* traduit par Alexandre Koyré dans le numéro 8 de la revue *Bifur*, 10 juin 1931), il manifeste un intérêt qui ne faiblira jamais pour les « matérialistes de l'Antiquité », titre de l'ouvrage (1936) le plus lu du vivant de Nizan (6 000 exemplaires vendus en 1938) et notamment pour Épicure, qui « domine l'histoire du matérialisme antique ». Invitant à trahir « la bourgeoisie pour les hommes », il propose du monde une vision que le manichéisme prive d'une grande partie de sa richesse. Les expériences du jeune normalien (*les Chiens de garde*, 1932), du voyage d'Aden, accompli au cours de sa scolarité rue d'Ulm (*Aden Arabie*, 1931), du militant communiste de Bourg-en-Bresse, où, jeune agrégé de philosophie, il enseigne en 1931-1932 (*le Cheval de Troie*, 1935), se traduisent par une suite de tableaux où s'opposent oppresseurs et opprimés, philosophes complaisants et philosophes révolutionnaires, prolétaires lucides et déterminés et intellectuels désœuvrés succombant aux séductions du fascisme.

A l'inverse de ce qu'il était pour le Carré de *la Conspiration* (1938, prix Interallié), le communisme ne fut pas, pour Nizan, la « conscience qu'il avait de lui-même et de son action », mais plutôt la « forme qu'il avait donnée à son action ». Le dandy de la rue d'Ulm qui suit de près la mode « avec insolence » (Sartre), le jeune homme désorienté qui part pour Aden pris de nausée devant le vide de sa jeunesse, revient peu à peu de ses illusions : « Ce n'est pas en fuyant dans l'espace, en occupant ses regards qu'on se trouvera » (*Aden Arabie*). Souhaitant se confronter à des problèmes concrets, cherchant « quelque chose de réel à se mettre sous la dent », il « passe » sa révolte « sur le plan social ». L'adhésion au communisme, qui institutionnalise la révolte, s'affirme d'emblée comme la recherche d'un salut terrestre.

Dépassant, cependant, l'attitude du militant discipliné qui donne du monde une vision stéréotypée et rassurante, Nizan déploie, à la *Revue marxiste,* à la revue *Bifur* (dont le directeur, Pierre Lévy, le prend comme conseiller), à *l'Humanité* (à partir de 1932), à *Ce soir* (à partir de 1937), aux *Cahiers du bolchevisme* (à partir de 1938) une activité journalistique aux formes multiples : critique littéraire, analyse politique, grands reportages, croquis d'époque; il « couvre » le couronnement de George VI à Londres en 1937, le Tour de France en 1938. Ses articles sur l'Espagne, avant et pendant la guerre civile (dans *Regards*), expriment avec force un drame contemporain : « On pensait au décor d'un étrange opéra, d'une mise en scène spontanée de la jeunesse, de la passion et de la mort ». Mais devant le tragique, le journaliste mesure la précarité de ses moyens : ayant suivi de près les négociations qui ont mené aux accords de Munich, Nizan est amené à souligner les « problèmes méthodologiques » posés aux journalistes par des événements qu'ils ne peuvent connaître qu'indirectement, à partir de « traces » (*Chronique de septembre,* 1939).

A l'impasse et aux limites du journalisme répond la richesse complexe du roman, qui permet de mettre au jour le tragique de la condition humaine, et dont les personnages sont conçus comme des « incarnations de problèmes ». Dans *Antoine Bloyé* (1933), les phrases interminables, le rythme volontairement lent et monotone s'accordent à la vie du personnage, tout en exprimant « le côté tragique de la vie des hommes, ni ouvrier, ni bourgeois ». Forme moderne de la littérature, le roman, pour Nizan, « tient aujourd'hui le rang occupé dans l'art classique par la tragédie ».

Angoisse et roman

A sa manière, Nizan fut un enfant du siècle et un personnage de roman. Mal à l'aise dans le monde, dans sa famille, à l'École normale, au parti communiste (à partir de 1924), il eut la solitude du révolté. L'exigence d'absolu qui conduit sa vie (« Être un homme nous paraît la seule entreprise légitime », *Aden Arabie*; « Le communiste a l'ambition d'être absolument un homme », *la Conspiration*) aboutit à un constat désespéré sur la condition humaine, faite d'absurde et de néant : « Tous les hommes vivent comme nous, tournant comme des chauves-souris ». Ce qu'illustre, par exemple, dans sa retraite de Nantes, Antoine Bloyé, qui a peur « du visage informe de toute sa vie, de cette image vaine de lui-même, de cet être décapité qui marchait dans la cendre du temps, sans direction, sans repères. Il était ce décapité, personne ne s'était rendu compte qu'il avait tout le temps vécu sans tête ».

Antoine Bloyé est, avec *la Conspiration,* l'œuvre la plus achevée de Nizan. Pierre Bloyé, le narrateur, creuse sous « l'écorce de la vie » pour découvrir « quel homme était (s)on père ». Le roman offre à Nizan un lieu où, phénoménologiquement, il est possible d'analyser la construction d'une personnalité aux prises avec le temps et avec les contraintes de la société. Antoine Bloyé, dont les déterminismes sociaux et familiaux, l'influence des alliances professionnelles et privées sont dévoilés sans ambiguïté, est amené, par la misère et les puissants, à intérioriser « le sentiment d'un destin et d'une nécessité inébranlables », puis, insensiblement, à trahir sa classe : « Tout encourageait alors la jeunesse ouvrière, les descendants ambitieux des artisans, des petits fonctionnaires à entrer dans le complot du commandement ». Il prend conscience du mensonge tapi au cœur de sa carrière (« Il savait bien qu'il était passé du côté des maîtres, qu'il était leur complice »); la trahison se réduisant d'elle-même, au terme du trajet menant de l'ascension sociale à la déchéance, au noyau de l'existence humaine : « Il n'y avait plus rien que l'angoisse ».

Venu d'une enfance difficile, à Tours, à Périgueux puis à Choisy-le-Roi, marqué par le profond sentiment d'échec de son père, ingénieur des chemins de fer limogé après un sabotage dans son atelier, Nizan s'est cherché longuement. La nécessité d'une morale (« il avait, note Sartre, un besoin profond de discipline morale ») a été déterminée chez lui dès l'adolescence, par l'obsession de la mort. Cette « angoisse qui aspire tout l'esprit » et qui surprend soudain un homme, cette interrogation infinie et répétitive (« Qui est l'homme? Où va-t-il? Quel est le sens de son existence sur la terre? ») l'ont conduit à un déchirement qu'il n'a jamais surmonté : « Mener une vie qui n'est qu'une espèce d'angoisse ou risquer la mort pour conquérir la vie? »

L'homme et la mort sont les thèmes de tous les écrits de Nizan. Les termes reviennent souvent chez lui pour désigner l'essence d'une collectivité humaine à la fois concrète et mythique : « Que de fois j'aurai répété le mot homme. Mais qu'on m'en donne un autre. C'est de ceci qu'il s'agit : énoncer ce qui est et ce qui n'est pas dans le mot homme ». Nizan accepte la mort au cœur même de sa vie (« On ne change rien qu'au risque de la mort, on ne transforme rien qu'en pensant à la mort »); il ne l'exalta jamais, mais la conjura toujours, jusque dans sa manière rageuse et péremptoire de jeter les phrases : « J'avais vingt ans. Je ne laisserai personne dire que c'est le plus bel âge de la vie » (*Aden Arabie*).

La triple existence de Paul Nizan

Nizan eut une vie posthume aussi inconfortable que sa vie réelle. Si, de 1905 à 1940, il est aisé de reconstituer son itinéraire, la légende qui s'empare de lui après sa mort invite à la méfiance. Nizan sortit de la famille communiste par une action d'éclat : devenu un personnage public, collaborant à la presse du parti, membre de l'Association des écrivains et artistes révolutionnaires, invité du Komintern (1934), participant au 1er congrès des Écrivains soviétiques (1934), chantre de l'U.R.S.S. dans ses cours, ses articles et ses conférences, il démissionna du parti communiste en septembre 1939, après la signature du pacte de non-agression germano-soviétique et l'invasion de la Pologne par les troupes de Staline. Sa disparition effective du monde des vivants fut suivie d'une campagne de dénigrement et de calomnies sans précédent, orchestrée par Maurice Thorez, Henri Lefebvre et Louis Aragon, ce dernier s'appuyant sur l'existence d'une thématique de la trahison dans l'œuvre de Nizan pour prouver *ipso facto* sa nature profonde de traître. « Une conjuration d'infirmes prétendit l'escamoter », écrit Sartre dans sa célèbre Préface de 1960 à *Aden Arabie,* préface qui signait la date de naissance d'un troisième Nizan, volontiers rimbaldien et aventurier, dans lequel la génération de mai 1968 reconnut un de ses héros. Témoin le considérable succès obtenu par la réédition de ses premiers pamphlets (24 000 exemplaires d'*Aden Arabie* vendus entre 1960 et 1968, alors que Rieder n'était pas parvenu en cinq ans à en écouler 1 000). Nizan connut grâce à Sartre, son ancien ami et son double ambigu, une notoriété passionnelle. Il est lu désormais comme l'un des plus importants romanciers de l'entre-deux-guerres.

Tardivement réhabilité par le parti communiste, Nizan offre l'avantage, pour ses biographes et ses critiques, d'être mort en 1940. Il est, en effet, loisible à chacun de repenser, dans ses fondements comme dans ses possibles métamorphoses, une existence sèchement arrêtée. Par sa vie et encore plus par sa mort, Nizan présente aux générations suivantes l'exemple d'un écrivain victime d'une injustice que l'histoire, par le jeu combiné du mythe et du mensonge autant que de l'air du temps, donne surtout à lire à travers le prisme déformant de la polémique et de la légende.

BIBLIOGRAPHIE

Ariel Ginsbourg, *Nizan*, Paris, Éd. universitaires, « Classiques du xxe siècle », 1966; Jacqueline Leiner, *le Destin littéraire de Paul Nizan*, Paris, Klincksieck, 1970; Youssef Isaghpour, *Paul Nizan*, Paris, Le Sycomore, 1980; Annie Cohen-Solal, avec la collaboration de Henriette Nizan, *Paul Nizan, communiste impossible*, Paris, Grasset, 1980; Pascal Ory, *Nizan, destin d'un révolté*, Paris, Ramsay, 1980. A consulter aussi les témoignages de Simone de Beauvoir, dans les différents volumes de ses *Mémoires*, et de Jean-Paul Sartre, dans *les Mots*.

G. VANNIER

NOAILLES Anna Elisabeth de (1876-1933). Anna de Bibesco-Brancovan est née et a été élevée à Paris. Ses origines orientales expliquent peut-être la passion qui habite son œuvre poétique. Après son mariage avec le comte Mathieu de Noailles, son recueil *le Cœur innombrable* (1901) lui confère une célébrité qu'elle conservera jusqu'à la mort tant par ses œuvres (*l'Ombre des jours*, 1902; *les Éblouissements*, 1907; *les Vivants et les Morts*, 1913; *les Forces éternelles*, 1920; *l'Honneur de souffrir*, 1927) que par sa personnalité hors du commun.

Fortement influencée par le romantisme, usant d'une forme encore classique (mais parfois un peu négligée), Anna de Noailles fait entendre une voix authentique, simple et émouvante. Sa poésie est d'emblée lyrique et se donne pour tâche d'exalter la réalité sensible avec une extrême sensualité : « J'écris pour que le jour où je ne serai plus,/On sache comme l'air et le plaisir m'ont plu ». Les images évoquent tout un monde d'odeurs, de lumière, de fruits, où l'été prend une place essentielle : « L'amant que vous vouliez, c'était le tendre été/Saturé d'aromates et de l'odeur des vignes! » L'Orient apparaît, le plus souvent, comme un paradis sensible, un pôle extrême de l'été. La volonté ardente de « serrer entre ses bras le monde et ses désirs » implique un panthéisme et une mystique de la nature, une « païenne sainteté ». Les images d'une fusion avec les éléments sensibles sont très fréquentes.

A l'horizon d'une telle passion à vivre, on perçoit, dès les premiers recueils, un secret désespoir, une profonde et émouvante mélancolie : l'acharnement à vivre dans l'intensité traduit une lutte contre la mort (qui devient un élément obsédant dans l'œuvre dès 1913) et l'oubli. Exaltation du moi vivant, la poésie pérennise au-delà de la mort cette exaltation et devient une « ombre riante et pleine de clarté », à laquelle viendront se réchauffer les lecteurs.

Avec sa voix fervente, éloignée de toute fastidieuse intellectualité, Anna de Noailles sait nous replonger dans le sensible et nous tourner vers la vie. « Des hommes viendront boire aux sources que je fus ».

BIBLIOGRAPHIE

En guise d'introduction, on consultera l'excellent petit ouvrage de M. Perche, *Anna de Noailles*, Paris, Seghers, 1964. On complétera avec : Jean Cocteau, *la Comtesse de Noailles*, Paris, Perrin, 1963; Édmée de La Rochefoucauld, *Anna de Noailles*, Paris, Éd. Univers, 1956; Colette, « Discours de réception à l'Académie royale de langue et de littérature françaises de Belgique », Bruxelles, *Bulletin de l'Académie royale*, 1936; Charles du Bos, *Anna de Noailles et le Climat du génie*, Paris, la Table ronde, 1949.

A. DÉCHAMPS

NODIER

NODIER Jean-Charles Emmanuel, dit **Charles** (1780-1844). Né avant la Révolution française et disparu après avoir vécu tous les bouleversements sociaux et idéologiques qui caractérisent le début de notre ère moderne, Charles Nodier fut naturellement engagé dans les questions politiques de son temps. Persuadé qu'une nouvelle littérature devait nécessairement accompagner la société issue de ces bouleversements, il fut parmi les maîtres du mouvement romantique et, comme critique littéraire, un initiateur important à la littérature étrangère. Royaliste et conservateur, ennemi des théories de la perfectibilité et du progrès, il n'accompagna pas les autres romantiques dans le grand revirement de 1830. Dans sa vision du monde, seul compte l'individu, et Nodier fut le premier peut-être à consacrer toute une œuvre au destin de l'individu et aux conditions de l'imagination subjective, telle qu'elle s'exprime, en particulier, dans les rêves et les fantasmes. De l'exil extérieur, historique, à l'exil intérieur, psychique, du proscrit au fou, nous trouvons chez Nodier des images passionnantes du sujet en lutte avec son destin social ou approfondissant l'imaginaire de ses rêves. De là le titre de précurseur, qu'on lui accorde volontiers, bien que Nerval seul, en réalité, s'apparente à lui.

La formation d'un romantisme

A l'arrière-plan des cinq romans de Nodier (cf. Chronologie, 1803, 1818, 1819, 1820, 1832), on trouve des événements révolutionnaires. « Nous autres, enfants perdus de cette monarchie dont nous n'avions connu que les malheurs... » — c'est ainsi que Nodier, en 1830, évoque les hommes de sa génération, lorsqu'il écrit ses souvenirs de la Révolution et de l'Empire. Enfant perdu, il l'était, mais plutôt de la Révolution que de la monarchie. En effet, Charles parut sur l'avant-scène de la Révolution comme un enfant prodige, faisant des discours en pleine Société des Amis de la Constitution sous les auspices de son père, juge au tribunal révolutionnaire de Besançon après avoir été le maire de cette ville. Il devait par la suite manifester contre la République et conspirer contre l'empereur, avant de se déclarer royaliste en 1814; il fut donc lui-même, et à plusieurs reprises, un de ces proscrits ou exilés qui figurent dans ses romans. Grâce aux relations de son père et aux contacts qu'il avait noués personnellement avec des personnages influents, le jeune Nodier fut d'abord, dans un de ses exils, l'élève d'un érudit des sciences de la nature — d'où son intérêt pour l'entomologie —, chargé quelques années plus tard d'un cours de littérature à Dôle, puis secrétaire d'un Anglais spécialiste des classiques latins. Grand lecteur lui-même et très tôt passionné d'histoire de la littérature et de théories linguistiques, il allait bientôt se faire remarquer à Paris par un *Dictionnaire des onomatopées* et une édition des *Fables* de La Fontaine.

Jusqu'à sa trente-deuxième année, Charles Nodier mena ainsi une existence de nomade; Besançon, Paris, Dôle, Amiens, Quintigny. En 1812, il est nommé rédacteur et bibliothécaire impérial dans les provinces illyriennes, à Laibach (Ljubljana). Quand, en 1813, la retraite des armées napoléonniennes mit fin à ce séjour, il y avait trouvé l'avant-dernière grande source d'inspiration de sa vie : les traditions, chants et contes populaires

« Trompe l'œil », peinture de J.-François de Le Motte, en 1667. *Musée des beaux-arts, Arras. Ph. L. Marnat © Photeb.*

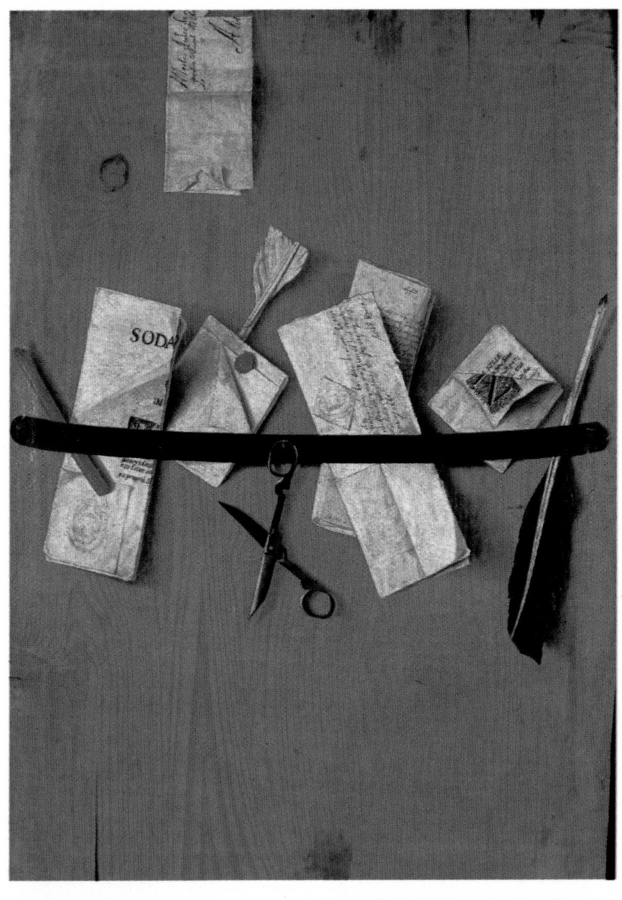

Poème-objet d'A. Breton, 17 janvier 1937. Carte postale surréaliste. *Bibl. littéraire Jacques Doucet, Paris. Ph. R. Lalance © Photeb - D.R.*

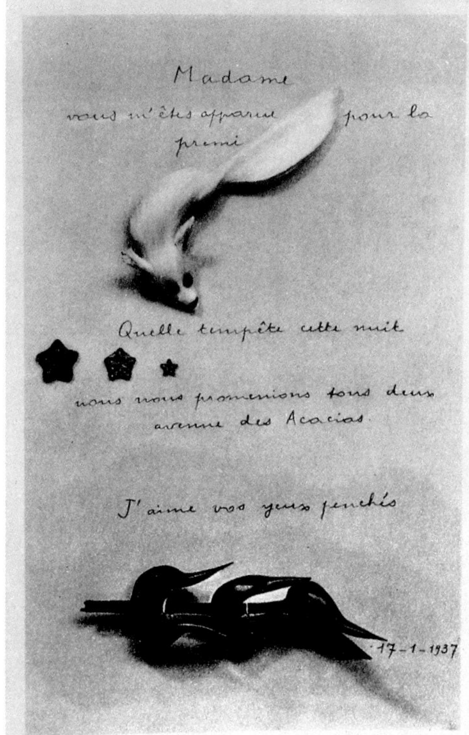

Objet

L'une des tentations les plus constantes de la littérature, de l'art en général, est l'imitation de la nature, où prennent place, outre les êtres, leurs objets. Dès la tradition classique, l'objet joue un rôle, thématique ou narratif, que le personnage s'en serve ou qu'il soit trahi par lui.
Du fauteuil où Chérubin se cache jusqu'aux chaises envahissantes de Ionesco, le siège est une métonymie de la personne. Toujours lui-même et autre chose — un signe —, l'objet

Apparition du Saint Graal. Miniature extraite de *le Livre de messire Lancelot du Lac*, XIVe s.
Ph. © Bibl. Nat., Paris - Arch. Photeb.

La Folle Journée ou le Mariage de Figaro de P. A. Caron de Beaumarchais. Gravure de J.-Baptiste Lienard d'après J. de Saint Quentin (fin XVIIIe s.). Ruault, Paris, 1785. *Ph. © Bibl. nat., Paris - Photeb.*

« Nana », le miroir. Huile sur toile d'Edouard Manet, en 1877. *Kunsthalle, Hambourg. Ph. R. Kleinhempel © Arch. Photeb.*

« Poème de jalousie » de Claire et Yvan Goll, illustré par un dessin de Foujita (1886-1968). Éd. J. Budry et Cie, Paris, 1926.
Ph. © Bibl. nat., Paris Photeb © by ADAGP 1984.

Le Journal d'une femme de chambre, scène de fétichisme extraite du film de Luis Buñuel en 1963, d'après O. Mirbeau.
Ph. © Arch. Snark-Edimedia - Arch. Photeb.

Les Chaises d'E. Ionesco, pièce jouée par la Compagnie Michel Vitold au théâtre Gramont en 1965, avec Michel Vitold et Tsilla' Chelton.
Ph. © Agence Bernand - Photeb.

Fin de partie de S. Beckett, pièce mise en scène par Guy Rétoré au Théâtre de l'Est Parisien en 1980, avec Gisèle Casadesus et André Reybaz.
Ph. © Agence Bernand - Photeb.

est un moteur rhétorique. Le miroir renvoie à ce qui n'est pas lui, le fétiche est le substitut pervers du corps primordial de la mère. Le créateur, s'il ne choisit d'enfermer ses personnages en un écrin ou dans une poubelle (Beckett), peut tirer les objets de leurs fonctions pour les célébrer. Breton, Pérec n'ont pas craint d'être fascinés par les bric-à-brac, ces petits Chaos en attente d'un improbable Créateur.

André Breton au « marché aux puces » à Paris, en 1965. *Ph. © Gisèle Freund.*

Passage Perec, spectacle de Daniel Zerki en 1983, au Centre Georges Pompidou. Tentative de mise en scène des inventaires que l'on peut trouver dans l'œuvre de G. Perec : index, glossaires, alphabets, répertoires, lexiques, catalogues, bibliographies, chronologie, nomenclatures, recensements, etc. *Ph. B. Gérard © Photeb.*

« La Séparation », huile sur toile de Gilles Aillaud, en 1978. *Ph. © Galerie Karl Flinker - D.R.*

« L'Éponge et son image », photographie de Claude Batho, en 1980. *Ph. © Claude Batho.*

encore vivants dans un peuple en marge de la civilisation. Sa dernière source d'inspiration, il la découvrira en 1821, lors d'un voyage en Écosse, autre pays marginal — et pays de Walter Scott, donc du passé.

Voilà donc l'homme fait, au moment de son installation, en 1813, à Paris, ville qu'il ne quittera plus. La nature, l'expérience et la défaite politique, la littérature, la critique, les livres, tout devait lui servir dans les années à venir, formant le cadre de ses contes et de ses souvenirs, servant de fondement à sa critique politique et à sa critique littéraire. Celle-ci joua un rôle important dans sa vie, en aidant à sa réussite dans le journalisme parisien et en favorisant successivement sa nomination à la direction de la bibliothèque de l'Arsenal (1824) puis son élection à l'Académie française (1833).

Une vie extrêmement mouvementée, donc, jusqu'à la Restauration, et qui apparaît presque monotone après la révolution de Juillet. C'est pendant une dizaine d'années — les années 1820 — que Nodier joua le rôle de maître des romantiques. Son influence s'étendit sur bien des littérateurs de l'époque, à commencer par Victor Hugo. Ensemble, Hugo et lui assistèrent au sacre de Charles X à Reims, et Nodier fut un peu le guide des débuts littéraires de Hugo pendant les années où le salon de l'Arsenal était la « boutique » des romantiques [voir ARSENAL et CÉNACLES]. Cependant, ceux-ci appartenaient à une génération plus jeune, et ils rejetèrent sa tutelle vers 1830, année marquée, pour Nodier, par un dégagement définitif. Il ne voyait dans les vicissitudes constantes de la politique française, dans la succession des régimes, dans les nouvelles idéologies (Lamennais, Saint-Simon, Fourier...) qu'épiphénomènes à la surface de l'histoire et l'expression, sous des formes variées, de la vanité de l'homme. Les quinze dernières années de sa vie, Nodier les consacra à rédiger des *Souvenirs* — en bonne partie fictifs, parce qu'il voulait y refléter les principes éternels de l'histoire et les valeurs immuables de l'homme —, à composer ces contes qui firent sa gloire parce qu'ils témoignent d'un désaccord de l'individu avec son temps, et enfin à publier une dernière série d'essais, qui expriment, sur un ton définitif, sa conception de l'époque romantique.

Pour une nouvelle littérature

Au fur et à mesure que la critique littéraire de Nodier s'affermit, se forment aussi ses idées sur les genres littéraires. S'inspirant beaucoup de la littérature étrangère, plus développée dans le sens du romantisme, il part de l'idée qu'une littérature moderne doit nécessairement être l'expression de la société dans laquelle elle s'inscrit. Après le choc de la Révolution et des guerres, la littérature ne peut plus exprimer le « beau idéal » classique; dans une société vouée temporairement à la mort et, à plus longue échéance, à la dissolution, toute imitation des modèles classiques est stérile. Mais les conditions d'un renouveau, où les trouver? « On sait où nous en sommes en politique », dit Nodier; « en poésie, nous en sommes au cauchemar et aux vampires. Si la littérature est toujours l'expression du siècle, il est évident que la littérature de ce siècle-ci ne [peut] nous conduire qu'à des tombeaux ».

Quoique Nodier préfère en tout une poésie simple et naïve, telle qu'il la voit réalisée dans la romance, il accepte la poésie d'un Chénier ou d'un Millevoye, qui porte l'empreinte d'une « société en deuil ». De là aussi son accueil positif aux poésies de Lamartine, qui correspondent à ce que Nodier a tant de fois préconisé : une littérature où les sentiments de l'individu puissent s'accorder avec des considérations religieuses. Peu importe si la création littéraire déborde les limites de la raison, et tant mieux si elle équivaut aux superstitions ou aux croyances des peuples primitifs et des enfants : ce sera renouer avec ce qu'il y a de plus valable dans le cœur de l'homme et inspirer à celui-ci un véritable renouveau. C'est dans le même sens qu'il salue favorablement l'épopée moderne d'un Ballanche (*Antigone*), parce que, à l'instar des épopées classiques, elle émane d'une société en transformation et qu'elle participe à la régénération après la décadence du siècle précédent.

Romancier lui-même, c'est à l'imagination et au sentiment que Nodier fait appel pour renouveler le roman. Aussi donne-t-il un avis favorable sur le sujet de *Han d'Islande* de Hugo, bien qu'il voie parfaitement qu'il s'agit là de la création d'une imagination maladive. De là au fantastique et au frénétique, il n'y avait qu'un pas, qu'il franchit lui-même avec *Smarra* et le recueil de traductions et d'adaptations *Infernaliana*. Tout d'abord critique à l'égard du genre fantastique, il finit par considérer celui-ci comme une partie du romantisme.

Disposé à admettre bien des innovations dans les genres littéraires, Nodier prenait un vif intérêt au mélodrame, genre nouveau, et expression d'un besoin nouveau dans le public : « ... le mélodrame, tableau véritable du monde que la société nous a fait, et véritable drame du peuple ». A ses yeux, les œuvres de Pixérécourt et de Ducange représentent, en outre, une littérature plutôt nationale qu'universelle, parce que, comme les romans de Mme de Staël, elles sont conçues selon les conditions actuelles et hors des théories classiques. La nouvelle liberté de la littérature correspond bien, pour Nodier, à la nouvelle « liberté » politique. Se référant souvent au génie d'Homère, de Shakespeare, de Milton, c'est à la liberté de l'écrivain que Nodier s'adresse pour opérer le renouveau nécessaire d'« un monde déchu qui se précipite vers le néant ». Un tel renouveau se fonde sur l'idée d'une simplicité, d'une innocence et d'une bonté innées dans l'homme. C'est à la mobilisation de ces valeurs que Nodier devait prendre une part active, en particulier avec ses contes, genre sur lequel il ne s'exprime pas dans sa critique littéraire mais qu'il défend dans toute une série de préfaces [voir MÉLODRAME].

En effet, conscient de la longue tradition populaire du conte et de l'histoire fantastique, Nodier refuse d'être « vrai » et préfère à la « vie positive » les charmes de la superposition et les fantaisies de l'imagination. Le récit fantastique implique la bonne foi du narrateur, et c'est par cette bonne foi que le narrateur persuade son auditoire. Le conte devient une arme dirigée contre le scepticisme, le positivisme et les sciences modernes, que Nodier détestait, et l'auteur de *Trilby* n'était pas tout à fait sérieux quand il déclarait n'écrire que pour les paysans de son village et les enfants... [voir CONTE et FANTASTIQUE].

L'histoire et l'individu seul

Le sort de l'individu seul, dans une société hostile ou dans le désert de ses propres sentiments, devait donc intéresser Nodier au premier chef. Il développera ces thèmes tant dans ses romans que dans ses écrits divers sur l'histoire. Il avait voulu donner, avec *Jean Sbogar,* un roman historique, mais ne réussit jamais dans ce genre qui ne trouva son accomplissement qu'avec *les Chouans* de Balzac. De curieux mélanges stylistiques résultent de ses efforts : d'une part, dans les romans, le héros agit sur un fond historique passablement vague, et, d'autre part, dans les écrits historiques apparaissent des héros aux traits dessinés par la plume du romancier. Nodier était en tout un homme de fiction. Annonçant des Mémoires de jeunesse (« Suites d'un mandat d'arrêt »), il suppose que le lecteur n'y voit que « la rêverie d'un solitaire qui s'amuse à reconstruire pour lui-même l'épopée bourgeoise de sa vie », et, préfaçant *Jean Sbogar,* il affirme n'avoir pris le personnage du héros à personne, « puisque [il] devai[t] au hasard l'avantage peu envié de l'avoir connu assez particulièrement ». Où est la vérité? où est la fiction? Peu importe pour Nodier, car la vérité, est, à ses yeux, toujours subjective.

Nul doute qu'il ne cherche, dès l'ébauche romanesque des *Proscrits,* mais aussi dans *le Peintre de Salzbourg,* dans *Thérèse Aubert* et dans *Adèle,* à exprimer la situation affective de l'individu repoussé par la société. Dans ces quatre romans, il suit un même schème (J. Schulze) : le proscrit retourne à un pays originellement destiné au bonheur, désormais le lieu d'un amour malheureux. Dans *Thérèse Aubert,* le héros est même obligé de quitter ce pays pour s'engager dans l'armée royaliste et lutter pour une société qui lui est tout à fait étrangère. Dans *Adèle,* ce sont les convenances et la méchanceté des autres qui lui barrent le chemin du bonheur. Ainsi s'opposent société et individu, et, dans tous les cas, c'est le bonheur, l'harmonie originelle qui sont détruits. Seul *Jean Sbogar* donnera à cette problématique une certaine envergure, en introduisant un personnage double, à la fois membre de la société et anarchiste.

La figure de Jean Sbogar intéresse à plus d'un égard. Avec lui, on est déjà loin du rousseauisme et du werthérisme du jeune Nodier, qui se sert maintenant d'un autre modèle : le brigand généreux. Celui-ci, conscient de ses idéaux, s'engage en connaissance de cause dans l'opposition à une société compassée et décadente, n'agissant que pour son propre compte. Voilà le modèle du héros des écrits historiques de Nodier, qu'il s'agisse du colonel Oudet, des prisonniers de Paris ou de Charlotte Corday. Renversant le principe des romans, où le cadre historique entourait la fiction, il laisse dans ses « souvenirs » la fiction se glisser dans l'histoire. Une bonne interprétation de celle-ci suppose la présence de personnages dont le drame individuel fournit la meilleure mise en scène au drame historique. A cet égard, *le Dernier Banquet des Girondins* constitue, par le sens extraordinaire de la réalité politique qui le sous-tend et par l'imagination interprétative de son auteur, qui prête vie à toute une série de personnalités historiques, une tentative réussie pour relier l'histoire à la fiction. De plus, en faisant de ce drame historico-romanesque l'équivalent d'un mythe, Nodier crée une interpénétration des genres qui correspond à sa théorie littéraire : « L'idée m'était donc venue [...] que la manière la plus vive et la plus saisissante de présenter des personnages historiques était de les mettre en scène » et d'aboutir ainsi à un « poème des Thermopyles de la liberté ».

Mais les Girondins, comme tous les héros de Nodier, étaient des individualités. N'affirme-t-il pas, dans son compte rendu de la réédition d'*Oberman* de Senancour, qu'il n'y a « dans le génie comme dans les œuvres de la nature que des individualités »? Derrière le drame social d'un Jean Sbogar, d'un Girondin ou d'un Charles Nodier apparaît le drame du sujet, avec ses rêves, ses fantasmes et ses désirs. Pour illustrer ce drame, Nodier choisit le genre du conte, libre par rapport à l'histoire. Aussi la plupart des contes appartiennent-ils à cette période de la production de Nodier où il se dégage des questions du jour, politiques ou esthétiques. Pendant les quinze dernières années de sa vie, la création reprend ses droits.

L'imaginaire et le fantastique

« De bonne heure, disait Pingaud, un des premiers biographes de Nodier, celui-ci avait aimé se dérober aux réalités de l'existence, à rechercher les légendes, à tourner ses visions en féeries ». La nouvelle *Une heure ou la Vision* esquisse ce que sera l'imaginaire chez Nodier : un ailleurs séparé radicalement de ce qui est « réalité » pour « les vaines sciences de la terre », et accessible seulement pour les « capricieux écarts d'une imagination vive ou crédule », un univers dans lequel le *je* est un autre, vivant un bonheur refusé dans l'existence positive. Peu importe que le protagoniste soit fou — l'important, pour Nodier, c'est que « tout ce que l'homme invente est réel ». Ce réel, qui est peut-être plus vrai que l'autre, prend forme dans l'imagination du poète, dans l'imaginaire du rêveur ou du fou, comme fantasmes ou désirs symbolisés. Il arrive que certains songes soient plutôt inquiétants que rassurants, démontrant ainsi que le monde des rêves peut ne pas être un monde de fées; ainsi, le conte frénétique de *Smarra,* que Nodier justifie en alléguant l'existence des songes dans Homère, dans la Bible et chez Apulée, révèle ce que les songes contiennent de dangereux et de hideux, de hantises et de menaces de mort. Le songe, source dans l'homme « d'un fantastique vraisemblable ou vrai », préfigure Hugo et les Jeune-France.

Les contes fantastiques de Nodier, créations d'un ailleurs harmonieux ou de hantises dangereuses, nous montrent l'existence d'un sujet fragmenté, d'une personnalité clivée, et en rupture avec le prétendu monde positif. Nodier lui-même y voit à la fois une tendance moderne et la reprise d'une longue tradition qui est, au fond, la transcription d'une expérience des limites de la raison. Dans la haute littérature comme dans les légendes et croyances populaires se révèlent des vérités que la société décadente ne veut plus reconnaître. Nodier ne cesse de revenir à la simplicité et à la naïveté populaires comme sources des richesses de l'imagination, et le conte *Trilby* se présente comme « l'histoire crédule des rêveries d'un peuple enfant », alors que la critique moderne y décèlerait peut-être plus facilement les fantasmes du désir.

« Que n'aurais-je pas échangé contre un peu de fantastique, surtout quand j'ai connu le vrai de ce monde! » s'écrie Nodier. C'est donc naturellement dans l'imaginaire que se développent les contradictions inhérentes au sujet, et cela jusqu'à la rupture radicale de la folie; mais la folie peut être la forme symbolique d'un recours à un univers compensatoire et libérateur. Ce thème s'explique tant par la biographie de Nodier que par sa vision critique du monde moderne. C'est sans doute la perte d'un premier amour de jeunesse — « perte insupportable à laquelle il faut porter remède par l'antidote de l'imagination » (J.-L. Steinmetz) — qui suscite chez Nodier l'image de la jeune fille morte retrouvée dans un ailleurs de fiction. Mais l'univers compensatoire ne reçoit de sens que par rapport à l'univers auquel il s'oppose; il dénonce donc l'infortune du personnage réel. On comprend alors comment l'imagination du poète peut ressembler à celle du héros (fou) des contes. Dans *Franciscus Columna,* qui a pour sujet l'impossible amour entre Francesco Colonna et Polia, si le héros s'isole du monde réel pour écrire l'histoire de leur amour utopique, c'est que l'écriture poétique est un moyen très sûr de transgresser les limites du monde rationnel. Inséparable de la rupture opérée par le récit fantastique, l'imagination du narrateur s'exprime dans les mêmes termes que ceux du fou : « Quelle paix sans mélange à goûter dans cette région limpide qui n'est jamais agitée, qui n'est jamais privée du jour du soleil, et qui rit, lumineuse et paisible, au-dessus de nos ouragans comme au-dessus de nos misères » (*Jean-François les bas bleus*).

Folie, imagination, songe : l'imaginaire de Nodier ne cesse de tourner dangereusement autour de cette vie de l'âme qui risque d'être restreinte au rêve. Ce n'est pas le dédommagement fourni par le rêve qui l'emporte, mais le tragique d'une déchirure que les fantasmes tentent de réduire. Jeannie amoureuse de Trilby, Michel le charpentier amoureux de la fée aux miettes — autant d'histoires tragiques; la parole elle-même semble insuffisante à dire le bonheur rêvé... Le conte *Inès de las Sierras* semble donner le mot de l'énigme : le bonheur suprême n'est assuré qu'à l'artiste dans sa folie, à Inès qui chante pour trois hommes entièrement absorbés par leur imagination. Folie, imagination : à double fond, ce bonheur est doublement fragile, et sa suppression entraîne la mort et le désespoir. Mais cette fragilité est d'abord celle de la parole, chant et narration disant l'imaginaire fantastique.

L'essentiel de la littérature

Dans les efforts de Byron, de Scott, de Lamartine et de Hugo, Nodier voit « la recherche de la vie idéale » en dépit d'une « société qui tombe ». L'essentiel de sa propre littérature va dans le même sens : par le conte, auquel il donne une nouvelle forme, il entend renouer avec l'imagination naïve pour laquelle les sensations de l'homme ne sont pas restreintes par les sciences positives. L'accès au domaine ouvert par le rêve et par la foi en une autre existence harmonieuse (déterminée par la foi chrétienne, voir *Lydie ou la Résurrection* et l'essai « De la palingénésie humaine ») fait de Nodier un prophète de l'imaginaire, mais d'un imaginaire sans espoir pour l'homme qui n'a pas la foi. L'âge d'or se situe avant la décadence moderne, et le prophète en annonce la perte. Seulement, l'imagination et le texte artistique peuvent donner momentanément une cohérence aux forces psychiques, à l'amour heureux, à la « chanson d'amour qui toujours recommence » d'un Nerval, et à cette « vie antérieure » dont un Baudelaire rêve encore. Cette parenté, manifestée au niveau mythique, redonnerait à Nodier une place dans l'histoire littéraire, d'où il a été longtemps exclu. Alors que l'intérêt que suscite l'œuvre de Nerval depuis trente ans tient surtout aux effets de l'écriture d'une œuvre soigneusement construite à partir de fantasmes personnels, l'œuvre de Nodier, si on la considère comme un tout, nous paraît encore trop diversifiée pour avoir le même poids que celle de Nerval, lequel se référait pourtant à son aîné. La diversité, pour riche qu'elle soit, rebute peut-être les méthodes d'approche actuelles...

VIE		ŒUVRE	
1780	29 avr. : naissance illégitime, à Besançon, de Jean-Charles Emmanuel Nodier, fils de l'avocat Antoine-Melchior Nodier et de sa servante Suzanne Paris.		
1792	Nodier parle devant la Société des amis de la Constitution, à Besançon.		
1794	Après la chute de Robespierre, la position du père de Nodier n'est plus sûre; Nodier est envoyé à la campagne chez Girod de Chantrans, qui lui donne un premier cours de sciences naturelles.		
1797	Avec des amis, Nodier fonde la Société des Philadelphes.		
		1798	Nodier publie, avec F.-M.-J. Luczot, une *Dissertation sur l'usage des antennes chez les insectes.*
1799	Démêlés avec la police à cause d'une pièce anti-jacobine.		
1800	Déc.-mars 1801 : premier séjour à Paris.	**1800**	Trois poèmes de Nodier sont publiés dans les *Essais littéraires, par une société de jeunes gens.*
1801	Oct.-printemps 1802 : second séjour à Paris. Nodier joint le club des Méditateurs (Gleizes, le peintre Franque et sa sœur Lucile, dont Nodier tombe amoureux).	**1801**	*Pensées de Shakespeare, extraites de ses œuvres.*
		1802	Févr. : l'ode satirique « la Napoléone » est publiée à Londres. *Stella ou les Proscrits.*
1803	Mort de Lucile Franque. Nodier, de retour à Paris dès le 1er nov., est emprisonné à cause de l'ode « la Napoléone ». Il sera libéré le 26 janv. 1804.	**1803**	*Le Peintre de Salzbourg, journal des émotions d'un cœur souffrant.*
1804	Nodier envoie des comptes rendus à *la Décade philosophique,* feuille des « idéologues ».	**1804**	*Essais d'un jeune barde* (poésies).
1805	Nodier participe, à Besançon, à une conspiration contre Napoléon; elle figurera dans son *Histoire des sociétés secrètes de l'armée.*		
		1806	*Les Tristes ou Mélanges tirés des tablettes d'un suicidé* (morceaux en prose, parmi lesquels est publiée la nouvelle *Une heure ou la Vision*).
1808	Nodier est chargé d'un cours de littérature à Dôle. Il épouse une demi-sœur de Lucile Franque.	**1808**	*Dictionnaire raisonné des onomatopées françaises* (première publication attestant l'intérêt de Nodier pour la linguistique).

	VIE		ŒUVRE
1809	Sept.-mai 1810 : à Amiens, Nodier est secrétaire chez un Anglais, Herbert Croft, qui prépare une édition d'Horace.		
		1810	*Archéologue ou Système universel et raisonné des langues.*
		1811	Publication, avec des « Observations préliminaires », du *Dernier Homme*, de Grainville.
1812	Fin de l'année : départ pour Laibach, en Illyrie, où Nodier a obtenu le poste de rédacteur et bibliothécaire impérial.	**1812**	*Questions de littérature légale* (sur le plagiat, les supercheries, etc.; un des ouvrages grâce auxquels Nodier entrera au *Journal de l'Empire*, avatar (depuis 1805) du *Journal des débats*, qui à la Restauration reprendra son titre original.
1813	Une longue série d'articles et de comptes rendus dans *le Télégraphe illyrien*. Un des moments d'inspiration les plus forts de Nodier. Nov. : les Nodier s'installent à Paris, et Charles commence sa collaboration au *Journal de l'Empire/des débats*, qui se poursuivra jusqu'en 1823.		
1815	Partisan des Bourbons, Nodier doit se cacher pendant les Cent-Jours.	**1815**	*Les Philadelphes, Histoire des sociétés secrètes de l'armée*, ouvrage anonyme très royaliste.
		1818	*Jean Sbogar.* *Fables de La Fontaine*, éd. avec des commentaires par Nodier.
1819	Nodier commence à écrire pour des feuilles plus royalistes que *les Débats : le Drapeau blanc, le Défenseur, la Quotidienne.*	**1819**	*Thérèse Aubert.*
1820	14 févr. : **Assassinat du duc de Berry.**	**1820**	*Adèle*. Publication, avec des « Observations préliminaires », de *Lord Ruthwen ou les Vampires* (adaptation du *Vampire* de Polidori). Publication d'un choix important d'articles publiés entre 1814 et 1820 : *Mélanges de littérature et de critique.*
1821	Juin-juil. : voyage en Écosse, en compagnie du baron Taylor et d'Alphonse de Cailleux (avec lesquels il publie des *Voyages pittoresques et romantiques dans l'ancienne France* (1820-1846).	**1821**	*Promenade de Dieppe aux montagnes d'Écosse.* *Smarra ou les Démons de la nuit.*
		1822	*Trilby*. Publication d'*Infernaliana*, morceaux en prose tirés de Lenglet-Dufresnoy et de Dom Calmet. Nodier publie les *Œuvres* de Byron.
1824	Nodier est nommé bibliothécaire à l'Arsenal.		
1825	**Sacre de Charles X à Reims.**		
		1827	*Poésies diverses.*
		1828	*Faust* (adaptation, avec Béraud et Merle).
1829	Fondation de *la Revue de Paris*, à laquelle Nodier enverra ses contes et souvenirs.	**1829**	Les *Souvenirs et Portraits de la Révolution et de l'Empire* commencent à paraître.
1830	Févr. : la fille de Nodier se marie, mais le jeune couple continue de vivre à l'Arsenal.	**1830**	*Histoire du roi de Bohême et de ses sept châteaux* (incluant *les Aveugles de Chamouny* et *le Chien de Brisquet*).
		1831	*Les Souvenirs de jeunesse de Maxime Odin* paraissent en revue. Essais « De quelques phénomènes du sommeil » et « De la fin prochaine du genre humain ».
		1832	Les *Œuvres complètes* commencent à paraître chez Renduel (12 volumes). *Mademoiselle de Marsan*. La publication des contes s'intensifie, *la Fée aux miettes* paraît. Essai « De la palingénésie humaine ».
1833	Nodier commence à envoyer au *Temps* une série d'articles linguistiques. Le 17 oct., il est élu à l'Académie française.	**1833**	*Le Dernier Banquet des Girondins; Jean-François les bas bleus; Baptiste Montauban; l'Homme et la Fourmi.*
1834	Fondation, par Nodier et Techener, du *Bulletin du bibliophile.*		

VIE		ŒUVRE	
		1836	*Paul ou la Ressemblance.*
		1837	*Inès de las Sierras, la Légende de sœur Béatrix.*
		1838	*Les Quatre Talismans, la Neuvaine de la chandeleur.*
		1839	*Lydie ou la Résurrection.*
1844	27 janv. : mort de Nodier, à l'Arsenal.	1844	*Franciscus Columna.*

Jean Sbogar

Nodier a probablement trouvé l'inspiration de ce roman, publié sans nom d'auteur en raison sans doute de son contenu politique subversif, chez Ann Radcliff (*Mysteries of Udolpho*), chez Zschokke (*Abällino*), et peut-être Schiller (*les Brigands*). Par ailleurs, certains thèmes de *Jean Sbogar* se retrouvent dans le dernier roman de Nodier, *Mademoiselle de Marsan*, où les brigands sont devenus des partisans opposés à Napoléon.

Synopsis. — Près de Trieste, Mme Alberti et sa sœur Antonia entendent parler de Jean Sbogar, un brigand. Elles partent pour Venise, où elles font la connaissance de Lothario, sans se douter que celui-ci n'est autre que Sbogar, qui s'est épris d'Antonia. De son côté, Antonia aime Lothario. Lors d'un voyage, Sbogar enlève les deux sœurs, mais tue par accident Mme Alberti. Au château Duino, Antonia se rend compte de la ressemblance qui existe entre Sbogar et Lothario, mais elle n'est convaincue qu'au moment où Sbogar, pris par la police, est exécuté. Elle est tuée par le choc.

Nodier fait de ce texte, roman « illyrien », le lieu de rencontre de plusieurs thèmes essentiels qui réduisent l'importance des sources littéraires. Sbogar n'est pas seulement un hors-la-loi, mais aussi un solitaire ayant une conscience aiguë des vices de la société — qu'il dénonce dans des « tablettes » qu'on retrouvera après sa mort — et de sa propre désillusion. Jeune, il avait visité le Monténégro, société qui lui paraissait idéale parce que plus proche des origines : « S'il y a une bonne société au monde, c'est celle où l'on partage tout, en donnant une prime au plus fort », écrit-il, en ajoutant, à l'intention de la société contemporaine : « Quand la ruse et la trahison s'en mêlent, il arrive une législation », évolution typique, pour Nodier, de la décadence. Le conflit fondamental du roman vient de la collision de l'idéal avec la réalité. Pour Sbogar, le conflit se pose en termes sociaux; pour Antonia, il prend la forme d'un drame sentimental : elle s'éprend de Lothario — Sbogar déguisé — et ressent une déception amère et mortelle lorsque son identité est dévoilée. Dès lors, le mariage des deux personnages est rendu impossible du fait de leur dualité ou de leur déchirement — qui conduisent Antonia à la folie. Il est important de noter que la folie, qui jouera un si grand rôle dans les contes de Nodier, éclate ici chez un personnage qui est confronté à un être double, Lothario/Sbogar. Pour Antonia, Sbogar est dangereux, satanique; c'est, en fait, un homme damné, puisqu'il est revenu de ses illusions. Aucun retour au pays heureux de l'enfance et de la jeunesse n'est plus possible ici, où la face négative de l'homme apparaît pour la première fois chez Nodier.

BIBLIOGRAPHIE

Pour les inspirations littéraires : Jean Larat, *la Tradition et l'Exotisme dans l'œuvre de Charles Nodier*, Paris, Champion, 1923, p . 115-123. Inspiration et thématique : Joachim Schulze, *Enttäuschung und Wahnwelt, Studien zu Charles Nodiers Erzählungen*, München, Wilhelm Fink Verlag, 1968, p. 90-102. Idéologie : Hans Peter Lund, *la Critique du siècle chez Nodier*, Copenhague, Akademisk Forlag, 1978, p. 63-67. Rudolf Maixner a dressé un rapport utile de l'intérêt « illyrien » de Nodier et de l'inspiration que lui apporta son séjour à Laibach, dans *Charles Nodier et l'Illyrie*, Paris, Didier, 1960.

Trilby

C'est de Walter Scott que Nodier prétend avoir tiré le sujet de sa nouvelle la plus connue; rien n'est moins sûr, sauf pour ce qui concerne le cadre : l'Écosse du Moyen Âge, une contrée située « au bout de l'Europe » et susceptible, selon l'auteur, d'inspirer « l'histoire crédule des rêveries d'un peuple enfant » formé par l'ignorance et la sensibilité.

Synopsis. — Dans les rêves de Jeannie, la femme de Dougal le pêcheur, apparaît le lutin Trilby, qui aime la jeune femme. Jeannie se sent à la fois attirée par lui et épouvantée par des pensées adultères, surtout quand Trilby se transforme en un jeune chef du clan des Mac-Farlane. Cherchant l'intercession de saint Colombin, elle se rend au monastère de Balva, où, derrière un voile, elle découvre le portrait de John Trilby Mac-Farlane, frère du saint. Sans se rendre aux exhortations du moine Ronald et prononcer la malédiction de Trilby, elle implore la charité du saint. Mais lorsque, déguisé en vieillard, Trilby s'adresse plus tard à elle, elle ne peut plus lui dissimuler son amour pour le lutin qu'elle sauverait de la malédiction qui le frappe en lui déclarant ses sentiments. Cependant, une dernière apparition de Trilby le perd : il est enfermé pour mille ans dans un bouleau du cimetière, l'« Arbre du saint », et Jeannie se jette dans une fosse ouverte près de la prison du lutin et meurt.

L'histoire de Jeannie est loin d'être une idylle. Ayant à lutter à la fois contre les préceptes de l'Église, pour sauvegarder ses sentiments, et contre ce que ces sentiments recèlent de désirs incontrôlés, elle succombe dans un conflit qui la déchire. Trilby est pour elle — comme Sbogar/Lothario pour Antonia — un ange et un démon, attirant et dangereux, et, dans un sens psychanalytique, ses relations avec lui symbolisent la tentation de l'inconscient et sa répression (Lawrence M. Porter). La répression est renforcée par l'action du moine Ronald, mais la tentation, si elle y succombait et permettait à Trilby de s'installer chez elle, intégrerait la jeune femme dans l'histoire et la mythologie de son pays. Au drame psychique s'en ajoute donc un autre qui concerne la société dans laquelle vit Jeannie. Innocente et naïve, Jeannie en appelle à Dieu lui-même pour trouver une issue au drame : « De quel droit, dit-elle, irais-je prononcer un arrêt de malédiction? Ah!... ce n'est pas aux passions aveugles de ses plus débiles créatures qu'il a dû remettre le ministère le plus terrible de sa justice ». Mais la transformation de John Trilby Mac-Farlane en lutin est aussi l'effet d'une punition pour avoir refusé de payer un tribut à l'Église. Amant mais proscrit, Trilby appartient à la « race maudite » de ces individus qui, fous ou exclus au sens sociologique, occupent tant Nodier.

BIBLIOGRAPHIE

Une analyse intéressante qui s'inspire de la psychanalyse : Laurence M. Porter, « Towards a Prehistory of Depth Psychology in French Romanticism : Temptation and Repression in

Nodier's *Trilby* », *Nineteenth-Century French Studies*, 1974, p. 97-110. Sur *Trilby* et les thèmes du rêve, de l'amour et de la folie dans ce conte et dans les autres que nous citons, voir Miriam S. Hamenachem, *Charles Nodier. Essai sur l'imagination mythique*, Paris, Nizet, 1972, p. 160-181. Pour le genre du conte fantastique, on se reportera surtout à P.-G. Castex, *le Conte fantastique en France de Nodier à Maupassant*, Paris, José Corti, 1962. Un ouvrage à la fois précis et suggestif sur le genre : Irène Bessière, *le Récit fantastique. La Poétique de l'incertain*, Paris, Larousse, 1974.

La Fée aux miettes

C'est le plus long des contes de Nodier, et en même temps un des plus énigmatiques. Construit selon le même modèle que d'autres contes (*Jean-François les bas bleus*; *Baptiste Montauban*; *les Aveugles de Chamouny*; *M. Cazotte*; *Inès de las Sierras*; *Lydie ou la Résurrection*); c'est « l'histoire fantastique placée dans la bouche d'un fou » et rapportée par un narrateur qui a pris en dégoût « tout le positif de la vie réelle ». La Préface, d'où sont tirées ces citations, est révélatrice, comme toutes les préfaces de Nodier. Et s'il n'est pas partout question de folie, le bonheur imaginaire vers lequel glisse lentement la narration de Michel le charpentier apparaît exactement comme une folie aux yeux des savants de ce monde. Or, se demande alors Nodier, n'est-ce pas plutôt le savoir positif qui est une folie?

Synopsis. — A Granville, sous la voûte de l'église, vit une naine mendiante, peut-être une fée, en tout cas très vieille, « non sans charme pourtant » (Nodier), et qui agit à plusieurs reprises en faveur du héros, Michel. Ayant appris le métier de charpentier, celui-ci va gagner sa vie ailleurs; après un voyage fantastique (chap. XI), le navire qui le porte fait naufrage, mais Michel est miraculeusement sauvé, avec la fée qui l'accompagne. A Greenock, en Écosse, commence alors une curieuse vie : Michel voit son existence modeste chez le charpentier maître Finewood de plus en plus perturbée par une seconde vie parallèle, où surgit constamment la fée (XIII) : par amour pour elle, il renonce à épouser une des filles du maître; après un combat nocturne avec le bailli de l'île de Man, pourvu d'une tête de chien, il est condamné à mort pour assassinat (XV-XVIII). La fée le sauve au dernier moment — à condition qu'il se marie avec elle. Ensemble, ils mènent alors une vie heureuse pendant laquelle la fée se transforme nuitamment en Belkiss, veuve de Salomon, qu'elle est réellement (XXI). Mais son temps, du moins en Écosse, prend fin, elle s'éclipse, et Michel, ayant raconté l'histoire de ses aventures au narrateur-voyageur, disparaît lui-même de l'asile de fous qu'il habitait. Plus tard, le narrateur achète un livre contenant l'histoire de Michel et de son épouse, la reine de Saba.

Ce résumé illustre comment le conte va d'un monde réel, celui de Granville et, en partie, de Greenock, vers un univers fantastique, celui des nuits avec Belkiss, pour tout transposer dans le domaine des merveilles, lui-même tout entier contenu dans un livre. Ainsi, très subtilement, Nodier avance-t-il que le statut du bonheur du fou est celui de l'écriture, à laquelle ne correspond rien de réel. C'est le message exact de *Franciscus Columna*.

Si tant est que Michel veuille rebâtir le temple du roi Salomon (XIX), que la reine de Saba soit la veuve de ce dernier et soit issue d'une famille qui remonte à Caïn (cf. l'histoire de Balkis et de l'architecte Adoniram dans le *Voyage en Orient* de Nerval), tout le conte illustre un mythe qui, plus que tout autre, fut celui de Nodier. Le séjour dans le monde de Caïn symbolise un retrait par rapport au monde réel — mouvement caractéristique de l'œuvre entière de Nodier. Nous n'avons donc pas besoin, pour expliquer *la Fée aux miettes*, de recourir à la biographie comme le faisait Jules Vodoz quand il rapportait le conte au « couple » fameux de Charles Nodier et de sa fille Marie. Le caïnisme, concrétisé pour Nodier dans le compagnonnage et la franc-maçonnerie (saint Michel, constamment évoqué par Michel le charpentier, est considéré comme un des premiers grands-maîtres), est peut-être la tradition qui explique le mieux la plupart des textes de Nodier, textes de fiction ou non : partout se rencontrent des personnages à part, menant une double vie, conspirateurs ou proscrits. C'est pour nous plonger dans cet univers autre, voire subversif, que Nodier a recours à toute une série de renversements des valeurs; surtout, rien de réel, rien de ce qui comporte une valeur matérielle n'a d'importance pour Michel. Pour le fou n'existe qu'un monde spirituel, dans lequel il se meut librement. C'est là qu'il prend, littéralement et au sens figuré, une avance sur le monde positif et matériel. Essentiellement libérateurs, les contes de Nodier visent finalement à nous déplacer par rapport au positif.

BIBLIOGRAPHIE

La meilleure édition des *Contes* de Nodier est celle de P.-G. Castex dans les Classiques Garnier (Paris, 1961). Quelques-uns sont réédités par J.-L. Steinmetz dans une édition de poche chez Garnier-Flammarion. Antoine Fongaro a attiré l'attention sur les problèmes du texte de la *Fée* (« A-t-on lu *la Fée aux Miettes?* », *Revue des sciences humaines*, 1962, p. 439-453). On trouvera une lecture inspirée par la psychanalyse chez Jules Vodoz, *« la Fée aux miettes ». Essai sur le rôle du subconscient dans l'œuvre de Charles Nodier*, Paris, Champion, 1925. Une lecture qui rapporte tout à la franc-maçonnerie chez André Lebois, « Un bréviaire de compagnonnage : *la Fée aux miettes* », *Archives des lettres modernes*, Paris, Minard, 1961. Une lecture récente s'inspire des théories de Bakhtine : Lucienne Frappier-Mazur, « les Fous de Nodier et la Catégorie de l'excentricité », *French Forum*, I, 1979. Voir aussi Joachim Schulze, *Enttäuschung und Wahnwelt...*, p. 128-145. Le rapport entre le réel et le rêve est traité par Dora Henriette Horchler dans un essai intitulé *Dream and Reality in the Works of Charles Nodier*, University of Pennsylvania, 1968.

BIBLIOGRAPHIE GÉNÉRALE

L'œuvre de Nodier est touffue — nous avons voulu en donner une impression dans ce qui précède —, comprenant tous les genres littéraires... et les autres. Le recensement des textes publiés a donc été une besogne ardue pour ceux qui s'y sont livrés, à commencer par Jean Larat, *Bibliographie critique des œuvres de Charles Nodier*, Paris, Champion, 1923. En 1969, Edmund J. Bender fit paraître une nouvelle bibliographie qui corrige Larat : *Bibliography : Charles Nodier*, Purdue University Studies, Lafayette, Indiana. Vint ensuite un article supplément à celle-ci : Raymond Setbon, « le Dossier Nodier », *Romantisme*, n° 15, 1977; et un second article qui complète et corrige le livre de Bender : Jean Richer et Jean Senelier, « Charles Nodier. Remarques et compléments bibliographiques », *Studi francesi*, n° 7, XXIV, 1, 1980. Le livre de Bender et les deux articles cités fournissent le meilleur point de départ sur l'étude de l'œuvre de Nodier. On y ajoutera le très utile ouvrage de Sarah Fore Bell, *Charles Nodier : His Life and Works — A Critical Bibliography 1923-1967*, Chapel Hill, The University of North Carolina Press, 1971, qui donne de brèves notices à chacun des ouvrages sur Nodier parus pendant la période indiquée dans le titre.

Bien des textes n'existent encore qu'en manuscrits, dont la plupart se trouvent à la bibliothèque municipale de Besançon. On en trouvera la liste chez Bender, Setbon, Richer et Senelier.

Éditions

Aucune édition complète n'existant encore, le lecteur est obligé de combiner deux anciennes éditions des œuvres « complètes », une édition moderne des contes, et, s'il a la patience de les chercher dans différentes bibliothèques, les préfaces, comptes rendus, articles, etc., de Nodier qui n'ont pas été repris dans les grandes éditions. Il s'agit, avant tout, de l'édition des *Œuvres de Charles Nodier*, en 12 vol., Paris, Renduel, 1832-1837, puis des *Œuvres de Charles Nodier*, 8 vol. parus, Paris, Charpentier, à partir de 1840. Si on y trouve ses romans, il n'y a que l'édition Charpentier qui donne tous les textes pseudohistoriques, et aucune des deux éditions ne contient tous les contes. Compléter donc avec l'excellente édition fournie par P.-G. Castex : Charles Nodier, *Contes*, Paris, Garnier, 1961, qui contient des introductions utiles. Chez Garnier-Flammarion a paru par la suite un choix des contes (*Smarra, Trilby, la Fée aux miettes, Jean-François les bas bleus, Inès de las Sierras*) avec des introductions par Jean-Luc Steinmetz : Charles Nodier, *Smarra, Trilby et autres contes,* Paris, 1980. « Folio » propose, présentés par Patrick Berthier, *la Fée aux miettes, Trilby* et *Smarra.* L'édition Renduel a été réimprimée en 1968 par Slatkine Reprints, Genève. Accessibles en librairie sont en outre : *Mélanges de littérature et de critique,* t. I-II, Paris, 1820, Slatkine Reprints, 1973; *Rêveries* (les essais les plus importants), préf. par Hubert Juin, Paris, Plasma, 1980; *Histoire du roi de Bohême et de ses sept châteaux,* éd. en fac-similé, *ibid.,* 1980, ou chez les Éditions d'Aujourd'hui, 1976.

Critiques

Le nombre d'ouvrages sur Nodier reste restreint. Les deux ouvrages d'initiation sont : H. Juin, *Charles Nodier,* Paris, Seghers, 1970, et H. Nelson, *Charles Nodier,* New York, 1972. Le premier contient un petit choix de textes, alors que le second est plus riche, par la biographie et par la présentation des œuvres.

Parmi les ouvrages critiques proprement dits, la thèse de Jean Larat est toujours indispensable : *la Tradition et l'Exotisme dans l'œuvre de Charles Nodier. Étude sur les origines du romantisme français,* Paris, Champion, 1923. Comme l'indique le titre, il s'agit d'une présentation d'ordre historique. L'étude de la place de Nodier dans l'histoire littéraire ainsi que celle de sa vie ont été reprises par A. Richard Oliver, *Nodier, Pilot of Romanticism,* New York, Syracuse University Press, 1964. Une étude parue en Allemagne contient des lectures et interprétations suggestives des œuvres principales : Joachim Schulze, *Enttäuschung und Wahnwelt. Studien zu Charles Nodiers Erzählungen,* Munich, Wilhelm Fink Verlag, 1968. La dernière décennie voit paraître trois ouvrages consacrés à trois aspects différents de l'œuvre. D'abord sur les textes de fiction : Miriam S. Hamenachem, *Charles Nodier. Essai sur l'imagination mythique,* Paris, Nizet, 1972. Ensuite sur l'idéologie : Hans Peter Lund, *la Critique du siècle chez Nodier,* Copenhague, Akademisk Forlag, 1978. Sur la critique littéraire de Nodier : Raymond Setbon, *Libertés d'une écriture critique, Charles Nodier,* Genève, Slatkine, 1979. La publication des communications au colloque du Deuxième Centenaire de Nodier, Besançon, mai 1980 (*Annales littéraires de l'université de Besançon,* 1981), témoigne des progrès de la critique.

H.P. LUND

NOËL Bernard (né en 1930). Né à Sainte-Geneviève-sur-Argence, dans l'Aveyron, Bernard Noël poursuit ses études au collège religieux d'Espalion, puis au lycée de Rodez, mais sa formation culturelle est celle d'un autodidacte : il apprendra — seul — à lire dans *Robinson Crusoé* et découvrira Cook, Jules Verne, puis Baudelaire et Laclos. En 1949, il vient à Paris entreprendre des études de journalisme et de sociologie. Après son service militaire, en 1952, il vit de traductions et de divers travaux littéraires, qui lui permettent de consacrer son temps à l'écriture; ainsi, en 1955, il collabore aux *Cahiers des saisons,* puis, en 1956, remplit les tâches de secrétaire, correcteur, lecteur, chez un petit éditeur, est employé à la bibliothèque historique de la Ville de Paris. Cependant, il publie un recueil de poèmes, *Extraits du corps* (1958), aboutissement de ses premières expériences d'écrivain. Après cet ouvrage, il cesse de composer jusqu'en 1963 et travaille, aux Éditions Robert Laffont, à la rédaction de plusieurs dictionnaires. Mais ce n'est qu'à partir de 1970 que Bernard Noël tentera de vivre de son seul travail de poète et de romancier, date qui correspond au début d'une relative notoriété. La publication, en 1971, du *Château de Cène* est une révélation. Cependant, jugé pornographique, l'ouvrage vaut à son auteur de passer en jugement pour « outrage aux mœurs »; de nombreux écrivains viennent soutenir Noël. Depuis, ce dernier publie régulièrement romans ou poèmes, souvent remarqués par l'avant-garde littéraire, sans que toutefois le « grand public » connaisse véritablement le nom de cet écrivain, qui est toujours resté en marge des écoles littéraires de notre temps.

Malgré l'apparente diversité des genres que Noël aborde, le « sujet » de ses livres est à peu de chose près toujours le même : un « Je » énonce une parole, sur laquelle il s'interroge; le mot écrit devient, prononcé, l'objet d'un discours euphorique ou désorienté : le langage ne cesse de mettre en question le narrateur; tout se passe comme si l'œuvre de Noël n'était qu'un métalangage obsédant, qu'une écriture traitant de l'écriture.

L'écrit, en effet, est d'abord le lieu d'une quête : celle du moi et de l'identité; c'est par sa réflexion sur le mot et la parole que Noël entend mener cette recherche; « Qui suis-je? » équivaut, pour lui, à « Qui suis-je quand je parle? qui suis-je quand j'écoute? » (*Une messe blanche,* 1972). Mais cette recherche essentialiste du moi ne trouve guère d'aboutissement, car à la fermeté d'une réponse l'écrit oppose sa fluidité linéaire : le moi, qui croit, en nommant, posséder le sens des choses, se voit confronté à la codification qu'implique tout langage. Le moi, ce n'est pas un corps qui parle pour découvrir sa vérité, mais une « chose affamée de parole et, pour finir, absolument au pouvoir de la parole » (*la Face de silence,* 1967). Tout mot est langage de l'Autre, et le discours énoncé n'est jamais que le signe de l'adéquation d'un corps singulier au corps social : la langue solitaire de la littérature ne révèle alors que plus cruellement une présence extérieure : « Quelqu'un me parle, et plus je suis seul, plus je suis parlé » (*Souvenirs du Pâle,* 1975).

On comprend ainsi pourquoi, dans les textes de Noël, sans cesse se cherchent, se complètent, se heurtent la « parole » et le « corps »; pour l'écrivain, il convient de chercher cette vérité du corps qu'occulterait le discours (ou le regard) d'autrui. L'érotisme, fréquent dans des œuvres comme *Une messe blanche, le 19 octobre 1977* (1979), obsédant dans *le Château de Cène* (1971), participe de cette recherche, la littérature érotique étant, par nature, celle qui « dit » le corps, qui rend, par le jeu de l'imaginaire, *visible* l'intériorité du corps. Car l'écrivain estime que « les mots retardent par rapport aux yeux » (*le 19 octobre 1977*); dans le fait de « voir, et de se voir en train de voir », réside un pouvoir de concentration qui élimine ce sentiment d'aliénation que le sujet ressent quand il écrit : dans le regard, le « Je » et « l'Autre » se confondent; ainsi s'explique l'omniprésence d'un fantasme cher à Noël : au cours de la « scène » érotique, le sexe devient œil, signe de l'échange de deux intériorités. L'écriture, parlant du corps, instaure donc la présence d'un regard qui explore, saisit la nudité, non d'un élément physique, mais de l'être-là : la nudité est « le signe du corps » (*Treize Cases du Je,* 1975). De ce point de vue, on peut dire que, pour Bernard Noël, toute écriture possède cette fonction érotique de « mise à nu » du Moi et de l'Autre; les tableaux sexuels du *Château de Cène,* comme le souligne la structure même du récit, ne sont qu'une suite d'initiations à la connaissance du corps-en-soi. Et, certes, l'influence de Bataille, auteur que Noël admire, est manifeste dans une œuvre qui, par la dramatisation de son écriture, tente de résoudre les contradictions métaphysiques du Je et de l'Autre, de la Présence et de l'Absence.

Mais cette quête ne peut être satisfaisante, car les images constituent le « non-dit » du texte : la Vérité de la connaissance reste entre les lignes, hors de l'écrit, dans l'inaccessible. Dire, écrire, ce n'est pas fixer un savoir : c'est chercher sans pouvoir atteindre, vivre le corps sans pouvoir le connaître; nommer, c'est, d'une certaine façon, tout en évoquant la « buée » des choses, avouer l'impossibilité de les faire vivre : « Devenir mot, c'est donc échanger la mort brutale contre une désagrégation lente; en vérité, n'en pas finir de mourir » (*la Face de silence*); l'écriture n'est qu'un glissement vers un terme inéluctable, que le constat d'une absence : absence de la Chose, du Je, du Temps, ce qui est dit n'est déjà plus là. Les poèmes de Bernard Noël s'opposent ainsi nettement aux œuvres d'un René Char ou d'un Saint-John Perse, pour qui la poésie n'est pas « l'écrit, mais la chose même ». C'est davantage à Mallarmé que Noël se réfère, ne serait-ce que parce qu'il reprend, dans chaque livre, le symbole de la « blancheur », qui révèle l'omniprésence de la mort; les corps blancs des femmes du *Château de Cène* ou du *19 octobre 1977* annoncent la destruction finale, tout comme les objets et la nature dans les *Extraits du corps*. La blancheur symbolise aussi par excellence l'écriture, stable et mouvante à la fois, nommant des êtres dont la réalité ne peut être que dilatoire; image d'une survie et d'une mort indissolublement liées : « Monde étrange où tout ce qui s'en est allé est dans le même temps déjà revenu, où fin et commencement coexistent, comme superposés » (*le Lieu des signes*, 1971).

En fait, Noël semble s'acharner à prouver, en écrivant, l'impuissance de toute écriture : « J'écris pour en finir avec l'écriture, non pour produire », déclare le narrateur du *19 octobre 1977*. Par là s'explique peut-être sa démarche provocatrice. Proche en cela de certains surréalistes, l'écrivain démontre que le langage ne peut ni échouer ni réussir — bref, qu'il n'a d'autre sens que son apparition sur le blanc du papier. Cette œuvre, qui, au moins par son ton aphoristique, pourrait être œuvre d'affirmation, d'élucidation, se contente, en définitive, de montrer que l'écriture est une expérience sans objet précis, mais indispensable :

> n'avoir plus faim n'abolit pas la faim,
> et les nommer ne scelle pas les choses.
>
> *(la Face de silence)*

Comme le héros du *Château de Cène*, au terme de sa quête initiatique, l'écrivain n'a plus que l'illusion de ses fantasmes pour pallier le vide du réel : « Mais qu'arrive-t-il à la fin quand il n'y a plus de masque? — Rien! On est effacé ». Se perdre dans et par l'écriture, c'est peut-être, pour Bernard Noël, la seule façon d'oublier un sens qui se refuse — le seul moyen, en somme, de vivre.

BIBLIOGRAPHIE
Sur Noël, on pourra consulter : Jean Frémon, « Dégager la vertèbre », dans l'*Année littéraire*, 1972; Alain Jouffroy, *l'Incurable retard des mots*, Paris, Pauvert, 1971; Hubert Juin, « Bernard Noël », dans *les Lettres françaises*, nº 1440, 14 juin 1972, et Pierre Dhainaut, *Bernard Noël*, Rennes, éd. Ubacs, 1977.

J.-P. DAMOUR

NOËL Marie, pseudonyme de **Marie Rouget** (1883-1967). Née et morte à Auxerre, où elle vécut pieusement retirée dans la maison familiale qu'elle ne quitta pratiquement jamais, Marie Noël, poète chrétien — pour ne pas dire christique —, vécut une aventure spirituelle parfois douloureuse : la foi qui anime ses poèmes et ses contes n'a pas été, en effet, toujours sereine, ce dont témoignent — outre un livre d'Henri Gouhier, *le Combat de Marie Noël* — ces *Notes intimes* (1959) qu'elle publie vers la fin de sa vie sur les instances de son confesseur, et où sont retranscrits les doutes destructeurs et les cris de révolte

> Dieu s'écroula en moi comme un édifice de nuages.
> Dieu écroulé. Trois jours durant, trois nuits, j'essayai de le reconstruire.
>
> (« l'Enfer des trois jours »)

Poète admiré de Montherlant et de l'abbé Bremond, Marie Noël a écrit, au moyen d'une prosodie extrêmement classique et sous des titres aux senteurs de sacristie, des vers où se mêlent la sève populaire qu'elle se félicitait d'avoir hérité des trouvères (« Je suis une revenante de ce temps-là, et mon œuvre un dernier rejet de la chanson populaire ») et un tragique étouffé, ou plutôt un désarroi qui sembla ne jamais la quitter et que manifesta sans doute cet « état de faiblesse nerveuse » auquel elle fut constamment soumise. A l'effusion lyrique qui prévaut dans *les Chansons et les Heures* (1920), qu'elle publie discrètement et qui trouve un accueil inespéré, à l'inspiration liturgique des *Chants de la merci* (1930) ou du *Rosaire des joies* (1930) viennent s'opposer les strophes âpres et tourmentées des « Ténèbres » ou de « Jugement » (*Chants et Psaumes d'automne*, 1947). Il faut bien dire, cependant, que l'aspect primesautier d'un cœur ingénu prédomine dans la plupart des « chansons » qu'a laissées Marie Noël : « M'en allant par la bruyère/ — Buisson rouge, Buisson blanc —/ Pour cueillir la fleur dernière/ Qui pousse au milieu du vent/ Buisson rouge, buisson blanc, buissons au loin buissonnant ».

Elle a composé également de nombreux contes, surtout des contes de Noël (*Contes*, 1945; *l'Âme en peine*, 1954; *la Rose rouge*, 1960), d'esprit toujours dévot et au vouloir-dire édifiant, ainsi qu'une sorte de miracle médiéval, *le Jugement de Don Juan* (1955), où elle laisse entendre que la Femme que recherche le héros par-delà toutes les femmes ne saurait être que la Vierge Marie.

Faut-il voir en Marie Noël, comme le voudraient ses hagiographes, une grande mystique, ou bien, simplement, une petite fille malade, mal grandie et solitaire (« Vous avez touché du doigt la source la plus profonde et la plus constante de mon inspiration : la solitude », écrit-elle à Michel Manoll), meurtrie par la mort prématurée d'un jeune frère et qui, de sa vie, ne s'est remise d'être née?

« "Il m'a tiré du néant" : Ah! Seigneur, Seigneur, qu'avez-vous fait! »

BIBLIOGRAPHIE
Raymond Escholier, *la Neige qui brûle*, Paris, Fayard, 1957 (biographie de Marie Noël); Michel Manoll, *Marie Noël*, Paris, Éd. universitaires, 1962; A. Blanchet, *Marie Noël*, Seghers, « Poètes d'aujourd'hui », 1962; Henri Gouhier, *le Combat de Marie Noël*, Paris, Stock, 1971.

L. PINHAS

NOKAN Charles Zégoua, pseudonyme de **Charles Konan** (né en 1936). Ce poète et dramaturge ivoirien, qui est aussi sociologue et philosophe, met en œuvre, dans ses écrits, une conception sociale de la littérature : porte-parole des aspirations et des émotions collectives, celle-ci doit être accessible au plus grand nombre. Chez Nokan, la pratique de la poésie et du théâtre obéit donc à une esthétique didactique et édifiante pour le fond, très stylisée et schématique dans la forme. Dès 1962, avec *Le soleil noir point*, il s'essaie, dans un poème dramatique, à une rhétorique qu'on peut trouver grandiloquente (R. Pageard), mais qui représente une tentative originale pour retrouver un ton de création populaire épique. *Violent était le vent* (1966), classé comme roman, est une création composite, au ton très oratoire.

Au théâtre, Nokan adapte les figures mythiques pour forger des œuvres mobilisatrices. Avec *les Malheurs de Tchakô* (1968), il exploite le thème épique le plus populaire du folklore africain. Dans *Abraha Pokou ou Une grande africaine* (1971), il met en scène une parabole édifiante de la libération d'un peuple. Dans son théâtre, la simplification excessive de l'action et des personnages, la brièveté des tableaux aboutissent peut-être à une plus grande force démonstrative et moralisatrice, mais cet art des silhouettes aurait besoin d'un grand souffle pour ne pas paraître parfois étriqué. Nokan est plus convaincant dans ses poèmes de *la Voix grave d'Ophimoï* (1971). Il revient à la représentation didactique stylisée dans *la Traversée de la nuit dense* (1972).

O. BIYIDI

NORGE Géo, pseudonyme de **Georges Mogin** (né en 1898). Écrivain belge d'expression française, un des rares poètes d'aujourd'hui destiné à devenir vraiment populaire, et qui l'est déjà, mais dont la virtuosité, le primesaut, l'étourdissant jeu langagier, l'invention constamment inattendue, la cocasserie ne peuvent être dissociés — à moins de ne le recevoir qu'au premier degré — d'une évidente dimension éthique et spirituelle.

Né à Bruxelles, il descend d'une famille de huguenots français originaires des environs de Bar-le-Duc, émigrés aux Pays-Bas au XVIIe siècle, à la suite de l'édit de Nantes. Une partie de la famille qui compte toujours des membres en Hollande s'installe en Belgique au début du XIXe siècle, principalement dans le Hainaut. Norge, qui a épousé le peintre français Denise Perrier, sera représentant et courtier en tissus jusqu'en 1954; il est fixé depuis 1954 à Saint-Paul-de-Vence, où il exerce le métier d'antiquaire.

Des huit recueils qu'il compose entre 1923 et 1937, les deux premiers, *27 Poèmes incertains* (1923), *Plusieurs Malentendus* (1926), laissent présager un poète très différent de celui que Norge deviendra. On y perçoit cependant une volonté de ne pas succomber aux pièges du lyrisme et aux routines de la vie. Les six recueils suivants dessinent le porche de l'œuvre. Ils annoncent sa diversité, son étrangeté, son autonomie; *Avenue du ciel* (1929) et *Souvenir de l'enchanté* (1929) sont d'un homme qui a choisi la poésie comme première urgence, comme mode de vie, comme aventure spirituelle. Parmi des présences rares, insolites et un bestiaire qui, ultérieurement, habitera l'œuvre avec familiarité, le poète est celui qui appelle les hommes, « ses compagnons », à s'élever au plus haut d'eux-mêmes mais qui s'en garde distant pour devenir « un autre ». *Icare* (1936) énonce pour la première fois dans l'œuvre ce qui deviendra une des constantes de Norge : le provocant message du sourire, qui transforme l'échec en gloire et prend le contre-pied des sagesses de soumission. *L'Imposteur* (1937) introduit les thèmes futurs des moralités narquoises, des ambiguïtés de l'imagination, des dérives de l'invention — où l'on voit les vérités traditionnelles retournées comme une poche — qui assureront la renommée des *Oignons* (1953).

Entre ces débuts, qui explorent divers possibles poétiques, et la grande période qui commence en 1949 avec *Râpes,* Norge fait paraître, à quarante-trois ans, *Joie aux âmes,* dont il confirmera en 1978 « le rôle essentiel » dans sa poésie. Livre fondamental, fortement architecturé en huit grands poèmes de versets, sorte de « chant général » où se définissent les thèmes futurs qui trouveront des expressions particulièrement diverses. Éloge de la faim insatiable du vivant, volonté de construire sur la précarité (« Je vous annonce que l'homme bâtira son château au milieu du sable incertain »), rage du verbe, qui se confond avec la rage — mais aussi avec le bonheur — de vivre, postulation d'une volonté d'explorer en liberté tous les contraires, *Joie aux âmes* fait songer au mot de Nietzsche : « Le désespoir devrait être comme un grand coup de pied donné au malheur ».

Cette gravité se refuse néanmoins à verser dans l'héroïque, le dramatique, le déchirant. C'est le désir de totalité et d'accomplissement qui la fonde, et l'ambition de le réaliser. Ce désir prend appui sur la passion insatiable du terrestre, le parti pris de la créature, le culte de la mémoire : « Je savoure chaque matin la faveur d'être au monde... Si je dois à quelqu'un? Naturellement; je dois à tout le monde. A tout ce que j'ai lu, à tout ce que j'ai vu », déclare Norge dans une interview. Avec cela, adonné aux jeux de l'esprit, de l'imagination, de l'éventuel, au plaisir langagier, curieux des comptines, des proverbes, des « charabias », des locutions familières, des vocabulaires traditionnels et professionnels, ainsi que des beaux objets qu'il collectionne et dont il fait commerce.

Tout est désormais en place pour l'expansion d'une œuvre protéiforme qui prend toute sa puissante originalité après *Râpes.* Une vingtaine de livres vont dès lors créer un univers spécifiquement norgien. Le sacré et le profane, le coquin et le grave, le mal et le bien, des voleurs et des juges, des reines et des mineurs, des pierres et des mouches, l'histoire et le quotidien, les mythes et les radotages, la colère et la tendresse, la galanterie et le grave amour, les solennités et les familiarités, la trique et la caresse, la mise en accusation d'un Dieu transcendant et le constant recours à « un dieu qui serait la plus haute figure de l'homme », le guet de la nature humaine sous tous ses aspects (ridicule ou attendrissante, sacrifiée ou glorieuse, soumise ou révoltée) et l'appel aux anges, l'incitation faite au lombric de devenir homme et la victoire de l'homme sur l'ouragan des *Grands'Merdes* constituent pêle-mêle, dans un couple permanent d'ordre/désordre, le constat roboratif et sapide, vorace et baroque, du vif, de l'existant qui s'entend répéter sur tous les tons avec force : « Qui ne veut mourir doit vivre ». Le valet du « Plumeau » (*le Vin profond,* 1968), époussetant le néant de ses maîtres, dit : « Bon, bon, je ferai quelque chose de rien. Je ferai un désespoir habitable qui s'appellera la joie ».

Iconoclaste tonique de pleine terre, de pleine santé doué d'un inaltérable amour de l'humain, haute figure de ce « parti d'opposition qui s'appelle la vie » (Balzac), délibérément à l'écart, dans sa pensée et dans son écriture, des modes, des chapelles, des institutions, des gloses sémantiques ou structurelles — qu'il a en horreur —, Norge tient que la poésie est faite pour plaire, pour charmer, qu'« elle est un métier, un artisanat, pas seulement une inspiration ». Il s'inscrit ainsi dans la voie la plus directe et dans la voix la plus communicative de la poésie française : le jeu vital et le jeu verbal sont en lui si intimement mêlés, l'amusement accompagne de si près en lui le témoignage, l'amour des mots — qui ne se fait jamais théorie — répond si intensément à la faim du cœur et de l'âme que nul de ces aspects ne sont dissociables chez celui qui a pris pour devise le mot de Chesterton : « Une seule chose est nécessaire : tout ».

BIBLIOGRAPHIE
Textes. — *Œuvres poétiques,* 1923-1973, prés. J. Tordeur, Paris, Seghers, 1978.
A consulter. — R. Rovini, *Norge,* Paris, Seghers, 1956, rééd. 1972.

J. TORDEUR

NOSTRADAMUS, pseudonyme de **Michel de Nostre-Dame** (1503-1566). Le « phénomène Nostradamus » dépasse — et de très loin — les limites du domaine littéraire. Que les *Prophéties* de ce médecin et astrologue du règne de Henri II soient encore lues et interprétées dans la seconde moitié du XXe siècle mérite à tout le moins que l'on se penche sur leur auteur. Or, les *Centuries* de Nostradamus offrent le cas assez rare d'une réception qui est allée croissant, alors que leur texte était de plus en plus mal connu, enfoui sous les gloses fabuleuses qui se sont abattues sur lui depuis quatre siècles. L'échafaudage de commentaires a fini par tenir tout seul, étant à lui-même sa propre justification, et l'œuvre du poète inspiré en qui Ronsard saluait un pair est demeurée jusqu'à aujourd'hui lettre morte.

Les parts d'ombre d'une vie

La vie de Nostre-Dame n'est pas exempte de cette obscurité qui enveloppe son œuvre. Issu d'une famille juive convertie, le célèbre pronostiqueur avait deux grands-pères médecins; l'un d'entre eux était attaché aux Anjou. Lui-même, après des études en Avignon, embrasse à Montpellier la même profession; il y est reçu docteur en 1529. Il voyage ensuite dans le sud de la France et en Italie. On le retrouve à Agen (1536), où il devient l'ami de Jules César Scaliger et contracte un premier mariage. Lorsque Philibert Sarrazin, le précepteur des enfants de Scaliger, est inquiété pour ses sympathies réformées, Nostre-Dame se réfugie à La Rochelle. Par la suite, il affichera à l'égard de la religion établie le zèle le plus ardent. A Marseille et à Aix-en-Provence, où il participe à la lutte contre la peste (1546), il expérimente avec succès sa « poudre de parfaite bonté et excellence », composée d'un mélange d'iris, d'ambre gris, de bois de cyprès, de girofles, d'aloès, de musc et de pétales de rose incarnate. Il se remarie — richement, semble-t-il — et se fixe définitivement à Salon-de-Provence. C'est là qu'il compose son traité de *Diverses Façons de fardements* (= fards) *et senteurs... et la façon de faire confitures* (1555). La cuisine et la cosmétologie font en effet partie intégrante de la médecine traditionnelle, qui est d'abord l'art de mélanger les drogues. La même année 1555 voit la publication du premier livre des *Prophéties,* qui le rend immédiatement célèbre. Comme on croira le découvrir après coup, il y aurait annoncé la mort tragique d'Henri II pour 1559. A partir de 1555, il donne annuellement un volume de *Pronostications,* et, après 1562, des *Almanachs* sans grande originalité. Son succès, qu'il sait exploiter, se traduit en particulier par l'intérêt que Catherine de Médicis lui porte. En 1556, elle l'aurait fait venir à Blois pour qu'il dresse l'horoscope de ses enfants. A l'occasion du « tour de France » de Charles IX (1564), il reçoit à Salon la visite du jeune monarque, qui lui donne la charge de conseiller et médecin ordinaire du roi. En 1568, l'ensemble des *Prophéties* est imprimé; les éditions qui suivront seront toutes plus ou moins altérées et fautives.

Poésie et prophétie

Dès le XVIe siècle, il existe bel et bien un « phénomène Nostradamus », que met en relief l'engouement de la famille royale pour le mage de Salon. Sans doute le climat d'incertitude politique y est-il pour quelque chose. Le millénarisme latent qui ne cessera de s'amplifier tout au long de la période des guerres de Religion trouve dans l'œuvre de Nostre-Dame l'une de ses expressions les plus abouties. Deux attitudes parfaitement contradictoires se dessinent alors : certains contemporains, tel Ronsard, voient en Nostre-Dame un oracle véridique, dont les prédictions suivent le mouvement emporté de la « fureur » inspiratrice. Dans l'*Élégie à Guillaume Des Autels* (1562), le chef de la Pléiade reconnaît dans la « profette voix » un enthousiasme sacré pareil au sien. L'un et l'autre vaticinent « d'un naturel instinct », celui-là sans doute moins obscurément et à plus court terme que celui-ci. Mais leur ambition est la même : le poète inspiré, tout comme le prophète, entreprend de percer, dans l'abandon à son « daimôn » familier, les arcanes de la nature.

A l'opposé de cette admiration complice, les détracteurs de Nostre-Dame n'ont pas manqué de l'accuser d'imposture et de « diablerie ». Dès 1558, Jean de La Daguenière — qui est peut-être Théodore de Bèze — le surnomme « Triboulet à la triple marotte », « vray fol à double rebras ». Fondamentalement, ces deux attitudes se sont maintenues depuis. Au mépris des érudits a répondu la crédulité — souvent intéressée — d'exégètes de fortune dont l'imagination est venue ressourcer indéfiniment le texte premier du « Prophète ».

Les *Centuries,* mode d'emploi

Ce texte, quel est-il? Groupé en 12 « centuries » incomplètes qui totalisent 965 quatrains, il présente une syntaxe heurtée où abondent anacoluthes, métaphores et allusions astrologiques. Il s'agit de toute évidence d'une poésie concertée, où la « fureur » hautement proclamée compose avec les règles d'un minutieux bricolage. Un système de transformations complexes — par ellipse et métaplasme (sorte d'anagramme généralisée) — est chargé de produire le futur à partir du présent. Rien en effet qui échappe au paysage familier de la géopolitique au XVIe siècle : le Grand Turc, le pape, l'empereur et le roi de France occupent les quatre coins d'un échiquier où se jouent le sort de l'humanité entière. Si Nostre-Dame annonce par exemple des batailles dans l'Adriatique et, après une période de revers, une victoire finale sur les Ottomans, c'est que l'Europe du temps est littéralement obsédée par le péril turc. La prophétie ne fait alors que mettre au jour les mécanismes inavouables du désir et de la peur. L'on y décèle encore, outre la hantise de l'hérésie (qui mine alors l'Europe), ce rêve d'une monarchie universelle où peuples et religions seraient unis sous les mêmes lois : « concorde du monde » sous l'égide de l'Occident, qui n'est pas sans rapport avec celle que projette un Guillaume Postel, et qui ne pourra trouver sa réalisation, cela s'entend, qu'au terme de longues et définitives guerres.

Une œuvre aussi serrée appelle évidemment un mode d'emploi : dès 1594, Jean-Aimé de Chavigny s'empressait d'en fournir un au lecteur. La *Première Face du Janus françois* dressait, année par année, le bilan des prophéties antérieurement vérifiées. La seconde face de l'œuvre — combien plus ardue — devait éclaircir des prédictions non encore advenues, mais elle ne fut, semble-t-il, jamais écrite. Moins prudents que l'initiateur de l'exégèse nostradamique, mais s'inspirant en fait de sa « méthode », les interprètes ultérieurs exploitèrent le fonds inépuisable des *Centuries* dans les deux directions du passé récent et de l'avenir proche. D'un côté, ils n'eurent aucun mal à découvrir rétrospectivement, dans ces fragments remplis des événements du XVIe siècle, les traces indéniables du destin de Napoléon, de Charles de Gaulle ou de Jean-Paul II. De l'autre, le sombre futur dépeint par les *Prophéties* leur offrait, pour chaque époque, des réserves potentiellement infinies de cataclysmes.

En définitive, c'est parce qu'il fut en son temps le porte-parole très lucide des hantises collectives que Nostre-Dame peut ainsi rencontrer juste. Il suffit alors de substituer à l'« obsession » des Turcs celle du péril jaune ou de la menace soviétique pour donner raison, « une fois de plus », à cette réserve d'inconscient enclose dans les énigmatiques quatrains.

BIBLIOGRAPHIE

Textes. — Jean-Charles de Fontbrune, *Nostradamus, historien et prophète. Ses prophéties de 1555 à l'an 2000,* Paris, Éd. du Rocher, 1980, et Presses Pocket, 1982 (cet ouvrage qui a porté à son zénith la gloire actuelle de Michel de Nostre-Dame comporte une utile et exhaustive bibliographie); *Lettres inédites,* édition critique par Jean Dupèbe, Genève, Droz, 1983.

Travaux historiques et études littéraires. — Eugène Defrance, *Catherine de Médicis, ses astrologues et ses magiciens envoûteurs,* Paris, Mercure de France, 1911; E.F. Parker, « la Légende de Nostre-Dame et sa vie réelle », *Revue du XVIe siècle,* t. X, 1923; Moura et Louvet, *la Vie de Notre-Dame,* Paris, 1930; Michel-Claude Touchard, *Nostradamus ou le Devin caché,* Paris, Culture, Arts, Loisirs, 1972; Jean Céard, *la Nature et les Prodiges. L'Insolite au XVIe siècle, en France,* Genève, Droz, 1977, p. 213-217; Yvonne Bellenger, « Nostradamus prophète ou poète? », *Devins et Charlatans au temps de la Renaissance,* Paris, publ. du Centre de recherches sur la Renaissance, 1979, p. 83-100; Jean Céard, « J.A. de Chavigny : le premier commentateur de Nostradamus », *Scienze, credenze occulte, livelli di cultura,* Florence, Leo S. Olschki, 1982, p. 427-442.

Fortunes de l'« exégèse ». — Steward Robb, *Nostradamus on Napoleon,* The Oracle Press, New York, 1961; Pierre Lamotte, *De Gaulle révélé par Nostradamus il y a quatre siècles,* Paris, Le Scorpion, 1961; Dr Max de Fontbrune, *Ce que Nostradamus a vraiment dit,* Paris, Stock, 1976.

F. LESTRINGANT

NOUGARET Pierre Jean-Baptiste (1742-1823). Né à La Rochelle, ce polygraphe, courant sans cesse après l'idée à la mode, reprenant sans vergogne les thèmes, voire les titres à succès, imita tour à tour son ami Rétif de La Bretonne (*la Paysanne pervertie,* 1777), Mercier (*le Vidangeur sensible,* 1777; *Tableau mouvant de Paris,* 1787), Sade, cultiva la paillardise (*la Capucinade,* 1765) et l'anecdote scandaleuse (*les Astuces de Paris,* 1775) tout en hurlant avec les loups pour soumettre l'œuvre de Beaumarchais, alors durement attaqué, à une critique prude et vétilleuse (*Coup d'œil d'un Arabe sur la littérature française,* 1786). Opportunisme qui lui permit de traverser la Révolution sans dommage, de prendre au début du XIXe siècle le virage du « genre sombre » avec *l'Amante coupable sans le savoir* (1802), roman épistolaire sur le thème de l'inceste (« Frémissez, ma fille... frémissez, il est votre frère »), de refaire surface sous la Restauration avec des récits édifiants sur les martyrs de la Terreur (1819), et avec des *Naufrages célèbres* (1821) fort prisés comme ouvrages éducatifs. Cette étonnante carrière comporte une morale, qui intéresse d'abord la sociologie littéraire. Alors que les fractures de l'Histoire engloutissent ou stérilisent les grands écrivains, un paria réussit à surnager : preuve que la « littérature », dès ce temps, est bien devenue un métier.

J.-P. DE BEAUMARCHAIS

NOUGÉ Paul (1895-1967). Écrivain belge d'expression française, Paul Nougé est né à Bruxelles. En 1915, il entame des études de biochimie; il entre en 1919 dans un laboratoire médical. La même année, il participe à la fondation du parti communiste belge. En 1924, avec C. Goemans et M. Lecomte, il lance la série de « tracts » intitulée *Correspondance*; l'année suivante, il rencontre Aragon, Breton, Éluard. Peu à peu, il s'affirme comme le théoricien et le chef de file du groupe surréaliste bruxellois (*René Magritte ou les Images défendues,* 1943). Il est mobilisé en 1939 dans l'armée française. Licencié de son emploi en 1953, il connaît alors une vie matérielle très difficile. Dans sa revue et ses éditions « les Lèvres nues », M. Mariën entreprend le rassemblement et la réédition des œuvres de Nougé; *Histoire de ne pas rire* (1956), *L'expérience continue* (1966), *Note sur les échecs* (1969) jusqu'alors dispersées et introuvables.

La plupart des textes de Nougé — et cela est particulièrement vrai de ses tracts — tiennent en une demi-page; c'est dire qu'ils sont aux antipodes du bavardage, de la joliesse, de l'étalage. Non pas œuvres, mais fragments. Dominés par les motifs de la femme, de la nuit, de l'ailleurs, ses écrits poétiques et poético-narratifs donnent l'excellent exemple d'un surréalisme qui échappe aux pièges de la facilité, du stéréotype, atteignant une ampleur dans l'imaginaire et un rythme qu'on pourrait presque qualifier de « classiques ». Mais c'est sans doute comme essayiste et polémiste que l'écrivain Nougé s'affirme le plus percutant, le plus original. D'abord par ses idées, toujours modernes, souvent prémonitoires, qu'elles concernent le rôle de la littérature, l'art et le langage ou certains aspects de la société contemporaine. Mais son art ne se réduit nullement à la livraison didactique d'une analyse; celle-ci, au contraire, surgit dans un double mouvement d'offre et de rétention, propre à réserver une zone d'énigme. L'élaboration du savoir est inséparable d'une stratégie langagière complexe, marquée par l'écriture fragmentaire, la dialectique, la théâtralisation. Il s'agit de dire, sans doute, mais de ne pas dire trop, d'éviter le prêt-à-penser; de lutter contre l'indifférence et la certitude, qui sont du côté de l'immobilité, c'est-à-dire de la mort; de privilégier la différence et l'ouverture, là même où elles sont insoupçonnables. Cinglant et extraordinairement perspicace, Nougé n'a rien d'un penseur paisible. Reste à l'entendre là où il voulait être entendu, dans l'inconfort et le risque, dans ce lieu de l'esprit où l'on est mis, irréductiblement, hors de soi-même.

BIBLIOGRAPHIE

On trouvera la liste des œuvres de Nougé — notamment de ses tracts — dans R. Brucher, *Bibliographie des écrivains français de Belgique,* Bruxelles, Palais des Académies, 1972 (t. IV).

A consulter. — *L'Accent grave,* d'après une émission radio de Ch. Bussy consacrée à Nougé, Bruxelles, les Lèvres nues, 1969 (interviews de S. Dali, M. Lecomte, etc.).

D. LAROCHE

NOURISSIER François (né en 1927). Né à Paris, où il fait ses études, il publie de 1949 à 1952 des études sur les « personnes déplacées », puis devient secrétaire général des Éditions Denoël. Dans un pamphlet impertinent, *les Chiens à fouetter,* il dénonce avec humour la « vaste loi du troc » qui régit la vie littéraire française, à laquelle il va pourtant consacrer sa carrière et qui ne lui marchandera ni le succès ni les distinctions. De 1956 à 1958, il est rédacteur en chef de la revue *la Parisienne.* En 1958, il entre comme conseiller littéraire chez Grasset. Il collabore à de nombreux périodiques français (*les Nouvelles littéraires, l'Express...*) et étrangers. Il acquiert une réputation de chroniqueur brillant au *Point* (à partir de 1972), au *Figaro* (à partir de 1975), au *Figaro magazine* (à partir de 1978). L'Académie Goncourt l'accueille en 1977.

De *l'Eau grise* (1951) ou de *Bleu comme la nuit* (1953) au *Musée de l'homme* (1978), Nourissier puise dans sa propre vie l'essentiel de ses ouvrages. Il apparaît comme l'héritier des écrivains favoris de son adolescence : Gide et Montherlant (il consacrera un essai à ce dernier), en s'attachant à s'accepter avec humour, lucidité, impudeur parfois, mais en fuyant l'effusion lyrique, incompatible avec son caractère. Travaillant en « artisan » plutôt qu'en artiste, il donne plus d'importance aux « temps faibles et monotones », aux « petites misères » qu'aux événements ou sentiments exceptionnels. L'écriture lui a permis de « régler ses comptes » : depuis *Un petit bourgeois* (1963), il tente de se débarrasser de la hantise d'une enfance solitaire, vécue à Paris dans un milieu familial austère, étroit et étouffant; puis d'une adolescence de lycéen modeste qui, sous l'Occupation (*Allemande,* 1973), s'introduit, grâce à ses camarades, dans la vie aisée de la bourgeoisie du XVIe arrondissement; des errances et des abandons d'un homme que les femmes occupent « furieusement » sans lui apporter le calme d'un amour durable ou la tempête d'une passion (*la Crève,* prix Femina 1970). Sa quête d'apaisement, le besoin de se créer des racines le portent à aimer les maisons chargées de souvenirs, les jardins clos (*le Maître de maison,* 1968). En 1970, avec *Vive la France,* il dresse un bilan tendrement ironique de l'« après-68 », illustré par des photos de Cartier-Bresson. Un court essai, *Lettre à mon chien* (1975), et, surtout, *le Musée de l'homme* traduisent le regard critique que jette le quinquagénaire sur la frivolité du monde extérieur, dans le silence de son chalet suisse.

Un large public (Nourissier est traduit en de nombreuses langues, et tous ses romans sont édités dans des collections au format de poche), constitué, pour une bonne part, de « petits-bourgeois », aime retrouver son propre cheminement dans celui de cet homme « moyen » qui recherche sa vérité, « également éloigné des cimes et des marécages ». L'écrivain élargit-il son horizon avec *l'Empire des nuages* (1981)? Dans ce roman de 500 pages, tout un monde de snobs et d'artistes évolue autour d'un peintre des années 60, et, de Passy au Lubéron, des États-Unis à l'Inde, subit les crises qu'engendrent l'O.A.S., mai 68, la fin du gaullisme. Dans cet ouvrage, les angoisses de l'artiste, les dégoûts d'un homme déçu par son temps et par son milieu, le sursaut et l'échec d'une passion nourrissent l'inspiration du romancier, qui s'est employé à décrire, en ses multiples strates, un petit fragment de la « comédie universelle ».

M.-P. SCHMITT

NOUVEAU Germain Marie Bernard (1851-1920). Poète secret, Germain Nouveau a longtemps été peu lu. Peut-être est-il victime de sa légende, qui le place dans l'ombre de Rimbaud, dont il est comme un double encore plus sauvage. A cela s'ajoutent une vie d'errances et une œuvre parfois difficile d'accès. Pourtant, l'art de Nouveau, qui compte, a dit Aragon, « plus d'amateurs que de prosélytes », est attachant. On y retrouvera, bien sûr, certaines influences, mais aussi un chant très personnel, à la fois érotique et mystique.

Errances et malchances

Né à Pourrières (Var), Germain Nouveau est l'enfant d'une famille bourgeoise et quelque peu malchanceuse. Après un séjour à Paris, où son père a fait de mauvaises affaires, il revient avec sa famille au pays natal. Bientôt, il perd sa mère, sa sœur, puis son père. Resté seul dans la vie, il devient maître d'études. En 1872, il est à Paris, où il fait la connaissance de poètes comme Jean Richepin ou Charles Cros. Il publie aussi, sous le pseudonyme de NÉOUVIELLE, ses premiers essais littéraires, qu'il lit à ses amis. En 1873, il rencontre Rimbaud qu'il accompagne à Londres. Après son retour en France, il prend contact avec Mallarmé, et, entre divers vagabondages, se rend en Angleterre, où il retrouve cette fois Verlaine. Les voyages continuent ensuite entre Pourrières et Paris, où il écrit dans *le Corsaire*, fréquente le salon de Nina de Villard et collabore aux *Dizains réalistes*, une entreprise parodique due à Charles Cros. Il se rend aussi dans le Nord, où Verlaine lui fait connaître la maison où vécut saint Benoît Labre, dont Nouveau fera son modèle. Finalement, il aboutit dans un ministère, mais ne peut supporter longtemps cet emploi monotone et part pour le Liban comme professeur de français et de dessin. Revenu en France, il continue d'enseigner le dessin avant de subir, en 1891, une sorte de crise nerveuse et mystique. Interné puis libéré, il reprend ses pérégrinations en Europe et en Algérie, d'où il retourne enfin à Pourrières. Après la parution d'*Ave maris stella* (1912) et un essai, vite avorté, de « Journal », Nouveau meurt dans la misère. La publication de ses œuvres ne s'est faite que lentement, et de façon incohérente : il y a d'abord ces proses et ces poèmes (inédits ou épars dans plusieurs revues) que P.O. Walzer a réunis dans l'édition de La Pléiade; il y a aussi *la Doctrine de l'amour*, des poésies composées à partir de 1879, mais qui ne paraissent qu'en 1904, à l'insu de l'auteur (sous le titre de *Savoir aimer*), avant d'être rééditées en 1910 (*les Poèmes d'Humilis*). Enfin, les *Valentines*, inspirées, d'après l'auteur, par une certaine Valentine Renault, et qui datent de 1885-1887, ne paraîtront qu'en 1922 avec une Préface d'E. Delahaye. Germain Nouveau reste donc un auteur à découvrir.

Amour divin

La meilleure manière de le faire est peut-être d'être attentif à l'inspiration mystique de cette poésie. On verra ainsi que *la Doctrine de l'Amour* s'ouvre sur une invocation à Jésus et un cantique à la Vierge, à qui Nouveau apporte son « bouquet » de poèmes. Le monde, dit-il plus loin, est au fond le livre de Dieu où se lit « sa grande écriture » que le poète précisément déchiffre et annonce aux autres. Et ce que lit Nouveau dans la création, c'est l'amour : employant ce mot dans son sens le plus large, faisant de lui la valeur suprême à quoi tout est soumis, déclarant enfin qu'il faut aimer l'amour, il rejoint peut-être, de façon peu catholique, un Lucrèce dédiant son œuvre à Vénus :

> Amour sur l'Océan, amour sur les collines!
> Amour dans les grands lys qui montent des vallons!

On comprend alors pourquoi le vocabulaire de Nouveau, souvent proche du Verlaine de *Sagesse*, se teinte de religiosité, parle d'humilité, de charité et de grâce, de cathédrales, de saints et de prêtres, de goupillons et de cierges, avec même parfois des extases sulpiciennes. Parfois de mauvais goût, celles-ci n'en font pas moins partie de la thématique de Nouveau.

Pour lui, en effet, toute poésie sincère est une prière et devient supérieure à la connaissance intellectuelle. La vieille qui égrène son chapelet « sait ce que Voltaire ignore », elle est en communication avec une sorte de présence qu'on retrouve souvent chez Nouveau : cette présence tutélaire et céleste, par exemple, vers laquelle fume le village natal, ou encore ces yeux de Jésus-Christ qui s'ouvrent dans le soleil d'un paysage. Tout est donc communion dans cet univers où une sorte de religion unit tous les êtres dans l'amour divin ou profane. Même quand il est le moins question de Dieu ou de la femme aimée, on retrouve ce sentiment, cette grâce particulière; les êtres et les choses semblent s'animer, être capables aussi d'amour comme cette lune qui verse

> Son âme calme et ses pâleurs amies
> Au troupeau roux des roches endormies.

Amour profane

Cet aspect religieux de Nouveau ne doit pourtant pas le faire passer pour un auteur sage ou, pire, « bondieusard »; au contraire, on s'aperçoit souvent qu'il prend plaisir à lancer un mot cru, un juron, à troubler l'idylle, surtout dans *Valentines*, d'une vulgarité efficace. Il n'hésite pas en effet à dire « foutre », « merde » ou « cor au pied », il semble même aimer les incongruités, bravant tellement l'honnêteté que l'éditeur de 1922 ne pensait pas pouvoir les publier. Nouveau, lui, ne refuse pas le scandale ou l'évocation malsaine. Mieux encore, il désacralise le langage poétique en lui donnant parfois le ton de la conversation, mêlée souvent de coq-à-l'âne ou de plaisanteries fantaisistes (le *cidre* de Corneille ou le dialogue comique d'Adam et Eve). Parfois, Nouveau est même difficile à suivre, de rimes faussement obscènes en allusions elliptiques : avec virtuosité, il utilise de nombreuses formes poétiques, et sans accepter jamais d'être solennel. Pourtant, le contraste n'est pas si fort entre le Nouveau religieux et le Nouveau scandaleux : chez lui, en effet, aucun divorce entre spiritualité et sensualité. Rien de plus net à cet égard que la série des « Baisers », dans les *Valentines*, où, sur l'amour le plus matériel, s'établit une sorte de cosmologie; le catholicisme de Nouveau prend alors les dimensions d'une sorte de religion, de mythologie de la Femme divine et idéale. Hésitant entre le « tu » amoureux et le « vous » du respect, le poète la couvre de baisers et d'éloges, la supplie avec humilité. Dès lors, entre Dieu et la Femme, la confusion s'établit, d'autant que la Vierge autorise ce culte de la femme et de la mère — d'une femme même qui perd son identité, est à la fois brune et blonde, blanche et noire, ensoleillée et ténébreuse, dangereuse et charmante, comme une sorte de résumé du monde où le poète se perd délicieusement :

C'est doux à l'instant de jouir,
c'est bon, dis-tu, c'est bon... oui... comme
comme si l'on allait mourir.

BIBLIOGRAPHIE

Textes. — Lautréamont et Nouveau, *Œuvres complètes*, Gallimard, La Pléiade, 1970, textes établis, présentés et annotés par P.O. Walzer.

A consulter. — L. Forestier, *Germain Nouveau*, Paris, Seghers, 1971; J. Lovichi et P.O. Walzer, *Dossier Germain Nouveau*, Neuchâtel, La Baconnière, 1971; M. Ruff (dir.), *Germain Nouveau*, recueil d'études, Paris, Minard, 1967.

A. PREISS

NOUVEAU ROMAN. Querelle à bien des égards significative que celle du Nouveau Roman. L'hydre aux sept visages ignorée, dénigrée, combattue — selon l'occasion — et périodiquement enterrée présente encore maint signe d'une vitalité que d'aucuns jugent consternante. Non qu'une certaine critique, dont l'évolution, durant ces années, est tout de même sensible, n'ait su, chez tel auteur, apprécier — quelques distributions de prix pourraient en témoigner — tel talent, tel renouvellement. Mais le discours du Nouveau Roman, pourtant si solidement établi, si « fécond » en sa « postérité » (Nathalie Sarraute), continue d'irriter non tant par la singularité d'un individu que par la conjuration d'un groupe : Catilina dans la république des lettres...

« Le Nouveau Roman existe-t-il? » s'interrogeait-on dans les années 55. A la vérité, quelques écrivains semblaient bien inquiétants... mais ils étaient si « différents »! Fausse alerte? Hélas!... Jusqu'à ce que, tout récemment, il nous soit enfin donné de lire, dans un rassurant article de l'*Encyclopædia Universalis* (« Universalia », 1982), que le « Nouveau Roman est mort : vivent les nouveaux romanciers! »

Diviser ainsi, c'est vouloir, à coup sûr, défendre un règne. Quel enjeu, dès lors, se trouve mis en cause? Quelle incolmatable brèche ces tirs groupés ont-ils bien pu, pourraient-ils bien encore ouvrir dans nos quiétudes?

Du flou au complexe : questions d'ensemble...

Rappelons ici, puisqu'en la matière c'est d'ensemble qu'il est question, que le Nouveau Roman ne s'est pas du jour au lendemain constitué sous la définitive enseigne d'une école. A la différence, par exemple, du surréalisme, il n'a jamais connu, souligne Jean Ricardou, de « chef, de revue, de manifeste » (*le Nouveau Roman*). Il lui aura fallu attendre les années 70 — deux décennies après ses premières parutions, ou trois si l'on prend comme point de départ *Tropismes* (1939) de Nathalie Sarraute — pour que puisse être envisagé de façon cohérente et répertoriable un corpus d'œuvres convergentes, ou du moins s'autodéfinissant comme telles. Longue traversée, on le voit, ponctuée, côté critique, d'hésitations renouvelées et de problématiques recensements, dont l'inaptitude à circonscrire un phénomène pluriel jetait les meilleurs esprits au hasard des listes flottantes et des enrôlements du jour — le Nouveau Roman, qui en était? Celui-ci, pour tel procédé? Celui-là, pour tel écart? Cependant que, côté public, se découvrait, de façon quelque peu confuse mais irréfutable, au fil de ponctuelles récompenses, une nouvelle manière, soudain, d'« écrire des histoires » (Robbe-Grillet). Citons le *Voyeur* d'Alain Robbe-Grillet, prix des Critiques 1955; *la Modification* de Michel Butor, prix Théophraste Renaudot 1957; *la Mise en scène* de Claude Ollier, prix Médicis 1958; *la Route des Flandres* de Claude Simon, prix de *l'Express* 1960; *l'Inquisitoire* de Robert Pinget, prix des Critiques 1963, et, la même année, *les Fruits d'or* de Nathalie Sarraute, prix international de Littérature, etc.

Le dernier titre excepté, toutes ces fictions exhibent la même couverture blanche à deux étoiles des Éditions de Minuit : signe sans équivoque d'une percée difficile en littérature, « par la petite porte » (Jean Ricardou), des exclus ou des marginaux. Indéniablement, c'est à l'éditeur Jérôme Lindon que ces romans nouveaux ont dû, les uns de voir le jour, les autres, après quelques passages dans d'épisodiques maisons d'édition, de trouver un accueil durable. Couramment baptisé sous la plume des critiques d'alors « anti-roman », « roman de Minuit », un groupe, de fait, s'est ainsi formé, qu'une photographie de 1959 révèle, à l'époque, presque complet : s'y reconnaissent, autour de l'éditeur, outre Samuel Beckett et Claude Mauriac, six déjà de nos romanciers : Alain Robbe-Grillet, Claude Simon, Michel Butor, Robert Pinget, Nathalie Sarraute, Claude Ollier. Plus jeune, Jean Ricardou manque à l'appel. Ce sera pourtant, quelques années plus tard, son irremplaçable travail de théoricien qui, repérant dans la variété même des textes de communs réseaux de refus et de tendances, relançant entre leurs auteurs une circulation de lectures et de critiques réciproques, forcera peu à peu la cohésion d'un ensemble jusqu'alors indécis (voir bibliographie). Mieux : organisant à Cerisy-la-Salle, au cours de l'été 1971, un colloque sur le Nouveau Roman (les travaux en seront publiés dans *Nouveau Roman, hier, aujourd'hui*), ouvert sans exclusive à tous les romanciers comptés dans l'« avant-garde », il permettra que soient enfin rendus caducs les faux problèmes de catalogage et précisément délimité le collectif Nouveau Roman : par les Nouveaux Romanciers, la seule présence de chacun l'impliquant dans une suffisante « autodétermination », les absents (tels Beckett et Duras) s'excluant d'eux-mêmes. Le Nouveau Roman, désormais, dans sa subversive mais non moins éclatante célébrité, comptera les sept noms suivants : Butor, Ollier, Pinget, Ricardou, Robbe-Grillet, Sarraute, Simon.

D'un tel type de rencontre, même éclairante au plus haut point sur l'Ancien et le Nouveau, voire prolongée d'autres recherches autour d'une œuvre spécifique — rappelons, en 1973, les « Approches de Michel Butor », les colloques Claude Simon en 1974 et Robbe-Grillet en 1975 —, on aurait beau jeu de souligner l'ambiguïté. Aussi bien, miser sur d'irrécusables différences pour nier à tout prix un ensemble, valoriser au besoin un auteur pour le mieux excepter des autres, ne renverrait que trop au mythe encore régnant de l'unicité créatrice; comme si l'œuvre échappait aux courants d'une époque. Plus honnête, une constatation s'impose : s'il existe un mouvement, c'est dans la pratique même d'écritures irréductiblement individuelles, confrontées chacune à ses propres fictions, qu'il s'est lui-même reconnu. S'il existe un Nouveau Roman, c'est de ces fictions mêmes qu'il doit être dégagé.

Refus et recherches : questions de principes...

Complexité/complicité : lieu, donc, d'un nécessaire conflit, le Nouveau Roman, à peine libéré, sur le plan synchronique, d'un spécieux problème de démarcation, voit aussitôt, sur le plan diachronique, surgir celui de son insertion dans une modernité que l'adjectif « nouveau » — encore que vague et généreusement appliqué aux productions les plus variées — semblerait annoncer. Deux préalables le limiteront : d'abord, le Nouveau Roman n'a jamais prétendu constituer toute la modernité, dans un domaine dont, parallèlement, d'autres essais, d'autres pratiques travaillent à renouveler les formes (les écrivains du groupe *Tel Quel*, les revues et collectifs *Change*, *le Chemin*, etc.); en outre, il s'inscrit dans une recherche que rien ne permet de clore aujourd'hui; aventure en perpétuel dépassement — comme en témoigne par exemple la trajectoire de Michel Butor —, il ne s'offre encore qu'à de partiels bilans.

Cela posé, et regardant, cette fois, vers le passé, on admettra aisément que la plupart des nouveautés du Nouveau Roman étaient en germe bien avant lui. A telle enseigne que la notion — majeure ici — de « roman traditionnel » apparaît davantage comme une hypothèse de travail, à moins d'envisager quelques persistants sous-produits balzaciens. Qu'à cet égard Nathalie Sarraute (*l'Ère du soupçon*) découvre, dans l'insaisissable mouvance du personnage dostoïevskien, dans les mécanismes déshumanisés de Kafka la condamnation de nos éternelles figures de musée romanesques; que Butor (*Essais sur le roman*) renvoie au Breton du premier *Manifeste* une critique plus précise de la gratuité réaliste; que Ricardou (*Pour une théorie du Nouveau Roman*) rappelle, après Proust et Valéry, la condition exclusivement verbale de la littérature, tous dénoncent parallèlement la même « illusion représentative ».

Non pas traductrice d'un réel, mais productrice de formes, l'écriture moderne, depuis Mallarmé, inscrit son fonctionnement dans l'« absence » des choses. Quand donc ils destituent les multiples avatars du vieux « mythe de l'expression » — « exprimer une réalité », « exprimer un destin », « exprimer une vision du monde » —, précisent leurs négations (Alain Robbe-Grillet : « Nos romans n'ont pour but ni de faire vivre des personnages ni de raconter des histoires »; Jean Ricardou : « Le roman, ce n'est plus un miroir qu'on promène le long d'une route », etc.), ce ne sont là, somme toute, que formulations un peu abruptes de tendances point si neuves.

En 1950, il y a beau temps déjà que d'illustres devanciers ont réglé leur compte aux mirages du référentiel : que Flaubert a rêvé du « livre sur rien » (*Lettre à Louise Colet,* 16 janv. 1852), que Valéry a remisé la « marquise » au magasin des accessoires (« la marquise sortit à cinq heures », célèbre parodie d'*incipit* ridicules que Breton prête à Valéry). De Faulkner, nous parviennent alors des intrigues disloquées par le travail des digressions et la succession des images, tandis que le lecteur de Nathalie Sarraute « a connu Joyce, Proust et Freud; le ruissellement, que rien au-dehors ne permet de déceler, du monologue intérieur, le foisonnement infini de la vie psychologique et les vastes régions encore à peine défrichées de l'inconscient [...qu'il a vu...] le héros de roman devenir une limitation arbitraire, un découpage conventionnel [...et] nos actes perdre leurs mobiles courants et leurs significations admises » (*l'Ère du soupçon*). C'est enfin depuis longtemps que l'image cinématographique nous a révélé « le caractère inhabituel du monde qui nous entoure » (A. Robbe-Grillet, *Pour un nouveau roman*).

Reste alors à définir le lieu du « scandale », lorsque, d'un voisin domaine, une « nouvelle critique » issue de Marx ou de Saussure nous donne à lire autrement les rapports de l'homme et du monde. Question d'époque, peut-être, pour un public français profondément bouleversé par « ce grand chavirement de toutes les valeurs » que note André Gide, et, par là, plus accessible à la réception de nouveaux messages qu'à l'élaboration de nouvelles formes. Perçu, souvent malgré lui, comme maître à penser, l'écrivain du temps, qu'il se nomme Mauriac, Aragon, Malraux, Sartre ou Camus, « engage » son inquiétude, sa révolte, ses doutes dans une recherche qui se réclame, morale ou artistique, d'un moderne humanisme.

Le Nouveau Roman, quant à lui, refuse de confondre le projet littéraire et l'engagement humain. Refus d'autant plus exemplaire, si l'on songe que les Éditions de Minuit ont joué un rôle important dans la dénonciation, à l'époque, de la politique coloniale française, et que, dans maints combats idéologiques (notamment en 1960, lors de la « Déclaration des 121 »), nombre de nos auteurs ont nettement pris parti. Il s'agit d'autre chose : considérant, avec Roland Barthes, que « la littérature ne peut être à la fois accordée au monde et en avance sur lui, comme il convient à tout art du dépassement, que dans un état de présuicide permanent » (*Critique,* 1955); que tout souci d'efficacité idéologique condamne le texte aux formes traditionnelles de représentation; constatant, par exemple, la pauvreté du « réalisme socialiste », les Nouveaux Romanciers sont unanimes à revendiquer, pour l'écriture, le droit de n'être « pourchasseuse [que] d'elle-même » (R. Barthes, *Critique*). « Il nous faut, une fois pour toutes, proclame Robbe-Grillet, cesser de prendre au sérieux les accusations de gratuité, cesser de craindre "l'art pour l'art" comme le pire des maux, récuser tout cet appareil terroriste qu'on brandit devant nous sitôt que nous parlons d'autre chose que de la lutte des classes ou de la guerre anticolonialiste ».

Démontant quelques-uns des mythes qui entourent la création littéraire, Robbe-Grillet relève à quel point est insupportable à beaucoup l'idée qu'un écrivain puisse « avoir des opinions sur son métier ». Productions « de laboratoire », subversions « préméditées », ses livres sont dès lors marqués d'une double infamie : ils mettent en cause le « génie inconscient, irresponsable et fatal » qui, visité des dieux, est seul habilité à léguer, comme à son insu, ce qu'on nomme une « œuvre » à nos déchiffrements (*Pour un nouveau roman*). Que la littérature s'avoue pour ce qu'elle a toujours été — il suffit de lire Montaigne, Flaubert, Proust —, un travail patient, réfléchi, rigoureux, débouche sur un second et non moins grave manquement : la confusion des rôles! Que devient le critique, si l'écrivain, se mêlant de théorie, en vient à expliquer lui-même ses livres? Ricardou insiste pourtant : « Tout écrivain nous semble devoir se risquer à la théorie et y impliquer ses textes, tout théoricien nous semble devoir se risquer à la littérature et y confronter ses études » (*le Nouveau Roman*). On n'est pas plus net.

Théories d'une révolution... : questions de formes

Exclusivement inscrit dans un projet formel, jouant de cet exclusif matériau que sont les mots d'une langue, nul doute qu'un tel roman ne s'assume comme « aventure d'une écriture » (J. Ricardou, *Problèmes du Nouveau Roman*). Nul doute qu'à partir de là toute ancienne construction ne s'écroule. Personnage en procès, narration pervertie, description piégée : à quels « nouveaux lecteurs » pareilles fictions proposent-elles leurs variables accidents?

Pour un public mal averti, encore dressé à projeter sur cet « autre » romanesque qu'est le personnage de papier ses propres affections, la « cure d'amaigrissement » (J.-B. Barrère) qu'a subie, depuis Balzac, le héros de roman constituerait sans doute le plus notable de ces accidents. Car il a peu à peu, ironise Nathalie Sarraute, « tout perdu : ses ancêtres, sa maison soigneusement bâtie [...], ses propriétés et ses titres de rente, ses vêtements, son corps, son visage et, surtout, ce bien précieux entre tous, son caractère, qui n'appartenait qu'à lui, et souvent jusqu'à son nom » (*l'Ère du soupçon*).

Désormais signe parmi les signes, il peut n'être que le « support de hasard » d'une tentative de mise en mots, à travers les glissements des « tropismes ». Il peut, réduit à son initiale, n'être que la voix d'un désir anonyme ou l'objet d'un regard (*l'Année dernière à Marienbad; la Jalousie* de Robbe-Grillet, 1961 et 1957), se dédoubler même en deux lettres concurrentes et semblablement nulles (*la Bataille de Pharsale* de Cl. Simon, 1969); il peut, par homophoniques accroissements, s'auto-générer presque à l'infini, entrecroisant les points de vue narratifs (*le Libera,* de R. Pinget, 1968). Il peut, masqué de « plastique souple », revêtir, selon la « logique » des situations, telle nécessaire et permutable identité (*Projet pour une révolution à New York* de Robbe-Grillet, 1970), jusqu'à n'apparaître, limite extrême d'une destinée romanesque, qu'engendré par le pur jeu formel d'opérations à la manière de Raymond Roussel : minuscule miroir des métamorphoses du texte, « Olivier, alors, c'est : voilier... »; « Olivier, c'est : violer I... »; « Olivier, c'est avilir O... » (J. Ricardou, *le Théâtre des métamorphoses,* 1982). Isabelle, c'est ainsi la jeune Isa et la légendaire princesse Belle, nous renvoyant aussi bien, inéluctablement, au monstre Le Basile ou à la cité vénusienne Silab Lee, dont les SL hantent la fiction (J. Ricardou, *l'Observatoire de Cannes,* 1961)... Jouant, presque à l'opposé, sa survie même — « mais quelle survie... inconcevable, invraisemblable tronc pourrissant dans une jarre... » —, le narrateur de *l'Innommable* (S. Beckett, 1953) se faisait déjà pur langage : « Je suis en mots, je suis fait de mots... »

Avouant sa condition, c'est-à-dire, paradoxalement, sa nécessaire implication dans la production du texte, il serait surprenant qu'un tel personnage se meuve dans l'euphorique continuité d'un récit crédible. Qu'une voix narrative chaque fois différente prenne le relais d'une improbable reconstitution, que la mémoire vienne enliser dans ses digressions le fil du discours, que s'y mêlent le commentaire, la fantaisie, le fantasme, et l'histoire se disperse en autant d'inconciliables séquences. Presque tous les romans de Pinget sont ainsi constitués d'incompatibles témoignages; dans *Degrés,* Michel Butor, à travers trois narrateurs successifs, travaille l'impossibilité de restituer une simple heure, pourtant bien circonscrite, de cours d'histoire; Nathalie Sarraute, dans *Martereau* (1953), présente quatre variantes de la même scène; dans les enquêtes — conjugales ou policières — de Robbe-Grillet, ou chez Ricardou, au hasard des expéditions, les mêmes « tableaux » reparaissent, subrepticement décalés. S'ensuit un procédé de « montage » qui ne craint pas de se désigner : « Tu as bougé... Il faut tout recommencer. Reprendre la pose » (J. Ricardou, *la Prise de Constantinople,* 1965). « La première scène se déroule très vite. On sent qu'elle a déjà été répétée plusieurs fois... Coupure... Reprise » (A. Robbe-Grillet, *Projet pour une révolution...*). « Tout reprendre à zéro » (leitmotiv chez Pinget), etc. Dans *Triptyque* (1973), Claude Simon se risque à enchevêtrer, en des lieux distincts, trois narrations simultanées, que limitent, là encore, d'inhabituelles coupures. Trois narrations, de même, dans *les Géorgiques* (1981), mais prélevées, cette fois, à trois époques différentes, dans l'épaisseur de l'Histoire...

Par tout un jeu de conventions — le lendemain, un an plus tard, etc. —, le roman traditionnel prenait soin de jalonner le discontinu narratif, rétablissant ainsi l'illusion d'une durée ininterrompue. Mais si le texte du roman est « en train de s'accomplir, de se tenter » (R. Pinget), comment le figer dans l'éloignement d'un passé simple? Comment rattraper, dans les contrepoints d'un journal quotidien, l'écart d'un antérieur « emploi du temps » — pour reprendre le titre d'un roman de M. Butor? Comment distinguer, dans l'instant présent où se génèrent les mots, entre l'actuel et le resurgi et introduire la date dans une durée d'images? « Il n'y a, rappelle Claude Simon, ni commencement ni fin dans le souvenir » (interview au *Monde,* 8 oct. 1960). Aussi inscrit-il nombre de ses romans en marge des repères temporels, dans le flux des participes présents. Ailleurs, c'est, sans surprise, le règne du « présent de l'indicatif » (titre d'un ouvrage de J. Bloch-Michel), temps de l'écriture et de la lecture, invitation à la complicité d'une aventure commune. A ce titre, *la Modification* de Michel Butor n'apparaît-elle pas comme la métaphore même de cette invitation au voyage — « Vous avez mis le pied gauche sur la rainure de cuivre » — qui s'accomplit dans le temps d'une lecture entre Paris et Rome? Voyages plus ambitieux si l'on suit, chez Claude Ollier, le savant entrecroisement des tracés, les retours périodiques aux mêmes points signifiants; mais toujours voyages dans le livre. Lieux et objets, à présent, en sont à décrire.

Toute description installe, dans le développement de l'histoire racontée, une rupture plus ou moins durable. Traditionnellement, toutefois, elle ne consent à immobiliser le récit que pour l'insérer dans les cadres précis qui le renverront chargé de sens : descriptions de Saumur dans *Eugénie Grandet*; la Beauce de Zola, etc. Gratuite, elle encourrait le reproche d'inutile piétinement. Ainsi peut-être faut-il comprendre que les premiers des nouveaux romans aient suscité l'ennui que procure l'inventaire d'huissier ou le rapport du commissaire-priseur. Les objets, les lieux y exhibent leurs moindres détails, minutieusement examinés, localisés, dénombrés, mesurés sous chacun de leurs angles : tracé des lignes d'ombre et décompte des plants de bananiers dans *la Jalousie*; explorations millimétriques d'une chambre — statique dans *le Labyrinthe* de Robbe-Grillet (1959), mouvante dans *la Mise en scène* (Ollier, 1958); prolifération du décor dans *l'Inquisitoire,* des réseaux dans *le Maintien de l'ordre* d'Ollier (1961). Qu'« un quartier de tomate apparemment sans défaut » (A. Robbe-Grillet, *les Gommes,* 1953), une « cafetière [...] en faïence brune » (*Instantanés* de Robbe-Grillet (1962), « Trois Visions réfléchies ») ou les cils coagulés par l'eau de mer d'une jeune baigneuse (*l'Observatoire de Cannes*) sollicitent un instant le regard — rien de tout cela ne semble justifier la longueur d'une « description méthodique »... A moins de dépasser les communes appellations d'« école du regard », de « littérature objective », de « nouveau réalisme » auxquelles l'irritation des uns (F. Mauriac), l'approbation des autres (R. Barthes) avaient, en leur temps, conféré quelque crédit, pour rappeler deux points importants.

En premier lieu, que tel refus célèbre des vieux mythes de la « profondeur » (tragification de l'univers, « cœur romantique des choses », anthropomorphisme des métaphores : « Le monde n'est ni signifiant ni absurde, il est tout simplement », écrit Robbe-Grillet); telles définitions d'un nouveau statut descriptif (« La surface des choses a cessé d'être pour nous le masque de leur cœur »; « Décrire cette surface n'est donc que cela : constituer cette extériorité et cette indépendance »; « L'adjectif optique [...], celui qui se contente de mesurer, de situer, de limiter, de définir », s'imposant désormais) ne renvoient, ici, que par malentendu la description au projet périmé d'une représentation réaliste. Se réclamant, au contraire, de la géométrie des plans, figures et surfaces (cf. Michel Butor, *Passage de Milan,* 1954), des lois — et des illusions — de l'optique, s'inscrivant dans un univers de tracés et de mécanismes, la description s'affirme comme pure construction formelle. Dès lors, le tableau, l'affiche, la carte postale (cf. *Histoire,* de Claude Simon, 1967), ces surfaces planes derrière lesquelles « il n'y a rien » (A. Robbe-Grillet) vont fournir un égal prétexte au jeu descriptif. Jusqu'à, sans contradiction, se confondre avec leur objet, s'animer peut-être, entrer dans le récit (cf. *l'Apocalypse,* de R. Pinget, 1980).

En second lieu, semblables pauses, renvoyant, dans la fiction, à un discours, à une inquiétude, à un fantasme, se chargent de connotations qui invitent à lire autrement un énoncé apparemment plat. Par exemple, à redécouvrir la fonction d'une métaphore dégagée de toute métaphysique (le « cœur » de la forêt ou le soleil « impitoyable », etc.) dans la génération du roman. D'« expressive » qu'elle était, la voici « structurelle » (J. Ricardou, *Nouveau Roman, hier et aujourd'hui,* I). Le ∞ du *Voyeur,* anneaux accolés du parapet, nœud des cordes, circuit bouclé dans l'île, ouvre tout un champ de lisibilités communes; au même titre que, dans *les Corps conducteurs* (Claude Simon, 1971), les méandres d'un fleuve dans la jungle « engendrent » les sinuosités d'une ficelle laissée sur un trottoir, le boa qui glisse d'une toilette de femme, etc. C'est la narration même que, d'un mot à l'autre, infléchit la description : procédés constants chez Jean Ricardou, Claude Ollier.

Machine à « enliser le récit » promue « machine à désorienter ma vision », écrit J. Ricardou dans *Problèmes du Nouveau Roman* (« Rien de plus fantastique », d'ailleurs, « que la précision », notait A. Robbe-Grillet), la description du Nouveau Roman se révèle, contre tout sens préexistant, une machine à produire du texte. Désigner ce texte qu'honnêtement, « artisanalement », elle produit, tel est l'aboutissement logique de ces formelles opérations. D'où l'importance, redoublement suprême, de l'image du livre dans ces livres d'images. Inclusions permanentes d'œuvres dans l'œuvre, qu'il s'agisse de dessins, de tableaux, de gravure rupestre (*la Mise en scène* de Cl. Ollier) ou de vitrail (*l'Emploi du temps*); mieux encore, c'est le roman qui s'insère dans le roman : le roman africain, dans *la Jalousie*, le « Livre interdit » dans *la Prise de Constantinople*, et *les Fruits d'or*, ce roman d'un roman...

Images en miroir de l'écriture même, dans ses « allées et venues » (*Problèmes du Nouveau Roman*), parcours piégés d'un texte que génèrent un mot, une couleur, une lettre : le Nouveau Roman convoque son « nouveau lecteur » dans l'« abyme » *(ibid.)* de sa propre contemplation. Passionnant spectacle, passionnant travail que la naissance d'une écriture. Qui, naguère, parlait d'« expression »?...

BIBLIOGRAPHIE

Pour plus de précisions concernant chacun des auteurs, on se reportera à l'article le concernant. On se bornera ici aux études d'intérêt général.

Michel Butor, *Essais sur le roman*, Gallimard, « Idées », 1969; Alain Robbe-Grillet, *Pour un nouveau roman*, Gallimard, « Idées », 1969; Nathalie Sarraute, *l'Ère du soupçon*, Gallimard, « Idées », 1956, rééd. 1966 (recueils de divers travaux critiques publiés antérieurement); Jean Ricardou, *Problèmes du Nouveau Roman*, Le Seuil, 1967; id., *Pour une théorie du Nouveau Roman*, Le Seuil, 1971; id., *le Nouveau Roman*, Le Seuil, « Écrivains de toujours », 1973; id., *Nouveaux Problèmes du roman*, Le Seuil, 1978; collectif : *Nouveau Roman, hier, aujourd'hui* 1 : Problèmes généraux; 2 : Pratiques, « 10/18 », U.G.E., 1972 (dans la même collection ont été publiés les travaux des colloques sur Butor, Robbe-Grillet, Simon).

Roland Barthes, *Essais critiques*, Le Seuil, 1964; Maurice Blanchot, *le Livre à venir*, chap. 4, Gallimard, 1963; Jean Bloch-Michel, *le Présent de l'indicatif*, Gallimard, 1963; Lucien Dällenbach, *le Récit spéculaire*, Contribution à l'étude de la mise en abyme, Le Seuil, 1977; Lucien Goldmann, *Pour une sociologie du roman*, « Nouveau Roman et réalité », Gallimard, 1964; Ludovic Janvier, *Une parole exigeante*, Éd. de Minuit, 1964; Georges Jean, *le Roman*, Le Seuil, « Peuple et culture », 1971; Maurice Nadeau, *le Roman français depuis la guerre*, Gallimard, « Idées », 1970.

Articles dans : *Esprit*, juillet-août 1958, « le Nouveau Roman »; *Synthèses*, octobre 1961, « la Génération spontanée du Nouveau Roman » (H. Chapier); *la Nouvelle Critique*, nº 124-125, 1961, études sur E. Lop et A. Sauvage; *Micromégas*, numéro spécial Nouveau Roman, janvier 1981.

A. ARNAUDIÈS

NOUVELLE. Pour beaucoup d'esprits, elle serait au roman ce qu'est le court métrage au grand film : exercice d'esthète (ne parle-t-on pas volontiers d'« art de la nouvelle »?), ouvert aux débutants et que le public — par conséquent les éditeurs — boude avec obstination. Cette image est largement fausse, mais elle s'explique par une conception obsolète de ce genre.

Un genre narratif bref parmi d'autres

L'emploi du mot « nouvelle » pour désigner un genre littéraire n'apparaît guère en français avant les *Cent Nouvelles nouvelles* (1462), c'est-à-dire à une époque où se fait déjà sentir l'influence de la *novella* italienne, attestée depuis beaucoup plus longtemps. Il y a donc chez nous collusion entre la tradition autochtone et la vogue italianisante.

Dès le XIIe siècle, le verbe *noveler*, qui signifiait originellement « changer », a tendu à prendre aussi le sens de « raconter », mais c'est bien l'auteur anonyme des *Cent Nouvelles nouvelles* qui a inventé une poétique pour un genre dépourvu de modèles antiques et dont la seule référence est le *Décaméron* de Boccace. La nouvelle rapportera, en termes concis, un fait récent, volontiers joyeux. Elle s'opposera à l'*histoire*, qui, à cause du sens du mot *estoire* en ancien français, suggère l'idée de longueur et celle de faits anciens. A quelques détails près, c'est ce modèle que l'on va observer en France pendant des siècles. La hantise de la longueur, exprimée dans les *Cent Nouvelles nouvelles*, trouve un écho chez l'une des devisantes de l'*Heptaméron* (écrit vers 1540-1547) : « Je sçay bien [...] que ceste longue nouvelle pourra estre à aucuns fascheuse : mais si j'eusse voulu satisfaire à celluy qui la m'a comptée, elle eust esté trop plus que longue ». Trois siècles plus tard, Baudelaire, à l'image de son temps, est du même sentiment : « une nouvelle trop [...] courte vaut encore mieux qu'une nouvelle trop longue ». Entre-temps, on a cependant vu apparaître (au XVIIIe siècle) des ouvrages de 700 pages intitulées « nouvelles ». Pourquoi? Parce que la nouvelle ne s'est jamais développée de façon indépendante. A la Renaissance, elle est liée aux autres formes brèves; du XVIIe au début du XIXe siècle, elle entretient avec le roman des rapports de concurrence, et à l'occasion, quand ce dernier est déconsidéré — c'est le cas au XVIIIe siècle —, elle lui prête son étiquette.

A cela on voit que la nouvelle est tout, sauf une « forme simple »; et, plutôt que d'en chercher la structure primitive ou les analogues à travers les littératures du monde entier, nous dégagerons ses traits dominants et variés au cours des siècles.

La nouvelle à la Renaissance

Trois caractéristiques à ce moment : 1º elle se constitue en tant que genre en même temps que l'imprimé se qualifie comme support et *medium*; 2º elle ignore la concurrence du roman et profite de la disponibilité du public; 3º elle s'ouvre à des influences inconnues auparavant, comme le roman grec, tout en poursuivant des échanges avec d'autres genres narratifs brefs (la facétie, le *motto*, l'épigramme, la leçon, etc.).

De là vient la diversité du genre. Les libraires lyonnais exploitent les ressources commerciales de la nouvelle dans une série de recueils (*Parangon des nouvelles honnestes et delectables*, 1531; *Discours modernes et facecieux* de Jean Bergier, 1572); mais ils savent aussi promouvoir des nouveautés audacieuses (songeons aux recueils de Jeanne Flore ou de Des Périers).

Le public lui réserve tout au long du siècle un accueil très favorable, quelle que soit son orientation. Des titres aussi divers que les *Sérées* de Guillaume Bouchet, les *Histoires tragiques* de Boaistuau et Belleforest, les nouvelles de Marguerite de Navarre, les *Comptes du monde adventureux* ou les *Dialogues* de Tahureau ont tous connu un nombre important de réimpressions avant le début du XVIIe siècle.

Propice aux expériences, l'époque assimile tout d'abord la tradition des *facetiæ* du Pogge, non sans l'édulcorer. On conserve le gaulois, le scatologique; on gomme tout ce qui ressortit à la contestation politique et religieuse. De la même façon, le Boccace, témoin des luttes urbaines de l'Italie du trecento, tend-il à devenir, chez ses traducteurs français et surtout chez ses imitateurs, un écrivain élégant et cultivé qui se délasse dans le *Décaméron*. Puis la nouvelle est mise au service de la vaste entreprise de moralisation liée au concile de Trente. On réactive la tradition médiévale des *exempla,* et l'utile prend le pas sur le doux. C'est le sens de la traduction et de l'adaptation des *Novelle* de Bandello par les soins de Belleforest. Parallèle à ce mouvement, le genre de la leçon, d'origine humaniste, à la recherche de lecteurs qui ignorent le latin, s'agrège à celui de la nouvelle. On voit ainsi apparaître à la fin du siècle, sous la plume de Cholières, du Fail ou Bouchet, des recueils plus proches d'Athénée, de Plutarque, voire de Platon, que du récit à *cornice* (« encadrement ») popularisé par Boccace.

Cette interpénétration des formes accélère la circulation des motifs et des sujets. Une épigramme de Marot ou d'Eustorg de Beaulieu devient nouvelle en prose chez Le Moulinet; un arrêt de justice lu chez Jean Papon connaît le même sort dans *l'Esté* de Poissenot; tandis que les auteurs de leçons se servent partout, à pleines mains. La nouvelle de la Renaissance, en raison même de l'incertitude de sa définition, vit donc non seulement de réécritures d'œuvres plus anciennes (comme tous les genres littéraires), mais aussi d'aménagements de textes contemporains que la critique ultérieure jugera étrangers à elle. Et le tout s'effectue dans la plus grande indifférence théorique.

Nous ne retrouvons pas, aux périodes suivantes, plusieurs des éléments qui nourrissent cette diversité. Non parce qu'ils ont disparu mais parce qu'ils se sont marginalisés; la facétie, par exemple, est au XVIIe et au XVIIIe siècle activité vile, abandonnée aux presses du colportage. Nul ne songe plus alors à confondre les opuscules de La Mothe Le Vayer avec *l'Élite des contes du sieur d'Ouville.*

L'incertitude classique

Au XVIe siècle, aucun auteur de nouvelles ne peut s'alarmer de la concurrence des romans; au début du XVIIe, il faut compter avec leur essor. La frontière est difficile à tracer, comme le montre ce titre de Mme de Villedieu : *Cléonice ou le Roman galant, nouvelle* (1669). Elle est sans cesse traversée. On lit, dans *le Roman comique* de Scarron, des nouvelles enchâssées (on en rencontrera encore dans *Jacques le Fataliste,* et il s'en trouvait déjà une dans *la Mort le Roi Artu* au XIIIe siècle); Le Petit voit en la nouvelle un « demy-roman » et Challe parle de son « roman » ou de ses « histoires, comme on voudra les appeler », à propos des *Illustres françoises* (1713). Cette nonchalance, qu'il ne faut pas exagérer, dissimule mal tantôt une indifférence, tantôt une incertitude, tantôt les deux à la fois.

La Renaissance lisait les Italiens, le XVIIe siècle lira les Espagnols (comme le XVIIIe les Anglais ou le XIXe les Russes). Ce changement de fournisseur exerce une influence non seulement sur la tonalité du genre mais aussi sur son économie. Cervantès a inventé une nouvelle fondée sur la reconstruction de la chronologie là où, auparavant, on préférait un parcours linéaire; la tendance à l'allongement, déjà sensible dans la seconde moitié du XVIe siècle, trouve là de nouvelles munitions; d'autant plus que notre genre assume en partie le rôle du genre narratif long à partir des années 1650. A. Kibédi Varga voit en la nouvelle « surtout une réaction contre le roman », et, peu avant la fin du siècle, du Souhait affirmera qu'elle a détruit les grands romans.

Mais le grand événement de cette époque est l'intérêt porté par des écrivains de talent, qui sont aussi des théoriciens (Sorel, Scarron, Segrais et, dans une moindre mesure, Donneau de Visé), à la nouvelle. La raison en est simple : « Depuis quelques années, les trop longs romans nous ayant ennuyés, afin de soulager l'impatience des personnes du siècle on a composé plusieurs petites histoires détachées qu'on a appelées des nouvelles ou des historiettes » (Sorel).

A l'influence des Italiens avait répondu l'anti-italianisme; à celle des Espagnols répondra l'affirmation de la « nouvelle françoise ». En 1623, Charles Sorel fait paraître un recueil de *Nouvelles françoises.* Pourquoi *françoises*? Parce que, nous dit l'auteur, « elles contiennent les aventures de beaucoup de personnes de notre nation ». A cette assimilation encore superficielle il faut ajouter le souci — conforme à la tradition du genre, mais étranger au roman précieux ou héroïque — de mettre en scène des personnages de condition moyenne. Mais c'est là rendre hommage, comme en convient Scarron, aux Espagnols, qui « ont le secret de faire de petites histoires qu'ils appellent nouvelles, qui sont bien plus à notre usage et selon la portée de l'humanité que ces héros de l'Antiquité qui sont quelquefois incommodes à force d'être honnêtes gens ». En 1657, Segrais reprend le titre de *Nouvelles françaises,* entre-temps abandonné par Sorel, pour mieux prendre ses distances par rapport à ce dernier : l'ami (et le collaborateur) de Mme de La Fayette entend tout à la fois restaurer le cadre qui était celui de l'*Heptaméron,* lutter contre l'hispanophilie et réhabiliter des personnages de haut parage. A ce trait on distingue déjà l'esquisse d'un palmarès du genre, qui, on le verra, se constituera chez nous en formant peu à peu le panthéon de ses modèles.

En attendant, *le Mercure galant,* l'un des premiers magazines féminins (c'est-à-dire visant une clientèle en majorité féminine), publie, entre 1672 et 1710, période qui correspond au règne de Donneau de Visé, 370 nouvelles. Ici se poursuit donc la tradition de succès commercial et de large diffusion du genre.

La nouvelle occupe aussi le second rayon. Le recul de la liberté sexuelle aidant, les livres « pour tous » de la Renaissance deviennent des *curiosa* au XVIIe siècle. Leur production ne ralentit pas; elle change de nature, réalisant « la synthèse de l'esprit gaulois, hérité des conteurs du XVIe siècle, et du libertinage de l'âge baroque » (M. Lever). Il est remarquable de noter, à côté de brûlots politiques comme les allégories de Bussy-Rabutin ou d'œuvres fortes comme *le Rut ou la Pudeur éteinte* de Paul-Alexis Blessebois, la présence d'une veine scatologique (qui remonte à du Troncy et à Tabarin), mêlée (si l'on peut dire) à la pornographie dans *les Délices du cloître ou la Nonne éclairée* (1672) ou *Vénus dans le cloître ou la Religieuse en chemise* (1683) de Chavigny de La Bretonnière.

Si l'on met à part l'œuvre de Sade (examinée par ailleurs), la nouvelle française du XVIIIe siècle pérennise ses choix anciens, parfois les affirme un peu plus. L'exigence de réalisme affichée dans la « nouvelle française » antérieure devient systématique dans l'« histoire véritable » telle que la conçoit Challe. De même la tradition de l'histoire tragique est revivifiée par un recours renouvelé à la chronique judiciaire et criminelle contemporaine dans une série comme celle des *Causes célèbres* de Guyot de Pitaval. Le genre poursuit — et dans certains cas amplifie — son activité de réécriture des nouvelles canoniques (Vignacourt s'empare de l'*Heptaméron*; Mme de Gomez des *Cent Nouvelles nouvelles*). Comme au XVIIe siècle, il s'efforce de profiter (y compris au sens commercial) de l'éclipse du roman : « Ces narrations », écrit Feutry vantant son *Choix d'histoires* (1753), « sont courtes, variées, et tout à fait indépendantes les unes des autres; elles n'occupent et ne tendent point l'esprit comme la plupart de ces immenses romans qu'il faut nécessairement lire de suite pour ne point perdre de vue la liaison des événements; ou plutôt qu'il ne faut point lire du tout : ils amollissent le cœur et gâtent l'esprit ». Notons au passage que ce qui est ici argument publicitaire pour faire vendre des nouvelles deviendra au XXe siècle, chez les spécialistes, l'explication de leur mévente!

La fin du siècle voit cependant, grâce aux efforts de Florian et de Sade, la rapidité du rythme d'exposition s'amplifier, la tendance à une plus grande concision s'affermir encore : « Je n'exige essentiellement [...] qu'une chose, c'est de soutenir l'intérêt jusqu'à la dernière page; tu manques le but, si tu coupes ton récit par des incidents ou trop répétés ou qui ne tiennent pas au sujet [...] Le dénouement doit être tel que les événements le préparent », conseille Sade dans son *Idée sur les romans.*

La fixation de la forme

Pour Georges Poulet, « il semble qu'à partir du XIXe siècle la nouvelle entre dans la définition de son propre genre, tandis qu'auparavant elle était encore dans une période de tâtonnement ». Cette fixation est provoquée par la convergence de plusieurs facteurs. Tout d'abord, les supports potentiels se multiplient avec l'avènement de la presse quotidienne moderne et le succès des revues auprès des élites. Dans ces espaces éditoriaux, la place de la nouvelle est à la fois marquée et calibrée. Il existe ainsi un débouché économique à la production des nouvelles, et ce n'est donc pas un hasard si la presque totalité des grands écrivains de l'époque a participé à cet essor. Dans le même temps, on redécouvre la littérature de la Renaissance. Ce sont souvent les mêmes hommes que l'on rencontre en train de réimprimer les vieux textes et ensuite occupés à inventer — non sans références au passé — les formes contemporaines : Charles Nodier, Mérimée et Paul Lacroix (le bibliophile Jacob) sont dans ce cas.

Il n'est pas surprenant, dans ces conditions, de retrouver sous une forme systématisée plusieurs des caractères déjà aperçus. La nouvelle prend une structure précise : « Elle se bâtit à partir de sa fin. Très fréquemment, cette fin est surprenante, et c'est pour amener cette surprise finale que se trouve organisé ce qui précède. Un tel procédé devient vite mécanique » (G. Poulet).

Sans doute la valse des étiquetages se poursuit-elle, dans l'indifférence : « conte », « anecdote », « récit », autant de synonymes utilisés sans intention précise, avec une préférence pour le premier chez beaucoup (Balzac, Daudet, Erckmann-Chatrian, voire Maupassant et Villiers de l'Isle-Adam). Il est vrai qu'après une éclipse partielle de près de deux siècles la structure boccacienne de la *cornice* est revenue à la mode, et, le plus souvent, s'interpose entre le texte et l'auteur un narrateur-informateur, propice à la recherche de l'effet de réel et surtout à la concision. Chez Mérimée, le souci de dépouiller le récit de toute circonstance inutile passe par la fiction d'un narrateur qui commence *ex abrupto* et excuse, par son existence même, l'auteur de n'en avoir pas dit plus (*Lokis*). Cet expédient offre, en outre, des ressources stylistiques qui n'étaient pas passées inaperçues de Sorel et de Sterne mais auxquelles seul le XIXe siècle fait une place importante : ainsi de l'ironie glacée de Mérimée, des « ignorances » improbables de Maupassant; il est encore utile à l'écriture de la nouvelle fantastique, qui change alors de nature. Dans ce domaine, le XVIIIe siècle, fidèle aux origines de cette veine, ne recherchait pas d'effet de surprise; au contraire, il avait soin d'être fidèle à une topique familière (lieu enchanté ou inquiétant, heures nocturnes, stéréotypes comme les fées ou les génies). Au XIXe siècle, le fantastique fond sur le lecteur sans prévenir, et la surprise est d'autant plus forte que l'auteur a multiplié les cautions réalistes (*Mateo Falcone, la Vénus d'Ille,* etc.).

La fixation du genre a aussi pour conséquence de condamner des formes mineures et concurrentes. Réserve faite des *Contes drolatiques,* la nouvelle-fabliau est abandonnée ou, plus précisément, comme le montre bien l'exemple de Balzac, on nourrit son public potentiel par le moyen de réimpressions des vieux textes ou par celui de pastiches. Dans le même temps, les ultimes avatars de la littérature facétieuse appartiennent exclusivement à la littérature de colportage et à la rubrique des histoires drôles dans les journaux.

L'alliance nouée à la fin du XVIe siècle entre la nouvelle et le fait divers est fortifiée par le goût vif pour l'extraordinaire et pour la lecture emblématique du quotidien : « Je venais de voir dans ce taudis une scène de l'éternel drame qui se joue tous les jours, sous toutes ses formes, dans tous les mondes » (Maupassant). Sous un vêtement exotique (que l'on songe aux très nombreuses nouvelles à décor méditerranéen de cette époque), le genre participe à un mouvement de curiosité à la fois authentique et suspect pour le populaire : qu'il s'agisse du passé, du folklore lointain, voire de ces esquisses d'ethnographie régionale que sont les chroniques judiciaires d'un Stendhal ou d'un Maupassant, d'un Janin ou d'un Zola, il s'agit toujours de faire un peu de place au peuple, le « grand absent » alors trop souvent caricaturé dans les romans qui le célèbrent.

L'opposition entre les deux genres narratifs n'est donc pas seulement technique, bien que le XIXe siècle se soit efforcé sur ce point de répartir les rôles : « Il n'en est pas de la nouvelle comme du roman. La nouvelle, c'est une course au clocher. On va toujours au galop, on ne connaît pas d'obstacles; on traverse le buisson d'épines, on franchit le fossé, on brise le mur, on se brise les os, on va tant que va son histoire » (Jules Janin, 1832). La tradition nationale est ici réactivée par l'influence des maîtres étrangers (Poe, Pouchkine, Gogol et, par la suite, Tourgueniev et Tchekhov). L'exigence de brièveté n'est plus une inquiétude, car le genre romanesque, pour le cas où il y aurait confusion par suite d'une longueur excessive, n'encourt plus les mêmes critiques qu'au XVIIIe siècle. Sous la plume de Mérimée, la confusion est attestée à propos de *Colomba* (« mon roman ou plutôt ma nouvelle »). Et un homme comme Maupassant remploie à plusieurs reprises une nouvelle courte pour l'allonger : c'est le cas du *Million* devenu *l'Héritage,* d'*Yveline Samoris* transformée en *Yvette*; chaque fois, il précise les circonstances, multiplie les personnages ou entre dans le détail menu des péripéties mais continue de s'en tenir à un seul épisode. La longue nouvelle reste donc plus proche de la courte que du roman.

L'ère des impasses

Entrée dans la définition de son propre genre au XIXe siècle, la nouvelle est dès lors menacée d'asphyxie; à la réécriture des modèles succède l'imitation des grands ancêtres. Cette tendance est nette dans *l'Âme cachée* de Lacretelle, comme dans plusieurs des textes publiés en 1981 dans la revue *Europe.* La rémanence des poncifs antérieurs est d'autant plus forte que le genre — il faut encore le dire — ne possède pas d'autre poétique propre que celle qui découle de la pratique séculaire.

Sur un double point, cependant, le XXe siècle a tenté de renouveler le genre. Tout d'abord, en retrouvant l'indifférence primitive aux problèmes théoriques, des écrivains comme Sartre, Camus ou Mauriac lui ont redonné une vocation d'instrument efficace et léger au service du message qu'il est chargé de transmettre. A l'opposé, mais simultanément, la recherche esthétisante s'approfondit. Marcel Arland plaide pour une réduction décisive du temps de la fiction : il s'agit de « ramasser des nouvelles autour d'un instant ». Et plus de la moitié des siennes obéissent à cette règle, laquelle rend compte encore de l'évolution observée chez Morand, entre *Ouvert la nuit* et *Fermé la nuit,* où l'on est passé de la relation d'épisodes à celle d'instants. Un titre choisi par Robbe-Grillet en 1969, *Instantanés,* dit la permanence de cette recherche.

En revanche, il n'est pas juste d'affirmer, comme on l'a fait, que le XXe siècle a découvert les ressources du recueil. Sans doute aujourd'hui les auteurs sont-ils (parfois pour leur malheur) libérés de la contrainte de la publication erratique dans la presse et peuvent-ils donc concevoir d'un trait l'ensemble d'un volume. Un recueil n'est plus, dit Godenne, « une simple succession de nouvelles mises bout à bout, mais un ensemble, c'est-à-dire un livre où les textes forment un tout cohérent parce que chacun d'eux a sa place et un rôle déterminant », et Arland précise : « Ce livre s'est composé en moi comme une figure ». En vérité, il s'agit là moins d'une nouveauté que de l'illusion d'une découverte, car, dès les *Cent Nouvelles nouvelles,* et jusqu'au XIXe siècle, l'ambition de représenter le monde, dans son éclatement mais aussi dans sa cohérence, n'a pas quitté les auteurs de nouvelles.

Conclusion

« Une phénoménologie de la nouvelle pourrait s'édifier presque entièrement à partir d'exemples plus anciens que ceux de Mérimée ou de Nodier », notait Marcel Raymond. Notre panorama a tenté d'expliquer pourquoi. A force de sélectionner ses ancêtres, de rejeter les traditions connexes qui, en ses débuts, l'avaient nourrie, la nouvelle s'est peu à peu enfermée dans son rôle d'œuvre d'art pour virtuoses, en se coupant des sources vives. La désaffection qu'elle connaît n'est pas due, comme on l'écrit trop souvent, à la mauvaise volonté des éditeurs mais bien à l'indifférence des lecteurs, qui, fait notable, ne laissent pas d'acheter des recueils étrangers traduits (Borges, Cortazar, Babel, Moravia...). Elle est un genre qui, pour survivre, en France, devrait changer de mémoire, car dans les domaines (policier, fantastique) où elle s'exerce moins il semble qu'elle soit moins menacée.

BIBLIOGRAPHIE

Ne sont pas reprises ici sauf exception les études citées dans les articles consacrés aux auteurs mentionnés.

Pour l'époque médiévale, on se reportera à la thèse de Roger Dubuis, *les « Cent Nouvelles nouvelles » et la tradition de la nouvelle au Moyen Âge,* Grenoble, P.U.G., 1973. Citons, pour la Renaissance, quatre ouvrages essentiels : K. Kasprzyk, *Nicolas de Troyes et le genre narratif en France au XVIe siècle,* Paris, Klincksieck, 1963; L. Sozzi, *les Contes de Bonaventure des Périers,* Torino, Giappichelli, 1965; G.-A. Pérouse, *Nouvelles françaises du XVIe siècle,* Genève, Droz, 1977, et *la Nouvelle française à la Renaissance,* études réunies par L. Sozzi, Genève, Slatkine, 1981. Pour l'époque classique, nous comptons l'ouvrage classique de F. Deloffre, *la Nouvelle française à l'âge classique,* Paris, Didier, 1967; plusieurs chapitres de celui de M. Lever, *le Roman français au XVIIe siècle,* Paris, P.U.F., 1981, ainsi que les études plus spécialisées de G. Hainsworth, *les « Novelas Exemplares » de Cervantès en France au XVIIe siècle,* Paris, Champion, 1933; R. Godenne, *Histoire de la nouvelle française aux XVIIe et XVIIIe siècles,* Genève, Droz, 1970; Jean Serroy, *Roman et réalité. Les Histoires comiques au XVIIe siècle,* Lyon, P.U.G., 1980; M.A. Raynal, *la Nouvelle française de Segrais à Mme de Lafayette,* Paris, Picard, 1926. A quoi on ajoutera un numéro des *C.A.I.E.F.* (no 18, 1966) consacré à notre genre. Pour le XIXe siècle, il faut citer l'ouvrage de P.-G. Castex, *le Conte fantastique en France de Nodier à Maupassant,* Paris, Nizet, 1954. Il n'existe pas d'ouvrage d'ensemble pour le XXe siècle; on consultera le commode précis de R. Godenne, *la Nouvelle française,* Paris, P.U.F., 1974, plus précieux pour cette époque que pour les précédentes.

Parmi les anthologies disponibles en librairie, retenons le volume *Conteurs français du XVIe siècle* dû à P. Jourda (Paris, Gallimard, La Pléiade, 1966), celui réuni par J.-P. Collinet et Jean Serroy, *Romanciers et auteurs du XVIIe siècle,* Paris, Ophrys, 1975. Pour l'époque contemporaine enfin on se reportera aux deux numéros spéciaux d'*Europe* (628-629 et 630-631) qui ont groupé en 1981 un florilège de la production.

M. SIMONIN

NOUVELLE CRITIQUE. Ce que l'on entend par « nouvelle critique » n'est ni un mouvement homogène ni une école réunie autour de quelques chefs de file. C'est un terme de polémique propagé par Raymond Picard à partir de 1964 et qui visait surtout Roland Barthes. En effet, celui-ci pouvait apparaître aux yeux de l'éminent spécialiste de Racine comme un imposteur ou tout au moins comme un provocateur : en écrivant sur Racine, dans un style brillant mais peu soucieux de précision historique ou de rigueur philologique, Barthes s'exposait aux représailles que la Sorbonne ne devait pas manquer d'exercer contre lui et contre les prétentions des jeunes critiques de sa génération. Ainsi des tempéraments aussi divers que Jean-Pierre Richard, Jean Starobinski, Charles Mauron ou Jean-Paul Weber se trouvèrent-ils associés, sous la plume de Raymond Picard, dans une vaste conspiration terroriste contre la tradition universitaire.

Dans cette nouvelle querelle des Anciens et des Modernes, les premiers étaient représentés par les maîtres officiels de la Sorbonne, les seconds par ceux qui désiraient, d'une façon ou d'une autre, renouveler la critique traditionnelle en calquant leur méthode sur celles des sciences modernes telles que la sociologie, la psychanalyse ou le structuralisme. Jean-Pierre Richard, plus ou moins influencé par les recherches de Bachelard sur l'imagination poétique, s'était engagé dans une critique thématique qui n'excluait certes ni l'impressionnisme ni la partialité. La finesse d'interprétation de Jean Starobinski à propos de Jean-Jacques Rousseau dans *la Transparence et l'Obstacle* (1958) se rapproche davantage de la phénoménologie d'un Georges Poulet ou du *new criticism* déjà classique de Léo Spitzer, Erich Auerbach ou René Wellek. Sans tendresse pour la « psychocritique » de Charles Mauron, non plus que pour la *Genèse de l'œuvre poétique* (1960) de Jean-Paul Weber ou *le Dieu caché* (1956) de Lucien Goldmann, qui inaugurait en France la « sociocritique », Raymond Picard s'est surtout déchaîné contre Roland Barthes après que celui-ci eut publié son ouvrage *Sur Racine* en 1964.

Au-delà de la polémique partisane, quelles critiques fondamentales doit-on retenir contre l'approche barthésienne? Les remarques de Barthes, si fines soient-elles, sont souvent invérifiables : elles dépendent d'un parti pris de subjectivité qui est dépourvu de valeur scientifique. Il s'agit, par le biais de l'idéologie, d'un renouvellement de la vieille critique d'humeur, impressionniste et mondaine. Mais, en maniant exagérément la généralisation psychologique (les moindres objets du décor racinien, nantis d'une majuscule, prennent une dimension mythique), Barthes impose un point de vue essentialiste et dogmatique : son point de vue. Il réduit ainsi l'ensemble des pièces de Racine à un schéma (une structure?) issu de ses propres impressions de lecture (il en ira de même pour *S/Z* [1976], tentative d'interprétation néo-freudienne de la nouvelle de Balzac *Sarrasine*). L'utilisation d'un jargon pseudo-scientifique, teinté de psychanalyse, de philosophie et de linguistique, achève de discréditer Barthes aux yeux de ses détracteurs, pour lesquels il apparaît comme une réincarnation des médecins de Molière ou, pire, des précieuses ridicules. Raymond Picard, dont la thèse sur *la Carrière de Jean Racine* avait été favorablement accueillie en 1956, eut beau jeu de révéler toutes les faiblesses de l'essai de Barthes, plus brillant que savant, plus intuitif qu'érudit : celui-ci ne prétendait d'ailleurs pas rivaliser avec la lourdeur de la tradition universitaire, encore tout imprégnée de l'archaïque système méthodologique d'un Lanson.

Au pamphlet de Raymond Picard (désormais considéré comme l'« anti-Barthes ») : *Nouvelle Critique ou Nouvelle Imposture* (1965), Barthes, ainsi promu chef de file d'une école qu'il n'avait nullement songé à fonder, devait répliquer dans son *Critique et Vérité* (1966), bientôt escorté par le manifeste de Jean-Paul Weber : *Néo-Critique et Paléo-Critique* (1966). Par-delà les rancunes personnelles, Serge Doubrovsky, dans *Pourquoi la nouvelle critique?* (1966), mettait un point final à cette grave querelle en tentant de faire le point sur la diversité des approches que l'on avait abusivement rassemblées sous une même étiquette.

BIBLIOGRAPHIE

R. Barthes, *Sur Racine,* Le Seuil, 1964; id., *Critique et Vérité,* Le Seuil, 1966; S. Doubrovsky, *Pourquoi la nouvelle critique,* Mercure de France, 1966; L. Goldmann, *le Dieu caché,* Gallimard, 1956; C. Mauron, *l'Inconscient dans l'œuvre et la vie de J. Racine,* Ophrys, 1957; R. Picard, *Nouvelle Critique ou Nouvelle Imposture,* J.-J. Pauvert, 1966; J.-P. Richard, *Littérature et Sensation,* Le Seuil, 1954; J. Starobinski, *la Relation critique,* Gallimard, 1970; J.-P. Weber, *Néo-Critique et Paléo-Critique* ou *Contre Picard,* J.-J. Pauvert, 1966.

B. VALETTE

NOUVELLE HISTOIRE. V. ANNALES.

NOUVELLE REVUE FRANÇAISE (la) *[N.R.F.]*. Parler de *la Nouvelle Revue française,* c'est évoquer l'une des grandes aventures littéraires de notre époque. Cette revue mensuelle créée en 1909 a eu pendant quelques années une diffusion qui n'était pas à la mesure de son ambition ni de sa véritable originalité. Mais rapidement, dans l'entre-deux-guerres, elle a connu un développement constant, jusqu'à devenir ce que François Mauriac appelait la « rose des vents » de notre littérature. Égarée sous l'Occupation, elle reprit son rôle en 1953; et, si on l'entend moins de nos jours, ce n'est pas qu'elle parle moins haut, c'est simplement que le monde moderne multiplie les bruits, et que d'autres revues naissent et se succèdent à côté d'elle.

Le 15 novembre 1908 était publié le numéro 1 d'une revue intitulée déjà *la Nouvelle Revue française.* Cette première tentative venait après de longues négociations : c'était un compromis, résultat de la collaboration entre le groupe d'Eugène Montfort, qui publiait à ce moment-là *les Marges,* et le cercle qui s'était formé autour d'André Gide à partir de 1905, et qui rassemblait six hommes soucieux de se faire une place et de faire entendre leur voix dans le concert alors dominé par *le Mercure de France* et les post-symbolistes. Mais ce numéro de 1908 fut un faux départ; deux articles qu'il contenait — « En regardant chevaucher D'Annunzio », de Marcel Boulenger, et « Contre Mallarmé », de Léon Bocquet — déchaînaient chez Gide une mauvaise humeur qui couvait déjà depuis longtemps contre Eugène Montfort. Ce fut la rupture : Montfort revint à ses *Marges,* et Gide décida de reprendre l'affaire avec ses seuls amis. Le vrai départ fut donné par un nouveau numéro 1, qui parut le 1er février 1909.

Le groupe des fondateurs

Qui étaient ces fondateurs de *la Nouvelle Revue française,* et que voulaient-ils? André Gide fut à la fois l'initiateur du mouvement et son membre le plus connu. Mais il faudrait se garder d'une vision anachronique de son rôle. A l'époque, s'il songe à fonder une revue, c'est parce qu'il n'a pas un public très large et qu'il éprouve le besoin de rassembler dans un organe de soutien les gens qui partagent sa vision de la littérature. Il veut reprendre le flambeau de celles qu'on appelait, naguère, les « jeunes revues » : la défunte *Revue blanche* et *le Mercure de France.*

Dès 1890, Gide avait rencontré celui qui en 1895 devint son beau-frère : Michel Arnauld, de son vrai nom Marcel Drouin. Arnauld, ami de Pierre Louÿs et de Léon Blum, et qui avait été professeur de philosophie, se permettait de conseiller Gide, mais était lui-même en pleine évolution : parti du socialisme, il commençait à se fatiguer des doctrines de l'art populaire. Sa formation philosophique et son ouverture sur les domaines allemand et anglais étaient assez représentatives de la tendance qui allait être celle des animateurs de la revue.

Le Belge André Ruyters avait fait la connaissance de Gide en lui envoyant des vers. Perpétuellement désargenté, il avait toutefois le mérite de l'expérience, puisqu'il était depuis le mois de janvier 1908 le directeur de la revue *Antée.* Il était entré dans le cercle de Gabriel Frizeau, et, par ce dernier, de Francis Jammes, à l'occasion d'une croisière en Méditerranée.

Le docteur Henri Vangeon, connu en littérature sous le nom d'Henri Ghéon, était un singulier médecin, surtout préoccupé de théâtre et de peinture, à la différence de Jean Schlumberger, qui lui aussi était passionné de théâtre, mais qui, à cette époque, était surtout tourmenté par les questions religieuses. Disposant d'une grande fortune, comme Gide, Schlumberger allait être avec celui-ci le bailleur de fonds de l'opération, ce que n'aurait pu être le dernier des fondateurs, Jacques Copeau, qui, s'étant détourné de la petite fabrique parisienne de ses parents, cherchait désespérément à vivre du théâtre.

C'est Jean Schlumberger qui se chargea d'exprimer le programme du groupe dans des « Considérations » publiées en tête du premier numéro. Il reprenait la vieille formule de Du Bellay de « Défense et illustration de la langue française ». Mais il précisait dans quel esprit nouveau : par « défense », il n'entendait pas une attitude de repli, mais il prenait le terme dans son sens médical, comme on dit d'un organisme vivant qu'il se défend; par « langue française », il voulait dire tous les aspects de la culture. Il fallait, certes, les valeurs classiques, mais pas au prix d'un retour au passé ou d'un protectionnisme culturel. Il s'agissait d'accepter le présent, en fondant les bases d'un classicisme moderne. Ce programme, c'est un comité de direction composé de Copeau, Ruyters et Schlumberger lui-même qui fut chargé de l'exécuter : il s'acquitta de sa tâche jusqu'en 1912.

Les changements de 1912

Dès 1911 s'était produit un événement essentiel pour l'avenir de la *N.R.F.* : pour donner plus d'ampleur à leur action, les membres du groupe avaient décidé l'ouverture d'un comptoir d'édition, dont la gérance avait été confiée à un homme qui alliait à une grande compétence un goût très sûr, et qui, en outre, disposait d'importants moyens financiers : Gaston Gallimard. Mais 1912 allait voir au sein même de la revue des changements qui précisèrent son orientation. D'abord, le comité de direction fut remplacé par un directeur unique, Jacques Copeau, aidé d'un secrétaire, Jacques Rivière. Parallèlement, Gide prenait de la distance par rapport à une publication qu'il avait pourtant désirée si fort. Enfin on recruta l'homme qui, jusqu'à sa mort — en 1936 — incarna un peu l'esprit de la maison, Albert Thibaudet, qui, dès le 1er mars 1912, commença sa chronique régulière : « la littérature ». Cette nouvelle organisation donnait plus de cohérence à la revue. La personnalité de Jacques Rivière s'imposait progressivement, d'autant qu'en 1913 la fondation du théâtre du Vieux-Colombier accaparait Copeau. Par son étude sur « le roman d'aventures » (mai, juin, juillet 1913), influencé sans doute par son beau-frère Alain-Fournier, Jacques Rivière sut en particulier ouvrir la revue à une nouvelle esthétique romanesque. Dans une large mesure, c'est aussi grâce à lui que la *N.R.F.* entreprit de réparer l'erreur qu'on avait commise en refusant d'éditer *Du côté de chez Swann,* et dans les numéros de juin et de juillet 1914, parurent des fragments de l'œuvre de Proust.

Les choix de 1919

La *N.R.F.* avait cessé de paraître pendant les années de guerre. L'équipe s'était dispersée : Copeau avait été envoyé à New York, Rivière était prisonnier... Après sa libération, c'est Rivière qui fut finalement désigné pour faire renaître la revue et la diriger. Ce choix, dans lequel Gaston Gallimard joua un rôle déterminant, posa des problèmes, et Schlumberger, par exemple, se montra difficile à convaincre. C'est qu'il en allait de toute la politique de la revue, comme on le vit dès le premier numéro paru sous la direction de Rivière, en juin 1919. Dans un article au ton vigoureux, Rivière se réclamait du programme des six fondateurs, pour affirmer son intention de défendre l'indépendance et la liberté de la revue. La question était d'actualité : profitant de l'élan de la victoire, des hommes proches de l'Action française avaient lancé le manifeste dit du parti de l'Intelligence et créé *la Revue universelle,* dirigée par Jacques Bainville et Henri Massis; ils demandaient que l'intellectuel se mît au service de l'effort national. Or, au sein même du groupe de la *N.R.F.,* ces idées plaisaient à certains : Henri Ghéon d'abord, qui s'était rapproché de l'Action française en même temps qu'il avait découvert la foi, mais aussi Michel Arnauld et — au moins pour quelques années — Jean Schlumberger. Il était donc habile, pour Rivière, de s'abriter derrière les options de 1909. A l'opposé, d'autres, sous l'influence de la révolution d'Octobre, avaient aussi leurs idées sur la fonction de l'intelligentsia : ils formaient, autour d'Henri Barbusse, le groupe de *Clarté.* Comme il n'était pas non plus question pour Rivière de prôner la destruction radicale à l'instar des dadaïstes, on voit que, dans ce début des années 20, dans un monde moderne volontiers enclin à mettre au pas les intellectuels, la route du directeur de la *N.R.F.,* qui pariait sur la possibilité d'une culture à la fois moderne et indépendante, était assez étroite : l'expérience a montré qu'elle conduisait au succès.

Les raisons d'un succès

Si, pour les objectifs, Rivière proclamait la permanence, en revanche, dans l'équipe le renouvellement était presque complet, provoqué, on l'a vu, soit par des divergences, soit par des choix personnels. Arnauld était malade; Ghéon et Schlumberger collaboraient, mais en boudant. Copeau s'occupait de son théâtre. Ruyters voyageait sur les mers. Quant à Gide, il se tenait de plus en plus à l'écart. Rivière devint donc le véritable patron de la *N.R.F.,* aidé depuis 1920 par un nouveau secrétaire, Jean Paulhan. En 1925, à la mort de Rivière, Gaston Gallimard prit la direction de la revue, pour barrer la route à Charles Du Bos, mais Jean Paulhan joua alors le rôle essentiel en tant que rédacteur en chef, avant de devenir directeur à son tour en 1935.

Le talent et le poids des trois hommes qui la dirigèrent (sans oublier l'appui des éditions Gallimard), voilà certainement la première raison du succès de la *N.R.F.* dans l'entre-deux-guerres. Grâce à eux, la revue put s'ouvrir aux mouvements les plus divers sans crainte d'éclatement ou de dispersion. Le cap était maintenu. La présentation matérielle y contribuait, avec l'instauration dans le sommaire, à partir de septembre 1921, de rubriques immuables.

De plus, la *N.R.F.* sut faire appel aux plus grands noms de la critique de l'époque, couvrant tous les domaines de la littérature, de l'art et de la pensée. C'est à eux qu'étaient confiées les fameuses « Notes », point fort de la revue, où les Benjamin Crémieux, Roger Allard, Paul Fierens, Charles Du Bos, Jean Prévost, Henri Rambaud, Gabriel Marcel, Ramon Fernandez, André Lhote, Boris de Schloezer et des dizaines d'autres collaborateurs réguliers ou occasionnels (le rayonnement de la *N.R.F.* devenant immense) étaient chargés de suivre l'actualité. Une attention particulière était portée au domaine étranger. Dès la fin de la guerre, sous l'impulsion d'hommes comme Valery Larbaud et Gide lui-même, de Félix Bertaux, Bernard Groethuysen, Boris de Schloezer ou Benjamin Crémieux, la *N.R.F.* eut pour ambition de surmonter les méfiances nationalistes renforcées par la guerre et de rendre compte de tout ce qui se passait d'important en Europe et même dans le monde, de manière à maintenir en France la tradition universaliste.

Mais si les « Notes » permettaient la souplesse nécessaire pour appréhender l'actualité, la *N.R.F.* sut aussi entretenir des chroniques régulières, qui lui permettaient de prendre du recul et de dégager les grandes tendances. La seule difficulté fut de trouver un chroniqueur pour le théâtre. Après les essais successifs de Paul Léautaud (qui signait MAURICE BOISSARD), de Pierre Drieu La Rochelle, de François Mauriac, de Jacques de Lacretelle, de Benjamin Crémieux, de Jean Prévost, on préféra renoncer à partir de 1928 : le théâtre ne serait plus abordé que dans les « Notes »! Par contre, les grandes chroniques de la revue étaient les « Réflexions sur la littérature » d'Albert Thibaudet (qui tenait sa place depuis 1912), les « Propos » d'Alain et, à partir de 1933, la « Chronique des romans » de Marcel Arland. Il faudrait d'ailleurs sans doute chercher dans l'attention portée au roman, qui épousait bien le goût de l'époque, l'une des causes profondes du triomphe de la *N.R.F.* Là encore, elle sut témoigner de la diversité des créateurs, de Giraudoux à Malraux, de Drieu La Rochelle à Aragon, de Jouhandeau à Georges Limbour.

Enfin, elle qui voulait préserver la littérature de la politique, elle ne commit pas la faute de se fermer les yeux devant les événements. Au fur et à mesure que les dangers se firent plus pressants, que les querelles s'envenimèrent, elle réussit le tour de force de donner asile aux opinions les plus contradictoires, sans jamais prendre d'autre parti que l'exigence de cette pluralité. Logiquement, en juin 1940, lorsqu'il lui fut impossible d'accueillir qui bon lui semblait, lorsqu'on prétendit lui dicter sa parole, Paulhan préféra lui imposer le silence.

La *N.R.F.* de la collaboration

En juin 1940 paraissait donc le dernier numéro de la revue dirigée par Jean Paulhan : la publication des *Voyageurs de l'impériale* d'Aragon s'achevait sur un « à suivre » qui ne devait jamais se réaliser. Le mois précédent, Drieu La Rochelle avait rompu avec Paulhan, précisément parce qu'il était en désaccord avec la publication de l'œuvre de l'écrivain communiste. Paulhan choisissait sa voie, qui le menait à être parmi les fondateurs des *Lettres françaises* clandestines.

Après de nombreuses négociations — que l'on connaît un peu grâce aux « Cahiers de la petite dame », c'est-à-dire le journal de l'amie de Gide, Maria Van Rysselberghe —, Drieu La Rochelle acceptait de reprendre la revue sous la censure allemande, et faisait paraître son premier numéro en décembre 1940, cinq mois après l'interruption. Dès ce numéro, et malgré la prétention affichée d'assurer la continuité, l'« Avant-propos » de Drieu et la « Lettre à un Américain » d'Alfred Fabre-Luce montraient un ton nouveau qui, bien évidemment, n'était pas fait pour déplaire à l'occupant.

La publication allait se poursuivre jusqu'au numéro de juin 1943, mais avec un nombre de pages de plus en plus réduit, car Drieu avait de plus en plus de mal à trouver des articles permettant de présenter des sommaires convenables. Il était, en outre, aux prises avec des problèmes personnels, et l'analyse qu'il faisait de la situation le portait, lui qui attendait tout du fascisme, au plus noir pessimisme. Il finit par renoncer. Après son retrait, les Allemands préférèrent voir disparaître la revue, bien que la maison Gallimard proposât un successeur à Drieu, le jeune romancier Jacques Lemarchand.

La renaissance de 1953

A la Libération, la *N.R.F.* fut frappée d'interdiction, comme toutes les publications qui avaient continué de paraître sous l'Occupation. L'interdiction fut levée pour deux circonstances exceptionnelles : en novembre 1951, pour un *Hommage à André Gide*, et en septembre 1952, pour un *Hommage à Alain*. Mais le vrai retour était pour l'année suivante. Le 1er janvier 1953 paraissait le premier numéro d'une nouvelle série, baptisée *la Nouvelle Nouvelle Revue française*, animée par deux rédacteurs en chef : Jean Paulhan, qui reprenait ainsi son rôle, et Marcel Arland, assistés d'une secrétaire de rédaction, Dominique Aury. Le nouveau titre fut conservé jusqu'en février 1959, date à laquelle la revue retrouva son ancienne appellation. A la mort de Jean Paulhan, en 1968, Marcel Arland continua seul d'assumer la responsabilité de la publication jusqu'en juillet 1977 et se retira sur un numéro d'hommage à son ami André Malraux. C'est Georges Lambrichs — qui, à l'époque, dirigeait chez Gallimard la collection « Le Chemin » — qui depuis lors préside aux destinées de la *N.R.F.*, à laquelle il a voulu redonner la présentation qu'elle avait à sa grande époque.

La réapparition de la revue en 1953 n'attira pas que des sympathies. Certains, tel François Mauriac, s'indignaient que la maison Gallimard eût une nouvelle fois tiré son épingle du jeu. D'autre part, en ces temps où la mode était à l'engagement, la profession de foi exposée dans le premier numéro pouvait apparaître singulièrement rétrograde ou hypocrite; on y reprenait les objectifs qui, plus de trente ans auparavant, après l'autre guerre, avaient été ceux de Rivière, et qui lui avaient si bien réussi : ouverture, universalité, refus de l'esprit de chapelle, indépendance, accueil à toutes les tendances.

Du fait de la concurrence de nombreuses autres revues plus jeunes, on a parfois dit que la *N.R.F.* n'a fait que se survivre. Sans doute est-il encore trop tôt pour juger de son rôle exact pendant cette dernière période. Néanmoins, avec le recul des années, on peut d'ores et déjà constater que peu d'auteurs importants lui ont échappé : la preuve en est dans les choix qu'elle a faits dès sa reprise. Elle a accueilli des poètes comme Saint-John Perse et René Char, Maurice Blanchot, Alexandre Vialatte, ou Robbe-Grillet qui, en 1954, a trouvé dans ses pages une tribune pour défendre sa conception du Nouveau Roman.

On peut donc dire qu'elle a montré assez de force et sa capacité d'adaptation pour autoriser le pari : elle sera vraisemblablement toujours là en l'an 2000, et l'on constatera alors qu'elle fut « la » revue littéraire du XXe siècle français.

BIBLIOGRAPHIE

Auguste Anglès, *André Gide et le Premier Groupe de la Nouvelle Revue française, la Formation du groupe et les Années d'apprentissage, 1890-1910*, Paris, Gallimard, 1978; *id.*, « Une cellule amicale : le premier groupe de la *N.R.F.* (1908-1914) », dans *Cahiers André Gide*, nº 3, 1972; *id.*, « la *N.R.F.* en mouvement », dans *Cahiers du XXe siècle*, nº 2, Klincksieck, 1974; Daniel Durosay, « la Direction politique de Jacques Rivière à *la Nouvelle Revue française* (1919-1925) », dans *R.H.L.F.*, mars/avril 1977; *la Nouvelle Revue française (1908-1943), Généralités, Table des sommaires, Index des auteurs*, Publications du Centre d'études gidiennes, université de Lyon II, 1975-1982; L. Morino, *la Nouvelle Revue française dans l'histoire des lettres (1908-1937)*, Paris, Gallimard, 1939; Georges Poulet, « Une critique d'identification », dans *les Chemins actuels de la critique*, publication du Centre culturel de Cerisy-la-Salle, U.G.E., « 10/18 », 1968; Lionel Richard, « Drieu la Rochelle et la *Nouvelle Revue française* des années noires », dans *Revue d'histoire de la 2e Guerre mondiale*, janvier 1975; Claude Sicard, « J. Copeau et la *N.R.F.* », dans « Hommage à la *N.R.F.* », *Bulletin du bibliophile*, nº 2, 1979.

C. LESBATS

NOUVELLES DE SENS (fin du XVe siècle). Ce recueil, conservé dans un manuscrit appartenant à une famille de Sens, contient des anecdotes édifiantes ou plaisantes que l'auteur transpose dans un milieu historique précis, une petite ville française où les personnages sont connus de tous. Les sujets religieux, tirés de la *Vie des anciens Pères*, forment la moitié de l'œuvre, mais le début est fait surtout d'histoires amusantes, comme celle du roi Alchanor et de son fils Belyoboris (le jeune homme gardé loin de la société découvre que les femmes, qu'on lui a décrites comme pires que le diable « car elles traveillent, degastent et donnent à l'homme plus de tentacion et occasion de mal que le dyable », sont bien moins repoussantes qu'on ne lui a dit, II), celle de Symonet Picquet, « qui acheta pour un denier de sens » (retour d'un mari adultère à sa femme, comique fondé sur l'interprétation littérale d'une formule, VI) ou le jugement de Guillaume de Tignonville (payer la fumée du rôt avec le son de l'écu, IX). Certains thèmes renvoient à des textes connus : « Louis de Giroulles et Agathe de Poissy » (III) est proche de *Jehan de Paris*; le nº XII reprend le motif de la *Manekine*; le nº XIV reprend le *Vair Palefroi*; « Gauthier de Ruppes et Malbruny » met en scène le diable, qui entre au service d'une personne qu'il pense mener en enfer. Le reste est constitué de contes pieux (XXVII : histoire de la conversion d'un pécheur), d'exhortations morales et religieuses : ainsi, l'avant-dernier récit est une « Dévote Méditation de la Passion ». Le dernier un *ars moriendi* : c'est la même inspiration que le *Tombel de Chartrose*, mais la prose met ici l'accent sur le plaisir de conter plutôt que sur l'intention didactique.

BIBLIOGRAPHIE

E. Langlois, *Nouvelles françaises inédites du XVe siècle*, Paris, 1908; W. Söderhjelm, *la Nouvelle française au XVe siècle*, Paris, Champion, 1910.

A. STRUBEL

NOVARE Philippe de. V. PHILIPPE DE NOVARE.

NOVARINA Valère (né en 1942). Romancier, dramaturge et dessinateur, né à Chêne-Bougeries (canton de Genève), Valère Novarina est l'auteur d'une œuvre très singulière qui renouvelle profondément le langage et les techniques dramatiques (*l'Atelier volant*, 1971; *Falstafe*, théâtre de l'Odéon, 1977, mise en scène de M. Maréchal). Il y a peu d'exemples contemporains d'une aussi fertile invention aux sources mêmes du langage; l'auteur exerce un pouvoir quasi démiurgique, créant en foule, comme fit Rabelais, mots, locutions et noms de personnages qui à eux seuls animent une scène universelle : « le Monstre de l'hôpital logique, Mondul, Yaté, le Planéticien, le Docteur des matières, l'Homme de Scromonde, le Docteur Tubal, l'Ambulancier jamblique, l'Enfant lunique, l'Homme de moteur, l'Homme de Gothaire, l'Acteur Dénutrition... », plus de trois cents noms, qui, venant après les noms scientifiques des ancêtres de l'homme, remplissent un temps imaginaire (*la Lutte des morts*, 1979).

Instituant un métalangage musical, Novarina intègre au jeu de l'acteur une sorte de basse continue, qui à la fois maintient et recouvre l'allure et la progression du texte, décomposant le temps du discours, qu'elle abolit, en lui donnant son unité (*le théâtre des Oreilles*, atelier de création radiophonique de France-Culture, 1980). « Je ne crois pas, a dit Philippe Sollers, qu'on ait jamais rien exprimé d'aussi précis, d'aussi violent et lucide sur les techniques d'écriture [...]; que le discours académique et le marché s'en défendent, rien de plus normal [...], mais l'art nouveau, l'esprit nouveau n'en continuent pas moins leur marche. *Ars nova, ars novarina...* » : analyse rigoureuse du drame par lequel le discours de l'auteur (« l'Homme de Valère ») surgit d'une catastrophe intime où s'abolit le temps. En 1983, paraît *le Drame de la Vie* (Éd. P.O.L.), poème (en prose) cosmique et comique, « où entrent et sortent 2587 personnages. »

BIBLIOGRAPHIE
J.N. Vuarnet, *Critique*, févr. 79; nº spécial de la revue *TXT*, « Dossier Valère Novarina » (nº 12); Philippe Sollers, « le Très Singulier Théâtre de Valère Novarina », *le Monde*, 22 août 1980.

A. LE PICHON

NYSSEN Hubert (né en 1925). Écrivain belge d'expression française, Hubert Nyssen a d'abord consacré une partie de son temps à une brillante carrière de publicitaire. Puis il a décidé de s'établir dans le sud de la France et de ne plus s'adonner qu'à l'écriture : la sienne (dans des romans, des poèmes, des essais) et celle des autres (en fondant une maison d'édition : « Actes Sud »). Entre-temps, il a fait des voyages qui l'ont marqué et ont nourri son inspiration : en Algérie (cf. *l'Algérie*, 1968), en Chine, en Scandinavie...

Max-Pol Fouchet a dit du poète qu'il était « fou de langage ». *Préhistoire des estuaires* (1967), puis les quatre volumes de *Mnémonique* (1969-1972) et, enfin, *la Mémoire sous les mots* (1973) procèdent de l'incantation. On dirait celle d'un rhétoriqueur — tant la règle que l'auteur s'impose est stricte, impérative — mais qui aurait le sens du tragique. Le lyrisme, ici, se déploie dans la rigueur. Le texte se trame dans un tissu somptueux de métaphores pour traduire les mouvements du souvenir. Nyssen se méfie de sa mémoire, il la récuse comme « obscène », « infidèle rassasiée de fourberies ». Il ne lui fait rendre gorge que pour accéder à « l'impérissable certitude que pas un jour ne vaut son double dans le rire », dont le souvenir laisse entendre l'écho ironique. L'arpenteur qu'est Nyssen s'applique à maîtriser la durée qui soutient son délire. C'est un travail de deuil, mais un travail d'amour aussi, car celui-ci, même désavoué, s'assume dans la plénitude. Aucun regret ne paraît vain lorsqu'il se résout dans la colère d'exister.

Pour avoir démystifié le langage et avoir ironisé sur ses chimères et ses limites, Nyssen recouvre sa confiance dans les mots; il s'en remet à eux pour balbutier l'énigme de la vie.

Quant au romancier, il poursuit, depuis *le Nom de l'arbre* (1973), une quête d'identité. Ses thèmes : l'absence du père; les femmes, au travers desquelles on ne poursuit, on ne rejoint que soi; les remous, les convulsions de l'Histoire.

La mémoire, encore elle, ne sert qu'à protéger de la barbarie. A surmonter l'humiliation. A retrouver l'espoir quand pourtant toutes les illusions ont été perdues. La mémoire elle-même est une épreuve lorsque les souvenirs pèsent aussi lourd. Et l'ambiguïté du langage apparaît d'autant plus cruelle que les mots sont bien, en dépit de tout, irremplaçables. On leur doit une forme de salut : toute littérature est vaine si elle ne « sauve » pas ce dont elle parle.

Dans *la Mer traversée* (1979), les personnages ont une « mentalité de persécutés ». Leurs vies sont hypothéquées par une secrète humiliation. Un naufrage, celui du *Titanic*, sert de référence mythologique au développement de l'intrigue. Comment réchapper du naufrage qui guette toute vie et se remettre des conditions initiales que l'existence nous a proposées?

Sur l'Histoire, sur l'amour, sur la fin de l'Histoire, sur la mort de l'amour, l'œuvre de Nyssen comporte des pages « habitées ».

P. MERTENS

OBALDIA René de (né en 1918). Dramaturge, romancier et poète, né à Hong Kong de mère française et de père panaméen, Obaldia, dès son plus jeune âge, vient habiter en France avec sa mère et fait ses études au lycée Condorcet. Naturalisé français, il est mobilisé quand survient la Seconde Guerre mondiale. Fait prisonnier, il est envoyé dans un camp en Silésie, où il restera jusqu'en 1945. De retour en France, Obaldia se consacre à la littérature: en 1949, il publie *Midi,* un recueil de poèmes d'inspiration surréaliste, qui lui vaut un prix de poésie, et collabore à de nombreuses revues, telles que *le Mercure de France* ou *Contemporain.* Puis, de 1952 à 1954, il occupe le poste de directeur adjoint au Centre culturel international de Royaumont; après cette date, la vie d'Obaldia sera uniquement vouée à la production littéraire: c'est d'abord le romancier que de 1955 à 1960 viendront consacrer les prix littéraires (Grand prix de l'humour noir pour *Fugue à Waterloo,* prix Combat pour *le Centenaire*). Mais le public voit surtout en Obaldia un dramaturge, dont les créations à Paris, de *Génousie* (1960) et de *Du vent dans les branches de sassafras* (1965), ont assuré le succès.

Obaldia a longtemps été rattaché à l'avant-garde littéraire, car son écriture s'apparente parfois à celle des principaux novateurs de l'après-guerre; de Michaux il rappelle les créations verbales et les jeux de mots: « Je dérive, je dérive, je Tanana, je Tananarive » (*le Cosmonaute agricole,* 1965), ainsi que la constitution d'un langage nouveau — le « génousien », sujet de sa première pièce — et d'une ethnologie imaginaire, qui évoque le *Voyage en Grande Garabagne* de Michaux: « Les Holi, les Ona, les Noaques, les Tchitchisses, toutes les civilisations primitives situent l'homme sur son niveau ontologique » (*Génousie*). Ces jeux avec le langage peuvent aller jusqu'à la dislocation de la structure logique du discours; comme Ionesco, Obaldia se plaît à la succession « absurde » de mots: dans *le Damné,* le Méchant est condamné à errer à la recherche du sens, parmi une foule de mots qui n'ont de rapport entre eux que phonétique et alphabétique: « Animal, Abracadabra. Abbébi, Abbiba. Addis-Abeba ». De même, dans *Génousie,* le monologue de Christian, à l'acte II (« Trois heures de retenue, tunnel sous la Manche, l'obscénité polaire, concombre, cornichon, salade de ténèbres, nocturne de Chopin »), rappelle « l'excellence du yaourt pour l'apothéose » de *la Cantatrice chauve.* Ces accumulations fantaisistes, fréquentes dans le théâtre d'Obaldia, visent à mettre en défaut un langage dont nous sommes un peu trop sûrs: « Le pire des malentendus vient peut-être de ce que nous parlons la même langue » (*Génousie*); et, de fait, jouant avec la logique, l'écrivain semble remettre en cause les normes, les lieux communs, l'académisme imposé par toute littérature « sérieuse ».

Cependant, il serait erroné de voir en Obaldia un chef de file du roman ou du théâtre de l'absurde. Car si les poétiques jeux de langage paraissent illustrer une tendance au moins surréaliste de l'auteur, la conception de la narration et du drame demeure, sans doute, assez traditionnelle — seule *Génousie* bouscule quelque peu les règles du théâtre; mais, avec *le Satyre de La Villette* (1963), nous sommes en pleine pièce de boulevard; *Du vent dans les branches de sassafras,* pour être burlesque, n'en possède pas moins une scène d'exposition classique, et un roman comme *Fugue à Waterloo* (1976) raconte avant tout une « histoire »: celle du début et de la fin d'un amour. Même le monologue du *Centenaire* (1959) ne bouleverse pas les conceptions traditionnelles du roman et ne crée nulle structure narrative nouvelle. Certes, Obaldia manie fort souvent la parodie — parodie de western, parodie du « Songe d'Athalie » dans *Du vent dans les branches de sassafras,* parodie du conte bleu dans *Fugue à Waterloo,* de Shakespeare et de la Bible dans *le Général inconnu* (1964), du langage argotique dans *Édouard et Agrippine...* Ce qui n'exclut pas un certain goût pour les « effets » conventionnels de la scène: le dialogue brillant, l'aphorisme percutant, la sentence décisive: « Le vin met, entre les hommes et le monde, une merveilleuse marge de sécurité » (*Génousie*). Le dialogue décousu, emprunté à Ionesco, devient d'ailleurs également un « effet », qui ne trouble nullement un vaudeville fantaisiste comme *le Satyre de La Villette*:

Les sourds sont toujours ceux qui voient
— Et les muets jouent aux billes
— De préférence en verre
— Pour y voir plus clair.

En fait, malgré ces apparences parodiques, Obaldia ne cherche pas tant à remettre en cause les anciens (et les nouveaux) modèles littéraires qu'à en utiliser toutes les ressources. La technique de l'écrivain, plus surréaliste qu'« absurde », consiste plutôt à mêler les espaces et les temps, le sérieux et le comique, le songe et la réalité, l'académisme et l'innovation verbale, la rhétorique et la parole fragmentaire pour accroître la puissance poétique de son verbe. Dans *Tamerlan des cœurs* (1955), il fait dialoguer son héros, Jaime, avec le conquérant, confondant la réalité française de 1939 avec l'histoire (et la légende) asiatique; le Centenaire, sur son banc, s'imagine faire le tour du monde; la femme du *Banquet des méduses* (publ. 1973), suit une cure chez son médecin analyste, vit une aventure poétique et médiumnique « à des millions d'années-liquides » sur la mer. Obaldia, par la dispersion, la mobilité de sa parole, recherche ainsi la prolifération des images: tout se passe comme si la littérature devait aller au-delà d'elle-même.

A travers le prisme du langage, Obaldia réfléchit les couleurs d'un monde plus vif, plus direct, où les catégories importent peu. Loin de s'attacher à une philosophie, à un genre ou une doctrine littéraire, refusant la prééminence du « message » comme celle du non-sens, Obaldia affirme la toute-puissance de l'imaginaire, à l'œuvre aussi dans ses productions poétiques, telles les *Innocentines* (1976).

BIBLIOGRAPHIE

Claude Bonnefoy, « René de Obaldia », dans *Littérature de notre temps,* Paris, Casterman, 1968, et la Postface de Maurice Nadeau à *Tamerlan des cœurs,* « 10/18 ».

J.-P. DAMOUR

OGIER François (1597-1670). L'abbé François Ogier, confident de Guez de Balzac, fit partie des « illustres bergers » avec Colletet, Cotignon de La Charnaye, Frénicle et bien d'autres. Ce groupe littéraire se réunit entre 1620 et 1630. Il a la particularité d'être de tendance religieuse et de rassembler plutôt des catholiques. Ses membres se réunissent à Saint-Germain ou à Villepreux, s'efforcent de vivre comme les bergers de *l'Astrée*. Ils adoptent même des surnoms romanesques (Arcas pour le prieur Ogier).

Ce n'est pas cependant pour ces activités romanesques que l'on conserve aujourd'hui la mémoire de François Ogier, mais parce qu'il est l'auteur d'une « Préface au lecteur », en tête de *Tyr et Sidon* de son ami Jean de Schelandre. Son texte fit sensation au moment où des polémiques incessantes opposaient les tenants et les opposants des nouvelles règles de composition dramatique. La préface parut lorsque, en 1628, Jean de Schelandre transforma sa tragédie de 1608 en une tragi-comédie en deux journées, de composition libre. Ogier intervient au nom du plaisir, développe une conception hédoniste de l'art : « La poésie, et plus particulièrement celle qui est composée pour le théâtre, n'est faite que pour le plaisir et le divertissement ». Et, tout de suite, il enchaîne en revendiquant la liberté des formes, se pose contre la limitation du temps : « Et ce plaisir ne peut procéder que de la variété des événements qui s'y représentent ». De même, au lieu d'entamer une polémique stérile contre les Anciens, Ogier souligne leurs qualités mais fait observer que les formes doivent s'adapter à des périodes différentes de l'histoire, et que l'idée même de la beauté évolue. Enfin, il revendique le droit au mélange des genres en faisant remarquer que cette variété, qui marie le comique et le tragique, existe dans la nature.

Ce texte, clair et remarquable, mérite d'être lu pour mieux comprendre les querelles autour des unités.

BIBLIOGRAPHIE

Extrait de la Préface d'Ogier à *Tyr et Sidon*, dans *la Tragédie* par J. Morel, A. Colin, 1964.

J.-P. RYNGAERT

OHNET Georges (1848-1918). Romancier et dramaturge né à Paris, ce petit-fils du célèbre docteur Blanche qui se destinait au barreau amorça par le biais du journalisme une carrière littéraire. Polémiste et chroniqueur au *Pays* et au *Constitutionnel* à partir de 1870, il devint dès 1875 un écrivain de théâtre célèbre avec sa première pièce *Régina Sarpi*, suivie, en 1877, de *Marthe*, une comédie en quatre actes.

Cependant, l'immense succès qu'obtint son roman *Serge Panine* (1881) — premier d'une longue série intitulée *les Batailles de la vie* — indiqua à Georges Ohnet quelle était sa véritable vocation. Couronnée par l'Académie française, cette œuvre en appela beaucoup d'autres : *le Maître de forges* (1882), qui connut deux éditions en quelques mois; *la Comtesse Sarah* (1883); *Lise Fleuron* (1884); *la Grande Marnière* (1885); *les Dames de Croix-Mort* (1886); *le Docteur Rameau* (1889); *Nemrod et Cie* (1892); *le Roi de Paris* (1898); *Un brasseur d'affaires* (1901)...

Ohnet porta à la scène avec non moins de succès quelques-uns de ces romans et *le Maître de forges* lui valut au théâtre un nouveau triomphe.

Auteur fêté par le public (petit-bourgeois mais non populaire), qu'il flatte par ses ouvrages bien-pensants, il n'en est pas moins durement contesté par la critique, qui « respirait » dans son œuvre « une triple essence de banalité ».

Ohnet se révèle en effet plus constructeur que créateur : habile scénariste, il possède l'art du suspense et des intrigues bien menées. Mais, outre un style négligé, une psychologie conventionnelle des personnages (presque tous aristocrates ou bourgeois), on peut lui reprocher de pousser à l'extrême les ressorts du roman mondain ou bourgeois : ton larmoyant, lieux communs des drames de l'amour et de l'argent, poncifs de l'affectivité romantique, dominés par l'antagonisme de la ploutocratie et de l'aristocratie de souche, thème rémanent dans son œuvre.

Toutefois, le succès durable de Georges Ohnet témoigna, en plein triomphe du naturalisme, de la vivacité du courant idéaliste et de l'engouement que lui portait encore le grand public.

C. BARBÉ

OLIVET. V. FABRE D'OLIVET.

OLIVÉTAN, pseudonyme de **Pierre Robert** (1506-1538). V. BIBLE.

OLIVIER Juste (1807-1876). V. SUISSE. Littérature d'expression française.

OLLIER Claude (né en 1922). Né à Paris, Claude Ollier fait des études de droit; ses occupations l'amèneront à effectuer de fréquents séjours à l'étranger. Fonctionnaire pendant cinq ans au Maroc, c'est dans ce pays qu'il situe l'action de *la Mise en scène* (prix Médicis 1958), première étape d'un cycle romanesque, *le Jeu d'enfant*, où prendront place la plupart de ses ouvrages. Avec *le Maintien de l'ordre* (1961), *Été indien* (1963), *l'Échec de Nolan* (1967), l'œuvre d'Ollier s'inscrit dans l'esthétique du Nouveau Roman, dont il radicalise les partis pris : descriptions minutieuses, dilution du personnage, intrigues minces, passablement obscures, prétextes à de longues analyses de la perception. « Centre perceptif itinérant », le héros d'Ollier voit d'abord dans son environnement des figures géométriques déployées sur l'« écran » de la mer ou du ciel, inscrites dans l'encadrement d'une fenêtre, comme ces « rectangles de terre ocre » délimitant des terrains de jeu (*le Maintien de l'ordre*). Des comparaisons accentuent la géométrisation du décor : des immeubles dressés en « quadrilatères inégaux » semblent « les panneaux d'une maquette » *(ibid.)*. Cette première inspection prend le héros au piège d'une systématisation faussement rassurante. Dans la « chambre cubique » occupée par l'ingénieur de *la Mise en scène*, des « craquements » ajoutent d'inquiétantes données auditives aux données visuelles, elles-mêmes sujettes à variation suivant l'éclairage ou le point de vue : « le tableau sans cesse se modifie » (*Été indien*), le décor devient labyrinthe, dédale (*Navettes*, recueil de récits, 1967), souk, gorge sans issue. Littéralement imperceptible, le monde extérieur se dérobe, suscitant un climat d'angoisse et d'incertitude.

Le discours d'Ollier peut également devenir théorique et contestataire. Répétant le conflit entre affects et modèles sociaux, la lutte s'engage au niveau de l'écriture entre l'imaginaire individuel et les contraintes sociales que « véhiculent la langue et les langages » (« Ma méthode », *Quinzaine littéraire*, oct. 1972). D'où les efforts de l'écrivain pour échapper à ce « texte » omniprésent, en dévalorisant par « mimétisme » les formes consacrées de la littérature : *la Mise en scène* singe un roman d'aventures coloniales, mais on peut aussi y voir l'angoissante spirale d'une enquête borgésienne. *La Vie sur Epsilon* (1972), récit de science-fiction, met ce genre en question : les astronautes perdus sur la planète Epsilon personnifient, au travers du langage technique et de glaçantes descriptions, la condition humaine aux prises avec le temps et l'infini, « L'homme qui court éperdu [...], criant dans l'absence de traces » fait écho à l'homme pascalien « égaré dans ce recoin de l'univers ».

La contestation, chez Ollier, est aussi rhétorique. A mesure que le cycle se déploie (*Enigma*, 1973; *Our ou Vingt Ans après*, 1974; *Fuzzy Sets*, 1975), la narration se complique, brouillant les repères spatiaux et temporels, reprenant presque textuellement des passages déjà inscrits dans ses débuts ou appartenant à d'autres livres. Dans *Fuzzy Sets,* le conflit se transforme en une lutte dont « l'enjeu est la page blanche; l'issue, le tracé des lignes ». Messages chiffrés, mots tronqués, paragraphes entièrement composés de points de suspension envahissent le livre. Des jeux typographiques suggèrent que l'écriture peut être l'instrument de sens simultanés, devenir pur graphisme, hampe, jambage... Les mots se groupent en losange, en étoile, ou s'écartent autour d'une lune qu'un blanc creuse au milieu d'eux.

« Suis-je dans le livre? » demande quelque part l'auteur-narrateur. Son « module » s'arrachera-t-il à l'« engin » depuis lequel les hommes, feints ou réels (Noé, Gagarine et le capitaine Nemo s'y côtoient), figurent et écrivent tous le même monde? L'œuvre d'Ollier, en constant devenir, laisse en suspens l'impossible réponse. Cependant, aux confins de la poésie et du roman, l'écriture de *Navettes,* de *la Vie sur Epsilon,* de *Fuzzy Sets,* avec ses inversions syntaxiques, ses ellipses, ses inventions lexicales (« vertigine », « sherzane », « ajoliane »), renvoie à l'esthétique mallarméenne. Sans doute l'hermétisme offre-t-il la meilleure chance de créer enfin, hors texte, un « bibelot d'inanité sonore ».

BIBLIOGRAPHIE

M. Nadeau, *le Roman français depuis la guerre,* Paris, Gallimard, 1963; J.-V. Alter, « l'Enquête policière dans le Nouveau Roman », *Revue des lettres modernes,* XCIV, 1964; J.-A. Fieschi, « Aventures du récit. Entretien avec Claude Ollier », *la Nouvelle Critique,* XLII, mars 1973; R.-M. Albérès, « les Tiroirs du temps, une archéologie du Roman », *Nouvelles littéraires,* MMCDLIII, septembre 1974.

Le numéro XIII de la revue *Sub-Stance,* 1976, contient de nombreux articles sur Claude Ollier, notamment de Raymond Jean, Jean-Marie Le Sidaner, Jacques Lovichi, L.-S. Roudiez, Jean-Max Tixier, etc.

M.-A. DE BEAUMARCHAIS

O'NEDDY Philothée, pseudonyme anagrammatique de **Théophile Auguste Marie Dondey** (1811-1875). Dondey connut une vie étriquée, toute différente de celle que rêva O'Neddy, une vie bien étriquée pour ce bousingot [voir BOUSINGOT] qui fit les quatre cents coups avec l'avant-garde littéraire du romantisme. Oublié, relégué parmi les « petits romantiques », il témoigne d'une veine marginale par rapport à l'inspiration littéraire des années 1830; mais là encore, il demeure aujourd'hui à l'ombre des fureurs verbales d'un Pétrus Borel...

Sa mère, très pieuse, lui avait donné le goût de l'absolu. Mais il devait repousser plus tard cet héritage, trop traditionaliste :

Oh! pourquoi le culte de ma mère
N'est-il que jonglerie, imposture, chimère?

C'est l'époque des refus — politiques, religieux, littéraires — et des enthousiasmes : Dondey participe aux « émeutes » romantiques, applaudit à la révolution de Juillet, s'adonne à la poésie. Enthousiasmes de courte durée, brisés par la mort de son père en 1832 : obligé de soutenir sa famille, le jeune bousingot rejoint, au ministère des Finances, le bureau qu'il avait abandonné; mais les tracasseries administratives l'ennuient, son caractère s'aigrit. D'autant que son recueil poétique, *Feu et Flamme* (1833), qu'il publie sous le pseudonyme de PHILOTHÉE O'NEDDY, passe inaperçu. Après cet échec, O'Neddy ne fait plus paraître que quelques pages dans les journaux (feuilletons, sonnets de 1839 à 1841), une pièce de 200 vers, *Une fièvre de l'époque* (1841) et une quinzaine de comptes rendus dramatiques. Il soutient *les Burgraves* (1843) contre le « sot public », montrant sa fidélité à l'idole de ses vingt ans et aux principes romantiques.

Amours, santé, succès..., tout le fuit. Il range sa plume de 1846 à 1856, se cloîtrant dans sa vie de célibataire. A l'orée des années 1860, il retrouve l'inspiration, compose de nouveaux vers, où il tente de ressusciter les souvenirs envolés :

L'esprit nouveau revint sur moi, brûlant et fort,
Et sans rien profaner de mon deuil extatique,
Il sut galvaniser mon cœur paralytique.

En 1861, sa mère meurt. Demeuré seul avec sa sœur, il attend la retraite puis la mort. Ses *Poésies posthumes* paraissent en 1877, mais elles ne le sortent pas de l'oubli auquel sa vie l'avait confiné.

Au reçu de *Feu et Flamme,* Chateaubriand répond à O'Neddy : « Je voudrais, monsieur, n'avoir lu que votre lettre ». Formule abrupte qui n'est que la première des critiques violentes que le livre essuiera. Asselineau peut bien parler du recueil dans sa *Bibliographie romantique* (et donc le consacrer), il n'en épargne pas pour autant ses sarcasmes, trouvant les personnages ridicules et accusant leur auteur de « singer les allures des chefs de son groupe ». Théophile Gautier, ami de Dondey, s'en prend, pour sa part, à la versification : « S'il ne s'était retiré si tôt, il se serait fait assurément une place dans le bataillon sacré ». Mais c'est pour ajouter : « Il façonne bien le vers sur l'enclume; il lui donne, au milieu d'une pluie d'étincelles, la forme qu'il désire, avec son opiniâtre et pesant marteau ». Il est vrai que, dans ses alexandrins, Dondey confond souvent vigueur et pesanteur, originalité et bizarrerie :

... Après quelque silence, un visage mauresque
Leva tragiquement sa pâleur pittoresque,
Et, faisant osciller son regard de maudit
Sur le conventicule, avec douleur il dit...

Échec cuisant donc, mais échec inévitable. Dès la Préface, l'emphase d'O'Neddy est provocatrice. Ne s'adresse-t-il pas « aux ouvriers musculeux et forts » de « la nouvelle Babel artistique et morale », criant son mépris des « anciennistes » et de l'Académie, des religions, et proclamant sa croyance en la poésie rénovatrice. Profession de foi romantique d'un jeune homme qui s'imagine poète parce qu'il aime Hugo.

Les mêmes thèmes hantent ses autres œuvres : l'amour, la désespérance, et, surtout, l'impuissance du créateur :

Je suis comme ce glaive, et je dis au Destin :
Pourquoi seul dans mon type ai-je un sort clandestin?
Ignores-tu quelle est la trempe de mon âme?...
(« les Deux Lames »).

De cette débauche de déclarations naïves émergent trois courts romans — *l'Abbé de Saint-Or* (octobre 1839); l'*Histoire d'un anneau enchanté,* roman de chevalerie (mars 1842); *le Lazare de l'amour* (février 1843) —, où se développe une conception mystique de la passion. Partout transparaissent des souvenirs de légendes celtes, de romans moyenâgeux ou picaresques, rien de profondément personnel. L'écrivain semble d'ailleurs mal à l'aise dans le genre narratif, maniant les temps de façon incertaine : commencé au passé, le récit se poursuit au présent dans les moments forts, comme si Dondey ne savait suggérer autrement l'intensité.

Il convient encore de citer, inédits, un drame, *Miranda,* plein, lui aussi, de mystique amoureuse mais fort incohérent, et *les Visions d'un mort vivant* (1861-1862), qui symbolisent atrocement une vie d'infortune : quand le héros veut s'emparer des merveilles qui devraient le combler, une force invisible le couche dans un cercueil recouvert d'un « long drap noir », où il attendra la mort, assiégé par toutes les tentations. Ce thème sera repris dans *le Cul-de-jatte* (1863), dont l'épigraphe, empruntée au *Misanthrope,* annonce :

C'est moi-même, messieurs, sans nulle vanité.

Jamais comme dans cet ouvrage Dondey n'aura autant essayé d'être sincère et de lutter contre sa grandiloquence. Enfin un chef-d'œuvre? Tout au plus la plainte ultime d'une âme romanesque, éprise de sublime, de grandeur hugolienne et mise au supplice par la médiocrité d'un destin.

BIBLIOGRAPHIE

Les *Œuvres complètes* de Philothée O'Neddy ont été republiées en 1968, à Genève, par Slatkine Reprints.

On trouvera, en tête du tome II, une notice d'Hernest Havet, sur l'écrivain, et l'on pourra consulter, pour complément, l'article de Théophile Gautier (dans *le Bien public* du 14 avril 1872), qui devait constituer un chapitre d'une *Histoire du romantisme*.

M. GIOVACCHINI.

ORALITÉ. V. RYTHME ET DISCOURS.

ORANGE Raimbaut d'. V. RAIMBAUT D'ORANGE.

ORESME Nicole d' (1320-1382). Il est le type le plus connu de ces savants que Charles V a su attirer à sa cour, « pour la grant amour qu'il avoit a l'estude et a science » (Christine de Pisan). Né dans le diocèse de Bayeux, Oresme étudie la théologie à Paris dès 1348, est reçu docteur en 1355, puis nommé grand maître du collège de Navarre. En 1362, il enseigne la théologie en Sorbonne. Chanoine à Rouen, puis à Paris, il devient en 1377 évêque de Lisieux. Par l'universalité de son esprit, ce conseiller du roi, théologien, prélat, innovateur en sciences, dément l'idée qu'on se fait de l'intellectuel médiéval. Si la plupart de ses écrits sont en latin, c'est à lui pourtant (et non à Descartes) que revient l'honneur d'avoir introduit le français dans la littérature savante, comme le montre l'histoire du vocabulaire, où il fournit de nombreuses attestations de termes scientifiques.

« Eppur, si muove! »

Le domaine dans lequel son œuvre est la plus marquante est sans doute celui de la physique et de l'astronomie; continuateur de Buridan et d'Albert de Saxe, il rédige un *Traité de la sphère*, un *De difformitate qualitatum*, un *De generatione et corruptione*, un commentaire aux *Livres du ciel et du monde*, sur la *Physique* et les *Météores* d'Aristote. Trois découvertes lui sont en partie dues : les lois de la chute des corps, le mouvement diurne de la Terre, la reproduction graphique des phénomènes par les coordonnées. Il est le précurseur de Copernic quand il démontre que « la Terre est mue de mouvement journal et le ciel non » (*Du ciel...*). Les mathématiques lui inspirent un *Algorismus proporcionum*, la musique un *De monocordio*. Ainsi, après Ockham, qui sépare radicalement les compétences de la théologie et des sciences, la curiosité des choses de la nature bénéficie d'une impulsion neuve. C'est au nom de la rigueur scientifique qu'Oresme s'attaque à l'astrologie judiciaire (*Contra astronomos judiciaros*) et politique, pour détourner le roi de ces croyances (*Liber de divinationibus*, qu'il traduit ensuite *Utrum res futurae per astrologiam possunt praesciri*).

Oresme fait partie de ce « collège » de traducteurs que Charles V fait travailler « pour la grant amour qu'il avoit a ses successeurs que au temps a venir les voult pourveoir d'enseignemens et sciences introduisables a toutes vertus ». Il donne ainsi le *Livre des éthiques* (1370), le *Livre de politique* (1371), la *Traducion de l'économique*, le *Livre du ciel et de la terre*, d'Aristote. Dans le Prologue de sa première traduction, il s'excuse pour « sa rude maniere de parler », car, dit-il, « je n'ay pas aprins ne acoustumé de rien bailler ou escripre en françoys ». Aussi s'inspire-t-il des textes latins de Durand d'Auvergne et de Guillaume de Moerbecke. Trouvant que le latin est « plus parfait et plus habundant langage que françoys », il ne fait qu'œuvre provisoire, car « ou temps d'advenir pourra estre baillee par autres en françoys plus clerement et plus completement ».

L'intellectuel médiéval et l'économie monétaire

L'activité de traduction lui fournit l'occasion de réflexions politiques; dans ce domaine, Oresme fait figure de penseur original avec son traité sur les monnaies, dont il existe deux versions latines (*Tractatus de mutatione monetarum* et *Tractatus de origine, natura, jure et mutationibus monetarum*) et une en français. Qui a le droit de battre monnaie? A qui appartient-elle? Comment fixer son pouvoir libératoire? Autant de problèmes qui lui permettent de donner des conseils aux princes pour éviter des dévaluations qui les ruinent et troublent le commerce. Car les monnaies sont le plus sûr moyen d'assurer la prospérité générale, et celui qui les aliène commet un crime. Les fluctuations sont un désastre pour la collectivité : « Le cours et le prix des monnoies doit estre au royaume comme une loy et une ferme ordonnance que nullement ne se doit muer ne changer » (VIII); aussi, « devant toutes choses, il est assavoir que jamais, sans evidente necessité, ne se doivent muer les premières loys, statux, coustumes et ordonnances touchant la communauté » *(ibid.)*. L'altération du rapport or/argent, poids/titre n'est pas une prérogative royale, car la monnaie n'est pas la propriété de celui qui la frappe à son effigie : « Ainsi que la monnoie appartient à la communaulté, pareillement se doit elle faire et forger aux despens de la communaulté »; une fois émise, elle n'est plus au roi, qui ne peut en changer la valeur par intérêt : « Le gaing qui vient au prince pour la mutacion des monnoies est injuste » (XV). A une époque où les variations monétaires sont un moyen habituel de renflouer les caisses, Oresme proteste que « monnoie est l'égal instrument pour muer les richesses naturelles d'entre les hommes; donques monnoie est la vraie possession de celui ou ceux auxquels furent telles richesses naturelles ». Mais il y a des cas où ces principes peuvent être contournés : pour « redemption du prince ou cas de fortune » (XXII) et « par privilege especial a lui donné par le pape, par l'empereur ou par la communaulté ». Ces positions, sans être révolutionnaires, font d'Oresme un témoin de l'avènement de l'économie monétaire, que la mentalité du temps a du mal à assimiler. En effet, Gerson affirme qu'il est contre nature que l'argent naisse de l'argent, et Oresme lui-même déclare, au chapitre XVI, que « c'est chose monstrueuse et contre nature que la chose non apte a porter enfante, ne que la chose sterile et seiche de toute espece fructifie ou multiplie de soymesme ». La question monétaire est d'ailleurs à l'ordre du jour et alimente une tradition polémique qu'illustre par exemple le *Dit du roi, du pape et des monnoies*.

Oresme est le théoricien d'une époque où les intellectuels prennent en main l'organisation de l'État (cf. les légistes de Philippe le Bel) et s'intéressent à la vie concrète du pays. C'est le moment où paraissent le *Grand Coutumier de France* de Jacques d'Ableiges, la *Somme rurale* de Jean Boutillier, le *Vrai Regime et gouvernement des bergers* de Jean de Brie, le *Livre des profits champêtres* de Pierre de Cressens. Oresme fut aussi théologien, et nous avons gardé de lui des ouvrages techniques en latin : *Decio quaestionis*; *Contra mendicationem*; *Tractatus de communitate idiomatum*; *De Antichristo*; *Ars sermoniandi...* Mais son œuvre n'est pas encore connue dans son intégralité. Il apparaît surtout comme un penseur qui a su adapter les spéculations philosophiques aux besoins de son temps.

BIBLIOGRAPHIE

Œuvres. — *Tractatus de mutatione* et *Tractatus de origine*, éd. E. Schorer, Iena, 1937; *Traictié de la premiere invention des Mon-*

noies, éd. O. Nuccio, Rome, 1969; *Livre du ciel et du monde*, éd. A.D. Menut-Denommy, Madison Univ. of Wisconsin Press, 1968; *De proportionibus*, éd. E. Grant, 1966; *Livre des éthiques*, éd. A.D. Menut, 1940.
A consulter. — R. Mathieu, *Nicole Oresme, sa vie, ses œuvres*, thèse, Paris, 1963; A.D. Menut, « A Provisional Bibliography of Oresme's Writings », *Medieval Studies*, XXVIII, 1966, et XXXI, 1969; G. Bouligand, « Publication globale des œuvres de Nicole Oresme, » *Revue générale des sciences pures et appliquées*, 1969.

A. STRUBEL

ORLÉANS Charles d' (1394-1465). Grand seigneur, il ne pratique pas la poésie comme un passe-temps aristocratique; elle est sa compagne d'exil, sa vie imaginaire. Il porte la tradition courtoise à son plus haut degré de raffinement, d'intensité, que ce soit dans les *Ballades* si concises de la captivité ou dans les *Rondeaux* du retour.

Fils de Louis, duc d'Orléans, assassiné en 1407, sa jeunesse fut hantée par l'idée de la vengeance familiale. Chevalier, il participe à Azincourt en 1415, y est fait prisonnier par les Anglais, qui ne le relâchent que vingt-cinq ans après, en 1441, contre forte rançon. Il se retire alors à Blois, où il vit entouré d'une cour brillante ouverte aux arts et aux poètes (Villon y séjourna).

Les jeux du moi

La poésie des *Ballades* est dominée par la présence d'un moi éclaté en de multiples instances allégoriques et enfermé dans les situations changeantes de l'amour et de la vie. Faut-il chercher ici l'histoire d'un sentiment? Le poète affirme écrire pour permettre aux autres de déclarer leur passion, pour leur offrir des modèles. Pure coquetterie. L'amour se déroule selon le rythme du « service » courtois : entrée au service de Dieu, correspondance avec la dame lointaine (la France?), cœur déchiré de sentiments contradictoires, renoncement après la mort de la dame (« J'ay fait l'obsèque de ma Dame/ Dedens le moustier amoureux »). S'agit-il là de simples images, et l'amour n'est-il que la métaphore de l'existence? Le moi se désintègre, met en scène ses composantes « psychologiques » et les anime comme un théâtre de marionnettes fugitives : « Trop long temps vous voy sommeiller/Mon cueur... »; le poète se dédouble : il est l'amoureux et le sage, l'observateur et le désir, le consolateur ou le conseiller en même temps que l'acteur. Mais le jeu se nourrit de la réalité : les métaphores de l'éloignement amoureux se greffent sur un éloignement bien réel, l'exil : « En regardant vers le pays de France/Un jour m'advint [...] Qu'il me souvint de la douce plaisance/Que souloie audit pays trouver ». La nostalgie, les déplorations sur le triste sort de l'expatrié et sur les misères de la terre natale (« France, jadis on te souloit nommer [...] Le trésor de noblesse/Et maintenant vois, dont j'ai déplaisance/Qu'il te convient maint grief soutenir... ») forment contrepoint avec les subtilités du chant courtois (ballades 75, 76, 80, 82, 83, 84). L'âge, la résignation font évoluer cette poésie vers un léger cynisme, et l'ironie : « J'ayme qui m'ayme, autrement non » (rondeau 65), est la négation de l'amour du lyrisme traditionnel, dont l'hypocrisie se dévoile devant l'allusion incongrue aux réalités : « En char crue mon amour ne se delitte » (ballade 85), « Puis qu'estes en chaleur d'amours/Pour Dieu laissez voir vostre orine/On vous trouvera medecine » (rondeau 160). Mais aussi vers un esthétisme qui se complaît aux ciselures de ces médaillons que sont les *Rondeaux*, fermés sur leur musique et leur image, véritables « objets » d'art pareils à une miniature. La poésie fut pour Charles d'Orléans un refuge, la confidente et l'écho de la solitude, le lieu d'une autre vie, aussi vraie que celle-ci. Et, par-delà toutes les séductions de la forme, nous y trouvons toujours un même retentissement intérieur, la marque de l'individu.

Le langage de l'allégorie, mode d'expression naturel

Le monde des poèmes de Charles d'Orléans donne l'impression d'un théâtre d'ombres, où Sommeil, Cueur, Faulx Dangier, Soucy, Souvenir, Beauté dansent dans un espace imaginaire le bal masqué des sentiments. Loin d'être le lassant travestissement d'une psychologie rudimentaire, l'allégorie crée ici un univers de rêve éveillé, d'hallucinations, le spectacle « intérieur » (mais l'intérieur et l'extérieur se confondent) de la « chambre de pensée » (ballade 45), où se tissent et se défont les correspondances mystérieuses entre les idées, les êtres et les choses. Les frontières entre le concret et l'abstrait se font floues et souvent disparaissent dans un raccourci d'expression; dans ces formules du « Roman de Plaisant Penser » ou du « Livre de Mélancolie », l'allégorie est la structure même du langage; la personnification découle parfois de la charpente formelle du mot : « Nonchaloir ». Dans les *Rondeaux*, l'allégorie est technique de miniature, construisant autour d'une image de véritables microcosmes de la vie intérieure, en résonance avec le macrocosme. Leur forme est souvent identique : dans la durée close engendrée par la répétition du premier vers se dessine progressivement une situation métaphorique, tirée de la vie quotidienne (la Cour, la religion, la guerre, la chasse, la nature) et dans laquelle se meuvent des personnifications « ponctuelles », que leur souplesse expose aux métamorphoses : « Les fourriers d'Esté sont venus/Pour appareiller son logis ». Une promenade sur la Loire se transforme en voyage sur les eaux de Fortune, où les rames d'Espérance suppléent la brise défaillante.

Du « vent de Melancolie » au Nonchaloir

La tonalité de cette poésie est particulière. Les malheurs de la captivité, l'ennui d'un exil doré, l'humour désabusé du retour donnent à deux figures un rôle déterminant dans cette mise en scène de la vie psychique : Melancolie et Nonchaloir sont les pôles de l'inspiration. Tristesse de la solitude, du temps qui fuit, de l'éloignement, de l'amour qui finit, épuisement de la chanson aussi, font de Melancolie un personnage clé, plus encore que chez d'autres poètes de cette époque lasse. Monde du sentiment en demi-teinte, de l'émotion estompée où la souffrance est élégance : « Je suis celui au cueur vestu de noir », répète complaisamment le prince égaré dans la « forest d'Ennuyeuse Tristesse ». Ces « maulx que seuffrent povres cueurs/Par le vent de Melancolie » sont une maladie diffuse de fin de siècle, dernier avatar du mal d'aimer courtois : « En verrai je jamais la fin/De vos euvres, Melancolie? » Mais il y a un remède à la « maladie noire » : « Un bon médecin qu'on appelle/Nonchaloir... », l'indifférence amusée, l'ataraxie du sage, qui nous aide à supporter le « dur lit d'Ennuyeuse Pensée ». Ces variations sur le mode mineur, jointes à la plus extrême virtuosité de la forme, font de Charles d'Orléans le dernier et peut-être le plus séduisant, sinon le plus « décadent » des poètes courtois.

BIBLIOGRAPHIE

Éd. P. Champion, *Classiques du Moyen Âge*, 2 vol., Paris, 1923-1927.
A consulter. — J. Fox, *la Poésie lyrique de Charles d'Orléans*, Nizet, 1911; E. McLeod, *Charles d'Orléans, Prince and Poet*, Londres, 1969.

A. STRUBEL

ORMESSON Jean d' (né en 1925). Jean d'Ormesson est issu d'une famille particulièrement illustre : quatre de ses membres, dont le propre père de l'écrivain, furent, en effet, ambassadeurs de France. Il a passé la plus grande partie de son enfance à l'étranger, en Allemagne, en Roumanie, puis au Brésil; de retour en France en 1938, il fit ses études au lycée Louis-le-Grand, et ensuite à l'École normale supérieure où il fut reçu en 1945. Agrégé de philosophie, il commença alors, poursuivant en cela une tradition familiale, une carrière de haut fonctionnaire; il sera attaché à divers cabinets ministériels et aux délégations françaises de plusieurs conférences internationales. En 1949, il s'oriente vers le journalisme et collabore notamment à *Paris-Match,* à *Ouest-France* et à *Nice-Matin.* Son mariage, en 1962, avec Françoise Beghin l'allie à la grande bourgeoisie d'affaires. L'année 1974 marque une consécration dans la carrière exemplaire de Jean d'Ormesson : il est élu à l'Académie française et, en février, devient directeur du journal *le Figaro,* alors propriété de Jean Prouvost. Il conservera cette fonction un court laps de temps : en 1976, le journal est vendu à Robert Hersant, et, après Raymond Aron, d'Ormesson décide de quitter le célèbre quotidien.

La carrière littéraire de Jean d'Ormesson avait commencé en 1956 avec la parution d'un roman, *L'amour est un plaisir,* premier d'une série que compléteront *Un amour pour rien* (1960) et *les Illusions de la mer* (1968) dont le sujet essentiel semble bien être la recherche d'une existence de plaisir. Les autres récits romanesques, *la Gloire de l'Empire* (1971) qui reçoit le Grand prix du Roman de l'Académie française et *Au plaisir de Dieu* (1974) marquent un changement radical dans l'inspiration : romans historiques, ils racontent l'établissement d'un empire imaginaire durant le haut Moyen Âge et le destin d'une famille de la noblesse française au XXe siècle. L'œuvre de l'écrivain comprend également des ouvrages, à la fois Mémoires et essais, où l'homme Jean d'Ormesson converse avec le lecteur (*Du côté de chez Jean,* 1959; *Au revoir et merci,* 1956; *Le vagabond qui passe sous une ombrelle trouée,* 1978). Enfin, *Mon dernier rêve sera pour vous, une biographie sentimentale de Chateaubriand* (1982), marque une étape de plus dans l'évolution vers le genre historique.

Les livres de D'Ormesson présentent des contrastes évidents de tonalité : autant l'écrivain des Mémoires paraît souvent ironique, léger, provocateur, laissant courir sa plume au gré de son inspiration, autant le romancier semble sérieux, prudent, voire méticuleux, cherchant à recréer, à force de détails précis et d'érudition, tout un passé.

Dans le premier cas, les pages de Jean d'Ormesson abondent en professions de foi hédonistes : « Rêver, dormir, ne penser à rien, ne rien faire, m'a toujours paru autrement délicieux que de gagner de l'argent, des batailles, et même de la réputation » *(Le vagabond qui passe sous une ombrelle trouée).* Aucune trace pourtant, dans ce discours, d'anarchisme; au contraire, il semble bien qu'il relève plutôt d'une certaine conception aristocratique de l'existence. D'avance, Jean d'Ormesson récuse — sans marquer, d'ailleurs, la moindre velléité de militantisme — les valeurs de la bourgeoisie et de la société de consommation que celle-ci a engendrée : travail, morale, vitesse, argent, ostentation, et surtout réussite : « Je n'ai rien contre les ratés... ils me semblent souvent plus libres, plus séduisants, et même plus profonds que toutes ces mécaniques d'horlogerie fabriquées par concours » *(ibid.).* A la réussite sociale, il oppose la recherche d'un bonheur axé sur le plaisir personnel que chaque individu prend à vivre. On retrouve ici un des fondements de l'idéologie de la noblesse du XVIIIe siècle. Alexis, l'empereur, maître du monde, quittera son trône pour devenir un homme et apprendre à mourir. Pour Jean d'Ormesson, l'acte d'écrire est une manière, parmi d'autres, pour l'être humain d'être heureux en replongeant dans le passé par une opération de l'esprit à mi-chemin entre le rêve et la curiosité intellectuelle; car le thème qui paraît occuper une place centrale, chez l'auteur, sous la double influence des écrivains de ce siècle et de Chateaubriand, c'est celui du temps : « *la Gloire de l'Empire* et *Au plaisir de Dieu* sont des rêveries sur un passé menacé et fasciné par l'avenir » (*le Vagabond qui passe sous une ombrelle trouée*). Ce goût a conduit en toute logique Jean d'Ormesson à aborder le roman historique, et, conformément aux lois de ce genre, il a choisi comme « sujets » des temps troublés, des époques où l'Histoire semble s'imposer par l'évidence de son évolution précipitée (le haut Moyen Âge, avec les invasions des Barbares, et le XXe siècle, avec ses bouleversements sociaux et technologiques).

« L'Histoire est un roman qui a été, le roman est de l'Histoire qui aurait pu être » : cette citation des frères Goncourt, placée en épigraphe de *la Gloire de l'Empire,* pose à merveille le problème de ce genre si particulier qui se situe à l'exacte frontière de la vérité et de la fiction. Or, ici, Jean d'Ormesson rompt avec la technique traditionnelle de ce type d'ouvrage : dans *la Gloire de l'Empire,* il crée de toutes pièces une histoire entièrement fictive, avec de fausses généalogies, de fausses chronologies, de fausses bibliographies critiques, de faux documents archéologiques qui ont toutes les apparences de la vérité. L'écriture devient une sorte de jeu littéraire où l'auteur se livre au plaisir d'inventer un réel et où le lecteur s'amuse à rechercher, à travers les noms imaginés et les faits fictifs, des noms et des faits historiques : l'empereur Alexis, comme Justinien, épouse une Théodora; les philosophes qui marquent son règne se nomment Herménide et Paraclite.

Les clins d'œil au lecteur cultivé capable d'éclaircir l'origine d'un nom, de démasquer la référence à un événement véritable derrière la fiction contrastent avec la solennité apparente du sujet et du discours. Jean d'Ormesson excelle dans le difficile exercice du pastiche érudit qui unit une réflexion critique et l'aveu implicite d'un échec : le roman ne peut cacher son impuissance littéraire.

A sa manière, donc, l'œuvre de Jean d'Ormesson s'inscrit dans une tentative pour écrire « quand même » à une époque où tant d'auteurs doutent de la possibilité même d'une création littéraire.

BIBLIOGRAPHIE

R. Kanters, « l'Usage du monde, Jean d'Ormesson », dans *le Figaro littéraire,* 30 décembre 1968; J. Duranteau, article consacré à Jean d'Ormesson dans *Littérature de notre temps,* t. IV, Paris, Casterman, 1970.

J.-P. DAMOUR

ORNEVAL d' (fin XVIIe siècle-1766). On ne sait pas grand-chose de D'Orneval, sinon qu'il vécut pauvre et que, sur la fin de ses jours, il chercha la pierre philosophale. On ignore aussi l'auteur dramatique : c'est qu'en effet il écrivit presque toutes ses œuvres en collaboration avec Autreau, Lesage, Fuzelier ou Piron pour le théâtre des foires Saint-Germain et Saint-Laurent, et qu'on ignore quelle part revient à chacun. D'Orneval est un entrepreneur, un artisan du spectacle, à une époque et dans un genre où l'idée moderne d'auteur n'a aucun sens. Il collabora notamment à l'écriture de pièces comme *Arlequin Hulla* (1716), *le Monde renversé* (1718), *la Princesse de la Chine* (1729), *la Sauvagesse* (1732). Le théâtre de la Foire attirait un public non seulement populaire, mais aussi bourgeois et aristocratique. Avec Lesage et Fuzelier, d'Orneval contribua à épurer ce théâtre de sa grossièreté. Ainsi se trouvait amorcé le mouvement qui, éloignant peu à peu ce type de spectacle des tréteaux forains, devait le conduire dans les salles des boulevards, à l'Opéra-Comique (qui naît, en 1762, de la fusion du théâtre de la Foire et du théâtre des Italiens) [voir FOIRE (théâtre de la)].

BIBLIOGRAPHIE
Le Théâtre de la Foire ou l'Opéra-Comique, contenant les meilleures pièces, recueillies, revues et corrigées par Lesage et d'Orneval, 10 vol., Paris, 1721-1737. On pourra aussi se reporter à Maurice Albert, *les Théâtres de la Foire,* Paris, Hachette, 1900.
P. FRANTZ

OSTER Pierre (né en 1933). Après avoir accompli ses études secondaires au collège Sainte-Croix et au lycée Buffon, Pierre Oster fréquente, en 1951 et 1952, le lycée Louis-le-Grand, puis, en 1953, l'Institut d'études politiques de Paris. Un an plus tard, il publie son « Premier Poème » dans *le Mercure de France.*

D'abord elliptique et fragmentaire (*le Champ de mai,* 1955), la poésie de Pierre Oster s'est rapidement muée en une sorte de « souffle rhétorique ». Indéniablement placés sous le signe de Claudel et de Saint-John Perse, les versets réguliers d'*Un nom toujours nouveau* (1960) ou de *la Grande Année* (1964) entreprennent une quête orgueilleuse : celle du langage et de l'univers. Préoccupé de métaphysique, Oster croit pouvoir fonder la vérité sur la parole poétique : « Poème : ouverture sur le Réel, sur l'Esprit; sur le Monde et l'éternel dessein divin » (*Notes d'un poète*). C'est par le « Nom » que les éléments de l'univers sont non seulement perçus, mais créés : le signe précède l'existence même des choses. De fait, de *Solitude de la lumière* (1957) aux *Dieux* (1970), Oster décrit une véritable genèse; tout se passe comme si, en le nommant, le poète commençait par s'approprier un monde : la « Nuit », l'« Océan », l'« Unité », le « Vent », l'« Arbre »... apparaissent d'abord; puis, dans les derniers recueils, s'estompent les majuscules, et le poète fait alors l'inventaire minutieux d'une campagne accueillante :

> Je me penche sans fin vers la terre, et la trouve fidèle
> A la façon d'une maison!

Prônant l'éternité de l'« Être » contre l'Histoire, la Bible et Parménide contre Hegel et Nietzsche, le mysticisme d'Oster exalte en fait plus encore l'« Homme », doué du pouvoir définitif du langage, que la nature; faire du *je* une « puissance cosmique » est le dessein général de ces textes ambitieux :

> Ah! Pressentant mon nom, je pénètre ce que je nomme.
> Je découvre partout la Lumière qui me fait homme.

BIBLIOGRAPHIE
Deux articles peuvent éclairer l'œuvre du poète : Philippe Jaccottet, « Pierre Oster, poète de l'unité animée », dans *la Nouvelle Revue française,* mai 1958; et Jacques Réda, « Pierre Oster, les Dieux », dans *la Nouvelle Revue française,* mai 1970.
L. PINHAS

OSTERWALD Jean-Frédéric. V. SUISSE. Littérature d'expression française.

OTON DE GRANSON (1340-1397). Ce grand seigneur, homme de guerre et poète, qui fut le plus souvent au service du roi d'Angleterre, connut bien des mésaventures quand il reprit l'héritage paternel en Savoie. Conseiller d'Amédée VII, le Comte rouge (1389), il est, à la mort de celui-ci en 1391, accusé de complicité d'empoisonnement. Ses terres sont confisquées, il est exilé, puis on le réhabilite. Une nouvelle accusation l'oblige à soutenir un duel judiciaire; il est tué à Bourg par son adversaire, Gérard d'Esravayer. Sa réputation de vaillance fut grande (Froissart le cite élogieusement), mais sa gloire de poète ne le fut pas moins (Chaucer le traduit). Son œuvre, conservée par deux manuscrits, est typique du lyrisme d'après Machaut : 80 pièces subsistent, avec le *Livre Messire Ode,* le tout s'ordonnant autour de l'« histoire » des amours malheureuses pour « Isabelle », « la non-pareille de France », pour laquelle le poète se forge un rôle d'amant douloureux, qui le fait passer pour un modèle dans le « mestier » : « Se pour estre d'Amours martir/Doit nulz amans valoir le mielx/J'ay esperance de venir/Ou paradis des amoureux ». Certes, dit-il, « il n'est confort qui tant de bien me face/Quant je ne puis a ma dame parler/Comme d'avoir temps, loisir et espace/De longuement en sa valour penser »; mais pour lui, l'amour est « tout a rebours de ce qu'on vuelt trouver ». C'est ainsi que la Saint-Valentin va devenir la fête symbolique, la date de la joie imposée, face à laquelle il pourra définir sa différence, mettre en valeur sa tristesse : le jour de l'amour isole, dans la *Complainte de saint Valentin,* l'amant qui pleure la mort de sa dame (« Je voy chascun estre joyeulx/Je voy le temps renouveller... Mais je me voy seul en tristesse »); mais il se laisse vite consoler. Dans le recueil de Paris, les poèmes s'organisent en un récit (amour, infidélité de la dame, départ, désespoir d'obtenir merci, martyre d'Amour) et s'ouvrent sur l'évocation de la maison d'Amour, où l'on entre par la porte de « Joye » pour sortir par celle de « Douloir ». On y trouve une *Pastourelle* (la vingt-cinquième), où le berger reproche sa coquetterie à une bergère entourée de soupirants. Le recueil de Neuchâtel comporte un curieux *Songe de saint Valentin,* qui se déroule dans le monde des oiseaux : un faucon est le seul à ne pas avoir de « per », parce qu'il soupire pour l'inaccessible. Le *Livre Messire Ode* répertorie les sentiments contradictoires en face de la belle inflexible; un *Débat du Cœur et du Corps* oppose au premier, séduit par la « non-pareille d'honneur », le second, abandonné; un rondeau termine la pièce : Oton s'engage à n'aimer qu'« a croissant » (« J'aimerai tant que ce sera merveille! »). La *Complainte amoureuse de saint Valentin* est un jeu de ballades composées pour des réponses de la dame : si je choisis un autre ami, dit-elle, « en devez-vos crier sur moy ne braire? » Tous ces poèmes ont une structure simple et utilisent souvent la répétition. Avec Garencières, Granson met à la mode l'« homme vestu de noir », trouvant un plaisir masochiste dans la soumission totale à une dame qui, avec Chartier, manifeste son indépendance et se transforme en objet insaisissable. L'amour devient le lieu privilégié d'un « mal du siècle » qui a laissé la « joie » des siècles précédents pour « doulour et tristesse/Paine, ennuy, soussy et desconfort ». Signe de temps troubles, où même le rêve n'échappe plus aux soucis du quotidien? [Voir aussi SUISSE. Littérature d'expression française].

BIBLIOGRAPHIE
A. Piaget, *Oton de Granson. Sa vie, ses poésies,* Payot, 1941; D. Poirion, *le Poète et le prince,* Grenoble, 1965, rééd. Slatkine, 1978.
A. STRUBEL

OTTE Jean-Pierre (né en 1949). V. BELGIQUE. Littérature d'expression française.

OUELLETTE Fernand (né en 1930). Poète, essayiste, romancier québécois, Fernand Ouellette est un écrivain polyvalent, et son entreprise littéraire tend constamment à dépasser les frontières entre les genres : chez lui, la poésie se double de « questions de poétique », le journal intime se dénoue dans l'autoportrait romanesque, le texte engagé côtoie la confidence ou l'essai introspectif. Cette polyvalence se manifeste aussi dans l'orientation existentielle de l'écrivain, et elle s'exprime dans son art par une solide imbrication entre le vécu personnel, la littérature et une conscience sociale lucide et tourmentée, vis-à-vis de la dépossession québécoise aussi bien que de l'angoisse cosmique et des drames universels.

Ouellette s'adonnera à diverses activités : présence au groupe de l'« Hexagone », collaboration à la fondation de la revue *Liberté,* apport à l'établissement de la Rencontre québécoise internationale des écrivains. En 1971, il refuse le prix du gouverneur général du Canada, pour protester contre la proclamation de la loi de mesures de guerre décidée en octobre 1970. A cette occasion, il publie un texte intitulé « le Temps des veilleurs », où il précise le sens de son refus et de sa position en tant que poète et écrivain.

Si Ouellette reconnaît l'écriture comme un « acte total », il admet du même coup que sa pratique constitue une compromission individuelle à l'égard de la société et du monde. Et toute son œuvre est marquée par cette tension entre la solitude et la solidarité, entre la contemplation et l'action.

L'essentiel de l'œuvre poétique de Fernand Ouellette a été regroupé dans un recueil intitulé *Poésie 1953-1971* (publié en 1972 aux Éditions de l'Hexagone), recueil suivi par *Ici, ailleurs, la lumière* (1977) et *A découvert* (1979). Les débuts de cette quête poétique se caractérisent par l'expression d'une dualité intérieure tributaire à la fois de l'aventure personnelle du poète et du moment historique où elle s'inscrit. Dans les textes de la maturité, Ouellette vise à réconcilier la chair et l'esprit, l'exaltation érotique et la fascination mystique. L'exploration de la profondeur s'avoue comme le projet fondamental de cette poésie. A travers les thèmes parfois obsédants de la fulgurance et de l'errance, Ouellette tente de capter les multiples variations de la lumière, de suggérer par la mobilité langagière la perpétuité du mouvement et l'espace infini. La tension entre l'allégement et le durcissement, l'alourdissement de la pierre se résorbe dans la dynamique de l'œuvre, par la figure de l'oxymore et l'image conciliatrice du triangle. L'érotisme et l'illumination s'accordent à travers les motifs triangulaires du Tabor lumineux et du mont noir de la femme.

De nombreux essais accompagnent cet itinéraire poétique. *Les Actes retrouvés* (1970), *le Journal dénoué* et *Écrire en notre temps* (1979) traduisent la préoccupation réflexive et subjective de l'auteur à l'égard de l'être et de la société, de la création et de la culture. *Edgar Varèse* (1966, prix France-Québec) et *Depuis Novalis, errance et gloses* (1973) attestent la force de sentiment qui anime l'écrivain à l'égard des créateurs qu'il admire, tels Marc Chagall, Henry Miller, Pierre-Jean Jouve. Ces essais révèlent chez l'écrivain une culture approfondie, éclectique, toujours intégrée à sa propre expérience d'artiste.

Ouellette, tenté par l'écriture romanesque, a publié, en 1978, *Tu regardais intensément Geneviève,* et, en 1980, *la Mort vive.* Ces deux romans, qui ont été très controversés, proposent en transparence une « fiction » parfois assez proche de l'esprit ou de la trame autobiographique du *Journal dénoué* (1974); ils tiennent leur autonomie de la cohérence et de la continuité qu'ils entretiennent avec l'univers imaginaire et thématique de l'œuvre.

BIBLIOGRAPHIE

Pierre Nepveu, *les Mots à l'écoute. Poésie et silence chez Fernand Ouellette, Gaston Miron et Paul-Marie Lapointe,* Québec, P.U.L., « Vie des lettres québécoises », nº 17, 1979.

P.C. MALENFANT

OULIPO. Fondé, sur l'initiative de Raymond Queneau et de François Le Lionnais, en novembre 1960, par un petit groupe d'écrivains et de mathématiciens, l'« Ouvroir de littérature potentielle » ou OULIPO n'est pas un mouvement littéraire, non plus qu'une école théorique ou critique, mais « une sorte de groupe de recherches de littérature expérimentale », dont le propos est de fournir des formes littéraires susceptibles de nourrir des créations inédites. « Nous appelons littérature potentielle, explique Queneau, la recherche de formes et de structures nouvelles et qui pourront être utilisées par les écrivains de la façon qu'il leur plaira [...], dans lesquelles le poète ira choisir à partir du moment où il aura envie de sortir de ce qu'on appelle l'inspiration ». Plutôt qu'une littérature, une sorte de pré-littérature, de littérature en puissance, qui « pose les problèmes de l'efficacité et de la viabilité des structures littéraires artificielles » et, du même coup, s'affiche à contre-courant de toute une conception de l'écriture (et de la création artistique en général) : celle de l'a-formalisme, de la subjectivité et de l'aléatoire, qui, sous des formes diverses, resurgit çà et là tout au long de l'histoire littéraire : dans le romantisme, par exemple, ou dans le surréalisme, dont l'ascendant, encore très influent dans les années 60, sera pour l'OULIPO la cible prioritaire.

Illumination, inspiration, automatisme... ne sont qu'expressions d'une même illusion : « Il n'y a, affirme Queneau (et avec lui l'OULIPO), de littérature que volontaire », c'est-à-dire soumise, plus ou moins consciemment, à toute une série de contraintes et de procédures : contraintes du vocabulaire et de la grammaire, contraintes des règles du roman (division en chapitres...) ou de la tragédie classique (règle des trois unités...), contraintes des formes fixes, etc., dont l'histoire littéraire est l'illustration et qui, loin de constituer des entraves au « génie créateur », comme certains le prétendent, sont au contraire la corne d'abondance de la littérature, la littérature même.

Cette constatation d'où découle toute la démarche de l'OULIPO n'a en soi rien d'original : nombreux sont les théoriciens de la littérature qui déjà l'avaient formulée, nombreux aussi les créateurs, depuis les troubadours et les grands rhétoriqueurs jusqu'à Raymond Roussel et tant d'autres moins formalistes, comme Gide, qui, l'ayant pressentie, en ont fait un moteur essentiel de leur œuvre. La nouveauté de l'OULIPO sera de la prendre pour base d'un travail non encore tenté de façon concertée : l'exploration systématique, « et au besoin en recourant aux bons offices des machines à traiter l'information », des structures littéraires, et de ces structures seules, en deçà de toute préoccupation esthétique, de toute création poétique aboutie. Et cela dans deux directions, tournées respectivement vers l'analyse et vers la synthèse : « l'anoulipisme » (OULIPO analytique) et le « synthoulipisme » (OULIPO synthétique).

L'anoulipisme est axé sur l'exploration des contraintes observables dans certaines œuvres anciennes ou — quoique contemporaines — extérieures à l'OULIPO (qualifiées plaisamment de « plagiaires dans l'instant ou par anticipation ») et sur leur rénovation, leur exploitation à des fins nouvelles, au-delà, bien souvent, de ce que les auteurs avaient pu soupçonner.

Rénovation de formes fixes : la sextine du troubadour Arnaut Daniel, forme fixe d'une confondante complexité, dont Jacques Roubaud étend le principe dans la forme inédite de la onzine; les sonnets de Mallarmé, dont Raymond Queneau se sert en n'en conservant que les seules sections rimantes, pour composer de nouveaux poèmes (de mètre bref, sur le modèle du *haïku* japonais) et démontrer l'importance de la redondance chez Mallarmé.

Rénovation de contraintes linguistiques : phonétiques (rimes « hétérosexuelles » de Noël Arnaud), syntaxiques (romans « isosyntaxiques » de Jean Queval), alphabétiques (lipogrammes — c'est-à-dire textes d'où sont délibérément exclues une ou plusieurs lettres de l'alphabet — de Georges Perec). *La Disparition* de Perec — roman lipogrammatique en « e » (lettre statistiquement dominante en français), où la contrainte, principe d'écriture du roman, est également porteuse du sens même du roman — « est roman d'une disparition qui est la disparition du "e", est donc à la fois le roman de ce qu'il raconte et le récit de la contrainte qui crée ce qui se raconte ». Ce qui est déjà du synthoulipisme.

Le synthoulipisme est l'invention de structures entièrement nouvelles, le plus souvent à partir des mathématiques. Tendance plus ambitieuse, elle constitue la vocation essentielle de l'OULIPO « à l'intersection de la logique et des mathématiques, d'une part, et de la rhétorique, de la stylistique et de la poétique, de l'autre ».

Un peu marginale, la « recherche de méthodes de transformations automatiques de textes », dont la plus connue est la méthode du « S+n » (S+7 chez Jean Lescure), consiste à remplacer chaque substantif d'un texte par le énième qui suit dans un dictionnaire déterminé.

Enfin, la transposition, dans le domaine des mots, de concepts existant dans les diverses branches des mathématiques : algèbre de Boole (intersection de deux romans de Jacques Duchateau), algèbre matricielle (multiplication de textes de Raymond Queneau), géométrie (poèmes tangents entre eux de Le Lionnais). Les *Cent Mille Milliards de poèmes* de Queneau en 1960 (dont l'idée, antérieure même à l'OULIPO, est à l'origine de sa création) sont une application, en poésie, de la mathématique combinatoire : dix sonnets, dont les vers, tous construits sur les mêmes rimes, sont interchangeables et y servent de base à de multiples combinaisons, exactement 10^{14}; cent mille milliards de sonnets que le lecteur dispose et varie à son gré. En 1967, *Un conte à votre façon* reprendra le même principe, à propos de l'histoire de trois alertes petits pois.

La Vie mode d'emploi de Georges Perec (1978) est construite sur l'application d'une structure mathématique connue sous le nom de « bi-carré latin orthogonal d'ordre 10 ». Ce qui ne va pas, bien sûr, sans une part de jeu : la transposition ne pouvant guère qu'être métaphorique et, finalement, se résoudre, dans sa gratuité affichée, dans son caractère ouvertement artificiel, en une activité essentiellement ludique. Mathématiser la littérature, explorer ses structures, c'est aussi jouer avec la littérature, avec ses règles, qui ne sont jamais rien d'autre (règles classiques comme nouvelles contraintes) que les règles d'un jeu. De même, inversement, le jeu peut devenir source de littérature, ce que des œuvres comme *le Château des destins croisés* d'Italo Calvino, ou de Jacques Roubaud, construites respectivement sur les règles du jeu de tarots et sur celle du jeu de go, illustrent avec brio. Elles mettent en évidence le fondement mathématique de la théorie des jeux, le constant va-et-vient de la littérature au jeu et des mathématiques à la littérature, mouvements dont les interactions sont le matériau de l'OULIPO et sa justification même.

BIBLIOGRAPHIE

OULIPO (I), *la Littérature potentielle,* Gallimard, « Idées », 1973; OULIPO (II), *Atlas de littérature potentielle,* Gallimard, « Idées », 1981; Jacques Bens, *Oulipo 1960-1980,* Éd. Christian Bourgois, 1980; *Bibliothèque oulipienne,* rééd. Slatkine, 1981.

Voir aussi les bibliographies de R. QUENEAU, G. PEREC, J. ROUBAUD.

N. VASSEUR

OUOLOGUEM Yambo (né en 1940). Né dans la région de Bandiagara, au Mali, appartenant à l'ethnie Dogon, que nous ont rendue familière les travaux de l'ethnologue Marcel Griaule, Yambo Ouologuem a connu un destin analogue à celui des siens : l'engouement de l'Occident ne lui a pas été favorable. Les premiers essais poétiques de cet étudiant en lettres furent publiés en 1966 dans la *Nouvelle Somme de la poésie du monde noir.* Avec *le Devoir de violence* (1968), Ouologuem parvient brusquement à la célébrité en obtenant le prix Théophraste-Renaudot. Dans un débordement de sexe et de sang se succèdent les épisodes de l'oppression millénaire des Noirs par les Arabes. La rubrique littéraire du journal *le Monde* parle de Ouologuem comme du « premier écrivain africain de niveau international depuis Senghor ». A l'examen, *le Devoir de violence* se révélera devoir beaucoup à divers emprunts habilement disposés.

Coup sur coup, Ouologuem donne alors *Lettre à la France nègre* (1969) où il pousse assez loin l'humour sardonique en la dédiant « à toutes les victimes de l'antiracisme », et, sous le pseudonyme de RODOLPH UTTO, *les Mille et Une Bibles du sexe* (1969). Il y a chez Ouologuem un sens de la dérision qui l'amène à pratiquer une littérature de « nègre », conforme à la demande du public occidental et lui fournissant une Afrique à la mesure de ses désirs. L'étonnante trilogie que constituent ses écrits offre le même vomissement de mots, dans le déluge d'une phraséologie, où diverses obsessions se jouent confusément, où le style est celui d'un pamphlet dont on discerne mal la cible, Ouologuem semblant simplement animé d'une rage de profanation et du plaisir de « tonner contre ».

O. BIYIDI

OURLIAC Édouard (1813-1848). Journaliste et conteur, cet esprit curieux et bohème, volontiers mystificateur, devient rapidement, dans le groupe de l'hôtel du Doyenné, « le Molière de la bande, auteur et acteur avec la même verve et la même gaieté » (Arsène Houssaye). Quelques essais romanesques (*l'Archevêque et la Protestante,* 1832, *Jeanne la Noire,* 1833) font apprécier sa manière, agile et souvent grivoise, toujours anticonformiste. Son goût pour la parodie se manifeste dans *la Jeunesse du temps ou le Temps de la jeunesse* (1837), travestissement de *Robert Macaire.*

Tout en collaborant à des feuilles parfaitement conventionnelles (*le Constitutionnel, le Figaro*), Ourliac, en aventurant sa plume dans le fameux *Journal des enfants,* ne renonce pas à mettre en pratique sa devise : « Ma foi! vive la joie et les parades folles! » (*Suzanne,* 1840) lui vaut l'estime de Balzac, lucide cependant; le parti pris de naturel affiché par Ourliac teinte souvent son style d'une familiarité malvenue, l'encombre de scories où d'aucuns — contrairement à Baudelaire, qui voit en lui un écrivain trop « consciencieux » (*Conseils aux jeunes littérateurs,* ch. V) — reconnaissent les marques de la négligence. Il n'est pas dans le caractère de ce saltimbanque, qui goûte plus la rudesse des mœurs populaires que l'afféterie des cénacles, de ciseler sa forme.

Pas davantage rigoureux en matière politique, voilà bientôt cet aimable libertin converti au catholicisme par la lecture de Maistre et de Bonald, ami de Veuillot et journaliste à *l'Univers,* « retournant l'ironie de *Candide* contre la philosophie de Voltaire » (Balzac). Il ne lui reste plus alors qu'à mourir pieux et poitrinaire pour déchaîner sur son nom les derniers sarcasmes et gagner, en même temps que son paradis, sa vraie place « à la tête des romanciers de deuxième ordre ».

Baudelaire, l'ami de toujours, raille ce « petit Voltaire de hameau, à qui tout excès répugnait, surtout l'excès de l'amour de l'art » (*Sur mes contemporains, Petrus Borel*). Le diable paraît assurément avoir perdu toute séduction quand il s'est fait ermite.

On retiendra surtout de ses œuvres les *Contes du bocage* (1843), *Suzanne* (1840), *la Marquise de Montmirail* (1845) et *les Garnaches, Brigitte, le Souverain de Kazakaba* (posthume, 1858).

BIBLIOGRAPHIE

Charles Monselet, Préface des *Garnaches,* Paris, Librairie nouvelle, 1858.

D. GIOVACCHINI

OUTREMEUSE Jean d' (1338-1400). Greffier près la cour de l'official, il est l'auteur de deux chansons de geste (perdues), d'un lapidaire, et surtout de chroniques originales par leur méthode : la *Geste de Liège,* où il retrace l'histoire de sa ville depuis ses origines mythiques (fondation de Tongres par un descendant d'Énée) jusqu'à son temps; la période carolingienne est dominée par le personnage épique d'Ogier le Danois. Le *Myreur* (miroir) *des histors* en est une amplification en prose, dans laquelle l'histoire locale est rattachée à une histoire universelle où se mêlent sources bibliques (le début en est le déluge) et mythologiques (la guerre de Troie voisine avec Noé); nous y retrouvons le héros Ogier, que Dieu a préservé de la mort et rappelle des bras de Morgane pour sauver la chrétienté en 1214. S'agit-il dès lors de la mise en prose d'une geste perdue, dont on verrait les traces jusque dans les formules et les « vers blancs » qu'y a relevés A. Goose? L'usage de l'épopée comme source historique est remarquable. Mais l'auteur, dans son prologue, nous dit avoir fait une simple traduction : « Portant que maintes gens oient volentirs racompter... anchiennes hystors, croniques ou auctoritais [...] nous, Jehans des Pres dis d'Oultre-Mouse, clers ligois [...] et del court de Liege notaires et audienchier [...] nous vorrons demoustrer [...] chesty present croniques, que nous avons translateit de latien en franchois, affin que toutes maniers de singnour et aultres gens qui de latien n'ont nulle cognissanche, le pussent entendre »; quoi qu'il en soit, nous sommes ici dans une conception de l'histoire plus proche du roman que de la chronique.

BIBLIOGRAPHIE
Éd. Borgnet-Bormans, Bruxelles, 1864-1880 (le *Myreur des histors*); éd. critique d'un fragment du 2e livre par A. Goose, 1965.

A. STRUBEL

OUVILLE Antoine Le Metel d' (1590?-1657?). Dramaturge qui connut un certain succès vers le milieu du XVIIe siècle, d'Ouville est né à Caen. Boisrobert dit de lui qu'il était hydrographe, ingénieur, géographe, et « gueux de tous les costez ». Sa carrière d'auteur dramatique prit naissance en Espagne, où il vécut sept ans, apprit la langue et se maria. A son retour en France, il contribua fortement à la vogue du théâtre espagnol en publiant coup sur coup une série de comédies adaptées ou librement traduites des grands modèles qu'il avait appris à apprécier pendant son séjour.

Sa première pièce, *les Trahisons d'Arbiran* (1638), sans doute une commande de Richelieu, retient encore l'attention des historiens dans la mesure où elle aurait pu constituer une des sources du *Tartuffe* de Molière (selon H.C. Lancaster). Arbiran est un hypocrite, qui aime la femme de l'homme qui lui fait confiance, et se tire, par exemple, d'une situation équivoque en déclarant :

> Je regardois l'esmail de cette belle chaîne
> Dont la façon me plaist.

La pièce comporte aussi une longue tirade sur les différents faux-semblants qui règnent à la Cour.

Par la suite, d'Ouville adapta de Calderón *l'Esprit folet* (1639, publ. 1642) et *les Fausses Vérités* (1641, publ. 1643), ainsi que *Jodelet astrologue* (1646). De Lope de Vega il tira *l'Absent chez soy* (1643-1644). *La Dame suivante* (1645) et *la Coiffeuse à la mode* (1647) ont également des sources espagnoles. Ces œuvres sont des comédies d'intrigues, fertiles en événements, que d'Ouville prend soin de situer en général à Paris, en se référant à des quartiers précis. On a parfois discuté pour savoir s'il s'agit de traductions ou d'adaptations, mais il semble que d'Ouville conserve souvent une certaine liberté. Par exemple, dans *Jodelet astrologue,* le rôle du prétendu astrologue passe du jeune amoureux dans l'original espagnol à son valet dans la version française, afin d'offrir un rôle au fameux acteur comique Jodelet.

La plupart des œuvres de D'Ouville furent jouées à l'hôtel de Bourgogne avec un certain succès, et elles figurent dans le *Mémoire* de Mahelot.

Bien que d'Ouville se soit aussi inspiré des Italiens (*Aymer sans sçavoir qui,* 1646-1647) ou se soit tourné vers la tragi-comédie (*Soupçons sur les apparences,* 1650-1651), son nom reste surtout lié au développement de la *comedia* sur le modèle espagnol en France.

BIBLIOGRAPHIE
Voir H.C. Lancaster, *A History of French Dramatic Literature in the Seventeenth Century,* J. Hopkins Press, 1929-1942, vol. II; Cioranescu, *Estudios de literatura española y comparada,* La Laguna, 1954, p. 165-167.

J.-P. RYNGAERT

OVIDE MORALISÉ (XIVe siècle) **et la tradition ovidienne au Moyen Âge.**

De l'Ovide scandaleux à l'Ovide chrétien

Ovide fut « lu » dans les écoles médiévales autant que Virgile, surtout pour *les Métamorphoses,* mais aussi pour *l'Art d'aimer, les Héroïdes* et *les Fastes.* Peu goûté à l'époque carolingienne, puis rejeté pour des raisons morales et religieuses, il fait sa percée au XIIe siècle, parallèlement à la « courtoisie », à l'essor des villes et à la nouvelle place donnée à la femme. On le commente, on le traduit, on le résume, on l'adapte même *ad usum nonnarum.* Il sert d'autorité aux ouvrages « scientifiques » et encyclopédiques (Isidore, Raban Maur, Neckam, Honorius d'Autun, Hugues de Saint-Victor, Barthélemy l'Anglois, Thomas de Cantimpré; il est cité plusieurs centaines de fois chez Vincent de Beauvais, Albert le Grand et Brunet Latin). Trois courants se dégagent dans cette réception : la tradition d'un Ovide maître en l'art d'amour, arbitre suprême des cours (Godefroid de Reims, Hildebert de Lavardin, Gauthier de Châtillon, l'Archipoeta, Abélard); l'image d'un maître de sagesse, récupéré par le christianisme, qui se dédouble en « Ovide moraliste » et « Ovide philosophe »; enfin l'utilisation du corpus ovidien comme recueil de fables.

L'Ovide scandaleux, dangereux par la séduction de ses fictions, mais dont l'influence fut grande sur la littérature latine médiévale, sera progressivement neutralisé et réorienté : on met à contribution ses passages satiriques, ses sentences. Dans les écoles, à Orléans surtout, on en fait, à l'instar de Platon, un philosophe et l'on exploite son œuvre selon la technique de l'*integumentum,* commentaire allégorisant où l'on concilie le mythe antique, le platonisme et le christianisme; ainsi, chez Arnoul d'Orléans (*Allegoriae super Ovidii Metamorphosi*) et Jean de Garlande (*Integumenta Ovidii*). Sur cet Ovide philosophe s'est greffée la légende d'un Ovide chrétien, converti en secret, répandue par une pieuse supercherie littéraire, le *De vetula,* ajoutée au corpus : on y reconnaît la contagion de Virgile et la vieille idée que Dieu a accordé aux grands sages antiques une révélation partielle.

L'Ovide moralisé

C'est donc sur un riche arrière-plan d'adaptations — entreprise poursuivie par Bersuire au XIVe siècle — que se détache cette œuvre monumentale (72 000 vers) d'un anonyme Bourguignon (1291-1328?), attribuée à tort à Vitry ou à un chrétien Legouais, sur lequel nous ne savons rien. C'est une traduction des quinze livres des *Métamorphoses,* augmentée d'emprunts à d'autres textes (*Héroïdes, Roman de Troie*), de gloses latines incorporées au récit (les manuscrits, comme le BN 8011, comportent autant de gloses que les éditions modernes de notes); on y trouve ainsi des digressions sur Héro et Léandre (IV), sur Thésée accompagnant Hercule dans ses travaux; la *Philomena* de Chrétien de Troyes est conservée grâce à l'un de ces *excursus* (IV) qui perpétuent cette tradition médiévale qui consiste à insérer en entier des poèmes préexistants dans des compositions originales. Les parenthèses portent parfois sur des questions d'intérêt général (à propos de Pythagore, interrogation sur le droit de tuer les animaux; légitimité du droit de punir; efficacité de la peine de mort).

Le poème considère Ovide comme un réservoir de « fables de l'ancien temps ». Il ne s'agit plus d'y trouver des intentions profondes comme chez Arnoul (faire connaître, par le récit fabuleux des mutations du corps, les mouvements de l'âme, engager à préférer le bien éternel aux biens éphémères du monde); au contraire, on prête à Ovide la volonté de tromper sciemment : « Car par ce cuidoit a delivre/La grace d'Auguste aquerre/Qui banni l'avoit de sa terre ». Ovide se retrouve théologien malgré lui, prétexte à des gloses « historiques », évhéméristes, allégoriques et morales. L'auteur se propose d'extraire la vérité cachée : « Les mutacions des fables/Qui sont bones et profitables/Se Dieus me l'otroie, esclorrai » (I, 53 *sqq.*); le « mensonge » devient illustration de vérités diverses : « cestes fables/Qui toutes samblent mençoignables » où « n'i a riens qui ne soit voir »; « qui le sens en porroit savoir/La veritez seroit aperte/Qui sous la fable gist couverte ».

L'explication relève de l'« estoire » ou de l'« alegorie », et on nous livre le « sens », l'« entendement », la « signification », la « sentence ». Ainsi, les Géants (I, 1065-1185) sont les orgueilleux révoltés contre Dieu. Lycaon (I, 1519-1567) rappelle Hérode. Le mythe de Daphné (I, 3065-3260) reçoit deux solutions « historiques » (Daphné, fille du Pénée, poursuivie par Apollon et changée en laurier nous apprend que le soleil et l'humidité font pousser le laurier; une jeune fille a existé, qui, poursuivie, est tombée d'épuisement au pied d'un laurier) et deux « sentences profitables » (Daphné, fille du fleuve, est le tempérament froid, la virginité, et le laurier, comme la virginité, verdoie toujours et ne porte pas de fruit; Daphné est la Vierge, aimée par le vrai soleil, le Christ). De même, Mars et Vénus sont lus à trois niveaux (IV, 1488-1755) : comme allusion à la nature des planètes et à leur influence réciproque; puis « selonc l'istorial matire » (Vénus, dame réelle qui a trompé son mari forgeron avec un chevalier); enfin, « selonc l'alegorie » (Vénus est la luxure, Vulcain l'« ardure [ardeur] qui les cuers fait ardoir » et Mars le « destruisseres »; les filets avec lesquels Vulcain trompé a recouvert les ébats des amants sont les pièges de l'amour). Ces exemples dénoncent la technique de la « moralisation » : le mythe est une matière première, que l'on modèle à sa guise, selon quelques règles rudimentaires de correspondance entre personnages et actions. Si la traduction évhémériste réduit le mythe à l'insignifiance de l'anecdote, l'allégorisation le récupère dans la sphère chrétienne et lui assure la survie, jouant ainsi le rôle d'une entreprise de rationalisation.

Un résumé de l'œuvre a été rédigé en prose par un clerc normand en 1466/1467 pour René d'Anjou : il se caractérise par son extrême pudeur (ainsi, l'auteur refuse de raconter l'histoire de Pasiphaé qui figure sur l'original en VIII, 1 — cf. aussi l'épisode des effets de Vénus sur l'anatomie de Priape); mais parfois, un récit est traité de manière personnelle (le Jugement de Pâris, XI).

Ces textes sont sans doute la partie de la littérature médiévale la plus étrangère aux habitudes mentales d'un lecteur moderne, à la fois par leur nature de gloses et par leur démarche intellectuelle; mais leur importance est considérable dans la transmission des cultures et l'élaboration de l'imaginaire médiéval.

BIBLIOGRAPHIE

Éditions. — *Ovide moralisé* en vers, Éd. G. de Boer, Amsterdam, 1915-1938, 5 vol.; *Ovide moralisé* en prose, *id.*, Amsterdam, 1954.

A consulter. — G. Pansa, *Ovidio nel medio evo,* Sulmone, 1924; E.K. Rand, *Ovid and his Influence,* New York, 1928 (2e éd.); J. Engels, *Études sur l'Ovide moralisé,* Groningue, 1943; F. Munari, *Ovid im Mittelalter,* Zurich-Stuttgart, 1960; P. Demats, *Fabula. Trois Essais de mythographie,* Droz, 1973; éd. d'une traduction-commentaire de l'*Ars amatoria,* B. Roy, Leiden, 1974.

A. STRUBEL

OWEN Thomas (né en 1910). Après Jean Ray, Thomas Owen témoigne de la vivacité de l'école fantastique belge, en écrivant de nombreux récits (*Cérémonial nocturne,* 1966; *la Truie et autres histoires secrètes,* 1972; *Pitié pour les ombres,* 1973; *le Rat Kavar et autres histoires de vie et de mort,* 1975; *Bogaert et les maisons suspectes,* 1976). Il sait conduire son lecteur, assez classiquement, d'un univers connu, rassurant, souvent banal et terne vers l'étrange et parfois vers l'horrible; corrélativement, lorsqu'il lui arrive d'utiliser les éléments les plus traditionnels du fantastique, il sait les insérer dans le quotidien, de manière à les rendre tout proches, et plus directement menaçants : ce va-et-vient crée l'incertitude, qui est le propre du vrai fantastique.

Par ailleurs, Thomas Owen, sous le pseudonyme de STÉPHANE REY, est un critique d'art très estimé.

A. REY

OYONO Ferdinand Léopold (né en 1929). Écrivain et diplomate camerounais d'expression française. Né près d'Ebolowa, Ferdinand Oyono n'entre à l'école qu'à l'âge de dix ans, mais il révèle de tels dons que son père l'envoie en France, au lycée de Provins. Il s'inscrit ensuite à la faculté de droit de Paris, puis à l'École nationale d'administration. En 1956, il publie coup sur coup deux romans : *Une vie de boy* et *le Vieux Nègre et la Médaille.*

Il s'essaie au théâtre comme acteur, incarnant le rôle principal dans *Papa bon Dieu,* une pièce de Louis Sapin, jouée au théâtre de l'Alliance française.

Ses études achevées, en 1960, il publie son troisième roman, *Chemin d'Europe.* Quand son pays accède à l'indépendance, Oyono entre dans la carrière diplomatique. Il sera ambassadeur du Cameroun en France, en Italie, auprès de la C.E.E., à l'O.N.U., puis dans plusieurs pays d'Afrique. En 1974, il devient représentant permanent du Cameroun auprès des Nations unies à New York.

Les œuvres d'Oyono, avec celles de Mongo Beti, marquent la naissance du roman camerounais contemporain en langue française. Ancrée dans le monde colonial camerounais, la trilogie d'Oyono exprime une réalité nationale qui n'avait jusqu'alors jamais été décrite. Les personnages de ces romans remettent en question la version officielle de l'entreprise coloniale et son discours. L'humour, l'ironie et la satire s'unissent dans un projet bien précis : la destructuration des stéréotypes sur lesquels reposait le maintien de l'ordre avant l'indépendance.

Mieux que tout discours ethnographique, le journal d'un adolescent que constitue *Une vie de boy* permet de saisir les déchirements et les contradictions nés de la colonisation. Par son caractère subversif, la stratégie narrative — la prise de parole par un domestique noir — permet, au fur et à mesure que progresse l'initiation du garçon au monde des colonisateurs, de faire éclater l'image acceptée du missionnaire, du commandant de cercle, et des divers Blancs détenteurs de l'autorité.

La prise de conscience de la signification du colonialisme dynamise la technique narrative dans *Une vie de boy,* et elle fait partie de l'intrigue même dans *le Vieux Nègre et la Médaille,* où elle est déclenchée chez le protagoniste par la décoration qui lui est décernée pour services rendus à la France : le vieux Nègre comprend que les appels des administrateurs et du missionnaire blanc à l'égalité et à la fraternité ne visent qu'à maintenir l'exploitation par les Blancs. Le vieux Nègre rejette alors le monde blanc pour effectuer un retour aux sources de sa propre culture.

Le problème de l'acculturation, tributaire de la colonisation, trouve son expression littéraire chez Oyono dans *Chemin d'Europe*. Oyono crée un type d'Africain qui a été coupé de ses propres racines culturelles par sa formation scolaire « européocentrée ». Ne participant ni à la vie traditionnelle camerounaise ni à celle de l'Occident qu'il idéalise, le héros cherche fortune à la ville. Vivant d'expédients en attendant le jour où il pourra enfin voir l'Europe, il représente un personnage nouveau dans le roman camerounais : le picaro. Né de l'éclatement de la société traditionnelle et de l'imparfaite assimilation de la culture occidentale, le picaro est l'expression de la situation difficile de l'homme africain à la veille de l'indépendance.

Les œuvres d'Oyono, révélatrices de l'inadéquation entre les discours négrophile, ethnographique et littéraire et la réalité camerounaise, furent d'abord accueillies avec méfiance après leur publication chez Julliard en 1956 et en 1960. Rééditées depuis dans la collection « 10/18 », elles ont été intégrées aux programmes scolaires et universitaires du Cameroun en raison de leur haute qualité littéraire ainsi que de leur valeur de témoignage.

BIBLIOGRAPHIE

Douglas Alexander, « le Tragique dans les romans de Ferdinand Oyono », *Présence francophone,* 7, p. 24-30; A.C. Brench, *the Novelists' Inheritance in French Africa,* London, 1967; Kwabena Britwum, « Regard, mémoire, témoignage : l'œil du sorcier dans *Une vie de boy,* de Ferdinand Oyono », *Présence francophone,* 14, p. 37-41; id., « Romantisme, colonialisme, contestation : une lecture de *Chemin d'Europe* de Ferdinand Oyono », *Présence francophone,* 17, p. 3-11; id., « Temps et fiction dans *Une vie de boy* de Ferdinand Oyono », *Présence francophone,* 21, p. 47-52; Grace Etonde-Ekoto, « *le Vieux Nègre et la Médaille* de Ferdinand Oyono », *Ngam,* Cahiers du département de littérature africaine comparée, 3/4 (janv.-juin 1978), p. 260-289; Raymond Elaho, « *la Jalousie* d'Alain Robbe-Grillet et *Une vie de boy* de Ferdinand Oyono », *l'Afrique littéraire et artistique,* 4 : 42, 1976, p. 13-19; Aloys U. Ohaegbu, « l'Univers romanesque d'Oyono », *Éthiopiques,* 10, p. 70-80; O. Oke, « Ferdinand Oyono and the Quest for Europe », *Présence africaine,* 104, p. 127-137; Gerald Storzer, « Narrative Technique and Social Realities in Ferdinand Oyono's *Une vie de boy* and *le Vieux Nègre et la Médaille* », *Critique : Studies in Modern Fiction,* 19 : III, p. 89-102; Wilberforce Umezinwa, *la Religion dans la littérature africaine,* Kinshasa, Presses universitaires du Zaïre, 1975.

E.A. BRIÈRE

OYÔNÔ MBIA Guillaume (né en 1939). Né à Mvoutessi au Cameroun, Oyônô Mbia poursuit ses études secondaires au collège évangélique de Libamba. C'est là qu'il écrit, en 1960, sa première pièce de théâtre, *Trois Prétendants... un mari,* comédie illustrant les implications de la pratique matrimoniale de la dot. Couronnée par le prix El Hadj Ahmadou Ahidjo en 1970, la pièce connaît toujours un grand succès au Cameroun.

Commençant sa carrière professorale en 1961, Oyônô Mbia fonde une troupe théâtrale au collège de Libamba, puis, boursier du British Council, va étudier l'anglais et le français à l'université de Keele, en Angleterre. Dans ce pays, Oyônô Mbia remporte, avec une pièce radiophonique en anglais, *Until Further Notice,* le premier prix du concours théâtral africain organisé par le B.B.C. African Service. Jouée au festival d'Édimbourg en 1967, cette pièce traite des espoirs soulevés au village par le retour annoncé d'un jeune couple ayant fait ses études en Europe. Oyônô donne une version française de la pièce, *Jusqu'à nouvel avis,* enregistrée par les services français de la B.B.C., puis jouée au Cameroun au Centre fédéral linguistique et culturel de Yaoundé. Il écrit également une version anglaise de *Trois Prétendants... un mari,* qui est jouée à l'université de Keele. *Three Suitors... One Husband* et *Until Further Notice* sont publiées chez Methuen, à Londres, et, en français, par les éditions C.L.É. à Yaoundé.

En 1969, la pièce radiophonique *His Excellency's Special Train* est diffusée à la B.B.C. Ses études terminées à Keele, Oyônô Mbia est nommé assistant au département d'anglais de l'université de Yaoundé. Cette même année, *Notre fille ne se mariera pas* remporte un prix au concours théâtral inter-africain organisé par l'O.R.T.F. Sous le titre *Chroniques de Mvoutessi,* Oyônô Mbia publie en 1971-1972 trois recueils de nouvelles qu'il avait commencé à rédiger dès 1964.

L'œuvre de Guillaume Oyônô Mbia marque de manière décisive le théâtre de son pays, car elle reflète avec beaucoup d'humour les conflits nés de l'affrontement entre les valeurs traditionnelles et celles de la nouvelle société camerounaise, scolarisée, urbanisée et souvent européanisée. Par la suite, nombre de dramaturges suivront le sillage tracé par Oyônô Mbia afin de doter le Cameroun d'un théâtre comique aux dimensions nationales. Son œuvre, bilingue, est accessible aux anglophones du Cameroun occidental comme aux francophones du reste du pays.

Oyônô Mbia a quitté en 1975 le poste de chef de service aux Affaires culturelles du ministère de l'Information et de la Culture, fonction qu'il assumait depuis 1972, et pris quelque distance par rapport au milieu enseignant. Il est regrettable que le talent de ce dramaturge n'ait pas jusqu'ici trouvé les conditions permettant son plein épanouissement.

BIBLIOGRAPHIE

Cosmo Pieterse, « Oyônô Mbia, Cameroonian Playwright interviewed », *Cultural Events in Africa,* n° 55, 1969, p. 1; id., « Guillaume Oyônô Mbia, Cameroon Playwright, Interview », *Abbia,* n° 24 (janvier-avril 1970), p. 141-146; Antoine Chonang, « le Théâtre de Guillaume Oyônô Mbia : par-delà le rire, l'Autopsie de la société », *Cameroon Tribune,* 6 janv. 1975, p. 2; Henry-Paul Bolap, « Conférence de M. Guillaume Oyônô Mbia : le Calvaire des écrivains camerounais contemporains », *Cameroon Tribune,* 13 février 1976, p. 5; Irmelin Hossman, « le Théâtre camerounais en pleine expansion », *Afrique,* n° 6, supplément trimestriel, 1966, p. 60-61.

E.A. BRIÈRE

Achevé d'imprimer
en septembre 1984
par l'Imprimerie Berger-Levrault
à Nancy
n° 779909-9-1984

Dépôt légal : septembre 1984
Imprimé en France